MW00648632

# LE ROBERT
POCHE

Nouvelle édition entièrement revue et enrichie.


ISBN 978-2-32101-655-7 (Le Robert de poche)
ISBN 978-2-32101-656-4 (Le Robert de poche plus)

# LE ROBERT
# POCHE

LE ROBERT

**Principaux collaborateurs**

***nouvelle édition***
dirigée par Marie-Hélène Drivaud

**rédaction :** Édouard Trouillez (langue),
Bérengère Baucher, avec Michèle Lancina (noms propres)

**mise en page et informatique éditoriale :** Karol Goskrzynski, Monique Hébrard, Sébastien Pettoello et Claude Sellin

**lecture-correction :** Élisabeth Huault avec Anne-Marie Lentaigne, Méryem Puill-Châtillon et Muriel Zarka-Richard

**production :** Maud Dubourg avec Nadine Noyelle

***première édition* (1995)**
dirigée par Danièle Morvan

**langue française :** Danièle Morvan, Françoise Gérardin ;
avec le concours d'Aliette Lucot

**noms propres :** Carl Aderhold

**mise à jour :** Laurence Laporte, Nadine Noyelle

***deuxième édition* (2006)**
dirigée par Danièle Morvan

**rédaction :** Alain Rey, Danièle Morvan, Gilles Firmin ;
avec le concours de Bruno de Bessé

**mise à jour :** Laurence Laporte avec Sophie Chantreau, Nadine Noyelle, Édouard Trouillez et Dominique Vernier-Lopin

Cet ouvrage est un ouvrage collectif, publié par la société Dictionnaires Le Robert, représentée par Charles Bimbenet, directeur général.

# PRÉFACE

par
Alain Rey

Entre le dictionnaire, guide culturel, juge de paix du langage, livre des livres, et le « poche », objet social commode, économique, populaire, existe une relation paradoxale. Comment faire tenir dans ce petit format les références souhaitables ? Comment conserver le ton, les qualités d'analyse, le programme métho-dique des « Robert », à l'intérieur d'un laconisme exigé ?

Évaluation faite, il m'apparaît que Danièle Morvan, à qui l'on doit déjà le *Robert pour tous,* a trouvé la réponse à ces défis.

La nomenclature du *Robert de poche* est étonnamment riche : plus de 40 000 formes, en entrées pour la plupart, en dérivés pour certaines, ce qui incite le lecteur à percevoir la morphologie. Cette nomenclature est moderne, parfois très actuelle, mais elle n'abandonne pas ce que l'enseignement incite à conserver de l'usage classique : lecture oblige ! Pour les mots fréquents et essentiels, l'analyse des significations est ici presque aussi subtile que dans de beaucoup plus gros recueils. Les définitions — au moins celles des concepts importants — sont précises, parfois améliorées par rapport aux ouvrages de base. Les locutions, les manières de dire qui font la couleur et le pittoresque du langage, sont plus abondantes que dans les ouvrages équivalents. En outre, ce « poche » est le seul à renvoyer le lecteur d'un mot qu'il connaît, puisqu'il le consulte, à un mot qu'il ignore (synonyme, terme analogue) ou à un mot qu'il peut confondre avec un autre. Les prononciations difficiles sont mentionnées ; les difficultés orthographiques et grammaticales aussi. Toutes ces informations visent un seul objectif : satisfaire des besoins primordiaux, ceux de l'élève, ceux du lecteur désireux de comprendre exactement, ceux de l'apprenant en français à la poursuite de la difficile maîtrise de cette langue, ceux des francophones et des non francophones qui souhaitent se familiariser avec un bon usage qu'ils n'ont pas toujours l'occasion de côtoyer.

Apprentissage, enrichissement, amour de la langue sont les maîtres mots, les grands mots de ce petit livre. C'est au service de ces objectifs qu'une habile technique de mise en texte a été élaborée et employée par les principales responsables de ce dictionnaire de langue condensé. Chaque mot a été pesé, chaque élément hiérarchisé, chaque espace évalué pour aboutir à une « essence », comme dirait un parfumeur — et peut-être un philosophe.

Mais pour dégager la « substantifique moelle », la gestion des ressources typographiques et la chasse aux espaces inutilisés ne suffisent pas. La maîtrise des moyens techniques qu'apporte l'informatique est au service de méthodes, de choix, d'options de nature strictement lexicographique. Et c'est en spécialiste de cette technique délicate, où le savoir est toujours nécessaire et insuffisant, où le goût et une certaine inspiration ne sont jamais inutiles, que je juge ce dictionnaire : il me paraît mériter les poches et les sacs les plus exigeants.

D'autant qu'on y trouvera aussi des annexes sur les deux points les plus ardus de la grammaire française : les conjugaisons et l'accord des participes.

Entre le dictionnaire de langue et le dictionnaire de noms propres, cette nouvelle édition propose une abondante liste de noms propres de lieux, avec l'adjectif et nom qui leur correspond *(le gentilé)*.

La partie « noms propres » a fait l'objet d'un soin particulier. À l'aide-mémoire touffu, bourré de dates et de repères, de la première version, s'est substitué, nous l'espérons, un vrai dictionnaire.

En effet, non seulement ce nouveau texte porte le nombre de noms traités à 9 000, mais il précise, pour les principaux, quelles sont la nature et l'importance du lieu, ou bien celles de l'œuvre, de l'activité du personnage cité.

Au-delà du simple repérage quantitatif, les brefs articles consacrés aux grands noms de la culture, de l'histoire et de la géographie, soulignent les principaux caractères des personnes et des lieux mentionnés, justifiant ainsi la sélection. Cependant, pour obtenir à la fois l'amélioration des contenus culturels et la plus grande économie d'espace, nous avons dû procéder à des choix. Ainsi les noms de pays et de villes généralement bien connus donnent surtout lieu à des repérages et au rappel simplifié d'événements historiques majeurs, alors que les noms d'écrivains, d'artistes, de musiciens donnent lieu aux développements qui nous ont paru nécessaires pour construire une référence culturelle.

Ainsi, en fournissant aux mots de la langue un complément, on veut permettre au lecteur de hiérarchiser et de mémoriser l'essentiel des moyens d'expression en langue française, de manière à s'exprimer et à communiquer avec justesse et précision.

Cette édition, mise à jour et millésimée, enrichie mais à peine épaissie, du petit dernier des « Robert », élève le « poche » aux ambitions des grands dictionnaires les plus sérieux, vers l'exigence difficile d'une culture véritablement démocratique.

# Tableau des signes conventionnels et abréviations

Ce tableau présente les abréviations utilisées dans le dictionnaire, ainsi que certains des signes conventionnels et symboles. Les termes qui ne sont pas abrégés dans le dictionnaire n'ont pas été repris dans cette liste.

### Les informations sur l'usage

Dans le dictionnaire, le marquage d'un mot par un terme en caractères étroits (par exemple fam. « familier ») indique que le mot n'appartient pas à l'usage courant, mais à un usage socialement marqué ; en particulier, les noms de domaines (biol. par exemple) indiquent que le terme dont ils précèdent la définition appartient au vocabulaire des spécialistes de ce domaine. L'absence de tout marquage de cette nature indique que l'emploi du mot est normal dans la langue courante.

### Les informations sur la langue

Les informations sur la langue (métalangue) sont présentées par deux types de caractères :
1) un caractère « bâton » pour les informations grammaticales au sens large et les catgories grammaticales ;
2) un caractère plus étroit pour les autres informations sur la langue (remarques, explicitation des sens, attitudes de discours...).

**I, II...** numéros généraux correspondant à un regroupement de sens apparentés ou de formes semblables

**1, 2...** numéros correspondant à un sens, et éventuellement à un emploi ou un type d'emploi (parfois regroupés sous **I, II...** )

◆ signe de subdivision qui introduit les nuances de sens ou d'emploi à l'intérieur d'un sens, notamment un sens numéroté

◆ signe de subdivision qui introduit les nuances déterminées par le contexte, les emplois ou expressions à l'intérieur d'un même sens ou d'une même valeur

■ signe de séparation qui suit, dans certains cas, la rubrique consacrée à l'entrée et l'isole du développement de l'article

– signe de séparation qui isole les informations dont la mention ne s'inscrit pas dans l'analyse des sens du mot (remarques, présentation d'abréviations, etc.)

▷ signe de séparation qui introduit les sous-articles d'un article (forme pronominale d'un verbe transitif, participe passé à valeur d'adjectif...) ; cette subdivision est indépendante des divisions propres aux emplois décrits avant elle, et peut elle-même être analysée en **I, II...** , etc.

► signe de séparation qui introduit les sous-entrées d'un article (mots de la même famille, notamment des dérivés)

① avant une entrée, signale qu'il s'agit d'une forme homographe d'une autre (ex. ① **boucher** et ② **boucher**)

[1] pour les verbes, donne le numéro de conjugaison, qui renvoie aux tableaux placés en annexe

[ ] après une entrée, contient la transcription phonétique d'un mot, quand il ne se prononce pas selon les règles générales de la correspondance entre l'écriture et la prononciation *(voir tableau en annexe)*

* placé avant un mot (notamment un mot commençant par un *h*), signale que ce mot se prononce sans liaison et sans élision

| | |
|---|---|
| * | placé après un mot, signale qu'on trouvera une information à l'article consacré à ce mot |
| → | suivi d'un mot en gras, présente un mot qui a un grand rapport de sens : 1) avec le mot traité ; 2) avec l'exemple ou l'expression qui précède<br>si le mot qui suit n'est pas en gras, présente un mot de sens comparable, une expression, une locution de même sens, etc. |
| ≠ | présente un mot dont l'orthographe, la prononciation ou le sens peuvent prêter à confusion avec le mot qui fait l'objet de l'article |
| + | présente les constructions (ex. + subj., + adj.) |
| abrév. | abréviation |
| absolt | absolument (en construction absolue : sans le complément attendu) |
| abusivt | abusivement (emploi très critiquable, parfois faux sens ou solécisme) |
| Acad. | Académie |
| acoust. | acoustique |
| adj. | adjectif |
| adjectivt | adjectivement |
| admin. | administratif |
| adv. | adverbe ; adverbial |
| aéron. | aéronautique |
| agric. | agriculture |
| alchim. | alchimie |
| alg. | algèbre |
| allus. | allusion |
| alphab. | alphabétique |
| alpin. | alpinisme |
| amér. | américain (variété d'anglais parlé et écrit en Amérique du Nord, notamment aux États-Unis) |
| anat. | anatomie |
| anc. | ancien |
| ancinnt | anciennement (présente un mot ou un sens qui désigne une chose du passé disparue) |
| angl. | anglais |
| anglic. | anglicisme |
| anthropol. | anthropologie |
| Antiq. | Antiquité |
| apic. | apiculture |
| appos. | apposition ; apposé |
| arbor. | arboriculture |
| archéol. | archéologie |
| archit. | architecture |
| arithm. | arithmétique |
| art. | article |
| astrol. | astrologie |
| astron. | astronomie |
| autom. | automobilisme |
| aviat. | aviation |
| biochim. | biochimie |
| biol. | biologie |
| bot. | botanique |
| c.-à-d. | c'est-à-dire |
| cathol. | catholique |
| cf. | confer (« comparez ») |
| chap. | chapitre |
| chim. | chimie |
| chir. | chirurgie |
| chorégr. | chorégraphie |
| chrét. | chrétien |
| cin. | cinéma |
| cit. | citation |
| class. | classique |
| comm. | commerce |
| compar. | comparatif ; comparaison |
| compl. | complément |
| comptab. | comptabilité |
| cond. | conditionnel |
| confis. | confiserie |
| conj. | conjonction ; conjonctif |
| conjug. | conjugaison |
| contr. | contraire |
| coord. | coordination |
| cour. | courant |
| cout. | couture |
| cuis. | cuisine |
| déf. | défini |
| dém. | démonstratif |
| démogr. | démographie |
| dial. | dialecte ; dialectal |
| dict. | dictionnaire |
| didact. | didactique |
| dimin. | diminutif |
| dir. | direct (dans tr. dir. « transitif direct ») |
| dr. | droit |
| ecclés. | ecclésiastique |
| écol. | écologie |
| écon. | économie |
| électr. | électricité |
| électron. | électronique |
| ellipt | elliptiquement |
| embryol. | embryologie |
| empr. | emprunt |
| entomol. | entomologie |
| équit. | équitation |
| escr. | escrime |
| ethnogr. | ethnographie |
| ethnol. | ethnologie |
| éthol. | éthologie |
| étym. | étymologie ; étymologique |
| ex. | exemple |
| exagér. | exagération |
| exclam. | exclamation ; exclamatif |
| expr. | expression |
| ext. | extension (par ext. : présente une acception ou une valeur plus large, plus étendue que |

celle qui vient d'être traitée ; s'oppose à spécialt)
f. féminin
fam. familier
fém. féminin
fig. figureé
fin. finance
forest. foresterie
franç. français
généralt généralement
géogr. géographie
géol. géologie
géom. géométrie
germ. germanique
gramm. grammaire ; grammatical
hippol. hippologie
hispano-amér. hispano-américain (espagnol d'Amérique latine)
hist. histoire
histol. histologie
hom. homonyme
horlog. horlogerie
hortic. horticulture
hydrogr. hydrographie
imp. imparfait
impér. impératif
impers. impersonnel
imprim. imprimerie
impropr t improprement
ind. indirect (dans tr. ind. « transitif indirect »)
indéf. indéfini
indic. indicatif
indir. indirect
inf. infinitif
inform. informatique
interj. interjection ; interjectif
interrog. interrogation ; interrogatif
intr. intransitif
intrans. intransitif ; intransitivement
invar. invariable
iron. ironique ; ironiquement
irrég. irrégulier
ital. italien
journal. journalisme
jurid. juridique
lang. langage
ling. linguistique
littér. littéraire
littéralt littéralement (« mot pour mot »)
loc. locution
loc. adj. locution adjective
loc. adv. locution adverbiale
loc. conj. locution conjonctive
loc. prép. locution prépositive
loc. verb. locution verbale
log. logique
m. masculin
maçonn. maçonnerie
maj. majuscule
mar. marine
masc. masculin
math. mathématique
mécan. mécanique
méd. médecine ; médical
menuis. menuiserie
météorol. météorologie
milit. militaire
minér. minéralogie
mod. moderne
mus. musique
mythol. mythologie ; mythologique
n. nom
n. f. nom féminin
n. m. nom masculin
nat. naturel (dans sc. nat. « sciences naturelles »)
néerl. néerlandais
n. pr. nom propre
océanogr. océanographie
œnol. œnologie
off. officielle (dans recomm. off. « recommandation officielle »)
onomat. onomatopée ; onomatopéique
oppos. opposition
opt. optique
orig. origine (d'un mot)
orth. orthographe ; orthographique
p. page
p. participe (dans p. p. « participe passé » ; p. prés. « participe présent »)
p. passé (dans p. p. « participe passé »)
paléont. paléontologie
pathol. pathologie
p.-ê. peut-être
peint. peinture
péj. péjoratif
pers. personne ; personnel
pharm. pharmacie
philos. philosophie
phonét. phonétique
photogr. photographie
phys. physique
physiol. physiologie
pl. pluriel
plais. plaisanterie ; plaisant
plur. pluriel
poét. poétique
polit. politique
pop. populaire
poss. possessif
pr. propre (dans n. pr. « nom propre »
préhist. préhistoire
prép. préposition ; prépositif
prés. présent (temps de l'indicatif, du subjonctif... ; et dans p. prés. « participe présent »
probablt probablement

| | |
|---|---|
| pron. | pronom ; pronominal |
| pronom. | pronominal ; pronominalement |
| prononc. | prononciation |
| proprt | proprement (« au sens propre ») |
| prov. | proverbe ; proverbial |
| psych. | psychiatrie ; psychologie ; psychanalyse |
| qqch. | quelque chose |
| qqn | quelqu'un |
| rad. | radical |
| récipr. | réciproque |
| recomm. | recommandation (dans recomm. off. « recommandation officielle » ; terme conforme aux lois et décrets français sur la langue) |
| réfl. | réfléchi |
| région. | régional (mot ou emploi particulier au français parlé dans une ou plusieurs régions [France, pays francophones] mais qui n'est pas d'usage général |
| rel. | relatif |
| relig. | religion ; religieux |
| rem. | remarque |
| rhét. | rhétorique |
| s. | siècle |
| sc. | science ; sciences ; scientifique |
| sc. nat. | sciences naturelles |
| scol. | scolaire |
| sing. | singulier |
| sociol. | sociologie |
| spécialt | spécialement (présente une acception ou une valeur plus étroite, moins étendue que celle qui vient d'être traitée ; s'oppose à par ext.) |
| statist. | statistique |
| subj. | subjonctif |
| subst. | substantif ; substantivement |
| suff. | suffixe |
| superl. | superlatif |
| sylvic. | sylviculture |
| symb. | symbole |
| syn. | synonyme |
| techn. | technique |
| télécomm. | télécommunications |
| télév. | télévision |
| théol. | théologie |
| tr. | transitif |
| trans. | transitif ; transitivement |
| typogr. | typographie |
| v. | verbe |
| v. intr. | verbe intransitif |
| v. pron. | verbe pronominal |
| v. tr. | verbe transitif |
| var. | variante |
| vén. | vénerie |
| verb. | verbal |
| vétér. | vétérinaire |
| vulg. | vulgaire |
| vx | vieux (mot, sens ou emploi de l'ancienne langue, peu compréhensible de nos jours) |
| zool. | zoologie |

Dans la partie « noms propres », les abréviations supplémentaires utilisées sont :

| | |
|---|---|
| anc. | ancien, anciennement |
| apr. | après |
| arrond. | arrondissement |
| auj. | aujourd'hui |
| env. | environ |
| J.-C. | Jésus-Christ |
| s. | siècle |
| v. | vers |

# LANGUE FRANÇAISE

# A

**a** [ɑ] n. m. Première lettre, première voyelle de l'alphabet. – loc. *De A à Z,* du commencement à la fin. *Prouver qqch. par a + b,* de façon certaine, indiscutable.

**à** prép. REM. contraction de *à le* en *au,* de *à les* en *aux* **I** introduisant un objet (complément) indirect *Nuire à qqn. Le recours à la force. Fidèle à sa parole.* – *À ce que* (+ subj.). *Je tiens à ce qu'il vienne.* **II** rapports de direction **1** Lieu de destination. *Aller à Lyon.* – *De... à... Du Nord au Sud.* **2** *(De... à...)* Progression dans une série. *Du premier au dernier.* – (temps) *J'irai de 4 à 6 (heures).* ♦ (approximation) *Un groupe de quatre à dix personnes.* **3** Jusqu'à (un extrême). *Courir à perdre haleine.* **4** Destination, but. → **pour.** *Un verre à bière.* **5** Attribution. *Salut à tous !* **III** rapports de position **1** Position dans un lieu. *Un séjour à la mer.* **2** Activité, situation. *Se mettre au travail.* **3** Position dans le temps. *Le train part à midi.* **4** Appartenance. *Ceci est à moi.* – *C'est à moi de l'aider,* il m'appartient de l'aider. **IV** manière d'être ou d'agir **1** Moyen, instrument. *Aller à pied.* **2** Manière. *Acheter à crédit.* **3** Prix. *Je vous le vends à dix francs.* → **pour.** **4** Accompagnement. → **avec.** *Un pain aux raisins.* **5** (avec des nombres) *Ils sont venus à dix.* – *Deux à deux,* deux à la fois. → **par.**

**abaisser** v. tr. [1] **1** Faire descendre à un niveau plus bas. → **baisser.** **2** Diminuer la quantité de, faire baisser. *Abaisser un taux.* **3** Humilier (qqn). → **rabaisser.** ▷ v. pron. s'**abaisser** ► **abaissement** n. m.

**abajoue** n. f. Poche entre la joue et la mâchoire chez certains animaux, servant de réserve à aliments.

**abandon** n. m. **1** Action d'abandonner, de renoncer à (qqch.) ou de laisser (qqch., qqn). *L'abandon d'un projet.* – *À l'abandon :* laissé sans soin. ♦ spécialt (en sport) Action d'abandonner (4). **2** Fait de se laisser aller, de se détendre. *Une pose pleine d'abandon.* ♦ *S'épancher avec abandon.* → **confiance.**

**abandonner** v. tr. [1] **1** Renoncer à, ne plus vouloir de (qqch.). **2** Quitter, laisser définitivement (qqn envers qui on est lié). **3** Quitter définitivement (un lieu). **4** Renoncer à (une action difficile). ♦ sans compl. *Athlète qui abandonne* (en cours d'épreuve). **5** Cesser d'utiliser. *Abandonner une hypothèse.* ▷ v. pron. s'**abandonner** **1** Se laisser aller (à un sentiment...). *S'abandonner au désespoir.* **2** Se laisser aller, se détendre. – au p. p. *Une pose abandonnée.* **3** Se livrer avec confiance.

**abaque** n. m. **1** Boulier. **2** math. Graphique donnant la solution d'un calcul.

**abasourdir** v. tr. [2] **1** Assourdir, étourdir par un grand bruit. **2** Étourdir de surprise. → **sidérer, stupéfier.** ▷ p. p. **abasourdi, ie** ► **abasourdissant, ante** adj.

**abâtardir** v. tr. [2] littér. Faire perdre ses qualités à (qqn, qqch., une œuvre). → **avilir, dégrader.** ► **abâtardissement** n. m.

**abat-jour** n. m. invar. Réflecteur qui rabat la lumière d'une lampe.

**abats** n. m. pl. Parties comestibles d'animaux, autres que leur chair (cœur, foie...).

**abattage** n. m. **I** Action d'abattre. **II** loc. *Avoir de l'abattage,* du brio, de l'entrain.

**abattant** n. m. Pièce d'un meuble qu'on peut lever ou abaisser.

**abattement** n. m. **I** Diminution d'une somme à payer. **II 1** Grande diminution des forces physiques. **2** Dépression morale.

**abattis** n. m. pl. **1** Abats de volaille. **2** fam. Les bras et les jambes (de qqn). loc. *Tu peux numéroter tes abattis !* (menace).

**abattoir** n. m. Lieu où l'on abat les animaux de boucherie.

**abattre** v. tr. [41] **I** Faire tomber. **1** Faire tomber, jeter à bas. *Abattre un arbre, un mur.* **2** Faire tomber (un être vivant) en donnant un coup mortel. → **tuer.** – *Abattre qqn,* l'assassiner avec une arme à feu. ♦ Détruire (un avion) en vol. **3** *Abattre son jeu :* étaler ses cartes ; fig. dévoiler ses intentions. **4** *Abattre de la besogne,* travailler beaucoup et efficacement. **II 1** Rendre (qqn) faible. → **épuiser.** **2** Ôter l'énergie, l'espoir à (qqn). *Ne vous laissez pas abattre.* ▷ v. pron. s'**abattre** **1** Tomber tout d'un coup. **2** Se laisser tomber (sur qqch.). ▷ adj. **abattu, ue** **1** Très fatigué. **2** Triste et découragé.

**abbatial, ale, aux** adj. D'une abbaye ; d'un abbé.

**abbaye** [abei] n. f. Monastère dirigé par un abbé ou une abbesse. – Bâtiment de cette communauté.

**abbé** n. m. **1** Supérieur d'un monastère d'hommes. **2** Titre donné à un prêtre séculier.

**abbesse** n. f. Supérieure d'une communauté monastique de religieuses.

**abc** n. m. invar. **1** Petit livre pour apprendre l'alphabet. → **abécédaire.** **2** Rudiments (d'un art...). *C'est l'abc du métier.*

**abcès** n. m. **1** Amas de pus dans une cavité du corps. – *Abcès de fixation,* créé pour localiser une infection ; fig. phénomène qui limite l'extension d'un principe néfaste. **2** fig. *Crever, vider l'abcès,* extirper un mal.

**abdiquer** v. tr. [1] **1** littér. Renoncer à (une chose). **2** sans compl. Renoncer au pouvoir suprême. *Le roi abdiqua en faveur de son fils.* **3** sans compl. Renoncer à agir, se déclarer vaincu. ► **abdication** n. f.

**abdomen** [-ɛn] n. m. Cavité qui renferme les organes de la digestion, les viscères, à la partie inférieure du tronc. → **ventre.** ► **abdominal, ale, aux** adj.

**abduction** n. f. didact. Mouvement qui écarte de l'axe du corps (opposé à *adduction*).

**abécédaire** n. m. Livre pour apprendre l'alphabet. → **abc, alphabet.**

**abeille** n. f. Insecte (hyménoptère) vivant en colonie et produisant la cire et le miel (→ **apiculture ; ruche).**

**aber** [abɛʀ] n. m. (en Bretagne) Vallée envahie par la mer. → **ria.**

**aberrant, ante** adj. **1** didact. Qui s'écarte du type normal. **2** Qui s'écarte de la règle, est contraire à la raison. → **absurde.**

**aberration** n. f. **1** didact. Écart par rapport à un type. **2** Déviation du jugement, du bon sens. → **égarement.** ♦ Idée, conduite aberrante.

**abêtir** v. tr. [2] Rendre bête, stupide. ▷ v. pron. **s'abêtir** ▷ adj. **abêti, ie** ► **abêtissement** n. m.

**abhorrer** v. tr. [1] littér. Avoir en horreur (qqn, qqch.). → **abominer, exécrer, haïr.**

**abîme** n. m. **I 1** Gouffre très profond. **2** fig. Grande séparation, grande différence (entre). **3** Situation désespérée. *Être au bord de l'abîme.* **II** loc. *En abîme.* → **abyme.**

**abîmer** v. tr. [1] **1** vx Précipiter dans un abîme. **2** Mettre (qqch.) en mauvais état. **3** fam. Meurtrir (qqn) par des coups. ▷ v. pron. **s'abîmer 1** Se plonger (dans). *S'abîmer dans sa rêverie.* **2** Se détériorer.

**abiotique** adj. biol. Qui est indépendant des organismes vivants (opposé à *biotique*).

**abject, ecte** adj. Qui mérite le mépris, inspire un dégoût moral. → **ignoble, vil.**

**abjection** n. f. Caractère de ce qui est abject, ignoble ; comportement, acte abject.

**abjurer** v. intr. [1] Renoncer à sa religion. ► **abjuration** n. f.

> Ne pas confondre avec *adjurer* «commander, demander».

**ablatif** n. m. gramm. Cas de la déclinaison latine, indiquant qu'un substantif sert de point de départ ou d'instrument à l'action.

**ablation** n. f. chir. Action d'enlever. *Ablation d'un rein.*

**ablette** n. f. Petit poisson d'eau douce à écailles claires, qui vit en troupes.

**ablutions** n. f. pl. **1** Lavage du corps (purification religieuse). **2** Fait de se laver.

**abnégation** n. f. Sacrifice de soi-même, de son intérêt. → **dévouement.**

**aboiement** n. m. Cri du chien et de quelques animaux ; action d'aboyer.

aux **abois** loc. adj. Se dit d'une bête chassée entourée par les chiens. – fig. *Être aux abois,* dans une situation désespérée.

**abolir** v. tr. [2] **1** Annuler, supprimer (ce qui a un effet juridique). *Abolir une loi.* → **abroger. 2** Faire disparaître, faire cesser. ► **abolition** n. f. → **suppression.**

**abolitionnisme** n. m. Doctrine des partisans de l'abolition de qqch.

**abominable** adj. **1** Qui inspire l'horreur. *Un crime abominable.* **2** Très mauvais. *Un temps abominable.* ► **abominablement** adv.

**abomination** n. f. **1** littér. Horreur ressentie. – loc. *Avoir qqn, qqch. en abomination.* **2** Acte, chose abominable.

**abominer** v. tr. [1] littér. Détester, haïr.

**abondamment** adv. En grande quantité.

**abondance** n. f. **1** Grande quantité (supérieure aux besoins). → **profusion.** – loc. adv. *En abondance :* abondamment. **2** Ressources supérieures aux besoins. *Vivre dans l'abondance.* – loc. *Corne d'abondance,* d'où s'échappent des fruits, des fleurs (emblème de l'abondance). **3** loc. *Parler d'abondance,* avec aisance.

**abondant, ante** adj. Qui abonde.

**abonder** v. intr. [1] **1** Être en grande quantité. **2** *Abonder en :* être plein de, riche en. **3** loc. *Abonder dans le sens de qqn,* être tout à fait de son avis.

**abonnement** n. m. Contrat par lequel on acquiert le bénéfice d'un service régulier.

**abonner** v. tr. [1] Prendre un abonnement pour (qqn). ▷ v. pron. **s'abonner** *S'abonner à une revue.* ▷ p. p. **abonné, ée 1** Qui a pris un abonnement. – n. *Liste des abonnés.* **2** fam. *Être abonné à :* être coutumier de.

**abord** n. m. **I** au plur. *Les abords d'un lieu :* ce qui l'entoure. → **alentours. II 1** Action d'aborder qqn. *Être d'un abord facile.* – *Au premier abord, de prime abord* loc. adv. : dès la première rencontre ; tout de suite. **2** *D'abord* loc. adv. : en premier lieu ; au préalable. → d'**emblée.** – *Tout d'abord :* avant toute chose. ♦ Avant tout, essentiellement. – fam. *J'irai pas, d'abord !*

**abordable** adj. **1** D'un prix raisonnable. **2** (personnes) Que l'on peut aborder (II, 3).

**abordage** n. m. **1** Manœuvre consistant à s'amarrer bord à bord avec un navire. **2** Collision de deux navires.

**aborder** v. [1] **I** v. intr. Arriver au rivage. **II** v. tr. **1** Accoster ou heurter (un navire). → **abordage. 2** Arriver à (un lieu inconnu, dangereux...). *Aborder un virage.* **3** Aller près de (qqn qu'on ne connaît pas ou peu) pour lui adresser la parole. → **accoster. 4** fig. En venir à (un sujet...). → **entamer.**

**aborigène** n. Autochtone dont les ancêtres sont à l'origine du peuplement.

**abortif, ive** adj. Qui fait avorter.

**aboucher** v. tr. [1] **1** vieilli Mettre en rapport (des personnes). - pronom. *S'aboucher avec qqn.* **2** Faire communiquer (deux conduits). ► **abouchement** n. m.

**abouler** v. tr. [1] argot Donner.

**aboulie** n. f. méd. Diminution pathologique de la volonté. ► **aboulique** adj. et n.

**aboutir** v. [2] **I** v. tr. ind. **1** Arriver par un bout ; se terminer (dans). *Le couloir aboutit dans, à une chambre.* **2** fig. *Aboutir à... :* conduire à..., en s'achevant dans. *Ce projet n'aboutira à rien.* **II** v. intr. Avoir finalement un résultat. → **réussir.** ▷ adj. **abouti, ie** *Un travail abouti,* bien mené à terme. ► **aboutissement** n. m.

**aboutissants** n. m. pl. *Les tenants et les aboutissants (d'une affaire),* tout ce qui s'y rapporte (ses causes, ses prolongements...).

**aboyer** v. intr. [8] **1** Pousser un aboiement. **2** fig. (sujet personne) Crier (contre qqn).

**abracadabrant, ante** adj. Extraordinaire et incohérent.

**abrasif, ive** **1** n. m. Matière qui use, polit (une surface dure). **2** adj. *Poudre abrasive.*

**abrasion** n. f. Action d'user par frottement (*abraser* v. tr. [1]).

**abréaction** n. f. psych. Brusque libération émotionnelle.

**abrégé** n. m. Discours, écrit réduit à l'essentiel. - loc. adv. *En abrégé :* en résumé, en passant sur les détails.

**abréger** v. tr. [3] et [6] **1** Diminuer la durée de. *Abréger une visite.* → **écourter. 2** Diminuer la matière de (un écrit...). *Abréger un texte.* **3** *Abréger un mot,* supprimer une partie des lettres (→ **abréviation**). ► **abrègement** n. m. - var. **abrègement.**

**abreuver** v. tr. [1] **1** Faire boire abondamment (un animal). **2** fig., poét. Arroser, inonder. **3** Donner beaucoup (de qqch.) à (qqn). *Abreuver qqn de compliments.* ▷ v. pron. **s'abreuver** Boire abondamment.

**abreuvoir** n. m. Lieu, récipient aménagé pour faire boire les animaux.

**abréviation** n. f. **1** Action d'abréger un mot. **2** Mot abrégé.

**abri** n. m. **1** Endroit où l'on est protégé (du mauvais temps, du danger). *Chercher un abri sous un arbre.* **2** Construction rudimentaire destinée à protéger. **3** loc. adv. et prép. *À l'abri (de) :* à couvert (de), hors d'atteinte (de). - fig. *Être à l'abri du besoin.*

**abribus** [-bys] n. m. (nom déposé) Arrêt d'autobus équipé d'un abri. → **aubette.**

**abricot** n. m. Fruit comestible à noyau, à chair et peau jaune orangé. ► **abricotier** n. m.

**abrier** v. tr. [7] (Canada) fam. Couvrir, protéger.

**abrité, ée** adj. À l'abri des intempéries.

**abriter** v. tr. [1] **1** (sujet personne) Mettre à l'abri. **2** (sujet chose) Protéger. **3** (lieu) Recevoir (des occupants). → **héberger.** ▷ v. pron. **s'abriter** **1** Se mettre à l'abri (des intempéries, du danger). **2** fig. *S'abriter derrière qqn,* lui faire assumer la responsabilité de qqch.

**abroger** v. tr. [3] Déclarer nul (ce qui avait été établi, institué). → **abolir, annuler.** *Abroger une loi.* ► **abrogation** n. f.

**abrupt, upte** adj. **1** Dont la pente est quasi verticale. *Un sentier abrupt.* **2** fig. (personnes) Brusque, direct. ► **abruptement** adv.

**abruti, ie** adj. **1** *Abruti de, par...,* hébété. **2** fam. Sans intelligence. - n. *Espèce d'abruti !*

**abrutir** v. tr. [2] **1** littér. Dégrader l'esprit, la raison de (qqn). ♦ Rendre stupide. → **hébéter.** **2** Fatiguer l'esprit de (qqn). - pronom. *S'abrutir de travail.*

**abrutissant, ante** adj. Qui abrutit (2).

**abrutissement** n. m. Action d'abrutir.

**A. B. S.** ou **ABS** n. m. (sigle) techn. Système qui empêche le blocage des roues d'un véhicule lors du freinage.

**abscisse** n. f. math. Coordonnée horizontale qui sert (avec l'ordonnée) à définir la position d'un point dans un plan.

**abscons, onse** adj. didact. Difficile à comprendre. → **obscur.**

**absence** n. f. **I** contr. *présence* **1** Fait de n'être pas dans un lieu où l'on pourrait ou devrait être. ♦ L'absence des personnes qu'on aime. *«L'absence est le plus grand des maux»* (La Fontaine). **2** Fait de manquer, de ne pas se trouver là où l'on devrait (→ **absentéisme**). **3** (sujet chose) Fait de ne pas être là. **4** *En l'absence de,* lorsque (qqn) est absent ; à défaut de (qqn qui est absent). **II** Fait de ne plus se rappeler qqch. (→ trou de mémoire). *Avoir une absence.*

**absent, ente** adj. **I** **1** *Absent de,* qui n'est pas dans (le lieu où il, elle pourrait, devrait être). **2** Qui n'est pas là où l'on s'attendrait à le, la trouver. - n. (prov.) *Les absents ont toujours tort.* **3** (choses) *Être absent :* faire défaut, manquer. **II** fig. Qui n'a pas l'esprit à ce qu'il devrait faire. → **distrait.**

**absentéisme** n. m. Comportement d'une personne (*absentéiste* n.) qui est souvent absente alors qu'elle devrait être présente.

**s'absenter** v. pron. [1] S'éloigner momentanément (d'un lieu).

**abside** n. f. Extrémité en demi-cercle d'une église, derrière le chœur. → **chevet.**

**absinthe** n. f. **1** Plante aromatique, variété d'armoise. **2** Liqueur alcoolique toxique tirée de cette plante.

**absolu, ue I** adj. **1** Qui ne comporte ni restriction ni réserve. → **intégral, total.** *Confiance absolue. Monarchie absolue.* **2** (personnes) Qui ne supporte ni la critique ni la contradiction. → **entier. 3** (opposé à *relatif*) *Majorité* absolue.* **4** gramm. Sans complément. *Verbe en emploi absolu.* **II** n. m. **1** Ce qui existe indépendamment de toute condition ou de tout rapport avec autre chose. **2** *Dans l'absolu :* sans comparer, sans tenir compte des conditions.

**absolument** adv. **1** D'une manière absolue. **2** (avec un adj.) Tout à fait. **3** gramm. *Verbe employé absolument* (→ **absolu** (I, 4)).

**absolution** n. f. Effacement d'une faute par le pardon (→ **absoudre**).

**absolutisme** n. m. Système de gouvernement où le pouvoir du souverain est absolu. ► **absolutiste** adj.

**absorbant, ante** adj. **1** Qui absorbe les fluides, etc. **2** fig. Qui occupe l'esprit.

**absorber** v. tr. [1] **1** Laisser pénétrer et retenir (un fluide...) dans sa substance. *Le buvard absorbe l'encre.* **2** (êtres vivants) Boire, manger. **3** fig. Faire disparaître en incorporant. **4** Occuper (qqn) totalement. – pronom. *S'absorber dans son travail.*

**absorption** n. f. Action d'absorber.

**absoudre** v. tr. [51] **1** relig. cathol. Remettre les péchés de (qqn). → **absolution. 2** (hors contexte relig.) Pardonner à (qqn).

**abstème** adj. didact. Qui ne boit pas d'alcool.

**s'abstenir** v. pron. [22] **1** *S'abstenir de* (+ inf.), ne pas faire, volontairement. **2** Ne pas agir. – prov. *Dans le doute, abstiens-toi.* ♦ Ne pas voter. → **abstention. 3** Se passer volontairement (de qqch.).

**abstention** n. f. Fait de ne pas voter.

**abstentionnisme** n. m. Attitude de qqn qui ne vote pas. ► **abstentionniste** adj. et n.

**abstinence** n. f. **1** Privation de certains aliments ou boissons. **2** Continence sexuelle. → **chasteté.**

**abstraction** n. f. **1** Fait de considérer à part une qualité, une relation, indépendamment des objets qu'on perçoit ou qu'on imagine. ♦ Qualité ou relation isolée par l'esprit. → **notion.** *La couleur est une abstraction.* **2** Idée abstraite (opposée à la réalité vécue). **3** *Faire abstraction de,* ne pas tenir compte de (qqch.). **4** Art abstrait (4).

**abstraire** v. tr. [50] didact. Considérer à part, par abstraction (un caractère, une qualité). ▷ v. pron. **s'abstraire** S'isoler mentalement du milieu extérieur.

**abstrait, aite** adj. **1** Considéré par abstraction, à part de ce qu'on perçoit (opposé à *concret*). **2** Qui utilise l'abstraction. **3** Qui est difficile à comprendre, par manque d'exemples concrets. *Un texte trop abstrait.* **4** *Art abstrait,* qui ne représente pas le monde visible, sensible (réel ou imaginaire) (opposé à *figuratif*). – *Peintre abstrait.* **5** (n. m.) *Dans l'abstrait* loc. adv. : sans référence à la réalité concrète. ► **abstraitement** adv.

**absurde I 1** adj. (choses) Contraire à la raison, au bon sens, à la logique. ♦ (personnes) Qui agit, parle sans bon sens. **2** n. m. Ce qui est absurde ; ce qui est faux pour des raisons logiques. *Raisonnement par l'absurde.* **II** philos. adj. Dont l'existence semble gratuite, non justifiée par une fin. ♦ n. m. *Les philosophes de l'absurde.* ► **absurdement** adv.

**absurdité** n. f. **1** Caractère absurde. **2** Chose absurde. → **ineptie, sottise.**

**abus** n. m. **1** Action d'abuser (de qqch.) ; usage excessif. – dr. *Abus de confiance* (délit). – fam. *(Il) y a de l'abus,* de l'exagération. **2** Usage mauvais (établi socialement). → **excès, injustice.**

**abuser** v. [1] **1** v. tr. ind. *Abuser de,* user mal, avec excès. – sans compl. *Il abuse :* il exagère. ♦ *Abuser de qqn,* le tromper. **2** v. tr. littér. Tromper (qqn). ▷ v. pron. **s'abuser** Se tromper. – loc. *Si je ne m'abuse :* sauf erreur.

**abusif, ive** adj. **1** Qui constitue un abus. – *Emploi abusif d'un mot,* dans un sens qu'il n'a pas. **2** (personnes) Qui abuse de sa situation. ► **abusivement** adv.

**abyme** n. m. loc. didact. *En abyme,* se dit d'une œuvre qui en contient une autre (récit dans le récit, etc.). – var. **en abîme.**

**abyssal, ale, aux** adj. **1** Des abysses. **2** Très profond. → **insondable.**

**abysse** n. m. **1** surtout au plur. Fosse sous-marine très profonde. **2** fig., littér. Gouffre, abîme.

**acabit** n. m. péj. *De cet acabit ; du même acabit,* de cette nature ; de même nature.

**acacia** n. m. **1** Arbre à branches épineuses, à fleurs en grappes (syn. *robinier, faux acacia*). **2** bot. Plante de la famille des mimosas.

**académicien, ienne** n. Membre d'une Académie (spécialt de l'Académie française).

**académie** n. f. **1** Société de gens de lettres, savants, artistes. *L'Académie des sciences.* – absolt *L'Académie :* l'Académie française, fondée en 1635 par Richelieu (partie de l'Institut de France). **2** Circonscription universitaire.

**académique** adj. **1** D'une Académie (1). **2** en art, etc. Qui suit les règles conventionnelles, avec froideur ou prétention. **3** D'une académie (2). – *Palmes académiques* (distinction honorifique).

**académisme** n. m. en art, etc. Observation étroite des traditions ; classicisme étroit.

**acadien, ienne** adj. et n. De l'Acadie. → aussi cajun (Louisiane).

**acajou** n. m. **1** Arbre tropical à bois rougeâtre, très dur ; ce bois. **2** Couleur brun rougeâtre. – adj. invar. *Cheveux acajou.*

**acanthe** n. f. Plante à longues feuilles très découpées. – *Feuille d'acanthe* (ornement architectural).

**a cappella** loc. adv. et adj. *Chanter a cappella,* sans accompagnement instrumental. *Chœur a cappella.*

**acariâtre** adj. D'un caractère désagréable, difficile. → **grincheux, hargneux.**

**acarien** n. m. Arachnide souvent parasite et pathogène (ordre des *Acariens*).

**accablant, ante** adj. Qui accable. → **écrasant.** – *Un témoignage accablant.*

**accablement** n. m. État d'une personne accablée. → **abattement.**

**accabler** v. tr. [1] **1** Faire supporter à (qqn) une chose pénible. – passif *Être accablé de, par les soucis.* **2** Faire subir à (qqn), par la parole. *Accabler qqn d'injures.*

**accalmie** n. f. Calme, après l'agitation.

**accaparer** v. tr. [1] **1** Prendre, retenir en entier. *Accaparer le pouvoir.* – *Son travail l'accapare.* **2** Retenir (qqn). ► **accaparement** n. m.

**accapareur, euse** n. Personne qui accapare (qqch., qqn).

**accédant, ante** n. *Accédant à la propriété :* personne qui devient propriétaire (d'un logement).

**accéder** v. tr. ind. [6] *Accéder à* **1** Pouvoir pénétrer dans ; avoir accès à. **2** fig. Parvenir à (un état...). – *Accéder à la propriété :* devenir propriétaire (→ **accédant, accession**). **3** Donner satisfaction à. *Accéder aux vœux, aux désirs de qqn.*

**accélérateur** n. m. **1** Organe qui commande l'admission du mélange gazeux au moteur. *Appuyer sur l'accélérateur* (sur la pédale). **2** phys. Appareil qui communique à des particules chargées (électrons, etc.) des énergies très élevées. → **cyclotron.**

**accélération** n. f. Augmentation de la vitesse.

**accéléré** n. m. au cinéma Procédé qui accélère les mouvements.

**accélérer** v. [6] **1** v. tr. Rendre plus rapide, augmenter le rythme de (opposé à *ralentir*). **2** v. intr. Augmenter la vitesse d'une voiture ; augmenter la vitesse du moteur.

**accent** n. m. **1** Élévation ou augmentation d'intensité de la voix sur une syllabe. **2** Signe graphique qui sert (en français) à noter des différences dans la prononciation des voyelles ou à distinguer deux mots. *Accent grave (à, è), aigu (é), circonflexe (â, ê...).* **3** Inflexions de la voix exprimant un sentiment. *Un accent plaintif.* **4** Ensemble des caractères phonétiques qui s'écartent de la norme (dans une langue). *L'accent du Midi.* **5** *Mettre l'accent sur :* insister sur.

**accentuer** v. tr. [1] **1** Élever ou intensifier la voix sur (un son). **2** Mettre un accent (2) sur (une lettre). **3** Augmenter, intensifier (qqch.). – pronom. Devenir plus net, plus fort. ► **accentuation** n. f.

**acceptable** adj. Qui peut convenir.

**acceptation** n. f. Fait d'accepter.

**accepter** v. [1] **I** v. tr. **1** Recevoir, prendre volontiers (ce qui est offert, proposé). *Accepter une invitation.* – Consentir à. *Accepter le combat.* **2** Donner son accord à. **3** *Accepter qqn,* l'admettre. – pronom. *S'accepter tel qu'on est.* **4** Se soumettre à ; ne pas refuser. *Accepter une épreuve.* **II 1** v. tr. ind. *Accepter de* (+ inf.) : bien vouloir. **2** v. tr. *Accepter que* (+ subj.) : supporter.

**acception** n. f. Sens particulier (d'un mot). → **signification.** – loc. *Dans toute l'acception du terme :* au sens fort, intégral.

**accès** n. m. **I 1** Possibilité d'aller dans (un lieu). → **accéder ; entrée.** *Accès interdit au public.* – *Donner accès :* permettre d'entrer ; fig. permettre d'obtenir. **2** Voie qui permet d'entrer. **3** Possibilité d'approcher (qqn). **4** Possibilité de connaître, de participer à (qqch.). *L'accès à la culture.* **5** inform. Recherche et obtention des informations. **II 1** Arrivée ou retour d'un phénomène pathologique. *Accès de fièvre.* **2** Émotion vive et passagère. *Accès de colère.*

**accessible** adj. **1** Où l'on peut accéder, entrer. **2** fig. Qui ne présente pas d'obstacle. **3** (personnes) Que l'on peut approcher, rencontrer. **4** Sensible (à qqch.). ► **accessibilité** n. f.

**accession** n. f. Fait d'accéder (à un état, une situation). *Accession à la propriété.*

**accessit** [-it] n. m. Distinction accordée à ceux qui, sans obtenir de prix, s'en approchent.

**accessoire I** adj. Qui vient avec ou après ce qui est principal, essentiel. → **annexe, secondaire.** – n. m. *Distinguer l'essentiel de l'accessoire.* **II** n. m. **1** Objet nécessaire à une représentation théâtrale, etc. **2** Pièce non indispensable (d'un instrument...). – Élément associé à une toilette (sac, etc.).

**accessoirement** adv. D'une manière accessoire ; en plus d'une raison principale.

**accessoiriste** n. Personne qui dispose les accessoires au théâtre, au cinéma, etc.

**accident** n. m. **1** philos. Ce qui n'est pas essentiel. **2** Fait accessoire. – loc. *Par accident :* par hasard. → **fortuitement. 3** Événement fâcheux. → **contretemps, ennui ; incident. 4** Événement imprévu et soudain qui entraîne des dégâts, met en danger. *Accident de la route, accident de la circulation. Accident d'avion.* **5** *Accident de terrain :* inégalité du terrain.

**accidenté, ée** adj. **1** Qui présente des accidents (5). **2** fam. Qui a subi un accident (4). – n. *Les accidentés de la route.*

**accidentel, elle** adj. **1** Qui est dû au hasard. → **fortuit. 2** *Mort accidentelle,* du fait d'un accident. ► **accidentellement** adv.

**acclamation** n. f. Cri collectif d'enthousiasme pour saluer qqn ou qqch.

**acclamer** v. tr. [1] Saluer par des acclamations.

**acclimatation** n. f. Action d'acclimater (un animal, une plante...). ♦ *Jardin d'acclimatation :* jardin zoologique et botanique où vivent des espèces exotiques.

**acclimatement** n. m. Fait de s'habituer à un milieu différent.

**acclimater** v. tr. [1] **1** Habituer (un animal, une plante...) à un milieu différent. **2** fig. Introduire quelque part (une idée, un usage). ▷ v. pron. s'**acclimater 1** *Plante qui s'acclimate mal.* **2** (personnes) S'habituer à un nouveau pays, à de nouvelles habitudes.

**accointances** n. f. pl. *Avoir des accointances* (dans un milieu), y avoir des relations.

**accolade** n. f. **1** Fait de mettre les bras autour du cou. **2** Signe graphique à double courbure ({), qui sert à réunir des lignes.

**accoler** v. tr. [1] Réunir, rendre contigu. – au p. p. *Maisons accolées.*

**accommodant, ante** adj. Qui s'accommode facilement des personnes, des circonstances. → **arrangeant, conciliant, sociable.**

**accommodation** n. f. **1** Fait d'accommoder ou de s'accommoder (1). → **adaptation.** **2** physiol. Mise au point faite par l'œil, dans la fonction visuelle.

**accommodement** n. m. Accord ou compromis à l'amiable.

**accommoder** v. tr. [1] **1** Disposer ou modifier de manière à faire convenir (à). → **adapter.** **2** Préparer (des aliments). *L'art d'accommoder les restes.* **3** intrans. physiol. Effectuer l'accommodation (2). ▷ v. pron. s'**accommoder 1** *S'accommoder à :* s'adapter à. **2** *S'accommoder de :* accepter comme pouvant convenir.

**accompagnateur, trice** n. **1** mus. Personne qui accompagne la partie principale. **2** Personne qui accompagne et guide un groupe. → **guide.**

**accompagnement** n. m. **1** Ce qui est servi avec une viande, un poisson. **2** Action de jouer une partie musicale de soutien à la partie principale ; cette partie.

**accompagner** v. tr. [1] **1** Se joindre à (qqn) pour aller où il va en même temps que lui. ♦ *Accompagner un mourant,* le soutenir. **2** (sujet chose) S'ajouter à, aller avec. **3** Exécuter l'accompagnement (2) de. ▷ v. pron. s'**accompagner** (de) (sujet chose) Être suivi (de), avoir pour conséquence.

**accompli, ie** adj. **1** Parfait en son genre. **2** Terminé. – *Le fait accompli :* ce qui est fait, ce sur quoi on ne peut revenir.

**accomplir** v. tr. [2] **1** Faire (qqch.) jusqu'au bout. → **achever.** – au p. p. *Mission accomplie !* **2** Faire (ce qui est demandé, ordonné, proposé...). *Accomplir son devoir.* ▷ v. pron. s'**accomplir 1** (choses) Se réaliser, avoir lieu. **2** (personnes) Se réaliser pleinement. ► **accomplissement** n. m.

**acconier** → **aconier**

**accord** n. m. **I 1** État qui résulte d'une communauté ou d'une conformité de pensées, de sentiments. → **entente.** – loc. *D'un commun accord.* **2** *D'accord. Être d'accord,* avoir la même opinion. → s'**entendre.** *Je suis d'accord avec vous.* – (en réponse) *D'accord.* → **oui.** **3** Arrangement entre personnes qui se mettent d'accord. **4** *Donner, refuser son accord.* → **autorisation, permission.** **5** (choses) *En accord avec :* adapté à. **II 1** mus. Association de plusieurs sons (au moins trois) simultanés, selon les lois de l'harmonie. **2** Action d'accorder (II, 2) un instrument. **3** État d'un récepteur réglé sur une fréquence d'émission. **4** gramm. Correspondance entre des formes dont l'une est subordonnée à l'autre.

**accordéon** n. m. **1** Instrument de musique à soufflet et à anches métalliques. **2** *En accordéon,* qui forme des plis parallèles. ► **accordéoniste** n.

**accorder** v. tr. [1] **I 1** Consentir à donner, à laisser ou à permettre. *Accorder un délai.* **2** Attribuer. *Accorder de l'importance à qqch.* → **attacher.** **II 1** rare Mettre d'accord (des personnes). – pronom. S'entendre. *Ils ne s'accordent pas.* **2** Régler (un, des instruments) selon le diapason. – loc. *Accordez vos violons :* mettez-vous d'accord. **3** gramm. Donner à (un élément du discours) un aspect formel en rapport avec sa fonction ou avec la forme d'un élément dominant. – pronom. *Le verbe s'accorde avec son sujet.*

**accordeur, euse** n. Spécialiste qui accorde les pianos, les orgues, etc.

**accort, accorte** adj. vx ou littér. Gracieux.

**accoster** v. tr. [1] **1** Aborder (qqn) de façon cavalière. **2** (bateau, engin spatial) Se mettre bord à bord avec (le quai, un autre bateau ou engin). ► **accostage** n. m.

**accotement** n. m. Espace aménagé entre la chaussée et le fossé. → **bas-côté.**

s'**accoter** v. pron. [1] S'appuyer d'un côté.

**accotoir** n. m. Appui (d'un siège) pour les bras, la tête.

**accouchée** n. f. Femme qui vient d'accoucher. → **parturiente.**

**accouchement** n. m. **1** Fait d'accoucher ; sortie de l'enfant du corps de sa mère. **2** Opération médicale par laquelle on assiste la femme qui accouche (→ **obstétrique**).

**accoucher** v. [1] **I** v. tr. ind. **1** *Accoucher de :* mettre au monde. *Elle a accouché d'une fille.* – sans compl. *Accoucher avant terme.* **2** fig. Élaborer péniblement. – sans compl. fam. S'expliquer. *Alors, tu accouches ?* **II** v. tr. dir. Assister (une femme) dans l'accouchement.

**accoucheur, euse** n. Personne qui fait des accouchements. → **obstétricien, sage-femme.**

**s'accouder** v. pron. [1] S'appuyer sur le(s) coude(s).

**accoudoir** n. m. Appui pour s'accouder.

**accoupler** v. tr. [1] **1** techn. Joindre par deux. **2** Procéder à l'accouplement de (deux animaux). ▷ v. pron. **s'accoupler** S'unir sexuellement (animaux ; péj. personnes). – fig. S'unir. ► **accouplement** n. m.

**accourir** v. intr. [11] auxil. *être* ou (vieilli) *avoir* Venir en courant, en se pressant.

**accoutrer** v. tr. [1] Habiller ridiculement. ▷ v. pron. **s'accoutrer** ► **accoutrement** n. m.

**accoutumance** n. f. **1** Fait de s'habituer. → **adaptation. 2** méd. Processus par lequel un organisme tolère de mieux en mieux un agent extérieur. ♦ État dû à l'usage prolongé d'une drogue (besoin de continuer, etc.).

**accoutumé, ée** adj. **1** Ordinaire, habituel. **2** loc. adv. *À l'accoutumée :* d'ordinaire.

**accoutumer** v. tr. [1] Faire prendre l'habitude (de). → **habituer.** *Accoutumer qqn à qqch., à faire qqch.* ▷ v. pron. **s'accoutumer** (à)

**accréditer** v. tr. [1] **1** Donner à (qqn) l'autorité pour agir en qualité de. ► **accréditation** n. f. **2** Rendre (qqch.) plausible.

**accro** adj. (invar. en genre) fam. **1** Dépendant (d'une drogue). **2** Passionné (par), enthousiaste (pour). *Elle est accro à la musique.*

**accroc** n. m. **1** Déchirure faite par ce qui accroche. **2** Difficulté qui arrête.

**accrochage** n. m. **1** Action d'accrocher. ♦ Manière d'exposer (des œuvres d'art). **2** Léger choc entre deux véhicules. **3** milit. Bref combat. **4** fam. Dispute légère.

**accroche** n. f. publicité Ce qui accroche l'attention.

**accroche-cœur** n. m. Mèche de cheveux en boucle, sur la tempe. *Des accroche-cœurs.*

**accrocher** v. [1] **I** v. tr. **1** Retenir, arrêter par un crochet, une chose pointue. ♦ Heurter (un véhicule). → **accrochage** (2). **2** Suspendre à un crochet, etc. *Accrocher son manteau.* – loc. *Avoir le cœur bien accroché :* n'être pas facilement dégoûté. **3** Arrêter, retenir. *Accrocher la lumière.* **4** Retenir l'attention de (qqn). – sans compl. *Un slogan qui accroche.* **5** au p. p. *Être accroché à une drogue,* en être dépendant (abrév. fam. **accro**). **II** v. intr. **1** Présenter des difficultés. **2** *Ça a bien accroché avec lui,* le contact s'est bien établi. ▷ v. pron. **s'accrocher 1** Se tenir avec force. → se **cramponner.** – fig. *S'accrocher à ses illusions.* **2** Ne pas céder. **3** *S'accrocher avec qqn,* se disputer.

**accrocheur, euse** adj. et n. **1** (personnes) Tenace. **2** (choses) Qui attire l'attention.

**accroire** v. tr. (seulement inf.) littér. *Faire accroire qqch. à qqn,* faire croire ce qui n'est pas vrai. ♦ *En faire accroire à qqn,* lui mentir.

**accroître** v. tr. [55] sauf p. p. *accru, ue* Rendre plus grand, plus important. → **augmenter.** ▷ v. pron. **s'accroître** Aller en augmentant. ► **accroissement** n. m.

**s'accroupir** v. pron. [2] S'asseoir sur ses talons. ► **accroupissement** n. m.

**accueil** [akœj] n. m. **1** Manière de recevoir qqn. *Faire bon accueil à qqn.* ♦ Manière dont qqn accepte (une œuvre...). *Film qui a reçu un accueil enthousiaste.* **2** *D'accueil :* organisé pour accueillir. **3** Lieu où l'on accueille des visiteurs.

**accueillir** v. tr. [12] **1** Se comporter d'une certaine manière avec (qqn qui se présente). **2** Recevoir bien ou mal (qqch.). **3** Donner l'hospitalité à. ► **accueillant, ante** adj. (personnes ; lieux) → **hospitalier.**

**acculer** v. tr. [1] Pousser dans un endroit, fig. dans une situation où tout recul est impossible. – au p. p. *Être acculé à la faillite.*

**acculturation** n. f. didact. Processus par lequel qqn, un groupe humain assimile une culture étrangère à la sienne.

**accumulateur** n. m. Appareil qui restitue sous forme de courant l'énergie électrique fournie par une réaction chimique. *Batterie d'accumulateurs* (d'un véhicule). ♦ abrév. fam. **accus** n. m. pl. – loc. fig. *Recharger ses accus :* reconstituer ses forces.

**accumulation** n. f. **1** Action d'accumuler. **2** Stockage d'énergie électrique.

**accumuler** v. tr. [1] Mettre ensemble en grand nombre. → **amasser.** ♦ fig. *Accumuler des preuves.* ▷ v. pron. **s'accumuler**

**accus** → **accumulateur**

**accusateur, trice 1** n. Personne qui accuse. **2** adj. Qui constitue une accusation.

**accusatif** n. m. gramm. Cas marquant le complément d'objet (langues à déclinaisons).

**accusation** n. f. **1** dr. Action en justice par laquelle on désigne comme coupable. **2** Action de signaler (qqn) comme coupable ou (qqch.) comme répréhensible.

**accusé, ée 1** n. Personne à qui on impute un délit. **2** n. m. *Accusé de réception :* avis informant que qqch. a été reçu.

**accuser** v. tr. [1] **I 1** Signaler ou présenter (qqn) comme coupable. → **incriminer ;** dr. **citer, poursuivre. 2** *Accuser le sort, les événements,* rendre responsable (d'un mal). **II 1** Faire ressortir. → **accentuer, marquer.** – au p. p. *Des traits accusés.* ♦ loc. fam. *Accuser le coup,* montrer qu'on est affecté. **2** *Accuser réception de :* donner avis qu'on a reçu (une lettre...).

**acéphale** adj. Sans tête.

**acerbe** adj. Intentionnellement blessant.

**acéré, ée** adj. **1** Dur, tranchant et pointu. **2** fig. → **acerbe, mordant.**

**acériculture** n. f. Culture et exploitation de l'érable à sucre (→ **érablière**).

**acérola** n. m. Petit fruit rouge vif, riche en vitamine C.

**acétate** n. m. chim. Sel ou ester de l'acide acétique. – spécialt Acétate de cellulose.

**acétique** adj. chim. *Acide acétique* : acide du vinaigre, liquide corrosif et incolore.

**acétone** n. f. chim. Liquide volatil, inflammable, d'odeur pénétrante (solvant).

**acétylène** n. m. Gaz incolore, inflammable et toxique, produit par action de l'eau sur le carbure de calcium.

**acétylsalicylique** adj. chim. et pharm. *Acide acétylsalicylique* : aspirine.

**achalandé, ée** adj. **1** rare Qui a de nombreux clients (→ ② **chaland**). **2** cour. (mais critiqué) Bien approvisionné.

**achaler** v. tr. [1] (Canada) fam. Déranger, importuner.

**acharné, ée** adj. Qui fait preuve d'acharnement. – *Un combat acharné.*

**acharnement** n. m. Ardeur opiniâtre dans la lutte, l'effort. ♦ *Acharnement thérapeutique* : emploi de tous les moyens pour maintenir en vie un malade condamné.

s'**acharner** v. pron. [1] *S'acharner sur, contre* : combattre ou poursuivre avec fureur. – *S'acharner à* (+ inf.), lutter avec ténacité pour.

**achat** n. m. **1** Action d'acheter. *Faire l'achat de qqch.* → **acquisition. 2** Ce qu'on a acheté. *Montrez-moi vos achats.*

**acheminer** v. tr. [1] **1** Diriger vers un lieu déterminé. **2** fig. Mettre (qqn) dans la voie qui mène à un but. ▷ v. pron. s'**acheminer** Se diriger. ► **acheminement** n. m.

**acheter** v. tr. [5] **1** Acquérir (un bien...) contre paiement. **2** péj. Corrompre (qqn). – *Acheter la complicité de qqn.* **3** fig. Obtenir (un avantage) au prix d'un sacrifice.

**acheteur, euse** n. **1** Personne qui achète. → **acquéreur, client. 2** Agent chargé d'effectuer les achats pour un employeur.

**achevé, ée** adj. littér. Parfait en son genre. → **accompli.** – péj. *D'un ridicule achevé.*

**achèvement** n. m. **1** Action d'achever (un ouvrage) ; fin. **2** littér. Perfection.

**achever** v. tr. [5] **1** Finir en menant à bonne fin. → **terminer.** *Achever le travail commencé.* ♦ (sujet chose) *Achever de* (+ inf.), faire complètement. *Son refus acheva de nous décourager.* **2** Porter le coup de grâce à (qqn, un animal). → **tuer.** ♦ fig. Abattre, anéantir. ▷ v. pron. s'**achever** (choses) Se terminer.

**achigan** n. m. (Canada) Perche noire.

**achoppement** n. m. loc. *Pierre d'achoppement* : obstacle, écueil.

**achopper** v. intr. [1] **1** littér. Buter du pied (contre un obstacle). **2** fig. *Achopper à, sur un problème.*

**acide I** adj. **1** Qui est piquant au goût. **2** fig. Acerbe, désagréable. **3** chim. Propre aux acides. **II** n. m. **1** chim. Tout corps capable de libérer des ions hydrogène ($H^+$), qui donne un sel avec une base et dont le pH est inférieur à 7. *Acide chlorhydrique.* – *Acides nucléiques.* → **A. D. N., A. R. N. 2** argot fam. L. S. D. (voir ce mot).

**acidifier** v. tr. [7] Rendre acide.

**acidité** n. f. **1** Saveur acide. **2** fig. Caractère mordant. **3** chim. Qualité acide (I, 3).

**acidulé, ée** adj. Légèrement acide.

**acier** n. m. **1** Alliage de fer et de carbone, auquel on donne, par traitement, des propriétés variées (malléabilité, résistance...). *Acier inoxydable.* **2** Industrie de l'acier. → **sidérurgie. 3** appos. *Gris acier* (couleur). **4** fig. *D'acier* : solide.

**aciérie** n. f. Usine où l'on fabrique l'acier.

**acmé** n. f. didact. Apogée.

**acné** n. f. Maladie de la peau due à une inflammation des glandes sébacées.

**acolyte** n. **1** relig. cathol. Clerc qui sert à l'autel. **2** péj. Compagnon, complice.

**acompte** [akɔ̃t] n. m. **1** Paiement partiel à valoir sur le montant d'une somme due. → **arrhes. 2** fig., fam. Petit avantage, petit plaisir reçu ou pris en attendant mieux.

**aconier** ou **acconier** n. m. mar. Professionnel chargé du transfert des marchandises, de leur entreposage.

**aconit** [-it] n. m. Plante vénéneuse à fleurs en forme de casque.

**a contrario** loc. adj. didact. Se dit d'un raisonnement qui, partant d'hypothèses opposées, aboutit à des conséquences opposées. ♦ loc. adv. Dans le cas contraire.

s'**acoquiner** v. pron. [1] Se lier (à une personne peu recommandable).

**à-côté** n. m. **1** Point, problème accessoire. **2** Gain d'appoint. *Des à-côtés.*

**à-coup** n. m. Secousse. → **saccade.** – *Par à-coups* : de façon irrégulière, intermittente.

**acousticien, ienne** n. didact. Spécialiste de l'acoustique.

**acoustique I** adj. **1** Qui sert à, concerne la perception des sons. → **auditif.** ♦ *Guitare acoustique* (opposé à *électrique*). **2** Relatif au son. → **sonore.** *Les phénomènes acoustiques.* **II** n. f. **1** Partie de la physique qui traite des sons et des ondes sonores. **2** Qualité (d'un local) quant à la propagation du son.

**acquéreur** n. m. Personne qui acquiert (un bien). → **acheteur.** *Elle s'est portée acquéreur* (ou rare *acquéreuse* n. f.).

**acquérir** v. tr. [21] **1** Devenir propriétaire de (un bien, un droit), par achat, échange, succession (→ **acquisition**). – prov. *Bien mal acquis ne profite jamais.* **2** Parvenir à posséder (un avantage). *Acquérir des connaissances.* **3** (sujet chose) Procurer (à qqn) la disposition de. → **valoir.** *Sa gentillesse lui a acquis notre sympathie.*

**acquêt** n. m. dr. Bien acquis par l'un des époux au cours de la vie conjugale, et qui fait partie des biens communs.

**acquiescer** v. tr. ind. [3] *Acquiescer à qqch.*, donner son entier consentement à. ♦ **absolt** → **approuver.** *Acquiescer d'un signe de tête.* ► **acquiescement** n. m.

**acquis, ise** I adj. **1** Qui a été acquis par l'individu (par opposition à ce qui a été transmis ou à ce qui est naturel). – biol. *Caractères acquis,* qui apparaissent par adaptation au milieu. **2** Dont qqn peut disposer de façon définitive et sûre. *Droit acquis à qqn.* **3** Reconnu sans contestation. *C'est un fait acquis.* **4** (personnes) *Acquis à* (une idée...) : partisan de. **II** n. m. **1** Savoir acquis, expérience acquise. **2** *Les acquis sociaux :* les avantages sociaux acquis.

**acquisition** n. f. **1** Action d'acquérir (1 et 2). *Faire l'acquisition de qqch.* **2** Bien acquis.

**acquit** n. m. **1** Reconnaissance écrite d'un paiement. – *Pour acquit,* mention attestant un paiement. **2** *Par acquit de conscience :* pour éviter d'avoir qqch. à se reprocher.

**acquittement** n. m. **I** Action d'acquitter (qqch.). **II** Action d'acquitter (un accusé).

**acquitter** v. tr. [1] **I** *Acquitter qqn* **1** Libérer (d'une obligation, d'une dette). **2** Déclarer (par jugement) un accusé non coupable. **II** *Acquitter qqch.* **1** Payer (ce qu'on doit). → **régler. 2** dr. Revêtir (un document) de la mention «pour acquit» et de sa signature. ▷ v. pron. **s'acquitter** *S'acquitter de :* se libérer de (une obligation).

**acra** n. m. (cuisine créole) Beignet de poisson ou de légumes. – var. **akra.**

**acre** n. f. **1** Ancienne mesure agraire (en moyenne 52 ares). **2** Mesure agraire, dans les pays anglo-saxons (40,47 ares).

**âcre** adj. **1** Irritant au goût ou à l'odorat. **2** fig. Irritant, douloureux. ► **âcreté** n. f.

**acrimonie** n. f. Mauvaise humeur, aigreur. ► **acrimonieux, euse** adj.

**acrobate** n. **1** Artiste exécutant des exercices d'équilibre et de gymnastique périlleux. → **équilibriste, funambule, trapéziste. 2** fig. Personne très habile.

**acrobatie** n. f. **1** Exercice d'acrobate. – *Acrobatie aérienne,* manœuvres d'adresse exécutées en avion. **2** fig. Exercice difficile et virtuose. ► **acrobatique** adj.

**acronyme** n. m. Sigle* qui se prononce comme un mot ordinaire (ex. ovni, sida).

**acropole** n. f. Ville haute, souvent fortifiée, des anciennes cités grecques.

**acrostiche** n. m. Poème où les initiales de chaque vers, lues dans le sens vertical, composent un nom ou un mot-clé.

**acrylique** adj. **1** *Acide acrylique :* acide gras de l'éthylène. **2** Se dit de produits dérivés de cet acide. *Peinture acrylique.* – n. m. Tissu de fibres acryliques.

① **acte** n. m. **I 1** Pièce écrite qui constate un fait, une convention, une obligation. *Acte de vente. Acte d'état civil.* ♦ *Prendre acte de qqch.,* faire constater légalement ; en prendre bonne note. – *Dont acte :* en prenant note de ce qui s'est passé. **2** au plur. Recueil de procès-verbaux, de communications. **II 1** Action humaine considérée dans son aspect objectif plutôt que subjectif ; fait d'agir. → **action.** *Être responsable de ses actes.* – *Passer aux actes :* agir. **2** *Faire acte de :* manifester, donner une preuve de.

② **acte** n. m. **1** Chacune des grandes divisions d'une pièce de théâtre. **2** Phase d'une action comportant des péripéties.

**acteur, trice** n. **1** Artiste dont la profession est de jouer un rôle à la scène ou à l'écran. → **comédien. 2** Personne qui prend une part active. → **protagoniste.**

① **actif, ive** adj. **1** Qui agit (personnes), implique une activité (choses). ♦ *Population active :* partie de la population qui est apte à travailler. – n. *Les jeunes actifs.* ♦ gramm. *Voix active d'un verbe,* qui exprime que le sujet est considéré comme agissant. – n. m. *L'actif et le passif.* **2** (choses) Qui agit avec force. **3** (personnes) Qui aime agir. → **dynamique.**

② **actif** n. m. **1** Ensemble des biens ou droits constituant, avec les dettes, un patrimoine. **2** fig. *Avoir à son actif :* compter parmi ses succès.

**actinie** n. f. zool. Animal marin, polype à tentacules, aussi appelé *anémone de mer.*

① **action** n. f. **I 1** Ce que fait qqn et par quoi il réalise une intention ou une impulsion. → **acte, fait.** – *Action d'éclat :* exploit. **2** Fait de produire un effet, manière d'agir sur qqn ou qqch. – *En action,* en train d'agir. **3** Exercice de la faculté d'agir (opposé à la pensée, aux paroles). *Passer à l'action.* – *Une femme d'action.* ♦ *Mettre en action,* faire agir. **4** Combat, lutte. *L'action syndicale.* **II** dr. Exercice d'un droit en justice. → **demande, poursuite, recours.** *Intenter une action.* **III 1** Suite d'événements constituant le sujet (d'une œuvre). → **intrigue. 2** Animation tenant aux faits représentés ou racontés. *Film d'action.*

② **action** n. f. **1** Titre cessible et négociable représentant une fraction du capital social de certaines sociétés. **2** fig., fam. *Ses actions montent,* il a plus de crédit.

**actionnaire** n. Propriétaire d'actions (②, 1). ► **actionnariat** n. m.

**actionner** v. tr. [1] Mettre en mouvement, faire fonctionner (un mécanisme).

**activement** adv. Avec ardeur.

**activer** v. tr. [1] **1** Rendre plus prompt (en augmentant l'activité). → **hâter. 2** Rendre plus agissant. ▷ v. pron. **s'activer** S'affairer.

**activisme** n. m. Attitude politique qui préconise l'action, la propagande.

**activité** n. f. **1** (choses) Faculté ou fait d'agir. *L'activité d'un virus.* – *Volcan en activité.* **2** Actes coordonnés et travaux humains. *Activité physique, intellectuelle.* **3** Qualité d'une personne active. **4** Situation de qqn qui exerce ses fonctions (s'oppose à *retraite*, à *disponibilité*).

**actuaire** n. fin. Spécialiste de la statistique appliquée à la finance.

**actualiser** v. tr. [1] **1** philos. Faire passer de l'état virtuel à l'état réel. **2** Moderniser. ♦ Mettre à jour. ► **actualisation** n. f.

**actualité** n. f. **1** philos. Caractère de ce qui est actuel (1). **2** Caractère de ce qui est actuel, contemporain. *Ce livre n'est plus d'actualité,* il est dépassé. **3** Ensemble des faits tout récents. **4** *Les actualités,* informations, nouvelles du moment.

**actuariel, elle** adj. fin. Relatif aux méthodes des actuaires. *Taux actuariel,* par versements échelonnés.

**actuel, elle** adj. **1** philos. Qui est effectif, réalisé (opposé à *virtuel, potentiel*). **2** Qui existe, se passe au moment où l'on parle. → **présent ; contemporain. 3** Qui intéresse notre époque. *Un problème toujours actuel.*

**actuellement** adv. **1** philos. Effectivement. **2** Dans les circonstances actuelles. → **aujourd'hui, maintenant,** à **présent.**

**acuité** n. f. **1** Caractère aigu, intense. → **intensité. 2** Degré de sensibilité (d'un sens). *Acuité visuelle.* **3** Finesse (de l'esprit). **4** Gravité (d'une crise...).

**acupuncture** ou **acuponcture** n. f. Thérapeutique consistant à piquer des aiguilles très fines en des points précis du corps. ► **acupuncteur, trice** ou **acuponcteur, trice** n.

**adage** n. m. Maxime populaire ancienne.

**adagio** [ada(d)ʒjo] adv. mus. Indication de mouvement lent. – n. m. Ce mouvement.

**adamantin, ine** adj. littér. Qui a la dureté ou l'éclat du diamant.

**adaptable** adj. Qui peut s'adapter, qu'on peut adapter. ► **adaptabilité** n. f.

**adaptateur, trice 1** n. Auteur d'une adaptation (au cinéma...). **2** n. m. Dispositif pour adapter un appareil à un autre usage.

**adaptation** n. f. **1** Action d'adapter ou de s'adapter ; modification qui en résulte. spécialt *Adaptation au milieu,* permettant à un organisme de durer et de se reproduire. → **acclimatation. 2** Transformation (d'une œuvre) qui conserve la substance narrative. ♦ Arrangement musical.

**adapter** v. tr. [1] **1** *Adapter qqch. à qqch.,* réunir, appliquer après ajustement. **2** *Adapter* (qqn, qqch.) *à* (qqn, qqch.), approprier, harmoniser. → **accorder. 3** Faire l'adaptation (2) de. ▷ v. pron. **s'adapter** Se mettre en harmonie (avec le milieu...).

**addenda** [adɛ̃da] n. m. invar. Ensemble de notes additionnelles à la fin d'un ouvrage.

**addiction** n. f. anglic. Dépendance extrême, entraînant une conduite compulsive, une perte de la liberté. *Addiction à une drogue.*

**additif** n. m. **1** Article additionnel. **2** Substance ajoutée à un produit.

**addition** n. f. **1** Action d'ajouter en incorporant. → **adjonction. 2** Écrit ajouté. → **addenda ; annexe. 3** Opération consistant à réunir des quantités en un seul nombre, en les ajoutant. → **somme. 4** Note présentant le total des dépenses, au café, au restaurant.

**additionnel, elle** adj. Qui s'ajoute.

**additionner** v. tr. [1] **1** Modifier, enrichir par addition d'un élément. **2** Faire l'addition (3) de. ▷ v. pron. **s'additionner** S'ajouter.

**adducteur** adj. m. et n. m. **1** *(Canal) adducteur :* canal d'adduction (1) des eaux. **2** anat. *(Muscle) adducteur.* → **adduction** (2).

**adduction** n. f. **1** Action de dériver les eaux d'un lieu pour les amener dans un autre. **2** didact. Mouvement qui rapproche de l'axe du corps (opposé à *abduction*).

**adénoïde** adj. méd. Qui a rapport au tissu ganglionnaire et à ses affections.

**adénome** n. m. méd. Tumeur bénigne qui se développe sur une glande.

**adepte** n. Fidèle (d'une religion), partisan (d'une doctrine).

**adéquat, ate** [-kwa(t)] adj. Exactement proportionné à son objet, adapté à son but. → **approprié.** ► **adéquatement** adv. ► **adéquation** n. f.

**adhérence** n. f. **1** État d'une chose qui adhère à une autre. **2** méd. Union accidentelle d'organes ou de tissus, dans l'organisme.

**adhérent, ente I** adj. Qui adhère à qqch. **II** n. Personne qui adhère (à un parti...).

**adhérer** v. tr. ind. [6] *ADHÉRER À* **I** Tenir fortement à, par un contact étroit de sa surface. → **coller** à. **II** (personnes) **1** Se déclarer partisan de. **2** S'inscrire (à un parti, etc.).

**adhésif, ive** adj. Qui reste collé après application. *Ruban adhésif.* – n. m. Matériau adhésif ; substance pour coller.

**adhésion** n. f. **1** Approbation réfléchie. → **assentiment. 2** Action d'adhérer (II, 2).

**ad hoc** loc. adj. invar. Destiné à un usage.

**adiabatique** adj. sc. Qui s'effectue sans échange de chaleur.

**adieu I** interj. **1** Formule dont on se sert en prenant congé de qqn qu'on ne doit pas revoir de quelque temps ou qu'on ne doit plus revoir. **2** (compl. chose) *Adieu, la belle vie !* – loc. *Dire adieu à,* renoncer à. **3** région. (Midi) Bonjour. – Au revoir. **II** n. m. Fait de se séparer de qqn.

**à-Dieu-va** interj. À la grâce de Dieu ; advienne que pourra. – var. **à-Dieu-vat ; adieu va.**

**adipeux, euse** adj. 1 anat. Fait de graisse. 2 cour. Très gras. ► **adiposité** n. f.

**adjacent, ente** adj. 1 Qui se trouve dans le voisinage immédiat. → **contigu, voisin.** 2 géom. *Angles adjacents*, de même sommet et de part et d'autre d'un côté commun.

**adjectif** n. m. 1 Mot susceptible d'accompagner un substantif avec lequel il s'accorde en genre et en nombre, et qui n'est pas un article. *Adjectifs démonstratifs, indéfinis, interrogatifs, possessifs...* – *Adjectif qualificatif* (→ **attribut, épithète**). 2 adj. Qui a une valeur d'adjectif. *Locution adjective.* ► **adjectivement** adv.

**adjoindre** v. tr. [49] 1 Associer (une personne à une autre) pour aider ou contrôler. 2 Joindre, ajouter (une chose à une autre).

**adjoint, ointe** n. Personne associée à une autre pour l'aider dans ses fonctions.

**adjonction** n. f. 1 Action d'adjoindre (1 et 2). 2 Chose adjointe.

**adjudant, ante** n. (en France) Sous-officier qui vient au-dessus du sergent-chef.

**adjudicataire** n. dr. Bénéficiaire d'une adjudication.

**adjudication** n. f. dr. Acte par lequel on met des entrepreneurs en concurrence. – *Vente par adjudication*, aux enchères.

**adjuger** v. tr. [3] 1 Décerner. – pronom. → s'**attribuer.** 2 dr. Attribuer par adjudication.

**adjuration** n. f. Prière instante.

**adjurer** v. tr. [1] Commander ou demander à (qqn) par une adjuration. → **supplier.**

> Ne pas confondre avec *abjurer* « renoncer à sa religion ».

**adjuvant** n. m. 1 Produit ajouté à un autre. 2 littér. Ce qui renforce l'action.

**ad libitum** [-ɔm] loc. adv. À volonté.

**admettre** v. tr. [56] 1 Accepter de recevoir (qqn). → **accueillir, agréer.** *Admettre qqn à siéger.* → **autoriser.** – au p. p. *Candidat admis à l'oral.* 2 Considérer comme acceptable par l'esprit. – *Admettre que* (+ subj. ou indic.). – *Admettons, en admettant que* (+ subj.), en supposant que. 3 (surtout en phrase négative) Accepter, permettre. → **tolérer ; supporter.** 4 Laisser entrer. – passif *Les gaz sont admis dans le cylindre.*

**administrateur, trice** n. 1 Personne chargée de l'administration d'un bien. ♦ Membre d'un conseil d'administration. ♦ inform. Personne chargée de la gestion (d'un réseau...). *Administrateur de site* (sur Internet). 2 Personne qui a les qualités requises pour les tâches d'administration.

**administratif, ive** adj. 1 Relatif à l'Administration. 2 Chargé de tâches d'administration. ► **administrativement** adv.

**administration** n. f. 1 Action de gérer un bien, un ensemble de biens. → **gestion.** *L'administration d'une société* (par un *conseil d'administration*). 2 Fonction consistant à assurer l'application des lois et la marche des services publics conformément aux directives gouvernementales. ♦ Ensemble des services et agents chargés de cette fonction. *Entrer dans l'Administration* (→ la fonction publique). ♦ *(Une administration)* Service public.

**administré, ée** n. Personne soumise à une autorité administrative.

**administrer** v. tr. [1] **I** 1 Gérer (qqch.) en faisant valoir, en défendant des intérêts. 2 Assurer l'administration de (un pays, une circonscription). **II** 1 relig. Conférer (un sacrement). 2 Faire prendre (un remède). 3 fam. Donner (des coups).

**admirable** adj. Digne d'admiration. ► **admirablement** adv. → **merveilleusement.**

**admirateur, trice** n. Personne qui admire (qqn, une œuvre).

**admiratif, ive** adj. Qui est en admiration (devant qqn, un spectacle). – *Regard admiratif.* ► **admirativement** adv.

**admiration** n. f. Sentiment de joie et d'épanouissement devant ce qu'on juge beau ou grand. → **émerveillement.**

**admirer** v. tr. [1] Considérer avec plaisir (ce qu'on juge supérieur) ; avoir de l'admiration pour. → s'**enthousiasmer.**

**admissible** adj. 1 (contr. *inadmissible*) Qu'on peut admettre. → **acceptable.** ♦ Tolérable. 2 Qui peut être admis (à un emploi). 3 Admis à subir les épreuves définitives d'un examen. ► **admissibilité** n. f.

**admission** n. f. 1 Action d'admettre (qqn) ; fait d'être admis. 2 techn. Fait de laisser entrer (un gaz).

**admonester** v. tr. [1] littér. Réprimander sévèrement. ► **admonestation** n. f. littér.

**ADN** ou **A. D. N.** n. m. (sigle de *acide désoxyribonucléique*) biol. Acide nucléique, constituant essentiel des chromosomes.

**adobe** n. m. Brique de terre séchée.

**adolescence** n. f. Âge qui suit la puberté et précède l'âge adulte.

**adolescent, ente** n. Jeune garçon, jeune fille à l'âge de l'adolescence. – abrév. fam. **ado.**

**adonis** [-is] n. m. Jeune homme très beau.

**s'adonner** v. pron. [1] S'appliquer ardemment (à une activité). → se **livrer.** – péj. *S'adonner au jeu.*

**adoptant, ante** adj. et n. (Personne) qui adopte légalement qqn.

**adopter** v. tr. [1] 1 Prendre légalement pour fils ou pour fille. *Adopter un orphelin.* 2 Traiter comme qqn de la famille, comme l'un des siens. 3 (compl. chose) Faire sien en choisissant. 4 Approuver par un vote.

**adoptif, ive** adj. 1 Qui est tel par adoption. 2 D'adoption. *Patrie adoptive.*

**adoption** n. f. **1** Action d'adopter (qqn) ; acte juridique établissant entre deux personnes (l'*adoptant* et l'*adopté*) des relations de droit analogues à celles résultant de la filiation. **2** loc. *D'adoption :* qu'on reconnaît pour sien. **3** Action d'adopter (qqch.).

**adorable** adj. **1** vieilli Digne d'être adoré (1). **2** Digne d'être aimé. ♦ Très joli, touchant, gracieux. ► **adorablement** adv.

**adorateur, trice** n. **1** Personne qui adore (1) (une divinité). **2** Admirateur empressé.

**adoration** n. f. **1** Culte rendu à un dieu. **2** Amour fervent, culte passionné.

**adorer** v. tr. [1] **1** Rendre un culte à (un dieu, un symbole divin). – loc. *Brûler ce qu'on a adoré :* renier ses attachements. **2** Aimer (qqn) d'un amour ou d'une affection passionnée. – pronom. *Ils s'adorent.* **3** fam. Avoir un goût très vif pour (qqch.).

**adosser** v. tr. [1] Appuyer en mettant le dos, la face postérieure contre. ▷ v. pron. s'**adosser** (à) S'appuyer sur le dos (contre).

**adouber** v. tr. [1] hist. (au Moyen Âge) Armer (qqn) chevalier. ► **adoubement** n. m.

**adoucir** v. tr. [2] **1** Rendre plus doux, plus agréable aux sens. – *Adoucir l'eau,* la rendre moins calcaire. **2** Soulager, apaiser. – prov. *La musique adoucit les mœurs.* ► **adoucissement** n. m.

**adoucissant, ante 1** adj. Qui diminue l'irritation. **2** n. m. Produit utilisé au rinçage pour assouplir le linge.

**adoucisseur** n. m. Appareil servant à adoucir l'eau.

**ad patres** [adpatʀɛs] loc. adv. fam. *Envoyer qqn ad patres,* le tuer.

**adrénaline** n. f. méd. Hormone sécrétée par les glandes surrénales, qui accélère le rythme cardiaque, dilate les bronches, etc.

**adressage** n. m. inform. Procédé définissant l'adresse d'une information.

① **adresse** n. f. **I 1** Indication du nom et du domicile (de qqn). – *Adresse électronique* (au sein d'un réseau...). ♦ *Une bonne adresse,* l'adresse d'un bon fournisseur, etc. ♦ fig. *Se tromper d'adresse :* ne pas s'adresser à qui il faudrait. **2** *À l'adresse de :* à l'intention de. **3** Signe (mot...) sous lequel est classée une information. ♦ inform. Expression représentant un emplacement de mémoire. **II** Déclaration d'une assemblée politique, adressée au souverain.

② **adresse** n. f. **1** Qualité physique de qqn qui fait les mouvements les mieux adaptés (jeu, travail, exercice). → **dextérité, habileté.** **2** Qualité de qqn qui sait s'y prendre pour obtenir un résultat. → **doigté, finesse.**

**adresser** v. tr. [1] **1** Émettre (des paroles) en direction de qqn. – loc. *Adresser la parole à qqn,* lui parler. **2** Faire parvenir à qqn. **3** Diriger (qqn) vers la personne qui convient. **4** inform. Pourvoir d'une adresse (3). ▷ v. pron. s'**adresser** (à) **1** Parler (à qqn) ; aller trouver (qqn). **2** (sujet chose) Être destiné (à).

**adret** n. m. géogr. Versant exposé au soleil, en montagne (opposé à *ubac*).

**adroit, oite** adj. **1** Qui a de l'adresse (physique). **2** Qui se conduit avec adresse. → **habile.** – *Une manœuvre adroite.* → **rusé.** ► **adroitement** adv.

**ADSL** n. m. (sigle) anglic., techn. Système permettant la transmission de données par le réseau téléphonique.

**adsorber** v. tr. [1] sc. Retenir, fixer à la surface. ► **adsorption** n. f.

**aduler** v. tr. [1] littér. Combler de louanges. → **encenser.** – Adorer. ► **adulation** n. f.

**adulte 1** adj. (êtres vivants) Qui est parvenu au terme de sa croissance. – *Âge adulte.* → **mûr. 2** n. Homme, femme adulte.

**adultère 1** n. m. Fait d'avoir volontairement des rapports sexuels avec une personne autre que son conjoint. **2** adj. Qui commet un adultère. → **infidèle.**

**adultérer** v. tr. [6] rare Altérer la pureté de (qqch.). → **falsifier.**

**adultérin, ine** adj. Né d'un adultère.

**advenir** v. intr. impers. [22] Arriver, survenir. – loc. prov. *Advienne que pourra,* quoi qu'il en résulte, peu importe.

**adventice** adj. Qui s'ajoute. ♦ bot. *Plantes adventices :* mauvaises herbes.

**adverbe** n. m. Mot invariable ajoutant une détermination à un verbe, un adjectif, un adverbe ou à une phrase entière.

**adverbial, iale, iaux** adj. Qui a fonction d'adverbe. *Locution adverbiale.* ► **adverbialement** adv.

**adversaire** n. **1** Personne qui est opposée à une autre dans un conflit, une compétition. **2** Personne hostile (à une doctrine...).

**adverse** adj. littér. Opposé. – dr. *La partie adverse,* contre laquelle on plaide.

**adversité** n. f. littér. Sort contraire ; situation de détresse. → **malheur.**

**aède** n. m. Antiq. grecque Poète épique.

**aérateur** n. m. Appareil servant à aérer.

**aérer** v. tr. [6] **1** Faire entrer de l'air dans (un lieu clos) ; exposer à l'air. **2** fig. Rendre moins dense, plus léger. ▷ v. pron. s'**aérer** Prendre l'air. ▷ adj. **aéré, ée** *Centre aéré,* qui propose aux enfants des activités de plein air. ► **aération** n. f.

**aérien, ienne** adj. **I 1** De l'air. **2** Qui est à l'air libre. *Métro aérien.* **3** fig. Léger comme l'air. **II** De l'aviation.

**aérobie** adj. contr. *anaérobie* **1** (micro-organisme) Qui ne se développe qu'en présence d'air ou d'oxygène. **2** Qui a besoin de l'oxygène de l'air pour fonctionner.

**aérobiologie** n. f. Étude des micro-organismes en suspension dans l'atmosphère.

**aérodrome** n. m. Terrain pour le décollage et l'atterrissage des avions (→ aéroport).

**aérodynamique** I n. f. Partie de la physique qui étudie les mouvements des corps dans l'air. II adj. Relatif à l'aérodynamique. ♦ Conforme aux lois de l'aérodynamique. *Carrosserie aérodynamique.*

**aérofrein** n. m. Dispositif de freinage utilisant la résistance de l'air.

**aérogare** n. f. Bâtiments d'un aéroport destinés aux voyageurs et aux marchandises.

**aéroglisseur** n. m. Véhicule qui avance (sur l'eau ou sur terre) sur un coussin d'air (équivalent franç. de l'anglic. *hovercraft*).

**aérographe** n. m. Pulvérisateur à air comprimé.

**aérolithe** n. m. Météorite.

**aéromodélisme** n. m. Technique des modèles réduits d'avions.

**aéronautique** I adj. Relatif à la navigation aérienne. II n. f. Science de la navigation aérienne ; technique de la construction des appareils volants.

**aéronaval, ale, als** adj. Qui appartient à la fois à l'aviation et à la marine.

**aéronef** n. m. didact. Appareil capable de se déplacer dans l'air (avion, hélicoptère...).

**aérophagie** n. f. Trouble dû à la pénétration d'air dans l'œsophage et l'estomac.

**aéroplane** n. m. vx Avion.

**aéroport** n. m. Ensemble d'installations (aérodrome, aérogare, ateliers) nécessaires au trafic aérien.

**aéroporté, ée** adj. Transporté par air.

**aérosol** [-sɔl] n. m. 1 phys. Suspension de particules dans un gaz. 2 Appareil qui pulvérise et disperse de telles particules.

**aérospatial, ale, aux** adj. Qui concerne à la fois l'aéronautique et l'astronautique.

**aérostat** n. m. Appareil dont la sustentation est due à un gaz plus léger que l'air. → **ballon, dirigeable.**

**aérotrain** n. m. (nom déposé) Véhicule sur rail unique, circulant sur coussin d'air.

**affable** adj. Qui accueille et écoute de bonne grâce ceux qui s'adressent à lui. ► **affabilité** n. f. → **amabilité, courtoisie.**

**affabulation** n. f. 1 didact. Arrangement des faits, dans une œuvre d'imagination. 2 Récit inventé. ► **affabuler** v. intr. [1] → **fabuler.**

**affacturage** n. m. techn. Gestion des créances d'une entreprise par un organisme extérieur.

**affadir** v. tr. [2] 1 Rendre fade. 2 fig. Priver de saveur, de force. ▷ v. pron. s'**affadir** ► **affadissement** n. m.

**affaiblir** v. tr. [2] Rendre moins fort. ▷ v. pron. s'**affaiblir** *Le malade s'affaiblit.* → **décliner.** ► **affaiblissement** n. m.

**affaire** n. f. I *(Une, des affaires)* 1 Ce que qqn a à faire, ce qui l'occupe ou le concerne. *J'en fais mon affaire,* je m'en charge. ♦ Ce qui intéresse qqn, lui convient. *Cela doit faire l'affaire,* cela doit convenir. ♦ fam. *Faire son affaire à qqn,* le tuer ; le punir. 2 *Affaire de,* affaire où (qqch.) est en jeu. → **question.** *Une affaire de cœur.* 3 Ce qui occupe de façon embarrassante. – *Se tirer d'affaire,* du danger. 4 Ensemble de faits créant une situation où divers intérêts sont aux prises. *Une affaire délicate.* ♦ spécialt Scandale social, politique. ♦ Événement, crime posant une énigme policière. 5 Procès, objet d'un débat judiciaire. 6 Marché conclu ou à conclure avec qqn. *Faire affaire avec qqn.* → **traiter.** ♦ *Faire une affaire,* une affaire avantageuse. 7 Entreprise commerciale ou industrielle. II loc. *Avoir affaire à qqn,* avoir à traiter, à discuter avec lui. – *Vous aurez affaire à moi !* (menace). III au plur. 1 Ensemble des occupations et activités d'intérêt public. *Les affaires publiques.* 2 Situation matérielle, personnelle d'un particulier. 3 Activités économiques (commerciales et financières). – loc. prov. *Les affaires sont les affaires* (titre d'une pièce d'Octave Mirbeau). – *Homme, femme d'affaires.* 4 Objets ou effets personnels. *Ranger ses affaires.*

**affairé, ée** adj. Très occupé.

s'**affairer** v. pron. [1] Se montrer actif, empressé ; s'occuper activement. ► **affairement** n. m.

**affairiste** n. Homme, femme d'affaires sans scrupule. – adj. *Milieu affairiste.* ► **affairisme** n. m.

s'**affaisser** v. pron. [1] 1 Plier, baisser de niveau sous un poids ou une pression. *Le sol s'est affaissé.* 2 (personnes) Tomber en pliant sur les jambes. ► **affaissement** n. m.

**affaler** v. tr. [1] 1 mar. Faire descendre (une voile...). 2 *S'affaler* v. pron. Se laisser tomber. *S'affaler sur un divan.*

**affamer** v. tr. [1] Faire souffrir de la faim. ▷ p. p. **affamé, ée** 1 Qui a très faim. – n. *Des affamés.* 2 fig. Avide (de). *Affamé de gloire.*

**affameur** n. m. Personne qui affame, réduit à la misère (le peuple).

**affect** [afɛkt] n. m. psych. État affectif élémentaire. → **émotion, sentiment.**

① **affectation** n. f. 1 Action d'affecter (un sentiment...). → **simulation.** *Affectation de franchise.* 2 absolt Manque de naturel.

② **affectation** n. f. 1 Destination (de qqch.) à un usage déterminé. 2 Désignation (de qqn) à une fonction ; cette fonction.

① **affecter** v. tr. [1] 1 Prendre, adopter (une manière d'être qui n'est pas naturelle) de façon ostentatoire. → **feindre, simuler.** 2 (sujet chose) Revêtir (une forme).

② **affecter** v. tr. [1] 1 Destiner, réserver à un usage ou à un usager déterminé. 2 Procéder à l'affectation (②, 2) de (qqn).

③ **affecter** v. tr. [1] Toucher par une impression pénible. → **émouvoir, frapper.**

**affectif, ive** adj. Qui concerne les affects, les sentiments. ► **affectivement** adv.

**affection** n. f. **1** littér. État affectif. → **affect. 2** Sentiment tendre qui attache à qqn. → **attachement, tendresse. 3** méd. Trouble organique ou fonctionnel. → **maladie.**

**affectionner** v. tr. [1] **1** Avoir de l'affection pour (qqn). **2** Avoir du goût pour (qqch.). ▷ adj. **affectionné, ée** Plein d'affection.

**affectivité** n. f. **1** Ensemble des phénomènes affectifs. → **sensibilité. 2** Aptitude à ressentir plaisir ou douleur.

**affectueux, euse** adj. Qui montre de l'affection. → **tendre.** ► **affectueusement** adv.

**afférent, ente** adj. **1** didact. Qui se rapporte (à). **2** dr. Qui revient (à).

**affermer** v. tr. [1] Louer à ferme (②). ► **affermage** n. m.

**affermir** v. tr. [2] **1** Rendre plus ferme. → **consolider, raffermir. 2** fig. Rendre plus assuré, plus fort. → **fortifier, renforcer.** ▷ v. pron. s'**affermir** ► **affermissement** n. m.

**afféterie** n. f. littér. Affectation, préciosité.

**affichage** n. m. **1** Action d'afficher, de poser des affiches. **2** inform. Présentation de données (sur un écran). → **visualisation.**

**affiche** n. f. Feuille imprimée destinée à porter qqch. à la connaissance du public et placardée dans un lieu public. ♦ *Spectacle qui tient l'affiche,* qu'on joue. ► **affichette** n. f.

**afficher** v. tr. [1] **1** Faire connaître par voie d'affiches. *Afficher une vente aux enchères.* **2** sans compl. Poser des affiches. *Défense d'afficher.* **3** fig. Montrer publiquement, faire étalage de. ▷ v. pron. s'**afficher** *S'afficher avec qqn,* se montrer en public avec qqn.

**afficheur** n. m. Personne qui pose ou fait poser des affiches.

**affichiste** n. Créateur d'affiches.

**affidé, ée** n. littér. Complice, acolyte.

d'**affilée** loc. adv. À la file.

**affiler** v. tr. [1] Rendre très tranchant (un instrument). → **affûter, aiguiser.**

s'**affilier** v. pron. [7] Adhérer, s'inscrire (à une association...). ▷ adj. et n. **affilié, ée** → **adhérent, membre.** ► **affiliation** n. f.

**affinage** n. m. Action d'affiner (1 et 2).

**affine** adj. math. Qui conserve invariantes les transformations (dans le plan...).

**affinement** n. m. Fait de s'affiner (3).

**affiner** v. tr. [1] **1** Purifier (un métal, le verre...). **2** Achever la maturation (d'un fromage...). **3** Rendre plus fin, plus délicat. – pronom. *Son goût s'est affiné.*

**affinité** n. f. **1** Rapport de ressemblance ; harmonie de sentiments, etc. *J'ai peu d'affinités avec lui.* **2** chim. Aptitude, tendance des corps à se combiner entre eux.

**affirmatif, ive 1** adj. (personnes) Qui affirme. ♦ Qui constitue, exprime une affirmation. *Signe affirmatif.* **2** n. f. *Répondre par l'affirmative,* répondre oui. **3** adv. (milit., etc.) Oui. «*M'entendez-vous ? – Affirmatif.*» ► **affirmativement** adv.

**affirmation** n. f. **1** Action d'affirmer un jugement (qu'il soit affirmatif ou négatif) ; jugement ainsi énoncé. → **assertion. 2** Action de manifester (une qualité).

**affirmer** v. tr. [1] **1** Donner (une chose) pour vraie, énoncer (un jugement) comme vrai. → **certifier, soutenir. 2** Manifester de façon indiscutable. *Affirmer sa personnalité.* – pronom. *Son talent s'affirme.* ▷ p. p. **affirmé, ée**

**affixe** n. m. ling. Élément susceptible d'être incorporé à un mot, avant, dans ou après le radical, pour en modifier le sens ou la fonction. → **préfixe, suffixe.**

**affleurer** v. intr. [1] **1** Apparaître à la surface (du sol...). **2** fig. Émerger, transparaître. ► **affleurement** n. m.

**afflictif, ive** adj. dr. *Peine afflictive,* qui punit physiquement.

**affliction** n. f. littér. Peine profonde.

**affligeant, ante** adj. **1** Qui afflige, frappe douloureusement. **2** → **lamentable.**

**affliger** v. tr. [3] **1** littér. Atteindre, frapper durement. – passif *Être affligé de qqch., de qqn,* devoir le supporter. **2** Attrister profondément. → **peiner.** – pronom. *S'affliger de qqch.*

**affluence** n. f. Réunion d'une foule de personnes qui vont au même endroit.

**affluent** n. m. Cours d'eau qui se jette dans un autre.

> Ne pas confondre avec *effluent* «cours d'eau issu d'un lac, d'un glacier».

**affluer** v. intr. [1] **1** (liquide organique) Couler en abondance vers. *Le sang afflue au cerveau.* ♦ par ext. *Les capitaux affluent.* **2** Arriver en grand nombre vers.

**afflux** n. m. **1** Fait d'affluer (1). *Un afflux de sang.* **2** Arrivée massive. → **affluence.**

**affolant, ante** adj. **1** Qui affole, trouble énormément. **2** fam. Très inquiétant.

**affoler** v. tr. [1] **1** Rendre comme fou, sous l'effet d'une émotion violente. → **bouleverser. 2** Rendre fou d'angoisse, d'inquiétude. ▷ v. pron. s'**affoler** ▷ adj. **affolé, ée** ► **affolement** n. m. → **inquiétude, peur.**

**affranchi, ie** adj. et n. **1** (Esclave) rendu libre. **2** Libéré des préjugés, des traditions.

**affranchir** v. tr. [2] **I 1** Rendre libre (un esclave, un serf). **2** *S'affranchir de* v. pron. : se délivrer de (ce qui gêne). *S'affranchir des préjugés.* **3** fam. Mettre au courant (en renseignant). **II** Acquitter le port de (une lettre, un envoi) en y apposant des timbres, etc. ► **affranchissement** n. m.

**affres** n. f. pl. littér. Angoisse.

**affréter** v. tr. [6] Prendre (un navire, un avion) en location. → **noliser.** ► **affrètement** n. m.

**affreusement** adv. **1** D'une manière affreuse. → **atrocement. 2** Extrêmement.

**affreux, euse** adj. **1** Qui provoque une réaction d'effroi et de dégoût. *Un cauchemar affreux.* **2** Très laid. → **hideux. 3** Tout à fait désagréable. *Un affreux malentendu.*

**affriolant, ante** adj. Qui excite l'intérêt, le désir. → **excitant, séduisant.**

**affront** n. m. **1** Offense faite publiquement avec la volonté de marquer son mépris et d'humilier. → **outrage. 2** Échec humiliant.

**affronter** v. tr. [1] Aller hardiment au-devant de (un adversaire, un danger). → **braver.** ▷ v. pron. **s'affronter** Se combattre ; fig. s'opposer. ► **affrontement** n. m.

**affubler** v. tr. [1] Habiller bizarrement.

**affût** n. m. **I** Bâti servant à supporter une arme lourde. *Affût de canon.* **II** Endroit où l'on s'embusque pour attendre le gibier ; l'attente elle-même. – loc. *Être à l'affût de :* guetter l'occasion de saisir ou de faire.

**affûter** v. tr. [1] Aiguiser (un outil tranchant). ► **affûtage** n. m.

**aficionado** n. m. Amateur passionné.

**afin de** loc. prép., **afin que** loc. conj. *Afin de* (+ inf.), *afin que* (+ subj.). Marquent l'intention, le but. → **pour.**

**a fortiori** loc. adv. À plus forte raison.

**africain, aine** adj. et n. De l'Afrique ; spécialt de l'Afrique subsaharienne.

**africanisme** n. m. Tournure, expression propre au français d'Afrique.

**africaniste** n. Spécialiste des langues et civilisations africaines.

**afrikaans** [-kɑ̃s] n. m. Variété de néerlandais d'Afrique du Sud (une des onze langues officielles du pays, avec l'anglais).

**after-shave** [aftœʀʃɛv] n. m. invar. anglic. Après-rasage.

**agaçant, ante** adj. Qui agace, énerve.

**agacement** n. m. Énervement mêlé d'impatience. → **irritation.**

**agacer** v. tr. [3] **1** Mettre dans un état d'agacement. **2** Causer une légère irritation à. **3** Provoquer par des agaceries.

**agaceries** n. f. pl. Mines ou paroles inspirées par une coquetterie provocante.

**agapes** n. f. pl. plais. Festin.

**agaric** n. m. Champignon à chapeau et à lamelles (nom générique).

**agate** n. f. **1** Pierre semi-précieuse (calcédoine). **2** Bille en verre imitant l'agate.

**agave** n. m. Plante d'origine mexicaine, décorative, dont on tire des fibres textiles (→ **sisal**) et un suc fermenté (→ **pulque**).

**âge** n. m. **1** Temps écoulé depuis qu'une personne est en vie. *Quel âge a-t-il ?* ♦ (choses) *L'âge d'un arbre ; d'un vin.* **2** Période de la vie (enfance, adolescence, jeunesse, maturité, vieillesse). – loc. *Âge tendre,* enfance et adolescence. *Troisième âge* (de la retraite), *quatrième âge.* **3** *L'âge :* la vieillesse. **4** Grande période de l'histoire. loc. *Le Moyen Âge.* – (préhistoire) *L'âge du bronze.* **5** *L'âge d'or :* époque prospère. *L'âge d'or du cinéma.*

**âgé, ée** adj. **1** Qui a tel âge. *Il est âgé de dix ans.* **2** Qui est d'un âge avancé.

**agence** n. f. **1** Organisme chargé de coordonner des moyens. **2** Établissement commercial servant d'intermédiaire. ♦ Succursale bancaire. **3** Organisme qui centralise des informations.

**agencer** v. tr. [3] Disposer en combinant (des éléments), organiser (un ensemble) par une combinaison d'éléments. – au p. p. *Un appartement bien agencé.* ► **agencement** n. m.

**agenda** [aʒɛ̃da] n. m. **1** Carnet où l'on inscrit jour par jour ce que l'on doit faire. **2** Emploi du temps, programme. ♦ anglic. Ordre du jour.

**s'agenouiller** v. pron. [1] Se mettre à genoux. ► **agenouillement** n. m.

**agent, ente I** n. m. didact. **1** La personne ou l'entité qui agit (opposé au *patient* qui subit l'action). – gramm. *Complément d'agent :* complément d'un verbe passif, introduit par *par* ou *de,* désignant l'auteur de l'action. **2** Force, corps, etc. intervenant dans la production de phénomènes. *Les agents atmosphériques.* **II** n. **1** Personne chargée des intérêts d'un individu ou d'un groupe, pour le compte duquel elle agit. **2** Personne employée par un service public, une entreprise..., servant d'intermédiaire. *Agent de change.* – *Agent de sécurité.* → ② **vigile.** ♦ *Agent (de police).* → **gardien** de la paix ; fam. **flic.** ♦ *Agent secret.* → **espion.**

**agglomérat** n. m. Ensemble d'éléments agglomérés. → **agrégat, conglomérat.**

**agglomération** n. f. **1** Action d'agglomérer (des matières). **2** didact. Union, groupement. **3** Ville ou village.

**aggloméré** n. m. Matériau obtenu en agglomérant des matières diverses.

**agglomérer** v. tr. [6] techn. Unir en un tout (diverses matières) à l'aide d'un liant.

**agglutinant, ante** adj. **1** Propre à agglutiner. **2** ling. *Langues agglutinantes,* où des affixes s'ajoutent aux bases.

**agglutiner** v. tr. [1] Coller ensemble, réunir pour former une masse compacte. ▷ v. pron. **s'agglutiner** ► **agglutination** n. f.

**aggravant, ante** adj. Qui rend plus grave. *Circonstance aggravante.*

**aggravation** n. f. Fait de s'aggraver, d'empirer. ♦ dr. Augmentation de peine.

**aggraver** v. tr. [1] **1** Rendre plus grave, plus condamnable. *Aggraver son cas.* **2** Rendre plus douloureux, plus dangereux. – pronom. *L'état du malade s'aggrave.* → **empirer.** **3** Rendre plus violent, plus profond.

**agile** adj. **1** Qui a de l'aisance et de la rapidité dans ses mouvements. **2** fig. Prompt dans les opérations intellectuelles. ► **agilement** adv. ► **agilité** n. f.

**agio** n. m. Intérêt, commission.

**agioteur, euse** n. Personne qui spécule malhonnêtement sur les cours de la Bourse.

**agir** v. intr. [2] **I 1** Faire qqch., avoir une activité qui transforme ce qui est. *C'est le moment d'agir.* **2** Se comporter dans l'action de telle manière. *Agir librement.* **3** (sujet chose) Produire un effet sensible, exercer une influence. *Le remède n'agit plus.* **4** trans. littér. (passif) *Être agi* : subir une influence. **II** *Il s'agit de* v. pron. impers. **1** Marquant ce qui est en question, ce qui intéresse. → il est **question.** *C'est de vous qu'il s'agit.* – *S'agissant de* : à propos de. **2** *Il s'agit de* (+ inf.) : ce qui importe est de. *Il s'agit de faire vite.*

**agissant, ante** adj. littér. Qui agit.

**agissements** n. m. pl. péj. Manœuvres.

**agitateur, trice** **1** n. Personne qui crée ou entretient l'agitation politique ou sociale. **2** n. m. techn. Ce qui sert à agiter, remuer.

**agitation** n. f. **1** État de ce qui est agité. **2** État d'une personne en proie à des émotions et à des impulsions diverses et qui ne peut rester en repos. → **nervosité.** **3** Mécontentement politique ou social.

**agiter** v. tr. [1] **1** Remuer vivement en divers sens, par des mouvements irréguliers. ♦ Remuer pour mélanger (un liquide). **2** littér. (sujet chose) Troubler (qqn) en déterminant un état d'agitation. **3** Débattre à plusieurs. → **discuter.** ▷ v. pron. s'**agiter** ▷ adj. **agité, ée** → **nerveux, tourmenté.**

**agneau, agnelle** n. **1** Petit de la brebis. – loc. *Doux comme un agneau.* ♦ relig. *L'agneau de Dieu* : Jésus-Christ. **2** Viande d'agneau. **3** Fourrure d'agneau.

**agnosie** [agn-] n. f. méd. Trouble de la reconnaissance des objets.

**agnostique** [agn-] n. Personne qui professe que l'absolu est inconnaissable ; sceptique en matière de métaphysique et de religion. ► **agnosticisme** n. m.

**Agnus Dei** [aɲysdei ; agnys-] n. m. invar. Prière de la messe débutant par ces mots.

**agonie** n. f. **1** Moments, heures précédant la mort. **2** fig., littér. Déclin précédant la fin.

**agonir** v. tr. [2] Injurier.

> Ne pas confondre avec *agoniser* « être à l'agonie ».

**agoniser** v. intr. [1] **1** Être à l'agonie. **2** fig. Décliner. ► **agonisant, ante** adj.

> Ne pas confondre avec *agonir* « injurier ».

**agora** n. f. Grande place publique (dans la Grèce antique). → aussi forum.

**agoraphobie** n. f. didact. Phobie des espaces libres et des lieux publics.

**agrafe** n. f. **1** Attache formée d'un crochet qu'on passe dans une boucle. **2** Fil métallique recourbé servant notamment à assembler des papiers. **3** chir. Petite lame servant à fermer une plaie ou une incision. **4** techn. Pièce métallique qui retient.

**agrafer** v. tr. [1] **1** Attacher avec des agrafes ; assembler, fixer en posant des agrafes. **2** fam. Prendre, arrêter. → **épingler.**

**agrafeuse** n. f. Instrument pour agrafer.

**agraire** adj. Qui concerne la surface, le partage, la propriété des terres.

**agrandir** v. tr. [2] **1** Rendre plus grand, plus spacieux, en augmentant les dimensions. **2** Faire paraître plus grand. **3** Rendre plus important. → **développer.** *Agrandir son entreprise.* ▷ v. pron. s'**agrandir**

**agrandissement** n. m. **1** Action d'agrandir, fait de s'agrandir. **2** Opération consistant à tirer d'un cliché une épreuve agrandie. – Photo ainsi obtenue.

**agréable** adj. **1** Qui agrée*, fait plaisir (à qqn). **2** Qui procure un sentiment de plaisir. → **plaisant.** ♦ n. m. *Joindre l'utile à l'agréable.* ► **agréablement** adv.

**agréer** v. tr. [1] **1** v. tr. ind. littér. *Agréer à qqn,* être au gré de. → **convenir, plaire.** *Si cela vous agrée.* **2** v. tr. dir. Accueillir avec faveur. ♦ dr. Admettre (qqn) en donnant son agrément. – au p. p. *Fournisseur agréé.*

**agrégat** n. m. Assemblage hétérogène de substances qui adhèrent solidement.

**agrégatif, ive** n. Étudiant(e) préparant l'agrégation.

**agrégation** n. f. **1** Fait d'agréger ; son résultat. → **agrégat.** **2** Admission sur concours au titre d'agrégé ; ce concours.

**agrégé, ée** n. Personne déclarée apte, après avoir été reçue à l'agrégation (2), à être titulaire d'un poste de professeur.

**agréger** v. tr. [3] et [6] **1** surtout pronom. et p. p. Unir en un tout (des particules solides). **2** Adjoindre (qqn à un groupe).

**agrément** n. m. **I** Permission, approbation (spécialt d'une autorité). **II 1** Qualité (d'une chose, d'un être) qui rend agréable. → **attrait, charme.** **2** (dans des expr.) Plaisir. *Jardin d'agrément* (opposé à *potager*). *Voyage d'agrément* (opposé à *d'affaires*).

**agrémenter** v. tr. [1] Améliorer en donnant de l'agrément (en ornant, variant...).

**agrès** n. m. pl. **1** mar. Éléments du gréement (d'un navire). **2** Appareils utilisés en gymnastique (barre fixe, etc.).

**agresser** v. tr. [1] Commettre une agression sur. – au p. p. *Se sentir agressé* (moralement).

**agresseur, euse** n. Personne qui commet une agression.

**agressif, ive** adj. 1 Qui a tendance à attaquer. – *Attitude agressive.* → **menaçant.** ♦ par ext. Combatif. 2 Qui agresse la sensibilité. → **provocant.** ► **agressivement** adv. ► **agressivité** n. f.

**agression** n. f. 1 Attaque armée d'un État contre un autre, non justifiée par la légitime défense. 2 Attaque violente contre qqn. 3 Attaque (nuisible) par un agent externe. *Agression microbienne.*

**agreste** adj. littér. Champêtre.

**agricole** adj. 1 Qui se livre à l'agriculture. 2 Relatif à l'agriculture. → **rural.**

**agriculteur, trice** n. Personne exerçant un des métiers de l'agriculture. → **cultivateur ; éleveur, fermier, paysan, planteur.**

**agriculture** n. f. Culture du sol ; ensemble des travaux transformant le milieu naturel pour la production des végétaux et des animaux utiles à l'homme.

**agripper** v. tr. [1] Saisir en serrant (pour s'accrocher). ▷ v. pron. **s'agripper** → **s'accrocher.** ► **agrippement** n. m.

**agroalimentaire** adj. Relatif à la transformation par l'industrie alimentaire des produits agricoles. – n. m. *L'agroalimentaire,* cette industrie. – var. **agro-alimentaire.**

**agrocarburant** n. m. Carburant obtenu à partir de matériaux organiques non fossiles (à l'inverse du pétrole...), provenant de l'agriculture, de déchets végétaux, etc. → **biocarburant.**

**agronomie** n. f. Étude scientifique de l'agriculture (milieu naturel, techniques...). ► **agronome** n. ► **agronomique** adj.

**agrumes** n. m. pl. Nom collectif des oranges, citrons, pamplemousses, etc.

**aguerrir** v. tr. [2] 1 Habituer aux dangers de la guerre. 2 Habituer à des choses pénibles. ▷ v. pron. **s'aguerrir** → **s'endurcir.**

aux **aguets** loc. adv. En position de guetteur, d'observateur en éveil.

**aguicher** v. tr. [1] Exciter par des manières provocantes. ► **aguicheur, euse** adj. et n. ► **aguichant, ante** adj. → **provocant.**

***ah** interj. 1 Marque un sentiment vif. 2 (redoublé) Sert à transcrire le rire. 3 (en loc. exclam. ou interrog.) *Ah bon ! Ah oui ?*

**ahaner** v. intr. [1] 1 vx Peiner. 2 Respirer bruyamment sous l'effort.

**ahuri, ie** 1 adj. Surpris au point de paraître stupide. 2 adj. et n. → **abruti.**

**ahurir** v. tr. [2] Déconcerter complètement. ► **ahurissement** n. m.

**ahurissant, ante** adj. 1 Qui ahurit. → **stupéfiant.** 2 Scandaleux, excessif.

**aï** n. m. Paresseux* (mammifère).

① **aide** n. f. 1 Action d'intervenir en faveur de qqn en joignant ses efforts aux siens. → **appui, assistance, concours, soutien.** *Venir en aide à qqn.* 2 Secours financier. 3 loc. prép. *À l'aide de :* au moyen de.

② **aide** 1 n. Personne qui en aide une autre dans une opération et travaille sous ses ordres. – devant un nom *Aide-comptable. Aide-soignant(e).* 2 n. m. milit. *Aide de camp* (attaché au service d'un chef).

**aide-mémoire** n. m. invar. Abrégé ne présentant que l'essentiel d'un sujet.

**aider** v. tr. [1] 1 v. tr. dir. Appuyer (qqn) en apportant son aide. – (sujet chose) *Cela m'a beaucoup aidé.* → **servir.** *Le temps aidant,* le temps y contribuant. 2 v. tr. ind. *Aider à* (qqch.) : faciliter. → **contribuer.** ▷ v. pron. **s'aider** 1 réfl. (prov.) *Aide-toi, le ciel t'aidera.* ♦ *S'aider de :* se servir de (qqch.). 2 récipr. S'entraider.

**aïe** [aj] interj. Exclamation de douleur.

**aïeul, aïeule** n. 1 (plur. *aïeuls, aïeules*) vx Grand-père, grand-mère. 2 au plur. *Les aïeux :* les ancêtres (→ bisaïeul, trisaïeul).

**aigle** I n. m. 1 Grand rapace diurne, au bec crochu, aux serres puissantes. – *Un regard d'aigle,* perçant. 2 fam. *Ce n'est pas un aigle,* il, elle n'est pas très intelligent(e). II n. f. 1 Femelle de l'aigle. 2 Figure héraldique représentant un aigle.

**aiglefin** n. m. → **églefin**

**aiglon** n. m. Petit de l'aigle. ♦ (avec maj.) Surnom du fils de Napoléon Ier.

**aigre** adj. 1 D'une acidité désagréable au goût ou à l'odorat. ♦ *Vent aigre,* froid et piquant. ♦ *Une voix aigre,* criarde. 2 Plein d'aigreur (II). → **acerbe.** – n. m. *La discussion tourne à l'aigre,* s'envenime.

**aigre-doux, douce** adj. 1 Dont la saveur est à la fois acide et sucrée. 2 Où l'aigreur perce sous la douceur. *Propos aigres-doux.*

**aigrefin** n. m. Escroc, voleur.

**aigrelet, ette** adj. Légèrement aigre.

**aigrement** adv. Avec aigreur.

**aigrette** n. f. 1 Héron blanc aux plumes effilées. 2 Faisceau de plumes surmontant la tête de certains oiseaux. 3 Bouquet (de plumes, etc.) ; faisceau.

**aigreur** n. f. I 1 Saveur aigre. → **acidité.** 2 au plur. Sensation d'acidité. *Aigreurs d'estomac.* II fig. Mauvaise humeur se traduisant par des paroles désagréables.

**aigrir** v. [2] I v. tr. 1 Rendre aigre. 2 Remplir d'aigreur. II v. intr. Devenir aigre. ▷ v. pron. **s'aigrir** ▷ adj. **aigri, ie**

**aigu, uë** [egy] adj. 1 Terminé en pointe ou en tranchant. → **acéré, pointu.** – *Angle aigu,* plus petit que l'angle droit (opposé à *obtus*). 2 En haut de l'échelle des sons (opposé à *grave*). *Une note aiguë.* – n. m. *L'aigu,* les sons aigus. 3 (douleur...) Intense et pénétrant. 4 (maladie) À évolution rapide (opposé à *chro-*

*nique*). **5** Vif et pénétrant (dans le domaine de l'esprit).

**aigue-marine** n. f. Pierre semi-précieuse, transparente et bleue. *Des aigues-marines.*

**aiguière** n. f. Ancien récipient pour l'eau, muni d'une anse et d'un bec.

**aiguillage** [-gɥi-] n. m. **1** Manœuvre des aiguilles (5) des voies ferrées. ♦ Appareil permettant les changements de voie. **2** fig. → **orientation.** *Une erreur d'aiguillage.*

**aiguille** [egɥij] n. f. **1** Fine tige d'acier pointue à une extrémité et percée à l'autre d'un trou (→ **chas**) où passe le fil. – loc. *Chercher une aiguille dans une botte de foin,* une chose impossible à trouver. *De fil* en aiguille.* **2** *Aiguille à tricoter :* tige pour faire du tricot. **3** méd. Tige effilée servant aux injections, aux piqûres. **4** Tige qui sert à indiquer une mesure, etc. *Les aiguilles d'une montre.* **5** Portion de rail mobile servant à opérer les changements de voie. **6** Sommet effilé d'une montagne. **7** Feuille des conifères (pin...). **8** appos. *Talon* aiguille.*

**aiguiller** [-gɥi-] v. tr. [1] **1** Diriger (un train) par un aiguillage. **2** fig. Orienter (3).

**aiguillette** [-gɥi-] n. f. **1** anciennt Cordon à bout de métal. ♦ Ornement militaire fait de cordons tressés. **2** Tranche de filet (de canard). ♦ Partie du romsteck.

**aiguilleur, euse** [-gɥi-] n. Personne chargée d'un poste d'aiguillage. – *Aiguilleur, aiguilleuse du ciel,* qui contrôle la navigation aérienne.

**aiguillon** [-gɥi-] n. m. **1** Long bâton pour piquer les bœufs. ♦ fig. Ce qui stimule. **2** Dard à venin de certains insectes.

**aiguillonner** [-gɥi-] v. tr. [1] **1** Piquer (un animal) avec l'aiguillon. **2** fig. Stimuler.

**aiguiser** v. tr. [1] **1** Rendre tranchant ou pointu. → **affûter. 2** Rendre plus vif, plus pénétrant. *Aiguiser l'appétit.* **3** littér. Affiner, polir. ► **aiguisage** n. m. (sens 1) ► **aiguisement** n. m. (sens 1, 2 et 3).

**aïkido** n. m. Art martial d'origine japonaise où l'on neutralise la force adverse par rotation du corps, etc.

**ail** [aj] n. m. Plante dont le bulbe (tête) à saveur piquante sert comme condiment. *Gousse d'ail. Des aulx* ou *des ails.*

**aile** n. f. **I 1** Chacun des organes du vol chez les oiseaux, les chauves-souris, les insectes. – loc. *Avoir des ailes,* aller très vite. *Avoir du plomb dans l'aile :* être compromis (choses). *Avoir un coup dans l'aile,* perdre de sa force ; être ivre. *Voler de ses propres ailes,* être indépendant. **2** Partie charnue d'une volaille comprenant tout le membre qui porte l'aile. **3** Chacun des plans de sustentation (d'un avion). ♦ *Aile libre.* → **deltaplane. 4** Chacun des châssis garnis de toile d'un moulin à vent. **II 1** Partie latérale d'un bâtiment. **2** Partie latérale d'une armée. – sports Côtés de l'attaque d'une équipe (opposé à *centre*). **3** Partie de la carrosserie couvrant les roues d'une voiture. **4** *Ailes du nez :* moitiés inférieures des faces latérales du nez.

**ailé, ée** adj. Pourvu d'ailes.

**aileron** n. m. **1** Extrémité de l'aile (d'un oiseau). **2** Nageoire (de requin...). **3** Volet articulé à l'arrière de l'aile d'un avion.

**ailette** n. f. **1** Petite aile. **2** Lame saillante.

**ailier, ière** n. football Chacun des avants situés à droite et à gauche du terrain.

**ailler** v. tr. [1] Piquer ou frotter d'ail.

**ailleurs** adv. **1** Dans un autre lieu (que celui où l'on est ou dont on parle). *Allons ailleurs. Nulle part ailleurs,* en aucun autre endroit. *Des gens venus d'ailleurs,* d'un endroit lointain. **2** loc. adv. *D'ailleurs.* → d'autre **part,** du **reste.** – *Par ailleurs :* à un autre point de vue. **3** fig. *Être ailleurs :* penser à autre chose, être distrait. → **absent.**

**ailloli** ou **aïoli** n. m. Mayonnaise à l'ail.

**aimable** adj. Qui cherche à faire plaisir. – *Un mot aimable.* ► **aimablement** adv.

① **aimant, ante** adj. Affectueux, tendre.

② **aimant** n. m. Corps ou substance qui a la propriété d'attirer le fer.

**aimanter** v. tr. [1] Communiquer à (un métal) la propriété de l'aimant. – au p. p. *Aiguille aimantée.* ► **aimantation** n. f.

**aimer** v. tr. [1] **I 1** Avoir un sentiment passionné qui pousse à respecter, à vouloir le bien de (qqn, une entité). *Aimer son pays.* **2** Éprouver de l'affection, de l'amitié*, de la sympathie pour (qqn). → **affectionner, chérir.** *Aimer ses parents.* – (avec un adv., pour distinguer du sens 3) *Je l'aime bien.* **3** Éprouver de l'amour, de la passion pour (qqn). – au p. p. *L'être aimé.* **II 1** Avoir du goût pour (qqch.). *Aimer la musique.* **2** Trouver bon au goût. **3** (+ inf.) Trouver agréable, être content de, se plaire à. *Aimer chanter.* – littér. *Aimer à. J'aime à croire que,* je veux croire que. – *Aimer que* (+ subj.). → **désirer, souhaiter.** ♦ *Aimer mieux :* préférer. ▷ v. pron. **s'aimer 1** (réfl.) Se plaire, se trouver bien. **2** (récipr.) Être mutuellement attachés par l'affection, l'amour.

**aine** n. f. Partie du corps entre le haut de la cuisse et le bas-ventre.

**aîné, ée 1** adj. Qui est né le premier (par rapport aux autres enfants). – n. *L'aîné et le cadet.* **2** n. Personne plus âgée (qu'une autre).

**aînesse** n. f. hist. *Droit d'aînesse :* droit avantageant l'aîné dans une succession.

**ainsi** adv. **1** (manière) De cette façon (comme il a été dit ou comme on va dire). – loc. *Ainsi soit-il,* formule terminant une prière. → **amen.** *Pour ainsi dire* (atténue l'expression employée). **2** (conclusion) *Ainsi rien n'a changé...* **3** (comparaison) De même. ♦ *Ainsi que* loc. conj. → **comme.**

① **air** n. m. **1** Fluide gazeux formant l'atmosphère, que respirent les êtres vivants, constitué essentiellement d'oxygène et d'azote (→ **aérien, aéro-**). *Air pur.* ♦ loc. *Prendre l'air :* aller se promener. – *Changer d'air,* de milieu, de climat. – fam. *Il ne manque pas d'air !,* il a du culot. **2** *Air conditionné,* amené à une température et un degré hygrométrique déterminés. **3** loc. *En plein air :* au-dehors. *Jeux de plein air.* – *Libre comme l'air :* libre de ses mouvements. **4** Espace au-dessus de la terre. → **ciel.** *Transports par air,* par voie aérienne. **5** loc. adv. *En l'air. Regarder en l'air.* → **en haut.** – *Promesses en l'air,* pas sérieuses. **6** fig. Atmosphère, ambiance. *L'air du temps.* – *Être dans l'air* (idées, etc.) : commencer à se répandre.

> Ne pas confondre avec *aire* «surface» ni avec *ère* «époque».

② **air** n. m. **1** Apparence générale habituelle à une personne. → **allure. 2** Apparence expressive manifestée par le visage, la voix, les gestes, à un moment donné. **3** *Avoir l'air :* présenter telle apparence (physique ou morale). *Elle avait l'air soucieuse* (ou *l'air soucieux*). → **paraître.** – *Avoir l'air de* (+ inf.). → **sembler.**

> Ne pas confondre avec *aire* «surface» ni avec *ère* «époque».

③ **air** n. m. Mélodie d'une chanson, d'un morceau de musique. – loc. *L'air et la chanson,* l'apparence et la réalité.

> Ne pas confondre avec *aire* «surface» ni avec *ère* «époque».

**airain** n. m. vx ou littér. Bronze.

**airbag** n. m. anglic., techn. Coussin de sécurité, qui se gonfle en cas de choc pour protéger les passagers d'un véhicule.

① **aire** n. f. **1** Surface plane (d'abord, où l'on battait le grain). – *Aire d'atterrissage.* **2** géom. Portion limitée de surface ; sa mesure. → **superficie. 3** didact. Lieu de certains phénomènes. → **domaine, zone.** *Aire linguistique.*

> Ne pas confondre avec *air* «atmosphère» ni avec *ère* «époque».

② **aire** n. f. didact. Nid (d'un rapace).

> Ne pas confondre avec *air* «atmosphère» ni avec *ère* «époque».

**airelle** n. f. Arbrisseau à baies (myrtilles* et baies semblables) ; cette baie.

**aisance** n. f. **I** *Cabinets, lieux d'aisances :* cabinets, toilettes. – *Fosse* d'aisances.* **II 1** Situation de fortune qui assure une vie facile. *Vivre dans l'aisance.* **2** Facilité naturelle. *S'exprimer avec aisance.*

**aise** n. f. **I 1** *Être à l'aise :* être bien, ne pas être gêné ; être content, détendu. – *Mettre qqn à l'aise, à son aise. Il en prend à son aise :* il ne se gêne pas. *À votre aise !,* comme vous voudrez. **2** au plur. *Ses aises :* son bien-être. *Aimer ses aises.* **II** adj. littér. *(Être) bien aise de* (+ inf.), très content de.

**aisé, ée** adj. **1** Qui vit dans l'aisance. **2** littér. Qui se fait sans peine. → **facile.**

**aisément** adv. Facilement.

**aisselle** n. f. Cavité qui se trouve sous la jonction du bras avec l'épaule.

**aîtres** ou **êtres** n. m. pl. littér. Disposition des parties (d'une habitation).

**ajonc** [-ɔ̃] n. m. Arbrisseau épineux des landes atlantiques, à fleurs jaunes.

**ajourer** v. tr. [1] Percer de jours (ornementaux). ▷ adj. **ajouré, ée**

**ajourner** v. tr. [1] Renvoyer à une date indéterminée. → **différer, remettre.** ► **ajournement** n. m.

**ajout** n. m. Élément ajouté. → **addition.**

**ajouter** v. [1] **I** v. tr. **1** Mettre en plus ou à côté. *Ajouter du sel.* ♦ Dire en plus. *Permettez-moi d'ajouter un mot.* **2** littér. *Ajouter foi à :* croire à. **II** v. tr. ind. *Ajouter à :* augmenter, accroître. ▷ v. pron. s'**ajouter**

**ajusté, ée** adj. Qui serre le corps.

**ajustement** n. m. **1** Fait d'être ajusté. **2** (abstrait) Adaptation, mise en rapport.

**ajuster** v. tr. [1] **1** Mettre aux dimensions convenables. **2** Viser avec une arme à feu. **3** *Ajuster à :* mettre en état d'être joint à. – pronom. *Couvercle qui s'ajuste mal au récipient.* **4** Mettre en conformité, adapter.

**ajusteur, euse** n. Ouvrier, ouvrière qui façonne des pièces mécaniques.

**akra** → **acra**

**akvavit** → **aquavit**

**alacrité** n. f. littér. Vivacité enjouée.

**alaise** ou **alèse** n. f. Tissu imperméable pour protéger un matelas, un lit.

**alambic** n. m. Appareil servant à la distillation.

**alambiqué, ée** adj. Exagérément compliqué et contourné.

**alanguir** v. tr. [2] Rendre languissant. ▷ v. pron. s'**alanguir** ▷ adj. **alangui, ie** ► **alanguissement** n. m.

**alarme** n. f. **1** Signal pour avertir d'un danger. *Donner l'alarme,* avertir d'un danger. ♦ Dispositif d'alarme. **2** Vive inquiétude en présence d'un danger prévu.

**alarmer** v. tr. [1] Inquiéter en faisant pressentir un danger. ▷ v. pron. s'**alarmer** ► **alarmant, ante** adj.

**alarmiste** n. Personne qui répand des bruits alarmants. – adj. *Article alarmiste.*

**albanais, aise** adj. et n. De l'Albanie. – n. *Les Albanais.* ♦ n. m. *L'albanais* (langue).

**albâtre** n. m. Minéral formé de gypse ou de calcite. – poét. *D'albâtre :* très blanc.

**albatros** [-os] n. m. Grand oiseau de mer, au plumage blanc et gris.

**albinisme** n. m. Anomalie des albinos.

**albinos** [-os] adj. Dépourvu de pigmentation (peau, système pileux, yeux). ♦ n. Personne albinos. *Un, une albinos.*

**album** [-ɔm] n. m. **1** Cahier ou classeur destiné à recevoir des dessins, des photos, etc. **2** Livre où prédominent les illustrations. **3** Réunion de morceaux de musique constituant un ensemble cohérent.

**albumine** n. f. biochim. **1** Protéine naturelle présente dans le sérum, le lait, etc. ► **albumineux, euse** adj. **2** Albuminurie*.

**albuminurie** n. f. pathol. Présence d'albumine dans l'urine. ► **albuminurique** adj. et n.

**alcade** n. Magistrat municipal, en Espagne.

**alcali** n. m. **1** Nom générique des bases et sels basiques que donnent avec l'oxygène les métaux alcalins (potassium, sodium, etc.). **2** comm. Ammoniaque.

**alcalin, ine** adj. Des alcalis (1). *Propriétés alcalines,* basiques. ► **alcalinité** n. f.

**alcaloïde** n. m. Substance organique d'origine végétale (ex. caféine, morphine), contenant au moins un atome d'azote.

**alcane** n. m. chim. Hydrocarbure saturé (appelé autrefois *paraffine*).

**alcazar** n. m. Palais arabe fortifié, en Espagne.

**alchimie** n. f. Science occulte en vogue au Moyen Âge, basée sur des techniques chimiques secrètes et des spéculations mystiques. → **hermétisme.** ♦ fig. Transformation mystérieuse. ► **alchimiste** n.

**alcool** [alkɔl] n. m. **I 1** Liquide incolore et inflammable obtenu par distillation du vin et des jus sucrés fermentés. *Alcool à 60 degrés.* **2** Eau-de-vie, spiritueux. **II** chim. Corps organique possédant un groupement hydrogène-oxygène. *Alcool éthylique*. - Alcool à brûler* (mélange combustible).

**alcoolémie** n. f. Taux d'alcool dans le sang.

**alcoolique** adj. **I 1** Qui contient de l'alcool. **2** Qui boit trop d'alcool ; atteint d'alcoolisme. - n. *Un alcoolique.* **II** chim. Relatif aux alcools (II).

**alcooliser** v. tr. [1] Additionner d'alcool. - au p. p. *Boisson alcoolisée.* → **alcoolique.**

**alcoolisme** n. m. Abus des boissons alcooliques, déterminant un ensemble de troubles ; ces troubles. → **éthylisme.**

**alcoolodépendance** n. f. didact. Dépendance due à l'alcoolisme. ► **alcoolodépendant, ante** adj. et n.

**alcoologie** n. f. méd. Étude médicale de la consommation d'alcool par les humains.

**alcootest** [alkɔtɛst] n. m. (nom déposé) Appareil, test mesurant l'alcoolémie. → **éthylotest.**

**alcôve** n. f. **1** Enfoncement ménagé dans une chambre pour un lit. **2** Lieu des rapports amoureux. *Secrets d'alcôve.*

**aldéhyde** n. m. chim. Corps formé en enlevant l'hydrogène d'un alcool.

**al dente** [aldɛnte] adv. *Pâtes cuites al dente,* peu cuites, fermes sous la dent.

**ale** [ɛl] n. f. Bière anglaise blonde.

**aléa** n. m. littér. Événement imprévisible.

**aléatoire** adj. Lié au hasard.

**alémanique** adj. Propre à la Suisse de langue allemande (dite *Suisse alémanique*).

**alêne** n. f. Poinçon pour le cuir. - var. **alène.**

**alentir** v. tr. [2] vx → **ralentir.**

**alentour** adv. littér. Tout autour.

**alentours** n. m. pl. Lieux voisins. ♦ *Aux alentours de* (approximation). → **vers ; environ.**

① **alerte** adj. Vif et leste (malgré l'âge, etc.). - abstrait Éveillé, vif. *Esprit alerte.*

② **alerte** n. f. **1** Signal prévenant d'un danger et appelant à prendre des mesures de sécurité. *Donner l'alerte.* → **alarme.** **2** Indice d'un danger. *Fausse alerte.* **3** inform. Dispositif d'envoi automatique d'informations. - Information ainsi envoyée.

**alerter** v. tr. [1] **1** Avertir d'un danger, etc. pour que des mesures soient prises. **2** Faire pressentir un danger à (qqn).

**alésage** n. m. **1** Calibrage exact des trous (d'une pièce mécanique). **2** Diamètre intérieur d'un cylindre. ► **aléser** v. tr. [6]

**alèse** n. f. → **alaise**

**alevin** n. m. Jeune poisson.

**aleviner** v. tr. [1] Peupler d'alevins.

**alexandrin** n. m. Vers de douze syllabes.

**alezan, ane** adj. (cheval, mulet) Dont la robe est brun rougeâtre. - n. m. *Un alezan.*

**alfa** n. m. **1** Plante herbacée utilisée en vannerie, en papeterie. **2** Papier d'alfa.

**alfalfa** n. f. Luzerne cultivée.

**algarade** n. f. Violente réprimande ou dispute.

**algèbre** n. f. **1** Ensemble d'opérations substituant des lettres aux valeurs numériques ; par ext. étude de structures abstraites définies sur des ensembles et des lois. **2** fig. Chose difficile à comprendre. ► **algébrique** adj. ► **algébriquement** adv.

**algérien, enne** adj. et n. D'Algérie. - n. *Les Algériens.*

**algologie** n. f. bot. Étude des algues et de leurs utilisations.

**algorithme** n. m. math. Ensemble des règles opératoires propres à un calcul ; suite de règles formelles. ► **algorithmique** adj.

**alguazil** [-ga-] n. m. hist. Agent de police ou de justice, en Espagne.

**algue** n. f. Plante aquatique à chlorophylle. *Algues marines.* → **goémon, varech.**

① **alias** [aljas] **1** adv. Autrement appelé. *Jean-Baptiste Poquelin, alias Molière.* **2** n. m. Pseudonyme.

② **alias** [aljas] n. m. inform. Fichier virtuel créé pour permettre l'accès immédiat à un autre fichier.

**alibi** n. m. **1** Moyen de défense tiré du fait qu'on était, au moment d'une infraction, dans un autre lieu. **2** fig. Justification.

**alidade** n. f. Instrument pour déterminer les directions, mesurer les angles.

**aliénation** n. f. **I 1** dr. Transmission que qqn fait d'une propriété ou d'un droit. **2** Fait de perdre (un droit, un bien naturel). **3** État de l'individu qui, par suite des conditions extérieures (économiques, politiques, religieuses), perd son humanité. **II** Trouble mental grave. → **démence, folie.**

**aliéné, ée** n. Personne atteinte d'aliénation mentale.

**aliéner** v. tr. [6] **1** dr. Céder par aliénation (I, 1). **2** Perdre (un droit, un bien naturel). *Aliéner sa liberté.* **3** Éloigner, rendre hostile. **4** Transformer par l'aliénation (I, 3).

**aliéniste** n. ancienn^t^ Psychiatre.

**alignement** n. m. **1** Fait d'aligner, d'être aligné. ♦ Rangée (de choses alignées). **2** admin. Limite de la voie publique, fixée par l'Administration. **3** fig. Fait d'aligner sa politique, sa conduite.

**aligner** v. tr. [1] **1** Ranger sur une ligne droite. **2** Inscrire ou prononcer à la suite. **3** fig. *Aligner* (une politique...) *sur,* rendre conforme à, calquer sur. ▷ v. pron. **s'aligner** ▷ adj. **aligné, ée** (→ non-aligné).

**aligot** n. m. Plat de purée travaillée avec du fromage.

**aligoté** n. m. Cépage de Bourgogne. - Vin blanc qu'il produit.

**aliment** n. m. **1** Substance susceptible de servir à la nutrition d'un être vivant. → **nourriture. 2** fig. Ce qui nourrit l'esprit. **3** dr. au plur. Frais d'entretien (de qqn).

**alimentaire** adj. **1** Qui peut servir d'aliment. **2** Relatif à l'alimentation. *Intoxication alimentaire.* **3** dr. Qui a rapport aux aliments (3). *Pension alimentaire.* **4** péj. Qui a pour rôle de fournir de quoi vivre.

**alimentation** n. f. **1** Action ou manière d'alimenter, de s'alimenter. *Varier son alimentation.* **2** Commerce ou industrie des denrées alimentaires. **3** Action d'alimenter (2).

**alimenter** v. tr. [1] **1** Fournir en aliments. - pronom. → se **nourrir. 2** Approvisionner en fournissant ce qu'il faut. *Alimenter une ville en eau ; une chaudière.* **3** fig. Entretenir. *Alimenter la conversation.*

**alinéa** n. m. **1** Renfoncement de la première ligne d'un paragraphe. **2** Passage compris entre deux alinéas (1). → **paragraphe.**

**alisier** n. m. Arbre, variété de sorbier.

**aliter** v. tr. [1] Faire prendre le lit à (qqn). - pronom. *Il a dû s'aliter.* ► **alitement** n. m.

**alizé** n. m. Vent régulier soufflant toute l'année de l'est, sur la partie orientale du Pacifique et de l'Atlantique.

**allaiter** v. tr. [1] Nourrir de son lait (un nourrisson, un petit) ; donner le sein à. ► **allaitement** n. m.

**allant, ante I** adj. littér. Qui fait preuve d'activité. **II** n. m. Ardeur, entrain.

**allécher** v. tr. [6] Attirer par la promesse d'un plaisir. → **appâter.** ♦ fig. Attirer, tenter. ► **alléchant, ante** adj. → **tentant.**

**allée** n. f. **I** *Allée et venue :* fait d'aller et de venir ; au plur. déplacement de personnes qui vont et viennent. **II** Chemin bordé d'arbres, etc. ♦ (dans un édifice) Passage.

**allégation** n. f. Ce qu'on allègue.

**allégé, ée** adj. (aliment) Dont on a réduit la teneur en lipides, en sucre.

**allégeance** n. f. hist. ou dr. Obligation de fidélité. ♦ Soumission fidèle.

**alléger** v. tr. [6] et [3] **1** Rendre moins lourd, plus léger. **2** (abstrait) Rendre moins pénible (une charge, une peine). ► **allégement** n. m. - var. **allègement.**

**allégorie** n. f. **1** Suite d'éléments narratifs concrets symbolisant chacun une abstraction. **2** Œuvre dont chaque élément évoque symboliquement les aspects d'une idée. ► **allégorique** adj.

**allègre** adj. Plein d'entrain, vif.

**allégrement** adv. **1** Avec entrain. → **vivement. 2** iron. Avec légèreté ou inconscience. - var. **allègrement.**

**allégresse** n. f. Joie très vive qui se manifeste publiquement. → **liesse.**

**allégro** ou **allegro** [a(l)legʀo] n. m. Morceau de musique exécuté dans un tempo assez rapide. - adv. *Jouer allegro.*

**alléguer** v. tr. [6] **1** Citer comme autorité, pour sa justification. *Alléguer un texte de loi.* **2** Mettre en avant, invoquer. → **prétexter.**

**alléluia** [a(l)leluja] **1** interj. Cri d'allégresse (fréquent dans les psaumes). **2** n. m. Chant liturgique chrétien d'allégresse.

**allemand, ande** adj. et n. De l'Allemagne. → **germanique.** *Le mark, monnaie allemande avant l'euro.* ♦ n. *Un Allemand, une Allemande.* ♦ n. m. *L'allemand* (langue germanique).

① **aller** v. intr. [9] **I** (mouvement) **1** (êtres vivants, véhicules) Se déplacer. *Allons à pied.* - *Aller et venir :* marcher dans des directions indéterminées. **2** (avec un compl. de lieu) → se **rendre.** *Aller à, en, chez...* **3** (avec un compl. de but) *Je vais à mon travail.* - (+ inf.) *Allez donc le voir.* **II** (sans déplacement) **1** (progression dans l'action) *Ce garçon ira loin.* → **réussir.** *Vous allez trop loin !* → **exagérer. 2** *Y aller* (comportement...). *Vous y allez fort !,* vous exagérez. *Il n'y va pas par quatre chemins*.* **3** (+ inf. ; auxiliaire du futur) Être sur le point de. *Il va arriver.* **4** interj. pour exhorter *Va !, allons !, allez !* **III** (évolution, fonctionnement) **1** Être dans tel état de santé. → se **porter.** *Comment allez-vous ? Je vais mieux.* – *Ça va :* je vais bien. **2** (sujet chose) Être porté dans tel état, tel stade d'une évolution. *Les affaires vont bien.* ♦ loc. *Cela va de soi,* c'est évident. – impers. *Il y va de notre vie,* notre vie est en jeu. ♦ *Laisser aller,* laisser évoluer sans intervenir. – *Se laisser aller,* s'abandonner, se décourager. **3** Être adapté, convenir à (qqn, qqch.). **4** (auxiliaire d'aspect, suivi d'un p. prés.) *Son mal va en empirant.* **IV** *S'en aller* v. pron. **1** Partir du lieu où l'on est. → **partir.** *Je m'en vais. Il s'en est allé.* **2** (choses) Disparaître. **3** (+ inf.) Partir faire qqch. ♦ (auxiliaire de temps) *Je m'en vais tout vous raconter.*

② **aller** n. m. **I** (opposé à *retour*) **1** Trajet fait en allant à un endroit déterminé. **2** Billet valable pour l'aller. – fig., fam. *Un aller et retour :* une paire de gifles. **3** *Match aller et match retour*.* **II** *Pis aller.* → **pis.**

**allergie** n. f. **1** Modification des réactions d'un organisme à un agent pathogène, après une première atteinte par cet agent. **2** fig. Réaction hostile, fait de ne pas supporter.

**allergique** adj. **1** Propre à l'allergie. **2** Qui réagit par une allergie (à une substance). **3** fig. Qui supporte mal (qqch.).

**allergologie** n. f. Médecine des allergies. ► **allergologue** n.

**alliage** n. m. **1** Produit métallique obtenu en incorporant à un métal un ou plusieurs éléments. **2** fig. Mélange.

**alliance** n. f. **I 1** Union contractée par engagement mutuel. *Alliance électorale.* **2** Pacte avec Dieu, dans la religion juive. **3** Union de puissances qui s'engagent à se porter secours en cas de guerre. **4** Lien juridique établi par le mariage entre les familles des conjoints. **5** Combinaison d'éléments divers. **II** Anneau de mariage.

**allié, ée 1** adj. Uni par un traité d'alliance. *Pays alliés.* – n. hist. *Les Alliés,* les pays alliés contre l'Allemagne au cours des guerres mondiales de 1914-1918 et 1939-1945. **2** n. Personne qui apporte à une autre son appui, prend son parti. **3** n. (au plur.) Personnes unies par alliance (I, 4).

**allier** v. tr. [7] **1** Combiner par un alliage. **2** fig. Associer (des éléments dissemblables). **3** *S'allier à, avec,* s'unir par une alliance.

**alligator** n. m. Reptile voisin du crocodile.

**allitération** n. f. Répétition des consonnes dans une série de mots.

**allô** ou **allo** interj. Terme d'appel dans les communications téléphoniques.

**allocataire** n. Bénéficiaire d'une allocation. → **prestataire.**

**allocation** n. f. Fait d'allouer ; somme allouée. → **prestation.**

**allocution** n. f. Bref discours adressé par une personnalité.

**allogène** adj. didact. Non autochtone.

**allogreffe** n. f. méd. Greffe provenant d'un autre individu (contr. *autogreffe*).

**allomorphe** adj. sc. Qui se présente sous des formes très différentes.

**allonge** n. f. **1** Pièce servant à allonger. → **rallonge. 2** Longueur de bras d'un boxeur.

**allongé, ée** adj. **1** Étendu en longueur. **2** Étendu de tout son long. *Rester allongé.* **3** *Café allongé,* auquel on ajoute de l'eau.

**allongement** n. m. Fait d'allonger, de s'allonger.

**allonger** v. [3] **I** v. tr. **1** Rendre plus long. → **rallonger ;** opposé à *raccourcir.* **2** Rendre (une sauce...) plus liquide. – loc. fam. *Allonger la sauce,* délayer (un texte...). **3** Étendre (un membre). *Allonger le bras.* – loc. *Allonger le pas,* marcher plus vite. **4** Étendre qqn (sur un lit, etc.). **5** fam. Donner (un coup) en étendant la main, la jambe. **6** fam. Verser (de l'argent). **II** v. intr. Devenir plus long. → **rallonger.** ▷ v. pron. **s'allonger 1** Devenir plus long (dans l'espace ou le temps). **2** S'étendre. **3** fam. Avouer.

**allopathie** n. f. La médecine classique, quand on l'oppose à l'homéopathie. ► **allopathe** n. ► **allopathique** adj.

**allouer** v. tr. [1] **1** Attribuer (une somme d'argent). *Allouer une pension à qqn* (→ **allocation**). **2** Accorder (qqch. à qqn).

**allumage** n. m. **1** Action d'allumer (un feu ; un éclairage). **2** Inflammation du mélange gazeux d'un moteur.

**allume-cigare** n. m. Instrument à résistance électrique pour allumer les cigarettes, etc. *Des allume-cigares.*

**allume-gaz** [-gɑz] n. m. invar. Instrument pour allumer le gaz (d'une cuisinière...).

**allumer** v. tr. [1] **1** Enflammer ; mettre le feu à. *Allumer une cigarette.* – *Allumer le feu.* **2** Éveiller de façon soudaine (une passion). ♦ fam. Aguicher (qqn). **3** Rendre lumineux en enflammant, ou par l'électricité. *Allumer une lampe.* – fam. *Allumer l'électricité.* **4** Faire fonctionner (un appareil électrique). ▷ adj. **allumé, ée 1** *Lampe allumée.* **2** fam. Agité et exalté.

**allumette** n. f. **1** Brin (de bois, carton, etc.) imprégné à une extrémité d'un produit susceptible de s'enflammer par friction. **2** appos. *Pommes allumettes,* frites très fines.

**allumeur, euse I** n. m. Dispositif d'allumage (d'un moteur). **II** n. f. Femme qui excite le désir des hommes.

**allure** n. f. **1** Vitesse de déplacement. *Ralentir l'allure.* **2** Manière de se déplacer, de se tenir. – *Avoir de l'allure,* de la distinction. **3** (choses) Apparence générale. ▷ adj. **alluré, ée** fam. Qui a de l'allure.

**allusif, ive** adj. Qui contient une allusion, procède par allusions. ► **allusivement** adv.

**allusion** n. f. Manière d'éveiller l'idée de qqch. sans en faire expressément mention. *L'allusion m'échappe.* ♦ Passage célèbre auquel on fait allusion (→ citation).

**alluvion** n. f. au plur. Dépôts de sédiments (cailloux, sables, boues, limons) d'un cours d'eau. ► **alluvial, ale, aux** adj.

**almanach** [-na] n. m. Annuaire, publication ayant pour base le calendrier.

**aloès** [alɔɛs] n. m. Plante grasse, aux feuilles charnues, contenant un suc amer.

**aloi** n. m. **1** didact. Titre légal (d'une monnaie). **2** *De bon, de mauvais aloi* loc. adj. : de bonne, de mauvaise qualité.

**alopécie** n. f. méd. Chute temporaire des cheveux ou des poils, partielle ou totale.

**alors** adv. **I 1** À ce moment-là ; à cette époque-là. – *Les gens d'alors,* de ce temps. *Jusqu'alors,* jusqu'à cette époque. **2** Dans ce cas. *Alors, je renonce.* **II** loc. conj. *Alors que* (+ indic.) **1** vieilli Lorsque. **2** À un moment où au contraire. → **tandis** que.

**alose** n. f. Poisson voisin du hareng.

**alouette** n. f. Petit passereau des champs, au plumage grisâtre ou brunâtre.

**alourdir** v. tr. [2] Rendre lourd, pesant (sens propre et fig.). ► **alourdissement** n. m.

**aloyau** n. m. Morceau de bœuf renfermant le filet, le romsteck et le contre-filet.

**alpaga** n. m. **1** Mammifère d'Amérique du Sud, voisin du lama. **2** Tissu de laine (à l'origine laine d'alpaga) et de soie.

**alpage** n. m. Pâturage de haute montagne. – syn. **alpe** n. f.

**alpaguer** v. tr. [1] argot Arrêter (qqn).

**alpestre** adj. Propre aux Alpes. → **alpin.**

**alpha** n. m. Première lettre (α) de l'alphabet grec.

**alphabet** n. m. **1** Système de signes graphiques (lettres) servant à la transcription des sons (consonnes, voyelles) d'une langue ; série des lettres, rangées dans un ordre traditionnel. – *Alphabet phonétique,* notant les sons (phonèmes). **2** Livre contenant les premiers éléments de la lecture. → **abc, abécédaire.**

**alphabétique** adj. **1** De l'alphabet. **2** Dans l'ordre alphabétique. ► **alphabétiquement** adv.

**alphabétiser** v. tr. [1] Apprendre à lire et à écrire à (un groupe social qui ignore une écriture). ► **alphabétisation** n. f.

**alphanumérique** adj. Qui recourt à la fois à des lettres et à des chiffres.

**alpin, ine** adj. **1** Des Alpes. → **alpestre.** – *Chasseurs alpins :* troupes spécialisées dans la guerre de montagne. **2** D'alpinisme. – *Ski alpin* (descente et slalom).

**alpinisme** n. m. Sport des ascensions en montagne. ► **alpiniste** n.

**alsacien, ienne** adj. et n. De l'Alsace.

**altération** n. f. **I** Changement en mal. **II** Signe de musique modifiant la hauteur de la note (dièse, bémol, bécarre).

**altercation** n. f. Échange bref de propos vifs, de répliques désobligeantes.

**alter ego** [altɛʀego] n. m. invar. Personne de confiance. ♦ Ami inséparable.

**altérer** v. tr. [6] **I 1** Changer en mal. → **détériorer, gâter.** – pronom., fig. *Son visage s'altéra.* **2** Falsifier, fausser. **II 1** Exciter la soif de (qqn). **2** fig. *Être altéré de,* avide de.

**altérité** n. f. didact. Caractère de ce qui est autre.

**altermondialiste** adj. Qui s'oppose à la mondialisation libérale (→ **antimondialisation**), et promeut des échanges plus justes entre les peuples, les sociétés. ► **altermondialisme** n. m.

**alternance** n. f. **1** Succession répétée, dans l'espace ou dans le temps, dans un ordre régulier, d'éléments d'une série. *L'alternance des saisons.* **2** Succession au pouvoir de deux tendances politiques.

**alternant, ante** adj. Qui alterne.

**alternatif, ive** adj. **1** Qui présente une alternance. → **périodique.** – *Courant alternatif,* dont l'intensité varie selon une sinusoïde (opposé à *continu*). **2** (emploi critiqué) Qui constitue une alternative (3). → **parallèle.**

**alternative** n. f. **1** au plur. Phénomènes ou états opposés se succédant régulièrement. **2** Situation dans laquelle il n'y a que deux partis possibles. *Une alternative délicate.* **3** (emploi critiqué) Solution de remplacement.

**alternativement** adv. En alternant.

**alterne** adj. didact. Qui présente une alternance d'ordre spatial.

**alterner** v. [1] **1** v. intr. Se succéder en alternance. **2** v. tr. Faire succéder (les cultures) par alternance. ▷ adj. **alterné, ée** *Rimes alternées,* croisées. – *Stationnement alterné.*

**altesse** n. f. Titre d'honneur donné aux princes et princesses du sang.

**altier, ière** adj. Fier, hautain.

**altimètre** n. m. Appareil indiquant l'altitude du lieu où l'on se trouve.

**altimétrie** n. f. didact. **1** Méthode de mesure des altitudes. **2** Signes qui représentent le relief, sur une carte.

**altiste** n. Joueur, joueuse d'alto (2).

**altitude** n. f. **1** Élévation (d'un point, d'un lieu) par rapport au niveau de la mer. **2** Grande altitude.

**alto** n. m. **1** Voix de contralto. ♦ n. Chanteur (contre-ténor) ou chanteuse (contralto) qui a cette voix. **2** Instrument de la famille des violons, plus grave et un peu plus grand. **3** appos. *Clarinettes alto.*

**altruisme** n. m. Disposition à se dévouer à autrui. ► **altruiste** adj. et n.

**alumine** n. f. Oxyde d'aluminium.

**aluminium** [-ɔm] n. m. Élément (symb. Al), métal blanc, léger, bon conducteur de l'électricité. - abrév. fam. **alu.**

**alun** n. m. Sulfate double de potassium et d'aluminium, utilisé en médecine, etc.

**alunir** v. intr. [2] Aborder sur la Lune. ► **alunissage** n. m.

**alvéole** n. m. (vieilli) ou f. **1** Cellule de cire que fabrique l'abeille. **2** anat. *Alvéoles dentaires* : cavités où sont implantées les racines des dents. - *Alvéoles pulmonaires* : culs-de-sac terminaux des ramifications des bronches. ► **alvéolaire** adj. **3** Cavité ayant la forme d'une alvéole (1).

**amabilité** n. f. Qualité d'une personne aimable ; manifestation de cette qualité.

**amadou** n. m. Substance inflammable venant d'un champignon (l'*amadouvier*).

**amadouer** v. tr. [1] Amener à ses fins ou apaiser (qqn qui était hostile ou réservé) par des flatteries, des attentions adroites.

**amaigrir** v. tr. [2] Rendre maigre, plus maigre. ▷ adj. **amaigri, ie** ► **amaigrissant, ante** adj. ► **amaigrissement** n. m.

**amalgame** n. m. **1** Mélange servant à l'obturation des dents. **2** Mélange d'éléments hétérogènes. **3** Fait d'associer artificiellement diverses idéologies, etc., pour les discréditer.

**amalgamer** v. tr. [1] Unir dans un mélange. → **mélanger.**

**aman** n. m. (islam) Octroi de la vie sauve.

**amande** n. f. **1** Fruit de l'amandier, dont la graine comestible est riche en huile. ♦ *En amande* : en forme d'amande. ♦ **appos.** (invar.) *Vert amande* : vert clair. **2** Graine d'un fruit à noyau. *L'amande de l'abricot.*

Ne pas confondre avec *amende* «peine pécuniaire».

**amandier** n. m. Arbre dont le fruit est l'amande.

**amanite** n. f. Champignon à lames dont certaines espèces sont vénéneuses *(amanite tue-mouche)* ou même mortelles *(amanite phalloïde).*

**amant, ante** n. **1** vx ou littér. Personne qui aime d'amour et qui est aimée. → **amoureux, soupirant. 2** n. m. Homme qui a des relations sexuelles avec quelqu'un sans être son mari.

**amarante** n. f. Plante ornementale, aux nombreuses fleurs rouges en grappes.

**amaretto** n. m. Liqueur italienne à base d'amandes d'abricots.

**amarrage** n. m. Action, manière d'amarrer.

**amarre** n. f. Câble, cordage pour retenir un navire, un ballon à un point fixe.

**amarrer** v. tr. [1] **1** Maintenir, retenir avec des amarres. **2** → **arrimer.**

**amaryllis** [-lis] n. f. Plante bulbeuse, aux fleurs ornementales.

**amas** n. m. Réunion d'objets venus de divers côtés. → **amoncellement, tas.**

**amasser** v. tr. [1] Réunir en quantité considérable, par additions successives. → **accumuler, amonceler, entasser.**

**amateur, trice** n. **1** Personne qui aime, recherche (certaines choses). *La collection d'un amateur* (d'art). ♦ Acheteur éventuel. - loc. *Avis aux amateurs* : avis aux personnes intéressées. **2** Personne qui cultive un art, une science pour son seul plaisir (et non par profession). **3** sports Personne qui pratique un sport sans recevoir de rémunération directe (opposé à *professionnel*). **4** péj. Personne qui exerce une activité de façon fantaisiste.

**amateurisme** n. m. **1** Condition de l'amateur, en sport. **2** péj. Caractère d'un travail d'amateur (4) (négligé, etc.).

**amazone** n. f. **1** Femme qui monte à cheval. - loc. *Monter en amazone,* les deux jambes du même côté de la selle. **2** Longue jupe pour monter à cheval. **3** fam. Prostituée qui racole en voiture.

**ambages** n. f. pl. loc. adv. *Sans ambages* : sans détour, franchement.

**ambassade** n. f. **1** Représentation permanente d'un État auprès d'un État étranger. - Personnel, locaux de cette représentation. **2** Mission délicate auprès de qqn.

**ambassadeur, drice** n. **1** Représentant(e) permanent(e) d'un État auprès d'un État étranger, le plus élevé dans la hiérarchie diplomatique. **2** Personne chargée d'une mission. **3** Personne qui représente à l'étranger (une activité de son pays).

**ambiance** n. f. Atmosphère matérielle ou morale qui environne qqn, des personnes. - fam. *Il y a de l'ambiance ici,* une atmosphère gaie, pleine d'entrain. - *Musique d'ambiance,* discrète et agréable.

**ambiant, ante** adj. Qui entoure de tous côtés, constitue le milieu où on se trouve.

**ambidextre** adj. et n. Qui possède la même aisance des deux mains.

**ambigu, uë** [-gy] adj. Qui présente deux ou plusieurs sens possibles ; dont l'interprétation est incertaine. *Réponse ambiguë.* ♦ Dont la nature est équivoque. *Personnage ambigu.* ► **ambigument** adv. ► **ambiguïté** [-gɥi-] n. f.

**ambitieux, euse 1** adj. et n. (Personne) qui a de l'ambition. **2** adj. Qui marque de l'ambition, ou péj. trop d'ambition. ► **ambitieusement** adv.

**ambition** n. f. **1** Désir ardent d'obtenir ce qui peut flatter l'amour-propre (pouvoir, réussite...). **2** (sens affaibli) Désir, souhait.

**ambitionner** v. tr. [1] Rechercher par ambition. → **briguer, convoiter.** - (avec *de* + inf.) Souhaiter vivement.

**ambivalence** n. f. Caractère de ce qui a deux composantes de sens contraire, ou de ce qui se présente sous deux aspects. ► **ambivalent, ente** adj. → **ambigu.**

**amble** n. m. Allure d'un cheval, etc., qui se déplace en levant en même temps les deux jambes du même côté.

**amblyopie** n. f. didact. Affaiblissement de la vue, sans lésion organique apparente. ► **amblyope** adj. et n.

**ambre** n. m. **1** *Ambre gris :* substance provenant des concrétions intestinales du cachalot ; parfum qui en est extrait. **2** *Ambre jaune :* résine fossilisée (transparente).

**ambré, ée** adj. **1** Parfumé à l'ambre gris. **2** Qui a un reflet jaune.

**ambroisie** n. f. Nourriture des dieux de l'Olympe, source d'immortalité.

**ambulance** n. f. Automobile aménagée pour le transport des malades ou des blessés. ► **ambulancier, ière** n.

**ambulant, ante** adj. Qui se déplace pour exercer son activité professionnelle.

**ambulatoire** adj. méd. **1** Qui concerne la marche. **2** *Traitement ambulatoire,* qui permet au malade de poursuivre ses activités normales.

**âme** n. f. **I 1** Principe spirituel de l'être humain, conçu dans la religion comme séparable du corps, immortel et jugé par Dieu. *Attribuer une âme aux choses.* → **animisme.** – *Rendre l'âme :* mourir. **2** Principe de la sensibilité et de la pensée (opposé au corps). *De toute son âme* (→ de tout son cœur). *Être musicien dans l'âme,* profondément. **3** Être vivant, personne. *Un village de cinq cents âmes.* → **habitant.** – loc. *Ne pas trouver âme qui vive :* ne trouver personne. – *L'âme sœur :* une personne avec laquelle on a des affinités sentimentales. **4** Personne qui anime une entreprise collective. **5** *Âme damnée :* personne entièrement dévouée à qqn. **II 1** Partie centrale d'un câble. **2** Évidement intérieur d'une arme à feu. **3** mus. Pièce de bois qui réunit la table et le fond d'un instrument à cordes.

**améliorer** v. tr. [1] Rendre meilleur, plus satisfaisant, changer en mieux. ▷ v. pron. s'**améliorer** ► **amélioration** n. f.

**amen** [amɛn] interj. relig. chrét. Mot par lequel se terminent les prières (traduit par «ainsi soit-il»). – loc. fig. *Dire amen à ce que dit qqn,* acquiescer sans discuter.

**aménager** v. tr. [3] **1** Disposer et préparer méthodiquement en vue d'un usage déterminé. **2** Adapter pour rendre plus efficace. ► **aménagement** n. m.

**amende** n. f. **1** Peine pécuniaire prononcée en matière civile, pénale ou fiscale. → **contravention. 2** loc. *Faire amende honorable :* reconnaître ses torts.

Ne pas confondre avec *amande* «fruit».

**amendement** n. m. **1** agric. Opération visant à améliorer un sol ; substance incorporée au sol à cet effet. **2** polit. Modification proposée à un texte soumis à une assemblée délibérante. *Voter un amendement.*

**amender** v. tr. [1] **1** littér. Améliorer. **2** agric. Rendre plus fertile (une terre). **3** polit. Modifier par amendement (2).

**amène** adj. littér. Agréable, avenant.

**amenée** n. f. Action d'amener (l'eau...).

**amener** v. tr. [5] **1** Mener (qqn) à un endroit ou auprès d'une personne. – loc. *Quel bon vent* vous amène ?* – *Mandat d'amener :* ordre de comparaître devant un juge. **2** fig. *Amener qqn à :* conduire, entraîner petit à petit à. → **convaincre. 3** Faire venir à une destination. → **conduire. 4** (sujet chose) Avoir pour suite assez proche. → **occasionner. 5** mar. Tirer à soi. ▷ v. pron. s'**amener** fam. Arriver, venir.

**aménité** n. f. Amabilité pleine de douceur. *Sans aménité,* durement.

**aménorrhée** n. f. méd. Absence de flux menstruel chez une femme en âge d'être réglée.

**amenuiser** v. tr. [1] **1** Rendre plus mince. **2** fig. Rendre moins important. ▷ v. pron. s'**amenuiser** → **diminuer.** ► **amenuisement** n. m.

① **amer, ère** adj. **1** Qui produit au goût une sensation âpre, désagréable ou stimulante. ♦ n. m. Liqueur au goût amer. **2** fig. Qui engendre ou marque l'amertume. – *Il est très amer,* plein de ressentiment. ► **amèrement** adv.

② **amer** [amɛʀ] n. m. mar. Objet, construction fixe servant de repère pour la navigation.

**américain, aine 1** adj. De l'Amérique. *Les Indiens américains.* → **amérindien. 2** adj. et n. Des États-Unis d'Amérique.

**américaniser** v. tr. [1] Faire ressembler aux Américains des États-Unis, à leur civilisation. ▷ v. pron. s'**américaniser** ► **américanisation** n. f.

**américanisme** n. m. **1** Idiotisme américain (en anglais). ♦ Emprunt à l'américain. **2** Ensemble des études consacrées au continent américain.

**amérindien, ienne** adj. et n. Des Indiens d'Amérique. – n. *Les Amérindiens.*

**amerrir** v. intr. [2] (hydravion...) Se poser à la surface de l'eau. ► **amerrissage** n. m.

**amertume** n. f. **1** Saveur amère. **2** fig. Sentiment durable de tristesse mêlée de rancœur, lié à une déception, etc.

**améthyste** n. f. Pierre fine violette (quartz).

**ameublement** n. m. **1** Ensemble des meubles d'un logement (dans son agencement). **2** Industrie, commerce des meubles.

**ameublir** v. tr. [2] Rendre meuble (le sol). ► **ameublissement** n. m.

**ameuter** v. tr. [1] **1** Attrouper dans une intention de manifestation hostile. **2** Alerter, inquiéter (des personnes).

**ami, ie I** n. **1** Personne avec laquelle on est lié d'amitié. *Un ami d'enfance.* – loc. *Faire ami-ami avec qqn*, lui faire des démonstrations d'amitié. **2** par euphémisme Amant, maîtresse ; amoureux(euse). – *Petit(e) ami(e)* (même sens). **3** Personne qui est bien disposée envers une autre ou une collectivité. *Ses amis politiques.* – *Les amis du livre*, les bibliophiles. **4** *Faux ami* : mot qui, dans une langue étrangère, présente une similitude trompeuse avec un mot de sa propre langue. **II** adj. **1** Lié d'amitié. ♦ *Être ami de la liberté*, y être attaché. **2** D'un ami ; digne d'amis. → **amical ; accueillant.**

**amiable** adj. Qui est fait par voie de conciliation. *Constat amiable.* ♦ loc. adv. *À l'amiable* : par voie de conciliation, sans procès.

**amiante** n. m. Silicate se travaillant en fibres ; ces fibres, résistantes au feu.

**amibe** n. f. Protozoaire des eaux douces et salées, qui se déplace à l'aide de pseudopodes. ► **amibien, ienne** adj.

**amibiase** n. f. méd. Maladie parasitaire due à des amibes.

**amical, ale, aux** adj. **1** Qui manifeste, traduit de l'amitié. ♦ *Association amicale* ou n. f. *amicale* (de personnes ayant une même activité). **2** Se dit d'une rencontre sportive qui ne compte pas pour un championnat. ► **amicalement** adv.

**amidon** n. m. Glucide emmagasiné par les végétaux, et qui fournit un empois.

**amidonner** v. tr. [1] Empeser à l'amidon.

**amincir** v. tr. [2] **1** Rendre plus mince. **2** Faire paraître plus mince. ▷ v. pron. s'**amincir** ► **amincissant, ante** adj. ► **amincissement** n. m.

**amine** n. f. biochim. Composé organique dérivé de l'ammoniac.

**aminé, ée** adj. *Acide aminé* : substance organique possédant les fonctions amine et acide, constituant essentiel des protéines.

**amiral, ale, aux** n. Officier du grade le plus élevé dans la marine.

**amirauté** n. f. Corps des amiraux. – Siège du commandement de la marine.

**amitié** [-tje] n. f. **1** Sentiment réciproque d'affection ou de sympathie qui ne se fonde ni sur la parenté ni sur l'attrait sexuel. – vieilli *Amitié particulière* : liaison homosexuelle. **2** Marque d'affection.

**ammoniac** n. m. Combinaison gazeuse d'azote et d'hydrogène, gaz à odeur piquante. ► **ammoniacal, ale, aux** adj.

**ammoniaque** n. f. Solution d'ammoniac.

**ammonite** n. f. Mollusque céphalopode fossile du secondaire, à coquille enroulée.

**amnésie** n. f. Perte totale ou partielle de la mémoire. ► **amnésique** adj. et n.

**amniocentèse** [-sɛ̃-] n. f. Prélèvement, par ponction, de liquide amniotique.

**amnios** [amnjos] n. m. didact. Annexe embryonnaire enveloppant l'embryon de certains vertébrés (mammifères, oiseaux, reptiles). ► **amniotique** adj.

**amnistie** n. f. Acte du pouvoir législatif par lequel sont suspendues des sanctions.

**amnistier** v. tr. [7] Faire bénéficier d'une amnistie (des délinquants ; des délits).

**amocher** v. tr. [1] fam. Blesser. ♦ Abîmer.

**amoindrir** v. tr. [2] Diminuer (la force, la valeur...) ; diminuer l'importance de (qqch.). → **réduire.** ▷ v. pron. s'**amoindrir** → **décroître.** ► **amoindrissement** n. m.

**amok** n. m. didact. Forme de folie homicide observée chez les Malais.

**amollir** v. tr. [2] Rendre mou. → **ramollir.** – sans compl. fig. *La paresse amollit.* ▷ v. pron. s'**amollir** ► **amollissement** n. m.

**amonceler** v. tr. [4] **1** Réunir en monceau, en tas. → **entasser.** **2** fig. Accumuler. *Amonceler des preuves.* ► **amoncellement** n. m.

**amont** n. m. **1** Partie d'un cours d'eau comprise entre un point et la source (opposé à *aval*). – loc. prép. *En amont de* : au-dessus de (tel point d'un cours d'eau). **2** fig. Ce qui vient avant (dans un processus).

**amoral, ale, aux** adj. Qui est étranger au domaine de la moralité.

> Ne pas confondre avec *immoral* « contraire aux principes moraux ».

**amorçage** n. m. Action d'amorcer.

**amorce** n. f. **I** Produit jeté dans l'eau pour amorcer le poisson. **II 1** Petite masse de matière détonante servant à provoquer une explosion ; dispositif de mise à feu. → **détonateur.** **2** Ce qui amorce (3) qqch. → **début, ébauche.**

**amorcer** v. tr. [3] **I** Garnir d'un appât. → **appâter.** ♦ Attirer (le poisson) avec des amorces (I). **II 1** Garnir d'une amorce (II, 1). **2** Mettre (une pompe) en état de fonctionner. **3** fig. Entamer, ébaucher. *Amorcer un geste.*

**amorphe** adj. **1** (roche) Qui n'a pas de forme cristallisée. **2** Qui n'est pas structuré. **3** Sans réaction, sans énergie. → **apathique.**

**amortir** v. tr. [2] **1** Rendre moins violent, atténuer l'effet de. ♦ fig. Atténuer. **2** Éteindre (une dette) par remboursement. **3** Constater la dépréciation comptable de (un bien). ► **amortissement** n. m.

**amortisseur** n. m. Dispositif qui amortit (1) les chocs, les trépidations, etc.

**amour** n. m. **1** Sentiment vif qui pousse à aimer (qqn), à vouloir du bien, à aider en s'identifiant plus ou moins. → **aimer ; affection.** ♦ Ce sentiment, considéré comme naturel entre les membres d'une même famille. *L'amour filial.* **2** Inclination envers une personne, le plus souvent à caractère passionnel, fondée sur l'instinct sexuel, mais entraînant des comportements variés. ♦ au plur. Liaison, aventure amoureuse. *Comment vont tes amours ?* – littér. au fém. *De brèves amours.* ♦ *Faire l'amour :* avoir des relations sexuelles. **3** Personne aimée. *C'est l'amour de sa vie.* **4** Personnification mythologique de l'amour. **5** fam. Chose ou personne aimable. **6** Attachement désintéressé et profond à une valeur. *L'amour de la justice.* – *Faire qqch. avec amour,* avec soin. **7** Goût très vif pour qqch. qui procure du plaisir. → **passion.**

s'**amouracher** v. pron. [1] péj. Tomber amoureux (de qqn). → s'**enticher** de.

**amourette** n. f. Amour passager.

**amoureusement** adv. **1** Avec amour (2), tendrement. **2** Avec un soin particulier.

**amoureux, euse** adj. **1** Qui éprouve de l'amour (2), qui aime. – n. *Deux amoureux.* **2** Propre à l'amour ; qui marque de l'amour. *Passion amoureuse.* **3** Qui a un goût très vif (pour qqch.). → **passionné.**

**amour-propre** n. m. Sentiment vif qu'un être a de sa dignité et de sa valeur.

**amovible** adj. **1** (fonctionnaire...) Qui peut être déplacé, révoqué. **2** Qu'on peut ôter ou remettre à volonté. ► **amovibilité** n. f.

**ampélopsis** [-sis] n. m. Plante grimpante aussi appelée *vigne vierge.*

**ampérage** n. m. Intensité de courant électrique (emploi incorrect en sc.).

**ampère** n. m. Unité de mesure d'intensité du courant électrique (symb. A).

**amphétamine** n. f. Médicament employé comme excitant du système nerveux central.

**amphibie** adj. **1** Capable de vivre à l'air ou dans l'eau. **2** Qui peut être utilisé sur terre ou dans l'eau.

**amphibien** n. m. Animal amphibie à la peau criblée de glandes à sécrétion visqueuse, à respiration surtout cutanée, et qui subit une métamorphose (classe des *Amphibiens ;* syn. vieilli *batracien*).

**amphibologie** n. f. didact. Double sens présenté par une proposition (ex. louer un appartement). ► **amphibologique** adj.

**amphigouri** n. m. Discours embrouillé.

**amphithéâtre** n. m. **1** Vaste édifice antique, à gradins étagés, occupé au centre par une arène. **2** Salle de cours en gradins dans une université. – abrév. fam. **amphi.**

**amphitryon** n. m. littér. Hôte qui offre à dîner.

**amphore** n. f. Vase antique à deux anses, pansu, à pied étroit.

**ample** adj. **1** Qui a de l'ampleur. → **large.** **2** fig. Abondant ; qui se développe largement. ► **amplement** adv.

**ampleur** n. f. **1** Largeur importante. **2** Caractère de ce qui a une grande extension ou importance. *Prendre de l'ampleur.*

**amplificateur, trice** **1** n. m. Appareil destiné à augmenter l'amplitude d'un phénomène. ♦ spécialt Élément d'une chaîne acoustique précédant les haut-parleurs. **2** adj. Qui amplifie.

**amplifier** v. tr. [7] **1** Augmenter les dimensions, l'intensité de. *Amplifier un son.* **2** Développer en ajoutant des détails. ► **amplification** n. f.

**amplitude** n. f. **1** Grandeur, importance. → **ampleur.** **2** sc. Différence entre les valeurs extrêmes d'une grandeur.

**ampoule** n. f. **I 1** Petite fiole. **2** Tube de verre effilé contenant une dose de médicament liquide ; son contenu. **3** Globe de verre contenant le filament des lampes à incandescence, des électrodes, ou tout autre élément pouvant produire de la lumière. **II** Cloque de la peau.

**ampoulé, ée** adj. (style...) Emphatique.

**amputation** n. f. **1** Opération chirurgicale consistant à couper un membre, une partie saillante, etc. **2** fig. Perte importante.

**amputer** v. tr. [1] **1** Faire l'amputation de (un membre, etc.). – *Amputer qqn de,* lui enlever (tel membre). **2** fig. Couper, retrancher. → **mutiler.** ▷ adj. et n. **amputé, ée**

**amulette** n. f. Petit objet (porte-bonheur) qu'on porte sur soi par superstition.

**amure** n. f. mar. Côté d'un bateau qui reçoit le vent. – (au plur.) *Bâbord amures.*

**amusant, ante** adj. Qui amuse, est propre à distraire. → **divertissant, drôle.**

**amuse-gueule** n. m. fam. Petit sandwich, biscuit salé, etc., servi en apéritif. *Des amuse-gueule(s).* – syn. **amuse-bouche.**

**amusement** n. m. Distraction agréable.

**amuser** v. tr. [1] **1** Détourner l'attention de (qqn). **2** Distraire agréablement ; faire rire ou sourire. → **divertir.** – loc. fam. *Amuser la galerie :* faire rire l'assistance. ▷ v. pron. **s'amuser** ▷ adj. **amusé, ée**

**amusette** n. f. Passe-temps frivole.

**amuseur, euse** n. Personne qui amuse, distrait (une société, un public).

**amygdale** [-dal] n. f. Chacun des deux organes lymphoïdes situés en arrière du pharynx.

**amylacé, ée** adj. De la nature de l'amidon.

**an** n. m. **1** Durée conventionnelle, voisine de celle d'une révolution de la Terre autour du Soleil ; cet espace de temps (12 mois consécutifs), utilisé pour mesurer la durée ou l'âge. *Deux fois par an, deux fois l'an. Il a vingt ans.* – loc. *Bon an, mal an,* en moyenne. **2** Année en tant que point du temps. *Le jour, le premier de l'An, le Nouvel An :* le 1er janvier. – loc. *S'en moquer comme de l'an quarante,* complètement.

**anabolisant, ante** n. m. et adj. Substance entraînant un accroissement du système musculaire. – adj. *Stéroïdes anabolisants.*

**anacarde** n. m. Fruit d'un arbre tropical (l'*anacardier*). → noix de cajou*.

**anachorète** [-kɔ-] n. didact. Religieux contemplatif solitaire. → **ermite.**

**anachronique** [-kʀɔ-] adj. **1** Entaché d'anachronisme (1). **2** Qui est déplacé à son époque. → **désuet, périmé.**

**anachronisme** [-kʀɔ-] n. m. **1** Confusion de dates. **2** Caractère de ce qui est anachronique (2) ; chose anachronique.

**anacoluthe** n. f. didact. Rupture dans la construction d'une phrase.

**anaconda** n. m. Grand serpent d'Amérique du Sud.

**anaérobie** adj. contr. *aérobie* **1** (micro-organisme) Qui peut vivre sans air. **2** Capable de fonctionner sans air.

**anaglyphe** n. m. didact. Ouvrage sculpté en bas-relief.

**anaglyptique** adj. didact. Se dit d'une écriture en relief à l'usage des aveugles.

**anagramme** n. f. Mot obtenu par transposition de lettres (ex. Marie-aimer).

Mot féminin : *une anagramme.*

**anal, ale, aux** adj. De l'anus. ♦ psych. *Stade anal,* stade de la libido antérieur au stade génital, selon Freud. ► **analité** n. f.

**analgésie** n. f. Suppression de la douleur. ► **analgésique** adj. et n. m. → **antalgique.**

**anallergique** adj. pharm. Qui ne provoque pas d'allergie. → **hypoallergénique.**

**analogie** n. f. Ressemblance établie par l'esprit (association d'idées) entre deux ou plusieurs objets de pensée essentiellement différents. ► **analogique** adj.

**analogue** adj. Qui présente une analogie. → **comparable, voisin.** – n. m. → **correspondant, équivalent.**

**analphabète** adj. et n. (Personne) qui n'a pas appris à lire et à écrire. ► **analphabétisme** n. m.

**analyse** n. f. **1** Opération intellectuelle consistant à décomposer un tout en ses éléments et à en établir les relations. – gramm. Division d'une phrase en mots *(analyse grammaticale),* en propositions *(analyse logique).* ♦ Examen qui tente d'expliquer une situation, un sentiment, etc. – loc. *En dernière analyse,* au fond. **2** Séparation d'un composé pour identification ou dosage de ses composants. *Analyse du sang.* **3** Psychanalyse. **4** Opération logique consistant à remonter d'une proposition à d'autres propositions. **5** math. Étude des fonctions, des limites, etc.

**analyser** v. tr. [1] **1** Faire l'analyse de. **2** Psychanalyser. ► **analysable** adj.

**analyste** n. **1** Spécialiste d'un type d'analyse. *Analyste financier.* **2** Personne habile en matière d'analyse. **3** Psychanalyste.

**analyste-programmeur, euse** n. Spécialiste des problèmes d'analyse informatique et de programmation.

**analytique** adj. **1** math., log. Qui appartient à l'analyse. **2** Qui procède par analyse. **3** Qui constitue une analyse. *Table analytique.* **4** Psychanalytique.

**anamnèse** n. f. didact. Retour à la mémoire du passé vécu (s'oppose à *amnésie*).

**anamorphose** n. f. Image déformée que donne un miroir courbe.

**ananas** [-a(s)] n. m. Gros fruit écailleux à pulpe parfumée ; plante qui le porte.

**anapeste** n. m. (métrique anc.) Pied composé de deux brèves et une longue.

**anaphore** n. f. didact. Répétition d'un mot en tête de plusieurs membres de phrase. – ling. Reprise d'un segment du discours.

**anarchie** n. f. **1** Désordre résultant d'une absence ou d'une carence d'autorité. **2** Confusion due à l'absence de règles ou d'ordres précis. **3** Anarchisme.

**anarchique** adj. Caractérisé par l'anarchie. ► **anarchiquement** adv.

**anarchisant, ante** adj. Qui a des sympathies pour l'anarchisme.

**anarchisme** n. m. **1** Conception politique qui tend à supprimer l'État, à éliminer de la société tout pouvoir de contrainte. **2** Refus de toute autorité, de toute règle.

**anarchiste** n. et adj. **1** Partisan de l'anarchisme (1). → **libertaire.** – abrév. fam. **anar. 2** Personne qui rejette toute autorité.

**anarchosyndicalisme** [anaʀkos-] n. m. Syndicalisme révolutionnaire et antiétatiste. ► **anarchosyndicaliste** adj. et n.

**anastomose** n. f. anat. Communication entre deux vaisseaux, deux nerfs, etc.

**anathème 1** n. m. relig. Excommunication. *Frapper qqn d'anathème* (*anathématiser* v. tr. [1]). ♦ fig. Condamnation totale. **2** n. Personne frappée d'anathème.

**anatife** n. m. zool. Crustacé marin à pédoncule, qui se fixe aux objets flottants.

**anatomie** n. f. **1** Étude scientifique de la structure et de la forme des êtres organisés, ainsi que des rapports entre leurs organes. – *Anatomie artistique,* étude des formes du corps en vue de leur représentation par l'art. ♦ Ces formes ; le corps. *Dévoiler son anatomie.* **2** Structure de l'organisme ainsi étudié. ► **anatomique** adj. ► **anatomiste** n.

**anatoxine** n. f. didact. Toxine bactérienne traitée, aux propriétés immunisantes.

**ancestral, ale, aux** adj. **1** Relatif aux ancêtres. **2** Qui remonte très loin.

**ancêtre** n. m. **1** Personne qui est à l'origine d'une famille, dont on descend. **2** Se dit d'une espèce dont une autre provient. **3** Précurseur lointain. **4** au plur. Les êtres humains des siècles passés.

**anche** n. f. Languette vibrante du bec des instruments dits *à anche* (clarinette, saxophone, etc.).

**anchois** n. m. Petit poisson de mer, qu'on consomme surtout mariné et salé.

**ancien, ienne** adj. **1** Qui existe depuis longtemps, qui date d'une époque bien antérieure. ♦ loc. *À l'ancienne* : à la manière d'autrefois. **2** Qui est du passé et n'existe plus. ♦ (devant le nom) Qui a été tel et ne l'est plus. *Ancien ministre.* **3** Qui a existé il y a longtemps. *Les peuples anciens,* de l'Antiquité. ♦ n. m. pl. *Les Anciens* : les peuples et les auteurs de l'Antiquité. **4** Qui a un certain âge ou de l'ancienneté.

**anciennement** adv. Autrefois.

**ancienneté** n. f. **1** Caractère de ce qui existe depuis longtemps. **2** Temps passé dans une fonction.

**ancillaire** [-sil-] adj. littér. Qui a rapport aux servantes.

**ancolie** n. f. Plante ornementale dont les fleurs ont des pétales en éperon.

**ancre** n. f. Pièce d'acier suspendue à une chaîne, que l'on jette au fond de l'eau pour qu'elle s'y fixe et retienne le navire.

> Ne pas confondre avec *encre* «liquide coloré».

**ancrer** v. tr. [1] **1** Retenir en jetant l'ancre. **2** fig. Enraciner, affermir. **3** techn. Fixer solidement. ► **ancrage** n. m.

**andain** n. m. Rangée d'herbe fauchée.

**andante** [ɑ̃dɑ̃t ; andante] adv. Indication d'un mouvement modéré, plus vif que l'adagio. – n. m. *L'andante d'une sonate.*

**andouille** n. f. **1** Charcuterie faite de boyaux coupés et enserrés dans une partie du gros intestin. **2** fam. Imbécile.

**andouiller** n. m. Ramification des bois des cervidés (signe de l'âge de l'animal).

**andouillette** n. f. Petite andouille fraîche.

**androgène** adj. méd. (hormone) Qui provoque l'apparition des caractères sexuels masculins (ex. la testostérone).

**androgyne** adj. et n. (Personne) qui présente certains des caractères physiques du sexe opposé. → **hermaphrodite.**

**androïde** adj. et n. Se dit d'un robot, etc. qui évoque l'homme. → **humanoïde.**

**andropause** n. f. Cessation naturelle de la fonction sexuelle chez l'homme âgé.

**âne** n. m. **1** Mammifère domestique, plus petit que le cheval, à longues oreilles, à robe généralement grise. *L'âne brait.* **2** fig. Individu à l'esprit borné. **3** loc. *Bonnet d'âne* : bonnet de papier dont on affublait les cancres. ♦ *Dos d'âne* : élévation ou bosse de terrain à deux versants opposés.

**anéantir** v. tr. [2] **1** Détruire totalement, réduire à néant. **2** Plonger dans un abattement total. – au p. p. *Être anéanti,* épuisé ; consterné. ▷ v. pron. **s'anéantir** → **disparaître.** ► **anéantissement** n. m.

**anecdote** n. f. Récit d'un détail historique, d'un fait curieux. ► **anecdotique** adj.

**anémie** n. f. **1** Appauvrissement du sang, caractérisé par la diminution des globules rouges et provoquant un état de faiblesse. **2** fig. Dépérissement, faiblesse.

**anémier** v. tr. [7] Rendre anémique. → **affaiblir, épuiser.**

**anémique** adj. **1** Atteint d'anémie. **2** fig. Dépourvu de fermeté, de force.

**anémomètre** n. m. Instrument servant à mesurer la vitesse du vent.

**anémone** n. f. **1** Plante herbacée vivace, aux fleurs diversement colorées. **2** *Anémone de mer.* → **actinie.**

**ânerie** n. f. Propos ou acte stupide.

**anéroïde** adj. didact. *Baromètre anéroïde,* formé d'une boîte où l'on a fait le vide.

**ânesse** n. f. Femelle de l'âne.

**anesthésie** n. f. Suppression de la sensibilité et spécialt de la sensibilité à la douleur. *Anesthésie générale, locale.*

**anesthésier** v. tr. [7] **1** Provoquer l'anesthésie de (un organisme, un organe), par l'action d'une substance. **2** fig., littér. Apaiser.

**anesthésique** adj. et n. m. Se dit d'une substance qui provoque l'anesthésie.

**anesthésiste** n. Médecin spécialiste de l'anesthésie.

**aneth** [anɛt] n. m. Plante dont une variété est utilisée comme condiment.

**anévrisme** n. m. méd. Poche résultant de l'altération de la paroi d'une artère.

**anfractuosité** n. f. Cavité profonde.

**ange** n. m. **1** relig. chrét. Être spirituel, intermédiaire entre Dieu et l'homme, messager des volontés divines. – *Ange déchu* : démon. ♦ *Ange gardien,* appelé à protéger chaque humain ; fig. personne qui protège qqn. ♦ *Être aux anges,* ravi, heureux. – *Un ange passe,* un silence gêné se produit. **2** Personne parfaite.

① **angélique** adj. **1** Propre aux anges. **2** Digne d'un ange ; qui évoque l'innocence.

② **angélique** n. f. Plante ombellifère aromatique ; sa tige, utilisée en pâtisserie.

**angélisme** n. m. Désir de pureté, de perfection, par refus des réalités.

**angelot** n. m. Petit ange.

**angélus** [-ys] n. m. Prière qui se dit le matin, à midi et le soir.

**angine** n. f. **1** Inflammation de la gorge. **2** *Angine de poitrine* : douleurs dans la région du cœur accompagnées d'angoisse.

**angiologie** n. f. méd. Discipline qui étudie les vaisseaux (veines, artères...) de l'organisme.

**angiome** n. m. méd. Agglomération de vaisseaux formant une tumeur bénigne.

**angiosperme** n. f. Plante phanérogame à ovules enclos et à graines enfermées dans des fruits (sous-embranchement des *Angiospermes*).

**anglais, aise** adj. et n. 1 De l'Angleterre ; abusivt de Grande-Bretagne. → **britannique.** ♦ n. *Les Anglais.* 2 n. m. Langue germanique parlée notamment en Grande-Bretagne, aux États-Unis, et dans l'ancien Empire britannique. 3 loc. *Filer à l'anglaise,* partir discrètement. – *Pommes de terre à l'anglaise,* cuites à la vapeur. 4 n. f. pl. Longues boucles de cheveux verticales roulées en spirale.

**angle** n. m. 1 Coin saillant ou rentrant (d'un meuble, d'une construction, d'une rue, etc.). 2 géom. Figure formée par deux lignes ou deux plans qui se coupent, mesurée en degrés. *Angle droit* (90°), *aigu, obtus.* ♦ *Angle mort :* zone sans visibilité. 3 *Sous un certain angle,* d'un certain point de vue.

**anglicanisme** n. m. Religion officielle de l'Angleterre depuis le XVIe siècle, qui emprunte des éléments au calvinisme et au catholicisme. ► **anglican, ane** adj. et n.

**angliciser** v. tr. [1] Rendre anglais d'aspect. ▷ v. pron. s'**angliciser**

**anglicisme** n. m. 1 Tournure propre à la langue anglaise. 2 Emprunt à la langue anglaise (y compris les américanismes).

**angliciste** n. Spécialiste de la langue, de la littérature et de la civilisation anglaises.

**anglo-arabe** n. m. et adj. (Cheval) issu du croisement de pur-sang anglais et arabe.

**anglo-normand, ande** adj. Qui réunit des éléments anglais et normands.

**anglophone** adj. Où l'on parle anglais. ♦ Qui parle anglais. – n. *Des anglophones.*

**anglo-saxon, onne** adj. Relatif aux peuples de civilisation britannique. – n. *Les Anglo-Saxons.*

**angoisse** n. f. Malaise psychique et physique, né du sentiment d'un danger. → **anxiété, inquiétude, peur.** ♦ philos. Inquiétude métaphysique.

**angoisser** v. tr. [1] Inquiéter au point de faire naître l'angoisse. ▷ v. pron. s'**angoisser** ▷ adj. et n. **angoissé, ée** → **anxieux.** ► **angoissant, ante** adj.

**angora** adj. et n. 1 Se dit de races d'animaux (chèvres, chats, lapins) aux poils longs et soyeux. 2 *Laine angora* ou n. m. *angora :* textile fait de ces poils.

**angström** [ɑ̃gstʀøm] n. m. phys. Unité de mesure de longueur de 1/10000 de micron. – var. vieilli **angstrœm.**

**anguille** n. f. Poisson d'eau douce de forme très allongée, à peau glissante. ♦ loc. *Il y a anguille sous roche,* qqch. qu'on nous cache et que nous soupçonnons.

**angulaire** adj. 1 Qui forme un angle. 2 Situé à un angle. 3 loc. fig. *Pierre angulaire :* élément essentiel. 4 Mesurable par un angle.

**anguleux, euse** adj. Qui présente des angles, des arêtes vives. *Visage anguleux.*

**anhydride** n. m. chim. Corps qui, combiné avec l'eau, donne un acide.

**anicroche** n. f. Petite difficulté.

**ânier, ière** n. Personne qui mène un âne.

**aniline** n. f. chim. Produit dérivé du benzène, servant à fabriquer des colorants.

① **animal, aux** n. m. 1 Être vivant organisé, doué de sensibilité et de motilité (opposé aux végétaux). *L'homme, animal social. Animaux sauvages, domestiques. Étude des animaux.* → **zoologie.** 2 fig. (humains) Personne stupide. – injure *Animal !*

② **animal, ale, aux** adj. 1 Qui a rapport à l'animal (opposé au végétal). 2 Qui, en l'homme, est propre à l'animal. ♦ péj. Bestial. 3 Propre à l'animal (l'homme exclu).

**animalerie** n. f. Élevage d'animaux.

**animalier, ière** 1 n. m. Peintre, sculpteur d'animaux. 2 adj. Qui concerne les animaux.

**animalité** n. f. 1 Caractère propre à l'animal. 2 Partie animale de l'homme. → **instinct.**

**animateur, trice** n. 1 Personne qui anime une collectivité (par son allant, etc.). 2 Personne qui présente un spectacle, une émission (radio, télévision). 3 Personne qui anime certaines activités (notamment culturelles, sportives...).

**animation** n. f. I Action d'animer. 1 Technique cinématographique permettant de donner l'impression du mouvement par une suite d'images fixes (dessins* animés, etc.). 2 Méthodes qui favorisent la participation dynamique à la vie collective, dans un groupe. II Caractère de ce qui est animé, plein de vie. → **entrain.**

**animé, ée** adj. 1 Doué de vie. → **vivant.** ♦ Doué de mouvement. – loc. *Dessins* animés.* 2 Plein de vie, de mouvement. *Rue animée.* 3 Plein de vivacité, d'éclat.

**animer** v. tr. [1] 1 Douer de vie ou de mouvement. 2 Donner l'impulsion à, être responsable de (une activité collective). *Animer un spectacle.* 3 (sujet chose) Donner de l'éclat, de la vivacité à. 4 (sentiments) Inspirer, mener (qqn). ▷ v. pron. s'**animer**

**animisme** n. m. Attitude consistant à attribuer aux choses une âme analogue à l'âme humaine. ► **animiste** adj. et n.

**animosité** n. f. Sentiment de malveillance.

**anis** [-i(s)] n. m. Plante ombellifère cultivée pour ses propriétés aromatiques. *Boisson à l'anis* (dite boisson *anisée*).

**anisette** n. f. Liqueur à l'anis.

**ankylose** n. f. Diminution ou impossibilité des mouvements d'une articulation naturellement mobile.

**ankyloser** v. tr. [1] Paralyser par ankylose. ▷ v. pron. s'**ankyloser** Être atteint d'ankylose. ♦ fig. → se **rouiller.** *Son esprit s'ankylose.*

**ankylostome** n. m. zool. Ver parasite de l'intestin grêle provoquant une anémie pernicieuse (l'*ankylostomiase* n. f.).

**annales** n. f. pl. **1** Ouvrage rapportant les événements dans l'ordre chronologique, année par année. ♦ par ext. *Les annales de*, l'histoire de. *Les annales du crime.* **2** Revue, recueil périodique (annuel).

**anneau** n. m. **1** Cercle de matière dure qui sert à attacher ou à retenir. **2** au plur. Agrès faits de cercles suspendus à un portique. **3** Petit cercle que l'on met au doigt. **4** Forme circulaire. **5** zool. Chacun des segments d'un annélide.

**année** n. f. **1** Temps d'une révolution de la Terre autour du Soleil (365 jours 1/4). **2** Période de douze mois qui se succèdent (à partir de n'importe quel moment). *Il vient chaque année.* ♦ *Être dans sa vingtième année*, avoir entre 19 et 20 ans. **3** Période de douze mois qui commence le 1er janvier (appelée *année civile*). ♦ *Les années 20*, entre 1920 et 1929. **4** Période d'activité (inférieure à une année), considérée d'année en année. *Année scolaire.*

**année-lumière** n. f. Unité astronomique, distance parcourue par la lumière en une année (9 461 milliards de km). *Des années-lumière.*

**annelé, ée** adj. Disposé en anneaux.

**annélide** n. m. zool. Animal à corps annelé, porteur de soies (embranchement des *Annélides* ; ex. sangsues, lombrics).

**annexe I** adj. Qui est rattaché à qqch. de plus important, à l'objet principal. → **accessoire, secondaire. II** n. f. Bâtiment, organe ou document annexe.

**annexer** v. tr. [1] **1** Joindre (qqch.) à un objet principal. **2** Faire passer sous sa dépendance. **3** fig. *S'annexer qqn, qqch.*, se l'approprier.

**annexion** n. f. Action d'annexer.

**annexionniste** adj. Qui vise à l'annexion d'un territoire. ► **annexionnisme** n. m.

**annihiler** v. tr. [1] **1** Réduire à rien, rendre sans effet. → **anéantir. 2** Briser la volonté de (qqn). ► **annihilation** n. f.

**anniversaire** n. m. Jour qui ramène le souvenir d'un événement arrivé à pareil jour une ou plusieurs années auparavant (donnant lieu généralement à une fête).

**annonce** n. f. **1** Avis par lequel on fait savoir qqch. au public, verbalement ou par écrit. – *À l'annonce d'un événement*, au moment où on l'apprend. ♦ aux cartes Déclaration par un joueur de certaines cartes ou du contrat qu'il veut réaliser. **2** Texte, publication qui annonce qqch. – *Petites annonces*, textes brefs insérés dans un journal, offres et demandes. **3** Ce qui annonce qqch. → **indice, présage, signe.**

**annoncer** v. tr. [3] **1** Faire savoir, connaître. → **apprendre, communiquer. 2** Signaler (qqn) comme arrivant. *Huissier qui annonce les invités.* **3** Prédire. **4** (sujet chose) Indiquer comme devant prochainement se produire. ▷ v. pron. s'**annoncer 1** Apparaître comme devant prochainement se produire. **2** Se présenter comme un bon ou un mauvais début.

**annonceur, euse 1** n. rare → **annonciateur. 2** n. m. Personne qui paie l'insertion d'une annonce dans un journal ou fait passer un message publicitaire.

**annonciateur, trice 1** n. Personne qui annonce (qqch.). **2** adj. Qui présage (qqch.).

**Annonciation** n. f. relig. cathol. Annonce faite par un ange à la Vierge Marie de la conception miraculeuse de Jésus-Christ.

**annoter** v. tr. [1] Accompagner (un texte) de notes critiques ou de notes personnelles. ► **annotation** n. f. → **note.**

**annuaire** n. m. Recueil publié annuellement et qui contient des renseignements variables d'une année à l'autre. *L'annuaire du téléphone.* → **bottin.**

**annualiser** v. tr. [1] Rendre annuel. – au p. p. *Salaire annualisé.* ► **annualisation** n. f.

**annuel, elle** adj. **1** Qui a lieu, revient chaque année. **2** Qui dure un an. – *Plante annuelle* (opposé à *plante vivace*).

**annuellement** adv. Par an, chaque année.

**annuité** n. f. **1** Paiement annuel d'une partie du capital emprunté et des intérêts. **2** Année de service (pour le décompte des pensions).

**annulaire** n. m. Quatrième doigt à partir du pouce.

**annuler** v. tr. [1] **1** dr. Déclarer ou rendre nul, sans effet. → **abroger, invalider, révoquer.** – cour. *Annuler un rendez-vous.* **2** (sujet chose) Supprimer les effets de. → **anéantir.** ▷ v. pron. s'**annuler** *Ces deux forces s'annulent.* ► **annulation** n. f.

**anoblir** v. tr. [2] Conférer un titre de noblesse à (qqn). ► **anoblissement** n. m.

> Ne pas confondre avec *ennoblir* « donner de la grandeur morale ».

**anode** n. f. Électrode d'entrée du courant, dans l'électrolyse (opposé à *cathode*).

**anodin, ine** adj. **1** littér. Inoffensif, sans danger. **2** Sans importance, insignifiant.

**anomalie** n. f. **1** didact. Écart par rapport à la normale, à la valeur théorique ; caractère anomal*. **2** Bizarrerie, singularité. ► **anomal, ale, aux** adj.

**ânon** n. m. Petit de l'âne ; petit âne.

**ânonner** v. tr. et intr. [1] Lire, réciter d'une manière hésitante. ► **ânonnement** n. m.

**anonymat** n. m. État d'une personne, d'une chose anonyme. *Garder l'anonymat.*

**anonyme** adj. **1** Dont on ignore le nom, ou qui ne fait pas connaître son nom. **2** (choses) Où l'auteur n'a pas laissé son nom, l'a caché. *Lettre anonyme.* ♦ *Société anonyme* :

société dont les associés ne sont responsables qu'à hauteur de leurs apports (rémunérés en actions). **3** fig. Impersonnel, neutre.

**anonymement** adv. En gardant l'anonymat.

**anonymographe** n. Personne qui écrit des lettres anonymes.

**anophèle** n. m. Moustique dont la femelle transmet le paludisme.

**anorak** n. m. Veste de sport courte à capuchon, imperméable.

**anorexie** n. f. méd. Refus passif ou actif de s'alimenter. – *Anorexie (mentale)*, due à des conflits psychiques. ► **anorexique** adj. et n.

**anorgasmie** n. f. didact. Absence d'orgasme ; difficulté à avoir des orgasmes.

**anormal, ale, aux** adj. **1** Qui n'est pas normal, conforme aux règles ou aux lois reconnues. *Un bruit anormal.* → **inhabituel.** **2** adj. et n. (Personne) dont l'état mental est différent de la norme. ► **anormalement** adv.

**anoure** adj. zool. Dépourvu de queue. – n. m. pl. Ordre d'animaux amphibies dépourvus de queue à l'âge adulte (crapauds, grenouilles...).

**anse** n. f. **1** Poignée recourbée et saillante (d'ustensiles). **2** Petite baie peu profonde.

**antagonique** adj. Qui est en antagonisme. *Intérêts antagoniques.* → **opposé.**

**antagonisme** n. m. État d'opposition (de deux forces, de deux principes). → **conflit.**

**antagoniste** adj. littér. Opposé, rival. *Des partis antagonistes.* – n. Adversaire.

**antalgique** adj. Qui calme la douleur. → **analgésique.** – n. m. *Un antalgique.*

d'**antan** loc. adj. littér. D'autrefois.

**antarctique** adj. Se dit du pôle Sud et des régions voisines (opposé à *arctique*). – n. m. *L'Antarctique* : le continent antarctique.

**antécédent** n. m. **1** gramm. Mot représenté par le pronom qui le reprend. *Antécédent du pronom relatif* (ex. *le vin* que je bois). **2** plur. Passé de qqn, en relation avec un aspect de sa vie actuelle. **3** méd. (souvent plur.) Faits antérieurs à une maladie.

**antéchrist** [-kʀist] n. m. théol. Ennemi du Christ qui, selon l'Apocalypse, viendra prêcher une religion hostile à la sienne un peu avant la fin du monde.

**antédiluvien, ienne** adj. **1** Antérieur au déluge. **2** fig., fam. Très ancien, démodé.

**antenne** n. f. **I** mar. Vergue longue et mince. **II 1** Appendice sensoriel à l'avant de la tête de certains arthropodes (insectes, crustacés). ♦ loc. (personnes) *Avoir des antennes*, de l'intuition. **2** Poste avancé en liaison avec un centre. *Antenne chirurgicale.* **III** Conducteur aérien destiné à diffuser ou à capter les ondes électromagnétiques. – *Être à l'antenne* (radio, télévision).

**antépénultième** adj. didact. Qui précède l'avant-dernier.

**antéposer** v. tr. [1] ling. Placer devant.

**antérieur, eure** adj. **1** Qui est avant, qui précède dans le temps (opposé à *ultérieur*). ♦ gramm. *Passé, futur antérieur.* **2** Qui est placé en avant, devant (opposé à *postérieur*). ► **antérieurement** adv. ► **antériorité** n. f.

**anthémis** [-is] n. f. bot. Plante dont des espèces sont appelées *camomille*.

**anthère** n. f. bot. Partie terminale de l'étamine.

**anthologie** n. f. Recueil de morceaux choisis. → **chrestomathie, florilège.** – loc. adj. *D'anthologie.* → **mémorable.**

**anthracite** n. m. Charbon à combustion lente. ♦ adj. invar. Gris foncé.

**anthrax** [-aks] n. m. Tumeur inflammatoire du tissu sous-cutané.

**anthropocentrique** adj. Qui fait de l'homme l'élément central de l'univers. ► **anthropocentrisme** n. m.

**anthropoïde** adj. zool. Qui ressemble à l'homme. *Singe anthropoïde.*

**anthropologie** n. f. Ensemble des sciences qui étudient l'homme, les groupes humains. ► **anthropologique** adj. ► **anthropologue** n.

**anthropométrie** n. f. Technique de mensuration du corps humain.

**anthropomorphe** adj. didact. Qui a la forme, l'apparence d'un être humain.

**anthropomorphisme** n. m. **1** Tendance à concevoir la divinité à l'image de l'homme. **2** Tendance à décrire, à se représenter la réalité en termes humains. ► **anthropomorphique** adj.

**anthropophage** adj. et n. (êtres humains) Qui mange de la chair humaine. → **cannibale.** ► **anthropophagie** n. f.

**antiaérien, ienne** adj. Qui s'oppose aux attaques aériennes.

**antialcoolique** [ɑ̃tialkɔlik] adj. Qui combat l'alcoolisme.

**antiallergique** adj. et n. m. (Substance) qui prévient ou traite les allergies.

**antiatomique** adj. Qui s'oppose aux effets nocifs des radiations atomiques.

**antibactérien, enne** adj. méd. Se dit d'une substance active contre les bactéries.

**antibiogramme** n. m. méd. Analyse permettant de déterminer la sensibilité d'une bactérie à divers antibiotiques.

**antibiotique** **1** adj. Qui s'oppose à la vie de micro-organismes. **2** n. m. Médicament contre les infections microbiennes.

**antibrouillard** adj. *Phares antibrouillard(s)*, pour temps de brouillard.

**antibruit** adj. invar. Qui protège du bruit.

**antichambre** n. f. Pièce d'attente à l'entrée d'un appartement, d'un bureau...

**antichar** adj. Qui s'oppose à l'action des blindés.

**antichoc** adj. Qui protège des chocs.

**anticipation** n. f. **1** Exécution anticipée (d'un acte). – *Par anticipation.* → **d'avance.** **2** Mouvement de la pensée qui imagine ou vit d'avance un événement. → **prévision.** *Roman, film d'anticipation.* → **science-fiction.**

**anticiper** v. [1] **I** v. tr. **1** Exécuter avant le temps déterminé. *Anticiper un paiement.* **2** Imaginer, éprouver à l'avance. → **prévoir. II** v. intr. *Anticiper sur* : entamer à l'avance. – sans compl. *N'anticipons pas* : ne devançons pas l'événement. ▷ adj. **anticipé, ée** Qui se fait avant la date prévue.

**anticlérical, ale, aux** adj. et n. Opposé à l'influence, à l'intervention du clergé dans la vie publique. ► **anticléricalisme** n. m.

**anticlinal, aux** n. m. géol. Pli convexe vers le haut (opposé à *synclinal*).

**anticoagulant, ante** adj. et n. m. Se dit d'un produit qui empêche ou retarde la coagulation du sang.

**anticolonialisme** n. m. Opposition au colonialisme. ► **anticolonialiste** adj. et n.

**anticommunisme** n. m. Opposition au communisme. ► **anticommuniste** adj. et n.

**anticonceptionnel, elle** adj. Qui empêche la conception d'un enfant. *Pilule anticonceptionnelle.* → **contraceptif.**

**anticonformisme** n. m. Attitude opposée au conformisme. ► **anticonformiste** adj. et n.

**anticonstitutionnel, elle** adj. Contraire à la Constitution. *Loi anticonstitutionnelle.* ► **anticonstitutionnellement** adv.

**anticorps** [-kɔʀ] n. m. biol. Substance défensive engendrée par l'organisme pour neutraliser un antigène. → **antitoxine.**

**anticyclone** n. m. Lieu de hautes pressions atmosphériques (opposé à *dépression*).

**antidater** v. tr. [1] Affecter d'une date antérieure à la date réelle.

**antidémocratique** adj. Opposé à la démocratie ou à l'esprit démocratique.

**antidépresseur** n. m. Médicament destiné à combattre les états dépressifs.

**antidiphtérique** adj. Propre à combattre la diphtérie.

**antidote** n. m. **1** Remède contre un poison. → **contrepoison. 2** fig. Remède contre un mal moral.

**antidouleur** adj. invar. Qui combat, atténue la douleur.

**antidrogue** adj. invar. Destiné à lutter contre le trafic et l'usage de la drogue.

**antienne** [ɑ̃tjɛn] n. f. **1** Refrain liturgique repris par le chœur. **2** fig. vieilli → **refrain.**

**antiesclavagiste** adj. et n. Opposé à l'esclavage, aux esclavagistes.

**antifasciste** [-faʃist] adj. et n. Opposé au fascisme.

**antifongique** adj. didact. Qui combat les champignons microscopiques.

**anti-g** adj. invar.(pour antigravitationnel, elle) *Combinaison anti-g,* utilisée par les spationautes, les pilotes de chasse.

**antigang** [-gɑ̃g] adj. *Brigade antigang* : brigade d'intervention de la police.

**antigel** n. m. Produit qui abaisse le point de congélation de l'eau.

**antigène** n. m. biol. Substance qui peut engendrer des anticorps.

**antigouvernemental, ale, aux** adj. Qui est contre le gouvernement.

**anti-héros** → **héros**

**antihistaminique** adj. et n. m. méd. (Substance) qui combat les effets de l'histamine.

**antillais, aise** adj. et n. Des Antilles.

**antilope** n. f. Mammifère ruminant, au corps svelte, aux hautes pattes grêles.

**antimatière** n. f. Matière constituée d'antiparticules.

**antimilitarisme** n. m. Opposition au militarisme. ► **antimilitariste** adj. et n.

**antimissile** adj. Qui peut détruire les missiles.

**antimite** adj. et n. m. (Produit) qui protège contre les mites.

**antimoine** n. m. Corps simple (symb. Sb), solide blanc argenté, cassant.

**antimondialisation 1** n. f. Opinion, idéologie, mouvement qui s'oppose à la mondialisation libérale de l'économie, basée sur le capitalisme, et à ses conséquences sociales, écologiques, etc. **2** adj. invar. → **altermondialiste.**

**antinomie** n. f. Opposition totale. ► **antinomique** adj. → **contradictoire, contraire.**

**antipape** n. m. hist. Pape élu irrégulièrement, et non reconnu par l'Église.

**antiparasite** adj. Qui s'oppose à la production et à la propagation des parasites.

**antiparlementarisme** n. m. Opposition au régime parlementaire.

**antiparticule** n. f. phys. Particule élémentaire associée à une autre particule de mêmes propriétés, leur contact conduisant à leur annihilation.

**antipathie** n. f. Aversion instinctive. ► **antipathique** adj. → **déplaisant.**

**antipelliculaire** adj. Destiné à lutter contre les pellicules capillaires.

**antiphonaire** n. m. Recueil de chants liturgiques.

**antiphrase** n. f. Utilisation d'un mot, d'une expression dans un sens contraire au sens exact, par ironie ou euphémisme.

**antipiratage** adj. invar. Destiné à combattre le piratage sur Internet. *Mesures antipiratage.*

**antipode** n. m. **1** Lieu de la terre diamétralement opposé à un autre. - loc. *Aux antipodes,* très loin. **2** fig., littér. Chose, personne exactement opposée.

**antipoison** adj. invar. Qui agit contre un poison. → **antidote.** - *Centre antipoison :* centre médical spécialisé dans les soins contre les produits toxiques.

**antipollution** adj. invar. Opposé à la pollution. ♦ Destiné à combattre la pollution.

**antipyrétique** adj. et n. m. méd. (Remède) qui combat la fièvre. → **fébrifuge.**

**antiquaille** n. f. Objet ancien sans valeur.

**antiquaire** n. Marchand d'objets d'art, d'ameublement et de décoration anciens.

**antique** adj. **1** littér. Qui appartient à un lointain passé. ♦ Très vieux. **2** Qui appartient à l'Antiquité (3).

**antiquité** n. f. **1** vieilli Ancienneté. **2** littér. Temps très ancien, très reculé. **3** Les plus anciennes civilisations à écritures ; spécialt celles qui sont à la source des cultures occidentales (jusqu'aux premiers siècles de l'ère chrétienne). *L'antiquité grecque.* ♦ (avec maj.) L'antiquité gréco-romaine. **4** au plur. Monuments, œuvres d'art qui restent de l'Antiquité. ♦ Objets d'art, meubles anciens.

**antirabique** adj. Employé contre la rage.

**antiraciste** adj. et n. Opposé au racisme. ► **antiracisme** n. m.

**antireflet** adj. Qui diminue les reflets.

**antirejet** adj. invar. Qui s'oppose au rejet d'une greffe. *Médicaments antirejet.*

**antireligieux, euse** adj. Opposé à la religion.

**antirides** adj. Qui atténue les rides.

**antirouille** adj. invar. Qui protège contre la rouille.

**antiscientifique** adj. Contraire à l'esprit scientifique.

**antisémitisme** [ɑ̃tis-] n. m. Hostilité contre les Juifs ; racisme dirigé contre les Juifs. ► **antisémite** [ɑ̃tis-] adj. et n.

**antisepsie** [ɑ̃tis-] n. f. Méthodes destinées à prévenir ou à combattre l'infection en détruisant des microbes.

**antiseptique** [ɑ̃tis-] adj. De l'antisepsie. - n. m. *Le formol est un antiseptique.*

**antisismique** adj. Conçu pour résister aux tremblements de terre.

**antislash** n. m. inform. Signe typographique de séparation par une barre oblique (\), en sens inverse de celle du slash*.

**antisocial, ale, aux** [ɑ̃tis-] adj. **1** Contraire à la société, à ses règles. **2** Qui va contre les intérêts des travailleurs.

**antispasmodique** adj. méd. Destiné à empêcher les spasmes, les convulsions.

**antisportif, ive** adj. Hostile au sport ; contraire à l'esprit du sport.

**antistatique** adj. Qui empêche ou limite la formation de l'électricité statique.

**antiterroriste** adj. Qui lutte contre le terrorisme, est relatif à cette lutte.

**antitétanique** adj. Qui combat le tétanos.

**antithèse** n. f. **1** Opposition de deux pensées, de deux expressions que l'on rapproche dans le discours pour en faire ressortir le contraste. **2** fig. Chose, personne entièrement opposée à une autre ; contraste absolu. **3** philos. Deuxième moment d'une dialectique, entre la thèse et la synthèse. ► **antithétique** adj.

**antitoxine** n. f. Anticorps élaboré par l'organisme qui réagit contre les toxines.

**antituberculeux, euse** adj. Qui combat la tuberculose.

**antitussif, ive** adj. Qui combat la toux.

**antiviral, ale, aux** adj. méd. Se dit d'une substance active contre les virus.

**antivirus** n. m. **I** Substance ou organisme qui combat les virus. **II** inform. Logiciel qui détecte la présence de virus informatiques, et peut réparer les fichiers infectés.

**antivol** n. m. et adj. Dispositif de sécurité destiné à empêcher le vol. - adj. *Portiques antivol(s).*

**antonomase** n. f. rhét. Désignation d'une personne par un nom ou une périphrase qui la caractérise, ou par le nom d'un personnage typique (ex. un don Juan).

**antonyme** n. m. Mot qui, par le sens, s'oppose directement à un autre. → **contraire.**

**antre** n. m. littér. Caverne, grotte (spécialt gîte d'une bête fauve). ♦ fig. Lieu mystérieux.

**anus** [anys] n. m. Orifice du rectum qui donne passage aux matières fécales.

**anxiété** n. f. État d'angoisse (considéré surtout dans son aspect psychique).

**anxieux, euse** adj. **1** Qui s'accompagne d'anxiété. **2** Qui éprouve de l'anxiété. → **angoissé, inquiet, tourmenté.** - n. *C'est un anxieux.* ► **anxieusement** adv.

**anxiogène** adj. Qui produit l'anxiété.

**anxiolytique** adj. et n. m. méd. (Produit) qui combat l'anxiété.

**aoriste** n. m. ling. Temps du verbe grec qui correspond à un passé indéterminé.

**aorte** n. f. Artère qui naît au ventricule gauche du cœur. ► **aortique** adj.

**août** [u(t)] n. m. Huitième mois de l'année.

**aoûtat** [auta] n. m. Larve d'un insecte (le *trombidion*) qui se loge sous la peau.

**aoûtien, ienne** [ausjɛ̃, jɛn] n. **1** Personne qui prend ses vacances en août. **2** Personne qui reste dans une ville en août.

**apache** adj. et n. **1** De la tribu des Apaches. - n. *Un(e) Apache.* **2** vx Malfaiteur.

**apaiser** v. tr. [1] **1** Amener (qqn) à des dispositions plus paisibles. → **calmer.** **2** Rendre (qqch.) moins violent. ▷ v. pron. **s'apaiser** → se **calmer.** *La tempête s'apaise.* ► **apaisant, ante** adj. ► **apaisement** n. m.

**apanage** n. m. **1** hist. Partie du domaine royal accordée à un prince qui renonçait à la couronne. **2** Bien exclusif, privilège.

**aparté** n. m. **1** Parole que dit un acteur, et que le spectateur seul est censé entendre. **2** Entretien particulier, dans une réunion.

**apartheid** [-tɛd] n. m. Régime de ségrégation systématique qui existait, en Afrique du Sud, entre Blancs et Noirs.

**apathie** n. f. Incapacité d'être ému ou de réagir (par mollesse, etc.). → **indolence, inertie.** ► **apathique** adj. et n.

**apatride** n. et adj. Personne sans nationalité légale.

**apercevoir** v. tr. [28] **1** Distinguer plus ou moins nettement. ♦ Entrevoir. **2** Saisir par l'esprit. → **appréhender.** ▷ v. pron. **s'apercevoir** **1** Prendre conscience (d'un fait). → **remarquer.** **2** (récipr.) Se voir mutuellement. **3** (passif) *Détail qui s'aperçoit mal.*

**aperçu** n. m. **1** Première idée que l'on peut avoir d'une chose vue rapidement. **2** Exposé sommaire. **3** Remarque, observation qui jette un jour nouveau.

**apéritif, ive** **1** adj. littér. Qui ouvre l'appétit. **2** n. m. Boisson à base de vin ou d'alcool, supposée apéritive, que l'on prend avant le repas. – abrév. fam. **apéro.**

**apesanteur** n. f. Absence de pesanteur.

**à-peu-près** n. m. invar. Approximation grossière. → **près.**

> Ne pas confondre avec *à peu près* «presque, environ».

**apeurer** v. tr. [1] littér. Effrayer.

**aphasie** n. f. méd. Perte totale ou partielle de la capacité de parler ou de comprendre le langage parlé ou écrit, due à une lésion cérébrale. ► **aphasique** adj. et n.

**aphélie** n. m. astron. Point de l'orbite d'une planète situé à la plus grande distance du Soleil (opposé à *périhélie*).

**aphérèse** n. f. ling. Chute d'un ou plusieurs phonèmes au début d'un mot (opposé à *apocope*) (ex. *car* pour *autocar*).

**aphone** adj. Qui n'a provisoirement plus de voix. ► **aphonie** n. f.

**aphorisme** n. m. didact. Bref énoncé renfermant un précepte.

**aphrodisiaque** adj. et n. m. Se dit d'une substance réputée exciter le désir sexuel.

**aphte** n. m. Petite ulcération de la muqueuse de la bouche ou du pharynx.

**aphteux, euse** adj. De l'aphte. – *Fièvre aphteuse*, maladie éruptive des bovidés.

**api** n. m. *Pomme d'api* : variété de petite pomme d'un rouge vif sur un côté.

**à-pic** n. m. Versant vertical. *Des à-pics.*

**apical, ale, aux** adj. didact. Du sommet, de la pointe (*apex* n. m.).

**apicole** adj. De l'apiculture.

**apiculture** n. f. Technique de l'élevage des abeilles pour obtenir le miel et la cire. ► **apiculteur, trice** n.

**apitoyer** v. tr. [8] Toucher de pitié. → **attendrir.** ▷ v. pron. **s'apitoyer** → **compatir.** *S'apitoyer sur qqn.* ► **apitoiement** n. m.

**aplanir** v. tr. [2] **1** Rendre plan ou uni. → **niveler.** **2** fig. Lever (une difficulté...).

**aplat** n. m. peint. Surface de couleur uniforme.

**aplatir** v. tr. [2] Rendre plat. ▷ v. pron. **s'aplatir** **1** Devenir plus plat. **2** fam. Tomber à plat ventre. **3** fig. *S'aplatir devant qqn.* → **ramper.** ▷ adj. **aplati, ie** ► **aplatissement** n. m.

**aplomb** [aplɔ̃] n. m. **1** État d'équilibre d'un corps en position verticale. **2** fig. Assurance, confiance en soi. – péj. → **culot, toupet.** **3** loc. adv. *D'aplomb* : suivant la verticale ; en équilibre stable. ♦ fig. En bon état physique et moral.

**apnée** n. f. Suspension momentanée de la respiration. *Plonger en apnée.*

**apocalypse** n. f. Fin du monde.

**apocalyptique** adj. Qui évoque la fin du monde, de terribles catastrophes.

**apocope** n. f. ling. Chute d'un ou plusieurs phonèmes à la fin d'un mot (opposé à *aphérèse*) (ex. *télé* pour *télévision*).

**apocryphe** adj. **1** didact. Que l'Église ne reconnaît pas comme canonique. **2** D'authenticité douteuse. *Testament apocryphe.*

**apogée** n. m. **1** astron. Point où un astre est le plus éloigné de la Terre (opposé à *périgée*). **2** fig. Point le plus élevé, plus haut degré.

**apolitique** adj. Qui se tient en dehors de la lutte politique.

**apollon** n. m. (nom mythol.) plais. Homme d'une grande beauté.

**apologétique** **I** adj. Qui a un caractère d'apologie. **II** n. f. didact. Théologie de la révélation chrétienne.

**apologie** n. f. Discours, écrit visant à défendre, à justifier et par ext. à faire l'éloge de qqn, de qqch. ► **apologiste** n.

**apologue** n. m. Petit récit moral.

**aponévrose** n. f. anat. Membrane fibreuse qui enveloppe un muscle.

**apophtegme** n. m. didact. Parole mémorable ayant une valeur de maxime.

**apophyse** n. f. Éminence à la surface d'un os.

**apoplectique** adj. Qui a ou annonce une prédisposition à l'apoplexie.

**apoplexie** n. f. Congestion cérébrale.

**apostasie** n. f. Reniement de la foi chrétienne. – fig. Abandon (d'une doctrine). ► **apostat, ate** n.

**a posteriori** [-te-] (opposé à *a priori*) 1 loc. adj. invar. Postérieur à l'expérience. 2 loc. adv. Postérieurement à l'expérience.

**apostille** n. f. Note en marge d'un texte.

**apostolat** n. m. 1 Prédication. 2 Mission qui requiert du désintéressement.

**apostolique** adj. 1 Relatif aux apôtres. 2 Qui émane du Saint-Siège.

**apostrophe** n. f. I 1 littér. Figure de rhétorique par laquelle un orateur interpelle qqn, etc. 2 Interpellation brusque. 3 gramm. *Mot en apostrophe,* en apposition et qui interpelle (ex. *Jean* dans *Jean, tais-toi !*). II Signe (') qui marque l'élision d'une voyelle.

**apostropher** v. tr. [1] Adresser brusquement la parole à (qqn).

**apothéose** n. f. 1 Antiq. romaine Déification des empereurs, des héros après leur mort. 2 Honneurs extraordinaires rendus à qqn. 3 fig. Épanouissement ; partie brillante.

**apothicaire** n. m. vx Pharmacien. ♦ fig. *Compte d'apothicaire,* long et compliqué.

**apôtre** n. m. 1 Chacun des douze disciples que Jésus-Christ choisit pour prêcher l'Évangile. ♦ par ext. Prédicateur. 2 fig. Personne qui propage une doctrine.

**apparaître** v. intr. [57] 1 Devenir visible, distinct ; se montrer soudain. → se **révéler, surgir.** ♦ fig. *Tôt ou tard, la vérité apparaît.* 2 Commencer d'exister. 3 Se présenter à l'esprit (sous tel aspect). → **paraître.** 4 impers. *Il apparaît que* (+ indic.) : il est manifeste que. → il **appert** que.

**apparat** n. m. 1 Éclat solennel (d'une cérémonie). – *D'apparat* : de cérémonie. 2 *Apparat critique* : notes et variantes d'un texte.

**apparatchik** n. 1 polit. Membre influent du parti communiste soviétique. 2 péj. Homme, femme d'appareil carriériste.

**appareil** n. m. I 1 vx Préparatifs. ♦ mod. loc. *Dans le plus simple appareil* : tout nu. 2 Ensemble d'éléments qui concourent à un but en formant un tout. *L'appareil des lois.* – *Appareil critique.* → **apparat** (2). ♦ Ensemble d'organismes administratifs. *L'appareil d'un parti.* 3 Ensemble des organes remplissant une même fonction. → **système.** *L'appareil digestif.* 4 Agencement des matériaux (d'une maçonnerie). II 1 Assemblage de pièces ou d'organes (plus complexe que l'outil, l'ustensile, moins que la machine) réunis en un tout pour une fonction. 2 Dispositif corrigeant les défauts fonctionnels du corps (spécialt des dents).

**appareillage** n. m. I Action d'appareiller, de quitter le port. II Ensemble d'appareils (II) disposés pour un usage. III Action de munir d'une prothèse.

① **appareiller** v. [1] I v. tr. mar. Préparer (un navire). II v. intr. (bateau) Quitter le port.

② **appareiller** v. tr. [1] Réunir (des choses semblables ou qui s'accordent). → **assortir.**

③ **appareiller** v. tr. [1] Munir d'un appareil (II, 2), d'une prothèse.

**apparemment** [-amɑ̃] adv. Selon toute apparence. → **vraisemblablement.**

**apparence** n. f. 1 Ce qu'on voit (de qqch., qqn), manière dont qqch. se montre. → **air, aspect.** 2 Aspect extérieur, considéré comme différent de la réalité. *Ne pas se fier à l'apparence.* ♦ loc. *Sauver les apparences,* préserver sa réputation. ♦ loc. adv. *En apparence* : autant qu'on peut en juger d'après ce qu'on voit. ♦ *Contre toute apparence* loc. adv. : en dépit de ce qui paraît.

**apparent, ente** adj. 1 Qui apparaît, se montre aux yeux. 2 abstrait Évident, manifeste. *Sans cause apparente.* 3 Qui n'est pas tel qu'il paraît être ; qui n'est qu'une apparence.

**apparenté, ée** adj. 1 *Être apparenté à qqn,* de la même famille que lui. 2 Allié par apparentement*. 3 Qui ressemble (à).

**apparentement** n. m. Alliance électorale entre listes qui groupent leurs voix.

s'**apparenter** v. pron. [1] *S'apparenter à* 1 rare S'allier par mariage avec. 2 (sujet chose) Avoir une ressemblance avec.

**apparier** v. tr. [7] Unir par paire.

**appariteur, trice** n. Huissier, huissière.

**apparition** n. f. I 1 Action, fait d'apparaître. 2 Venue (d'une chose nouvelle). II 1 Manifestation (d'un être invisible, sous une forme visible). 2 Être imaginaire que l'on croit voir. → **fantôme, spectre.**

**appartement** n. m. Partie d'une maison, d'un immeuble composée de plusieurs pièces qui servent d'habitation.

**appartenance** n. f. 1 Fait d'appartenir (à une collectivité). 2 math. Propriété d'être un élément d'un ensemble.

**appartenir** v. tr. ind. [22] *Appartenir à* 1 Être à (qqn) en vertu d'un droit, d'un titre. 2 (sujet personne) Être entièrement soumis à (qqn). – pronom. *S'appartenir* : être libre. 3 (sujet chose) Être propre à (qqn). – impers. *Il appartient aux parents d'élever leurs enfants,* c'est leur rôle. 4 Faire partie de (qqch.). – math. *Élément qui appartient à un ensemble* (→ **appartenance**).

**appas** n. m. pl. vx Attraits.

**appât** n. m. 1 Produit qui sert à attirer des animaux pour les prendre. 2 fig. Ce qui pousse à faire qqch. *L'appât du gain.*

**appâter** v. tr. [1] 1 Garnir d'un appât (1). 2 fig. Attirer (qqn) par une promesse, etc.

**appauvrir** v. tr. [2] 1 Rendre pauvre. 2 fig. Faire perdre sa fécondité à (qqch.). ▷ v. pron. s'**appauvrir** ► **appauvrissement** n. m.

**appeau** n. m. Instrument avec lequel on imite le cri des oiseaux pour les attirer.

**appel** n. m. I 1 Action d'appeler pour faire venir à soi, pour obtenir une réponse. *Un appel au secours.* – *Appel téléphonique.* 2 Action d'appeler des personnes par leur nom. *Faire l'appel.* **3** milit. Action d'appeler sous les drapeaux. *Appel aux armes.* → **mobilisation.** **4** *Appel de fonds :* demande de fonds (à des actionnaires, etc.). **5** Discours ou écrit dans lequel on exhorte le public. *Appel à la révolte.* **6** *Faire appel à qqn,* demander comme une aide. - *Faire appel à ses souvenirs,* les évoquer. ♦ loc. fig. *Appel du pied :* paroles, allusion constituant une demande. **7** fig. Incitation, invitation. *L'appel du large.* **II 1** *Faire appel :* recourir à une juridiction supérieure en vue d'obtenir la modification d'un jugement. - *Cour d'appel.* **2** loc. *Sans appel :* irrévocable ; irrémédiablement. **III** (mouvement) **1** *Appel d'air :* tirage qui facilite la combustion. **2** sports Appui du pied sur le sol qui donne l'élan.

**appelé, ée I** adj. **1** Nommé. **2** Qui est appelé (à). - *Appelé à* (+ inf.) : dans la nécessité de. **II** n. Personne incorporée dans l'armée pour son service militaire.

**appeler** v. tr. [4] **I 1** S'adresser à (qqn) pour l'inviter à venir, à répondre. *Appeler qqn à l'aide.* **2** Joindre (qqn) par téléphone. **3** Inviter (qqn) à venir. *Appeler un médecin.* - *Appeler un contingent sous les drapeaux* (→ **appel**). **4** *Appeler qqn à une fonction,* le désigner pour. **5** (sujet chose) Demander, exiger, entraîner. → **réclamer.** **6** *En appeler à :* s'en remettre à. **II** Donner un nom à (qqn ou qqch.). → **nommer.** - loc. *Appeler les choses par leur nom,* ne pas atténuer la vérité. ▷ v. pron. **s'appeler** Avoir pour nom. *Je m'appelle Paul.*

**appellation** n. f. Action, façon d'appeler (II). → **dénomination, désignation.** ♦ Nom donné à qqch., à qqn.

**appendice** [-pɛ̃-] n. m. **1** Partie qui prolonge une partie principale. **2** anat. Prolongement en doigt de gant du cæcum. **3** Supplément (notes, etc.) à la fin d'un livre.

**appendicectomie** [-pɛ̃-] n. f. chir. Ablation de l'appendice (2).

**appendicite** [apɛ̃disit] n. f. Inflammation de l'appendice (2).

**appentis** n. m. Petit bâtiment à toit à une seule pente, adossé à un mur.

il **appert** v. impers. (seulement au présent) dr. *Il appert que* (+ indic.) : il est évident que.

**appesantir** v. tr. [2] littér. Rendre plus lourd ou moins agile. ▷ v. pron. **s'appesantir** **1** Devenir pesant. **2** *S'appesantir sur qqch.,* en parler longuement. ► **appesantissement** n. m.

**appétence** n. f. littér. Tendance portant qqn vers ce qui satisfait ses penchants, ses besoins. → **envie.**

**appétissant, ante** adj. **1** Dont l'aspect, l'odeur met en appétit. **2** fig. Qui attire.

**appétit** n. m. **1** Désir de nourriture, plaisir de manger. **2** Désir pressant (de qqch.). *Appétit de savoir.* **3** Mouvement qui porte à rechercher ce qui peut satisfaire un besoin, un instinct. → **pulsion.**

**applaudir** v. [2] **1** v. intr. Battre des mains en signe d'approbation, d'enthousiasme. **2** v. tr. ind. littér. *Applaudir à qqch. :* donner son assentiment à. **3** v. tr. Saluer (qqn, qqch.) par des applaudissements. ▷ v. pron. **s'applaudir** (de) → se **féliciter** de.

**applaudissement** n. m. Battement des mains (d'approbation ou d'enthousiasme).

**appli** → **application**

**applicable** adj. Qu'on peut appliquer (à).

**applicateur, trice** adj. Qui sert à appliquer (qqch.), à mettre en place.

**application** n. f. **I 1** Action d'appliquer (une chose sur une autre). **2** math. Relation établie sur deux ensembles, telle qu'à tout élément du premier corresponde un seul élément du second (→ fonction). **3** Utilisation ; mise en pratique. *Les applications d'une découverte.* **4** inform. Logiciel. - abrév. **appli.** **II** Action de s'appliquer ; qualité d'une personne appliquée. → **attention, concentration, soin.**

**applique** n. f. **1** Ce qui est appliqué sur un objet (pour l'orner ou le rendre solide). **2** Appareil d'éclairage fixé au mur.

**appliquer** v. tr. [1] **1** Mettre (une chose) sur une autre de manière à recouvrir, adhérer ou laisser une empreinte. **2** fig. Faire servir, employer (pour un usage). *Appliquer un traitement à une maladie.* - *Appliquer une recette.* - *Appliquer son esprit à qqch.* ▷ v. pron. **s'appliquer 1** Être appliqué. **2** fig. Être adapté (à). → **convenir ; concerner.** **3** Apporter une attention soutenue (à qqch.), prendre soin (de faire qqch.). ▷ adj. **appliqué, ée I 1** Placé (sur, contre). **2** Mis en pratique. *Sciences appliquées* (opposé à *pur*). *Recherche appliquée* (opposé à *fondamental*). **II** Qui s'applique (3). → **studieux, travailleur.**

**appoggiature** [-(d)ʒja-] n. f. mus. Note placée devant une note principale pour la mettre en valeur. - var. **appogiature.**

**appoint** n. m. **1** Complément d'une somme en monnaie. *Faire l'appoint* (par ext. avoir la somme exacte). **2** fig. Ce qu'on ajoute à qqch. - *Chauffage d'appoint.*

**appointements** n. m. pl. Rétribution fixe attachée à un emploi régulier. ► **appointer** v. tr. [1] → **rétribuer.**

**appontement** n. m. Plate-forme le long de laquelle un navire vient s'amarrer.

**apport** n. m. **1** Action d'apporter. *Apport de capitaux.* **2** Ce qu'on apporte ; bien apporté. **3** fig. Contribution positive.

**apporter** v. tr. [1] **I** concret **1** *Apporter qqch. à qqn,* porter (qqch.) au lieu où est qqn. - Porter (qqch.) avec soi en venant. **2** Fournir pour sa part. *Apporter son écot.* **II** abstrait **1** Manifester, mettre. *Il y apporte tout son zèle.* **2** Donner, fournir (un élément de connaissance). *Apporter une nouvelle.* **3** Fournir (ce qu'on a fait naître). *Apporter* *son appui à qqn.* **4** (sujet chose) Être la cause de (qqch.).

**apposer** v. tr. [1] dr. Poser, mettre.

**apposition** n. f. **1** Action d'apposer. **2** gramm. Procédé par lequel deux termes sont juxtaposés sans lien (ex. vert olive).

**appréciable** adj. **1** Qui peut être évalué. **2** Assez important. **3** Digne d'estime.

**appréciation** n. f. **1** Action d'apprécier, de déterminer la valeur, etc. (de qqch.). **2** Fait de juger. *Soumettre une décision à l'appréciation de qqn.* ◆ Opinion. *Noter ses appréciations.* → **observation.**

**apprécier** v. tr. [7] **1** Déterminer le prix, la valeur de (qqch.). → **estimer, évaluer.** **2** Déterminer approximativement, par les sens. *Apprécier une distance.* ◆ (abstrait) Sentir, percevoir. *Apprécier une nuance.* **3** Porter un jugement favorable sur ; aimer, goûter. – au p. p. *Animal à chair appréciée.*

**appréhender** v. tr. [1] **I 1** Saisir au corps. → **arrêter.** **2** Saisir par l'esprit. **II** Envisager (qqch.) avec crainte.

**appréhension** n. f. **I** didact. Fait de saisir par l'esprit. **II** Crainte vague, mal définie.

**apprenant, ante** n. Personne qui apprend (une langue).

**apprendre** v. tr. [58] **I** (sens subjectif) **1** Être informé de (qqch.). *Apprendre une nouvelle.* **2** Chercher à acquérir (un ensemble de connaissances). **3** *Apprendre à* (+ inf.) : se rendre capable de. *Apprendre à lire.* **II** (sens objectif) **1** *Apprendre qqch. à qqn,* porter à sa connaissance. → **avertir ; informer.** **2** Donner la connaissance, le savoir, la pratique de (qqch.). → **enseigner.** **3** *Apprendre à qqn à* (+ inf.). – loc. *Cela lui apprendra à vivre :* cela lui servira de leçon.

**apprenti, ie** n. **1** Personne qui est en apprentissage. **2** Débutant, novice. **3** loc. *Apprenti sorcier :* personne qui déchaîne des événements qu'elle ne maîtrise pas.

**apprentissage** n. m. **1** Fait d'apprendre un métier manuel ou technique. **2** littér. Premiers essais. *L'apprentissage de l'amour.*

**apprêt** n. m. **I 1** vieilli (au plur.) Action d'apprêter (1). **2** techn. Opération que l'on fait subir aux matières premières (cuirs, textiles) avant de les travailler. **3** Substance qui sert à apprêter (enduit...). **II** Manières affectées. → **affectation.**

**apprêté, ée** adj. **1** Enduit d'apprêt (I, 3). **2** Trop étudié, peu naturel. → **affecté.**

**apprêter** v. tr. [1] **1** vx ou littér. Rendre prêt, préparer. **2** techn. Soumettre à un apprêt*. ▻ v. pron. s'**apprêter** **1** Se préparer, se disposer (à). **2** Préparer sa tenue.

**apprivoiser** v. tr. [1] **1** Rendre moins craintif ou moins dangereux (un animal). – au p. p. *Ours apprivoisé.* **2** Rendre (qqn) plus sociable. ▻ v. pron. s'**apprivoiser** **1** Devenir moins sauvage (animaux), plus sociable (personnes). **2** fig., littér. *S'apprivoiser à.* → s'**accoutumer,** se **faire** à. ► **apprivoisement** n. m.

**approbateur, trice** adj. Qui approuve.

**approbatif, ive** adj. Qui marque l'approbation.

**approbation** n. f. **1** Fait d'approuver ; accord donné. **2** Jugement favorable.

**approchant, ante** adj. Qui se rapproche de. → **semblable, voisin.**

**approche** n. f. **I 1** Fait d'approcher, de s'approcher. *Le chat s'enfuit à mon approche.* **2** *D'approche :* par quoi on s'approche. – loc. *Travaux d'approche,* démarches pour arriver à un but. **3** au plur. Ce qui est près de. → **abord.** *Les approches d'une ville.* **4** Manière d'aborder un sujet ; point de vue. **II** (choses) Fait d'approcher. *L'approche de la nuit.*

**approcher** v. [1] **I** v. tr. dir. **1** Mettre près, plus près. **2** Venir près, s'avancer auprès de (qqn). **II** *Approcher de* v. tr. ind. **1** Venir près, plus près de (qqn, qqch.). **2** Être près de, sur le point d'atteindre. *Approcher du but.* **3** intrans. Être imminent, proche. *La nuit approche.* ▻ v. pron. s'**approcher** (de) ▻ adj. **approché, ée** Approximatif.

**approfondir** v. tr. [2] **1** Rendre plus profond. **2** fig. Étudier à fond. → **creuser.** *Approfondir un sujet.* ▻ adj. **approfondi, ie** *Examen approfondi.* ► **approfondissement** n. m.

**approprier** v. tr. [7] didact. Rendre (qqch.) propre (à un usage). → **adapter.** ▻ v. pron. s'**approprier** Faire sien ; s'attribuer la propriété de (qqch.), spécialt de manière illicite. ▻ adj. **approprié, ée** → **adéquat.** ► **appropriation** n. f.

**approuver** v. tr. [1] **1** Donner son accord à (qqch.). → **accepter ; approbation.** – au p. p. (invar.) *Lu et approuvé* (formule au bas d'un acte). **2** Juger bon, trouver louable. – *Approuver qqn,* être de son opinion.

**approvisionnement** n. m. **1** Action d'approvisionner. **2** Ensemble de provisions.

**approvisionner** v. tr. [1] Fournir en provisions. → **ravitailler.** – *Approvisionner un compte en banque,* y déposer de l'argent. ▻ v. pron. s'**approvisionner** → se **fournir.**

**approximatif, ive** adj. **1** Fait par approximation. **2** Imprécis, vague. ► **approximativement** adv.

**approximation** n. f. **1** Détermination approchée. → **évaluation.** **2** Valeur approchée.

**appui** n. m. **I 1** Action d'appuyer, de s'appuyer sur qqch. – *Point d'appui,* sur lequel qqch. s'appuie. **2** *À l'appui de* loc. prép. : pour appuyer, confirmer. *À l'appui de cette hypothèse...* – *Avec preuves à l'appui.* **II 1** Ce qui sert à soutenir. → **soutien, support.** **2** fig. Soutien moral ou aide matérielle.

**appuie-tête** n. m. Dispositif destiné à soutenir la tête. *Des appuie-tête(s).*

**appuyer** v. [8] **I** v. tr. **1** Soutenir ou faire soutenir, supporter. *Appuyer qqch. par, contre, à, sur qqch.* **2** Soutenir, rendre plus sûr (qqch. d'abstrait). **3** Fournir une protection, un soutien à. → **soutenir.** *Appuyer un candidat ; une demande.* **4** Appliquer, presser (une chose sur, contre une autre). *Appuyer le pied sur la pédale.* **II** v. intr. **1** (sujet chose) Être soutenu ; être posé (sur). **2** Peser plus ou moins fortement (sur). *Appuyez sur le bouton.* **3** Mettre l'accent (sur) ; insister. **4** Prendre la direction de. *Appuyez sur la droite, à droite.* → se **diriger.** ▷ v. pron. **s'appuyer 1** S'aider, se servir comme d'un appui. **2** fig. Compter (sur). → se **fonder.** **3** (faux pronom.) fam. Devoir faire, supporter. *S'appuyer une corvée ; qqn.* ▷ adj. **appuyé, ée 1** *Regard appuyé,* insistant. **2** Exprimé avec insistance. *Plaisanterie appuyée.*

**apraxie** n. f. didact. Incapacité d'exécuter des mouvements adaptés à un but.

**âpre** adj. **1** Qui a une rudesse désagréable. **2** fig. Dur, pénible. **3** *Âpre au gain :* avide. ► **âprement** adv. → **rudement.**

**après I** prép. (opposé à *avant*) **1** (postériorité dans le temps) *Le printemps vient après l'hiver.* – *Après que* loc. conj. (+ indic.) « *Il faut bonne mémoire après qu'on a menti* » (Corneille). – *Après coup* loc. adv. : après l'événement. **2** (postériorité dans l'espace) *Tournez après le pont.* – *Traîner qqch. après soi.* – *Courir après qqn.* **3** (mouvement de recherche) *Soupirer après qqch., qqn.* – *Être après qqn,* le harceler. **4** (subordination dans un ordre, une hiérarchie) *Venir après qqn.* **5** *Après tout* loc. adv. : après avoir tout considéré. → en **définitive,** au **fond.** **6** *D'après* loc. prép. : à l'imitation de ; en se référant à. → **selon, suivant.** **II** adv. (temps) → plus **tard ; ensuite.** *L'année d'après* (→ **suivant**). ♦ (espace) → **derrière.** – *Ci-après* loc. adv. : plus loin (dans un texte). → ci-**dessous, infra.** ♦ *Et après ?* (exhortation ; indifférence ou défi).

L'action étant terminée, *après que* est suivi de l'indic. : *après qu'elle a parlé.*

**après-demain** adv. Au jour qui suivra demain (→ **surlendemain**).

**après-guerre** n. m. Période qui suit une guerre.

**après-midi** n. m. ou f. invar. Partie de la journée entre le déjeuner et le dîner.

**après-rasage** adj. invar. et n. m. Se dit d'une lotion calmant le feu du rasoir.

**après-ski** n. m. Botte que l'on chausse lorsqu'on ne skie pas, aux sports d'hiver.

**après-vente** adj. invar. *Service après-vente* (sigle *S. A. V.*) : services d'entretien assurés après la vente d'un appareil, etc.

**âpreté** n. f. **1** Rudesse désagréable de ce qui est âpre. **2** fig. Caractère dur, pénible.

**a priori 1** loc. adv. et adj. invar. En partant de données antérieures à l'expérience (contr. *a posteriori*). – n. m. invar. Idée a priori. **2** loc. adv. Au premier abord.

**apriorisme** n. m. didact. Idée a priori.

**à-propos** n. m. Ce qui vient à propos*. – loc. *Esprit d'à-propos :* présence d'esprit.

**apsara** n. f. Nymphe hindoue.

**apte** adj. **1** dr. Qui détient une capacité (→ **aptitude** (1)). **2** *Apte à :* qui a des dispositions pour, qui peut (faire qqch.).

**aptère** adj. didact. Sans ailes.

**aptitude** n. f. **1** dr. Capacité légale, juridique. **2** Disposition naturelle (à). → **penchant, prédisposition.** **3** Compétence acquise et reconnue.

**apurer** v. tr. [1] fin. Reconnaître (un compte) exact. ► **apurement** n. m.

**aquaculture** n. f. Élevage commercial d'espèces aquatiques. – var. **aquiculture.** ► **aquaculteur, trice** n. (var. **aqui-**).

**aquafortiste** n. Graveur à l'eau-forte.

**aquagym** n. f. (n. déposé) Gymnastique pratiquée dans l'eau.

**aquarelle** n. f. Peinture sur papier avec des couleurs délayées dans de l'eau. ► **aquarelliste** n.

**aquariophilie** n. f. Élevage en aquarium des poissons d'ornement.

**aquarium** [-jɔm] n. m. Réservoir à parois de verre dans lequel on entretient des plantes et des animaux aquatiques.

**aquatinte** n. f. Eau-forte imitant le lavis.

**aquatique** adj. Qui croît, vit, se fait dans l'eau ou au bord de l'eau.

**aquavit** [akwavit] n. m. Eau-de-vie scandinave parfumée. – var. **akvavit.**

**aqueduc** n. m. Canal pour conduire l'eau ; ouvrage supportant ce canal.

**aqueux, euse** adj. sc. De l'eau.

**aquiculture** → **aquaculture**

**aquilin** adj. m. *Nez aquilin,* fin et busqué.

**aquilon** n. m. poét. Vent froid du nord.

**aquoibonisme** n. m. littér. Tendance au défaitisme et à l'abandon. ► **aquoiboniste** n. et adj.

**ara** n. m. Grand perroquet des tropiques, au plumage coloré.

**arabe** adj. et n. **1** Des peuples originaires de l'Arabie qui se sont répandus avec l'islam autour du bassin méditerranéen. – n. *Les Arabes,* le peuple sémite originaire d'Arabie ; les populations arabophones du Proche-Orient et du nord de l'Afrique. ♦ n. m. *L'arabe* (langue sémitique). **2** Issu de la civilisation arabe. *Chiffres arabes :* les dix signes de la numération (opposé à *romain*).

**arabesque** n. f. **1** Ornement formé de lettres, de lignes, de feuillages entrelacés. **2** Ligne sinueuse de forme élégante.

**arabique** adj. D'Arabie.

**arabisant, ante** n. Spécialiste de la langue, de la littérature arabes.

**arabiser** v. tr. [1] Donner un caractère (culturel...) arabe à. ► **arabisation** n. f.

**arable** adj. Qui peut être labouré.

**arabophone** adj. et n. Qui parle arabe.

**arachide** n. f. Graine d'une plante tropicale ; cette plante. → **cacahouète.**

**arachnéen, enne** [-k-] adj. **1** didact. Propre à l'araignée. **2** littér. Qui a la légèreté de la toile d'araignée.

**arachnide** [-k-] n. m. Arthropode sans pattes abdominales (classe des *Arachnides ;* ex. acariens, araignées, scorpions).

**arachnophobie** [-k-] n. f. didact. Phobie des araignées. ► **arachnophobe** [-k-] adj. et n.

**arack** → **arak**

**araignée** n. f. **1** Arachnide pourvu de crochets à venin et de glandes productrices de soie. *Toile d'araignée,* réseau que l'animal tisse pour capturer ses proies. **2** loc. fam. *Avoir une araignée au plafond :* être un peu fou. **3** *Araignée de mer :* crabe à longues pattes. **4** Morceau prisé de viande de bœuf.

**araire** n. m. Charrue simple.

**arak** n. m. Alcool de riz ou de canne à sucre. - var. **arack.**

**araméen, enne** adj. hist. Des Sémites de Syrie, dans l'Antiquité.

**araser** v. tr. [1] techn. Mettre de niveau, mettre à ras. ► **arasement** n. m.

**aratoire** adj. Qui sert à travailler la terre. *Instruments aratoires.*

**araucaria** n. m. Conifère décoratif.

**arbalète** n. f. Ancienne arme de trait, arc d'acier monté sur un fût.

**arbitrage** n. m. **1** Règlement d'un différend par un ou des arbitres. **2** Fonction d'arbitre, en sport.

**arbitraire** adj. **1** Qui dépend de la seule volonté, n'est pas lié par l'observation de règles. *Choix arbitraire.* ♦ péj. Qui ne tient pas compte de la réalité. → **artificiel. 2** Qui dépend du bon plaisir de qqn. **3** ling. Dont la forme et le sens ne sont pas logiquement liés. ► **arbitrairement** adv.

① **arbitre** n. **1** dr. Personne désignée par les parties pour trancher un différend. - cour. Personne prise pour juge dans un débat, une dispute. **2** Personne apte à juger en une matière. **3** Personne désignée pour veiller à la régularité d'une épreuve sportive.

② **arbitre** n. m. vx Volonté. - mod. → **libre arbitre.**

**arbitrer** v. tr. [1] **1** Juger en qualité d'arbitre. *Arbitrer un litige.* **2** Contrôler la régularité de (une épreuve sportive).

**arborer** v. tr. [1] **1** Dresser, élever. *Arborer un drapeau.* **2** Porter ostensiblement.

**arborescent, ente** adj. Qui a la forme ramifiée d'un arbre. ► **arborescence** n. f.

**arboretum** [-etɔm] n. m. Plantation d'arbres d'essences variées.

**arboricole** adj. didact. **1** Qui vit sur les arbres. **2** Relatif à l'arboriculture.

**arboriculture** n. f. Culture des arbres. ► **arboriculteur, trice** n.

**arborisation** n. f. Dessin naturel ressemblant à des ramifications.

**arbouse** n. f. Fruit rouge et aigrelet d'un arbre méditerranéen (l'*arbousier* n. m.).

**arbre** n. m. **I** Végétal dont la tige ligneuse se ramifie à partir d'une certaine hauteur au-dessus du sol. - loc. prov. *Les arbres cachent la forêt :* les détails empêchent de voir l'ensemble. ♦ *Arbre de Noël :* sapin* de Noël. **II** Axe qui reçoit ou transmet un mouvement de rotation. *Arbre à cames.* **III** (Ce qui a l'apparence d'un arbre) **1** *Arbre généalogique :* figure ramifiée montrant la filiation des diverses branches d'une même famille. **2** didact. Schéma représentant des trajets et des bifurcations.

**arbrisseau** n. m. Petit végétal ligneux ramifié dès la base.

**arbuste** n. m. Petit arbre au tronc bien différencié. ► **arbustif, ive** adj.

**arc** n. m. **I** Arme formée d'une tige souple que l'on courbe au moyen d'une corde attachée aux deux extrémités pour lancer des flèches. - loc. *Avoir plus d'une corde à son arc,* plus d'une ressource pour parvenir à ses fins. **II 1** math. Portion de courbe (spécialt. de cercle) limitée par deux points. **2** Ce qui a la forme d'un arc. **3** Courbe d'une voûte. ♦ *Arc de triomphe :* arcade monumentale sous laquelle passait le général romain triomphateur ; monument commémoratif élevé sur ce modèle.

**arcade** n. f. **I 1** Ouverture en arc ; ensemble d'un arc et de ses montants. **2** Ce qui a une forme arquée. *Arcade sourcilière.* **II** anglic. *Jeu d'arcades,* jeu vidéo d'action (à l'origine, pratiqué dans les salles de jeux).

**arcane** n. m. **1** alchim. Préparation mystérieuse, réservée aux adeptes. **2** littér. au plur. *Les arcanes de la politique.* → **secret. 3** Carte du jeu de tarot. → ① **lame.**

**arc-boutant** n. m. Arc qui soutient un mur de l'extérieur. *Des arcs-boutants.*

s'**arc-bouter** v. pron. [1] Prendre appui pour exercer une poussée, un effort.

**arceau** n. m. **1** Partie cintrée d'une voûte. **2** Objet en forme de petite arche.

**arc-en-ciel** n. m. Phénomène météorologique lumineux, en arc, présentant les couleurs du spectre. *Des arcs-en-ciel.*

**archaïque** [aʀkaik] adj. **1** Qui est très ancien. ♦ Désuet, périmé. **2** arts Antérieur aux époques classiques.

**archaïsme** [aʀk-] n. m. **1** Caractère archaïque. **2** Mot, tour ancien qui n'est plus en usage. *Employer des archaïsmes.*

**archal** [aʀʃal] n. m. rare Laiton.

**archange** [aʀk-] n. m. relig. cathol. Ange d'un ordre supérieur.

① **arche** n. f. **1** *Arche (de Noé)* : vaisseau qui permit à Noé d'échapper aux eaux du Déluge. **2** *Arche d'alliance* : coffre où les Hébreux gardaient les tables de la Loi.

② **arche** n. f. **1** Voûte arquée qui s'appuie sur les culées, les piles d'un pont. **2** Monument en forme d'arc, de grand portail.

**archéologie** n. f. Étude scientifique des civilisations disparues à partir de leurs vestiges. ► **archéologique** adj. ► **archéologue** n.

**archéoptéryx** [-iks] n. m. Oiseau fossile du jurassique, le premier connu, encore très proche des reptiles.

**archer, ère 1** n. m. Soldat armé de l'arc. **2** n. Tireur à l'arc.

**archet** n. m. Baguette droite sur laquelle sont tendus des crins, qui sert à faire vibrer les cordes d'un instrument de musique.

**archétype** [aʀk-] n. m. didact. Type primitif ou idéal ; original, modèle.

**archevêché** n. m. **1** Circonscription d'un archevêque. **2** Siège, palais archiépiscopal.

**archevêque** n. m. Évêque placé à la tête d'une province ecclésiastique.

**archiduc, archiduchesse** n. Titre des princes et princesses de l'ancienne maison d'Autriche.

**archiépiscopal, ale, aux** adj. Qui appartient à l'archevêque.

**archimandrite** n. m. Supérieur de certains monastères, dans l'Église grecque.

**archipel** n. m. Groupe d'îles.

**architecte** n. **1** Personne diplômée, dont le métier est de concevoir le plan d'un édifice et d'en diriger l'exécution. **2** fig., littér. → **créateur,** maître d'**œuvre.**

**architectonique** adj. didact. Qui a rapport à la technique de l'architecture.

**architecture** n. f. **1** Art de construire les édifices. **2** Disposition (d'un édifice). *L'architecture d'une église.* **3** fig. Principe d'organisation, structure. ► **architectural, ale, aux** adj.

**architecturer** v. tr. [1] Construire avec rigueur. → **structurer.**

**architrave** n. f. archit. Partie inférieure de l'entablement.

**archiver** v. tr. [1] Classer (un document) dans les archives. ► **archivage** n. m.

**archives** n. f. pl. **1** Collection de documents anciens, classés à des fins historiques. – au sing. *Une archive sonore.* **2** Lieu où les archives sont conservées.

**archiviste** n. Spécialiste préposé à la conservation des archives.

**archonte** [aʀkɔ̃t] n. m. Antiq. Magistrat qui gouvernait une cité grecque.

**arçon** n. m. L'une des deux parties arquées qui forment le corps de la selle.

**arctique** adj. Des régions polaires du nord (opposé à *antarctique*). → **hyperboréen.**

**ardemment** [-amɑ̃] adv. Avec ardeur (fig.). → **passionnément.**

**ardent, ente** adj. **1** littér. Qui est en feu ; qui brûle. *Tisons ardents.* – loc. cour. *Être sur des charbons* ardents.* **2** *Chapelle ardente* : salle mortuaire éclairée de cierges. **3** Qui a la couleur ou l'éclat du feu. *Roux ardent.* **4** littér. Qui dégage une forte chaleur. → **brûlant, torride. 5** Qui a de l'ardeur. → **passionné. 6** (sentiments) Très vif ; violent.

**ardeur** n. f. **1** littér. Chaleur vive. *L'ardeur du soleil.* **2** fig. Énergie pleine de vivacité.

**ardillon** n. m. Pointe de métal d'une boucle de courroie, de ceinture.

**ardoise** n. f. **1** Pierre tendre et feuilletée d'un gris bleuâtre, qui sert à la couverture des maisons ; plaque de cette pierre. **2** Plaque sur laquelle on écrit, et qu'on nettoie après usage. **3** fam. Compte de consommations prises à crédit. → **dette.**

**ardu, ue** adj. Très difficile.

**are** n. m. Unité de mesure agraire de surface (symb. a) valant cent mètres carrés.

**arec** n. m. Aréquier. – *Noix d'arec,* fruit de cet arbre, qui contient du cachou.

**areligieux, euse** adj. Sans religion.

**aréna** n. m. ou f. (Canada) Patinoire couverte.

**arène** n. f. **1** Aire sablée d'un amphithéâtre où les gladiateurs combattaient ; où ont lieu les courses de taureaux. – loc. *Descendre dans l'arène* : s'engager dans un combat. ♦ fig. *L'arène politique.* **2** au plur. Amphithéâtre romain. ♦ Cirque où se déroulent des corridas.

**arénicole 1** adj. Qui vit dans le sable. **2** n. f. Ver annélide qui vit dans le sable.

**aréole** n. f. **1** anat. Cercle pigmenté qui entoure le mamelon du sein. **2** méd. Aire rougeâtre qui entoure un point enflammé.

**aréomètre** n. m. Instrument pour mesurer la densité d'un liquide. → **densimètre.**

**aréopage** n. m. **1** Antiq. Tribunal d'Athènes. **2** fig. Assemblée de savants.

**aréquier** n. m. Palmier d'Asie équatoriale (→ **arec**), dont le bourgeon terminal (cœur de palmier) est comestible.

**arête** n. f. **1** Tige du squelette des poissons osseux. **2** Intersection de deux plans.

**argent** n. m. **I 1** Élément (symb. Ag), métal blanc, très ductile et malléable. **2** loc. adj. *D'argent* : qui a la couleur, l'éclat de l'argent. **II** Monnaie métallique, papier-monnaie ; ce qui représente cette monnaie. *Somme d'argent. Argent liquide*.* ♦ loc. *En vouloir ; en avoir pour son argent,* en proportion de ce qu'on a donné. – *Prendre* (qqch.) *pour argent comptant* : croire naïvement. – prov. *L'argent n'a pas d'odeur,* ne garde pas la marque de sa provenance.

**argentan** n. m. Alliage de cuivre, zinc et nickel imitant l'argent. → **maillechort.**

① **argenté, ée** adj. fam. Qui a de l'argent. → **riche.**

**argenter** v. tr. [1] **1** Recouvrir d'une feuille d'argent. **2** fig. Donner la couleur de l'argent à. ▷ adj. ② **argenté, ée** *Métal argenté.* – *Tempes argentées.*

**argenterie** n. f. Vaisselle, couverts, ustensiles d'argent ou de métal argenté.

**argentier** n. m. hist. *Le grand argentier* : le surintendant des finances ; mod., plais. le ministre des Finances.

**argentifère** adj. Qui contient de l'argent (I). *Minerai argentifère.*

① **argentin, ine** adj. Qui résonne clair.

② **argentin, ine** adj. et n. D'Argentine.

**argenture** n. f. Application d'argent (I).

**argile** n. f. Roche terreuse, imperméable, plastique. → **glaise.** – loc. *Colosse aux pieds d'argile* : puissance fragile. ► **argileux, euse** adj.

**argon** n. m. Élément (symb. Ar), gaz incolore et inodore.

**argonaute** n. m. (n. pr. mythol.) Mollusque céphalopode des mers chaudes.

**argot** n. m. Vocabulaire et habitudes de langage propres à un milieu fermé (dont certains mots passent dans la langue commune). ► **argotique** adj.

**argousin** n. m. **1** ancienn Bas officier des galères. **2** péj., vieilli Agent de police.

**arguer** [aʀgɥe] v. [1] **1** v. tr. dir. littér. *Arguer qqch. de qqch.*, tirer argument, conséquence. → **conclure, inférer. 2** v. tr. ind. *Arguer de qqch.* : mettre (qqch.) en avant, en tirer argument ou prétexte. → **alléguer.**

Le *u* se prononce.

**argument** n. m. **1** Preuve à l'appui ou à l'encontre d'une proposition. *Être à court d'arguments.* ♦ *Arguments de vente.* **2** Exposé sommaire. *L'argument d'un film.*

**argumentaire** n. m. Documentation réunissant des arguments de vente.

**argumenter** v. intr. [1] Présenter des arguments ; prouver par arguments. ► **argumentation** n. f.

**argus** [-ys] n. m. **1** littér. Surveillant, espion. **2** (avec maj. ; marque déposée) Publication qui fournit des renseignements spécialisés.

**argutie** [-si] n. f. péj. (généralt au plur.) Raisonnement pointilleux, trop subtil.

**aria** n. f. mus. Mélodie chantée par une seule voix accompagnée.

**aride** adj. **1** Sec, desséché. – Qui ne porte aucun végétal, faute d'humidité. *Sol aride.* **2** fig. Dépourvu d'intérêt, d'attrait. *Sujet aride.* ► **aridité** n. f.

**ariette** n. f. mus. Air léger.

**aristocrate** n. **1** Partisan de l'aristocratie (1). **2** Membre de l'aristocratie (2). → **noble.**

**aristocratie** n. f. **1** Forme de gouvernement où le pouvoir appartient à la noblesse. **2** La noblesse. **3** fig. → **élite.** ► **aristocratique** adj.

**aristoloche** n. f. Plante grimpante, aux fleurs jaunes à corolle tubulaire.

**aristotélicien, ienne** adj. didact. Relatif à Aristote, à sa philosophie.

**aristotélisme** n. m. didact. Doctrine, philosophie d'Aristote.

**arithmétique I** adj. Relatif à l'arithmétique (II). – *Progression arithmétique*, où la différence entre les termes consécutifs est constante (ex. 1, 4, 7, 10, 13...). **II** n. f. Partie des mathématiques qui étudie les propriétés des nombres. ♦ Art du calcul.

**arlequin, ine 1** n. m. Personnage bouffon de la comédie italienne, au costume fait de pièces triangulaires. **2** n. f. Femme déguisée en arlequin.

**arlésien, ienne** adj. et n. D'Arles. – loc. *Jouer l'Arlésienne, les Arlésiennes* : ne pas se montrer (allus. à l'opéra de Bizet).

**armada** n. f. **1** hist. *L'Invincible Armada*, flotte de Philippe II d'Espagne. **2** fam. *Une armada de* : une grande quantité de.

**armagnac** n. m. Eau-de-vie de raisin que l'on fabrique en Armagnac.

**armateur, trice** n. Personne qui s'occupe de l'exploitation commerciale d'un navire.

**armature** n. f. **1** Assemblage de pièces qui sert à maintenir les parties d'un ouvrage. **2** fig. Ce qui sert à maintenir, à soutenir.

**arme** n. f. **I 1** Instrument ou dispositif servant à tuer, blesser ou réduire un ennemi. *Armes blanches* (couteaux, épées...). *Armes à feu* (pistolets, fusils...). – loc. *Passer l'arme à gauche* : mourir. ♦ Ensemble de moyens offensifs. *Arme chimique.* **2** (au plur.) loc. *Prendre les armes* : s'apprêter au combat. – *Déposer les armes* : se rendre. – *Passer qqn par les armes*, le fusiller. **3** spécialt *Salle d'armes, maître d'armes*, d'escrime. **II 1** Corps de l'armée (infanterie, artillerie...). **2** littér. *Les armes* : le métier militaire. *Frères d'armes.* ♦ Combat, guerre. – loc. *Faire ses premières armes* (fig. débuter dans une carrière). **III** fig. Ce qui peut agir contre un adversaire. → **argument. IV** *Armes* : signes héraldiques. → **armoiries.**

**armée** n. f. **1** Réunion importante de troupes. **2** Ensemble des forces militaires d'un État. *Armée active ; de réserve.* **3** Grande unité militaire (réunissant des *corps d'armée*). **4** fig. *Une armée de* : une grande quantité de.

**armement** n. m. **I 1** Action d'armer ; ensemble d'armes. *L'armement d'un soldat.* **2** au plur. Préparatifs, moyens de guerre. *La course aux armements.* **3** Technique des armes. *Ingénieur de l'armement.* **II** Action d'armer* (un navire). **III** Action d'armer (une arme à feu ; un appareil).

**armer** v. tr. 1 **I 1** Pourvoir d'armes. **2** Garnir d'une armure, d'une armature. *Armer le béton.* **II** mar. *Armer un navire,* l'équiper de ce qu'il faut pour prendre la mer. **III 1** Rendre (une arme à feu) prête à tirer. **2** Tendre le ressort de (un mécanisme). *Armer un appareil photo* (l'obturateur). ▷ v. pron. s'**armer** Se munir d'armes. - fig. *S'armer de patience.* ▷ p. p. **armé, ée 1** Muni d'armes. - *Attaque à main armée.* → **hold-up. 2** fig. Pourvu de moyens d'action, de défense. **3** Renforcé de métal. *Béton armé.*

**armillaire** [-ilɛʀ] adj. *Sphère armillaire :* globe formé de cercles figurant le ciel et les astres, selon l'ancienne astronomie.

**armistice** n. m. Convention conclue entre belligérants afin de suspendre les hostilités. - *L'Armistice :* l'anniversaire de l'armistice de 1918 (le 11 novembre).

**armoire** n. f. **1** Haut meuble de rangement fermé par des battants. *Armoire à glace,* dont la porte est un miroir ; fig., fam. personne de forte carrure. **2** *Armoire à pharmacie,* petit meuble fixé au mur.

**armoiries** n. f. pl. Emblèmes qui distinguent une famille noble ou une collectivité. → **blason ; héraldique.**

**armoise** n. f. Plante aromatique médicinale.

**armorial** n. m. Recueil d'armoiries.

**armorier** v. tr. 7 Orner d'armoiries.

**armure** n. f. **I** Harnais protecteur, fait d'un assemblage de plaques, que revêtait un guerrier. **II** Mode d'entrecroisement des fils de chaîne et de trame.

**armurerie** n. f. Fabrication, commerce, dépôt d'armes. ► **armurier, ière** n.

**A. R. N.** ou **ARN** [ɑɛʀɛn] n. m. (sigle de *acide ribonucléique*) biol. Acide nucléique, essentiel dans le transport du message génétique.

**arnaque** n. f. fam. Escroquerie ; tromperie. ► **arnaquer** v. tr. 1 fam.

**arnica** n. f. **1** Plante à fleurs jaunes, toxique. **2** Teinture qui en est extraite, utilisée contre les contusions.

**arobase** n. f. Caractère spécial (@), utilisé dans les adresses électroniques. - var. **arrobase.**

**aromate** n. m. Substance végétale odoriférante ; épice, condiment. ► **aromatique** adj.

**aromatiser** v. tr. 1 Parfumer avec une substance aromatique.

**arôme** n. m. **1** Odeur agréable qui émane de certaines substances. **2** Additif destiné à parfumer les aliments.

**aronde** n. f. vx ou littér. Hirondelle.

**arpège** n. m. mus. Accord dont on égrène vivement les notes. ► **arpéger** v. tr. 3 et 6

**arpent** n. m. Ancienne mesure agraire (de 20 à 50 ares).

**arpentage** n. m. Mesure de la superficie (d'un terrain) ; techniques de l'arpenteur.

**arpenter** v. tr. 1 **1** Mesurer la superficie de (un terrain). **2** Parcourir à grands pas.

**arpenteur, euse** n. **1** Professionnel(le) des techniques géométriques de mesure des surfaces et des relèvements de terrains. **2** n. f. Chenille de la phalène.

**arpette** n. f. vieilli Jeune apprentie.

**arpion** n. m. fam. Pied.

**-arque** → **-archie**

**arqué, ée** adj. Courbé en arc.

**arquebuse** n. f. anciennt Arme à feu qu'on faisait partir au moyen d'une mèche.

**arquer** v. tr. 1 Courber en arc.

**arrachage** n. m. Action d'arracher.

à l'**arrache** loc. adv. fam. Très vite et avec effort, sans avoir préparé.

à l'**arraché** loc. adv. Par un effort violent.

**arrachement** n. m. **1** Action d'arracher. **2** fig. Affliction que cause une séparation.

d'**arrache-pied** loc. adv. Sans faiblir.

**arracher** v. tr. 1 **1** Enlever de terre (une plante qui y tient par ses racines). **2** Détacher avec effort (qqch. qui tient ou adhère). - loc. fig. *S'arracher les cheveux :* être désespéré. **3** Enlever de force à qqn, un animal (ce qu'il retient). **4** Obtenir (qqch.) de qqn avec peine, malgré une résistance. **5** *Arracher qqn de* (un lieu), le lui faire quitter par force. ♦ *Arracher qqn au sommeil.* → **tirer** de. ▷ v. pron. s'**arracher 1** faux pronom. Se disputer (qqch. ; qqn). **2** *S'arracher de, à :* se détacher avec effort, peine ou regret de.

**arracheur, euse** n. **1** Personne qui arrache. ♦ loc. *Mentir comme un arracheur de dents,* effrontément. **2** n. f. agric. Machine servant à arracher (des tubercules, etc.).

**arraisonner** v. tr. 1 Arrêter et contrôler (un navire, un avion) pour vérifier son chargement, sa destination, etc. ► **arraisonnement** n. m.

**arrangeant, ante** adj. Conciliant.

**arrangement** n. m. **1** Action de disposer (qqch., ses éléments) dans un certain ordre. → **disposition ; agencement, installation. 2** mus. Adaptation (d'une composition) à d'autres instruments. **3** Convention tendant à régler une situation juridique. → **accord, compromis.**

**arranger** v. tr. 3 **1** Disposer de manière correcte ou qui agrée. *Arranger des fleurs dans un vase.* **2** Mettre sur pied, organiser. **3** Améliorer l'aspect de (qqn, qqch.). ♦ fam. Maltraiter (qqn). **4** Régler par un accord mutuel. *Arranger une affaire.* **5** (sujet chose) Être utile, pratique pour (qqn). → **convenir.** ▷ v. pron. s'**arranger 1** Ajuster sa toilette, etc. **2** (sujet chose) Aller mieux. *Tout va s'arranger.* **3** Prendre ses dispositions (en vue d'un résultat). *S'arranger pour,* faire en sorte de. **4** Se mettre d'accord. **5** *S'arranger de qqch.* → s'**accommoder** de.

**arrangeur, euse** n. Personne qui écrit un arrangement (2), ou de la musique d'après un thème (jazz, rock, variétés).

**arrérages** n. m. pl. Montant échu d'une rente, d'une pension.

**arrestation** n. f. Action d'arrêter (qqn) pour l'emprisonner.

**arrêt** n. m. **1** Action, fait de s'arrêter (dans son mouvement) ; état de ce qui n'est plus en mouvement. – *Chien d'arrêt,* qui s'immobilise quand il sent le gibier. ♦ Interruption ou fin (d'un processus...). *Arrêt des combats.* ♦ loc. adv. *Sans arrêt :* sans interruption. **2** Endroit où doit s'arrêter un véhicule. **3** dr. *Mandat d'arrêt :* ordre d'incarcération délivré par le juge d'instruction. – *Maison d'arrêt,* prison. **4** Décision d'une cour souveraine ou d'une haute juridiction. ♦ fig., vx ou littér. *Des arrêts du destin.* → **décret.**

① **arrêté** n. m. **1** Règlement définitif. **2** Décision écrite d'une autorité.

② **arrêté, ée** adj. **1** Convenu, décidé. **2** (idées...) Inébranlable, irrévocable.

**arrêter** v. [1] **I** v. tr. **1** Empêcher (qqn, qqch.) d'avancer, d'aller plus loin. **2** Interrompre ou faire finir (un processus...). loc. prov. *On n'arrête pas le progrès.* **3** Empêcher (qqn) d'agir. *Rien ne l'arrête.* **4** Faire prisonnier. → **appréhender. 5** fam. (médecin) Prescrire un arrêt de travail à (qqn). **6** Fixer par un choix. *Arrêter une décision.* **7** Prendre un arrêté. *Le ministre arrête que...* **II** v. intr. **1** Cesser d'avancer. **2** Cesser de parler ou d'agir. – *Arrêter de* (+ inf.). → **cesser.** ▷ v. pron. **s'arrêter 1** Interrompre sa marche ; ne pas aller plus loin. **2** (mécanisme) Ne plus fonctionner. **3** (processus...) S'interrompre ou finir. **4** (personnes) Cesser d'agir. – *S'arrêter de fumer.*

**arrhes** n. f. pl. Somme d'argent que l'on verse pour garantir un contrat, etc.

**arriération** n. f. *Arriération mentale :* état d'un sujet dont l'âge mental est inférieur à l'âge réel.

① **arrière I** adv. **1** interj. *Arrière ! :* allez-vous-en ! **2** (après un nom) *Vent arrière,* en poupe. *Faire marche arrière* (fig. revenir sur une décision). **II 1** loc. adv. *En arrière :* vers le lieu, le côté situé derrière. ♦ À une certaine distance derrière. *Rester en arrière.* **2** loc. prép. *En arrière de.* → **derrière.**

② **arrière I** n. m. **1** Partie postérieure (de qqch.). *À l'arrière du train.* **2** Territoire en dehors de la zone des opérations militaires (opposé à *front*). ♦ *Les arrières d'une armée,* les lignes de communication. – fig. *Assurer ses arrières :* avoir une solution de rechange. **3** Joueur placé derrière les autres. **II** adj. invar. Qui est à l'arrière. *Les feux arrière d'un camion.*

**arriéré, ée I 1** adj. péj. Qui appartient au passé, n'est pas moderne. → **rétrograde. 2** adj. et n. (Personne) en retard dans son développement mental. **II** n. m. **1** Dette échue et qui reste due. **2** fig. Ce qui est en retard. *Un arriéré de sommeil.*

**arrière-ban** → **ban**

**arrière-boutique** n. f. Pièce de plain-pied située derrière une boutique.

**arrière-cour** n. f. Petite cour aménagée à l'arrière d'une maison.

**arrière-garde** n. f. **1** Partie d'un corps d'armée qui ferme la marche. **2** fig. *D'arrière-garde,* en retard dans une évolution.

**arrière-gorge** n. f. Fond de la gorge.

**arrière-goût** n. m. **1** Goût qui reste dans la bouche après l'absorption. **2** fig. État affectif qui subsiste après sa cause.

**arrière-grand-mère** n. f. Mère du grand-père ou de la grand-mère.

**arrière-grand-père** n. m. Père du grand-père ou de la grand-mère.

**arrière-grands-parents** n. m. pl. Parents des grands-parents. → **bisaïeul.**

**arrière-pays** [-pei] n. m. invar. Région située en arrière d'une région côtière.

**arrière-pensée** n. f. Pensée, intention que l'on dissimule.

**arrière-petit-fils** [-fis] n. m., **arrière-petite-fille** n. f. Fils, fille du petit-fils, de la petite-fille.

**arrière-petits-enfants** [-pətizɑ̃fɑ̃] n. m. pl. Enfants des petits-enfants.

**arrière-plan** n. m. **1** Plan le plus éloigné de l'œil du spectateur (opposé à *premier plan*). **2** fig. Position secondaire.

**arrière-saison** n. f. Fin de l'automne.

**arrière-salle** n. f. Salle située derrière une autre.

**arrière-train** n. m. Partie postérieure du corps (d'un quadrupède). ♦ fam. Fesses (d'une personne). → **postérieur.**

**arrimer** v. tr. [1] Caler ou fixer avec des liens. ► **arrimage** n. m.

**arrivage** n. m. Arrivée de marchandises ; ces marchandises.

**arrivant, ante** n. Personne qui arrive.

**arrivé, ée 1** n. *Premier, dernier arrivé,* personne qui est arrivée la première, la dernière. **2** adj. Qui a réussi (socialement, professionnellement).

**arrivée** n. f. **1** Fait d'arriver ; moment où l'on arrive. **2** Passage (d'un fluide) qui arrive quelque part. *Arrivée d'essence.* **3** Lieu où arrivent des voyageurs, etc.

**arriver** v. intr. [1] **I 1** mar. Toucher au port, à terre. **2** Toucher au terme d'un trajet ; parvenir au lieu où l'on voulait aller. **3** Approcher, venir vers qqn. *Le voici qui arrive.* → **venir. 4** Atteindre le niveau de, par la taille. – fig. *Il ne lui arrive pas à la cheville.* **5** Parvenir (à un état). *Arriver à un certain âge. Arriver à ses fins.* – *Arriver à com-*

*prendre qqch.* **6** Réussir (dans sa carrière...). **7** *En arriver à :* en venir à. **II** (sujet chose) **1** Parvenir à destination. **2** Parvenir (jusqu'à qqn). **3** Atteindre un certain niveau. *L'eau lui arrivait à la ceinture.* **4** Venir, être sur le point d'être. *La nuit arrive.* **5** (fait...) Se produire. → **survenir.** *Un accident est arrivé.* – impers. *Il est arrivé un accident. Quoi qu'il arrive,* en tout cas.

**arriviste** n. Personne qui veut réussir par n'importe quel moyen. ► **arrivisme** n. m.

**arrobase** n. f. → **arobase**

**arrogance** n. f. Insolence méprisante. ► **arrogant, ante** adj.

**s'arroger** v. pron. [3] S'attribuer (un droit, une qualité) sans y avoir droit.

**arroi** n. m. littér. *En grand arroi :* avec une suite nombreuse et un brillant équipage.

**arrondi, ie** **1** adj. À peu près rond. **2** n. m. Contour arrondi. *L'arrondi d'une joue.*

**arrondir** v. tr. [2] **1** Rendre rond. – Donner une forme courbe à. ♦ loc. fig. *Arrondir les angles :* atténuer les oppositions, les dissentiments. **2** Rendre plus important (sa fortune...). ♦ *Arrondir un total,* lui substituer le nombre rond inférieur ou supérieur. ▷ v. pron. **s'arrondir** Devenir rond.

**arrondissement** n. m. **I** vx Action, fait d'arrondir, de s'arrondir. **II** Division territoriale ; spécialt, en France, circonscription administrative. ♦ Subdivision administrative dans certaines grandes villes (Paris, Lyon, Marseille).

**arrosage** n. m. Action d'arroser.

**arrosé, ée** adj. **1** Qui reçoit des précipitations. **2** À travers quoi coule un cours d'eau. **3** (→ arroser, 3) *Un café arrosé.*

**arroser** v. tr. [1] **1** Mouiller en versant un liquide, de l'eau sur. **2** Couler à travers. *La Seine arrose le Bassin parisien.* **3** Verser de l'alcool dans ; accompagner d'alcool. **4** fig., fam. Soudoyer (qqn). **5** argot milit. Bombarder, mitrailler méthodiquement. **6** Diffuser des informations sur (un secteur). → **couvrir.**

**arroseur, euse** n. **I** Personne qui arrose. **II** n. f. Véhicule pour l'arrosage des rues.

**arrosoir** n. m. Récipient destiné à l'arrosage, muni d'une anse et terminé par une *pomme* d'arrosoir.*

**arrow-root** [aroRut] n. m. anglic. Plante tropicale dont on extrait une fécule ; cette fécule. *Des arrow-roots.*

**arsenal, aux** n. m. **1** Centre de construction, de réparation et d'armement des navires de guerre. **2** Dépôt d'armes et de munitions. **3** fig. Moyens d'action. *L'arsenal des lois.* **4** fam. Matériel compliqué.

**arsenic** n. m. Élément (symb. As), dont un composé est un poison violent.

**arsouille** n. vieilli Voyou.

**art** n. m. **I 1** vx ou dans des expr. Moyen d'obtenir un résultat (par l'effet d'aptitudes naturelles) ; ces aptitudes. *Il a l'art de plaire.* **2** Ensemble de connaissances organisées et de règles d'action, dans un domaine particulier. → **technique ; artisan.** *L'art vétérinaire. Les arts ménagers.* – loc. *Dans les règles de l'art,* en utilisant la manière la plus correcte de procéder. – *Un homme de l'art :* un médecin. **3** loc. *Le grand art :* l'alchimie. – *Le noble art :* la boxe. *Les arts martiaux*.* **II 1** Expression, par les œuvres humaines, d'un idéal esthétique ; ensemble des activités humaines créatrices visant à cette expression (→ **artiste).** *Œuvre d'art, objet d'art.* **2** Chacun des modes d'expression de la beauté. → **beaux-arts.** *Les arts plastiques. Le septième art :* le cinéma. **3** Création des œuvres d'art ; ensemble des œuvres propres à une époque, un lieu, un style... *L'art égyptien. Art abstrait ; art figuratif.* – (Styles). *Art nouveau* (en Europe, 1885-1914) ; *arts déco* (1925).

**artefact** [artefakt] n. m. anglic., didact. Phénomène d'origine humaine, artificielle.

**artère** n. f. **1** anat. Vaisseau à ramifications divergentes qui, partant des ventricules du cœur, distribue le sang au corps. *Les artères et les veines.* **2** fig. Rue importante. ► **artériel, ielle** adj.

**artériosclérose** n. f. État pathologique caractérisé par un durcissement progressif des artères. → **athérosclérose.**

**artérite** n. f. méd. Affection artérielle d'origine inflammatoire.

**artésien, ienne** adj. De l'Artois. ♦ *Puits artésien,* d'eau jaillissante.

**arthrite** n. f. Affection articulaire d'origine inflammatoire. ► **arthritique** adj. et n.

**arthropode** n. m. zool. Invertébré au corps formé de segments articulés (embranchement des *Arthropodes :* crustacés, insectes, arachnides...).

**arthrose** n. f. méd. Affection des articulations due à une altération des cartilages.

**artichaut** n. m. Plante potagère à capitules comestibles. *Fond d'artichaut,* le réceptacle charnu qui porte les bractées (*«feuilles» d'artichaut).* ♦ loc. fam. *Cœur d'artichaut :* personne inconstante en amour.

**article** n. m. **I 1** Partie (numérotée ou non) qui forme une division (d'un texte officiel...). *Article de loi.* ♦ relig. *Article de foi :* point essentiel de croyance. **2** Partie (d'un écrit), du point de vue du contenu. – *Sur cet article,* sur ce sujet. **3** loc. *À l'article de la mort :* sur le point de mourir. **4** Écrit formant un tout, mais faisant partie d'une publication. *Un article de revue.* – *Les articles d'un dictionnaire.* → **entrée. II 1** Objet de commerce. *Articles de sport.* **2** loc. *Faire l'article :* vanter sa marchandise ; fig., péj. faire valoir (qqch., qqn) pour un motif intéressé. **III** Mot qui, placé devant un nom, sert à le déterminer, tout en marquant le genre et le nombre (→ **le ; un,** ② **des ;** ② **de, du).**

**articulaire** adj. Des articulations.

**articulation** n. f. **I 1** anat. Ensemble des parties molles et dures par lesquelles s'unissent deux ou plusieurs os voisins. **2** mécan. Assemblage de plusieurs pièces mobiles les unes sur les autres. **3** (abstrait) Manière dont un tout complexe est organisé ; liaison entre les parties. **II** Action d'articuler (II) les sons d'une langue.

**articulé, ée** adj. **I** Qui s'articule. **II** Formé de sons reconnaissables. *Langage articulé.*

**articuler** v. tr. [1] **I** Assembler par une articulation*. **II** Émettre, faire entendre les sons vocaux à l'aide de mouvements des lèvres et de la langue. – sans compl. Prononcer distinctement. ▷ v. pron. **s'articuler** Former une articulation ; être assemblé par une articulation.

**artifice** n. m. **I 1** Moyen habile, ingénieux. *Un artifice de calcul.* **2** Moyen habile pour déguiser la vérité. → **ruse. II** *Feu d'artifice :* explosifs à effet lumineux qu'on fait brûler en plein air. – fig. Ce qui éblouit par la rapidité ou par des traits brillants.

**artificiel, elle** adj. **1** Qui est le produit de l'activité humaine (opposé à *naturel*). *Lac artificiel.* **2** Créé par la vie sociale. *Besoin artificiel.* **3** Créé par l'esprit humain et non lié au réel. **4** Qui manque de naturel. → **affecté.** ► **artificiellement** adv.

**artificier, ière** n. **1** Personne qui fabrique ou tire des feux d'artifice. **2** Spécialiste du désamorçage des explosifs.

**artificieux, euse** adj. littér. Plein de ruse.

**artillerie** n. f. **1** Matériel de guerre comprenant les canons, etc. **2** Corps de l'armée chargé du service de ce matériel. ► **artilleur, euse** n.

**artimon** n. m. mar. Mât arrière d'un navire. ♦ Voile gréée sur ce mât.

**artisan, ane** n. rare au fém. **1** Personne qui exerce un métier manuel à son propre compte. **2** fig. *L'artisan de,* la cause de.

**artisanal, ale, aux** adj. **1** Relatif à l'artisan. **2** Qui n'est pas industrialisé. ► **artisanalement** adv.

**artisanat** n. m. **1** Métier, condition d'artisan. **2** Ensemble des artisans.

**artiste I** n. **1** Personne qui se voue à l'expression du beau, pratique l'art (II). ♦ spécialt Personne qui crée une œuvre plastique. **2** Professionnel qui interprète une œuvre musicale, théâtrale, etc. → **interprète ; acteur, comédien. II** adj. Qui aime l'art.

**artistement** adv. Avec goût.

**artistique** adj. **1** Qui a rapport à l'art, aux productions de l'art. **2** Qui est fait, présenté avec art. ► **artistiquement** adv.

**arum** [aʀɔm] n. m. Plante dont l'inflorescence est entourée d'un cornet blanc.

**aruspice** n. m. Antiq. romaine Devin qui tirait des présages des entrailles des victimes. – var. anc. **haruspice.**

**aryen, enne** n. Type de la race blanche, selon les racistes. – adj. *Race aryenne.*

**arythmie** n. f. méd. Irrégularité du rythme cardiaque.

**as** [ɑs] n. m. **1** Antiq. Unité monétaire romaine. **2** Côté du dé à jouer (ou moitié de domino) marqué d'un seul signe. ♦ Carte à jouer marquée d'un seul signe. ♦ loc. fam. *Être ficelé, fichu comme l'as de pique,* être mal habillé ou mal fait. – *Être plein aux as,* avoir beaucoup d'argent. – *Passer qqch. à l'as,* l'escamoter. **3** Personne qui réussit excellemment dans une activité.

**ascendance** n. f. Ligne généalogique par laquelle on remonte de l'enfant aux parents, aux aïeux ; ensemble des générations dont est issu qqn.

① **ascendant, ante** adj. Qui va en montant. *Mouvement ascendant.*

② **ascendant** n. m. **1** astrol. Degré du zodiaque montant à l'horizon au moment de la naissance de qqn. **2** Influence (sur qqn). **3** Parent dont on descend.

**ascenseur** n. m. **1** Appareil servant au transport vertical des personnes ; cabine où se tiennent les passagers. ♦ loc. fam. *Renvoyer l'ascenseur :* rendre la pareille. ♦ loc. fig. *Ascenseur social,* ce qui permet de progresser socialement, par les études, la formation... **2** inform. Barre occupant le bord d'une fenêtre*, qui permet de faire défiler le document affiché.

**ascension** n. f. **1** (avec maj.) relig. chrét. Élévation miraculeuse de Jésus-Christ dans le ciel ; fête la commémorant. **2** Action de gravir (une montagne). **3** Action de s'élever dans les airs. **4** fig. Montée vers un idéal ou une réussite sociale.

**ascensionnel, elle** adj. Qui tend à monter ou à faire monter dans les airs.

**ascensionner** v. tr. [1] Escalader par une ascension.

**ascèse** n. f. **1** Discipline destinée à libérer l'esprit en vue d'un perfectionnement spirituel ou moral. **2** Privation voulue.

**ascète** n. **1** Personne qui s'impose, par piété, des privations, des mortifications, etc. **2** Personne qui mène une vie austère. ► **ascétique** adj.

**ascétisme** n. m. **1** Genre de vie religieuse des ascètes. **2** Doctrine de perfectionnement par l'ascèse. **3** Vie austère, frugale.

**ASCII** [aski] n. (sigle) anglic., inform. *Code ASCII,* utilisé pour coder des données.

**ascomycète** n. m. bot. Champignon au thalle cloisonné (ordre des *Ascomycètes ;* ex. morille, truffe).

**ascorbique** adj. chim. *Acide ascorbique,* acide de la vitamine C, qui combat le scorbut.

**asepsie** [-s-] n. f. méd. Méthode préventive qui s'oppose aux maladies infectieuses en empêchant l'introduction de microbes dans l'organisme. → **antisepsie.**

**aseptique** [-s-] adj. Exempt de tout germe infectieux. ► **aseptiquement** adv.

**aseptiser** [-s-] v. tr. 1 Rendre aseptique. ▷ adj. **aseptisé, ée 1** *Pansement aseptisé.* **2** fig. Débarrassé de tout élément dangereux. – péj. Neutre, sans originalité.

**asexué, ée** [-s-] adj. **1** Qui n'a pas de sexe. – *Multiplication asexuée,* sans intervention de gamètes. **2** fig. Qui ne semble pas appartenir à un sexe déterminé.

**ashkénaze** n. et adj. Juif d'Europe centrale (s'oppose à *séfarade*).

**ashram** [aʃʀam] n. m. (en Inde) Lieu où des disciples se groupent autour d'un gourou.

**asiatique** adj. et n. De l'Asie.

**asile** n. m. **1** hist. Lieu inviolable où pouvait se réfugier une personne poursuivie. ♦ *Droit d'asile,* accordé aux réfugiés. **2** Lieu où l'on se met à l'abri, en sûreté. **3** littér. Lieu où l'on trouve le calme. → **retraite. 4** vieilli *Asile de vieillards.* → **hospice.** *Asile (d'aliénés)* : hôpital psychiatrique.

**asocial, ale, aux** [-s-] adj. Qui n'est pas adapté à la vie sociale. – n. *Des asociaux.*

**asparagus** [-ys] n. m. Plante ornementale au feuillage très fin.

**aspect** [-pɛ] n. m. **I 1** littér. *À l'aspect de :* à la vue de. – *Au premier aspect :* en voyant (ou fig. en envisageant) pour la première fois. **2** Manière dont qqn, qqch. se présente aux yeux. → **apparence ; air, allure. 3** Manière dont qqch. se présente à l'esprit. **II** ling. Manière dont l'action exprimée par le verbe est envisagée dans son développement, sa durée, son achèvement.

**asperge** n. f. **1** Plante vivace à tige souterraine d'où naissent des tiges charnues comestibles ; une de ces tiges. – loc. *L'asperge du pauvre :* le poireau. **2** fig., fam. Personne grande et maigre.

**asperger** v. tr. 3 *Asperger* (qqn, qqch.) *de :* répandre (un liquide) sur, sous forme de gouttes, de jet. – pronom. *S'asperger de parfum.*

**aspérité** n. f. Partie saillante (d'une surface).

**aspersion** n. f. Action d'asperger.

**asphalte** n. m. **1** sc. Mélange noirâtre naturel de calcaire, de silice et de bitume. **2** Revêtement pour les chaussées, à base de goudron et de gravillons. ♦ Chaussée asphaltée.

**asphalter** v. tr. 1 Revêtir d'asphalte. – au p. p. *Chaussée asphaltée.* ► **asphaltage** n. m.

**asphodèle** n. m. Plante vivace à grappes de grandes fleurs étoilées.

**asphyxiant, ante** adj. Qui asphyxie.

**asphyxie** n. f. **1** État pathologique déterminé par le ralentissement ou l'arrêt de la respiration. **2** fig. Arrêt du développement (de facultés ; d'un secteur).

**asphyxier** v. tr. 7 **1** Causer l'asphyxie de (qqn). **2** fig. Étouffer par une contrainte. ▷ v. pron. s'**asphyxier** ▷ adj. et n. **asphyxié, ée**

① **aspic** n. m. Variété de vipère.

② **aspic** n. m. Plat froid en gelée.

**aspirant, ante I** adj. Qui aspire (I). **II** n. m. Grade d'un élève officier qui n'est pas encore sous-lieutenant.

**aspirateur** n. m. Appareil qui aspire l'air, les liquides, et spécialt les poussières.

**aspiration** n. f. **I** Action d'aspirer (I). **II** Action de porter ses désirs (vers un idéal).

**aspiré, ée** adj. **1** *H aspiré,* émis en soufflant de l'air. **2** Se dit du *h* français qui ne permet pas la liaison (ex. le *h* de haie).

**aspirer** v. 1 **I** v. tr. **1** Attirer (l'air) dans ses poumons. → **inspirer. 2** Attirer (qqch.) dans le nez, la bouche. → **humer ; avaler. 3** Attirer (un fluide) en faisant le vide. → **pomper. II** v. tr. ind. *Aspirer à :* porter ses désirs vers (un objet). → **souhaiter.**

**aspirine** n. f. Acide acétylsalicylique, remède contre la douleur et la fièvre. ♦ Comprimé d'aspirine.

**asque** n. m. ou f. bot. Cellule allongée productrice de spores (algues, lichens...).

**assagir** v. tr. 2 (sujet chose) Rendre plus sage, plus calme. → **calmer, modérer.** ▷ v. pron. s'**assagir** ► **assagissement** n. m.

**assaillant, ante 1** adj. Qui assaille. **2** n. m. Personne qui assaille. → **attaquant.**

**assaillir** v. tr. 13 **1** Se jeter sur (qqn) pour l'attaquer (→ **assaut). 2** Se précipiter en masse sur (qqn). **3** *Assaillir qqn de...* → **accabler, harceler. 4** (sujet chose) Attaquer brusquement. *Les soucis qui l'assaillent.*

**assainir** v. tr. 2 Rendre sain ou plus sain. ♦ fig. *Assainir une monnaie.* → **stabiliser.** ► **assainissement** n. m.

**assaisonnement** n. m. **1** Action, manière d'assaisonner (1). **2** Ingrédient non sucré utilisé pour relever le goût des aliments ; préparation qui sert à assaisonner.

**assaisonner** v. tr. 1 **1** Accommoder (un mets) avec des ingrédients qui en relèvent le goût. **2** littér. Ajouter du piquant à (un écrit...). **3** fam. Rudoyer (qqn).

**assassin, ine I** n. m. **1** Personne qui commet un meurtre avec préméditation. **2** Personne qui cause la mort (de qqn). **II** adj. **1** littér. Qui tue. **2** fig. Provocant.

**assassinat** n. m. **1** Meurtre commis avec préméditation. → **crime, homicide.** ♦ Exécution (d'un innocent). **2** fig. Destruction.

**assassiner** v. tr. 1 **1** Tuer par assassinat. **2** fig. Causer un préjudice à ; détruire.

**assaut** n. m. **1** Action d'assaillir, d'attaquer. → **attaque, offensive.** *Char d'assaut.* ♦ loc. fig. *Prendre d'assaut* (un lieu), s'y précipiter nombreux. **2** Combat d'escrimeurs (au fleuret, à l'épée). **3** Compétition, lutte d'émulation. *Faire assaut d'élégance.*

**assécher** v. tr. [6] **1** Enlever l'eau, l'humidité de (un sol). **2** Mettre à sec (un réservoir). ► **assèchement** n. m.

**assemblage** n. m. **1** Action d'assembler (des éléments) pour former un tout. **2** Réunion (d'éléments assemblés).

**assemblée** n. f. **1** Personnes réunies en un même lieu pour un motif commun. **2** Réunion des membres d'un corps constitué convoqués pour délibérer ; les membres de ce corps. *L'Assemblée nationale* (en France).

**assembler** v. tr. [1] **1** Mettre (des choses ou vieilli des personnes) ensemble. → **réunir ; rassembler. 2** Faire tenir ensemble (des éléments). ▷ v. pron. **s'assembler** Se réunir (groupe).

**assembleur** n. m. inform. Programme traduisant des instructions en langage machine.

**assener** ou **asséner** [-se-] v. tr. [5] et [6] **1** Donner (un coup bien appliqué). **2** Dire avec brutalité (qqch. à qqn).

**assentiment** n. m. Acte par lequel on acquiesce (expressément ou tacitement) à une opinion, une proposition. → **accord.**

**asseoir** [aswaʀ] v. tr. [26] **1** Mettre (qqn) dans la posture d'appui sur le derrière (sur un siège, etc.). ♦ fam. Déconcerter. **2** littér. Fonder sur une base solide ; rendre plus assuré. ▷ v. pron. **s'asseoir** *Asseyez-vous. S'asseoir à une table,* s'attabler.

**assermenté, ée** adj. Qui a prêté serment.

**assertion** n. f. Proposition que l'on avance et soutient comme vraie. → **affirmation.**

**asservir** v. tr. [2] **1** Réduire à la servitude. → **assujettir. 2** Maîtriser, dompter. **3** sc. Relier par un dispositif d'asservissement.

**asservissement** n. m. **1** Action d'asservir ; état de ce qui est asservi. **2** sc. Relation entre deux grandeurs physiques dont l'une impose ses variations à l'autre ; dispositif fondé sur cette relation.

**assesseur** n. **1** Personne qui assiste qqn dans ses fonctions. **2** Magistrat adjoint.

**assez** adv. **1** En suffisance. → **suffisamment.** – *En voilà assez !,* arrêtez-vous. **2** *Assez de* (+ nom) : suffisamment de. *Je n'ai pas assez d'argent.* – *En avoir assez :* être fatigué (de). **3** Moyennement. → **plutôt.** *Il est assez gentil.*

**assidu, ue** adj. **1** Qui est régulièrement présent là où il doit être. **2** Qui est fréquemment (auprès de qqn). **3** (choses) Soutenu, régulier. *Travail assidu.* ► **assidûment** adv.

**assiduité** n. f. **1** Présence régulière en un lieu où l'on s'acquitte de ses obligations. **2** Présence fréquente auprès de qqn. ♦ au plur. vieilli Manifestation d'empressement.

**assiéger** v. tr. [3] et [6] **1** Mettre le siège devant, faire le siège de. *Assiéger une ville.* **2** Entourer ; tenir enfermé dans un lieu. → **encercler.** *Les flammes les assiégeaient.* ♦ (personnes) Se presser à l'entrée de (un lieu). **3** fig., littér. Fatiguer (qqn) de ses assiduités, de ses sollicitations. ♦ (sujet chose) Assaillir, obséder. ▷ adj. **assiégé, ée** ► **assiégeant, ante** n.

① **assiette** n. f. **1** Équilibre, tenue du cavalier assis sur sa selle. **2** *Ne pas être dans son assiette :* ne pas se sentir bien (physiquement ou moralement). **3** dr. Base sur laquelle porte un droit. – *Assiette d'un impôt :* matière assujettie à l'impôt.

② **assiette** n. f. **1** Pièce de vaisselle individuelle servant à contenir des aliments. **2** Contenu d'une assiette. ♦ *Assiette anglaise :* assortiment de viandes froides.

**assiettée** n. f. Contenu d'une assiette.

**assignat** n. m. hist. Papier-monnaie émis en France sous la Révolution.

**assigner** v. tr. [1] **1** *Assigner qqch. à qqn,* attribuer pour sa part ; destiner ou donner. *Assigner un rôle à qqn.* **2** *Assigner qqch. à qqch. :* fixer, déterminer. **3** dr. *Assigner qqn,* appeler à comparaître en justice. ♦ *Assigner qqn à résidence,* l'obliger à résider en un lieu déterminé. ► **assignation** n. f.

**assimilable** adj. **1** Que l'on peut assimiler (à qqch.). → **comparable. 2** Susceptible d'assimilation (II). *Matière assimilable.* **3** (personnes) Qui peut s'assimiler, s'intégrer.

**assimilateur, trice** adj. Qui assimile.

**assimilation** n. f. **I** Acte de l'esprit qui assimile (I). → **identification ; comparaison. II 1** Processus par lequel les êtres organisés transforment en leur substance les matières qu'ils absorbent. **2** Acte de l'esprit qui s'approprie les connaissances. **3** Processus par lequel des hommes, des peuples s'assimilent. → **intégration.**

**assimiler** v. tr. [1] **I** *Assimiler qqch., qqn à,* considérer comme semblable à. **II 1** physiol. Transformer par l'assimilation (II, 1). **2** (abstrait) Faire sien, intégrer (des éléments) à sa vie intellectuelle. *Assimiler ce qu'on apprend.* **3** Rendre semblable au reste d'une communauté. → **intégrer.** ▷ v. pron. **s'assimiler** Être assimilé. ▷ adj. **assimilé, ée**

**assis, ise** adj. **1** Appuyé sur son séant. ♦ fam. *Il en est resté assis,* déconcerté. **2** *Place assise,* où l'on peut s'asseoir. **3** fig. Assuré, stable. *Une coutume bien assise.*

**assise** n. f. **1** Rangée de pierres qu'on pose horizontalement pour construire un mur. **2** fig. Base. → **fondation, fondement. 3** Partie d'un siège sur laquelle on s'assoit.

**assises** n. f. pl. **1** Session de la juridiction appelée *cour d'assises,* qui juge les crimes et certains délits ; cette cour. **2** Réunion (d'un parti, etc.). → **congrès.**

**assistanat** n. m. Fonction d'assistant.

**assistance** n. f. I Personnes réunies pour assister à qqch. → **public.** II 1 Secours donné ou reçu. → **aide.** 2 ancienn (en France) Institution ou administration chargée de l'aide sociale. – *Assistance publique,* qui gère les hôpitaux publics.

**assistant, ante** n. I Personne qui assiste à qqch. II Personne qui assiste qqn pour le seconder. ♦ *Assistant(e) social(e),* fonctionnaire chargé(e) de missions sociales.

**assisté, ée** adj. 1 Qui reçoit une aide. 2 Pourvu d'un système pour amplifier ou répartir l'effort exercé par l'utilisateur. ♦ *Dessin assisté par ordinateur.*

**assister** v. [1] I v. tr. ind. *Assister à qqch.,* être présent pour voir, entendre. II v. tr. *Assister qqn* 1 Se tenir auprès de (qqn) pour le seconder. 2 Aider, secourir. ♦ Être aux côtés de (un mourant).

**associatif, ive** adj. 1 Qui procède par association. *Mémoire associative.* 2 Qui concerne les associations (3).

**association** n. f. 1 Action d'associer (qqn à qqch.). → **participation.** 2 Réunion durable (de personnes...). → **alliance.** 3 Groupement de personnes, en vue d'un but déterminé. *Association de consommateurs.* 4 Réunion, assemblage (de choses). ♦ Fait psychologique par lequel les représentations et les concepts sont susceptibles de s'évoquer mutuellement. *Association d'idées.*

**associé, ée** n. Personne unie à d'autres par une communauté d'intérêt. ♦ spécialt Personne qui met en commun ses moyens avec d'autres, en vue d'en retirer des avantages.

**associer** v. tr. [7] 1 Mettre ensemble. *Associer des idées.* 2 Réunir (des personnes) par une communauté d'intérêt, de sentiment... 3 *Associer qqn à qqch.,* faire participer à (une activité, etc.). ▷ v. pron. **s'associer** → **adhérer ;** se **grouper,** se **réunir.**

**assoiffer** v. tr. [1] Donner soif à (qqn). ▷ p. p. **assoiffé, ée** 1 Qui a soif. 2 fig. *Être assoiffé de justice.* → **affamé, avide.**

**assolement** n. m. Culture par alternance.

**assombrir** v. tr. [2] 1 Rendre sombre. 2 fig. Rendre triste, soucieux. ▷ v. pron. **s'assombrir** 1 *Le ciel s'assombrit.* 2 fig. → se **rembrunir.** ► **assombrissement** n. m.

**assommant, ante** adj. fam. Qui ennuie.

**assommer** v. tr. [1] 1 Tuer par un coup violent sur la tête. 2 Frapper sur (qqn) de manière à étourdir. 3 Accabler d'ennui.

**assommoir** n. m. vx Cabaret populaire.

**assomption** n. f. I (avec maj.) relig. cathol. Enlèvement miraculeux de la Sainte Vierge au ciel par les anges, célébré le 15 août. II didact. Fait d'assumer.

**assonance** n. f. Répétition de la voyelle accentuée, à la fin de mots (ex. *belle* et *rêve*).

**assorti, ie** adj. 1 Qui est en harmonie. 2 *Assorti de :* accompagné de. 3 vieilli *Magasin bien assorti,* bien approvisionné.

**assortiment** n. m. 1 Action d'assortir ; manière dont sont assemblées des choses qui produisent un effet d'ensemble. 2 Assemblage complet de choses qui vont ensemble. *Assortiment de vaisselle.* ♦ Collection de marchandises de même sorte.

**assortir** v. tr. [2] 1 Mettre ensemble (des éléments qui se conviennent). → **harmoniser.** 2 *Assortir qqch. de,* accompagner de. ▷ v. pron. **s'assortir** 1 Être en harmonie. 2 S'accompagner ; être enrichi (de).

**assoupir** v. tr. [2] 1 Porter à un demi-sommeil. 2 fig. Affaiblir, diminuer. → **engourdir.** *Assoupir une douleur.* ▷ v. pron. **s'assoupir** 1 S'endormir à demi. → **somnoler.** 2 fig. → se **calmer.** ► **assoupissement** n. m. → **somnolence.**

**assouplir** v. tr. [2] 1 Rendre souple, plus souple. 2 (abstrait) Rendre plus malléable, maniable. ► **assouplissement** n. m.

**assouplisseur** n. m. Produit destiné à assouplir le linge. – syn. **assouplissant.**

**assourdir** v. tr. [2] 1 Causer une surdité passagère à ; rendre comme sourd. 2 fig. Fatiguer par trop de bruit, de paroles. 3 (compl. chose) Rendre moins sonore. ► **assourdissant, ante** adj. ► **assourdissement** n. m.

**assouvir** v. tr. [2] 1 littér. Calmer complètement (un appétit intense). *Assouvir sa faim.* 2 fig. Satisfaire pleinement (un désir, etc.). *Assouvir sa curiosité.* ► **assouvissement** n. m.

**assujettir** v. tr. [2] 1 vx ou littér. Maintenir (qqn) sous sa domination. → **asservir.** 2 *Assujettir* (qqn) *à :* soumettre à. – au p. p. *Être assujetti à l'impôt.* ♦ pronom. *S'assujettir à une règle.* 3 Rendre (qqch.) fixe, immobile, stable. *Assujettir un chargement.* → **arrimer.** ► **assujettissement** n. m.

**assumer** v. tr. [1] 1 Prendre à son compte ; se charger de (→ **assomption** (II)). *Assumer une responsabilité.* 2 Accepter (une situation, ses conséquences). ▷ v. pron. **s'assumer** Se prendre en charge.

**assurance** n. f. 1 Confiance en soi-même. 2 Promesse ou garantie qui assure qqn de qqch. 3 Contrat par lequel un assureur garantit à l'assuré, moyennant une prime ou une cotisation, le paiement d'une somme en cas de réalisation d'un risque déterminé.

**assuré, ée** I adj. 1 Certain. → **sûr.** 2 Qui a de l'assurance. 3 Ferme, stable. *Une démarche assurée.* II n. Personne garantie par un contrat d'assurance. – *Les assurés sociaux,* affiliés à la Sécurité sociale.

**assurément** adv. Certainement.

**assurer** v. tr. [1] I 1 *Assurer à qqn que,* lui affirmer, lui garantir que. → **certifier.** absolt *C'est vrai, je vous assure.* 2 *Assurer qqn de qqch.,* le prier de n'en pas douter. II 1 Rendre sûr, durable ; mettre à l'abri des accidents, des risques. *Assurer le repos de qqn.* 2 Faire qu'une chose fonctionne, ne s'arrête pas. *Assurer un service.* 3 Garantir par un contrat d'assurance. **4** alpin. Dans une cordée, garantir la sécurité de (qqn). **5** intrans. fam. Être à la hauteur. ▷ **v. pron. s'assurer 1** *S'assurer de, que, si :* devenir sûr (de, que). → **vérifier. 2** *S'assurer contre :* contracter une assurance contre.

**assureur** n. m. Personne, compagnie qui assure par contrat d'assurance. *Elle est assureur* (ou *assureuse* n. f.).

**aster** [-ɛʀ] n. m. bot. Plante à petites fleurs en forme d'étoile.

**astérie** n. f. zool. Étoile* de mer.

**astérisque** n. m. Signe en forme d'étoile (*) qui indique un renvoi, une note, etc.

Mot masculin : *un astérisque.*

**astéroïde** n. m. Petite planète ; météorite.

**asthénie** n. f. méd. Grande fatigue générale. ► **asthénique** adj. et n.

**asthme** [asm] n. m. Affection caractérisée par une gêne respiratoire et une suffocation intermittente. ► **asthmatique** adj. et n.

**asti** n. m. Vin blanc mousseux d'Italie.

**asticot** n. m. **1** Larve de la mouche à viande (appât). → **ver** blanc. **2** fam. Individu.

**asticoter** v. tr. [1] fam. Harceler (qqn).

**astigmate** adj. et n. (Personne) qui a un trouble de la vision dû à un défaut des milieux réfringents de l'œil (*astigmatisme* n. m.).

**astiquer** v. tr. [1] Faire briller en frottant.

**astragale** n. m. **I** Os de la rangée postérieure du tarse. **II** archit. Moulure.

**astrakan** n. m. Fourrure d'agneau bouclée.

**astral, ale, aux** adj. astrol. Des astres.

**astre** n. m. **1** Corps céleste naturel visible. → **étoile, planète ; astéroïde, comète, satellite.** - poét. *L'astre du jour,* le soleil. **2** Corps céleste, dans son influence présumée sur les humains (→ **astrologie**).

**astreignant, ante** adj. Qui constitue une contrainte.

**astreindre** v. tr. [52] Obliger strictement (qqn à qqch.). → **contraindre, forcer, obliger.** - pronom. *S'astreindre à se lever tôt.*

**astreinte** n. f. **1** Obligation stricte. **2** dr. Obligation de payer une somme pour chaque jour de retard dans l'exécution d'un contrat.

**astringent, ente** adj. Qui resserre les tissus vivants.

**astrolabe** n. m. anciennt Instrument pour mesurer la hauteur des astres sur l'horizon.

**astrologie** n. f. Art de déterminer le caractère et la destinée par l'étude de l'influence supposée des astres (→ **horoscope**). ► **astrologique** adj. ► **astrologue** n.

**astronaute** n. Personne qui se déplace dans un véhicule spatial. → **cosmonaute.**

**astronautique** n. f. Science qui étudie la navigation spatiale ; cette navigation.

**astronef** n. m. Vaisseau spatial.

**astronomie** n. f. Science des astres, des corps célestes (y compris la Terre) et de la structure de l'univers. ► **astronome** n.

**astronomique** adj. **1** De l'astronomie. **2** *Prix astronomique,* très élevé.

**astroparticule** n. f. astron., phys. **1** Branche de l'astrophysique qui étudie les particules présentes dans l'espace. **2** Particule constituant le rayonnement cosmique.

**astrophysique** n. f. Partie de l'astronomie qui étudie les astres, les milieux spatiaux du point de vue physique. ► **astrophysicien, ienne** n.

**astuce** n. f. **1** vieilli Ruse. **2** Petite invention qui suppose de l'ingéniosité. **3** Qualité d'une personne ingénieuse et inventive.

**astucieux, ieuse** adj. **1** vx Rusé et perfide. **2** mod. Qui a ou dénote une habileté fine. ► **astucieusement** adv.

**asymétrie** [-s-] n. f. Absence de symétrie. ► **asymétrique** adj.

**asymptomatique** adj. (malade) Qui ne présente pas de symptômes de sa maladie.

**asymptote** [-sɛ̃p-] n. f. math. Droite dont une courbe s'approche de plus en plus, sans jamais l'atteindre.

**ataraxie** n. f. didact. Tranquillité.

**atavisme** n. m. **1** biol. Réapparition d'un caractère après plusieurs générations. **2** cour. Hérédité physique ou psychologique. ► **atavique** adj. → **héréditaire.**

**ataxie** n. f. méd. Trouble de la coordination des mouvements. ► **ataxique** adj. et n.

**atchoum** [atʃum] interj. Bruit produit par un éternuement.

**atelier** n. m. **1** Lieu où des artisans, des ouvriers travaillent en commun. **2** Section d'une usine où des ouvriers travaillent en commun ; ces ouvriers. **3** Lieu où travaille un artiste (peintre, sculpteur). ♦ Ensemble d'artistes travaillant avec un maître.

**atermoyer** v. intr. [8] littér. Différer de délai en délai, chercher à gagner du temps. → **tergiverser.** ► **atermoiement** n. m.

**athée** n. Personne qui ne croit pas en Dieu. → **incroyant.** - adj. *Une époque athée.* ► **athéisme** n. m.

**athénée** n. m. (en Belgique) Établissement public d'enseignement secondaire.

**athérome** n. m. méd. Lésion de la surface interne des artères.

**athérosclérose** n. f. méd. Affection associant athérome et artériosclérose.

**athlète 1** n. m. Antiq. Celui qui combattait dans les jeux publics ; gymnaste. **2** n. Personne qui pratique l'athlétisme. ♦ par ext. Personne bien musclée.

**athlétique** adj. **1** Qui a rapport aux athlètes. **2** Fort et musclé.

**athlétisme** n. m. Ensemble de sports individuels pratiqués par des athlètes : course, gymnastique, lancer, saut.

**atlante** n. m. archit. Figure d'homme soutenant un entablement.

**atlantique** adj. **1** *L'océan Atlantique* et n. m. *l'Atlantique,* l'océan qui sépare l'Europe et l'Afrique de l'Amérique. **2** Qui a rapport à l'Atlantique, aux pays qui le bordent.

**atlas** [-ɑs] n. m. (nom du dieu grec qui soutient le ciel) **I** Recueil de cartes géographiques. **II** anat. Première vertèbre cervicale.

**atmosphère** n. f. **1** Couche gazeuse qui entoure le globe terrestre, un astre. **2** Partie de l'atmosphère terrestre proche du sol, où apparaissent les nuages, la pluie, la neige. **3** Air qu'on respire dans un lieu. **4** Milieu où l'on vit ; influence qu'il exerce. **5** sc. Unité de mesure de la pression des gaz.

**atmosphérique** adj. De l'atmosphère.

**atoca** n. m. (Canada) Baie rouge de saveur acidulée. → **canneberge.**

**atoll** n. m. Île en forme d'anneau constituée de récifs coralliens.

**atome** n. m. **1** hist. des sc. Élément constitutif de la matière, indivisible et homogène (→ **atomisme**). – loc. fig. *Atomes crochus**. ♦ fig. Très petite quantité. *Il n'a pas un atome de bon sens.* **2** sc. Particule d'un élément chimique qui forme la plus petite quantité susceptible de se combiner. *La molécule d'eau* ($H_2O$) *contient deux atomes d'hydrogène.*

**atomicité** n. f. chim. Nombre d'atomes constituant la molécule d'un corps.

**atomique** adj. **1** Qui a rapport aux atomes. **2** Qui concerne le noyau de l'atome et sa désintégration. → **nucléaire.** *Bombe atomique.* **3** Qui utilise les engins atomiques.

**atomisé, ée** adj. Qui a subi les effets de radiations atomiques.

**atomiser** v. tr. [1] **I** Détruire par un engin atomique. **II** Réduire (un corps) en particules très ténues. → **pulvériser.**

**atomiseur** n. m. Flacon qui atomise le liquide qu'il contient.

**atomisme** n. m. didact. Doctrine philosophique des anciens Grecs qui considère l'univers comme formé d'atomes (1) associés en combinaisons fortuites.

**atonal, ale, aux** adj. mus. Qui n'est pas organisé selon le système tonal.

**atone** adj. **I 1** méd. (tissus vivants) Qui manque de tonicité. **2** Qui manque de vitalité. **II** phonét. Qui n'est pas accentué.

**atonie** n. f. Manque de vitalité.

**atours** n. m. pl. littér. Parure féminine.

**atout** n. m. **1** aux cartes Couleur qui l'emporte sur les autres ; carte de cette couleur. **2** fig. Moyen de réussir.

**atrabilaire** adj. et n. vieilli Bilieux (1 et 2).

**âtre** n. m. Partie dallée de la cheminée où l'on fait le feu ; la cheminée. → **foyer.**

**atrium** [atʀijɔm] n. m. Cour intérieure de la maison romaine antique.

**atroce** adj. **1** Horrible, très cruel. **2** Insupportable. **3** fam. Très désagréable. *Un temps atroce.* ► **atrocement** adv.

**atrocité** n. f. **1** Caractère de ce qui est atroce. → **cruauté.** **2** Action atroce. **3** Propos blessant, calomnie.

**atrophie** n. f. Diminution de volume (d'un organe, d'un tissu), par maladie, etc.

**s'atrophier** v. pron. [7] **1** Dépérir par atrophie. **2** fig. S'arrêter dans son développement. ▷ adj. **atrophié, ée**

**atropine** n. f. chim. Alcaloïde extrait de la belladone, utilisé en médecine.

**s'attabler** v. pron. [1] S'asseoir à table.

**attachant, ante** adj. Qui attache, retient en touchant la sensibilité.

**attache** n. f. **1** (dans des loc.) Action d'attacher. *À l'attache ; d'attache. Cheval à l'attache. Point d'attache d'un muscle.* **2** Objet servant à attacher (agrafe, épingle...). **3** au plur. Le poignet et la cheville. **4** fig. au plur. Rapports affectifs ou relations d'habitude qui lient une personne à qqn ou à qqch.

**attaché, ée I** adj. **1** Fixé, lié. ♦ Fermé par une attache. **2** *Attaché à :* associé, joint à. *Les avantages attachés à un poste.* ♦ (personnes) Lié par un sentiment d'amitié, une habitude, un goût. **3** *Fichier attaché,* envoyé en même temps qu'un message électronique. **II** n. Personne attachée à un service. *Attaché(e) de presse.*

**attaché-case** [-kɛz] n. m. anglic. Porte-documents rigide. *Des attachés-cases.*

**attachement** n. m. Sentiment durable qui unit aux personnes ou aux choses.

**attacher** v. tr. [1] **I 1** Faire tenir (à une chose) au moyen d'une attache, d'un lien. **2** Joindre ou fermer par une attache. **3** (sujet chose) Faire tenir, joindre ou fermer. **4** fig. Unir par un lien affectif ou de dépendance. *Les souvenirs qui l'attachent à son pays.* **5** faux pronom. *S'attacher qqn,* s'en faire aimer. **6** Mettre (qqn) au service de. *Attacher un adjoint à son service.* **II 1** Adjoindre par l'esprit, associer. **2** Attribuer (une qualité à qqch.). *Attacher de l'importance à.* → **accorder.** **III** intrans. Adhérer, coller (spécialt en cuisine). ▷ v. pron. **s'attacher** **1** Être attaché (à qqch. ; qqn). **2** S'appliquer (à une chose). *S'attacher à rendre un enfant heureux.*

**attaquant, ante** n. **1** Personne qui attaque. **2** Joueur, joueuse qui fait partie de la ligne d'attaque dans un sport d'équipe.

**attaque** n. f. **1** Action d'attaquer, de commencer le combat. → **offensive.** **2** (en sport) Initiative pour dépasser l'adversaire. ♦ Les joueurs qui la réalisent. **3** Acte de violence. *Attaque à main armée.* → **agression.** **4** surtout plur. Parole qui critique durement. **5** Accès brutal (d'une maladie). *Attaque d'apoplexie* ou absolt *attaque.* **6** loc. fam. *Être d'attaque,* en forme.

**attaquer** v. tr. [1] **I 1** Porter les premiers coups à (l'adversaire), commencer le combat. **2** Se jeter sur (qqn) en maltraitant, tuant ou volant par force. → **agresser. 3** dr. Intenter une action judiciaire contre. *Attaquer qqn en justice.* **4** Émettre des jugements qui nuisent à (qqn ou qqch.). *Attaquer qqn ; la réputation de qqn.* **5** S'adresser avec vivacité à (qqn). **II** Détruire la substance de (une matière). *La rouille attaque le fer.* **III** Commencer. → **entreprendre.** ▷ v. pron. s'**attaquer** (à) **1** Diriger une attaque contre (qqn). **2** Chercher à résoudre. *S'attaquer à un problème.*

**attardé, ée** adj. **1** Qui s'attarde. *Des passants attardés.* **2** Qui est en retard dans son développement. → **arriéré. 3** Qui est en retard sur son époque. → **rétrograde.**

s'**attarder** v. pron. [1] **1** Se mettre en retard. - par ext. *S'attarder à parler avec qqn.* **2** fig. Ne pas progresser. *S'attarder sur un sujet.*

**atteindre** v. tr. [49] **I** (Parvenir au niveau de) **1** Parvenir à (un lieu). → **arriver** à. **2** Parvenir à toucher, à prendre (qqch.). **3** Parvenir à (un état...). *Atteindre son but.* **4** (sujet chose) Parvenir à (une grandeur, un niveau). *Ce sommet atteint 1000 mètres.* **II** (Parvenir à frapper) **1** Toucher, blesser au moyen d'une arme, d'un projectile. - (sujet chose) *La balle l'atteignit au genou.* **2** Faire du mal à (qqn).

**atteint, einte** adj. **1** Touché par un mal. **2** fam. Troublé mentalement.

**atteinte** n. f. (Action d'atteindre) **1** *Hors d'atteinte :* qui ne peut être atteint ; fig. inattaquable. **2** Dommage matériel ou moral. *Atteinte à la vie privée.* - loc. *Porter atteinte à...* → **attaquer ; discréditer.** ♦ au plur. Accès (d'une maladie).

**attelage** n. m. **1** Action ou manière d'atteler. **2** Ce qui sert à atteler. → **harnais, joug. 3** Bêtes attelées ensemble.

**atteler** v. tr. [4] **1** Attacher (une ou plusieurs bêtes) à une voiture, une charrue. ♦ *Atteler une locomotive à un wagon.* **2** *Atteler une voiture,* y atteler le cheval. **3** pronom. *S'atteler à* (un travail), s'y mettre.

**attelle** n. f. Plaque destinée à maintenir immobile un membre fracturé. → **éclisse.**

**attenant, ante** adj. Qui tient, touche (à un autre terrain, etc.).

**attendre** v. tr. [41] **I 1** Se tenir, rester en un lieu jusqu'à l'arrivée de (qqn, qqch.). *Attendre le train. On n'attend plus que vous.* **2** *Attendre qqch.,* ne rien faire avant que cette chose ne se produise. *Attendre l'occasion.* - (avec *que* + subj.) *J'attends que ça soit fini ;* (*de* + inf.) *de voir le résultat.* **3** (femmes) *Attendre un enfant :* être enceinte. **4** sans compl. Rester dans un lieu pour attendre (1) qqn ou qqch. *«J'ai failli attendre»* (mot prêté à Louis XIV). **5** (sujet chose) Être prêt pour (qqn). **6** Compter sur (qqn ou qqch.) ; prévoir (un événement). - *Attendre qqch. de qqn, qqch.* → **espérer. 7** trans. indir. région. *Attendre après qqn,* l'attendre avec impatience. - *Attendre après qqch.,* en avoir besoin. **II** loc. adv. *En attendant :* jusqu'au moment attendu ; quoi qu'il en soit. - *En attendant de* (+ inf.) ; *que* (+ subj.). ▷ v. pron. s'**attendre** *S'attendre à* (qqch.). → **escompter, prévoir.** - *S'attendre à* (+ inf.) ; *à ce que* (+ subj.).

**attendrir** v. tr. [2] **I** Rendre plus tendre. *Attendrir une viande.* **II** Rendre (qqn) plus sensible. → **émouvoir, toucher.** - pronom. *S'attendrir sur qqn.* - p. p. adj. → **ému.** ► **attendrissant, ante** adj. → **touchant.**

**attendrissement** n. m. Fait de s'attendrir.

**attendrisseur** n. m. Appareil de boucherie pour attendrir la viande.

① **attendu, ue I** adj. Qu'on attend, qu'on a attendu. **II 1** prép. Étant donné ; étant considéré. → **vu. 2** loc. conj. *Attendu que* (+ indic.) : étant donné que. → **puisque.**

② **attendu** n. m. dr. *Les attendus d'un jugement :* les motifs.

**attentat** n. m. **1** Tentative criminelle contre qqn, un groupe (surtout contexte idéologique). ♦ Acte de terrorisme. **2** Tentative criminelle contre qqch. - dr. anc. *Attentat à la pudeur.*

**attentatoire** adj. Qui porte atteinte (à).

**attente** n. f. **1** Fait d'attendre ; temps pendant lequel on attend. **2** État de conscience d'une personne qui attend. **3** Fait de compter sur qqch. ou qqn. - *Contre toute attente,* contrairement à ce qu'on attendait.

**attenter** v. tr. ind. [1] *Attenter à :* faire une tentative criminelle contre (→ **attentat**). - *Attenter à ses jours :* tenter de se suicider.

**attentif, ive** adj. **1** Qui écoute, regarde, agit avec attention. **2** littér. *Attentif à :* qui se préoccupe avec soin de. **3** Qui marque de la prévenance, des attentions.

**attention** n. f. **1** au sing. Concentration de l'activité mentale sur un objet. *Fixer son attention sur...* - *À l'attention de M. Untel* (mention sur un courrier). ♦ *Faire attention à qqch., qqn,* l'observer, s'en occuper ; en avoir conscience. - *Faire attention que* (+ subj.). ♦ interj. *Attention !* **2** au plur. Soins attentifs. → **égard(s), prévenance(s).**

> Ne pas confondre *à l'attention de* avec *à l'intention de* «pour que cela lui soit agréable» : *une fête organisée à son intention.*

**attentionné, ée** adj. Qui est plein d'attentions pour qqn. → **empressé.**

**attentisme** n. m. Attitude politique consistant à attendre les événements pour agir. ► **attentiste** adj. et n.

**attentivement** adv. De manière attentive.

**atténuant, ante** adj. *Circonstances atténuantes,* qui atténuent la gravité d'une infraction.

**atténuer** v. tr. 1 Rendre moins grave, moins violent. → **diminuer ; modérer.** – pronom. *La douleur s'atténue.* ► **atténuation** n. f.

**atterrage** n. m. mar. **1** Espace marin proche de la terre. **2** Lieu où l'on peut aborder.

**atterrer** v. tr. 1 Jeter dans l'abattement, la consternation. ► **atterrant, ante** adj. → **affligeant.**

**atterrir** v. intr. 2 **1** mar., vieilli Approcher de la terre, toucher terre (→ **atterrage**). **2** (avion, engin ; passagers) Se poser à terre, au sol. **3** fig., fam. Arriver finalement. ► **atterrissage** n. m.

**atterrissement** n. m. dr. Terres apportées par la mer ou un cours d'eau.

**atterrisseur** n. m. aéron. Engin spatial destiné à atterrir sur un corps céleste.

**attestation** n. f. Acte, écrit ou pièce qui atteste qqch. → **certificat.**

**attester** v. tr. 1 **1** Rendre témoignage de (qqch.). → **certifier, garantir. 2** (sujet chose) Servir de témoignage. → **prouver.**

**attiédir** v. tr. 2 **1** littér. Rendre tiède. **2** fig. Rendre moins vif. ► **attiédissement** n. m.

**attifer** v. tr. 1 fam. Habiller d'une manière ridicule. → **accoutrer.** ▷ v. pron. s'**attifer**

**attiger** v. intr. 3 fam. Exagérer.

**attique** didact. **I** adj. Qui a rapport à l'Attique, à Athènes. **II** n. m. archit. Étage surélevé.

**attirail, ails** n. m. fam. Équipement compliqué, encombrant ou ridicule.

**attirance** n. f. Force qui attire vers qqn ou qqch. → **attrait, séduction.**

**attirant, ante** adj. Qui attire. → **séduisant.**

**attirer** v. tr. 1 **1** Tirer, faire venir à soi par une action matérielle. *L'aimant attire le fer* (→ **attraction**). **2** Inciter, inviter, déterminer (un être vivant) à venir. **3** Capter, solliciter (le regard, l'attention). **4** Inspirer à (qqn) un sentiment agréable qui l'incite à vouloir qqch., à se rapprocher de qqn (→ **attrait ; attirance**). **5** *Attirer qqch. à, sur qqn,* lui faire avoir (qqch. d'heureux ou de fâcheux). → **procurer, valoir.** – *Elle s'est attiré des reproches.* → **encourir.**

**attiser** v. tr. 1 **1** Aviver (un feu). **2** fig. Rendre plus vif. *Attiser une querelle.*

**attitré, ée** adj. **1** Qui est chargé par un titre d'une fonction. **2** Habituel, préféré.

**attitude** n. f. **1** Manière de tenir son corps. **2** Comportement qui correspond à une disposition psychologique. → **expression. 3** Disposition à l'égard de qqn ou qqch., provoquant un comportement.

**attorney** n. m. Homme d'affaires (Grande-Bretagne), homme de loi (États-Unis).

**attouchement** n. m. Action de toucher. ♦ Caresse légère (spécialt, sexuelle).

**attractif, ive** adj. Qui attire.

**attraction** n. f. **I 1** Force qui attire. *La loi de l'attraction universelle.* → **gravitation. 2** Force qui tend à attirer les êtres vers qqn ou vers qqch. → **attirance. II 1** Ce qui attire le public. **2** souvent au plur. Élément d'un spectacle de variétés. ♦ Distractions populaires. *Parc d'attractions.*

**attrait** n. m. **1** Ce qui attire agréablement. *L'attrait de la nouveauté.* **2** au plur. littér. *Les attraits d'une femme,* ce qui attire en elle. → **appas. 3** Fait d'être attiré. → **attirance.**

**attrapade** n. f. fam. Réprimande.

**attrape** n. f. Objet destiné à tromper qqn pour s'amuser. *Farces et attrapes.*

**attrape-nigaud** n. m. Ruse grossière. *Des attrape-nigauds.*

**attraper** v. tr. 1 **I 1** Rejoindre (qqn, un animal) et s'en saisir. ♦ Surprendre. **2** Tromper par une ruse. → **duper.** – passif et p. p. *Être (bien) attrapé,* avoir subi une déception. **3** fam. Faire des reproches à. → **réprimander. II 1** Arriver à prendre, à saisir. **2** Subir (une chose fâcheuse). **3** *Attraper le train,* arriver à temps pour réussir à le prendre. **4** Arriver à saisir par l'esprit, l'imitation. *Attraper un style.*

**attrayant, ante** adj. Qui a de l'attrait.

**attribuable** adj. Qui peut être attribué.

**attribuer** v. tr. 1 **1** Allouer (qqch. à qqn). → **octroyer. 2** Considérer comme propre (à qqn, à qqch.). *N'attribuons pas aux autres nos défauts.* **3** Rapporter (qqch.) à une cause ; mettre sur le compte de. *À quoi attribuer ce changement ?* ▷ v. pron. s'**attribuer** → s'**adjuger ;** s'**approprier.**

**attribut** n. m. **1** Ce qui est propre, appartient particulièrement à un être, à une chose. *La raison, attribut de l'être humain.* **2** Emblème, symbole d'une figure, d'un personnage. *Le sceptre est l'attribut de la royauté.* **3** gramm. Terme relié au sujet ou au complément d'objet par un verbe d'état (ex. il est *médecin ;* elle paraît *grande*).

**attribution** n. f. **1** Action d'attribuer. *L'attribution d'un prix.* **2** gramm. *Complément d'attribution,* désignant ce dans l'intérêt de quoi se fait l'action (ex. prêter vingt euros à *un ami*). **3** au plur. Ce qui est attribué (pouvoir, fonction...). *Cela entre dans ses attributions.*

**attrister** v. tr. 1 Rendre triste. → **chagriner.** ► **attristant, ante** adj. → **affligeant.**

**attrition** n. f. **1** didact. Usure (par frottement). **2** relig. Contrition.

**attrouper** v. tr. 1 Assembler en troupe, en groupe (spécialt de manière à troubler l'ordre public). ▷ v. pron. s'**attrouper** ► **attroupement** n. m. → **rassemblement ; manifestation.**

**atypique** adj. Qui diffère d'un type.

**au, aux** → **à** et ① **le**

**aubade** n. f. Concert donné le matin, sous les fenêtres de qqn (s'oppose à *sérénade*).

**aubaine** n. f. **1** Avantage, profit inattendu. **2** région. Vente à prix réduit ; article à prix réduit. → **solde.**

① **aube** n. f. **I 1** Première lueur du soleil levant ; moment de cette lueur. *L'aube précède l'aurore.* **2** fig., littér. Commencement. **II** Vêtement (ecclésiastique...) de lin blanc.

② **aube** n. f. Palette (d'une roue hydraulique, d'une turbine).

**aubépine** n. f. Arbuste épineux à fleurs odorantes blanches ou roses.

**auberge** n. f. **1** anciennt Maison où l'on trouvait à loger et manger en payant. – loc. *Auberge espagnole :* lieu où l'on ne trouve que ce qu'on a apporté. – fam. *On n'est pas sorti de l'auberge,* les difficultés augmentent. ♦ mod. Hôtel-restaurant d'apparence rustique. **2** *Auberge de jeunesse :* centre d'accueil hébergeant les jeunes.

**aubergine** n. f. Plante à fruit oblong ; ce fruit, consommé comme légume.

**aubergiste** n. Personne qui tient une auberge.

**aubette** n. f. (Belgique) Abri public ; kiosque. – (France) Recomm. off. pour *abribus.*

**aubier** n. m. Partie tendre qui se forme chaque année entre le cœur et l'écorce d'un arbre.

**auburn** [obœʀn] adj. invar. Se dit d'une couleur de cheveux châtain roux.

**aucuba** n. m. bot. Arbuste ornemental à feuilles persistantes, originaire d'Asie.

**aucun, une I** adj. **1** littér. (positif) *Il l'aime plus qu'aucune autre,* que n'importe quelle autre. **2** (négatif) *Ne... aucun, aucun... ne ; sans aucun.* → **pas** un, **nul.** *Sans aucun doute.* **II** pron. **1** (positif) *Aucun de,* quiconque parmi. – vx ou littér. *D'aucuns :* certains. **2** (négatif ; avec *ne* ou *sans*) *Je n'en ai vu aucun.* – (en réponse) Pas un.

> Parfois au plur. devant un nom sans sing. : *sans aucuns frais.*

**aucunement** adv. Pas du tout.

**audace** n. f. **1** Disposition qui porte à des actions difficiles, dangereuses, au mépris des obstacles. **2** Acte, procédé qui brave les goûts dominants. → **originalité. 3** péj. Hardiesse insolente.

**audacieux, ieuse** adj. **1** Qui a de l'audace (1). – n. (prov.) *La fortune sourit aux audacieux.* **2** (choses) Qui dénote de l'audace (1). → **hardi.** ► **audacieusement** adv.

**au-delà** n. m. Ce qui est au-delà de la mort (selon les religions...). *Dans l'au-delà.*

**audible** adj. Perceptible par l'oreille.

**audience** n. f. **1** littér. Intérêt porté à qqch. par le public. *Une large audience.* **2** Entretien accordé à qqn. **3** dr. Séance d'un tribunal. **4** Public touché par un média.

**audimat** [-mat] n. m. invar. (n. déposé) Audimètre utilisé par les chaînes de télévision. ♦ L'audience elle-même. ► **audimatique** adj.

**audimètre** n. m. Appareil de mesure de l'audience des émissions de radio, de télévision.

**audiodescription** n. f. Commentaire enregistré décrivant les scènes d'un spectacle, d'un film à l'intention des déficients visuels. *Programme télévisé diffusé en audiodescription.*

**audiogramme** n. m. Représentation de l'acuité auditive (obtenue à partir d'un *audiomètre* n. m.).

**audiolivre** n. m. Édition sonore d'un livre (d'une œuvre littéraire, d'une conférence...).

**audionumérique** adj. Dont le son est enregistré sous forme de signaux numériques. *Disque audionumérique.*

**audioprothésiste** n. Personne qui vend et adapte les appareils de prothèse auditive.

**audiovisuel, elle 1** adj. Qui joint le son à l'image. **2** n. m. Les moyens de communication, d'apprentissage audiovisuels.

**audit** [odit] n. m. **1** Examen de la gestion, etc. d'une entreprise. **2** Personne qui pratique l'audit. → **auditeur** (3).

**auditeur, trice** n. **1** Personne qui écoute. **2** (en France) Fonctionnaire qui n'est pas encore conseiller (Conseil d'État, Cour des comptes). **3** Personne chargée d'un audit.

**auditif, ive** adj. Qui se rapporte à l'ouïe.

**audition** n. f. **1** Perception des sons par l'ouïe. *Troubles de l'audition.* **2** Action d'entendre ou d'être entendu. – dr. *L'audition des témoins.* **3** Séance d'essai donnée par un artiste (musicien...). **4** Séance musicale où l'on entend une œuvre.

**auditionner** v. [1] **I** v. intr. (artiste) Passer une audition (3). **II** v. tr. **1** Écouter (un artiste) qui donne une audition. **2** Procéder à l'audition de (qqn) pour recueillir sa déposition, sa déclaration. *Auditionner un prévenu.*

**auditoire** n. m. Ensemble d'auditeurs (1).

**auditorium** [-jɔm] n. m. Salle aménagée pour les concerts, etc.

**au fur et à mesure** → au **fur et à mesure**

**auge** n. f. **1** Mangeoire (surtout du porc). **2** géogr. *Auge glaciaire :* vallée à fond plat.

**augmentation** n. f. **1** Action d'augmenter ; son résultat. → **accroissement ; hausse. 2** Accroissement d'appointements.

**augmenter** v. [1] **I** v. tr. **1** Rendre plus grand, plus considérable par addition de qqch. de même nature. **2** *Augmenter qqn,* son salaire. **II** v. intr. **1** Devenir plus grand, plus considérable. → **croître.** – syn. **s'augmenter** (de...) v. pron. **2** Devenir plus cher.

**augure** n. m. **I** Antiq. Prêtre chargé d'observer certains signes afin d'en tirer des présages. **II 1** Ce qui semble présager qqch. ; signe par lequel on juge de l'avenir. - *Être de bon augure,* être un présage favorable. **2** loc. *Oiseau de bon, de mauvais augure :* personne qui annonce de bonnes, de mauvaises nouvelles. ► **augural, ale, aux** adj.

**augurer** v. tr. 1 littér. *Augurer une chose d'une autre,* en tirer une conjecture. → **présager.** *Que faut-il augurer de tout cela ?*

**auguste I** adj. littér. ou iron. Qui inspire de la vénération. **II** n. m. Clown au maquillage violent et caricatural.

**aujourd'hui** adv. **1** En ce jour même. - n. m. Ce jour même. **2** Au temps où l'on est. - n. m. La période actuelle.

**aulne** [o(l)n] ou **aune** n. m. Arbre d'Europe qui croît dans les lieux humides.

**aumône** n. f. vieilli Don charitable fait aux pauvres. *Demander l'aumône :* mendier.

**aumônier** n. m. Ecclésiastique chargé de la direction spirituelle dans un établissement, un corps. ► **aumônerie** n. f.

**aumônière** n. f. Petit sac de femme.

① **aune** n. f. Ancienne mesure de longueur (1,18 m). ♦ loc. adv. *À l'aune de :* en prenant pour référence.

② **aune** n. m. → **aulne**

**auparavant** adv. Avant tel événement, telle action (dans le temps). → **avant.**

**auprès de** loc. prép. **1** Tout près de. → à **côté** de, **près** de. **2** En s'adressant à. *S'enquérir de qqch. auprès de qqn.* **3** Dans l'opinion de. *Il passe pour un impoli auprès d'elle.* **4** En comparaison de.

**auquel** pron. rel. → **lequel**

**aura** n. f. littér. Atmosphère qui entoure un être. *Une aura de mystère.*

**auréole** n. f. **1** Cercle qui entoure les représentations de la tête de Jésus-Christ, de la Vierge et des saints. → **nimbe. 2** fig. Gloire, prestige. **3** Trace circulaire laissée par une tache qui a été nettoyée.

**auréoler** v. tr. 1 **1** Entourer d'une auréole. **2** fig. Donner de l'éclat, du prestige à. - au p. p. *Auréolé de gloire.*

**auriculaire 1** adj. Qui a rapport à l'oreille. **2** n. m. Le petit doigt de la main.

**auriculothérapie** n. f. Traitement par stimulation de points déterminés du pavillon de l'oreille.

**aurifère** adj. Qui contient de l'or.

**aurifier** v. tr. 7 Obturer (une dent) avec de l'or.

**aurige** n. m. Antiq. Conducteur de char, dans les courses.

**aurique** adj. mar. *Voile aurique,* en quadrilatère irrégulier.

**aurochs** [-ɔk] n. m. Bœuf sauvage de grande taille dont la race est éteinte.

**aurore** n. f. **1** Lueur brillante et rosée qui suit l'aube et précède le lever du soleil ; moment où le soleil va se lever. **2** fig. Aube, commencement. **3** *Aurore polaire (boréale* ou *australe)* : arc lumineux qui apparaît dans le ciel des régions polaires.

**ausculter** v. tr. 1 Écouter les bruits de (l'organisme...) par l'auscultation. ► **auscultation** n. f.

**auspices** n. m. pl. **1** Antiq. Présage tiré du comportement des oiseaux. **2** *Sous d'heureux, de fâcheux auspices.* → **présage.** ♦ *Sous les auspices de qqn,* avec son appui.

> Ne pas confondre avec *hospice* « maison de retraite ».

**aussi I** adv. **1** De la même manière. → **autant.** *Il est aussi grand que vous. Aussi vite que possible.* ♦ D'une manière si importante → **si.** *Je n'ai jamais rien vu d'aussi joli.* **2** De la même façon. → **pareillement.** *C'est aussi mon avis.* **3** Pareillement et de plus. → en **outre.** *Non seulement... mais aussi.* **II** conj. En conséquence de quoi. → c'est **pourquoi.**

**aussitôt** adv. **1** Dans le moment même, au même instant. → **immédiatement ;** tout de **suite. 2** *Aussitôt que* loc. conj. : dès que. - loc. *Aussitôt dit, aussitôt fait :* la chose a été réalisée sans délai.

> Ne pas confondre avec *aussi tôt,* opposé à *aussi tard : aussi tôt que possible.*

**austère** adj. **1** Qui se montre sévère pour soi. **2** Dur, rigoureux. *Une vie austère.* **3** (choses) Sans ornement. → **sévère.**

**austérité** n. f. **1** Caractère de ce qui est austère. **2** Gestion stricte de l'économie, visant à restreindre la consommation.

**austral, ale** adj. Qui est au sud du globe terrestre (opposé à *boréal*). → **antarctique.**

**autan** n. m. Vent orageux du sud.

**autant** adv. **1** *Autant que :* en même quantité, au même degré, de la même façon. *Rien ne plaît autant que la nouveauté.* → **comme, tant.** - loc. fam. *Autant pour moi.* → au **temps** pour moi. - *Autant que possible,* dans la mesure du possible. **2** *Autant de :* la même quantité, le même nombre de. - (avec *en*) La même chose. *Tâchez d'en faire autant.* - *Pour autant,* malgré cela. **3** Une telle quantité, un tel nombre de. → **tant.** *Je ne pensais pas qu'il aurait autant de patience.* **4** *Autant... autant... Autant il est gentil avec elle, autant il est dur avec nous.* **5** *D'autant* loc. adv. : à proportion. - *D'autant que* loc. conj. : vu que. - *D'autant plus (moins) que :* encore plus (moins) pour la raison que. *D'autant plus !* loc. adv. : à plus forte raison.

**autarcie** n. f. État d'un groupe, d'un pays qui se suffit à lui-même ; économie fermée. ► **autarcique** adj.

**autel** n. m. 1 Antiq. Tertre ou table pour les sacrifices offerts aux dieux. 2 Table où l'on célèbre la messe.

Ne pas confondre avec *hôtel* «auberge».

**auteur** n. m. 1 Personne qui est à l'origine (de qqch.). *L'auteur d'une découverte.* 2 Personne qui écrit (un livre), qui fait (une œuvre d'art). *L'auteur d'un livre.* ♦ absolt Écrivain. ♦ dr. *Droit d'auteur* : droit exclusif d'exploitation qui appartient à l'ayant droit (écrivain, etc.) sur son œuvre. → **copyright.** – *Droits d'auteur,* profits pécuniaires résultant de cette exploitation. 3 Parolier de chansons. – au fém. (rare) : *une autrice* ou *une auteure.*

**authentifier** v. tr. [7] 1 dr. Rendre authentique. 2 Reconnaître comme authentique. ► **authentification** n. f.

**authentique** adj. 1 dr. *Acte authentique* (opposé à *acte sous seing privé*), qui fait foi par lui-même en raison des formes légales dont il est revêtu. 2 Qui est véritablement de l'auteur auquel on l'attribue. 3 Dont la réalité, la vérité ne peut être contestée. 4 Qui exprime une vérité profonde de l'individu. → **sincère ; vrai.** ► **authentiquement** adv. ► **authenticité** n. f.

**autisme** n. m. psych. Trouble du développement, détachement de la réalité extérieure accompagné de repliement sur soi-même. ► **autiste** adj. et n. ► **autistique** adj.

**auto** n. f. 1 vieilli Voiture automobile. 2 *Autos tamponneuses*.*

**auto-accusation** n. f. Fait de s'accuser soi-même.

**auto-allumage** n. m. Allumage spontané anormal du mélange carburant dans un cylindre de moteur à explosion.

**autobiographie** n. f. Biographie de qqn faite par lui-même. ► **autobiographique** adj.

**autobronzant, ante** adj. (produit) Qui permet de bronzer sans exposition au soleil.

**autobus** [-bys] n. m. Véhicule automobile pour le transport en commun des voyageurs, dans les villes. → **bus.**

**autocar** n. m. Grand véhicule automobile pour le transport collectif des personnes (hors des villes). → **car.**

**autocensure** n. f. Censure sur soi-même.

**autochtone** [-ktɔn ; -kton] adj. Qui est issu du sol où il habite. → **indigène.**

**autoclave** n. m. Récipient hermétique résistant à des pressions élevées. → **étuve.**

**autocollant, ante** adj. Qui adhère sans être humecté. – n. m. Image autocollante.

**autocouchette** → **autos-couchettes**

**autocrate** n. m. Souverain dont la puissance n'est soumise à aucun contrôle. ► **autocratie** n. f. → **absolutisme.** ► **autocratique** adj.

**autocritique** n. f. Critique de son propre comportement.

**autocuiseur** n. m. Appareil pour cuire les aliments sous pression.

**autodafé** n. m. 1 Cérémonie où des hérétiques étaient condamnés au supplice du feu par l'Inquisition. 2 Action de détruire par le feu. *Un autodafé de livres.*

**autodéfense** n. f. Fait de se défendre sans recourir aux institutions (police...).

**autodestruction** n. f. Destruction de soi (matérielle ou morale) par soi-même.

**autodétermination** n. f. Choix du statut politique d'un pays par ses habitants.

**s'autodétruire** v. pron. [38] Se détruire soi-même.

**autodidacte** adj. Qui s'est instruit lui-même, sans maître. – n. *Un autodidacte.*

**autodiscipline** n. f. Discipline que s'impose soi-même un individu, un groupe.

**auto-école** n. f. École formant à la conduite automobile. *Des auto-écoles.*

**autoentrepreneur, euse** n. dr. Personne qui crée seule et pour elle-même une entreprise à but commercial, artisanal ou libéral (*autoentreprise* n. f.).

**autoérotique** adj. didact. Dont l'érotisme est centré sur le sujet même.

**autofécondation** n. f. bot. Fécondation par les propres organes (mâles et femelles) de la plante.

**autofinancement** n. m. Financement d'une entreprise par ses propres capitaux.

**autofocus** adj. et n. m. (Appareil) équipé d'un système de mise au point automatique.

**autogéré, ée** adj. Géré par son personnel.

**autogestion** n. f. Gestion (d'une entreprise) par le personnel.

**autographe** 1 adj. Qui est écrit de la propre main de qqn. 2 n. m. Texte écrit à la main par une personne célèbre.

**autogreffe** n. f. méd. Greffe dans laquelle le greffon provient de l'individu lui-même (contr. *allogreffe, hétérogreffe*).

**autolyse** n. f. biol. Destruction des tissus par leurs enzymes.

**automate** n. m. 1 Appareil imitant l'être vivant. 2 fig. Personne qui agit comme une machine.

**automation** n. f. anglic. Fonctionnement automatique d'un ensemble productif.

**automatique** adj. et n. I adj. 1 Qui s'accomplit sans la participation de la volonté. → **inconscient, involontaire.** 2 Qui, une fois mis en mouvement, fonctionne de lui-même ; qui opère par des moyens mécaniques. – n. m. Pistolet automatique. 3 Qui s'accomplit avec une régularité déterminée. *Prélèvement automatique.* 4 fam. Qui doit forcément se produire. II n. f. Ensemble des sciences et des techniques des dispositifs automatiques.

**automatiquement** adv. D'une manière automatique. ♦ fam. Forcément.

**automatiser** v. tr. [1] Rendre automatique (I, 2). ► **automatisation** n. f.

**automatisme** n. m. **1** Accomplissement de mouvements, d'actes, sans participation de la volonté. – Acte, geste rendu automatique par l'habitude. **2** Système automatique. **3** Régularité dans le déroulement d'événements.

**automédication** n. f. Emploi de médicaments sans prescription médicale.

**automitrailleuse** n. f. Automobile blindée armée de mitrailleuses.

**automne** [ɔtɔn] n. m. **1** Saison qui succède à l'été et précède l'hiver dans l'hémisphère Nord : du 22 ou 23 septembre *(équinoxe d'automne)* au 21 ou 22 décembre, caractérisée par le déclin des jours, la chute des feuilles. **2** fig. *L'automne de la vie,* la vieillesse. ► **automnal, ale, aux** adj.

**automobile** I adj. (véhicule) Mû par un moteur. **II 1** n. f. Véhicule automobile à quatre roues (ou plus), à l'exclusion des camions, autobus, autocars. ♦ *L'automobile,* la conduite des automobiles ; l'industrie, la vente des automobiles. **2** adj. Relatif aux véhicules automobiles.

**automobilisme** n. m. Ce qui concerne l'automobile ; le sport automobile.

**automobiliste** n. Personne qui conduit une automobile.

**automoteur, trice 1** adj. Qui se déplace à l'aide d'un moteur. **2** n. f. Autorail.

**automutilation** n. f. Mutilation qu'on s'inflige à soi-même.

**autonettoyant, ante** adj. Qui réalise son nettoyage. *Four autonettoyant.*

**autonome** adj. **1** Qui s'administre lui-même. **2** Qui ne dépend de personne.

**autonomie** n. f. **1** Droit, fait de se gouverner par ses propres lois. **2** Faculté d'agir librement. **3** Distance que peut parcourir un véhicule sans être ravitaillé. **4** Durée de fonctionnement indépendant (d'un appareil).

**autonomiste** n. et adj. Partisan de l'autonomie politique.

**autopalpation** n. f. méd. Palpation par soi-même. *Autopalpation des seins,* servant au dépistage du cancer du sein.

**autopartage** n. m. Utilisation partagée d'un ensemble de véhicules par plusieurs usagers.

**autopompe** n. f. Camion automobile équipé d'une pompe à incendie.

**autoportrait** n. m. Portrait de qqn exécuté par lui-même.

**s'autoproclamer** v. pron. [1] Se décerner (un titre, un statut) de sa propre autorité. – au p. p. *Une élite autoproclamée.*

**autopropulsé, ée** adj. Qui est propulsé par ses propres moyens.

**autopsie** n. f. Examen d'un cadavre (notamment, étude des causes de la mort).

**autoradio** n. m. Poste de radio conçu pour fonctionner dans une automobile.

**autorail** n. m. Véhicule automoteur sur rails.

**autorisation** n. f. **1** Action d'autoriser ; droit accordé par la personne qui autorise. **2** Acte, écrit par lequel on autorise.

**autorisé, ée** adj. **1** Qui est permis. **2** Qui a reçu une autorisation. **3** Qui fait autorité.

**autoriser** v. tr. [1] **1** *Autoriser qqn à* (+ inf.), lui accorder le droit, la permission de. *Je vous autorise à partir.* – (sujet chose) → **permettre.** *Rien ne vous autorise à dire cela.* **2** *Autoriser qqch.,* rendre licite.

**autoritaire** adj. **1** Qui aime l'autorité ; qui en use ou en abuse. **2** Qui aime être obéi. *Homme autoritaire.* – *Ton autoritaire.* → **impérieux.** ► **autoritairement** adv.

**autoritarisme** n. m. **1** Caractère d'un régime, d'un gouvernement autoritaire. **2** Comportement d'une personne autoritaire. ► **autoritariste** adj. et n.

**autorité** n. f. **1** Droit de commander, pouvoir d'imposer l'obéissance. – loc. adv. *D'autorité :* sans tolérer de discussion ; sans consulter personne. **2** Les organes du pouvoir. *L'autorité publique.* – au plur. *Les autorités :* les personnes qui exercent l'autorité. **3** Capacité à se faire obéir. **4** Supériorité qui impose l'obéissance, le respect. → **ascendant, empire, influence.** – *Faire autorité :* s'imposer comme incontestable. **5** Personne qui fait autorité.

**autoroute** n. f. Large route à chaussées séparées, sans croisements. – par analogie *Les autoroutes de l'information* (réseaux informatiques). ► **autoroutier, ière** adj.

Mot féminin : *une autoroute.*

**autosatisfaction** [-s-] n. f. Satisfaction de soi-même. → **vanité.**

**autos-couchettes** adj. et n. m. Se dit d'un train de nuit pour des voyageurs et leur voiture. – var. **autocouchette.**

**auto-stop** n. m. Fait d'arrêter une voiture pour demander de se faire transporter gratuitement. → fam. **stop.** ► **auto-stoppeur, euse** n.

**autosuggestion** [-sygʒɛstjɔ̃] n. f. Action de se suggestionner soi-même.

**autotrophe** adj. biol. Capable d'élaborer sa substance à partir d'éléments minéraux.

① **autour** adv. Dans l'espace qui environne qqn, qqch. → **alentour.** *Mettez du papier autour* (→ **entourer**). – *Autour de* loc. prép. *Les planètes gravitent autour du Soleil.* – abstrait *Tourner autour du pot*. Il a autour de quarante ans,* à peu près.

② **autour** n. m. Rapace voisin de l'épervier.

**autre** I adj. (épithète, avant le nom) **1** Qui n'est pas le même, qui est différent, distinct. *Je ne vois aucun autre moyen.* – *L'autre jour,* dans le passé (proche). *L'autre monde,* l'au-delà. **2** *Autre chose* (sans art.) : qqch. de différent. *Parlons d'autre chose.* **3** loc. adv. *Autre part :* ailleurs. – *D'autre part :* par ailleurs. **II** adj. (après le nom ou le pron. ; en attribut) Différent ; différent de ce qu'il était. **III** pron. **1** *L'autre, un(e) autre, les autres :* personne, chose différente. *Prendre qqn pour un autre, une chose pour une autre. Les autres.* → **autrui.** – loc. *J'en ai vu d'autres* (choses étonnantes). *À d'autres !,* allez dire cela à des gens plus crédules. – *Entre autres :* parmi plusieurs (personnes, choses). – *Rien d'autre :* rien de plus. **2** *L'un... l'autre ; les uns... les autres. L'un et l'autre sont venus, est venu.* ♦ (avec une prép.) *Aller de l'un à l'autre.* – loc. *L'un dans l'autre :* tout compte fait. **3** philos. *L'autre :* autrui.

**autrefois** adv. Dans un temps passé. → **anciennement, jadis.**

**autrement** adv. **1** D'une manière différente. *Faisons autrement.* – *Autrement dit :* en d'autres termes. **2** Dans un autre cas, dans le cas contraire. → **sinon. 3** *Pas autrement :* pas beaucoup. → **guère. 4** (comparatif de supériorité) → **plus ; beaucoup.** *Elle est autrement mieux que sa sœur.*

**autrichien, ienne** adj. De l'Autriche. – n. *Un Autrichien, une Autrichienne.*

**autruche** n. f. Oiseau coureur de grande taille, à ailes rudimentaires. – loc. *Un estomac d'autruche,* qui digère tout. – *Faire l'autruche,* refuser de voir le danger.

**autrui** pron. Un autre, les autres hommes. → **prochain.**

**auvent** n. m. Petit toit en saillie.

**auxiliaire 1** adj. Qui aide par son concours (sans être indispensable). *Moteur auxiliaire.* **2** n. Personne qui aide. → **adjoint, assistant. 3** n. Employé recruté à titre provisoire par l'Administration. **4** *Verbe auxiliaire* ou n. m. *un auxiliaire,* verbe qui a la fonction de former les temps composés des verbes (ex. avoir, être).

**auxine** n. f. biol. Hormone végétale, facteur de croissance.

**s'avachir** v. pron. [2] **1** Devenir mou, flasque. **2** (personnes) Se laisser aller. ♦ S'affaler. ▷ adj. **avachi, ie** → **flasque ; mou.** ► **avachissement** n. m.

① **aval** n. m. sing. **1** Côté vers lequel descend un cours d'eau (opposé à *amont*). – *En aval de* loc. prép. : au-delà de, dans le sens du courant. **2** fig. Ce qui vient après (dans un processus).

② **aval, als** n. m. Engagement de payer pour qqn, s'il ne peut le faire (→ **avaliser**). – fig. *Donner son aval à qqch.,* son soutien.

**avalanche** n. f. **1** Importante masse de neige qui se détache et dévale. **2** fig. *Avalanche de :* grande quantité de.

**avaler** v. tr. [1] **1** Faire descendre par le gosier. ♦ loc. fig. *Avoir avalé sa langue,* garder le silence. *Avaler des couleuvres*. Avaler la pilule*.* **2** fig. *Avaler un roman,* le lire avec avidité. **3** Supporter sans réagir. ♦ Croire ; accepter sans critique. → **gober.**

**avaleur, euse** n. Personne qui avale (qqch.). – loc. *Avaleur de sabres,* saltimbanque qui introduit une lame dans son tube digestif.

**avaliser** v. tr. [1] Donner son aval (②) à.

**avance** n. f. **1** Action, fait d'avancer. → **marche, progression. 2** Espace parcouru avant qqn, distance qui en sépare. **3** Anticipation sur un moment prévu (s'oppose à *retard*). **4** loc. adv. *À l'avance :* avant le moment fixé. – *D'avance :* avant un moment (fixé ou quelconque). ♦ *En avance* loc. adj. (en attribut) : avant le temps fixé ; avancé dans son développement (opposé à *en retard*). ♦ loc. adv. littér. *Par avance :* à l'avance ; d'avance. **5** Somme versée par anticipation. → **acompte. 6** au plur. Démarches auprès de qqn pour nouer des relations (en général amoureuses).

**avancé, ée** adj. **1** Qui est en avant. **2** Dont une grande partie est écoulée (temps). ♦ Qui s'approche du terme (travail...). ♦ Qui commence à se gâter. *Viande avancée.* **3** Qui est en avance (sur les autres). → **précoce.** – *Opinions, idées avancées,* progressistes. **4** iron. *Vous voilà bien avancé !,* ce que vous avez fait ne vous a servi à rien.

**avancée** n. f. **I** Fait d'avancer. → **avance** (1). ♦ fig. Progrès important. **II** Ce qui avance, forme saillie.

**avancement** n. m. **1** État de ce qui avance. → **progression. 2** Fait de s'élever dans une hiérarchie. → **promotion.**

**avancer** v. [3] **I** v. tr. **1** Pousser, porter en avant. **2** Mettre en avant, dans le discours. *Avancer une hypothèse.* **3** Faire arriver avant le temps prévu ou normal. *Il a avancé son retour.* **4** Faire progresser (qqch.). *Avancer son travail.* ♦ *À quoi cela vous avancera-t-il ?,* quel avantage en aurez-vous ? **5** Prêter (de l'argent). **II** v. intr. **1** Aller en avant. *Avancer lentement.* **2** Être placé en avant, faire saillie. **3** Avoir déjà fait beaucoup. → **progresser.** *Avancer dans son travail.* **4** (sujet chose) Aller vers son achèvement. **5** S'écouler (temps) ; approcher de sa fin (durée). ♦ (personnes) *Avancer en âge.* **6** (pendules...) Être en avance (opposé à *retarder*). ▷ v. pron. **s'avancer 1** Aller en avant. **2** Prendre de l'avance. **3** fig. Émettre des idées peu sûres. **4** (temps) S'écouler.

**avanie** n. f. Traitement humiliant.

① **avant I** prép. (s'oppose à *après*) **1** (antériorité dans le temps) *Il est arrivé avant moi* (→ plus tôt). – *Avant de* (+ inf.) ; *que* (+ subj.). **2** (antériorité dans l'espace) *La maison avant l'église.* **3** (priorité dans un ordre) *Faire passer qqn avant les autres.* – *Avant tout* loc. adv. → d'**abord, surtout. II** adv. **1** (temps) Plus tôt (s'oppose à *après*). *Le jour d'avant,* précédent.

2 (espace) → **devant** ; s'oppose à *derrière*. 3 littér. (précédé de *assez, bien, plus, si, trop...*) Marque un éloignement du point de départ. *Je n'irai pas plus avant.* **III 1** *En avant* loc. adv. : vers le lieu, le côté qui est devant, devant soi (s'oppose à *en arrière*). – fig. *Regarder en avant,* vers l'avenir. ♦ *Mettre qqch. en avant,* l'affirmer. – *Mettre qqn en avant,* le mettre en vue. *Se mettre en avant,* se faire valoir. **2** *En avant de* loc. prép. → **devant.**

② **avant** (s'oppose à *arrière*) **I** n. **1** n. m. Partie antérieure (de qqch.). *L'avant d'une voiture.* **2** n. m. *Aller de l'avant,* avancer (aussi fig.). **3** sport Joueur, joueuse placé(e) devant les autres. **II** adj. invar. Qui est à l'avant. *Roues avant.*

**avantage** n. m. **I 1** Ce par quoi on est supérieur (qualité ou biens) ; supériorité. *L'avantage de l'expérience.* – *La situation a tourné à son avantage,* à son profit. – *Être à son avantage,* être mieux (spécialt, plus beau) que d'habitude. **2** (dans une lutte) *Avoir, prendre... l'avantage.* → **dessus. 3** (au tennis) Point marqué lorsque la marque est à 40 partout. **II** Ce qui est utile, profitable (opposé à *désavantage*). → **intérêt.**

**avantager** v. tr. 3 **1** Accorder un avantage à (qqn) ; rendre supérieur. **2** (sujet chose) Faire valoir les qualités de (qqn).

**avantageux, euse** adj. **1** Qui offre, procure un avantage. *Prix avantageux.* **2** Qui est à l'avantage de qqn ; favorable, flatteur. **3** Prétentieux. ► **avantageusement** adv.

**avant-bras** n. m. invar. Partie du bras qui va du coude au poignet.

**avant-centre** n. m. Joueur placé au centre du terrain.

**avant-coureur** adj. m. Annonciateur.

**avant-courrier, ière** n. littér. Chose qui précède et annonce. → **messager.**

**avant-dernier, ière** adj. Qui est avant le dernier. → **pénultième.**

**avant-garde** n. f. **1** Partie d'une armée qui marche en avant. – fig. *Être à l'avant-garde de la mode.* **2** Ensemble des mouvements qui jouent un rôle de précurseur. *Littérature d'avant-garde.* ► **avant-gardisme** n. m. ► **avant-gardiste** adj. et n.

**avant-goût** n. m. Sensation que procure l'idée d'un événement à venir.

**avant-guerre** n. m. ou f. Période qui a précédé une guerre.

**avant-hier** [avɑ̃tjɛʀ] adv. Au jour qui a précédé hier.

**avant-midi** n. m. ou f. invar. (Belgique, Canada) Matin, matinée.

**avant-poste** n. m. milit. Poste avancé.

**avant-première** n. f. **1** Réunion etc. pour présenter un spectacle, avant la présentation au public. **2** *En avant-première,* avant la présentation publique.

**avant-projet** n. m. Rédaction provisoire d'un projet ; maquette, esquisse.

**avant-propos** n. m. invar. Courte introduction (présentation, avis au lecteur).

**avant-scène** n. f. au théâtre Le devant de la scène. – Loge près de la scène.

**avant-train** n. m. Partie antérieure du corps d'un quadrupède (opposé à *arrière-train*).

**avant-veille** n. f. Jour qui précède la veille.

**avare** adj. **1** Qui a de l'argent et refuse de le dépenser, quitte à se priver. → **avaricieux, chiche, pingre, radin.** ♦ n. *Un vieil avare.* **2** littér. *Avare de,* qui ne prodigue pas. *Il est avare de compliments.*

**avarice** n. f. Comportement de l'avare.

**avaricieux, ieuse** adj. vx ou plais. Avare.

**avarie** n. f. Dommage survenu à un navire ou à sa cargaison. – par ext. Dommage survenu au cours d'un transport.

**avarié, ée** adj. **1** Qui a subi une avarie. **2** (choses périssables) Gâté, pourri.

**avatar** n. m. **1** (religion hindouiste) Chacune des incarnations du dieu Vishnou. **2** fig. Métamorphose. ♦ Personnage choisi par qqn (un joueur...) pour le représenter dans la réalité virtuelle. **3** abusivt Mésaventure.

**à vau-l'eau** loc. adv. → à **vau-l'eau**

**AVC** n. m. (sigle) Accident vasculaire cérébral.

**Ave** ou **Ave Maria** [ave-] n. m. invar. Prière à la Sainte Vierge.

**avec** prép. **I** (rapport) **1** En compagnie de. *Se promener avec qqn.* – En ayant, en portant (qqch.). – (association) *Être d'accord avec qqn.* **2** (relations entre personnes) *Faire connaissance avec qqn.* ♦ (en tête de phrase) *Avec lui, on peut s'attendre à tout.* **3** (opposition) → **contre.** *Se battre avec qqn.* **II** (simultanéité) **1** En même temps que. *Se lever avec le jour.* **2** → **ainsi** que, **et.** *Du bleu, avec du rouge et du jaune.* **3** Malgré. *Avec tant de qualités, il n'a pas réussi.* **4** (en tête de phrase) Étant donné la présence de. **5** (accompagnement) Garni de ; qui comporte. **III 1** (moyen) À l'aide de, grâce à, au moyen de. **2** (manière) *J'accepte avec plaisir.* **IV** adv. fam. (choses) *Il a pris son manteau et il est parti avec.* – *Il faudra bien faire avec,* s'en arranger.

**aveline** n. f. Noisette oblongue, fruit de l'*avelinier* (n. m.).

**Ave Maria** → **Ave**

**aven** [avɛn] n. m. Gouffre naturel creusé par les eaux dans un terrain calcaire.

**avenant, ante I** adj. Qui plaît par son bon air, sa bonne grâce. **II 1** n. m. dr. Clause ajoutée à un contrat. **2** loc. adv. *À l'avenant :* en accord, en rapport.

**avènement** n. m. **1** Accession au trône. **2** fig. Début du règne (de qqch.).

**avenir** n. m. **1** Temps à venir (opposé à *passé*). *Penser à l'avenir.* – *À l'avenir* loc. adv. → **désormais, dorénavant. 2** État, situation future (de qqn). – *D'avenir*, qui promet. – (choses) *Ce projet n'a aucun avenir.*

**avent** n. m. relig. cathol. Temps liturgique de préparation à la fête de Noël.

**aventure** n. f. **I** vx Destin. ♦ loc. *Dire la bonne aventure à qqn*, lui prédire son avenir par la divination. **II 1** Ce qui arrive d'imprévu, de surprenant ; ensemble d'événements qui concernent qqn. ♦ (en amour) *Avoir une aventure.* → **liaison. 2** Activité, expérience qui comporte du risque et de l'imprévu. *L'attrait de l'aventure.* **3** loc. adv. *À l'aventure* : au hasard. – littér. *D'aventure, par aventure* : par hasard.

**aventurer** v. tr. [1] Exposer avec un certain risque. → **hasarder, risquer.** ▷ v. pron. **s'aventurer** Se risquer, aller avec un certain risque. ▷ adj. **aventuré, ée** → **risqué.**

**aventureux, euse** adj. **1** Qui aime l'aventure. **2** Plein d'aventures. **3** Plein de risques. ► **aventureusement** adv.

**aventurier, ière** n. **1** (parfois péj.) Personne qui cherche l'aventure. **2** péj. Personne qui vit d'intrigues. → **intrigant.**

**aventurisme** n. m. Tendance à prendre des décisions hâtives, en politique.

**avenu, ue** adj. loc. *Nul et non avenu* : inexistant, sans effet.

**avenue** n. f. **1** Allée plantée d'arbres menant à une habitation. **2** Large voie urbaine.

**avéré, ée** adj. Reconnu vrai. → **certain.**

s'**avérer** v. pron. [6] littér. Être avéré. ♦ cour. (+ adj.) → se **révéler.** *Son raisonnement s'est avéré juste.* – abusivt *S'avérer faux.*

> *S'avérer vrai* est un pléonasme à éviter.

**avers** n. m. Face avant (d'une pièce, d'une médaille) (opposé à *revers*, à *pile*).

**averse** n. f. Pluie soudaine et abondante.

**aversion** n. f. Vive répulsion. → **dégoût, horreur.** – littér. *Avoir qqn, qqch. en aversion.* → **détester.**

**averti, ie** adj. Qui connaît, est au courant.

**avertir** v. tr. [2] **1** Informer (qqn) de qqch. afin qu'il y prenne garde. **2** (menace ou réprimande) *Je vous avertis qu'il faudra obéir.*

**avertissement** n. m. **1** Action d'avertir ; appel à la prudence. **2** Petite préface. **3** Réprimande. – Mesure disciplinaire.

**avertisseur, euse I** n. m. Appareil destiné à avertir. *Avertisseur sonore.* → **klaxon. II** adj. Qui avertit.

**aveu** n. m. **I** loc. *Homme sans aveu* (au Moyen Âge), qui n'était lié à aucun seigneur ; mod. sans scrupule. **II 1** Action d'avouer ; ce que l'on avoue. **2** au plur. Reconnaissance de sa culpabilité. **3** loc. *De l'aveu de* : au témoignage de.

**aveuglant, ante** adj. Qui éblouit. ♦ fig. *Une évidence aveuglante.*

**aveugle I** adj. **1** Qui est privé du sens de la vue. **2** fig. Dont le jugement est incapable de rien discerner. ♦ (sentiments) *Une confiance aveugle.* ♦ *Attentat aveugle*, qui frappe au hasard. **3** Qui ne laisse pas passer le jour. **II** n. **1** Personne privée de la vue. → **non-voyant.** – prov. *Au royaume des aveugles, les borgnes sont rois* : les médiocres brillent parmi les sots. **2** loc. adv. *En aveugle* : sans discernement. → à l'**aveuglette, aveuglément.** ♦ *À l'aveugle* : littér. sans voir ; fig. aveuglément.

**aveuglement** n. m. État de qqn dont le discernement est troublé. → **égarement.**

**aveuglément** adv. Sans réflexion.

**aveugler** v. tr. [1] **I 1** Rendre aveugle. **2** Gêner la vue, éblouir. *Le soleil m'aveugle.* **3** fig. Priver du jugement. – pronom. Se cacher la vérité. **II** Boucher (une ouverture).

à l'**aveuglette** loc. adv. **1** Sans y voir clair. **2** fig. Au hasard, sans précaution.

**aveulir** v. tr. [2] littér. Rendre veule.

**aviaire** adj. didact. Des oiseaux. *Grippe aviaire.*

**aviateur, trice** n. Personne qui pilote un avion (→ **pilote**) ou appartient au personnel technique navigant de l'aviation.

**aviation** n. f. **1** Navigation aérienne par les engins plus lourds que l'air ; techniques et activités relatives au transport aérien. → **aéronautique. 2** Armée de l'air. **3** Industrie de la fabrication des avions.

**avicole** adj. De l'aviculture.

**aviculture** n. f. Élevage des oiseaux, des volailles. ► **aviculteur, trice** n.

**avide** adj. **1** Qui a un désir immodéré de nourriture. **2** fig. Qui désire immodérément les biens. → **cupide.** ♦ *Avide de*, qui désire avec passion. ► **avidité** n. f. ► **avidement** adv.

**avilir** v. tr. [2] **1** Rendre vil. → **dégrader, rabaisser. 2** Abaisser la valeur de. → **déprécier.** ► **avilissement** n. m. ► **avilissant, ante** adj. → **dégradant, déshonorant.**

**aviné, ée** adj. Qui a bu trop de vin.

**avion** n. m. Appareil capable de se déplacer en l'air, plus lourd que l'air, muni d'ailes et d'un organe propulseur. → vx **aéroplane.** *Avion à réaction.* → ② **jet.**

**aviron** n. m. **1** mar. Rame. **2** cour. Sport du canotage.

**avis** n. m. **1** Ce que l'on pense, ce que l'on exprime sur un sujet. → **opinion, point de vue.** – *À mon avis* : selon moi. **2** Opinion donnée à qqn sur une conduite à tenir. → **conseil. 3** Ce que l'on porte à la connaissance de qqn. → **annonce, information.** ♦ Écrit qui avertit. *Avis de décès.*

**avisé, ée** adj. Qui agit avec réflexion.

① **aviser** v. tr. [1] **1** Apercevoir inopinément. **2** tr. ind. *Aviser à* : réfléchir, songer à (qqch.). ▷ v. pron. **s'aviser 1** Faire attention à qqch. que l'on n'avait pas remarqué. → s'**aperce-**

**voir. 2** *S'aviser de* (+ inf.) : être assez audacieux pour.

② **aviser** v. tr. [1] littér. ou admin. Avertir (qqn de qqch.) par un avis. → **informer.**

**aviso** n. m. mar. Petit escorteur.

**avitaminose** n. f. Maladie déterminée par une carence en vitamines.

**aviver** v. tr. [1] **1** Rendre plus vif, plus éclatant. **2** fig. Rendre plus fort. → **exciter. 3** méd. Mettre (une plaie) à vif.

① **avocat, ate** n. **1** Personne régulièrement inscrite à un barreau*, qui conseille en matière juridique, assiste ou représente ses clients en justice (→ **défenseur**) (en parlant d'une femme : *Elle est avocat* ou *avocate*). **2** *Avocat général,* qui supplée le procureur général (accusateur). **3** fig. Défenseur (d'une cause, d'une personne). – loc. *L'avocat du diable,* personne qui défend volontairement une mauvaise cause (pour prouver qqch.).

② **avocat** n. m. Fruit de l'*avocatier* (n. m.), à peau verte ou violette et à noyau.

**avocette** n. f. zool. Petit échassier au bec recourbé vers le haut.

**avoine** n. f. Céréale qui sert surtout à l'alimentation animale. *Folle avoine* (stérile).

① **avoir** v. tr. [34] **I** (possession) **1** *Avoir qqch.,* posséder, disposer de. *Avoir une maison, de l'argent.* ♦ Bénéficier de. *Nous avons eu du soleil. Avoir du temps.* **2** (relations de parenté, etc.) *Avoir des enfants. Avoir des amis.* **3** Entrer en possession de. *Elle a eu son bac.* **4** Mettre (un certain temps) à une action. *J'en ai pour cinq minutes.* **5** fam. Tromper, vaincre (qqn). → **posséder, rouler.** *Se faire avoir.* **II** (manière d'être) **1** Présenter en soi (une partie, un aspect de soi). *Il a de beaux yeux. Quel âge avez-vous ?* **2** Éprouver dans son corps, sa conscience. *Avoir mal à la tête. Avoir faim. Avoir de la peine.* **3** (présentant l'attribut, le complément ou l'adverbe qui détermine un substantif) *Avoir les yeux bleus. Avoir la tête qui tourne. Avoir l'esprit ailleurs.* **4** *En avoir à, après* (fam.), *contre qqn,* lui en vouloir. **III** (verbe auxiliaire) **1** *Avoir à* (+ inf.) : être dans l'obligation de. → **devoir.** *Avoir des lettres à écrire.* – (sans compl. direct) *J'ai à lui parler.* – *N'avoir qu'à :* avoir seulement à. **2** Auxiliaire des temps composés pour les verbes transitifs, la plupart des intransitifs (pour les autres → être), les verbes *avoir (il a eu...)* et *être (il a été...). J'ai écrit. Il a fini.* **IV** *Il y a* loc. impers. : (telle chose) existe. *Où y a-t-il une pharmacie ?* – *Qu'est-ce qu'il y a ? :* que se passe-t-il ? – (+ adv. de temps) *Il y a longtemps.* vx *Il n'y a guère.* → **naguère.**

② **avoir** n. m. **1** Ce que l'on possède. → **fortune. 2** Partie d'un compte où l'on porte les sommes dues. → **actif, crédit.**

**avoisiner** v. tr. [1] **1** Être dans le voisinage, à proximité de (un lieu). **2** fig. Être proche de, ressembler à. ► **avoisinant, ante** adj. → **proche.**

**avortement** n. m. **1** méd. Interruption d'une grossesse, naturelle (→ fausse couche) ou provoquée. ♦ cour. Interruption volontaire de grossesse (→ **I. V. G.**). **2** fig. Échec (d'une entreprise, d'un projet).

**avorter** v. intr. [1] **1** Accoucher avant terme (naturellement ou par intervention) d'un fœtus ou d'un enfant mort. – trans. Faire subir un avortement à (une femme). **2** fig. (projet...) Ne pas réussir. → **échouer.**

**avorteur, euse** n. péj. Personne qui pratique un avortement illégal.

**avorton** n. m. Être chétif, mal conformé.

**avouable** adj. Qu'on peut avouer.

**avoué** n. m. Officier ministériel chargé de représenter les parties devant les cours d'appel.

**avouer** v. tr. [1] **1** Reconnaître (qu'une chose est ou n'est pas) ; reconnaître pour vrai (avec difficulté). *Avouer ses erreurs ; qu'on s'est trompé.* **2** Faire des aveux. *L'assassin a avoué.* ▷ v. pron. **s'avouer** (+ adj. ou p. p.) Reconnaître qu'on est. *S'avouer vaincu.*

**avril** n. m. Quatrième mois de l'année. – *Poisson d'avril,* plaisanterie, mystification traditionnelle du 1er avril.

**avulsion** n. f. didact. Arrachement, extraction.

**avunculaire** [avɔ̃-] adj. didact. Qui a rapport à un oncle ou à une tante.

**axe** n. m. **1** Ligne idéale autour de laquelle s'effectue une rotation. *L'axe de la Terre.* **2** math. Droite sur laquelle un sens a été défini. **3** Pièce allongée qui sert à faire tourner un objet sur lui-même ou à assembler des pièces. → **arbre, essieu, pivot. 4** Ligne qui passe par le centre, dans la plus grande dimension. *L'axe du corps.* ♦ Voie routière importante. **5** fig. Direction générale. *Les grands axes d'une politique.*

**axel** n. m. sports Saut où un patineur tourne une fois et demie sur lui-même.

**axer** v. tr. [1] **1** Diriger, orienter selon un axe. **2** fig. Orienter. – passif *Être axé sur qqch.*

**axial, iale, iaux** adj. De l'axe, d'un axe.

**axiomatique I** adj. Relatif aux axiomes. **II** n. f. Recherche et organisation en système des axiomes d'une science.

**axiome** n. m. sc. Proposition considérée comme évidente, admise sans démonstration. → aussi **postulat.** ► **axiomatiser** v. tr. [1]

**axolotl** [aksɔlɔtl] n. m. zool. Larve d'un reptile (salamandre) du Mexique.

**axone** n. m. anat. Prolongement de la cellule nerveuse.

**ayant** Participe présent du verbe *avoir.*

**ayant cause** n. m. dr. Personne qui a acquis d'une autre un droit ou une obligation. *Les ayants cause.*

**ayant droit** n. m. Personne qui a des droits à qqch. *Les ayants droit.*

**ayatollah** [ajatɔla] n. m. Religieux musulman chiite d'un rang élevé.

**aye-aye** [ajaj] n. m. zool. Lémurien de Madagascar. *Des ayes-ayes.*

**ayurvéda** [ajyrveda] n. m. Médecine traditionnelle indienne. ► **ayurvédique** adj.

**azalée** n. f. Arbuste à fleurs colorées.

**AZERTY** adj. invar. *Clavier AZERTY.* → **clavier.**

**azimut** [-yt] n. m. **1** astron. Angle formé par le plan vertical d'un astre et le plan méridien du point d'observation. **2** loc. *Tous azimuts :* milit. capable d'intervenir dans toutes les directions ; fig. qui utilise tous les moyens et a des objectifs variés.

**azimuté, ée** adj. fam. Un peu fou.

**azotate** n. m. chim., vx Nitrate.

**azote** n. m. chim. Corps simple (symb. N), gaz incolore, inodore, entrant dans la composition de l'atmosphère et des tissus vivants. ► **azoté, ée** adj.

**AZT** n. m. (nom déposé ; sigle) Médicament utilisé dans le traitement du sida.

**aztèque** adj. et n. Relatif aux Aztèques.

**azulejo** [asulexo] n. m. Carreau de faïence émaillée, à dominante bleue.

**azur** n. m. littér. Couleur bleue du ciel, des flots. – *La Côte d'Azur,* de la Méditerranée, entre Menton et Toulon.

**azuré, ée** adj. Couleur d'azur.

**azuréen, enne** adj. De la Côte d'Azur.

**azurer** v. tr. [1] Colorer d'un bleu d'azur.

**azyme** adj. *Pain azyme,* pain sans levain.

# B

**b** [be] n. m. Deuxième lettre, première consonne de l'alphabet.

**B. A.** [beɑ] n. f. invar. Abréviation de *bonne action*, dans le langage des scouts.

① **baba** n. m. Gâteau léger à l'alcool.

② **baba** adj. invar. fam. Stupéfait.

③ **baba** n. Personne non violente, marginale, vivant parfois en communauté.

**b. a.-ba** [beaba] n. m. Premiers rudiments. → **abc.** *Le b. a.-ba du métier.*

**babeurre** n. m. Liquide blanc qui reste du lait après la préparation du beurre.

**babil** n. m. littér. Babillage. - Gazouillis.

**babillard, arde** **I** adj. et n. littér. Qui parle beaucoup ; bavard. **II** n. fam. **1** n. f. Lettre (écrite à qqn). → **bafouille.** **2** n. m. (Canada) Tableau d'affichage.

**babiller** v. intr. [1] Parler beaucoup d'une manière enfantine ou futile. ► **babillage** n. m.

**babines** n. f. pl. **1** Lèvres pendantes (d'animaux). **2** fam. Lèvres. - loc. *S'en lécher les babines :* se réjouir d'une chose agréable.

**babiole** n. f. **1** Petit objet de peu de valeur. **2** Chose sans importance. → **broutille.**

**babiroussa** n. m. Sanglier de Malaisie.

**bâbord** n. m. Côté gauche d'un navire, en se tournant vers l'avant (s'oppose à *tribord*).

**babouche** n. f. Pantoufle sans talon.

**babouin** n. m. Singe d'Afrique à museau allongé, vivant en société.

**baby-boom** [babibum ; bebi-] n. m. anglic. Forte augmentation de la natalité. *Des baby-booms.*

**baby-foot** [babifut] n. m. invar. anglic. Football de table. - La table de jeu.

**baby-sitter** [babisitœʀ ; bebi-] n. anglic. Personne rémunérée pour garder de jeunes enfants en l'absence de leurs parents. *Des baby-sitters.* ► **baby-sitting** n. m.

① **bac** n. m. **I** Bateau à fond plat servant à passer un cours d'eau, un lac. **II** Grand récipient. → **baquet, bassin.** *Bac à sable.* - *Bac d'alimentation* (d'une imprimante). *Bac de vente* (pour des disques...).

② **bac** n. m. fam. Baccalauréat.

**baccalauréat** n. m. Grade universitaire et examen qui terminent les études secondaires (en France). → ② **bac,** ① **bachot.**

**baccara** n. m. Jeu de cartes où le dix, appelé *baccara,* équivaut à zéro.

**baccarat** n. m. Cristal de la manufacture de Baccarat (Lorraine).

**bacchanale** [-k-] n. f. **1** Antiq. au plur. Fêtes en l'honneur de Bacchus. **2** littér. Orgie.

① **bacchante** [-k-] n. f. Antiq. Prêtresse de Bacchus.

② **bacchante** ou **bacante** n. f. fam. Moustache. *De belles bacchantes.*

**bâche** n. f. Pièce de toile imperméable qui sert à préserver qqch. des intempéries.

**bachelier, ière** n. Titulaire du baccalauréat.

**bâcher** v. tr. [1] Couvrir d'une bâche.

**bachi-bouzouk** n. m. hist. Cavalier mercenaire de l'ancienne armée turque.

**bachique** adj. didact. De Bacchus.

① **bachot** n. m. fam., vieilli Baccalauréat.

② **bachot** n. m. Petit bateau à fond plat.

**bachoter** v. intr. [1] Préparer hâtivement et intensivement un examen en vue du seul succès pratique. ► **bachotage** n. m.

**bacillaire** [-il-] **1** adj. Dû à un bacille. **2** n. Tuberculeux contagieux.

**bacille** [-il] n. m. Bactérie en forme de bâtonnet. *Bacille de Koch* (→ tuberculose).

**bâcler** v. tr. [1] Expédier (un travail) sans soin. ► **bâclage** n. m.

**bacon** [bekɔn] n. m. anglic. **1** Lard fumé, assez maigre. **2** Filet de porc fumé.

**bactéricide** adj. Qui tue les bactéries.

**bactérie** n. f. Micro-organisme unicellulaire, très simple, sans noyau, considéré comme ni animal ni végétal. → **bacille, vibrion.** ► **bactérien, ienne** adj.

**bactériologie** n. f. Étude des bactéries. ► **bactériologiste** n. ► **bactériologique** adj.

**badaboum** [-bum] interj. Onomatopée, bruit d'un corps qui roule avec fracas.

**badaud, aude** n. et adj. Personne qui s'attarde à regarder le spectacle de la rue.

**baderne** n. f. péj. Homme âgé et borné.

**badge** n. m. anglic. **1** Insigne comportant des inscriptions (humoristiques...). **2** Dispositif à piste magnétique permettant l'accès à des locaux, etc.

**badger** v. intr. 1 Utiliser un badge (2).

**badgeuse** n. f. Machine, appareil capable de lire des badges (2).

**badiane** n. f. Arbuste d'Asie aux graines aromatiques *(anis étoilé)*.

**badigeon** n. m. Couleur en détrempe à base de chaux, utilisée pour les murs, etc.

**badigeonner** v. tr. 1 **1** Enduire d'un badigeon. **2** Enduire d'une préparation pharmaceutique. ► **badigeonnage** n. m.

**badin, ine** adj. littér. Qui aime à rire, à plaisanter. → **enjoué.** ♦ *Humeur badine.*

**badine** n. f. Baguette mince et souple.

**badiner** v. intr. 1 Plaisanter avec enjouement. *«On ne badine pas avec l'amour»* (pièce de Musset). ► **badinage** n. m.

**badminton** [badmintɔn] n. m. anglic. Jeu de volant apparenté au tennis.

**BAFA** [bafa] n. m. (sigle) Brevet d'aptitude aux fonctions d'animateur.

**baffe** n. f. fam. Gifle.

**baffle** n. m. anglic. → ① **enceinte** (3).

Mot masculin : *un baffle.*

**bafouer** v. tr. 1 littér. Traiter avec un mépris outrageant. → **ridiculiser.**

**bafouille** n. f. fam. Lettre (écrite à qqn).

**bafouiller** v. intr. 1 Parler d'une façon embarrassée, parfois incohérente. → **bredouiller.** ► **bafouillage** n. m. ► **bafouilleur, euse** n. et adj.

**bâfrer** v. intr. 1 fam. Manger avec excès. → s'**empiffrer.** ► **bâfreur, euse** n.

**bagad** n. m. région. Formation de musique bretonne (bombardes, binious...) jouant de la musique de marche. – plur. (breton) *Des bagadou.*

**bagage** n. m. **1** Ce que l'on emporte en déplacement, en voyage. – loc. *Plier bagage* : partir. ♦ Malle, valise, sac... pour le voyage. **2** fig. Ensemble des connaissances acquises.

**bagagiste** n. Employé chargé de la manutention des bagages (hôtels, etc.).

**bagarre** n. f. **1** Mêlée de gens qui se battent. **2** fam. Lutte violente ; querelle.

**bagarrer** v. 1 fam. **1** v. pron. *Se bagarrer* : se battre ; se quereller. **2** v. intr. Lutter (pour). ► **bagarreur, euse** n. et adj.

**bagasse** n. f. Résidu des tiges de canne à sucre dont on a extrait le jus.

**bagatelle** n. f. **1** Chose sans importance. → **broutille. 2** Somme d'argent peu importante. **3** plais. *La bagatelle* : l'amour physique.

**bagel** [begœl] n. m. (cuisine yiddish) Petit pain en forme d'anneau, à la mie très dense.

**bagnard** [baɲaʀ]n. m. Forçat d'un bagne.

**bagne** n. m. **1** anciennt Établissement, lieu où se purgeait la peine des travaux forcés. **2** fig. Lieu où l'on fait un travail pénible.

**bagnole** n. f. fam. Automobile.

**bagout** n. m. Disposition à parler beaucoup, souvent en tentant de faire illusion, de tromper. *Avoir du bagout.* – var. **bagou.**

**bague** n. f. **1** Anneau que l'on met au doigt. **2** Objet de forme annulaire. **3** Anneau, fil métallique enserrant une dent.

**baguenauder** v. intr. 1 fam. Flâner.

**baguer** v. tr. 1 **1** Garnir d'une bague, de bagues. **2** Inciser (un arbre) en enlevant un anneau d'écorce. **3** Munir d'un appareil d'orthodontie fait de bagues. ► **baguage** n. m.

**baguette** n. f. **1** Petit bâton mince. – loc. *Mener les gens à la baguette,* avec autorité et rigueur. ♦ spécialt *Baguette magique* (des fées, etc.), censée accomplir des prodiges. – fig. *D'un coup de baguette magique,* comme par enchantement. **2** Chacun des deux petits bâtons utilisés pour manger en Extrême-Orient. **3** Petite moulure décorative. **4** Pain long et mince.

**bah** interj. Exclamation d'indifférence.

**bahut** n. m. **1** Buffet rustique large et bas. **2** fam. Lycée, collège. **3** fam. Taxi, voiture.

**bai, baie** adj. (chevaux) Dont la robe est d'un brun rouge.

① **baie** n. f. Échancrure d'une côte ; petit golfe. → **anse, calanque, crique.**

② **baie** n. f. Ouverture pratiquée dans un mur, etc. pour faire une porte, une fenêtre.

③ **baie** n. f. Petit fruit charnu à pépins.

**baignade** n. f. **1** Action de se baigner. **2** Endroit d'un cours d'eau, d'un lac où l'on peut se baigner.

**baigner** v. 1 **I** v. tr. **1** Mettre et maintenir dans l'eau, dans un liquide pour laver, imbiber. **2** (mer) Entourer, toucher (une côte). ♦ littér. → **envelopper, inonder.** – au p. p. *Pièce baignée de lumière.* **3** → **mouiller.** *Baigner ses yeux.* – au p. p. *Visage baigné de larmes.* **II** v. intr. Être plongé entièrement (dans un liquide ou fig. dans une ambiance). ♦ fam. *Ça baigne (dans l'huile)* : ça va très bien. ▷ v. pron. se **baigner** (plus cour.) **1** Prendre un bain (pour se laver). **2** Prendre un bain (dans la mer...).

**baigneur, euse** n. **1** n. Personne qui se baigne (2). **2** n. m. Poupée figurant un bébé.

**baignoire** n. f. **I** Grand récipient allongé, pour se baigner (1). **II** Loge de rez-de-chaussée, dans une salle de spectacle.

**bail,** plur. **baux** n. m. **1** Contrat par lequel une personne (→ **bailleur**) laisse à une autre (→ **locataire**) le droit de se servir d'une chose pendant un certain temps pour un certain prix (→ **loyer**). **2** loc. fam. *Ça fait un bail* : voilà bien longtemps.

**bailler** v. tr. [1] loc. *Vous me la baillez belle* : vous vous moquez de moi.

> Ne pas confondre avec *bâiller* «ouvrir la bouche» ni avec le verbe de l'expression *bayer aux corneilles.*

**bâiller** v. intr. [1] **1** Ouvrir involontairement la bouche en inspirant. **2** (sujet chose) Être entrouvert, mal fermé (→ **entrebâiller**). ► **bâillement** n. m.

> Ne pas confondre avec les verbes des expressions *vous me la baillez belle* et *bayer aux corneilles.*

**bailleur, bailleresse** n. **1** dr. Personne qui donne à bail. **2** *Bailleur de fonds* : personne qui fournit des fonds pour une entreprise déterminée. → **commanditaire.**

**bailli** n. m. **1** hist. Officier qui rendait la justice. **2** Dignité dans l'ordre de Malte.

**bailliage** n. m. hist. Charge d'un bailli.

> Ne pas oublier le deuxième *i.*

**bâillon** n. m. Ce que l'on met (étoffe...) contre la bouche pour empêcher qqn de crier.

**bâillonner** v. tr. [1] **1** Mettre un bâillon à (qqn). **2** fig. Réduire au silence. → **museler.** ► **bâillonnement** n. m.

**bain** n. m. **I 1** Action de plonger le corps ou une partie du corps dans l'eau ou un autre liquide (pour laver, soigner). *Prendre un bain.* – *Salle de bains* : pièce pour la toilette, contenant une baignoire. ♦ L'eau, le liquide dans lequel on se baigne. – loc. *Être dans le bain* : être compromis, ou engagé dans une entreprise. **2** Action d'entrer dans l'eau pour le plaisir, pour nager. **3** *Bain de soleil* : exposition volontaire au soleil. **4** fig. *Bain de* : action de se plonger dans, de s'imprégner de. *Bain de foule.* **II** au plur. Établissement, endroit où l'on prend des bains. **III** techn. Préparation liquide dans laquelle on plonge qqch.

**bain-marie** n. m. Liquide chaud dans lequel on met un récipient contenant ce que l'on veut faire chauffer. *Des bains-marie.*

**baïonnette** n. f. **1** Arme pointue qui s'ajuste au canon d'un fusil. «*Nous n'en sortirons [d'ici] que par la puissance des baïonnettes*» (Mirabeau). **2** *À baïonnette*, qui se fixe par des ergots dans des crans.

**baise** n. f. vulg. Action de baiser (①, II, 1).

**baisemain** n. m. Fait de baiser la main d'une dame (politesse masculine).

① **baiser** v. tr. [1] **I** Donner un baiser à. → **embrasser.** *Baiser les mains de qqn.* **II** fam. **1** Faire l'amour à (qqn). – sans compl. *Il baise bien.* **2** Duper, attraper.

② **baiser** n. m. Action de poser ses lèvres sur (qqn...), en signe d'affection, de respect. – loc. *Baiser de Judas*, perfide.

**baisse** n. f. **1** Fait de baisser de niveau, de descendre à un niveau plus bas. → **diminution.** **2** Diminution de prix, de valeur. – *En baisse* : en train de baisser.

**baisser** v. [1] **I** v. tr. **1** Mettre plus bas. → **descendre.** ♦ Diminuer la hauteur de. **2** Incliner, diriger vers la terre (une partie du corps). – loc. fig. *Baisser les bras* : ne plus lutter. **3** Diminuer la force, l'intensité de (un son...). – fig. *Baisser le ton* : être moins arrogant. **4** Diminuer (un prix). **II** v. intr. **1** Diminuer de hauteur. → **descendre.** **2** Diminuer d'intensité. **3** (personnes) Perdre sa vigueur. → **décliner.** **4** Diminuer de valeur, de prix.

**bajoue** n. f. **1** Partie latérale inférieure de la tête (d'animaux), de l'œil à la mâchoire. **2** Joue pendante (d'une personne).

**bakchich** [bakʃiʃ] n. m. Pourboire ; pot-de-vin.

**bakélite** n. f. Matière plastique obtenue en traitant le formol par le phénol.

**baklava** n. m. Gâteau oriental à pâte feuilletée avec du miel et des amandes.

**bal** n. m. **1** Réunion où l'on danse. – fig. *Mener le bal* : être le moteur d'une action collective. **2** Lieu où se donnent des bals.

> Ne pas confondre avec *balle* «boule».

**balade** n. f. fam. Action de se promener. ♦ Excursion, sortie, voyage.

> Ne pas confondre avec *ballade* «poème».

**balader** v. tr. [1] fam. **1** Promener avec soi. **2** intrans. *Envoyer balader* (qqn, qqch.), rejeter. ▷ v. pron. se **balader** Se promener sans but précis.

**baladeur, euse I** adj. *Avoir l'humeur baladeuse*, aimer se promener. ♦ fam. *Main baladeuse*, qui s'égare en caresses indiscrètes. **II** n. m. Récepteur radio ou lecteur audio portatif, à écouteurs (recomm. off. pour *walkman*). **III** n. f. Lampe électrique portative munie d'un long fil.

**baladin** n. m. littér. Comédien ambulant.

**balafon** n. m. Xylophone africain.

**balafre** n. f. Longue entaille faite par une arme tranchante, particulièrement au visage. ♦ Cicatrice de cette blessure. ► **balafrer** v. tr. [1]

① **balai** n. m. **1** Ustensile ménager formé d'un long manche et d'une brosse, servant à enlever la poussière, les détritus. – loc. fig. (péj.) *Coup de balai* : licenciement en masse. ♦ *Balai mécanique*, appareil à brosses roulantes. **2** Frottoir établissant un contact. **3** Lame d'un essuie-glace, qui nettoie le pare-brise. **4** fam. Dernier métro ou autobus de la journée. ♦ *Voiture-balai,* qui recueille les coureurs cyclistes qui abandonnent. **5** Accessoire de percussionniste formé d'un manche court et d'un faisceau métallique.

Ne pas confondre avec *ballet* «danse».

② **balai** n. m. fam. Année (d'âge).

**balai-brosse** n. m. Brosse de chiendent montée sur un manche à balai.

**balalaïka** n. f. Instrument de musique russe à cordes pincées, à caisse triangulaire.

**balance** n. f. **I 1** Instrument qui sert à peser, formé le plus souvent d'une tige mobile (le fléau) et de plateaux dont l'un porte la chose à peser, l'autre les poids marqués. **2** Petit filet pour la pêche aux écrevisses. **3** Septième signe du zodiaque (23 septembre-22 octobre). - *Ils sont Balance.* **II 1** loc. fig. *Mettre dans la balance ; mettre en balance* (deux choses), examiner en comparant. **2** fig. État d'équilibre. *La balance des pouvoirs.* **3** Compte récapitulatif. *Balance de l'actif et du passif.* → **bilan.** - *Balance commerciale* (d'un pays).

**balancé, ée** adj. **1** Équilibré, harmonieux. **2** fam. (personnes) *Être bien balancé,* bien fait.

**balancelle** n. f. Fauteuil balançoire de jardin à plusieurs places, à toit en tissu.

**balancement** n. m. **1** Mouvement alternatif et lent d'un corps, de part et d'autre de son centre d'équilibre. → **oscillation.** **2** Disposition équilibrée. **3** littér. Hésitation.

**balancer** v. [3] **I** v. tr. **1** Mouvoir lentement, tantôt d'un côté, tantôt d'un autre. **2** fam. Jeter (qqch.). ♦ Se débarrasser de (qqch., qqn). ♦ Dénoncer. **3** Équilibrer. *Balancer ses phrases,* en soigner le rythme. **4** littér. Comparer. *Balancer le pour et le contre.* → **peser.** **II** v. intr. littér. Être hésitant. ▷ v. pron. se **balancer 1** Se mouvoir d'un côté et de l'autre. **2** fam. *S'en balancer :* s'en moquer.

**balancier** n. m. **1** Pièce dont les oscillations régularisent le mouvement d'une machine. **2** Dispositif (bâton...) utilisé pour maintenir un équilibre.

**balançoire** n. f. Bascule ou nacelle suspendue sur laquelle on se balance.

**balayer** v. tr. [8] **I 1** Pousser, enlever avec un balai (la poussière...). **2** (vent...) Entraîner avec soi. **3** fig. Faire disparaître. *Balayer les préjugés.* **II 1** Nettoyer (un lieu) avec un balai. **2** Passer sur (une surface). *Radar qui balaie une zone.* ► **balayage** n. m.

**balayette** n. f. Petit balai à manche court.

**balayeur, euse 1** n. Personne qui balaie. **2** n. f. Véhicule destiné au balayage des rues.

**balayures** n. f. pl. Ce que l'on amasse, enlève avec un balai.

**balbutiement** n. m. **1** Action de balbutier. **2** fig. au plur. Débuts maladroits.

**balbutier** v. [7] **1** v. intr. Articuler les mots d'une manière hésitante et imparfaite. **2** v. tr. Dire en balbutiant.

**balbuzard** n. m. Rapace diurne des étangs.

**balcon** n. m. **1** Plate-forme en saillie sur une façade et qui communique avec une pièce. **2** Balustrade d'un balcon. **3** Galerie d'une salle de spectacle, entre les avant-scènes.

**baldaquin** n. m. **1** Dais garni de rideaux, au-dessus d'un lit, etc. **2** archit. Ouvrage à colonnes couronnant un autel, un trône.

**baleine** n. f. **I** Grand mammifère cétacé (jusqu'à 20 m de long), à bouche garnie de fanons. **II** Fanon qui renforçait les corsets. ♦ Lame ou tige flexible (d'acier, etc.).

**baleineau** n. m. Petit de la baleine.

**baleinier, ière I** adj. Relatif à la pêche à la baleine. **II 1** n. m. Navire de pêche à la baleine. **2** n. f. Canot long et étroit.

**balèze** adj. fam. **1** Grand et fort. - n. m. *Un gros balèze.* **2** Très calé (dans un domaine). - var. **balèse.**

**balisage** n. m. Pose de balises.

**balise** n. f. Objet, dispositif, appareil destiné à guider un navigateur, un pilote ou à repérer un navire, un avion.

**baliser** v. [1] **I** v. tr. Garnir, jalonner de balises. **II** v. intr. fam. Avoir peur.

**baliste** n. f. hist. Machine de guerre qui servait à lancer des projectiles.

**balistique I** adj. Relatif aux projectiles. **II** n. f. Science du mouvement des projectiles.

**baliveau** n. m. Arbre réservé dans une coupe pour qu'il puisse croître en futaie.

**baliverne** n. f. Propos futile, sans intérêt.

**balkanisation** n. f. Morcellement politique d'un État, d'un pays.

**ballade** n. f. **1** Petit poème de forme régulière, avec un refrain et un envoi. **2** Poème de forme libre, d'un genre familier ou légendaire.

Ne pas confondre avec *balade* «promenade».

**ballant, ante 1** adj. Qui pend, oscille. **2** n. m. Mouvement d'oscillation.

**ballast** [-ast] n. m. **1** Réservoir d'eau, sur un navire. ♦ Réservoir de plongée d'un sous-marin. **2** Pierres concassées tassées sous les traverses d'une voie ferrée.

① **balle** n. f. **I 1** Petite sphère, boule élastique dont on se sert pour divers jeux. **2** (dans des expr.) Fait de lancer une balle. (au tennis) *Balle de match,* qui décide du match. **3** loc. fig. *Saisir la balle au bond* : saisir une occasion avec à-propos. – *Renvoyer la balle* : répliquer. **4** fig., fam. Testicule. **5** au plur. fam. Franc. *Prête-moi cent balles.* – Euro. **II** Projectile métallique dont on charge les armes à feu. **III** loc. *Enfant de la balle* : comédien, artiste élevé dans le métier.

> Ne pas confondre avec *bal* « réunion où l'on danse ».

② **balle** n. f. Gros paquet de marchandises (→ **ballot**).

③ **balle** n. f. Enveloppe des graines de céréales. – var. **bale.**

**baller** v. intr. [1] Être ballant (1).

**ballerine** n. f. **1** Danseuse de ballet. **2** Chaussure rappelant un chausson de danse.

**ballet** n. m. Danse exécutée sur scène par plusieurs personnes. ♦ Ce spectacle de danse. ♦ Musique de cette danse.

> Ne pas confondre avec *balai* « ustensile ».

① **ballon** n. m. **I 1** Grosse balle gonflée d'air dont on se sert pour jouer. ♦ Sphère de caoutchouc très mince gonflée de gaz. **2** Jeu de ballon. – *Le ballon ovale,* le rugby. **3** appos. *Manches ballon,* gonflantes. **II** Aérostat. – *Ballon-sonde,* utilisé en météorologie. – *Ballon d'essai* (fig. expérience, test). **III 1** Récipient sphérique, en verre. ♦ Verre à boire, à pied, de forme sphérique. **2** Récipient, bouteille, réservoir (de forme quelconque). *Ballon d'oxygène* (fig. ce qui ranime, maintient en activité). ♦ Chauffe-eau électrique à réservoir.

② **ballon** n. m. Montagne des Vosges.

**ballonné, ée** adj. (ventre...) Gonflé.

**ballonnement** n. m. Gonflement de l'abdomen dû à des gaz intestinaux.

**ballot** n. m. **I 1** Petite balle (②) de marchandises. **2** Paquet. **II** fam. Imbécile. – adj. m. *C'est ballot* : c'est bête.

**ballotin** n. m. Emballage de carton pour les confiseries, fermé par quatre rabats.

**ballottage** n. m. (dans un scrutin majoritaire) Résultat négatif d'un premier tour, aucun des candidats n'ayant recueilli le nombre de voix nécessaire pour être élu.

**ballotter** v. [1] **I** v. tr. Faire aller dans un sens et dans l'autre. ♦ fig. au p. p. *Être ballotté entre des sentiments contraires.* → **tiraillé. II** v. intr. Être agité en tous sens. ► **ballottement** n. m.

**ballottine** n. f. Mets de viande roulée.

**ball-trap** [baltʀap] n. m. anglic. Appareil qui lance une cible simulant un oiseau en plein vol. *Des ball-traps.*

**balluchon** ou **baluchon** n. m. Petit paquet fait d'un carré d'étoffe noué aux quatre coins. – loc. *Faire son balluchon,* partir.

**balnéaire** adj. Relatif aux bains de mer.

**balourd, ourde** adj. Maladroit et grossier. → **lourdaud.** – n. *Un gros balourd.* ► **balourdise** n. f.

**balsa** [-z-] n. m. Bois très léger utilisé pour les maquettes.

**balsamine** n. f. Plante annuelle, dont la capsule éclate dès qu'on la touche.

**balsamique** [-z-] adj. Qui a des propriétés comparables à celles du baume. – *Vinaigre balsamique,* vieilli longuement dans une série de fûts.

**balte** adj. et n. De la mer Baltique ; des pays baltes (Lituanie, Lettonie, Estonie). *Les langues baltes.*

**baluchon** → **balluchon**

**balustrade** n. f. **1** Rangée de balustres (1). **2** Clôture à hauteur d'appui et à jour.

**balustre** n. m. **1** Petite colonne renflée supportant un appui. **2** Colonnette ornant le dos d'un siège.

**balzane** n. f. Tache blanche aux pieds d'un cheval.

**bambin** n. m. Petit garçon.

**bamboche** n. f. fam. et vieilli Bombance, ripaille. ► **bambocher** v. intr. [1]

**bambou** n. m. **1** Plante à tige cylindrique ligneuse, à nœuds épais. – *Pousses de bambou,* les bourgeons (comestibles). **2** fam. *Coup de bambou* : insolation ; accès de fatigue. ♦ *C'est le coup de bambou* : c'est trop cher.

**bamboula** fam., vieilli *Faire la bamboula,* la fête, la noce.

**bambouseraie** n. f. Plantation de bambous.

**ban** n. m. **1** hist. Convocation des vassaux par le suzerain ; les vassaux convoqués. – loc. fig. *Le ban et l'arrière-ban* : tout le monde. **2** au plur. Proclamation solennelle d'un futur mariage. **3** Roulement de tambour précédant une proclamation, etc. ♦ Applaudissements rythmés. **4** hist. Mesure d'exil proclamée (→ **bannir**). ♦ fig. *Être en rupture de ban,* affranchi des contraintes de son état. – *Mettre au ban de* (la société...), rejeter, dénoncer au mépris public.

> Ne pas confondre avec *banc* « siège ».

**banal, ale** adj. **I** (plur. *banaux*) hist. Appartenant à la circonscription d'un seigneur. **II** (plur. *banals*) Extrêmement commun, sans originalité. ► **banalement** adv.

**banaliser** v. tr. [1] Rendre banal (II). ► **banalisation** n. f.

**banalité** n. f. **1** Caractère banal. **2** Propos, écrit banal. → **cliché, poncif.**

**banane** n. f. **I** Fruit du bananier, oblong, à pulpe farineuse, à épaisse peau jaune. *Régime de bananes. Peau de banane* (fig.

piège). II fig. 1 Hélicoptère allongé. 2 Butoir de pare-chocs. 3 Grosse mèche roulée au-dessus du front. 4 Sac formant ceinture.

**bananeraie** n. f. Plantation de bananiers.

**bananier** n. m. I Plante arborescente dont le fruit est la banane. II Cargo équipé pour le transport des bananes.

**banc** [bɑ̃] n. m. I 1 Long siège pour plusieurs personnes, avec ou sans dossier. 2 Ce siège, réservé, dans une assemblée. II techn. Assemblage de montants et de traverses. → **bâti.** – *Banc d'essai,* pour tester un moteur ; fig. ce par quoi on éprouve les capacités de qqn, de qqch. III 1 Amas de matières formant une couche horizontale. *Banc de roches. Banc de coraux.* (Canada) *Banc de neige :* amas de neige durci. 2 Grande quantité de poissons d'une espèce, se déplaçant ensemble.

Ne pas confondre avec *ban* «interdiction».

**bancaire** adj. Qui a rapport aux banques.

**bancal, ale, als** adj. 1 Qui a les jambes torses. 2 (meuble) Qui n'est pas d'aplomb. 3 (abstrait) Qui manque de fondement.

**bancarisation** n. f. Fait, pour une population, de recourir aux services des banques, d'avoir des comptes en banque.

**bancassurance** n. f. techn. Distribution d'assurances par les réseaux bancaires.

① **banco** n. m. au jeu *Faire banco :* tenir l'enjeu contre la banque. ♦ interj. *Banco !* (défi).

② **banco** n. m. (Afrique) Matériau de construction traditionnel, pisé fait de terre mêlée de paille.

**bancroche** adj. fam. et vieilli Bancal.

**banc-titre** [bɑ̃-] n. m. techn. Dispositif pour filmer image par image (titres, etc.).

**bandage** n. m. 1 Bandes de tissu appliquées sur une partie du corps, pour un pansement, etc. 2 Bande de métal ou de caoutchouc entourant la jante d'une roue.

**bandana** n. m. Petit foulard carré de coton imprimé.

① **bande** n. f. 1 Pièce souple plus longue que large (qui sert à lier, maintenir, recouvrir, etc.). *Bande de papier.* – *Bande magnétique.* 2 Partie étroite et allongée (de qqch.). 3 *Bande dessinée :* suite de dessins qui racontent une histoire, et auxquels sont intégrées les paroles et les pensées des personnages. – syn. **B. D., bédé.** 4 Rebord d'un tapis de billard.

② **bande** n. f. 1 Personnes (notamment malfaiteurs) groupées autour d'un chef. 2 Groupe de personnes (occasionnel ou non). – loc. *Faire bande à part :* se mettre à l'écart d'un groupe. 3 Groupe d'animaux.

**bandeau** n. m. 1 Bande qui sert à entourer le front, la tête. 2 Cheveux appliqués contre les tempes. 3 Morceau d'étoffe que l'on met sur les yeux de qqn pour l'empêcher de voir. 4 Surface rectangulaire portant un message publicitaire (livres, pages web...). → **bannière** (II, 2).

**bandelette** n. f. Petite bande de tissu.

**bander** v. [1] I v. tr. 1 Entourer d'une bande que l'on serre. – au p. p. *Main bandée.* 2 Couvrir (les yeux) d'un bandeau. 3 Tendre avec effort. II v. intr. fam. Être en érection.

**banderille** n. f. Pique ornée de bandes multicolores que le torero (*banderillero* n. m.) plante sur le garrot du taureau.

**banderole** n. f. 1 Petite bannière. 2 Longue bande de tissu portant une inscription, portée dans les défilés, etc.

**bandit** n. m. 1 Malfaiteur vivant hors la loi. 2 Homme sans scrupules. ♦ Fripon (2).

**banditisme** n. m. Activités des bandits.

**bandonéon** n. m. Petit accordéon hexagonal des orchestres de tango.

**bandoulière** n. f. Bande, courroie passée sur l'épaule pour soutenir qqch.

**bang** [bɑ̃g] interj. Bruit d'explosion.

**banian** n. m. Figuier aux racines aériennes.

**banjo** [bɑ̃(d)ʒo] n. m. Instrument à cordes, à caisse de résonance formée d'une membrane tendue sur un cercle de bois.

**banlieue** n. f. Ensemble des agglomérations qui entourent une grande ville.

**banlieusard, arde** n. Habitant de la banlieue.

**banne** n. f. 1 Grand panier de vannerie. 2 Bâche protégeant des marchandises.

**bannière** n. f. I 1 ancienn Enseigne guerrière des seigneurs. – loc. fig. *Se ranger sous la bannière de qqn,* avec lui, dans son parti. 2 Étendard que l'on porte aux processions. 3 fam. Pan de chemise. II (d'après l'anglais) 1 *La bannière étoilée :* le drapeau des États-Unis. 2 Surface rectangulaire portant un message, une publicité, sur Internet. → **bandeau** (4).

**bannir** v. tr. [2] 1 Condamner (qqn) à quitter un pays, avec interdiction d'y rentrer. → **exiler.** ♦ littér. Éloigner (qqn d'un lieu) en chassant. 2 (compl. chose) Écarter, supprimer. *Bannir un usage.* ► **banni, ie** adj. et n.

**bannissement** n. m. dr. Peine criminelle interdisant à qqn le séjour dans son pays.

**banque** n. f. I 1 Commerce de l'argent et des titres, effets de commerce et valeurs de Bourse. 2 Établissement où se fait ce commerce. 3 jeu Somme destinée à payer ceux qui gagnent. II 1 *Banque du sang, d'organes :* service qui recueille du sang, des organes pour les transfusions, les greffes. 2 *Banque de données :* ensemble d'informations sur un sujet, traitées informatiquement.

**banqueroute** n. f. Faillite délictueuse.

**banquet** n. m. Grand repas, repas officiel pour de nombreux convives.

**banqueter** v. intr. [4] **1** Participer à un banquet. **2** Faire un bon repas. → **festoyer.**

**banquette** n. f. Siège à plusieurs places relativement dur, avec ou sans dossier. *La banquette arrière d'une voiture.*

**banquier, ière** n. **1** Personne qui fait le commerce de la banque, dirige une banque. **2** jeu Personne qui tient la banque.

**banquise** n. f. Amas de glaces flottantes formant un immense banc.

**bantoustan** n. m. hist. Territoire attribué à une population noire, en Afrique du Sud.

**baobab** [baɔbab] n. m. Arbre des tropiques, à tronc énorme.

**baptême** [batɛm] n. m. **1** Sacrement destiné à laver le péché originel et à faire qqn chrétien. – *Nom de baptême.* → **prénom.** **2** Bénédiction (d'un navire...). **3** loc. *Baptême du feu :* premier combat ; fig. première expérience décisive. *Baptême de l'air :* premier vol en avion.

**baptiser** [bat-] v. tr. [1] **1** Administrer le baptême à (qqn). **2** Bénir (un navire...) en lui donnant un nom. **3** Donner un nom, une appellation à. → **appeler.**

**baptismal, ale, aux** [bat-] adj. littér. Du baptême. – *Fonts* baptismaux.*

**baptistère** [bat-] n. m. Lieu où l'on baptise (1) (édifice, ou chapelle d'une église).

**baquet** n. m. **1** Récipient de bois à bords bas. **2** Siège de voiture bas et emboîtant.

① **bar** n. m. Poisson marin aussi appelé *loup,* à chair très estimée.

② **bar** n. m. **1** Débit de boissons où l'on peut consommer debout à un comptoir. **2** Comptoir (de bar...). ♦ Meuble analogue.

③ **bar** n. m. Unité de pression atmosphérique valant $10^5$ pascals.

**baragouin** n. m. Langage ou langue inintelligible. → **charabia.**

**baragouiner** v. tr. [1] Parler mal (une langue).

**baraka** n. f. fam. Chance.

**baraque** n. f. **1** Construction provisoire en planches. → **cabane.** **2** fam. Maison mal bâtie. → **bicoque.** ♦ (non péj.) Maison.

**baraqué, ée** adj. fam. Bien bâti ; costaud.

**baraquement** n. m. Ensemble de baraques (surtout militaires).

**baratin** n. m. Discours abondant (surtout pour tromper, séduire). ► **baratiner** v. tr. [1] ► **baratineur, euse** n.

**baratte** n. f. Appareil à battre le lait pour faire du beurre. ► **baratter** v. tr. [1]

**barbacane** n. f. **1** (au Moyen Âge) Ouvrage défensif avancé. ♦ Meurtrière. **2** archit. Ouverture étroite pour l'écoulement des eaux.

**barbant, ante** adj. fam. Ennuyeux.

**barbaque** n. f. fam. Viande.

**barbare** adj. **1** Étranger, pour les Grecs et les Romains et, plus tard, pour la chrétienté. – n. *Les barbares.* **2** vieilli Qui n'est pas civilisé. → **primitif, sauvage.** **3** Qui choque, est contraire au goût, à l'usage. → **grossier.** **4** littér. Cruel, sauvage.

**barbaresque** adj. et n. hist. Des pays autrefois appelés *Barbarie* (Afrique du Nord).

**barbarie** n. f. **1** littér. État d'un peuple considéré comme non civilisé. **2** Absence de goût, grossièreté. **3** Cruauté, sauvagerie.

**barbarisme** n. m. Faute grossière de langage, emploi de mots forgés ou déformés.

① **barbe** n. f. **I 1** Poils du menton, des joues et de la lèvre supérieure ; spécialt poils du menton et du bas des joues (à l'exclusion de la moustache et des favoris). *Se faire la barbe* (→ **raser**). ♦ loc. *Rire dans sa barbe,* en se cachant. – *À la barbe de qqn,* devant lui, malgré sa présence. ♦ *Barbe à papa :* confiserie formée de filaments de sucre. **2** Longs poils que certains animaux ont à la mâchoire. **3** Pointe effilée de certains épis. **4** Chacun des filaments serrés formant la plume d'un oiseau. **5** au plur. Irrégularités au bord d'une chose coupée. **II** interj. *La barbe !, quelle barbe !,* quel ennui !

② **barbe** n. m. Cheval d'Afrique du Nord.

**barbeau** n. m. **I** Poisson d'eau douce à chair estimée. **II** fam. Souteneur.

**barbecue** [baʀbəkju ; baʀbəky] n. m. Gril de plein air au charbon de bois.

**barbelé, ée** adj. Garni de pointes. *Fil de fer barbelé* ou n. m. *du barbelé.*

**barber** v. tr. [1] fam. Ennuyer.

**barbet, ette** n. Chien d'arrêt à poil long.

**barbiche** n. f. Petite barbe (I, 1).

**barbichette** n. f. Petite barbiche.

**barbier, ière** n. Personne dont le métier consiste à raser ou à tailler les barbes (1).

**barbillon** n. m. Filament charnu aux bords de la bouche de certains poissons.

**barbiturique** n. m. Médicament hypnotique dérivé de l'*acide barbiturique.*

**barbon** n. m. vx ou plais. Vieil homme.

**barboter** v. [1] **I** v. intr. **1** S'agiter, remuer dans l'eau, etc. **2** (gaz) Traverser un liquide. **II** v. tr. fam. Voler, prendre. ► **barbotage** n. m.

**barboteuse** n. f. Vêtement de jeune enfant, qui laisse nus les bras et les jambes.

**barbouillage** n. m. Action de barbouiller. ♦ spécialt Mauvaise peinture.

**barbouiller** v. tr. [1] **I 1** Couvrir d'une substance salissante. **2** Peindre grossièrement ; couvrir de gribouillages. **II** *Barbouiller* *l'estomac, le cœur,* donner la nausée. - au p. p. *Avoir l'estomac barbouillé.*

**barbouilleur, euse** n. Personne qui barbouille. ♦ spécialt Mauvais peintre.

**barbouze** fam. **1** n. f. Barbe. **2** n. m. ou f. Agent secret (police, espionnage).

**barbu, ue** adj. et n. Qui a de la barbe.

**barbue** n. f. Poisson voisin du turbot.

**barcarolle** n. f. Chanson des gondoliers vénitiens. ♦ Air sur un rythme berceur.

**barcasse** n. f. Grosse barque.

**bard** n. m. Civière (1) sans pieds.

**barda** n. m. fam. **1** Équipement du soldat. **2** Bagage, chargement encombrant.

**bardane** n. f. Plante dont les capitules s'accrochent aux vêtements.

① **barde** n. m. hist. Poète celtique.

② **barde** n. f. Fine tranche de lard.

**bardeau** n. m. Petite planche épaisse.

① **barder** v. tr. [1] **1** Couvrir d'une armure. - fig. au p. p. *Être bardé de décorations.* **2** Entourer de bardes (②).

② **barder** v. impers. [1] fam. Prendre une tournure violente. *Ça va barder !*

**bardot** n. m. Animal né de l'accouplement du cheval et de l'ânesse.

**barefoot** [bɛʀfut] n. m. anglic. Sport de glisse comparable au ski nautique, qui se pratique les pieds nus sur l'eau.

**barème** n. m. Tableau de calculs. ♦ Répertoire de tarifs, etc.

**barge** n. f. Grand bateau à fond plat.

**barguigner** v. intr. [1] vieilli Hésiter.

**bariatrique** adj. didact. *Chirurgie bariatrique,* qui concerne l'obésité.

**barigoule** n. f. *Artichauts à la barigoule,* farcis et cuits dans l'huile d'olive.

**baril** [-ʀi(l)] n. m. **1** Petit tonneau. **2** Unité anglo-saxonne de mesure de capacité.

**barillet** [-ijɛ ; -ilɛ] n. m. **1** Petit baril. **2** Dispositif cylindrique. - Cylindre tournant où sont logées les cartouches (d'un revolver...).

**bariolé, ée** adj. À tons vifs et variés.

**barioler** v. tr. [1] Peindre de diverses couleurs vives. ► **bariolage** n. m.

**barjo** adj. et n. fam. Fou.

**barlong, ongue** [baʀlɔ̃, ɔ̃g] adj. archit. Dont le plus long côté se présente de face.

**barmaid** [-mɛd] n. f. anglic. Serveuse d'un bar.

**barman** [-man] n. m. anglic. Serveur d'un bar. *Des barmans* ou *des barmen.*

**bar-mitsvah** n. f. invar. Cérémonie fêtant l'accès d'un jeune homme juif au statut d'adulte.

**baromètre** n. m. **1** Instrument qui sert à mesurer la pression atmosphérique. **2** fig. Ce qui permet d'apprécier des variations. ► **barométrique** adj.

① **baron, onne** **1** n. m. hist. Grand seigneur féodal. **2** n. Possesseur du titre de noblesse entre celui de chevalier et celui de vicomte. **3** n. m. fam. Personnage important.

② **baron** n. m. Gigots et lombes d'agneau.

**baronnet** n. m. en Angleterre Chevalier.

**baronnie** n. f. **1** hist. Seigneurie d'un baron. **2** fig. Autorité locale qui s'affranchit du pouvoir central.

**baroque** adj. **1** Bizarre, étrange. → **biscornu, excentrique.** *Idée baroque.* **2** adj. et n. m. Se dit d'un style (spécialt, architectural) qui s'est développé du XVIe au XVIIIe siècle, caractérisé par la liberté des formes et les ornements. *Les églises baroques de Bavière.* - *Musique baroque* (entre Monteverdi et le début du XVIIIe siècle).

**baroud** [baʀud] n. m. argot milit. Combat. - loc. *Baroud d'honneur :* dernier combat d'une guerre perdue, pour sauver l'honneur.

**baroudeur, euse** fam. **1** n. m. Celui qui aime le baroud. **2** n. Aventurier.

**barouf** n. m. fam. Grand bruit.

**barque** n. f. Petit bateau, ponté ou non. - loc. fig. *Mener la barque :* diriger. *Bien mener sa barque :* bien conduire ses affaires.

**barquette** n. f. **1** Tartelette de forme allongée. **2** Petit récipient rigide et léger pour les denrées alimentaires.

**barracuda** [-kyda ; -kuda] n. m. Gros poisson carnivore des mers chaudes.

**barrage** n. m. **1** Action de barrer (un passage). ♦ Ce qui barre le passage. **2** fig. Obstacle ; opposition. **3** Ouvrage hydraulique servant à retenir l'eau d'un cours d'eau.

**barre** n. f. **1** Pièce longue et rigide. *Barre de fer.* - loc. fam. *C'est le coup de barre :* c'est trop cher. *Avoir un* (ou *le*) *coup de barre :* se sentir soudain épuisé. **2** Traverse horizontale (servant d'appui, etc.). **3** Dispositif au moyen duquel on actionne le gouvernail d'un navire. **4** Lieu où comparaissent les témoins, où plaident les avocats à l'audience. **5** Amas de sable qui barre l'entrée d'un port, d'un fleuve. ♦ Déferlement violent de la houle. **6** au plur. Espace vide de la mâchoire du cheval. **7** Trait droit. - *Code-barre(s).* → **code.** **8** inform. Bande réunissant des informations ou des commandes sous forme d'icônes, de boutons... *Barre d'outils.*

**barreau** n. m. **1** Barre servant de clôture ou de support. **2** Espace réservé au banc des avocats, dans les salles d'audience. → **barre.** ♦ Profession, ordre des avocats.

① **barrer** v. tr. 1 **1** Fermer (une voie). – loc. *Barrer la route à qqn*, l'empêcher de passer ; fig. lui faire obstacle. ♦ région. Fermer à clé. **2** Tenir la barre de (une embarcation). **3** Marquer d'une ou plusieurs barres. **4** Annuler au moyen d'une barre. → **biffer, rayer.** ▷ adj. **barré, ée 1** Fermé par une barrière, une barre, etc. **2** Marqué ou rayé d'une ou plusieurs barres. **3** fam. Fou.

② **barrer** v. 1 fam. **1** *Se barrer* v. pron. : partir, filer. **2** loc. *Être mal barré* : être mal parti, commencer mal.

① **barrette** n. f. **1** Ornement en forme de petite barre. **2** Pince à cheveux à fermoir.

② **barrette** n. f. Toque d'ecclésiastique.

**barreur, euse** n. Personne qui tient la barre (3), dans une embarcation.

**barricade** n. f. Obstacle fait d'objets divers, dans un combat de rue. – loc. fig. *L'autre côté de la barricade*, le camp opposé.

**barricader** v. tr. 1 **1** Fermer par une barricade. **2** Fermer solidement. ▷ v. pron. **se barricader 1** Se retrancher derrière une barricade. **2** S'enfermer soigneusement. – fig. *Se barricader dans le mutisme.*

**barrière** n. f. **1** Assemblage de pièces de bois, etc. qui ferme un passage, sert de clôture. **2** Obstacle naturel. *Barrière de corail.* **3** fig. Ce qui sépare, fait obstacle.

**barrique** n. f. Tonneau de 200 litres.

**barrir** v. intr. 2 (éléphant) Pousser son cri. ► **barrissement** n. m.

**bartavelle** n. f. Perdrix rouge du Midi.

**barycentre** n. m. sc. Centre de gravité.

**baryte** n. f. chim. Oxyde de baryum.

**baryton** n. m. Voix d'homme entre le ténor et la basse. – Chanteur qui a cette voix.

**baryum** [baʀjɔm] n. m. Élément (symb. Ba), métal d'un blanc argenté.

**barzoï** [-zɔj] n. m. Lévrier russe à poil long.

① **bas, basse** (opposé à *haut*) **I** adj. **1** Qui a peu de hauteur. *Maison basse.* **2** Dont le niveau, l'altitude est faible. **3** dans des loc. Baissé. *La tête* basse.* – *Faire main basse sur qqch.*, s'en emparer. **4** (intensité) → **faible.** *Basse pression.* ♦ *Notes basses.* → **grave.** **5** (prix) Peu élevé. *À bas prix.* – *Au bas mot* : en faisant l'évaluation la plus faible. ♦ *Bas morceaux*, en boucherie les morceaux de qualité inférieure. **6** (hiérarchie) → **inférieur.** *Basse condition.* **7** Moralement méprisable. → **abject, vil.** **8** (temporel) → **proche, récent.** *Le bas latin* (pratiqué pendant le Moyen Âge). **II** n. m. **1** Partie inférieure (de qqch.). **2** loc. *Avoir des hauts* et des bas.* **III** adv. **1** À faible hauteur, à un niveau inférieur. ♦ loc. *Ça vole bas* : c'est médiocre, faible. – *Être bas*, en mauvais état physique ou moral. ♦ *Mettre bas* (vieilli) : poser à terre. *Mettre bas les armes*, les déposer ; fig. s'avouer vaincu. – sans compl. *Mettre bas* : accoucher (animaux supérieurs). – fam. *Bas les pattes !* : n'y touchez pas ! **2** (Dans un écrit) *Voir plus bas.* → **ci-dessous, infra.** **3** En dessous, dans l'échelle des sons. – À voix basse. – *Tout bas* : intérieurement, à part soi. **4** *À bas* (exclamation hostile). *À bas le fascisme !* **5** *En bas (de)* : vers le bas (de) ; en dessous (de).

② **bas** n. m. **1** Vêtement souple couvrant le pied et la jambe. – spécialt Vêtement féminin moulant qui couvre jusqu'au haut des cuisses. ♦ fig. *Bas de laine* : argent économisé. **2** (Canada) Chaussette.

**basalte** n. m. Roche volcanique noire. ► **basaltique** adj. *Orgues* basaltiques.*

**basane** n. f. Peau de mouton tannée.

**basané, ée** adj. (peau, teint) Brun ; hâlé.

**bas-bleu** n. m. péj. Intellectuelle pédante.

**bas-côté** n. m. **1** Nef latérale d'une église, moins haute que la nef principale. **2** Côté d'une voie, où l'on peut marcher. → **accotement.**

**bascule** n. f. **1** Pièce ou machine mobile sur un pivot, dont une extrémité se lève quand on abaisse l'autre. – *Fauteuil à bascule*, qui permet de se balancer. **2** Appareil à plate-forme, pour peser les objets lourds.

**basculer** v. 1 **1** v. intr. Faire un mouvement de bascule. ♦ Se renverser, tomber. **2** fig. Passer brusquement d'une situation à une autre. **3** v. tr. Faire basculer. ► **basculement** n. m.

**base** n. f. **I 1** Partie inférieure sur laquelle une chose porte, repose. ♦ (sans idée d'appui) Partie inférieure. *La base du crâne.* **2** géom. Droite ou plan à partir de quoi on mesure perpendiculairement une hauteur. **3** Point d'appui, de ravitaillement, etc. **II 1** Principal ingrédient (d'un mélange). **2** math. Nombre qui sert à définir un système de numération, etc. **3** chim. Substance susceptible de réagir avec un acide pour former un sel. **4** *Base de données* : ensemble structuré de données informatisées. **III** abstrait Principe fondamental sur lequel repose un raisonnement, un système, une institution. – *Être à la base de qqch.*, à l'origine, à la source. – *De base*, fondamental. *Vocabulaire de base.* **IV** Ensemble des militants (d'un parti, etc.) par rapport aux dirigeants. ♦ Masse des travailleurs.

**base-ball** [bɛzbol] n. m. Jeu de balle dérivé du cricket.

**baser** v. tr. 1 **I** abstrait Faire reposer sur (une base). – pronom. *Se baser sur* : se fonder sur. **II** Attacher à une base (militaire).

**bas-fond** n. m. **1** Partie du fond de la mer, d'un cours d'eau, peu profonde mais navigable. **2** Terrain bas et enfoncé. **3** fig. au plur. Couches misérables de la société.

**basic** n. m. (sigle) anglic. Langage informatique simple pour micro-ordinateurs.

**basidiomycètes** n. m. pl. Classe de champignons supérieurs (ex. amanite, bolet).

① **basilic** n. m. Grand lézard d'Amérique, à crête dorsale, voisin de l'iguane.

Ne pas confondre avec *basilique* «église».

② **basilic** n. m. Plante à feuilles aromatiques employée comme condiment. *Sauce au basilic.* → **pistou ; pesto.**

Ne pas confondre avec *basilique* «église».

**basilique** n. f. 1 Antiq. romaine Édifice rectangulaire à plusieurs nefs. 2 Église chrétienne à nefs parallèles. 3 Église privilégiée, dotée d'une dignité particulière.

Ne pas confondre avec *basilic* «lézard» et «plante».

**basin** n. m. 1 Étoffe croisée de fil et coton. 2 Tissu damassé en coton présentant des effets de bandes. *Boubou en basin.* – var. **bazin.**

**basique** adj. 1 chim. D'une base (II, 3). 2 anglic. De base, fondamental.

① **basket** [-ɛt] ou **basket-ball** [baskɛtbol] n. m. Jeu entre deux équipes de cinq joueurs qui doivent lancer un ballon dans le panier adverse. ► **basketteur, euse** n.

② **basket** [-ɛt] n. f. Chaussure de sport haute, souple, à semelle de caoutchouc.

**basmati** n. m. Riz indien très parfumé, aux grains longs et fins. – en appos. *Riz basmati.*

**basoche** n. f. fam., péj. Gens de justice.

**basquaise** adj. f. et n. f. Du Pays basque. – *À la basquaise* : avec des tomates, des poivrons et du jambon cru.

① **basque** n. f. Partie rapportée d'une veste, qui descend sur les hanches. – loc. fam. *Être pendu aux basques de qqn,* ne pas le quitter.

② **basque** adj. et n. Du Pays basque. ♦ n. m. *Le basque* (langue non indo-européenne, la plus ancienne d'Europe occidentale).

**bas-relief** n. m. Ouvrage de sculpture en faible saillie sur un fond uni.

**basse** n. f. 1 Partie faisant entendre les sons les plus graves des accords de l'harmonie. 2 Voix d'homme la plus grave. ♦ Chanteur qui a cette voix. 3 (jazz, rock) Contrebasse ; guitare basse.

**basse-cour** n. f. 1 Cour de ferme réservée à l'élevage de la volaille et des petits animaux. 2 L'ensemble de ces animaux.

**basse-fosse** → **cul-de-basse-fosse**

**bassement** adv. De manière basse, vile.

**bassesse** n. f. 1 Caractère bas, vil ; absence de dignité, de fierté. 2 Action basse ou servile. → **lâcheté.**

**basset** n. m. Chien courant bas sur pattes.

**basse-taille** n. f. mus. anc. → **basse** (2).

**bassin** n. m. I 1 Récipient portatif, souvent rond ou ovale. 2 Construction destinée à recevoir de l'eau. 3 Enceinte, partie d'un port où les navires sont à flot. *Bassin de radoub* (que l'on peut assécher). II 1 Territoire arrosé (par un fleuve). 2 Vaste dépression naturelle. *Le Bassin parisien.* 3 Groupement de gisements. III Ceinture osseuse qui forme la base du tronc.

**bassine** n. f. Bassin (I, 1) large et profond.

**bassiner** v. tr. [1] I Chauffer avec une bassinoire. II fam. Ennuyer, importuner.

**bassinet** n. m. vx Petit bassin. – loc. fam. *Cracher au bassinet* : donner de l'argent.

**bassinoire** n. f. Bassin rempli de braise qu'on passait dans un lit pour le chauffer.

**bassiste** n. 1 (jazz) Contrebassiste. 2 Joueur, joueuse de guitare basse.

**basson** n. m. 1 Instrument à vent en bois, à anche double. 2 Musicien qui joue de cet instrument (syn. **bassoniste** n.).

**basta** interj. fam. Ça suffit !, assez !

**bastide** n. f. 1 (dans le Midi) Village fortifié. 2 (en Provence) Maison de campagne.

**bastille** n. f. (au Moyen Âge) Ouvrage de fortification ; château fort. – spécialt *La Bastille* (à Paris, qui servit de prison d'État).

**bastingage** n. m. Parapet d'un navire.

**bastion** n. m. 1 Ouvrage de fortification en saillie. 2 fig. Ce qui défend, est le soutien (d'une idéologie...).

**baston** n. m. ou f. argot Bagarre.

**bastonnade** n. f. Coups de bâton.

**bastringue** n. m. fam. 1 vieilli Bal de guinguette. 2 Orchestre tapageur. ♦ Tapage, vacarme. 3 Choses, affaires. → **attirail, fourbi.**

**bas-ventre** n. m. Partie inférieure du ventre. – par euphémisme Parties génitales.

**bât** n. m. Dispositif que l'on met sur le dos des bêtes de somme pour le transport de leur charge. – loc. *C'est là que le bât blesse* : c'est là le point sensible, la difficulté.

**bataclan** n. m. fam. Attirail embarrassant. – loc. *Et tout le bataclan* : et tout le reste.

**bataille** n. f. 1 Combat entre deux armées. – *Bataille rangée,* où les troupes manœuvrent en rangs ; fig. mêlée générale. ♦ Épisode d'un conflit armé. 2 Échange de coups. → **bagarre.** ♦ fig. Lutte. 3 *En bataille* : de travers ; en désordre. 4 Jeu de cartes très simple. – *Bataille navale* (jeu de société).

**batailler** v. intr. [1] Se battre ; lutter.

**batailleur, euse** adj. et n. Qui aime se battre, se quereller. → **belliqueux, querelleur.**

**bataillon** n. m. 1 Unité militaire de l'infanterie groupant plusieurs compagnies. ♦ loc. fam. *Inconnu au bataillon* : totalement inconnu. 2 Grand nombre (de...).

**bâtard, arde** adj. **1** Né hors mariage. → **naturel ; illégitime.** – n. *Les bâtards de Louis XIV.* ♦ n. fam. Terme d'injure, à l'égard de qqn qu'on méprise. **2** Qui n'est pas de race pure. → **croisé.** *Chien bâtard* ou n. m. *un bâtard.* **3** fig. Qui tient de genres différents. **4** *Pain bâtard* ou n. m. *un bâtard* : pain d'une demi-livre.

**batardeau** n. m. Digue provisoire.

**bâtardise** n. f. État de bâtard.

**batave** adj. et n. vx ou plais. Habitant des Pays-Bas ; néerlandais.

**batavia** n. f. Laitue à feuilles ondulées.

**bateau** n. m. **1** Construction flottante destinée à la navigation. → **navire ; barque, bâtiment, embarcation, vaisseau.** – *Bateau-mouche* : bateau qui circule sur la Seine pour faire visiter Paris. *Des bateaux-mouches.* **2** La navigation de plaisance. *Faire du bateau.* **3** appos. En forme de bateau. *Lit bateau.* **4** Dépression du trottoir devant une porte cochère. **5** loc. fam. *Mener qqn en bateau,* inventer une histoire pour le tromper. – *Monter un bateau à qqn* (même sens). **6** adj. invar. Banal, rebattu.

**bateleur, euse** n. vieilli Personne qui fait des tours d'adresse, dans les foires, etc.

**batelier, ière** n. Personne qui conduit un bateau, sur les rivières et canaux. → **marinier.**

**batellerie** n. f. **1** Industrie du transport fluvial. **2** Ensemble des bateaux de rivière.

**bâter** v. tr. [1] Mettre un bât à (un animal). ♦ (au p. p.) loc. fig. *Âne bâté* : ignorant.

**bat-flanc** n. m. invar. **1** Cloison en bois, dans une écurie. **2** Lit de planches.

**bathymétrie** n. f. didact. Mesure des profondeurs marines.

**bathyscaphe** n. m. Appareil habitable pour l'observation des profondeurs marines.

① **bâti** n. m. **1** Assemblage de montants et de traverses ; support d'une machine. **2** Couture provisoire à grands points.

② **bâti, ie** adj. **1** Sur quoi est construit un bâtiment. **2** (personnes) *Bien, mal bâti* : bien, mal fait.

**batifoler** v. intr. [1] S'amuser, folâtrer.

**batik** n. m. Technique artisanale de décoration des tissus à base de dessins à la cire.

**bâtiment** n. m. **1** Ensemble des industries et métiers qui concourent à la construction des édifices. **2** Construction assez grande. → **bâtisse, édifice. 3** Gros bateau.

**bâtir** v. tr. [2] **1** Élever sur le sol, à l'aide de matériaux assemblés. → **construire, édifier. 2** Assembler avec un bâti (①, 2). → **faufiler.**

**bâtisse** n. f. Grand bâtiment (2).

**bâtisseur, euse** n. Personne qui bâtit.

**batiste** n. f. Toile de lin très fine.

**bâton** n. m. **1** Long morceau de bois rond que l'on peut tenir à la main. – *Bâton de vieillesse,* servant d'appui ; fig. soutien d'un vieillard. ♦ (Servant à frapper) → **gourdin, matraque, trique.** ♦ (Symbole d'autorité) loc. *Bâton de maréchal,* couronnement d'une carrière. **2** loc. *Mener une vie de bâton de chaise,* une vie déréglée. – *Mettre des bâtons dans les roues* : susciter des obstacles. – *Parler à bâtons rompus,* de manière peu suivie. **3** Objet en forme de bâton. **4** Trait vertical. **5** fam. Somme de un million de centimes. → **brique.**

**bâtonner** v. tr. [1] Frapper avec un bâton.

**bâtonnet** n. m. **1** Petit bâton. **2** physiol. Cellule nerveuse de la rétine.

**bâtonnier** n. m. Avocat élu par ses confrères pour être le président de l'Ordre.

**batracien** n. m. vieilli → **amphibien.**

**battage** n. m. **I** Action de battre (I, 3). **II** fig. Publicité tapageuse, exagérée.

① **battant** n. m. **1** Pièce métallique à l'intérieur d'une cloche, qui vient frapper ses parois. **2** Partie d'un panneau double (porte...) mobile sur des gonds.

② **battant, ante** adj. dans des expr. Qui bat. *Pluie battante,* très violente. – *Le cœur battant* : avec émotion. – *Tambour battant* : au son du tambour ; fig. rapidement, rondement.

③ **battant, ante** n. Personne combative.

**batte** n. f. Instrument pour battre, tasser, etc. ♦ (cricket, base-ball...) Bâton pour renvoyer la balle.

**battement** n. m. **1** Choc ou mouvement de ce qui bat ; bruit qui en résulte. **2** Mouvement alternatif de contraction et de dilatation du cœur. **3** Intervalle de temps.

**batterie** n. f. **I** Réunion de pièces d'artillerie et du matériel nécessaire à leur service ; emplacement destiné à les recevoir. – (au plur.) loc. *Dévoiler ses batteries,* ses intentions cachées. **II 1** *Batterie de cuisine* : ustensiles de métal servant à faire la cuisine. **2** Ensemble, série d'éléments. ♦ Réunion de générateurs de courant électrique. ♦ *Élevage en batterie,* en grand nombre. **III** Ensemble des instruments à percussion d'un orchestre. – Instrument à percussion complexe.

**batteur, euse** n. **I** Personne qui tient la batterie, joue de la batterie. **II** n. m. Ustensile ménager pour battre, mêler.

**batteuse** n. f. Machine qui sert à égrener des céréales, des plantes fourragères.

**battoir** n. m. **1** Instrument qui sert à battre (les tapis...). **2** fig., fam. Main large.

**battre** v. [41] **I** v. tr. dir. **1** Frapper à plusieurs reprises (un être vivant). ♦ loc. fig. *Se battre les flancs* : faire des efforts inutiles. – vulg. *Je m'en bats les couilles,* fam. *l'œil* : je m'en moque. **2** Avoir le dessus sur (un adversaire). **3** Frapper (qqch.) avec un instrument. *Battre le blé. Battre l'or* (en feuilles minces). - loc. *Battre le fer pendant qu'il est chaud :* profiter sans tarder d'une occasion favorable. - fig. *Battre froid à qqn,* le traiter avec froideur. *Elle lui bat froid.* **4** Frapper sur ou dans (qqch.) pour remuer, agiter. - *Battre les cartes,* les mélanger. **5** Parcourir pour rechercher, explorer. *Battre la campagne.* - *Battre le pavé :* errer par les rues. **6** *Battre la mesure :* indiquer le rythme. **7** loc. *Battre pavillon* (+ adj.) : naviguer sous un pavillon (de telle nationalité). - *Battre son plein**. **II** v. intr. **1** Produire des mouvements répétés. *Battre des mains.* **2** Être animé de mouvements répétés. *Son pouls bat vite.* ▷ v. pron. se **battre** **1** récipr. Lutter, se donner des coups. **2** réfl. Combattre (qqn). - fig. *Se battre pour un idéal.* ▷ adj. **battu, ue** **1** Qui a reçu des coups. ♦ fig. *Yeux battus,* cernés. **2** Qui est vaincu. **3** Frappé avec un instrument.

**battue** n. f. Action de battre les taillis, les bois pour en faire sortir le gibier.

**batture** n. f. (Canada) Partie du rivage que la marée basse laisse à découvert. → **estran.**

**baudet** n. m. fam. Âne.

**baudrier** n. m. Bandoulière qui soutient une arme. ♦ Harnais d'alpiniste, etc.

**baudroie** n. f. Grand poisson de mer à grosse tête, à chair estimée (syn. *lotte*).

**baudruche** n. f. **1** Pellicule provenant de l'intestin du bœuf ou du mouton. **2** Fine pellicule de caoutchouc. ♦ Ballon de cette matière. **3** fig. Personne sans consistance.

**bauge** n. f. Gîte fangeux (du porc...).

**baume** n. m. **1** Résine odoriférante tirée de certaines plantes (→ **balsamique**). **2** Préparation médicamenteuse calmante et cicatrisante. ♦ fig. Ce qui apaise, réconforte. *Cela me met du baume au cœur.*

**bauxite** n. f. Roche siliceuse, principal minerai d'aluminium.

**bavard, arde** adj. et n. **1** Qui aime à parler, parle avec abondance. **2** Qui ne sait pas tenir un secret, bavarde (2).

**bavardage** n. m. **1** Action de bavarder. **2** Propos de bavard. → **verbiage ; racontar.**

**bavarder** v. intr. [1] **1** Parler beaucoup. **2** Divulguer des choses qu'on devrait taire.

**bavarois, oise** **1** adj. et n. De Bavière. **2** *Bavarois(e)* n. m. et f. : entremets froid en gelée.

**bavasser** v. intr. [1] fam. et péj. Bavarder.

**bave** n. f. **1** Salive qui s'écoule de la bouche, ou de la gueule de certains animaux. **2** Sécrétion visqueuse de certains mollusques. **3** fig. Propos méchant.

**baver** v. intr. [1] **1** Laisser couler de la bave. - fig., fam. *Il en bave d'envie.* **2** fam. *En baver :* peiner, souffrir. **3** *Baver sur,* médire. **4** (sujet chose) Se répandre, couler.

**bavette** n. f. **I** **1** Bavoir. **2** Haut d'un tablier, etc., qui couvre la poitrine. **3** Partie inférieure de l'aloyau. **II** loc. fam. *Tailler une bavette :* bavarder (avec qqn).

**baveux, euse** adj. **1** Qui bave (1). **2** *Omelette baveuse,* peu cuite, moelleuse.

**bavoir** n. m. Pièce de lingerie qui protège la poitrine des bébés.

**bavolet** n. m. ancienn<sup></sup>t Coiffure de paysanne couvrant les côtés et l'arrière de la tête.

**bavure** n. f. **1** Trace laissée par un moule. **2** Trace d'encre sur un dessin, etc. - loc. fam. *Sans bavure(s) :* parfaitement exécuté, impeccable ; impeccablement. **3** Erreur fâcheuse. *Bavure policière.*

**bayadère** [-aj-] n. f. Danseuse sacrée de l'Inde.

**bayer** [baje] v. intr. [1] littér. → **béer.** - loc. *Bayer aux corneilles :* rêvasser.

> Ne pas confondre avec le verbe de l'expression *vous me la baillez belle* ni avec *bâiller* «ouvrir la bouche».

**bayou** [baju] n. m. (Louisiane) Eaux peu profondes à faible courant ou stagnantes.

**bazar** n. m. **1** Marché public, en Orient. → **souk.** **2** Magasin où l'on vend toutes sortes d'objets. **3** fig., fam. Lieu en désordre.

**bazarder** v. tr. [1] fam. Se débarrasser, se défaire rapidement de (qqch.).

**bazin** n. m. → **basin**

**bazooka** [-zu-] n. m. Lance-roquettes antichar.

**B. C. B. G.** adj. (sigle) Bon chic* bon genre.

**B. C. G.** n. m. (n. déposé ; sigle) Vaccin antituberculeux.

**B. D.** n. f. (abrév.) fam. Bande* dessinée. - var. **BD, bédé.**

**beach-volley** [bitʃvolɛ] n. m. anglic., sports Volley-ball de plage, à deux équipes de deux joueurs.

**beagle** [bigl] n. m. Basset à jambes droites.

**béant, ante** adj. littér. Grand ouvert. *Bouche béante.* → **bée.** - Qui ouvre grand la bouche. *Béant d'admiration.* ► **béance** n. f. littér.

**béarnais, aise** **1** adj. et n. Du Béarn. **2** *Sauce béarnaise* ou n. f. *béarnaise :* sauce épaisse au beurre et aux œufs.

**béat, ate** adj. Qui exprime une satisfaction tranquille. ► **béatement** adv.

**béatification** n. f. Acte pontifical par lequel une personne défunte est mise au rang des bienheureux. ► **béatifier** v. tr. [7]

**béatitude** n. f. **1** théol. Félicité parfaite des élus au paradis. **2** Bonheur parfait.

① **beau** (ou **bel** devant voyelle ou *h* muet et dans des locutions), **belle** adj. **I** Qui fait éprouver une émotion esthétique ; qui plaît à l'œil. → **joli, magnifique, ravissant, splendide, superbe** ; s'oppose à *laid*. **II** Qui fait naître un sentiment d'admiration ou de satisfaction (s'oppose à *mauvais, médiocre*). **1** Remarquable, admirable. *Un beau talent.* – *Un beau geste.* → **bon, généreux. 2** Très satisfaisant, très réussi. *Un beau voyage.* ♦ (temps) Clair, ensoleillé. **3** Qui est grand ou important. *Un beau poulet. Un bel appétit.* **4** iron. Mauvais, vilain. *C'est du beau travail !* **5** *Avoir beau* (+ inf.) : s'efforcer en vain de. – *On a beau dire* : quoi qu'on dise. **6** *Bel et bien* loc. adv. : réellement, véritablement. – *De plus belle* : de nouveau et encore plus fort. **III** n. → ② **beau ; belle.**

② **beau** n. m. **I** Ce qui fait éprouver une émotion esthétique, un sentiment d'admiration. → **beauté. II 1** *Un vieux beau* : un vieil homme coquet. **2** loc. *Faire le beau*, se dresser sur ses pattes postérieures (chien) ; fig. (personnes) frimer.

**beaucoup** adv. **1** *Beaucoup de* : un grand nombre, une grande quantité, un haut degré de. **2** nominal De nombreuses choses, personnes. *Beaucoup vinrent. Avoir beaucoup à faire.* – *De beaucoup* : avec une grande différence. **3** avec un verbe En grande quantité ; intensément. *Travailler beaucoup.* **4** avec un compar. *C'est beaucoup mieux.*

**beauf** n. fam. **1** n. m. Beau-frère. **2** péj. Français moyen étroit d'esprit et phallocrate.

**beau-fils** [-fis] n. m. **1** Fils que l'autre conjoint a eu précédemment. **2** Gendre.

**beau-frère** n. m. **1** Frère du conjoint, pour l'autre conjoint. **2** Mari de la sœur ou de la belle-sœur de qqn.

**beaujolais** n. m. Vin du Beaujolais.

**beau-père** n. m. **1** Père du conjoint, pour l'autre conjoint. **2** Second mari de la mère, pour les enfants d'un premier lit.

**beaupré** n. m. mar. Mât d'avant, oblique.

**beauté** n. f. **I 1** Caractère de ce qui est beau (I). *Étude de la beauté.* → **esthétique. 2** Qualité d'une personne belle. – loc. *La beauté du diable* : la beauté de la jeunesse. **3** *Une beauté* : une femme très belle. **4** au plur. *Les beautés* : les belles choses (d'un lieu, d'une œuvre...). **II** Caractère de ce qui est moralement admirable. – *Pour la beauté du geste* : dans un esprit désintéressé.

**beaux-arts** [boz-] n. m. pl. Arts qui ont pour objet la représentation du beau et, spécialt, du beau plastique (peinture, etc.).

**beaux-parents** n. m. pl. Le père et la mère du conjoint.

**bébé** n. m. **1** Enfant très jeune, en bas âge. – loc. *Jeter le bébé avec l'eau du bain* : rejeter en bloc qqch., sans tenir compte d'aspects positifs. **2** Très jeune animal (avec un nom en appos.). *Des bébés phoques.*

**bébé-éprouvette** n. m. Bébé conçu par fécondation in vitro. *Des bébés-éprouvette.*

**bébête** fam. **1** adj. Un peu bête. **2** n. f. Petite bête.

**be-bop** [bibɔp] n. m. Style de jazz développé au début des années 1940. *Des be-bops.*

**bec** n. m. **1** Bouche cornée et saillante des oiseaux, démunie de dents. ♦ Bouche cornée (des tortues, etc.). **2** loc. fam. *Être le bec dans l'eau*, dans l'incertitude. – *Se défendre bec et ongles*, par tous les moyens. ♦ *Ouvrir le bec*, la bouche (pour parler, manger). – *Prise de bec* : dispute. **3** (Belgique, Suisse, Canada) fam. Baiser. **4** Extrémité terminée en pointe. ♦ Embouchure de certains instruments à vent. **5** Brûleur à gaz. – ancienn *Bec de gaz* : réverbère à gaz. – loc. fam. *Tomber sur un bec* : rencontrer un obstacle.

**bécane** n. f. fam. **1** Machine, spécialt ordinateur. **2** Bicyclette, cyclomoteur ou moto.

**bécarre** n. m. Signe de musique (♮) placé devant une note modifiée par un dièse ou un bémol, pour la rétablir dans un ton naturel.

**bécasse** n. f. **1** Échassier migrateur, à chair très estimée. **2** fam. Femme sotte.

**bécassine** n. f. **1** Échassier migrateur de petite taille, aux pattes dénudées. **2** fam. Jeune fille niaise.

**bec-de-cane** n. m. Pêne d'une serrure qui rentre lorsqu'on manœuvre le bouton, la poignée. – Cette poignée. *Des becs-de-cane.*

**bec-de-lièvre** n. m. Malformation congénitale de la face, fissure de la lèvre supérieure. *Des becs-de-lièvre.*

**béchamel** n. f. Sauce blanche au lait.

**bêche** n. f. Outil de jardinage fait d'un fer large, plat et tranchant adapté à un manche.

**bêcher** v. tr. [1] Fendre, retourner (la terre) à la bêche.

**bêcheur, euse** n. Personne prétentieuse.

**bécot** n. m. fam. Baiser affectueux.

**bécoter** v. tr. [1] fam. Donner des bécots. – pronom. S'embrasser. – var. **bécotter.**

**becquée** ou **béquée** n. f. Nourriture qu'un oiseau prend dans son bec.

**becquerel** n. m. phys. Unité de mesure d'activité radioactive (symb. Bq).

**becquet** n. m. → **béquet**

**becquetance** n. f. fam. Nourriture. – var. **bectance.**

**becqueter** v. tr. [4] **1** Piquer avec le bec. → **picorer. 2** fam. Manger. – var. **becter** [1]

**bedaine** n. f. fam. Gros ventre.

**bédé** n. f. → **B. D.**

**bedeau** n. m. Employé laïque préposé au service d'une église. → **sacristain.**

**bedon** n. m. fam. Ventre rebondi.

**bedonner** v. intr. [1] fam. Avoir du ventre. ► **bedonnant, ante** adj.

**bédouin, ine** n. Arabe nomade du désert.

**bée** adj. (de *béer*) *Bouche bée :* la bouche ouverte (d'admiration, d'étonnement...).

**béer** v. intr. [1] littér. Ouvrir grand la bouche.

**beffroi** n. m. région. Tour, clocher.

**bégaiement** n. m. Trouble de la parole, répétition de syllabes et arrêt involontaire du débit.

**bégayer** v. intr. [8] **1** Souffrir de bégaiement. **2** S'exprimer d'une manière maladroite, hésitante. – trans. *Bégayer une excuse.* → **balbutier.** ► **bégayant, ante** adj.

**bégonia** n. m. Plante originaire d'Amérique tropicale, cultivée pour ses fleurs.

**bègue** adj. et n. (Personne) qui bégaie.

**bégueule** adj. et n. D'une pruderie affectée.

**béguin** n. m. **I** anciennt Coiffe (d'abord, de béguine). **II 1** Amour vif et passager. **2** Personne qui en est l'objet.

**béguinage** n. m. Couvent de béguines.

**béguine** n. f. (en Belgique, aux Pays-Bas) Religieuse qui n'a pas prononcé de vœux perpétuels.

**bégum** [-ɔm] n. f. Princesse indienne.

**behaviorisme** [bievjɔʀism ; beav-] n. m. didact. Théorie qui limite la psychologie à l'observation du comportement. ► **behavioriste** adj. et n.

**beige** adj. D'un brun très clair.

**beigne I** n. f. fam. Coup, gifle. **II** n. m. (Canada) Pâtisserie faite de pâte frite saupoudrée de sucre.

**beignet** n. m. Préparation de pâte frite enveloppant un aliment. ♦ Mets sucré fait de pâte frite.

**béké** n. Créole né aux Antilles françaises.

**bel** adj. et adv. → ① **beau**

**bel canto** n. m. invar. L'art du chant, selon les traditions de l'opéra italien.

**bêler** v. intr. [1] **1** Pousser un bêlement. **2** Se plaindre niaisement. ► **bêlant, ante** adj. ► **bêlement** n. m.

**belette** n. f. Petit mammifère carnassier, bas sur pattes, de couleur fauve.

**belge** adj. et n. De Belgique. → **flamand, wallon.** – n. *Les Belges.*

**belgicisme** n. m. ling. Particularité du français de Belgique.

**bélier** n. m. **I 1** Mâle non châtré de la brebis. **2** hist. Machine de guerre servant à enfoncer des murailles. **3** techn. Machine à enfoncer les pieux. → **mouton.** ♦ Machine hydraulique. **II** Premier signe du zodiaque (21 mars-20 avril). – *Elles sont Bélier.*

**bélître** n. m. vx Vaurien (terme d'injure).

**belladone** n. f. Plante vénéneuse à baies noires, utilisée en médecine.

**bellâtre** n. m. Bel homme fat et niais.

**belle** n. f. **I** Belle femme ou jeune fille. **II** Partie qui doit départager deux joueurs à égalité. **III** loc. fam. *Se faire la belle :* s'évader.

**belle-de-jour** n. f. Liseron. *Des belles-de-jour.*

**belle-de-nuit** n. f. Plante à grandes fleurs qui s'ouvrent le soir. *Des belles-de-nuit.*

**belle-famille** n. f. Famille du conjoint.

**belle-fille** n. f. **1** Fille que l'autre conjoint a eue auparavant. **2** Épouse du fils. → **bru.**

**belle-mère** n. f. **1** Mère de l'autre conjoint. **2** Seconde femme du père, pour les enfants d'un premier lit. → vx **marâtre.**

**belles-lettres** n. f. pl. vieilli La littérature (du point de vue esthétique).

**belle-sœur** n. f. **1** Sœur du conjoint, pour l'autre conjoint. **2** Femme du frère ou du beau-frère de qqn.

**belliciste** adj. et n. Qui pousse à la guerre. ► **bellicisme** n. m.

**belligérant, ante** adj. et n. m. (État) en guerre. ► **belligérance** n. f.

**belliqueux, euse** adj. **1** Qui aime la guerre, excite à la guerre. **2** Agressif.

**belluaire** n. m. Antiq. Gladiateur qui combattait des fauves. → ① **bestiaire.**

**belon** n. m. Variété d'huître plate, très savoureuse.

**belote** n. f. Jeu de cartes à combinaisons.

**bélouga** ou **béluga** [beluga] n. m. **1** Mammifère cétacé des eaux arctiques. **2** Variété d'esturgeon. – Caviar de cet esturgeon, très apprécié.

**belvédère** n. m. Construction en un lieu élevé, d'où la vue s'étend au loin.

**bémol** n. m. Signe musical (♭) baissant d'un demi-ton la note devant laquelle il est placé.

**ben** [bɛ̃] adv. **1** rural Bien. **2** fam. Eh bien.

**bénédicité** n. m. Prière catholique prononcée avant le repas.

**bénédictin, ine** n. **I** Religieux, religieuse de l'ordre de saint Benoît. – loc. *Travail de bénédictin,* qui exige de l'érudition et du soin. **II** n. f. (nom déposé) Liqueur fabriquée à l'origine dans un couvent de bénédictins.

**bénédiction** n. f. **1** Grâce, faveur accordée par Dieu. **2** Action du prêtre qui bénit (qqn, qqch.). **3** (Approbation, protection...) *Donner sa bénédiction à qqn.*

**bénéfice** n. m. **I 1** littér. Avantage. – loc. *Le bénéfice du doute* (quand on doute de la culpabilité). – *Au bénéfice de :* au profit de. **2** hist. Patrimoine attaché à une dignité ecclésiastique. **3** dr. Faveur, privilège que la loi accorde à qqn. *Le bénéfice des circonstances atténuantes.* **II** Gain réalisé dans une opération, une entreprise. → **profit.**

**bénéficiaire 1** n. Personne qui bénéficie (d'un avantage...). **2** adj. Relatif au bénéfice (II).

**bénéficier** v. [7] *Bénéficier de* v. tr. ind. : profiter de (un avantage).

**bénéfique** adj. Qui fait du bien.

**benêt** n. m. Homme, garçon niais.

**bénévole** adj. **1** Qui fait qqch. sans obligation et gratuitement. – n. *Des bénévoles.* **2** Fait gratuitement et sans obligation. ► **bénévolement** adv. ► **bénévolat** n. m.

**bengali, ie** [bɛ̃-] **I** n. m. Petit oiseau passereau au plumage brun tacheté de couleurs vives. **II** adj. et n. Du Bengale.

**béni, ie** adj. Qui a été béni (I, 1).

> Ne pas confondre avec *bénit* (par le prêtre).

**bénin, igne** adj. **1** littér. Bienveillant, indulgent. **2** Sans conséquence grave. *Tumeur bénigne* (opposé à *maligne*). ► **bénignité** n. f. littér. ou didact.

**bénir** v. tr. [2] **I 1** (Dieu) Répandre sa bénédiction sur. **2** Appeler la bénédiction de Dieu sur (qqn, qqch.). **3** Souhaiter solennellement bonheur, etc. à (qqn). **II 1** Louer, glorifier (Dieu). **2** Glorifier, remercier (qqn, qqch.).

**bénit, ite** adj. (choses) Qui a reçu la bénédiction rituelle du prêtre. – loc. *C'est pain bénit :* c'est parfait, mérité.

> Ne pas confondre avec *béni* (de Dieu).

**bénitier** n. m. Vasque pour l'eau bénite. ♦ loc. fam. *Grenouille de bénitier :* bigote.

**benjamin, ine** [bɛ̃-] n. Le, la plus jeune (d'une famille, d'un groupe).

**benjoin** [bɛ̃-] n. m. Résine balsamique.

**benne** n. f. **1** Caisse servant au transport de matériaux dans les mines, etc. **2** Partie basculante d'un camion. – Le camion. *Benne à ordures.* **3** Cabine de téléphérique.

**benoît, oîte** adj. vieilli Doucereux. ► **benoîtement** adv.

**benthique** [bɛ̃-] adj. didact. Relatif au fond des eaux ; qui vit au fond des eaux.

**benthos** [bɛ̃tos] n. m. didact. Ensemble des organismes qui vivent au fond des eaux.

**bento** [bɛnto]n. m. Repas japonais transporté dans un coffret compartimenté. ♦ Coffret contenant ce repas.

**benzène** [bɛ̃-] n. m. Hydrocarbure, liquide incolore, inflammable, extrait des goudrons de houille. ► **benzénique** adj.

**benzine** [bɛ̃-] n. f. Benzol purifié, employé comme détachant.

**benzol** [bɛ̃-] n. m. Mélange d'hydrocarbures (benzène, toluène et xylène).

**béotien, enne** n. et adj. **I** hist. De Béotie. **II** Lourd, grossier, inculte.

**B. E. P.** n. m. (sigle) (en France) Brevet d'études professionnelles.

**B. E. P. C.** n. m. (sigle) (en France) anciennt Brevet d'études du premier cycle. → **brevet.**

**béquée** n. f. → **becquée**

**béquet** ou **becquet** n. m. imprim. Petit papier écrit qu'on ajoute à une épreuve.

**béquille** n. f. **1** Bâton surmonté d'une traverse sur laquelle on s'appuie pour marcher. **2** Dispositif de soutien, de support.

**ber** [bɛʀ] n. m. mar. Charpente soutenant un bateau en construction.

**berbère** adj. et n. Du peuple autochtone d'Afrique du Nord (ex. kabyle, touareg). ♦ n. m. Langue sémitique des Berbères.

**bercail** n. m. sing. plais. Foyer, pays (natal).

**berceau** n. m. **I 1** Petit lit de bébé (que l'on peut balancer). ♦ littér. La petite enfance. **2** Lieu d'origine (de qqn, d'une institution...). **II 1** archit. Voûte en plein cintre. **2** Support d'un moteur.

**bercement** n. m. Action de bercer.

**bercer** v. tr. [3] **1** Balancer dans un berceau. ♦ Balancer doucement. **2** passif et p. p. littér. *Être bercé, ée de, par,* imprégné, nourri de (qqch.). **3** littér. Apaiser, consoler. *Bercer sa peine.* **4** littér. Leurrer, tromper.

**berceuse** n. f. Chanson, musique pour endormir un enfant.

**béret** n. m. Coiffure souple, ronde et plate.

**bergamote** n. f. **1** Variété de poire fondante. **2** Fruit acide (agrume) du *bergamotier.* **3** Bonbon à la bergamote (2).

① **berge** n. f. Bord relevé (d'un cours d'eau, etc.). → **rive ; talus.**

② **berge** n. f. fam. Année (d'âge).

**berger, ère** n. **1** Personne qui garde les moutons. **2** n. m. Chien de berger.

**bergère** n. f. Fauteuil large, à coussin.

**bergerie** n. f. **1** Lieu, bâtiment où l'on abrite les moutons. – loc. *Enfermer le loup dans la bergerie,* laisser qqn dans un lieu où il peut faire du mal. **2** Poème pastoral.

**bergeronnette** n. f. Passereau à longue queue qui vit au bord de l'eau.

**béribéri** n. m. Maladie due au manque de vitamine B.

**berline** n. f. **1** Automobile à quatre portes et quatre glaces latérales. **2** Chariot pour le transport de la houille, dans les mines.

**berlingot** n. m. **1** Bonbon aromatisé, en forme de tétraèdre. **2** Emballage pour les liquides, de cette forme.

**berlue** n. f. fam. *Avoir la berlue,* des visions.

**berme** n. f. **1** Chemin laissé entre une levée et le bord d'un canal ou d'un fossé. **2** (Belgique, Suisse) Séparateur axial au centre d'une route.

**bermuda** n. m. Short long (au genou).

**bernache** ou **bernacle** n. f. **1** Petite oie sauvage. **2** Anatife (crustacé marin).

**bernard-l'hermite** ou **bernard-l'ermite** n. m. invar. Crustacé qui loge dans une coquille vide de gastéropode.

en **berne** loc. adj. (pavillon) Hissé à mi-mât, en signe de deuil, de détresse. ♦ fig. *Moral en berne,* très bas. – *Croissance en berne,* en baisse.

**berner** v. tr. [1] Tromper en ridiculisant.

**bernicle** ou **bernique** n. f. Patelle.

**béryl** n. m. Pierre précieuse, silicate d'aluminium et de béryllium. → **aigue-marine, émeraude.**

**béryllium** [beʀiljɔm] n. m. Élément (symb. Be), métal gris, dur et léger.

**besace** n. f. Sac long, ouvert par le milieu et dont les extrémités forment deux poches.

**besant** n. m. **1** hist. Monnaie byzantine. **2** archit. Ornement en forme de disque saillant.

**bésef** ou **bézef** adv. fam. Beaucoup.

**besicles** [bezikl ; bəzikl] n. f. pl. vx ou plais. Lunettes. – var. **bésicles.**

**besogne** n. f. Travail imposé (par la profession, etc.). – loc. *Aller vite en besogne,* travailler rapidement ; fig. brûler les étapes.

**besogner** v. intr. [1] Travailler péniblement.

**besogneux, euse** adj. **1** littér. Qui est dans le besoin. **2** Qui travaille péniblement.

**besoin** n. m. **I 1** Exigence née de la nature ou de la vie sociale. → **appétit, envie.** *Besoin d'affection.* – *Les besoins naturels,* la nécessité d'uriner, d'aller à la selle. ♦ loc. *Pour les besoins de la cause* (qu'on défend). **2** loc. *Avoir besoin de qqn, qqch.* ; *de* (+ inf.) ; *que* (+ subj.) : ressentir la nécessité de. ♦ littér. *Il est besoin de* (+ inf.) : il est nécessaire de. – *Si besoin est :* si cela est nécessaire. ♦ *Au besoin* loc. adv. : en cas de nécessité. **II** État de privation. → **dénuement, gêne ; pauvreté.** *Être dans le besoin.*

**besson, onne** n. région. Jumeau, jumelle.

① **bestiaire** n. m. Antiq. Gladiateur qui combattait les bêtes féroces. → **belluaire.**

② **bestiaire** n. m. Recueil de fables, de textes sur les animaux.

**bestial, ale, aux** adj. Qui tient de la bête, assimile à la bête. ► **bestialement** adv.

**bestialité** n. f. **1** Caractère bestial. **2** vieilli Zoophilie.

**bestiaux** n. m. pl. Ensemble des animaux qu'on élève dans une ferme (à l'exclusion des animaux de basse-cour). → **bétail.**

**bestiole** n. f. Petite bête ; spécialt insecte.

**best-seller** [bɛstsɛlœʀ] n. m. anglic. Livre qui a obtenu un grand succès. *Des best-sellers.*

① **bêta** n. m. Deuxième lettre de l'alphabet grec (β, ϐ).

② **bêta, asse** n. et adj. fam. Niais.

**bétail** n. m. sing. Ensemble des animaux élevés pour la production agricole. → **bestiaux, cheptel.** *Le gros bétail* (bovins, chevaux). *Le petit bétail* (ovins, porcins).

**bétaillère** n. f. Véhicule servant à transporter le bétail.

**bête I** n. f. **1** Tout être animé, à l'exception de l'homme. → **animal.** – loc. *Bête à bon Dieu :* coccinelle. **2** loc. *Chercher la petite bête,* être critique à l'excès. – *C'est sa bête noire,* il déteste cette personne, cette chose. – *Comme une bête :* avec acharnement. **3** Personne dominée par ses instincts. «*La Bête humaine*» (roman de Zola). **4** Personne inintelligente. **II** adj. **1** Qui manque d'intelligence. → **idiot, imbécile. 2** (choses) Qui indique la bêtise ; stupide.

**bétel** n. m. Mélange de feuilles d'un poivrier exotique, de tabac, de noix d'arec, mâché dans les régions tropicales.

**bêtement** adv. D'une manière bête, stupide. ♦ loc. *Tout bêtement,* tout simplement.

**bêtifier** v. intr. [7] Dire des bêtises. ► **bêtifiant, iante** adj.

**bêtise** n. f. **I 1** Manque d'intelligence et de jugement. **2** Action ou parole sotte ou maladroite. **3** Action, parole, chose futile. → **broutille. 4** Action déraisonnable. **II** *Bêtise de Cambrai :* berlingot à la menthe.

**bêtisier** n. m. → **sottisier.**

**béton** n. m. Matériau de construction, mélange de mortier et de gravier. *Béton armé.* ♦ loc. adj. fig. *En béton :* inébranlable.

**bétonner** v. tr. [1] Construire en béton. ♦ fig. Rendre solide, sûr. ▷ adj. **bétonné, ée**

**bétonnière** n. f. Machine à cuve tournante, pour faire le béton. – syn. **bétonneuse.**

**bette** ou **blette** n. f. Plante proche de la betterave, dont on mange les feuilles et les côtes.

**betterave** n. f. Plante cultivée à racine épaisse. *Betterave fourragère ; potagère* (rouge et sucrée) ; *sucrière.*

**betteravier, ière 1** adj. De la betterave. **2** n. m. Producteur de betteraves sucrières.

**beugler** v. intr. [1] **1** (bovins) Pousser des cris. → **meugler. 2** fig. Produire un son puissant désagréable. ► **beuglement** n. m.

**beur** n. fam. Personne née en France de parents immigrés maghrébins. – **au fém.** *Une beur* ou *une beurette.*

**beurre** n. m. **1** Corps gras alimentaire onctueux qu'on obtient en battant la crème du lait. - *Beurre noir* : beurre fondu noirci à la cuisson. - loc. *Œil au beurre noir,* poché. ♦ loc. fam. *Mettre du beurre dans les épinards,* améliorer sa situation financière. - *Faire son beurre,* s'enrichir. **2** *Beurre de...,* pâte formée d'une substance mêlée à du beurre. **3** Substance grasse extraite de végétaux.

**beurrer** v. tr. [1] Recouvrir de beurre. ▷ adj. **beurré, ée 1** *Tartine beurrée.* **2** fam. Ivre.

**beurrier** n. m. Récipient pour le beurre.

**beuverie** n. f. Réunion où l'on s'enivre.

**bévue** n. f. Méprise, erreur grossière due à l'ignorance ou à l'inadvertance. → **impair.**

**bey** n. m. hist. Titre de souverains vassaux du sultan ou de hauts fonctionnaires turcs.

**bézef** adv. → **bésef**

**biais** n. m. **1** Ligne, direction oblique. - (dans un tissu) Sens de la diagonale par rapport au droit fil. ♦ loc. adv. *De biais, en biais* : obliquement, de travers. **2** fig. Côté, aspect. ♦ Moyen détourné, artificieux.

**biaiser** v. intr. [1] User de moyens détournés.

**bibelot** n. m. Petit objet décoratif.

**biberon** n. m. Bouteille munie d'une tétine, pour nourrir un bébé.

**biberonner** v. [1] **I** v. tr. Nourrir au biberon. **II** v. intr. fam. Boire de l'alcool avec excès.

① **bibi** n. m. fam. Petit chapeau de femme.

② **bibi** pron. fam. Moi.

**bibine** n. f. Mauvaise boisson.

**bible** n. f. **1** (avec maj.) Recueil des textes de l'Ancien et du Nouveau Testament. **2** Le livre lui-même. **3** Ouvrage faisant autorité.

**bibliobus** [-bys] n. m. Véhicule aménagé en bibliothèque de prêt.

**bibliographie** n. f. **1** Liste des écrits relatifs à un sujet. **2** Science des documents écrits, des livres. ► **bibliographe** n. ► **bibliographique** adj.

**bibliophile** n. Personne qui aime, recherche et conserve avec soin les livres rares, précieux. ► **bibliophilie** n. f.

**bibliothécaire** n. Personne préposée à une bibliothèque.

**bibliothèque** n. f. **1** Meuble servant à ranger et classer des livres. **2** Salle, édifice où sont classés des livres, pour la lecture ou pour le prêt. **3** Collection de livres.

**biblique** adj. Relatif à la Bible. - loc. *D'une simplicité biblique,* très simple.

**bicarbonate** n. m. Carbonate acide. *Bicarbonate de soude* (de sodium).

**bicentenaire 1** adj. Qui a deux cents ans. **2** n. m. Deux centième anniversaire.

**bicéphale** adj. Qui a deux têtes, ou fig. deux directions, deux chefs.

**biceps** [-ɛps] n. m. Muscle du bras qui gonfle quand on fléchit celui-ci.

**biche** n. f. Femelle du cerf.

**bichon, onne** n. Petit chien au nez court, au poil long et soyeux.

**bichonner** v. tr. [1] **1** Arranger avec soin et coquetterie. - pronom. *Se bichonner.* **2** Être aux petits soins pour. → **soigner.**

**biclou** n. m. fam. Bicyclette.

**bicolore** adj. Qui présente deux couleurs.

**biconcave** adj. Qui a deux surfaces concaves (contr. *biconvexe* adj.).

**bicoque** n. f. Petite maison de médiocre apparence. ♦ fam. (non péj.) Maison.

**bicorne** n. m. Chapeau à deux pointes.

**bicross** n. m. Vélo tout-terrain sans suspension ni garde-boue ; sport pratiqué avec ce vélo.

**bicyclette** n. f. Véhicule à deux roues mû par un système de pédalier. → **vélo.**

**bidasse** n. m. fam. Soldat.

**bide** n. m. fam. **I** Ventre. **II** Échec total.

**bidet** n. m. **1** Petit cheval. - plais. Cheval. **2** Cuvette basse pour la toilette intime.

**bidoche** n. f. fam. Viande.

**bidon** n. m. **I 1** Récipient portatif pour les liquides, à bouchon ou couvercle. **2** fam. Ventre. **II** fam. **1** *C'est du bidon,* des mensonges. **2** adj. invar. Faux, simulé.

se **bidonner** v. pron. [1] fam. Rire.

**bidonville** [-vil] n. m. Agglomération de baraques sans hygiène où vit une population misérable, près d'une grande ville.

**bidouiller** v. tr. [1] fam. Faire fonctionner de manière ingénieuse, arranger (qqch.) en bricolant. ► **bidouillage** n. m. ► **bidouilleur, euse** n.

**bidule** n. m. fam. Objet quelconque. → **machin, truc.**

**bief** n. m. **1** Portion d'un cours d'eau entre deux chutes, d'un canal entre deux écluses. **2** Canal de dérivation des eaux.

**bielle** n. f. Tige rigide, articulée à ses extrémités et destinée à la transmission d'un mouvement. - *Couler une bielle.*

① **bien** compar. *mieux* **I** adv. **1** D'une manière satisfaisante. - loc. *Tant bien que mal ; ni bien ni mal.* → **passablement. 2** D'une manière conforme à la raison ou à la morale. - *Vous feriez bien de* (+ inf.), vous devriez. **3** Avec force, intensité. → **tout** à fait, **très.** *Écoutez bien. C'est bien simple.* ♦ *Bien de, des* : beaucoup de. **4** Au moins. *Cela vaut bien le double.* **5** (renforçant l'affirmation) *Nous le savons bien.* **6** En fait et en dépit des difficultés. *Cela finira bien un jour.* **7** *Eh bien !,* marque l'interrogation, l'étonnement. **8** *Bien que* loc. conj. (+ subj. ou p. prés. ; concession) Quoique. **II** adj. invar. **1** Satisfaisant. – prov. *Tout est bien qui finit bien,* se dit quand qqch. connaît une issue heureuse. **2** Juste, moral. **3** En bonne santé, en bonne forme. **4** Convenable, distingué (→ comme il faut). **5** À l'aise, content. ♦ *Être bien avec qqn,* être en bons termes avec lui.

② **bien** n. m. **I 1** Ce qui est avantageux, agréable, utile. *Faire du bien à qqn* (→ **bénéfique, bienfaisant**). *Le bien commun.* → **intérêt.** – *Dire du bien de qqn, qqch.* **2** Chose matérielle que l'on peut posséder. → **capital, fortune, propriété, richesse.** ♦ Produits de l'économie. *Biens de consommation.* **II** Ce qui possède une valeur morale, qui est juste, honnête. *Discerner le bien du mal.* – fam. *En tout bien tout honneur,* sans mauvaise intention ; spécialt chastement.

**bien-aimé, ée** [bjɛ̃n-] **1** adj. Qui est très aimé. **2** n. littér. Personne aimée d'amour.

**bien-être** [bjɛ̃n-] n. m. invar. **1** Sensation agréable procurée par la satisfaction de besoins physiques, l'absence de soucis. **2** Situation d'aisance matérielle. → **confort.**

**bienfaisance** [-fə-] n. f. Action de faire du bien dans un intérêt social.

**bienfaisant, ante** [-fə-] adj. (choses) Qui fait du bien, apporte un soulagement.

**bienfait** n. m. **1** littér. Acte de générosité, bien fait à qqn. **2** Action bienfaisante. *Les bienfaits d'un traitement.*

**bienfaiteur, trice** n. Personne qui fait du bien.

**bien-fondé** n. m. sing. **1** Conformité au droit. → **légitimité. 2** Conformité à la raison.

**bien-fonds** n. m. dr. Bien immeuble (terre, bâtiment). *Des biens-fonds.*

**bienheureux, euse** [bjɛ̃n-] adj. et n. **1** littér. Heureux. **2** Personne béatifiée.

**biennal, ale, aux 1** adj. Qui dure deux ans. ♦ Qui a lieu tous les deux ans. → **bisannuel. 2** n. f. Manifestation, exposition qui a lieu tous les deux ans.

**bien-pensant, ante** adj. Dont les idées sont conformistes. – n. *Les bien-pensants.*

**bienséance** n. f. littér. Conduite sociale en accord avec les usages. → **correction, savoir-vivre.** ♦ au plur. Usages à respecter.

**bienséant, ante** adj. vieilli Qu'il est séant* de dire, de faire (opposé à *malséant*).

**bientôt** adv. **1** Dans un proche futur. – loc. adv. *À bientôt !* **2** littér. En un court espace de temps. *Un travail bientôt fait.*

> Ne pas confondre avec *bien tôt,* opposé à *bien tard.*

**bienveillance** n. f. Disposition favorable envers qqn (spécialt un inférieur). → **bonté, indulgence.** ► **bienveillant, ante** adj.

**bienvenu, ue 1** adj. Qui arrive à propos. → **opportun. 2** n. Personne, chose accueillie avec plaisir. *Soyez la bienvenue.*

**bienvenue** n. f. (souhait) Heureuse arrivée de qqn. *Bienvenue à vous !* ♦ Canada Terme de politesse en réponse à *merci.*

① **bière** n. f. Boisson alcoolisée fermentée, à base d'orge germée et de houblon.

② **bière** n. f. Cercueil. *Mise en bière.*

**biface** n. m. didact. → **coup-de-poing** (2).

**biffer** v. tr. [1] Rayer (ce qui est écrit).

**bifide** adj. sc. nat. Fendu en deux.

**bifidus** [-ys] n. m. Bactérie utilisée dans l'industrie alimentaire comme ferment.

**bifteck** n. m. Tranche de bœuf grillée ou destinée à l'être. – loc. fam. *Gagner son bifteck,* sa vie. *Défendre son bifteck,* ses intérêts.

**bifurquer** v. intr. [1] **1** Se diviser en deux (en fourche). **2** Abandonner une voie pour une autre (aussi fig.). ► **bifurcation** n. f.

**bigame** adj. et n. (Personne) qui a contracté un second mariage sans qu'il y ait dissolution du premier. ► **bigamie** n. f.

**bigarré, ée** adj. **1** Qui a des couleurs variées. → **bariolé. 2** Hétéroclite ; varié.

**bigarreau** n. m. Cerise à chair ferme.

**bigarrure** n. f. Aspect bigarré.

**big bang** [bigbɑ̃g] n. m. anglic. Explosion de matière ayant provoqué la formation de l'univers connu.

**big data** n. m. invar. anglic. *Le big data :* les données colossales générées par les nouvelles technologies. – recomm. off. *mégadonnées.*

**bigler** v. [1] fam. **1** v. intr. vieilli Loucher. **2** v. tr. Regarder du coin de l'œil.

**bigleux, euse** adj. et n. fam. **1** Qui louche (syn. vieilli **bigle**). **2** Qui voit mal.

**bignonia** n. m. Plante ornementale.

**bigophone** n. m. fam. et vieilli Téléphone.

**bigorneau** n. m. Petit coquillage comestible à coquille grise en spirale.

**bigot, ote** adj. et n. Dévot à l'excès. ► **bigoterie** n. f.

**bigoudi** n. m. Rouleau autour duquel on enroule une mèche de cheveux pour la friser.

**bigre** interj. vieilli Exclamation de surprise.

**bigrement** adv. fam. Très.

**biguine** n. f. Danse des Antilles.

**bijection** n. f. math. Application qui établit entre deux ensembles une relation telle que tout élément de l'un soit l'image d'un seul élément de l'autre. ► **bijectif, ive** adj.

**bijou** n. m. **1** Petit objet ouvragé, précieux par la matière ou le travail et servant à la parure. **2** fig. Ouvrage, objet joli.

**bijouterie** n. f. 1 Fabrication, commerce des bijoux. 2 Magasin où on vend des bijoux.

**bijoutier, ière** n. Personne qui fabrique, qui vend des bijoux. → **joaillier, orfèvre.**

**bikini** n. m. (nom déposé) Maillot de bain deux-pièces.

**bilan** n. m. 1 Tableau de la comptabilité (d'une entreprise). - loc. *Déposer son bilan.* → **faillite.** 2 État, résultat global. *Faire le bilan d'une expérience.* 3 loc. *Bilan de santé :* ensemble d'examens médicaux systématiques.

**bilatéral, ale, aux** adj. 1 Qui a deux côtés ; qui se rapporte à deux côtés. 2 dr. Qui engage les parties l'une envers l'autre.

**bilboquet** n. m. Jouet formé d'un bâton sur lequel on doit enfiler une boule percée.

**bile** n. f. 1 Liquide amer sécrété par le foie. 2 loc. *Se faire de la bile,* s'inquiéter. ► **biliaire** adj.

se **biler** v. pron. [1] fam. S'inquiéter.

**bileux, euse** adj. fam. Soucieux.

Ne pas confondre avec *bilieux* «coléreux».

**biliaire** adj. De la bile. - *Vésicule* biliaire.*

**bilieux, ieuse** adj. 1 Qui résulte d'un excès de bile. 2 adj. et n. littér. Coléreux.

Ne pas confondre avec *bileux* «soucieux».

**bilingue** adj. 1 Qui est en deux langues. 2 Où l'on parle deux langues. 3 adj. et n. (Personne) qui parle deux langues.

**bilinguisme** [-gɥi-] n. m. 1 Caractère bilingue (2). 2 (personnes) Qualité de bilingue (3).

**billard** n. m. 1 Jeu où l'on fait rouler sur une table spéciale des billes lancées au moyen d'un bâton (queue). ♦ Partie de billard. 2 Table sur laquelle on joue au billard. 3 fam. Table d'opération chirurgicale.

① **bille** n. f. 1 Boule avec laquelle on joue au billard. - loc. fig. *Bille en tête,* directement, avec audace. - fam. *Toucher sa bille :* être compétent. 2 Petite boule de verre, etc. servant à des jeux d'enfants. - loc. *Reprendre ses billes,* se retirer d'une entreprise. ♦ *Les billes,* ce jeu. 3 techn. Petite sphère métallique. 4 fam. Figure.

② **bille** n. f. Pièce de bois (tronc...) destinée à être débitée en planches.

**billet** n. m. 1 littér. Courte lettre. - *Billet doux,* lettre d'amour. ♦ Article d'un journal, d'un blog. 2 Promesse écrite, engagement de payer. 3 *Billet (de banque),* papier-monnaie. *Un billet de dix euros, de dix dollars.* 4 Petit imprimé donnant accès quelque part. → aussi **ticket.**

**billette** n. f. 1 blason Petit rectangle. 2 archit. Ornement, tronçon de tore répété.

**billetterie** n. f. 1 Distributeur automatique de billets de banque. 2 Lieu où sont vendus des billets (4).

**billevesée** [bilvəze] n. f. littér. Parole vide de sens, idée creuse. → **faribole.**

**billot** n. m. 1 Bloc de bois sur lequel on décapitait les condamnés. 2 Masse de bois, etc. sur laquelle on fait un ouvrage.

**bimane** adj. Qui a deux mains.

**bimbeloterie** n. f. Fabrication ou commerce de bibelots ; ensemble de bibelots.

**bimbo** [bimbo] n. f. anglic. Jeune femme à la féminité provocante et stéréotypée.

**bimensuel, elle** adj. Qui a lieu, paraît deux fois par mois.

**bimestriel, elle** adj. Qui a lieu, paraît tous les deux mois.

**bimoteur** adj. et n. m. (Avion) à deux moteurs.

**binaire** adj. Composé de deux éléments.

**biner** v. tr. [1] Remuer (la terre) pour l'ameublir, etc., avec un outil (*binette* n. f.), une machine (*bineuse* n. f.). ► **binage** n. m.

① **binette** → **biner**

② **binette** n. f. fam. Visage.

**bing** [biŋ] interj. Bruit de choc.

**bingo** [biŋgo] anglic. I n. m. Jeu de loto public. II interj. *Bingo ! :* c'est gagné, c'est parfait.

**biniou** n. m. Cornemuse bretonne.

**binocle** n. m. anciennt Lunettes sans branches se fixant sur le nez. → **lorgnon.**

**binoculaire** adj. 1 Relatif aux deux yeux. 2 (appareil) Muni de deux oculaires.

**binôme** n. m. 1 math. Somme algébrique de deux monômes (ex. $5x^3 - 2x$). 2 Ensemble de deux (éléments, personnes).

**bintje** [bintʃ] n. f. Pomme de terre d'une variété à chair jaune.

**biocarburant** n. m. Carburant obtenu à partir de matières végétales (céréales, etc. → **agrocarburant**) ou animales (déchets d'abattoir, etc.).

**biocénose** n. f. biol. Ensemble des êtres vivants dans un même milieu (le biotope*) - var. **biocœnose.**

**biochimie** n. f. Partie de la chimie qui traite de la matière vivante. ► **biochimique** adj. ► **biochimiste** n.

**biodégradable** adj. Susceptible d'être décomposé par des organismes vivants.

**biodiesel** [bjodjezɛl] n. m. et adj. Biocarburant à base de mélange d'huile végétale ou animale avec un alcool. - adj. *Un autobus biodiesel.*

**biodiversité** n. f. biol. Diversité biologique, relativement aux espèces vivantes et au sein des espèces.

**biodynamie** n. f. Agriculture basée sur une approche globale de la nature et le respect de son équilibre, de ses rythmes. ► **biodynamique** adj.

**bioéthique** n. f. Étude des problèmes moraux que soulèvent la recherche et les techniques biologiques, génétiques.

**biogaz** n. m. techn. Gaz produit par la fermentation de matières organiques animales ou végétales (→ **méthanisation**).

**biographie** n. f. Ouvrage, texte qui relate la vie (d'une personne). ► **biographe** n. ► **biographique** adj.

**biologie** n. f. Science qui étudie la matière vivante et les êtres vivants. ► **biologiste** n.

**biologique** adj. **1** Relatif à la biologie. **2** Qui a rapport à la vie, aux organismes vivants. **3** De la vie naturelle. *Culture biologique.*

**biomasse** n. f. biol. Masse de matière vivante (dans un milieu), rapportée à une surface ou un volume.

**biométrie** n. f. didact. **1** Science associant biologie et mathématiques. **2** Analyse des caractéristiques physiques uniques d'une personne (voix, iris, empreintes...). ► **biométrique** adj.

**bionique** n. f. anglic. Discipline qui applique à l'électronique des dispositifs imités du monde vivant. → **cybernétique.**

**biophysique** n. f. Partie de la physique qui traite de la matière vivante.

**biopic** n. m. anglic. Film retraçant la vie d'un personnage célèbre.

**biopsie** n. f. Prélèvement d'un tissu vivant en vue d'un examen microscopique.

**biorythme** n. m. Rythme* biologique.

**biosphère** n. f. Ensemble des organismes vivants qui vivent sur la Terre.

**biotechnologie** [-tɛk-] n. f. anglic. Technique d'utilisation d'organismes vivants pour l'industrie (agroalimentaire, etc.).

**biothèque** n. f. Établissement destiné à la conservation du matériel biologique.

**biotique** adj. biol. Qui concerne les organismes vivants. *Facteur écologique biotique* (s'oppose à *abiotique*).

**biotope** n. m. biol. Milieu biologique présentant des conditions de vie homogènes. *La biocénose* et le biotope forment ensemble un écosystème*.*

**bip** [bip] n. m. **1** Signal sonore. **2** fam. Dispositif (d'alerte...) émettant ce signal.

**biparti, ie** ou **bipartite** adj. Composé de deux groupes.

**bipartisme** n. m. Système politique qui s'appuie sur la coexistence de deux partis. *Bipartisme aux États-Unis.*

**bipède** adj. Qui marche sur deux pieds.

**biper** v. [1] **I** v. tr. **1** Joindre (qqn) à l'aide d'un bipeur. **2** Lire (un code-barre) à l'aide d'une douchette. **II** v. intr. Produire un signal sonore.

**bipeur** n. m. Petit appareil émettant un signal sonore.

**biphasé, ée** adj. et n. m. électr. Se dit d'un système formé de deux courants monophasés de même valeur efficace et de signe contraire.

**biplace** adj. et n. m. Qui comporte deux places. *Un avion biplace* ou n. m. *un biplace.*

**biplan** n. m. Avion à deux plans de sustentation.

**bipolaire** adj. **1** Qui a deux pôles. **2** psych. *Trouble bipolaire* : psychose maniacodépressive*.

**bipolarisation** n. f. Regroupement en deux blocs des forces politiques d'un pays.

**bique** n. f. fam. **1** Chèvre. **2** péj. *Vieille bique,* vieille femme déplaisante.

**biquet, ette** n. Chevreau.

**biréacteur** n. m. Avion à deux réacteurs.

① **bis, bise** [bi, biz] adj. D'un gris tirant sur le brun. – *Pain bis,* contenant du son.

② **bis** [bis] **1** interj. et n. m. Cri du public pour demander la répétition d'un morceau, etc. **2** adv. mus. Indication d'avoir à répéter une phrase. **3** adv. Indique la répétition du numéro (sur une maison...).

**bisaïeul, eule** n. littér. Arrière-grand-père, arrière-grand-mère. *Des bisaïeuls.*

**bisannuel, elle** adj. **1** Qui a lieu tous les deux ans. → **biennal.** **2** (plante) Qui vit deux ans.

**bisbille** n. f. fam. Querelle insignifiante.

**biscornu, ue** adj. **1** Qui a une forme irrégulière. **2** fam. Compliqué et bizarre.

**biscoteau** ou **biscoto** n. m. fam. Biceps.

**biscotte** n. f. Tranche de pain de mie séchée au four industriellement.

**biscuit** n. m. **I** Gâteau sec (galette, sablé...). **II** Porcelaine blanche non émaillée, imitant le marbre. ♦ Ouvrage de cette matière.

**biscuiterie** n. f. Fabrication, industrie de gâteaux secs. – Fabrique de biscuits.

① **bise** n. f. Vent du nord sec et froid.

Ne pas confondre avec *brise* «vent léger».

② **bise** n. f. fam. Baiser.

**biseau** n. m. **1** Bord taillé obliquement. **2** Outil acéré au tranchant ainsi taillé.

**biseauter** v. tr. [1] **1** Tailler en biseau. **2** Marquer (des cartes à jouer) d'un signe sur la tranche, pour tricher. ▷ p. p. **biseauté, ée**

**bisexué, ée** [-s-] adj. biol. Qui porte les organes des deux sexes. → **hermaphrodite.**

**bisexuel, elle** [-s-] **1** adj. psych. Qui concerne les deux sexes, dans l'individu humain. **2** adj. et n. À la fois hétérosexuel et homosexuel. ► **bisexualité** n. f.

**bismuth** n. m. **1** Élément (symb. Bi), métal brillant, rougeâtre, très cassant. **2** Composé du bismuth utilisé comme médicament.

**bison** n. m. Bœuf sauvage grand et massif, à cornes courtes et à bosse entre les épaules.

**bisou** n. m. fam. Bise, baiser.

**bisphénol** n. m. chim. *Bisphénol A* : composé organique de synthèse, suspecté d'être toxique.

**bisque** n. f. Potage au coulis de crustacés.

**bisquer** v. intr. [1] fam. Éprouver du dépit. - *Bisque, bisque, rage !* (formule pour narguer).

**bissecteur, trice** géom. **1** adj. Qui divise en deux secteurs. **2** n. f. Droite qui coupe un angle en deux angles égaux.

**bisser** v. tr. [1] **1** Faire répéter par un bis (②, 1). **2** Répéter à la demande du public. **3** région. Redoubler (une année d'études).

**bisseur, euse** n. et adj. région. Redoublant(e).

**bissextile** adj. fém. *Année bissextile* : année de 366 jours qui revient tous les quatre ans, le jour supplémentaire étant le 29 février.

**bistouri** n. m. Instrument de chirurgie à lame courte, qui sert à faire des incisions.

**bistre** n. m. et adj. invar. Brun noirâtre.

**bistré, ée** adj. D'un brun noirâtre.

**bistrot** ou **bistro** n. m. fam. Café, débit de boissons. ► **bistrotier, ière** n.

**bit** [bit] n. m. inform. Unité élémentaire d'information pouvant prendre deux valeurs distinctes, notées 0 et 1.

**bitcoin** [-kɔjn] n. m. (marque déposée) anglic. Unité monétaire en usage sur Internet.

**bitoniau** n. m. fam. Petit objet, partie d'un mécanisme (bouton, etc.). - var. **bitoniot.**

① **bitte** ou **bite** n. f. fam. et vulg. Pénis.

② **bitte** n. f. Borne d'amarrage.

**bitume** n. m. Mélange d'hydrocarbures utilisé comme revêtement des chaussées. ► **bitumer** v. tr. [1]

**biture** n. f. fam. *Prendre une biture* : s'enivrer. ► se **biturer** v. pron. [1]

**bivalve** adj. Qui a deux valves. ♦ n. m. pl. *Les bivalves* : classe des mollusques bivalves.

**bivouac** n. m. Campement provisoire d'une troupe, etc. ► **bivouaquer** v. intr. [1]

**bizarre** adj. **1** Qui est inhabituel ; qu'on s'explique mal. → **curieux, insolite. 2** (personnes) Fantasque, excentrique. → **original.** ► **bizarrement** adv.

**bizarrerie** n. f. **1** Caractère bizarre. → **étrangeté. 2** Chose, action bizarre.

**bizarroïde** adj. fam. Bizarre.

**bizness** n. m. → **business**

**bizut** ou **bizuth** [-y(t)] n. m. fam. Élève de première année.

**bizutage** n. m. Cérémonie d'initiation des bizuts, comportant des brimades. ► **bizuter** v. tr. [1]

**blabla** n. m. sing. fam. Bavardage, verbiage sans intérêt. - syn. **blablabla.** ► **blablater** v. intr. [1]

**black** n. anglic., fam. Personne noire. - adj. *Musiciens blacks.*

**blackbouler** v. tr. [1] **1** Rejeter par un vote. **2** fam. Écarter, refuser (spécialt à un examen).

**black-jack** [blak(d)ʒak] n. m. anglic. Jeu de cartes d'origine américaine. *Des black-jacks.*

**black-out** [-aut] n. m. invar. **1** Obscurité totale commandée par la défense passive. **2** fig. Silence gardé (sur une nouvelle, etc.).

**blafard, arde** adj. Pâle, sans éclat. → **blême.**

**blaff** n. m. (cuisine des Caraïbes) Ragoût de poisson épicé.

① **blague** n. f. Sac souple pour le tabac.

② **blague** n. f. **1** Histoire inventée pour tromper. - fam. *Blague à part* : pour parler sérieusement. **2** Farce ; plaisanterie.

**blaguer** v. [1] fam. **1** v. intr. Dire des blagues. → **plaisanter. 2** v. tr. Railler, taquiner. ► **blagueur, euse** n. et adj.

**blair** n. m. fam. Nez.

**blaireau** n. m. **I** Petit mammifère carnivore, bas sur pattes, au pelage foncé. **II** Brosse pour faire mousser le savon à barbe. **III** fam. Personnage insignifiant, mesquin.

**blairer** v. tr. [1] fam. (surtout négatif) Aimer. *Je ne peux pas le blairer* : je le déteste.

**blâme** n. m. **1** Jugement par lequel on blâme (1). **2** Sanction disciplinaire.

**blâmer** v. tr. [1] **1** Former un jugement moral défavorable sur (qqn ou qqch.). → **condamner. 2** Punir par un blâme (2). ► **blâmable** adj.

① **blanc, blanche** [blɑ̃, blɑ̃ʃ] **I** adj. **1** D'une clarté neutre, sans couleur (combinant toutes les couleurs du spectre solaire). *Blanc comme la neige.* **2** D'une couleur pâle voisine du blanc. *Vin blanc.* **3** Se dit de choses claires, par opposition à d'autres plus colorées de même espèce. *Vin blanc.* **4** Qui n'est pas écrit. *Page blanche.* **5** fig. Qui n'a pas les effets habituels. *Nuit blanche,* sans sommeil. **6** Innocent ; non souillé. **II** n. Personne appartenant à un groupe humain caractérisé par une faible pigmentation de la peau. - adj. *Population blanche.*

② **blanc** [blɑ̃] n. m. **I 1** Couleur blanche. ♦ *En blanc :* avec la couleur blanche, ou sans écriture. **2** *À blanc :* de manière à devenir blanc. *Métal chauffé à blanc.* – *Tirer à blanc,* avec des projectiles inoffensifs. **II 1** Partie blanche (de qqch.). *Blanc d'œuf.* – *Le blanc de l'œil.* **2** Intervalle, espace libre dans un écrit. → **interligne. 3** Linge de maison. **4** Vin blanc.

**blanc-bec** [blɑ̃bɛk] n. m. Jeune homme sans expérience et sûr de soi.

**blanchâtre** adj. (teinte) Tirant sur le blanc.

**blanche** n. f. mus. Note valant deux noires.

**blancheur** n. f. Couleur blanche ; caractère de ce qui est blanc.

**blanchir** v. 2 **I** v. tr. **1** Rendre blanc ou plus blanc. **2** Couvrir d'une couche blanche ; enduire de blanc. **3** Laver, nettoyer (le linge). ► **blanchissage** n. m. **4** fig. Disculper, innocenter (qqn). ♦ Donner une existence légale à (des fonds d'origine frauduleuse ou illicite). ► **blanchiment** n. m. **II** v. intr. Devenir blanc. ► **blanchissement** n. m.

**blanchisserie** n. f. Établissement où l'on blanchit et repasse le linge.

**blanchisseur, euse** n. Personne dont le métier est de blanchir et repasser le linge.

**blandice** n. f. littér. Ce qui flatte, séduit.

**blanquette** n. f. **1** Vin blanc mousseux. **2** Ragoût de viande blanche.

**blase** ou **blaze** n. m. argot **1** Nom. **2** Nez.

**blaser** v. tr. 1 littér. Émousser, atténuer (les sensations) ; atténuer les sensations de (qqn). ▷ adj. **blasé, ée** cour. → **dégoûté ; indifférent.**

**blason** n. m. **1** Ensemble des emblèmes d'une famille noble, d'une collectivité. → **arme(s), armoiries. 2** Art des armoiries. → **héraldique.**

**blasphème** n. m. Parole qui outrage la divinité, le sacré. ► **blasphématoire** adj.

**blasphémer** v. intr. 6 Proférer des blasphèmes. ► **blasphémateur, trice** n. et adj.

**blatérer** v. intr. 6 Crier (chameau, bélier).

**blatte** n. f. Insecte nocturne au corps aplati. → **cafard, cancrelat.**

**blazer** [blazɛʀ ; blazœʀ] n. m. Veste de sport.

**blé** n. m. **I 1** Céréale dont le grain sert à l'alimentation (farine...). → **froment. 2** Ce grain. **3** *Blé noir.* → **sarrasin.** – (Canada) *Blé d'Inde.* → **maïs. II** fam. Argent.

**bled** [blɛd] n. m. **1** (Afrique du Nord) L'intérieur des terres. **2** fam. Lieu, village isolé.

**blême** adj. Blanc ; très pâle.

**blêmir** v. intr. 2 Devenir blême.

**blender** [blɛndœʀ] n. m. anglic. Mixeur composé d'une base sur laquelle s'emboîte un bol haut.

**blennorragie** n. f. Maladie vénérienne, inflammation des voies génito-urinaires.

**blessant, ante** adj. Qui blesse, offense.

**blesser** v. tr. 1 **1** Frapper d'un coup qui cause une blessure. – pronom. *Se blesser en tombant.* ♦ (sujet chose) Occasionner une blessure à ; faire mal à. **2** Causer une impression pénible à. *Blesser la vue.* **3** fig. Heurter les sentiments de (qqn). → **offenser.** ▷ adj. et n. **blessé, ée**

**blessure** n. f. **1** Lésion faite, involontairement ou pour nuire, aux tissus vivants par un coup, la chaleur, etc. **2** fig. Atteinte morale.

**blet, blette** adj. (fruits) Qui est trop mûr.

**blette** n. f. → **bette**

**bleu, bleue I** adj. **1** De la couleur du ciel pur, de la mer où le ciel se reflète, etc. – *Bifteck bleu,* très saignant. **2** (peau) D'une couleur livide (1). – loc. *Peur, colère bleue,* intense. ♦ *Maladie bleue* (par malformation du cœur). **3** loc. *Sang bleu,* noble. **II** n. m. **1** La couleur bleue. **2** (couleur d'origine du vêtement) Jeune recrue. – Nouvel élève. **3** Marque bleue sur la peau, due à un coup. → **ecchymose. 4** *Au bleu :* façon de préparer des poissons au court-bouillon. **5** Fromage de vache à moisissures. **6** Combinaison d'ouvrier (souvent en toile bleue).

**bleuâtre** adj. Qui tire sur le bleu.

**bleuet** n. m. **I** Centaurée à fleur bleue. **II** (Canada) Variété d'airelle à grosses baies.

**bleuir** v. 2 **1** v. tr. Rendre bleu. **2** v. intr. Devenir bleu.

**bleuté, ée** adj. Qui a une nuance bleue.

**bliaud** n. m. (Moyen Âge) Longue tunique.

**blindage** n. m. Protection (d'un abri...) par des plaques de métal ; ces plaques.

**blinde** n. f. loc. adv. fam. *À toute blinde :* à toute vitesse. → **berzingue.**

**blinder** v. tr. 1 **1** Protéger par un blindage. **2** fig., fam. Endurcir, armer. ▷ adj. **blindé, ée** *Porte blindée.*

**bling-bling** adj. invar. fam. De style ostentatoire et clinquant, avec des objets coûteux et voyants. ♦ n. m. *Le bling-bling,* ce style.

**blinis** [-is ; -i] n. m. Crêpe de sarrasin épaisse.

**blister** n. m. anglic. Emballage fait d'une coque de plastique transparent fixée sur du carton.

**blitz** [blits] n. m. hist. Attaques aériennes allemandes contre la Grande-Bretagne.

**blizzard** n. m. Vent accompagné de tourmentes de neige, dans le Grand Nord.

**bloc** n. m. **I 1** Masse solide et pesante constituée d'un seul morceau. **2** Feuillets assemblés sur un seul côté. **3** Éléments groupés en une masse homogène. ♦ *Bloc opératoire* (d'un hôpital...), installations pour les opérations. **4** Coalition (politique). - loc. *Faire bloc :* s'unir. **5** *En bloc* loc. adv. : en totalité, sans partage. **II** *À bloc* loc. adv. : en forçant, coinçant. **III** fam. Prison.

**blocage** n. m. **1** Action de bloquer (II). *Blocage des prix.* **2** Difficulté d'adaptation à une situation ; brusque inhibition.

**blockbuster** [-bœstœʀ] n. m. anglic. **1** Film à gros budget, avec une importante campagne publicitaire. → **superproduction.** **2** pharm. Médicament très utilisé.

**blockhaus** [blɔkos] n. m. Ouvrage militaire défensif, fortifié de béton.

**blocus** [-ys] n. m. Investissement (d'une ville, d'un pays...) pour l'isoler. → aussi **embargo.** - *Blocus économique* (→ **boycott**).

**blog** n. m. anglic. Journal personnel, chronique d'humeur sur Internet. - recomm. off. *blogue.* ► **blogueur, euse** n.

**blogosphère** n. f. Ensemble des personnes qui rédigent des blogs.

**blond, onde** **1** adj. D'une couleur claire proche du jaune. ♦ (personnes) Qui a les cheveux blonds. - n. *Un petit blond.* **2** n. m. La couleur blonde.

**blondasse** adj. D'un vilain blond.

**blondeur** n. f. État de ce qui est blond.

**blondinet, ette** n. Enfant blond.

**blondir** v. intr. [2] Devenir blond.

**bloquer** v. tr. [1] **I** Réunir, mettre en un bloc. → **grouper.** **II** **1** Empêcher de se mouvoir. → **immobiliser.** - *Bloquer les prix,* en interdire l'augmentation. **2** Boucher, obstruer. **3** Inhiber par un blocage (2).

**se blottir** v. pron. [2] Se ramasser sur soi-même (pour se protéger, etc.). → se **pelotonner.**

**blousant, ante** adj. Qui blouse (②).

**blouse** n. f. **1** Vêtement de travail que l'on met sur les autres. **2** Chemisier de femme.

① **blouser** v. tr. [1] fam. Tromper (qqn).

② **blouser** v. intr. [1] (vêtement) Bouffer (I).

**blouson** n. m. Veste courte, sportive.

**blue-jean** [bludʒin] n. m. anglic. vieilli Pantalon en jean (d'abord bleu). *Des blue-jeans.*

**blues** [bluz] n. m. **I** Forme musicale élaborée par les Noirs des États-Unis, à formule harmonique constante et rythme à quatre temps. **II** fam. Mélancolie, cafard.

**bluetooth** [blutus] n. m. (marque déposée) anglic. Technologie de transmission de données sans fil, à courte distance.

**bluff** [blœf] n. m. Attitude trompeuse destinée à impressionner, intimider. *C'est du bluff.*

**bluffer** [blœfe] v. [1] fam. **1** v. intr. Pratiquer le bluff. ► **bluffeur, euse** n. et adj. **2** v. tr. Abuser (qqn). ♦ Impressionner (qqn).

**bluter** v. tr. [1] Tamiser (la farine) pour la séparer du son (avec un *blutoir* n. m.).

**BMX** n. m. (sigle angl.) Vélo tout-terrain à cadre court et muni d'un seul frein arrière. - Sport pratiqué avec ce vélo.

**boa** n. m. Gros serpent carnassier d'Amérique tropicale, qui étouffe ses proies.

**boat people** [botpipœl] n. invar. anglic. Personne fuyant son pays sur un bateau.

**bob** n. m. anglic. Chapeau en toile à bords rabattus sur la calotte.

**bobard** n. m. fam. Propos, récit fantaisiste et mensonger.

**bobèche** n. f. Disque destiné à recueillir la cire qui coule des chandeliers.

**bobinage** n. m. **1** Action de bobiner (du fil). **2** électr. Fils conducteurs enroulés.

**bobine** n. f. **I** Petit cylindre pour enrouler du fil, un film... **II** fam. Figure, tête.

**bobiner** v. tr. [1] Dévider (un fil, etc.) et l'enrouler sur une bobine.

**bobinette** n. f. vx Loquet en bois.

① **bobo** n. m. **1** lang. enfantin Douleur physique. **2** Blessure insignifiante.

② **bobo** n. anglic. Personne d'un milieu aisé et cultivé («bourgeois»), qui se veut attachée à des valeurs à la fois authentiques et anticonformistes («bohème»).

**bobsleigh** [bɔbslɛg] n. m. Traîneau très rapide, pour descendre des pistes de glace.

**bo bun** ou **bobun** [bobun] n. m. Salade vietnamienne à base de vermicelle et de bœuf sauté, accompagnée de crudités.

**bocage** n. m. **1** Paysage formé de prés clos par des talus plantés d'arbres. **2** littér. Petit bois ; lieu ombragé. ► **bocager, ère** adj.

**bocal, aux** n. m. Récipient à col très court et à large ouverture.

**bocard** n. m. Appareil à broyer le minerai.

**boche** n. et adj. vieilli, péj. (xénophobe) Allemand.

**bock** n. m. Verre à bière (moitié d'un demi).

**body** n. m. anglic. Justaucorps.

**body art** [bɔdiaʀt] n. m. anglic. Art plastique utilisant ou modifiant le corps humain (tatouages, etc.). *Body art et performance*.*

**body-building** [bɔdibildiŋ] n. m. anglic. Culturisme destiné à remodeler le corps.

**bœuf** [bœf], plur. **bœufs** [bø] n. m. **I** **1** Mammifère ruminant domestique (bovin), lorsqu'il est mâle (opposé à *vache*), castré (opposé à *taureau*) et adulte (opposé à *veau*). **2** Viande de bœuf ou de vache. **3** adj. invar. fam. *Un effet, un succès bœuf,* très grand. **II** mus. Improvisation collective.

**bof** interj. Exclamation d'indifférence.

**bogie** ou **boggie** [bɔgi] n. m. anglic. Chariot articulé portant le châssis d'un wagon.

① **bogue** n. f. Enveloppe piquante de la châtaigne, du marron.

② **bogue** n. m. anglic., inform. Défaut d'un logiciel causant des anomalies de fonctionnement. → **bug** (anglic.). ► **bogué, ée** adj. *Logiciel bogué.*

**boguer** v. intr. [1] inform. Présenter des bogues (2). → **bugger** (anglic.). *Logiciel qui bogue.*

**bohème** **1** n. et adj. (Personne) qui mène une vie fantasque, sans règles. **2** n. f. *La bohème,* ensemble des bohèmes.

**bohémien, ienne** n. Tsigane nomade.

① **boire** v. tr. [53] **1** Avaler (un liquide). – loc. *Il y a à boire et à manger,* de bonnes et de mauvaises choses. ♦ fig. *Boire les paroles de qqn,* les écouter avec attention et admiration. **2** sans compl. Prendre régulièrement des boissons alcoolisées avec excès. – prov. *Qui a bu boira :* on ne se corrige pas de ses vieux défauts. **3** (corps poreux...) Absorber. *Papier qui boit l'encre.*

② **boire** n. m. loc. *Le boire et le manger :* l'action de boire et de manger.

**bois** n. m. **I** Espace de terrain couvert d'arbres (plus petit que la forêt). **II** Matière ligneuse et compacte des arbres. – loc. *Montrer de quel bois on se chauffe,* de quoi on est capable (menace). – *N'être pas de bois,* ne pas manquer de sensualité. – fam. *Gueule* de bois.* – *Langue* de bois.* **III** **1** *Bois de lit,* cadre en bois qui supporte le sommier. **2** Gravure sur bois. **3** Instrument à vent, muni de trous, en bois (parfois en métal). **4** au plur. Cornes (des cervidés).

**boisé, ée** adj. Couvert de bois (I).

**boiser** v. tr. [1] **1** Garnir de charpentes en bois. ► **boisage** n. m. **2** Planter d'arbres. ► **boisement** n. m.

**boiserie** n. f. Revêtement en bois.

**boisseau** n. m. Ancienne mesure de capacité pour les matières sèches. – loc. *Mettre, laisser qqch. sous le boisseau,* tenir secret.

**boisson** n. f. **1** Liquide qui se boit. **2** Boisson alcoolique. **3** Alcoolisme.

**boîte** n. f. **1** Récipient de matière rigide, transportable, souvent muni d'un couvercle. – loc. fam. *Mettre qqn en boîte,* se moquer de lui. **2** loc. *Boîte à musique,* dont le mécanisme reproduit des mélodies. ♦ *Boîte aux* (ou *à*) *lettres,* où l'on dépose le courrier. *Boîte postale,* boîte aux lettres réservée, dans un bureau de poste. – *Boîte mail :* espace de mémoire réservé aux messages électroniques. ♦ *Boîte noire,* contenant un dispositif d'enregistrement (dans les avions...). **3** Cavité, organe creux. – *Boîte crânienne,* partie du crâne qui renferme le cerveau. ♦ *Boîte de vitesses,* organe renfermant les engrenages des changements de vitesse. **4** fam. Entreprise, lieu de travail ; lycée. **5** *Boîte (de nuit) :* établissement ouvert la nuit où l'on boit, danse. → **discothèque.**

**boiter** v. intr. [1] **1** Marcher en inclinant le corps d'un côté plus que de l'autre, ou alternativement d'un côté et de l'autre. **2** fig. Manquer d'équilibre ; être imparfait.

**boiterie** n. f. Infirmité, mouvement d'une personne qui boite. → **claudication.**

**boiteux, euse** adj. **1** Qui boite. – n. *Un boiteux.* **2** (choses) Qui n'est pas d'aplomb. → **bancal. 3** fig. Qui manque d'équilibre, de cohérence. *Un raisonnement boiteux.*

**boîtier** n. m. Boîte destinée à recevoir des objets, un mécanisme, etc.

**boitiller** v. intr. [1] Boiter légèrement.

**boit-sans-soif** n. invar. fam. Ivrogne.

① **bol** n. m. **I** Pièce de vaisselle, récipient individuel hémisphérique. **II** fam. **1** loc. *Ras* le bol.* **2** Chance. *Avoir du bol.*

② **bol** n. m. *Bol alimentaire,* masse d'aliments déglutis en une seule fois.

**bolchevik** n. hist. Partisan du bolchevisme.

**bolchevisme** n. m. hist. Doctrine léniniste du collectivisme marxiste.

**bolduc** n. m. Ruban plat servant à ficeler.

**bolée** n. f. Contenu (liquide) d'un bol.

**boléro** n. m. **1** Danse espagnole à trois temps, de rythme lent. **2** Veste courte.

**bolet** n. m. Champignon charnu. → **cèpe.**

**bolide** n. m. Véhicule très rapide.

**boliviano** n. m. Unité monétaire de la Bolivie.

**bolognais, aise** adj. et n. De Bologne. ♦ *Sauce bolognaise,* n. f. *bolognaise :* sauce à la viande et à la tomate.

**bombance** n. f. *Faire bombance :* faire un repas abondant. → **festoyer.**

**bombarde** n. f. **I** (Moyen Âge) Machine de guerre. **II** (en Bretagne) Instrument à anche.

**bombarder** v. tr. [1] **1** Attaquer, endommager en lançant des bombes, des obus, etc. **2** *Bombarder de :* lancer des projectiles sur. – fig., fam. *Bombarder qqn de questions.* **3** fam. Nommer brusquement (qqn) à un poste. ► **bombardement** n. m.

**bombardier** n. m. Avion, aviateur chargé d'un bombardement.

① **bombe** n. f. **1** Projectile creux rempli d'explosif. – *Bombe atomique.* – Tout appareil explosible. *Bombe à retardement.* **2** loc. fam. *Faire l'effet d'une bombe :* surprendre, scandaliser. **3** *Bombe glacée,* glace pyramidale. **4** *Bombe au cobalt,* appareil de traitement médical du cancer. **5** Casquette de cavalier. **6** Atomiseur de grande taille. **7** fam. Personne très sexy.

② **bombe** n. f. fam. *Faire la bombe,* la noce*.

**bombé, ée** adj. Qui est convexe.

**bombement** n. m. Fait d'être bombé.

**bomber** v. [1] **I 1** v. tr. Rendre convexe. - *Bomber le torse* (fig. faire le fier). **2** v. intr. Devenir convexe ; gonfler. **II** fam. Peindre, inscrire à la bombe (de peinture).

**bombyx** [-iks] n. m. Papillon dont la larve tisse un cocon de soie.

① **bon, bonne** adj. REM. Le compar. de *bon* est *meilleur ; plus... bon* peut s'employer lorsque les deux mots ne se suivent pas. **I** Qui convient, a une valeur. **1** Qui a les qualités utiles qu'on attend ; qui fonctionne bien. **2** (personnes) Qui fait bien son travail, tient bien son rôle. **3** Qui est bien fait, mérite l'estime. **4** Qui répond aux exigences du bien, de la morale. *Bonnes mœurs.* **5** Agréable ; qui donne du plaisir. **6** Qui convient ; opportun. *C'est le bon moment.* **II 1** Qui veut du bien, fait du bien à autrui. → **généreux. 2** Qui entretient avec autrui des relations agréables. *Un bon garçon.* **3** (actions...) Qui témoigne de bonté. **III 1** Qui atteint largement la mesure exprimée. *Une bonne poignée.* **2** Intense, violent. *Une bonne gifle.* **3** Définitif, total. *Finissons-en une bonne fois.* **IV** n. m. **1** Ce qui est bon. - loc. *Avoir du bon :* présenter des avantages. ♦ loc. adv. *Pour de bon :* réellement, véritablement. **2** *Les bons :* les personnes bonnes. *Les bons et les méchants.* **V 1** adv. (loc.) *Sentir bon :* avoir une bonne odeur. - *Il fait bon :* le temps est agréable. - *Tenir bon :* ne pas céder. **2** interj. *Bon !*, marque la satisfaction, la surprise, etc., ou sert de ponctuation dans le discours. ♦ loc. *Allons bon !* (étonnement ou mécontentement).

② **bon** n. m. Écrit constatant le droit à une prestation, à une somme d'argent, etc.

**bonace** n. f. mar. Calme de la mer.

**bonapartisme** n. m. Attachement aux Bonaparte ou à leur système politique, l'Empire. ► **bonapartiste** adj. et n.

**bonasse** adj. D'une bonté excessive.

**bonbon** n. m. Petite friandise faite de sirop aromatisé et parfois coloré. - syn. fam. **bonbec.**

**bonbonne** n. f. Gros récipient à col étroit.

**bonbonnière** n. f. **1** Petite boîte à bonbons. **2** fig. Petit appartement ravissant.

**bond** n. m. **1** Action de bondir. *Faire un bond* (fig. se précipiter ; augmenter subitement). - fig. *Bond en avant,* progrès soudain et rapide. **2** loc. *Faire faux bond à qqn,* ne pas faire ce qu'on a promis.

**bondage** n. m. anglic. Pratique sexuelle sadomasochiste dans laquelle l'un des partenaires est attaché.

**bonde** n. f. **1** Ouverture de fond, destinée à vider l'eau d'un réservoir, d'une baignoire... **2** Trou percé dans un tonneau.

**bondé, ée** adj. (espace clos) Qui contient le maximum de personnes. → **comble.**

**bondieuserie** n. f. péj. **1** Bigoterie. **2** Objet de piété de mauvais goût.

**bondir** v. intr. [2] **1** S'élever brusquement en l'air par un saut. → **sauter.** - fig. *Cela me fait bondir* (d'indignation...). **2** S'élancer précipitamment. → **courir.** ► **bondissant, ante** adj. ► **bondissement** n. m. → **bond.**

**bon enfant** [bɔn-] adj. invar. Qui a une gentillesse simple et naïve.

**bongo** n. m. Instrument latino-américain constitué de deux petits tambours.

**bonheur** [bɔn-] n. m. **I** Chance. - loc. *Porter bonheur* (→ **porte-bonheur).** - *Au petit bonheur :* au hasard. - *Par bonheur :* heureusement. **II** (opposé à *malheur*) **1** État de pleine satisfaction. → **béatitude, bien-être, félicité, plaisir. 2** Ce qui rend heureux. *De grands bonheurs.*

**bonheur-du-jour** n. m. Bureau ouvragé. *Des bonheurs-du-jour.*

**bonhomie** [bɔn-] n. f. Simplicité dans les manières, unie à la bonté du cœur.

> Un seul *m,* contrairement à *bonhomme.*

**bonhomme** [bɔnɔm], plur. **bonshommes** [bɔ̃zɔm] **I** n. m. **1** fam. Homme, monsieur. **2** (affectueux) Jeune garçon. **3** Figure humaine dessinée ou façonnée grossièrement. *Bonhomme de neige.* **4** loc. *Aller son petit bonhomme de chemin :* poursuivre son action sans hâte, mais sûrement. **II** adj. (plur. *bonhommes*) Qui a de la bonhomie.

**boni** n. m. **1** fin. Économie de dépense par rapport aux prévisions. **2** Gratification (I).

**boniche** ou **bonniche** n. f. péj. Bonne (I).

**bonification** n. f. **I** Action de bonifier. **II 1** Avantage accordé par l'État sur un emprunt. **2** sports Avantage accordé à un concurrent, en fonction d'une performance.

**bonifier** v. tr. [7] Rendre meilleur ; améliorer le rendement de (qqch.). ▷ v. pron. **se bonifier** S'améliorer.

**boniment** n. m. **1** Propos destiné à attirer la clientèle. **2** fam. Propos mensonger.

**bonimenter** v. intr. [1] Faire du boniment. ► **bonimenteur, euse** n. et adj.

**bonjour** n. m. Souhait de bonne journée (adressé en arrivant, en rencontrant). - loc. *C'est simple comme bonjour,* très simple.

**bon marché** adj. invar. → **marché.**

**bonne** n. f. **I** vieilli Servante. → **domestique.** *Bonne d'enfants.* → **nurse. II** loc. fam. *Avoir* (qqn) *à la bonne :* avoir de la sympathie pour lui.

**bonne femme** n. f. fam. Femme. ♦ *Remède* de bonne femme.*

**bonne-maman** n. f. Grand-mère. *Des bonnes-mamans.*

**bonnement** adv. *Tout bonnement :* franchement ; tout simplement.

**bonnet** n. m. **1** Coiffure souple sans bords. - loc. *Avoir la tête près du bonnet,* être coléreux. - *Prendre qqch. sous son bonnet,* le faire de sa propre autorité. - *C'est blanc bonnet et bonnet blanc,* cela revient au même. ♦ *Un gros bonnet,* un personnage influent. **2** Chacune des deux poches d'un soutien-gorge. **3** Second estomac d'un ruminant.

**bonneteau** n. m. Jeu de trois cartes que le *bonneteur* mélange, le joueur devant deviner où se trouve une de ces cartes.

**bonneterie** [bɔn(ə)tʀi ; bɔnɛtʀi] n. f. Industrie, commerce de vêtements en tissu à mailles. - Ces articles (bas, lingerie, etc.).

**bonnetier, ière** n. **1** Personne qui fabrique ou vend de la bonneterie. **2** n. f. Petite armoire à une porte.

**bonniche** n. f. → **boniche**

**bonobo** n. m. Chimpanzé de la forêt congolaise.

**bon-papa** n. m. Grand-père. *Des bons-papas.*

**bonsaï** [bɔ̃(d)zaj] n. m. Arbre nain en pot.

**bonsoir** n. m. Salutation du soir (adressée en rencontrant ou en partant).

**bonté** n. f. **1** Qualité morale qui porte à être bon (II). → **altruisme, humanité ; gentillesse.** **2** au plur. vieilli Acte de bonté.

**bonus** [-ys] n. m. **1** Avantage consenti par un assureur à qqn qui n'a pas d'accidents. **2** Supplément gratuit (d'un CD, d'un DVD...).

**bon vivant, bonne vivante** n. Personne d'humeur joviale et qui aime les plaisirs de la vie.

**bonze** n. m. Prêtre bouddhiste.

**bookmaker** [bukmɛkœʀ] n. m. anglic. Personne qui, dans les courses de chevaux, prend les paris et les inscrit.

**boom** [bum] n. m. Brusque hausse des valeurs ; croissance soudaine.

**boomerang** [bumʀɑ̃g] n. m. Arme de jet, pièce de bois dur courbée qui revient à son point de départ si le but est manqué.

① **booster** [bustœʀ] n. m. anglic. **1** Propulseur auxiliaire, pour les engins spatiaux. **2** Amplificateur d'un autoradio.

② **booster** [buste] v. tr. [1] anglic., fam. (critiqué) Accélérer, stimuler.

**boots** [buts] n. f. pl. anglic. Bottes courtes.

**boqueteau** n. m. Petit bois. → **bosquet.**

**borborygme** n. m. Bruit dû à des gaz dans le tube digestif. → **gargouillement.**

**bord** n. m. **I 1** mar. Extrémité supérieure des bordages, de chaque côté d'un navire (→ bâbord, tribord). ♦ **dans des loc.** Le navire lui-même. *Monter à bord. Journal de bord.* - loc. fig. *Les moyens du bord,* qu'offre la situation. **2** fig. *Être du bord de qqn,* de son parti. **II 1** Contour, limite, extrémité (d'une surface). *Le bord de la route.* **2** loc. *Être au bord de qqch.,* en être tout près. ♦ fam. *Sur les bords* loc. adv. : légèrement ; un peu.

**bordages** n. m. pl. Planches épaisses ou tôles recouvrant la membrure d'un navire.

**bordeaux** n. m. **1** Vin des vignobles de Gironde. **2** n. m. et adj. Rouge foncé.

**bordée** n. f. **1** Salve de l'artillerie du bord. - fig. *Une bordée d'injures.* **2** Partie de l'équipage de service à bord. **3** Route parcourue par un navire sans virer. ♦ loc. fam. *Tirer une bordée,* aller de bar en bar.

**bordel** n. m. **1** vulg. Maison de prostitution. → **boxon.** **2** fig., fam. Grand désordre. **3** vulg. *Bordel !* (juron).

**bordélique** adj. fam. Désordonné.

**border** v. tr. [1] **1** Occuper le bord de (qqch.). **2** Garnir (un vêtement) d'une bordure. **3** Plier le bord des draps, des couvertures sous le matelas (d'un lit). **4** mar. Tendre les écoutes pour raidir (une voile).

**bordereau** n. m. Relevé des articles ou pièces d'un compte, d'un dossier, etc.

**borderline** [bɔʀdœʀlajn] adj. et n. invar. anglic., psych. Qui présente des troubles entre névrose et psychose. - *Des borderline.*

**bordier, ière** adj. Situé en bordure.

**bordure** n. f. Ce qui borde (notamment en ornant). - *En bordure (de) :* sur le bord (de).

**bore** n. m. chim. Corps simple (symb. B), métalloïde, voisin du carbone.

**boréal, ale, aux** adj. Qui est au nord du globe terrestre (opposé à *austral*). → **arctique.**

**borgne** adj. **1** Qui a perdu un œil ou ne voit que d'un œil. - n. *Un, une borgne.* **2** *Hôtel borgne,* mal famé.

**borie** n. f. région. (sud de la France) Hutte en pierres sèches.

**bornage** n. m. Opération consistant à délimiter deux propriétés par des bornes.

**borne** n. f. **1** Pierre ou marque servant notamment à délimiter un champ, une propriété. - *Borne kilométrique,* qui sert de repère le long d'une route. - *Borne d'incendie :* bouche d'incendie formant borne. **2** fam. Kilomètre. **3** Pôle d'un circuit électrique. **4** au plur. fig. Frontières, limites. - *Sans bornes,* illimité. **5** Dispositif de communication, dans un lieu public. *Borne wi-fi.*

**borne-fontaine** n. f. **1** Fontaine en forme de borne. **2** (Canada) Bouche d'incendie.

**borner** v. tr. [1] **1** Délimiter (un terrain...). **2** fig. Renfermer dans des limites précises. ▷ v. pron. se **borner** (à) Se limiter (à). ▷ adj. **borné, ée** **1** Qui a (qqch.) comme borne. **2** Dont les capacités intellectuelles sont limitées.

**bortsch** [bɔʀtʃ] n. m. Soupe à la betterave (plat ukrainien), au chou (plat russe), à la crème.

**bosco** n. m. mar. Maître de manœuvre.

**boson** n. m. phys. Particule fondamentale, atome dont le nombre de spin est entier ou nul. - *Boson de Higgs,* à l'origine de la matière.

**bosquet** n. m. Petit bois ; groupe d'arbres.

**boss** [bɔs] n. m. anglic., fam. Patron, chef.

**bossage** n. m. archit. Saillie ornementale.

**bossa-nova** n. f. Musique de danse brésilienne ; cette danse.

**bosse** n. f. **1** Enflure due à un choc sur une région osseuse. **2** Grosseur dorsale, difformité de la colonne vertébrale (→ **bossu**). **3** Saillie à la surface d'un os (notamment du crâne). - fam. *Avoir la bosse des maths.* → **don. 4** Protubérance naturelle sur le dos d'animaux. **5** Partie renflée et arrondie.

**bosseler** v. tr. [4] Déformer (qqch.) par des bosses. → **cabosser.** ► **bosselure** n. f.

**bosser** v. intr. et tr. [1] fam. Travailler. ► **bosseur, euse** n. et adj. fam. → **travailleur.**

**bossoir** n. m. mar. Dispositif de levage.

**bossu, ue** adj. et n. Qui a une, des bosses (2).

**bossué, ée** adj. Qui présente des bosses.

**bot** adj. *Pied bot,* difforme par rétraction.

**botanique 1** adj. Relatif aux végétaux, à leur étude. **2** n. f. Science des végétaux. ► **botaniste** n.

**botox** n. m. (marque déposée) Toxine botulique utilisée en injection locale pour estomper les rides du visage.

① **botte** n. f. Chaussure haute qui enferme le pied et la jambe. ♦ loc. *Être à la botte de qqn,* lui obéir servilement. - *Bruits de bottes :* rumeurs de guerre.

② **botte** n. f. Assemblage de végétaux liés.

③ **botte** n. f. Coup d'épée, de fleuret.

**botteler** v. tr. [4] Attacher en botte(s).

**botter** v. tr. [1] **I 1** Chausser de bottes. **2** fam. Donner un coup de pied à. *Botter les fesses à qqn.* ♦ (sans compl.) sports Frapper du pied le ballon. **II** fam. Plaire à (qqn).

**bottier** n. m. Artisan qui fabrique des chaussures sur mesure. → **chausseur.**

**bottillon** n. m. Chaussure montante.

**bottin** n. m. Annuaire du téléphone.

**bottine** n. f. Chaussure montante fine.

**botulique** adj. méd. *Bacille botulique :* bactérie anaérobie, agent du botulisme. - *Toxine botulique,* produite par cette bactérie.

**botulisme** n. m. Intoxication grave causée par la toxine botulique.

**boubou** n. m. Tunique ample africaine.

**bouc** n. m. **1** Mâle de la chèvre. - loc. *Bouc émissaire :* bouc qu'on chargeait des péchés d'Israël ; fig. personne sur laquelle on fait retomber tous les torts. **2** Barbiche.

① **boucan** n. m. fam. Grand bruit.

② **boucan** n. m. (aux Caraïbes) Gril de bois.

**boucane** n. f. (Canada) Fumée (du feu, de cigarette...).

**boucaner** v. tr. [1] **1** Faire sécher à la fumée (de la viande, etc.). ► **boucanage** n. m. **2** Dessécher et colorer (la peau).

**boucanier** n. m. Aventurier, pirate.

**bouchage** n. m. Action de boucher.

**boucharde** n. f. techn. Marteau ou rouleau à aspérités. ► **boucharder** v. tr. [1]

**bouche** n. f. **1** Cavité située au bas du visage humain, communiquant avec l'appareil digestif et avec les voies respiratoires (→ **buccal**). ♦ Les lèvres et leur expression. *Une jolie bouche.* - loc. *Faire la fine bouche,* le difficile. ♦ (servant à manger) *Avoir la bouche pleine.* - loc. *Garder qqch. pour la bonne bouche,* pour la fin. - *Une fine bouche :* un gourmet. ♦ (servant à parler) loc. *De bouche à oreille :* en confidence. - *Le bouche à oreille :* ce qui se transmet directement, par la parole. - *Bouche cousue !* → **motus. 2** Cavité buccale (d'animaux). → **gueule. 3** Ouverture, orifice arrondi (de qqch., d'une construction). *Bouche de métro. Bouche d'égout.* - *Bouche d'incendie :* arrivée d'eau aménagée pour les pompiers.

**bouché, ée** adj. **1** Fermé. **2** fig. Obtus.

**bouche-à-bouche** n. m. invar. Respiration artificielle où l'on insuffle avec sa bouche de l'air dans celle de l'asphyxié.

**bouchée** n. f. **1** Quantité d'aliment qu'on met dans la bouche en une seule fois. ♦ loc. *Pour une bouchée de pain :* pour un prix dérisoire. - *Ne faire qu'une bouchée de de qqn,* en triompher aisément. - *Mettre les bouchées doubles :* aller plus vite (dans un travail, etc.). **2** *Bouchée à la reine :* croûte feuilletée garnie. **3** Morceau de chocolat fin fourré.

① **boucher** v. tr. [1] **1** Fermer (une ouverture, un récipient...). ♦ *Se boucher le nez* (en le pinçant), pour ne pas sentir. **2** Obstruer (un passage...). **3** loc. fam. *En boucher un coin à qqn,* le rendre muet d'étonnement.

② **boucher, ère** n. **1** Commerçant(e) qui prépare et vend la viande. **2** fig. Individu cruel et sanguinaire. - Chirurgien(ne) maladroit(e).

**boucherie** n. f. **1** Commerce de la viande crue de bœuf (et veau), de mouton (et agneau), de porc, de cheval. ♦ Magasin du boucher. **2** fig. Tuerie, carnage.

**bouche-trou** n. m. Ce qui ne sert qu'à combler une place vide. *Des bouche-trous.*

**bouchon** n. m. **I 1** vx Poignée de paille tordue. **2** région. (Lyonnais) Petit restaurant traditionnel. **II 1** Pièce (spécialt en liège) qui sert à boucher les bouteilles, flacons, etc. **2** Flotteur de ligne de pêche. **3** Embouteillage. **4** Jeu où on lançait des bouchons de liège.

**bouchonné, ée** adj. *Vin bouchonné,* qui a un goût, une odeur de bouchon.

**bouchonner** v. [1] **1** v. tr. Frotter vigoureusement (spécialt un cheval). **2** v. intr. fam. Former un embouteillage.

**bouchot** n. m. Parc à moules, en bois.

**bouclage** n. m. Action de boucler (I).

**boucle** n. f. **1** Anneau ou rectangle métallique muni d'une ou plusieurs pointes (→ **ardillon**) pour tendre une courroie, une ceinture. **2** Objet en forme d'anneau. ♦ *Boucles d'oreilles :* bijoux qu'on fixe aux oreilles. **3** Ligne courbe qui s'enroule. *Boucles de cheveux.* **4** loc. *En boucle,* répété plusieurs fois. **5** inform. Partie d'un programme qui revient à son point de départ.

**boucler** v. [1] **I** v. tr. **1** Attacher, serrer au moyen d'une boucle. **2** (presse...) *Boucler un numéro :* rassembler les articles prêts à paraître. **3** fam. Fermer (un passage...). - loc. *La boucler,* se taire. ♦ Enfermer, emprisonner (qqn). **4** Parcourir entièrement (un circuit...). **5** Entourer (un lieu) par des troupes. → **cerner, encercler. II** v. intr. Avoir, prendre la forme de boucles. ▷ adj. **bouclé, ée** *Cheveux bouclés.*

**bouclette** n. f. Petite boucle.

**bouclier** n. m. **1** Ancienne arme défensive, épaisse plaque portée pour se protéger. - loc. *Levée de boucliers :* démonstration collective d'opposition. **2** fig., littér. Ce qui constitue une défense, une protection. → **rempart. 3** zool. Carapace (de crustacés). **4** géol. Plate-forme de terrains anciens.

**bouddhisme** n. m. Doctrine religieuse fondée en Inde, qui succéda au brahmanisme et se répandit en Asie. ► **bouddhique** adj. ► **bouddhiste** adj. et n.

**bouder** v. [1] **1** v. intr. Montrer du mécontentement par une attitude maussade. **2** v. tr. Montrer de l'hostilité à (qqn) par cette attitude. ♦ fam. Ne plus rechercher (qqch.). *Bouder les distractions.* ► **bouderie** n. f. ► **boudeur, euse** adj.

**boudin** n. m. **1** Boyau rempli de sang et de graisse de porc assaisonnés. - *Boudin blanc,* à base de viandes blanches. - loc. fam. *S'en aller en eau de boudin,* échouer progressivement (affaire). **2** Objet cylindrique. - *Ressort à boudin,* hélicoïdal. **3** fam., péj. Fille petite et grosse.

**boudiné, ée** adj. **1** Serré dans un vêtement étroit. **2** En forme de boudin.

**boudiner** v. tr. [1] **1** Tordre en spirale. **2** Serrer (qqn) dans des vêtements étroits.

**boudoir** n. m. **1** Petit salon élégant de dame. **2** Biscuit oblong recouvert de sucre.

**boue** n. f. **1** Terre, poussière détrempée (dans les chemins...). - loc. *Traîner qqn dans la boue,* l'accabler de propos infamants. **2** Limon imprégné d'éléments minéraux. *Bains de boue.* **3** Déchets, résidus liquides.

**bouée** n. f. Corps flottant qui signale l'emplacement d'un mouillage, d'un écueil... ou délimite une passe, un chenal. ♦ Anneau d'une matière insubmersible.

① **boueux, euse** adj. **1** Plein de boue. **2** Qui a la consistance, l'aspect de la boue.

② **boueux** n. m. fam. Éboueur.

**bouffant, ante** adj. Qui bouffe (I).

**bouffarde** n. f. fam. Grosse pipe.

① **bouffe** adj. *Opéra bouffe,* du genre lyrique léger. → **opérette.**

② **bouffe** n. f. fam. Action de bouffer, de manger. ♦ Nourriture.

**bouffée** n. f. **1** Souffle exhalé ou inspiré par intermittence par la bouche. **2** Souffle d'air qui arrive. *Une bouffée de parfum.* ♦ Sensation brusque. *Bouffée de chaleur.* **3** fig. → **accès.** *Une bouffée de colère.*

**bouffer** v. [1] **I** v. intr. (matière souple, légère) Gonfler, augmenter de volume. **II** v. tr. fam. **1** Manger. - sans compl. *Bien bouffer.* - loc. *Se bouffer le nez,* se disputer. **2** fig. Absorber, accaparer. ♦ (machines) Consommer.

**bouffi, ie** adj. **1** Gonflé, enflé de manière disgracieuse. *Yeux bouffis.* **2** fig., péj. *Bouffi de,* rempli de (un sentiment). *Bouffi d'orgueil.*

**bouffir** v. tr. [2] Déformer par une enflure morbide, disgracieuse. ► **bouffissure** n. f.

**bouffon, onne I 1** n. m. anciennt Personnage chargé de divertir un prince. → **fou.** ♦ mod. Celui qui amuse. → **pitre. 2** n. fam. Personne niaise, ridicule. **II** adj. D'un comique grotesque. → **burlesque.**

**bouffonnerie** n. f. **1** Caractère bouffon. **2** Action ou parole bouffonne.

**bougainvillée** [-vile] n. f. Arbrisseau grimpant à feuilles persistantes, à bractées ornementales. - syn. **bougainvillier** n. m.

**bouge** n. m. Café, cabaret sordide.

**bougeoir** n. m. Chandelier bas, sans pied.

**bougeotte** n. f. fam. Manie, habitude de bouger, de voyager.

**bouger** v. [3] **I** v. intr. **1** Faire un mouvement. → **remuer.** ♦ Se déplacer ; partir. *Bouger sans cesse.* **2** fam. Changer, évoluer. *Les prix n'ont pas bougé.* **3** S'agiter avec hostilité ; se révolter. **II** v. tr. fam. Remuer, déplacer. *Bouger un meuble.*

**bougie** n. f. **1** Appareil d'éclairage, mèche tressée enveloppée de cire, etc. **2** Appareil d'allumage (d'un moteur à explosion).

**bougnat** n. m. fam. et vieilli Marchand de charbon (qui tenait souvent un café).

**bougon, onne** adj. et n. fam. Qui a l'habitude de bougonner. - *Un air bougon.*

**bougonner** v. intr. [1] fam. Exprimer pour soi seul, souvent entre les dents, son mécontentement. ► **bougonnement** n. m.

**bougre, bougresse** n. fam. **1** Personne hardie. → **gaillard.** ♦ Individu. *Un bon bougre.* **2** *Bougre de :* espèce de.

**bougrement** adv. fam. et vieilli Très.

**boui-boui** n. m. fam. Restaurant médiocre.

**bouillabaisse** n. f. Plat provençal de poissons bouillis, fortement épicé.

**bouillant, ante** adj. **1** Qui bout. **2** Très chaud, brûlant. **3** fig. Ardent, emporté.

**bouille** n. f. fam. Figure, tête.

**bouilleur, euse** n. Distillateur, distillatrice. - *Bouilleur, bouilleuse de cru,* personne qui distille ses récoltes.

**bouillie** n. f. **1** Aliment fait de lait et de farine bouillis ensemble. **2** *En bouillie :* écrasé. **3** Liquide pâteux.

**bouillir** v. intr. [15] **1** (liquide) S'agiter en formant des bulles (ébullition). **2** (viande...) Cuire dans un liquide qui bout. ♦ Être stérilisé, etc. dans l'eau qui bout. **3** fig. S'impatienter, s'emporter. - *Bouillir de colère.* ▷ adj. **bouilli, ie**

**bouilloire** n. f. Récipient à bec destiné à faire bouillir de l'eau.

**bouillon** n. m. **1** Bulles qui se forment au sein d'un liquide qui bout. *Bouillir à gros bouillons.* **2** Liquide dans lequel ont bouilli des aliments. **3** *Bouillon de culture :* liquide pour la culture des microbes ; fig. milieu favorable.

**bouillonner** v. intr. [1] **1** (liquide) Être agité en formant des bouillons. **2** fig. Être en effervescence. ► **bouillonnement** n. m.

**bouillotte** n. f. **1** vieilli Bouilloire. **2** Récipient que l'on remplit d'eau bouillante pour se chauffer (dans un lit, etc.).

**boulanger, ère** n. Personne qui fait et vend du pain.

**boulangerie** n. f. **1** Fabrication et commerce du pain. **2** Magasin du boulanger.

**boule** n. f. **1** Objet sphérique. - *Boule de neige.* loc. fig. *Faire boule de neige :* prendre de l'importance, de l'ampleur. - *Boule de gomme :* bonbon de gomme. **2** *En boule :* en forme de boule. - fig., fam. *Se mettre en boule,* en colère. **3** Corps plein sphérique que l'on fait rouler (jeux). **4** fam. Tête, crâne. - loc. *Perdre la boule,* devenir fou. **5** loc. fam. *Avoir les boules :* être en colère, ou anxieux.

**bouleau** n. m. Arbre des régions froides et tempérées, à écorce blanche.

Ne pas confondre avec *boulot* «travail».

**bouledogue** n. m. Petit dogue.

**bouler** v. intr. [1] fig., fam. *Envoyer bouler qqn,* le repousser, l'éconduire.

**boulet** n. m. **1** Projectile sphérique de métal dont on chargeait les canons. - loc. fam. *Comme un boulet de canon,* en trombe. **2** Boule de métal qu'on attachait aux pieds des forçats. ♦ fig. Obligation, charge pénible. **3** Aggloméré (ovoïde) de charbon.

**boulette** n. f. **1** Petite boule (spécialt d'un aliment). **2** fam. Bévue, gaffe.

**boulevard** n. m. **1** Rue très large, souvent plantée d'arbres. **2** *Théâtre de boulevard,* d'un comique léger, traditionnel.

**boulevardier, ière** adj. Qui a l'esprit du théâtre de boulevard.

**bouleversant, ante** adj. Très émouvant.

**bouleverser** v. tr. [1] **1** Mettre en grand désordre, par une action violente. **2** Apporter des changements brutaux dans. **3** Causer une émotion intense, un grand trouble à (qqn). ► **bouleversement** n. m.

**boulgour** n. m. Blé dur concassé.

**boulier** n. m. Cadre à tringles portant des boules, qui sert à compter. → **abaque.**

**boulimie** n. f. Faim excessive, pathologique. ♦ fig. *Une boulimie de lecture.* ► **boulimique** adj. et n.

**boulin** n. m. techn. Trou ménagé dans un mur.

**boulingrin** n. m. Parterre de gazon.

**bouliste** n. Personne qui joue aux boules.

**boulocher** v. intr. [1] (lainage) Former, à l'usage, de petites boules pelucheuses (*bouloche* n. f.).

**boulodrome** n. m. Terrain aménagé pour le jeu de boules.

**boulon** n. m. Ensemble constitué par une vis et l'écrou qui s'y adapte.

**boulonner** v. [1] **1** v. tr. Fixer par des boulons. ► **boulonnage** n. m. **2** v. intr. fam. Travailler.

① **boulot, otte** adj. et n. Gras et court.

② **boulot** n. m. fam. Travail, activité professionnelle.

Ne pas confondre avec *bouleau* «arbre».

**boulotter** v. intr. [1] fam. Manger.

**boum** [bum] **1** interj. Bruit de ce qui tombe, explose. **2** (n. m.) loc. *En plein boum :* en pleine activité. **3** n. f. Soirée ou après-midi dansante de jeunes gens.

**boumer** v. intr. [1] fam. *Ça boume,* ça va.

① **bouquet** n. m. **1** Groupe serré (d'arbres). → **boqueteau. 2** Assemblage de fleurs, de feuillages coupés. ♦ *Bouquet garni,* thym, laurier, persil. **3** Fusées qui couronnent un feu d'artifice. ♦ fam. *C'est le bouquet :* c'est le comble. **4** Arôme (d'un vin...).

② **bouquet** n. m. Crevette rose.

**bouquetière** n. f. Celle qui fait et vend des bouquets de fleurs dans les lieux publics.

**bouquetin** n. m. Mammifère ruminant à longues cornes annelées (sauvage).

**bouquin** n. m. fam. Livre, ouvrage.

**bouquiner** v. [1] fam. **1** v. intr. vieilli Fouiller dans de vieux livres. **2** v. tr. et intr. Lire.

**bouquiniste** n. Vendeur de vieux livres.

**bourbe** n. f. Boue, dépôt au fond des eaux stagnantes. ► **bourbeux, euse** adj.

**bourbier** n. m. **1** Lieu plein de bourbe. **2** fig. Situation très embarrassante.

**bourbon** n. m. Alcool analogue au whisky, à base de maïs, fabriqué aux États-Unis.

**bourbonien, ienne** adj. De la famille des Bourbons. – *Nez bourbonien,* long et busqué.

**bourdaine** n. f. Arbuste à écorce laxative.

**bourde** n. f. Faute lourde, grossière.

① **bourdon** n. m. **I 1** Insecte hyménoptère au corps lourd et velu. **2** *Faux bourdon :* mâle de l'abeille. **II 1** Ton grave, dans certains instruments. **2** Grosse cloche à son grave. **III** fam. *Avoir le bourdon :* être mélancolique (→ avoir le cafard).

② **bourdon** n. m. Long bâton de pèlerin.

**bourdonnement** n. m. **1** Bruit sourd et continu du vol d'insectes (bourdon, mouche...). **2** Murmure sourd, confus.

**bourdonner** v. intr. [1] **1** Faire entendre un bourdonnement. ♦ Émettre un son grave, vibrant. **2** Percevoir un bruit confus (oreilles).

**bourg** [buʀ] n. m. Gros village.

**bourgade** n. f. Village.

**bourgeois, oise** n. **1** hist. (au Moyen Âge) Citoyen d'une ville. **2** sous l'Ancien Régime Membre du tiers état qui ne travaillait pas de ses mains. **3** mod. Personne de la classe moyenne et dirigeante, qui ne travaille pas manuellement. → **petit-bourgeois.** ♦ adj. Propre à cette classe. **4** adj. péj. Qui est d'un conformisme excessif. **5** n. f. pop. Épouse. ► **bourgeoisement** adv.

**bourgeoisie** n. f. **1** hist. État de bourgeois (1). **2** Ensemble des bourgeois (2). **3** Ensemble des bourgeois (3) ; classe dominante.

**bourgeon** n. m. Excroissance sur la tige, la branche d'un arbre, contenant en germe les tiges, branches, feuilles, fleurs ou fruits.

**bourgeonner** v. intr. [1] **1** (arbres...) Pousser des bourgeons. **2** fig. (visage...) Se couvrir de boutons. ► **bourgeonnement** n. m.

**bourgeron** n. m. anciennt Blouse de toile.

**bourgmestre** [buʀgmɛstʀ] n. (Belgique, Suisse) Premier magistrat d'une commune.

**bourgogne** n. m. Vin de Bourgogne.

**bourgueil** n. m. Vin rouge du Val de Loire.

**bourguignon, onne** adj. et n. De Bourgogne. ♦ *Bœuf bourguignon,* au vin rouge.

**bourlinguer** v. intr. [1] **1** mar. (navire) Avancer péniblement, en roulant. **2** Naviguer ou voyager beaucoup. ► **bourlingueur, euse** n.

**bourrache** n. f. Plante à grandes fleurs bleues, employée en tisane.

**bourrade** n. f. Poussée donnée à qqn.

**bourrage** n. m. **I 1** Action de bourrer. **2** fam. *Bourrage de crâne :* propagande intensive. **II** Matière servant à bourrer.

**bourrasque** n. f. Coup de vent violent.

**bourratif, ive** adj. (aliment) Qui bourre.

① **bourre** n. f. **1** Poils d'animaux ou déchets textiles utilisés pour rembourrer. ♦ loc. fam. *De première bourre :* de première qualité. **2** Duvet des bourgeons de certains arbres.

② **bourre** n. **I** n. f. fam. Hâte. – loc. *À la bourre :* en retard. **II** n. m. argot Policier.

**bourré, ée** adj. **1** *Bourré de :* rempli de (qqch.). **2** Bondé, comble. **3** fam. Ivre.

**bourreau** n. m. **1** Celui qui exécute les peines corporelles ordonnées par la justice et, spécialt, la peine de mort. **2** Personne qui martyrise qqn. – plais. *Bourreau des cœurs :* séducteur. **3** *Bourreau de travail,* personne qui travaille beaucoup.

**bourrée** n. f. Danse du folklore auvergnat.

**bourrelé, ée** adj. *Bourrelé de remords :* tourmenté par le remords.

**bourrelet** n. m. **1** Bande de mousse, etc., qui sert à calfeutrer. **2** Renflement allongé. – spécialt Pli de chair, de graisse.

**bourrelier, ière** n. Artisan qui fait et vend des harnais, des sacs, etc. → **sellier.**

**bourrellerie** n. f. Métier du bourrelier.

**bourrer** v. tr. [1] **I 1** Remplir de bourre. → **rembourrer. 2** Remplir complètement en tassant. **3** Gaver (qqn) de nourriture. – pronom. *Se bourrer de gâteaux.* ♦ intrans. fam. *Aliment qui bourre,* qui cale l'estomac. → **bourratif. 4** *Bourrer le crâne à qqn,* essayer de lui en faire accroire. **II** *Bourrer qqn de coups,* le frapper à coups redoublés. ▷ v. pron. se **bourrer** fam. S'enivrer. – faux pronom. *Se bourrer la gueule* (même sens).

**bourriche** n. f. Panier sans anse.

**bourrichon** n. m. fam. Tête. – loc. *Se monter le bourrichon :* se faire des illusions.

**bourricot** n. m. Petit âne.

**bourride** n. f. Plat de poissons bouillis.

**bourrin** n. m. fam. Cheval.

**bourrique** n. f. **1** Âne, ânesse. – loc. *Faire tourner qqn en bourrique,* l'abrutir de taquineries, etc. **2** fig., fam. Personne têtue.

**bourru, ue** adj. **1** (choses) Rude, grossier (comme la bourre). **2** (personnes) Brutal, rude.

① **bourse** n. f. **I 1** Petit sac arrondi destiné à contenir des pièces de monnaie. – loc. *Sans bourse délier,* sans rien débourser. **2** Argent dont qqn dispose. *Une maigre bourse.* **3** Pension accordée à un étudiant, etc. **II** au plur. Enveloppe des testicules. → **scrotum.**

② **bourse** ou **Bourse** n. f. **I** (avec maj.) **1** Marché des valeurs mobilières ou des marchandises ; lieu où se fait ce marché. – spécialt Bourse des valeurs. **2** Cours de la Bourse. *La Bourse a baissé.* **II 1** *Bourse du travail :* réunion de syndicats ouvriers. **2** Lieu où l'on échange certaines marchandises. *Bourse aux livres.*

**boursicoter** v. intr. [1] Faire des opérations en Bourse. → **spéculer.** ► **boursicotage** n. m. ► **boursicoteur, euse** n.

① **boursier, ière** n. et adj. Élève, étudiant qui a obtenu une bourse d'études.

② **boursier, ière 1** n. Professionnel de la Bourse (fém. rare). **2** adj. De la Bourse.

**boursoufler** v. tr. [1] Faire enfler, gonfler. ▷ adj. **boursouflé, ée** → **bouffi.** ► **boursouflure** n. f.

Un seul *f,* contrairement à *souffler.*

**bousculer** v. tr. [1] **1** Pousser, heurter brutalement. **2** Modifier avec brusquerie. *Bousculer la tradition.* **3** Faire se dépêcher (qqn). – au p. p. *Être bousculé,* très occupé de choses urgentes. ► **bousculade** n. f.

**bouse** n. f. Excrément des bovins.

**bouseux** n. m. fam. et péj. Paysan.

**bousier** n. m. Scarabée vivant dans la bouse, qu'il roule en boulettes.

**bousiller** v. [1] **I** v. intr. techn. Maçonner en torchis. **II** v. tr. fam. **1** Mal faire (un travail...). ♦ Rendre inutilisable. **2** Tuer, massacrer. ► **bousillage** n. m.

**boussole** n. f. Appareil à cadran dont l'aiguille marque le nord. – loc. fam. *Perdre la boussole,* être troublé, affolé.

**boustifaille** n. f. fam. Nourriture.

**bout** n. m. **I 1** Partie qui termine (un objet) dans le sens de la longueur. → **extrémité.** – *À bout de bras :* au bout du bras tendu. – loc. *On ne sait (pas) par quel bout le prendre,* il est d'une humeur difficile. *Tenir le bon bout,* être en passe de réussir. **2** Extrémité (d'un espace). *À l'autre bout de la ville.* – fig. *À tout bout de champ :* à tout propos. **3** Fin d'une durée, de ce qui se termine, s'épuise. – loc. *Au bout du compte,* finalement. – *Être à bout de,* ne plus avoir de. *Être à bout d'arguments.* – *Être à bout,* être épuisé ou exaspéré. – *Venir à bout d'un travail,* l'achever ; *d'un adversaire,* le vaincre. **II 1** Partie, fragment. – *Un bout de :* un peu de. – *Un bon bout de temps,* longtemps. **2** loc. fam. *Mettre les bouts :* partir. **III** mar. [but] Cordage.

**boutade** n. f. Trait d'esprit, plaisanterie.

**bout-dehors** n. m. mar. Espar horizontal à l'avant d'un voilier, pour fixer une voile.

**boute-en-train** n. invar. Personne enjouée.

**bouteille** n. f. **I 1** Récipient à goulot étroit, pour les liquides. – loc. *Prendre de la bouteille :* vieillir. – *Être porté sur la bouteille :* s'adonner à la boisson. **2** Récipient métallique pour le gaz sous pression, etc. **II** appos. *Vert bouteille,* vert sombre.

**bouter** v. tr. [1] vx Pousser, chasser.

**bouterolle** n. f. techn. **1** Outil à tête arrondie. **2** Garde de serrure.

**bouteur** n. m. → **bulldozer**

**boutique** n. f. **1** Petit local où un commerçant, un artisan exerce son activité. → **magasin. 2** loc. fam. *Parler boutique,* de ses activités professionnelles.

**boutiquier, ière** n. péj. Marchand.

**boutis** n. m. Broderie effectuée sur deux étoffes superposées, le dessin étant mis en relief par un bourrage ; ouvrage de cette broderie. *Un boutis provençal.*

**boutoir** n. m. Extrémité du groin du porc, etc. – loc. *Coup de boutoir :* vive attaque.

**bouton** n. m. **I** Bourgeon, spécialt bourgeon à fleur. **II** Petite tumeur cutanée. **III 1** Petite pièce cousue sur les vêtements pour les fermer. – *Bouton-pression.* → **pression** (II). **2** Partie saillante (d'un objet) servant à ouvrir, fermer... *Bouton de porte.* → **poignée.** ♦ Petite commande (d'un appareil...) que l'on tourne ou pousse. *Bouton électrique.* → **interrupteur.** ♦ inform. Petite zone rectangulaire (d'un écran), sur laquelle on clique pour déclencher une action.

**bouton-d'or** n. m. Renoncule sauvage, à fleurs jaune doré. *Des boutons-d'or.*

**boutonner** v. tr. [1] Fermer, attacher (un vêtement) au moyen de boutons. ► **boutonnage** n. m. *Boutonnage dans le dos.*

**boutonneux, euse** adj. Qui a des boutons (II) sur la peau.

**boutonnière** n. f. **1** Petite fente faite à un vêtement pour y passer un bouton. **2** Incision longue et étroite dans les chairs.

**boutre** n. m. Petit voilier à poupe élevée.

**bout-rimé** n. m. Poésie à rimes imposées.

**bouture** n. f. Jeune pousse coupée et plantée pour former une nouvelle plante.

**bouturer** v. tr. [1] Reproduire (une plante) par boutures. ► **bouturage** n. m.

**bouvier, ière 1** n. Personne qui garde les bœufs. **2** n. m. Chien de bouvier.

**bouvreuil** n. m. Oiseau passereau au plumage gris et noir, rouge sur la poitrine.

**bovarysme** n. m. Tendance à se rêver autre, avec un autre destin (comme Emma *Bovary,* personnage de Flaubert).

**bovidés** n. m. pl. Famille de mammifères ongulés ruminants : bovins, ovins, chèvres, antilopes, gazelles et chamois.

**bovin, ine** 1 adj. Du bœuf (espèce). – fam. (personnes) *Regard bovin*, stupide. **2** n. m. pl. Les bœufs, vaches, taureaux et veaux.

**bowling** [buliŋ] n. m. anglic. Jeu de quilles sur piste. ♦ Salle où l'on y joue.

**bow-window** [bowindo] n. m. anglic. Fenêtre en saillie. *Des bow-windows.*

① **box,** plur. **boxes** [bɔks] n. m. anglic. **1** Stalle d'écurie pour un seul cheval. **2** Compartiment cloisonné (d'un garage, d'une salle). ♦ *Le box des accusés*, au tribunal.

② **box** [bɔks] n. m. anglic. Cuir de veau.

③ **box** [bɔks] n. f. anglic. Boîtier électronique donnant accès à des services de télécommunication (Internet...).

④ **box** [bɔks] n. f. anglic. **1** Coffret cadeau thématique donnant accès à des prestations (séjours, loisirs...). **2** Coffret contenant un assortiment de produits thématiques que l'on reçoit sur abonnement.

**boxe** n. f. Sport de combat opposant deux adversaires qui se frappent à coups de poing, en portant des gants spéciaux.

① **boxer** v. [1] **1** v. intr. Pratiquer la boxe. **2** v. tr. fam. Frapper (qqn) à coups de poing.

② **boxer** [-ɛʀ] n. m. Chien de garde à poil ras, à robe fauve ou tachetée.

**boxeur, euse** n. Personne, sportif pratiquant la boxe. → **pugiliste.**

**box-office** n. m. anglic. (spectacles) Échelle de succès, d'après le montant des recettes.

**boxon** n. m. fam. **1** Maison de prostitution. → **bordel. 2** Désordre ; chahut.

**boy** [bɔj] n. m. anglic. Domestique indigène, en Extrême-Orient, en Afrique, etc.

**boyard** [bɔjaʀ] n. m. hist. Noble russe.

**boyau** n. m. **I 1** Intestin d'un animal (ou au plur., fam., de l'homme). **2** Mince corde faite avec l'intestin d'animaux (pour instruments à cordes, raquettes). **II** Chemin, passage étroit. **III** Pneu de bicyclette de course.

**boycott** [bɔjkɔt] n. m. Cessation volontaire de tout échange avec un individu, un pays, etc. ► **boycotter** v. tr. [1]

**boy-scout** [bɔjskut] n. m. **1** vieilli Scout. **2** fam. Idéaliste naïf. *Des boy-scouts.*

**bracelet** n. m. Bijou en forme d'anneau porté autour du poignet. ♦ Bande de cuir protégeant le poignet. *Bracelet de force.*

**bracelet-montre** n. m. Montre montée sur un bracelet (de cuir, etc.).

**brachial, ale, aux** [bʀakjal] adj. didact. Du bras.

**braconner** v. intr. [1] Chasser (ou pêcher) sans permis, ou à une période, en un lieu, avec des engins interdits. ► **braconnage** n. m.

**braconnier** n. m. Personne qui braconne.

**bractée** n. f. bot. Feuille qui accompagne la fleur (colorée, elle ressemble à une fleur).

**brader** v. tr. [1] Vendre à bas prix.

**braderie** n. f. Foire publique d'objets usagés. ♦ Liquidation de soldes.

**braguette** n. f. **1** ancienn Pièce de tissu devant le haut-de-chausses. **2** mod. Ouverture sur le devant (d'un pantalon...).

**brahmane** n. m. Membre de la caste sacerdotale, la première des castes traditionnelles de l'Inde.

**brahmanisme** n. m. Système social et religieux de l'Inde, caractérisé par la suprématie des brahmanes. ► **brahmanique** adj.

**braiement** → **braiment**

**braies** n. f. pl. ancienn Pantalon ample des Gaulois et des peuples germaniques.

**braillard, arde** n. et adj. fam. Personne qui braille. – syn. **brailleur, euse.**

**braille** n. m. Système d'écriture (alphabet) en points saillants à l'usage des aveugles.

**brailler** v. intr. [1] fam. Crier, parler ou chanter très fort. – (enfants) Pleurer bruyamment. ► **braillement** n. m.

**braiment** n. m. Cri de l'âne, du mulet. – var. (vieilli) **braiement.**

**brainstorming** [bʀɛnstɔʀmiŋ] n. m. anglic. Recherche collective d'idées dans une réunion (recomm. off. *remue-méninges*).

**brain-trust** [bʀɛntʀœst] n. m. anglic. Équipe d'experts assistant une direction.

**braire** v. intr. [50] **1** (âne) Pousser son cri. **2** fam. Crier ou pleurer bruyamment.

**braise** n. f. Bois réduit en charbons ardents. ♦ *Des yeux de braise*, brillants.

**braiser** v. tr. [1] Faire cuire à feu doux et à l'abri de l'air. – au p. p. *Bœuf braisé.*

**braisiller** v. intr. [1] (braises) Luire.

**bramer** v. intr. [1] **1** (cervidé) Pousser son cri. **2** fam. Crier fort ou en se lamentant. ► **brame** et **bramement** n. m.

**brancard** n. m. **1** Bras d'une civière. ♦ Civière. **2** Barre de bois pour atteler une bête de trait. – loc. *Ruer* dans les brancards.*

**brancardier, ière** n. **1** Personne qui porte un brancard, une civière. **2** Agent hospitalier chargé de transporter les patients dans les services.

**branchage** n. m. **1** Ensemble des branches (d'un arbre). → **ramure. 2** au plur. Branches coupées.

**branche** n. f. **I 1** Ramification latérale du tronc d'un arbre. ♦ Toute ramification d'une plante. **2** Chacune des divisions (d'un organe, d'un appareil, d'un schéma, etc.), qui partent d'un axe ou d'un centre. **3** fig. Division (d'un système complexe). *Les branches de l'économie.* → **secteur. II** fam., vieilli *Vieille branche* : vieux camarade.

**branché, ée** adj. fam. À la mode ; au courant des dernières nouveautés. *Le public branché ;* n. *les branchés.*

**branchement** n. m. **1** Action de brancher. **2** Conduite, galerie, voie secondaire.

**brancher** v. tr. [1] **1** Rattacher (un circuit) à un circuit principal. **2** fig. Orienter, diriger (la conversation ; qqn). **3** fam. Mettre au courant ; intéresser (qqn). **4** fam. Draguer (qqn).

**branchie** n. f. Organe respiratoire des poissons, etc. ► **branchial, ale, aux** adj.

**brandade** n. f. Plat de morue émiettée.

**brande** n. f. Plantes des sous-bois.

**brandebourg** [-buʀ] n. m. Passementerie, galon ornant une boutonnière.

**brandir** v. tr. [2] **1** Lever de façon menaçante (une arme). **2** Agiter en élevant.

**brandon** n. m. **1** Débris enflammé. **2** loc. *Brandon de discorde* : source de discorde.

**brandy** n. m. anglic. Eau-de-vie de raisins.

**branlant, ante** adj. Qui branle (II).

en **branle** loc. adv. **1** En oscillation. **2** *Mettre en branle* : donner une impulsion à.

**branle-bas** n. m. invar. **1** *Branle-bas de combat* : préparation au combat, sur un navire. **2** Agitation précédant l'action.

**branler** v. [1] **I** v. tr. (loc.) *Branler la tête,* la remuer. → **hocher, secouer.** ► **branlement** n. m. **II** v. intr. Être instable, mal fixé. – loc. *Branler dans le manche* : être précaire. **III** vulg. **1** Masturber. ♦ pronom. Se masturber. – fig. *S'en branler* : s'en moquer. **2** *Qu'est-ce qu'il branle ?* → **fabriquer.**

**branleur, euse** n. fam. Personne oisive.

**braquage** n. m. **I** Action de braquer (II). **II** Attaque à main armée.

**braque I** n. m. Chien de chasse à poil ras. **II** adj. fam. Un peu fou, écervelé.

**braquemart** n. m. **1** anciennt Poignard, épée courte. **2** fam. Pénis.

**braquer** v. [1] **I** v. tr. **1** *Braquer sur* : tourner (une arme à feu, un instrument d'optique...) dans la direction de. **2** Mettre en joue (qqn) ; attaquer à main armée. **3** fig. *Braquer qqn contre,* l'amener à s'opposer à. – pronom. → se **buter. II** v. intr. Faire tourner un véhicule (au maximum).

**braquet** n. m. Rapport entre le pignon et le plateau d'une bicyclette.

**bras** n. m. **1** Segment du membre supérieur compris entre l'épaule et le coude. *Le bras et l'avant-bras.* ♦ cour. Membre supérieur, de l'épaule à la main. ♦ loc. *Bras de fer* : jeu où deux adversaires mesurent la force de leur bras ; fig. épreuve de force. – *Bras d'honneur,* geste injurieux du bras (simulacre d'érection). – *Les bras m'en tombent* : je suis stupéfait. – *Baisser les bras* : abandonner. – *Accueillir qqn à bras ouverts,* avec effusion. – *Avoir le bras long,* de l'influence. **2** Personne qui agit, travaille, combat. – *Le bras droit de qqn,* son adjoint. ♦ fam. *Un bras cassé* : une personne inefficace ou incompétente. – *Un gros bras* : un dur ; un homme de main. **3** *À bras* loc. adv. : à l'aide des seuls bras (sans machine). ♦ *Se jeter sur qqn à bras raccourcis,* avec violence. **4** Partie du membre antérieur du cheval, entre le genou et l'épaule. ♦ Tentacule (des céphalopodes). **5** par analogie Pièce allongée. *Les bras d'une brouette.* – Partie mobile (d'un dispositif). – Accoudoir (d'un siège). ♦ sc. *Bras de levier* : distance d'une force à son point d'appui. **6** Division d'un cours d'eau. – *Bras de mer* : détroit, passage.

**brasero** [bʀɑzeʀo] n. m. Bassin de métal à pieds, rempli de charbons ardents.

**brasier** n. m. Matières, objets en complète combustion du fait d'un incendie.

**brasiller** v. intr. [1] Scintiller. ♦ Braisiller.

à **bras-le-corps** [-kɔʀ] loc. adv. Avec les bras et par le milieu du corps. ♦ fig. Énergiquement.

**brassage** n. m. **1** Action de brasser (spécialt la bière). **2** fig. Mélange (de peuples...).

**brassard** n. m. **1** Pièce d'armure qui couvrait le bras. **2** Insigne porté au bras. **3** Bouée qui se porte autour du bras.

**brasse** n. f. **I** Ancienne mesure de longueur ; mesure de profondeur (environ 1,60 m). **II** Nage ventrale réalisée en pliant et détendant bras et jambes.

**brassée** n. f. Ce que les bras peuvent contenir, porter. *Brassée de fleurs.*

**brasser** v. tr. [1] **1** *Brasser la bière* : préparer le moût en faisant macérer le malt dans l'eau. **2** Remuer en mêlant. **3** fig. Mélanger, mêler. **4** Manier, traiter en quantité. *Brasser des affaires.*

**brasserie** n. f. **1** Fabrique de bière. ♦ Industrie de la bière. **2** Grand café-restaurant.

① **brasseur, euse** n. **1** Personne, entreprise qui fabrique ou vend de la bière. **2** *Brasseur, brasseuse d'affaires* : personne qui s'occupe de nombreuses affaires.

② **brasseur, euse** n. Nageur, nageuse de brasse.

**brassière** n. f. **1** Chemise de bébé, à manches longues, qui se ferme dans le dos. **2** Sous-vêtement féminin destiné à soutenir la poitrine, constitué d'une bande de tissu et d'une paire de bretelles. ♦ (Canada) Soutien-gorge.

**bravache** n. m. et adj. Fanfaron.

**bravade** n. f. **1** Ostentation de bravoure. **2** Action ou attitude de défi insolent.

**brave** adj. et n. **1** (après le nom) Courageux au combat. **2** (avant le nom) Honnête et bon avec simplicité. **3** attribut D'une bonté ou d'une gentillesse un peu naïve.

**bravement** adv. **1** Avec bravoure. **2** D'une manière décidée. → **résolument.**

**braver** v. tr. [1] **1** Défier orgueilleusement. **2** Affronter sans crainte (qqch. de redoutable). ♦ Oser ne pas respecter. *Braver les règles.*

**bravissimo** interj. Exclamation exprimant un très grand contentement.

**bravo** **1** interj. Exclamation pour approuver. **2** n. m. Applaudissement, acclamation.

**bravoure** n. f. **1** Qualité d'une personne brave (1). **2** *Morceau de bravoure :* passage (d'une œuvre) particulièrement brillant.

① **break** [bʀɛk] n. m. anglic. **1** ancienn Voiture à quatre roues, ouverte, à siège de cocher élevé et banquettes longitudinales. **2** mod. Fourgonnette à arrière vitré.

② **break** [bʀɛk] n. m. anglic. **1** sports Écart entre deux adversaires. **2** mus. Interruption du jeu, créant une attente. **3** (critiqué) Pause.

**breakfast** [bʀɛkfœst] n. m. anglic. Petit déjeuner à la manière anglo-saxonne.

**brebis** n. f. **1** Femelle du mouton. **2** loc. *Brebis galeuse :* personne qu'on rejette.

① **brèche** n. f. **1** Ouverture dans un mur, une clôture. – Percée dans une enceinte fortifiée, un front. ♦ loc. fig. *Être toujours sur la brèche,* en pleine activité. – *Battre en brèche,* attaquer, ruiner (un argument, etc.). **2** Petite entaille à un objet, etc. (→ **ébrécher**). – fig. *Faire une brèche à ses économies.*

② **brèche** n. f. Roche formée d'éléments pointus agglomérés.

**bréchet** n. m. Sternum saillant (oiseaux).

**bredouille** adj. *Être, rentrer bredouille,* sans avoir rien pris, obtenu ou trouvé.

**bredouiller** v. [1] **1** v. intr. Parler vite et peu distinctement. **2** v. tr. Dire en bredouillant. ► **bredouillement** n. m.

① **bref, brève** I adj. De peu de durée. → **court ; concis, succinct.** ♦ ling. *Syllabe, voyelle brève,* de courte durée d'émission. → **brève.** II adv. **1** Pour résumer en peu de mots. **2** littér. *En bref* loc. adv. : en peu de mots.

② **bref** n. m. Courte lettre du pape.

**bréhaigne** adj. f. (femelle) Stérile.

**brelan** n. m. (cartes) Réunion de trois cartes de même valeur. – (dés) Coup amenant trois faces semblables.

**breloque** n. f. **1** Petit bijou de fantaisie qu'on suspend. **2** loc. vieilli *Battre la breloque :* fonctionner mal ; être un peu fou.

**brême** n. f. argot fam. Carte à jouer.

**bretelle** n. f. **1** Courroie que l'on passe sur les épaules pour porter un fardeau. → **bandoulière. 2** Bande qui retient aux épaules certains vêtements. – loc. fam. *Remonter les bretelles à qqn,* le réprimander. **3** Voie de raccordement. *Bretelle d'autoroute.*

**breton, onne** adj. et n. De Bretagne. ♦ n. m. *Le breton* (langue celtique).

**bretonnant, ante** adj. Qui parle breton.

**bretteur, euse** n. ancienn Personne qui aime se battre à l'épée. → ① **ferrailleur.**

**bretzel** n. m. Biscuit salé, au cumin.

**breuvage** n. m. littér. Boisson.

**brève** n. f. **1** ling. Voyelle, syllabe brève. **2** journal. Information brièvement annoncée.

**brevet** n. m. Titre ou diplôme délivré par l'État, donnant certains droits. – spécialt (en France) Examen final du premier cycle de l'enseignement secondaire. ♦ *Brevet d'invention,* conférant un droit d'exploitation.

**breveté, ée** adj. **1** Qui a obtenu un brevet. **2** Garanti par un brevet. *Procédé breveté.*

**breveter** v. tr. [4] Protéger par un brevet.

**bréviaire** n. m. Livre de prières du prêtre.

**briard, arde** adj. et n. De la Brie. – *Chien briard* ou n. m. *briard :* berger à poils longs.

**bribe** n. f. Petit morceau, petite quantité.

**bric-à-brac** n. m. invar. Amas hétéroclite.

de **bric et de broc** loc. adv. Avec des éléments de toute provenance, au hasard.

① **brick** n. m. Deux-mâts à voiles carrées.

② **brick** n. m. Beignet salé à pâte fine.

**bricolage** n. m. Action de bricoler ; travail de bricoleur. ♦ Travail rapide, improvisé.

**bricole** n. f. **1** Courroie du harnais passée sur la poitrine du cheval. – Bretelle de porteur. **2** Petit objet. → **babiole.** ♦ loc. fam. *Il va lui arriver des bricoles,* des ennuis.

**bricoler** v. [1] I v. intr. **1** Gagner sa vie en faisant de petites besognes. **2** Se livrer à des travaux manuels (réparations, etc.). II v. tr. Installer, aménager en amateur et avec ingéniosité. ♦ Arranger, réparer tant bien que mal. ► **bricoleur, euse** adj. et n.

**bride** n. f. **1** Pièce du harnais fixée à la tête du cheval pour le diriger. ♦ loc. *Avoir la bride sur le cou :* être libre. – *À bride abattue :* très vite. **2** Lien servant à retenir ou à relier.

**bridé, ée** adj. *Yeux bridés,* présentant un repli qui retient la paupière supérieure ; par ext. aux paupières étirées latéralement.

**brider** v. tr. [1] **1** Mettre la bride à (un cheval). ♦ Serrer avec une bride. **2** fig. Contenir, réprimer, limiter.

① **bridge** n. m. Jeu de cartes qui se joue à deux contre deux. ► **bridger** v. intr. [3]

② **bridge** n. m. Appareil de prothèse dentaire prenant appui sur des dents solides.

**brie** n. m. Fromage fermenté à pâte molle et croûte moisie.

**briefer** [bʀife] v. tr. [1] anglic. Informer par un briefing, communiquer des instructions à (qqn).

**briefing** [bʀifiŋ] n. m. anglic. Réunion d'information.

**brièvement** adv. En peu de mots.

**brièveté** n. f. Caractère bref.

**brigade** n. f. **1** Unité militaire tactique. **2** Équipe (de travailleurs).

**brigadier** n. m. **1** Chef d'une brigade. **2** (au théâtre) Bâton pour frapper les trois coups.

**brigand** n. m. vieilli **1** Malfaiteur qui se livre au brigandage. → **bandit.** **2** Homme malhonnête.

**brigandage** n. m. Vol ou pillage commis à main armée, généralement en bande.

**brigue** n. f. littér. Manœuvre, intrigue.

**briguer** v. tr. [1] Chercher à obtenir (qqch.).

**brillamment** adv. De manière brillante.

**brillance** n. f. Caractère brillant.

**brillant, ante** I adj. **1** Qui brille (1). *Des yeux brillants.* **2** fig. Qui sort du commun, s'impose par sa qualité. ♦ spécialt Qui réussit avec éclat (intellectuellement...). ♦ (avec une négation) *Ce n'est pas brillant,* c'est médiocre. **II** n. m. **1** Éclat, caractère brillant. **2** Diamant taillé à facettes.

**brillantine** n. f. Cosmétique pour faire briller les cheveux. ► **brillantiner** v. tr. [1]

**briller** v. tr. [1] **1** Émettre ou réfléchir une lumière vive. → **étinceler, luire, resplendir.** **2** fig. Se distinguer avec éclat. *Briller en société.* - iron. *Briller par son absence.*

**brimade** n. f. Épreuve vexatoire imposée aux nouveaux dans les régiments, etc. ♦ par ext. Vexation.

**brimbaler** v. tr. et intr. [1] vieilli Bringuebaler.

**brimborion** n. m. vieilli Menu objet sans valeur.

**brimer** v. tr. [1] Soumettre à des brimades. ♦ Soumettre à des vexations.

**brin** n. m. **1** Filament qui constitue un fil, une corde. **2** Tige, jeune pousse (d'un végétal). **3** Petite partie longue et mince (de qqch.). **4** fig. *Un brin de :* quantité infime de. - loc. adv. *Un brin :* un peu.

**brindille** n. f. Menue branche.

① **bringue** n. f. fam. et péj. *Une grande bringue,* une grande fille dégingandée.

② **bringue** n. f. fam. *Faire la bringue,* la fête.

**bringuebaler** v. [1] **1** v. tr. Secouer. **2** v. intr. Osciller brusquement. - var. **brinquebaler.**

**brio** n. m. Technique brillante, en musique. → **maestria.** ♦ Talent brillant, virtuosité.

**brioche** n. f. **1** Pâtisserie légère, souvent ronde, de pâte levée. **2** fam. Ventre rebondi.

**brioché, ée** adj. Qui a le goût de brioche.

**brique** n. f. **1** Matériau de construction fabriqué avec de la terre argileuse façonnée et séchée (souvent en parallélépipède). ♦ adj. invar. D'un rouge brun. **2** Matière compacte moulée en parallélépipède. ♦ Emballage parallélépipédique pour les liquides. **3** fam. Somme de un million de centimes (d'anciens francs).

**briquer** v. tr. [1] Nettoyer en frottant.

① **briquet** n. m. Petit appareil pouvant produire du feu à répétition.

② **briquet** n. m. Petit chien de chasse.

**briqueterie** [bʀik(ə)tʀi ; bʀikɛtʀi] n. f. Fabrique de briques.

**briquette** n. f. Petite brique (combustible).

**bris** n. m. Action de briser, de se briser. - dr. *Bris de scellés* (délit).

**brisant** n. m. Rocher sur lequel la mer se brise et déferle. → **écueil, récif.**

**briscard** n. m. Vieux soldat de métier. ♦ Homme expérimenté. - var. **brisquard.**

**brise** n. f. Vent peu violent.

> Ne pas confondre avec *bise* «vent sec et froid».

**brisées** n. f. pl. **1** Branches que le veneur casse pour marquer la voie de la bête. **2** loc. *Aller, marcher sur les brisées de qqn,* entrer en concurrence avec lui sur son terrain.

**brise-glace** n. m. Navire à étrave renforcée pour briser la glace. *Des brise-glaces.*

**brise-jet** n. m. Embout adapté à un robinet pour diriger le jet. *Des brise-jets.*

**brise-lames** n. m. invar. Digue protégeant contre les vagues du large.

**brisement** n. m. Action de briser.

**brise-mottes** n. m. invar. Rouleau servant à écraser les mottes de terre.

**briser** v. tr. [1] **1** littér. ou région. Casser. ♦ fig. *Briser le cœur,* affliger profondément. - *Briser qqn.* → **abattre, anéantir.** **2** fig. Rendre inefficace ; interrompre, détruire. - *Briser une grève,* la faire échouer. ▷ v. pron. **se briser** **1** Se casser. **2** (mer) Déferler. ▷ adj. **brisé, ée** **1** Cassé. - fig. *Cœur brisé.* **2** *Ligne brisée,* composée de segments formant des angles. - archit. *Arc brisé,* formant un angle au faîte (opposé à *en plein cintre*). **3** *Pâte brisée,* pâte à tarte non feuilletée.

**brise-tout** n. invar. Personne maladroite qui casse tout ce qu'elle touche.

**briseur, euse** n. loc. *Briseur, briseuse de grève* : personne qui ne fait pas la grève lorsqu'elle a été décidée, ou qui remplace un gréviste.

**brisquard** → **briscard**

**bristol** n. m. **1** Papier satiné fort et blanc. **2** vieilli Carte de visite ou d'invitation.

**brisure** n. f. Cassure, fêlure.

**britannique** adj. et n. De la Grande-Bretagne. → **anglais, anglo-saxon.**

**broc** [bʀo] n. m. Récipient profond à anse, à bec évasé, pour les liquides.

**brocante** n. f. Métier, commerce du brocanteur.

**brocanteur, euse** n. Personne qui fait commerce d'objets anciens, de curiosités.

① **brocard** n. m. vx Petit trait moqueur, raillerie. ► **brocarder** v. tr. [1]

② **brocard** n. m. Chevreuil d'un an.

**brocart** n. m. Riche tissu de soie broché.

**broche** n. f. **1** Tige de fer qu'on passe au travers d'une viande à rôtir. ♦ chir. Tige fixant un os fracturé. **2** Bijou à épingle et fermoir. **3** au plur. Défenses du sanglier.

**brocher** v. tr. [1] **1** Relier sommairement, avec couverture de papier. **2** Tisser en entremêlant des fils d'or, etc., avec des dessins en relief. ▷ adj. **broché, ée 1** *Livre broché* (opposé à *relié*). **2** *Tissu broché.* ► **brochage** n. m.

**brochet** n. m. Long poisson d'eau douce carnassier, aux dents aiguës.

**brochette** n. f. **1** Petite broche (1) pour préparer des morceaux d'aliments ; ces morceaux. **2** Petite broche servant à porter des décorations. **3** fig. Groupe disposé en ligne.

**brocheur, euse** n. **1** Ouvrier, ouvrière qui broche (des tissus, des livres). **2** n. f. Machine pour le brochage des livres.

**brochure** n. f. **1** Décor d'un tissu broché. **2** Livret broché. *Brochure publicitaire.*

**brocoli** n. m. Petit chou-fleur vert.

**brodequin** n. m. **1** Chaussure montante de marche. **2** Antiq. Chaussure des personnages de comédie. **3** au plur. hist. Instrument de supplice, pour serrer les pieds.

**broder** v. [1] **1** v. tr. Orner de broderies. ♦ Exécuter en broderie. **2** v. intr. fig. Amplifier ou exagérer à plaisir. ▷ adj. **brodé, ée**

**broderie** n. f. **1** Ouvrage consistant en points recouvrant un motif dessiné sur un tissu. **2** Technique, commerce du brodeur.

**brodeur, euse** n. **1** Ouvrier, ouvrière en broderie. **2** n. f. Métier, machine à broder.

**broiement** n. m. rare Broyage.

**brome** n. m. Élément (symb. Br), gaz suffocant très toxique.

**bromure** n. m. **1** Composé du brome avec un corps simple. – *Bromure (de potassium),* puissant sédatif. **2** (industrie graphique) Épreuve sur papier au bromure d'argent.

**bronche** n. f. Chacun des deux conduits partant de la trachée et se ramifiant dans les poumons. ► **bronchique** adj.

**broncher** v. intr. [1] **1** vieilli Trébucher. **2** Réagir. *Se faire insulter sans broncher.*

**bronchiole** n. f. Ramification terminale des bronches.

**bronchiolite** n. f. méd. Inflammation des bronchioles. *Bronchiolite du nourrisson,* infection d'origine virale, très contagieuse.

**bronchite** n. f. Inflammation des bronches. ► **bronchitique** et **bronchiteux, euse** adj. et n.

**bronchodilatateur, trice** adj. méd. Qui relâche les muscles des voies respiratoires, facilitant la ventilation pulmonaire.

**bronchopathie** n. f. méd. Maladie des bronches, aiguë ou chronique (bronchite...).

**bronchopneumonie** n. f. Inflammation du poumon et des bronches.

**bronchopulmonaire** adj. Relatif aux bronches et aux poumons. *Infection bronchopulmonaire.*

**brontosaure** n. m. Reptile fossile gigantesque de l'ère secondaire.

**bronzage** n. m. **1** techn. Action de bronzer (un métal). **2** Fait de bronzer (3) ; son résultat. → **hâle.**

**bronze** n. m. **1** Alliage de cuivre et d'étain. → **airain.** – *L'âge du bronze* : période préhistorique de diffusion de la technique du bronze (environ IIe millénaire avant J.-C.). **2** Objet d'art en bronze.

**bronzer** v. [1] **1** v. tr. techn. Recouvrir d'une couche de bronze ou imitant le bronze. **2** v. tr. (soleil...) Brunir (qqn). → **hâler. 3** v. intr. (peau...) Brunir. ▷ adj. **bronzé, ée**

**brosse** n. f. **1** Ustensile de nettoyage, filaments fixés sur une monture. – loc. fam. *Manier la brosse à reluire* : être servilement flatteur. **2** *Cheveux en brosse,* coupés court et droit. **3** Pinceau de peintre. **4** (insectes) Poils pour recueillir le pollen.

**brosser** v. tr. [1] **1** Nettoyer, frotter avec une brosse. ► **brossage** n. m. **2** Peindre à la brosse. ♦ fig. Décrire à grands traits.

**brosserie** n. f. Fabrication, commerce des brosses et analogues (balais, etc.).

**brou** n. m. **1** bot. Péricarpe externe de divers fruits. **2** *Brou de noix* : teinture brune faite avec le brou de la noix.

**brouet** n. m. vx Potage. ♦ Mets grossier.

**brouette** n. f. Petit véhicule à une roue muni de deux brancards, qui sert à transporter (*brouetter* v. tr. [1]) des fardeaux.

**brouettée** n. f. Contenu d'une brouette.

**brouhaha** n. m. Bruit confus d'une foule.

**brouillage** n. m. Trouble introduit dans la réception des ondes de radio, etc.

**brouillamini** n. m. vieilli Embrouillamini.

① **brouillard** n. m. Phénomène naturel, fines gouttelettes d'eau en suspension dans l'air, qui limitent la visibilité.

② **brouillard** n. m. Livre de commerce où on note les opérations au fur et à mesure.

**brouillasser** v. impers. [1] Faire du brouillard.

**brouille** n. f. Mésentente, fâcherie.

**brouiller** v. tr. [1] **1** Mêler en agitant, en dérangeant. **2** Rendre trouble. ♦ Troubler par brouillage. **3** fig. Rendre confus. → **embrouiller.** **4** Désunir en provoquant une brouille. - au passif *Ils sont brouillés.* - fam. *Être brouillé avec* (qqch.), ne rien y comprendre. ▷ v. pron. se **brouiller** **1** Devenir trouble ou confus. **2** Cesser d'être ami(s). ▷ adj. **brouillé, ée** **1** Mêlé, mélangé. - *Œufs brouillés.* **2** fig. Confus, peu net.

① **brouillon, onne** adj. Qui brouille (3) tout, n'a pas de méthode. → **désordonné.**

② **brouillon** n. m. Première rédaction d'un écrit qu'on mettra au net par la suite.

**broussaille** n. f. **1** au plur. Végétation touffue des terres incultes. **2** fig. *Cheveux en broussaille,* emmêlés. ► **broussailleux, euse** adj.

① **brousse** n. f. **1** Végétation arbustive des pays tropicaux. **2** Zone éloignée des villes, des villages, en Afrique. → **bled.**

② **brousse** n. f. Fromage frais de chèvre ou de brebis, en Provence.

**brouter** v. [1] **1** v. tr. (animaux) Manger en arrachant sur place (l'herbe, etc.). **2** v. intr. Fonctionner par saccades (outil...).

**broutille** n. f. Objet, élément sans valeur. → **babiole, bagatelle, bricole, vétille.**

**brownie** n. m. anglic. Gâteau moelleux au chocolat et aux noix de pécan, servi coupé en carrés.

**brownien, ienne** [bʀonjɛ̃, jɛn] adj. phys. *Mouvement brownien :* agitation des particules dans les liquides ou les gaz.

**browning** [bʀoniŋ] n. m. Pistolet automatique à chargeur.

**broyer** v. tr. [8] **1** Réduire en parcelles très petites, par pression ou choc. ♦ loc. *Broyer du noir :* être triste, déprimé. **2** Écraser. *La machine lui a broyé la main.* ► **broyage** n. m.

**broyeur, euse** **1** adj. Qui broie. **2** n. m. ou n. f. Machine à broyer.

**brrr** interj. Exprime le frisson.

**bru** n. f. vieilli ou région. Belle-fille (2).

**bruant** n. m. Petit passereau des champs.

**brucelles** n. f. pl. Pince fine à ressort.

**brucellose** n. f. méd. Maladie infectieuse due à des bacilles, transmise à l'homme par les animaux domestiques.

**brugnon** n. m. Variété de pêche à peau lisse et noyau adhérent. → aussi **nectarine.**

**bruine** n. f. Petite pluie très fine et froide, due à la condensation du brouillard.

**bruiner** v. impers. [1] Faire de la bruine.

**bruire** v. intr. [2] seulement inf., 3es pers. prés. et imp., p. prés. littér. Produire un bruit léger et confus. ► **bruissement** n. m.

**bruit** n. m. **1** Sensation perçue par l'oreille. → ② **son.** *Les bruits de la nature.* - *Bruit de fond,* auquel se superpose un autre bruit. ♦ loc. fig. *Faire grand bruit, faire du bruit,* avoir un grand retentissement. **2** Nouvelle répandue, propos rapportés. → **rumeur ; on-dit.** **3** phys. Perturbation qui se superpose à un signal utile.

**bruitage** n. m. Reconstitution des bruits accompagnant l'action (au cinéma, etc.).

**bruiteur, euse** n. Spécialiste du bruitage.

**brûlage** n. m. Action de brûler.

**brûlant, ante** adj. **1** Très ou trop chaud. - fig. *Un terrain brûlant :* un sujet à éviter. **2** Affecté d'une sensation de chaleur intense. **3** fig. Ardent, passionné.

**brûle-gueule** n. m. Pipe à tuyau très court. *Des brûle-gueule(s).*

**brûle-parfum** n. m. Cassolette à parfums. *Des brûle-parfums.*

à **brûle-pourpoint** loc. adv. (après un verbe de déclaration) Sans préparation, brusquement.

**brûler** v. [1] **I** v. tr. **1** Détruire par le feu. *Brûler des mauvaises herbes.* ♦ Consumer (de l'énergie) pour éclairer, chauffer... **2** Altérer par l'action du feu, de la chaleur... *Brûler un gâteau.* **3** Produire les mêmes effets qu'une brûlure. **4** Passer sans s'arrêter à (un point d'arrêt prévu). *Brûler un feu rouge.* **II** v. intr. **1** Se consumer par le feu. ♦ Être calciné. *Le rôti a brûlé.* ♦ Se consumer en éclairant. **2** Ressentir une sensation de brûlure. ♦ fig. *Brûler de* (+ inf.) : être impatient de. **3** (devinettes) Être tout près du but. ▷ v. pron. se **brûler** **1** S'immoler par le feu. **2** Subir une brûlure partielle. ▷ **brûlé, ée** **I** p. p. **1** Qui a brûlé, a été brûlé. **2** loc. fig. *Une tête brûlée :* un exalté. **3** Démasqué ; qui a perdu tout crédit. **II** **1** n. m. Odeur, goût d'une chose qui brûle ou a brûlé. *Ça sent le brûlé* (fig. l'affaire tourne mal). → **roussi.** **2** n. Personne atteinte de brûlures.

**brûlerie** n. f. **1** Distillerie d'eau-de-vie. **2** Atelier de torréfaction du café.

**brûleur** n. m. Appareil qui met en présence un combustible et un comburant afin de permettre une combustion.

**brûlis** n. m. Défrichement par le feu. ♦ Terrain ainsi traité.

**brûlot** n. m. 1 anciennt Navire chargé de combustibles, pour incendier les bâtiments ennemis. 2 fig. Journal ou article polémique.

**brûlure** n. f. 1 Lésion produite sur une partie du corps par le feu, la chaleur ou une substance corrosive. ♦ Marque à l'endroit où qqch. a brûlé. 2 Sensation d'irritation dans l'organisme. *Brûlures d'estomac.*

**brumaire** n. m. Deuxième mois du calendrier républicain (22 octobre-21 novembre).

**brume** n. f. 1 Brouillard léger. 2 fig. État de confusion (de la pensée).

**brumeux, euse** adj. 1 Chargé de brume. 2 fig. Qui manque de clarté. → **confus.**

**brun, brune** 1 adj. De couleur sombre, entre le roux et le noir. → **bistre, marron, tabac.** ♦ Qui a les cheveux bruns. - n. *Une jolie brune.* 2 n. m. Cette couleur.

**brunante** n. f. (Canada) Tombée de la nuit.

**brunâtre** adj. Tirant sur le brun.

**brunch** [bʀœnʃ] n. m. anglic. Repas copieux pris dans la matinée. *Des brunch(e)s.* ► **bruncher** [bʀœnʃe] v. intr. [1]

à la **brune** loc. adv. littér. Au crépuscule.

**brunet, ette** n. Petit brun, petite brune.

**brunir** v. [2] I v. tr. 1 techn. Polir (un métal). ► **brunissage** n. m. 2 Rendre brun. → **hâler.** II v. intr. Devenir brun, prendre une teinte brune. ► **brunissement** n. m.

**brushing** [bʀœʃiŋ] n. m. anglic. Mise en plis à la brosse et au séchoir à main.

**brusque** adj. 1 Qui agit avec rudesse et d'une manière soudaine. → **abrupt, brutal, rude.** 2 Qui est soudain, que rien ne laisse prévoir. → **inattendu, subit.** ► **brusquement** adv.

**brusquer** v. tr. [1] 1 Traiter de manière brusque. → **malmener.** 2 Précipiter (qqch. de lent, d'éloigné). → **hâter.**

**brusquerie** n. f. 1 Façons brusques envers autrui. 2 Soudaineté, précipitation.

**brut, brute** [bʀyt] adj. 1 vx À l'état le plus primitif. *Force brute* (→ brutal). 2 Qui est à l'état naturel, n'a pas encore été élaboré par l'homme. ♦ Qui résulte d'une première élaboration (avant d'autres transformations). - *Champagne brut,* sans ajout de sucre. 3 Qui n'a subi aucune élaboration intellectuelle. *Fait brut. À l'état brut. Art brut,* spontané, échappant aux normes. 4 Évalué avant déduction des frais (opposé à *net*). *Salaire brut.* - *Poids brut,* poids total.

**brutal, ale, aux** adj. 1 Qui use volontiers de violence, qui est rude et grossier. ♦ Sans ménagement. *Franchise brutale.* 2 Soudain et violent. ► **brutalement** adv.

**brutaliser** v. tr. [1] Traiter de façon brutale. → **maltraiter.**

**brutalité** n. f. 1 Caractère d'une personne brutale. ♦ Acte brutal, violence. *Brutalités policières.* 2 Caractère inattendu et violent.

**brute** n. f. 1 littér. L'animal, dans ce qu'il a de plus éloigné de l'homme. 2 Personne grossière, sans esprit. 3 Personne brutale.

**bruyant, ante** [bʀyj- ; bʀɥij-] adj. 1 Qui fait beaucoup de bruit. 2 Où il y a beaucoup de bruit. ► **bruyamment** adv.

**bruyère** [bʀyjɛ- ; bʀɥijɛ-] n. f. 1 Arbrisseau des landes à fleurs variant du blanc au pourpre. 2 Racine de cette plante. *Pipe de bruyère.* 3 *Terre de bruyère,* légère, siliceuse.

**bryophytes** n. f. pl. bot. Embranchement du règne végétal comprenant les mousses.

**B. T. P.** n. m. (sigle) Secteur économique du bâtiment et des travaux publics. - var. **BTP.**

**B. T. S.** n. m. (sigle) (en France) Brevet de technicien supérieur.

**bu, bue** Participe passé de *boire.*

**buanderie** n. f. Local réservé à la lessive.

**bubale** n. m. Grande antilope d'Afrique aux cornes en forme de lyre.

**bubon** n. m. Inflammation et gonflement des ganglions lymphatiques, dans certaines maladies (peste, etc.). ► **bubonique** adj.

**buccal, ale, aux** adj. didact. De la bouche.

**buccin** n. m. 1 Antiq. Trompette. 2 Bulot.

**bûche** n. f. I Morceau de bois de chauffage. - *Bûche de Noël,* pâtisserie en forme de bûche. ♦ loc. *Dormir comme une bûche,* très profondément. → **souche.** II fam. *Prendre, ramasser une bûche :* tomber.

① **bûcher** n. m. 1 Local où l'on range le bois à brûler. 2 Amas de bois sur lequel on brûlait les condamnés, etc.

② **bûcher** v. tr. et intr. [1] I techn. ou région. Couper (du bois) ; abattre des arbres. II fam. Travailler avec acharnement. ► **bûcheur, euse** n. et adj.

**bûcheron, onne** n. Personne dont le métier est d'abattre du bois, des arbres dans une forêt. ► **bûcheronner** v. intr. [1]

**bûchette** n. f. 1 Petite bûche. 2 Petit sachet tubulaire. *Bûchette de sucre.*

**bucolique** 1 n. f. Poème pastoral. 2 adj. Relatif à la poésie pastorale. ♦ Qui a rapport à la vie de la campagne.

**budget** n. m. Acte par lequel sont prévues et autorisées les recettes et dépenses annuelles (de l'État, d'une entreprise...). ♦ par ext. *Budget familial.* ► **budgétaire** adj.

**budgétiser** v. tr. [1] Inscrire au budget.

**buée** n. f. Vapeur condensée en gouttes.

**buffet** n. m. 1 Meuble servant à ranger la vaisselle, le linge de table, des provisions. 2 Table garnie de mets froids, de boissons à l'occasion d'une réception ; l'ensemble de ces mets et boissons. 3 Café-restaurant d'une gare. **4** *Buffet d'orgue*, sa menuiserie. **5** fam. Ventre, estomac.

**buffle** n. m. Mammifère ruminant, voisin du bœuf, aux longues cornes arquées (femelle : *bufflonne* ou *bufflesse* n. f.).

**bug** n. m. anglic. → ② **bogue.**

**bugger** [bœge] v. intr. [1] anglic. inform. Boguer.

**bugle** n. m. Instrument à vent à pistons.

**building** [b(ɥ)ildiŋ] n. m. anglic. Vaste immeuble moderne, à nombreux étages.

**buis** n. m. Arbuste à feuilles persistantes vert foncé. ♦ Son bois, jaunâtre et dur.

**buisson** n. m. Touffe d'arbrisseaux sauvages. ► **buissonneux, euse** adj.

**buissonner** v. intr. [1] Pousser en buisson.

**buissonnier, ière** adj. *Faire l'école buissonnière :* flâner au lieu d'aller en classe.

**bulbaire** adj. anat. D'un bulbe (2).

**bulbe** n. m. **1** Organe de réserve souterrain, renflé, de certaines plantes. → **oignon.** **2** anat. Renflement arrondi. **3** Coupole renflée au faîte en pointe.

**bulbeux, euse** adj. **1** bot. Qui a un bulbe. **2** En forme de bulbe.

**bulgare** adj. et n. De Bulgarie. ♦ n. m. *Le bulgare* (langue slave).

**bulldozer** [byldɔzɛʀ ; buldozœʀ] n. m. anglic. **1** Engin de terrassement, tracteur à chenilles très puissant. **2** fig., fam. Personne décidée.

**bulle** n. f. **I 1** hist. Boule de métal attachée à un sceau ; ce sceau. **2** Lettre du pape portant son sceau. **II 1** Petite sphère remplie d'air ou de gaz qui s'élève à la surface d'un liquide, etc. - loc. fam. *Coincer la bulle*, ne rien faire. ♦ Sphère formée d'une pellicule remplie d'air. *Bulle de savon.* **2** Enceinte stérile où sont placés les enfants atteints de déficience immunitaire. ♦ Espace protégé, où l'on se sent en sécurité. **3** Espace où sont inscrites les paroles, les pensées, dans une bande dessinée.

**bulletin** n. m. **1** Information émanant d'une autorité et communiquée au public. → **communiqué.** ♦ Article de journal, dans un domaine. *Bulletin de l'étranger.* - *Bulletin d'information* (radio, télévision). ♦ Rapport contenant les notes d'un élève. **2** Certificat ou récépissé. **3** *Bulletin de vote*, papier indicatif d'un vote, que l'électeur dépose dans l'urne.

**bull-terrier** [bul-] n. m. Chien ratier d'une race anglaise. *Des bull-terriers.*

**bulot** n. m. Gros mollusque gastéropode comestible, appelé aussi *buccin*.

**bungalow** [bœ̃galo] n. m. **1** Maison indienne basse entourée de vérandas. **2** Petit pavillon en rez-de-chaussée.

**bunker** [bunkœʀ ; -kɛʀ] n. m. Casemate.

**buraliste** n. Personne préposée à un bureau de recette, de poste, etc. - Personne qui tient un bureau de tabac.

**bure** n. f. Grossière étoffe de laine brune.

**bureau** n. m. **I 1** Table sur laquelle on écrit, on travaille ; meuble de travail où l'on peut ranger des papiers, etc. → **secrétaire.** **2** Pièce où est installée cette table. **3** inform. Plan de travail représenté par l'écran d'un ordinateur. **II 1** Lieu de travail du personnel (d'une administration, etc.). ♦ Établissement ouvert au public et où s'exerce un service. *Bureau de poste.* **2** Personnel d'un bureau. ♦ *Les bureaux :* l'administration (→ **bureaucratie**). **3** Membres dirigeants d'une assemblée, élus par leurs collègues.

**bureaucrate** n. **1** Fonctionnaire imbu de son importance et abusant de son pouvoir sur le public. **2** péj. Employé de bureau.

**bureaucratie** n. f. **1** Pouvoir politique des bureaux ; influence abusive de l'Administration. **2** L'ensemble des fonctionnaires. ► **bureaucratique** adj.

**bureaucratiser** v. tr. [1] Transformer par la mise en place d'une bureaucratie. ► **bureaucratisation** n. f.

**bureautique** n. f. (nom déposé) Techniques visant à automatiser les travaux de bureau.

**burette** n. f. **1** Flacon destiné à contenir les saintes huiles, ou l'eau et le vin de la messe. **2** Petit flacon à goulot étroit.

**burgrave** n. m. hist. Commandant d'une ville, d'une citadelle, dans le Saint Empire.

**burin** n. m. Ciseau d'acier qui sert à graver, à couper les métaux.

**buriner** v. tr. [1] Graver, travailler au burin. ▷ adj. **buriné, ée** **1** Gravé au burin. **2** fig. *Visage buriné*, marqué et énergique.

**burka** ou **burqa** [burka] n. f. Voile couvrant le corps entier, s'ouvrant au niveau des yeux par une grille en toile, prescrit aux femmes dans certaines sociétés islamiques.

**burlat** n. f. Gros bigarreau rouge foncé.

**burlesque** **1** adj. D'un comique extravagant et déroutant. *Film burlesque.* ♦ Ridicule et absurde. → **grotesque.** *Idée burlesque.* **2** n. m. Caractère burlesque. ♦ Genre (littéraire...) burlesque. ♦ Striptease humoristique dans l'esprit des spectacles de cabaret.

**burnous** [-u(s)] n. m. Grand manteau de laine à capuchon, au Maghreb.

**burn-out** [bœʀnaut] n. m. invar. anglic. État de fatigue et de détresse intenses causé par le stress au travail. - recomm. off. *syndrome d'épuisement professionnel.*

**bus** [bys] n. m. fam. Autobus.

**busard** n. m. Rapace diurne des marais.

**busc** n. m. anciennt Baleine de corset.

① **buse** n. f. 1 Rapace diurne, aux formes lourdes. 2 fig., fam. Personne sotte, ignorante.

② **buse** n. f. Conduit, tuyau.

**business** [biznɛs] n. m. anglic., fam. 1 Travail ; affaires. 2 Chose, truc. – var. **bizness.**

**businessman** [biznɛsman] n. m. anglic. Homme d'affaires. *Des businessmans* ou *businessmen.*

**businesswoman** [biznɛswuman] n. f. anglic. Femme d'affaires. *Des businesswomans* ou *businesswomen.*

**busqué, ée** adj. (nez) Qui présente une courbure convexe. → **aquilin.**

**buste** n. m. 1 Partie supérieure du corps humain, de la tête à la ceinture. → **torse.** 2 Sculpture représentant la tête et le haut du buste.

**bustier** n. m. Sous-vêtement féminin ou corsage sans bretelles qui moule le buste.

**but** [by(t)] n. m. 1 Point visé, objectif. → **cible.** – loc. *De but en blanc* : brusquement. 2 Point que l'on se propose d'atteindre. → **terme.** *Le but d'un voyage.* 3 sports Espace que doit franchir le ballon pour qu'un point soit marqué. ♦ Le point marqué. 4 fig. Ce que l'on se propose d'atteindre. *Se donner un but.* – loc. *Toucher au but* : être près de réussir.

**butane** n. m. Hydrocarbure saturé employé comme combustible.

**butée** n. f. 1 Massif de maçonnerie destiné à supporter une poussée. → **culée.** 2 Organe, pièce limitant un mouvement.

① **buter** v. [1] I v. intr. 1 Heurter le pied (contre qqch. de saillant). – fig. *Buter sur, contre une difficulté.* 2 S'appuyer, être calé. II v. tr. Acculer (qqn) à une position de refus entêté. → **braquer.** ▷ v. pron. **se buter** S'entêter. ▷ adj. **buté, ée** Entêté, obstiné.

② **buter** v. tr. [1] fam. Tuer, assassiner.

**buteur, euse** n. (football, rugby) Joueur, joueuse qui marque des buts.

**butin** n. m. 1 Ce qu'on prend aux ennemis, pendant une guerre, après la victoire. 2 Produit d'un vol, d'un pillage. 3 littér. Produit, récolte résultant d'une recherche.

**butiner** v. [1] 1 v. intr. (abeille) Visiter les fleurs pour y chercher la nourriture de la ruche. 2 v. tr. *Les abeilles butinent les fleurs.* – fig. *Butiner des renseignements.* → **glaner.**

**butô** [byto] n. m. Spectacle issu de traditions japonaises réinterprétées, caractérisé par la nudité des corps peints en blanc et des mouvements très lents.

**butoir** n. m. 1 Pièce ou dispositif servant à arrêter. 2 fig. *Date butoir* : dernier délai. → **limite.**

**butor** n. m. 1 Échassier aux formes lourdes. 2 fig. Grossier personnage. → **malappris, rustre.**

**butte** n. f. 1 Tertre où l'on adosse une cible. *Butte de tir.* ♦ loc. fig. *Être en butte à* : être exposé à. 2 Petite éminence de terre.

**butter** v. tr. [1] Garnir (une plante) de terre qu'on élève autour du pied.

**butternut** [bœtœʀnœt] n. m. ou f. anglic. Courge en forme de poire, à la saveur douce.

**buvable** adj. 1 Qui peut se boire. 2 fam. (en tournure négative) Supportable.

**buvard** n. m. Papier qui boit l'encre.

**buvette** n. f. Petit local ou comptoir où l'on sert à boire.

**buveur, euse** n. 1 Personne qui aime boire du vin, des boissons alcoolisées. 2 Personne qui est en train de boire. ♦ *Buveur de,* qui a l'habitude de boire (telle boisson).

**buzz** [bœz] n. m. anglic. Vif retentissement (2), notamment sur Internet. ► **buzzer** v. intr. [1] *Ça buzze sur le Net.*

**bye-bye** [bajbaj] interj. anglic., fam. Au revoir. → **salut.** – abrév. **bye.**

**byssus** [-ys] n. m. zool. Faisceau de filaments qui permet à certains mollusques (moules, etc.) de se fixer.

**byzantin, ine** adj. 1 De Byzance. 2 Oiseux par excès de subtilité et de formalisme.

**bzzz...** [bzzz] interj. Onomatopée, bruit de sifflement continu. → **zzz.**

# C

**c** [se] n. m. Troisième lettre, deuxième consonne de l'alphabet. ♦ *C*, chiffre romain (cent).

① **ça** pron. dém. **1** fam. Cela, ceci. – *Il y a de ça :* c'est assez vrai. *Sans ça :* sinon. **2** (approbation) *C'est ça !* ♦ (étonnement...) *Ça, alors !*

② **ça** n. m. psych. L'une des trois instances de la personnalité (selon Freud), ensemble des pulsions inconscientes.

**çà** adv. de lieu *Çà et là :* de côté et d'autre.

**cabale** n. f. **I** vx → **kabbale. II** Entente secrète dirigée contre (qqn, qqch.).

**cabalistique** adj. **1** De la science occulte. **2** Mystérieux, incompréhensible.

**caban** n. m. Manteau court en drap de laine (porté à l'origine par les marins).

**cabane** n. f. **1** Petite habitation grossière. **2** *Cabane à lapins.* → **clapier. 3** fam. *Mettre qqn en cabane,* en prison.

**cabanon** n. m. **1** Cachot où l'on enfermait les fous dangereux. **2** Cabane de jardin.

**cabaret** n. m. **1** vieilli Établissement où l'on sert des boissons. **2** Établissement de spectacle où les clients peuvent souper, danser.

**cabaretier, ière** n. vieilli Personne qui tient un cabaret (1).

**cabas** n. m. Grand sac porté au bras.

**cabécou** n. m. Petit fromage de chèvre rond et plat.

**cabestan** n. m. Treuil à axe vertical.

**cabillaud** n. m. Morue fraîche.

**cabine** n. f. **1** Petite chambre, sur un navire. **2** Petit local à usage déterminé. *Cabine de pilotage* (d'un avion). – *Cabine d'ascenseur.*

**cabinet** n. m. **I 1** Petite pièce située à l'écart. – *Cabinet de toilette :* petite salle d'eau. – *Cabinet de travail.* → **bureau. 2** Lieu d'exercice de professions libérales (médecin...). **3** *Cabinet* ou *cabinets.* → **toilette(s), waters, W.-C. II 1** Le gouvernement. **2** Service d'un ministère, d'une préfecture.

**câblage** n. m. **1** Action de câbler. **2** techn. Fils de montage d'un appareil électrique.

**câble** n. m. **1** Faisceau de fils. → **corde.** – Gros cordage en acier. **2** *Câble électrique,* fil conducteur protégé. ♦ *Télévision par câble.* → **câblodistribution.** – *Le câble :* la télévision par câble.

**câbler** v. tr. [1] **1** Assembler (des fils) en un câble. **2** Équiper de câbles.

**câblier** n. m. **1** Fabricant de câbles. **2** Navire qui pose des câbles sous-marins.

**câblodistribution** n. f. Diffusion par câbles d'émissions télévisées (syn. *le câble*).

**câblo-opérateur** n. m. Société exploitant un réseau de câblodistribution.

**cabochard, arde** adj. et n. fam. Entêté.

**caboche** n. f. fam. Tête. → **ciboulot.**

**cabochon** n. m. Pierre précieuse ou pièce de cristal polie, non taillée en facettes.

**cabosser** v. tr. [1] Faire des bosses à.

① **cabot** n. m. fam. Chien.

② **cabot** n. m. Cabotin.

**caboter** v. intr. [1] Naviguer près des côtes. ► **cabotage** n. m.

**caboteur** n. m. Navire de cabotage.

**cabotin, ine** n. **1** Mauvais acteur. **2** Personne qui cherche à se faire remarquer.

**cabotiner** v. intr. [1] Agir en cabotin.

**caboulot** n. m. fam. vieilli Café mal famé.

**cabrer** v. [1] **I** *Se cabrer* v. pron. **1** (animaux) Se dresser sur les pattes de derrière. **2** fig. (personnes) Se révolter. → se **braquer,** se **buter. II** v. tr. Faire se dresser (un animal...). ► **cabrage** n. m.

**cabri** n. m. Chevreau.

**cabriole** n. f. **1** Bond léger. **2** Pirouette. ► **cabrioler** v. intr. [1]

**cabriolet** n. m. ancienn^t Voiture à cheval, à deux roues, à capote mobile. – mod. Automobile décapotable.

**caca** n. m. **1** fam. Excrément. ♦ Chose sans valeur. **2** *Caca d'oie :* jaune verdâtre.

**cacahouète** ou **cacahuète** [kakawɛt] n. f. Fruit de l'arachide, qui se mange grillé.

**cacao** n. m. **1** Graine du cacaoyer, qui sert à fabriquer le chocolat. **2** Poudre de cette graine.

**cacaoté, ée** adj. Qui contient du cacao.

**cacaoyer** [-ɔje] n. m. Arbre d'Amérique du Sud dont les fruits (appelés *cabosses*) contiennent le cacao. – syn. **cacaotier.**

**cacarder** v. intr. [1] (oie) Pousser son cri.

**cacatoès** [-ɔɛs] n. m. Perroquet à huppe colorée. – var. anc. **kakatoès.**

**cacatois** n. m. Petite voile carrée au-dessus du perroquet.

**cachalot** n. m. Mammifère marin (cétacé) de la taille de la baleine, à dents.

① **cache** n. f. région. Cachette.

② **cache** n. m. Papier destiné à cacher, masquer une partie d'une surface.

**cache-cache** n. m. invar. Jeu d'enfants où l'un des joueurs doit découvrir les autres qui sont cachés.

**cache-col** n. m. invar. Écharpe qui entoure le cou. → **cache-nez.**

**cachectique** adj. méd. Relatif à la cachexie. ♦ adj. et n. Atteint de cachexie.

**cachemire** n. m. Tissu fin en poil de chèvre et laine. – var. (anglic.) **cashmere.**

**cache-misère** n. m. invar. Vêtement sous lequel on cache des habits usés.

**cache-nez** n. m. invar. Grosse écharpe couvrant le bas du visage. → **cache-col.**

**cache-pot** n. m. invar. Vase décoratif qui sert à cacher un pot de fleurs.

**cache-prise** n. m. invar. Dispositif de sécurité pour les prises de courant.

**cacher** v. tr. [1] **1** Soustraire (qqch.) à la vue ; empêcher d'être vu. → **dissimuler. 2** (sujet chose) Empêcher de voir. **3** Empêcher (qqch.) d'être su ; ne pas exprimer. *Cacher son émotion.* ▷ v. pron. se **cacher 1** Se soustraire, être soustrait à la vue. **2** *Se cacher de qqn,* lui cacher ce que l'on fait ou dit. ▷ adj. **caché, ée**

**cache-radiateur** n. m. invar. Revêtement cachant un radiateur d'appartement.

**cache-sexe** n. m. invar. Très petit slip.

**cachet** n. m. **I 1** anciennt Cylindre pour imprimer une marque (sur de la cire). → **sceau.** – hist. *Lettre de cachet :* lettre au cachet du roi, contenant un ordre (d'exil, etc.). **2** Marque apposée à l'aide d'un cachet, d'un tampon. **3** fig. Marque caractéristique ; originalité. *Avoir du cachet.* **4** Rétribution d'un artiste, pour un engagement. **II 1** Enveloppe de pain azyme contenant un médicament en poudre. **2** abusivt Comprimé.

**cache-tampon** n. m. invar. Jeu où l'on cache un objet à découvrir.

**cacheter** v. tr. [4] **1** Fermer avec un cachet (I, 1) ; marquer d'un cachet (I, 2). **2** Fermer (une enveloppe). ► **cachetage** n. m.

**cachette** n. f. **1** Endroit retiré propice à (se) cacher. **2** loc. adv. *En cachette :* en se cachant.

**cachexie** n. f. Amaigrissement et fatigue généralisée dus à une grave maladie, etc.

**cachot** n. m. Cellule obscure, dans une prison. → **geôle.**

**cachotterie** n. f. Petit secret.

**cachottier, ière** n. et adj. (Personne) qui aime à faire des cachotteries.

**cachou** n. m. **1** Extrait d'un acacia ou de la noix d'arec. **2** Pastille au cachou.

**cacique** n. m. **1** Chef indien (en Amérique centrale). **2** Premier à un concours. → **major.**

**cacochyme** adj. vx En mauvaise santé.

**cacolet** n. m. Bât à deux sièges.

**cacophonie** n. f. Rencontre ou répétition discordante de voix, de sons.

**cacou** n. m. région. (sud de la France) Homme, jeune homme qui fait le fanfaron.

**cactus** [-ys] n. m. **1** Plante grasse à tige charnue, riche en sucs. **2** fam. Difficulté.

**c.-à-d.** [sɛtadiʀ] Abrév. de *c'est-à-dire.*

**cadastre** n. m. Registre public où est relevée la surface des propriétés foncières. ► **cadastral, ale, aux** adj.

**cadastrer** v. tr. [1] Inscrire au cadastre.

**cadavre** n. m. **I** Corps mort (des êtres humains et des gros animaux). ► **cadavérique** adj. **II** fam. Bouteille vidée.

① **caddie** n. m. golf Garçon qui porte le matériel du joueur.

② **caddie** n. m. (nom déposé) Petit chariot métallique.

**cadeau** n. m. Objet que l'on offre. → **don, présent.** – loc. fam. *Ne pas faire de cadeau à qqn,* être dur avec lui (en affaires, etc.).

**cadenas** n. m. Serrure mobile, à arceau.

**cadenasser** v. tr. [1] Fermer avec un cadenas. – pronom. S'enfermer.

**cadence** n. f. **1** Rythme de l'accentuation, en poésie ou en musique. **2** mus. Fin d'une phrase musicale sur un accord consonant. **3** loc. adv. *En cadence :* d'une manière rythmée. **4** Rythme (du travail, etc.).

**cadencer** v. tr. [3] Donner une cadence à. → **rythmer.** ▷ adj. **cadencé, ée** *Pas cadencé.*

**cadenette** n. f. Petite tresse.

**cadet, ette** n. **1** Personne qui, par ordre de naissance, vient après l'aîné. – adj. *Sœur cadette.* **2** Personne moins âgée. **3** loc. *C'est le cadet de mes soucis :* je ne m'en soucie pas. **4** anciennt Gentilhomme qui servait comme soldat. **5** Sportif, sportive classé(e) entre les minimes et les juniors.

**cadi** n. m. Magistrat musulman.

**cadmium** [-jɔm] n. m. Corps simple (symb. Cd), métal blanc utilisé en alliage.

**cadran** n. m. **1** *Cadran solaire :* surface indiquant l'heure par la position de l'ombre d'une tige. **2** Cercle sur lequel se déplacent les aiguilles (d'une montre, etc.). **3** Surface plane, divisée (d'un appareil).

**cadre** n. **I** n. m. **1** Bordure entourant une glace, un tableau. → **encadrement. 2** Châssis fixe. – *Cadre de bicyclette.* **II** n. m. fig. **1** Ce qui entoure un espace, une action. *Cadre de vie.* ♦ *Le cadre de :* les limites prévues par. **2** milit. Ensemble des officiers et sous-officiers. **3** Tableau des emplois et du personnel. - *Être rayé des cadres,* être libéré ou licencié. **III** Personne qui a des fonctions d'encadrement, de direction.

**cadrer** v. 1 **1** v. intr. (abstrait) Aller bien (avec qqch.). **2** v. tr. Mettre en place (l'image), en photo, etc. ► **cadrage** n. m.

**cadreur, euse** n. Personne qui utilise la caméra (recomm. off. pour *caméraman*).

**caduc, uque** adj. **1** littér. Qui n'a plus cours. → **dépassé, périmé.** ► **caducité** n. f. littér. **2** *Feuilles caduques,* qui tombent en hiver (opposé à *persistant*).

**caducée** n. m. Attribut de Mercure, baguette entourée de deux serpents entrelacés (symbole du corps médical).

**cæcum** [sekɔm] n. m. Première partie du gros intestin, fermée à sa base et communiquant avec le côlon droit et l'iléon.

**cafard, arde** n. **I** vieilli Personne qui dénonce les autres. → **mouchard. II** n. m. Blatte. **III** n. m. fam. *Avoir le cafard,* des idées noires.

**cafarder** v. intr. 1 **I** Faire le cafard (I). ► **cafardage** n. m. **II** Avoir le cafard.

**cafardeux, euse** adj. Qui a le cafard (III). ♦ Qui donne le cafard. → **déprimant.**

① **café** n. m. **1** Graine du caféier. - Ces graines torréfiées. **2** Boisson obtenue par infusion de grains de café torréfiés et moulus. - fam. *C'est fort de café,* exagéré.

② **café** n. m. Lieu public où l'on consomme des boissons. → **bar, bistrot.**

**café-concert** n. m. anciennt Café où l'on écoutait de la musique.

**caféier** n. m. Arbuste tropical dont le fruit contient les grains de café.

**caféine** n. f. Alcaloïde du café, du thé.

**caféisme** n. m. Intoxication à la caféine.

**cafetan** ou **caftan** n. m. Vêtement oriental, ample et long.

**cafeter** → **cafter**

**cafétéria** ou **cafeteria** [kafeterja] n. f. Lieu public où l'on sert du café, des boissons, des plats simples, etc.

**café-théâtre** n. m. Petite salle de spectacle.

**cafetier, ière** n. vieilli Personne qui tient un café.

**cafetière** n. f. **1** Récipient pour préparer le café. → aussi **percolateur. 2** fam. Tête.

**cafouiller** v. intr. 1 fam. Agir de façon désordonnée ; fonctionner mal. ► **cafouillage** et **cafouillis** n. m. ► **cafouilleux, euse** adj.

**caftan** → **cafetan**

**cafter** v. tr. 1 fam. Dénoncer. → **cafarder.** - var. **cafeter.**

**cage** n. f. **I** Endroit clos (par des barreaux...) servant à enfermer des animaux vivants. *Cage à poules* (fig. logement exigu). **II** (Espace clos) **1** *Cage d'escalier, d'ascenseur,* où se trouve l'escalier, l'ascenseur. **2** *Cage thoracique,* ensemble formé par les vertèbres, les côtes et le sternum.

**cageot** n. m. Emballage à claire-voie.

**cagibi** n. m. Petite pièce de rangement.

**cagna** n. f. argot milit. Abri militaire.

**cagne ;** ② **cagneux** → **khâgne ; khâgneux**

① **cagneux, euse** adj. Qui a les genoux tournés en dedans.

**cagnotte** n. f. Caisse commune (jeu...).

**cagole** n. f. région. (sud de la France) Jeune fille, jeune femme qui affiche une féminité provocante et vulgaire.

**cagot, ote** n. littér. Faux dévot ; hypocrite.

**cagoule** n. f. **1** Manteau de moine, sans manches, à capuchon. **2** Passe-montagne.

**cahier** n. m. **1** Feuilles de papier assemblées et munies d'une couverture. **2** *Cahier des charges :* liste des clauses et conditions pour l'exécution d'un contrat.

**cahin-caha** adv. fam. Tant bien que mal.

**cahot** n. m. Saut que fait un véhicule en roulant sur un terrain inégal.

Ne pas confondre avec *chaos* «désordre».

**cahoter** v. 1 **1** v. tr. Secouer par des cahots. **2** v. intr. Être secoué par des cahots. ► **cahotement** n. m.

**cahute** n. f. Petite hutte.

**caïd** n. m. **1** (en Afrique du Nord) Fonctionnaire musulman qui a des fonctions de juge, d'administrateur, etc. **2** fam. Chef de bande.

**caïeu** ou **cayeu** [kajø] n. m. bot. Bourgeon secondaire, sur un bulbe.

**caillasse** n. f. fam. Cailloux, pierraille.

**caillasser** v. tr. 1 fam. Attaquer, endommager à coups de pierres.

**caille** n. f. Oiseau voisin de la perdrix.

**caillebotis** n. m. Lattes ou rondins servant de passage (sur un sol boueux, etc.).

**cailler** v. 1 **1** v. tr. Faire prendre en caillots. → **coaguler, figer.** - au p. p. *Lait caillé.* **2** v. intr. fam. Avoir froid.

**caillette** n. f. Quatrième compartiment de l'estomac des ruminants.

**caillot** n. m. Masse de sang coagulé.

**caillou** n. m. **1** Pierre de petite dimension. **2** fam. Pierre précieuse. **3** fam. Crâne, tête.

**caillouter** v. tr. 1 Garnir de cailloux (1). ► **cailloutage** n. m.

**caillouteux, euse** adj. Couvert de cailloux.

**cailloutis** n. m. Amas ou ouvrage de cailloux concassés.

**caïman** n. m. Crocodile d'Amérique à museau large et court.

**caïque** n. m. Embarcation légère et étroite de la mer Égée et du Bosphore.

**cairn** n. m. didact. Monticule, tumulus.

**caisse** n. f. **I 1** Grande boîte (souvent en bois) utilisée pour l'emballage, le transport ou le rangement. – loc. fam. *En faire des caisses :* exagérer. **2** techn. Dispositif rigide (de protection, etc.). → **caisson.** ♦ Carrosserie d'automobile (opposé à *châssis*). – fam. Voiture. loc. *À fond la caisse :* à toute allure. **3** *Caisse du tympan :* cavité du fond de l'oreille. **II** mus. Instrument de la famille du tambour. **III 1** Coffre dans lequel on dépose de l'argent, des valeurs. **2** Bureau, guichet où se font les paiements, les versements. **3** Argent en caisse. **4** *Caisse d'épargne :* établissement où l'on dépose de l'argent pour l'économiser.

**caissette** n. f. Petite caisse (I, 1).

**caissier, ière** n. Personne qui tient la caisse (III).

**caisson** n. m. **I 1** anciennt Chariot à munitions. **2** Caisse métallique. **3** loc. fam. *Se faire sauter le caisson :* se tirer une balle dans la tête. **II** archit. Compartiment creux d'un plafond, orné de moulures.

**cajoler** v. tr. [1] Avoir envers (qqn) des manières tendres et caressantes. ► **cajolerie** n. f. ► **cajoleur, euse** adj. et n.

**cajou** n. m. Fruit de l'anacardier, dont l'amande *(noix de cajou)* se mange.

**cajun** n. et adj. Acadien de Louisiane.

**cake** [kɛk] n. m. anglic. Gâteau garni de raisins secs, de fruits confits.

**cal** n. m. Épaississement et durcissement de l'épiderme produits par frottement.

**calamar** → **calmar**

**calame** n. m. Antiq. Roseau pour écrire.

**calamine** n. f. **1** Silicate ou minerai de zinc. **2** Résidu de la combustion, dans un moteur à explosion. ► **calaminé, ée** adj.

**calamité** n. f. Grand malheur. → **catastrophe, désastre, fléau.**

**calamiteux, euse** adj. littér. Désastreux.

**calandre** n. f. **1** Machine à cylindres, pour lisser, lustrer les étoffes, glacer les papiers, etc. (*calandrer* v. tr. [1]). **2** Garniture de radiateur d'automobile.

**calanque** n. f. Crique, en Méditerranée.

**calcaire I** adj. Qui contient du carbonate de calcium. **II** n. m. Roche formée surtout de carbonate de calcium (→ **craie, marbre).**

**calcédoine** n. f. Pierre précieuse (silice cristallisée). → **agate, cornaline, jaspe, onyx.**

**calcification** n. f. Dépôt de sels calcaires dans les tissus organiques, normal (ossification) ou pathologique.

**calcifié, ée** adj. Qui a subi une calcification.

**calciner** v. tr. [1] Brûler, griller.

**calcite** n. f. Calcaire cristallisé.

**calcium** [-jɔm] n. m. Élément (symb. Ca), métal blanc et mou.

① **calcul** n. m. Concrétion pierreuse qui se forme dans l'organisme.

② **calcul** n. m. **1** sc. Opérations sur des symboles représentant des grandeurs (→ **algèbre, arithmétique ; mathématique).** **2** cour. Action de calculer, opération numérique. – *Calcul mental,* effectué de tête. **3** Appréciation, estimation. **4** Moyens combinés pour arriver à un but. – péj. *Agir par calcul,* d'une manière intéressée.

**calculable** adj. Qui peut se calculer.

**calculateur, trice I 1** n. Personne qui sait calculer. **2** adj. et n. (Personne) habile à combiner des plans. **II** n. m. Ordinateur de calcul. **III** n. f. Machine à calculer.

**calculer** v. tr. [1] **1** Déterminer par le calcul. *Calculer un bénéfice.* – absolt → **compter.** *Machine à calculer.* **2** Apprécier, évaluer (qqch.). → **estimer. 3** Décider ou faire après avoir prémédité, réglé. → **combiner.**

**calculette** n. f. Petite machine à calculer.

**caldarium** [-jɔm] n. m. Antiq. Étuve des bains romains.

① **cale** n. f. **1** Espace entre le pont et le fond d'un navire. **2** Quai en pente. **3** Bassin que l'on peut mettre à sec.

② **cale** n. f. Ce que l'on place sous un objet pour lui donner de l'aplomb.

**calé, ée** adj. fam. **1** (personnes) Savant, instruit. **2** (choses) Difficile.

**calebasse** n. f. Fruit d'un arbre tropical (le *calebassier*), qui peut servir de récipient.

**calèche** n. f. Voiture à cheval, découverte, à quatre roues, munie d'une capote à l'arrière, et d'un siège surélevé à l'avant.

**caleçon** n. m. **1** Sous-vêtement masculin, culotte courte et légère. **2** Pantalon de maille très collant, pour femmes.

**calédonien, enne** adj. et n. **1** De Calédonie (ancien nom de l'Écosse). **2** De Nouvelle-Calédonie.

**calembour** n. m. Jeu de mots fondé sur des ressemblances de sons.

**calembredaine** n. f. vieilli Propos extravagant.

**calendes** n. f. pl. Antiq. Premier jour de chaque mois, chez les Romains. ♦ loc. *Renvoyer qqch. aux calendes grecques,* à un temps qui ne viendra jamais (les Grecs n'avaient pas de calendes).

**calendrier** n. m. **1** Système de division du temps en années, en mois et en jours. → **chronologie.** *Calendrier républicain,* utilisé en France de 1793 (an I) à 1806. **2** Emploi du temps ; programme. **3** Tableau présentant les mois et les jours d'une année.

**cale-pied** n. m. Petit butoir adapté à la pédale d'une bicyclette. *Des cale-pieds.*

**calepin** n. m. Petit carnet de poche.

① **caler** v. tr. [1] **1** Mettre d'aplomb au moyen d'une cale. **2** Rendre fixe ou immobile. - par ext. *Caler une réunion*, en fixer la date. **3** fam. *Je suis calé :* j'ai l'estomac plein.

② **caler** v. intr. [1] **I** S'arrêter, s'immobiliser brusquement. *Moteur qui cale.* **II** (personnes) Céder, renoncer ; s'arrêter.

**caleter** ou **calter** v. intr. [1] fam. S'en aller en courant ; s'enfuir.

**calfat** n. m. Ouvrier qui calfate.

**calfater** v. tr. [1] Garnir d'étoupe goudronnée les interstices de la coque de (un navire). → **caréner, radouber.**

**calfeutrer** v. tr. [1] **1** Boucher les fentes avec un bourrelet (pour arrêter l'air). ► **calfeutrage** n. m. **2** *Se calfeutrer* v. pron. S'enfermer (confortablement...).

**calibre** n. m. **I 1** Diamètre intérieur (d'un tube, etc.). ♦ Grosseur (d'un projectile). **2** Diamètre (d'un fruit...). **3** Instrument servant à mesurer un diamètre, etc. **II** fig., fam. Importance, envergure.

**calibrer** v. tr. [1] **1** Donner le calibre convenable à. **2** Mesurer le calibre de. ♦ Trier selon le calibre. ► **calibrage** n. m.

**calibreur** n. m. et **calibreuse** n. f. Appareil, machine pour calibrer.

① **calice** n. m. **1** Vase sacré pour le vin de messe. **2** loc. *Boire le calice jusqu'à la lie*.*

② **calice** n. m. Enveloppe de la fleur.

**calicot** n. m. **1** Toile de coton grossier. **2** Bande de tissu portant une inscription.

**califat** n. m. Dignité de calife. - Territoire soumis à un calife.

**calife** n. m. Souverain musulman.

à **califourchon** loc. adv. Une jambe d'un côté, la deuxième de l'autre. → à **cheval.**

**câlin, ine I** adj. Qui aime câliner, être câliné. **II** n. m. Échange de caresses, de baisers. ♦ fam. Acte sexuel.

**câliner** v. tr. [1] Traiter avec douceur, tendresse. → **cajoler.** ► **câlinerie** n. f.

**calisson** n. m. Petit gâteau d'amandes.

**calleux, euse** adj. **1** Dont la peau est durcie et épaissie (→ **cal**). **2** anat. *Corps calleux,* joignant les hémisphères du cerveau.

**call-girl** [kolgœʀl] n. f. anglic. Prostituée qu'on joint par téléphone. *Des call-girls.*

**calligramme** n. m. Poème dont le texte forme un dessin.

**calligraphie** n. f. Art de bien former les caractères d'écriture ; écriture formée selon cet art. ► **calligraphe** n. ► **calligraphier** v. tr. [7]

**callipyge** adj. arts Qui a de belles fesses.

**callosité** n. f. Épaississement et durcissement de l'épiderme. → **cal, cor, durillon.**

**calmant, ante 1** adj. Qui calme la douleur ; qui apaise, tranquillise. **2** n. m. Remède calmant. → **sédatif, tranquillisant.**

**calmar** n. m. Céphalopode comestible, voisin de la seiche. → **encornet.** - var. **calamar.**

① **calme** n. m. **1** Absence d'agitation, de bruit. **2** Immobilité de l'atmosphère, de la mer. **3** État d'une personne qui n'est ni agitée ni énervée. → **quiétude, sérénité.** - *Garder son calme.* → **sang-froid.**

② **calme** adj. Qui n'est pas troublé, agité. → **serein ; tranquille.** ► **calmement** adv.

**calmer** v. tr. [1] **1** Rendre calme ; apaiser, diminuer (la douleur, les passions). **2** Rendre (qqn) plus calme. ▷ v. pron. **se calmer**

**calomel** n. m. Sel de mercure (purgatif).

**calomnie** n. f. Accusation fausse qui attaque la réputation, l'honneur. → **diffamation.** ► **calomnieux, euse** adj.

**calomnier** v. tr. [7] Attaquer (qqn) par des calomnies. ► **calomniateur, trice** n.

**calorie** n. f. **1** Ancienne unité de mesure de quantité de chaleur. **2** Unité de mesure de la valeur énergétique des aliments.

**calorifère** n. m. vieilli Appareil de chauffage domestique. → **chaudière.**

**calorifique** adj. Qui donne de la chaleur.

**calorifuge** adj. et n. m. Qui empêche la déperdition de la chaleur (→ **isolant**).

**calorifuger** v. tr. [3] Isoler par un calorifuge. ► **calorifugeage** n. m.

**calorimétrie** n. f. phys. Mesure des échanges de chaleur entre les corps.

**calorique** adj. Qui apporte des calories.

① **calot** n. m. Coiffure militaire sans bords.

② **calot** n. m. Grosse bille à jouer.

**calotin** n. m. fam. et péj. Ecclésiastique. - Partisan des prêtres.

**calotte** n. f. **I 1** Petit bonnet rond qui couvre le sommet de la tête. **2** péj. *La calotte :* le clergé, les prêtres. **II** fig. **1** Partie supérieure de la boîte crânienne. **2** géogr. *Calotte glaciaire :* glacier qui recouvre tout le relief. **III** fam. Tape sur la tête.

**calque** n. m. **1** Copie, reproduction calquée. - *Papier-calque* ou *calque :* papier transparent pour calquer. **2** fig. Imitation ; plagiat.

**calquer** v. tr. [1] **1** Copier un modèle sur une surface contre laquelle il est appliqué. → **décalquer. 2** fig. Imiter ; plagier.

**calter** → **caleter**

**calumet** n. m. Pipe de cérémonie, à long tuyau, des Indiens d'Amérique.

**calvados** [-os] n. m. Eau-de-vie de cidre.

**calvaire** n. m. **1** relig. *Le Calvaire :* la colline où Jésus fut crucifié. - *Un calvaire :* représentation de la passion du Christ. **2** fig. Épreuve longue et douloureuse. → **martyre.**

**calvinisme** n. m. Doctrine de Calvin. ► **calviniste** adj. et n. → aussi **protestant.**

**calvitie** n. f. Absence totale ou partielle de cheveux. → **alopécie ; chauve.**

**camaïeu** n. m. **1** Peinture où l'on n'emploie qu'une couleur avec des tons différents. **2** Dégradé de couleur.

**camail** n. m. **1** (au Moyen Âge) Armure de tête en mailles. **2** Pèlerine d'ecclésiastique.

**camarade** n. **1** Personne qui a les mêmes occupations qu'une autre et des liens de familiarité avec elle. ► **camaraderie** n. f. **2** Appellation, dans les partis communistes.

**camard, arde** littér. **1** adj. Qui a le nez plat. → **camus. 2** n. f. *La camarde*, la mort.

**cambiste** n. fin. Spécialiste des opérations de change (I, 2).

**cambium** [-jɔm] n. m. bot. Tissu qui donne naissance au bois, au liège.

**cambouis** n. m. Graisse, huile noircie par l'usage.

**cambrer** v. tr. [1] Courber en forme d'arc. → **arquer, infléchir.** ▷ v. pron. se **cambrer** Se redresser en creusant les reins. ▷ adj. **cambré, ée**

**cambrien, enne** adj. et n. m. géol. Se dit de la première période de l'ère primaire.

**cambrioler** v. tr. [1] Dévaliser en pénétrant par effraction. ► **cambriolage** n. m. ► **cambrioleur, euse** n.

**cambrousse** n. f. fam. et péj. Campagne.

**cambrure** n. f. **1** État de ce qui est cambré. **2** Partie courbée (du pied...).

**cambuse** n. f. **1** Magasin du bord, sur un bateau. **2** fam. Chambre mal tenue.

① **came** n. f. Pièce qui transmet le mouvement d'un mécanisme. *Arbre à cames.*

② **came** n. f. fam. **1** Drogue. **2** Marchandise. → **camelote.**

**camé, ée** adj. et n. fam. Drogué.

**camée** n. m. Pierre fine sculptée en relief.

**caméléon** n. m. Petit reptile d'Afrique et d'Inde, doué de mimétisme.

**camélia** n. m. Arbrisseau à feuilles persistantes, à belle floraison ; sa fleur.

**camelot** n. m. Marchand ambulant d'objets de pacotille. ♦ hist. *Camelot du roi :* vendeur de journaux de propagande royaliste.

**camelote** n. f. fam. **1** Marchandise de mauvaise qualité. **2** Toute marchandise.

**camembert** n. m. **1** Fromage de vache, de forme ronde, à croûte blanche. **2** fig. Graphique circulaire divisé en secteurs.

se **camer** v. pron. [1] fam. Se droguer.

**caméra** n. f. Appareil de prise de vues.

**caméraman** [-man] n. anglic. → **cadreur.** *Des caméramans.*

**camérier** n. m. Prélat attaché au service du pape.

**camériste** n. f. vx Femme de chambre.

**caméscope** n. m. (nom déposé) Caméra vidéo avec un magnétoscope intégré.

**camion** n. m. Gros véhicule automobile transportant des marchandises. → **poids lourd ; semi-remorque.** – *Camion-citerne* n. m., pour le transport des liquides en vrac.

**camionnage** n. m. Transport par camion.

**camionnette** n. f. Véhicule utilitaire, plus petit que le camion.

**camionneur, euse** n. **1** Personne qui conduit un camion. → **routier. 2** Personne qui possède, gère une entreprise.

**camisole** n. f. **1** anciennt Vêtement court porté sur la chemise. **2** *Camisole de force :* chemise paralysant les mouvements, utilisée pour maîtriser des malades mentaux. ♦ fig. *Camisole chimique :* traitement médicamenteux puissant utilisé pour calmer certains malades mentaux.

**camomille** n. f. **1** Plante odorante, à fleurs. **2** Tisane de fleurs de cette plante.

**camoufler** v. tr. [1] Rendre méconnaissable ou invisible. → **dissimuler, maquiller.** ► **camouflage** n. m.

**camouflet** n. m. Vexation humiliante.

**camp** n. m. **I 1** Lieu où des troupes s'installent. – *Lit de camp*, transportable. **2** Terrain où sont groupées des personnes. *Camp de réfugiés.* – *Camp de concentration*, où un pouvoir enferme ceux qu'il veut neutraliser. – *Camps d'extermination (nazis)*, où furent suppliciés et exterminés certains groupes ethniques, politiques et sociaux. **3** loc. fig. *Lever le camp*, fam. *ficher, foutre le camp.* → **décamper. II** Groupe qui s'oppose à un autre.

**campagnard, arde 1** adj. De la campagne. **2** adj. et n. Qui vit à la campagne.

**campagne** n. f. **I** Ensemble des terres cultivées, des lieux fertiles, hors des villes (s'oppose à *ville ;* à *mer, montagne...*). **II 1** Manœuvres des troupes ; opération de guerre. ♦ loc. *Faire campagne pour, contre qqn*, militer pour, contre lui. **2** Période d'activité, d'affaires. *Campagne électorale.*

**campagnol** n. m. Mammifère rongeur, au corps ramassé, à queue courte et poilue.

**campanaire** adj. didact. Relatif aux cloches, spécialt à leur usage musical.

**campanile** n. m. Clocher isolé de l'église.

**campanule** n. f. Plante à clochettes.

**campêche** n. m. Arbre tropical à bois dur, renfermant un colorant rouge.

**campement** n. m. **1** Action de camper. **2** Lieu, installations où l'on campe.

**camper** v. [1] **I** v. intr. **1** S'installer, être installé dans un camp. **2** Faire du camping. **3** S'installer provisoirement (quelque part). **II** v. tr. **1** Placer, poser (qqch.) avec décision. → **planter. 2** fig. Représenter avec vigueur (par l'écriture, etc.). ▷ v. pron. se **camper** Se tenir dans une posture hardie.

**campeur, euse** n. Personne qui pratique le camping.

**camphre** n. m. Substance aromatique, blanche, d'une odeur vive, provenant d'un arbuste d'Extrême-Orient (le *camphrier* ou *laurier du Japon*). ► **camphré, ée** adj.

**camping** n. m. **1** Activité touristique consistant à vivre en plein air, sous une tente, dans une caravane... **2** Terrain aménagé pour cette activité.

**camping-car** n. m. anglic. Camionnette aménagée pour le camping. *Des camping-cars.* – recomm. off. *autocaravane.*

**camping-gaz** [kɑ̃piŋgɑz] n. m. invar. (nom déposé) Réchaud portatif.

**campus** [-ys] n. m. Ensemble des bâtiments d'une université, hors d'une ville.

**camus, use** adj. littér. Camard (1).

**canada** n. f. Variété de pomme.

**canadair** n. m. (nom déposé) Avion équipé de réservoirs d'eau, contre les incendies de forêt.

**canadianisme** n. m. Mot, tournure propre au français parlé au Canada.

**canadien, ienne** adj. et n. Du Canada.

**canadienne** n. f. (en France) **1** Veste chaude, doublée. **2** Petite tente de camping.

**canaille** n. f. **1** Ensemble de gens méprisables. → **racaille. 2** Personne malhonnête. **3** adj. Fripon. *Un air canaille.*

**canal, aux** n. m. **I 1** Cours d'eau artificiel. **2** Bras de mer. → **détroit. II 1** Conduit permettant le passage d'un fluide. → **canalisation. 2** Cavité allongée ou conduit de l'organisme (autre que les artères et les veines). → **vaisseau. III** fig. **1** Agent ou moyen de transmission. *Par le canal d'un ami.* → **intermédiaire. 2** Fréquence occupée par une chaîne de télévision. **3** *Canal de distribution :* circuit de commercialisation.

**canalisation** n. f. Ensemble des conduits distribuant l'eau, le gaz, ou de l'énergie.

**canaliser** v. tr. [1] **1** Rendre (un cours d'eau) navigable. ♦ Sillonner (une région) de canaux. **2** fig. Diriger, concentrer, grouper.

**canapé** n. m. **1** Long siège à dossier pour plusieurs personnes. **2** Tranche de pain sur laquelle on dispose un mets.

**canaque** → **kanak**

**canard** n. m. **I** Oiseau palmipède, au bec large. ♦ loc. *Marcher comme un canard.* → **se dandiner.** – *Canard boiteux :* personne inadaptée. **II 1** Morceau de sucre trempé dans une liqueur, du café. **2** Fausse note. **3** fam. Fausse nouvelle. ♦ péj. Journal.

**canarder** v. tr. [1] Tirer sur (qqn, qqch.) d'un lieu où l'on est à couvert.

① **canari** n. m. Serin jaune olivâtre.

② **canari** n. m. (Afrique) Récipient de terre cuite.

**canasson** n. m. fam. Cheval.

**canasta** n. f. Jeu de cartes qui consiste à réaliser des séries de sept cartes.

① **cancan** n. m. Bavardage médisant. → **potin, ragot.** ► **cancaner** v. intr. [1] ► **cancanier, ière** adj.

② **cancan** n. m. Danse excentrique, spectacle traditionnel du Montmartre de 1900.

**cancer** [-ɛʀ] n. m. **I** Quatrième signe du zodiaque (22 juin-22 juillet). – *Elles sont Cancer.* **II 1** Tumeur maligne, maladie grave causée par une multiplication anarchique de cellules. **2** fig. Ce qui ronge, détruit.

**cancéreux, euse** adj. **1** Du cancer (II, 1). **2** Atteint d'un cancer. – n. *Un cancéreux.*

**cancérigène** adj. Qui cause ou peut causer le cancer. → **carcinogène, oncogène.**

**cancérologie** n. f. Étude, médecine du cancer. → **carcinologie, oncologie.** ► **cancérologue** n.

**cancre** n. m. fam. Élève paresseux et nul.

**cancrelat** n. m. Blatte d'Amérique.

**candela** n. f. Unité de mesure d'intensité lumineuse (symb. cd).

**candélabre** n. m. Grand chandelier à plusieurs branches.

**candeur** n. f. Qualité d'une personne pure et innocente. → **ingénuité, naïveté.**

**candi** adj. m. *Sucre candi,* épuré et cristallisé.

**candida** n. m. méd. Levure d'une famille à laquelle appartient un champignon responsable d'une infection de la peau et des muqueuses (la *candidose* n. f.).

**candidat, ate** n. Personne qui postule une place, un poste, un titre.

**candidature** n. f. État de candidat.

**candide** adj. **1** littér. Blanc. **2** Qui a ou exprime de la candeur. ► **candidement** adv.

**candomblé** n. m. Culte d'origine africaine, pratiqué au Brésil ; lieu de ce culte.

**cane** n. f. Femelle du canard.

Ne pas confondre avec *canne* «bâton».

**caner** v. intr. [1] fam. Mourir.

**caneton** n. m. Petit du canard.

① **canette** n. f. Jeune cane.

② **canette** ou **cannette** n. f. Bobine recevant le fil de trame ou du fil à coudre.

③ **canette** n. f. **1** Petite bouteille de bière. **2** anglic. Boîte métallique contenant une boisson.

**canevas** n. m. **1** Toile ajourée qui sert de support aux ouvrages de tapisserie à l'aiguille. **2** Ébauche (d'un ouvrage). → **plan.**

**cangue** n. f. anciennt Carcan pour le cou et les poignets, en Extrême-Orient.

**caniche** n. m. Chien d'agrément à poil frisé.

**canicule** n. f. Grande chaleur de l'atmosphère. ► **caniculaire** adj.

**canif** n. m. Petit couteau de poche à lames qui se replient dans le manche.

**canin, ine** adj. Relatif au chien.

**canine** n. f. Dent pointue, située entre les incisives et les prémolaires.

**canisse** n. f. région. Canne utilisée pour faire des claies. – var. **cannisse.**

**caniveau** n. m. Bordure d'une rue, le long d'un trottoir, pour l'écoulement des eaux.

**cannabis** [-is] n. m. Chanvre* indien.

**cannage** n. m. Action de canner (un siège). – Partie cannée.

**canne** n. f. **I** Tige droite de certaines plantes (roseau, bambou...). – *Canne à sucre,* cultivée pour son sucre. **II 1** Bâton sur lequel on s'appuie. **2** *Canne à pêche :* gaule portant une ligne de pêche.

Ne pas confondre avec *cane* « canard ».

**canneberge** n. f. Airelle des marais.

**cannelé, ée** adj. Orné de cannelures.

**cannelle** n. f. Écorce aromatique d'un laurier (le *cannelier*), utilisée en cuisine.

**cannelloni** n. m. Pâte alimentaire en forme de tube, garnie d'une farce.

**cannelure** n. f. Sillon longitudinal (creusé dans du bois, de la pierre, etc.).

**canner** v. tr. [1] Garnir le fond, le dossier de (un siège) avec du jonc, du rotin.

**cannette** → ② **canette**

**cannibale** adj. et n. Anthropophage. ► **cannibalisme** n. m.

**cannisse** → **canisse**

**canoë** [kanɔe] n. m. Embarcation de sport, légère, manœuvrée avec une pagaie simple. → aussi **kayak.** ► **canoéiste** n.

**canoë-kayak** n. m. Ensemble des sports de la navigation des canoës et des kayaks, ou sports de la pagaie.

① **canon** n. m. **I 1** Pièce d'artillerie servant à lancer des projectiles lourds (obus). ♦ loc. *Chair à canon :* les soldats exposés à être tués. – péj. *Marchand de canons,* d'armes. **2** Tube (d'une arme à feu). **II** ancienn Ornement qu'on attachait au-dessous du genou. **III** fam. Verre de vin.

② **canon** n. m. **1** Loi ecclésiastique. – adj. *Droit canon :* droit ecclésiastique. **2** Ensemble des livres reconnus comme appartenant à la Bible. ♦ Partie de la messe qui va de la Préface au Notre Père. **3** Règles déterminant un idéal (de beauté). **4** Composition musicale à plusieurs voix répétant le même chant.

**cañon** [kaɲɔn] ou **canyon** [kanjɔ̃ ; kanjɔn] n. m. Gorge, vallée profonde.

**canonique** adj. **1** didact. Conforme à un canon (②). **2** fam. *Être d'un âge canonique,* respectable. **3** didact. Qui correspond à une règle, une norme.

**canoniser** v. tr. [1] Mettre au nombre des saints. ► **canonisation** n. f.

**canonnade** n. f. Tirs de canons.

**canonner** v. tr. [1] Tirer au canon sur (un objectif). ► **canonnage** n. m.

**canonnier, ière** n. **1** Militaire qui sert un canon. **2** n. f. Navire armé de canons.

**canope** n. m. didact. Vase funéraire égyptien dont le couvercle figure une tête.

**canopée** n. f. géogr. Partie supérieure (branches, feuilles) des arbres d'une forêt.

**canot** n. m. Petite embarcation sans pont (à aviron, moteur...). → **barque, chaloupe.**

**canoter** v. intr. [1] Se promener en canot, en barque. ► **canotage** n. m.

**canoteur, euse** n. Personne qui fait du canot. – syn. (vx) ① **canotier, ière.**

② **canotier** n. m. Chapeau de paille à fond et bords plats.

**cantabile** [-bile] adj. et adv. mus. (d'un mouvement lent) Chantant.

**cantal** n. m. Fromage de lait de vache fabriqué dans le Cantal.

**cantaloup** [-lu] n. m. Melon rugueux.

**cantate** n. f. Poème lyrique destiné à être mis en musique ; cette musique.

**cantatrice** n. f. Chanteuse professionnelle d'opéra ou de chant classique.

**cantharide** n. f. Coléoptère vert doré.

**cantilène** n. f. Texte lyrique et épique, ou mélancolique.

**cantine** n. f. **1** Restaurant d'une collectivité. **2** Malle de voyage.

**cantinière** n. f. ancienn Gérante d'une cantine militaire. → **vivandière.**

**cantique** n. m. Chant d'action de grâces.

**canton** n. m. **I** (en Suisse) État de la Confédération helvétique. **II** (en France) Division territoriale de l'arrondissement. **III** (au Canada) Division cadastrale.

à la **cantonade** loc. adv. *Parler à la cantonade :* sans s'adresser à qqn de précis.

**cantonal, ale, aux** adj. Du canton. – (en France) *Élections cantonales,* des conseils généraux (jusqu'en 2011).

**cantonner** v. tr. [1] **1** Établir, faire séjourner (des troupes) en un lieu. **2** Établir (qqn) d'autorité dans une situation. → **reléguer.** ▷ v. pron. se **cantonner** Se retirer (dans un lieu) sans sortir. – fig. Se limiter (à une activité...). ► **cantonnement** n. m.

**cantonnier** n. m. Ouvrier qui travaille à l'entretien des routes.

**canular** n. m. fam. Blague, farce.

**canule** n. f. Tube servant à introduire un liquide dans un conduit de l'organisme.

**canuler** v. tr. [1] fam., vieilli Importuner.

**canut, canuse** n. Ouvrier, ouvrière de l'industrie de la soie (à Lyon).

**canyon** → **cañon**

**C. A. O.** [seao] n. f. (sigle) Conception assistée par ordinateur.

**caoutchouc** [kautʃu] n. m. **1** Substance élastique, imperméable, provenant du latex, ou synthétique. **2** Vêtement caoutchouté (→ imperméable). – Ruban élastique. **3** Ficus à feuilles épaisses et brillantes.

**caoutchouter** v. tr. [1] Enduire de caoutchouc. – au p. p. *Tissu caoutchouté.*

**caoutchouteux, euse** adj. Qui a la consistance du caoutchouc.

**cap** n. m. **I** loc. *De pied en cap :* des pieds à la tête. **II 1** Pointe (de terre) qui s'avance dans la mer. → **promontoire. 2** loc. fig. *Franchir, dépasser un cap,* un seuil, une limite (avec l'idée de difficulté). **3** Direction d'un navire. *Mettre le cap sur :* se diriger vers.

**C. A. P.** [seape] n. m. (sigle) (en France) Certificat d'aptitude professionnelle ; certificat d'aptitude pédagogique.

**capable** adj. **1** *Capable de qqch. :* qui est en état, a le pouvoir d'avoir (une qualité), de faire (qqch.). → **apte** à. **2** absolt Qui a de l'habileté, de la compétence.

**capacité** n. f. **I** Propriété de contenir une quantité de substance. → **contenance, volume. II 1** Qualité d'une personne capable de comprendre, de faire (qqch.). → **aptitude, faculté ; compétence. 2** *Capacité en droit,* diplôme délivré après deux ans d'études.

**caparaçon** n. m. Harnais d'ornement pour les chevaux. ► **caparaçonner** v. tr. [1]

**cape** n. f. **I 1** Vêtement de dessus, sans manches, qui enveloppe le corps et les bras. – loc. *Roman, film de cape et d'épée,* aux héros chevaleresques. **2** loc. fig. *Rire sous cape,* en cachette. **II** mar. *À la cape :* en réduisant la voilure.

**capé, ée** adj. sport Qui a remporté de nombreuses victoires.

**capeline** n. f. Large chapeau de femme.

**C. A. P. E. S.** ou **CAPES** [kapɛs] n. m. (sigle) (en France) Certificat d'aptitude au professorat de l'enseignement secondaire.

**C. A. P. E. T.** ou **CAPET** [kapɛt] n. m. (sigle) (en France) Certificat d'aptitude au professorat de l'enseignement technique.

**capharnaüm** [-aɔm] n. m. fam. Lieu qui renferme beaucoup d'objets en désordre.

**capillaire** [-il-] **I** adj. **1** Fin comme un cheveu. – adj. et n. m. Se dit des vaisseaux sanguins les plus fins. **2** Relatif aux cheveux. **II** n. m. bot. Fougère à pétioles très fins.

**capillarité** [-il-] n. f. sc. Phénomènes qui se produisent à la surface des liquides.

en **capilotade** loc. adv. En piteux état.

**capitaine** n. m. **1** littér. Chef militaire. **2** (en France) Officier commandant une compagnie. **3** Officier commandant un navire de commerce. **4** Chef (d'une équipe sportive).

① **capital, ale, aux** adj. **1** Qui est le plus important. → **essentiel, fondamental. 2** *Peine capitale :* peine de mort.

② **capital, aux** n. m. **1** Somme constituant une dette (opposé à *intérêt*). **2** Biens que l'on fait valoir dans une entreprise. **3** Richesses possédées. **4** écon. Richesse destinée à produire un revenu ou de nouveaux biens.

**capitale** n. f. **1** Ville qui occupe le premier rang dans un État, etc. **2** Majuscule.

**capitaliser** v. [1] **1** v. tr. Transformer en capital (②). **2** v. intr. Amasser de l'argent. → **thésauriser.** ► **capitalisation** n. f.

**capitalisme** n. m. Régime économique et social dans lequel les principaux capitaux, source de revenu, sont propriété privée.

**capitaliste 1** n. Personne qui possède des capitaux. **2** adj. Relatif au capitalisme.

**capitalistique** adj. écon. Relatif au capital.

**capiteux, euse** adj. Qui monte à la tête. → **enivrant, excitant.** *Parfum capiteux.*

**capiton** n. m. **1** Bourre de soie ou de laine. **2** Division d'un siège capitonné.

**capitonner** v. tr. [1] Rembourrer en piquant d'espace en espace. – au p. p. *Fauteuil capitonné.* ► **capitonnage** n. m.

**capitulaire 1** adj. Relatif à un chapitre (de religieux). **2** n. m. hist. Ordonnance des rois et empereurs francs.

**capitule** n. m. bot. Inflorescence formée de fleurs insérées les unes à côté des autres.

**capituler** v. intr. [1] **1** Se rendre à un ennemi par un pacte. **2** fig. S'avouer vaincu, céder. ► **capitulation** n. f.

**capodastre** n. m. mus. Accessoire que l'on adapte au manche d'une guitare, pour en modifier la tonalité.

**capoeira** n. f. Danse brésilienne associant acrobaties et mouvements de lutte.

**caporal, ale, aux** n. Militaire gradé du grade le moins élevé. – *Le Petit Caporal :* Napoléon I^er^.

**caporalisme** n. m. Militarisme borné.

① **capot** n. m. Couverture métallique mobile protégeant un moteur.

② **capot** adj. invar. Battu (au jeu).

**capote** n. f. **1** Grand manteau militaire. **2** Couverture mobile de certains véhicules. **3** fam. Préservatif masculin.

**capoter** v. intr. [1] **1** (bateau...) Se retourner. **2** fig. Échouer. ► **capotage** n. m.

**cappuccino** [kaputʃino] n. m. Café noir serré nappé de crème mousseuse.

**câpre** n. f. Bouton à fleur du câprier, que l'on confit dans le vinaigre (condiment).

**caprice** n. m. 1 Envie subite et passagère. *Suivre son caprice.* → **fantaisie.** – Amour passager. – (enfants) Exigence accompagnée de colère. 2 au plur. (choses) Changements fréquents. *Les caprices de la mode.*

**capricieux, ieuse** adj. 1 Qui a des caprices. → **fantasque.** – n. *Un capricieux.* 2 (choses) Dont la forme, le mouvement varie. → **irrégulier.** ► **capricieusement** adv.

**capricorne** n. m. 1 Animal fabuleux, chèvre et poisson. ♦ Dixième signe du zodiaque (21 décembre-19 janvier). – *Elles sont Capricorne.* 2 Grand coléoptère.

**câprier** n. m. Arbre épineux (→ **câpre**).

**caprin, ine** adj. didact. Relatif à la chèvre.

**capsule** n. f. 1 anat. Membrane, cavité en forme de sac. ♦ bot. Fruit à enveloppe sèche et dure. 2 Petite pièce de métal, ronde. 3 *Capsule spatiale,* petit engin spatial.

**capsuler** v. tr. [1] Fermer, boucher avec une capsule.

**capter** v. tr. [1] 1 Chercher à obtenir (qqch. d'abstrait). *Capter l'attention.* 2 Recueillir pour utiliser. *Capter une source.* 3 Recevoir ou intercepter (une émission...).

**capteur** n. m. sc. Dispositif pour détecter (→ **détecteur**), capter. *Capteur solaire.*

**captieux, euse** adj. littér. Qui cherche à tromper. → **fallacieux, spécieux.**

**captif, ive** adj. 1 littér. Qui a été fait prisonnier (spécialt au cours d'une guerre). – n. *Des captifs.* 2 (animaux) Privé de liberté. 3 fig. *Être captif de ses passions.* → **esclave.**

**captiver** v. tr. [1] Attirer et fixer (l'attention) ; retenir (qqn) en séduisant. ► **captivant, ante** adj. → **passionnant, séduisant.**

**captivité** n. f. Situation d'une personne, d'un animal captif.

**capture** n. f. 1 Action de capturer. 2 Ce qui est pris. *Une belle capture.* 3 inform. Enregistrement d'une image affichée à l'écran.

**capturer** v. tr. [1] 1 S'emparer de (un être vivant). → **arrêter, prendre.** 2 inform. Enregistrer (une image affichée à l'écran).

**capuce** n. m. didact. Capuchon en pointe.

**capuche** n. f. Petit capuchon.

**capuchon** n. m. 1 Large bonnet attaché à un vêtement. 2 Bouchon fileté.

**capucin, ine** n. Religieux, religieuse d'une branche de l'ordre des franciscains.

**capucine** n. f. Plante à feuilles rondes et à fleurs orangées ou rouges ; cette fleur.

**caque** n. f. Barrique à harengs salés. – prov. *La caque sent toujours le hareng,* on porte toujours la marque de ses origines.

**caquelon** n. m. Poêlon (en terre...).

**caquet** n. m. 1 Cri de la poule qui pond. 2 loc. *Rabattre le caquet à qqn,* le faire taire.

**caqueter** v. intr. [5] 1 (poule) Glousser au moment de pondre. 2 Bavarder de façon indiscrète, désagréable. ► **caquetage** n. m.

① **car** conj. Conjonction de coordination qui introduit une explication de la proposition qui précède. → **parce que, puisque.**

② **car** n. m. Autocar.

**carabe** n. m. Insecte coléoptère, à reflets métalliques.

**carabin** n. m. fam. Étudiant en médecine.

**carabine** n. f. Fusil léger à canon court.

**carabiné, ée** adj. fam. Fort, violent.

**carabinier** n. m. 1 vx Soldat armé d'une carabine. 2 (en Italie) Gendarme. ♦ (en Espagne) Douanier.

**caraco** n. m. 1 vieilli Corsage de femme droit et assez ample. 2 mod. Sous-vêtement féminin couvrant le buste.

**caracoler** v. intr. [1] Faire des voltes.

**caractère** n. m. I Marque, signe gravé ou écrit, élément d'une écriture. → **lettre, symbole ; idéogramme, pictogramme.** II 1 Trait distinctif propre à qqn, qqch. → **attribut, caractéristique, particularité.** *Caractères héréditaires.* 2 Air original. *Cette maison a du caractère.* → **cachet.** III 1 Ensemble des manières habituelles de sentir et de réagir de qqn. *Avoir bon caractère.* 2 *Avoir du caractère,* un caractère énergique. → **fermeté, volonté.** 3 Personne, considérée dans son individualité. → **personnalité.**

**caractériel, ielle** adj. 1 didact. Du caractère (III, 1). 2 Qui présente des troubles du caractère. – n. *Un caractériel.*

**caractériser** v. tr. [1] 1 Indiquer avec précision les caractères distinctifs de (qqn, qqch.). 2 Constituer le, un caractère de. → **définir, déterminer.** *La générosité qui la caractérise.* ► **caractérisation** n. f.

**caractéristique** 1 adj. Qui permet de caractériser, de distinguer. 2 n. f. Ce qui sert à caractériser. → **particularité.**

**caractérologie** n. f. Étude (psychologique) des types de caractères.

**carafe** n. f. 1 Récipient de verre à base large et col étroit. 2 loc. fam. *Rester en carafe :* être oublié, laissé de côté. 3 fam. Tête (d'une personne).

**carafon** n. m. 1 Petite carafe. 2 fam. Tête (d'une personne). *Recevoir un coup sur le carafon.*

**caraïbe** adj. et n. Des Caraïbes (îles...).

**carambolage** n. m. 1 (billard) Coup dans lequel une bille en touche deux autres. 2 Série de chocs désordonnés (entre véhicules). ► **caramboler** v. [1]

**carambole** n. f. Fruit d'un arbre de l'Inde (le *carambolier*), d'un jaune orangé, aux côtes saillantes.

**caramel** n. m. 1 Produit brun, brillant, obtenu en faisant fondre du sucre. 2 Bonbon au caramel. 3 adj. invar. Roux clair.

**caraméliser** v. tr. [1] 1 Transformer (du sucre) en caramel. 2 Enduire de caramel.

**carapace** n. f. **1** Organe dur, qui protège le corps de certains animaux (tortues...). **2** fig. → **cuirasse.** *La carapace de l'égoïsme.*

se **carapater** v. pron. [1] fam. S'enfuir.

**carat** n. m. **1** Chaque vingt-quatrième d'or fin contenu dans une quantité d'or. **2** Unité de poids (0,2 g) des pierres précieuses. **3** loc. fam. *Dernier carat :* dernière limite.

**caravane** n. f. **I 1** Groupe de voyageurs réunis pour franchir une région désertique. – prov. *Les chiens aboient, la caravane passe,* il faut laisser crier les envieux. **2** Groupe de personnes qui se déplacent. **II** Remorque d'automobile servant de logement.

**caravanier** n. m. Conducteur d'une caravane (I, 1).

**caravansérail** n. m. **1** (en Orient) Halte pour les caravanes (I, 1). **2** Lieu très animé.

**caravelle** n. f. Ancien navire à voiles.

**carbochimie** n. f. techn. Chimie industrielle de la houille et de ses dérivés.

**carbonaro** n. m. hist. Membre des sociétés secrètes italiennes qui luttaient au XIXe siècle pour la liberté nationale (*carbonarisme* n. m.). *Des carbonari.*

**carbonate** n. m. chim. Sel ou ester de l'acide carbonique.

**carbone** n. m. **1** Corps simple (symb. C), métalloïde qui se trouve dans tous les corps vivants. – *Carbone 14 :* isotope radioactif du carbone qui permet de dater les restes animaux ou végétaux. **2** *Papier carbone,* chargé de couleur, pour obtenir des doubles.

**carbonifère 1** adj. Qui contient du charbon. *Terrain carbonifère.* **2** n. m. géol. Époque de la fin de l'ère primaire.

**carbonique** adj. *Anhydride carbonique* ou *gaz carbonique :* gaz incolore ($CO_2$), présent dans l'atmosphère, combinaison du carbone et de l'oxygène (syn. *dioxyde de carbone*).

**carboniser** v. tr. [1] Transformer en charbon. → **brûler, calciner.** ♦ Cuire à l'excès. ► **carbonisation** n. f.

**carburant** n. m. Combustible liquide qui, mélangé à l'air (→ **carburation**), s'utilise dans un moteur à explosion (ex. essence).

**carburation** n. f. Formation, dans un *carburateur* (n. m.), d'un mélange gazeux inflammable composé d'air et de carburant.

**carbure** n. m. Composé du carbone avec un autre corps simple (→ hydrocarbure).

**carburer** v. intr. [1] **1** Effectuer la carburation (moteur). **2** fam. Aller, fonctionner.

**carcan** n. m. **1** anciennt Collier de fer fixé à un poteau. → **pilori. 2** fig. Ce qui entrave la liberté. → **contrainte, joug.**

**carcasse** n. f. **1** Ensemble d'ossements décharnés. → **squelette. 2** fam. Le corps humain. **3** Charpente (d'un appareil...) ; assemblage des pièces soutenant un ensemble.

**carcéral, ale, aux** adj. De la prison.

**carcinogène** adj. didact. → **cancérigène.**

**carcinologie** n. f. didact. **1** Étude des crustacés. **2** → **cancérologie.**

**carcinome** n. m. Tumeur cancéreuse (épithélium, glandes).

**cardamome** n. f. Plante d'Asie à graine aromatique. – Cette graine.

**cardan** n. m. Système de suspension conservant une position invariable au corps suspendu. ♦ Articulation transmettant un mouvement entre deux arbres d'axes liés (syn. *joint de cardan*).

**carde** n. f. **I** Peigne, machine pour carder. **II** Côte comestible de cardon, de bette.

**carder** v. tr. [1] Peigner, démêler (des fibres textiles). ► **cardage** n. m.

**cardeur, euse 1** n. Personne qui carde la laine. **2** n. f. Machine à carder.

**cardia** n. m. anat. Orifice supérieur de l'estomac (près du cœur).

**cardiaque** adj. et n. **1** Du cœur. **2** adj. et n. Atteint d'une maladie de cœur.

**cardigan** n. m. Veste de tricot à manches longues, boutonnée devant.

① **cardinal, ale, aux** adj. **1** littér. Qui sert de pivot, de centre. → **capital, essentiel, fondamental. 2** *Nombre cardinal* (opposé à *ordinal*), désignant une quantité (ex. *trois* dans *trois pièces*). **3** *Points cardinaux,* nord, est, sud, ouest. → **rose** des vents.

② **cardinal, aux** n. m. **1** Prélat, électeur et conseiller du pape. **2** Passereau d'Amérique au plumage rouge foncé.

**cardiogramme** n. m. méd. Enregistrement des mouvements du cœur (au moyen d'un *cardiographe* n. m.).

**cardiologie** n. f. Étude du cœur et de ses affections. ► **cardiologue** n.

**cardiopathie** n. f. méd. Maladie du cœur.

**cardiovasculaire** adj. méd. Relatif à la fois au cœur et aux vaisseaux sanguins.

**cardon** n. m. Plante potagère dont on mange la côte médiane (carde) des feuilles.

**carême** n. m. relig. chrét. Période de pénitence qui va du mercredi des Cendres à Pâques. ♦ loc. fam. *Face de carême,* triste.

**carénage** n. m. **1** Action de caréner. **2** Lieu où l'on carène. **3** Carrosserie carénée.

**carence** n. f. **1** Incapacité à faire face à ses responsabilités. **2** Absence ou insuffisance d'éléments indispensables à l'organisme. ♦ psych. *Carence affective.*

**carène** n. f. mar. Partie immergée de la coque (d'un navire).

**caréner** v. tr. [6] **1** Nettoyer la carène de (un navire). → **radouber. 2** Donner un profil aérodynamique à (une carrosserie).

**caressant, ante** adj. Tendre, affectueux.

**caresse** n. f. Manifestation physique de tendresse. ♦ spécialt Attouchement érotique.

**caresser** v. tr. 1 **1** Toucher en signe de tendresse. **2** (sujet chose) Effleurer agréablement. **3** fig. Entretenir complaisamment (une idée...). *Caresser un rêve.*

① **caret** n. m. techn. Dévidoir des cordiers. – *Fil de caret :* gros fil de chanvre.

② **caret** n. m. Tortue des mers chaudes.

**car-ferry** [-feRi ; -feRe] n. m. anglic. → **ferry-boat.** *Des car-ferries* (ou *-ys*). – abrév. **ferry.**

**cargaison** n. f. **1** Marchandises chargées sur un navire, un avion, etc. → **chargement, fret. 2** fig., fam. Grande quantité.

**cargo** n. m. Navire destiné au transport des marchandises.

**cariatide** n. f. archit. Statue de femme soutenant une corniche sur sa tête.

**caribou** n. m. Renne du Canada.

**caricatural, ale, aux** adj. **1** Qui tient de la caricature, qui y prête. **2** Qui déforme en exagérant, en ridiculisant.

**caricature** n. f. **1** Représentation qui, par la déformation, l'exagération de détails, tend à ridiculiser le modèle. → **charge. 2** Ce qui évoque (qqch.) sous une forme déplaisante ou ridicule. → **simulacre, parodie.**

**caricaturer** v. tr. 1 Faire la caricature de (qqn ; qqch.).

**caricaturiste** n. Artiste en caricature.

**carie** n. f. Lésion qui détruit l'émail et l'ivoire de la dent en formant une cavité.

**carier** v. tr. 7 Attaquer par la carie.

**carillon** n. m. **1** Ensemble de cloches de différents tons. **2** Sonnerie (d'une horloge). **3** Sonnerie de cloches vive et gaie.

**carillonner** v. intr. 1 **1** Sonner en carillon. – trans. *Carillonner une fête.* **2** fam. Sonner bruyamment (à une porte...).

**cariste** n. techn. Conducteur, conductrice de chariot automoteur.

**caritatif, ive** adj. Inspiré par la charité. – Qui aide les défavorisés.

**carlin** n. m. Petit chien au museau aplati.

**carlingue** n. f. **1** Pièce renforçant la carène (d'un navire). **2** Partie habitable (d'un avion).

**carmagnole** n. f. Ronde révolutionnaire.

**carme** n. m. Religieux du Carmel.

**carmel** n. m. Couvent de carmes, de carmélites (ordre du Carmel).

**carmélite** n. f. Religieuse du Carmel.

**carmin** n. m. Colorant ou couleur rouge vif. ♦ adj. invar. *Étoffes carmin.* → **carminé.**

**carminé, ée** adj. Rouge vif.

**carnage** n. m. Fait de tuer en nombre (des hommes, des animaux). → **massacre.**

**carnassier, ière** adj. Qui se nourrit de viande, de chair crue. → **carnivore.**

**carnassière** n. f. Sac à gibier.

**carnation** n. f. Couleur, aspect de la chair d'une personne. → **teint.**

**carnaval, als** n. m. **1** Période de réjouissances précédant le carême. **2** Divertissements publics (bals, défilés...) de cette période. ► **carnavalesque** adj. ► **carnavalier, ière** n. et adj.

**carne** n. f. fam. **1** Mauvaise viande. **2** Mauvais cheval. ♦ (personnes) → **rosse.**

**carné, ée** adj. Composé de viande.

**carnet** n. m. **1** Petit cahier de poche. *Carnet de notes.* **2** Assemblage de feuillets, de timbres, etc. détachables.

**carnier** n. m. Petite carnassière.

**carnivore** adj. Qui se nourrit de chair. → **carnassier.** *Animaux, plantes carnivores.* ♦ n. m. (animaux) *L'ordre des carnivores.*

**carolingien, ienne** adj. De Charlemagne, de son époque, de sa dynastie.

**caroncule** n. f. anat. Petite excroissance charnue.

**carotène** n. m. Matière colorante jaune ou rouge que l'on trouve dans certains tissus végétaux (carottes) et animaux.

**carotide** n. f. Chacune des deux artères qui conduisent le sang du cœur à la tête.

**carotte** n. f. **I 1** Plante potagère à racine rouge orangé comestible. ♦ Cette racine. – loc. fam. *Les carottes sont cuites :* tout est perdu. **2** adj. invar. *Cheveux carotte.* → **roux. II** Échantillon cylindrique tiré du sol.

**carotter** v. tr. 1 **I** fam. Prendre (qqch.) par ruse ; escroquer (qqn). **II** Extraire une carotte (II) de (un sol). ► **carottage** n. m.

**caroubier** n. m. Arbre méditerranéen qui produit un fruit sucré, la *caroube.*

**carpaccio** [-tʃ(j)o] n. m. Plat fait de fines tranches de bœuf cru, assaisonné.

① **carpe** n. f. **1** Gros poisson d'eau douce à larges écailles. **2** loc. *Saut de carpe,* où l'on se rétablit sur les pieds d'une détente.

② **carpe** n. m. anat. Double rangée de petits os qui soutiennent le poignet.

**carpelle** n. m. Chaque élément du pistil.

**carpette** n. f. **1** Petit tapis. → **descente** de lit. **2** fig., fam. Personnage plat et servile.

**carquois** n. m. Étui à flèches.

**carre** n. f. **1** Angle entre les faces d'un objet. **2** Baguette bordant une semelle de ski.

**carré, ée I** adj. **1** Qui a quatre angles droits et quatre côtés égaux. – *Mètre carré :* unité de mesure de surface (symb. $m^2$), surface d'un carré ayant un mètre de côté. ♦ *Racine* carrée.* **2** Qui a à peu près cette forme. **3** fig. Dont le caractère est nettement tranché. **II** n. m. **1** Quadrilatère à quatre angles droits et quatre côtés égaux. **2** Figure, objet, etc. ayant cette forme. **3** Pièce d'un navire servant de salon. **4** math. Produit d'un nombre par lui-même. **5** jeux Réunion de quatre cartes semblables.

**carreau** n. m. **I 1** Pavé plat, de forme carrée. **2** Sol pavé de carreaux. → **carrelage.** - loc. *Rester sur le carreau,* vaincu, tué... ; abandonné. **3** Plaque de verre pour les fenêtres, etc. → **vitre. II 1** Dessin carré (d'un assemblage). **2** (cartes à jouer) Série dont la marque est un losange rouge. **3** loc. *Se tenir à carreau,* sur ses gardes.

**carrée** n. f. fam. Chambre.

**carrefour** n. m. **1** Endroit où se croisent plusieurs voies. → **croisement. 2** fig. Situation où l'on doit choisir entre diverses voies. **3** Lieu de rencontre, d'échange.

**carrelage** n. m. **1** Action de carreler. **2** Pavage fait de carreaux.

**carreler** v. tr. [4] **1** Paver avec des carreaux. **2** Quadriller (une feuille, etc.).

**carrelet** n. m. **1** Poisson plat quadrangulaire (syn. *plie*). **2** Filet de pêche carré.

**carreleur, euse** n. Spécialiste de la pose des carrelages.

**carrément** adv. **1** (modifiant un verbe) D'une façon nette, décidée ; sans détours. **2** (modifiant un adj.) Complètement.

**carrer** v. tr. [1] **I** Donner une forme carrée à (qqch.). **II** argot Mettre, fourrer. ♦ fam. *Je n'en ai rien à carrer :* je m'en moque. ▷ v. pron. se **carrer** *Se carrer dans un fauteuil,* s'y installer confortablement.

**carrier** n. m. Exploitant d'une carrière.

① **carrière** n. f. **1** vx Terrain pour les courses de chars. **2** littér. Voie, entreprise où l'on s'engage. **3** Métier, profession qui présente des étapes, une progression. - *Faire carrière :* réussir dans une profession. - *Militaire de carrière,* de métier.

② **carrière** n. f. Lieu d'où l'on extrait de la pierre, etc., à ciel ouvert (s'oppose à *mine*).

**carriériste** adj. et n. péj. Qui cherche avant tout la réussite sociale, professionnelle. ► **carriérisme** n. m.

**carriole** n. f. Petite charrette.

**carrossable** adj. Où peuvent circuler des voitures. → **praticable.**

**carrosse** n. m. Ancienne voiture à chevaux, de luxe, à quatre roues et couverte.

**carrosser** v. tr. [1] Munir (un véhicule) d'une carrosserie. ► **carrossage** n. m.

**carrosserie** n. f. **1** Industrie, commerce des carrossiers. **2** Caisse d'un véhicule automobile (capot, toit, portes, ailes...).

**carrossier, ière** n. Spécialiste de la construction et de la réparation des carrosseries d'automobiles.

**carrousel** n. m. **1** Parade équestre. **2** Dispositif tournant. **3** Succession (d'impressions, de sensations...).

**carrure** n. f. **1** Largeur du dos, d'une épaule à l'autre. **2** fig. Force, valeur (de qqn). → **envergure, stature.**

**cartable** n. m. Sac, sacoche d'écolier.

**carte** n. f. **I 1** Rectangle ou carré de papier, de carton. - loc. *Donner carte blanche à qqn,* le laisser libre (de choisir...). **2** *Carte (à jouer) :* carton rectangulaire illustré, utilisé dans des jeux. - loc. fig. *Brouiller les cartes :* obscurcir une situation. *Jouer sa dernière carte :* tenter sa dernière chance. *Jouer cartes sur table :* agir franchement. - *Tirer les cartes à qqn* (→ **cartomancie**). **3** Liste des plats, des consommations avec leur prix. **4** *Carte (de visite) :* petit carton imprimé (nom, adresse, etc.). **5** *Carte (postale) :* carte illustrée dont une face sert à la correspondance. **6** Document personnel établissant certains droits. *Carte d'identité.* **7** Pièce rectangulaire, en plastique, permettant des opérations automatiques (notamment financières). *Carte bancaire. Carte à puce.* **II 1** Représentation à échelle réduite (d'un terrain). *Carte routière.* **2** Document décrivant la répartition (d'une chose). *La carte scolaire.*

**cartel** n. m. **I** Encadrement décoratif de certaines pendules. - Cette pendule. **II 1** Entente entre entreprises d'activités proches. **2** Association de groupements (politiques, syndicaux...).

**carter** [-ɛʀ] n. m. Enveloppe de métal servant à protéger un mécanisme.

**cartésien, ienne** adj. **1** Relatif à Descartes, à sa philosophie (*cartésianisme* n. m.). **2** Logique, rationnel.

**carthame** n. m. bot. Plante appelée aussi *faux safran,* cultivée pour ses graines oléagineuses.

**cartilage** n. m. Tissu animal résistant et souple qui, chez les vertébrés supérieurs, recouvre l'extrémité des os, forme la charpente d'organes (nez, oreille) et le squelette des embryons. ► **cartilagineux, euse** adj.

**cartographie** n. f. Technique des cartes (II) et plans. ► **cartographe** n.

**cartomancie** n. f. Pratique consistant à prédire l'avenir par l'interprétation des cartes, des tarots. ► **cartomancien, ienne** n.

**carton** n. m. **1** Feuille épaisse faite de pâte à papier. *Carton-pâte,* fait de vieux papiers. **2** Boîte en carton fort. **3** *Carton à dessin,* grand dossier pour ranger des dessins, etc. **4** *Faire un carton :* tirer à la cible ; fig. réussir.

**cartonnage** n. m. **1** Fabrication d'objets en carton. **2** Reliure ou emballage en carton.

**cartonner** v. [1] **1** v. tr. Relier (un livre) en carton. **2** v. intr. fam. Faire un carton*.

**cartonnier** n. m. **1** Fabricant, marchand de carton. **2** Meuble de bureau à tiroirs en carton épais, servant à classer des dossiers.

① **cartouche** n. f. **1** Enveloppe contenant la charge d'une arme à feu. ♦ loc. fig. *Les dernières cartouches :* les dernières réserves. **2** Petit étui cylindrique. **3** Paquets de cigarettes emballés et vendus ensemble.

② **cartouche** n. m. **1** Ornement en forme de carte à demi déroulée. **2** Encadrement ovale de hiéroglyphes (noms, etc.).

**cartoucherie** n. f. Fabrique de cartouches (①).

**cartouchière** n. f. Sac à cartouches (①).

**caryotype** n. m. biol. Arrangement des chromosomes d'une cellule.

① **cas** n. m. **I 1** Ce qui arrive. → **circonstance, événement, fait.** *Un cas étrange.* - *Dans le cas présent.* → **situation.** ♦ *En cas de* loc. prép. : dans l'hypothèse de. *En cas de besoin.* **2** *Au cas où* loc. conj. (+ cond.) : en admettant que. → **si.** - *En aucun cas.* → **jamais.** - *En tout cas* loc. adv. : de toute façon. **3** *Faire grand cas de,* accorder de l'importance à. *Faire peu de cas, ne faire aucun cas de qqn, qqch.* **II 1** Situation envisagée par la loi pénale. **2** *Cas de conscience :* difficulté sur un point de morale, etc. → **scrupule.** ♦ *Cas de figure :* situation envisagée comme hypothèse. **3** État d'un sujet (du point de vue médical, etc.). ♦ *Cas social :* personne dont la situation sociale est difficile.

② **cas** n. m. (langues à déclinaisons) Forme d'un mot correspondant à une fonction grammaticale dans la phrase. → **désinence.**

**casanier, ière** adj. Qui aime à rester chez soi.

**casaque** n. f. **1** Veste des jockeys. **2** loc. *Tourner casaque :* fuir ; changer d'opinion.

**casbah** n. f. Citadelle arabe ; son quartier.

**cascade** n. f. **1** Chute d'eau. **2** Suite saccadée (de rires...). **3** Acrobatie des cascadeurs.

**cascadeur, euse** n. Artiste qui tourne les scènes acrobatiques d'un film.

**case** n. f. **I** Habitation traditionnelle, en Afrique, etc. → **hutte, paillote. II 1** Carré ou rectangle dessiné sur un damier, etc. **2** Compartiment (d'un meuble...). **3** fam. *Il a une case en moins,* il est fou.

**caséine** n. f. Protéines du lait.

**casemate** n. f. Abri militaire enterré.

**caser** v. tr. [1] **1** Mettre à la place qu'il faut ; dans une place qui suffit. **2** fig., fam. Établir (qqn) dans une situation.

**caserne** n. f. Bâtiment destiné au logement des militaires.

**casernement** n. m. Locaux, constructions d'une caserne.

**caseyeur** n. m. Bateau équipé de casiers (3) pour la pêche aux crustacés.

**cash** adv. anglic. fam. *Payer cash,* comptant.

**casher** ou **kascher** [-ɛʀ] adj. invar. (aliment) Conforme aux rites juifs. ♦ (lieu) Où l'on prépare des aliments casher.

**cashmere** → **cachemire**

**casier** n. m. **1** Ensemble de cases formant meuble. **2** *Casier judiciaire :* relevé des condamnations prononcées contre qqn. **3** Nasse pour capturer les crustacés.

**casino** n. m. Établissement de spectacle où les jeux d'argent sont autorisés.

**casoar** n. m. **1** Grand oiseau coureur qui porte sur le front une sorte de casque. **2** Plumet de la coiffure des saint-cyriens.

**casque** n. m. **1** Coiffure rigide qui protège la tête. - loc. *Les Casques bleus :* la force militaire de l'O. N. U. **2** Ensemble de deux écouteurs reliés par un serre-tête. **3** Séchoir à cheveux qui couvre la tête.

**casqué, ée** adj. Coiffé d'un casque.

**casquer** v. intr. [1] fam. Payer.

**casquette** n. f. Coiffure ronde à visière.

**cassable** adj. Qui peut se casser.

**cassant, ante** adj. **1** Qui se casse facilement. **2** Dur et autoritaire.

**cassate** n. f. Glace aux fruits confits.

**cassation** n. f. Annulation (d'une décision) par une cour compétente. - (en France) *Cour de cassation* (juridiction suprême).

① **casse** n. f. imprim. Boîte à casiers pour les caractères typographiques en plomb.

② **casse** n. f. **1** Action de casser. → **bris. 2** fam. Violence ; dégâts. **3** *Mettre une voiture à la casse,* à la ferraille.

③ **casse** n. m. argot Cambriolage.

**cassé, ée** adj. **1** → **casser. 2** *Voix cassée,* rauque, voilée. **3** *Col cassé,* à coins rabattus. **4** Courbé, voûté (par l'âge). **5** *Blanc cassé,* mêlé d'une faible quantité d'une autre couleur.

**casse-cou 1** n. m. invar. *Crier casse-cou à qqn,* l'avertir d'un danger. **2** n. et adj. invar. fam. Qui s'expose au danger sans réflexion.

**casse-croûte** n. m. invar. **I** fam. Repas léger rapide. - syn. (plus fam.) **casse-dalle. II** (Canada) Restaurant où l'on sert rapidement des repas simples.

**casse-gueule** adj. invar. fam. Dangereux, risqué.

**casse-noisettes** n. m. invar. Pince pour casser des noisettes, des noix. - syn. **casse-noix.**

**casse-pieds** n. invar. et adj. invar. fam. Insupportable, ennuyeux. → **importun.** - syn. (très fam.) **casse-couilles.**

**casse-pipe** n. m. invar. fam. Guerre.

**casser** v. [1] **I** v. tr. **1** Mettre en morceaux, diviser (une chose rigide) d'une manière soudaine, par choc, coup, pression. ♦ loc. fam. *Casser la croûte :* manger (→ casse-croûte). - *Casser sa pipe :* mourir (→ casse-pipe). - *Se casser la tête :* s'acharner, se faire du souci (→ casse-tête). **2** Rompre l'os de (un membre, etc.). *Elle s'est cassé la jambe.* - fig., fam. *Casser les pieds à qqn,* l'importuner (→ casse-pieds). **3** Endommager (un appareil...). **4** fam. *Ça ne casse rien :* ça n'a rien d'extraordinaire. **5** loc. adv. fam. *À tout casser :* tout au plus ; loc. adj. extraordinaire. **6** dr. Annuler (une décision) (→ **cassation**). **7** fig. *Casser les prix,* les baisser brusquement. **8** Dégrader (un officier). **II** v. intr. Se rompre, se briser. ▷ v. pron. se **casser 1** (passif) *Le verre se casse facilement.* **2** fam. Se fatiguer. **3** fam. S'en aller.

**casserole** n. f. Ustensile de cuisine de forme cylindrique, à manche. ♦ loc. fam. *Passer à la casserole :* être contraint à une épreuve pénible ; vulg. à l'acte sexuel.

**casse-tête** n. m. invar. **1** Massue grossière ; matraque. **2** Travail compliqué qui fatigue l'esprit. **3** Jeu d'assemblage complexe.

**cassette** n. f. **1** anciennt Petit coffre pour l'argent, les bijoux. **2** Petit boîtier contenant une bande magnétique pour l'enregistrement de sons, d'images, etc.

**casseur, euse** n. **I 1** Personne qui casse (qqch.). **2** n. m. Personne qui vend des pièces des voitures mises à la casse. **3** n. m. Personne qui endommage volontairement des biens. **II** n. m. argot Cambrioleur.

① **cassis** [-si(s)] n. m. Groseillier à baies noires. ♦ Son fruit. – Liqueur de ce fruit.

② **cassis** [-si(s)] n. m. Rigole ou dépression en travers d'une route.

**cassolette** n. f. **1** Réchaud pour brûler des parfums. **2** Petit récipient allant au four.

**cassonade** n. f. Sucre roux.

**cassoulet** n. m. Ragoût de viande (confit, charcuterie...) et de haricots blancs assaisonnés.

**cassure** n. f. **1** Endroit où qqch. a été cassé. **2** fig. (abstrait) Coupure, rupture.

**castagnettes** n. f. pl. Petit instrument de musique espagnol fait de deux pièces de bois que l'on fait claquer l'une contre l'autre.

**caste** n. f. **1** Classe sociale fermée (d'abord en Inde). **2** péj. Groupe fermé. → **clan.**

**castel** n. m. Petit château.

**caster** v. tr. [1] anglic. Faire passer un casting à (qqn).

**castillan, ane** adj. et n. De la Castille. ♦ n. m. Dialecte espagnol, devenu la langue officielle de l'Espagne. → **espagnol.**

**casting** n. m. anglic. Sélection des acteurs, des personnes qui figurent dans un spectacle. ♦ fig. loc. *Erreur de casting :* mauvaise distribution des rôles (dans la société...).

**castor** n. m. **1** Mammifère rongeur amphibie, à large queue plate. **2** Sa fourrure.

**castrat** n. m. Homme castré (spécialt chanteur qui conservait la voix de soprano).

**castration** n. f. **1** Opération par laquelle on prive un individu de la faculté de se reproduire. ► **castrer** v. tr. [1] → **châtrer. 2** psych. *Complexe de castration,* lié à la présence ou non du pénis selon les sexes. **3** fig. *Castration chimique,* arrêt de pulsions sexuelles par traitement médicamenteux.

**casuistique** n. f. **1** relig. Partie de la théologie morale qui s'occupe des cas de conscience. **2** péj. Subtilité excessive (en morale). ► **casuiste** n.

**casus belli** [kazysbɛlli ; -beli] n. m. invar. didact. Acte de nature à motiver une guerre.

**catachrèse** [-kʀɛz] n. f. Figure de rhétorique détournant un mot de son sens.

**cataclysme** n. m. **1** Grande catastrophe naturelle. **2** fig. Désastre, calamité.

**catacombe** n. f. Cavité souterraine ayant servi de sépulture.

**catadioptre** n. m. Dispositif réfléchissant la lumière et rendant visible un obstacle (syn. *cataphote*).

**catafalque** n. m. Estrade décorée sur laquelle on place un cercueil.

**catalan, ane** adj. et n. De Catalogne. ♦ n. m. *Le catalan* (langue romane).

**catalepsie** n. f. méd. Suspension du mouvement volontaire des muscles. → **léthargie, paralysie.** ► **cataleptique** adj. et n.

**catalogue** n. m. **1** Liste méthodique accompagnée d'explications. → **index, inventaire. 2** Liste d'objets à vendre.

**cataloguer** v. tr. [1] **1** Classer, inscrire par ordre. **2** Classer en jugeant.

**catalpa** n. m. Arbre décoratif d'Amérique, à grandes feuilles.

**catalyse** n. f. chim. Accélération ou ralentissement d'une réaction chimique sous l'effet d'une substance (→ **catalyseur**) qui ne subit aucune transformation.

**catalyser** v. tr. [1] **1** chim. Agir comme catalyseur sur. **2** fig. Déclencher, par sa présence (une réaction, un processus).

**catalyseur** n. m. **1** chim. Substance qui catalyse. **2** fig. Élément qui catalyse (2).

**catamaran** n. m. Bateau à deux coques.

**cataphote** n. m. (nom déposé) → **catadioptre.**

**cataplasme** n. m. Bouillie médicinale que l'on applique sur une partie du corps.

**catapulte** n. f. **1** Ancienne machine de guerre qui lançait de lourds projectiles. → **baliste. 2** Dispositif de lancement des avions à bord d'un porte-avions.

**catapulter** v. tr. [1] **1** Lancer par catapulte (2). **2** Lancer violemment. ♦ Promouvoir subitement (qqn). ► **catapultage** n. m.

**cataracte** n. f. **I** Grande chute d'eau. **II** Opacité du cristallin ou de sa membrane, entraînant des troubles de la vision.

**catarrhe** n. m. méd. Inflammation des muqueuses provoquant une sécrétion excessive. ► **catarrheux, euse** adj. et n.

**catastrophe** n. f. **I 1** Malheur effroyable et brusque ; sinistre causant de nombreux morts. *Catastrophe naturelle* (inondation, etc.). *Catastrophe aérienne.* – *Catastrophe écologique.* – loc. *En catastrophe* : d'urgence. **2** fam. (par exagér.) Événement fâcheux. **II** sc. *Théorie des catastrophes,* qui, à partir de phénomènes discontinus, recherche un modèle continu.

**catastrophé, ée** adj. fam. Abattu, annihilé.

**catastrophique** adj. **1** Qui a le caractère d'une catastrophe. → **effroyable. 2** fam. Désastreux ; très mauvais.

**catastrophisme** n. m. Pessimisme outré, excessif.

**catch** n. m. Lutte libre de caractère spectaculaire. ► **catcheur, euse** n.

**catéchèse** n. f. Instruction religieuse.

**catéchiser** v. tr. [1] **1** Instruire dans la religion chrétienne. **2** fig. Endoctriner.

**catéchisme** n. m. Enseignement de la doctrine et de la morale chrétiennes.

**catéchumène** [-ky-] n. Personne qu'on instruit pour la préparer au baptême.

**catégorie** n. f. **1** philos. *Les catégories de l'être,* ses attributs généraux. **2** Classe dans laquelle on range des objets de même nature. → **espèce, famille, genre, groupe, ordre, série.** ♦ *Catégories grammaticales,* qui classent les mots (ex. verbe, nom, adverbe). ♦ (personnes) *Catégories socioprofessionnelles.*

**catégoriel, elle** adj. Propre à une catégorie de travailleurs.

**catégorique** adj. Qui ne souffre pas de discussion. ► **catégoriquement** adv.

**caténaire** n. f. Dispositif soutenant le fil conducteur d'une voie de chemin de fer.

**cathare** adj. Des Cathares (secte chrétienne hérétique du Moyen Âge).

**catharsis** [-is] n. f. didact. Apaisement des passions (selon Aristote). ♦ Libération affective. ► **cathartique** adj.

**cathédrale** n. f. **1** Église épiscopale d'un diocèse. **2** appos. *Verre cathédrale,* translucide, à la surface inégale.

**catherinette** n. f. Jeune fille qui fête la Sainte-Catherine (fête des ouvrières de la mode, etc., non mariées à 25 ans).

**cathéter** [-ɛʀ] n. m. méd. Tige que l'on introduit dans un canal, un orifice.

**cathode** n. f. Électrode de sortie du courant, dans l'électrolyse (opposé à *anode*). ♦ Source d'électrons, dans un tube *cathodique.*

**catholicisme** n. m. Religion chrétienne dans laquelle le pape exerce l'autorité en matière de dogme et de morale.

**catholique** adj. **1** Du catholicisme. – adj. et n. Qui le professe. **2** fam. *Pas très catholique,* louche.

en **catimini** loc. adv. En cachette.

**catin** n. f. vieilli Prostituée.

**catogan** n. m. Nœud, etc. qui attache les cheveux sur la nuque. ♦ Cette coiffure.

**cauchemar** n. m. **1** Rêve pénible dont l'élément dominant est l'angoisse. **2** fam. Ce qui effraie, obsède. ► **cauchemardesque** adj.

**cauchemarder** v. intr. [1] Faire des cauchemars.

**caudal, ale, aux** adj. De la queue.

**caudataire** n. m. didact. **1** Celui qui porte la traîne d'un prélat, etc. **2** Vil flatteur.

**causal, ale, als** adj. Qui concerne la cause, lui appartient, ou la constitue.

**causalité** n. f. Rapport de la cause à son effet.

**causant, ante** adj. fam. Qui aime causer.

**cause** n. f. **I** Ce qui produit un effet. **1** Ce par quoi un événement arrive, une action se fait. → **origine ; motif, raison.** – loc. prép. *À cause de* : par l'action, l'influence de. – *Magasin fermé pour cause de décès.* – *Et pour cause* : pour une raison connue (qu'on ne rappelle pas). **2** didact. Ce qui fait qu'une chose existe. → **fondement, origine. 3** littér. Ce pour quoi on fait qqch. – loc. *Pour la bonne cause,* pour des motifs honorables. **II 1** dr. Affaire, procès qui se plaide. ♦ loc. *Plaider une cause.* → **défendre.** – *Obtenir gain* de cause.* – *En tout état de cause* : de toute manière. ♦ *Être en cause,* être l'objet du débat, de l'affaire. *Mettre qqn en cause.* → **accuser.** *Mettre hors de cause.* → **disculper. 2** Ensemble d'intérêts à soutenir. *Une cause juste.*

① **causer** v. tr. [1] Être la cause de.

② **causer** v. intr. [1] S'entretenir (avec qqn). → **bavarder.** ♦ fam. Parler (à qqn).

**causerie** n. f. **1** Entretien familier. **2** Discours, conférence sans prétention.

**causette** n. f. fam. *Faire la causette, un brin de causette* : bavarder familièrement.

**causeur, euse** adj. et n. Qui aime causer.

**causeuse** n. f. Canapé à deux places.

**causse** n. m. Plateau calcaire, dans le centre et le sud-ouest de la France.

**caustique** adj. **1** Qui attaque, brûle les tissus vivants. → **corrosif. 2** fig. D'une moquerie mordante. → **acerbe.** ► **causticité** n. f.

**cauteleux, euse** adj. Hypocrite et habile.

**cautère** n. m. Instrument qui brûle les tissus, pour cicatriser. – loc. *Un cautère sur une jambe de bois* : un remède inefficace.

**cautériser** v. tr. [1] Brûler au cautère. ► **cautérisation** n. f.

**caution** n. f. **1** Garantie d'un engagement. – Somme versée pour servir de garantie. **2** *Sujet, sujette à caution* : sur qui, sur quoi l'on ne peut compter. → **douteux.** **3** Personne qui fournit une garantie. → **garant.**

**cautionnement** n. m. Somme d'argent destinée à servir de garantie.

**cautionner** v. tr. [1] **1** dr. Se rendre caution pour (qqn). **2** Se porter garant de (une idée...) en la soutenant. → **soutenir.**

**cavalcade** n. f. **1** Chevauchée animée. **2** fam. Agitation, bousculade.

① **cavale** n. f. littér. Jument de race.

② **cavale** n. f. argot Évasion (de prison).

**cavaler** v. intr. [1] fam. Courir ; fuir.

**cavalerie** n. f. **1** Ensemble de troupes à cheval. – loc. fig. *C'est de la grosse cavalerie :* cela manque de finesse. **2** Corps de troupes, à cheval à l'origine, aujourd'hui motorisées. **3** Ensemble de chevaux. → **écurie.**

① **cavalier, ière** n. **I 1** Personne qui est à cheval. **2** n. m. Militaire de la cavalerie. **II** Celui, celle avec qui l'on forme un couple dans un bal, etc. – loc. *Faire cavalier seul :* agir isolément. **III** n. m. **1** Pièce du jeu d'échecs. **2** Clou en U.

② **cavalier, ière** adj. **I** Destiné aux cavaliers. **II** Désinvolte, sans égards. ► **cavalièrement** adv. (sens II).

① **cave** n. f. **1** Local souterrain, sous une habitation. **2** Vins (conservés dans une cave). **3** Coffret (à liqueurs...).

② **cave** adj. **1** (œil...) Enfoncé. **2** *Veines caves,* grosses veines qui amènent au cœur le sang du corps par l'oreillette droite.

③ **cave** n. m. argot Niais, dupe.

**caveau** n. m. **1** Petite cave. **2** Construction souterraine servant de sépulture.

**caveçon** n. m. Mors (de cheval).

**caverne** n. f. **1** Cavité naturelle creusée dans la roche. → **grotte.** – *L'âge des cavernes :* la préhistoire. **2** méd. Cavité pathologique.

**caverneux, euse** adj. **1** anat. *Corps caverneux,* susceptible de gonfler fortement. **2** cour. *Voix caverneuse.* → **grave, sépulcral.**

**cavernicole** adj. Qui vit dans l'obscurité.

**caviar** n. m. Œufs d'esturgeon préparés.

**caviarder** v. tr. [1] Biffer à l'encre noire. – Supprimer (un passage) dans un texte. → **censurer.**

**caviste** n. Personne chargée des soins de la cave, des vins. → **sommelier.**

**cavité** n. f. Espace vide à l'intérieur d'un corps solide. → **creux, trou, vide.**

① **CB** ou **C. B.** [sibi] n. f. (sigle) anglic. Bande publique de fréquences radio.

② **CB** n. f. (sigle) (fam. à l'oral) Carte bancaire ; carte bleue.

**CCP** ou **C. C. P.** n. m. (sigle) Compte chèques postal.

**CD** n. m. (sigle) anglic. Disque* compact. → **CD-ROM, DVD.**

**C. D. D.** ou **CDD** n. m. (sigle) Contrat (de travail) à durée déterminée (opposé à *C. D. I.*).

**C. D. I.** ou **CDI** n. m. (sigle) Contrat (de travail) à durée indéterminée (opposé à *C. D. D.*).

**CD-ROM** [sedeʀɔm] n. m. (sigle) anglic. Disque optique numérique à lecture seule, où sont stockées des données (texte, son, images). – var. **CD-Rom, cédérom.**

① **ce, cette, ces** adj. dém. (*ce* prend la forme *cet* devant voyelle ou *h* muet) Devant un nom, sert à montrer la personne ou la chose désignée par le nom, ou à indiquer un temps rapproché. – (renforcé par *-ci* et *-là,* après le nom) *Ce livre-ci. Cet homme-là.*

② **ce** pron. dém. (*ç'* devant les formes des verbes *être* et *avoir* commençant par *a*, *c'* devant celles qui commencent par *e*) **I** Désignant la chose que la personne qui parle a dans l'esprit. → **ça.** **1** *C'est ; ce doit, ce peut être. C'est fini. C'est à vous. Ce sont eux* (mais *c'est vous*). **2** en phrase interrog. *Est-ce vous ? Qui est-ce ?* **3** *C'est... qui, c'est... que,* sert à détacher un élément. *C'est une bonne idée que vous avez là.* **II** suivi d'un pronom relatif *Ce que je crois. Ce dont on parle.* ♦ fam. *Ce que :* combien, comme. *Ce que c'est beau !* **III** loc. (*ce* compl. direct) *Ce me semble :* il me semble. *Ce faisant. Pour ce faire.* – *Sur ce :* là-dessus.

**céans** adv. vx Ici, dedans. – loc. *Le maître de céans :* le maître de maison.

**ceci** pron. dém. **1** (opposé à *cela*) Désigne la chose la plus proche, ce qui va suivre. **2** Cette chose. → **cela ; ça.** *Regardez ceci.*

**cécité** n. f. **1** État d'une personne aveugle. **2** fig. Incapacité à comprendre, à sentir.

**céder** v. [6] **I** v. tr. **1** Abandonner, laisser (qqch.) à qqn. *Céder son tour.* – *Céder du terrain,* reculer. **2** dr. Transporter la propriété de (qqch.) à une autre personne. → **vendre ; cessible, cession.** **II** v. tr. ind. **1** *Céder à :* ne plus résister à. ♦ sans compl. → **capituler, renoncer.** **2** (choses) Plier, se casser. **3** (abstrait) Disparaître, cesser.

**cédétiste** adj. et n. De la Confédération française démocratique du travail (C. F. D. T.).

**cedex** [sedɛks] n. m. Sigle de *courrier d'entreprise à distribution exceptionnelle.*

**cédille** n. f. Signe que l'on place sous la lettre c *(ç)* suivie des voyelles a, o, u pour indiquer qu'elle doit être prononcée [s].

**cédrat** n. m. Fruit (agrume) du *cédratier.*

**cèdre** n. m. Grand conifère originaire d'Afrique et d'Asie, à branches en étages.

**cégep** [seʒɛp] n. m. (au Québec) Collège d'enseignement général et professionnel.

**cégétiste** adj. et n. De la Confédération générale du travail (C. G. T.).

**ceindre** v. tr. [52] **1** littér. Entourer, serrer. **2** Mettre autour du corps, de la tête.

**ceinture** n. f. **I 1** Bande servant à ajuster les vêtements à la taille ; partie d'un vêtement (jupe, robe, pantalon) qui l'ajuste autour de la taille. – loc. fam. *Se serrer la ceinture :* se priver. ♦ (judo...) Bande tissée dont la couleur symbolise un grade. **2** Dispositif entourant la taille. *Ceinture de sécurité* (dans une voiture...). **II** → **taille.** *Nu jusqu'à la ceinture.* **III** Élément qui entoure.

**ceinturer** v. tr. [1] **1** Entourer d'une ceinture, d'une enceinte. **2** sports Prendre (qqn) par la taille, en le serrant.

**ceinturon** n. m. Grosse ceinture.

**cela** pron. dém. **1** (opposé à *ceci*) Désigne ce qui est plus éloigné, ce qui précède. **2** Cette chose. → **ceci ; ça.** *Cela ne fait rien.*

**céladon** **1** adj. invar. Vert pâle. **2** n. m. Porcelaine chinoise de cette couleur.

**célébrant** n. m. Prêtre qui célèbre la messe.

**célébration** n. f. Action de célébrer.

**célèbre** adj. Très connu. → **illustre.**

**célébrer** v. tr. [6] **1** Accomplir solennellement (une action publique). **2** Marquer (un événement) par une cérémonie. → **fêter.** **3** littér. Faire publiquement l'éloge de. → **glorifier, vanter.**

**célébrité** n. f. **1** Grande réputation. → **notoriété, renom.** **2** Personne célèbre.

**celer** [səle ; sele] v. tr. [5] littér. Cacher.

**céleri** n. m. Plante dont on mange les côtes *(céleri en branches)* ou la racine *(céleri-rave).*

**célérité** n. f. littér. Grande rapidité (dans l'action...).

**célesta** n. m. Instrument de musique à percussion et à clavier.

**céleste** adj. **1** Relatif au ciel. *La voûte céleste :* le ciel. **2** Du ciel, séjour de la divinité, etc. **3** Merveilleux, surnaturel. *Beauté céleste.*

**célibat** n. m. État d'une personne en âge d'être mariée et qui ne l'est pas, ne l'a jamais été. ► **célibataire** adj. et n.

**celle** → **celui**

**cellier** n. m. Lieu aménagé pour y conserver du vin, des provisions.

**cellophane** n. f. (nom déposé) Feuille d'emballage transparente obtenue à partir de la cellulose.

**cellulaire** adj. **1** biol. De la cellule vivante. **2** Qui présente des alvéoles, des pores. **3** *Téléphone cellulaire,* téléphone mobile. **4** Relatif aux cellules de prison, à la prison.

**cellule** n. f. **I** Pièce utilisée pour isoler ou enfermer qqn. **II** **1** Cavité, alvéole. **2** biol. Élément fondamental de tous les organismes vivants. **3** Structures d'un avion (ailes, fuselage). **4** sc. Unité productrice d'énergie. **III** abstrait Élément isolable, constitutif d'un ensemble. *Cellule familiale.*

**cellulite** n. f. Gonflement du tissu conjonctif sous-cutané.

**celluloïd** n. m. (nom déposé) Matière plastique flexible, inflammable.

**cellulose** n. f. Matière contenue dans la membrane des cellules végétales. ► **cellulosique** adj.

**celtique** adj. Des Celtes. – syn. **celte.** ♦ n. m. *Le celtique* (langues indo-européennes : breton, gaulois, irlandais...).

**celui, celle, ceux, celles** pron. dém. Désigne la personne ou la chose dont il est question dans le discours.

**celui-ci, celle-ci, ceux-ci, celles-ci** et **celui-là, celle-là, ceux-là, celles-là** pron. dém. Marquent la même opposition que *ceci* et *cela.*

**cément** n. m. **1** techn. Substance qui, chauffée au contact d'un métal, lui fait acquérir de nouvelles propriétés. ► **cémentation** n. f. **2** anat. Substance osseuse recouvrant l'ivoire à la racine des dents.

**cénacle** n. m. **1** relig. Salle de la Cène*. **2** littér. Réunion d'intellectuels, etc.

**cendre** n. f. **1** Poudre qui reste quand on a brûlé certaines matières organiques. – loc. *Réduire en cendres,* détruire par le feu. **2** Matière pulvérulente. *Cendres volcaniques.* **3** *Les cendres des morts,* leurs restes ; leur mémoire. **4** relig. cathol. *Les Cendres,* symbole de la dissolution du corps.

**cendré, ée** adj. Qui a la couleur grisâtre de la cendre.

**cendrée** n. f. Mélange de mâchefer et de sable, revêtement de pistes d'athlétisme.

**cendreux, euse** adj. Qui contient de la cendre ; qui a l'aspect de la cendre.

**cendrier** n. m. **1** Partie d'un foyer où tombent les cendres. **2** Récipient destiné à recevoir les cendres de tabac.

**Cène** n. f. **1** relig. chrét. Dernier repas de Jésus avec ses apôtres, lors duquel il institua l'Eucharistie. **2** Communion sous les deux espèces, chez les protestants.

**cénobite** n. m. relig. Moine qui vivait en communauté (s'oppose à *anachorète*).

**cénotaphe** n. m. Monument à la mémoire d'un mort (qui ne contient pas son corps).

**cens** [sɑ̃s] n. m. hist. **1** Antiq. Dénombrement des citoyens romains (→ recensement). **2** Redevance due au seigneur d'un fief. **3** Montant de l'impôt nécessaire pour être électeur ou éligible (→ **censitaire).**

**censé, ée** adj. (+ inf.) Supposé, réputé (être...). ► **censément** adv. → **apparemment.**

> Ne pas confondre avec *sensé* « qui a du bon *sens* ».

**censeur** n. **I** n. m. hist. Magistrat romain qui contrôlait les mœurs. **II** **1** littér. Personne qui contrôle, critique. **2** Personne qui applique la censure. **3** ancienn Personne chargée de la discipline, dans un lycée.

**censitaire** adj. hist. *Suffrage censitaire,* réservé à ceux qui payaient le cens (3).

**censure** n. f. I hist. Charge de censeur (I). II 1 littér. Action de critiquer, de condamner. 2 Examen des publications, des spectacles..., exigé par les pouvoirs publics avant d'autoriser leur diffusion. 3 Sanction d'un gouvernement, votée par une assemblée. 4 psych. Refoulement dans l'inconscient d'éléments psychiques que le surmoi ne tolère pas.

**censurer** v. tr. [1] Interdire (une publication, un spectacle...).

① **cent** I REM. Liaison avec les mots commençant par une voyelle ou un *h* muet, sauf *un, une, unième, onze, onzième.* 1 adj. numéral cardinal invar. (sauf s'il est précédé d'un nombre qui le multiplie et n'est pas suivi d'un autre adj. numéral : *deux cents,* mais *deux cent un*) Dix fois dix (100). – loc. *Faire les cent pas,* aller et venir. 2 adj. numéral ordinal invar. Centième. *Page trois cent.* II n. m. Le numéro, le nombre cent. – loc. *Gagner des mille et des cents,* beaucoup d'argent. ♦ *Pour cent* (précédé d'un numéral) : pour une quantité de cent unités (→ **pourcentage).** *Cinquante pour cent* (50%), la moitié. – *Chemise cent pour cent coton* (→ entièrement).

② **cent** [sɛnt] n. m. Centième du dollar.

③ **cent** [sɑ̃] n. m. Centième de l'euro. → **centime (d'euro).** *Une pièce de dix cents.*

**centaine** n. f. Groupe de cent unités *(le chiffre des centaines),* ou environ.

**centaure** n. m. Être imaginaire, moitié homme, moitié cheval.

**centaurée** n. f. Plante aux nombreuses espèces, dont le bleuet.

**centenaire** 1 adj. Qui a au moins cent ans. → **séculaire.** – n. Personne qui a cent ans. 2 n. m. Centième anniversaire.

**centésimal, ale, aux** adj. Dont les parties sont des centièmes ; divisé en cent.

**centième** [sɑ̃tjɛm] 1 adj. Qui a le numéro cent pour rang. ♦ n. *Le, la centième.* 2 adj. et n. m. Se dit d'une partie d'un tout divisé également en cent.

**centigrade** adj. Divisé en cent degrés.

**centigramme** n. m. Centième du gramme (symb. cg).

**centilitre** n. m. Centième du litre (symb. cl).

**centime** n. m. 1 Centième du franc. 2 *Centime d'euro.* → ③ **cent.**

**centimètre** n. m. 1 Centième du mètre (symb. cm). *Centimètre carré* (cm²), *cube* (cm³). 2 Ruban gradué. → **mètre** (2).

**centon** n. m. littér. Texte, morceau de musique fait de fragments empruntés.

**centrage** n. m. Action de centrer (qqch.).

① **central, ale, aux** adj. 1 Qui est au centre, qui a rapport au centre. 2 Qui constitue l'organe principal. – *Prison centrale* ou n. f. *centrale,* pour les détenus purgeant une longue peine. – *École centrale (des arts et manufactures)* ou n. f. *Centrale.*

② **central** n. m. Lieu où aboutissent les éléments d'un réseau (téléphonique...).

**centrale** n. f. 1 Usine productrice d'électricité. 2 Groupement de syndicats. 3 Organisme qui centralise. 4 → ① **central** (2).

**centraliser** v. tr. [1] Réunir dans un même centre. ► **centralisation** n. f. ► **centralisateur, trice** adj. et n.

**centralisme** n. m. Système qui centralise (en politique, en économie).

**centre** n. m. 1 Point (intérieur) situé à égale distance de tous les points d'un cercle, d'une sphère. 2 Milieu approximatif. *Le centre de la France.* 3 phys. *Centre de gravité* (d'un corps), point où s'applique la résultante des forces exercées par la pesanteur sur ce corps. ♦ *Centres nerveux,* constitués de substance grise et reliés par les nerfs aux organes. 4 Lieu caractérisé par l'importance de ses activités. ♦ Organisme qui coordonne des activités. *Centre national de la recherche scientifique* (C. N. R. S.). 5 abstrait Point principal, essentiel. *Centre d'intérêt.* 6 Courant politique modéré.

**centrer** v. tr. [1] 1 Ramener, disposer au centre. 2 abstrait *Centrer sur :* donner comme centre (d'intérêt...). 3 absolt (sports) Ramener le ballon vers l'axe du terrain.

**centrifuge** adj. Qui tend à éloigner du centre (opposé à *centripète*).

**centrifuger** v. tr. [3] Séparer par une rotation très rapide (des éléments de densité différente). ► **centrifugation** n. f.

**centrifugeur** n. m. Appareil qui centrifuge. – syn. **centrifugeuse** n. f.

**centripète** adj. Qui tend à rapprocher du centre (opposé à *centrifuge*).

**centrisme** n. m. Position des personnes qui sont politiquement au centre. ► **centriste** adj. et n.

**centriste** adj. et n. Du centre politique.

**centuple** adj. Cent fois plus grand. ♦ n. m. *Le centuple.* – *Au centuple :* cent fois plus.

**centupler** v. [1] 1 v. tr. Multiplier par cent. 2 v. intr. Être porté au centuple.

**centurion** n. m. Antiq. romaine Officier qui commandait une unité de cent hommes (*centurie* n. f.).

**cep** [sɛp] n. m. Pied (de vigne).

> Ne pas confondre avec *cèpe* «champignon».

**cépage** n. m. Variété de vigne cultivée.

**cèpe** n. m. Bolet brun très apprécié.

> Ne pas confondre avec *cep* «pied de vigne».

**cependant** adv. Exprime une opposition, une restriction. → **néanmoins, toutefois.**

**céphalée** n. f. méd. Mal de tête.

**céphalique** adj. didact. De la tête.

**céphalopode** n. m. Mollusque marin à tentacules munis de ventouses (ex. la seiche).

**céphalorachidien, ienne** adj. méd. Qui concerne à la fois l'encéphale et le rachis.

**céphalothorax** [-aks] n. m. Partie antérieure du corps de certains arthropodes, tête et thorax soudés.

**céramide** n. m. biochim. Molécule organique, élément de lipides de la membrane cellulaire.

**céramique** n. f. **1** Technique et art du potier, de la fabrication des objets en terre cuite (poteries, faïences, grès, porcelaine). **2** Matière dont sont faits ces objets. **3** Objet en céramique.

**céramiste** n. Artiste en céramique.

**céraste** n. m. zool. Vipère cornue.

**cerbère** n. m. Portier, gardien sévère.

**cerceau** n. m. **1** Cercle (de bois, métal...). **2** Arceau servant de support.

**cercle** n. m. **I 1** Courbe plane fermée dont tous les points sont à égale distance d'un point (le centre). **2** (impropre en sc.) Surface plane limitée par un cercle. **3** Objet ou disposition circulaire. **4** Groupe de personnes réunies habituellement ; leur local. *Cercle littéraire.* **II** abstrait **1** Domaine qu'on embrasse, parcourt. → **étendue.** *Le cercle de ses connaissances.* **2** *Cercle vicieux* : log. raisonnement faux où l'on utilise ce qu'il faut démontrer ; cour. situation dans laquelle on est enfermé.

**cercler** v. tr. [1] Entourer, munir de cercles, de cerceaux... ► **cerclage** n. m.

**cercueil** [-kœj] n. m. Longue caisse dans laquelle on met un mort.

**céréale** n. f. **1** Plante dont les grains servent de base à l'alimentation (avoine, blé, maïs, riz, seigle, etc.). **2** au plur. Flocons de céréales. ► **céréalier, ière** adj.

**cérébelleux, euse** adj. anat. Du cervelet.

**cérébral, ale, aux** adj. **1** Qui a rapport au cerveau. *Les hémisphères cérébraux*, les deux moitiés du cerveau. **2** Qui concerne l'esprit, l'intelligence. **3** adj. et n. (personnes) Qui vit surtout par la pensée, par l'esprit.

**cérébrospinal, ale, aux** adj. méd. Relatif au cerveau et à la moelle épinière.

**cérémonial, als** n. m. Ensemble de règles observées lors d'une cérémonie.

**cérémonie** n. f. **1** Actes solennels accompagnant un culte religieux. **2** Formes extérieures (gestes, décor...) destinées à marquer un événement de la vie sociale. **3** Politesse excessive, dans la vie privée.

**cérémonieux, euse** adj. Qui fait trop de cérémonies (3). ► **cérémonieusement** adv.

**cerf** [sɛʀ] n. m. Animal ruminant vivant en troupeaux ; spécialt le mâle adulte, aux longues cornes ramifiées (→ **bois**).

**cerfeuil** n. m. Plante herbacée aromatique (condiment).

**cerf-volant** [sɛʀ-] n. m. **I** Gros insecte volant (coléoptère) aux pinces dentelées. → **lucane.** **II** Armature tendue de papier ou de tissu, qui peut s'élever en l'air.

**cerisaie** n. f. Lieu planté de cerisiers.

**cerise** n. f. **1** Petit fruit charnu à noyau, à peau brillante, rouge, parfois jaune pâle, produit par le cerisier. **2** adj. invar. *Rouge cerise*, vif.

**cerisier** n. m. Arbre fruitier à fleurs blanches, qui produit la cerise ; son bois.

**cerne** n. m. **1** Cercle bistre ou bleuâtre qui entoure parfois les yeux, une contusion... (→ **bleu**). **2** Trace d'une tache. → **auréole.** **3** Chacun des cercles concentriques visibles sur le tronc coupé d'un arbre.

**cerné, ée** adj. Entouré d'un cerne (1).

**cerneau** n. m. Chair de la noix épluchée.

**cerner** v. tr. [1] **1** Entourer par des troupes. → **encercler.** **2** Entourer d'un trait. **3** fig. → **circonscrire.** *Cerner une question.*

**certain, aine** **I** adj. (épithète après le nom) **1** Qui est effectif, sans aucun doute. → **assuré, incontestable, indubitable.** **2** Qui ne peut manquer de se produire. → **inévitable, sûr.** **3** (personnes) Qui considère une chose pour vraie. → **convaincu.** *J'en suis certain.* **II** adj. (avant le nom) **1** (précédé de l'art. indéf.) Imprécis, difficile à fixer. *Un certain temps.* **2** au plur. Quelques-uns parmi d'autres. *Dans certains cas.* **3** *Un certain* (et nom de personne), exprime le dédain, etc. **III** pron. plur. *Certains* : certaines personnes.

**certainement** adv. **1** D'une manière certaine. → **sûrement.** **2** (affirmation) → **certes, évidemment.** *Cela en vaut-il la peine ? – Certainement.* **3** Très probablement.

**certes** adv. littér. **1** Certainement (2). *Certes, c'est vrai.* **2** (concession) *Certes, mais...*

**certificat** n. m. **1** Écrit qui émane d'une autorité et atteste un fait. **2** Acte attestant la réussite à un examen ; cet examen.

**certifier** v. tr. [7] **1** Assurer qu'une chose est vraie. **2** dr. Garantir par un acte. – au p. p. *Copie certifiée conforme* (à l'original).

**certitude** n. f. **1** Caractère certain, indubitable ; ce qui est certain. **2** État de l'esprit qui ne doute pas.

**céruléen, éenne** adj. littér. Bleu ciel.

**cérumen** [-ɛn] n. m. Matière jaune sécrétée dans le conduit auditif externe.

**céruse** n. f. Colorant blanc très toxique (aujourd'hui interdit). *Blanc de céruse.*

**cerveau** n. m. **I** concret **1** Masse nerveuse contenue dans le crâne de l'être humain (cerveau (2), cervelet, bulbe, pédoncules cérébraux). → **encéphale.** **2** anat. Partie antérieure et supérieure de l'encéphale des vertébrés (deux hémisphères cérébraux, méninges). **II** abstrait **1** Le siège de la vie psychique et des facultés intellectuelles. → **esprit, tête ; cervelle.** ◆ Personne, quant à l'esprit. *C'est un grand cerveau,* **absolt** *un cerveau,* qqn d'une grande intelligence. **2** fig. Organe de direction.

**cervelas** n. m. Gros saucisson cuit, épicé.

**cervelet** n. m. Partie postérieure et inférieure de l'encéphale.

**cervelle** n. f. **1** Substance nerveuse constituant le cerveau. - loc. *Se brûler la cervelle :* se tuer d'une balle dans la tête. ◆ Cerveau comestible de certains animaux. **2** Les facultés mentales. *Tête sans cervelle.* → **écervelé.**

**cervical, ale, aux** adj. **1** Relatif au cou. **2** Relatif au col (de l'utérus, etc.).

**cervidé** n. m. Mammifère ongulé dont le mâle porte des bois (cerf, chevreuil...).

**cervoise** n. f. ancienne Bière d'orge, de blé.

**ces** → ① **ce**

**C. E. S.** [seøɛs] n. m. (sigle) (en France) Collège d'enseignement secondaire.

**césar** n. m. **1** Titre d'empereur romain. **2** (avec une cap. ; marque déposée) Récompense cinématographique française.

**césarienne** n. f. Opération chirurgicale, incision dans la paroi abdominale pour extraire l'enfant de l'utérus de la mère.

**césarisme** n. m. Gouvernement d'un dictateur s'appuyant sur le peuple.

**césium** [-jɔm] n. m. Élément (symb. Cs), métal mou, jaune pâle.

**cessant, ante** adj. loc. *Toute(s) chose(s), toute(s) affaire(s) cessante(s) :* en interrompant tout le reste, en priorité.

**cessation** n. f. Fait de prendre fin ou de mettre fin à qqch.

**cesse** n. f. **1** Fait de cesser (**sans art. et dans des loc.**). *Sans cesse ni repos.* - *N'avoir de cesse que* (+ subj.) : ne pas arrêter avant que... **2** *Sans cesse* loc. adv. : constamment.

**cesser** v. 1 **1** v. intr. Se terminer ou s'interrompre. → s'**arrêter, finir.** - *Faire cesser :* mettre fin à. **2** v. tr. ind. *Cesser de* (+ inf.). → s'**arrêter** de. **3** v. tr. (sujet animé) littér. Faire finir. → **arrêter.** *Cesser le travail.*

**cessez-le-feu** n. m. invar. Arrêt officiel des combats.

**cessible** adj. dr. Qui peut être cédé. → **négociable.**

**cession** n. f. Action de céder (un bien...).

> Ne pas confondre avec *session* «séance».

**cessionnaire** n. dr. Bénéficiaire d'une cession.

**c'est-à-dire** [sɛt-] loc. conj. **1** Annonce une explication ou une qualification (abrév. *c.-à-d.*). **2** Annonce une restriction.

**ceste** n. m. Antiq. Courroie garnie de plomb dont les pugilistes s'entouraient les mains.

**césure** n. f. Repos à l'intérieur d'un vers après une syllabe accentuée.

**cet, cette** → ① **ce**

**cétacé** n. m. Grand mammifère aquatique à nageoires antérieures et nageoire caudale horizontale (ex. la baleine).

**cétoine** n. f. Coléoptère vert doré.

**cétologie** n. f. didact. Étude des cétacés. ► **cétologique** adj. ► **cétologue** ou **cétologiste** n.

**cétone** n. f. Nom des corps chimiques de constitution analogue à celle de l'acétone.

**ceux** → **celui**

**cf.** [kɔ̃fɛʀ] Indication invitant le lecteur à se référer à ce qui suit.

**C. F. C.** n. m. (sigle) chim. Composé du chlore et du fluor (*chlorofluorocarbone* n. m.), utilisé dans les aérosols, comme réfrigérant... (interdit depuis 2000).

**C. G. S.** adj. (sigle) *Système C. G. S. :* ancien système d'unités de mesure (centimètre, gramme, seconde).

**chablis** n. m. Vin blanc sec de Chablis.

**chabot** n. m. Poisson à grosse tête.

**chabrol** ou **chabrot** n. m. *Faire chabrol, chabrot :* verser du vin dans le fond de son assiette de soupe et boire le mélange.

**chacal, als** n. m. Mammifère carnivore d'Asie et d'Afrique, voisin du renard.

**chacun, une** pron. indéf. **1** Personne ou chose prise individuellement dans un ensemble. *Chacun des deux :* l'un et l'autre. *Chacun son tour.* **2** Toute personne. - *Tout un chacun :* n'importe qui, tout le monde.

**chafouin, ine** adj. Rusé, sournois.

① **chagrin, ine** adj. Triste, morose.

② **chagrin** n. m. État moralement douloureux. *Avoir du chagrin.* ◆ Peine ou déplaisir causé par un événement précis. ► **chagriner** v. tr. 1

③ **chagrin** n. m. Cuir grenu utilisé en reliure. - loc. fig. *C'est une peau de chagrin :* cela ne cesse de rétrécir (allus. à Balzac).

**chahut** n. m. Agitation bruyante.

**chahuter** v. 1 **I** v. intr. Faire du chahut dans une classe. **II** v. tr. Manifester contre (qqn) par un chahut ; taquiner (qqn).

**chai** n. m. Lieu en rez-de-chaussée où l'on garde les alcools, les vins en fûts.

**chaîne** n. f. **I 1** Suite d'anneaux entrelacés, servant à orner, manœuvrer, transmettre un mouvement, etc. **2** Cette suite d'anneaux, pour attacher un animal ou une personne. ◆ fig. *Briser ses chaînes :* s'affranchir. **II** Objet (concret ou abstrait) composé d'éléments successifs liés. **1** Ensemble des fils d'un tissu, suivant sa longueur (opposé à *trame*). **2** Suite d'accidents du relief. *Chaîne de montagnes.* **3** chim. Suite d'atomes de carbone. **4** Ensemble d'appareils assurant la transmission de signaux. *Chaîne hi-fi :*

système de reproduction du son formé d'éléments séparés. ♦ Émetteurs et organisme diffusant un programme de radio, de télévision. **5** Organisation de postes successifs de travail. *Travail à la chaîne.* **6** Réseau d'entreprises associées. **7** *Chaîne du froid :* moyens de conservation frigorifique des denrées périssables. **8** *Réaction en chaîne :* série de phénomènes déclenchés les uns par les autres. **III** Ensemble de personnes qui se transmettent qqch. de l'une à l'autre.

**chaînette** n. f. Petite chaîne.

**chaînon** n. m. **1** Anneau d'une chaîne. **2** Élément d'une suite (logique, etc.).

**chair** n. f. **I 1** Substance molle du corps humain ou animal (muscles et tissu conjonctif). – loc. *En chair et en os :* en personne. – *Être bien en chair :* avoir de l'embonpoint. **2** Aspect de la peau. – *Avoir la chair de poule,* la peau qui se hérisse (de peur...). **II 1** relig. La nature humaine, le corps. **2** littér. Les instincts ; les sens. **III 1** Partie comestible (de certains animaux). → **viande.** ♦ *Chair à saucisse :* préparation de porc haché. **2** Partie comestible (d'animaux non mammifères, de fruits...).

> Ne pas confondre avec *chaire* «siège» ni avec *chère* «nourriture».

**chaire** n. f. **1** Siège d'un pontife. **2** Tribune du prédicateur, dans une église. **3** Poste de professeur de l'enseignement supérieur.

> Ne pas confondre avec *chair* «muscle» ni avec *chère* «nourriture».

**chaise** n. f. **I 1** Siège à dossier et sans bras pour une personne. – loc. *Être assis entre deux chaises :* être dans une situation incertaine. **2** anciennt *Chaise percée,* dans laquelle s'encastrait un pot de chambre. **3** *Chaise longue,* à inclinaison réglable, permettant de s'allonger. **4** anciennt *Chaise électrique :* siège sur lequel on électrocutait les condamnés à mort, aux États-Unis. **II** anciennt **1** *Chaise à porteurs :* petit abri muni d'un siège, dans lequel on se faisait porter. **2** Véhicule hippomobile.

**chaisier, ière** n. **1** Personne qui fabrique des chaises. **2** Loueur de chaises.

① **chaland** n. m. Bateau à fond plat pour le transport des marchandises. → **péniche.**

② **chaland, ande** n. vx Client, cliente.

**chalcographie** n. f. arts **1** Gravure sur métal. **2** Collection de planches gravées.

**châle** n. m. Grande pièce d'étoffe que l'on drape sur les épaules.

**chalet** n. m. Maison de bois des pays de montagne européens.

**chaleur** n. f. **I 1** Température élevée de la matière (par rapport au corps humain) ; sensation produite par un corps chaud. ♦ Température de l'air qui donne à l'organisme une sensation de chaud. **2** sc. Phénomène physique qui se traduit notamment par l'élévation de la température (→ **calorifique, thermique**). **3** *Chaleur animale :* chaleur naturelle de l'organisme. **II** État des femelles des mammifères quand elles acceptent l'approche du mâle. → **rut. III** fig. Animation, ardeur, passion.

**chaleureux, euse** adj. Qui manifeste de la chaleur (III). ► **chaleureusement** adv.

**châlit** n. m. Cadre de lit.

**challenge** [ʃalɑ̃ʒ ; tʃalɛnʒ] n. m. anglic. **1** Épreuve sportive dont le titre est remis en jeu. **2** Situation où la difficulté stimule. → **défi.** ► **challengeur, euse** n. ou **challenger** n. m.

**chaloir** v. impers. loc. vieilli *Peu me* (ou *m'en*) *chaut :* peu m'importe.

**chaloupe** n. f. Grand canot.

**chaloupé, ée** adj. (démarche...) Balancé.

**chalumeau** n. m. **1** Tuyau (de paille...). **2** Outil qui produit un jet de gaz enflammé.

**chalut** n. m. Filet en forme d'entonnoir, remorqué par un bateau.

**chalutier** n. m. **1** Bateau de pêche au chalut. **2** Marin qui sert sur un chalutier.

**chamade** n. f. **1** vx Signal de reddition. **2** loc. *Battre la chamade* (cœur), très fort.

se **chamailler** v. pron. [1] fam. Se quereller pour des raisons futiles. ► **chamaillerie** n. f. ► **chamailleur, euse** n. et adj.

**chamallow** [-lo] n. m. (marque déposée) Marshmallow.

**chaman** [ʃaman] n. m. ou **chamane** n. Être capable d'interpréter les signes et de communiquer avec les esprits. ► **chamanisme** n. m.

**chamarrer** v. tr. [1] Rehausser d'ornements aux couleurs éclatantes. ▷ adj. **chamarré, ée** ► **chamarrure** n. f.

**chambard** n. m. fam. Désordre ; chahut.

**chambarder** v. tr. [1] Bouleverser ; changer brutalement. ► **chambardement** n. m. – loc. *Le grand chambardement :* la révolution.

**chambellan** n. m. hist. Gentilhomme chargé du service de la chambre d'un prince. ► **chambellanie** n. f. (au Maroc).

**chambouler** v. tr. [1] fam. Bouleverser, mettre sens dessus dessous.

**chambranle** n. m. Encadrement d'une porte, d'une fenêtre, d'une cheminée.

**chambray** n. m. Toile d'un bleu doux, d'apparence délavée.

**chambre** n. f. **I 1** Pièce où l'on couche. **2** *Travailler en chambre,* chez soi (artisan). – *Musique* de chambre.* **3** Pièce, à bord d'un navire. **4** Pièce spécialement aménagée. *Chambre froide,* réfrigérée. ♦ *Chambre à gaz*.* **II 1** Section d'une cour, d'un tribunal. **2** Assemblée législative. *La Chambre des députés* (syn. *Assemblée nationale*). **3** Assemblée s'occupant des intérêts d'un corps. *Chambre de commerce.* **III** (Cavité) **1** *Chambre noire :* enceinte percée d'une ouverture, et fournissant une image. **2** Enceinte (où se produit un phénomène). *Chambre de combustion.* **3** *Chambre à air :* enveloppe de caoutchouc gonflée d'air, dans un pneumatique. **4** anat. *Chambre de l'œil,* espace entre l'iris et la cornée.

**chambrée** n. f. Personnes (spécialt soldats) couchant dans une même pièce.

**chambrer** v. tr. [1] **1** Mettre (du vin) à la température de la pièce (s'oppose à *frapper*). **2** Taquiner, se moquer de (qqn).

**chambrette** n. f. Petite chambre.

**chambrière** n. f. **1** vx Femme de chambre. **2** Long fouet de manège.

**chambriste** n. Musicien spécialiste de musique de chambre.

**chameau** n. m. **1** Grand ruminant à une ou deux bosses, à pelage laineux ; spécialt chameau à deux bosses d'Asie (par oppos. à *dromadaire*). **2** fig., fam. Personne méchante.

**chamelier** n. m. Personne qui conduit et soigne les chameaux, les dromadaires.

**chamelle** n. f. Femelle du chameau.

**chamelon** n. m. Petit du chameau.

**chamois** n. m. **1** Ruminant à cornes recourbées qui vit dans les montagnes. **2** Peau du chamois. ♦ adj. Jaune clair.

**chamoisage** n. m. Préparation d'une peau, pour la rendre très souple.

**chamoisine** n. f. Petit torchon duveteux.

**champ** n. m. **I 1** Étendue de terre propre à la culture. **2** *Les champs :* toute étendue rurale. → **campagne.** – *À travers champs :* hors des chemins. **3** (Terrain, espace ; dans des loc.). *Champ de courses.* – *Champ de bataille :* terrain où se livre la bataille. *Champ d'honneur*.* – *Champ clos,* où avaient lieu les tournois. – loc. fig. *Prendre du champ,* du recul. *Laisser le champ libre,* donner toute liberté. **II** fig. **1** Domaine d'action. → **sphère.** *Élargir le champ de ses connaissances.* **2** loc. adv. *Sur-le-champ.* → **aussitôt, immédiatement.** – *À tout bout* de champ.* **III** (Espace limité) **1** Secteur couvert (par un instrument d'optique, etc.). **2** *Champ opératoire :* zone dans laquelle une opération chirurgicale est pratiquée. **3** phys. Zone où se manifeste un phénomène. *Champ magnétique.*

**champagne** n. m. Vin mousseux produit dans la région délimitée de Champagne.

**champagniser** v. tr. [1] Rendre mousseux (les vins de Champagne) par seconde fermentation en bouteille.

**champêtre** adj. littér. Des champs.

**champi** n. vx Enfant trouvé.

**champignon** n. m. **1** Végétal sans feuilles, formé souvent d'un pied surmonté d'un chapeau, à nombreuses espèces comestibles ou vénéneuses. **2** Ce qui a la forme d'un champignon à chapeau. – fam. Pédale d'accélérateur. **3** bot. au plur. Classe de végétaux comprenant les champignons (1), les moisissures, les levures... (→ **mycologie**).

**champignonnière** n. f. Lieu où l'on cultive des champignons (1).

**champion, onne** n. **1** n. m. ancienn*t* Celui qui combattait en champ clos, pour soutenir une cause. **2** fig. Défenseur (d'une cause). **3** Sportif qui remporte un championnat. **4** fig., fam. Personne remarquable. – adj. Extraordinaire.

**championnat** n. m. Épreuve sportive dont le vainqueur obtient un titre.

**chance** n. f. **I 1** Manière (favorable ou défavorable) dont un événement se produit. → **hasard.** *Bonne chance !* ♦ *La chance :* le sort. **2** Possibilité de se produire par hasard. *Calculer ses chances de succès.* **II** *La chance :* la bonne chance (opposé à *malchance*).

**chanceler** v. intr. [4] **1** Vaciller sur sa base, pencher de côté et d'autre. **2** fig. Être menacé de ruine, de chute. – Hésiter. ► **chancelant, ante** adj. → **incertain, fragile.**

**chancelier, ière** n. **1** Personne chargée de garder les sceaux. **2** Premier ministre (Autriche, Allemagne).

**chancelière** n. f. Sac fourré pour tenir les pieds au chaud.

**chancellerie** n. f. **1** Services d'un chancelier. **2** (en France) Ministère de la Justice.

**chanceux, euse** adj. Qui a de la chance.

**chancre** n. m. **1** Ulcération de la peau, d'une muqueuse. **2** fig. Ce qui ronge, détruit.

**chandail, ails** n. m. Gros tricot de laine qu'on enfile par la tête.

**Chandeleur** n. f. Fête de la présentation de Jésus-Christ au Temple et de la purification de la Vierge (2 février).

**chandelier** n. m. Support destiné à recevoir des chandelles, cierges, bougies.

**chandelle** n. f. **1** ancienn*t* Appareil d'éclairage fait d'une mèche tressée enveloppée de suif. **2** loc. *Devoir une fière chandelle à qqn,* lui être redevable d'un grand service rendu. – *Économies de bouts de chandelles,* insignifiantes. – *Brûler la chandelle par les deux bouts :* gaspiller son argent, sa santé. – *En voir trente-six chandelles :* être étourdi par un coup. **3** Montée verticale (d'un avion...).

① **chanfrein** n. m. Partie de la tête du cheval qui va du front aux naseaux.

② **chanfrein** n. m. techn. Biseau obtenu en abattant l'arête d'une pierre, etc.

**change** n. m. **I 1** loc. *Gagner, perdre au change,* à l'échange. **2** Échange de deux monnaies de pays différents ; taux auquel se fait cette opération. **II** loc. *Donner le change à qqn,* lui faire prendre une chose pour une autre. **III 1** Couche-culotte jetable. **2** Tenue de rechange.

**changeant, ante** adj. **1** Qui est sujet à changer. → **incertain, variable. 2** Dont l'aspect, la couleur change suivant la lumière.

**changement** n. m. **1** Fait de changer (quant à un caractère). **2** Fait de quitter une chose, un état pour un(e) autre. **3** État de ce qui évolue, se modifie. **4** Dispositif permettant de changer. *Changement de vitesse.*

**changer** v. [3] **I** v. tr. **1** Céder (une chose) contre une autre. → **échanger. 2** Remplacer (qqch., qqn) par une chose, une personne (de même nature). *Changer une roue.* **3** *Changer qqch., qqn de :* faire subir une modification quant à. *Changer qqch. de place.* **4** Rendre autre ou différent. → **modifier.** *Changer ses habitudes.* ♦ *Changer qqch., qqn en.* → **transformer. II** v. tr. ind. *Changer de :* abandonner, quitter (une chose, une personne ; un état) pour un(e) autre du même genre. **III** v. intr. Devenir autre, différent. → **évoluer.** ▷ v. pron. se **changer** Mettre d'autres vêtements.

**changeur, euse** n. **1** Personne qui effectue des opérations de change. **2** n. m. Machine, dispositif permettant de changer.

**chanlatte** n. f. techn. Latte mise de chant au bas du versant d'un toit.

**chanoine** n. m. Dignitaire ecclésiastique.

**chanson** n. f. **I 1** Texte mis en musique, souvent divisé en couplets et refrain, destiné à être chanté. **2** Bruit harmonieux. **3** fig., fam. Propos rebattus. **II** Poème épique du Moyen Âge, divisé en strophes. *Chanson de geste*.*

**chansonnette** n. f. Chanson populaire.

**chansonnier, ière** n. **1** n. m. Recueil de chansons. **2** Auteur de chansons, de sketchs.

① **chant** n. m. **1** Émission de sons musicaux par la voix humaine ; technique, art de la musique vocale. **2** Composition musicale destinée à la voix. **3** Bruit harmonieux. **4** Poésie lyrique ou épique.

② **chant** n. m. Face étroite d'un objet. - *Mettre, poser une pierre de chant,* de sorte que sa face longue soit horizontale.

**chantage** n. m. Action d'extorquer à qqn de l'argent, un avantage sous la menace d'une révélation compromettante. - par ext. Pression psychologique. *Chantage au suicide.*

**chantant, ante** adj. **1** Qui chante. **2** (voix...) Mélodieux. **3** Où l'on chante.

**chanter** v. [1] **I** v. intr. **1** Former avec la voix une suite de sons musicaux (chant). **2** (oiseaux...) Crier. → **gazouiller, siffler. 3** *Faire chanter qqn,* exercer un chantage sur lui. **4** loc. fam. *Si ça te chante,* si ça te convient. **II** v. tr. **1** Exécuter (un morceau de musique vocale). **2** fam. *Que me chantes-tu là ?* → **dire, raconter. 3** littér. Célébrer, exalter.

① **chanterelle** n. f. Corde la plus fine et la plus aiguë, dans un instrument à cordes.

② **chanterelle** n. f. Champignon jaune à bords ondulés, appelé aussi *girolle.*

**chanteur, euse 1** n. Personne qui chante, fait métier de chanter. **2** adj. *Oiseau chanteur.*

**chantier** n. m. **1** Lieu où se fait un vaste travail collectif sur des matériaux. **2** Travail, projet de grande envergure. - loc. *Mettre* (un travail, etc.) *en chantier,* le commencer. **3** fam. Lieu en désordre.

**chantilly** n. f. Crème fouettée sucrée.

**chantonner** v. [1] Chanter à mi-voix. → **fredonner.** ► **chantonnement** n. m.

**chantourner** v. tr. [1] techn. Découper suivant un profil donné.

**chantre** n. m. **1** Chanteur dans un service religieux. **2** littér. *Le chantre de :* personne qui célèbre (qqn, qqch.).

**chanvre** n. m. **1** Plante dont la tige fournit un textile. ♦ Ce textile. **2** *Chanvre indien,* qui produit le haschisch.

**chaos** [kao] n. m. **1** Confusion, désordre grave. **2** Entassement naturel et désordonné de rochers. ► **chaotique** [ka-] adj.

> Ne pas confondre avec *cahot* «secousse».

**chaource** n. m. Fromage de vache à pâte molle et à croûte fleurie, fabriqué en Champagne.

**chaparder** v. tr. [1] fam. Dérober, voler (de petites choses). ► **chapardage** n. m. ► **chapardeur, euse** adj. et n.

**chape** n. f. **1** Long manteau de cérémonie, sans manches. **2** Objet recouvrant qqch.

**chapeau** n. m. **I** Coiffure de forme élaborée, souvent rigide. - loc. fig. *Coup de chapeau :* hommage rendu à qqn. *Chapeau bas !* → **bravo. II 1** Partie supérieure d'un champignon. **2** Partie qui protège. *Chapeau de roue.* → **enjoliveur.** - fam. *Démarrer sur les chapeaux de roues,* très vite. **3** Texte court qui surmonte un article de journal.

**chapeauter** v. tr. [1] **1** Coiffer d'un chapeau. **2** fig. Exercer un contrôle sur.

**chapelain** n. m. Prêtre d'une chapelle.

**chapelet** n. m. **1** Objet formé de grains enfilés que l'on fait glisser entre ses doigts en récitant des prières ; ces prières. **2** Succession de choses identiques alignées.

**chapelier, ière** n. **1** Personne qui fait ou vend des chapeaux. **2** adj. Qui concerne les chapeaux. *L'industrie chapelière.*

**chapelle** n. f. **1** Lieu consacré au culte (dans une demeure...). **2** Église n'ayant pas le titre de paroisse. **3** Partie d'une église où se dresse un autel secondaire. **4** Chanteurs et instrumentistes d'une église. - *Maître de chapelle,* celui qui les dirige. **5** fig. Groupe fermé. → **clan, coterie.**

**chapellerie** n. f. Industrie, commerce des chapeaux.

**chapelure** n. f. Pain séché émietté, dont on saupoudre **(→ paner)** certains mets.

**chaperon** n. m. anciennt **1** Capuchon. **2** fig. Personne qui accompagnait et surveillait une jeune fille. ♦ Personne qui en accompagne une autre pour la surveiller.

**chapiteau** n. m. **1** Partie élargie qui couronne une colonne. **2** Tente (d'un cirque...).

**chapitre** n. m. **I 1** Chacune des parties d'un livre. **2** Division (d'un budget). **3** fig. Sujet dont on parle. **II 1** Assemblée délibérante de religieux, de chanoines **(→ capitulaire)**. **2** loc. *Avoir voix au chapitre,* le droit de donner son avis.

**chapitrer** v. tr. [1] Sermonner (qqn).

**chapka** n. f. Coiffure de fourrure.

**chapon** n. m. Jeune coq châtré engraissé.

**chaptaliser** v. tr. [1] Ajouter du sucre à (un moût) avant la fermentation.

**chaque** adj. indéf. sing. **1** Qui fait partie d'un tout et qui est considéré à part. **2** Chacun.

① **char** n. m. **1** vieilli Voiture rurale à quatre roues, tirée par un animal. **2** Antiq. Voiture à deux roues utilisée dans les combats, les jeux. → **quadrige.** **3** Voiture décorée, pour les fêtes publiques. **4** Engin blindé et armé, monté sur chenilles.

② **char** n. m. argot Bluff, blague. – loc. fam. *Arrête ton char !* – var. **charre.**

**charabia** n. m. fam. Langage, style incompréhensible ou incorrect.

**charade** n. f. Jeu où l'on doit retrouver un mot par la définition de ses syllabes.

**charançon** n. m. Coléoptère nuisible.

**charbon** n. m. **I 1** Combustible solide, noir, d'origine végétale, tiré du sol ou obtenu par combustion du bois. **2** loc. (fam.) *Aller au charbon,* au travail. ♦ *Être sur des charbons ardents :* être très impatient ou inquiet. **3** Fusain (à dessiner). **II 1** Maladie infectieuse de l'homme et des animaux. **2** Maladie cryptogamique des végétaux.

**charbonnage** n. m. Exploitation de la houille. ♦ au plur. Mines de houille.

**charbonner** v. [1] **1** v. tr. Noircir avec du charbon. **2** v. intr. Se réduire en charbon.

**charbonneux, euse** adj. **1** Qui a l'aspect du charbon. **2** Qui est noir de charbon.

**charbonnier, ière I 1** n. Personne qui fait ou vend du charbon. – loc. *La foi du charbonnier :* la foi naïve de l'homme simple. **2** n. m. Cargo pour le transport du charbon. **II** adj. **1** Relatif au charbon. **2** *Mésange charbonnière,* à tête et cou noirs.

**charcuter** v. tr. [1] fam. **1** Opérer (qqn) maladroitement. **2** Abîmer, saccager.

**charcuterie** n. f. **1** Industrie et commerce de la viande de porc, des préparations à base de porc. **2** Spécialité à base de viande de porc. **3** Boutique de charcutier.

**charcutier, ière** n. Personne qui apprête et vend du porc, de la charcuterie, etc.

**chardon** n. m. Plante à feuilles et bractées épineuses.

**chardonneret** n. m. Oiseau chanteur au plumage coloré.

**charentaise** n. f. Pantoufle fourrée.

**charge** n. f. **I 1** Ce qui pèse sur (qqch., qqn) ; ce que porte ou peut porter qqn, un animal, un véhicule, un bâtiment... **2** Quantité de poudre, etc. que l'on met dans une arme. **3** Quantité d'électricité. *Charge négative, positive.* **II** abstrait (Ce qui pèse) **1** Ce qui cause de l'embarras. *Une charge pénible.* **2** Ce qui fait faire des dépenses. – *Être à la charge de qqn. Foyer avec deux enfants à charge.* ♦ *Charges sociales,* versées par les employeurs. **3** Fonction dont qqn a le soin. **4** Responsabilité. – loc. *Prendre qqn, qqch. en charge,* sous sa responsabilité. **5** Fait qui pèse sur un accusé. *Témoin à charge,* qui accuse. **6** littér. Exagération, caricature. **III** Attaque rapide et violente. → **assaut.** ♦ loc. *Revenir à la charge :* insister (pour obtenir qqch.).

**chargement** n. m. Action de charger (I). ♦ Ce qui est chargé.

**charger** v. tr. [3] **I 1** Mettre sur (qqn, un animal, un véhicule, un bâtiment...) des objets à transporter. *Charger un camion.* **2** Placer, disposer pour être porté. *Charger des valises.* **3** Mettre dans (une arme) ce qui est nécessaire au tir. ♦ Munir (un appareil) de ce qui est nécessaire à son fonctionnement. **4** Accumuler de l'électricité dans. **5** *Charger de :* garnir abondamment de. **II** abstrait **1** *Charger qqch., qqn de :* faire porter (une accusation ; une charge) sur. **2** Revêtir qqn de (une responsabilité, etc.). **3** *Charger qqn,* l'attaquer ; le calomnier. **III** Attaquer avec impétuosité. *Charger l'ennemi.* ▷ v. pron. **se charger 1** Prendre pour transporter. **2** Assumer, endosser. ▷ **chargé, ée I** p. p. et adj. **1** *Bras chargés de paquets.* **2** *Fusil chargé.* **3** Alourdi, embarrassé. *Estomac chargé.* **II** n. Personne chargée (de qqch.). *Chargé d'affaires. Chargée de mission.*

**chargeur** n. m. **1** Personne qui charge (qqch.). **2** Entreprise de transports. **3** Dispositif pour charger (une arme ; un appareil).

**charia** n. f. Loi islamique, qui fixe les devoirs des croyants. – var. **sharia.**

**chariot** n. m. **1** Voiture à quatre roues ou appareil pour le transport des fardeaux. **2** Partie d'une machine qui se déplace.

> Un seul *r*, contrairement aux autres mots de la famille de *char.*

**charisme** [ka-] n. m. **1** théol. Don conféré par grâce divine. **2** Qualité d'une personnalité qui plaît, s'impose, dans la vie publique. ► **charismatique** [ka-] adj.

**charitable** adj. **1** Qui a de la charité. **2** Inspiré par la charité. ► **charitablement** adv.

**charité** n. f. **1** Amour du prochain (vertu chrétienne). **2** Bienfait envers les pauvres.

**charivari** n. m. **1** ethnol. Tumulte organisé (acte rituel). **2** Grand bruit, tumulte.

**charlatan** n. m. **1** ancienn Vendeur ambulant qui débitait des drogues, etc. **2** Imposteur qui exploite la crédulité publique. ► **charlatanesque** adj. ► **charlatanisme** n. m. (sens 2).

**charleston** [ʃaʀlɛstɔn] n. m. Danse rapide (à la mode v. 1920-1925).

**charlotte** n. f. **I** Entremets à base de fruits ou de crème et de biscuits. **II** Ancienne coiffure de femme, froncée. ♦ par ext. Bonnet à bord élastique pour protéger, recouvrir les cheveux. **III** Pomme de terre ronde à chair jaune clair.

**charmant, ante** adj. **1** Qui a un grand charme, qui plaît beaucoup. **2** Très agréable (à regarder, à fréquenter...). ♦ iron. Désagréable. *Charmante soirée !*

① **charme** n. m. **1** littér. Enchantement ; action magique. *Jeter un charme.* → **sort.** – fig. *Être sous le charme,* séduit. – *Se porter comme un charme,* très bien. **2** Qualité de ce qui attire, plaît. → **séduction. 3** *Faire du charme :* essayer de plaire. **4** vieilli ou iron. *Les charmes d'une femme.* → **appas.**

② **charme** n. m. Arbre à bois blanc.

**charmer** v. tr. [1] Plaire par son charme.

**charmeur, euse** n. **1** Personne qui charme, séduit. → **séducteur.** – adj. *Un sourire charmeur.* **2** *Charmeur de serpents :* personne qui fait un numéro avec des serpents.

**charmille** n. f. Allée (de charmes...).

**charnel, elle** adj. **1** Qui a trait aux choses de la chair (opposé à *spirituel*). **2** Relatif à l'instinct sexuel. ► **charnellement** adv.

**charnier** n. m. **1** ancienn Ossuaire. **2** Lieu où sont entassés des cadavres.

**charnière** n. f. **1** Assemblage articulé de deux pièces métalliques réunies par un axe. **2** fig. Point de jonction, de transition.

**charnu, ue** adj. Bien fourni de chair.

**charognard** n. m. **1** Animal qui se nourrit de charognes (vautour, etc.). **2** (injure) Exploiteur impitoyable.

**charogne** n. f. **1** Cadavre en putréfaction. **2** fam. (injure) → **ordure, saleté.**

**charpente** n. f. **1** Assemblage de pièces de bois ou de métal soutenant une construction. **2** Parties osseuses (du corps humain). → **ossature. 3** Plan (d'un ouvrage).

**charpenter** v. tr. [1] **1** Tailler (des pièces de bois) pour une charpente. **2** fig. Organiser, construire. ▷ adj. **charpenté, ée** *Homme solidement charpenté.* → **bâti.**

**charpentier, ière** n. Personne qui fait des travaux de charpente.

**charpie** n. f. **1** ancienn Fils tirés de vieilles toiles, servant à faire des pansements. **2** loc. *Réduire en charpie :* déchiqueter.

**charretée** n. f. Contenu d'une charrette.

**charretier, ière** n. Personne qui conduit une charrette. – *Jurer comme un charretier,* grossièrement.

**charrette** n. f. **1** Voiture à deux roues, à ridelles, servant à transporter des fardeaux. **2** Groupe de personnes licenciées. **3** fam. Période de travail intensif.

**charrier** v. tr. [7] **I** (rivière...) Entraîner dans son cours. **II** fam. Se moquer de (qqn). – intrans. *Tu charries !* → **exagérer.**

**charroi** n. m. Transport par chariot.

**charron** n. m. Fabricant de chariots.

**charrue** n. f. Instrument pour labourer. – loc. *Mettre la charrue avant les bœufs :* faire d'abord ce qui devrait être fait ensuite.

**charte** n. f. **1** (au Moyen Âge) Titre de privilège, etc. ♦ *L'École des chartes,* préparant des spécialistes des documents anciens. **2** hist. Constitution établie par un souverain. **3** Lois fondamentales d'une organisation.

**charter** [ʃaʀtɛʀ] n. m. anglic. Avion affrété.

**chartreuse** n. f. **I** Couvent de *chartreux* (religieux de l'ordre de Saint-Bruno). **II** (marque déposée) Liqueur aux herbes.

**chas** n. m. Trou (d'une aiguille).

**chasse** n. f. **I 1** Action de chasser, de poursuivre les animaux pour les prendre ou les tuer. – *Chasse à courre,* avec des chiens, sans armes à feu. → **vénerie. 2** Terre réservée pour la chasse. *Chasse gardée* (fig. activité que l'on se réserve). **II** Poursuite ; action de poursuivre. **III** *Chasse d'eau :* dispositif pour nettoyer la cuvette des W.-C.

**châsse** n. f. **1** Coffre où l'on garde les reliques d'un saint. **2** argot Œil.

**chassé-croisé** n. m. **1** Mouvement par lequel deux danseurs se croisent. **2** Échange réciproque et simultané (de situation...). *Des chassés-croisés.*

**chasselas** n. m. Raisin de table blanc.

**chasse-mouches** n. m. invar. Petit instrument pour écarter les mouches.

**chasse-neige** n. m. invar. **1** Engin pour ôter la neige. **2** ski Position de freinage.

**chassepot** n. m. hist. Fusil à aiguille.

**chasser** v. [1] **I** v. tr. **1** Poursuivre (les animaux) pour les prendre ou les tuer. **2** Mettre dehors ; faire sortir de force. ♦ → **éliminer.** *Chasser l'ennui.* **II** v. intr. Être poussé, entraîné ; déraper.

**chasseresse** n. f. littér. Femme qui chasse.

**chasseur, euse** n. le fém. ne s'emploie qu'au sens 1 → aussi chasseresse **1** Personne qui pratique la chasse (surtout au fusil). ♦ fig. *Chasseur de têtes,* recruteur de cadres. **2** n. m. Domestique en livrée. **3** n. m. Membre de certains corps de troupes. *Chasseurs alpins.* **4** n. m. Avion de combat léger et rapide.

**chassie** n. f. Matière gluante s'accumulant au bord des paupières. ► **chassieux, euse** adj.

**châssis** n. m. **1** Cadre maintenant en place des planches, du tissu... **2** Encadrement (d'une ouverture, d'un vitrage). **3** Charpente, bâti (de machines, de véhicules).

**chaste** adj. **1** Qui s'abstient des plaisirs sexuels. **2** (actions...) Dénué d'érotisme. *Amour chaste.* ► **chasteté** n. f. ► **chastement** adv.

**chasuble** n. f. **1** Manteau sans manches que le prêtre revêt pour célébrer la messe. **2** Vêtement qui a cette forme.

① **chat, chatte** n. **I 1** Petit mammifère familier à poil doux, aux yeux oblongs, à oreilles triangulaires, aux griffes rétractiles. **2** (au masc.) prov. *La nuit, tous les chats sont gris :* on confond tout dans l'obscurité. – *Quand le chat n'est pas là, les souris dansent :* les gens agissent librement quand il n'y a plus de surveillance. – *Chat échaudé craint l'eau froide :* une mésaventure rend prudent. – *À bon chat, bon rat :* la défense vaudra l'attaque. ♦ loc. *Avoir un chat dans la gorge :* être enroué. – *Il n'y a pas un chat,* absolument personne. – *Donner sa langue* au chat.* **3** adj. *Elle est chatte,* câline. **4** n. m. Personne qui poursuit les autres (à un jeu). **5** Mammifère carnivore dont le chat (1) est le type. *Chats sauvages.* → **chat-tigre, haret, ocelot. II** *Chat à neuf queues :* fouet à neuf lanières.

② **chat** [tʃat] ou **tchat** n. m. anglic. Communication en temps réel sur Internet, par échange de messages écrits. ► **chatter** [tʃ-] ou **tchat(t)er** v. intr. [1] ► **chatteur, euse** [tʃ-] ou **tchat(t)eur, euse** n.

**châtaigne** n. f. **I** Fruit comestible du châtaignier. **II** fam. Coup de poing.

**châtaignier** n. m. Arbre de grande taille, vivace, dont le fruit est la châtaigne. ► **châtaigneraie** n. f.

**châtain** adj. Brun clair. *Cheveux châtains.*

**château** n. m. **1** *Château (fort) :* demeure féodale fortifiée. **2** Habitation seigneuriale ou royale. – loc. *Vie de château,* vie oisive et opulente. **3** loc. *Faire des châteaux en Espagne,* des projets chimériques. **4** *Château d'eau :* grand réservoir à eau. **5** Propriété productrice de vins de Bordeaux.

**chateaubriand** ou **châteaubriant** n. m. Épaisse tranche de filet de bœuf grillé.

**châtelain, aine** n. **1** Seigneur, dame d'un château (1). **2** Propriétaire d'un château.

**chat-huant** n. m. → **hulotte.**

**châtier** v. tr. [7] littér. **1** Infliger une peine à (qqn) pour corriger. → **punir. 2** Rendre (son style) plus correct et plus pur.

**chatière** n. f. Petite ouverture (passage pour les chats, trou d'aération...).

**châtiment** n. m. Peine, punition sévère.

**chatoiement** n. m. Reflet changeant.

① **chaton** n. m. Jeune chat.

② **chaton** n. m. Tête d'une bague où s'enchâsse une pierre ; cette pierre.

③ **chaton** n. m. Assemblage de fleurs de certains arbres, épi duveteux.

**chatouillement** n. m. **1** Action de chatouiller. – syn. fam. **chatouille. 2** Picotement.

**chatouiller** v. tr. [1] **1** Faire des attouchements légers et répétés sur la peau, qui provoquent le rire. **2** Faire éprouver un léger picotement à. → **gratter** (3). **3** littér. Exciter doucement, agréablement. → **charmer, flatter.**

**chatouilleux, euse** adj. **1** Sensible au chatouillement. **2** Qui se fâche aisément.

**chatoyer** v. intr. [8] Changer de couleur, avoir des reflets selon le jeu de la lumière. ► **chatoyant, ante** adj.

**châtrer** v. tr. [1] Rendre (un homme, un animal mâle) impropre à la reproduction en mutilant les testicules. → **castrer.**

**chatrou** n. m. (Antilles) Poulpe (en cuisine). – var. **chatou.**

**chatte** → ① **chat**

**chattemite** n. f. loc. vieilli *Faire la chattemite,* affecter la douceur, pour tromper.

**chatter** → ② **chat.**

**chatterie** n. f. **1** Caresse, câlinerie. **2** au plur. Choses délicates à manger.

**chatterton** [ʃatɛʀtɔn] n. m. Ruban de toile isolant et très adhésif.

**chatteur** → ② **chat**

**chat-tigre** n. m. Chat sauvage. *Des chats-tigres.*

**chaud, chaude I** adj. **1** (opposé à *froid, frais*) Qui est à une température plus élevée que celle du corps ; qui donne une sensation de chaleur. ♦ adv. *Boire chaud.* **2** Qui réchauffe ou garde la chaleur. *Vêtement chaud.* **3** fig. Animé, passionné. → **ardent. 4** Qui évoque la chaleur. *Une voix chaude,* grave. *Tons chauds.* **5** (Sensuel). loc. *Chaud lapin*.* – *Quartier chaud* (prostitution). **II** n. m. **1** *Le chaud,* la chaleur. – *Un chaud et froid :* un refroidissement. **2** *Au chaud :* en conservant la chaleur. **3** nominal *Il fait chaud.* – *J'ai eu chaud !,* j'ai eu peur. – loc. *Cela ne me fait ni chaud ni froid,* m'est indifférent. **4** loc. adv. *À chaud :* en chauffant. – *Opérer à chaud,* en pleine crise.

**chaudement** adv. **1** De manière à conserver sa chaleur. **2** Avec chaleur (III).

**chaud-froid** n. m. Plat de volaille ou de gibier cuit et servi froid. *Des chauds-froids.*

**chaudière** n. f. Récipient où l'on transforme de l'eau en vapeur, pour fournir de l'énergie thermique (chauffage), etc.

**chaudrée** n. f. région. Plat de poissons et de pommes de terre dans leur bouillon de cuisson. → **cotriade.**

**chaudron** n. m. Récipient métallique à anse mobile, qui va au feu.

**chaudronnerie** n. f. Industrie, commerce des récipients métalliques ; ces objets. ► **chaudronnier, ière** n. et adj.

**chauffage** n. m. **1** Action de chauffer. **2** Installations qui chauffent.

**chauffagiste** n. Spécialiste des installations de chauffage.

**chauffant, ante** adj. Qui chauffe.

**chauffard** n. m. Mauvais conducteur.

**chauffe** n. f. Fait de chauffer. - *Bleu de chauffe,* combinaison de chauffeur (I).

**chauffe-eau** n. m. invar. Appareil producteur d'eau chaude, pour l'hygiène.

**chauffe-plats** n. m. invar. Réchaud qui tient les plats au chaud pendant le repas.

**chauffer** v. [1] **I** v. tr. Élever la température de ; rendre chaud. **II** v. intr. **1** Devenir chaud. *Faire chauffer de l'eau.* **2** Produire de la chaleur. **3** fam. *Ça va chauffer.* → **barder.** ▷ v. pron. se **chauffer 1** S'exposer à la chaleur. **2** Chauffer sa maison. - loc. fig. *Montrer de quel bois on se chauffe* (menace). **3** (sportifs...) → s'**échauffer.**

**chaufferette** n. f. Petit appareil pour se chauffer les pieds, etc.

**chaufferie** n. f. Endroit (d'une usine, d'un navire) où sont les chaudières.

**chauffeur, euse** n. **I** Personne chargée de veiller sur une chaudière. **II** Personne qui conduit un véhicule automobile.

**chauffeuse** n. f. Siège, fauteuil bas.

**chauler** v. tr. [1] **1** Traiter par la chaux. **2** Blanchir à la chaux. ► **chaulage** n. m.

**chaume** n. m. **1** Partie de la tige des céréales qui reste après la moisson. → **paille.** **2** Paille qui couvre le toit des maisons.

**chaumière** n. f. Maison à toit de chaume.

**chaussée** n. f. **1** Partie d'une voie où circulent les voitures. **2** Talus, levée de terre.

**chausse-pied** n. m. Lame incurvée utilisée pour se chausser. *Des chausse-pieds.*

**chausser** v. tr. [1] **I 1** Mettre (des chaussures) à ses pieds. ♦ *Chausser du 40,* avoir cette pointure. **2** Mettre des chaussures à (qqn). - pronom. *Se chausser.* **II 1** Entourer de terre le pied (d'une plante). **2** Garnir de pneus (une voiture).

**chausses** n. f. pl. vx Culotte (→ haut-de-chausses) ou bas.

**chausse-trape** n. f. **1** Trou recouvert (piège). **2** fig. Embûche. *Des chausse-trapes.*

**chaussette** n. f. Vêtement de maille qui couvre le pied et le bas de la jambe. - loc. fam. *Jus de chaussette :* mauvais café.

**chausseur** n. m. Marchand de chaussures.

**chausson** n. m. **1** Chaussure souple (d'intérieur...). **2** Pâtisserie fourrée de compote.

**chaussure** n. f. **1** Partie du vêtement qui protège le pied. **2** Chaussure (1) solide, basse et fermée (s'oppose à *chausson, botte,* etc.). → **soulier.** - loc. *Trouver chaussure à son pied,* ce qui convient. **3** Industrie des chaussures.

**chaut** (peu me chaut) → **chaloir**

**chauve** adj. Qui n'a plus de cheveux.

**chauve-souris** n. f. Mammifère à ailes membraneuses. *Des chauves-souris.*

**chauvin, ine** adj. et n. D'un nationalisme partial. ► **chauvinisme** n. m.

**chaux** n. f. Oxyde de calcium (blanc), obtenu par calcination de calcaires (marbre, craie). *Chaux vive* (sans eau). - loc. *Être bâti à chaux et à sable,* très robuste.

**chavirer** v. [1] **I** v. intr. Se retourner (navire) ; se renverser. ♦ fig. → **sombrer.** **II** v. tr. Faire chavirer. ♦ fig. Émouvoir, perturber.

**chèche** n. m. (au Maghreb) Longue écharpe.

**chéchia** n. f. Coiffure en forme de calotte portée dans certains pays d'Islam.

**check-up** [(t)ʃɛkœp] n. m. invar. anglic. Bilan* de santé.

**cheddar** [(t)ʃɛdaʀ] n. m. Fromage de vache à pâte dure, souvent colorée.

**cheeseburger** [(t)ʃizbœʀgœʀ] n. m. anglic. Hamburger au fromage.

**cheesecake** [(t)ʃizkɛk] n. m. anglic. Gâteau au fromage blanc.

**chef** n. m. **I 1** vx Tête (→ couvre-chef). **2** loc. *De son (propre) chef :* de sa propre initiative. ♦ (dr.) *Chef d'accusation,* point sur lequel elle se fonde. ♦ *Au premier chef :* essentiellement. **II 1** Personne qui est à la tête, qui dirige, commande, gouverne. **2** spécialt *Chef d'orchestre :* personne qui dirige l'orchestre ; fig. personne qui organise. ♦ *Chef (cuisinier) ;* absolt *chef :* cuisinier. ♦ appos. *Médecin-chef.* - (avec un n. fém.) *Infirmière-chef.* **3** fam. Personne remarquable. **4** *En chef :* en qualité de chef ; en premier. *Rédacteur en chef.*

**chef-d'œuvre** [ʃɛdœvʀ] n. m. **1** Œuvre capitale d'un compagnon (2), réalisée pour passer maître dans son métier. **2** La meilleure œuvre (d'un créateur). **3** Œuvre très remarquable. *Des chefs-d'œuvre.*

**chef-lieu** n. m. (en France) Ville qui est le centre d'une circonscription administrative. *Des chefs-lieux.*

**cheftaine** n. f. Jeune fille, jeune femme responsable d'un groupe de scouts.

**cheik** n. m. Chef de tribu arabe.

**chelem** [ʃlɛm] n. m. **1** (cartes) Réunion, dans la même main, de toutes les levées. **2** sports *Grand chelem :* série de victoires.

**chelou, e** adj. (verlan de *louche*) fam. Douteux ; bizarre. *Des mecs chelous.*

**chemin** n. m. **I 1** Bande déblayée assez étroite, en général non revêtue, qui suit les accidents du terrain. → **piste, sentier.** **2** *Chemin de ronde* : couloir aménagé au sommet de fortifications. **3** Distance, espace à parcourir d'un lieu à un autre. → **parcours, trajet.** ♦ loc. *Faire du chemin* : aller loin ; fig. progresser. *Chemin faisant* : pendant le trajet. – *En chemin* : en cours de route. **4** Direction, voie d'accès. *Demander son chemin.* – loc. *Le chemin des écoliers,* le plus long. ♦ *Le chemin de (la) croix,* suivi par Jésus portant sa croix. **II** abstrait Conduite à suivre pour atteindre un but. – loc. *Ne pas y aller par quatre chemins* : agir franchement.

**chemin de fer** n. m. **1** Moyen de transport utilisant la voie ferrée. → **train.** **2** Entreprise exploitant des lignes de chemin de fer. **3** Jeu, sorte de baccara.

**chemineau** n. m. vx Vagabond.

**cheminée** n. f. **1** Construction comprenant un espace aménagé pour faire du feu et un tuyau d'évacuation. **2** Encadrement du foyer. **3** Partie supérieure du conduit qui évacue la fumée. **4** *Cheminée d'un volcan,* par où passent les matières volcaniques. **5** alpin. Couloir de montagne vertical et étroit. **6** Trou, conduit cylindrique.

**cheminer** v. intr. [1] **1** Faire du chemin, spécialt un chemin pénible. **2** fig. (choses) Avancer lentement. ► **cheminement** n. m.

**cheminot** n. m. Employé de chemin de fer.

**chemise** n. f. **I 1** Vêtement couvrant le torse (à même la peau). – *En manches de chemise* : sans veston. ♦ *Chemise de nuit* : long vêtement de nuit. **2** Chemise d'uniforme de formations paramilitaires ; ces formations. *Chemises noires* : fascistes. *Chemises brunes* : nazis. **3** loc. fam. *Être comme cul et chemise,* inséparables. **II 1** Dossier léger pour classer des papiers. **2** techn. Revêtement de protection.

**chemiserie** n. f. Industrie et commerce des chemises et sous-vêtements d'homme.

**chemisette** n. f. Chemise, blouse ou corsage à manches courtes.

**chemisier, ière** n. **I** Personne qui fabrique ou vend des articles de chemiserie. **II** n. m. Chemise de femme.

**chênaie** n. f. Plantation, bois de chênes.

**chenal, aux** n. m. Passage navigable entre des obstacles (entre des rochers...).

**chenapan** n. m. vx ou plais. → **vaurien.**

**chêne** n. m. Grand arbre à feuilles lobées, aux fruits à cupules (→ **gland**). – Son bois. ♦ *Chêne vert.* → **yeuse.**

**chéneau** n. m. Conduit qui longe le toit et recueille les eaux de pluie. → **gouttière.**

**chêne-liège** n. m. Variété de chêne à feuillage persistant, qui fournit le liège. *Des chênes-lièges.*

**chenet** n. m. Une des pièces jumelles sur lesquelles on pose les bûches, dans un foyer.

**chènevis** n. m. Graine de chanvre.

**chenil** [ʃ(ə)nil] n. m. **I** Abri, élevage de chiens. **II** (Suisse) Désordre.

**chenille** n. f. **I** Larve des papillons, à corps allongé formé d'anneaux. **II** Dispositif articulé permettant à un véhicule de se déplacer sur tous les terrains.

**chenillette** n. f. Petit véhicule à chenilles.

**chenu, ue** adj. littér. Blanc (de vieillesse).

**cheptel** [ʃɛptɛl ; ʃtɛl] n. m. Ensemble des bestiaux (d'une exploitation ; d'une région).

**chèque** n. m. Écrit par lequel qqn (le tireur) donne l'ordre de remettre une somme à prélever sur un compte.

**chéquier** n. m. Carnet de chèques.

**cher, chère** adj. **I 1** Qui est aimé ; pour qui l'on éprouve une vive affection. **2** (amitié, politesse...) *Cher Monsieur.* – n. *Mon cher, ma chère.* **3** (choses) *Cher à* : précieux pour. *Son souvenir nous est cher.* **II** (attribut ou après le nom) **1** D'un prix élevé. → **coûteux, onéreux.** **2** Qui exige de grandes dépenses. *Vie chère.* **3** Qui pratique des prix élevés. **III** adv. À haut prix. *Coûter cher.*

**chercher** v. tr. [1] **1** S'efforcer de découvrir, de trouver (qqn ou qqch.). **2** Essayer de découvrir (une solution, une idée...). **3** *Chercher à* (+ inf.) : essayer de parvenir à. **4** Essayer d'obtenir. *Chercher un emploi.* **5** (à l'inf.) Venir prendre (qqn ou qqch.). *Aller chercher qqn à la gare.* **6** fam. Provoquer (qqn). **7** (choses) fam. Atteindre (un prix). *Ça va chercher dans les cent euros.*

**chercheur, euse** **I** n. **1** dans des loc. Personne qui cherche (qqch.). *Chercheur d'or.* **2** Personne qui se consacre à la recherche. → **savant, scientifique.** **II** adj. *Tête* chercheuse.*

**chère** n. f. littér. Nourriture. – loc. *Faire bonne chère* : bien manger.

> Ne pas confondre avec *chair* «muscle» ni avec *chaire* «siège».

**chèrement** adv. **1** Affectueusement, tendrement. **2** À haut prix. → **cher** (adv.).

**chérir** v. tr. [2] **1** Aimer tendrement. **2** Être attaché à (qqch.). ▷ adj. et n. **chéri, ie**

**cherry** n. m. anglic. Liqueur de cerise.

> Ne pas confondre avec *sherry* «xérès».

**cherté** n. f. Prix élevé. *Cherté des prix.*

**chérubin** n. m. **1** Ange. **2** Bel enfant.

**chétif, ive** adj. De faible constitution.

**chevaine** → **chevesne**

**cheval, aux** n. m. **I 1** Grand mammifère (équidé) à crinière, domestiqué par l'homme comme animal de trait et de transport ; spécialt le mâle adulte (opposé à *jument, poulain*). **2** *À cheval* : sur un cheval. ♦ À califourchon. – fig. Une partie d'un côté, une partie de l'autre. – *Être à cheval sur qqch.*, y tenir rigoureusement. **3** Équitation. **4** loc.

*Fièvre de cheval,* très forte. – *Monter sur ses grands chevaux :* s'emporter. ♦ *Cheval de retour :* récidiviste. ♦ *Cheval de bataille :* sujet favori. → fam. **dada.** **II** Figure représentant un cheval. *Cheval de bois.* – *Cheval d'arçons :* appareil de gymnastique, gros cylindre rembourré sur pieds. **III** *Cheval-vapeur* (symb. ch) : ancienne unité de puissance équivalant à 736 watts. ♦ *Cheval fiscal* (symb. CV) : unité de calcul de cylindrée d'un véhicule.

**chevalement** n. m. techn. Assemblage de poutres qui soutiennent une construction.

**chevaleresque** adj. Digne d'un chevalier (1) (courageux, dévoué, généreux).

**chevalerie** n. f. **1** hist. Ordre militaire d'un caractère religieux, propre à la noblesse féodale. **2** Distinction honorifique.

**chevalet** n. m. **1** Support tenant un objet sur lequel on travaille. **2** Pièce de bois soutenant les cordes, sur la table d'un instrument.

**chevalier, ière** n. **1** (au Moyen Âge) n. m. Noble admis dans l'ordre de la chevalerie. ♦ fig. *Chevalier servant :* homme dévoué à une femme. **2** Membre d'un ordre honorifique. **3** Titre de noblesse (au-dessous du baron). **4** n. m. *Chevalier d'industrie :* homme qui vit d'expédients. **5** n. f. Bague à chaton plat sur lequel sont gravées des initiales, etc.

**chevalin, ine** adj. **1** Du cheval. → **équin.** **2** Qui évoque le cheval. *Visage chevalin.*

**chevauchée** n. f. Promenade à cheval.

**chevauchement** n. m. Position de choses qui se chevauchent.

**chevaucher** v. [1] **1** v. intr. littér. Aller à cheval. **2** v. tr. Être à cheval, à califourchon sur. **3** v. intr. (choses) Se recouvrir en partie. ▷ v. pron. se **chevaucher** *Tuiles qui se chevauchent.*

**chevêche** n. f. Petite chouette.

**chevelu, ue** adj. **1** Garni de cheveux. *Le cuir chevelu.* **2** Qui a de longs cheveux.

**chevelure** n. f. **1** Ensemble des cheveux. **2** Traînée lumineuse (d'une comète).

**chevesne** [ʃ(ə)vɛn] n. m. Poisson d'eau douce à dos brun. – var. **chevaine.**

**chevet** n. m. **I 1** Partie du lit où l'on pose la tête. – loc. *Livre de chevet,* de prédilection. **2** *Au chevet de qqn,* auprès de son lit. **II** Partie (d'une église) qui se trouve à la tête de la nef, derrière le chœur. → **abside.**

**cheveu** n. m. **1** Poil qui recouvre le crâne humain. → **chevelure.** **2** loc. fig. *S'arracher les cheveux :* être furieux et désespéré. – *C'est tiré par les cheveux,* amené d'une manière forcée et peu logique. – *Couper les cheveux en quatre :* pinailler. – *À un cheveu près :* à très peu de chose près. – *Comme un cheveu sur la soupe :* mal à propos.

**chevillard** n. m. Boucher en gros.

**cheville** n. f. **I 1** Tige rigide servant à boucher un trou, assembler des pièces. ♦ *Cheville ouvrière :* grosse cheville de l'avant-train d'une voiture ; fig. agent essentiel (d'un organisme...). ♦ loc. fam. *Être en cheville avec qqn,* associé secrètement avec lui. **2** Pièce servant à tendre les cordes d'un instrument. **3** Crochet pour suspendre la viande. – *Viande vendue à la cheville,* en gros (→ chevillard). **II** Saillie des os de l'articulation du pied ; partie située entre le pied et la jambe. – loc. fig. *Ne pas arriver à la cheville de qqn,* lui être inférieur. **III** Terme de remplissage (en poésie...).

**cheviller** v. tr. [1] Joindre, assembler avec des chevilles. ♦ (au p. p.) loc. *Avoir l'âme chevillée au corps :* avoir la vie dure.

**chevillette** n. f. vx Petite cheville.

**cheviotte** n. f. Laine de mouton d'Écosse.

**chèvre** n. f. **I 1** Mammifère ruminant, à cornes arquées, à pelage fourni, apte à grimper et à sauter ; spécialt la femelle adulte (opposé à *bouc*). *Fromage de chèvre ;* n. m. *un chèvre.* **2** loc. *Faire devenir chèvre :* faire enrager. – *Ménager la chèvre et le chou,* deux camps, sans prendre parti. **II** Appareil de levage. ♦ Chevalet, support.

**chevreau** n. m. **1** Petit de la chèvre. **2** Peau de chèvre ou de chevreau tannée.

**chèvrefeuille** n. m. Plante grimpante à fleurs jaunes très parfumées.

**chevrette** n. f. Jeune chèvre.

**chevreuil** n. m. **1** Mammifère sauvage à robe fauve. **2** (Canada) Cerf de Virginie.

**chevrier, ière** n. Berger, bergère qui mène paître les chèvres.

**chevron** n. m. **1** Pièce de bois sur laquelle on fixe des lattes qui supportent la toiture. **2** Galon en V renversé (uniformes). ♦ Motif décoratif en zigzag.

**chevronné, ée** adj. Expérimenté.

**chevroter** v. intr. [1] Parler, etc., d'une voix tremblante. ► **chevrotant, ante** adj. ► **chevrotement** n. m.

**chevrotine** n. f. Gros plomb de chasse.

**chewing-gum** [ʃwiŋgɔm] n. m. anglic. Gomme à mâcher. *Des chewing-gums.*

**chez** prép. **1** Au logis de (qqn). *Venez chez moi. Aller chez le dentiste.* – *Faites comme chez vous :* mettez-vous à l'aise. **2** Dans la nation de. *Chez les Anglais.* **3** Dans l'esprit, les œuvres, etc. de (qqn). *On trouve ceci chez Voltaire.* → **dans.**

**chez-moi, chez-toi, chez-soi** n. m. invar. Domicile personnel (avec valeur affective).

**chiader** v. tr. [1] fam. Travailler (un examen) ; fignoler (un travail).

**chialer** v. intr. [1] fam. Pleurer.

**chiant, ante** adj. fam. et vulg. Ennuyeux.

**chianti** [kjɑ̃ti] n. m. Vin rouge du Chianti (région d'Italie, en Toscane).

**chiasse** n. f. vulg. Colique, diarrhée.

**chic** I n. m. 1 vieilli Adresse, habileté. - *Avoir le chic pour* (+ inf.) : faire (qqch.) avec facilité. 2 Élégance hardie. *Elle a du chic.* - loc. adj. *Bon chic, bon genre* : d'une élégance bourgeoise. → fam. **B. C. B. G.** II adj. invar. 1 Élégant. 2 fam. et vieilli Beau, agréable. ♦ Sympathique, généreux. III interj. fam. et vieilli Marque la satisfaction.

**chicane** n. f. I 1 Incident suscité dans un procès. ♦ péj. La procédure. 2 Querelle de mauvaise foi. II Passage en zigzag.

**chicaner** v. [1] 1 v. intr. Chercher querelle sur des riens. → **ergoter.** 2 v. tr. Chercher querelle à (qqn). ► **chicanier, ière** adj. et n. - syn. **chicaneur, euse.**

**chicano** [(t)ʃi-] n. (invar. en genre) souvent péj. Mexicain(e) établi(e) aux États-Unis.

① **chiche** adj. *Pois chiche.* → **pois.**

② **chiche** adj. 1 vieilli Avare. - mod., fig. *Il est chiche de compliments.* 2 littér. Peu abondant. ► **chichement** adv.

③ **chiche** fam. 1 interj. Exclamation de défi. 2 (adj.) *Être chiche de* (+ inf.) : être capable de.

**chiche-kébab** [-kebab] n. m. Brochette de mouton. *Des chiches-kébabs.*

**chichi** n. m. Comportement maniéré. → **affectation, minauderie.** ► **chichiteux, euse** adj. et n. fam.

**chicon** n. m. région. (Belgique, Nord) Endive.

**chicorée** n. f. 1 Plante herbacée qui se mange en salade. 2 Racine torréfiée de la chicorée ; boisson chaude qu'on en tire.

**chicot** n. m. Dent cassée, usée.

**chicotin** n. m. Suc très amer d'un aloès.

**chien** n. m. I 1 Mammifère domestique, issu du loup, dont de nombreuses races sont élevées ; spécialt le mâle adulte (opposé à *chienne, chiot*). → **canin.** *Chien de race* (→ **pedigree**). 2 loc. *Se regarder en chiens de faïence,* avec hostilité. - *Comme chien et chat,* en se disputant constamment. - *Entre chien et loup* : au crépuscule. - *Nom d'un chien !* (juron faible). - prov. *Qui veut noyer son chien l'accuse de la rage* : on juge sévèrement ce dont on ne veut plus. *Les chiens aboient, la caravane* passe.* ♦ *Avoir un mal de chien,* rencontrer des difficultés. - *De chien* : très pénible. ♦ *Traiter qqn comme un chien,* très mal. - *Malade comme un chien,* très malade. 3 loc. *Les chiens écrasés* : les faits divers (dans un journal). 4 péj. Personne méprisable. ♦ adj. Dur, méchant ; avare. II Pièce coudée d'une arme à feu qui guide le percuteur. ♦ loc. fig. *Être couché en chien de fusil,* les genoux repliés. III Charme, allure. *Elle a du chien.*

**chiendent** n. m. 1 Mauvaise herbe vivace, commune. 2 Racine de chiendent séchée.

**chienlit** [ʃjɑ̃li] n. f. littér. Mascarade, déguisement. ♦ Désordre (social).

**chien-loup** n. m. Berger allemand (chien). *Des chiens-loups.*

**chienne** n. f. 1 Femelle du chien. 2 péj. (injure) Femme détestable ou lubrique.

**chier** v. intr. [7] fam. et vulg. 1 Déféquer. 2 *Faire chier qqn,* l'embêter, l'importuner.

**chiffe** n. f. 1 vx Chiffon. 2 fam. *Chiffe molle* : personne d'un caractère faible.

**chiffon** n. m. 1 Morceau de vieille étoffe. 2 fam. *Parler chiffons,* de vêtements, de mode.

**chiffonner** v. tr. [1] 1 Froisser, friper. 2 fig. *Cela me chiffonne.* → **contrarier.** ▷ adj. **chiffonné, ée** 1 Froissé. 2 fig. (visage) Fatigué.

**chiffonnier, ière** n. 1 Personne qui vend des objets de rebut. 2 loc. *Se battre comme des chiffonniers,* violemment.

**chiffrable** adj. Qu'on peut chiffrer.

**chiffrage** n. m. 1 Évaluation en chiffres. 2 Action de chiffrer (II) (syn. *chiffrement*).

**chiffre** n. m. I 1 Chacun des caractères qui représentent les nombres. *Chiffres arabes* (1, 2, 3, 4, 5, 6, 7, 8, 9, 0). *Chiffres romains* (I, V, X, L, C, D, M). 2 Nombre représenté par les chiffres. *Chiffre de la population.* - *Chiffre d'affaires* : total des ventes d'une année. II 1 Signe servant à coder des messages ; ensemble de ces signes. → **code.** 2 Entrelacement d'initiales (d'un nom). → **monogramme.**

**chiffrer** v. [1] I 1 v. tr. Noter à l'aide de chiffres. ♦ Évaluer en chiffres. 2 v. intr. (sujet chose) Atteindre un prix élevé. II v. tr. Écrire (un message) en chiffre (II, 1).

**chiffreur, euse** n. Personne qui chiffre des messages.

**chignole** n. f. Perceuse.

**chignon** n. m. 1 Chevelure relevée et ramassée derrière ou sur la tête. 2 loc. fam. *Se crêper le chignon* : se battre, se disputer.

**chiite** [ʃiit] adj. Du courant islamique des partisans d'Ali et de ses descendants. - n. *Les chiites et les sunnites.* - var. **shiite.**

**chikungunya** [ʃikungunja] n. m. Maladie infectieuse causée par un virus transmis par les moustiques.

**chilienne** n. f. Chaise longue en toile, sans accoudoirs.

**chimère** n. f. 1 Monstre imaginaire (lion et dragon) qui crache des flammes. 2 Idée illusoire. → **rêve.** ► **chimérique** adj.

**chimie** n. f. Science qui étudie les constituants de la matière et leurs interactions.

**chimiothérapie** n. f. méd. Traitement par des substances chimiques.

**chimique** adj. Relatif à la chimie, aux corps qu'elle étudie. ► **chimiquement** adv.

**chimiquier** n. m. Navire pour le transport des produits chimiques.

**chimiste** n. Spécialiste de chimie.

**chimpanzé** n. m. Grand singe anthropoïde arboricole d'Afrique.

**chinchilla** [-ila] n. m. **1** Petit mammifère rongeur d'Amérique du Sud. **2** Sa fourrure gris clair.

**chiné, ée** adj. (étoffe...) Fait de fils de couleurs alternées.

**chiner** v. tr. [1] **I** Chercher (des objets) chez les brocanteurs, etc. **II** Taquiner (qqn).

**chineur, euse** n. fam. Brocanteur. ♦ Amateur qui aime à chiner (I).

**chino** n. m. Pantalon léger en coton pour homme.

**chinois, oise I 1** adj. De Chine. – n. *Les Chinois.* ♦ fig. Subtil, raffiné. *Casse-tête chinois.* **2** n. m. Ensemble des langues parlées en Chine, écrites en idéogrammes ; spécialt le mandarin (région de Pékin). ♦ fig. *C'est du chinois,* c'est incompréhensible. **II** n. m. Passoire conique fine.

**chinoiserie** n. f. **1** Bibelot dans le goût chinois. **2** Complication inutile.

**chiot** n. m. Jeune chien.

**chiottes** n. f. pl. fam. Cabinets, W.-C.

**chiourme** n. f. anciennt Rameurs d'une galère ; forçats d'un bagne (→ garde-chiourme).

**chiper** v. tr. [1] fam. Dérober, voler.

**chipie** n. f. Femme, fille désagréable.

**chipolata** n. f. Saucisse longue et mince.

**chipoter** v. intr. [1] **1** Manger par petits morceaux, sans plaisir. **2** Discuter sur des vétilles. ► **chipoteur, euse** n. et adj.

**chips** [ʃips] n. f. pl. Pommes de terre frites en très fines rondelles croustillantes.

**chique** n. f. **I** Morceau de tabac à mâcher. ♦ loc. fam. *Couper la chique à qqn,* l'interrompre brutalement. **II** Puce dont la femelle s'enfonce dans la chair.

**chiqué** n. m. fam. Attitude prétentieuse.

**chiquenaude** n. f. **1** Coup donné avec un doigt que l'on détend brusquement. → **pichenette. 2** fig. Petite impulsion ; poussée.

**chiquer** v. tr. [1] Mâcher (du tabac).

**chiromancie** n. f. Divination d'après les lignes de la main. ► **chiromancien, ienne** n.

**chiropraxie** n. f. Thérapeutique par manipulation des vertèbres. ► **chiropracteur, trice** n.

**chirurgie** n. f. Partie de la médecine qui comporte une intervention manuelle et instrumentale (surtout à l'intérieur du corps). ► **chirurgical, ale, aux** adj. ► **chirurgien, ienne** n.

**chistera** [(t)ʃisteʀa] n. f. ou m. Instrument d'osier, recourbé, qui sert à lancer la balle à la pelote basque.

**chitine** [ki-] n. f. Substance organique (téguments des arthropodes, etc.).

**chiure** n. f. Excrément d'insectes.

**chlamyde** [kla-] n. f. Antiq. Manteau court et fendu, agrafé sur l'épaule.

**chlore** [klɔʀ] n. m. Corps simple (symb. Cl), gaz jaune-vert d'odeur suffocante. ► **chloré, ée** adj.

**chlorhydrique** [kl-] adj. *Acide chlorhydrique :* solution du *gaz chlorhydrique* (chlorure d'hydrogène [HCl]) dans l'eau, liquide incolore, fumant, corrosif.

**chlorique** [kl-] adj. chim. Du chlore.

**chlorofluorocarbone** n. m. → **C. F. C.**

**chloroforme** [kl-] n. m. Liquide incolore, anesthésique. ► **chloroformer** v. tr. [1]

**chlorophylle** [kl-] n. f. Pigment vert des végétaux, au rôle essentiel dans la photosynthèse. ► **chlorophyllien, ienne** adj.

**chlorose** [kl-] n. f. **1** méd. Anémie due au manque de fer. ► **chlorotique** adj. et n. **2** bot. Étiolement et jaunissement des végétaux dus au manque de chlorophylle.

**chlorure** [kl-] n. m. **1** Sel de l'acide chlorhydrique. *Chlorure de sodium* (sel marin). **2** *Chlorures (décolorants) :* mélanges industriels utilisés pour le blanchiment, la désinfection, etc.

**choc** n. m. **1** Entrée en contact de deux corps qui se rencontrent violemment ; ébranlement qui en résulte. → **heurt. 2** Rencontre violente (d'hommes). – *Unités de choc.* → **commando. 3** (abstrait) Rencontre brutale. *Choc de caractères.* → **conflit, opposition. 4** Émotion brutale. → **traumatisme.** ♦ *Choc opératoire, anesthésique.*

**chocolat** n. m. **1** Substance alimentaire (pâte solidifiée) à base de cacao. ♦ Friandise au chocolat. **2** Boisson au cacao. **3** n. m. et adj. invar. Brun foncé. **4** fam. *Être chocolat :* être privé de qqch. sur quoi on comptait.

**chocolaté, ée** adj. Parfumé au chocolat.

**chocolatier, ière 1** n. Personne qui fabrique ou vend du chocolat. – adj. *Industrie chocolatière.* **2** n. f. Récipient pour le chocolat (2).

**choéphore** [kɔe-] n. Antiq. grecque Personne qui portait les offrandes aux morts.

**chœur** [kœʀ] n. m. **I 1** Réunion de chanteurs qui exécutent un morceau ensemble. **2** Composition musicale destinée à être chantée par plusieurs personnes. **3** (théâtre antique) Troupe de personnes qui dansent et chantent ensemble. **4** *Le chœur des mécontents,* l'ensemble qui s'exprime. **5** *En chœur :* ensemble. **II** Partie de la nef d'une église, devant le maître-autel.

**choir** v. intr. surtout : *je chois, tu chois, il choit ; je chus ; chu, chue* au p. p. littér. Tomber.

**choisi, ie** adj. Excellent ; de qualité.

**choisir** v. tr. [2] **1** Prendre de préférence, faire choix de. **2** Se décider entre deux ou plusieurs partis ou plusieurs solutions.

**choix** n. m. 1 Action de choisir. → **sélection.** 2 Pouvoir, liberté de choisir (actif) ; existence de plusieurs partis entre lesquels choisir (passif). – loc. *L'embarras* du choix.* 3 Ensemble de choses parmi lesquelles on peut choisir. → **assortiment.** 4 Ensemble de choses choisies pour leurs qualités. *Choix de poésies.* ♦ *De choix :* de prix, de qualité.

**cholédoque** [kɔ-] adj. m. *Canal cholédoque,* qui conduit la bile au duodénum.

**choléra** [kɔ-] n. m. Très grave maladie intestinale épidémique. ► **cholérique** adj.

**cholestérol** [kɔ-] n. m. Substance grasse présente dans l'organisme. ♦ cour. *Avoir du cholestérol,* un taux de cholestérol élevé.

**chômage** n. m. 1 vx Interruption du travail. 2 Inactivité forcée (des personnes) due au manque de travail, d'emploi.

**chômer** v. intr. [1] 1 vx Suspendre son travail pendant les jours fériés. – mod. trans. (au p. p.) *Jours chômés,* où l'on ne travaille pas. 2 Ne pas avoir de travail, par manque d'emploi. 3 loc. *Ne pas chômer,* travailler beaucoup.

**chômeur, euse** n. Personne qui se trouve involontairement privée d'emploi.

**chope** n. f. Verre à anse, pour la bière.

**choper** v. tr. [1] fam. 1 Arrêter, prendre (qqn). 2 Attraper. *Il a chopé un rhume.*

**chopine** n. f. fam. (rural) Bouteille (de vin).

**choquant, ante** adj. Qui choque (2).

**choquer** v. tr. [1] 1 Faire se heurter (des choses). 2 Contrarier ou gêner en heurtant les goûts, les bienséances. 3 Faire une impression désagréable sur (un sens).

**choral, ale** [kɔʀal] I (plur. *choraux*) adj. Qui a rapport aux chœurs. II (plur. *chorals*) n. m. Chant religieux. III n. f. Groupe qui interprète des chœurs.

**chorée** [kɔʀ-] n. f. Contractions musculaires pathologiques.

**chorégraphie** [kɔʀ-] n. f. Art de composer des ballets, d'en régler les figures et les pas. ♦ Enchaînement de figures et de pas ainsi réglés. ► **chorégraphique** adj. ► **chorégraphe** n.

**choriste** [kɔʀ-] n. Personne qui chante dans un chœur.

**chorizo** [ʃɔʀizo ; tʃɔʀiso] n. m. Saucisson espagnol pimenté.

**choroïde** [kɔʀ-] n. f. anat. Membrane de l'œil, entre la sclérotique et la rétine.

**chorus** [kɔʀys] n. m. I *Faire chorus :* approuver d'autres personnes. II jazz Improvisation d'un soliste sur le thème.

**chose** n. f. I 1 Réalité (concrète ou abstraite) perçue ou concevable comme un objet unique (→ **être, événement, objet**). – *De deux choses l'une :* il existe deux possibilités. 2 *Les choses :* le réel. *Regarder les choses en face.* 3 spécialt Réalité matérielle non vivante. → **objet.** *Les êtres et les choses.* 4 surtout plur. Ce qui a lieu, se fait, existe. *Les choses de la vie.* 5 *La chose :* ce dont il s'agit. 6 (avec *dire, répéter,* etc.) Paroles, discours. 7 dr. *La chose jugée.* → **cause.** II loc. 1 *Autre* chose.* 2 *Quelque chose* loc. indéf. masc. *Chercher quelque chose.* 3 *Peu de chose :* un acte, un objet peu important. III (Ce qu'on ne nomme pas précisément) 1 n. m. → **machin, truc.** 2 n. f. (euphémisme) *La chose :* la sexualité. 3 (adj.) loc. *Se sentir tout chose :* éprouver un malaise difficile à analyser.

**chott** [ʃɔt] n. m. Lac salé, dans un désert.

**chou** n. m. 1 Plante crucifère à variétés cultivées pour l'alimentation. 2 loc. fam. *Feuille de chou :* journal de peu de valeur. – *C'est bête comme chou,* facile à comprendre. – *Être dans les choux,* avoir échoué. – *Rentrer dans le chou :* attaquer. – *Faire ses choux gras de qqch.,* en tirer profit. 3 Expression de tendresse. *Mon chou* (→ **chouchou**). – *Bout de chou,* petit enfant. 4 Pâtisserie légère en *pâte à choux. Chou à la crème.* 5 argot Tête.

**chouan** n. m. Insurgé royaliste de l'ouest de la France (Révolution). ► **chouannerie** n. f.

**choucas** n. m. Petite corneille noire.

**chouchen** n. m. Hydromel breton. – var. **chouchenn.**

**chouchou, oute** 1 n. fam. Favori, préféré. 2 n. m. Ruban froncé, pour les cheveux.

**chouchouter** v. tr. [1] Dorloter, gâter.

**choucroute** n. f. Plat de choux découpés en rubans, légèrement fermentés et que l'on fait cuire avec de la charcuterie.

① **chouette** n. f. Oiseau rapace nocturne.

② **chouette** fam. 1 adj. Agréable, beau ; sympathique. 2 interj. → **chic.**

**chou-fleur** n. m. Chou dont on mange les fleurs qui forment une masse blanche. *Des choux-fleurs.*

**chouïa** n. m. fam. *Un chouïa :* un peu. – var. **chouya.**

**chouquette** n. f. Petit chou (4) décoré de grains de sucre.

**chou-rave** n. m. Chou cultivé pour sa racine. *Des choux-raves.*

**choyer** v. tr. [8] Soigner avec tendresse.

**chrême** [kʀɛm] n. m. Huile consacrée.

**chrestomathie** [kʀɛst-] n. f. didact. Anthologie de textes anciens ou classiques.

**chrétien, ienne** [kʀetjɛ̃, jɛn] I adj. 1 Qui professe la foi en Jésus-Christ. 2 Du christianisme. – *Ère chrétienne,* qui commence à la naissance de Jésus-Christ. II n. Personne qui professe le christianisme.

**chrétiennement** [kʀetjɛnmɑ̃] adv. Conformément à la religion chrétienne.

**chrétienté** [kʀetjɛ̃te] n. f. Ensemble des peuples, des pays chrétiens.

**christ** [kRist] n. m. **1** (avec maj.) Nom donné à Jésus de Nazareth. **2** Représentation du Christ sur la croix. → **crucifix.**

**christiania** [kRist-] n. m. Technique de virage en skis, les skis restant parallèles.

**christianiser** [kRist-] v. tr. [1] Rendre chrétien. ► **christianisation** n. f.

**christianisme** [kRist-] n. m. Religion fondée sur l'enseignement, la personne et la vie de Jésus-Christ.

**chromatique** [kR-] adj. **1** mus. Qui procède par demi-tons (opposé à *diatonique*). **2** Relatif aux couleurs. **3** biol. Du chromosome.

**chromatisme** [kR-] n. m. **1** Ensemble de couleurs. **2** mus. Caractère chromatique.

**chrome** [kRom] n. m. **1** Corps simple (symb. Cr), métal gris, brillant, dur, utilisé en alliages. **2** Pièce métallique chromée.

**chromer** [kR-] v. tr. [1] Recouvrir (un métal) de chrome. – au p. p. *Acier chromé.*

**chromo** [kR-] n. m. (ou f.) **1** Chromolithographie. **2** Image en couleur de mauvais goût.

**chromolithographie** n. f. Lithographie en couleur.

**chromosome** n. m. Élément du noyau cellulaire, de forme caractéristique et en nombre constant (23 paires chez l'être humain). *Les chromosomes sont le support des gènes.* ► **chromosomique** adj.

① **chronique** [kRɔnik] adj. **1** (maladie) Qui dure longtemps, se développe lentement (opposé à *aigu*). **2** (chose nuisible) Qui dure.

② **chronique** [kRɔnik] n. f. **1** Recueil de faits historiques. **2** Ensemble des nouvelles qui circulent. – loc. *Défrayer* la chronique.* **3** Partie (d'un journal...) consacrée à un sujet particulier. ► **chroniquer** [kr-] v. tr. et intr. [1]

**chroniqueur, euse** [kR-] **1** n. m. Auteur de chroniques historiques. → **mémorialiste.** **2** n. Personne chargée d'une chronique (3).

**chronobiologie** n. f. biol. Étude des rythmes* biologiques.

**chronologie** n. f. **1** Science de la fixation des dates des faits historiques. **2** Ouvrage décrivant une évolution dans l'ordre temporel. **3** Succession des événements dans le temps. ► **chronologique** adj. ► **chronologiquement** adv.

**chronomètre** n. m. Montre de précision. – abrév. fam. **chrono.**

**chronométrer** v. tr. [6] Mesurer avec un chronomètre. ► **chronométrage** n. m. ► **chronométreur, euse** n.

**chronométrique** adj. Relatif à la mesure exacte du temps.

**chrysalide** [kRiz-] n. f. État intermédiaire par lequel passe la chenille avant de devenir papillon. → **nymphe.**

**chrysanthème** [kRiz-] n. m. Plante ornementale qui fleurit en automne ; sa fleur.

**chrysoprase** n. f. Calcédoine verte.

**C. H. U.** [seaʃy] n. m. (sigle) Centre hospitalier universitaire.

**chuchoter** v. [1] **1** v. intr. et tr. Parler, dire bas, indistinctement. **2** v. intr. Produire un bruit indistinct. ► **chuchotement** n. m.

**chuinter** v. intr. [1] **1** (choses) Produire un sifflement assourdi. **2** Prononcer *s* et *z* comme *ch* et *j*. ► **chuintant, ante** adj. ► **chuintement** n. m.

**churro** [(t)ʃu-] n. m. Beignet espagnol allongé et cannelé.

**chut** [ʃyt] interj. Se dit pour demander le silence.

**chute** n. f. **I** Fait de tomber. **1** *Faire une chute dans un escalier.* ♦ (choses) *Chute de neige.* – *Chute libre,* d'un corps soumis à l'accélération de la pesanteur. ♦ loc. *Chute d'eau,* entre deux parties consécutives d'un cours d'eau. → **cascade.** **2** Action de se détacher (de son support naturel). *La chute des feuilles.* **3** abstrait Fait d'échouer. *La chute d'un régime.* ♦ Action de tomber moralement. → **déchéance.** **4** (choses) Diminution de valeur ou d'intensité. → **baisse.** **II** **1** Partie où une chose se termine, s'arrête. *La chute des reins* : le bas du dos. **2** Reste inutilisé (tombé en coupant qqch.).

**chuter** v. intr. [1] **1** Subir un échec. **2** fam. Tomber, choir. **3** Diminuer brusquement.

**chyle** [ʃil] n. m. Produit de la digestion, contenu dans l'intestin grêle.

**chypriote** adj. et n. De Chypre. – n. *Les Chypriotes.*

① **ci** adv. **I** **1** (dans des loc.) Ici. *Ci-inclus, incluse ; ci-joint, jointe.* → **inclus ;** ① **joint.** ♦ *Ci-gît.* → **gésir.** **2** (après un nom précédé de *ce, cette, ces, celui, celle*) *Ce livre-ci. Celle-ci.* **II** loc. adv. *Ci-dessus* : plus haut ; *Ci-dessous* : plus bas ; *Ci-contre* : en face. – *De-ci de-là* : de côté et d'autre. – *Par-ci par-là* : en divers endroits.

② **ci** pron. dém. (employé avec *ça*) *Demander ci et ça.* – fam. *Comme* ci, comme ça.*

**ciao** [tʃao] interj. fam. Au revoir. – var. **tchao.**

**cible** n. f. **1** But que l'on vise et contre lequel on tire. **2** fig. Objet de critiques (→ point de mire). **3** comm. Objectif ou public visé.

**ciboire** n. m. Vase pour les hosties.

**ciboule** n. f. Variété d'ail.

**ciboulette** n. f. Plante à petits bulbes aux feuilles utilisées comme condiment.

**ciboulot** n. m. fam. Tête. → **caboche.**

**cicatrice** n. f. **1** Marque laissée par une plaie après la guérison. **2** fig. Trace d'une souffrance morale. ► **cicatriciel, ielle** adj.

**cicatriser** v. tr. [1] Faire guérir, se refermer (une plaie...). ▷ v. pron. se **cicatriser** ► **cicatrisation** n. f.

**cicérone** n. m. littér. Guide.

**ciclosporine** n. f. méd. Médicament immunodépresseur, utilisé lors des greffes, pour éviter les rejets. – var. **cyclosporine.**

**cidre** n. m. Boisson obtenue par la fermentation alcoolique du jus de pomme.

**C^ie^** [kɔ̃paɲi] Abrév. de *compagnie* (3).

**ciel,** plur. **cieux** et **ciels** n. m. (plur. *ciels* : multiplicité ; *cieux* : collectif ou sens religieux) **I 1** Espace visible limité par l'horizon. → **firmament.** – loc. *À ciel ouvert* : en plein air. – *Tomber du ciel* : arriver à l'improviste. – *Remuer ciel et terre**. ♦ (qualifié ; plur. *des ciels*) *Ciel bleu ; nuageux.* – *Bleu ciel* : bleu clair. **2** Apparence de l'espace extraterrestre, vu de la Terre ; voûte où semblent se mouvoir les astres. ♦ loc. *Être au septième ciel,* dans le ravissement. **II** (plur. *cieux*) **1** Séjour des dieux, de Dieu. → **au-delà. 2** Séjour des bienheureux, des élus. → **paradis. 3** La divinité, la providence. prov. *Aide-toi, le ciel t'aidera.* – interj. *Ciel !* (surprise désagréable). **III** fig. (plur. *ciels*) **1** *Ciel de lit* : baldaquin d'un lit. **2** Voûte, plafond (d'une excavation).

**cierge** n. m. **1** Longue chandelle de cire, en usage dans les églises. **2** Plante grasse qui forme de hautes colonnes verticales.

**cigale** n. f. Insecte à quatre ailes membraneuses. *La cigale stridule.*

**cigare** n. m. Petit rouleau de feuilles de tabac, à fumer. *Petit cigare* (*cigarillo* n. m.).

**cigarette** n. f. Petit rouleau de tabac haché et enveloppé dans un papier fin. ♦ *Cigarette électronique* : petit appareil produisant de la vapeur destinée à être inhalée. → fam. **vapoteuse.**

**ci-gît** → **① ci ; gésir**

**cigogne** n. f. Oiseau échassier migrateur à longues pattes, à bec long et rouge.

**ciguë** [sigy] n. f. Plante toxique ; poison extrait de la variété appelée *grande ciguë.*

**cil** n. m. **1** Chacun des poils garnissant le bord libre des paupières et protégeant le globe oculaire. **2** biol. Filament fin du cytoplasme de certains organismes (bactéries...) qui assure leur déplacement.

**cilice** n. m. Chemise, ceinture rugueuse portée par pénitence, par mortification.

**cilié, ée** adj. Muni de poils, de cils.

**ciller** v. intr. [1] Battre des cils. – loc. *Ne pas ciller* : rester imperturbable.

**cimaise** n. f. Moulure (d'une corniche...) ; spécialt pour accrocher des tableaux.

**cime** n. f. Extrémité pointue (d'un arbre, d'une montagne...). → **faîte, sommet.**

**ciment** n. m. Matière calcaire qui, mélangée avec un liquide, forme une pâte durcissant à l'air ou dans l'eau.

**cimenter** v. tr. [1] **1** Enduire, lier avec du ciment. **2** fig. Rendre plus ferme, solide.

**cimenterie** n. f. Fabrique de ciment.

**cimeterre** n. m. Sabre oriental, à lame large et recourbée. → **yatagan.**

**cimetière** n. m. Lieu où l'on enterre les morts. → **nécropole, ossuaire.** ♦ fig. *Cimetière de voitures* (→ **② casse**).

**cimier** n. m. Ornement qui forme la partie supérieure d'un casque.

**cinabre** n. m. **1** Sulfure de mercure naturel. **2** littér. Sa couleur rouge.

**ciné** n. m. fam. Cinéma.

**cinéaste** n. Auteur, réalisateur de films.

**ciné-club** [-klœb] n. m. Club d'amateurs de cinéma. *Des ciné-clubs.*

**cinéma** n. m. **1** Procédé permettant d'enregistrer photographiquement et de projeter des vues animées. **2** Salle de projections. **3** Art de composer et de réaliser des films (→ le septième art). ♦ Ensemble de films ; industrie cinématographique. **4** fam. *C'est du cinéma,* de la comédie (II).

**cinémascope** n. m. (marque déposée) Cinéma sur écran large par anamorphose.

**cinémathèque** n. f. Endroit où l'on conserve les films de cinéma.

**cinématique** sc. **1** n. f. Étude scientifique du mouvement. **2** adj. Du mouvement.

**cinématographe** n. m. **1** hist. Appareil des frères Lumière, reproduisant le mouvement par une suite de photographies. **2** vx Cinéma. ► **cinématographique** adj.

**cinéphile** n. Amateur de cinéma.

**cinéraire 1** adj. Qui renferme les cendres d'un mort. *Urne cinéraire.* **2** n. f. Plante herbacée aux feuilles cendrées.

**cinétique** adj. Relatif au mouvement.

**cinglant, ante** adj. **1** Qui cingle. **2** fig. Qui blesse. → **acerbe.** *Repartie cinglante.*

**cinglé, ée** adj. et n. fam. Un peu fou.

① **cingler** v. intr. [1] (navire) Faire voile (dans une direction).

② **cingler** v. tr. [1] **1** Frapper avec un objet flexible (baguette...). **2** (vent, pluie, neige) Fouetter.

**cinnamome** n. m. Arbrisseau aromatique (camphrier, cannelier).

**cinoche** n. m. fam. Cinéma.

**cinq** [sɛ̃k] **I** ([sɛ̃] devant consonne) adj. numéral invar. **1** (cardinal) Quatre plus un (5). ♦ loc. *Dans cinq minutes* : bientôt. – fam. *En cinq sec* : très rapidement. **2** (ordinal) Cinquième. *Page cinq. Charles V.* **II** n. m. invar. [sɛ̃k] Le chiffre, le nombre, le numéro cinq.

**cinquantaine** n. f. Nombre de cinquante ou environ.

**cinquante I** adj. numéral invar. **1** (cardinal) Dix fois cinq (50 ; L). *Cinquante pages.* **2** (ordinal) Cinquantième. *Page cinquante.* **II** n. m. invar. Le nombre, le numéro cinquante. ► **cinquantième** adj.

**cinquantenaire** n. m. Cinquantième anniversaire.

**cinquième** 1 adj. Qui suit le quatrième (5e). ♦ n. *Le, la cinquième.* 2 adj. et n. m. Se dit d'une partie d'un tout divisé également en cinq. ► **cinquièmement** adv.

**cintre** n. m. I 1 Courbure de la surface intérieure (d'un arc...). – *En plein cintre :* dont la courbure est un demi-cercle. 2 techn. Échafaudage en arc de cercle. 3 au théâtre Partie supérieure de la scène, où l'on remonte les décors. II Barre à crochet, pour suspendre les vêtements.

**cintrer** v. tr. [1] 1 Bomber, courber. 2 Rendre (un vêtement) ajusté à la taille. ▷ adj. **cintré, ée** ► **cintrage** n. m.

**cippe** n. m. archéol. Petite stèle.

**cirage** n. m. 1 Action de cirer. 2 Produit pour lustrer le cuir. ♦ loc. fam. *Être dans le cirage :* ne plus rien voir ou comprendre.

**circoncire** v. tr. [37] Exciser le prépuce de (un garçon). ▷ adj. m. **circoncis** ► **circoncision** n. f.

**circonférence** n. f. 1 vieilli Cercle. – mod. Périmètre d'un cercle. 2 Pourtour.

**circonflexe** adj. *Accent circonflexe :* signe (ˆ) placé sur certaines voyelles longues (pâte) ou comme signe distinctif (dû/du).

**circonlocution** n. f. Manière de s'exprimer d'une façon indirecte. → **périphrase.**

**circonscription** n. f. Division légale (d'un territoire).

**circonscrire** v. tr. [39] 1 Décrire une ligne qui limite tout autour. 2 fig. Enfermer dans des limites. → **délimiter ; enrayer.**

**circonspect, ecte** [-ɛ(kt), -ɛkt] adj. Attentif et prudent. ► **circonspection** n. f.

**circonstance** n. f. 1 Particularité qui accompagne un événement, une situation. *Circonstances atténuantes*.* 2 Ce qui constitue le moment présent. *En raison des circonstances... – Concours* de circonstances.* ♦ *De circonstance :* adapté à la situation.

**circonstancié, ée** adj. Qui comporte les circonstances, les détails (récit).

**circonstanciel, ielle** adj. D'une circonstance. – gramm. Qui apporte une détermination exprimant les circonstances. *Complément circonstanciel de lieu, de temps...*

**circonvallation** n. f. Tranchée fortifiée.

**circonvenir** v. tr. [22] Agir sur (qqn) avec ruse pour obtenir ce que l'on souhaite.

**circonvolution** n. f. 1 Enroulement autour d'un point central. 2 anat. *Circonvolutions cérébrales,* replis sinueux du cortex.

**circuit** n. m. I 1 Distance à parcourir pour faire le tour (d'un lieu). 2 Chemin (long et compliqué) parcouru pour atteindre un lieu. ♦ Parcours organisé. *Circuit touristique.* ♦ Itinéraire en boucle de certaines courses (auto...). 3 techn. Suite de conducteurs électriques. – *Circuit intégré :* circuit électronique sur une plaquette semi-conductrice. → **microprocesseur, puce.** ♦ loc. fig. *Être hors circuit :* ne pas être impliqué, au courant. 4 Ensemble de conduits pour les fluides. II fig. Mouvement d'aller et retour (des biens...). *Circuit de distribution.*

**circulaire** I adj. 1 Qui décrit un cercle. 2 Qui a ou rappelle la forme d'un cercle. → **rond.** 3 Dont l'itinéraire ramène au point de départ. II n. f. Lettre adressée à plusieurs personnes à la fois.

**circulation** n. f. 1 Déplacement utilisant les voies de communication. → **trafic** (II). 2 Véhicules qui circulent. 3 Mouvement des fluides, notamment physiologiques. *Circulation du sang.* 4 Mouvement (des biens, des produits). *Circulation des capitaux.* 5 *Mettre en circulation :* diffuser, répandre.

**circulatoire** adj. Relatif à la circulation du sang. *L'appareil circulatoire.*

**circuler** v. intr. [1] 1 Aller et venir ; se déplacer sur les voies de communication. 2 (fluides) Passer dans un circuit ; se renouveler. 3 Passer de main en main. 4 (information...) Se propager, se répandre.

**cire** n. f. 1 Matière molle, jaunâtre, produite par les abeilles. 2 Préparation à base de cire pour l'entretien du bois. → **encaustique.** 3 *Cire à cacheter* (à base de résine, etc.).

**ciré, ée** I adj. 1 Enduit de cire ou de cirage. 2 *Toile cirée,* enduite d'un vernis. II n. m. Imperméable de tissu plastifié.

**cirer** v. tr. [1] 1 Enduire de cire, d'encaustique. 2 Enduire de cirage.

**cireur, euse** 1 n. Personne chargée de cirer. 2 n. f. Appareil qui cire les parquets.

**cireux, euse** adj. Qui a la consistance, l'aspect blanc jaunâtre de la cire.

**ciron** n. m. vx ou littér. Insecte minuscule.

**cirque** n. m. I 1 hist. Amphithéâtre pour les jeux publics (Rome antique...). 2 Amphithéâtre naturel d'origine glaciaire. II 1 Édifice ou tente où sont présentés des numéros d'équilibre, des scènes comiques (clowns, augustes), etc. 2 Ce spectacle. 3 fam. Activité désordonnée, agitation.

**cirrhose** n. f. Maladie du foie due à des granulations. ► **cirrhotique** adj. et n.

**cirrus** [-ys] n. m. Nuage élevé, en flocons ou filaments.

**cisaille** n. f. Gros ciseaux ou pinces pour couper les métaux, élaguer les arbres.

**cisailler** v. tr. [1] Couper aux cisailles.

**ciseau** n. m. I Outil d'acier en biseau, qui sert à tailler. II au plur. Instrument pour couper, formé de deux branches d'acier tranchantes croisées sur un pivot.

**ciseler** v. tr. [5] Travailler (un ouvrage) avec un ciseau (I). ▷ adj. **ciselé, ée**

**ciselure** n. f. Ornement ciselé.

① **ciste** n. m. Arbrisseau aromatique.

② **ciste** n. f. Antiq. Corbeille portée dans les mystères, contenant les objets du culte.

**cistercien, ienne** adj. De l'ordre religieux de Cîteaux (réformé par saint Bernard).

**citadelle** n. f. **1** Forteresse qui commandait une ville. **2** fig. → **bastion** (2).

**citadin, ine** **1** adj. didact. De la ville. **2** n. Habitant d'une grande ville.

**citation** n. f. **1** Passage cité (d'un auteur, d'une personnalité). **2** dr. Sommation de comparaître en justice. **3** Mention honorable d'un militaire, etc. qui s'est distingué.

**cité** n. f. **I 1** Antiq. Fédération autonome de tribus. **2** Ville importante (sous son aspect de personne morale). ♦ Partie ancienne d'une ville. *L'île de la Cité* (à Paris). **3** Groupe d'immeubles ayant une unité. *Cité ouvrière.* **II** loc. *Avoir droit de cité*, être admis dans, faire partie de (qqch.).

**citer** v. tr. [1] **1** Rapporter (ce qu'a dit ou écrit qqn). **2** Alléguer. *Citer un exemple.* **3** Désigner comme digne d'attention. *Citer un exploit.* **4** dr. Sommer (qqn) à comparaître en justice. **5** Décerner une citation (3) à.

**citerne** n. f. **1** Réservoir d'eau de pluie. **2** Cuve contenant un liquide, un carburant.

**cithare** n. f. Instrument de musique à cordes tendues sur une caisse de résonance sans manche. ► **cithariste** n.

> Ne pas confondre avec le *sitar*, proche de la guitare.

**citoyen, enne** **I** n. **1** Individu, du point de vue de ses droits politiques, spécialt dans une république. **2** sous la Révolution Appellatif pour monsieur, etc. **3** fam. Individu. **II** adj. Qui agit en citoyen, qui fait preuve d'esprit civique ; conforme au sens civique. ► **citoyenneté** n. f.

**citrate** n. m. chim. Sel de l'acide citrique.

**citrique** adj. chim. *Acide citrique* : acide extrait de certains fruits (citron, groseille...).

**citron** n. m. **1** Fruit jaune du citronnier, agrume acide. ♦ *Citron vert.* → ② **lime.** **2** fam. Tête. **3** adj. invar. Jaune clair.

**citronnade** n. f. Boisson au citron.

**citronnelle** n. f. Plante contenant une essence à odeur de citron. → **mélisse.**

**citronnier** n. m. Arbre qui produit le citron (jaune ou vert). ♦ Son bois.

**citrouille** n. f. **1** Courge volumineuse d'un jaune orangé. **2** fam. Tête.

**civet** n. m. Ragoût (de lièvre, lapin, gibier) au vin rouge.

**civette** n. f. **1** Petit mammifère au pelage gris. **2** Parfum sécrété par cet animal.

**civière** n. f. **1** Dispositif à bras, pour porter des fardeaux. **2** spécialt Ce dispositif, pour transporter les malades, les blessés.

**civil, ile** adj. **I 1** Relatif à l'ensemble des citoyens. – *Guerre civile*, entre citoyens d'un même État. – *Droits civils*, garantis à tous les citoyens. – *État* civil.* **2** dr. Relatif aux rapports entre les individus (opposé à *criminel*). *Code civil.* ♦ *Se porter partie civile* : demander des dommages-intérêts pour un préjudice. **3** Qui n'est pas militaire. – n. *Les militaires et les civils.* **4** Qui n'est pas religieux. *Mariage civil*, à la mairie. **II** vieilli Qui observe les usages. → **poli.**

**civilement** adv. **I 1** dr. En matière civile. **2** (opposé à *religieusement*) *Se marier civilement.* **II** Avec civilité.

**civilisateur, trice** adj. et n. Qui répand la civilisation.

**civilisation** n. f. **1** Ensemble des caractères et acquisitions des sociétés humaines complexes (opposé à *nature, barbarie*). **2** Ensemble des phénomènes sociaux (moraux, esthétiques, scientifiques...) d'une grande société. *La civilisation chinoise.*

**civiliser** v. tr. [1] **1** Faire passer (une collectivité) à un état social plus complexe (moral, intellectuel...). **2** fam. Rendre plus poli. ▷ adj. et n. **civilisé, ée**

**civilité** n. f. vieilli ou littér. Politesse.

**civique** adj. Relatif au citoyen. – *Sens civique*, des responsabilités et des devoirs du citoyen. *Esprit civique.*

**civisme** n. m. Sens civique.

**clabauder** v. intr. [1] littér. Crier, protester sans motif. ► **clabaudage** n. m.

**clac** Interjection imitant un bruit sec.

**clafoutis** n. m. Gâteau cuit au four, à base de lait, d'œufs et de fruits.

**claie** n. f. Treillage en bois, en fer...

**clair, aire** **I** adj. **1** Qui a l'éclat du jour, reçoit beaucoup de lumière. **2** Faiblement coloré (opposé à *foncé*). **3** Peu serré ; peu dense. *Sauce trop claire.* **4** Pur et transparent. *Eau claire.* **5** (sons) Net et pur. *Voix claire.* **II** adj. abstrait **1** Simple, facile à comprendre. **2** Manifeste, évident. *C'est clair !* **III** n. m. (dans des expr.) **1** *Clair de lune* : lumière que donne la Lune. **2** *Tirer au clair* : éclaircir, élucider (une affaire). ♦ *Dépêche en clair*, en langage ordinaire (opposé à *chiffré, codé*). – *En clair* : exprimé clairement. ♦ *Le plus clair de* : la plus grande partie de. **IV** adv. **1** D'une manière claire. *Essayons d'y voir clair*, de comprendre. **2** *Parler clair.* → **franchement.**

> Invariable avec un adj. de couleur : *des robes bleu clair.*

**claire** n. f. Bassin dans lequel se fait l'affinage des huîtres *(fines de claire).*

**clairement** adv. **1** D'une manière claire. → **distinctement.** **2** D'une manière claire à l'esprit. → **explicitement ; franchement.**

**clairet, ette** adj. Un peu clair. *Vin clairet.*

**clairette** n. f. Cépage blanc du Midi.

**claire-voie** n. f. **1** Clôture à jour. **2** loc. *À claire-voie :* qui présente des jours.

**clairière** n. f. Endroit dégarni d'arbres dans un bois, une forêt.

**clair-obscur** n. m. **1** peint. Opposition des lumières et des ombres. **2** Lumière douce. *Des clairs-obscurs.*

**clairon** n. m. **1** Instrument à vent sans piston ni clé. **2** Personne qui joue du clairon.

**claironner** v. [1] **1** v. intr. Parler d'une voix aiguë et forte. **2** fig. Annoncer avec éclat, affectation. ► **claironnant, ante** adj.

**clairsemé, ée** adj. **1** Qui est peu serré. *Arbres clairsemés.* **2** fig. Peu dense. → **rare.**

**clairvoyance** n. f. Vue claire, lucide des choses. ► **clairvoyant, ante** adj. → **lucide.**

**clamer** v. tr. [1] Manifester par des cris.

**clameur** n. f. Ensemble de cris confus.

**clamp** [klɑ̃p] n. m. anglic., chir. Pince occlusive à deux branches. ► **clamper** v. tr. [1]

**clampin** n. m. fam. Traînard, fainéant.

**clamser** [klamse] v. intr. [1] fam. Mourir. – var. **clamecer** [3]

**clan** n. m. **1** Tribu (Écosse et Irlande). ♦ ethnol. Groupe ayant à l'origine un ancêtre unique. **2** Groupe fermé de personnes.

**clandestin, ine** adj. Qui se fait en cachette et a un caractère illicite. – *Passager clandestin,* sans billet. – *Travailleur clandestin,* sans statut légal. ► **clandestinement** adv. ► **clandestinité** n. f.

**clanique** adj. ethnol. D'un clan.

**clapet** n. m. **1** Soupape en forme de couvercle. **2** fam. *Ferme ton clapet :* tais-toi.

**clapier** n. m. Abri où on élève des lapins.

**clapoter** v. intr. [1] (surface liquide) Être agité de petites vagues au bruit caractéristique. ► **clapotement** et **clapotis** n. m.

**clapper** v. intr. [1] Produire un bruit sec avec la langue. ► **clappement** n. m.

**claquage** n. m. Distension d'un ligament.

**claquant, ante** adj. fam. Qui fatigue.

**claque** n. f. **1** Coup donné avec le plat de la main. → **gifle.** – loc. fam. *Tête à claques,* visage déplaisant ; personne déplaisante. **2** Public d'un spectacle payé pour applaudir. **3** fam. *En avoir sa claque :* en avoir assez.

**claquement** n. m. Fait de claquer ; choc, bruit de ce qui claque.

**claquemurer** v. tr. [1] Tenir enfermé. ▷ v. pron. se **claquemurer** Rester chez soi.

**claquer** v. [1] **I** v. intr. **1** Produire un bruit sec et sonore. – *Claquer des dents* (de froid...). **2** fam. *L'affaire lui a claqué dans les doigts,* lui a échappé. **3** fam. Mourir. **II** v. tr. **1** Donner une claque à (qqn). **2** Faire claquer. *Claquer la porte.* **3** fam. Dépenser en gaspillant. **4** fam. Éreinter, fatiguer. **5** *Se claquer un muscle* (→ **claquage**).

**claquette** n. f. **1** Petit instrument articulé servant à donner un signal (en claquant). – syn. (anglic.) **clap. 2** au plur. Lames de métal fixées aux semelles qui permettent de marquer le rythme en dansant. ♦ Cette danse.

**clarifier** v. tr. [7] **1** Rendre plus pur en éliminant les substances étrangères. **2** fig. Rendre plus clair, facile à comprendre. → **éclaircir, élucider.** ► **clarification** n. f.

**clarine** n. f. Clochette au cou du bétail.

**clarinette** n. f. Instrument de musique (bois) à anche simple. ► **clarinettiste** n.

**clarisse** n. f. Religieuse de l'ordre de Sainte-Claire.

**clarté** n. f. **I 1** Lumière ; caractère de ce qui est clair. **2** Transparence, limpidité. **II** abstrait **1** Qualité de ce qui est intelligible. **2** au plur. littér. Connaissances, notions.

**clash** n. m. anglic. Conflit violent.

**classable** adj. Qui peut être classé.

**classe** n. f. **I 1** (dans une société) Ensemble de personnes qui ont en commun une fonction, une idéologie et surtout un niveau social. **2** Ensemble d'individus ou d'objets qui ont des caractères communs. → **catégorie. 3** biol. Division inférieure à l'embranchement. **4** (hiérarchie) Grade, rang. *Première classe.* ♦ *De classe :* de grande qualité. – *Avoir de la classe,* de la distinction. **II 1** Ensemble d'élèves groupés selon un degré d'études. **2** Enseignement donné. ♦ Salle de classe. **III** Contingent des conscrits nés la même année.

**classement** n. m. **1** Action de ranger dans un ordre ; façon dont un ensemble est classé. **2** Place, dans une compétition.

**classer** v. tr. [1] **1** Diviser en classes, en catégories. **2** Ranger (dans une classe). **3** Mettre dans un ordre, à son ordre. ♦ fig. *Classer une affaire,* la considérer comme terminée, ne plus s'en occuper.

**classeur** n. m. Dossier ou meuble qui sert à classer des papiers.

**classicisme** n. m. **1** Caractères propres aux œuvres classiques. **2** Caractère classique.

**classification** n. f. Action de ranger par classes. ► **classificateur, trice** adj. et n. ► **classifier** v. tr. [7]

**classique** adj. **I 1** (écrivain, texte) Qui fait autorité ; digne d'être imité. **2** Qui appartient à l'Antiquité gréco-latine. **3** Relatif aux grands auteurs du XVII^e siècle, imitateurs des Anciens (opposé à *romantique*). **4** *Musique classique,* de la tradition occidentale (s'oppose à *folklorique, de variétés...*). ♦ n. m. *Aimer le classique.* **5** Conforme aux usages, aux habitudes. **II** n. m. Auteur classique ; œuvre classique ou importante, reconnue.

**classiquement** adv. De manière classique.

**claudiquer** v. intr. [1] Boiter. ► **claudication** n. f. littér.

**clause** n. f. Disposition particulière (d'un acte). *Les clauses d'un contrat.* – dr. *Clause de style,* habituelle aux contrats de même nature ; fig., cour. disposition toute formelle.

**claustra** n. m. ou f. Cloison légère, ajourée.

**claustral, ale, aux** adj. Relatif au cloître ou qui l'évoque. → **monacal, religieux.**

**claustrer** v. tr. [1] Enfermer, isoler (surtout pronom. et p. p.). → **cloîtrer.** ► **claustration** n. f. littér.

**claustrophobie** n. f. Angoisse d'être enfermé. ► **claustrophobe** adj. et n.

**claveau** n. m. archit. Pierre taillée en coin.

**clavecin** n. m. Instrument à claviers et à cordes pincées. ► **claveciniste** n.

**clavette** n. f. Petite cheville servant à immobiliser (un boulon, une cheville).

**clavicule** n. f. Os très allongé (partie antérieure de l'épaule). ► **claviculaire** adj.

**clavier** n. m. Ensemble des touches de certains instruments de musique (piano, clavecin, orgue...), sur lesquelles on appuie les doigts pour obtenir les sons. ♦ Ensemble des touches (d'un appareil), disposées sur plusieurs rangs. *Le clavier d'une machine à écrire, d'un ordinateur. Clavier AZERTY, QWERTY* (selon l'ordre des touches). *Raccourci* clavier* – Bloc compact rassemblant les touches d'un ordinateur. *Acheter un nouveau clavier.*

**claviste** n. Personne qui saisit un texte sur ordinateur.

**clayette** n. f. Support à claire-voie.

**clayonnage** n. m. Assemblage de pieux et de branches, pour soutenir des terres.

**clé** ou **clef** n. f. **I 1** Instrument de métal faisant fonctionner le mécanisme d'une serrure. – loc. *Mettre la clé sous la porte :* partir ; déménager. *Clés en main :* prêt à être utilisé. ♦ loc. *La clé des champs :* la liberté. **2** *Clé USB*.* **II 1** Outil servant à serrer ou à démonter des pièces. *Clé à molette.* **2** *Clef* (ou *clé*) *de voûte :* claveau central maintenant une voûte. – fig. Partie essentielle (d'un système...). **3** mus. Pièce qui commande l'ouverture des trous du tuyau (d'un instrument à vent). **III** fig. **1** Signe de référence placé au début d'une portée musicale, et qui indique la hauteur des notes. *Clef de sol.* ♦ loc. *À la clé* (ou *clef*) : avec, à la fin de l'opération. *Récompense à la clé.* **2** Ce qui permet de comprendre (qqch.). **3** appos. Qui commande l'accès (concret et abstrait). *Position-clé.*

**clébard** n. m. fam. Chien. – syn. **clebs.**

**clématite** n. f. Plante grimpante à fleurs.

**clémence** n. f. **1** littér. Vertu qui consiste à pardonner les offenses et à adoucir les châtiments. **2** fig. Douceur (du climat...).

**clément, ente** adj. **1** Qui manifeste de la clémence. **2** fig. *Un hiver clément.* → **doux.**

**clémentine** n. f. Mandarine à peau fine.

**clenche** n. f. Levier du loquet d'une porte.

**clepsydre** n. f. didact. Horloge à eau.

**cleptomane** → **kleptomane**

**clerc** [klɛʀ] n. m. **1** Homme qui est entré dans l'état ecclésiastique (→ **clergé ;** opposé à *laïc*). **2** vx Lettré, savant. – loc. *Il est grand clerc en la matière,* très compétent. **3** Employé d'une étude d'officier public ou ministériel. *Clerc de notaire.*

**clergé** n. m. Ensemble des ecclésiastiques.

**clergyman** [klɛʀʒiman] n. m. Pasteur anglo-saxon. *Des clergymen* (ou *-mans*).

**clérical, ale, aux 1** adj. Relatif au clergé. **2** adj. et n. Partisan de l'intervention du clergé dans la vie publique. ► **cléricalisme** n. m.

**clic** n. m. **I** Bruit sec, bref. **II** Action de presser le bouton de la souris d'un ordinateur. *Double clic.* → **double-clic.**

**cliché** n. m. **1** Image négative (d'une photo). ♦ Photographie. **2** péj. Idée ou expression trop souvent utilisée. → **poncif. 3** imprim. Plaque en relief pour l'impression.

**client, ente** [klijɑ̃, ɑ̃t] n. **1** Personne qui achète ou requiert des services moyennant rétribution. ♦ Acheteur (d'un fournisseur). **2** n. m. écon. Consommateur, importateur.

**clientèle** n. f. **I 1** Protégés, partisans d'un homme politique. **2** Ensemble de clients. **II** Fait d'être client, d'acheter.

**clientélisme** n. m. (pour un politicien, un parti) Fait de chercher à élargir son influence en attribuant des privilèges. ► **clientéliste** adj. et n.

**cligner** v. [1] **1** v. tr. Fermer à demi ou fermer et ouvrir rapidement (les yeux). ♦ v. tr. ind. *Cligner de l'œil* (pour faire un signe). **2** v. intr. (yeux, paupières) Se fermer et s'ouvrir. ► **clignement** n. m.

**clignotant, ante I** adj. Qui clignote (1 et 2). **II** n. m. (véhicules) Lumière intermittente, qui sert à indiquer la direction.

**clignoter** v. intr. [1] **1** (yeux...) Cligner rapidement et involontairement. **2** Éclairer et s'éteindre alternativement à brefs intervalles. → **scintiller.** ► **clignotement** n. m.

**climat** n. m. **1** Ensemble de circonstances atmosphériques et météorologiques (humidité, températures...) propres à une région. **2** fig. Atmosphère morale.

**climatique** adj. Relatif au climat (1). *Changements climatiques.*

**climatisation** n. f. Techniques et appareils maintenant, dans un local, une atmosphère constante (température, humidité).

**climatiser** v. tr. [1] Équiper de la climatisation. ▷ adj. **climatisé, ée**

**climatiseur** n. m. Appareil de climatisation.

**climatologie** n. f. Étude des phénomènes climatiques. ► **climatologue** n.

**climatosceptique** adj. et n. didact. (Personne) qui met en doute les théories répandues concernant le réchauffement climatique.

**clin d'œil** [-œj] n. m. 1 Mouvement rapide de la paupière pour faire signe (→ **cligner**). *Des clins d'œil, d'yeux.* 2 loc. adv. *En un clin d'œil* : en un temps très court.

**clinicien, ienne** n. Médecin praticien.

**clinique** I 1 adj. Qui concerne les manifestations observables de la maladie. ► **cliniquement** adv. 2 n. f. Enseignement médical donné au chevet des malades. II n. f. Établissement de soins privé.

**clinquant, ante** I adj. Qui brille d'un éclat trop voyant. II n. m. 1 Mauvaise imitation de pierreries, etc. 2 fig. Éclat trompeur.

① **clip** [klip] n. m. anglic. Bijou qui se fixe par une pince. – Fixation par pince à ressort. – var. **clips** [klips] n. m. ► **clipper** ou **clipser** v. tr. [1]

② **clip** [klip] n. m. anglic. Court film vidéo promotionnel. – syn. **vidéoclip** n. m.

**clique** n. f. 1 Groupe de personnes peu estimables. 2 Ensemble des tambours et des clairons d'une musique militaire.

**cliquer** v. intr. [1] anglic. Actionner le bouton d'une souris (d'ordinateur).

**cliques** n. f. pl. fam. *Prendre ses cliques et ses claques* : s'en aller en emportant ce que l'on possède.

**cliquetis** n. m. Série de bruits secs produits par des corps qui se choquent. ► **cliqueter** v. intr. [4]

**clitoridectomie** n. f. didact. Ablation rituelle du clitoris. → **excision.**

**clitoris** [-is] n. m. Petit organe érectile de la vulve. ► **clitoridien, ienne** adj.

**cliver** v. tr. [1] 1 Fendre (un minéral) dans le sens naturel de ses couches. 2 fig. Séparer par niveaux, par plans. ► **clivage** n. m. ► **clivant, ante** adj.

**cloaque** n. m. I 1 Lieu destiné à recevoir les immondices, les eaux usées. 2 Lieu malpropre. II zool. Orifice des cavités urinaire, intestinale et génitale (oiseaux...).

**clochard, arde** n. Personne socialement inadaptée, dans les villes. – abrév. fam. **clodo.**

① **cloche** n. f. 1 Instrument creux, évasé, en métal sonore (bronze...), dont on tire des vibrations retentissantes en en frappant les parois. ♦ loc. *N'entendre qu'un son de cloche,* qu'une opinion. – fam. *Sonner les cloches à qqn,* le réprimander fortement. 2 Objet creux qui recouvre, protège.

② **cloche** n. f. fam. I Personne niaise et incapable. II *La cloche* : les clochards.

à **cloche-pied** loc. adv. En tenant un pied en l'air et en sautant sur l'autre.

① **clocher** n. m. 1 Bâtiment élevé d'une église, où l'on place les cloches. 2 loc. *Querelles de clocher,* purement locales, insignifiantes. – *Esprit de clocher* : chauvinisme.

② **clocher** v. intr. [1] Être défectueux, aller de travers.

**clocheton** n. m. Petit clocher.

**clochette** n. f. 1 Petite cloche. 2 Fleur, corolle en forme de petite cloche.

**cloison** n. f. 1 Paroi qui limite les pièces (d'une maison...). 2 Ce qui divise l'intérieur (d'une cavité). 3 fig. Barrière, séparation.

**cloisonner** v. tr. [1] Séparer par des cloisons (sens propre et fig.). ► **cloisonnement** n. m.

**cloître** n. m. 1 Partie d'un monastère interdite aux profanes. → **clôture.** 2 (dans un monastère...) Galerie à colonnes qui encadre une cour ou un jardin carré.

**cloîtrer** v. tr. [1] 1 Enfermer comme religieux, religieuse dans un monastère. 2 fig. Enfermer, mettre à l'écart (qqn).

**clone** n. m. biol. Individu provenant de la reproduction d'un individu unique. ► **cloner** v. tr. [1] ► **clonage** n. m.

**clope** n. f. fam. Cigarette.

**clopin-clopant** loc. adv. En clopinant.

**clopiner** v. intr. [1] Marcher avec peine, en traînant le pied. → **boiter.**

**cloporte** n. m. 1 Arthropode qui vit sous les pierres. 2 fig. Personnage ignoble.

**cloque** n. f. 1 Poche cutanée pleine de sérosité. → **ampoule.** 2 Boursouflure (d'une surface). 3 loc. vulg. *Être en cloque,* enceinte.

**cloquer** v. intr. [1] Former des cloques.

**clore** v. tr. [45] 1 vx Fermer. 2 Terminer ; déclarer terminé. ▷ p. p. adj. ① **clos, ose**

② **clos** n. m. Terrain cultivé et clos.

**clostridie** n. f. biol. Bactérie anaérobie de la flore intestinale, responsable de certaines maladies (tétanos, botulisme).

**clôture** n. f. 1 Ce qui sert à fermer un passage, à enclore un espace. 2 Enceinte où des religieux vivent cloîtrés. → **cloître.** 3 Action de déclarer la fin de qqch.

**clôturer** v. tr. [1] 1 Fermer par une clôture. 2 Déclarer terminé.

**clou** n. m. I 1 Petite tige de métal pointue, souvent à tête, qui sert à fixer, assembler, suspendre. 2 *Les clous.* → passage **clouté.** 3 loc. fam. *Ça ne vaut pas un clou* : cela ne vaut rien. II 1 *Clou de girofle**. 2 fam. Furoncle. III 1 fam. Mont-de-piété. 2 *Le clou du spectacle* : ce qui accroche l'attention. 3 Mauvais véhicule.

**clouer** v. tr. [1] 1 Fixer, assembler (avec des clous...). 2 fig. Immobiliser. – passif *Rester cloué sur place.* 3 loc. *Clouer le bec à qqn,* le réduire au silence.

**clouté, ée** adj. 1 Garni de clous. 2 *Passage clouté* : passage pour piétons (autrefois limité par des clous) (→ les clous).

**clovisse** n. f. région. Palourde.

**clown** [klun] n. m. **1** Comique de cirque qui, grotesquement accoutré, fait des scènes de farce. **2** Farceur, pitre. ► **clownesque** adj.

**clownerie** [klunʀi] n. f. Pitrerie.

**club** [klœb] n. m. **I 1** Société culturelle, sportive, politique... **2** Cercle où des habitués (membres) se retrouvent. **II** Large fauteuil de cuir. **III** Crosse de golf.

**cluse** n. f. Gorge perpendiculaire, dans une chaîne de montagnes.

**clystère** n. m. vx Lavement.

**cnidaires** n. m. pl. zool. Embranchement d'animaux comprenant les méduses, les coraux (ancien nom : *cœlentérés* n. m. pl.).

**coach** [kotʃ] n. m. anglic. **1** Entraîneur (d'un sportif). **2** Personne qui conseille qqn, pour développer ses performances professionnelles.

**coadjuteur** n. m. Adjoint d'un prélat.

**coaguler** v. [1] **1** v. tr. Transformer (un liquide organique) en masse solide. **2** v. intr. Se figer. ► **coagulation** n. f.

**coaliser** v. [1] **I** *Se coaliser* v. pron. **1** Former une coalition. **2** S'unir, s'entendre (contre qqn). **II** v. tr. Unir (contre).

**coalition** n. f. **1** Réunion momentanée (de puissances...) dans la poursuite d'un intérêt commun. → **alliance, entente, ligue.** **2** fig. Union. *Une coalition d'intérêts.*

**coaltar** [koltaʀ ; kɔltaʀ] n. m. Goudron de houille. ♦ fam. *Être dans le coaltar,* ahuri.

**coasser** v. intr. [1] (grenouille...) Pousser son cri. ► **coassement** n. m.

> Ne pas confondre avec *croasser,* qui se dit du corbeau.

**coauteur** n. m. Personne qui a écrit un livre en collaboration avec une autre.

**cobalt** [-alt] n. m. Élément (symb. Co), métal dur, blanc à reflets. *Cobalt radioactif.*

**cobaye** [-aj] n. m. Mammifère rongeur (syn. *cochon d'Inde*). ♦ fam. Sujet d'expérience.

**cobra** n. m. Serpent venimeux à cou dilatable (syn. *serpent à lunettes*). → **naja.**

**coca** **1** n. m. ou f. Arbrisseau dont les feuilles contiennent des alcaloïdes (→ **cocaïne**). **2** n. f. Substance extraite de ces feuilles.

**coca-cola** n. m. invar. (marque amér.) Boisson à base de coca et de cola. – abrév. **coca.**

**cocagne** n. f. **1** *Pays de cocagne :* pays imaginaire où l'on a tout en abondance. **2** *Mât de cocagne,* au sommet duquel sont suspendus des objets à décrocher.

**cocaïne** n. f. Alcaloïde extrait du coca (analgésique...). – Cet alcaloïde, utilisé comme stupéfiant.

**cocaïnomane** n. et adj. Personne dépendante à la cocaïne. ► **cocaïnomanie** n. f.

**cocarde** n. f. **1** Insigne aux couleurs d'une nation. **2** Nœud décoratif.

**cocardier, ière** adj. Chauvin, militariste.

**cocasse** adj. fam. D'une étrangeté comique. ► **cocasserie** n. f. ► **cocassement** adv.

**coccinelle** n. f. Coléoptère au corps rouge tacheté de noir (syn. *bête à bon Dieu*).

**coccyx** [kɔksis] n. m. Petit os situé au bas de la colonne vertébrale (sacrum*).

① **coche** n. f. Encoche ; entaille.

② **coche** n. m. **1** anciennt Grande voiture à chevaux, pour le transport des voyageurs. – loc. *La mouche* du coche.* ♦ *Coche d'eau* (chaland). **2** fig. *Manquer, rater le coche :* perdre l'occasion de faire une chose profitable.

**cochenille** n. f. Insecte dont on tirait une teinture rouge écarlate.

① **cocher** v. tr. [1] Marquer d'un signe.

② **cocher** n. m. Celui qui conduit une voiture à cheval. *Cocher de fiacre.*

**cochère** adj. f. *Porte cochère,* dont la taille permet l'entrée d'une voiture.

**cochon I** n. m. **1** Porc élevé pour l'alimentation (mâle, opposé à *truie ;* châtré, opposé à *verrat*). *Cochon de lait :* jeune cochon. ♦ loc. *Manger comme un cochon,* malproprement. – *Tête de cochon,* mauvais caractère. **2** *Cochon d'Inde :* cobaye. **II 1** n. fam. *Cochon, cochonne :* personne malpropre ou grossière. **2** adj. *Histoire cochonne,* licencieuse.

**cochonnaille** n. f. fam. Charcuterie.

**cochonner** v. tr. [1] fam. Faire (qqch.) mal.

**cochonnerie** n. f. **1** fam. Saleté. **2** Chose mal faite, sans valeur. **3** Acte obscène.

**cochonnet** n. m. Petite boule servant de but aux joueurs de boules.

**cocker** [kɔkɛʀ] n. m. Chien de chasse à longues oreilles pendantes.

**cockney** [kɔknɛ] n. et adj. Londonien au langage populaire (de l'est de la ville).

**cockpit** [kɔkpit] n. m. aviat. Cabine de pilote.

**cocktail** [kɔktɛl] n. m. **1** Mélange de boissons. **2** Réunion mondaine où l'on boit. **3** *Cocktail Molotov :* bouteille emplie d'un liquide inflammable (projectile incendiaire).

① **coco** n. m. Fruit du cocotier, aussi appelé *noix de coco.*

② **coco** n. m. **1** (enfantin) Œuf. **2** Terme d'affection. *Mon coco.* **3** Individu bizarre.

③ **coco** n. fam. Communiste.

**cocon** n. m. Enveloppe formée d'un fil de soie enroulé, dont certaines chenilles s'entourent pour se transformer en chrysalide.

**cocooning** [kɔkuniŋ] n. m. anglic. Situation de sécurité, de confort douillet.

**cocorico** n. m. Chant du coq. – var. **coquerico.**

**cocotier** [-tje] n. m. Palmier au tronc élancé, qui produit la noix de coco.

① **cocotte** n. f. **1** (enfantin) Poule. – *Cocotte en papier :* papier plié en forme d'oiseau. **2** vieilli Femme de mœurs légères. **3** Terme d'affection. *Ma cocotte.*

② **cocotte** n. f. Marmite en fonte.

**cocu, e** n. et adj. fam. (Personne) dont le conjoint est infidèle. ♦ loc. *Une veine de cocu,* extraordinaire. ► **cocuage** n. m.

**cocufier** v. tr. [7] fam. Faire cocu.

**coda** n. f. mus. Conclusion d'un morceau.

**codage** n. m. Action de coder.

**code** n. m. **1** Ensemble de lois (et de dispositions légales). *Code pénal.* **2** Décret ou loi réglant un domaine particulier. *Code de la route.* – *Phares code* ou *codes,* à puissance réduite. **3** Ensemble de règles, de prescriptions. **4** Système de symboles destinés à représenter une information. – *Code-barre(s) :* fines barres parallèles imprimées permettant l'identification d'un produit. ♦ biol. *Code génétique :* mécanismes transmettant l'information génétique.

**coder** v. tr. [1] Mettre en code (4).

**codex** [-ɛks] n. m. Recueil officiel des médicaments. → **pharmacopée.**

**codicille** [-sil] n. m. Acte ajouté à un testament pour le modifier.

**codifier** v. tr. [7] **1** Réunir (des dispositions légales) dans un code. **2** Ériger en système organisé. ► **codification** n. f.

**coédition** n. f. Édition (d'un livre) par plusieurs éditeurs *(coéditeurs).*

**coefficient** n. m. **1** Nombre multipliant une quantité. **2** phys. Nombre caractérisant une propriété. *Coefficient de dilatation.*

**cœlacanthe** n. m. zool. Grand poisson osseux, très primitif.

**cœlentérés** n. m. pl. → **cnidaires.**

**cœlioscopie** [se-] n. f. méd. Examen de la cavité abdominale par endoscopie.

**coépouse** n. f. Chacune des épouses d'un polygame, par rapport aux autres épouses.

**coéquipier, ière** n. Personne qui fait équipe avec d'autres.

**coercitif, ive** adj. didact. Qui exerce une contrainte (*coercition* n. f.).

**cœur** [kœʀ] n. m. **I 1** Organe central de l'appareil circulatoire (animaux supérieurs) ; chez l'homme viscère musculaire conique situé entre les deux poumons (→ **cardiaque, cardio-**). **2** Poitrine. *Serrer qqn contre son cœur.* **3** *Avoir mal au cœur,* des nausées (→ écœurer). **II 1** Ce qui a la forme d'un cœur. ♦ aux cartes Série dont la marque est un cœur. **2** Partie centrale (de qqch.). *Cœur de laitue.* **3** Point essentiel. *Le cœur du problème.* **III 1** Siège des sensations et émotions. *Avoir le cœur gros,* de la peine. **2** dans des loc. Siège du désir, de l'humeur. *De bon cœur :* avec plaisir. – *Prendre qqch. à cœur,* y prendre un vif intérêt. **3** Siège des sentiments, des passions ; de l'amour. **4** Bonté, sentiments altruistes. *Avoir du cœur, bon cœur.* **5** littér. Qualités de caractère ; fierté, courage. **6** Pensée intime. *Ouvrir son cœur :* se confier. **7** loc. *Par cœur :* de mémoire.

**coexister** v. intr. [1] Exister ensemble, en même temps. ► **coexistence** n. f.

**coffrage** n. m. Dispositif qui moule et maintient le béton que l'on coule ; sa pose.

**coffre** n. m. **I 1** Meuble en forme de caisse, à couvercle. **2** Caisse où l'on range des choses précieuses. **3** Espace de rangement, dans une voiture. → **malle. II** fam. Thorax. – *Avoir du coffre,* de la résistance.

**coffre-fort** n. m. Coffre de sûreté, en acier. *Des coffres-forts.*

**coffrer** v. tr. [1] **1** fam. Emprisonner (qqn). **2** techn. Munir d'un coffrage.

**coffret** n. m. Boîte ; emballage rigide.

**cogiter** v. intr. [1] plais. Réfléchir. ► **cogitation** n. f.

**cogito** n. m. Base de la philosophie de Descartes : «je pense» (donc je suis).

**cognac** n. m. Eau-de-vie de Cognac.

**cognassier** n. m. Arbre qui produit les coings.

**cognée** n. f. Grosse hache. – loc. *Jeter le manche après la cognée :* se décourager.

**cogner** v. [1] **I** v. tr. dir. **1** Heurter (qqch.). **2** fam. Battre, rosser (qqn). **II** v. tr. ind. Frapper fort, à coups répétés. *Cogner sur, à la porte.* **III** v. intr. Frapper ; heurter.

**cognitif, ive** [-gn-] adj. didact. Qui concerne la connaissance rationnelle, la faculté, l'acte de connaître (la *cognition* n. f.).

**cohabitation** n. f. **1** Fait d'habiter, de vivre ensemble. **2** (en France) Coexistence d'un président et d'un gouvernement de tendances opposées. ► **cohabiter** v. intr. [1]

**cohérent, ente** adj. Fait de parties liées et harmonisées. ► **cohérence** n. f.

**cohésion** n. f. **1** phys. Force qui unit les parties d'un corps (molécules). **2** Caractère d'un ensemble uni, harmonieux.

**cohorte** n. f. **1** Antiq. Dixième partie de la légion romaine. **2** fam. Groupe, troupe.

**cohue** n. f. Foule agitée ; bousculade.

**coi, coite** adj. loc. *Se tenir coi,* silencieux.

**coiffe** n. f. Coiffure féminine traditionnelle (régionale).

**coiffer** v. tr. [1] **1** Couvrir la tête de (qqn). ♦ loc. *Coiffer sainte Catherine* (→ **catherinette). 2** Recouvrir, surmonter (qqch.). **3** Arranger les cheveux de (qqn). – pronom. *Se coiffer.* **4** loc. *Être né coiffé :* avoir de la chance. **5** Être à la tête de. → **chapeauter. 6** Dépasser (un concurrent) à l'arrivée.

**coiffeur, euse** n. Personne qui fait métier de couper et soigner les cheveux.

**coiffeuse** n. f. Table munie d'un miroir.

**coiffure** n. f. **1** vieilli Ce qui sert à couvrir ou orner la tête (chapeau, etc.). **2** Arrangement des cheveux. **3** Métier de coiffeur.

**coin** n. m. **I 1** Instrument triangulaire pour fendre ou assujettir. **2** Morceau d'acier gravé en creux, pour frapper les monnaies, etc. **II 1** Angle rentrant ou saillant. - *Regard en coin*, oblique. **2** Petit espace. - loc. *Un coin de terre.* ♦ Endroit retiré. → **recoin.** - fam. *Le petit coin* : les W.-C.

**coincer** v. tr. [3] **1** Assujettir, fixer en immobilisant. - pronom. *Se coincer* : se bloquer, cesser de fonctionner. **2** fig., fam. Mettre (qqn) dans l'impossibilité de se mouvoir, d'agir, de répondre. ▷ adj. **coincé, ée 1** Bloqué, immobilisé. **2** fam. Complexé, inhibé. ► **coincement** n. m.

**coïncidence** n. f. Fait de coïncider. ♦ Événements arrivant ensemble par hasard.

**coïncident, ente** adj. didact. Qui coïncide.

**coïncider** v. intr. [1] **1** Se produire en même temps. **2** (figures) Se recouvrir exactement. **3** Correspondre exactement, s'accorder.

**coin-coin** n. m. invar. Cri du canard.

**coing** [kwɛ̃] n. m. Fruit du cognassier, en forme de poire, de couleur jaune.

**coït** [kɔit] n. m. Accouplement (2). ► **coïter** v. intr. [1] → **copuler.**

① **coke** n. m. Charbon issu de la carbonisation ou de la distillation de houilles grasses.

② **coke** [kok] n. f. anglic. fam. Cocaïne.

**cokéfier** v. tr. [7] techn. Transformer (la houille) en coke. ► **cokéfaction** n. f.

**col** n. m. **I** vx ou littér. Cou. - loc. *Se pousser du col* : prendre de grands airs. **II 1** Partie étroite (d'un récipient). → **goulot. 2** anat. Partie rétrécie (d'une cavité : *col de l'utérus* ; d'un os : *col du fémur*). **III** Passage entre deux sommets de montagne. **IV 1** Partie du vêtement qui entoure le cou. - fam. *Col blanc* : employé de bureau. **2** *Faux col* : mousse (d'un verre de bière).

**cola** ou **kola 1** n. m. Arbre d'Afrique (appelé aussi *colatier* ou *kolatier*), qui produit la *noix de cola*. **2** n. m. ou f. Produit stimulant extrait de cette noix (→ coca-cola).

**colchique** n. m. Plante des prés humides, vénéneuse, qui fleurit en automne.

**col-de-cygne** n. m. Tuyau, robinet à double courbe. *Des cols-de-cygne.*

**coléoptère** n. m. zool. Insecte à quatre ailes dont deux (les élytres) sont cornées. *L'ordre des coléoptères.*

**colère** n. f. **1** Violent mécontentement accompagné d'agressivité. **2** Accès, crise de colère. ► **coléreux, euse** et **colérique** adj. et n. → **irascible.**

**colibacille** [-sil] n. m. Bactérie intestinale qui peut devenir pathogène (*colibacillose* [-siloz] n. f.).

**colibri** n. m. Oiseau de très petite taille, à plumage éclatant. → **oiseau-mouche.**

**colifichet** n. m. Objet, bijou de fantaisie.

**colimaçon** n. m. **1** vieilli Escargot. **2** *Escalier en colimaçon* : en hélice.

**colin** n. m. Poisson de mer à dos noir.

**colin-maillard** n. m. Jeu où un joueur, les yeux bandés, doit chercher les autres à tâtons, en saisir un et le reconnaître.

**colique** n. f. **1** Douleur au niveau des viscères abdominaux. → **colite, entérite.** *Colique néphrétique* (due à un calcul). **2** Diarrhée.

**colis** n. m. Paquet destiné à être expédié.

**colite** n. f. méd. Inflammation du côlon.

**collaborateur, trice** n. **1** Personne qui collabore à une œuvre. **2** (en 1940-1944) Français partisan de l'entente avec les Allemands. - abrév. fam. **collabo.**

**collaboratif, ive** adj. Destiné à un travail en commun, sur Internet. - *Site collaboratif.* → **wiki.** ♦ par ext. Fondé sur le partage (des équipements, des services).

**collaboration** n. f. **1** Action de collaborer (1). **2** Politique, attitude des collaborateurs (2).

**collaborer** v. [1] **1** v. tr. ind. Travailler en commun (à qqch. ; avec qqn). **2** v. intr. Agir en collaborateur (2).

**collage** n. m. **1** Action de coller. **2** Œuvre faite d'éléments collés.

**collagène** n. m. biochim. Protéine fibreuse du tissu conjonctif.

**collant, ante** adj. **1** Qui adhère, qui colle. **2** Qui s'applique exactement sur une partie du corps. → **ajusté, moulant.** ♦ n. m. Vêtement réunissant culotte et bas. **3** fam. (personnes) Ennuyeux, importun.

**collapsus** [-ys] n. m. méd. **1** Malaise soudain, intense, accompagné d'une chute de tension. **2** Affaissement d'un organe.

**collatéral, ale, aux** adj. **1** didact. Qui est sur le côté. **2** dr. *Parents collatéraux*, descendant d'un même ancêtre sans descendre les uns des autres (ex. frères, cousins...). **3** *Dommages collatéraux* : conséquences non maîtrisées d'une opération militaire.

**collation** n. f. Repas léger.

**collationner** v. tr. [1] Comparer (des versions d'un texte) pour les vérifier. ► **collationnement** n. m.

**colle** n. f. **I 1** Matière gluante adhésive. **2** fig. *Pot de colle* : personne dont on ne peut se débarrasser. **II 1** loc. adv. fam. et vieilli *À la colle* : en concubinage. **2** argot scol. Interrogation. - Question difficile. ♦ Consigne (punition).

**collecte** n. f. **1** Action de recueillir des dons. → **quête. 2** Action de réunir (des produits, des éléments) en vue d'un traitement. ► **collecter** v. tr. [1]

**collecteur, trice 1** n. Personne qui fait une collecte. **2** n. m. Dispositif qui recueille (des gaz, des liquides...). ♦ adj. Qui recueille.

**collectif, ive I** adj. **1** Qui concerne un ensemble de personnes. **2** ling. Se dit d'un terme singulier représentant un ensemble (ex. foule). **II** n. m. **1** Projet de loi de finances. *Collectif budgétaire.* **2** Équipe, groupe ayant un objectif commun.

**collection** n. f. **1** Réunion d'objets (spécialt précieux, intéressants). **2** Série de publications ayant une unité. **3** Ensemble de modèles présentés en même temps.

**collectionner** v. tr. [1] **1** Réunir pour faire une collection (1). **2** fig. Accumuler.

**collectionneur, euse** n. Personne qui fait une, des collections.

**collectivement** adv. De façon collective.

**collectiviser** v. tr. [1] Mettre (les moyens de production) en possession de la collectivité. ► **collectivisation** n. f.

**collectivisme** n. m. Système fondé sur la propriété collective des moyens de production. → **communisme.** ► **collectiviste** adj. et n.

**collectivité** n. f. **1** Groupe de personnes. → **communauté, société.** *Vie en collectivité.* **2** Circonscription administrative dotée de la personnalité morale. *Collectivités locales.*

**collector** n. m. anglic. Objet produit en série qui devient un objet de collection (disque...).

**collège** n. m. **I** Réunion de personnes ayant la même dignité, la même fonction. ♦ *Collège électoral,* ensemble d'électeurs. **II** Établissement d'enseignement secondaire du premier cycle. ♦ *Le Collège de France* (enseignement supérieur).

**collégial, iale, iaux** adj. **1** D'un collège (I) de chanoines. *Église collégiale.* **2** Exercé par un collège, un groupe. ► **collégialité** n. f.

**collégien, ienne** n. Élève de collège (II).

**collègue** n. **1** Personne qui exerce la même fonction qu'une autre. **2** région. Ami.

**coller** v. [1] **I** v. tr. **1** Joindre et faire adhérer avec de la colle. **2** (sujet chose) Faire adhérer. *La sueur collait ses cheveux.* **3** inform. Insérer (du texte...) dans un document. *Copier et coller.* → **copier-coller. 4** Appliquer étroitement (le corps... contre). **5** fam. Donner ; mettre. *Il lui a collé une gifle.* **6** fam. Infliger une colle (II, 2) à. ♦ Refuser (qqn) à un examen. **II** v. intr. **1** Adhérer. ♦ Être gluant. **2** fam. *Ça colle :* ça fonctionne. **III** v. tr. ind. *Coller à :* s'adapter étroitement à.

**collerette** n. f. **1** Tour de cou plissé. → **fraise. 2** Objet en forme de couronne.

**collet** n. m. **I 1** vx Col (d'un vêtement). ♦ loc. *Collet monté :* prude, austère. – *Prendre qqn au collet,* l'arrêter. **2** Cou (d'animal). **II** Nœud coulant pour prendre des animaux (au cou). **III** Partie (d'une dent) entre la couronne et la gencive.

se **colleter** v. pron. [4] Se battre, lutter.

**colleur, euse 1** n. Personne qui colle (des affiches...). **2** n. f. Appareil pour coller.

**collier** n. m. **1** Objet passé autour du cou d'un animal pour l'attacher ou le harnacher. – loc. fig. *Reprendre le collier :* se remettre au travail. – *Donner un coup de collier :* fournir un gros effort. **2** Bijou, ornement porté autour du cou. **3** Barbe courte et fine. **4** techn. Cercle de renfort.

**colliger** v. tr. [3] didact. Recueillir, réunir (des textes, des informations...).

**collimateur** n. m. Dispositif de visée (d'une arme...). – loc. *Avoir qqn dans le collimateur,* guetter le moment de l'attaquer.

**colline** n. f. Élévation de terrain arrondie.

**collision** n. f. **1** Choc de deux corps qui se rencontrent. **2** fig. Conflit, opposition.

> Ne pas confondre avec *collusion* «entente secrète».

**colloïdal, ale, aux** adj. sc. Se dit de corps qui ressemblent à une gelée.

**colloque** n. m. Réunion de spécialistes pour débattre de questions théoriques, etc.

**collusion** n. f. Entente secrète au préjudice d'un tiers.

> Ne pas confondre avec *collision* «choc».

**collutoire** n. m. Médicament liquide destiné à agir sur la cavité buccale.

**collyre** n. m. Médicament liquide qu'on instille dans l'œil.

**colmater** v. tr. [1] Boucher, fermer. ♦ fig. *Colmater un déficit.* ► **colmatage** n. m.

**colocataire** n. Personne qui loue un logement avec d'autres locataires. ► **colocation** n. f.

**colombage** n. m. Mur à charpente apparente en bois. – Cette charpente.

**colombe** n. f. littér. Pigeon (symbole de douceur, de pureté, de paix).

**colombier** n. m. littér. Pigeonnier.

**colombo** n. m. cuisine antillaise Mélange d'épices d'origine indienne (coriandre, piment...) ; plat (de viande, de poisson) préparé avec ce mélange.

**colombophile** adj. et n. Qui élève des pigeons voyageurs. ► **colombophilie** n. f.

**colon** n. m. **I** Personne qui est allée peupler, exploiter une colonie ; habitant d'une colonie. **II** Enfant d'une colonie (II).

**côlon** n. m. Portion moyenne du gros intestin, entre le cæcum et le rectum.

**colonel, elle** n. Officier supérieur qui commande un régiment, etc.

**colonial, ale, aux** 1 adj. Relatif aux colonies (I, 1). 2 n. m. Militaire de l'armée coloniale. ♦ n. Habitant d'une colonie. → **colon.** 3 n. f. anciennt Les troupes coloniales.

**colonialisme** n. m. Doctrine, système légitimant l'occupation, la domination et l'exploitation de territoires par un pays colonisateur. ► **colonialiste** adj. et n.

**colonie** n. f. I 1 Établissement fondé dans un pays moins développé par une nation dominante ; ce pays, placé sous la dépendance du pays occupant, qui en tire profit. 2 Population des colons d'une colonie. II 1 anciennt *Colonie pénitentiaire :* établissement pour jeunes délinquants. 2 *Colonie de vacances :* groupe d'enfants réunis pour un séjour de vacances. III 1 Personnes originaires d'un même lieu, qui en habitent un autre. *La colonie chinoise de Paris.* 2 Réunion d'animaux vivant en commun.

**coloniser** v. tr. [1] 1 Faire de (un pays) une colonie (I, 1) ; exploiter comme colonie. 2 fig. Envahir ; être omniprésent dans (un lieu, un domaine). ▷ adj. et n. **colonisé, ée** ► **colonisation** n. f. ► **colonisateur, trice** adj. et n.

**colonnade** n. f. archit. File de colonnes.

**colonne** n. f. I 1 Support vertical d'un édifice, souvent cylindrique. → **pilastre, pilier.** 2 Monument formé d'une colonne. II 1 *Colonne vertébrale,* axe articulé formé par les vertèbres (33 chez l'homme), soutien du squelette et axe nerveux des vertébrés. 2 Masse verticale (d'un fluide). *Colonne d'air.* 3 *Colonne montante :* maçonnerie groupant les canalisations d'un immeuble. 4 Section divisant verticalement une page. 5 Corps de troupe disposé en profondeur. ♦ loc. *Cinquième colonne :* services secrets d'espionnage ennemi sur un territoire. 6 File (de personnes, etc.).

**colonnette** n. f. Petite colonne.

**colopathie** n. f. méd. Affection du côlon.

**colophane** n. f. Résine servant à frotter les crins des archets (de violons, etc.).

**coloquinte** n. f. Plante (cucurbitacée) dont le fruit rond, amer donne un purgatif.

**colorant, ante** 1 adj. Qui colore. 2 n. m. Substance colorée qui peut se fixer à une matière pour la teindre. → **teinture.**

**coloration** n. f. Action de colorer.

**colorature** n. f. mus. 1 Musique vocale très ornée. 2 Chanteuse de ce style.

**colorectal, ale, aux** adj. méd. Qui concerne le côlon et le rectum.

**colorer** v. tr. [1] 1 Revêtir de couleur, donner une teinte à. → **teindre, teinter.** 2 fig. → **teinter** (fig.). ▷ adj. **coloré, ée**

**colorier** v. tr. [7] Appliquer des couleurs sur (une surface...). ► **coloriage** n. m.

**coloris** n. m. 1 Effet qui résulte du choix et de l'emploi des couleurs (dans un tableau...). 2 Couleur (du visage ; d'objets).

**coloriser** v. tr. [1] Mettre en couleur électroniquement (un film en noir et blanc).

**coloriste** n. 1 Peintre qui s'exprime surtout par la couleur. 2 Spécialiste des couleurs.

**colossal, ale, aux** adj. Très grand ; très important. → **énorme, immense.**

**colosse** n. m. 1 Statue d'une grandeur extraordinaire. 2 Homme très fort.

**colporter** v. tr. [1] 1 Transporter avec soi (des marchandises) pour vendre. 2 Propager, répandre (une information) (souvent péj.). ► **colportage** n. m.

**colporteur, euse** n. Marchand(e) ambulant(e) qui vend de porte en porte.

**colt** [kɔlt] n. m. (marque déposée) Revolver ; pistolet automatique.

**coltan** n. m. Minerai composé de niobium et de tantale.

**coltiner** v. tr. [1] 1 Porter (un lourd fardeau). 2 fam. *Se coltiner* v. pron. : exécuter (un travail ingrat...). *Se coltiner la vaisselle.*

**columbarium** [kɔlɔ̃baʀjɔm] n. m. Édifice où l'on place les urnes funéraires.

**colvert** n. m. Espèce commune de canard sauvage.

**colza** n. m. Plante à fleurs jaunes cultivée comme fourrage, et pour ses graines.

**coma** n. m. Perte prolongée de la conscience, de la sensibilité, dans de graves états pathologiques. – *Coma dépassé* (mort cérébrale). ► **comateux, euse** adj.

**comater** v. intr. [1] fam. Somnoler.

**combat** n. m. 1 Action d'adversaires armés, d'armées qui se battent. – *Être mis hors de combat,* dans l'impossibilité de poursuivre la lutte. 2 Lutte organisée. *Combat de boxe.* 3 fig., littér. Lutte, opposition.

**combatif, ive** adj. Qui est porté au combat, à la lutte. ► **combativité** n. f.

Un seul *t*, contrairement à *combattre.*

**combattant, ante** I n. 1 Personne qui prend part à un combat. 2 fam. Personne qui se bat à coups de poing. II n. m. 1 Poisson d'Extrême-Orient, de couleurs vives. 2 Échassier migrateur.

**combattre** v. [41] I v. tr. 1 Se battre contre ; faire la guerre à (qqn). 2 S'opposer à, lutter contre (qqn, qqch.). II v. tr. ind. Livrer un combat ; lutter (contre un danger...). – absolt *Combattre avec courage.*

**combe** n. f. région. Vallée profonde.

**combien** adv. 1 Dans quelle mesure, à quel point. → **comme.** *Si vous saviez combien je l'aime !* 2 *Combien de :* quelle quantité, quel nombre de. *Depuis combien de temps ?* – sans compl. *Combien vous dois-je ?*

**combinaison** n. f. **1** Assemblage d'éléments dans un arrangement déterminé. **2** sc. Union des corps qui forment un composé. **3** souvent péj. Organisation précise de moyens en vue du succès d'une entreprise (→ **combine**). **4** Sous-vêtement féminin réunissant un haut et un jupon. ♦ Vêtement réunissant veste et pantalon. **5** Système d'ouverture d'un coffre-fort.

**combinard, arde** adj. et n. péj. (Personne) qui utilise la combine.

**combinat** n. m. hist. (en U. R. S. S.) Unité industrielle groupant des industries connexes.

**combinatoire** **1** adj. Relatif aux combinaisons (1). **2** n. f. Arrangement d'éléments ; analyse des combinaisons possibles.

**combine** n. f. fam. Combinaison (3) astucieuse et souvent déloyale.

**combiné** n. m. **1** vieilli Partie mobile d'un téléphone fixe (écouteur et microphone). **2** Épreuve sportive complexe.

**combiner** v. tr. [1] **1** Réunir (des éléments) dans un arrangement déterminé. **2** Organiser en vue d'un but précis. *Combiner un mauvais coup.* → **manigancer.**

① **comble** n. m. **I** Le plus haut degré. *Être au comble de la joie.* – *C'est le comble ; c'est un comble !,* il ne manquait plus que cela. **II 1** Construction supportant le toit d'un édifice. **2** au plur. Partie la plus haute d'une construction. **3** loc. *De fond en comble :* de bas en haut ; complètement.

② **comble** adj. **1** Rempli de monde. **2** loc. *La mesure est comble :* cela suffit.

**comblement** n. m. Action de combler.

**combler** v. tr. [1] **1** Remplir (un vide, un creux). **2** fig. *Combler une lacune.* **3** *Combler qqn de,* lui donner (qqch.) à profusion. ♦ *Combler qqn,* le satisfaire pleinement. ▷ adj. **comblé, ée** → **heureux, satisfait.**

**combo** n. m. anglic. **1** Petit ensemble musical. **2** techn. Petit moniteur de contrôle intégré.

**comburant, ante** adj. et n. m. Se dit d'un corps qui, se combinant avec un combustible, opère la combustion de celui-ci.

**combustible** **1** adj. Qui a la propriété de brûler. **2** n. m. Corps dont la combustion, la désintégration produit de l'énergie.

**combustion** n. f. Fait de brûler entièrement. ♦ chim. → **oxydation.**

**comédie** n. f. **I 1** vx Théâtre. **2** Pièce de théâtre ayant pour but de divertir en représentant les ridicules d'une société. ♦ *Comédie musicale :* spectacle chanté et dansé. **3** Le genre comique. **II** Affectation (de sentiment...). ♦ Caprice (d'un enfant).

**comédien, enne** n. **1** Acteur (de théâtre...). **2** fig. Personne qui se compose une attitude. **3** (opposé à *tragédien*) Acteur comique.

**comédon** n. m. Amas de matière sébacée qui bouche un pore de la peau (→ point noir).

**comestible** **1** adj. Qui peut servir d'aliment humain. **2** n. m. pl. Denrées alimentaires.

**comète** n. f. **1** Astre qui parcourt le système solaire, présentant un noyau brillant (tête) et une traînée gazeuse (chevelure et queue). **2** loc. *Tirer des plans sur la comète :* faire des projets chimériques.

**comice** n. m. **I** Antiq. romaine Assemblée du peuple. **II 1** *Comice agricole :* réunion de cultivateurs. **2** n. f. Poire fondante.

**coming out** [kɔmiŋaut] n. m. anglic. critiqué Révélation publique par qqn de son homosexualité.

**comique** adj. **I 1** De la comédie. **2** n. Acteur comique. **3** n. m. Le genre comique. **II** Qui provoque le rire. → **drôle.**

**comiquement** adv. De manière risible.

**comité** n. m. **1** Réunion de personnes choisies pour traiter certaines affaires. **2** *En petit comité :* entre intimes.

**commandant** n. m. **1** Personne qui a un commandement militaire. **2** Officier supérieur (quatre galons). **3** Personne qui commande (un navire, un avion).

**commande** n. f. **I** Ordre par lequel un client demande une marchandise ou un service. ♦ loc. *Sur commande :* à la demande ou sur ordre. – *De commande.* → **affecté, artificiel.** *Amabilité de commande.* **II** Organe capable de déclencher, arrêter, régler des mécanismes. ♦ loc. *Tenir les commandes :* diriger une affaire.

**commandement** n. m. **1** Ordre bref, donné à voix haute. **2** Règle de conduite édictée par une Église, etc. **3** Pouvoir, droit de commander. *Prendre le commandement.* ♦ Autorité militaire qui détient le commandement des forces armées.

**commander** v. [1] **I** v. tr. **1** Exercer son autorité sur (qqn) en lui dictant sa conduite. – Détenir l'autorité hiérarchique sur. **2** Donner l'ordre de (qqch.) ; diriger (une action). **3** (sujet chose) Rendre absolument nécessaire. → **exiger, nécessiter.** **4** Demander à qqn par une commande (I). **II** v. tr. ind. *Commander à* **1** Donner à (qqn) ordre de ; exercer son autorité sur. **2** fig. *Commander à ses instincts,* les dominer. **III** v. intr. Exercer son autorité. **IV** v. tr. (sujet et compl. n. de chose) **1** Dominer en empêchant l'accès de. **2** Faire fonctionner.

**commandeur, euse** n. **1** n. m. Chevalier d'un ordre (militaire...). **2** Grade honorifique au-dessus de l'officier. **3** n. m. hist. *Commandeur des croyants :* calife.

**commandite** n. f. Société formée d'associés *(commanditaires)* qui avancent des fonds à d'autres (*commandités* ou gérants), seuls responsables de la gestion.

**commanditer** v. tr. [1] **1** Fournir des fonds à (une société). **2** Financer (un acte criminel). ► **commanditaire** n.

**commando** n. m. Groupe de combat employé pour les opérations isolées.

**comme I** conj. **1** (comparaison) De la même manière que, au même degré que. *Il écrit comme il parle.* ♦ *C'est tout comme :* c'est la même chose. ♦ fam. *Comme tout.* → **extrêmement.** *Joli comme tout.* **2** (addition) Ainsi que. *Cela comme le reste.* **3** (manière) De la manière que. *Comme il vous plaira.* **4** *Comme cela,* fam. *comme ça.* → **ainsi.** – fam. *Comme ci, comme ça,* ni bien ni mal. → **couci-couça. 5** Tel (telle) que. *Une intelligence comme la sienne.* **6** (attribution, qualité) En tant que, pour. *Comme directeur, il est efficace.* **II** conj. **1** cause → **parce que, puisque. 2** temps (simultanéité) → **alors** que, **tandis que. III** adv. **1** Marque l'intensité. → **combien, que.** *Comme c'est beau !* **2** en subordonnée → **comment.** *Regardez comme il court !*

**commedia dell'arte** [kɔmedjadɛlaʀt(e)] n. f. Genre de comédie italienne dans lequel les acteurs improvisaient.

**commémorer** v. tr. [1] Rappeler par une cérémonie le souvenir de (qqn, un événement). ► **commémoration** n. f. ► **commémoratif, ive** adj.

**commencement** n. m. **1** Ce qui vient d'abord (dans une durée, un processus) ; première partie. → **début. 2** Partie que l'on voit avant les autres (dans l'espace). **3** au plur. Premiers développements, débuts.

**commencer** v. [3] **I** v. tr. **1** Faire la première partie de (qqch.) ; faire exister (le premier temps d'une activité). → **entamer, entreprendre. 2** Être au commencement de. **3** v. tr. ind. *Commencer de, à* (+ inf.) : être aux premiers instants de. *Commencer de, à parler.* **II** v. intr. Entrer dans son commencement.

**commensal, ale, aux** n. didact. Personne qui mange à la même table qu'une autre.

**commensurable** adj. didact. (grandeur) Qui a une commune mesure avec une autre.

**comment I** adv. De quelle manière ; par quel moyen. **1** (interrog. dir.) *Comment allez-vous ?* **2** (interrog. indir.) *Je ne sais pas comment il va.* **II** n. m. invar. La manière. *Le pourquoi et le comment.* **III** adv. (étonnement, indignation) → **quoi.** *Comment ! tu es encore ici ?* ♦ *Comment donc !* (approbation).

**commentaire** n. m. Ensemble d'explications, de remarques à propos de qqch.

**commentateur, trice** n. Personne qui commente (un texte, un événement).

**commenter** v. tr. [1] Faire des remarques, des observations sur (un fait...).

**commérage** n. m. fam. Racontar.

**commerçant, ante 1** n. Personne qui fait du commerce. → **marchand, négociant. 2** adj. Qui a le sens du commerce. ♦ Où il y a de nombreux commerces.

**commerce** n. m. **I 1** Opération de vente, ou d'achat et de revente d'une marchandise, d'une valeur ; prestation de ce type de service. **2** Les commerçants. *Le petit commerce.* **3** Magasin de détail. **4** loc. vieilli *Faire commerce de ses charmes :* se prostituer. **II** littér. Relations avec autrui, dans la société. loc. *Être d'un commerce agréable.*

**commercer** v. intr. [3] Faire du commerce.

**commercial, iale, iaux** adj. **1** Qui a rapport au commerce. **2** péj. Conçu pour plaire au grand public. ► **commercialement** adv.

**commercialiser** v. tr. [1] **1** Faire de (qqch.) l'objet d'un commerce. **2** Mettre en vente. ► **commercialisation** n. f.

**commère** n. f. Personne qui sait et colporte toutes les nouvelles.

**commettre** v. tr. [56] **1** Accomplir, faire (une action blâmable ou regrettable). *Commettre une maladresse ; un crime* (→ **perpétrer**). **2** littér. *Commettre qqn à* (une fonction), le désigner pour (cette fonction). – **au p. p.** *Avocat commis d'office* (à la défense de qqn). ▷ v. pron. se **commettre** littér. Compromettre sa réputation, ses intérêts.

**comminatoire** adj. Destiné à intimider.

**commis** n. m. **1** Agent subalterne (administration...). ♦ loc. *Les grands commis de l'État :* les hauts fonctionnaires. **2** vieilli *Commis voyageur :* représentant de commerce.

**commisération** n. f. Pitié, compassion.

**commissaire** n. **1** Fonctionnaire, etc. chargé de fonctions spéciales. **2** *Commissaire aux comptes,* mandaté pour vérifier les comptes d'une société. **3** *Commissaire (de police),* fonctionnaire de police (supérieur à l'inspecteur).

**commissaire-priseur, euse** n. Officier ministériel chargé de l'estimation des objets mobiliers et de leur vente aux enchères. *Des commissaires-priseurs.*

**commissariat** n. m. **1** Fonction de commissaire. **2** Bureau d'un commissaire de police.

**commission** n. f. **I 1** didact. Charge, mandat. **2** Pourcentage qu'un intermédiaire perçoit pour sa rémunération. **3** Marchandise achetée, message transmis pour qqn d'autre. ♦ **au plur.** Provisions pour l'usage quotidien. **4** (enfantin) *Faire la grosse, la petite commission,* aller à la selle, uriner. **II** Réunion de personnes déléguées pour étudier un projet, préparer ou contrôler un travail. → **comité.**

**commissionnaire** n. **1** Personne qui agit pour le compte d'une autre, dans une opération commerciale. **2** → ② **coursier.**

**commissure** n. f. Point de jonction (des lèvres, des paupières).

① **commode** adj. **1** Adapté à l'usage qu'on en fait. → **pratique. 2** Facile, simple. *Un moyen commode.* **3** (personnes) *Pas com-*

*mode* : bourru, sévère. ► **commodément** adv.

② **commode** n. f. Meuble de rangement à hauteur d'appui, muni de tiroirs.

**commodité** n. f. **1** Qualité de ce qui est commode. **2** au plur. Ce qui rend la vie plus confortable, plus agréable.

**commotion** n. f. **1** Ébranlement violent (de l'organisme...) par un choc direct ou indirect. → **traumatisme. 2** Violente émotion.

**commotionner** v. tr. [1] (sujet chose) Frapper (qqn) d'une commotion.

**commuer** v. tr. [1] dr. Changer (une peine) en une peine moindre (→ **commutation**).

**commun, une** adj. **I 1** Qui appartient, qui s'applique à plusieurs personnes ou choses (opposé à *particulier, individuel*). **2** Qui se fait ensemble, à plusieurs. → **collectif.** ♦ *En commun* : ensemble. - *Mettre en commun* : partager. **3** Du plus grand nombre. → **général, public, universel.** *Le bien commun.* ♦ *Nom commun* : nom de tous les individus de la même espèce, correspondant à un concept (opposé à *nom propre*). ♦ (n. m.) loc. *Le commun des mortels,* la majorité. **II 1** Ordinaire (opposé à *exceptionnel*). ♦ (n. m.) *Hors du commun,* extraordinaire. **2** Qui se rencontre fréquemment. - loc. *Lieu* commun.* **3** Quelconque, vulgaire. **III** n. m. pl. Dépendances d'une propriété.

**communal, ale, aux** adj. D'une commune. ♦ n. f. *La communale,* l'école communale.

**communard, arde** n. et adj. hist. Partisan de la Commune de Paris, en 1871.

**communautaire** adj. D'une communauté ; propre à une communauté.

**communautarisme** n. m. Tendance à favoriser sa communauté, au sein d'un ensemble plus vaste.

**communauté** n. f. **I 1** Groupe social dont les membres vivent ensemble, ou ont des intérêts communs. ♦ Groupe d'États. *La Communauté européenne.* **2** Groupe (de religieux) vivant ensemble. **II** État, caractère de ce qui est commun. *Communauté d'intérêts.* **III** dr. Régime matrimonial où certains biens des époux sont communs.

**commune** n. f. **1** La plus petite subdivision administrative du territoire français. → **municipalité. 2** hist. *La Commune de Paris,* la municipalité qui devint Gouvernement révolutionnaire (en 1789, en 1871). ♦ *Chambre des communes,* chambre élective, en Grande-Bretagne.

**communément** adv. Suivant l'usage commun, ordinaire, habituel.

**communiant, ante** n. Personne qui communie (1).

**communicant, ante** adj. Qui communique (III). *Vases* communicants.*

> Ne pas confondre avec *communiquant,* p. prés. de *communiquer.*

**communicateur, trice 1** adj. Qui met en communication. **2** n. Personne habile en communication (I, 4).

**communicatif, ive** adj. **1** Qui se communique facilement. *Rire communicatif.* **2** (personnes) → **expansif, exubérant.**

**communication** n. f. **I 1** Fait de communiquer, d'établir une relation avec (qqn, qqch.). ♦ sc. Échange de signes, de messages entre un émetteur et un récepteur. **2** Action de communiquer qqch. à qqn ; résultat de cette action. → **information. 3** Moyen technique par lequel des personnes communiquent. **4** Ensemble des techniques médiatiques d'information et de publicité. **II** Ce qui permet de communiquer (III) dans l'espace ; passage. *Moyens de communication.* → **transport.**

**communier** v. intr. [7] **1** relig. chrét. Recevoir le sacrement de l'eucharistie. **2** Être en accord (→ **communion** (3)).

**communion** n. f. **1** relig. chrét. Fait de communier. **2** Union de ceux qui ont la même religion. **3** Accord, union (des esprits...). *Être en communion d'idées avec qqn.*

**communiqué** n. m. Avis au public.

**communiquer** v. [1] **I** v. tr. **1** Faire connaître (qqch. à qqn). *Communiquer un renseignement à qqn.* **2** Faire partager. *Il nous a communiqué sa joie.* **3** (sujet chose) Transmettre (qqch.). **II** v. intr. **1** Être, se mettre en relation. *Communiquer par mail.* **2** Exercer les techniques de communication (4). **III** v. intr. (choses) Être en rapport avec, par un passage. *Chemins qui communiquent.*

**communisant, ante** adj. et n. Qui sympathise avec les communistes.

**communisme** n. m. **1** vx Organisation fondée sur la propriété collective. → **collectivisme. 2** (marxisme) Système où les biens de production appartiennent à la communauté et qui tend à la disparition des classes sociales. **3** Idéologie communiste.

**communiste** adj. **1** Du communisme. **2** Qui se réclame du marxisme. **3** adj. et n. Partisan du communisme. - Membre d'un parti communiste.

**communs** n. m. pl. → **commun** (III)

**commutateur** n. m. Appareil permettant de modifier un circuit électrique ou les connexions entre circuits. → **interrupteur.**

**commutation** n. f. **1** didact. Substitution. **2** dr. *Commutation de peine* (→ **commuer**).

**commuter** v. intr. [1] Modifier, changer par une commutation (1).

**compact, e** [-akt] adj. **1** Qui est formé de parties serrées. → **dense. 2** (appareils) D'un faible encombrement relatif. ♦ *Disque* compact.* ► **compacité** n. f. didact.

**compacter** v. tr. [1] Faire réduire de volume en comprimant. ► **compactage** n. m.

**compagne** n. f. **1** Camarade (femme). **2** Épouse, concubine, maîtresse.

**compagnie** n. f. **1** Présence auprès de qqn, fait d'être avec qqn. - *En compagnie de* : avec. - *Fausser compagnie à qqn.* → **quitter.** *Tenir compagnie à qqn,* rester auprès de lui. - *Dame de compagnie,* qui reste auprès de qqn. **2** vx Réunion, assemblée. - loc. fam. *Salut la compagnie !* **3** Association de personnes que rassemblent des statuts communs. → **entreprise, société.** ♦ Troupe de spectacle permanente. **4** milit. Unité d'infanterie commandée par un capitaine. ♦ *Compagnies républicaines de sécurité,* forces chargées du maintien de l'ordre. → **C. R. S.**

**compagnon** n. m. **1** Camarade (homme). ♦ Époux, concubin, amant. **2** Celui qui n'est plus apprenti et n'est pas maître, dans certains métiers.

**compagnonnage** n. m. Organisation d'ouvriers, d'artisans caractérisée par la formation professionnelle et la solidarité.

**comparable** adj. Qui peut être comparé. → **analogue.**

**comparaison** n. f. **1** Fait d'envisager ensemble (des objets de pensée) pour les comparer. - *Adverbes de comparaison* (ex. comme, plus, moins, autant). **2** Rapport établi entre un objet et un autre terme, dans le langage. → **image, métaphore.**

**comparaître** v. intr. [57] dr. Se présenter par ordre. *Comparaître en justice.*

**comparatif, ive** adj. Qui contient ou établit une comparaison. ♦ n. m. gramm. *Comparatif de supériorité* (→ **plus**), *d'égalité* (→ **aussi**), *d'infériorité* (→ **moins**).

**comparatiste** adj. didact. Relatif aux études comparées (*comparatisme* n. m.). - n. Spécialiste de ces études.

**comparativement** adv. Par comparaison, par rapport.

**comparé, ée** adj. Qui étudie les rapports entre des objets d'étude. *Littérature comparée,* étudiant les échanges entre littératures.

**comparer** v. tr. [1] **1** Examiner les rapports de ressemblance et de différence (entre des choses ou personnes). **2** Mettre en parallèle. *Comparer la vie à un roman.*

**comparse** n. Personnage dont le rôle est insignifiant.

**compartiment** n. m. **1** Division pratiquée dans un espace pour ranger en séparant. *Tiroir à compartiments.* ♦ Division d'une voiture de chemin de fer (voyageurs), délimitée par des cloisons. **2** Subdivision (d'une surface) par des figures régulières.

**compartimenter** v. tr. [1] **1** Diviser en compartiments. → **cloisonner. 2** Diviser en catégories. ► **compartimentage** n. m.

**comparution** n. f. Action de comparaître.

**compas** n. m. **1** Instrument à deux branches mobiles, pour prendre des mesures ou tracer des cercles. - loc. *Avoir le compas dans l'œil* : estimer avec précision. **2** Instrument de navigation indiquant le nord et la direction du bateau. → **boussole.**

**compassé, ée** adj. Affecté et guindé.

**compassion** n. f. Sentiment qui porte à plaindre autrui et à partager sa douleur.

**compatible** adj. Qui peut s'accorder avec autre chose, exister en même temps. → **conciliable.** ► **compatibilité** n. f.

**compatir** v. tr. ind. [2] *Compatir à* : avoir de la compassion pour (une souffrance). ► **compatissant, ante** adj. → **humain, sensible.**

**compatriote** n. Personne originaire du même pays qu'une autre.

**compendieux, ieuse** adj. Concis, laconique. ► **compendieusement** adv.

**compensateur, trice** adj. Qui compense. *Indemnité compensatrice.* → **compensatoire.**

**compensation** n. f. **1** Avantage qui compense (un désavantage). → **dédommagement. 2** Action, fait de compenser. *Compensation entre les gains et les pertes.*

**compensatoire** adj. Qui compense.

**compensé, ée** adj. Équilibré. ♦ *Semelle compensée,* formant un bloc avec le talon.

**compenser** v. tr. [1] Équilibrer (un effet, souvent négatif, par un autre).

**compère** n. m. **1** fam. et vieilli Ami, camarade. **2** Complice d'une supercherie.

**compère-loriot** n. m. Orgelet. *Des compères-loriots.*

**compétence** n. f. **1** Connaissance approfondie et reconnue (dans une matière). **2** dr. Aptitude légale (à instruire, à juger...).

**compétent, ente** adj. **1** Qui a de la compétence. **2** dr. Qui a la compétence (2).

**compétiteur, trice** n. Personne qui entre en compétition. → **concurrent.**

**compétitif, ive** adj. Qui supporte la concurrence du marché. ► **compétitivité** n. f.

**compétition** n. f. **1** Recherche simultanée par des personnes d'un même résultat, d'un même avantage. → **concurrence. 2** Épreuve sportive entre des concurrents.

**compilateur, trice I** n. **1** didact. Personne qui réunit des documents. **2** péj. Plagiaire. **II** n. m. inform. Programme qui en traduit un autre en «langage machine».

**compilation** n. f. **1** didact. Rassemblement de documents. **2** inform. Traduction (d'un programme) par un compilateur. **3** Enregistrement réunissant des morceaux à succès. - syn. fam. **compil** ou **compile** n. f.

**compiler** v. tr. [1] I Rassembler (des documents) pour former un recueil. II inform., anglic. Traduire en «langage machine».

**complainte** n. f. 1 vx ou littér. Plainte. 2 Chanson populaire de caractère plaintif.

**complaire** v. tr. ind. [54] 1 littér. *Complaire à qqn,* lui être agréable. 2 *Se complaire (à, dans)* v. pron. : trouver son plaisir à, dans.

**complaisance** n. f. 1 Disposition à s'accommoder aux goûts, aux sentiments d'autrui pour lui plaire. ♦ péj. *Certificat de complaisance,* délivré à qqn qui n'y a pas droit. 2 Satisfaction ou faiblesse vaniteuse.

**complaisant, ante** adj. 1 Qui a de la complaisance (1). → **empressé, prévenant.** ♦ péj. Trop indulgent. 2 Qui a ou témoigne de la complaisance (2). ► **complaisamment** adv.

**complément** n. m. 1 Ce qui s'ajoute ou doit s'ajouter à une chose pour qu'elle soit complète. 2 Mot ou proposition rattaché(e) à un(e) autre pour en compléter ou préciser le sens. *Complément du nom, du verbe...* 3 géom. *Complément d'un angle,* ce qu'on ajoute pour obtenir un angle droit.

**complémentaire** adj. 1 Qui apporte un complément. 2 géom. Qui constitue un complément (3). 3 *Couleurs complémentaires,* dont la combinaison donne la lumière blanche. ► **complémentarité** n. f.

**complémenter** v. tr. [1] Rendre complet par un complément. → **compléter.** ► **complémentation** n. f.

**complet, ète** I adj. 1 Auquel ne manque aucun des éléments qui doivent le constituer. *Œuvres complètes. – Pain complet,* au son. 2 Qui a un ensemble achevé de caractères, de qualités. *Destruction complète.* → **total.** 3 *C'est un complet idiot.* → **parfait.** 4 Tout à fait réalisé. *Obscurité complète.* → **absolu.** ♦ Écoulé. *Dix années complètes.* 5 Qui n'a plus de place disponible. *Train complet.* II n. m. 1 *Au (grand) complet :* en entier. → **intégralement.** 2 vieilli Vêtement masculin en pièces assorties. → **costume.**

**complètement** adv. 1 D'une manière complète. → **entièrement.** 2 Tout à fait.

**compléter** v. tr. [6] 1 Rendre complet. *Compléter une collection.* 2 v. pron. (récipr.) Se parfaire en s'associant (→ **complémentaire**). – (passif) Être complété.

**complétif, ive** adj. et n. f. (Proposition) qui joue le rôle d'un complément.

**complétude** n. f. Caractère complet.

**complexe** I adj. 1 Qui contient, réunit des éléments différents. *Réflexion complexe.* ♦ math. *Nombre complexe,* à partie réelle et partie imaginaire. 2 Difficile, compliqué. II n. m. psych. Ensemble des traits personnels, acquis dans l'enfance, doués d'une puissance affective et généralement inconscients. *Complexe d'Œdipe,* attachement érotique de l'enfant au parent du sexe opposé. ♦ cour. Sentiment d'infériorité ; inhibition. III n. m. Grand ensemble de bâtiments.

**complexé, ée** adj. Timide, inhibé.

**complexer** v. tr. [1] fam. Donner des complexes (II), un sentiment d'infériorité à (qqn). → **inhiber.**

**complexifier** v. tr. [7] Rendre complexe. ► **complexification** n. f.

**complexion** n. f. littér. Constitution, tempérament. *Complexion délicate.* → **nature.**

**complexité** n. f. État, caractère de ce qui est complexe. → **complication, difficulté.**

**complication** n. f. 1 Caractère de ce qui est compliqué. 2 Circonstances amenant des difficultés. 3 au plur. Phénomènes morbides nouveaux, au cours d'une maladie.

**complice** I adj. 1 Qui participe avec qqn à une action répréhensible. 2 Qui favorise qqch. – *Sourire complice.* → **amical ; entendu.** II n. *Les complices du crime.*

**complicité** n. f. 1 Participation au délit, etc. commis par un autre. 2 Entente profonde, spontanée entre personnes.

**complies** n. f. pl. relig. cathol. Dernière heure de l'office divin (après les vêpres).

**compliment** n. m. 1 Paroles louangeuses que l'on adresse à qqn pour le féliciter. → **éloge.** 2 Paroles de politesse. 3 Petit discours à qqn, pour lui faire honneur.

**complimenter** v. tr. [1] Faire un compliment, des compliments à. → **féliciter.** ► **complimenteur, euse** adj. → **louangeur.**

**compliqué, ée** adj. 1 Qui possède de nombreux éléments difficiles à analyser. → **complexe ; confus.** 2 Difficile à comprendre. 3 Qui aime la complication.

**compliquer** v. tr. [1] Rendre compliqué.

**complot** n. m. Projet concerté secrètement (contre qqn, une institution).

**comploter** v. [1] 1 v. tr. ind. *Comploter de* (+ inf.) : préparer par un complot. 2 v. tr. dir. Préparer secrètement, à plusieurs. → **manigancer.** *Que complotez-vous ?* 3 v. intr. Conspirer. ► **comploteur, euse** n.

**complotiste** adj. et n. (Personne) qui défend la théorie d'un complot organisé pour manipuler l'opinion. → **conspirationniste.** ► **complotisme** n. m.

**componction** n. f. Gravité affectée.

**comportement** n. m. 1 Manière de se comporter. → **attitude, conduite.** 2 psych. Ensemble des réactions observables. ► **comportemental, ale, aux** adj.

**comportementalisme** n. m. → **behaviorisme.** ► **comportementaliste** n. et adj.

**comporter** v. tr. [1] 1 Inclure en soi ou être la condition de. → **contenir, impliquer.** 2 concret Comprendre en soi. → **avoir ;** se **composer** de. ▷ v. pron. **se comporter** Se conduire, agir d'une certaine manière.

**composant, ante** 1 adj. Qui entre dans la composition de qqch. 2 n. m. chim. Élément d'un corps composé. ♦ techn. Élément d'un circuit électronique.

**composante** n. f. Élément (d'un ensemble complexe). *Les composantes d'une idée.*

**composé, ée** adj. **1** Formé de plusieurs éléments. ♦ chim. *Corps composé,* formé par la combinaison d'atomes différents. – n. m. *Composé chimique.* ♦ ling. *Mot composé,* formé de plusieurs mots ou d'un élément (préfixe, etc.) et d'un mot (ex. antigel, chou-fleur). ♦ *Temps composé,* formé d'un auxiliaire et du participe passé. **2** n. m. Ensemble formé de parties différentes.

**composées** n. f. pl. bot. Très vaste famille de plantes dicotylédones aux fleurs groupées en capitules (ex. l'artichaut, le bleuet).

**composer** v. [1] **I** v. tr. **1** Former par la réunion d'éléments. *Composer un menu. Composer un poème.* → **créer. 2** imprim. Assembler des caractères pour former (un texte). → **photocomposer. 3** Élaborer, adopter (une apparence...). *Composer son attitude.* **4** (sujet chose) Constituer en tant qu'élément. **II** v. intr. **1** S'accorder (avec qqn ou qqch.) en faisant des concessions. **2** Faire une composition scolaire. ▷ v. pron. **se composer** (de) Être formé de.

**composite** adj. Formé d'éléments très différents.

**compositeur, trice** n. **I** Personne qui compose (I, 1) des œuvres musicales. **II** Personne qui compose (I, 2) un texte.

**composition** n. f. **I 1** Action ou manière de former un tout en assemblant des éléments ; disposition des éléments. *La composition d'un mélange ; d'une assemblée.* **2** imprim. Action de composer (I, 2) un texte. **II 1** Action, manière de composer (une œuvre d'art) ; cette œuvre. **2** Exercice scolaire de français et de littérature. → **dissertation, rédaction.** ♦ vieilli Devoir sur table. → **contrôle. III** vieilli Accord (entre personnes). – loc. mod. *Être de bonne composition,* accommodant.

**compost** [kɔ̃pɔst] n. m. Engrais obtenu par la fermentation de résidus organiques et minéraux.

① **composter** v. tr. [1] Transformer en compost. ► **compostable** adj.

② **composter** v. tr. [1] Perforer, valider à l'aide d'un composteur. *Composter son billet de train.*

① **composteur** n. m. Bac où l'on dépose des matières organiques pour en faire du compost.

② **composteur** n. m. Appareil mécanique servant à perforer ou marquer des titres de transport, etc.

**compote** n. f. **1** Fruits écrasés, cuits avec de l'eau et du sucre. → **marmelade. 2** fam. *Avoir les membres en compote,* douloureux.

**compotier** n. m. Plat en forme de coupe.

**compréhensible** adj. **1** Qui peut être compris. → **intelligible. 2** Qui s'explique facilement. *Réaction compréhensible.*

**compréhensif, ive** adj. Qui comprend autrui. → **bienveillant, indulgent, tolérant.**

**compréhension** n. f. **I 1** Faculté de comprendre, de percevoir par l'esprit. **2** (choses) Possibilité d'être compris. **II** Qualité par laquelle on comprend autrui.

**comprendre** v. tr. [58] **I 1** (sujet chose) Contenir en soi. → **comporter,** se **composer** de. **2** (sujet personne) Faire entrer dans un ensemble. → **intégrer. II** (sujet personne) **1** Avoir une idée de ; saisir le sens de. *Comprendre une explication.* – *Comprendre qqn,* ce qu'il dit, écrit. **2** Se faire une idée claire des motifs de (qqch.). **3** Se rendre compte de (qqch.). → **voir.** *Il comprit la gravité de la situation.* **4** Avoir une attitude compréhensive envers (qqch., qqn). *Personne ne me comprend.* ▷ v. pron. **se comprendre**

**comprenette** n. f. fam. Intelligence.

**compresse** n. f. Morceau de linge fin que l'on applique sur une partie malade.

**compresseur 1** n. m. Appareil qui comprime un gaz. **2** adj. m. *Rouleau* compresseur.*

**compressible** adj. **1** Qui peut être comprimé. *L'air est compressible.* **2** fig. Qui peut être diminué. ► **compressibilité** n. f.

**compression** n. f. **1** Action de comprimer (1). **2** Réduction forcée.

**comprimé, ée I** adj. Diminué de volume par pression. *Air comprimé.* **II** n. m. Pastille pharmaceutique (poudre comprimée).

**comprimer** v. tr. [1] **1** Exercer une pression sur (qqch.) et en diminuer le volume. **2** vieilli Empêcher de se manifester. *Comprimer ses larmes.* → **refouler, retenir. 3** Réduire (une dépense ; un effectif).

**compris, ise** adj. **1** Contenu dans qqch. → **inclus.** *Service compris.* – *Il s'est fâché avec sa famille, y compris sa sœur* (*sa sœur y comprise* ou *sa sœur comprise*). **2** Dont le sens, les raisons, les idées sont saisis.

**compromettre** v. tr. [56] **1** Mettre dans une situation critique (en exposant au jugement d'autrui). – au p. p. *Être compromis dans une affaire.* **2** Mettre en péril, nuire à. ► **compromettant, ante** adj. *Document compromettant.*

**compromis** n. m. Arrangement dans lequel on se fait des concessions mutuelles.

**compromission** n. f. **1** Action par laquelle qqn est compromis. **2** Acte par lequel on transige avec ses principes.

**comptabiliser** [kɔ̃t-] v. tr. [1] Inscrire dans la comptabilité. ♦ fig. Évaluer. ► **comptabilisation** n. f.

**comptabilité** [kɔ̃t-] n. f. **1** Tenue des comptes ; comptes tenus selon les règles. **2** Service chargé d'établir les comptes.

**comptable** [kɔ̃t-] **I** adj. **1** littér. Qui a des comptes à rendre. **2** De la comptabilité. **II** n. Professionnel qui tient les comptes.

**comptage** [kɔ̃t-] n. m. Fait de compter.

**comptant** [kɔ̃t-] **1** adj. m. Que l'on peut compter immédiatement ; disponible. *Argent comptant,* payé immédiatement et en espèces. – loc. *Prendre qqch. pour argent* comptant.* **2** n. m. loc. *Au comptant :* en réglant d'un seul coup la somme due. **3** adv. *Payer, régler comptant,* au comptant.

**compte** [kɔ̃t] n. m. **1** Action d'évaluer une quantité ; cette quantité. **2** Énumération, calcul des recettes et des dépenses (→ **comptabilité**). – prov. *Les bons comptes font les bons amis.* ♦ État de l'avoir et des dettes d'une personne, dans une banque... **3** Argent dû. *Pour solde de tout compte.* ♦ loc. fig. *Régler son compte à qqn,* lui faire un mauvais parti. – *Son compte est bon :* il aura ce qu'il mérite. **4** loc. *À bon compte :* à bon prix ; fig. sans trop de dommage. ♦ *Trouver son compte à qqch.* → **avantage, profit. 5** loc. *À ce compte-là :* d'après ce raisonnement. *Au bout du compte :* tout bien considéré. *En fin de compte :* après tout. – *Être loin du compte :* se tromper de beaucoup. – *Tout compte fait :* tout bien considéré. **6** loc. *Au compte de, pour le compte de qqn,* pour lui. *Travailler à son compte :* être son propre patron. **7** *Tenir compte de :* prendre en considération. **8** Explication, information. *Demander, rendre des comptes.* – *Rendre compte de :* rapporter, relater (→ **compte rendu**). – *Se rendre compte.* → s'**apercevoir, comprendre.**

**compte-fils** [-fil] n. m. Forte loupe.

**compte-gouttes** n. m. Petite pipette pour doser des médicaments. *Des compte-gouttes.* – loc. *Au compte-gouttes :* avec parcimonie.

**compter** [kɔ̃te] v. [1] **I** v. tr. **1** Déterminer (une quantité) par le calcul ; établir le nombre de. → **chiffrer, dénombrer, évaluer. 2** Mesurer avec parcimonie. *Compter l'argent que l'on dépense.* **3** Prévoir, évaluer (une quantité, une durée). **4** Comprendre dans un compte, un total. → **inclure. 5** (+ inf.) Avoir l'intention de. → **espérer, penser.** – *Compter que* (+ indic.). → s'**attendre** à. **6** *Compter* (qqn, qqch.) *pour :* considérer comme. ♦ *Sans compter que :* sans considérer que. **II** v. intr. **1** Calculer. *Compter sur ses doigts.* **2** *Compter avec qqn, qqch.,* tenir compte de. **3** *Compter sur :* s'appuyer sur. *Comptez sur moi.* **4** Avoir de l'importance. → **importer. 5** Être (parmi). *Compter parmi, au nombre de.* → **figurer. 6** *À compter de :* à partir de.

**compte rendu** n. m. Texte par lequel on rend compte, on expose. *Des comptes rendus.*

**compte-tours** n. m. invar. Appareil comptant les tours de l'arbre d'un moteur.

**compteur** [kɔ̃t-] n. m. Appareil servant à compter, à mesurer. *Compteur de vitesse. Compteur Geiger* (de radioactivité). ♦ loc. fig. et fam. *Au compteur :* dans son existence. *Avoir cinq victoires au compteur.*

**comptine** [kɔ̃t-] n. f. Formule enfantine, chantée, parlée ou scandée.

**comptoir** [kɔ̃t-] n. m. **1** Support long et étroit sur lequel le marchand reçoit l'argent, etc. – (cafés) → **bar, zinc. 2** hist. Installation commerciale dans un pays éloigné. **3** Entente entre producteurs pour la vente ; entreprise commerciale, financière.

**compulser** v. tr. [1] Consulter, feuilleter.

**compulsion** n. f. psych. Acte que le sujet est forcé d'accomplir sous peine d'angoisse, de culpabilité. ► **compulsif, ive** adj.

**comput** [-yt] n. m. hist. ou relig. Calcul du calendrier des fêtes mobiles.

**comte** n. m. Titre de noblesse (après le marquis et avant le vicomte).

① **comté** n. m. **1** Domaine qui conférait le titre de comte. **2** Circonscription administrative, dans les pays anglo-saxons.

② **comté** n. m. Fromage de Franche-Comté voisin du gruyère. – var. **conté.**

**comtesse** n. f. Femme possédant un comté. – Femme d'un comte.

**con, conne** fam. et vulg. **I** n. m. Sexe de la femme. **II 1** n. et adj. Imbécile, idiot. **2** *À la con* loc. adj. : mal fait, inepte.

**conard, arde** adj. et n. vulg. Con (II, 1). – var. **connard, arde.**

**conasse** n. f. très fam. Femme idiote et désagréable. – var. **connasse.**

**concasser** v. tr. [1] Réduire (un solide) en petits fragments. ► **concassage** n. m.

**concaténation** n. f. didact. Enchaînement (de termes).

**concave** adj. Courbé en creux (opposé à *convexe*). ► **concavité** n. f.

**concéder** v. tr. [6] **I** Accorder (qqch.) à qqn comme une faveur. **II** Céder sur (un point). → **concession** (II).

**concentration** n. f. **I 1** Réunion dans un même lieu. → **accumulation.** – *Camp* de concentration.* **2** chim. Proportion d'un composant dans un mélange. **II** Application de l'effort intellectuel sur un seul objet.

**concentrationnaire** adj. Relatif aux camps de concentration.

**concentrer** v. tr. [1] **I 1** Réunir en un point (ce qui était dispersé). **2** Augmenter la concentration (I, 2) de. **II** Appliquer avec force sur un seul objet. *Concentrer son énergie, son attention.* ▷ v. pron. se **concentrer** ▷ adj. **concentré, ée I** *Lait concentré.* – n. m. *Concentré de tomate.* **II** → **attentif.**

**concentrique** adj. **1** (cercles, sphères...) Qui a un même centre. **2** (mouvement) → **centripète.** ► **concentriquement** adv.

**concept** [-ɛpt] n. m. Idée générale ; représentation abstraite d'un objet ou d'un ensemble d'objets ayant des caractères communs. → **notion.** *Le concept de liberté.*

**concepteur, trice** n. Personne chargée de trouver des idées nouvelles (publicité...).

**conception** n. f. I Formation d'un nouvel être dans l'utérus maternel à la suite de la réunion d'un spermatozoïde et d'un ovule ; moment où un enfant est conçu. → **fécondation.** II Action de concevoir (II). ♦ Manière de concevoir qqch., d'en juger.

**conceptualiser** v. [1] didact. **1** v. intr. Élaborer des concepts. **2** v. tr. Organiser en concepts. ► **conceptualisation** n. f.

**conceptuel, elle** adj. **1** Du concept. **2** *Art conceptuel,* privilégiant l'idée.

**concernant** prép. À propos, au sujet de.

**concerner** v. tr. [1] **1** (sujet chose) Avoir rapport à, s'appliquer à. – *En ce qui concerne...* → **quant** à. **2** passif et p. p. Être intéressé, touché (par qqch.).

**concert** n. m. I Séance musicale. *Un concert de rock.* II **1** loc. adv. *De concert :* en accord. → de **conserve.** **2** *Un concert de louanges :* des louanges nombreuses.

**concertant, ante** adj. mus. Qui exécute une partie. ♦ *Symphonie concertante :* concerto à plusieurs solistes.

**concertation** n. f. Fait de se concerter.

**concerter** v. tr. [1] **1** Projeter ensemble, en discutant. → **organiser.** **2** Décider après réflexion. → **calculer.** ▷ v. pron. se **concerter** S'entendre pour agir de concert.

**concertiste** n. Musicien, instrumentiste qui donne des concerts.

**concerto** n. m. Composition de forme sonate, pour orchestre et instrumentiste.

**concession** n. f. I Action de concéder (un droit, une terre, spécialt du domaine public) ; droit concédé. – (dans un cimetière) *Concession à perpétuité.* II **1** Fait d'abandonner à son adversaire un point de discussion. **2** gramm. Opposition, restriction (par des termes dits *concessifs*).

**concessionnaire** n. **1** Personne qui a obtenu une concession. – adj. *Société concessionnaire.* **2** Intermédiaire qui a reçu un droit exclusif de vente dans une région.

**concevable** adj. Qu'on peut concevoir (II).

**concevoir** v. tr. [28] I Former (un enfant) par la conception* ; devenir, être enceinte. II **1** Former (une idée, un concept). *«Ce que l'on conçoit bien s'énonce clairement»* (Boileau). **2** Avoir une idée claire de. → **comprendre, saisir.** **3** Créer par l'imagination. → **inventer.** **4** littér. Éprouver (un état affectif). *Concevoir de l'amitié pour qqn.*

**conchier** v. tr. [7] fam. et vulg. Souiller d'excréments.

**concierge** n. **1** Personne qui a la garde d'un immeuble. **2** Employé(e) d'un grand hôtel qui accueille les clients.

**conciergerie** n. f. Logement de concierge (d'un château...). ♦ Réception d'un hôtel.

**concile** n. m. Assemblée d'évêques.

**conciliable** adj. Que l'on peut concilier.

**conciliabule** n. m. Conversation où l'on chuchote (pour se confier des secrets...).

**conciliaire** adj. D'un concile.

**conciliation** n. f. **1** Action de concilier (des personnes, des opinions, des intérêts). **2** Règlement amiable d'un conflit.

**concilier** v. tr. [7] **1** Faire aller ensemble, rendre harmonieux (ce qui était très différent, contraire). **2** littér. Mettre d'accord (des personnes). **3** *Se concilier qqn,* le disposer favorablement envers soi. ► **conciliant, ante** adj. → **accommodant.** ► **conciliateur, trice** n. → **arbitre, médiateur.**

**concis, ise** adj. Qui s'exprime en peu de mots. ► **concision** n. f.

**concitoyen, enne** n. Citoyen du même État, d'une même ville (qu'un autre).

**conclave** n. m. Assemblée des cardinaux pour élire un nouveau pape.

**concluant, ante** adj. Qui apporte une preuve irréfutable. → **probant.**

**conclure** v. tr. [35] I v. tr. dir. **1** Amener à sa fin par un accord. – au p. p. *Marché conclu !* **2** Terminer, achever. **3** Tirer (une conséquence) de. → **déduire.** II v. tr. ind. *Conclure à :* tirer (une conclusion, un enseignement). *On conclut à l'assassinat.*

**conclusion** n. f. **1** Arrangement final (d'une affaire). **2** Fin, achèvement. ♦ Ce qui termine (un ouvrage...). **3** Jugement qui suit un raisonnement. *Tirer une conclusion de qqch.* – loc. adv. *En conclusion :* pour conclure.

**concocter** v. tr. [1] plais. Élaborer.

**concombre** n. m. Plante rampante (cucurbitacée) ; son fruit (légume).

**concomitant, ante** adj. Qui coïncide avec (un autre fait). → **simultané.**

**concordance** n. f. **1** Fait d'être semblable, de tendre au même résultat. → **accord, correspondance.** **2** gramm. *Concordance des temps :* règle subordonnant le choix du temps du verbe dans certaines complétives à celui de la proposition complétée (ex. je veux qu'il vienne ; je voulais qu'il vînt).

**concordat** n. m. Accord écrit (spécialt entre le pape et un État). ► **concordataire** adj.

**concorde** n. f. littér. Paix qui résulte de la bonne entente ; union des volontés.

**concorder** v. intr. [1] **1** Être semblable ; correspondre au même contenu. **2** Pouvoir s'accorder. *Nos projets concordent.* ► **concordant, ante** adj.

**concourir** v. [11] I v. tr. ind. *Concourir à :* tendre à (un but commun). II v. intr. **1** didact. (directions) Converger. **2** (personnes) Entrer en compétition (→ **concurrent**).

**concours** n. m. I Fait d'aider, de participer. *Prêter son concours à un projet.* II loc. *Concours de circonstances :* rencontre de circonstances (heureuse ou non). → **coïnci-**

**dence. III** Épreuve, compétition pour un nombre limité de places.

**concret, ète I** adj. **1** Qui peut être perçu par les sens ou imaginé ; qui correspond à un élément de la réalité (s'oppose à *abstrait*). ♦ *Des avantages concrets.* → **réel. 2** *Musique concrète,* faite d'éléments sonores préexistants. **II** n. m. Qualité de ce qui est concret ; ensemble des choses concrètes. → **réel.**

**concrètement** adv. **1** Relativement à ce qui est concret. **2** En fait, en pratique.

**concrétion** n. f. Agrégation en un corps solide ; ce corps. *Concrétion calcaire.*

**concrétiser** v. tr. [1] Rendre concret (ce qui était abstrait). ▷ v. pron. se **concrétiser** → se **réaliser.** ► **concrétisation** n. f.

**conçu, ue** Participe passé de *concevoir.*

**concubinage** n. m. État de personnes (*concubin, ine* n.) qui vivent en couple sans être mariées. → **union** libre.

**concupiscence** n. f. **1** relig. Désir des biens et plaisirs terrestres. **2** vieilli ou plais. Désir sexuel. ► **concupiscent, ente** adj.

**concurremment** [-amɑ̃] adv. Conjointement, de concert.

**concurrence** n. f. **I 1** littér. Rivalité entre des personnes, des forces poursuivant un même but. **2** Rapport entre producteurs, commerçants qui se disputent une clientèle. – *Prix défiant toute concurrence,* très bas. ♦ L'ensemble des concurrents. **II** loc. *Jusqu'à concurrence de :* jusqu'à ce qu'une somme en égale une autre.

**concurrencer** v. tr. [3] Être en concurrence avec, faire concurrence à (qqn, qqch.).

**concurrent, ente** n. **1** Personne en concurrence avec d'autres. **2** Fournisseur, commerçant en concurrence avec d'autres. – adj. *Entreprises concurrentes.*

**concurrentiel, ielle** adj. Où la concurrence (2) s'exerce. ♦ *Prix concurrentiels.* → **compétitif.**

**concussion** n. f. Malversation d'un fonctionnaire. ► **concussionnaire** adj.

**condamnable** [-dɑn-] adj. Qui mérite d'être condamné. → **blamâble, répréhensible.**

**condamnation** [-dɑn-] n. f. **1** Décision de justice qui condamne qqn. **2** Action de blâmer (qqn ou qqch.).

**condamné, ée** [-dɑn-] adj. **1** Que la justice a condamné. – n. *Un(e) condamné(e).* **2** Qui n'a aucune chance de guérison. **3** Obligé (à).

**condamner** [-dɑn-] v. tr. [1] **I 1** Frapper (qqn) d'une peine par un jugement. **2** Obliger (à une chose pénible). *Condamner qqn au silence.* **3** Interdire formellement. *La loi condamne la bigamie.* **4** Blâmer avec rigueur. → **réprouver. II** Faire en sorte qu'on n'utilise pas (un lieu, un passage).

**condensateur** n. m. Appareil accumulant de l'énergie électrique. → **accumulateur.**

**condensation** n. f. Phénomène par lequel un gaz, une vapeur se condense.

**condenser** v. tr. [1] **1** Rendre (un fluide) plus dense. – pronom. *L'humidité se condense en buée.* **2** fig. Ramasser (l'expression de la pensée). ▷ adj. **condensé, ée 1** *Lait condensé.* → **concentré. 2** *Texte condensé.*

**condenseur** n. m. techn. Appareil où se fait une condensation.

**condescendance** n. f. Supériorité bienveillante mêlée de mépris. ► **condescendant, ante** adj. → **hautain.**

**condescendre** v. tr. ind. [41] *Condescendre à :* daigner consentir à.

**condiment** n. m. Substance de saveur forte, pour relever le goût des aliments.

**condisciple** n. m. Compagnon d'études.

**condition** n. f. **I 1** Rang social. **2** Situation où se trouve un être vivant (notamment l'être humain). «*La Condition humaine*» (roman de Malraux). **3** État passager, relativement au but visé. *Être en bonne condition pour,* dans un état favorable à. **4** loc. *Mettre en condition :* préparer (qqn), spécialt par la propagande. → **conditionner. II 1** État, situation, fait dont l'existence est indispensable pour qu'un autre existe. *Condition nécessaire.* – *Dicter ses conditions.* → **exigence.** – *Se rendre sans condition :* sans restriction. – *Sous condition :* en respectant certaines conditions. ♦ *À condition de* loc. prép. ; *à condition que* loc. conj. → **si ; moyennant, pourvu** que. **2** au plur. Ensemble de faits dont dépend qqch. → **circonstance.** *Conditions de vie.* – *Dans ces conditions :* dans ce cas. – *Conditions* (de paiement) *avantageuses.*

**conditionné, ée** adj. **I 1** Soumis à des conditions. **2** Qui a subi un conditionnement. **II** anglic. *Air* conditionné.*

**conditionnel, elle 1** adj. Qui dépend de certaines conditions. **2** n. m. gramm. Mode du verbe exprimant un état, etc. subordonné à une condition (ex. j'*irais* si vous le vouliez). – La même forme, exprimant le futur du passé, dans la concordance des temps (ex. j'affirmais qu'il *viendrait*).

**conditionnellement** adv. Sous condition.

**conditionner** v. tr. [1] **1** Préparer, traiter (un produit) selon des règles, avant de le proposer au public. ♦ spécialt Emballer pour la vente. **2** (sujet chose) Être la condition de. **3** Déterminer le comportement de ; influencer moralement ou intellectuellement. ► **conditionnement** n. m.

**condoléances** n. f. pl. Expression de la part que l'on prend à la douleur de qqn.

**condom** [-ɔm] n. m. vx Préservatif masculin.

**condominium** [-jɔm] n. m. anglic. Souveraineté exercée par deux ou plusieurs États sur un même pays.

**condor** n. m. Grand vautour des Andes.

**condottiere** [kɔ̃dɔ(t)tjɛʀ] n. m. (au Moyen Âge) Chef de mercenaires, en Italie. *Des condottieres,* ou plur. ital. *condottieri.* ♦ fig. Aventurier.

**conducteur, trice** I n. 1 littér. Personne qui dirige (des hommes). → **chef.** 2 Personne qui conduit (des animaux ; un véhicule). 3 *Conducteur, conductrice de travaux :* technicien qui dirige des travaux. II adj. 1 Qui conduit. *Idée conductrice.* 2 Qui conduit l'électricité. – n. m. *Les métaux sont de bons conducteurs.*

**conduction** n. f. Transmission de la chaleur, de l'électricité ; de l'influx nerveux.

**conduire** v. tr. [38] I 1 Mener (qqn) quelque part. → **emmener.** 2 Diriger (un animal ; un véhicule). 3 (choses) Faire passer, transmettre. *Corps conduisant l'électricité* (→ **conducteur**). 4 (sujet chose) Faire aller quelque part. *Mes pas m'ont conduit jusqu'à vous.* II 1 Faire agir, mener en étant à la tête. → **diriger.** 2 Entraîner (à un sentiment...). *Conduire qqn à l'erreur.* ▷ v. pron. se **conduire** Se comporter.

**conduit** n. m. Canal étroit, tuyau.

**conduite** n. f. I 1 Action de conduire qqn ou qqch. ; son résultat. 2 Action de diriger, de commander. 3 Manière de se comporter. → **attitude.** II Canalisation (→ conduit).

**condylome** n. m. méd. Petite tumeur, sur la muqueuse génitale ou anale.

**cône** n. m. 1 Figure engendrée par une droite passant par un point fixe (sommet) et dont la base est une courbe fermée. 2 (Ce qui a la forme d'un cône). *Cône volcanique.* – Fruit des conifères.

**confection** n. f. 1 Préparation (d'un plat...). 2 Industrie des vêtements qui ne sont pas faits sur mesure. → **prêt-à-porter.**

**confectionner** v. tr. [1] Faire, préparer.

**confédération** n. f. 1 Union d'États s'associant en gardant leur souveraineté. 2 Groupement (d'associations, de fédérations). ► **confédéral, ale, aux** adj.

**confédéré, ée** n. 1 Qui fait partie d'une confédération. 2 hist. *Les Confédérés,* les Sudistes (guerre de Sécession).

**conférence** n. f. 1 Assemblée de personnes discutant d'un sujet important. 2 Discours en public sur une question. 3 *Conférence de presse :* réunion où une personnalité s'adresse aux journalistes.

**conférencier, ière** n. Personne qui parle en public, qui fait des conférences (2).

**conférer** v. [6] I v. tr. Accorder (qqch. à qqn) en vertu d'un pouvoir qu'on a. ♦ fig. *La sagesse que confère l'âge.* II v. tr. ind. ou intr. littér. S'entretenir (de qqch. avec qqn).

**confesse** n. f. *Aller à confesse,* se confesser.

**confesser** v. tr. [1] I 1 Déclarer (ses péchés) à un prêtre. – pronom. *Se confesser à un prêtre.* 2 Déclarer, reconnaître pour vrai (qqch. qu'on a réticence à confier). *Confesser son erreur.* 3 littér. Proclamer (sa croyance). II Entendre (qqn) en confession.

**confesseur** n. m. Prêtre qui confesse qqn.

**confession** n. f. I 1 Aveu de ses péchés à un prêtre. 2 Déclaration que l'on fait (d'un acte blâmable). → **aveu.** ♦ Action de se confier. II Religion, croyance.

**confessionnal, aux** n. m. Lieu fermé où le prêtre entend le fidèle en confession.

**confessionnel, elle** adj. D'une confession (II).

**confetti** n. m. Rondelle de papier coloré qu'on lance par poignées pendant les fêtes.

**confiance** n. f. 1 Espérance ferme, assurance d'une personne qui se fie à qqn ou à qqch. *On peut lui faire confiance.* – *Personne de confiance,* à qui l'on peut se fier. → **sûr.** 2 Sentiment de sécurité d'une personne qui se fie à elle-même. → **assurance.** 3 Sentiment collectif de sécurité. – polit. *Vote de confiance,* d'approbation.

**confiant, ante** adj. 1 Qui a confiance (en qqn ou en qqch.). 2 Qui a confiance en soi. 3 Enclin à la confiance, à l'épanchement.

**confidence** n. f. 1 Communication d'un secret qui concerne soi-même. 2 loc. *Dans la confidence :* dans le secret. – loc. adv. *En confidence :* secrètement.

**confident, ente** n. Personne qui reçoit les plus secrètes pensées de qqn.

**confidentialité** n. f. Maintien du secret d'informations (dans une administration...).

**confidentiel, ielle** adj. 1 Qui se dit, se fait sous le sceau du secret. 2 Qui s'adresse à peu de gens. ► **confidentiellement** adv.

**confier** v. tr. [7] 1 Remettre (qqn, qqch...) aux soins d'un tiers dont on est sûr. 2 Communiquer (qqch. de personnel) sous le sceau du secret. – pronom. (réfl.) Faire des confidences.

**configuration** n. f. 1 didact. Forme extérieure (d'une chose). 2 inform. Ensemble des éléments d'un système informatique.

**configurer** v. tr. [1] didact. Donner une forme, une configuration à.

**confiner** v. tr. [1] 1 v. tr. ind. *Confiner à :* toucher aux limites de (→ **confins**). 2 v. tr. dir. Forcer à rester dans un espace limité (concret ; abstrait). ▷ v. pron. se **confiner** → s'**isoler** ; se **cantonner.** ▷ adj. **confiné, ée** ► **confinement** n. m.

**confins** n. m. pl. Parties (d'un territoire) situées à l'extrémité. ♦ Espace éloigné.

**confire** v. tr. [37] Mettre (des aliments) dans un élément qui les conserve (→ **confit**).

**confirmation** n. f. I Ce qui rend une chose plus certaine. *La confirmation d'une nouvelle.* II Sacrement catholique qui confirme dans la grâce du baptême.

**confirmer** v. tr. [1] **I 1** *Confirmer qqn dans :* rendre plus ferme, plus assuré. *Nous l'avons confirmé dans sa résolution.* **2** Affirmer l'exactitude, l'existence de (qqch.). → **assurer, certifier, corroborer.** – pronom. *La nouvelle se confirme.* **II** Conférer le sacrement de la confirmation (II) à.

**confiscation** n. f. Action de confisquer.

**confiserie** n. f. **1** Commerce, magasin, usine du confiseur. **2** Produits à base de sucre, fabriqués par les confiseurs.

**confiseur, euse** n. Personne qui fabrique, vend des sucreries. – loc. *La trêve des confiseurs* (trêve politique entre Noël et le nouvel an).

**confisquer** v. tr. [1] **1** Prendre (ce qui appartient à qqn) par une mesure de punition. **2** Prendre (qqch.) à son profit.

**confit, ite I** adj. **1** *Fruits confits,* préparés et conservés dans du sucre. **2** *Être confit en dévotion,* très dévot. **II** n. m. Viande cuite et conservée dans sa graisse. *Confit d'oie.*

**confiture** n. f. Fruits frais qu'on a fait cuire dans du sucre pour les conserver (au sens large, inclut marmelades et gelées).

**conflagration** n. f. Bouleversement de grande portée ; spécialt conflit international.

**conflictuel, elle** adj. Qui constitue un conflit, est source de conflits.

**conflit** n. m. **1** Guerre ou opposition entre États. **2** Rencontre d'éléments contraires, qui s'opposent. *Conflit des générations.*

**confluence** n. f. **1** Jonction de cours d'eau. **2** fig. Convergence, rencontre.

**confluent** n. m. Endroit où deux cours d'eau se joignent.

**confondant, ante** adj. Très étonnant.

**confondre** v. tr. [41] **I 1** littér. Remplir d'un grand étonnement. → **déconcerter.** – au p. p. *Rester confondu.* **2** Réduire (qqn) au silence, en prouvant ses torts. *Confondre un menteur.* **II 1** littér. Réunir, mêler pour ne former qu'un tout. **2** Prendre une personne, une chose pour une autre. ▷ v. pron. se **confondre 1** littér. *Se confondre en excuses :* multiplier les excuses. **2** Se mêler, s'unir.

**conformation** n. f. Disposition des différentes parties (d'un corps organisé). *Vice de conformation.* → **malformation.**

**conforme** adj. (avec *à*) **1** Dont la forme est semblable (à celle d'un modèle). – sans compl. *Copie conforme* (à l'original). **2** Qui convient. *Une vie conforme à ses goûts.* **3** sans compl. Conventionnel, conformiste.

**conformément** adv. D'après, selon.

**conformer** v. tr. [1] littér. Rendre conforme (à qqch.). *Conformer son attitude à sa morale.* ▷ v. pron. se **conformer** Devenir conforme (à). ▷ p. p. **conformé, ée** Qui a telle conformation. *Être bien, mal conformé.*

**conformisme** n. m. Fait de se conformer aux normes, aux usages ; attitude passive qui en résulte. ► **conformiste** adj. et n.

**conformité** n. f. Caractère de ce qui est conforme. → **accord.** – *Agir en conformité avec ses principes,* conformément à.

**confort** n. m. **I** Ce qui contribue au bien-être, à la commodité matérielle. **II** *Médicament de confort,* qui permet de mieux supporter un mal (sans agir sur la cause).

**confortable** adj. **1** Qui procure, présente du confort. **2** (quantité) Assez important. ► **confortablement** adv.

**conforter** v. tr. [1] Donner de la force à.

**confraternel, elle** adj. De confrère ou de consœur. *Salutations confraternelles.*

**confrère** n. m. Celui qui appartient à une société, à une compagnie, considéré par rapport aux autres membres (→ consœur).

**confrérie** n. f. Association pieuse.

**confronter** v. tr. [1] **1** Mettre en présence (des personnes) pour comparer leurs affirmations. **2** *Être confronté à, avec,* se trouver en face de. **3** Comparer point par point. ► **confrontation** n. f.

**confus, use** adj. **I** (personnes) Qui est embarrassé par pudeur, par honte. **II** (choses) **1** Dont les éléments sont mêlés, impossibles à distinguer. → **indistinct. 2** Qui manque de clarté. *Une situation confuse.*

**confusément** adv. Indistinctement.

**confusion** n. f. **I** Trouble d'une personne confuse (I). → **embarras, gêne. II 1** État de ce qui est confus. → **désordre. 2** (abstrait) Manque de clarté. – psych. *Confusion mentale* (→ **démence). 3** Action de confondre (II, 2). *Confusion de noms, de dates.*

**confusionnel, elle** adj. De la confusion mentale.

**congé** n. m. **1** Permission de s'absenter, de quitter un service, un travail, etc. – *Congés payés* (des salariés). **2** *Donner son congé à qqn,* le renvoyer. **3** *Prendre congé de qqn,* le saluer avant de le quitter.

**congédier** v. tr. [7] **1** Inviter à se retirer, à s'en aller. → **éconduire. 2** Renvoyer, licencier. ► **congédiement** n. m.

**congélateur** n. m. Appareil servant à congeler les aliments.

**congeler** v. tr. [5] **1** Faire passer (un liquide) à l'état solide par l'action du froid. – pronom. *L'eau se congèle à 0 °C.* **2** Soumettre (un produit) au froid (– 18 °C) pour conserver. – au p. p. *Viande congelée.* → aussi **surgelé.** ► **congélation** n. f.

**congénère** adj. didact. (animal...) Qui appartient au même genre, à la même espèce. ◆ n. fam. (personnes) → **semblable.**

**congénital, ale, aux** adj. **1** (opposé à *acquis*) Présent à la naissance (sans être génétique). **2** fam. Inné. *Optimisme congénital.*

**congère** n. f. Neige entassée par le vent.

**congestion** n. f. Afflux de sang dans une partie du corps. ► **congestif, ive** adj.

**congestionner** v. tr. [1] Produire une congestion dans. – au p. p. *Visage congestionné.*

**conglomérat** n. m. **1** Roche formée de fragments agglomérés. **2** Assemblage informe. **3** Concentration d'entreprises offrant des produits différents.

**conglomérer** v. tr. [6] didact. Réunir en masse compacte. ♦ fig. Assembler, réunir.

**conglutiner** v. tr. [1] littér. **1** Faire adhérer. **2** Rendre visqueux. ► **conglutination** n. f.

**congolais, aise 1** adj. et n. Du Congo. **2** n. m. Gâteau à la noix de coco.

**congratuler** v. tr. [1] (souvent iron.) Faire des compliments à. ► **congratulation** n. f.

**congre** n. m. Long poisson de mer au corps cylindrique, sans écailles (syn. *anguille de mer*).

**congrégation** n. f. Compagnie de prêtres, de religieux, de religieuses.

**congrès** n. m. **1** Réunion diplomatique. **2** (avec maj.) Corps législatif des États-Unis d'Amérique. **3** Importante réunion d'échange d'idées, de connaissances.

**congressiste** n. Participant à un congrès.

**congru, ue** adj. littér. Qui convient, est approprié. – loc. *Portion congrue* : ressources à peine suffisantes pour subsister.

**conifère** n. m. Arbre résineux aux organes reproducteurs coniques et aux aiguilles souvent persistantes (ex. pin, sapin).

**conique 1** adj. En forme de cône. **2** n. f. Courbe, section d'un cône par un plan.

**conjecture** n. f. Opinion fondée sur des probabilités. → **hypothèse, supposition.** ► **conjectural, ale, aux** adj.

> Ne pas confondre avec *conjoncture* «circonstances».

**conjecturer** v. tr. [1] littér. Croire, juger par conjecture. → **présumer, supposer.**

**conjoint, ointe I** adj. Joint avec ; uni. **II** n. Personne unie (à une autre) par le mariage, un pacs ; personne qui vit en couple.

**conjointement** adv. Ensemble.

**conjonctif, ive** adj. **1** anat. *Tissu conjonctif,* qui occupe les intervalles entre les organes. **2** gramm. *Locution conjonctive,* au rôle de conjonction (ex. après que).

**conjonction** n. f. **I** Action de joindre. → **rencontre, réunion. II** gramm. Mot qui sert à joindre deux mots ou groupes de mots. *Conjonctions de coordination* (union [et], opposition [mais], etc.). *Conjonctions de subordination,* qui établissent une dépendance (comme, quand, que...).

**conjonctive** n. f. Membrane muqueuse qui joint le globe de l'œil aux paupières.

**conjonctivite** n. f. Inflammation de la conjonctive.

**conjoncture** n. f. Situation qui résulte d'une rencontre de circonstances. ► **conjoncturel, elle** adj.

> Ne pas confondre avec *conjecture* «supposition».

**conjugaison** n. f. Ensemble des formes verbales suivant les voix, les modes, les temps, les personnes, les nombres.

**conjugal, ale, aux** adj. Relatif à l'union entre époux.

**conjuguer** v. tr. [1] **I** littér. Joindre ensemble. → **unir.** *Conjuguons nos efforts.* **II** Donner la conjugaison de (un verbe).

**conjuration** n. f. **1** Action secrète d'un groupe de personnes (*conjuré, ée* n.) (contre qqn ou qqch.). → **complot, conspiration. 2** Rite, formule pour chasser les démons, etc.

**conjurer** v. tr. [1] **I 1** Dissiper (une menace), écarter (un danger). **2** Chasser (les démons...). **II** littér. Adjurer, implorer.

**connaissance** n. f. **I 1** Fait ou manière de connaître. → **conscience ; compréhension.** *Connaissance expérimentale.* ♦ *Avoir connaissance de* : être informé de. – *Prendre connaissance de* : s'informer de. – *À ma connaissance* : autant que je sache. **2** Fait de sentir, d'être conscient. – loc. *Perdre connaissance.* → **s'évanouir. 3** au plur. Ce que l'on sait, pour l'avoir appris. → **culture, savoir. II 1** *Faire connaissance* : entrer en relation (avec qqn) la première fois. – *De connaissance* : connu. **2** Personne que l'on connaît.

**connaissement** n. m. comm. Reçu de marchandises expédiées par mer.

**connaisseur, euse** n. et adj. Personne experte, compétente.

**connaître** v. tr. [57] Avoir présent à l'esprit ; être capable de former l'idée, l'image de. **I** *Connaître qqch.* **1** Se faire une idée claire de. → **savoir. 2** Avoir l'expérience de. *Connaître son métier.* **3** Avoir présent à l'esprit ; pouvoir utiliser. – *Se connaître à, s'y connaître en* (qqch.), être compétent. **4** Éprouver. *Connaître l'amour ; le succès.* **II** *Connaître qqn* **1** Être conscient de l'existence de (qqn). – Être capable de reconnaître. *Connaître qqn de vue.* **2** Avoir des relations sociales avec. – pronom. *Ils se sont connus en Italie.* **3** Se faire une idée de la personnalité de (qqn). – pronom. «*Connais-toi toi-même*» (trad. de Socrate). ▷ adj. **connu, ue** Notoire, célèbre.

**connard, arde** → **conard**

**connasse** → **conasse**

**connecté, ée** adj. *Objets connectés,* qui offrent certains services en communiquant avec d'autres systèmes connectés à Internet. *Montre, maison connectée.*

**connecter** v. tr. [1] Unir par une connexion ; mettre en liaison (des éléments électriques ; des appareils). ▷ v. pron. se

**connecter** *Se connecter à un serveur, à Internet.*

**connecteur** n. m. Dispositif, pièce mécanique qui connecte.

**connectique** n. f. techn. Ensemble des techniques et des procédés utilisés pour établir des liaisons électriques, informatiques...

**connerie** n. f. fam. **1** Imbécillité, bêtise. **2** Action, parole inepte, absurde.

**connétable** n. m. hist. (Ancien Régime) Chef suprême de l'armée.

**connexe** adj. Qui a des rapports étroits avec autre chose. ► **connexité** n. f.

**connexion** n. f. **1** Fait d'être connexe. → **affinité, analogie.** **2** Liaison à un circuit électrique (→ **connecter**). **3** inform. Liaison d'un ordinateur avec un réseau. *Connexion à Internet.*

**connivence** n. f. Accord tacite.

**connotation** n. f. ling. Effet de sens (d'un mot...) en rapport avec le contexte.

**connu, ue** → **connaître**

**conque** n. f. Coquillage de grande taille.

**conquérant, ante** n. **1** Personne qui fait des conquêtes par les armes. – adj. *Nation conquérante.* **2** Personne qui séduit. **3** adj. fam. *Un air conquérant,* un peu fat.

**conquérir** v. tr. [21] **1** Acquérir par les armes, soumettre par la force. *Conquérir un pays.* → **vaincre.** ♦ Obtenir en luttant. *Conquérir un marché.* **2** Acquérir une forte influence sur (qqn). ▷ p. p. **conquis, ise**

**conquête** n. f. **I 1** Action de conquérir. ♦ fig. *La conquête de l'espace.* **2** Ce qui est conquis. *Les conquêtes de la science.* **II 1** Action de séduire (qqn). **2** fam. Personne séduite, conquise.

**conquistador** n. m. Conquérant espagnol de l'Amérique. *Des conquistador(e)s.*

**consacré, ée** adj. Qui est de règle, normal dans une circonstance.

**consacrer** v. tr. [1] **1** Rendre sacré en dédiant à Dieu. **2** *Consacrer qqch. à,* destiner à, affecter. ▷ v. pron. se **consacrer** *Se consacrer à une œuvre.*

**consanguin, ine** adj. **1** Parent du côté du père. **2** Qui a un ascendant commun. ► **consanguinité** n. f.

**consciemment** [-jamɑ̃] adv. D'une façon consciente.

**conscience** [-jɑ̃s] n. f. Faculté humaine de connaître sa propre réalité et de la juger. **I 1** Connaissance de sa propre activité psychique (s'oppose à *inconscience*). **2** Connaissance immédiate, spontanée. *Avoir conscience de sa force.* **II 1** Faculté ou fait de porter des jugements de valeur sur ses propres actes. – *Avoir qqch. sur la conscience,* qqch. à se reprocher. – *En conscience :* honnêtement. – *En mon âme et conscience* (formule de serment). **2** *Bonne conscience :* état de qqn qui estime n'avoir rien à se reprocher. – *Avoir mauvaise conscience* (→ **culpabilité**). **3** *Conscience professionnelle :* honnêteté, soin dans son travail.

**consciencieux, ieuse** [-sjɑ̃-] adj. **1** Qui fait son devoir avec soin. **2** Qui est fait avec soin. ► **consciencieusement** adv.

**conscient, ente** [-jɑ̃] adj. **1** (personnes) Qui a conscience (I) de soi (s'oppose à *inconscient*). **2** (choses) Dont on a conscience (I).

**conscription** n. f. Inscription pour le service militaire (suspendue en France en 1997).

**conscrit, ite** n. Soldat nouvellement recruté.

**consécration** n. f. **I** Action de consacrer à Dieu. **II** Action de sanctionner, de rendre durable. *La consécration du succès.*

**consécutif, ive** adj. **1** au plur. Qui se suit dans le temps. **2** *Consécutif à :* qui suit, résulte de. **3** gramm. (proposition) Qui exprime une conséquence. ► **consécution** n. f. ► **consécutivement** adv. → **successivement.**

**conseil** n. m. **I 1** Opinion donnée à qqn sur ce qu'il doit faire. *Demander conseil à qqn. Être de bon conseil.* **2** Incitation qui résulte de qqch. – prov. *La nuit porte conseil.* **3** appos. *Avocat-conseil, ingénieur-conseil* (qui donnent des avis). ♦ *Conseil juridique.* → **avocat.** **II** Réunion de personnes qui délibèrent, donnent leur avis sur des affaires publiques ou privées. → **assemblée.** ♦ (institutions françaises) *Conseil d'État* (tribunal administratif suprême). – *Conseil des ministres* (sous la présidence du chef de l'État). → **gouvernement.** – *Conseil constitutionnel.* – *Conseils généraux,* dans chaque département. *Conseils municipaux* (→ **municipalité**). ♦ (institutions internationales) *Le Conseil de sécurité* (de l'O. N. U.). – *Le Conseil de l'Europe.* ♦ *Conseil d'administration :* réunion d'actionnaires (d'une société anonyme) pour gérer les affaires. – *Conseil de classe,* réunion des professeurs, parents d'élèves et délégués d'une classe.

① **conseiller, ère** n. **I** Personne qui donne des conseils. – prov. *La colère est mauvaise conseillère.* **II** Membre d'un conseil.

② **conseiller** v. tr. [1] **1** Indiquer à qqn (ce qu'il doit faire, ne pas faire). → **recommander, suggérer.** ♦ v. tr. ind. *Conseiller à qqn de faire qqch.* **2** Guider (qqn) en lui indiquant ce qu'il doit faire. *Conseiller un ami.*

**conseilleur, euse** n. littér. Personne qui donne des conseils. → ① **conseiller.**

**consensus** [kɔ̃sɛ̃sys] n. m. Accord entre personnes. ► **consensuel, elle** adj.

**consentement** n. m. Acquiescement donné à un projet. → **accord, permission.**

**consentir** v. tr. [16] **I** v. tr. ind. *Consentir à,* accepter qu'une chose se fasse. **II** v. tr. dir. **1** *Consentir que* (+ subj.). → **permettre.** **2** Accorder (un avantage) à qqn.

**conséquence** n. f. **1** Suite qu'une action, un fait entraîne. → **effet, résultat.** - *Sans conséquence* : sans suite fâcheuse. **2** loc. adv. *En conséquence* : comme il convient.

**conséquent, ente** adj. **I 1** Qui agit ou raisonne avec logique. **2** loc. adv. *Par conséquent* : comme suite logique. → **ainsi, donc.** **II** fam. (critiqué) Important, considérable.

**conservateur, trice I** n. Personne qui a la charge de conserver des choses (précieuses...). **II** adj. (en politique) Qui veut préserver ce qui existe (l'ordre social, les valeurs traditionnelles...). - n. *Les conservateurs et les réformateurs.* **III** n. m. **1** Produit pour la conservation des aliments. **2** Congélateur.

**conservation** n. f. **1** Action de conserver. - *Instinct de conservation* (de sa propre vie). **2** État de ce qui est conservé.

**conservatisme** n. m. Esprit conservateur.

① **conservatoire** adj. dr. Destiné à conserver. *Mesure conservatoire.*

② **conservatoire** n. m. **1** École de musique. ♦ École qui forme des comédiens. **2** *Conservatoire national des arts et métiers*, établissement de recherche et d'enseignement français (sciences et techniques).

**conserve** n. f. **I** Substance alimentaire stérilisée et conservée dans un récipient hermétique. **II** loc. adv. *De conserve* : ensemble ; en accord. → de **concert.**

**conserver** v. tr. [1] **1** Maintenir en bon état, préserver de l'altération, de la destruction. **2** Ne pas laisser disparaître. → **garder.** *Conserver une tradition.* **3** Ne pas perdre, garder (avec soi). *Conserver son calme.* **4** Ne pas jeter. *Conserver des lettres.* ▷ p. p. **conservé, ée** (spécialt) *Être bien conservé*, ne pas paraître son âge.

**conserverie** n. f. **1** Usine de conserves alimentaires. **2** Industrie des conserves.

**conserveur, euse** n. Industriel(le) de la conserverie.

**considérable** adj. Très important. ► **considérablement** adv. → **beaucoup.**

**considération** n. f. **1** Motif, raison que l'on considère pour agir. *Considérations d'honneur.* **2** Fait de considérer, d'envisager. ♦ *Prendre en considération* : tenir compte de. **3** Estime que l'on porte à qqn.

**considérer** v. tr. [6] **1** Regarder attentivement. → **observer.** **2** Envisager par un examen attentif, critique. - (au p. p.) loc. *Tout bien considéré* (→ tout bien pesé). **3** Faire cas de (qqn). → **estimer.** **4** *Considérer comme.* → **juger, tenir** pour. - pronom. *Il se considère comme un génie.* **5** *Considérer que* (+ indic.). → **estimer, penser.** ▷ adj. **considéré, ée** *Il est très considéré*, très estimé.

**consignation** n. f. Fait de consigner.

**consigne** n. f. **I 1** Instruction stricte. **2** Défense de sortir par punition. **II 1** Service, endroit de garde provisoire des bagages. **2** Somme remboursable versée à qqn qui consigne un emballage.

**consigner** v. tr. [1] **1** Remettre en dépôt (une somme...). **2** Mentionner, rapporter par écrit. → **enregistrer.** **3** Empêcher (qqn) de sortir par mesure d'ordre, par punition. **4** Interdire l'accès de. **5** Mettre à la consigne (II, 1). **6** Facturer (un emballage) en s'engageant à reprendre et à rembourser.

**consistance** n. f. **1** Degré plus ou moins grand de solidité ou d'épaisseur (d'un corps). - (liquide) *Prendre consistance*, épaissir. **2** fig. État de ce qui est ferme, solide.

**consistant, ante** adj. **1** Qui est ferme, épais. **2** Qui nourrit. *Un repas consistant.* → **copieux.** **3** (abstrait) Ferme, solide.

**consister** v. tr. ind. [1] Être constitué par. ♦ *Consister en, dans* : se composer de. ♦ *Consister à* (+ inf.). *La sagesse consiste maintenant à patienter.*

**consistoire** n. m. **1** Assemblée de cardinaux. **2** Assemblée de ministres du culte protestants ou israélites. ► **consistorial, ale, aux** adj.

**consœur** n. f. Celle qui appartient à une société, à une compagnie, considérée par rapport aux autres membres (→ confrère).

**consolant, ante** adj. Propre à consoler.

**consolateur, trice** adj. et n. Qui console.

**consolation** n. f. Soulagement apporté à la douleur, à la peine de qqn. → **réconfort.**

**console** n. f. **1** archit. Support saillant en forme de S. **2** Table adossée contre un mur. **3** Meuble qui porte les claviers, etc. (d'un orgue). **4** Périphérique (écran et clavier) d'un ordinateur. → **terminal.** ♦ Pupitre d'enregistrement sonore.

**consoler** v. tr. [1] **1** Soulager (qqn) dans son chagrin, sa douleur. **2** Apporter un réconfort, une compensation à (une peine...).

**consolider** v. tr. [1] Rendre (qqch.) plus solide, plus stable. → **renforcer.** ♦ fig. *Consolider sa position.* ► **consolidation** n. f.

**consommateur, trice** n. **1** Personne qui consomme (des marchandises...). **2** Personne qui consomme dans un café.

**consommation** n. f. **I** vx ou littér. Accomplissement ; fin. **II 1** Usage (de qqch.). *Consommation d'essence.* ♦ Utilisation de biens, de services (s'oppose à *production*). **2** Ce qu'un client consomme au café.

**consommé, ée I** adj. littér. Parvenu à un degré élevé de perfection. → **accompli.** **II** n. m. Bouillon de viande concentré.

**consommer** v. tr. [1] **I** littér. Mener (qqch.) à son accomplissement. - *Consommer un forfait.* → **perpétrer.** **II 1** Amener (qqch.) à destruction en utilisant sa substance. *Consommer des aliments ; de l'électricité.*

**2** intrans. Prendre une consommation au café. **3** (sujet chose) User (du combustible, etc.).

**consomption** n. f. vieilli Amaigrissement et dépérissement, dans une longue maladie.

**consonance** n. f. **1** Ensemble de sons (accord) considéré comme agréable à l'oreille. **2** Uniformité ou ressemblance du son final de mots. → **assonance, rime. 3** Succession, ensemble de sons. *Consonances harmonieuses.* ► **consonant, ante** adj.

**consonantique** adj. Des consonnes.

**consonne** n. f. **1** Phonème produit par le passage de l'air à travers la gorge, la bouche, formant obstacles. **2** Lettre représentant une consonne.

**consort 1** n. m. pl. *Un tel et consorts,* et ceux qui agissent avec lui ; (péj.) et les gens de même espèce. **2** adj. m. *Prince consort :* époux d'une reine, quand il ne règne pas.

**consortium** [-sjɔm] n. m. Groupement d'entreprises. *Des consortiums d'achat.*

**conspiration** n. f. **1** Accord secret contre le pouvoir établi. → **complot, conjuration. 2** Entente contre qqn ou qqch.

**conspirationniste** adj. et n. (Personne) qui défend la théorie d'une conspiration organisée pour manipuler l'opinion. → **complotiste.** ► **conspirationnisme** n. m.

**conspirer** v. [1] **1** v. intr. S'entendre secrètement contre qqn, qqch. ► **conspirateur, trice** n. **2** v. tr. ind. (sujet chose) *Conspirer à :* contribuer à (un même effet).

**conspuer** v. tr. [1] Manifester bruyamment et en groupe contre (qqn). → **huer.**

**constamment** adv. D'une manière constante. → sans **cesse.**

**constance** n. f. **1** littér. Force morale, courage. **2** Persévérance, obstination. ♦ fam. Patience. **3** didact. Caractère constant (2).

**constant, ante** adj. **1** littér. Qui a de la constance. **2** (choses) Qui persiste dans l'état où il se trouve. *Qualité constante.* **3** n. f. Élément qui ne varie pas. – sc. *Constante physique.*

**constat** n. m. **1** Procès-verbal décrivant un état de fait. *Constat amiable.* **2** Ce par quoi on constate (qqch.). *Constat d'échec.*

**constater** v. tr. [1] Établir par expérience directe la réalité de. ► **constatable** adj. ► **constatation** n. f.

**constellation** n. f. Groupe d'étoiles.

**consteller** v. tr. [1] Couvrir d'étoiles, de points brillants. → **parsemer.**

**consterner** v. tr. [1] **1** Jeter brusquement (qqn) dans un abattement profond. **2** Attrister en étonnant. ► **consternant, ante** adj. ► **consternation** n. f.

**constipation** n. f. Difficulté dans l'évacuation des selles.

**constiper** v. tr. [1] Causer la constipation de (qqn). ▷ adj. **constipé, ée** (fig.) fam. Anxieux, contraint, embarrassé. → **coincé.**

**constituant, ante** adj. **1** Qui entre dans la composition (de). **2** *Assemblée constituante,* chargée d'établir une Constitution (II). – n. f. hist. *La Constituante* (1789).

**constituer** v. tr. [1] **1** dr. Établir (qqn) dans une situation légale. – pronom. *Se constituer partie civile.* **2** dr. Créer (qqch.) à l'intention de qqn. **3** (sujet chose) Concourir à former (un tout). **4** Organiser, créer (une chose complexe). *Constituer un gouvernement.* **5** passif *Être bien constitué :* avoir une bonne constitution (I, 2).

**constitutif, ive** adj. **1** dr. Qui constitue ou établit qqch. **2** → **constituant** (1).

**constitution** n. f. **I 1** Action, manière de constituer. **2** Ensemble des caractères congénitaux (d'un individu). *Robuste constitution.* **II** (souvent avec maj.) Textes fondamentaux qui déterminent la forme du gouvernement d'un pays.

**constitutionnel, elle** adj. **I** Qui constitue, forme l'essence (de qqch.). ♦ Qui tient à la constitution (I, 2). **II 1** Relatif ou conforme à une constitution. **2** *Droit constitutionnel,* qui étudie le pouvoir politique. ► **constitutionnellement** adv. ► **constitutionnalité** n. f.

**constricteur** adj. m. anat. Qui resserre. ♦ zool. *Boa constricteur,* qui étreint sa proie dans ses anneaux (syn. *constrictor*).

**constriction** n. f. didact. Action de serrer, de resserrer. ♦ Fait de se resserrer.

**constructeur, trice** n. et adj. Qui construit.

**constructible** adj. Où l'on a le droit de construire un édifice.

**constructif, ive** adj. Capable de construire, d'élaborer, de créer. → **créateur.** ♦ Qui aboutit à des résultats positifs.

**construction** n. f. **1** Action de construire. ♦ Techniques qui permettent de construire. **2** Ce qui est construit, bâti. → **bâtiment, édifice. 3** fig. Élaboration (d'une chose abstraite). ♦ gramm. Place relative des mots dans la phrase (→ **syntaxe**).

**constructivisme** n. m. Mouvement artistique né en Russie, basé sur des lignes et des plans assemblés, construits. ► **constructiviste** n. et adj.

**construire** v. tr. [38] **1** Bâtir suivant un plan déterminé. → **édifier.** *Construire un pont.* **2** Faire exister (un système complexe) en organisant des éléments mentaux. → **concevoir, élaborer.** *Construire une théorie.* ♦ Tracer (une figure) selon un schéma. **3** Disposer (un énoncé) selon un ordre.

**consubstantialité** n. f. théol. chrét. Unité et identité de substance de la Trinité.

**consubstantiel, ielle** adj. théol. chrét. Qui est unique par la substance. ♦ littér. *Consubstantiel à :* inséparable de.

**consul, e** n. I n. m. hist. 1 Antiq. romaine L'un des deux magistrats qui exerçaient l'autorité suprême. 2 L'un des trois chefs suprêmes du Consulat (2). II Agent chargé par un État de la défense des intérêts de ses nationaux dans un pays étranger. ► **consulaire** adj.

**consulat** n. m. 1 Charge de consul. 2 (avec maj.) Gouvernement des consuls (1799-1804), en France. 3 Services d'un consul (II).

**consultant, ante** n. Personne qui donne des consultations. → **conseil** (I, 3).

**consultatif, ive** adj. Qui donne des avis.

**consultation** n. f. 1 Action de prendre avis. 2 Fait de recevoir des patients.

**consulter** v. [1] I v. tr. 1 Demander avis, conseil à (qqn). 2 Regarder (qqch.) pour y chercher des renseignements. II v. intr. (médecin) Donner des consultations (2).

**consumer** v. tr. [1] 1 littér. Épuiser les forces de (qqn). - pronom. *Se consumer d'amour.* 2 Détruire par le feu. → **brûler.**

**consumérisme** n. m. anglic. I Protection du consommateur. II Propension à consommer. ♦ Mode de vie basé sur la consommation. ► **consumériste** adj. et n.

**contact** [-akt] n. m. 1 Position, état relatif de corps qui se touchent. - *Être en contact,* se toucher. - *Lentilles* de contact.* 2 *Contact électrique,* entre conducteurs, permettant le passage du courant. ♦ Dispositif d'allumage d'un moteur à explosion. 3 Relation entre personnes. - *Entrer en contact avec qqn,* en relation. ♦ Personne avec laquelle on est en contact.

**contacter** v. tr. [1] (emploi critiqué) Entrer en contact (3) avec (qqn).

**contactologie** n. f. didact. Partie de l'ophtalmologie qui traite des lentilles de contact.

**contagieux, euse** adj. 1 Qui se communique par contagion. 2 Qui est un agent de contagion. 3 fig. → **communicatif** (1).

**contagion** n. f. 1 Transmission d'une maladie par contact. 2 Imitation involontaire.

**container** → **conteneur**

**contaminer** v. tr. [1] Transmettre une maladie à. ♦ Polluer (par la radioactivité, des micro-organismes, etc.). - au p. p. *Sang contaminé* (par un virus). ► **contamination** n. f.

**conte** n. m. 1 Récit de faits imaginaires destiné à distraire. 2 Histoire invraisemblable.

**contemplatif, ive** adj. 1 Qui aime la contemplation. 2 relig. Voué à la méditation.

**contemplation** n. f. 1 Fait de s'absorber dans l'observation attentive (de qqn, qqch.). 2 Concentration de l'esprit sur des sujets intellectuels ou religieux.

**contempler** v. tr. [1] Considérer, observer attentivement.

**contemporain, aine** adj. 1 *Contemporain de :* qui est de la même époque que. - n. *Nos contemporains.* 2 Du temps actuel. ► **contemporanéité** n. f. littér.

**contempteur, trice** n. littér. Personne qui méprise, dénigre (qqn, qqch.).

**contenance** n. f. I Quantité qu'un récipient peut contenir. → **capacité.** II Manière de se tenir. ♦ loc. *Faire bonne contenance :* garder son sang-froid. - *Perdre contenance :* se troubler (→ **décontenancé**).

**contenant** n. m. Ce qui contient qqch.

**conteneur** n. m. Caisse pour le transport des marchandises. - syn. **container** [-ɛʀ] anglic.

**contenir** v. tr. [22] 1 Avoir, comprendre en soi, dans sa capacité, son étendue, sa substance. → **renfermer.** 2 Avoir une capacité de. 3 Empêcher (des personnes) d'avancer. *Contenir la foule.* 4 Empêcher (un sentiment...) de se manifester. ▷ v. pron. **se contenir** Se dominer, se retenir. ▷ adj. **contenu, ue** *Émotion contenue,* que l'on retient.

**content, ente** adj. I Satisfait. 1 *Content de qqch.* → **ravi.** ♦ *Non content de* (+ inf.) (→ non seulement). 2 *Être content que* (+ subj.). → **heureux.** 3 *Content de qqn.* - *Content de soi :* vaniteux. 4 absolt Gai, joyeux. II n. m. *Avoir son content de qqch.,* être comblé.

**contenter** v. tr. [1] Rendre (qqn) content en lui donnant ce qu'il désire. → **combler, satisfaire.** ▷ v. pron. **se contenter** (de) Être satisfait de (qqch.). ► **contentement** n. m.

**contentieux** n. m. Ensemble de litiges. ♦ Service qui s'occupe des litiges.

**contention** n. f. I 1 littér. Tension de l'esprit. 2 Effort physique intense. II chir. Maintien, immobilisation d'organes accidentellement déplacés.

① **contenu, ue** adj. → **contenir**

② **contenu** n. m. 1 Ce qui est dans un contenant. 2 fig. Ce qui est exprimé (dans un texte...). → **teneur.** *Contenu d'un rêve.*

**conter** v. tr. [1] 1 Dire (un conte...) pour distraire. 2 vieilli Dire (qqch.) pour tromper. - loc. *En conter à qqn :* le tromper.

**contestable** adj. Qui peut être contesté.

**contestataire** adj. et n. Qui conteste.

**contestation** n. f. 1 Fait de contester qqch. ; controverse. 2 littér. Vive opposition. 3 Remise en cause de l'ordre établi.

sans **conteste** loc. adv. Sans discussion possible. → **incontestablement.**

**contester** v. tr. [1] 1 Mettre en discussion (le droit, les prétentions de qqn). 2 Mettre en doute. → **nier.** - au p. p. → **controversé.**

**conteur, euse** n. Personne qui compose, dit ou écrit des contes.

**contexte** n. m. 1 Ensemble du texte qui entoure un élément de la langue (mot, phrase...). 2 Ensemble des circonstances en relation avec un fait. → **situation.**

**contexture** n. f. Manière dont se présentent les éléments d'un tout complexe (notamment organique). → **structure.**

**contigu, uë** [-gy] adj. Qui touche (à qqch.). → **attenant, voisin.** ► **contiguïté** n. f.

① **continent, ente** adj. Qui s'abstient du plaisir charnel. → **chaste.** ► **continence** n. f.

② **continent** n. m. **1** Grande étendue de terre limitée par des océans. **2** Partie du monde. *Les cinq continents* (traditionnellement : Europe, Asie, Afrique, Amérique et Océanie). **3** *Le continent,* la terre, par rapport à une île. ► **continental, ale, aux** adj.

**contingence** n. f. **1** philos. Caractère de ce qui est contingent. **2** au plur. Ce qui peut changer, n'a pas une importance capitale.

**contingent, ente I** adj. philos. Qui peut se produire ou non. **II** n. m. **1** Effectif des appelés au service militaire pour une période. **2** Part que chacun apporte ou reçoit. **3** Quantité de marchandises dont l'importation ou l'exportation est autorisée.

**contingenter** v. tr. [1] Fixer un contingent (3) à ; limiter, restreindre. ► **contingentement** n. m.

**continu, ue** adj. **1** Qui n'est pas interrompu dans le temps. – *Courant continu* (opposé à *alternatif*). ♦ (n. m.) *En continu :* sans interruption. **2** Fait de parties non séparées.

**continuateur, trice** n. Personne qui continue ce qu'une autre a commencé.

**continuation** n. f. Action de continuer.

**continuel, elle** adj. Qui dure sans interruption ou se répète à intervalles rapprochés. ► **continuellement** adv.

**continuer** v. [1] **I** v. tr. **1** Faire ou maintenir plus longtemps ; ne pas interrompre. *Continuer ses études.* – tr. ind. (+ inf.) *Continuer à, de parler.* **2** Prolonger (qqch.) dans l'espace. **II** v. intr. (sujet chose) **1** Ne pas s'arrêter. **2** S'étendre plus loin.

**continuité** n. f. Caractère de ce qui est continu. – loc. *Solution* de continuité.*

**continûment** adv. De manière continue.

**continuo** n. m. mus. Basse continue.

**continuum** [-nɥɔm] n. m. **1** phys. Ensemble d'éléments homogènes. – *Le continuum espace*-temps.* **2** didact. Phénomène progressif dont on ne peut considérer une partie que par abstraction.

**contondant, ante** adj. didact. Qui blesse, meurtrit sans couper ni percer.

**contorsion** n. f. **1** Attitude anormale par torsion des membres, du corps. **2** Attitude affectée. ► se **contorsionner** v. pron. [1]

**contorsionniste** n. Acrobate spécialisé(e) dans les contorsions.

**contour** n. m. Limite extérieure (d'un objet ; du corps). → **courbe, forme, galbe.**

**contourné, ée** adj. **1** Qui a un contour compliqué. **2** Affecté et compliqué.

**contourner** v. tr. [1] Faire le tour, passer autour de. ♦ fig. *Contourner une difficulté.* → **éviter.** ► **contournement** n. m.

**contraceptif, ive** adj. (produit, dispositif) Qui empêche les rapports sexuels d'aboutir à la conception. – n. m. *Un contraceptif.*

**contraception** n. f. Moyens employés pour rendre les rapports sexuels inféconds.

**contractant, ante** adj. dr. Qui s'engage par contrat. – n. *Les contractants.*

**contracté, ée** adj. **1** Tendu, crispé. ♦ Inquiet, nerveux. **2** ling. Formé de deux éléments réunis. «*Au*», *forme contractée de* «*à le*».

① **contracter** v. tr. [1] **I** S'engager par contrat à faire, à respecter. ♦ *Contracter des dettes :* s'endetter. **II 1** Prendre, acquérir (une habitude, un sentiment...). *Contracter une manie.* **2** Attraper (une maladie).

② **contracter** v. tr. [1] Réduire dans sa longueur, son volume. – *Contracter ses muscles.* → **raidir.** ▷ v. pron. se **contracter**

**contractile** adj. Qui peut se contracter.

**contraction** n. f. Fait de (se) contracter. – spécialt *Contractions* (utérines) *de l'accouchement.*

**contractuel, elle** adj. **1** Stipulé par contrat. **2** *Agent contractuel :* agent public non fonctionnaire. ♦ n. Auxiliaire de police chargé de surveiller le stationnement.

**contracture** n. f. méd. Contraction musculaire prolongée.

**contradicteur** n. m. Personne qui contredit.

**contradiction** n. f. **1** Action de contredire qqn, de se contredire. – *Esprit de contradiction :* disposition à contredire. **2** log. Réunion d'éléments incompatibles.

**contradictoire** adj. **1** Qui contredit qqch. → **contraire. 2** Où il y a contradiction, discussion. **3** au plur. Qui implique contradiction. ► **contradictoirement** adv.

**contraindre** v. tr. [52] *Contraindre qqn à faire qqch.*, le lui imposer contre sa volonté. → **forcer, obliger.** – au passif *Être contraint de* (+ inf.). ▷ adj. **contraint, ainte** Gêné, mal à l'aise. ► **contraignant, ante** adj. → **astreignant.**

**contrainte** n. f. **1** Violence exercée contre qqn ; entrave à la liberté d'action. **2** Règle, exigence. *Les contraintes d'un métier.* **3** Gêne, retenue. *Parler sans contrainte.* **4** dr. *Contrainte par corps :* emprisonnement pour obtenir le paiement d'une dette. **5** phys. Forces qui tendent à déformer un corps.

**contraire I** adj. **1** Qui présente la plus grande différence possible (en parlant de deux choses du même genre) ; qui s'oppose (à qqch.). *Opinions contraires.* **2** Qui, en s'opposant, gêne le cours de qqch. **II** n. m. **1** Ce qui est opposé (logiquement). ♦ Mot de sens contraire. «*Rapide*» *est le contraire de* *«lent».* **2** loc. adv. *Au contraire :* d'une manière opposée. ► **contrairement** adv.

**contralto** n. m. La plus grave des voix de femme. ♦ Femme qui a cette voix.

**contrapuntique** [-pɔ̃tik] adj. mus. Du contrepoint.

**contrariant, ante** adj. **1** Qui est porté à contrarier. **2** (choses) Qui contrarie.

**contrarier** v. tr. [7] **1** Avoir une action contraire, s'opposer à (qqch.). → **contrecarrer, résister** à. **2** Causer du dépit, du mécontentement à (qqn). ♦ (sujet chose) Rendre inquiet, mal à l'aise.

**contrariété** n. f. Déplaisir causé par ce qui contrarie. → **mécontentement.**

**contraste** n. m. **1** Opposition de deux choses dont l'une fait ressortir l'autre. **2** Variation de l'ombre et de la lumière (d'une image). – méd. *Produit de contraste* (utilisé en radiographie).

**contraster** v. intr. [1] Être en contraste. ▷ adj. **contrasté, ée**

**contrat** n. m. **1** Convention par laquelle une ou plusieurs personnes s'obligent à donner, faire ou ne pas faire qqch. **2** Acte qui enregistre cette convention.

**contravention** n. f. dr. Infraction punie d'une amende. ♦ Cette amende. ♦ Procès-verbal de cette infraction.

**contre** I prép. et adv. **1** (proximité, contact) → **près** de. *Pousser le lit contre le mur.* ♦ adv. *Tout contre :* très près. **2** À l'opposé de. *Nager contre le courant.* – loc. adv. (critiqué) *Par contre :* en revanche. **3** En dépit de. → **malgré.** *Contre toute apparence.* **4** En opposition à (surtout avec *lutter*, etc.). *Se battre contre qqn.* → **avec. 5** Pour se protéger de. *S'assurer contre l'incendie.* **6** (proportion...) *Parier à cent contre un.* **7** En échange de. *Envoi contre remboursement.* **II** n. m. **1** *Le pour* et le contre.* **2** Riposte, parade.

**contre-allée** n. f. Allée latérale.

**contre-amiral, aux** n. m. Officier général de la marine, au-dessous du vice-amiral.

**contre-attaque** n. f. Riposte offensive à une attaque. ► **contre-attaquer** v. tr. [1]

**contrebalancer** v. tr. [3] **I 1** Faire équilibre à. **2** Compenser en étant égal à. **II** v. pron. fam. *Se contrebalancer (de) :* se moquer éperdument (de).

**contrebande** n. f. Introduction clandestine de marchandises dans un pays ; ces marchandises. ► **contrebandier, ière** n.

en **contrebas** loc. adv. À un niveau inférieur.

**contrebasse** n. f. **1** Le plus grand et le plus grave des instruments à archet. **2** Musicien qui joue de la contrebasse (syn. **contrebassiste** n. → **bassiste**).

**contrecarrer** v. tr. [1] S'opposer à.

**contrechamp** n. m. cin. Prise de vues dans le sens opposé à celui de la précédente.

**contre-chant** n. m. mus. Contrepoint sur les harmonies du thème.

à **contrecœur** [-kœʀ] loc. adv. Malgré soi, avec répugnance.

**contrecoup** [-ku] n. m. Événement qui est la conséquence indirecte d'un autre.

**contre-courant** n. m. **1** Courant contraire (au courant principal). **2** loc. adv. *À contre courant :* dans le sens opposé.

**contre-culture** n. f. Courant culturel opposé à la culture dominante.

**contredanse** n. f. **I** Danse ancienne par couples. **II** fam. Contravention.

**contredire** v. tr. [37] 2ᵉ pers. du plur. *vous contredisez* **1** S'opposer à (qqn) en disant le contraire de ce qu'il dit. **2** (choses) Aller à l'encontre de. ▷ v. pron. se **contredire** Dire successivement des choses contradictoires.

sans **contredit** loc. adv. → sans **conteste.**

**contrée** n. f. Étendue de pays. → **région.**

**contre-électromotrice** adj. f. électr. *Force contre-électromotrice* (abrév. *f. c. e. m.* ou *f. c. é. m.*), qui s'oppose au courant direct.

**contre-emploi** n. m. Rôle qui ne correspond pas au style d'un acteur.

**contre-enquête** n. f. Enquête destinée à vérifier les résultats d'une autre.

**contre-épreuve** n. f. **1** Épreuve tirée sur une estampe. **2** Second essai pour vérifier.

**contre-espionnage** n. m. Organisme de surveillance des espions ; cette surveillance.

**contre-exemple** n. m. Exemple qui contredit une affirmation, une thèse.

**contre-expertise** n. f. Expertise destinée à en contrôler une autre.

**contrefaçon** n. f. Imitation frauduleuse.

**contrefaire** v. tr. [60] **1** Imiter pour tourner en dérision. **2** Imiter frauduleusement. **3** Feindre (un état...) ; changer l'apparence de (qqch.) pour tromper.

**contrefait, aite** adj. Difforme, mal bâti.

**contre-feu** n. m. Feu allumé pour arrêter un incendie en créant un espace vide. *Des contre-feux.*

se **contreficher** ou se **contrefiche** v. pron. [1] fam. Se moquer complètement (de). – syn. très fam. **se contrefoutre.**

**contre-filet** n. m. Morceau de bœuf correspondant aux lombes. → **faux-filet.**

**contrefort** n. m. **1** Pilier, mur servant d'appui à un mur. **2** Montagne latérale.

en **contrehaut** loc. adv. À un niveau supérieur.

**contre-indication** n. f. méd. Circonstance où il serait dangereux d'employer un traitement, un médicament.

**contre-indiqué, ée** adj. Qui ne convient pas, est dangereux (dans un cas précis).

**contre-interrogatoire** n. m. Interrogatoire (d'un témoin...) par la partie adverse.

**contre-jour** n. m. Éclairage qui vient du côté opposé à celui d'où l'on regarde (*à contre-jour* loc. adv.).

**contremaître, contremaîtresse** n. Chef d'une équipe d'ouvriers.

**contre-manifestation** n. f. Manifestation pour faire échec à une autre.

**contremarche** n. f. Partie verticale de chaque marche d'un escalier.

**contremarque** n. f. Ticket donné à qqn qui sort momentanément d'une salle de spectacle.

**contre-mesure** n. f. Mesure contraire à une autre mesure.

**contre-offensive** n. f. → **contre-attaque.**

**contrepartie** n. f. 1 Avis contraire. 2 Chose qui s'oppose à une autre en la complétant ou en l'équilibrant. – *En contrepartie* loc. adv. → en **échange,** en **revanche.**

**contre-performance** n. f. Mauvais résultat (de qqn dont on attendait le succès).

**contrepèterie** n. f. Interversion des lettres ou des syllabes d'un ensemble de mots, produisant un sens burlesque.

**contre-pied** [-pje] n. m. Ce qui est opposé à (une opinion, un comportement).

**contreplaqué** n. m. Matériau fait de plaques de bois minces collées, à fibres opposées.

**contre-plongée** n. f. cin. Prise de vues faite de bas en haut (s'oppose à *plongée*).

**contrepoids** n. m. 1 Poids qui fait équilibre à un autre. 2 fig. Ce qui équilibre.

**contrepoint** n. m. 1 mus. Art de composer en superposant des dessins mélodiques. 2 fig. Motif secondaire superposé à qqch.

**contrepoison** n. m. Substance destinée à neutraliser l'effet d'un poison. → **antidote.**

**contre-porte** n. f. Face intérieure d'une porte (de voiture, etc.), aménagée.

**contre-pouvoir** n. m. Pouvoir qui s'oppose ou fait équilibre à l'autorité établie.

**contre-productif, ive** adj. Qui produit l'effet inverse de l'effet recherché.

**contre-proposition** n. f. Proposition qu'on fait pour l'opposer à une autre.

**contre-publicité** n. f. 1 Action (publicité...) qui nuit à son objet. 2 Publicité destinée à lutter contre une autre publicité.

**contrer** v. [1] 1 v. tr. fam. S'opposer avec succès à. 2 v. intr. aux cartes S'opposer à l'annonce d'un joueur.

**Contre-Réforme** n. f. hist. Mouvement catholique qui s'opposa à la Réforme.

**contre-révolution** n. f. Mouvement destiné à combattre une révolution. ► **contre-révolutionnaire** adj. et n.

**contresens** [-sɑ̃s] n. m. I 1 Interprétation contraire à la signification véritable. 2 fig. Erreur dans un choix, etc. II Sens, direction contraire. – loc. adv. *À contresens* : dans un sens contraire au sens normal.

**contresigner** v. tr. [1] Apposer une deuxième signature (*contreseing* n. m.) à.

**contretemps** n. m. 1 mus. Action d'attaquer un son sur un temps faible. 2 Événement, circonstance qui s'oppose à ce que l'on attendait. – loc. adv. *À contretemps* : au mauvais moment.

**contre-ténor** n. m. → **haute-contre.**

**contre-terrorisme** n. m. Lutte contre le terrorisme, par les mêmes méthodes.

**contre-torpilleur** n. m. → **destroyer.**

**contre-ut** [kɔ̃tʀyt] n. m. invar. mus. Ut d'une octave au-dessus de l'ut supérieur d'un registre normal.

**contre-valeur** n. f. fin. Valeur échangée.

**contrevenir** v. tr. ind. [22] *Contrevenir à* : agir contrairement à (une obligation...). → **enfreindre.** ► **contrevenant, ante** n.

**contrevent** n. m. Volet extérieur en bois.

**contrevérité** ou **contre-vérité** n. f. Assertion visiblement contraire à la vérité.

**contre-visite** n. f. méd. Visite destinée à contrôler les résultats d'une autre.

**contribuable** n. Personne qui paie des impôts.

**contribuer** v. tr. ind. [1] *Contribuer à* : aider à l'exécution de (une œuvre) ; avoir part à (un résultat). → **concourir.**

**contribution** n. f. 1 Part que chacun donne pour une charge, une dépense commune. → **quote-part.** 2 souvent au plur. Impôts et taxes. *Contributions directes* (impôt sur le revenu...), *indirectes.* – (en France) *Contribution sociale généralisée (C. S. G.),* perçue sur tous les revenus. – Administration chargée des impôts. → **fisc.** 3 Collaboration à une œuvre commune. – loc. *Mettre à contribution* : utiliser les services de (qqn, qqch.).

**contrit, ite** adj. Qui marque le repentir.

**contrition** n. f. 1 relig. Douleur d'avoir offensé Dieu. 2 littér. Remords, repentir.

**contrôle** n. m. 1 Vérification (d'actes, de droits, de documents). 2 Devoir scolaire. 3 Examen de l'état, du fonctionnement (de qqch.). 4 Fait de maîtriser. – *Contrôle de soi.* → **maîtrise.** 5 *Contrôle des naissances* : maîtrise de la fécondité (par ex. grâce aux méthodes contraceptives).

**contrôler** v. tr. [1] 1 Soumettre à un contrôle. 2 Maîtriser, dominer ; surveiller.

**contrôleur, euse** n. 1 Personne qui exerce un contrôle. 2 n. m. Appareil de contrôle.

**contrordre** n. m. Ordre qui annule un ordre précédent.

**controuvé, ée** adj. littér. Inventé ; mensonger.

**controverse** n. f. Discussion, polémique.

**controversé, ée** adj. Qui fait l'objet d'une controverse. *Théorie controversée.*

**contumace** n. f. dr. Refus de comparaître devant un tribunal. ♦ loc. *Être condamné par contumace,* sans être présent.

**contumax** [-aks] adj. et n. dr. Se dit de l'accusé en état de contumace.

**contusion** n. f. Meurtrissure sans déchirure, due à un choc. ► **contusionner** v. tr. [1]

**conurbation** n. f. Grand ensemble urbain.

**convaincre** v. tr. [42] **1** Amener (qqn) à reconnaître la vérité, la nécessité d'une proposition ou d'un fait. → **persuader.** **2** *Convaincre* (qqn) *de* (qqch.), donner des preuves de (sa culpabilité...). – passif *Être convaincu d'imposture.* ▷ adj. **convaincu, ue** → **certain, sûr.** – n. *Prêcher un convaincu.* ► **convaincant, ante** adj. → **probant.**

> Ne pas confondre *convaincant* avec *convainquant,* p. prés. de *convaincre.*

**convalescence** n. f. Période de transition entre la fin d'une maladie et le retour à la santé. ► **convalescent, ente** adj. et n.

**convecteur** n. m. Appareil de chauffage où l'air est chauffé par convection.

**convection** n. f. phys. Transport de chaleur dans un fluide. – var. **convexion.**

**convenable** adj. **1** littér. Qui convient. **2** Suffisant, acceptable. **3** Conforme à la bienséance. ► **convenablement** adv.

**convenance** n. f. **1** littér. Caractère de ce qui convient. **2** Ce qui convient à qqn. *Vivre à sa convenance.* **3** au plur. Ce qui est en accord avec les usages. → **bienséance.**

**convenir** v. tr. ind. [22] **I** (auxiliaire *avoir*) **1** *Convenir à* (qqch.) : être approprié à. **2** *Convenir à* (qqn), être agréable ou utile à. **3** impers. *Il convient (de..., que...),* il est conforme aux usages, aux besoins, etc. **II** (auxiliaire *être* [littér.] ou *avoir*) *Convenir de* **1** (sujet sing.) Reconnaître la vérité de. *J'en conviens volontiers.* **2** (sujet plur.) S'accorder sur. *Ils ont convenu* (littér. *sont convenus*) *d'une date ; d'y aller.* – loc. *Comme convenu :* comme prévu.

① **convention** n. f. **1** Accord portant sur un fait. – *Convention collective* (entre salariés et employeurs). **2** au plur. Ce qu'il est convenu de faire, etc. dans une société. **3** loc. adj. *De convention :* admis par convention.

② **convention** n. f. **1** Assemblée réunie pour établir ou modifier la constitution d'un État (→ **constituant** (2)). – hist. (en France) *La Convention* (1792-1795). **2** anglic. (aux États-Unis) Congrès d'un parti.

**conventionné, ée** adj. Régi par une convention, spécialt avec la Sécurité sociale.

① **conventionnel, elle** adj. **1** Qui résulte d'une convention. **2** Conforme aux conventions (2). **3** anglic. Traditionnel, classique. *Armement conventionnel,* non nucléaire. ► **conventionnellement** adv.

② **conventionnel** n. m. hist. Membre de la Convention.

**conventuel, elle** adj. D'un couvent.

**convenu, ue** adj. **1** Qui est le résultat d'un accord. **2** péj. Conventionnel, artificiel.

**convergent, ente** adj. **1** Qui converge. ♦ *Lentille convergente,* qui fait converger les rayons lumineux. **2** Qui tend au même résultat. ► **convergence** n. f.

> Ne pas confondre avec *convergeant,* p. prés. de *converger.*

**converger** v. intr. [3] contr. *diverger* **1** Se diriger (vers un point). **2** fig. Tendre au même résultat ; aller en se rapprochant.

**conversation** n. f. **1** Échange spontané de propos. *Sujet de conversation.* **2** Manière de parler, propos (de qqn). – fam. *Avoir de la conversation,* parler avec aisance.

**conversationnel, elle** adj. anglic. Qui permet de dialoguer avec un ordinateur.

**converser** v. intr. [1] Parler avec (qqn, des personnes) d'une manière spontanée.

**conversion** n. f. **1** Fait de se convertir (1). **2** Fait de convertir (2).

**convertible** adj. **1** fin. Qui peut être converti (2). **2** (meubles) Transformable. *Canapé convertible* (en lit).

**convertir** v. tr. [2] **1** Amener (qqn) à adopter une croyance, une religion (considérée comme vraie). – pronom. *Se convertir.* ♦ Faire adhérer (à une opinion). **2** (compl. chose) Transformer, changer. *Convertir ses biens en espèces.* ▷ adj. et n. **converti, ie** Qui s'est converti. – loc. *Prêcher un converti,* vouloir convaincre qqn qui l'est déjà.

**convertisseur** n. m. techn. Se dit d'appareils qui transforment.

**convexe** adj. Arrondi vers l'extérieur (opposé à *concave*). ► **convexité** n. f.

**convexion** → **convection**

**conviction** n. f. **1** Certitude fondée sur des preuves. **2** loc. *Pièce* à conviction.* **3** Opinion ferme. *Agir selon ses convictions.*

**convier** v. tr. [7] **1** Inviter (qqn) à (un repas, une réunion...). **2** fig. Inviter, engager (qqn) à (une activité).

**convive** n. Personne invitée à un repas en même temps que d'autres.

**convivial, ale, aux** adj. anglic. **1** didact. Relatif à la nourriture prise en commun et avec plaisir. **2** Relatif aux rapports positifs entre personnes, dans la société. **3** inform. D'emploi aisé. ► **convivialité** n. f.

**convocation** n. f. **1** Action de convoquer. **2** Feuille, lettre de convocation.

**convoi** n. m. **1** Ensemble de véhicules militaires, de navires faisant route sous escorte. **2** Groupe de véhicules, de personnes se déplaçant. **3** Train. **4** Cortège funèbre.

**convoiter** v. tr. [1] Désirer avec avidité.

**convoitise** n. f. Fort désir de posséder.

**convoler** v. intr. [1] plais. Se marier.

**convolvulus** [-ys] n. m. bot. Liseron.

**convoquer** v. tr. [1] **1** Faire se réunir (un groupe). **2** Faire venir (qqn) auprès de soi.

**convoyer** v. tr. [8] Escorter ; transporter. ► **convoyeur, euse** n.

**convulser** v. [1] **I** v. tr. Agiter, tordre par des convulsions. **II** v. intr. Être pris de convulsions. ▷ v. pron. se **convulser**

**convulsif, ive** adj. **1** méd. Caractérisé par des convulsions. **2** Qui a le caractère mécanique, involontaire et violent des convulsions. ► **convulsivement** adv.

**convulsion** n. f. **1** Contraction violente, involontaire des muscles. → **spasme. 2** abstrait Agitation violente ; trouble soudain.

**convulsionner** v. tr. [1] méd. Donner des convulsions à (→ **convulser).**

① **cookie** n. m. anglic. Biscuit sec contenant des éclats de chocolat.

② **cookie** n. m. anglic. Petit fichier déposé à son insu sur l'ordinateur d'un internaute lors d'une connexion.

**cool** [kul] adj. invar. anglic. **1** *Jazz cool,* aux sonorités douces. **2** fam. Calme, détendu. **3** fam. (intensif) Remarquable, très agréable.

**coolie** [kuli] n. m. (en Orient) Porteur.

**coopérant, ante** n. Spécialiste envoyé au titre de la coopération (2) dans un pays.

**coopératif, ive** adj. **1** Fondé sur la coopération (1). **2** anglic. Qui aide volontiers.

**coopération** n. f. **1** Fait de participer à une œuvre commune. **2** Politique d'échanges entre États ; spécialt aide au développement de nations moins développées.

**coopérative** n. f. Entreprise où les droits de chaque associé (*coopérateur, trice* n.) sont égaux et où le profit est réparti.

**coopérer** v. intr. [6] **1** Agir, travailler conjointement (avec qqn). → **collaborer. 2** anglic. Aider, être coopératif (2).

**cooptation** n. f. Nomination d'un membre nouveau d'une assemblée par ceux qui en font partie. ► **coopter** v. tr. [1]

**coordinateur, trice** adj. et n. Qui coordonne. – syn. **coordonnateur, trice.**

**coordination** n. f. **1** Agencement logique des parties d'un tout en vue d'obtenir un résultat. **2** gramm. Construction liant des mots ou des propositions de même nature ou fonction. *Conjonction* de coordination.*

**coordonnée** n. f. **1** math. Chacun des éléments qui déterminent la position d'un point par rapport à un système de référence (→ **abscisse, ordonnée, cote).** ♦ *Coordonnées géographiques :* latitude et longitude. **2** au plur. fig., fam. Renseignements permettant de joindre qqn (adresse, etc.).

**coordonner** v. tr. [1] **1** Organiser (les parties d'un ensemble) pour former un tout efficace ou harmonieux. **2** Relier (des mots, des propositions) par une conjonction de coordination. ▷ adj. **coordonné, ée**

**copain, copine** n. fam. Camarade. – adj. *Ils sont très copains.* → **ami.**

**coparent** n. m. didact. Personne qui exerce l'autorité parentale avec une autre. ► **coparental, ale, aux** adj. ► **coparentalité** n. f.

**copeau** n. m. Éclat, mince ruban (de bois, etc.) détaché par un instrument tranchant.

**copiage** n. m. Action, fait de copier.

**copie** n. f. **I 1** Reproduction (d'un écrit). *L'original et la copie.* **2** Texte (d'un ouvrage...), servant de référence. → **manuscrit. 3** Devoir rédigé sur une feuille. – Cette feuille. **II 1** Reproduction (d'une œuvre d'art). **2** Imitation (d'une œuvre). **III** Reproduction (d'un film de cinéma). – Double d'un enregistrement. – inform. *Copie de sauvegarde.*

**copier** v. tr. [7] **1** Reproduire (une œuvre). **2** Imiter (spécialt frauduleusement). **3** inform. Effectuer une copie de. *Copier un fichier.*

**copier-coller** v. tr. (à l'inf.) inform. Copier puis insérer (des données) à un autre endroit. – n. m. invar. *Faire des copier-coller.*

**copieur, euse I** n. Personne qui copie en fraude. **II** n. m. Photocopieur.

**copieux, euse** adj. Abondant. *Un repas copieux.* ► **copieusement** adv.

**copilote** n. Pilote en second (d'un avion).

**copinage** n. m. fam., péj. Favoritisme.

**copine** n. f. → **copain**

**copiner** v. intr. [1] fam. Avoir des relations de camaraderie.

**copinerie** n. f. fam. Relations de copains.

**copiste** n. **1** anciennt Professionnel qui copiait des manuscrits, etc. **2** → **plagiaire.**

**coppa** n. f. Charcuterie italienne roulée.

**copra** ou **coprah** n. m. Amande de la noix de coco, produisant de l'huile.

**coproduction** n. f. Production (d'un film...) par plusieurs producteurs *(coproducteurs).*

**coprophage** adj. didact. Qui se nourrit d'excréments (insecte...).

**copropriété** n. f. Propriété de plusieurs personnes sur un bien. ► **copropriétaire** n.

**copte** adj. et n. Des chrétiens d'Égypte. ♦ n. m. Langue liturgique des Coptes.

**copule** n. f. didact. Mot qui relie le sujet au prédicat*. *Le verbe «être» est une copule.*

**copuler** v. intr. [1] didact. S'unir charnellement. ► **copulation** n. f. → **coït.**

**copyright** [kɔpiʀajt] n. m. Droit exclusif d'exploiter une œuvre (symb. ©).

① **coq** [kɔk] n. m. **I 1** Oiseau de basse-cour, mâle de la poule. **2** loc. *Comme un coq en pâte,* dorloté. ♦ *Passer du coq à l'âne.* → **coq-à-l'âne. II** Mâle d'autres espèces de gallinacés (*coq de bruyère :* tétras ; etc.).

② **coq** n. m. Cuisinier, à bord d'un navire.

**coq-à-l'âne** n. m. invar. Passage sans transition, sans motif d'un sujet à un autre.

**coque** n. f. **I 1** Enveloppe rigide (de certains fruits). **2** Coquillage comestible très commun. **3** *Œuf à la coque,* cuit dans sa coquille et encore mou. **II 1** Ensemble de la membrure et du revêtement extérieur (d'un navire). **2** Bâti rigide remplaçant le châssis et la carrosserie (d'automobiles).

**coquelet** n. m. cuis. Jeune coq.

**coquelicot** n. m. Petit pavot des champs à fleur rouge vif.

**coqueluche** n. f. **1** Maladie contagieuse, caractérisée par une toux convulsive. **2** *Être la coqueluche de :* être admiré de.

**coquet, ette** adj. **I 1** Qui cherche à plaire, à séduire. – n. *Faire le coquet.* **2** Qui a le goût de la toilette, de l'élégance. **3** (choses) Plaisant et soigné. **II** (somme...) Important.

**coquetier** n. m. Petite coupe dans laquelle on sert un œuf à la coque.

**coquettement** adv. D'une manière coquette (I).

**coquetterie** n. f. **1** Souci de plaire, de séduire. ♦ Légère affectation. ♦ loc. fam. *Avoir une coquetterie dans l'œil :* loucher légèrement. **2** Goût de la toilette, souci d'élégance.

**coquillage** n. m. **1** Mollusque marin comestible à coquille. **2** La coquille.

**coquille** n. f. **I 1** Enveloppe calcaire dure qui recouvre le corps de la plupart des mollusques et d'autres animaux aquatiques. – loc. *Rentrer dans sa coquille :* se replier sur soi. ♦ *Coquille Saint-Jacques :* mollusque marin très apprécié. → **peigne. 2** Objet représentant ou évoquant une coquille. **II 1** Enveloppe dure (des noix, etc.) ; enveloppe calcaire (des œufs d'oiseaux). **2** fig. *Coquille de noix :* petit bateau. **III** imprim. Lettre substituée à une autre.

**coquillette** n. f. Pâte alimentaire en forme de petit tube courbe.

**coquin, ine** n. **1** vx Bandit, canaille. **2** Personne espiègle. **3** adj. Grivois, égrillard.

**cor** n. m. **I 1** ancienn^t Corne, trompe (→ **olifant**). **2** Instrument à vent en métal, contourné en spirale et à extrémité évasée. *Cor de chasse.* → **trompe.** ♦ *Cor anglais :* hautbois alto. **3** loc. *À cor et à cri :* en insistant bruyamment. **II 1** Petite excroissance dure et douloureuse du pied. **2** au plur. Ramifications des bois du cerf.

**corail, aux** n. m. **1** Animal marin des mers chaudes, qui sécrète un squelette calcaire (→ **polypier**) de couleur rouge ou blanche. **2** Matière calcaire qui forme les coraux. **3** Partie rouge d'une coquille Saint-Jacques.

**corailleur, euse** n. Pêcheur de corail.

**corallien, ienne** adj. Formé de coraux.

**coran** n. m. Livre sacré des musulmans. ► **coranique** adj.

**corbeau** n. m. **I 1** Grand oiseau à plumage noir ou gris (→ **choucas, corneille, freux**) ; spécialt le grand corbeau (à plumage noir). **2** Auteur de lettres anonymes. **II** Pierre, poutre en saillie sur un mur, soutenant une corniche, etc. (→ **encorbellement**).

**corbeille** n. f. **I** Panier léger. **II 1** Massif de fleurs rond ou ovale. **2** Espace réservé aux agents de change, à la Bourse. **3** → **mezzanine.**

**corbillard** n. m. Voiture mortuaire.

**cordage** n. m. **1** Lien servant au gréement, à la manœuvre. **2** Cordes d'une raquette.

**corde** n. f. **I 1** Réunion de brins d'une matière textile tordus ensemble. ♦ loc. *Avoir plusieurs cordes à son arc,* plusieurs moyens pour parvenir à ses fins. **2** géom. Segment joignant deux points d'une courbe. **3** Lien servant à pendre qqn. – Supplice de la pendaison. ♦ loc. *Se mettre la corde au cou,* dans une situation de dépendance (spécialt se marier). – *Parler de corde dans la maison d'un pendu :* commettre un impair. **4** Trame d'une étoffe. **5** (courses) *La corde :* l'intérieur de la piste. **6** Fil tendu sur lequel on fait des exercices. – loc. *Être sur la corde raide,* dans une situation délicate. **7** boxe *Les cordes,* qui limitent le ring. **8** loc. *Il pleut des cordes,* très fort. **II 1** Boyau, crin, fil métallique tendu qui produit les sons sur certains instruments (dits *à cordes ;* ellipt *les cordes*). **2** loc. *Faire vibrer la corde sensible :* parler à qqn de ce qui le touche le plus. **III 1** *Cordes vocales :* replis du larynx produisant les sons de la voix. **2** loc. *Ce n'est pas dans mes cordes,* de ma compétence.

**cordeau** n. m. **1** Corde tendue pour obtenir une ligne droite. **2** Mèche de mise à feu.

**cordée** n. f. Groupe d'alpinistes attachés ensemble pour faire une ascension.

**cordelette** n. f. Corde fine.

**cordelier** n. m. Religieux franciscain. ♦ hist. Membre d'un club révolutionnaire.

**cordelière** n. f. Corde tressée, à nœuds.

**corder** v. tr. [1] **1** Lier avec une corde. **2** Garnir de cordes (une raquette de tennis).

**cordial, iale, iaux** adj. **I** vx Qui stimule le cœur. ♦ n. m. mod. Boisson alcoolisée. **II** Chaleureux et sincère. ► **cordialement** adv. ► **cordialité** n. f.

**cordier, ière** n. Personne qui fabrique ou vend des cordes, des cordages.

**cordillère** n. f. Chaîne de montagnes.

**cordon** n. m. **I 1** Petite corde (attache, ornement...). - loc. *Tenir les cordons de la bourse* : régler les dépenses. **2** Cordeau (2). **II** Ruban servant d'insigne (ordres honorifiques). **III 1** *Cordon ombilical,* rattachant l'embryon au placenta. **2** Série (de choses ou de personnes). *Cordon sanitaire* (postes de surveillance sanitaire). **3** *Cordon littoral* : bande de terre émergée, près d'une côte.

**cordon-bleu** n. m. Cuisinier, cuisinière habile. *Des cordons-bleus.*

**cordonnet** n. m. Petit cordon (I).

**cordonnier, ière** n. Artisan qui répare, entretient les chaussures. ► **cordonnerie** n. f.

**coreligionnaire** n. Personne qui professe la même religion qu'une autre.

**coriace** adj. **1** (viande...) Très dur. **2** (personnes) Qui ne cède pas.

**coriandre** n. f. Plante au fruit aromatique, utilisé surtout comme condiment.

Mot féminin : *la coriandre.*

**coricide** n. m. Préparation qu'on met sur les cors aux pieds, pour les détruire.

**corindon** n. m. Pierre précieuse très dure (ex. aigue-marine, rubis, saphir).

**corinthien, ienne** adj. et n. m. Se dit d'un ordre d'architecture grecque (succédant au dorique et à l'ionique) caractérisé par des chapiteaux ornés de feuilles d'acanthe.

**corium** [kɔʀjɔm] n. m. phys. Magma formé de combustible et de métaux fondus résultant de la fusion du cœur d'un réacteur nucléaire.

**cormier** n. m. Sorbier cultivé.

**cormoran** n. m. Oiseau palmipède au plumage sombre, bon plongeur.

**cornac** n. m. Celui qui mène un éléphant.

**cornaline** n. f. Calcédoine rouge.

**corne** n. f. **I 1** Excroissance épidermique, dure et pointue, sur la tête de certains animaux (bœuf, vache, chèvre...). ♦ loc. *Prendre le taureau par les cornes,* affronter une difficulté. - fam. *Porter des cornes,* être trompé (mari, femme). **2** Appendice comparé à une corne. *Les cornes* (pédicules oculaires) *d'un escargot.* **3** Corne d'animal évidée. ♦ *Corne de gazelle,* gâteau oriental. **4** Instrument sonore fait d'une corne creuse. **5** Angle saillant, coin. **II 1** Substance qui constitue les productions dures de l'épiderme (ongles, cornes, etc.). → **kératine. 2** Callosité de la peau.

**corné, ée** adj. Qui a la consistance dure de la corne (II).

**corned-beef** [kɔʀnɛdbif ; kɔʀnbif] n. m. invar. Viande de bœuf en conserve.

**cornée** n. f. Enveloppe antérieure et transparente de l'œil.

**cornéen, enne** adj. De la cornée. - *Lentilles cornéennes,* verres de contact.

**corneille** n. f. Oiseau du genre corbeau, à queue arrondie et plumage terne.

**cornélien, ienne** adj. Qui appartient à Pierre Corneille, évoque ses tragédies.

**cornemuse** n. f. Instrument à vent fait d'un sac de cuir et de tuyaux percés de trous.

① **corner** v. [1] **I** v. tr. Plier en forme de corne (I, 4). *Corner les pages d'un livre.* **II** v. intr. Faire fonctionner une corne (I, 4), une trompe. ♦ trans. fam. Dire bruyamment (qqch.).

② **corner** [-ɛʀ] n. m. anglic. Faute d'un footballeur qui envoie le ballon derrière la ligne de but de son équipe.

**cornet** n. m. **I** Objet en forme de corne ; récipient conique. **II** Petite trompe. ♦ *Cornet (à pistons)* : cuivre plus court que la trompette.

**cornette** n. f. **1** Coiffure de certaines religieuses. **2** ancienn Étendard de cavalerie.

**cornettiste** n. Joueur, joueuse de cornet.

**corn flakes** [-flɛks] n. m. pl. anglic. Flocons de maïs grillés et croustillants.

**corniaud** n. m. **1** Chien bâtard. **2** fam. Imbécile, sot.

**corniche** n. f. **1** Partie saillante qui couronne un édifice. - Ornement en saillie sur un mur, un meuble, etc. **2** Saillie naturelle surplombant un escarpement. - Route en surplomb.

**cornichon** n. m. **1** Petit concombre conservé dans du vinaigre. **2** fam. Niais.

**cornier, ière** adj. Qui est à l'angle.

**cornière** n. f. Pièce cornière, en équerre.

**corniste** n. Personne qui joue du cor.

**cornouiller** n. m. Arbre commun dans les haies, les bois.

**cornu, ue** adj. **1** Qui a des cornes. **2** Qui a la forme d'une corne.

**cornue** n. f. Récipient à col étroit, long et courbé, qui sert à distiller.

**corollaire** n. m. didact. **1** Proposition dérivant d'une autre. **2** Conséquence, suite.

**corolle** n. f. Ensemble des pétales d'une fleur. - *En corolle,* évasé.

**coron** n. m. Ensemble d'habitations de mineurs (nord de la France, sud de la Belgique).

**coronaire** adj. anat. Disposé en couronne. - *Artères coronaires,* qui irriguent le cœur. ► **coronarien, ienne** adj.

**coronavirus** n. m. biol. Genre de virus à ARN responsable d'infections respiratoires et digestives.

**corossol** n. m. Gros fruit tropical aussi appelé *anone.*

**corozo** n. m. Matière blanche tirée de la noix d'un palmier et dite *ivoire végétal.*

**corporatif, ive** adj. Des corporations.

**corporation** n. f. **1** hist. Association d'artisans, groupés en vue de réglementer leur profession. **2** Ensemble des personnes qui exercent la même profession.

**corporatisme** n. m. Doctrine préconisant les groupements du type des corporations.

**corporel, elle** adj. Relatif au corps.

**corps** [kɔʀ] n. m. **I** Partie matérielle des êtres animés. **1** L'organisme humain (opposé à l'esprit, à l'âme). ♦ *Corps à corps :* en serrant qqn contre soi (dans la lutte). – *Corps et âme :* tout entier, sans restriction. – *Se jeter à corps perdu* (dans une entreprise), avec impétuosité. **2** Cadavre. **3** Le tronc humain (par opposition à la tête et aux membres). **4** (Individu) *Garde* du corps.* **II** Partie principale. *Le corps d'un bâtiment.* – loc. *Navire perdu corps et biens,* le navire lui-même et les marchandises. **III** Objet matériel. **1** *Les corps célestes.* → **astre, satellite. 2** Objet matériel caractérisé par ses propriétés physiques. *Corps solide.* **3** Élément anatomique (organe, etc.). **IV 1** Épaisseur, consistance. **2** loc. *Prendre corps :* devenir réel; commencer à s'organiser. – *Faire corps avec,* adhérer, ne faire qu'un. **V** abstrait **1** Institution. *Les corps constitués* (administration, justice). **2** Compagnie, groupe organisé. *Le corps enseignant.* **3** Unité militaire (bataillon, régiment). – *Corps d'armée,* formé de plusieurs divisions.

**corpulence** n. f. Ampleur du corps humain (grosseur...). – **absolt** → **embonpoint.**

**corpulent, ente** adj. De forte corpulence.

**corpus** [kɔʀpys] n. m. didact. Ensemble limité de textes contenant de l'information.

**corpuscule** n. m. **1** Petit organe. **2** phys., vx → **particule.** ► **corpusculaire** adj.

**corral** n. m. Enclos à bétail (en Espagne...).

**correct, ecte** adj. **I** (s'oppose à *incorrect*) **1** Qui respecte les règles. *Syntaxe correcte.* **2** Conforme aux usages ; à la morale. **3** loc. anglic. *Politiquement* correct.* **II** fam. Acceptable, sans être remarquable. ► **correctement** adv. → **convenablement.**

**correcteur, trice** n. **1** Personne qui corrige (un texte) en jugeant. **2** Professionnel(le) qui corrige les épreuves d'imprimerie. **3** n. m. inform. *Correcteur orthographique :* logiciel vérifiant l'orthographe des textes saisis.

**correctif, ive I** adj. Qui a le pouvoir de corriger. **II** n. m. Contrepartie qui atténue.

**correction** n. f. **I** (Action de corriger (I)) **1** Changement apporté pour améliorer. ♦ spécialt Rectification des erreurs sur les épreuves d'imprimerie. – Action de corriger des devoirs, etc. **2** ancient *Maison de correction,* où des mineurs délinquants étaient détenus. **II** Châtiment corporel ; coups. **III 1** Qualité de ce qui est correct. **2** Comportement correct (I, 2).

**correctionnel, elle** adj. Relatif aux actes qualifiés de délits par la loi. *Tribunal correctionnel* ou n. f. *la correctionnelle.*

**corrélat** n. m. Terme d'une corrélation.

**corrélation** n. f. Lien logique, rapport réciproque. ► **corrélatif, ive** adj.

**correspondance** n. f. **I** Rapport logique entre un terme et un ou plusieurs autres déterminés par le premier ; rapport de conformité. → **relation. II 1** Relation par écrit entre deux personnes ; lettres échangées. **2** Liaison entre deux moyens de transport.

**correspondant, ante I** adj. Qui correspond à qqch. **II** n. **1** Personne avec qui l'on correspond (II). **2** Journaliste qui transmet des nouvelles d'un lieu éloigné.

**correspondre** v. [41] **I** *Correspondre à* v. tr. ind. Être en rapport de conformité ou d'équivalence avec (qqch.), se rapporter à. **II** v. intr. **1** Avoir des relations par lettres, par téléphone, par mail, etc. (avec qqn). **2** (sujet chose) Être en communication, en relation (avec).

**corrida** n. f. **1** Course de taureaux. **2** fam. Dispute, agitation.

**corridor** n. m. Passage couvert reliant plusieurs pièces d'un même étage.

**corrigé** n. m. Devoir donné comme modèle.

**corriger** v. tr. [3] **I 1** Ramener à la règle (qqn ou qqch. qui s'en écarte). – pronom. *Se corriger d'un défaut.* **2** Supprimer (les fautes, les erreurs...). → **remanier. 3** Lire (un texte) en vue de donner une note, ou d'améliorer. *Corriger des devoirs.* **4** Rendre exact ou plus exact ; améliorer, rectifier. **II** Infliger un châtiment corporel, donner des coups à. → **battre.**

**corroborer** v. tr. [1] Donner appui à (une opinion...). → **confirmer, renforcer.**

**corroder** v. tr. [1] Détruire lentement, progressivement, par une action chimique.

**corroi** n. m. techn. Corroyage.

**corrompre** v. tr. [41] **I** vieilli Altérer en décomposant. **II** fig. **1** littér. Altérer, gâter (ce qui était pur, bon ; honnête). **2** Engager (qqn) par des dons, des promesses, etc. à agir contre son devoir. → **acheter, soudoyer ; corruption.** ▷ adj. **corrompu, ue** → **pourri ; dépravé ; vénal.**

**corrosif, ive** adj. **1** Qui corrode. **2** (abstrait) Qui attaque avec violence.

**corrosion** n. f. Action, fait de corroder.

**corroyer** v. tr. [8] Apprêter (le cuir), l'assouplir. ► **corroyage** n. m. ► **corroyeur, euse** n.

**corrupteur, trice 1** n. Personne qui corrompt. **2** adj. littér. Qui corrompt.

**corruption** n. f. I vieilli Altération par décomposition. II 1 littér. Altération (du jugement, du goût ; de la morale). 2 Moyens pour corrompre (II, 2) qqn ; fait de se laisser corrompre.

**corsage** n. m. Vêtement féminin qui recouvre le buste.

**corsaire** n. m. 1 anciennt Navire armé par qqn, et autorisé à attaquer les navires d'autres pays. ♦ Capitaine de ce navire. 2 Aventurier, pirate.

**corse** adj. et n. De la Corse. ♦ n. m. *Le corse* (dialecte italien).

**corsé, ée** adj. 1 Fort (au goût). 2 Compliqué. 3 Scabreux. → **salé.**

**corselet** n. m. I anciennt Vêtement féminin serrant la taille et lacé sur le corsage. II Partie antérieure du thorax (insectes).

**corser** v. tr. [1] 1 Rendre plus fort (un aliment). 2 Accroître l'intérêt de. - pronom. *L'affaire se corse*, se complique.

**corset** n. m. 1 anciennt Gaine baleinée serrant la taille et le ventre des femmes. 2 Appareil orthopédique pour le tronc.

**corseté, ée** adj. Raide, guindé.

**cortège** n. m. 1 Personnes qui en accompagnent une autre lors d'une cérémonie. 2 Groupe organisé qui avance.

**cortex** [-ɛks] n. m. physiol. Partie périphérique externe d'un organe ; spécialt, du cerveau. ► **cortical, ale, aux** adj.

**cortisone** n. f. Hormone du cortex des glandes surrénales (anti-inflammatoire...).

**corvée** n. f. 1 hist. Travail gratuit dû au seigneur. 2 Obligation ou travail pénible et inévitable. 3 Travail que font à tour de rôle les membres d'une communauté.

**corvette** n. f. Ancien navire d'escorte.

**corvidé** n. m. zool. Oiseau de la famille des corbeaux, corneilles, geais, pies, etc.

**coryphée** n. m. 1 (théâtre antique) Chef de chœur. 2 littér. Chef (dans un parti...).

**coryza** n. m. Inflammation de la muqueuse des fosses nasales (syn. *rhume de cerveau*).

**cosaque** n. m. Cavalier de l'armée russe.

**cosinus** [kɔsinys] n. m. math. Sinus* du complément d'un angle.

**cosmétique** n. m. et adj. (Produit) destiné aux soins de beauté.

**cosmique** adj. 1 Du cosmos (2). 2 *Rayons cosmiques* : rayonnement de grande énergie, d'origine cosmique (étudié par ses effets sur l'atmosphère : ionisation).

**cosmogonie** n. f. didact. Théorie expliquant la formation de l'univers, des objets célestes. ► **cosmogonique** adj.

**cosmographie** n. f. Astronomie descriptive. ► **cosmographique** adj.

**cosmologie** n. f. Science des lois de l'univers. ► **cosmologique** adj.

**cosmonaute** n. Voyageur de l'espace (contexte soviétique). → **astronaute.**

**cosmopolite** adj. 1 Qui s'accommode de tous les pays ou civilisations. 2 Qui comprend des personnes de tous les pays. *Ville cosmopolite.* ► **cosmopolitisme** n. m.

**cosmos** [-os] n. m. 1 philos. L'univers considéré comme un système bien ordonné. 2 Espace extraterrestre.

① **cosse** n. f. fam. Paresse. ► **cossard, arde** n. et adj.

② **cosse** n. f. Enveloppe qui renferme les graines de certaines légumineuses.

**cossu, ue** adj. Riche, aisé.

**costal, ale, aux** adj. anat. Des côtes.

**costard** n. m. fam. Costume d'homme.

**costaud, aude** adj. fam. 1 Fort, robuste. - n. *Un gros costaud.* 2 (choses) Solide.

**costume** n. m. 1 Pièces d'habillement formant un ensemble. *Costume de théâtre.* 2 Vêtement d'homme composé d'une veste, d'un pantalon et parfois d'un gilet.

**costumer** v. tr. [1] Revêtir d'un déguisement. - pronom. *Se costumer en Pierrot.* ▷ adj. **costumé, ée** Déguisé. - *Bal costumé.*

**costumier, ière** n. Personne qui fait, vend ou loue des costumes de scène.

**cotation** n. f. Action de coter.

**cote** n. f. 1 Montant d'une cotisation, d'un impôt. ♦ loc. fig. *Cote mal taillée* : compromis. 2 Constatation officielle des cours (d'une valeur, d'une monnaie). 3 Appréciation. *Cote de popularité.* - fam. *Avoir la cote* : être estimé. 4 Chiffre servant à classer, ou indiquant un niveau. ♦ Troisième coordonnée* d'un point. ♦ *Cote d'alerte* : niveau au-delà duquel commence une inondation ; fig. point critique.

① **côte** n. f. I 1 Os plat du thorax, courbe, qui s'articule sur la colonne vertébrale et le sternum. - loc. *Se tenir les côtes* : rire beaucoup. ♦ *Côte de bœuf, d'agneau* (→ **côtelette ; entrecôte**). 2 loc. *Côte à côte* : l'un à côté de l'autre. II Partie saillante.

② **côte** n. f. 1 Pente formant un côté d'une colline. → **coteau.** 2 Route en pente.

③ **côte** n. f. Rivage de la mer.

**coté, ée** adj. Qui a une cote (2 et 3).

**côté** n. m. 1 Région des côtes (de l'aisselle à la hanche). - loc. *Point* de côté.* ♦ Partie droite ou gauche de tout le corps. 2 (choses) Partie qui est à droite ou à gauche (→ **latéral**). 3 Ligne ou surface qui constitue la limite (d'une chose). *Les quatre côtés d'un carré. Les deux côtés d'une feuille de papier* (recto, verso). 4 fig. Aspect. *Le bon côté des choses.* 5 (après *de, du*). *De ce côté-ci ; de ce côté-là* : par ici, par là. *De tous côtés* : partout. - *Du côté de* : dans la direction de ; aux environs de. ♦ fig. *De mon côté* : pour ma part. - *Du côté de.* → **parti, camp.** ♦ loc. adv. *De côté. Se jeter de côté*, faire un écart. *Laisser de côté*, à l'écart. *Mettre de côté*, en réserve. **6** loc. adv. *À côté :* à une distance proche. – loc. prép. *À côté de* → **auprès** de, **près** de ; fig. en **comparaison** de. – *Être à côté de la question*, en dehors.

**coteau** n. m. Petite colline ; son versant.

**côtelé, ée** adj. (tissu) À côtes (①, II).

**côtelette** n. f. Côte des animaux de boucherie de taille moyenne (mouton, porc).

**coter** v. tr. 1 **1** Marquer d'une cote, de cotes. **2** Indiquer le cours de (une valeur...).

**coterie** n. f. péj. Réunion de personnes soutenant ensemble leurs intérêts.

**côtes-du-rhône** n. m. invar. Vin des Côtes du Rhône. *Un côtes-du-rhône*.

**cothurne** n. m. Chaussure montante à semelle épaisse (théâtre antique).

**côtier, ière** adj. Relatif aux côtes (③).

**cotignac** n. m. Confiture, pâte de coings.

**cotillon** n. m. **I** anciennt Jupon. **II 1** Réunion festive avec accessoires (confettis, etc.). **2** (au plur.) Ces accessoires.

**cotisation** n. f. Action de (se) cotiser ; somme à verser par chacun.

**cotiser** v. 1 **1** *Se cotiser* v. pron. : contribuer à réunir une somme en vue d'une dépense commune. **2** v. intr. (même sens) *Cotiser pour un cadeau*. ♦ Verser une somme régulière (à un organisme...). ► **cotisant, ante** adj. et n.

**coton** n. m. **1** Filaments soyeux qui entourent les graines du cotonnier. ♦ Fil de coton. ♦ Tissu de coton. **2** *Coton hydrophile* (purifié). → **ouate.** ♦ loc. *Avoir les jambes en coton :* être très faible. **3** loc. *Filer un mauvais coton :* être dans une situation dangereuse. **4** adj. invar. fam. Difficile.

**cotonnade** n. f. Étoffe de coton.

**cotonneux, euse** adj. Dont l'aspect évoque le coton, la ouate.

**cotonnier, ière I** n. m. Arbrisseau aux graines entourées de poils soyeux **(→ coton).** **II** adj. Qui a rapport au coton.

**coton-tige** n. m. (nom déposé) Fin bâtonnet aux extrémités recouvertes de coton, pour nettoyer les oreilles, le nez. *Des cotons-tiges*.

**côtoyer** v. tr. 8 **1** Aller, se trouver le long de. **2** Vivre à côté, près de (qqn). **3** fig. → **frôler.** *Cela côtoie le ridicule*.

**cotre** n. m. Navire à voiles à un seul mât.

**cotriade** n. f. région. Plat de poissons et de pommes de terre, avec du bouillon de poisson. → **chaudrée.**

**cottage** n. m. anglic. Petite maison de campagne élégante, de style rustique.

**cotte** n. f. **1** anciennt *Cotte de mailles :* armure à mailles métalliques. **2** vieilli Vêtement de travail **(→ salopette).**

**cotylédon** n. m. bot. Feuille ou lobe qui naît sur l'axe de l'embryon d'une plante.

**cou** n. m. **1** Partie du corps (de vertébrés, dont l'homme) qui unit la tête au tronc. ♦ loc. *Se jeter au cou de qqn*, l'embrasser avec effusion. – *Se rompre le cou*, se blesser grièvement. – *Prendre ses jambes à son cou*, fuir en courant. – *Jusqu'au cou*, complètement. **2** Goulot (d'une bouteille). → **col.**

**couac** n. m. Son faux et discordant.

**couard, arde** adj. littér. Qui est lâchement peureux. → **poltron.** ► **couardise** n. f.

**couchage** n. m. **1** Action de (se) coucher. **2** *Sac de couchage*, qui sert au coucher.

**couchant, ante I** adj. **1** *Chien couchant*, chien d'arrêt qui se couche quand il sent le gibier. **2** *Soleil couchant*, qui disparaît à l'horizon. **II** n. m. Côté de l'horizon où le soleil se couche (opposé à *levant*). → **ouest.**

**couche** n. f. **I 1** vx Lit. **2** Garniture absorbante dont on enveloppe les fesses des bébés. **II** au plur. État de la femme qui accouche ; enfantement. ♦ → aussi **fausse couche. III 1** Substance étalée sur une surface. – loc. fam. *En tenir une couche :* être stupide. **2** Disposition en zones superposées. *Couches géologiques*. **3** Catégorie, classe. *Les couches sociales*.

① **coucher** v. 1 **I** v. tr. **1** Mettre (qqn) au lit. – *Coucher qqn sur un brancard*, l'étendre. **2** Rapprocher de l'horizontale (ce qui est vertical). – au p. p. *Écriture couchée*, penchée. **3** Mettre par écrit. *Coucher qqn sur son testament*. **II** v. intr. **1** S'étendre pour se reposer, dormir. *Coucher tout habillé*. **2** Loger, passer la nuit. *Coucher sous les ponts*. – loc. *Un nom à coucher dehors*, difficile à prononcer. **3** *Coucher avec qqn*, partager son lit ; avoir des relations sexuelles avec lui, elle. ▷ v. pron. **se coucher I 1** Se mettre au lit (pour se reposer, dormir). **2** S'étendre. → s'**allonger. 3** Se courber (sur qqch.). **II** (Soleil, astre) Descendre vers l'horizon.

② **coucher** n. m. **I** Action de se coucher. **II** Moment où un astre (spécialt le Soleil) descend et se cache sous l'horizon.

**couche-tard** n. et adj. invar. Qui se couche souvent tard.

**couche-tôt** n. et adj. invar. Qui se couche souvent tôt.

**couchette** n. f. Lit sommaire (navires, trains...).

**coucheur, euse** n. loc. *Mauvais coucheur :* personne de caractère difficile.

**couci-couça** loc. adv. fam. Ni bien ni mal.

**coucou** n. m. **I 1** Oiseau grimpeur au plumage gris, dont la femelle pond ses œufs dans le nid d'autres oiseaux. **2** Pendule à sonnerie imitant le cri du coucou. **II** Plante sauvage à fleurs jaunes. **III** hist. Avion (1914-1918). ♦ fam. Vieil avion. **IV** interj. Cri de qqn qui annonce son arrivée, etc.

**coude** n. m. **I 1** Partie extérieure du bras, à l'endroit où il se plie. ♦ loc. *Lever le coude*, boire beaucoup. – *L'huile de coude*, l'énergie physique. – *Garder un dossier sous le coude,* en attente. – *Se tenir les coudes,* s'entraider. **2** Partie d'une manche qui recouvre le coude. **II** Angle saillant. ♦ Tuyauterie formant un angle.

**coudé, ée** adj. Qui a un coude (II).

**coudée** n. f. **1** Ancienne mesure de longueur (50 cm). **2** loc. *Avoir ses, les coudées franches,* la liberté d'agir.

**cou-de-pied** n. m. Dessus du pied. *Des cous-de-pied.*

**coudoyer** v. tr. [8] **1** Passer près de. **2** Être en contact avec. ► **coudoiement** n. m.

**coudre** v. tr. [48] Assembler au moyen d'un fil et d'une aiguille. – au p. p. → **cousu.**

**coudrier** n. m. Noisetier.

**couenne** [kwan] n. f. Peau de porc.

① **couette** n. f. **1** anciennt Lit de plumes. **2** mod. Édredon que l'on met dans une housse amovible.

② **couette** n. f. Touffe de cheveux retenue par un lien de chaque côté de la tête.

**couffin** n. m. **1** région. Panier souple. **2** Corbeille souple servant de berceau.

**coufique** adj. et n. m. Se dit d'une écriture arabe ornementale (calligraphie, etc.).

**cougar** n. f. anglic. Femme mûre qui recherche et séduit des hommes beaucoup plus jeunes.

**couguar** ou **cougouar** [kugwaʀ] n. m. Puma.

**couic** interj. Onomatopée, cri étranglé.

**couille** n. f. fam. et vulg. **1** Testicule. **2** *Une couille :* une erreur, un ennui.

**couillon, onne** n. et adj. très fam. Imbécile.

**couillonnade** n. f. très fam. Bêtise.

**couillonner** v. tr. [1] très fam. Tromper.

**couiner** v. intr. [1] fam. **1** Pousser de petits cris. **2** (choses) Grincer. ► **couinement** n. m.

**coulage** n. m. Action de couler (I). *Coulage d'un métal.*

**coulant, ante I** adj. **1** *Nœud coulant,* formant une boucle qui se resserre quand on tire. **2** Qui semble se faire aisément, sans effort. **3** fam. (personnes) Accommodant. **II** n. m. Pièce qui coulisse le long de qqch.

à la **coule** loc. adj. fam. et vieilli Au courant, averti.

**coulée** n. f. **1** Écoulement. *Coulée de lave.* **2** Matière en fusion que l'on coule (I, 2).

**couler** v. [1] **I** v. tr. **1** Faire passer (un liquide) d'un lieu à un autre. → **transvaser. 2** Jeter (une matière en fusion) dans le moule. ♦ *Couler une bielle,* la détériorer. **3** *Couler des jours heureux.* → **passer. II** v. intr. **1** (liquide) Se déplacer naturellement. **2** S'en aller rapidement. *L'argent lui coule des doigts.* **3** loc. *Couler de source :* être évident. **4** Laisser échapper un liquide. **III 1** v. intr. S'enfoncer dans l'eau (objet flottant...). **2** v. tr. Faire sombrer (un navire). ♦ fig. Ruiner (qqn, une entreprise). ▷ v. pron. **se couler** Passer sans faire de bruit. → se **glisser.**

**couleur** n. f. **I 1** Qualité de la lumière renvoyée par la surface d'un objet, selon l'impression visuelle qu'elle produit ; propriété de produire une telle impression. → **coloris, nuance, teinte, ton.** *Les couleurs du spectre* (violet, indigo, bleu, vert, jaune, orangé, rouge). ♦ loc. *En voir de toutes les couleurs,* subir des choses désagréables. **2** au plur. Zones colorées d'un drapeau. **3** Chacune des quatre marques, aux cartes (carreau, cœur, pique, trèfle). ♦ loc. fig. *Annoncer la couleur :* dire ses intentions. **4** Teinte naturelle (de la peau humaine). ♦ vieilli *Homme, femme de couleur,* qui n'est pas blanc (se dit surtout des Noirs). **5** en art Teintes, coloris. ♦ loc. fig. *Couleur locale :* traits extérieurs caractérisant un endroit. **II** Couleur du spectre (excluant le blanc, le noir, le gris) ; couleur vive. *Film en couleurs* (opposé à *en noir et blanc*). **III** Substance colorante. → **colorant, pigment ; peinture, teinture. IV** fig. **1** Aspect que prennent les choses. *Couleur politique.* → **tendance. 2** loc. prép. *Sous couleur de :* sous le prétexte de. **3** fam. *Ne pas voir la couleur de qqch.,* en être privé.

**couleuvre** n. f. **1** Serpent non venimeux d'Europe. **2** loc. *Avaler des couleuvres :* subir des affronts ; tout croire.

**couleuvrine** n. f. anciennt Long canon fin.

**coulis I** (adj. m.) loc. *Vent coulis :* courant d'air. **II** n. m. Sauce concentrée tamisée.

**coulissant, ante** adj. Qui coulisse.

**coulisse** n. f. **I 1** Support à rainure le long duquel une pièce peut glisser ; cette pièce. **2** Ourlet pour passer un cordon de serrage. **3** (regard) *En coulisse :* en coin. **II (surtout au plur.) 1** Partie d'un théâtre située sur les côtés et en arrière de la scène. **2** fig. Le côté secret. *Les coulisses de la mode.* **3** au sing. vx (Bourse) Marché des valeurs non cotées.

**coulisser** v. [1] **1** v. intr. Glisser sur des coulisses. **2** v. tr. Garnir de coulisses (I, 2).

**couloir** n. m. **1** Passage étroit et long, pour aller d'une pièce à l'autre. ♦ loc. *Bruits de couloir :* rumeurs. ♦ *Couloir de la mort,* où sont incarcérés les condamnés à mort (aux États-Unis). **2** Passage étroit. *Couloir d'avalanche.* – *Couloir aérien* (itinéraire).

**coulpe** n. f. loc. *Battre sa coulpe,* témoigner son repentir ; s'avouer coupable.

**coulure** n. f. Traînée de qqch. qui a coulé.

**country** [kuntʀi] n. f. ou m. invar. anglic. Musique américaine issue du folklore.

**coup** n. m. **I 1** Mouvement par lequel un corps matériel vient en heurter un autre ; impression produite par ce qui heurte. ♦ Choc brutal que l'on fait subir à qqn pour faire mal, blesser. *Coup de poing.* – *Coup bas,* donné plus bas que la ceinture ; fig. procédé déloyal. **2** Décharge (d'une arme à feu) ; ses effets. – loc. fig. *Coup double :*

double résultat par un seul effort. **3** fig. Acte, action qui attaque, frappe qqn. *Un coup du sort.* – loc. *Tenir le coup* : résister, supporter. **II** (souvent *coup de...*) **1** Mouvement (d'une partie du corps de l'homme ou d'un animal). *Coup d'aile.* ♦ loc. *Coup de main* : aide, appui ; attaque à l'improviste. **2** Mouvement (d'un objet, d'un instrument). *Coup de chapeau* (salut). – *Coup de téléphone.* **3** Bruit (d'un appareil sonore). *Coup de sifflet.* **4** Action brusque ou violente (du temps...) ; impression qu'elle produit. *Coup de froid.* **5** Fait de lancer (les dés) ; action d'un joueur (jeux de hasard, d'adresse...). – *Coup de dé*.* – *Coup franc*.* **6** Quantité absorbée en une fois. *Boire un coup.* **III 1** Action subite et hasardeuse. *Coup de chance.* ♦ *(Mauvais) coup* : action malhonnête. **2** loc. fam. *Être dans le coup,* participer à qqch. – *Être aux cent coups,* très inquiet. – *Faire les quatre cents coups* : se livrer à des excès. **3** loc. (Action rapide, faite en une fois) *D'un seul coup.* – *Coup sur coup* : sans interruption. – *Sur le coup* : immédiatement. – *Après coup* : après. – *À coup sûr* : infailliblement. – *Tout d'un coup, tout à coup* : brusquement, soudain.

**coupable** adj. **1** Qui a commis une faute. – n. *Un coupable.* **2** (actions...) Blâmable.

**coupage** n. m. **1** rare Action de couper. **2** Action de couper (III, 1) des liquides.

**coupant, ante** adj. **1** Qui coupe. **2** Autoritaire. *Un ton coupant.* → **impérieux.**

**coup-de-poing** [-pwɛ̃] n. m. **1** Arme de main, masse métallique percée de trous pour les doigts. *Des coups-de-poing.* **2** didact. Silex taillé servant d'arme. → **biface.**

① **coupe** n. f. **1** Verre à pied, plus large que profond. – prov. *Il y a loin de la coupe aux lèvres,* d'un plaisir projeté à sa réalisation. **2** Prix qui récompense le vainqueur d'une compétition sportive. – La compétition.

② **coupe** n. f. **I 1** Action de couper, de tailler. **2** Abattage des arbres en forêt ; étendue de forêt à abattre. *Coupe sombre,* où on laisse une partie des arbres ; fig. suppression importante. – loc. fig. *Mettre en coupe réglée,* exploiter (qqn, une population). **3** Manière dont on taille l'étoffe, le cuir... pour en assembler les pièces. **II 1** Contour, forme de ce qui est coupé ; endroit où qqch. a été coupé. **2** Dessin d'un objet supposé coupé par un plan. **3** Légère pause dans une phrase. **III 1** Division d'un jeu de cartes en deux paquets. **2** loc. *Être sous la coupe de qqn,* sous sa dépendance.

**coupé** n. m. Voiture à deux portes.

**coupe-chou** n. m. **1** fam. Sabre court. **2** Rasoir à longue lame. *Des coupe-choux.*

**coupe-circuit** n. m. invar. Appareil qui interrompt un circuit électrique (→ **fusible**), lorsque le courant est trop important.

**coupe-coupe** n. m. invar. → **machette.**

**coupée** n. f. Ouverture d'un navire qui permet l'entrée ou la sortie du bord.

**coupe-faim** n. m. invar. Substance destinée à diminuer l'appétit.

**coupe-feu** n. m. invar. Espace libre ou obstacle destiné à interrompre la propagation d'un incendie. – appos. *Porte coupe-feu.*

**coupe-file** n. m. **1** Carte de priorité. **2** Billet donnant un accès prioritaire à une manifestation. *Des coupe-files.*

**coupe-gorge** n. m. invar. Lieu dangereux, fréquenté par des malfaiteurs.

**coupelle** n. f. Petite coupe.

**coupe-papier** n. m. invar. Instrument, lame pour couper le papier.

**couper** v. tr. [1] **I** concret **1** Diviser (un corps solide) avec un instrument tranchant ; séparer en tranchant. *Couper du bois.* ♦ Préparer des pièces de tissu à assembler. → **tailler. 2** Enlever une partie de (qqch.) avec un instrument tranchant. *Couper de l'herbe.* **3** intrans. Être tranchant. *Couteau qui ne coupe plus.* **4** Faire une entaille à la peau. – pronom. *Se couper en se rasant.* **II 1** Diviser en plusieurs parties. → **partager.** *Cette haie coupe le champ.* **2** Passer au travers de (qqch.). → **croiser. 3** Enlever (une partie d'un texte, etc.). – inform. Enlever (du texte...) pour insérer ailleurs. **4** Interrompre. *Couper la parole à qqn.* – *Ça m'a coupé l'appétit.* **5** Arrêter, barrer. – *Couper les ponts*.* **6** Interrompre le passage de. *Couper l'eau.* **III 1** Mélanger à un autre liquide. *Couper son vin,* l'additionner d'eau. **2** Diviser (un jeu de cartes) en deux. ♦ Jouer avec l'atout. **IV** v. tr. ind. **1** fam. *Couper à.* → **éviter. 2** loc. *Couper court** (II, 2) *à qqch.* ▷ v. pron. se **couper** Se contredire ; se trahir.

**couper-coller** v. tr. (à l'inf.) inform. Sélectionner puis déplacer (des données) à un autre endroit. – n. m. invar. *Faire des couper-coller.*

**couperet** n. m. **1** Large couteau pour trancher la viande. **2** Lame de guillotine.

**couperose** n. f. Inflammation chronique de la peau du visage, caractérisée par des taches rougeâtres. ▶ **couperosé, ée** adj.

**coupeur, euse** n. **1** *Coupeur de,* personne qui coupe (qqch.). **2** → **tailleur.**

**coupe-vent** n. m. invar. **1** Dispositif à angle aigu, pour réduire la résistance de l'air. **2** Blouson qui protège du vent.

**couplage** n. m. Fait de coupler ; assemblage (de pièces mécaniques, etc.).

**couple** n. m. **I 1** Deux personnes unies par des relations sentimentales, physiques. **2** (animaux) Le mâle et la femelle. **II** sc. Système de deux forces parallèles, égales et de sens contraire.

**coupler** v. tr. [1] Assembler deux à deux.

**couplet** n. m. **1** Chacune des parties d'une chanson séparées par le refrain. **2** fam. Propos répété, ressassé.

**coupole** n. f. Voûte hémisphérique d'un dôme.

**coupon** n. m. **1** Pièce d'étoffe. **2** Partie détachable d'un document. *Coupon-réponse.*

**coupure** n. f. **I 1** Blessure faite par un instrument tranchant. → **entaille. 2** abstrait Séparation nette, brutale. → **cassure, fossé. 3** Suppression d'une partie (d'un ouvrage, d'un film...). **4** Interruption (du gaz, de l'eau...). **II 1** *Coupures de journaux,* articles découpés. **2** Billet de banque.

**cour** n. f. **I** Espace découvert et clos, dépendant d'une habitation. – *Cour de récréation.* **II 1** Résidence du souverain et de son entourage ; cet entourage (→ **courtisan**). – loc. fig. *Être bien en cour* (auprès de qqn d'important). **2** fig. Personnes empressées auprès d'une autre. – loc. *Faire la cour à qqn,* chercher à lui plaire. → **courtiser. III** Tribunal. – (en France) *Cour d'appel. Cour d'assises.* – *Cour des comptes,* chargée de contrôler la comptabilité publique. – *La Haute Cour de justice,* tribunal chargé de juger le président et les ministres.

**courage** n. m. **1** Force morale ; fait d'agir malgré les difficultés, énergie dans l'action. → **ardeur, volonté. 2** Fait de ne pas avoir peur ; force devant le danger ou la souffrance (s'oppose à *lâcheté, peur*). → **bravoure.**

**courageux, euse** adj. **1** Qui a du courage. **2** (acte...) Qui manifeste du courage. ► **courageusement** adv.

**couramment** adv. **1** Avec aisance. **2** D'une façon habituelle. → **communément.**

① **courant, ante** adj. **I 1** Qui court. *Chien* (de chasse) *courant.* **2** *Eau courante,* distribuée par tuyaux. **3** loc. *Main* courante.* **4** (temps, action) Qui s'écoule, se fait au moment où l'on parle. → en **cours ; actuel. II** Qui a cours d'une manière habituelle.

② **courant** n. m. **1** Mouvement de l'eau, d'un liquide. *Suivre, remonter le courant* (d'une rivière...). – par ext. *Courants atmosphériques.* **2** *Courant d'air :* passage d'air froid. **3** *Courant (électrique) :* déplacement d'électricité dans un conducteur. **4** Déplacement orienté. *Courants de populations* (émigration...). – fig. *Les courants de l'opinion.* → **mouvement. 5** *Dans le courant de la semaine,* pendant. **6** *Au courant :* informé.

**courante** n. f. **I** Ancienne danse à trois temps ; sa musique. **II** fam. Diarrhée.

**courbatu, ue** adj. littér. Extrêmement las.

**courbature** n. f. Sensation de fatigue douloureuse (effort prolongé, fièvre...).

**courbaturer** v. tr. [1] Donner une courbature à. ▷ adj. **courbaturé, ée**

**courbe** adj. **I** Qui change de direction sans former d'angles ; qui n'est pas droit. → **arrondi, incurvé, recourbé. II** n. f. **1** Ligne courbe. **2** Ligne représentant un phénomène (→ **graphique**).

**courber** v. tr. [1] **1** Rendre courbe (ce qui est droit). → **arrondir, incurver. 2** Pencher en abaissant. → **incliner.** – loc. fig. *Courber la tête :* obéir. **3** intrans. Devenir courbe. → **ployer.** ▷ v. pron. se **courber**

**courbette** n. f. Action de s'incliner exagérément, avec une politesse obséquieuse.

**courbure** n. f. Forme courbe.

**coureur, euse** n. **I 1** Personne qui court. ♦ adj. *Oiseaux coureurs.* **2** Athlète qui participe à une course. **II** Personne constamment à la recherche d'aventures amoureuses.

**courge** n. f. **1** Plante potagère cultivée pour son fruit : courge, citrouille... **2** Fruit d'une variété de courge. **3** fam. Imbécile.

**courgette** n. f. Courge allongée (verte).

**courir** v. [11] **I** v. intr. **1** Se déplacer par une suite d'élans, en reposant alternativement le corps sur l'une puis l'autre jambe, et d'une allure, la course*, plus rapide que la marche. **2** Aller vite. → se **dépêcher.** – fig. *Courir à sa perte, à sa ruine.* – fam. *Courir après qqn,* le rechercher avec assiduité. *Courir après qqch.,* essayer de l'obtenir. **3** (choses) Se mouvoir avec rapidité. **4** Être répandu, passer de l'un à l'autre. → **circuler,** se **propager,** se **répandre.** *Le bruit court que...* **5** (temps) Suivre son cours, passer. – loc. *Par les temps qui courent :* actuellement. – *L'intérêt court à partir de tel jour,* sera compté à partir de ce jour. **II** v. tr. **1** vx ou dans des loc. Poursuivre. *Courir deux lièvres* à la fois.* **2** Participer à (une épreuve de course). **3** Aller au-devant de. – *Courir un danger,* y être exposé. *Courir sa chance.* → **essayer, tenter. 4** Parcourir. – loc. *Ça court les rues :* c'est banal. **5** Fréquenter assidûment. *Courir les filles.*

**courlis** n. m. Oiseau échassier migrateur, à long bec, qui vit près de l'eau.

**couronne** n. f. **I 1** Cercle que l'on met autour de la tête (parure, marque d'honneur). *Couronne de laurier*.* **2** Cercle de métal posé sur la tête (insigne d'autorité). **3** Royauté, souveraineté. *L'héritier de la couronne.* **II 1** *En couronne :* en cercle. **2** Objet circulaire ; choses disposées en cercle. ♦ spécialt Partie visible d'une dent. – Capsule de métal, de porcelaine, dont on recouvre une dent. **III** Unité monétaire du Danemark, de la Norvège, de la Suède, etc.

**couronnement** n. m. **I** Cérémonie par laquelle on couronne un souverain. → **sacre. II 1** Ce qui termine et orne le sommet (d'un édifice...). **2** abstrait Ce qui achève.

**couronner** v. tr. [1] **I 1** Coiffer (qqn) d'une couronne. ♦ Décerner un prix à (qqn, qqch.). **2** Proclamer (qqn) souverain. **II** Orner, entourer comme fait une couronne. **III** abstrait Achever en complétant.

**courre** v. tr. seulement inf. *Chasse à courre,* avec des chiens courants et à cheval.

**courriel** n. m. Courrier* électronique. → **e-mail, mail, mél.**

**courrier** n. m. I anciennt Homme qui portait les lettres. II 1 Transport des lettres, journaux, etc. → **poste.** – *Courrier électronique* (par un réseau informatique, télématique). → **messagerie.** 2 Ensemble des lettres, journaux, etc. reçus ou expédiés. 3 Article, chronique d'un journal, sur un sujet.

**courroie** n. f. Bande étroite d'une matière souple et résistante servant à lier, à attacher. – *Courroie de transmission* (fig. intermédiaire).

**courroucer** v. tr. [3] littér. Mettre en colère, irriter. ▷ adj. **courroucé, ée**

**courroux** n. m. littér. Violente irritation.

**cours** n. m. I Écoulement continu (de l'eau des rivières, etc.). – loc. fig. *Donner libre cours à sa douleur, sa joie,* ne plus contenir. ♦ *Cours d'eau.* → **fleuve, rivière, ruisseau, torrent.** II 1 Suite continue dans le temps. → **déroulement, succession.** *Le cours des saisons.* – *Suivre son cours :* évoluer normalement. ♦ loc. *Au, en cours de.* → **durant, pendant.** 2 Enseignement sur une matière déterminée. ♦ Degré d'études. ♦ Établissement d'enseignement privé. III 1 Prix auquel sont négociées des marchandises, des valeurs. → **cote, taux.** *Les cours de la Bourse.* 2 *Avoir cours :* avoir valeur légale. – fig. Être reconnu, utilisé. IV loc. *Au long cours :* à longue distance sur mer (→ **long-courrier).** V Avenue servant de promenade.

**course** n. f. I 1 Action de courir, mode de locomotion plus rapide que la marche. – loc. *Au pas de course :* en marchant très vite. 2 Épreuve de vitesse. – au plur. Courses de chevaux. *Champ de courses :* hippodrome. ♦ *De course :* destiné à la course. 3 *Course de taureaux.* → **corrida.** II 1 Action de parcourir un espace. → **parcours, trajet.** 2 au plur. Déplacement pour porter, aller chercher qqch. *Garçon de courses.* → ② **coursier.** ♦ Achats. *Faire des courses.* 3 (choses) littér. Mouvement plus ou moins rapide. *La course d'un projectile.*

**courser** v. tr. [1] fam. Poursuivre (qqn).

① **coursier** n. m. littér. Beau cheval.

② **coursier, ière** n. Personne chargée des courses (II, 2) pour une entreprise, etc.

**coursive** n. f. Couloir étroit d'un navire.

① **court, courte** I adj. (contr. *long*) 1 Qui a peu de longueur d'une extrémité à l'autre (relativement à la normale ou par comparaison). 2 Qui a peu de durée. → **bref.** ♦ Peu développé. *Un court récit.* 3 Qui est rapproché dans le temps. – loc. *À court terme :* dans un avenir rapproché. 4 De fréquence rapide. *Ondes courtes.* ♦ *Avoir le souffle court,* s'essouffler. II adv. 1 De manière à rendre court. *Se couper les cheveux très court.* 2 loc. *Couper court à* (un entretien), l'interrompre au plus vite. – *Tourner court :* ne pas aboutir. 3 *Tout court :* sans rien d'autre. 4 *Prendre qqn de court,* à l'improviste. 5 *À court de. Être à court d'idées,* en manquer.

② **court** n. m. Terrain pour le tennis.

**courtage** n. m. 1 Profession de courtier. 2 Commission, rémunération de courtier.

**court-bouillon** n. m. Bouillon aromatisé dans lequel on fait cuire du poisson. *Des courts-bouillons.*

**court-circuit** n. m. Interruption du courant par fusion des plombs. *Des courts-circuits.*

**court-circuiter** v. tr. [1] 1 Mettre en court-circuit. 2 fig., fam. Laisser de côté (un intermédiaire) pour atteindre un but.

**courtepointe** n. f. Couverture de lit ouatée et piquée.

**courtier, ière** n. Agent qui met en rapport vendeurs et acheteurs pour des opérations de Bourse ou de commerce. → **agent, représentant, V. R. P.**

**courtine** n. f. 1 Rideau de lit ; tenture. 2 Mur de fortification.

**courtisan** n. m. 1 Homme qui fréquente la cour d'un souverain. 2 fig. Personne qui cherche à plaire aux gens influents.

**courtisane** n. f. vieilli Femme entretenue, d'un rang social assez élevé.

**courtiser** v. tr. [1] Faire la cour à (qqn).

**court-jus** n. m. fam. Court-circuit. *Des courts-jus.*

**courtois, oise** adj. 1 Qui est d'une politesse raffinée. ► **courtoisement** adv. 2 *Littérature, poésie courtoise* (du Moyen Âge), qui exalte l'amour d'une manière raffinée.

**courtoisie** n. f. Politesse raffinée.

**court-vêtu, ue** adj. Dont le vêtement est court. *Des femmes court-vêtues.*

**couru, ue** adj. 1 Recherché. *Un spectacle très couru.* 2 fam. *C'était couru,* prévu.

**couscous** [kuskus] n. m. 1 Semoule de blé dur. 2 Plat de cette semoule, avec de la viande, des légumes et du bouillon.

**cousette** n. f. vx Jeune couturière.

① **cousin, ine** n. Enfant, descendant de l'oncle ou de la tante.

② **cousin** n. m. Moustique.

**coussin** n. m. 1 Pièce souple rembourrée, servant à supporter une partie du corps. 2 *Coussin d'air :* support d'air comprimé.

**coussinet** n. m. 1 Petit coussin. 2 Partie charnue sous la patte (d'un chat, etc.).

**cousu, ue** adj. Joint par une couture. – loc. *Être cousu d'or,* très riche.

**coût** n. m. Somme que coûte une chose. → **montant, prix.**

**coûtant** adj. m. loc. *Prix coûtant :* prix qu'une chose a coûté. *Revendre qqch. à, au prix coûtant.*

**couteau** n. m. 1 Instrument tranchant servant à couper, composé d'une lame et d'un manche. *Couteau de poche.* → **canif.** – *Couteau à cran d'arrêt* (arme). ♦ loc. *Être à cou-*

*teaux tirés,* en guerre ouverte. – *Mettre le couteau sous la gorge,* contraindre par la menace. ♦ *Deuxième, second couteau :* personnage de second plan. **2** Outil, instrument tranchant. ♦ Petite truelle de peintre. **3** Arête du prisme qui porte le fléau (d'une balance). **4** Mollusque à coquille allongée.

**couteau-scie** n. m. Couteau à dents.

**coutelas** n. m. Couteau à lame large.

**coutellerie** n. f. **1** Fabrication des couteaux et instruments tranchants. ♦ Ces produits. **2** Usine, atelier de cette industrie. ► **coutelier, ière** n. et adj.

**coûter** v. [1] **I** v. intr. et tr. ind. *Coûter à qqn* **1** Nécessiter le paiement d'une somme pour être obtenu. → **valoir ; coût, prix.** *Les vingt euros que ce livre m'a coûté.* **2** *Coûter cher :* entraîner des dépenses. – fig. *Cela pourrait vous coûter cher,* vous attirer des ennuis. **II** fig. **1** v. tr. Causer (une peine, un effort) à qqn. ♦ Causer (une perte). *Cela lui a coûté la vie :* il en est mort. **2** v. intr. et tr. ind. *Coûter à :* être pénible, difficile pour. *Cet effort me coûte.* – prov. *Il n'y a que le premier pas qui coûte.* **3** loc. adv. *Coûte que coûte :* à n'importe quel prix. → **absolument.**

**coûteux, euse** adj. Qui coûte cher. → **cher, onéreux.** ► **coûteusement** adv.

**coutil** [-ti] n. m. Toile croisée et serrée.

**coutre** n. m. techn. Tranchant d'un soc.

**coutume** n. f. **1** Manière à laquelle la plupart se conforment, dans un groupe social. → **tradition, usage ; mœurs.** *Us* et coutumes.* **2** vx ou dans des loc. Habitude. *Une fois n'est pas coutume :* on peut faire une exception. – *Avoir coutume de,* l'habitude de. – loc. adv. *De coutume :* d'habitude, d'ordinaire.

**coutumier, ière** **I** adj. **1** littér. Habituel, ordinaire. **2** *Droit coutumier :* règles juridiques que constituent les coutumes. **3** loc. *Être coutumier du fait,* avoir déjà fait la même chose (répréhensible). **4** Qui suit la loi ancestrale (par ex. en Afrique). **II** n. m. didact. Recueil de coutumes.

**couture** n. f. **I** **1** Action de coudre. **2** Confection professionnelle des vêtements. – Profession de couturier. – *Haute couture* (de vêtements uniques). **II** **1** Assemblage réalisé avec du fil et une aiguille. **2** loc. *Examiner sous toutes les coutures,* très attentivement. – *Battre à plate couture,* complètement. **3** Cicatrice.

**couturé, ée** adj. Marqué de cicatrices.

**couturier** n. m. Personne qui dirige une maison de couture, crée des modèles.

**couturière** n. f. Celle qui coud, qui exécute des vêtements.

**couvain** n. m. Amas d'œufs (d'abeilles...).

**couvaison** n. f. Temps pendant lequel les oiseaux couvent leurs œufs.

**couvée** n. f. **1** Œufs couvés par un oiseau. **2** Petits qui viennent d'éclore. → **nichée.**

**couvent** n. m. **1** Maison dans laquelle des religieux(euses) vivent en commun ; ces religieux. → **communauté, monastère.** **2** Pensionnat religieux de jeunes filles.

**couver** v. [1] **I** v. tr. **1** (oiseaux) Se tenir sur des œufs pour les faire éclore. **2** *Couver qqn,* l'entourer de soins attentifs. – *Couver des yeux :* regarder avec convoitise, tendresse... **3** abstrait Entretenir, préparer en secret. **4** *Couver une maladie,* porter en soi les germes (→ **incubation**). **II** (sujet chose) v. intr. Être entretenu sourdement. – Se préparer secrètement.

**couvercle** n. m. Pièce mobile s'adaptant à l'ouverture (d'un récipient) pour le fermer.

① **couvert** n. m. **I** **1** vx Logement. ♦ loc. *Le vivre et le couvert :* la nourriture et le logement. **2** loc. prép. et adv. *À couvert (de) :* dans un lieu où l'on est protégé. **3** *Sous (le) couvert de :* sous la responsabilité de (qqn) ; sous le prétexte de (qqch.). **II** **1** Ce que l'on dispose pour le repas. **2** Ustensiles de table pour une personne ; spécialt, cuiller, fourchette et couteau.

② **couvert, erte** adj. **I** **1** Qui a un vêtement. ♦ *Restez couvert :* gardez votre chapeau. **2** Qui a sur lui (qqch.). *Couvert de boue.* ♦ *Ciel couvert,* nuageux. **3** *À mots couverts :* en termes voilés. **II** Protégé (par qqn). *Il est couvert par le directeur.* – *Être couvert contre le vol,* assuré.

**couverture** n. f. **I** concret **1** Pièce de toile, etc. pour recouvrir. ♦ spécialt Pièce de laine, etc. qu'on place sur les draps d'un lit. ♦ loc. fig. *Tirer la couverture à soi :* s'approprier la meilleure part. **2** Ce qui recouvre un livre, un cahier. **3** Toit. **II** abstrait **1** Ce qui sert à couvrir (II), à protéger. *Couverture sociale,* protection des assurés sociaux. **2** fig. Affaire dissimulant une activité secrète. **3** Garantie d'une dette. → **provision.** **4** Fait de couvrir (III, 2) (un événement).

**couveuse** n. f. **1** Poule qui couve. **2** Étuve où l'on fait éclore des œufs. ♦ Enceinte où l'on place les prématurés fragiles.

**couvre-chef** n. m. plais. Ce qui couvre la tête. → **chapeau, coiffure.** *Des couvre-chefs.*

**couvre-feu** n. m. **1** Signal indiquant l'heure de rentrer chez soi. *Des couvre-feux.* **2** Interdiction de sortir (mesure de police).

**couvre-lit** n. m. Couverture légère servant de dessus de lit. *Des couvre-lits.*

**couvre-pied** n. m. ou **couvre-pieds** n. m. invar. [-pje] Couverture qui recouvre une partie du lit, à partir des pieds.

**couvreur, euse** n. Professionnel(le) qui fait ou répare les toitures des maisons.

**couvrir** v. tr. [18] Revêtir pour cacher, orner, protéger... **I** **1** Garnir (un objet) en disposant qqch. dessus. → **recouvrir.** – (sujet chose) Être disposé sur. **2** Habiller chaudement. **3** Parsemer d'une grande quantité de. ♦ fig. *On l'a couvert d'éloges.* – pronom. *Il s'est couvert de ridicule.* ♦ (choses) Être répandu sur.

→ **joncher.** – pronom. *Le ciel se couvre* (de nuages). **4** Cacher en mettant qqch. par-dessus, autour. **II 1** Protéger par qqch. *Couvrir qqn de son corps.* **2** Abriter (qqn) par sa protection. – passif *Être couvert par son chef.* **3** Fournir une garantie, ou la somme nécessaire. **III 1** Parcourir (une distance). **2** Informer sur (un événement).

**cover-girl** [kɔvœʀgœʀl] n. f. anglic., vieilli Jeune femme qui pose pour des photographies de mode. *Des cover-girls.*

**covid** n. m. ou f. méd. Maladie infectieuse et contagieuse causée par un coronavirus.

**covoiturage** n. m. Transport de plusieurs personnes sur le même trajet au moyen d'une voiture individuelle, en partageant les frais. ► **covoiturer** v. intr. [1]

**cow-boy** [kobɔj ; kaobɔj] n. m. anglic. Gardien de troupeaux à cheval (États-Unis).

**coxal, ale, aux** adj. didact. De la hanche.

**coxalgie** n. f. méd. Douleur de la hanche.

**coyote** [kɔj-] n. m. Mammifère carnivore d'Amérique, voisin du chacal.

**C. Q. F. D.** [sekyɛfde] Abrév. de *ce qu'il fallait démontrer* (fin d'une démonstration).

**crabe** n. m. Crustacé marin à corps arrondi, à cinq paires de pattes (étrille, tourteau, etc.). ♦ loc. *Marcher en crabe,* de côté. – *Panier de crabes :* groupe d'individus cherchant à se nuire.

**crac** interj. Imite un bruit sec (choc...).

**crachat** n. m. Salive, mucosité rejetée par la bouche.

tout **craché** loc. adj. invar. (après un nom, un pron.) Très ressemblant. *C'est sa mère tout craché.*

**crachement** n. m. **1** Action de cracher. **2** Projection (de gaz...). **3** → **crachotement** (2).

**cracher** v. [1] **I** v. intr. **1** Projeter de la salive, des mucosités par la bouche. → **expectorer.** – loc. fam. *Cracher dans la soupe :* critiquer ce dont on profite. **2** fig., fam. *Cracher sur qqch., qqn,* exprimer un violent mépris. **3** *Ce stylo crache,* l'encre en jaillit. **4** Émettre des crépitements. → **crachoter. II** v. tr. **1** Lancer (qqch.) de la bouche. **2** fig. *Cracher des injures.* → **proférer. 3** fam. Donner (de l'argent). **4** Émettre en lançant. *Volcan qui crache de la lave.*

**cracheur, euse** n. Personne qui crache.

**crachin** n. m. Pluie fine et serrée. ► **crachiner** v. impers. [1]

**crachoir** n. m. Récipient dans lequel on peut cracher. – loc. fam. *Tenir le crachoir :* parler sans arrêt.

**crachoter** v. intr. [1] **1** Cracher un peu. **2** Émettre des crépitements. ► **crachotement** n. m.

① **crack** n. m. **1** Cheval qui gagne des courses. **2** fam. Personne remarquable. → **as, champion.**

② **crack** n. m. argot Dérivé cristallisé de la cocaïne, fumable, très toxique.

① **cracker** [-œʀ] n. m. anglic. Petit biscuit salé croustillant.

② **cracker** [-œʀ] n. m. anglic. Personne qui déjoue un système de protection informatique pour voler ou nuire. → **pirate ; hackeur.**

**cracking** n. m. anglic. → **craquage.**

**cracra ; crade ; crado** → **crasseux.**

**craie** n. f. **1** Calcaire naturel. **2** Calcaire moulé (en bâtons) pour écrire.

**craindre** v. [52] **I** v. tr. **1** Envisager (qqn, qqch.) comme dangereux, nuisible, et en avoir peur. → **redouter. 2** (plantes...) Être sensible à, ne pas supporter. **II** v. intr. fam. *Ça craint :* c'est pénible, dangereux.

**crainte** n. f. **1** Sentiment par lequel on craint (qqn ou qqch.) ; appréhension inquiète. **2** *De crainte de ; par crainte de* loc. prép. (devant un n. de chose ou un inf.). – *De crainte que* (+ subj., avec *ne* explétif) loc. conj. *De crainte qu'on ne nous entende.*

**craintif, ive** adj. Qui est sujet à la crainte. → **inquiet, peureux.** ♦ Qui manifeste de la crainte. ► **craintivement** adv.

**cramer** v. [1] fam. **1** v. tr. Brûler (qqch.) légèrement. **2** v. intr. Brûler.

**cramoisi, ie** adj. **1** Rouge foncé, presque violet. **2** (teint...) Très rouge.

**crampe** n. f. Contraction douloureuse et passagère des muscles. – *Crampe d'estomac.*

**crampon** n. m. **I 1** Pièce de métal pour attacher, etc. (agrafe, crochet). ♦ *Chaussures à crampons,* pour éviter de glisser. **2** Organe de fixation d'une plante grimpante. **II** fig., fam. Personne importune et tenace.

se **cramponner** v. pron. [1] S'accrocher, se tenir fermement (à).

**cran** n. m. **I 1** Entaille faite à un corps dur et destinée à accrocher, à arrêter qqch. ♦ fig. *Monter, baisser d'un cran :* passer à qqch. de supérieur, d'inférieur. **2** Entaille servant de repère. **3** Trou d'une sangle, d'une ceinture... **4** Ondulation (notamment des cheveux). **II 1** fam. Audace, courage. **2** *Être à cran,* prêt à se fâcher.

**cranberry** [kʀan-] n. f. anglic. Canneberge.

① **crâne** n. m. **1** Boîte osseuse renfermant le cerveau. **2** Tête ; sommet de la tête. ► **crânien, ienne** adj.

② **crâne** adj. vieilli Courageux, décidé. ► **crânement** adv.

**crâner** v. intr. [1] fam. **1** Affecter la bravoure. **2** Prendre un air vaniteux. ► **crâneur, euse** n. et adj. → **prétentieux.**

**cranter** v. tr. [1] Faire des crans à (qqch.).

**crapahuter** v. intr. [1] fam. Marcher, progresser en terrain difficile.

**crapaud** n. m. **I** Batracien au corps trapu, à peau verruqueuse. **II** fig. **1** Défaut dans un diamant, etc. **2** Petit piano à queue. **3** appos. *Fauteuil crapaud,* bas et large.

**crapoteux** → **crasseux**

**crapule** n. f. I vx Débauche. II 1 vieilli Ensemble de débauchés. 2 Individu malhonnête. ► **crapuleux, euse** adj. *Crime crapuleux.* → **sordide.** ► **crapuleusement** adv.

**craquage** n. m. Procédé de raffinage du pétrole.

**craquant, ante** adj. 1 Qui craque. 2 fam. Qui fait craquer (I, 5), est très tentant.

**craque** n. f. fam. Mensonge, exagération.

**craqueler** v. tr. [4] Fendiller (une surface polie). ► **craquelure** n. f. → **fêlure.**

**craquelin** n. m. Biscuit dur et croquant.

**craquement** n. m. Bruit de ce qui craque.

**craquer** v. [1] I v. intr. 1 Produire un bruit sec, bref. 2 Céder, se déchirer brusquement. ♦ loc. fig. *Plein à craquer.* → **bondé.** 3 fig. Être ébranlé, menacer ruine. 4 S'effondrer nerveusement. 5 fam. Céder à une envie ; être séduit. II v. tr. Allumer (une allumette) en la frottant.

**craqueter** v. intr. [4] 1 Produire des craquements. 2 (cigogne...) Crier. ► **craquètement** ou **craquettement** n. m.

**crash** n. m. anglic. Atterrissage forcé, souvent brutal (d'un avion).

**crasse** I adj. f. *Ignorance, bêtise... crasse,* totale. II n. f. 1 Couche de saleté. 2 fam. Indélicatesse. → **vacherie.**

**crasseux, euse** adj. Couvert de crasse ; très sale. – syn. fam. **cracra, crade, crado, crapoteux, euse, craspec.**

**crassier** n. m. Amoncellement des scories de hauts fourneaux. → **terril.**

**cratère** n. m. 1 Vase antique à deux anses. 2 Dépression d'un volcan par laquelle s'échappent des matières en fusion.

**cravache** n. f. Badine de cavalier.

**cravacher** v. [1] 1 v. tr. Frapper d'une cravache. 2 v. intr. fam. Aller vite, travailler dur.

**cravate** n. f. 1 Bande d'étoffe que l'on noue et qui passe sous le col de chemise. 2 Insigne de haute décoration.

**cravater** v. tr. [1] 1 Mettre une cravate à (qqn). 2 fam. Attaquer (qqn) en le serrant par le cou. ♦ Prendre, attraper (qqn).

**crawl** [kʀol] n. m. anglic. Nage rapide avec un battement continu des jambes et une rotation des bras. ► **crawler** v. intr. [1]

**crayeux, euse** adj. 1 De la nature de la craie. 2 De la couleur (blanche) de la craie.

**crayon** n. m. I 1 Petite baguette, souvent en bois, enfermant une longue mine. ♦ par ext. *Crayon à bille. Crayon feutre.* 2 Bâtonnet (de fard). II Dessin au crayon.

**crayonné** n. m. Esquisse d'une illustration.

**crayonner** v. tr. [1] Dessiner, écrire au crayon. ► **crayonnage** n. m.

**créance** n. f. I vx Croyance, foi. II Droit en vertu duquel qqn (le créancier) peut exiger qqch., de l'argent de qqn.

**créancier, ière** n. Titulaire d'une créance ; personne à qui de l'argent est dû.

**créateur, trice** I 1 n. m. Puissance qui crée. → **dieu ; démiurge.** 2 n. Auteur, inventeur (de qqch.). ♦ Premier interprète (d'un rôle). ♦ Personne qui conçoit et vend sous sa marque (un produit nouveau, spécialt des vêtements). II adj. Qui crée. *Pensée créatrice.*

**créatif, ive** adj. Inventif, imaginatif.

**création** n. f. I 1 Action de créer (I, 1). *La création du monde.* → **genèse.** 2 Le monde, considéré comme l'œuvre d'un créateur. II 1 Action de faire, d'organiser (qqch. qui n'existait pas). ♦ Fait de créer (une œuvre). 2 Ce qui est créé. → **œuvre.** ♦ Nouvelle fabrication ; modèle inédit.

**créativité** n. f. Pouvoir de création.

**créature** n. f. 1 Être qui a été créé (opposé à *créateur* I, 1). 2 *Créature humaine :* être humain. ♦ Femme. *Une superbe créature.* 3 Personne qui tient sa position de qqn. → **protégé.**

**crécelle** n. f. 1 Moulinet de bois produisant un bruit sec et aigu. 2 fig. *Voix de crécelle,* aiguë, désagréable.

**crécerelle** n. f. Faucon à longue queue.

**crèche** n. f. I 1 Mangeoire où Jésus fut placé à sa naissance, dans l'étable de Bethléem, selon la tradition de Noël. 2 Représentation de cette étable, de la Nativité. II Établissement qui reçoit dans la journée les enfants de moins de trois ans.

**crécher** v. intr. [6] fam. Habiter, loger.

**crédence** n. f. Buffet à tablettes superposées, pour poser les plats, la verrerie.

**crédible** adj. anglic. Digne de confiance. → **fiable.** ► **crédibilité** n. f.

**crédit** n. m. I 1 vx Confiance inspirée par qqn, qqch. (→ accréditer). 2 littér. Influence due à cette confiance. II (Confiance dans la solvabilité de qqn) 1 loc. *À crédit :* sans paiement immédiat (opposé à *au comptant*). 2 Opération par laquelle qqn met une somme d'argent à la disposition d'un autre ; cette somme. → **prêt ; avance.** ♦ Établissement de crédit. → **banque.** 3 au plur. Sommes allouées sur un budget pour un usage. 4 Partie d'un compte où sont inscrites les sommes remises. → **avoir.**

**créditer** v. tr. [1] Porter au crédit de (qqn ; son compte) (opposé à *débiter*).

**créditeur, trice** n. Personne qui a des sommes à son crédit. – adj. *Solde créditeur.*

**credo** [kʀedo] n. m. 1 relig. chrét. (avec maj.) Articles fondamentaux de la foi. 2 Principes sur quoi on fonde sa conduite.

**crédule** adj. Qui a une confiance excessive et naïve. ► **crédulité** n. f.

**créer** v. tr. [1] I (sens fort) 1 relig. Donner l'existence à ; tirer du néant. 2 Faire, réaliser (qqch. qui n'existait pas encore). → **concevoir, inventer.** II (sens faible) 1 Établir ou organiser. *Créer des emplois.* **2** *Créer un rôle,* en être le premier interprète. **3** Fabriquer (un produit nouveau). **4** Être la cause de. → **provoquer, susciter.**

**crémaillère** n. f. **1** Tige de fer à crans d'une cheminée, pour suspendre une marmite. – loc. *Pendre la crémaillère :* célébrer son installation dans un nouveau logement. – *(Pendaison de) crémaillère :* fête organisée à cette occasion. **2** Pièce munie de crans. – Rail denté.

**crémation** n. f. Action de brûler le corps d'un mort. → **incinération.**

**crématoire** adj. *Four crématoire,* où l'on réduit les corps en cendres.

**crématorium** [-jɔm] n. m. Lieu où l'on incinère les morts. – var. **crematorium.**

**crème** n. f. **I 1** Matière grasse du lait, dont on fait le beurre. **2** fam. *C'est la crème des hommes,* le meilleur des hommes. **3** Entremets composé surtout de lait et d'œufs. **4** Potage velouté. **5** Liqueur épaisse (sucrée). **6** Préparation pour les soins de la peau. **II** adj. invar. D'une couleur blanche légèrement teintée de jaune.

**crémerie** n. f. Magasin de crémier. ♦ loc. fam. *Changer de crémerie :* aller ailleurs.

**crémeux, euse** adj. **1** Qui contient beaucoup de crème (I, 1). **2** Qui a la consistance, l'aspect de la crème.

**crémier, ière** n. Commerçant qui vend des produits laitiers, des œufs, etc.

**crémone** n. f. Espagnolette*.

**créneau** n. m. **I** Ouverture pratiquée au sommet d'un rempart, pour la défense. – loc. fig. *Monter au créneau :* s'engager dans une lutte (politique, etc.). **II 1** Manœuvre pour se garer, en marche arrière. **2** comm. Place disponible (sur un marché...). **3** Temps disponible.

**créneler** v. tr. [4] **1** Munir de créneaux. – au p. p. *Mur crénelé.* **2** Entailler de crans.

**créole 1** n. Personne d'ascendance européenne née dans une des anciennes colonies intertropicales (Antilles...). – par ext. Toute personne née dans ces territoires. ♦ adj. *Culture créole.* **2** n. m. Langue provenant du contact des langues de colonisation avec des langues locales ou importées (africaines).

**créosote** n. f. Liquide huileux extrait de goudrons, désinfectant.

**crêpage** n. m. Action de crêper (1).

① **crêpe** n. f. Fine galette d'une pâte faite de lait, de farine et d'œufs, cuite à la poêle.

② **crêpe** n. m. **I** Tissu léger de soie, de laine. ♦ Morceau de crêpe noir (signe de deuil). **II** Caoutchouc séché. *Semelles de crêpe.*

**crêper** v. tr. [1] **1** Rebrousser, faire gonfler (les cheveux). **2** loc. fam. *Se crêper le chignon*.*

**crêperie** n. f. Lieu où l'on fait, où l'on vend, où l'on consomme des crêpes.

**crépi** n. m. Couche de plâtre, de ciment d'aspect raboteux, dont on revêt un mur.

**crêpier, ière I** n. Personne qui fait des crêpes pour les vendre. **II** n. f. Appareil ou poêle pour faire des crêpes.

**crépine** n. f. boucherie Membrane qui entoure les viscères de certains animaux.

**crépinette** n. f. Saucisse plate entourée de crépine.

**crépir** v. tr. [2] Garnir d'un crépi. ► **crépissage** n. m.

**crépiter** v. intr. [1] Faire entendre une succession de bruits secs. ► **crépitement** n. m. et **crépitation** n. f.

**crépon** n. m. **1** Crêpe épais. **2** appos. *Papier crépon :* papier gaufré décoratif.

**crépu, ue** adj. (cheveux...) Très frisé.

**crépuscule** n. m. **1** Lumière incertaine qui succède au coucher du soleil. **2** fig., littér. Déclin, fin. ► **crépusculaire** adj.

**crescendo** [kʀeʃɛndo ; -ʃɛ̃do] mus. **1** adv. En augmentant progressivement l'intensité sonore. ♦ loc. *Aller crescendo,* en augmentant. **2** n. m. Son d'intensité croissante.

**cresson** n. m. Plante herbacée à petites feuilles rondes comestibles (souvent cultivée dans des bassins : *cressonnière* n. f.).

**crêt** n. m. Escarpement rocheux bordant une combe.

**crétacé, ée** adj. et n. m. géol. Se dit d'une période de la fin du secondaire, correspondant à la formation des terrains à craie.

**crête** n. f. **I** Excroissance charnue, rouge, dentelée, sur la tête de certains gallinacés. **II 1** Ligne de faîte. **2** Arête supérieure (d'une vague).

**crétin, ine** n. **1** méd. Personne atteinte de crétinisme (1). **2** cour. Personne stupide.

**crétinerie** n. f. Action de crétin.

**crétinisme** n. m. **1** méd. Arriération mentale grave. **2** Grande bêtise.

**cretonne** n. f. Toile de coton très forte.

**creuser** v. [1] **I** v. tr. **1** Rendre creux en enlevant de la matière ; faire un, des trous dans (qqch.). → **évider, trouer.** – loc. *L'exercice m'a creusé (l'estomac),* donné faim. – *Se creuser la tête, la cervelle :* faire un effort de réflexion. **2** Donner une forme concave à. **3** fig. → **approfondir.** *Creuser une idée.* **II** v. tr. Faire (qqch.) en enlevant de la matière. *Creuser un trou.* **III** v. intr. Faire, approfondir un trou. ▷ v. pron. se **creuser 1** Devenir creux. **2** (trou) Se former. – fig. *Un fossé s'est creusé entre eux.* ► **creusage** et **creusement** n. m.

**creuset** n. m. **1** Récipient qui sert à faire fondre ou calciner certaines substances. **2** littér. Lieu où diverses choses se mêlent.

**creux, creuse I** adj. **1** Qui est vide à l'intérieur. ♦ *Son creux,* celui d'un objet creux sur lequel on frappe. – adv. *Sonner creux.*

2 (texte...) Vide de sens. **3** *Heures creuses*, de faible activité. **4** Qui présente une concavité. – *Chemin creux*, en contrebas. – *Joues creuses*. → **maigre. II** n. m. **1** Vide intérieur (dans un corps). → **cavité, trou.** – fam. *Avoir un creux* (à l'estomac) : avoir faim. **2** Partie concave. *Le creux de la main.* – *Le creux d'une vague* (opposé à *crête*). loc. *Être dans le creux de la vague*, dans une période difficile.

**crevaison** n. f. Fait de crever (pneu...).

**crevant, ante** adj. fam. Qui exténue.

**crevard, arde** n. et adj. fam. **1** Personne malingre. **2** Personne avide.

**crevasse** n. f. **1** Fente profonde à la surface (de qqch.). ♦ Cassure étroite et profonde dans un glacier. **2** Petite fente de la peau (froid, etc.). → **engelure, gerçure.**

**crevasser** v. tr. [1] Faire des crevasses à.

**crève** n. f. fam. *Attraper la crève*, attraper froid. – *Avoir la crève* (rhume, grippe).

**crevé, ée** adj. **1** (animaux, plantes) Mort. *Un chien crevé.* **2** fam. (personnes) Très fatigué.

**crève-cœur** n. m. Peine profonde mêlée de regret. *Des crève-cœurs.*

**crève-la-faim** n. invar. fam. Miséreux.

**crever** v. [5] **I** v. intr. **1** S'ouvrir en éclatant, par excès de tension. **2** (personnes) Être trop rempli (de). – *C'est à crever de rire*, à éclater de rire. **3** (animaux, plantes ; (fam.) personnes) Mourir. – par ext., fam. *Crever de faim ; d'ennui.* **II** v. tr. **1** Faire éclater (une chose gonflée ou tendue). – au p. p. *Pneu crevé.* **2** loc. *Crever les yeux* : être bien en vue ; être évident. – *Crever le plafond* : dépasser la limite supérieure. **3** Exténuer (un animal ; fam. qqn) par un effort excessif.

**crevette** n. f. Petit crustacé marin, dont certaines espèces sont très appréciées.

**cri** n. m. **1** Son perçant émis par la voix. **2** Paroles prononcées très fort, sur un ton aigu. – loc. *Jeter les hauts cris*, protester avec véhémence. *À cor* et à cri.* ♦ fig., fam. *Le dernier cri* (de la mode), les nouveautés. **3** Opinion manifestée hautement. **4** *Cri du cœur*, expression non maîtrisée d'un sentiment sincère. **5** Son émis par les animaux.

**criailler** v. intr. [1] Crier, se plaindre sans cesse. → **geindre.** ► **criaillerie** n. f. → **jérémiade, récrimination.**

**criant, criante** adj. Évident, flagrant.

**criard, criarde** adj. **I 1** Qui crie désagréablement. **2** (son...) Aigu et désagréable. **II** Qui choque la vue. *Couleur criarde* (vive).

**crible** n. m. **1** Instrument percé de trous, qui sert à trier des objets de grosseur inégale. → **tamis. 2** abstrait *Passer* (une idée...) *au crible*, examiner avec soin. – *Au crible de* : du point de vue de.

**cribler** v. tr. [1] **1** Trier avec un crible. **2** Percer de nombreux trous. ♦ (au p. p.) loc. *Être criblé de dettes*, en avoir beaucoup.

**cric** n. m. Appareil pour soulever à une faible hauteur des fardeaux très lourds.

**cricket** [-ɛt] n. m. Sport d'équipe britannique, qui se pratique avec des battes.

**criée** n. f. *Vente à la criée* ou *criée* : vente publique aux enchères.

**crier** v. [7] **I** v. intr. **1** Produire un ou plusieurs cris. **2** Parler fort, élever la voix. – *Crier à* (qqch.), dénoncer *(crier au scandale)* ou proclamer *(crier au miracle)*. ♦ Protester violemment. **3** (choses) → **grincer. II** v. tr. **1** Dire d'une voix forte. *Crier un slogan.* ♦ Faire connaître avec force. → **affirmer, clamer, proclamer.** – *N'allez pas le crier sur les toits*, restez discret. **2** loc. *Crier famine*, se plaindre de la faim. – *Crier vengeance*, réclamer la vengeance.

**crieur, euse** n. **1** Marchand ambulant qui annonce ce qu'il vend. **2** *Crieur public*, qui faisait les proclamations publiques.

**crime** n. m. **1** dr. Infraction grave, que les lois punissent d'une peine de réclusion ou de détention d'au moins dix ans (opposé à *contravention*, à *délit*). **2** cour. Assassinat, meurtre. **3** Action blâmable.

**criminalité** n. f. **1** Ensemble des actes criminels. **2** Le milieu des criminels.

**criminel, elle I** n. Personne coupable d'un crime ; assassin, meurtrier. – *Criminel de guerre*, qui commet des atrocités au cours d'une guerre. **II** adj. **1** Qui constitue un crime. **2** dr. Relatif aux crimes et à leur répression (→ **pénal**). **3** fam. (acte...) Très regrettable. ► **criminellement** adv.

**criminologie** n. f. Science de la criminalité (causes, manifestations...). ► **criminologue** ou **criminologiste** n.

**crin** n. m. Poil long et rude qui pousse au cou (→ **crinière**) et à la queue de certains animaux (chevaux, lions, etc.). – par ext. *Crin végétal.* ♦ loc. *À tous crins* (ou *à tout crin*) : complet ; ardent, énergique.

**crincrin** n. m. fam. Mauvais violon.

**crinière** n. f. **1** Ensemble des crins du cou (d'animaux). **2** fam. Chevelure abondante.

**crinoline** n. f. anciennt Armature que l'on portait pour faire bouffer les jupes.

**crique** n. f. Petite baie. → **anse, calanque.**

**criquet** n. m. Insecte volant et sauteur, gris ou brun, vorace. *Le criquet stridule.*

**crise** n. f. **1** Manifestation brutale ou aggravation brusque d'une maladie. → **accès, attaque. 2** Manifestation soudaine et violente (d'émotions). *Crise de colère.* – loc. *Crise de nerfs**. – par ext. *Une crise d'autorité.* **3** Phase grave dans une évolution. *Crise économique.* → **dépression.**

**crispant, ante** adj. Qui crispe (2).

**crispation** n. f. **1** Contraction brève des muscles. **2** Mouvement d'agacement.

**crisper** v. tr. [1] **1** Contracter les muscles de. → **convulser.** *La douleur lui crispait le visage.* **2** fam. Causer une vive irritation à (qqn). → **agacer, impatienter.** ▷ adj. **crispé, ée** *Poings crispés.* - *Sourire crispé,* tendu.

**criss** → **kriss**

**crisser** v. intr. [1] Produire un bruit aigu de frottement. ► **crissement** n. m.

**cristal, aux** n. m. **I 1** Minéral naturel transparent et dur. *Cristal de roche.* **2** Verre très limpide. ♦ fig. (symbole de pureté...) *Une voix de cristal.* **II** sc. Forme géométrique définie prise par des substances minérales ou solidifiées. ♦ *Cristal liquide* (utilisé pour l'affichage électronique).

**cristallerie** n. f. Fabrication, fabrique d'objets en cristal (I, 2).

**cristallin, ine I** adj. **1** Clair, transparent comme le cristal. - (son) Pur et clair. **2** sc. Relatif à un état solide où la disposition des atomes *(réseau cristallin)* produit des formes géométriques définies (opposé à *amorphe*). → **cristal** (II). **II** n. m. Partie transparente de l'œil, en arrière de la pupille.

**cristalliser** v. [1] **I 1** v. tr. Faire passer (un corps) à l'état de cristaux (II). **2** v. intr. et pron. Passer à l'état cristallin. **II** fig., littér. **1** v. tr. Rassembler (des éléments épars) en un tout cohérent. **2** v. intr. (sentiments...) Se préciser. ► **cristallisation** n. f.

**cristallisoir** n. m. chim. Récipient de laboratoire en verre, à bords bas.

**cristallographie** n. f. Science qui étudie les cristaux. ► **cristallographe** n. ► **cristallographique** adj.

**critère** n. m. Ce qui sert de base à un jugement. → **référence.**

**critérium** [-jɔm] n. m. sports Épreuve servant à classer, à éliminer des concurrents.

**critiquable** adj. Qui mérite d'être critiqué. → **discutable ; blâmable.**

① **critique** adj. **1** Qui a rapport à une crise (1) ; qui correspond à un seuil. *Phase critique d'une maladie.* **2** Qui décide du sort de qqn ou de qqch. → **décisif ; crucial.** - *Situation critique.* → **dangereux, grave. 3** phys. Où se produit un changement dans l'état ou les propriétés d'un corps.

② **critique I** n. f. **1** Examen en vue de porter un jugement. *Critique de soi-même.* → **autocritique. 2** spécialt Art de juger les ouvrages de l'esprit, les œuvres d'art. ♦ Analyse, examen d'une œuvre. **3** Action de critiquer (II) ; jugement défavorable. **II 1** n. Professionnel de la critique (I, 2). **2** n. f. L'ensemble des critiques. **III** adj. **1** Qui décide de la valeur des œuvres. *Analyse critique.* **2** Qui examine la valeur d'une assertion, l'authenticité d'un texte, etc. - loc. *Esprit critique,* qui n'accepte rien sans s'interroger sur sa valeur. **3** Qui critique (II). *Être critique à l'égard de qqn, envers qqn.*

**critiquer** v. tr. [1] **I** Examiner (les ouvrages d'art ou d'esprit) par la critique. **II** Émettre un jugement négatif sur.

**croasser** v. intr. [1] (corbeau...) Pousser son cri. ► **croassement** n. m.

> Ne pas confondre avec *coasser,* qui se dit de la grenouille.

**croate** adj. et n. De la Croatie. - n. *Les Croates.*

**croc** [kʀo] n. m. **1** Instrument, bâton muni d'un crochet. **2** Dent pointue de certains animaux (→ **canine**). - loc. fam. *Avoir les crocs,* extrêmement faim.

**croc-en-jambe** [kʀɔk-] n. m. Fait de déséquilibrer qqn en lui tirant une jambe à l'aide du pied. → **croche-pied.** *Des crocs-en-jambe.*

**croche** n. f. Note de musique qui vaut la moitié d'une noire.

**croche-pied** n. m. Croc-en-jambe. *Des croche-pieds.* - syn. fam. **croche-patte.**

**crocher** v. [1] **I** v. tr. région. Attraper ; accrocher. **II** v. intr. mar. S'agripper.

**crochet** n. m. **I 1** Pièce de métal recourbée, pour prendre ou retenir qqch. ♦ loc. *Vivre aux crochets de qqn,* à ses dépens. **2** Instrument à extrémité recourbée (spécialt pour le tricot, la dentelle). **3** zool. Dent à pointe recourbée. **II** fig. **1** Signe graphique, parenthèse à extrémités en angle droit : [ ]. **2** Tournant brusque. ♦ Détour. **3** boxe Coup de poing vers l'intérieur.

**crocheter** v. tr. [5] Ouvrir (une serrure) avec un crochet. ► **crochetage** n. m.

**crochu, ue** adj. **1** Recourbé en forme de crochet. *Nez crochu.* **2** loc. *Avoir des atomes crochus avec qqn,* des affinités.

**crocodile** n. m. **1** Grand reptile à fortes mâchoires, à quatre courtes pattes (famille des *Crocodiliens*), qui vit dans les fleuves des régions chaudes. - loc. *Larmes de crocodile,* hypocrites. **2** Peau de crocodile.

**crocus** [-ys] n. m. Plante à bulbe dont une espèce est le safran ; sa fleur.

**croire** v. [44] p. p. *cru, crue* **I** v. tr. dir. **1** Penser que (qqch.) est véritable, donner une adhésion de principe à. *Il ne croit que ce qu'il voit.* **2** *Croire qqn,* penser que ce qu'il dit est vrai. **3** littér. *En croire,* s'en rapporter à (qqn). *Si vous m'en croyez...* - loc. *Ne pas en croire ses yeux, ses oreilles,* s'étonner de ce qu'on voit, entend. **4** *Croire que :* considérer comme vraisemblable ou probable. **5** (+ inf.) Sentir, éprouver comme vrai. **6** (+ attribut) → **estimer, supposer.** *On l'a cru mort.* - pronom. *Il se croit le plus malin.* **II** v. tr. ind. **1** *Croire à qqch. :* tenir pour réel, vraisemblable ou possible. **2** *Croire en qqn, qqch. :* avoir confiance en. → **compter** sur, se **fier** à. **3** (avec *à, en*) Être persuadé de l'existence et de la valeur de (tel dogme, tel être religieux ou mythique). **III** v. intr. **1** Avoir une attitude d'adhésion intellectuelle. **2** Avoir la foi religieuse (→ **croyant**).

**croisade** n. f. 1 hist. Expédition entreprise par les chrétiens coalisés pour délivrer les lieux saints qu'occupaient les musulmans. 2 fig. Lutte d'opinion, campagne.

① **croisé** n. m. Celui qui participait à une croisade.

② **croisé, ée** adj. I 1 Disposé en croix ; qui se croisent. *Rester les bras croisés* (fig. rester à ne rien faire). – (vêtement) Dont les bords se croisent. *Veste croisée.* 2 *Rimes croisées,* qui alternent. ♦ *Mots* croisés.* II Qui est le résultat d'un croisement. → **hybride.**

**croisée** n. f. 1 *La croisée des chemins,* l'endroit où ils se coupent. → **croisement.** 2 Châssis vitré d'une fenêtre ; la fenêtre.

**croisement** n. m. I 1 Action de disposer en croix, de faire se croiser ; disposition croisée. 2 Point où se coupent des voies. → **croisée, intersection ; carrefour.** II Hybridation, métissage (d'animaux...).

**croiser** v. [1] I v. tr. 1 Disposer (deux choses) l'une sur l'autre, en forme de croix. *Se croiser les bras* (fig. rester dans l'inaction). 2 *Croiser le fer :* se battre à l'épée. 3 Passer au travers de. → **couper, traverser.** *La voie ferrée croise la route.* – Passer à côté de, en allant en sens contraire. *Croiser qqn dans la rue.* II v. tr. Faire un croisement (d'animaux, de plantes d'espèces différentes). III v. intr. 1 (bords d'un vêtement) Passer l'un sur l'autre. 2 (navire) Aller et venir dans un même parage. ▷ v. pron. **se croiser** 1 Être ou se mettre en travers l'un de l'autre. 2 Passer l'un près de l'autre en allant dans une direction différente.

**croiseur** n. m. Navire de guerre rapide.

**croisière** n. f. 1 Voyage sur un paquebot, un navire de plaisance. 2 loc. *Vitesse de croisière :* (bateau, avion) allure moyenne ; fig. rythme normal d'activité.

**croisillon** n. m. 1 Traverse d'une croix. ♦ archit. Moitié du transept d'une église. 2 Barre qui partage un châssis de fenêtre.

**croissance** n. f. 1 (organisme) Fait de croître, de grandir. 2 (choses) → **développement.** *Croissance économique.*

① **croissant** n. m. I 1 Forme échancrée de la partie éclairée de la Lune (pendant qu'elle croît, décroît). 2 Forme analogue. ♦ *Le Croissant rouge,* équivalent islamique de la Croix-Rouge. II Petite pâtisserie feuilletée (en forme de croissant).

② **croissant, ante** adj. Qui croît.

**croître** v. intr. [55] p. p. *crû, crue, crus* 1 Grandir progressivement jusqu'au terme du développement normal. ♦ loc. *Ne faire que croître et embellir,* se dit d'une chose qui augmente en bien, et iron. en mal. 2 (choses) Devenir plus grand, plus nombreux.

**croix** n. f. 1 Poteau muni d'une traverse sur lequel on attachait des condamnés pour les faire mourir ; spécialt celui où Jésus fut mis à mort. – loc. fig. *Porter sa croix :* supporter ses épreuves avec résignation. 2 Représentation de la croix de Jésus-Christ. → **calvaire, crucifix.** ♦ loc. fam. *C'est la croix et la bannière,* c'est toute une histoire. 3 Décoration, insigne d'un ordre honorifique. *Croix de guerre.* 4 *La Croix-Rouge :* organisation humanitaire internationale et apolitique. 5 Marque formée par deux traits croisés. – loc. fig. *Faire une croix sur qqch.,* y renoncer définitivement. 6 *En croix :* à angle droit (ou presque). 7 *La Croix du Sud :* constellation de l'hémisphère austral.

**cromlech** [kʀɔmlɛk] n. m. archéol. Monument mégalithique formé de menhirs placés en cercle.

**cromorne** n. m. mus. Instrument à vent ancien, en bois et à anche. – Jeu de l'orgue.

**crooner** n. m. anglic. Chanteur de charme, dans le style des chanteurs américains des années 1950.

① **croquant** n. m. hist. Paysan révolté, sous Henri IV et Louis XIII. ♦ péj. Paysan.

② **croquant, ante** adj. Qui croque (I).

à la **croque au sel** loc. adv. Cru, avec du sel.

**croque-madame** n. m. invar. Croque-monsieur servi surmonté d'un œuf frit.

**croquemitaine** n. m. Personnage imaginaire évoqué pour effrayer les enfants. ♦ Personne qui fait peur.

**croque-monsieur** [-məsjø] n. m. invar. Sandwich chaud fait de pain de mie grillé, au jambon et au fromage.

**croque-mort** ou **croquemort** n. m. fam. Employé des pompes funèbres chargé du transport des morts. *Des croque(-)morts.*

**croquenot** n. m. fam. Gros soulier.

**croquer** v. [1] I v. intr. Faire un bruit sec (en parlant des choses que l'on broie avec les dents). II v. tr. 1 Broyer sous la dent (ce qui fait un bruit sec). *Croquer une pomme ;* intrans. *dans une pomme.* 2 *Croquer un héritage.* → **dilapider.** III v. tr. 1 Prendre sur le vif en un dessin rapide (→ **croquis**). *Croquer une silhouette.* 2 fam. *Jolie à croquer,* très jolie.

**croquet** n. m. Jeu consistant à faire passer des boules de bois sous des arceaux.

**croquette** n. f. 1 Boulette de pâte, de hachis, frite dans l'huile. 2 au plur. Aliment pour animaux, déshydraté, en boulettes.

**croqueuse** n. f. fam. *Croqueuse de diamants :* femme qui dilapide l'argent de ses amants.

**croquignolet, ette** adj. fam. Mignon.

**croquis** n. m. Dessin, esquisse rapide.

**crosne** [kʀon] n. m. Plante originaire du Japon, aux petits tubercules comestibles.

**cross** [kʀɔs] n. m. 1 Course à pied en terrain varié. – syn. vieilli **cross-country.** 2 Abrév. de *cyclo-cross,* de *moto-cross.*

**crosse** n. f. I 1 Bâton (d'évêque...) à extrémité recourbée en volute. 2 Bâton recourbé utilisé dans certains jeux pour pousser la balle. 3 Extrémité recourbée. *La crosse de l'aorte.* – *Les crosses des fougères.* II Partie postérieure (d'une arme à feu portative).

**crosses** n. f. pl. loc. fam. *Chercher des crosses à qqn,* lui chercher querelle.

**crotale** n. m. I Antiq. Instrument à percussion. II Serpent venimeux dont la queue vibre avec bruit (syn. *serpent à sonnette*).

**crotte** n. f. I 1 Excrément solide. ♦ fam. Chose sans valeur. 2 fam. *Crotte !* (dépit). 3 *Crotte en chocolat* (bonbon). II vx Boue.

**crotté, ée** adj. vieilli Couvert de boue.

**crottin** n. m. 1 Excrément (du cheval...). 2 Petit fromage de chèvre.

**croulant, ante** 1 adj. Qui menace ruine. 2 n. fam. Personne âgée ou d'âge mûr.

**crouler** v. intr. [1] 1 (édifice...) Tomber en s'affaissant. ♦ fig. *La salle croule sous les rires.* 2 fig. S'effondrer, échouer.

**croup** [kRup] n. m. méd., vieilli Laryngite diphtérique très grave.

**croupe** n. f. 1 Partie postérieure arrondie qui s'étend des hanches à la queue de certains animaux (cheval, âne...). – *En croupe :* à cheval et derrière la personne en selle. ♦ (personnes) fam. → **derrière, fesse(s).** 2 Sommet arrondi (d'une colline...).

à **croupetons** loc. adv. En étant accroupi.

**croupier, ière** n. Employé(e) d'une maison de jeu qui tient le jeu, paie et encaisse.

**croupière** n. f. Longe de cuir qui passe sous la queue du cheval. – loc. *Tailler des croupières à qqn,* lui créer des ennuis.

**croupion** n. m. (oiseaux) Extrémité postérieure du corps, portant les plumes de la queue.

**croupir** v. intr. [2] 1 (personnes) Demeurer longtemps (dans un état pénible...). → **moisir.** 2 Rester sans couler et se corrompre (liquide) ; rester dans l'eau stagnante. ► **croupissant, ante** adj.

**croustade** n. f. Croûte feuilletée garnie.

**croustillant, ante** adj. 1 Qui croustille. 2 Léger, grivois. *Des détails croustillants.*

**croustiller** v. intr. [1] Croquer sous la dent.

**croustilles** n. f. pl. (Canada) Pommes de terre frites en minces rondelles. → **chips.**

**croûte** n. f. I 1 Partie extérieure du pain, durcie par la cuisson. 2 loc. fam. *Casser la croûte,* manger. – *Gagner sa croûte,* sa vie. 3 Pâte feuilletée garnie (pâté, vol-au-vent...). 4 Partie superficielle du fromage. II 1 Couche superficielle durcie. – *Croûte terrestre.* → **écorce.** ♦ Plaque qui se forme sur une plaie (→ **escarre**). 2 fam. Mauvais tableau. 3 Côté chair d'un cuir (opposé à *fleur*).

**croûton** n. m. I Extrémité d'un pain long. ♦ Morceau de pain frit utilisé en cuisine. II fam. Personne bornée. *Un vieux croûton.*

**croyable** adj. (choses) Qui peut être cru (surtout négatif). *C'est à peine croyable.*

**croyance** n. f. 1 Action, fait de croire une chose vraie, vraisemblable ou possible. → **certitude, conviction.** 2 Ce que l'on croit (surtout en matière religieuse).

**croyant, ante** adj. Qui a une foi religieuse. – n. *Les croyants.* → **fidèle.**

**C. R. S.** n. m. (sigle) Agent des compagnies* républicaines de sécurité.

① **cru** n. m. I 1 Vignoble. – *Un grand cru.* → **vin.** 2 loc. *Un vin du cru,* du terroir. II loc. *De son cru :* de son invention.

② **cru, crue** adj. 1 (aliment) Qui n'est pas cuit. 2 (lumière...) Que rien n'atténue. 3 Exprimé sans ménagement. ♦ adv. *Je vous le dis tout cru.* → **crûment.** 4 *Monter à cru :* monter à cheval sans selle.

**cruauté** n. f. 1 Tendance à faire souffrir. → **férocité, méchanceté.** 2 Caractère de ce qui est très nuisible. → **rigueur.** *La cruauté du sort.* 3 Action cruelle. → **atrocité.**

**cruche** n. f. 1 Récipient pansu, à bec et à anse. – prov. *Tant va la cruche à l'eau qu'à la fin elle se casse :* à s'exposer à un danger, on finit par le subir. 2 fam. Personne niaise, bête et ignorante.

**cruchon** n. m. Petite cruche. → **pichet.**

**crucial, ale, aux** adj. I didact. En forme de croix. II 1 didact. Qui permet de choisir entre des hypothèses. 2 Fondamental, très important. → **capital, décisif.**

**crucifère** adj. bot. Aux fleurs à pétales en croix. – n. f. *La giroflée est une crucifère.*

**crucifiement** n. m. Supplice de la croix. → **crucifixion.**

**crucifier** v. tr. [7] Attacher (un condamné) sur la croix pour l'y faire mourir.

**crucifix** [-fi] n. m. Croix sur laquelle est représenté Jésus crucifié.

**crucifixion** n. f. Crucifiement du Christ. ♦ Sa représentation en arts.

**cruciforme** adj. En forme de croix.

**cruciverbiste** n. Amateur de mots croisés.

**crudité** n. f. I au plur. Légumes consommés crus. II Caractère cru (②, 2 et 3).

**crue** n. f. Élévation du niveau d'un cours d'eau, d'un lac.

**cruel, elle** adj. 1 Qui prend plaisir à faire, à voir souffrir. → **féroce, inhumain, méchant.** 2 Qui témoigne de cruauté. 3 littér. Dur, inflexible. 4 (choses) Qui fait souffrir. *Un sort cruel.* → **pénible.**

**cruellement** adv. 1 Avec cruauté. 2 D'une façon douloureuse, pénible.

**crumble** [kRœmbœl] n. m. anglic. Pâtisserie à base de fruits et de pâte sablée émiettée.

**crûment** adv. **1** De manière crue (②, 3). **2** *Éclairer crûment,* d'une lumière crue.

**crural, ale, aux** adj. didact. De la cuisse.

**crustacé** n. m. **1** zool. Animal arthropode à carapace, dont les segments sont munis chacun d'une paire d'appendices. **2** cour. Cet animal aquatique et comestible (crabe, crevette, écrevisse, homard, langouste...).

**cryoconservation** n. f. biol. Conservation par le froid de tissus ou d'organismes vivants (embryons...).

**crypte** n. f. Tombeau souterrain, dans certaines églises. ♦ Chapelle souterraine.

**crypter** v. tr. [1] Coder, rendre incompréhensible (un message ; un signal) pour protéger son caractère secret. ► **cryptage** n. m.

**cryptogame** adj. bot. (plante) Qui a les organes de la fructification peu apparents (s'oppose à *phanérogame*). – n. m. pl. *Les cryptogames.*

**cryptogamique** adj. Se dit de maladies des végétaux, dues à des champignons.

**cryptogramme** n. m. Ce qui est écrit en caractères secrets, en langage chiffré.

**cryptographie** n. f. Code graphique secret. ► **cryptographique** adj.

**csardas** → **czardas**

**C. S. G.** n. f. → **contribution**

**cubage** n. m. Évaluation d'un volume.

**cube** n. m. **1** géom. Solide à six faces carrées égales. ♦ Objet cubique. **2** appos. Se dit d'une mesure qui exprime le volume. *Mètre cube* ($m^3$). **3** math. *Cube d'un nombre :* produit de trois fois ce nombre (→ **puissance**).

**cuber** v. [1] **I** v. tr. Évaluer en unités de volume. **II** v. intr. Avoir un volume de (+ nombre).

**cubilot** n. m. techn. Fourneau pour la préparation de la fonte de seconde fusion.

**cubique** adj. **1** Du cube. – En forme de cube. **2** *Racine cubique d'un nombre n :* nombre qui, élevé au cube, donne n.

**cubisme** n. m. Mouvement artistique qui se proposait de décomposer les formes en éléments géométriques. ► **cubiste** adj. et n.

**cubitainer** [-ɛʀ] n. m. (nom déposé) Récipient en plastique, cubique, pour les liquides.

**cubitus** [-ys] n. m. Le plus gros des deux os de l'avant-bras, articulé avec l'humérus. → **ulna.** ► **cubital, ale, aux** adj.

**cucul** [kyky] adj. invar. fam. Niais.

**cucurbitacée** n. f. Plante de la famille du concombre, de la courge, du melon, etc.

**cueillette** [kœj-] n. f. **1** Action de cueillir. **2** Ce qui est cueilli (fleurs, fruits).

**cueillir** [kœjiʀ] v. tr. [12] **1** Détacher (une partie d'un végétal) de la tige. **2** littér. Prendre. *Cueillir un baiser.* **3** fam. Prendre (qqn) au passage. – *Cueillir un voleur.* → **pincer.**

**cuillère** ou **cuiller** [kɥijɛʀ] n. f. **1** Ustensile formé d'un manche et d'une partie creuse, qui sert à transvaser ou à porter à la bouche les aliments liquides ou peu consistants. ♦ loc. *Faire qqch. en deux coups de cuillère à pot,* très vite. – *Ne pas y aller avec le dos de la cuillère :* agir sans modération. **2** Ustensile, pièce de forme analogue. **3** loc. fam. *Serrer la cuillère à qqn,* lui serrer la main.

**cuillerée** [kɥijʀe ; kɥijeʀe] n. f. Contenu d'une cuillère.

**cuir** n. m. **I 1** Peau des animaux séparée de la chair, tannée et préparée. → **basane, box, chagrin, maroquin, vélin. 2** *Le cuir chevelu :* la peau du crâne. **3** Peau épaisse. **II** fam. Faute de langage, liaison incorrecte.

**cuirasse** n. f. **1** Partie de l'armure qui recouvre le buste. – loc. fig. *Le défaut de la cuirasse :* le point faible, le côté sensible. **2** Revêtement d'acier des navires. **3** fig. Défense, protection. → **carapace.**

**cuirassé** n. m. Grand navire de guerre blindé et armé d'artillerie lourde.

**cuirasser** v. tr. [1] Armer, revêtir d'une cuirasse. ▷ v. pron. se **cuirasser 1** Se revêtir d'une cuirasse. **2** fig. Se protéger (contre), s'endurcir.

**cuirassier** n. m. anciennt Soldat d'un régiment de grosse cavalerie.

**cuire** v. [38] p. p. *cuit*, cuite* **I** v. tr. **1** Rendre propre à l'alimentation par le feu, la chaleur **2** Transformer par l'action du feu. *Cuire une poterie* (→ terre cuite*). **II** v. intr. **1** Devenir propre à l'alimentation par l'action du feu. **2** fam. Avoir très chaud. **3** Produire une sensation de brûlure. – loc. *Il vous en cuira :* vous vous en repentirez.

**cuisant, ante** adj. Qui provoque une douleur, une peine très vive.

**cuisine** n. f. **I** Pièce d'une habitation dans laquelle on prépare les aliments. **II 1** Préparation des aliments ; art de cette préparation (→ **culinaire**). **2** fam. Manœuvre, intrigue louche. **III** Aliments servis aux repas.

**cuisiné, ée** adj. Préparé par la cuisine (II, 1).

**cuisiner** v. [1] **1** v. intr. Faire la cuisine. **2** v. tr. Préparer (un mets). **3** v. tr. fig., fam. Interroger (qqn) pour obtenir des aveux.

**cuisinette** n. f. Partie de pièce servant de cuisine (recomm. off. pour l'anglic. *kitchenette*).

**cuisinier, ière** n. Personne qui a pour métier de faire la cuisine. ♦ Personne qui sait faire la cuisine.

**cuisinière** n. f. Fourneau de cuisine servant à chauffer, à cuire les aliments.

**cuisiniste** n. Professionnel(le) qui vend, installe le mobilier de cuisine.

**cuissage** n. m. hist. *Droit de cuissage* : droit du seigneur féodal de poser sa jambe nue sur le lit de la nouvelle mariée, et, parfois, de passer la nuit des noces avec elle.

**cuissard, arde** 1 n. m. Protection de la cuisse. 2 n. f. pl. Bottes montant jusqu'aux cuisses.

**cuisse** n. f. 1 Partie du membre inférieur qui s'articule à la hanche et va jusqu'au genou. – (animaux) *Cuisse de poulet* (pilon), *de mouton* (gigot)... 2 loc. fam. *Se croire sorti de la cuisse de Jupiter* : être très orgueilleux.

**cuisseau** n. m. Partie du veau dépecé, du dessous de la queue au rognon.

> Ne pas confondre avec *cuissot* «cuisse».

**cuisson** n. f. 1 Action de cuire (I, 1) les aliments. 2 Préparation par le feu. *Cuisson de la porcelaine.* 3 Vive douleur.

**cuissot** n. m. Cuisse (du gros gibier). *Cuissot de chevreuil.*

> Ne pas confondre avec *cuisseau* «partie du veau».

**cuistot** n. m. fam. Cuisinier professionnel.

**cuistre** n. m. et adj. littér. Pédant vaniteux et ridicule. ► **cuistrerie** n. f.

**cuit, cuite** adj. 1 Qui a subi la cuisson (1) (opposé à *cru*). 2 Qui a subi la cuisson (2). *Terre cuite.* 3 fam. *Être cuit,* pris, vaincu. – *C'est du tout cuit,* c'est réussi d'avance.

**cuite** n. f. fam. *Prendre une cuite* : s'enivrer. ► se **cuiter** v. pron. [1]

**cuivre** n. m. I Élément (symb. Cu), métal rouge, très malléable, bon conducteur électrique. II au plur. 1 Ensemble d'ustensiles, d'objets en cuivre. 2 Ensemble des instruments à vent en cuivre d'un orchestre.

**cuivré, ée** adj. 1 De la couleur rougeâtre du cuivre. 2 (son) D'un timbre éclatant.

**cuivrer** v. tr. [1] 1 techn. Recouvrir de cuivre. 2 Donner une teinte de cuivre à.

**cuivreux, euse** adj. chim. Se dit d'un composé de cuivre monovalent.

**cul** [ky] n. m. 1 fam. Derrière, postérieur humain. ♦ loc. fig. *En rester sur le cul,* être très étonné. – *Être comme cul et chemise*.* – *Tirer au cul* : paresser. ♦ vulg. Anus. – loc. *En avoir plein le cul,* en avoir assez. 2 *Faux cul* : anciennt tournure portée par les femmes. ♦ mod. n. et adj. Hypocrite. 3 par analogie (non vulg.) Fond de certains objets. → **cul-de-...** (à l'ordre alphab.). – *Faire cul sec* (en buvant), vider le verre d'un trait.

**culasse** n. f. 1 Extrémité postérieure du canon d'une arme à feu. 2 (moteur) Partie du cylindre où les gaz sont comprimés.

**culbute** n. f. 1 Tour qu'on fait en mettant la tête en bas et les jambes en haut, de façon à retomber de l'autre côté. → **galipette.** 2 Chute à la renverse. – fig., fam. *Faire la culbute* : être ruiné. 3 comm. *Faire la culbute,* revendre au double du prix d'achat.

**culbuter** v. [1] I v. intr. Faire une culbute (2). → **dégringoler.** II v. tr. 1 Faire tomber (qqn). ♦ vulg. Posséder sexuellement (qqn). 2 Bousculer, pousser.

**culbuteur** n. m. techn. 1 Appareil qui sert à faire basculer un wagon, etc. pour le vider. 2 (moteur à explosion) Levier oscillant servant à ouvrir et à fermer les soupapes.

**cul-de-basse-fosse** n. m. Cachot souterrain. *Des culs-de-basse-fosse.*

**cul-de-four** n. m. Voûte formée d'une demi-coupole. *Des culs-de-four.*

**cul-de-jatte** n. et adj. Infirme qui n'a plus de jambes. *Des culs-de-jatte.*

**cul-de-lampe** n. m. Vignette à la fin d'un chapitre d'un livre. *Des culs-de-lampe.*

en **cul-de-poule** loc. adv. *Bouche en cul-de-poule,* qui s'arrondit en une moue.

**cul-de-sac** n. m. 1 Rue sans issue. *Des culs-de-sac.* 2 fig. Entreprise sans issue.

**culée** n. f. Massif de maçonnerie destiné à contenir la poussée d'une voûte, etc.

**culinaire** adj. Qui a rapport à la cuisine.

**culminant, ante** adj. Qui atteint sa plus grande hauteur. ♦ *Point culminant,* qui domine. – fig. Apogée, sommet, zénith.

**culminer** v. intr. [1] 1 Atteindre la plus grande hauteur. *Pic qui culmine.* → **dominer.** 2 fig., littér. Atteindre son apogée.

**culot** n. m. I 1 Partie inférieure (de certains objets). → **fond.** 2 Résidu au fond d'un creuset, d'une pipe. II fam. Audace.

**culotte** n. f. 1 anciennt Vêtement masculin de dessus qui couvre de la ceinture aux genoux. – mod. *Culottes courtes.* → **short.** ♦ loc. *Porter la culotte* : commander (dans un ménage). 2 Sous-vêtement (féminin) qui couvre les fesses et le bas du ventre. → **slip.** 3 fam. Perte importante au jeu.

**culotté, ée** adj. fam. Qui a du culot (II).

① **culotter** v. tr. [1] 1 Fumer (une pipe) jusqu'à ce que son fourneau soit couvert d'un dépôt noir. – au p. p. *Pipe culottée.* 2 Noircir par l'usage. – au p. p. *Théière culottée.*

② **culotter** v. tr. [1] Mettre une culotte à.

**culpabiliser** v. tr. [1] Donner un sentiment de culpabilité à (qqn). ► **culpabilisation** n. f.

**culpabilité** n. f. État d'une personne qui est coupable. – *Sentiment de culpabilité,* par lequel on se sent coupable.

**culte** n. m. 1 Hommage religieux rendu à la divinité ou à qqn. 2 Pratiques réglées par une religion. – *Ministre du culte,* prêtre. 3 Service religieux protestant. 4 Admiration mêlée de vénération. ♦ en appos. Qui fait l'objet d'une très grande admiration. *Un film-culte.*

**cul-terreux** n. m. péj. et injurieux Paysan. *Des culs-terreux.*

**cultivable** adj. Qui peut être cultivé.

**cultivateur, trice** I n. Personne qui cultive la terre, exploite une terre. → **agriculteur, paysan.** II n. m. Machine qui fait un labourage superficiel.

**cultivé, ée** adj. Qui a de la culture (II, 1).

**cultiver** v. tr. [1] I 1 Travailler (la terre) pour lui faire produire des végétaux utiles à l'homme (→ **agriculture**). 2 Soumettre (une plante) à divers soins ; faire pousser. II 1 Former par l'éducation, l'instruction. 2 S'intéresser à (qqch.), s'y adonner. *Cultiver les arts.* 3 Entretenir (une relation avec qqn). ▷ v. pron. **se cultiver** Cultiver son esprit.

**cultuel, elle** adj. didact. Du culte.

**culture** n. f. I 1 Action de cultiver (la terre) pour la production de végétaux (à l'exception des arbres forestiers). 2 au plur. Terres cultivées. 3 Action de cultiver (un végétal). *Culture de la vigne* (viticulture), *culture fruitière* (arboriculture)... 4 biol. Méthode consistant à faire croître des microorganismes, etc. pour les étudier. *Bouillon* de culture.* II 1 Développement de l'esprit par des exercices intellectuels appropriés ; ensemble des connaissances acquises. *Culture générale,* dans les domaines considérés comme nécessaires à tous (en dehors des spécialités, des métiers). 2 Ensemble des aspects intellectuels, artistiques d'une civilisation. *La culture orientale.* ♦ didact. Ensemble des formes acquises de comportement dans les sociétés humaines. *Nature et culture.* 3 *Culture physique* : développement méthodique du corps. → **éducation** physique, **gymnastique.**

**culturel, elle** adj. Relatif à la culture (II, 2). ► **culturellement** adv.

**culturisme** n. m. Culture physique destinée à développer certains muscles. → **musculation.** ► **culturiste** adj. et n.

**cumin** n. m. Plante aromatique ; sa graine, utilisée comme assaisonnement.

**cumul** n. m. Action de cumuler.

**cumulatif, ive** adj. Qui s'ajoute, ajoute.

**cumuler** v. tr. [1] Avoir à la fois (plusieurs activités, avantages ou caractères). ► **cumulable** adj.

**cumulus** [-ys] n. m. I Gros nuage de beau temps, à sommet arrondi. II Réservoir d'eau chaude.

**cunéiforme** adj. didact. Qui a la forme d'un coin. – *Écriture cunéiforme* (des Assyriens, des Mèdes, des Perses), constituée de signes en forme de clous, de coins.

**cunnilingus** [-lɛ̃gys] n. m. Pratique sexuelle, caresses buccales du sexe féminin (→ aussi fellation). – syn. **cunnilinctus.**

**cupcake** [kœpkɛk] n. m. anglic. Petit gâteau recouvert d'un glaçage.

**cupide** adj. Avide d'argent. ► **cupidement** adv. ► **cupidité** n. f.

**cupule** n. f. bot. Organe en forme de coupe qui enserre certains fruits (ex. le gland).

**curable** adj. Qui peut être guéri.

**curaçao** [kyʀaso] n. m. Liqueur à base d'eau-de-vie et d'écorces d'oranges.

**curage** n. m. Action de curer.

**curare** n. m. Poison végétal paralysant.

**curateur, trice** n. 1 dr. Personne qui a la charge (*curatelle* n. f.) d'assister une personne majeure incapable*. 2 Personne chargée de concevoir une exposition artistique.

**curatif, ive** adj. Relatif au traitement d'une maladie.

① **cure** n. f. I 1 Traitement médical d'une certaine durée ; méthode thérapeutique. ♦ Traitement dans une station thermale. 2 Usage abondant (de qqch.) par hygiène, etc. *Une cure de grand air.* II loc. *N'avoir cure de qqch.*, ne pas s'en soucier.

② **cure** n. f. 1 Fonction de curé. 2 Résidence du curé. → **presbytère.**

**curé** n. m. 1 Prêtre placé à la tête d'une paroisse. 2 fam. (souvent péj.) Prêtre catholique. – *Les curés,* le clergé.

**cure-dent** n. m. Petit bâtonnet pointu pour se curer les dents. *Des cure-dents.*

**curée** n. f. 1 vén. Portion de la bête tuée donnée aux chiens. 2 fig. Ruée, lutte âpre.

**cure-pipe** n. m. Instrument pour nettoyer un fourneau de pipe. *Des cure-pipes.*

**curer** v. tr. [1] Nettoyer (qqch.) en raclant.

**curetage** n. m. méd. Opération consistant à nettoyer avec une curette une cavité naturelle (utérus...) ou accidentelle (abcès). ► **cureter** v. tr. [4]

**curette** n. f. 1 Outil à partie tranchante, pour racler. 2 méd. Instrument chirurgical en forme de cuiller (→ **curetage**).

① **curie** n. f. 1 Antiq. romaine Subdivision de la tribu. 2 Gouvernement du Saint-Siège.

② **curie** n. m. Ancienne unité de mesure d'activité d'une substance radioactive.

**curiethérapie** n. f. méd. Emploi thérapeutique des éléments radioactifs.

**curieusement** adv. Bizarrement.

**curieux, euse** adj. I 1 Qui est désireux (de voir, de savoir). *Être curieux de tout.* 2 absolt Qui cherche à connaître ce qui ne le regarde pas. → **indiscret.** 3 n. Personne qui s'intéresse à qqch. par curiosité. *La foule des curieux.* → **badaud.** ♦ Amateur d'objets, collectionneur. II Qui attire et retient l'attention. → **bizarre, étrange, singulier.**

**curiosité** n. f. I 1 Tendance qui porte à apprendre des choses nouvelles ou cachées. 2 Désir de savoir les secrets d'autrui. → **indiscrétion.** II Chose curieuse (II).

**curiste** n. Patient en cure thermale.

**curium** [-jɔm] n. m. chim. Élément (symb. Cm), fortement radioactif.

**curling** [kœʀliŋ] n. m. anglic. Sport de glace consistant à lancer un lourd palet.

**curriculum vitæ** [-ɔmvite] n. m. invar. Liste d'indications relatives à l'état civil, aux capacités, aux diplômes et aux activités (de qqn). – abrév. **curriculum ; C. V.**

**curry** n. m. Assaisonnement indien fait de piment et d'autres épices. ♦ Plat préparé au curry. – var. anc. **carry, cari.**

**curseur** n. m. **1** Repère qui glisse dans une coulisse graduée. **2** Repère mobile, sur un écran d'ordinateur, qui matérialise le point d'insertion des données.

**cursif, ive** adj. *Écriture cursive,* tracée rapidement. ♦ Rapide, bref. *Lecture cursive.*

**cursus** [-ys] n. m. Ensemble des études à poursuivre dans une matière donnée.

**curule** adj. Antiq. *Chaise curule :* siège d'ivoire des premiers magistrats de Rome.

**curviligne** adj. Formé de lignes courbes.

**cuscute** n. f. Plante herbacée parasite.

**custode** n. f. **1** relig. Boîte où le prêtre place l'hostie. **2** techn. Panneau latéral arrière d'une carrosserie de voiture.

**customiser** v. tr. [1] anglic. Adapter (un produit du commerce) selon son goût, en le personnalisant.

**cutané, ée** adj. De la peau.

**cuticule** n. f. **1** zool. Membrane externe (insectes, crustacés), qui contient de la chitine. **2** bot. Pellicule luisante (tiges...). **3** anat. Mince couche de peau.

**cuti-réaction** ou **cuti** n. f. Test médical pour déceler certaines maladies (tuberculose...). *Des cuti-réactions. Des cutis.* ♦ loc. fig., fam. *Virer sa cuti :* changer radicalement sa façon de vivre, de penser ; spécialt changer d'orientation sexuelle.

**cutter** [kœtœʀ ; kytɛʀ] n. m. anglic. Instrument tranchant à lame coulissante.

**cuve** n. f. **1** Grand récipient pour la fermentation du raisin. **2** Grand récipient. → **citerne.** *Cuve à mazout.*

**cuvée** n. f. **1** Quantité de vin qui se fait à la fois dans une cuve. **2** Produit d'une vigne. *La cuvée (de) 1981.*

**cuveler** v. tr. [4] techn. Consolider les parois de (un puits de mine, de pétrole...). ► **cuvelage** n. m.

**cuver** v. [1] **I** v. intr. (vin) Séjourner dans la cuve pendant la fermentation. **II** v. tr. *Cuver son vin :* dissiper son ivresse en dormant, etc. – *Cuver sa colère :* se calmer.

**cuvette** n. f. **1** Récipient portatif large et peu profond. ♦ Partie (d'un lavabo, des W.-C.) où coule l'eau. **2** géogr. Dépression fermée.

**cuvier** n. m. anciennt Cuve pour la lessive.

**C. V.** n. m. (sigle) → **curriculum vitæ.**

**cyanhydrique** adj. chim. *Acide cyanhydrique,* acide (HCN), poison violent.

**cyanose** n. f. méd. Coloration bleue ou noirâtre de la peau (troubles circulatoires, etc.). ► **cyanoser** v. tr. [1]

**cyanure** n. m. chim. Sel de l'acide cyanhydrique. – *Cyanure (de potassium),* poison violent.

**cybercafé** n. m. Café qui met à la disposition de ses clients des ordinateurs connectés à Internet.

**cybercriminalité** n. f. Activités illégales effectuées par l'intermédiaire d'Internet.

**cyberculture** n. f. Culture des utilisateurs d'Internet.

**cyberdépendance** n. f. Dépendance à Internet (jeux en ligne, réseaux sociaux...).

**cyberespace** n. m. didact. Espace de communication créé par l'interconnexion mondiale des ordinateurs.

**cybernétique** n. f. Science des communications et de la régulation (êtres vivants, machines). ♦ adj. De la cybernétique. ► **cybernéticien, ienne** n.

**cyclable** adj. Réservé aux cycles (②).

**cyclamen** [-ɛn] n. m. Plante à fleurs roses.

① **cycle** n. m. **1** Suite de phénomènes se renouvelant sans arrêt dans un ordre immuable. *Le cycle des saisons.* – sc. Série de changements subis par un système, qui le ramène à son état primitif. ♦ chez la femme *Cycle menstruel :* déroulement régulier des phénomènes physiologiques permettant la reproduction (→ **menstrues, règle(s)).** **2** Série d'œuvres à même sujet et mêmes personnages. **3** Division de l'enseignement regroupant plusieurs années d'études.

② **cycle** n. m. Véhicule à deux roues, sans moteur (→ **bicyclette)** ou avec un petit moteur (→ **cyclomoteur).**

**cyclique** adj. **I** D'un cycle ; qui se produit selon un cycle. **II** chim. Se dit de composés dont la molécule forme une chaîne fermée.

**cyclisme** n. m. Pratique ou sport de la bicyclette. → **vélo.**

**cycliste 1** adj. Qui concerne le cyclisme. **2** n. Personne qui va à bicyclette.

**cyclo-cross** [-kʀɔs] n. m. Épreuve de cyclisme en terrain accidenté. → **cross** (2).

**cycloïde** n. f. géom. Courbe décrite par un point d'un cercle qui roule sur une droite.

**cyclomoteur** n. m. Bicyclette à moteur (moins de 50 cm$^3$).

**cyclone** n. m. **1** Tempête violente à vents tourbillonnants. *L'œil* d'un cyclone.* **2** Zone de basses pressions. **3** fig. Personne, événement qui bouleverse tout.

**cyclope** n. m. **1** mythol. grecque Géant n'ayant qu'un œil au milieu du front. **2** Petit crustacé d'eau douce à œil unique.

**cyclopéen, enne** adj. **1** mythol. Des cyclopes. **2** fig., littér. Énorme, gigantesque.

**cyclosporine** → ciclosporine

**cyclothymie** n. f. méd. Trouble psychique faisant alterner des périodes d'excitation et de dépression. ► **cyclothymique** adj. et n.

**cyclotourisme** n. m. Tourisme à bicyclette. ► **cyclotouriste** adj. et n.

**cyclotron** n. m. phys. Accélérateur circulaire de particules lourdes.

**cygne** n. m. **1** Grand palmipède à plumage blanc (rarement noir), à long cou flexible. **2** loc. *Le chant du cygne :* le dernier chef-d'œuvre (de qqn). **3** Duvet de cygne.

**cylindre** n. m. **1** géom. Solide engendré par une droite tournant autour d'un axe (parallèle). **2** Rouleau exerçant une pression uniforme. **3** Enveloppe dans laquelle se meut le piston d'un moteur à explosion.

**cylindrée** n. f. Volume des cylindres (d'un moteur à explosion).

**cylindrer** v. tr. [1] **1** Faire passer (qqch.) sous un rouleau. **2** Donner la forme d'un cylindre à (qqch.).

**cylindrique** adj. En forme de cylindre.

**cymbale** n. f. Disque de métal composant un instrument de musique à percussion.

**cynégétique** adj. didact. De la chasse.

**cynique** adj. et n. **1** hist. philos. D'une doctrine de l'Antiquité qui cherchait le retour à la nature par le rejet des conventions sociales. **2** Qui exprime des opinions contraires à la morale reçue. ► **cyniquement** adv.

**cynisme** n. m. **1** Doctrine des philosophes cyniques. **2** Attitude cynique (2).

**cynocéphale** n. m. Singe à museau allongé (ex. babouin, mandrill).

**cynodrome** n. m. Piste aménagée pour les courses de lévriers.

**cyphose** n. f. méd. Déviation de la colonne vertébrale qui rend le dos convexe.

**cyprès** n. m. Arbre (conifère) à feuillage vert sombre, à forme droite et élancée.

**cyprin** n. m. Poisson de la famille de la carpe. – *Cyprin doré :* poisson rouge.

**cyrillique** [-ilik] adj. Se dit de l'alphabet slave (attribué à saint Cyrille).

**cystite** n. f. Inflammation de la vessie.

**cytise** n. m. Arbrisseau vivace aux fleurs en grappes jaunes.

**cytogénétique** n. f. biol. Partie de la génétique qui étudie les chromosomes.

**cytologie** n. f. Biologie de la cellule vivante. ► **cytologiste** ou **cytologue** n.

**cytoplasme** n. m. biol. Partie de la cellule qui entoure le noyau.

**czardas** ou **csardas** [gzardas ; tsardas] n. f. Danse hongroise formée d'une partie lente et d'une partie rapide ; sa musique.

# D

**d** [de] n. m. **1** Quatrième lettre, troisième consonne de l'alphabet. **2** fam. *Le système D* : la débrouille. **3** *D* : cinq cents, en chiffres romains. **4** *2D, 3D* : deux, trois dimensions. *Film en 3D.*

**d'** prép. élidée ou art. élidé → **de**

**d'abord** loc. adv. → **abord**

**dactyle** n. m. didact. (poésie) Pied formé d'une syllabe longue suivie de deux brèves.

**dactylo 1** n. vieilli Personne dont la profession est de taper des textes à la machine à écrire ou sur un ordinateur. **2** n. f. Dactylographie.

**dactylographe** n. vieilli Dactylo (1).

**dactylographie** n. f. Technique d'écriture mécanique, à la machine à écrire ou sur un ordinateur. ► **dactylographique** adj. ► **dactylographier** v. tr. [7] – au p. p. *Texte dactylographié.* → **tapuscrit.**

**dactylologie** n. f. Langage gestuel (digital) à l'usage des sourds-muets.

**dactyloscopie** n. f. Procédé d'identification par les empreintes digitales.

① **dada** n. m. fam. **1** (enfantin) Cheval. **2** Sujet favori, auquel on revient sans cesse.

② **dada** n. m. et adj. invar. Se dit d'un mouvement artistique et littéraire révolutionnaire créé en 1916 (syn. **dadaïsme** n. m.).

**dadais** n. m. Garçon niais et gauche.

**dague** n. f. Épée courte.

**daguerréotype** n. m. Procédé primitif de la photographie (image sur une plaque).

**dahlia** n. m. Plante à tubercules, aux fleurs ornementales.

**daigner** v. tr. [1] Consentir à (faire qqch.). – (formule de politesse) *Daignez agréer...*

**daim** n. m. **1** Cervidé aux andouillers en palette et à robe tachetée. **2** Cuir suédé.

**daine** n. f. Femelle du daim.

**dais** n. m. **1** Ouvrage (de bois, de tissu) qui s'étend au-dessus d'un autel, d'une chaire ou d'un lit. → **baldaquin. 2** Voûte saillante au-dessus d'une statue.

**dalaï-lama** n. m. Souverain spirituel et temporel du Tibet. *Des dalaï-lamas.*

**dallage** n. m. Action de daller ; ensemble de dalles.

① **dalle** n. f. **1** Plaque (de pierre dure, de béton, etc.), dont on pave le sol. **2** fam. Gorge, gosier (dans des loc.). *Se rincer la dalle* : boire. – *Avoir la dalle* : avoir faim.

② que **dalle** loc. fam. Rien.

**daller** v. tr. [1] Revêtir de dalles.

**dalmatien, ienne** n. Chien, chienne à robe blanche tachetée de sombre.

**daltonien, ienne** adj. Atteint de daltonisme. – n. *Un daltonien.*

**daltonisme** n. m. Anomalie héréditaire de la vue (non-perception ou confusion de certaines couleurs).

**dam** [dɑ̃ ; dam] n. m. littér. *Au grand dam de qqn,* à son détriment.

**damage** n. m. techn. Action de damer (le sol).

**damas** [-a(s)] n. m. Tissu dont les dessins brillants sur fond mat à l'endroit se retrouvent mats sur fond brillant à l'envers.

**damasquiner** v. tr. [1] Incruster un filet d'or, d'argent formant un dessin.

**damassé, ée** adj. Tissé comme le damas.

① **dame** n. f. **I 1** hist. Suzeraine ; châtelaine. – *Le chevalier et sa dame* (qui règne sur son cœur). **2** vx ou hist. Femme de haute naissance. ♦ mod. *Agir en grande dame,* avec noblesse. **3** vieilli Femme mariée. **4** Femme. *Une vieille dame.* **II** *Jeu de dames,* qui se joue à deux avec des pions sur un damier. ♦ cartes Carte où est figurée une reine. ♦ échecs La reine. **III** Masse de paveur. → **hie.**

② **dame** interj. fam. et vieilli Assurément, pardi.

**dame-jeanne** [-ʒan] n. f. Bonbonne. *Des dames-jeannes.*

**damer** v. tr. [1] **I** loc. *Damer le pion à qqn,* l'emporter sur lui. **II** techn. Tasser.

**damier** n. m. Surface divisée en cent carreaux (cases) tour à tour blancs et noirs.

**damnation** [dan-] n. f. Condamnation aux peines de l'enfer ; ces peines.

**damner** [dane] v. tr. [1] **1** Condamner aux peines de l'enfer. **2** Conduire à la damnation. *Damner son âme.* ▷ v. pron. se **damner** fam. *Se damner pour qqn, qqch.* : être prêt à tout pour qqn, qqch. ▷ adj. **damné, ée** **1** Condamné aux peines de l'enfer. – n. *Les damnés.* **2** (avant le nom) fam. → **maudit.**

**damoiseau** n. m. ancienntJeune gentilhomme (pas encore chevalier).

**damoiselle** n. f. ancienntJeune fille noble ou femme d'un damoiseau.

**dan** [dan] n. m. Chacun des grades de la ceinture noire (arts martiaux).

**dancing** n. m. vieilli Établissement public où l'on danse.

se **dandiner** v. pron. [1] Se balancer gauchement (debout). ► **dandinement** n. m.

**dandy** n. m. Homme très élégant (type social et moral du XIX^e siècle).

**dandysme** n. m. Attitude du dandy.

**danger** n. m. Ce qui menace la sûreté, l'existence de qqn ou de qqch. → **péril.** – (personnes) *Cet automobiliste est un danger public.*

**dangereux, euse** adj. **1** Qui constitue ou présente un danger. *Virage dangereux.* **2** (personnes ; animaux) Qui est capable de nuire. ► **dangereusement** adv.

**danois, oise 1** adj. et n. Du Danemark. – n. *Un Danois, une Danoise.* – n. m. *Le danois* (langue germanique). **2** n. m. Grand chien de garde, à poil court.

**dans** prép. Préposition indiquant la situation d'une personne, d'une chose par rapport à ce qui la contient. **1** (lieu) À l'intérieur de. *Monter dans une voiture.* → **en.** – fig. *Cette idée est dans Descartes.* → **chez. 2** (manière, situation) *Agir dans les règles.* **3** (temps) Pendant. *Dans son enfance.* – (futur) *Dans un instant :* bientôt. **4** *Dans les :* environ. *Cela coûte dans les cent euros.*

**dansant, ante** adj. **1** Qui danse. **2** Qui fait danser. **3** Où l'on danse.

**danse** n. f. **1** Suite de mouvements rythmés du corps (le plus souvent au son d'une musique) ; art, technique qui règle ces mouvements (→ **chorégraphie). 2** Musique sur laquelle on danse. **3** loc. *Entrer dans la danse,* participer à qqch. – péj. *Mener la danse :* diriger une action collective. **4** *Danse de Saint-Guy.* → **chorée.**

**danser** v. [1] **I** v. intr. Exécuter une danse. *Il danse bien.* – loc. fam. *Ne pas savoir sur quel pied danser,* hésiter. **II** v. tr. Exécuter (une danse). *Danser la valse.*

**danseur, euse** n. **1** Personne dont la profession est la danse. – *Danseur, danseuse de corde.* → **funambule.** ♦ fig. *La danseuse de qqn,* ce à quoi il, elle consacre par plaisir beaucoup d'argent. **2** *En danseuse :* en pédalant debout et balançant le corps. **3** Personne qui danse.

**dantesque** adj. Qui a le caractère sombre et sublime de l'œuvre de Dante.

**daphnie** n. f. Petit crustacé d'eau douce.

**dard** n. m. **1** Organe servant à piquer, à inoculer un venin. → **aiguillon.** *Dard d'abeille.* **2** Langue (inoffensive) des serpents.

**darder** v. tr. [1] Jeter, lancer.

**dare-dare** loc. adv. fam. En toute hâte.

**darne** n. f. Tranche de gros poisson.

**darse** n. f. Bassin à l'intérieur d'un port.

**dartre** n. f. Desquamation de l'épiderme, accompagnée de rougeurs.

**darwinisme** [darwinism] n. m. Théorie de Darwin (évolution des espèces selon les lois de la sélection* naturelle).

**D. A. T.** ou **DAT** n. m. (sigle) inform. Procédé d'enregistrement du son sous forme numérique sur un support magnétique.

**data** n. f. anglic. *La data :* les données numériques. → **big data.** – spécialt Le volume de données numériques accessible sur son téléphone mobile.

**datation** n. f. Action de dater (qqch.).

**datcha** n. f. Maison de campagne russe.

**date** n. f. **1** Indication du jour, du mois et de l'année où s'est produit un fait. *Date de naissance.* – loc. *Prendre date :* fixer avec qqn la date d'un rendez-vous. **2** Époque, moment où un événement s'est produit. *Science des dates.* → **chronologie.** ♦ loc. *Faire date :* marquer un moment important.

> Ne pas confondre avec *datte* «fruit».

**dater** v. [1] **I** v. tr. **1** Mettre la date sur. **2** Déterminer la date de. *Dater un fossile.* ♦ passif *Être daté,* démodé. **II** v. intr. **1** *Dater de :* avoir commencé d'exister à (telle époque). → **remonter** à. ♦ loc. prép. *À dater de :* à partir de. **2** Faire date*. **3** Être démodé.

**dateur, euse 1** adj. Qui sert à dater. **2** n. m. Dispositif qui indique la date.

**datif** n. m. gramm. Cas marquant le complément d'attribution (langues à déclinaisons).

**dation** n. f. dr. Action de donner en paiement. – spécialt Possibilité d'acquitter un impôt en œuvres d'art ; ces œuvres.

**datte** n. f. Fruit comestible du dattier.

> Ne pas confondre avec *date* «époque».

**dattier** n. m. Palmier qui porte les dattes.

**daube** n. f. **1** Manière de faire cuire certaines viandes à l'étouffée. – Viande ainsi cuite. **2** fam. Réalisation de mauvaise qualité. *Ce film est une daube.*

**dauber** v. tr. et intr. [1] littér. Dénigrer.

① **dauphin** n. m. Cétacé carnivore dont la tête se prolonge en forme de bec.

② **dauphin** n. m. **1** hist. *Le Dauphin :* le fils aîné du roi de France. **2** Successeur choisi par une personnalité importante.

**dauphine** n. f. **1** Femme du Dauphin. **2** appos. *Pommes dauphine :* boulettes à base de pommes de terre, frites dans l'huile.

**daurade** ou **dorade** n. f. Poisson marin à reflets dorés ou argentés.

**davantage** adv. **1** Plus. *En vouloir davantage.* **2** Plus longtemps.

**davier** n. m. Pince servant notamment à l'extraction des dents.

**dazibao** [da(d)zibao] n. m. (en Chine...) Journal mural affiché dans les lieux publics.

**D. C. A.** n. f. (sigle de *défense contre avions*) Défense antiaérienne.

**D. D. T.** n. m. (sigle) Insecticide organique, toxique pour les animaux à sang chaud.

① **de, du** (pour *de le*), **des** (pour *de les*) prép. *de* s'élide en *d'* devant une voyelle ou un *h* muet **I** après un v. ou un n. Préposition qui marque l'origine (lieu, provenance ; temps ; cause ; moyen ; manière ; mesure ; agent, auteur). *Sortir de chez soi. Mourir de faim. Être armé d'un bâton. D'heure en heure. Être aimé de tous.* **II** Marquant des relations d'appartenance, de détermination. *Le style de Céline. Les membres du jury.* **III** (fonctions grammaticales) *Se souvenir de qqn. La pensée de la mort.* – avec les v. *traiter, qualifier Traiter qqn de menteur.* – devant adj., pron., adv. (facultatif) *Avoir trois jours (de) libres.* (obligatoire) *Quoi de neuf ?*

② **de, du** (pour *de le*), **de la, des** (pour *de les*) art. partitif Article précédant les noms de choses qu'on ne peut compter. **1** devant un nom concret *Boire du vin.* – (valeur d'une espèce) *Manger du lapin.* **2** devant un nom abstrait *Jouer de la musique.* – *C'est du Bach.*

③ **de** art. indéf. → ② **des**

① **dé** n. m. **1** Petit cube dont chaque face est marquée de un à six points. ♦ loc. *Coup de dé(s)* : tentative hasardeuse. **2** Petit cube.

② **dé** n. m. *Dé (à coudre)* : étui rigide pour protéger le doigt qui pousse l'aiguille. – fig., fam. *Dé à coudre* : très petit verre.

**deal** [dil] n. m. anglic., fam. Marché, arrangement (entre personnes...). *Conclure un deal.*

① **dealer** [dilœʀ] n. m. ou **dealeur, euse** n. anglic. Revendeur de drogue.

② **dealer** [dile] v. tr. [1] anglic., fam. Trafiquer, revendre (de la drogue).

**déambulateur** n. m. Cadre à pieds qui sert aux malades d'appui pour marcher.

**déambulatoire** n. m. didact. Galerie entourant le chœur d'une église.

**déambuler** v. intr. [1] Marcher sans but précis. ► **déambulation** n. f.

**débâcle** n. f. **1** Rupture subite de la couche de glace (d'un cours d'eau). **2** fig. Fuite soudaine (d'une armée). → **déroute.** – Effondrement soudain. → **faillite, ruine.**

**déballer** v. tr. [1] **1** Sortir et étaler. *Déballer ses affaires.* **2** fig., fam. Exposer sans retenue. *Déballer ses petits secrets.* ► **déballage** n. m.

**débandade** n. f. **1** Fait de se disperser rapidement et en tous sens. **2** loc. adv. *À la débandade* : dans la confusion.

① **débander** v. [1] **1** v. tr. Ôter la bande de. **2** v. tr. Détendre (ce qui est bandé). **3** v. intr. fam. Cesser d'être en érection.

② se **débander** v. pron. [1] Se disperser.

**débaptiser** [-bat-] v. tr. [1] Changer le nom de. *Débaptiser une rue.*

**débarbouiller** v. tr. [1] Nettoyer la figure de (qqn). ▷ v. pron. se **débarbouiller**

**débarbouillette** n. f. (Canada) Petit carré en tissu éponge, qui sert à se laver.

**débarcadère** n. m. Lieu aménagé pour l'embarquement et le débarquement des navires. → **embarcadère, ponton.**

**débardeur** n. m. **1** Celui qui décharge et charge un navire, une voiture. → **docker.** **2** Tricot sans manches, très échancré.

**débarquement** n. m. **1** Action de débarquer. **2** Opération militaire consistant à débarquer en territoire ennemi. – spécialt *Le débarquement*, celui des Alliés en Normandie en 1944.

**débarquer** v. [1] **I** v. tr. Faire sortir d'un navire, mettre à terre. **II** v. intr. **1** Quitter un navire, descendre à terre. – par ext. *Débarquer du train.* **2** fam. *Débarquer chez qqn*, arriver à l'improviste. **3** fam. Ignorer des faits récents. *Tu débarques !*

**débarras** n. m. **1** fam. Délivrance de qui embarrassait. *Bon débarras !* **2** Endroit où l'on remise les objets qui encombrent.

**débarrasser** v. tr. [1] Dégager de ce qui embarrasse. – *Débarrasser la table*, enlever le couvert. ▷ v. pron. se **débarrasser** *Se débarrasser d'un objet inutile.* – *Se débarrasser de qqn*, l'éloigner ; le faire mourir.

**débat** n. m. **1** Action de débattre une question. – Discussion organisée. **2** au plur. Discussion des assemblées politiques. *Débats parlementaires.* – Phase d'un procès.

**débattre** v. tr. [41] **1** Examiner contradictoirement avec un ou plusieurs interlocuteurs. → **discuter ; négocier.** – tr. ind. *Débattre d'une affaire.* **2** *Se débattre* v. pron. Lutter, en faisant beaucoup d'efforts.

**débauche** n. f. **1** Usage excessif des plaisirs sensuels. **2** fig. Abus, excès ; profusion. *Une débauche de couleurs.*

**débaucher** v. tr. [1] **I 1** Détourner (qqn) de ses occupations. **2** Renvoyer (qqn) faute de travail. → **licencier.** **II** Entraîner (qqn) à l'inconduite, notamment sexuelle. → **dépraver.** ▷ adj. et n. **débauché, ée**

**débile** **1** adj. littér. Qui manque de force physique. **2** n. *Débile mental(e)*, personne atteinte de débilité (2). **3** adj. fam. Idiot.

**débilité** n. f. **1** État d'une personne débile (1). **2** *Débilité mentale* : déficience de l'intelligence (pour un adulte, âge mental de 7 à 10 ans). → **arriération.**

**débiliter** v. tr. [1] **1** littér. Rendre débile (1), faible. **2** fig. Démoraliser, déprimer. ► **débilitant, ante** adj.

**débine** n. f. fam. et vieilli Pauvreté.

① **débiner** v. tr. [1] Dénigrer, médire de.

② se **débiner** v. pron. [1] fam. Se sauver.

① **débit** n. m. 1 Écoulement des marchandises par la vente au détail. 2 (dans des loc.) Magasin. – *Débit de boissons,* bar, café. 3 Manière d'énoncer. *Un débit monotone.* 4 Volume écoulé par unité de temps. ♦ Quantité fournie, produite, par unité de temps. – inform. *Réseau à haut débit.*

② **débit** n. m. Compte des sommes dues. ♦ Partie d'une comptabilité où figurent les sommes déboursées.

**débitant, ante** n. Personne qui tient un débit (2). *Débitant de tabac.*

① **débiter** v. tr. [1] I Découper en morceaux. II 1 Écouler (une marchandise) par la vente au détail. 2 Dire à la suite (des choses sans intérêt). – Réciter mécaniquement. *Débiter un compliment.* 3 Faire s'écouler (un volume...) en un temps donné.

② **débiter** v. tr. [1] Porter au débit de (qqn). *Débiter qqn d'une somme.* ♦ par ext. *Débiter un compte de telle somme.*

**débiteur, trice** n. 1 Personne qui doit qqch. (spécialt de l'argent) à qqn. *Créancier et débiteur.* – adj. *Solde débiteur d'un compte* (dont le débit est supérieur au crédit). 2 fig. Personne qui a une dette morale.

**déblai** n. m. 1 Action de déblayer. 2 au plur. Terres, décombres déblayés.

**déblatérer** v. intr. [6] Parler longuement et avec violence (contre qqn, qqch.). → **médire** de, **vitupérer.** – trans. *Déblatérer des injures.*

**déblayer** v. tr. [8] 1 Débarrasser (un lieu) de ce qui encombre. 2 loc. fig. *Déblayer le terrain :* faire disparaître les obstacles avant d'agir. ► **déblaiement** n. m.

**débloquer** v. [1] I v. tr. 1 Remettre (une chose bloquée) en marche. 2 Remettre en circulation, en exercice. *Débloquer des crédits.* – Libérer. *Débloquer les prix.* II v. intr. fam. Divaguer, déraisonner. ▷ v. pron. **se débloquer** Se dégager d'un blocage. ► **déblocage** n. m.

**débobiner** v. tr. [1] Dérouler (ce qui était en bobine).

**déboguer** v. tr. [1] Supprimer les bogues de (un programme).

**déboire** n. m. littér. Impression pénible de déception. ♦ Événement fâcheux.

**déboiser** v. tr. [1] Dégarnir (un terrain) de ses arbres. ► **déboisement** n. m.

**déboîter** v. [1] I v. tr. 1 Faire sortir de ce qui emboîte. 2 Sortir (un os) de l'articulation. → **démettre.** II v. intr. (véhicule) Sortir d'une file. ► **déboîtement** n. m.

**débonder** v. tr. [1] Ouvrir en retirant la bonde.

**débonnaire** adj. D'une bonté douce.

**débordant, ante** adj. Qui déborde.

**débordé, ée** adj. Submergé ; dépassé.

**débordement** n. m. 1 Action de déborder. 2 fig. Fait de se répandre ; excès.

**déborder** v. [1] I v. intr. 1 Répandre une partie de son contenu liquide par-dessus bord. – loc. *La goutte d'eau qui fait déborder le vase,* la chose pénible qui fait que l'ensemble devient insupportable. ♦ *Déborder de :* être rempli de. *Déborder de vie.* 2 Se répandre par-dessus bord. *Le lait a débordé.* ♦ fig. *Sa joie déborde.* II v. tr. 1 Dépasser (le bord), aller au-delà de. 2 Défaire (ce qui était bordé). *Déborder un lit ; un malade.*

**débotté** n. m. *Au débotté :* au moment où l'on arrive, sans préparation.

**débouché** n. m. 1 Issue vers un lieu ouvert. *Débouché d'une vallée.* 2 Lieu où l'on vend un produit. 3 fig. Perspective de carrière.

① **déboucher** v. tr. [1] 1 Débarrasser de ce qui bouche. 2 Débarrasser de son bouchon. ► **débouchage** n. m.

② **déboucher** v. intr. [1] (personnes ; voie, passage) Passer d'un lieu resserré dans un lieu plus ouvert. ♦ fig. *Des discussions qui ne débouchent sur rien.* → **mener** à.

**déboucler** v. tr. [1] 1 Ouvrir la boucle de. 2 Défaire les boucles (de cheveux).

**débouler** v. intr. [1] 1 Tomber en roulant. 2 fam. Faire irruption. 3 Fuir (gibier).

**déboulonner** v. tr. [1] 1 Démonter (ce qui était boulonné). 2 fam. Déposséder (qqn) de sa place, de son prestige. ► **déboulonnage** ou **déboulonnement** n. m.

**débourrer** v. tr. [1] 1 Ôter la bourre de. 2 *Débourrer une pipe,* en ôter le tabac.

**débours** n. m. Somme déboursée.

**débourser** v. tr. [1] Tirer de son avoir (une certaine somme). → **dépenser.** ► **déboursement** n. m.

**déboussoler** v. tr. [1] fam. Désorienter, déconcerter (qqn). ▷ adj. **déboussolé, ée** → **désemparé.**

**debout** adv. 1 (choses) Verticalement ; sur l'un des bouts. *Mettre des livres debout.* 2 (personnes) Sur ses pieds (opposé à *assis, couché*). ♦ *Être debout dès l'aube,* levé. 3 *Tenir debout :* être solide. – *Ne pas tenir debout :* être malade, épuisé ou ivre ; fig. (choses) être incohérent, invraisemblable. 4 mar. *Vent debout :* de face. – fig. *Être vent debout contre (qqn, qqch.),* s'y opposer vivement.

**débouté, ée** dr. 1 n. m. Rejet d'une demande en justice. 2 n. Personne qui en fait l'objet.

**débouter** v. tr. [1] dr. Rejeter par jugement ou arrêt la demande en justice de (qqn).

**déboutonner** v. tr. [1] Ouvrir en dégageant les boutons de la boutonnière. ▷ v. pron. **se déboutonner** 1 Déboutonner ses vêtements. 2 fig. Se confier librement.

**débraillé, ée** adj. 1 Dont les vêtements sont en désordre. ♦ n. m. → **laisser-aller.** 2 fig. Libre, sans retenue.

**débrancher** v. tr. [1] Supprimer le branchement de (un appareil électrique).

**débrayer** v. [8] **1** v. tr. Interrompre la liaison entre un mécanisme et l'arbre moteur. **2** v. intr. fam. Cesser le travail, se mettre en grève. ► **débrayage** n. m.

**débrider** v. tr. [1] **1** Ôter la bride à (un animal). **2** Dégager de ce qui serre. *Débrider un abcès* (en l'incisant). ▷ adj. **débridé, ée** → **déchaîné.** *Imagination débridée.*

**débriefer** [debʀife] v. tr. [1] anglic. **1** Interroger (qqn) pour faire le point sur une opération. **2** Faire le bilan de. *Débriefer un match.*

**débriefing** [debʀifiŋ] n. m. anglic. Réunion pour commenter une situation, faire le bilan d'une opération.

**débris** n. m. Reste (d'un objet...).

**débrouillard, arde** adj. et n. fam. (Personne) qui sait se débrouiller. ► **débrouillardise** n. f.

**débrouille** n. f. fam. Art de se tirer d'affaire.

**débrouiller** v. tr. [1] **1** Démêler (ce qui est embrouillé). **2** fig. Tirer de la confusion. → **élucider.** ▷ v. pron. se **débrouiller** Se comporter habilement, se tirer d'affaire.

**débroussailler** v. tr. [1] **1** Débarrasser (un terrain) des broussailles. → **défricher. 2** fig. Éclairer (ce qui est confus). ► **débroussaillage** n. m. ► **débroussailleuse** n. f. (machine)

**débuché** ou **débucher** n. m. Moment où la bête débusque (II).

**débusquer** v. [1] **I** v. tr. **1** Chasser (le gibier) du bois. **2** fig. *Débusquer qqn,* le chasser de sa position. **II** v. intr. Sortir du bois (gibier). – syn. (sens I, 1 et II) **débucher** v. [1]

**début** n. m. **1** Commencement. **2** *Les débuts de qqn,* ses premiers essais.

**débuter** v. intr. [1] **1** Faire ses premiers pas dans une carrière, une activité. **2** (choses) Commencer. *Le livre débute par une préface.* ► **débutant, ante** adj. et n.

**déca** n. m. fam. Café décaféiné.

**deçà** adv. loc. prép. et adv. *En deçà (de) :* de ce côté-ci (de) (opposé à *au-delà*). – fig. *Rester en deçà de la vérité,* ne pas l'atteindre.

**décacheter** v. tr. [4] Ouvrir (ce qui est cacheté). *Décacheter une lettre.*

**décade** n. f. **1** Durée de dix jours. **2** (anglic. critiqué) Durée de dix ans. → **décennie.**

**décadence** n. f. Acheminement vers la ruine. → **déclin.** ♦ hist. Derniers siècles de l'Empire romain. ► **décadent, ente** adj. et n.

**décaèdre** adj. et n. m. géom. (Solide) qui a dix faces.

**décaféiné, ée** adj. Dont on a enlevé la caféine. – n. m. Café décaféiné. → fam. **déca.**

**décagone** n. m. géom. Polygone à dix côtés.

**décalage** n. m. **1** Fait de décaler ; écart temporel ou spatial. *Décalage horaire* (entre deux pays). **2** fig. Défaut de concordance. → **écart.**

**décalcifier** v. tr. [7] Priver d'une partie de son calcium. ▷ v. pron. se **décalcifier** ► **décalcification** n. f.

**décalcomanie** n. f. Procédé de transfert d'images colorées sur un support ; ces images.

**décalé, ée** adj. Qui n'est pas conforme au contexte, aux attentes. *Un ton décalé.*

**décaler** v. tr. [1] Déplacer un peu de la position normale (dans l'espace ; dans le temps).

**décalitre** n. m. Mesure de dix litres.

**décalogue** n. m. relig. Les dix commandements reçus de Dieu par Moïse.

**décalotter** v. tr. [1] **1** Enlever la calotte de. **2** *Décalotter le gland,* le découvrir en dégageant le prépuce.

**décalquer** v. tr. [1] Reporter le calque de (un dessin, etc.) sur un support. ► **décalquage** et **décalque** n. m.

**décamètre** n. m. Mesure de dix mètres.

**décamper** v. intr. [1] S'en aller en hâte.

**décan** n. m. Chacune des trois dizaines de degrés de chaque signe du zodiaque.

**décaniller** v. intr. [1] fam. Partir, s'en aller ; s'enfuir.

**décanter** v. [1] Séparer (un liquide) des matières en suspension en les laissant se déposer. → **clarifier.** ▷ v. pron. se **décanter** Devenir plus clair (aussi fig.). ► **décantation** n. f.

**décapant, ante** adj. Qui décape. ♦ fig. *Un humour décapant.* → **corrosif.**

**décaper** v. tr. [1] Débarrasser (une surface) des dépôts, des matières qui y adhèrent fortement. ♦ fig. (sans compl.) *Une satire qui décape.* ► **décapage** n. m.

**décapiter** v. tr. [1] **1** Trancher la tête de (qqn). ♦ par analogie *Décapiter un arbre.* **2** fig. Détruire ce qui est à la tête de, ce qui est essentiel. ► **décapitation** n. f.

**décapode 1** adj. Qui a cinq paires de pattes. **2** n. m. Crustacé à cinq paires de pattes (crevette, crabe, etc.).

**décapotable** adj. Qui peut être décapoté. *Voiture décapotable ;* n. f. *décapotable.*

**décapoter** v. tr. [1] Enlever ou ouvrir la capote, le toit mobile de.

**décapsuler** v. tr. [1] Ôter la capsule de.

**décapsuleur** n. m. Ustensile faisant levier, pour ôter les capsules de bouteilles.

se **décarcasser** v. pron. [1] fam. Se donner beaucoup de mal. → se **démener.**

**décasyllabe** [-si(l)lab] adj. et n. m. (Vers) qui a dix syllabes.

**décathlon** n. m. Ensemble de dix épreuves masculines disputées par les mêmes athlètes. ► **décathlonien** n. m.

**décatir** v. tr. [2] techn. Débarrasser (une étoffe) du lustre que lui ont donné les apprêts. ▷ v. pron. se **décatir** Perdre sa fraîcheur ; vieillir. ▷ adj. **décati, ie** [-ti]

**décéder** v. intr. [6] (personnes) Mourir. *Il est décédé depuis peu.* ▷ adj. **décédé, ée** *Un ami décédé.*

**déceler** v. tr. [5] **1** Découvrir (ce qui était celé, caché). – Détecter. → **repérer.** **2** (sujet chose) Laisser voir. ► **décelable** adj.

**décélérer** v. intr. [6] Ralentir (véhicule ; conducteur). ► **décélération** n. f.

**décembre** n. m. Douzième et dernier mois de l'année.

**décemment** [-amɑ̃] adv. **1** D'une manière décente. **2** Raisonnablement.

**décence** n. f. **1** Respect de ce qui touche les convenances. **2** Discrétion, retenue.

**décennal, ale, aux** adj. **1** Qui dure dix ans. **2** Qui a lieu tous les dix ans.

**décennie** n. f. Période de dix ans.

**décent, ente** adj. **1** Conforme à la décence. → **bienséant, convenable.** **2** Acceptable.

**décentraliser** v. tr. [1] **1** Rendre plus autonome (ce qui dépend d'un pouvoir central). → **régionaliser.** **2** → **délocaliser.** ► **décentralisation** n. f. ► **décentralisateur, trice** adj. et n.

**décentrer** v. tr. [1] Déplacer le centre de. ► **décentrage** n. m.

**déception** n. f. **1** Fait d'être déçu. **2** Ce qui déçoit. *Une cruelle déception.*

**décerner** v. tr. [1] **1** dr. Ordonner, décréter. **2** Accorder à qqn (une distinction...).

**décès** n. m. Mort (d'une personne).

**décevant, ante** adj. Qui déçoit.

**décevoir** v. tr. [28] Tromper (qqn) dans ses espoirs, son attente. → **désappointer.**

**déchaîner** v. tr. [1] Donner libre cours à (une force). ▷ v. pron. se **déchaîner** Se déclencher avec violence. *La tempête se déchaîne.* – Se mettre en colère, s'emporter (contre qqn, qqch.). ▷ adj. **déchaîné, ée** *Mer déchaînée.* → **démonté.** – *Cet enfant est déchaîné,* très excité. ► **déchaînement** n. m.

**déchanter** v. intr. [1] Abandonner ses espérances, perdre ses illusions.

**décharge** n. f. **I** Lieu où l'on jette les ordures, les décombres. **II** **1** Libération d'une obligation, d'une dette. *Signer une décharge.* **2** *À décharge :* qui lève les charges pesant sur qqn. *Témoin à décharge.* – *Il faut dire, à sa décharge...,* pour l'excuser. **III** **1** Tir d'armes à feu. → **fusillade, salve.** **2** Brusque perte d'une charge électrique.

**déchargement** n. m. Fait de décharger.

**décharger** v. tr. [3] **I** **1** Débarrasser de sa charge (une personne, un navire, etc.). **2** Enlever (un chargement). *Décharger une cargaison.* **3** *Décharger une arme,* en enlever la charge. – *Décharger son arme sur...* → **tirer.** **4** Diminuer la charge électrique de. **II** fig. **1** Débarrasser ou libérer (qqn) d'une charge, d'une obligation, d'une responsabilité. → **dispenser.** **2** Libérer d'une accusation. **3** *Décharger sa conscience,* avouer.

**décharné, ée** adj. **1** Qui n'a plus de chair. **2** Très maigre. → **émacié.**

**déchausser** v. tr. [1] **1** Enlever les chaussures de (qqn). ♦ sans compl. Enlever ou perdre ses skis. **2** techn. Dégarnir à la base. ▷ v. pron. se **déchausser** **1** Enlever ses chaussures. **2** *Dent qui se déchausse,* qui bouge (*déchaussement* n. m.).

**dèche** n. f. fam. Manque d'argent.

**déchéance** n. f. **1** Fait de déchoir. → **chute, disgrâce.** – *Déchéance physique.* → **décrépitude.** **2** Perte d'un droit (sanction). *Déchéance de l'autorité parentale.*

**déchet** n. m. **1** Perte qu'une chose subit dans l'emploi qui en est fait. *Il y a du déchet.* **2** Résidu inutilisable. **3** fig. Personne déchue, méprisable.

**déchetterie** n. f. (nom déposé) Lieu aménagé pour recueillir les déchets à recycler.

**déchiffrer** v. tr. [1] **1** Lire (ce qui est chiffré), traduire en clair. → **décrypter.** *Déchiffrer un message codé.* **2** Parvenir à lire, à comprendre. *Déchiffrer des hiéroglyphes.* **3** *Déchiffrer de la musique,* la lire à première vue. ► **déchiffrement** (sens 1) et **déchiffrage** n. m.

**déchiqueter** v. tr. [4] Déchirer en morceaux irréguliers, en lambeaux. ► **déchiquetage** n. m.

**déchirant, ante** adj. Qui déchire le cœur, émeut vivement.

**déchirement** n. m. **1** Action de déchirer ; son résultat. **2** fig. Grande douleur morale.

**déchirer** v. tr. [1] **1** Séparer en morceaux par des tractions opposées. – *Se déchirer un muscle* (se rompre des fibres). **2** Faire un accroc à. **3** Rompre par un son éclatant. *Un cri déchira le silence.* **4** Causer une vive douleur à. ♦ fig. *Déchirer le cœur.* → **fendre.** **5** Troubler par de tragiques divisions. → **diviser.** *La guerre civile déchire le pays.*

**déchirure** n. f. **1** Fente faite en déchirant. → **accroc.** **2** Rupture ou ouverture irrégulière dans les tissus, les chairs.

**déchoir** v. [25] pas d'imp. ni de p. prés. **1** v. intr. Tomber dans un état inférieur à celui où l'on était. **2** v. tr. *Déchoir qqn de* (un droit...), l'en priver à titre de sanction. – au p. p. *Être déchu de ses droits civiques.*

**déchu, ue** adj. Qui n'a plus (une position supérieure). ♦ relig. Privé de l'état de grâce.

**décibel** n. m. Unité de puissance sonore.

**décidé, ée** adj. **1** Qui n'hésite pas pour prendre un parti. → **déterminé.** **2** Arrêté par décision. *C'est (une) chose décidée.*

**décidément** adv. En définitive.

**décider** v. [1] I v. tr. dir. 1 Prendre la décision de. *Décider une opération.* – sans compl. *C'est moi qui décide.* 2 Amener (qqn à agir). → **convaincre, persuader.** *Je l'ai décidé à rester.* II v. tr. ind. *Décider de qqch.* : disposer en maître par son action ou son jugement. – (choses) *Le hasard décide de tout.* ▷ v. pron. se **décider** 1 Être décidé. *Ça s'est décidé hier.* 2 *Se décider à* : prendre la décision de. – sans compl. *Il n'arrive pas à se décider* (→ **indécis**). 3 *Se décider pour* : donner la préférence à. → **opter** pour.

**décideur, euse** n. Personne ayant le pouvoir de décision.

**décigramme** n. m. Dixième du gramme.

**décilitre** n. m. Dixième du litre.

**décimal, ale, aux** adj. Qui procède par dix ; qui a pour base le nombre dix. *Système décimal. Nombre décimal,* pouvant s'écrire sous la forme d'une fraction dont le dénominateur est une puissance de 10. – n. f. Chiffre placé après la virgule, dans un nombre décimal. *3,25 a deux décimales.*

**décimer** v. tr. [1] Faire périr un grand nombre de personnes de (un groupe).

**décimètre** n. m. Dixième partie d'un mètre. – Règle graduée en centimètres. *Un double décimètre.*

**décisif, ive** adj. (choses) Qui résout une difficulté, tranche un débat. *Argument décisif.* – Qui conduit à un résultat définitif, capital. *Moment décisif.*

**décision** n. f. 1 Jugement qui apporte une solution. *Décision judiciaire.* 2 Fin de la réflexion dans l'acte volontaire de faire ou ne pas faire (une chose). → **parti, résolution.** *Prendre une décision ; la décision de...* 3 Qualité qui consiste à ne pas hésiter ou changer sans motif ce qu'on a décidé.

**déclamatoire** adj. Emphatique.

**déclamer** v. tr. [1] Dire en rythmant ou avec emphase. *Déclamer des vers.* ► **déclamation** n. f.

**déclaratif, ive** adj. 1 Qui donne déclaration de qqch. 2 gramm. *Verbe déclaratif,* qui énonce une simple communication.

**déclaration** n. f. Action de déclarer ; discours ou écrit par lequel on déclare. ♦ spécialt *Déclaration d'amour.* – *Déclaration de revenus,* ou abusivt *déclaration d'impôts.* – *Déclaration de guerre.*

**déclarer** v. tr. [1] 1 Faire connaître d'une façon claire, manifeste, ou d'une façon officielle. *Déclarer ses sentiments à qqn.* – *Déclarer la guerre à un pays.* ♦ (avec attribut) *On l'a déclaré coupable.* ♦ *Déclarer que.* → **assurer, prétendre.** 2 Faire connaître (à une autorité) l'existence de. *Déclarer ses revenus* (au fisc). *Déclarer un enfant à la mairie.* ▷ v. pron. se **déclarer** 1 Donner son avis. ♦ (avec attribut) Se dire (tel). *Se déclarer satisfait.* ♦ Déclarer son amour. 2 (danger, maladie...) Commencer à se manifester. ▷ adj. **déclaré, ée** *Être l'ennemi déclaré de qqn.* → **juré.**

**déclasser** v. tr. [1] I Faire passer dans une classe, une catégorie inférieure. II Déranger (des objets classés). ▷ adj. **déclassé, ée** *Athlète déclassé.* ► **déclassement** n. m.

**déclencher** v. tr. [1] 1 Déterminer le fonctionnement de (un système) par un mécanisme. *Déclencher une alarme.* 2 Déterminer brusquement (une action...). → **entraîner, provoquer.** ▷ v. pron. se **déclencher** ► **déclenchement** n. m.

**déclencheur, euse** n. m. et adj. Ce qui déclenche qqch. – adj. *Élément déclencheur.* ♦ techn. Pièce qui déclenche un mécanisme.

**déclic** n. m. 1 Mécanisme qui déclenche. – fam. *Avoir un déclic* : comprendre soudainement. 2 Bruit sec de ce qui se déclenche.

**déclin** n. m. État de ce qui diminue, commence à régresser. *Être dans son déclin.*

**déclinaison** n. f. 1 astron. Distance angulaire d'un astre au plan équatorial. 2 gramm. Ensemble des formes (→ **désinence**) que prennent les noms, pronoms et adjectifs des langues à flexion, suivant les nombres, les genres et les cas. *Les cinq déclinaisons du latin.*

**décliner** v. [1] I v. tr. 1 Repousser (ce qui est proposé, attribué). → **rejeter.** 2 gramm. Donner toutes ses désinences à (→ **déclinaison**). 3 comm. Donner plusieurs formes à (un produit). 4 Dire à la suite. → **énumérer.** II v. intr. 1 astron. Approcher de l'horizon (astre). 2 Être dans son déclin. → **diminuer.**

**déclinisme** n. m. didact. Théorie selon laquelle un pays serait en déclin. ► **décliniste** adj. et n.

**déclive** adj. Qui est incliné, en pente. ► **déclivité** n. f.

**décloisonner** v. tr. [1] Ôter les cloisons (3) administratives, etc., pour faciliter la communication. ► **décloisonnement** n. m.

① **décocher** v. tr. [1] 1 Lancer par une brusque détente. 2 fig. *Décocher une œillade, une méchanceté.*

② **décocher** v. tr. [1] *Décocher une case,* enlever le signe qui figure dans cette case.

**décoction** n. f. Action de faire bouillir dans l'eau une substance pour en extraire les principes solubles ; liquide ainsi obtenu.

**décoder** v. tr. [1] Analyser le contenu de (un message) selon un code. → **décrypter.** ► **décodage** n. m.

**décodeur** n. m. Dispositif de décodage (spécialt d'un signal de télévision).

**décoiffer** v. tr. [1] 1 Déranger la coiffure de (qqn). 2 sans compl. fam. Déranger, surprendre. *Un slogan qui décoiffe.*

**décoincer** v. tr. [3] 1 Dégager (ce qui est coincé). 2 fig., fam. Détendre (qqn).

**décolérer** v. intr. [6] *Ne pas décolérer* : ne pas cesser d'être en colère.

**décollage** n. m. Action de décoller (III).

**décollation** n. f. littér. Action de couper la tête (de qqn). → **décapitation.**

**décollement** n. m. Action de décoller (I) ; état de ce qui est décollé, n'adhère plus.

**décoller** v. 1 **I** v. tr. dir. Détacher (ce qui est collé). **II** v. tr. ind. (avec *de*) **1** fam. S'en aller, partir. **2** Se détacher de. **III** v. intr. Quitter le sol (avion). → s'**envoler.** ♦ fig. Prendre son essor. ▷ adj. **décollé, ée** *Oreilles décollées,* qui s'écartent de la tête.

**décolleter** v. tr. 4 Couper (un vêtement) de sorte qu'il dégage le cou et une partie de la gorge, du dos. → **échancrer.** ▷ **décolleté, ée 1** adj. *Robe décolletée.* **2** n. m. Bords, échancrure d'un vêtement décolleté. – Partie laissée nue par le décolleté.

**décolonisation** n. f. Cessation, pour un pays, de l'état de colonie ; processus par lequel une colonie devient indépendante. ► **décoloniser** v. tr. 1

**décolorant, ante** adj. Qui décolore.

**décolorer** v. tr. 1 Altérer, effacer la couleur de. ▷ v. pron. se **décolorer 1** Perdre sa couleur. **2** Décolorer ses cheveux. ▷ adj. **décoloré, ée** *Cheveux décolorés.* – fam. *Une blonde décolorée.* ► **décoloration** n. f.

**décombres** n. m. pl. Amas de matériaux provenant d'un édifice détruit. → **gravats.**

**décommander** v. tr. 1 **1** Annuler la commande de (une marchandise). **2** Annuler (une invitation). – pronom. *Se décommander :* annuler un rendez-vous.

**décompensation** n. f. **1** méd. Aggravation brutale de l'état d'un organe ou d'un organisme, quand il ne parvient plus à compenser les effets de la maladie. **2** psych. Fait de décompenser (2).

**décompenser** v. intr. 1 **1** méd. Subir une décompensation (1). **2** psych. (personnes) S'effondrer nerveusement, après un choc, un stress.

**décomplexer** v. tr. 1 fam. Libérer (qqn) de ses inhibitions, de ses complexes. ▷ adj. **décomplexé, ée**

**décomposer** v. tr. 1 **I** Diviser, séparer en éléments constitutifs. *Le prisme décompose la lumière solaire.* ♦ Effectuer lentement pour montrer les éléments. *Décomposer un pas de danse.* **II 1** Altérer chimiquement (une substance organique). → **pourrir, putréfier. 2** Altérer passagèrement (les traits du visage). – au p. p. *Visage décomposé.* ▷ v. pron. se **décomposer** ► **décomposition** n. f.

**décompresser** v. intr. 1 fam. Relâcher sa tension nerveuse, après un effort intense.

**décompression** n. f. Action de décomprimer. – *Accident de décompression,* provoqué chez les plongeurs par un retour brutal à la pression atmosphérique.

**décomprimer** v. tr. 1 Faire cesser ou diminuer la compression de (un gaz).

**décompte** [dekɔ̃t] n. m. **1** Ce qu'il y a à déduire sur une somme qu'on paie. → **déduction, réduction. 2** Décomposition (d'une somme...) en ses éléments.

**décompter** [-kɔ̃t-] v. tr. 1 **1** Déduire, soustraire. **2** → **compter, dénombrer.**

**déconcentrer** v. tr. 1 **1** Diminuer la concentration de. **2** Cesser de concentrer (son attention). ► **déconcentration** n. f.

**déconcerter** v. tr. 1 Faire perdre contenance à (qqn) ; jeter dans l'incertitude. → **décontenancer.** ► **déconcertant, ante** adj.

**déconfiner** v. tr. 1 Mettre fin au confinement de (qqn). – pronom. *Région qui se déconfine.* ► **déconfinement** n. m.

**déconfit, ite** adj. Penaud, dépité.

**déconfiture** n. f. **1** fam. Échec, défaite morale. **2** Ruine financière.

**décongeler** v. tr. 5 Ramener (ce qui est congelé) à une température supérieure à 0 °C. ► **décongélation** n. f.

**décongestionner** v. tr. 1 **1** Faire cesser la congestion de. **2** fig. Dégager, faciliter la circulation dans. → **désencombrer.**

**déconnecter** v. tr. 1 **1** Supprimer la connexion électrique de. → **débrancher. 2** fig. Séparer. – au p. p. *Être déconnecté :* ne plus être intéressé, concerné.

**déconner** v. intr. 1 fam. **1** (personnes) Dire, faire des absurdités, des bêtises. ♦ Plaisanter. **2** (choses) Mal fonctionner.

**déconnexion** n. f. Action de déconnecter ; son résultat.

**déconseiller** v. tr. 1 Conseiller de ne pas faire. → **dissuader.**

**déconsidérer** v. tr. 6 Priver (qqn) de la considération, de l'estime d'autrui. ► **déconsidération** n. f. littér. → **discrédit.**

**décontaminer** v. tr. 1 Éliminer ou réduire les effets d'une contamination sur (qqn, qqch.). ► **décontamination** n. f.

**décontenancer** v. tr. 3 Faire perdre contenance à. → **déconcerter, dérouter.**

**décontracter** v. tr. 1 **1** Faire cesser la contraction musculaire de. → **relâcher.** *Décontracter ses muscles.* **2** fam. Aider (qqn) à se détendre. ▷ v. pron. se **décontracter** ▷ adj. **décontracté, ée**

**décontraction** n. f. **1** Relâchement du muscle. **2** Détente du corps. → **relaxation. 3** fig. Aisance, désinvolture.

**déconvenue** n. f. Désappointement causé par un insuccès. → **déception.**

**décor** n. m. **1** Ce qui sert à décorer (un édifice, un intérieur). *Décor Louis XV.* **2** Représentation figurée du lieu où se passe l'action (théâtre...). – loc. fig. *Faire partie du décor :* passer inaperçu. **3** Cadre, environnement. – loc. fam. *Foncer dans le décor,* quitter accidentellement la route.

**décorateur, trice** n. Personne qui conçoit des décors, ou des travaux de décoration.

**décoratif, ive** adj. **1** Destiné à décorer. - *Arts décoratifs.* → **design. 2** Agréable, mais accessoire. *Un rôle décoratif.*

**décoration** n. f. **I 1** Action, art de décorer. **2** Ce qui décore. **II** Insigne d'un ordre honorifique (→ cordon, croix, médaille, palme, rosette, ruban).

**décorer** v. tr. [1] **I** Pourvoir d'accessoires destinés à embellir. → **orner. II** Remettre à (qqn) une décoration (II).

**décortiquer** v. tr. [1] **1** Dépouiller de son écorce ; séparer de son enveloppe. **2** fig. Analyser à fond. → **éplucher.** *Décortiquer un texte.* ► **décorticage** n. m.

**décorum** [-ɔm] n. m. sing. Ensemble des règles de bienséance d'une société.

**découcher** v. intr. [1] Coucher hors de chez soi.

**découdre** v. tr. [48] **1** Défaire (ce qui est cousu). **2** *En découdre :* se battre.

**découler** v. intr. [1] S'ensuivre par développement naturel. → **émaner, résulter.**

**découpage** n. m. **1** Action de découper. **2** Image à découper. **3** cin. Division du scénario en séquences et plans.

**découpe** n. f. **1** Action de découper. **2** Morceau d'étoffe rapporté (décoratif).

**découper** v. tr. [1] **1** Diviser en morceaux, en coupant ou en détachant. **2** Couper régulièrement suivant un tracé. ▷ v. pron. se **découper** *Se découper sur :* se détacher nettement de. ▷ adj. **découpé, ée 1** Qu'on a découpé. **2** → **dentelé.** *Rivage découpé.*

**découplé, ée** adj. *Bien découplé, ée :* qui a un corps souple, agile ; bien bâti(e).

**découpure** n. f. État, forme de ce qui est découpé ; bord découpé.

**découragement** n. m. État d'une personne découragée. → **abattement.**

**décourager** v. tr. [3] **1** Rendre (qqn) sans courage, sans énergie ni envie d'action. → **abattre, démoraliser. 2** *Décourager qqn de* (+ inf.), lui ôter l'envie de. → **dissuader. 3** Diminuer, arrêter l'élan de. *Décourager le zèle de qqn.* ▷ v. pron. se **décourager** ► **décourageant, ante** adj.

**décousu, ue** adj. **1** Dont la couture a été défaite. **2** fig. Sans suite, incohérent.

① **découvert, erte** adj. Qui n'est pas couvert. - loc. fig. *À visage* découvert.*

② **découvert** n. m. Montant d'une dette excédant les disponibilités de qqn.

à **découvert** loc. adv. **1** Dans une position qui n'est pas protégée. **2** *Compte bancaire à découvert,* dont le solde est débiteur.

**découverte** n. f. **1** Action de découvrir ce qui était ignoré, inconnu, caché. - *Partir à la découverte,* afin de découvrir. ♦ spécialt Connaissances nouvelles (sur qqch.), en sciences. **2** Ce qu'on a découvert.

**découvreur, euse** n. Personne qui découvre. *Un découvreur de talents.*

**découvrir** v. tr. [18] **I** (concret) **1** Dégarnir de ce qui couvre, protège. **2** Laisser voir, montrer. *Robe qui découvre le dos.* **II** (abstrait) **1** Faire connaître (ce qui est caché). → **révéler.** - *Découvrir son jeu* (aux cartes), le montrer ; loc. fig. laisser connaître ses intentions. **2** Apercevoir. *Découvrir un paysage.* **3** Arriver à connaître (ce qui était resté caché ou ignoré). → **trouver.** *Découvrir un trésor.* **4** Parvenir à connaître (ce qui était délibérément caché). → **surprendre.** ▷ v. pron. se **découvrir 1** Ôter ce dont on est couvert. ♦ Enlever son chapeau. **2** (temps) Devenir moins couvert. **3** Être découvert. **4** Déclarer sa pensée. → se **confier. 5** Apprendre à se connaître.

**décrasser** v. tr. [1] Débarrasser de la crasse. → **nettoyer.** ► **décrassage** n. m.

**décrépir** v. tr. [2] Dégarnir du crépi. - au p. p. *Façade décrépie.*

**décrépit, ite** adj. **1** Dans une extrême déchéance physique. **2** Qui menace ruine. *Maison décrépite.*

> Ne pas confondre avec *décrépi,* p. p. de *décrépir.*

**décrépitude** n. f. Déchéance, décadence.

**decrescendo** [dekʀeʃɛndo ; -ʃɛ̃do] adv. mus. En diminuant l'intensité d'un son.

**décret** n. m. **1** Décision écrite émanant du pouvoir exécutif. → **arrêté, ordonnance. 2** littér. Décision (d'une puissance supérieure).

**décréter** v. tr. [6] **1** Ordonner par un décret. **2** Décider avec autorité.

**décrier** v. tr. [7] littér. Attaquer, rabaisser dans sa réputation. ▷ adj. **décrié, ée** Critiqué.

**décrire** v. tr. [39] **1** Représenter dans son ensemble, par écrit ou oralement. *Décrire une plante.* **2** Tracer ou suivre (une ligne).

**décrisper** v. tr. [1] Détendre (les rapports sociaux, etc.). ► **décrispation** n. f.

**décrochement** n. m. État de ce qui est décroché. - Forme de ce qui est en retrait.

**décrocher** v. [1] **I** v. tr. **1** Détacher (ce qui était accroché). - *Décrocher le téléphone* (opposé à *raccrocher*). **2** fig., fam. Obtenir. *Décrocher un prix.* **3** fig. Distancer. **II** v. intr. fam. **1** Renoncer à poursuivre un effort. ♦ Abandonner la fréquentation scolaire. **2** Cesser de se droguer. ► **décrochage** n. m.

**décroiser** v. tr. [1] Faire cesser d'être croisé. *Décroiser les bras.*

**décroissance** n. f. **1** État de ce qui décroît. **2** Projet politique remettant en cause la croissance économique.

① **décroissant, ante** adj. Qui décroît. *Par ordre décroissant.*

② **décroissant, ante** adj. et n. Partisan de la décroissance (2°).

**décroître** v. intr. [55] sauf p. p. : *décru* Diminuer progressivement. → **baisser.** *Ses forces décroissent.*

**décrotter** v. tr. [1] Nettoyer de sa boue.

**décrottoir** n. m. Lame de fer ou petite grille servant à décrotter les chaussures.

**décrue** n. f. Baisse du niveau des eaux (après une crue).

**décrypter** v. tr. [1] **1** Traduire en clair (un message chiffré dont on ignore la clé). → **déchiffrer, décoder. 2** Restituer le sens de (qqch.). → **analyser.** ► **décryptage** n. m.

**déçu, ue** adj. **1** Qui n'est pas réalisé. *Espoir déçu.* **2** Qui a éprouvé une déception.

**déculottée** n. f. fam. Défaite humiliante.

**déculotter** v. tr. [1] Enlever la culotte, le pantalon de (qqn). ▷ v. pron. se **déculotter 1** Enlever sa culotte, son pantalon. **2** fig., fam. Avoir une attitude servile ; se soumettre.

**déculpabiliser** v. tr. [1] **1** Ôter à (qqn) un sentiment de culpabilité. **2** Ôter à (qqch.) son caractère de faute. ► **déculpabilisation** n. f.

**décuple** adj. et n. m. Qui vaut dix fois (la quantité désignée).

**décupler** v. [1] **1** v. tr. Rendre dix fois plus grand. – fig. *La colère décuplait ses forces.* **2** v. intr. Devenir dix fois plus grand.

**décurie** n. f. Antiq. romaine Groupe de dix soldats, etc. dont le chef était le *décurion.*

**dédaigner** v. [1] **1** v. tr. dir. Considérer avec dédain. → **mépriser. 2** v. tr. ind. littér. *Dédaigner de* (+ inf.) : ne pas daigner.

**dédaigneux, euse** adj. **1** Qui a ou exprime du dédain. **2** littér. *Dédaigneux de* (+ inf.) : qui ne daigne pas. ► **dédaigneusement** adv.

**dédain** n. m. Fait de dédaigner. → **arrogance, mépris.**

**dédale** n. m. **1** Lieu où l'on risque de s'égarer à cause de la complication des détours. → **labyrinthe. 2** fig. Ensemble de choses embrouillées. ► **dédaléen, enne** adj.

**dedans I** adv. **1** À l'intérieur. *Vous attendrai-je dehors ou dedans ?* ♦ *Rentrer dedans,* heurter. – *Il va lui rentrer dedans,* l'attaquer. **2** loc. *Là-dedans :* à l'intérieur de ce lieu. – fig. *Il y a du vrai là-dedans.* ♦ *De dedans :* de l'intérieur. – *En dedans :* à l'intérieur. **II 1** n. m. *Le dedans.* → **intérieur. 2** loc. adv. *Au(-)dedans :* à l'intérieur.

**dédicace** n. f. **1** Hommage qu'un auteur fait de son œuvre à qqn (le ou la *dédicataire* n.), par une inscription imprimée (→ **dédier**). **2** Formule manuscrite sur un livre, etc. pour en faire hommage à qqn. → **envoi.** ► **dédicacer** v. tr. [3]

**dédier** v. tr. [7] **I 1** Mettre (un ouvrage) sous le patronage de qqn par une dédicace (1). **2** littér. Consacrer, vouer. *Dédier ses efforts à une œuvre.* **II** anglic. critiqué, inform. Affecter à un usage spécifique. – au p. p. *Programmes dédiés.*

**dédire** v. [37] vx Contredire, démentir. ▷ v. pron. se **dédire** mod. Se rétracter. – loc. fam. *Cochon qui s'en dédit* (formule de serment).

**dédit** n. m. **1** Action de se dédire. **2** dr. Faculté de ne pas exécuter un engagement (souvent contre indemnité). ♦ Cette indemnité.

**dédommager** v. tr. [3] **1** Indemniser (qqn) d'un dommage subi. *Dédommager qqn d'une perte.* **2** Donner une compensation à (qqn). ► **dédommagement** n. m. → **indemnisation ; compensation.**

**dédouaner** v. tr. [1] **1** Libérer (une marchandise) des droits de douane en les acquittant. **2** fig. Relever (qqn) du discrédit dans lequel il était tombé. → **disculper, réhabiliter.** ► **dédouanement** n. m.

**dédoubler** v. tr. [1] Partager en deux. – *Dédoubler un train,* en faire partir deux au lieu d'un. ▷ v. pron. se **dédoubler** Se séparer en deux. ► **dédoublement** n. m.

**dédramatiser** v. tr. [1] Ôter à (qqch.) son caractère dramatique. ► **dédramatisation** n. f.

**déductible** adj. Que l'on peut déduire (d'un revenu, d'un bénéfice).

**déduction** n. f. **I** Fait de déduire (I). **II** Raisonnement par lequel on déduit, on conclut.

**déduire** v. tr. [38] **I** Retrancher (une certaine somme) d'un total à payer. – au p. p. *Tous frais déduits.* **II** Conclure, trouver (qqch.) par un raisonnement, à titre de conséquence (opposé à *induire*).

**déesse** n. f. Divinité féminine.

**de facto** [de-] loc. adv. dr. De fait.

**défaillance** n. f. **1** Diminution importante et momentanée des forces physiques. → **malaise. 2** Faiblesse, incapacité ; fonctionnement défectueux.

**défaillant, ante** adj. **1** Qui défaille, décline. **2** dr. *Témoin défaillant,* qui fait défaut.

**défaillir** v. intr. [13] **1** Tomber en défaillance (1). → se trouver **mal. 2** S'affaiblir, décliner, diminuer.

**défaire** v. tr. [60] **1** Réduire à l'état antérieur ou à l'état d'éléments (ce qui était construit, assemblé). *Défaire un nœud.* **2** Supprimer l'ordre, l'arrangement de (qqch.). *Défaire son lit.* **3** littér. Mettre en déroute. *Défaire une armée.* → **vaincre ; défaite.** ▷ v. pron. se **défaire 1** Cesser d'être fait, arrangé. *Ton lacet s'est défait.* **2** *Se défaire de :* se débarrasser de. ▷ adj. **défait, aite 1** Qui n'est plus fait, arrangé. **2** Qui semble épuisé. **3** Vaincu, battu.

**défaite** n. f. **1** Perte d'une bataille ; d'une guerre. **2** Échec. *Défaite électorale.*

**défaitisme** n. m. Attitude de ceux qui préconisent l'abandon de la lutte. ♦ par ext. Pessimisme. ► **défaitiste** adj. et n.

**défalquer** v. tr. [1] Retrancher d'une somme. → **déduire.** ► **défalcation** n. f.

se **défausser** v. pron. [1] jeux Se débarrasser d'une carte. ♦ fig. Se décharger (d'une responsabilité...).

**défaut** n. m. **I 1** Absence de ce qui serait nécessaire ou désirable. → **manque.** ♦ *Faire défaut :* manquer. ♦ dr. *Jugement par défaut.* → par **contumace. 2** *Être en défaut :* manquer à ses engagements ; commettre une erreur. **3** loc. prép. *À défaut de :* faute de. **II 1** Imperfection physique. **2** Partie imparfaite, défectueuse*. *Défaut de fabrication.* **3** Imperfection morale. → **faiblesse, travers. 4** Ce qui est imparfait, insuffisant (dans une œuvre...).

**défaveur** n. f. → **discrédit, disgrâce.**

**défavorable** adj. Qui n'est pas favorable. ► **défavorablement** adv.

**défavoriser** v. tr. [1] Priver (qqn) d'un avantage. → **désavantager.** ▷ adj. **défavorisé, ée** *Les classes sociales défavorisées.*

**défécation** n. f. didact. Expulsion des matières fécales.

**défectif, ive** adj. gramm. (verbe) Dont certaines formes de conjugaison sont inusitées (ex. choir, quérir).

**défection** n. f. **1** Abandon (par qqn) d'une cause, d'un parti. *Faire défection :* abandonner. **2** Fait de ne pas venir là où l'on était attendu.

**défectueux, euse** adj. Qui présente des imperfections, des défauts. ► **défectuosité** n. f.

**défendable** adj. **1** Qui peut être défendu (I, 1 et 2). **2** Qui peut se défendre (3).

**défendeur, deresse** n. dr. Personne contre laquelle est intentée une action.

**défendre** v. tr. [41] **I 1** Protéger (qqn, qqch.) contre une attaque en se battant. ♦ loc. *À son corps défendant :* malgré soi. **2** fig. Soutenir (qqn, qqch.) contre des attaques. *L'avocat défend son client.* → **plaider** pour. ♦ Justifier. *Défendre une opinion.* **3** (sujet chose) *Défendre de :* préserver, protéger de. **II** *Défendre qqch. à qqn ; défendre à qqn de* (+ inf.), interdire, proscrire. *Le médecin lui défend l'alcool, de boire de l'alcool.* ▷ v. pron. se **défendre 1** Résister à une attaque. → se **battre, lutter.** – fig., fam. *Il se défend bien en affaires.* **2** Se justifier. ♦ littér. Nier. *Il se défend d'être avantagé.* **3** passif (choses) Être justifiable. *Cela se défend.* **4** *Se défendre de, contre,* se protéger, se préserver. **5** *Se défendre de* (+ inf.). → s'**interdire.**

**défenestrer** v. tr. [1] Précipiter d'une fenêtre. ► **défenestration** n. f.

① **défense** n. f. **I 1** Action de défendre (un lieu) contre des ennemis. – *Défense nationale :* ensemble des moyens visant à assurer l'intégrité d'un territoire contre des agressions de l'étranger. – *Défense passive :* moyens de protection de la population civile contre les bombardements. **2** fig. Action de défendre, de soutenir (qqn, qqch.). **3** Fait de se défendre, de résister (au moral et au physique). – dr. *Légitime défense,* fait enlevant son caractère illégal à un homicide, etc. lorsqu'il a été commandé par la nécessité de se défendre ou de défendre autrui. **4** Action de défendre qqn ou de se défendre contre une accusation. ♦ Représentation en justice des intérêts des parties (→ **avocat, défenseur**). **II** Fait de défendre (II), d'interdire. → **interdiction.**

② **défense** n. f. Longue dent saillante de certains mammifères (sanglier, éléphant...).

**défenseur** n. **1** Personne qui défend qqn ou qqch. contre des agresseurs. **2** fig. Personne qui soutient une cause. **3** Personne chargée de soutenir les intérêts d'une partie, devant le tribunal. → ① **défense** (I, 4).

**défensif, ive** adj. Fait pour la défense.

**défensive** n. f. Disposition à se défendre sans attaquer. – *Être sur la défensive,* prêt à répondre à toute attaque.

**déféquer** v. intr. [6] didact. Expulser les matières fécales (→ **défécation**).

**déférence** n. f. Considération très respectueuse que l'on témoigne à qqn.

**déférent, ente** adj. **I** didact. Qui conduit vers l'extérieur. – anat. *Canal déférent :* canal excréteur des testicules. **II** Qui a, témoigne de la déférence. → **respectueux.**

**déférer** v. [6] **1** v. tr. Porter (une affaire), traduire (un prévenu) devant l'autorité judiciaire compétente. **2** v. tr. ind. littér. *Déférer à,* céder par respect à (qqn ; qqch.).

> Ne pas confondre avec *déferrer* «ôter les fers».

**déferlant, ante I** adj. Qui déferle. **II** n. f. **1** Vague déferlante. **2** fig. Essor massif et rapide.

**déferler** v. intr. [1] Se briser en écume en roulant sur le rivage (vagues). – fig. Se répandre avec force. ► **déferlement** n. m.

**déferrer** v. tr. [1] Ôter les fers de.

> Ne pas confondre avec *déférer* «traduire en justice».

**défi** n. m. **1** Fait de défier (①, 1) ; invitation au combat. **2** Fait de provoquer qqn en le déclarant incapable de faire qqch. *Mettre qqn au défi de* (+ inf.). **3** Refus de se soumettre. → **bravade, provocation.** – *C'est un défi au bon sens.* → **insulte.**

**défiance** n. f. Sentiment d'une personne qui se défie. → **méfiance, suspicion.** ► **défiant, ante** adj. → **méfiant.**

**déficeler** v. tr. [4] Enlever la ficelle qui attache, entoure (qqch.).

**déficience** [-jɑ̃s] n. f. Insuffisance organique ou mentale. ► **déficient, ente** adj. et n.

**déficit** [-it] n. m. **1** Ce qui manque pour équilibrer les recettes avec les dépenses. **2** Manque, insuffisance. *Déficit immunitaire.* → **immunodéficience.** ► **déficitaire** adj.

① **défier** v. tr. [7] **1** Inviter (qqn) à venir se mesurer comme adversaire. **2** Mettre (qqn) au défi (de faire qqch.). **3** (choses) Ne pas être menacé par. *Des prix défiant toute concurrence.* **4** fig. Refuser de se soumettre à. → **affronter, braver.** *Défier le danger.*

② **se défier** v. pron. [7] littér. Avoir peu de confiance en. → se **méfier.**

**défigurer** v. tr. [1] **1** Altérer l'aspect de (qqch.). ♦ Abîmer le visage de. **2** fig. Dénaturer, travestir. *Défigurer les faits.*

**défilé** n. m. **I** Couloir naturel encaissé et étroit. **II** Manœuvre des troupes qui défilent. ♦ Marche de personnes, etc. disposées en file. – Succession ininterrompue. *Un défilé de visiteurs.*

① **défiler** v. intr. [1] **1** Marcher en file, en colonne. **2** Se succéder sans interruption. **3** (choses) Passer de manière continue. – inform. *Faire défiler le contenu d'une fenêtre.* ► **défilement** n. m.

② **se défiler** v. pron. [1] fam. Se dérober.

**défini, ie** adj. **1** Qui est défini (→ **définir** (1)). **2** Déterminé, précis. **3** *Article défini,* qui se rapporte (en principe) à un objet particulier, déterminé (→ ① **le**).

**définir** v. tr. [2] **1** Déterminer par une formule précise (→ **définition**) les caractères de (un concept, une idée générale). *Définir un mot,* en donner le, les sens. **2** Caractériser. *Sensation difficile à définir.* **3** Préciser l'idée de. *Conditions à définir.* ► **définissable** adj.

**définitif, ive** adj. **1** Qui est défini, fixé une fois pour toutes. **2** loc. adv. *En définitive* : tout bien considéré, finalement. ► **définitivement** adv. → **irrémédiablement, irrévocablement.**

**définition** n. f. **1** Opération par laquelle on détermine le contenu d'un concept en énumérant ses caractères. **2** Formule qui donne le ou les sens d'un mot, d'une expression et qui vise à être synonyme de ce qui est défini. **3** Grandeur caractérisant le degré de finesse d'une image de télévision.

**défiscaliser** v. tr. [1] admin. Libérer de tout impôt. ► **défiscalisation** n. f.

**déflagration** n. f. Explosion.

**déflation** n. f. Freinage de l'inflation. ► **déflationniste** adj. et n.

**déflecteur** n. m. Petit volet orientable d'une vitre de portière d'automobile.

**déflocage** n. m. techn. Opération par laquelle on supprime des matières projetées par flocage.

**défloraison** n. f. bot. Chute des fleurs.

**déflorer** v. tr. [1] **1** Faire perdre sa virginité à (une fille). ► **défloration** n. f. **2** fig. Enlever la fraîcheur, l'originalité de.

**défoliant, ante** adj. (produit) Qui provoque la défoliation. – n. m. *Un défoliant.*

**défoliation** n. f. **1** bot. Chute naturelle des feuilles. **2** Destruction artificielle massive de la végétation au moyen de défoliants (► **défolier** v. tr. [7]).

**défonce** n. f. fam. Perte de conscience ou délire, après l'absorption de drogue.

**défoncer** v. tr. [3] **1** techn. Enlever le fond de. **2** Briser, abîmer par enfoncement. *Défoncer une porte.* → **enfoncer. 3** Creuser profondément. **4** fam. (drogue) Provoquer chez (qqn) un état hallucinatoire. ▷ v. pron. se **défoncer** fam. **1** Se droguer. **2** Se donner à une activité avec intensité. ▷ adj. **défoncé, ée 1** *Chaise défoncée.* **2** *Chaussée défoncée.* **3** fam. Sous l'effet d'une drogue.

**déforestation** n. f. Action de détruire une forêt ; son résultat.

**déformant, ante** adj. Qui déforme.

**déformation** n. f. **1** Action de (se) déformer. **2** fig. Altération, falsification. – loc. *Déformation professionnelle* : habitudes prises dans un métier, et conservées abusivement dans la vie courante.

**déformer** v. tr. [1] **1** Altérer la forme de. **2** Altérer en changeant. *Tu déformes ma pensée.* → **dénaturer.** ▷ v. pron. se **déformer**

**défouler** v. tr. [1] fam. (choses) Permettre, favoriser l'extériorisation des pulsions. *Va courir, ça te défoulera.* ▷ v. pron. se **défouler** Se libérer des contraintes, des tensions. ► **défoulement** n. m.

**défraîchir** v. tr. [2] Dépouiller de sa fraîcheur. ▷ v. pron. se **défraîchir** (couleur, étoffe...) Perdre l'éclat du neuf. ▷ adj. **défraîchi, ie**

**défrayer** v. tr. [8] **1** Décharger (qqn) de ses frais. → **indemniser, rembourser.** ► **défraiement** n. m. **2** loc. *Défrayer la chronique* : faire parler de soi (surtout en mal).

**défricher** v. tr. [1] Rendre propre à la culture (une terre en friche) en détruisant la végétation. – abstrait Déblayer, préparer. ► **défrichement** et **défrichage** n. m.

**défriser** v. tr. [1] **1** Défaire la frisure de. ► **défrisage** n. m. **2** fam. Contrarier.

**défroisser** v. tr. [1] Remettre en état (ce qui est froissé). ► **défroissable** adj.

**défroque** n. f. Vieux vêtements qu'on abandonne. – Habillement bizarre.

**défroqué, ée** adj. Qui a abandonné l'état ecclésiastique.

**défunt, unte** adj. littér. **1** Qui est mort. – n. *Le défunt.* **2** fig. Passé, révolu.

**dégagement** n. m. **1** Action de dégager. – *Itinéraire de dégagement.* → **délestage. 2** Espace libre. **3** (choses) Action de se dégager.

**dégager** v. tr. [3] **I 1** Retirer (ce qui était en gage). – fig. *Dégager sa responsabilité.* → **décliner.** **2** Libérer de ce qui retient. **3** Rendre disponible (une somme d'argent). *Dégager des crédits.* **4** Laisser échapper (un fluide...). **5** Isoler (un élément) d'un ensemble. → **tirer.** *Dégager une conclusion.* **II 1** *Dégager (qqn) de,* soustraire à. *Dégager qqn de sa promesse.* **2** Débarrasser de ce qui encombre. **3** intrans. fam. Faire de l'effet. ▷ v. pron. se **dégager 1** Libérer son corps (de ce qui le retient). ♦ fig. Se libérer (d'une obligation...). **2** Devenir libre de ce qui encombre. *Le ciel se dégage.* → s'**éclaircir.** **3** Sortir d'un corps. *Odeur qui se dégage.* **4** Se faire jour. *La vérité se dégage peu à peu.* ▷ adj. **dégagé, ée 1** Qui n'est pas recouvert, encombré. *Ciel dégagé. Vue dégagée.* **2** Qui a de l'aisance. – *Air dégagé.* → **désinvolte.**

**dégaine** n. f. fam. Allure ridicule, bizarre.

**dégainer** v. tr. [1] Tirer (une arme) de son étui. – sans compl. Sortir une arme (spécialt un revolver) pour se battre.

**dégarnir** v. tr. [2] Dépouiller de ce qui garnit. ▷ v. pron. se **dégarnir** Perdre ce qui garnit. – spécialt Perdre ses cheveux.

**dégât** n. m. Dommage dû à une cause violente. – loc. *Limiter les dégâts :* éviter le pire.

**dégazer** v. [1] techn. **1** v. tr. Expulser les gaz contenus dans (un liquide, un solide). **2** v. intr. Procéder au nettoyage des résidus d'hydrocarbures (des citernes et soutes d'un pétrolier). ► **dégazage** n. m.

**dégel** n. m. **1** Fonte naturelle de la glace et de la neige, lorsque la température s'élève. **2** fig. Reprise de l'activité.

**dégelée** n. f. fam. Volée (de coups).

**dégeler** v. [5] **I** v. tr. **1** Faire fondre (ce qui était gelé). **2** fam. Faire perdre sa réserve à. **3** Débloquer. *Dégeler des crédits.* **II** v. intr. Cesser d'être gelé. *Le lac a dégelé.*

**dégêner** v. tr. [1] (Canada) Mettre (qqn) à l'aise.

**dégénérer** v. intr. [6] **1** Perdre ses qualités (naturelles). **2** *Dégénérer en :* se transformer en (ce qui est pis). ▷ adj. **dégénéré, ée** ► **dégénérescence** n. f.

**dégingandé, ée** [-ʒɛ̃-] adj. Qui est disproportionné dans sa haute taille.

**dégivrer** v. tr. [1] Enlever le givre de. ► **dégivrage** n. m.

**dégivreur** n. m. Appareil pour dégivrer.

**déglacer** v. tr. [3] cuis. Mouiller et chauffer les sucs de cuisson, pour faire une sauce.

**déglinguer** v. tr. [1] fam. Détraquer.

**déglutir** v. tr. [2] Avaler (la salive, les aliments). ► **déglutition** n. f.

**dégobiller** v. tr. et intr. [1] fam. Vomir.

**dégommer** v. tr. [1] fam. **1** Faire tomber (qqch.). **2** Destituer. ► **dégommage** n. m.

**dégonfler** v. tr. [1] **1** Faire cesser d'être gonflé. ♦ intrans. *Sa paupière a dégonflé.* → **désenfler.** **2** fig. Minimiser, amoindrir. ▷ v. pron. se **dégonfler 1** *Pneu qui se dégonfle.* **2** fam. Manquer de courage au moment d'agir. → **flancher.** ▷ **dégonflé, ée 1** adj. *Bouée dégonflée.* **2** adj. et n. fam. → **lâche.** ► **dégonflage** et **dégonflement** n. m.

**dégorger** v. [3] **I** v. tr. **1** Faire sortir de soi, déverser. **2** Déboucher. **II** v. intr. Rendre un liquide. *Faire dégorger des concombres,* leur faire rendre leur eau. ► **dégorgement** n. m.

**dégoter** v. tr. [1] fam. Trouver. → **dénicher.** *Où as-tu dégoté ça ?* – var. **dégotter**

**dégouliner** v. intr. [1] Couler lentement. ► **dégoulinement** et n. f. (fam.) **dégoulinade** n. m.

**dégoupiller** v. tr. [1] Ôter la goupille de.

**dégourdir** v. tr. [2] **1** Faire sortir de l'engourdissement. *Se dégourdir les jambes.* ► **dégourdissement** n. m. **2** fig. Débarrasser (qqn) de sa gêne. ▷ v. pron. se **dégourdir** ▷ adj. **dégourdi, ie** → **débrouillard, malin.**

**dégoût** n. m. **1** Manque de goût, d'appétit, entraînant de la répugnance. **2** Aversion (pour qqch., qqn). **3** Lassitude (de...).

**dégoûtant, ante** adj. **1** Qui inspire du dégoût. **2** (moral) *C'est un type dégoûtant.* → **abject, ignoble.** ♦ fam. Grossier, obscène. ► **dégoûtamment** adv. → **salement.**

**dégoûter** v. tr. [1] **1** Inspirer du dégoût, une répugnance (physique, morale) à. **2** *Dégoûter de :* ôter l'envie de. ▷ adj. **dégoûté, ée 1** → **délicat, difficile.** – n. *Faire le dégoûté :* se montrer difficile (sans raison). **2** *Dégoûté de.* → **las** de, **lassé** de.

Ne pas confondre avec *dégoutter* « couler ».

**dégoutter** v. intr. [1] **1** Couler goutte à goutte. **2** *Dégoutter de :* laisser tomber goutte à goutte. *Cheveux dégouttant de pluie.*

Ne pas confondre avec *dégoûter* « répugner ».

**dégradant, ante** adj. Qui abaisse moralement. → **avilissant.**

① **dégradation** n. f. **1** Destitution infamante. *Dégradation militaire.* **2** Fait de s'avilir. **3** Détérioration (d'un site...). ♦ fig. *La dégradation du climat international.*

② **dégradation** n. f. Affaiblissement continu (de la lumière...). → **dégradé** (1).

**dégradé** n. m. **1** Affaiblissement ou modification progressive (d'une couleur, d'une lumière). **2** Coupe diminuant progressivement l'épaisseur des cheveux.

① **dégrader** v. tr. [1] **1** Destituer (qqn) d'une manière infamante de sa dignité, de son grade. **2** littér. Faire perdre sa dignité à (qqn). → **avilir.** **3** Détériorer (un édifice...). ▷ v. pron. se **dégrader**

② **dégrader** v. tr. [1] **1** Affaiblir progressivement (un ton, une couleur). **2** Couper (les cheveux) en dégradé.

**dégrafer** v. tr. [1] Défaire, détacher (ce qui est agrafé). ▷ v. pron. se **dégrafer**

**dégraffiter** v. tr. [1] Faire disparaître les graffitis de (un mur...). ► **dégraffitage** n. m.

**dégraisser** v. tr. [1] **1** Enlever la graisse de. **2** fam. Alléger les frais de. *Dégraisser les effectifs d'une entreprise* (par des licenciements). ► **dégraissage** n. m.

**degré** n. m. **I** littér. Marche (d'un escalier). **II 1** Niveau dans un ensemble hiérarchisé. → **échelon.** **2** État, dans une évolution. → **stade.** – *Au plus haut degré.* → **extrêmement.** – *Par degré(s).* → **graduellement, progressivement.** **3** État intermédiaire. → **gradation ; nuance.** **4** Niveau d'interprétation. *Prendre une plaisanterie au premier degré,* à la lettre. **III 1** Proximité relative dans la parenté. *Le père et le fils sont parents au premier degré.* **2** gramm. *Degrés de comparaison.* → **comparatif, superlatif.** **3** math. *Équation du premier, du second degré,* dont l'inconnue est à la puissance 1, à la puissance 2. **IV** (Unité) **1** La 360e partie du cercle (symb. °). *Degrés, minutes et secondes.* – *Angle de 180 degrés* (angle plat), *de 90 degrés* (angle droit). **2** Division d'une échelle de mesure. → **graduation.** ♦ Unité de mesure de la température. ♦ *Degré alcoolique* (proportion d'alcool). *Alcool à 90 degrés. Vin de 11 degrés.*

**dégressif, ive** adj. Qui va en diminuant. – *Impôt dégressif,* dont le taux diminue en fonction du revenu. ► **dégressivité** n. f.

**dégrever** [-gʀə-] v. tr. [5] Alléger la charge fiscale de. ► **dégrèvement** n. m.

**dégriffé, ée** adj. Vendu sans sa griffe d'origine.

**dégringoler** v. [1] **1** v. intr. Descendre précipitamment. ♦ fig. *La Bourse dégringole.* **2** v. tr. *Dégringoler l'escalier.* → **dévaler.** ► **dégringolade** n. f. fam. → **chute.**

**dégripper** v. tr. [1] Faire cesser le grippage de (un mécanisme). ► **dégrippant** n. m. (produit)

**dégriser** v. tr. [1] **1** Tirer (qqn) de l'état d'ivresse. **2** fig. Détruire les illusions, l'enthousiasme, l'exaltation de (qqn). ► **dégrisement** n. m.

**dégrossir** v. tr. [2] **1** Donner une première forme à (ce que l'on façonne) en enlevant le plus gros. *Dégrossir un bloc de marbre.* – fig. *Dégrossir un projet.* **2** fam. *Dégrossir qqn,* lui donner des rudiments de formation. – au p. p. (loc.) *Mal dégrossi, ie* : grossier. ► **dégrossissage** n. m.

**dégrouper** v. tr. [1] **1** didact. Diviser en groupes ; répartir au sein d'un groupe. ► **dégroupement** n. m. **2** télécomm. Ouvrir l'accès de (une ligne téléphonique) à plusieurs opérateurs. ► **dégroupage** n. m.

**déguenillé, ée** adj. Vêtu de guenilles.

**déguerpir** v. intr. [2] S'enfuir.

**dégueulasse** adj. fam. Sale, répugnant (au physique ou au moral). → **dégoûtant, infect.** – n. *Quel dégueulasse !* → **salaud.** ► **dégueulasser** v. tr. [1] fam. → **salir.**

**dégueuler** v. tr. [1] fam. et vulg. Vomir. ► **dégueulis** n. m. → **vomissure.**

**déguiser** v. tr. [1] **1** Vêtir (qqn) de manière à rendre méconnaissable. – pronom. *Se déguiser en fée.* **2** Modifier pour tromper. *Déguiser sa voix.* **3** littér. Cacher sous des apparences trompeuses. → **dissimuler.** ▷ adj. **déguisé, ée** ► **déguisement** n. m.

**déguster** v. tr. [1] **1** Goûter (un vin, une liqueur) pour juger de la qualité. **2** Savourer (qqch.). **3** absolt fam. Subir un mauvais traitement. ► **dégustation** n. f. (sens 1 et 2)

se **déhancher** v. pron. [1] **1** Se balancer sur ses hanches en marchant. → se **dandiner.** **2** Faire reposer le poids du corps sur une hanche, en étant debout. ▷ adj. **déhanché, ée** ► **déhanchement** n. m.

**déhiscent, ente** adj. bot. Se dit des organes clos qui s'ouvrent d'eux-mêmes.

**dehors** adv. **I 1** À l'extérieur. – *Jeter qqn dehors,* le chasser, le renvoyer. **2** loc. adv. *En dehors :* vers l'extérieur. – *Au(-)dehors :* à l'extérieur. **3** *En dehors de* loc. prép. : hors de ; excepté. **II** n. m. **1** *Le dehors :* l'extérieur. **2** *Les dehors :* l'aspect.

**déhoussable** adj. Dont on peut enlever la housse.

**déicide** relig. **1** n. m. Meurtre de Dieu. **2** n. et adj. Meurtrier de Dieu.

**déifier** v. tr. [7] Considérer comme un dieu ; adorer (qqn, qqch.) comme un être inaccessible. → **diviniser.** ► **déification** n. f.

**déisme** n. m. Position de ceux qui admettent l'existence d'une divinité, sans accepter de religion. → **théisme.** ► **déiste** n. et adj.

**déjà** adv. **1** Dès maintenant. *Il est déjà midi.* – Dès ce moment-là. *Il était déjà parti.* **2** Auparavant, avant. *Tu l'as déjà dit.* **3** fam. *C'est déjà beau :* ce n'est pas si mal. – (pour s'informer...) *Quand partez-vous, déjà ?*

**déjanter** v. [1] **I** v. tr. Faire sortir (un pneu) de la jante. **II** v. intr. **1** *Le pneu a déjanté.* **2** fam. Devenir un peu fou. ▷ adj. **déjanté, ée** → **cinglé.**

**déjauger** v. intr. [3] S'élever sur l'eau sous l'effet de la vitesse (navire, hydravion).

**déjection** n. f. **1** Évacuation d'excréments ; au plur. excréments. **2** Matières rejetées par les volcans.

**déjeter** v. tr. [4] Écarter de sa position normale. → **dévier.** ▷ adj. **déjeté, ée** **1** *Mur déjeté.* **2** (personnes) Diminué physiquement.

**① déjeuner** v. intr. [1] **1** Prendre le petit-déjeuner. → **②petit-déjeuner.** **2** Prendre le repas du milieu de la journée.

**② déjeuner** n. m. **1** vx ou région. Premier repas du matin. → **①petit-déjeuner.** **2** (remplace *dîner,* en France, mais non au Québec) Repas pris au milieu du jour. **3** Mets qui composent ce repas.

**déjouer** v. tr. [1] Faire échouer (les manœuvres de qqn). *Déjouer un attentat.* – *Déjouer la surveillance de l'ennemi.* → **tromper.**

se **déjuger** v. pron. [3] Revenir sur un jugement exprimé, un parti pris.

**de jure** [deʒyʀe] loc. adv. dr. Selon le droit.

**delà** prép. et adv. **1** loc. prép. *Par-delà :* plus loin que, de l'autre côté de. **2** loc. adv. et prép. *Au-delà (de)* ou *au delà (de) :* plus loin (que). **3** n. m. *L'au-delà.* → **au-delà.**

**délabrer** v. tr. [1] Mettre en mauvais état. → **détériorer.** ▷ v. pron. se **délabrer** ▷ adj. **délabré, ée** ► **délabrement** n. m.

**délacer** v. tr. [3] Desserrer ou retirer (une chose lacée).

Ne pas confondre avec *délasser* «reposer».

**délai** n. m. **1** Temps accordé pour faire qqch. **2** Prolongation de temps accordée pour faire qqch. – *Sans délai :* sur-le-champ. **3** Temps à l'expiration duquel on sera tenu de faire qqch. *Délai de paiement.* – *Dans les plus brefs délais :* très bientôt.

**délaissement** n. m. littér. **1** Abandon (de qqn, de qqch.). **2** État d'une personne délaissée. → **isolement.**

**délaisser** v. tr. [1] **1** Laisser (qqn) sans secours ou sans affection. → **abandonner.** *Il délaisse ses amis.* **2** Abandonner (une activité, etc.). ▷ adj. **délaissé, ée**

**délassement** n. m. **1** Fait de se délasser. → **détente, loisir, repos.** **2** Ce qui délasse.

**délasser** v. tr. [1] Tirer (qqn) de l'état de lassitude, de fatigue. → **détendre, reposer.** ▷ v. pron. se **délasser** Se reposer en se distrayant. ► **délassant, ante** adj.

Ne pas confondre avec *délacer* «détacher».

**délateur, trice** n. Personne qui dénonce pour des motifs méprisables.

**délation** n. f. Dénonciation inspirée par des motifs méprisables.

**délavé, ée** adj. Dont la couleur est, ou semble trop étendue d'eau. → **décoloré.** ♦ Éclairci, notamment à l'eau de Javel.

**délaver** v. tr. [1] **1** Enlever ou éclaircir avec un liquide (une couleur). **2** Imbiber d'eau, détremper.

**délayage** n. m. Action de délayer. – fig. → **remplissage, verbiage.**

**délayer** v. tr. [8] **1** Mélanger (une substance) à un liquide. **2** fig. Exposer trop longuement, de manière peu claire.

**delco** n. m. (marque déposée) Système d'allumage d'un moteur à explosion.

**délectable** adj. littér. Délicieux.

**délectation** n. f. Plaisir, délice.

se **délecter** v. pron. [1] Prendre un plaisir intense et prolongé (à qqch.).

**délégation** n. f. **1** Acte par lequel on délègue. **2** Ensemble de délégués.

**délégué, ée** n. Personne chargée de représenter qqn, un groupe.

**déléguer** v. tr. [6] **1** Charger (qqn) d'une fonction, etc. en transmettant son pouvoir. **2** Transmettre, confier (un pouvoir...).

**délester** v. tr. [1] **1** Décharger de son lest. **2** fig., iron. Voler. *Elle s'est fait délester de son sac.* **3** Décongestionner (une route), par des déviations. ► **délestage** n. m. (sens 1 et 3)

**délétère** adj. Qui met la santé, la vie en danger. ♦ fig., littér. Nuisible, pernicieux.

**délibérant, ante** adj. Qui délibère.

**délibératif, ive** adj. Qui a qualité pour voter, décider dans une délibération.

**délibération** n. f. **1** Action de délibérer avec d'autres personnes. → **débat, discussion.** **2** Examen réfléchi. → **réflexion.**

**délibérément** adv. De manière délibérée.

**délibérer** v. intr. [6] **1** Discuter avec d'autres personnes en vue d'une décision à prendre. *Le jury délibère.* **2** littér. (Avec soi-même). → **réfléchir.** ▷ **délibéré, ée I** adj. **1** Qui a été délibéré. – *De propos délibéré :* exprès. **2** Assuré, décidé. *D'un air délibéré.* **II** n. m. dr. Délibération des magistrats.

**délicat, ate** adj. **1** littér. Qui plaît par la qualité, la finesse. *Parfum délicat.* → **raffiné, subtil.** ♦ Qui plaît par la finesse de l'exécution. *Travail délicat.* **2** Que sa finesse rend sensible aux moindres influences extérieures. → **fragile.** *Peau délicate.* – *Santé délicate.* **3** Que sa subtilité, sa complexité rendent difficile. *Question délicate.* **4** Doué d'une grande sensibilité. → **subtil.** ♦ (relations humaines) *Attention délicate,* pleine de tact. **5** Que sa grande sensibilité rend difficile à contenter. → **exigeant.**

**délicatement** adv. Avec délicatesse.

**délicatesse** n. f. **1** littér. Qualité de ce qui est fin, délicat (1). **2** Finesse et précision dans l'exécution, le toucher. *Faire qqch. avec délicatesse.* **3** Caractère de ce qui est fragile à cause de sa finesse. **4** Aptitude à sentir, à juger, à exprimer finement. → **sensibilité.** **5** Sensibilité morale dans les relations avec autrui. → **discrétion, tact.**

**délice I** n. f. pl. littér. *Délices :* plaisir qui ravit. **II** n. m. Plaisir vif et délicat.

**délicieux, euse** adj. Extrêmement agréable. → **exquis.** ► **délicieusement** adv.

**délictueux, euse** adj. dr. Qui a le caractère d'un délit.

① **délié, ée** adj. 1 littér. Fin, mince. *Taille déliée.* ♦ n. m. Partie déliée d'une lettre (opposé à *plein*). 2 fig. *Un esprit délié.* → **subtil.**

**délier** v. tr. [7] 1 Dégager de ce qui lie. → **détacher.** 2 Défaire le nœud de. → **dénouer.** – loc. *Sans bourse délier :* sans rien payer. – fig. *Délier la langue de qqn,* le faire parler. 3 fig. Libérer (d'un engagement). → **dégager.** ▷ adj. ② **délié, ée** *Cordons déliés.* – loc. *Avoir la langue déliée :* être bavard.

**délimiter** v. tr. [1] 1 Déterminer les limites de. 2 Former la limite de. 3 abstrait *Délimiter les attributions de qqn.* → **fixer.** ► **délimitation** n. f.

**délinquance** n. f. Ensemble des délits, considérés sur le plan social. → **criminalité.**

**délinquant, ante** n. Personne qui commet un délit. – adj. *L'enfance délinquante.*

**déliquescence** n. f. 1 didact. Propriété qu'ont certains corps de se liquéfier par l'humidité de l'air. 2 fig. Décadence complète. → **décomposition.** ► **déliquescent, ente** adj.

**délirant, ante** adj. 1 didact. Qui présente les caractères du délire. 2 fig. Qui manque de mesure, exubérant. *Joie délirante.* ♦ fam. Totalement déraisonnable.

**délire** n. m. 1 psych. Trouble psychique de qqn qui perçoit et dit des choses qui ne concordent pas avec la réalité ou l'évidence (quelle que puisse être leur cohérence interne). 2 fig. Enthousiasme exubérant. ♦ fam. Chose excessive, déraisonnable.

**délirer** v. intr. [1] 1 Avoir le délire. ♦ fam. Déraisonner. 2 Être en proie à une émotion qui trouble l'esprit. *Délirer de joie.*

**delirium tremens** [delirjɔmtremɛ̃s] n. m. invar. didact. Délire (1) aigu accompagné d'agitation, particulier aux alcooliques.

**délit** n. m. 1 (sens large) Fait prohibé ou dont la loi prévoit la sanction par une peine. → **infraction ; crime.** – *Le corps du délit :* l'élément qui constitue le délit. – *Flagrant délit :* infraction en train de se commettre. 2 (sens restreint) *Délit (correctionnel),* infraction punie de peines correctionnelles.

**déliter** v. tr. [1] Diviser (une pierre) dans le sens des couches de stratification. → **cliver.** ▷ v. pron. se **déliter** 1 Se désagréger. 2 fig. Perdre son unité.

**délivrance** n. f. I 1 Action de délivrer (I, 1). 2 fig. Fin d'un tourment ; soulagement qui en résulte. 3 méd. Fin de l'accouchement. II Action de délivrer (II).

**délivrer** v. tr. [1] I 1 Rendre libre. → **libérer.** *Délivrer un captif.* 2 *Délivrer qqn de.* → **débarrasser.** *Délivrer qqn d'une crainte.* II Remettre (qqch.) à qqn. *Délivrer un reçu.*

**délocaliser** v. tr. [1] Déplacer (une activité située dans un centre) vers un lieu éloigné. → **décentraliser.** ► **délocalisation** n. f.

**déloger** v. [3] 1 v. intr. vieilli Quitter son logement, sa place. 2 v. tr. Faire sortir (qqn) du lieu qu'il occupe. → **expulser.**

**déloyal, ale, aux** adj. Qui n'est pas loyal ; de mauvaise foi. ► **déloyalement** adv.

**déloyauté** n. f. Manque de loyauté. → mauvaise **foi, fourberie, malhonnêteté.**

**delta** n. m. I Quatrième lettre de l'alphabet grec (δ ; Δ [majuscule]). II Dépôt d'alluvions émergeant à l'embouchure d'un fleuve et la divisant en bras ramifiés.

**deltaplane** n. m. Aile triangulaire utilisée pour le vol libre ; sport de cet engin.

**deltoïde** n. m. anat. Muscle triangulaire de l'épaule.

**déluge** n. m. 1 Cataclysme consistant en précipitations continues submergeant la Terre ; ce cataclysme raconté dans la Bible. – loc. *Remonter au déluge :* être très ancien (→ **antédiluvien**). 2 Pluie très abondante, torrentielle. – fig. *Un déluge de larmes.*

**déluré, ée** adj. Qui a l'esprit vif et avisé, qui est habile. ♦ péj. → **effronté.**

**démagnétiser** v. tr. [1] Supprimer le caractère magnétique de. – au p. p. *Carte de crédit démagnétisée.* ► **démagnétisation** n. f.

**démagogie** n. f. Politique par laquelle on flatte les masses pour gagner et exploiter leur adhésion. ► **démagogique** adj. ► **démagogue** n. et adj.

**démailler** v. tr. [1] Défaire en rompant les mailles. ► **démaillage** n. m.

**demain** adv. et n. m. I Le jour suivant celui où s'exprime la personne qui parle. 1 adv. *Je le verrai demain.* – loc. *Demain il fera jour :* rien ne presse. *Demain on rase gratis* (souligne l'inanité d'un espoir, d'une promesse). 2 n. m. *Demain est jour férié.* – loc. *À demain :* nous nous reverrons demain. II 1 adv. Dans un avenir plus ou moins proche. 2 n. m. L'avenir. → **futur.**

**démancher** v. tr. [1] 1 Séparer de son manche. 2 fam. Démettre, disloquer. *Se démancher le cou pour voir qqch.*

**demande** n. f. I 1 Action de demander (I). *Demande insistante.* 2 *Demande en mariage :* fait de proposer à qqn de l'épouser. 3 Ensemble des biens ou des services demandés par les acheteurs. 4 dr. Action intentée en justice pour faire reconnaître un droit. 5 Annonce d'un contrat, au bridge. II Question. *Faire les demandes et les réponses.*

**demander** v. tr. [1] I 1 Faire connaître à qqn (ce qu'on désire obtenir de lui) ; exprimer (un souhait). *Demander du feu à qqn. Demander une faveur.* – Indiquer (ce que l'on veut gagner). *Demander X euros de l'heure.* ♦ *Demander à ; de* (+ inf.). ♦ *Ne pas demander mieux que :* consentir volontiers à. 2 dr. Réclamer par une demande (4) en justice. 3 Prier de donner, d'apporter (qqch.). → **réclamer.** *Demander l'addition.*

**4** Faire venir, faire chercher (qqn). *Demander un médecin.* - Rechercher pour un travail. *On demande un coursier.* ♦ *Demander la main de qqn, demander qqn en mariage.* **5** (sujet chose) Avoir pour condition de succès, de réalisation. → **nécessiter, réclamer.** *Votre proposition demande réflexion.* **II** Essayer de savoir (en interrogeant qqn). *Demander son nom à qqn.* ▷ v. pron. se **demander** Se poser une question à soi-même. ▷ adj. **demandé, ée** Qui fait l'objet d'une forte demande.

**demandeur** n. **1** *Demandeur, euse :* personne qui demande qqch. *Demandeur d'emploi.* **2** dr. *Demandeur, eresse :* personne qui a l'initiative du procès. → **plaignant.**

**démangeaison** n. f. **1** Sensation d'irritation au niveau de la peau, qui incite à se gratter. **2** fig., fam. Désir irrépressible.

**démanger** v. intr. [3] **1** Faire ressentir une démangeaison. **2** fig. loc. *La langue lui démange :* il a grande envie de parler. - trans. *Ça la démange de lui dire ce qu'elle pense.*

**démanteler** v. tr. [5] **1** Démolir les murailles, les fortifications de. **2** fig. Abattre, désorganiser. ► **démantèlement** n. m.

**démantibuler** v. tr. [1] fam. Démolir de manière à rendre inutilisable.

**démaquillant, ante** adj. (produit) Qui sert à démaquiller. - n. m. *Du démaquillant.*

**démaquiller** v. tr. [1] Enlever le maquillage de. ► **démaquillage** n. m.

**démarcation** n. f. Action de limiter ; ce qui limite. → **délimitation, frontière, séparation.** *Ligne de démarcation :* frontière.

**démarchage** n. m. Activité commerciale qui consiste à solliciter la clientèle à son domicile. → **courtage.** ► **démarcher** v. tr. [1] ► **démarcheur, euse** n.

**démarche** n. f. **I 1** Manière de marcher. **2** fig. Manière dont l'esprit progresse dans son activité. **II** Tentative auprès de qqn pour réussir une entreprise.

**démarquer** v. tr. [1] **1** Priver de la marque indiquant le possesseur. **2** fig. Copier, plagier en dissimulant l'emprunt (► **démarcage** ou **démarquage** n. m.). **3** Vendre moins cher (un article), notamment en lui enlevant sa marque d'origine (► **démarque** n. f.). ▷ v. pron. se **démarquer** *Se démarquer de qqn,* prendre ses distances par rapport à lui.

**démarrer** v. [1] **I** v. tr. **1** mar. Larguer les amarres de. **2** fam. Commencer. **II** v. intr. **1** mar. Partir (navire). **2** Commencer à fonctionner, à rouler. *Démarrer en trombe.* ♦ fig. *Son affaire démarre.* ► **démarrage** n. m.

**démarreur** n. m. Appareil servant à mettre en marche un moteur.

**démasquer** v. tr. [1] **1** Enlever le masque de (qqn). **2** fig. Faire connaître (qqn) pour ce qu'il est. → **confondre.** *Démasquer un imposteur.* **3** loc. *Démasquer ses batteries :* dévoiler ses intentions secrètes.

**dématérialiser** v. tr. [1] **1** Rendre immatériel. **2** fin. Priver (une valeur) de support matériel. ► **dématérialisation** n. f.

**dème** n. m. Division territoriale et unité administrative de la Grèce antique.

**démédicaliser** v. tr. [1] Ôter à (qqch.) son caractère médical. ► **démédicalisation** n. f.

**démêlant, ante** n. m. et adj. (Produit) qui facilite le démêlage des cheveux.

**démêlé** n. m. Conflit né d'une opposition entre deux parties. → **différend, dispute.** ♦ au plur. Difficultés qui en résultent.

**démêler** v. tr. [1] **1** Séparer (ce qui était emmêlé). ► **démêlage** n. m. **2** fig. Débrouiller, éclaircir (une chose compliquée). ► **démêlement** n. m. **3** littér. *Avoir qqch. à démêler avec qqn,* à débattre.

**démêloir** n. m. Peigne à dents espacées servant à démêler les cheveux.

**démembrer** v. tr. [1] Diviser en parties (ce qui forme un tout, qui devrait rester entier). → **morceler, partager.** *Démembrer un domaine.* ► **démembrement** n. m.

**déménager** v. [3] **I** v. tr. Transporter (des objets) d'un logement à un autre. **II** v. intr. **1** Changer de logement. **2** fam. Susciter l'intérêt en bousculant. *Ça déménage !* ► **déménagement** n. m.

**déménageur, euse** n. Personne dont le métier est de faire des déménagements.

**démence** n. f. **1** Ensemble des troubles mentaux graves. → **aliénation, folie.** ♦ psych. Déchéance irréversible des activités psychiques, mentales. **2** Conduite extravagante. *C'est de la démence !*

se **démener** v. pron. [5] **1** S'agiter violemment. → se **débattre.** **2** fig. Se donner beaucoup de mal pour arriver à un résultat.

**dément, ente** adj. **1** Atteint de démence. → **aliéné, fou.** - n. *Un regard de dément.* **2** Déraisonnable. ♦ fam. Extraordinaire.

**démenti** n. m. Action de démentir ; ce qui dément qqch. → **dénégation, désaveu.**

**démentiel, ielle** adj. **1** De la démence. **2** Absurde, fou.

**démentir** v. tr. [16] **1** Contredire (qqn) en prétendant qu'il n'a pas dit la vérité. **2** Prétendre (qqch.) contraire à la vérité. → **nier.** **3** (sujet chose) Aller à l'encontre de. → **contredire.** ▷ v. pron. se **démentir** **1** Se contredire. **2** (choses) *Ne pas se démentir :* ne pas cesser de se manifester. → **persister.**

se **démerder** v. pron. [1] fam. Se débrouiller. ► **démerde** n. f. → **débrouillardise.**

**démériter** v. intr. [1] Agir de manière à encourir le blâme, la désapprobation.

**démesure** n. f. Manque de mesure dans les sentiments, les attitudes. → **excès.**

**démesuré, ée** adj. **1** Qui dépasse la mesure ordinaire. → **énorme, immense.** **2** D'une très grande intensité. *Ambition démesurée.* ► **démesurément** adv. → **énormément.**

① **démettre** v. tr. [56] Déplacer (un os, une articulation). → **disloquer, luxer.** – *Elle s'est démis l'épaule.* ▷ adj. **démis, ise** (os, articulation) Déplacé, luxé.

② **démettre** v. tr. [56] Retirer (qqn) d'un poste, etc. *On l'a démis de ses fonctions.* ▷ v. pron. **se démettre** Quitter ses fonctions (volontairement ou sous une contrainte).

au **demeurant** loc. adv. littér. D'ailleurs, au fond ; tout bien considéré.

**demeure** n. f. **I** dans des loc. (Fait de demeurer, de rester) **1** *Mise en demeure :* sommation. – *Mettre qqn en demeure de* (+ inf.). → **ordonner.** ♦ *Il y a péril en la demeure :* il peut être dangereux de tarder, il faut agir vite. **2** loc. adv. *À demeure :* en permanence. **II 1** vieilli Habitation. ♦ mod. Maison (belle ou importante, souvent ancienne). **2** fig., littér. *La dernière demeure :* le tombeau.

**demeuré, ée** adj. fam. Intellectuellement retardé. – n. *Des demeurés.*

**demeurer** v. intr. [1] **I** (auxiliaire *être*) **1** Rester. *Demeurer chez soi.* – *En demeurer là :* ne pas donner suite. **2** littér. Passer du temps (à). → s'**attarder** à. **3** Continuer à être (dans une situation). *Il préfère demeurer inconnu.* **4** (choses) Durer, subsister. **II** (auxiliaire *avoir*) Habiter, résider.

**demi, ie I** adj. **1** Qui est la moitié d'un tout (*demi* reste invar. et se rattache au nom qu'il qualifie par un trait d'union). **2** *Et demi(e)* (après un nom) : et la moitié. **II** adv. À moitié, pas entièrement. *Lait demi-écrémé.* **III** loc. adv. *À demi :* à moitié. → **partiellement.** *Ils sont à demi morts.* → **presque. IV** n. **1** Moitié d'une unité. *Un demi* ou *1/2* ou *0,5.* **2** n. m. Verre de bière (au café). **3** n. f. *La demie :* la fin de la demi-heure (qui suit une heure quelconque). *Je pars à la demie.* **4** sports Joueur, joueuse placé(e) entre les avants et les arrières. – *Demi de mêlée* (au rugby).

**demi-** Élément invariable (de l'adj. *demi*) qui indique la division par deux *(demi-litre)* ou le caractère incomplet, imparfait *(demi-jour).*

**demi-bouteille** n. f. Petite bouteille d'environ 37 cl. – abrév. Une **demie** Vichy.

**demi-cercle** n. m. Moitié d'un cercle limitée par un diamètre. ► **demi-circulaire** adj. → **semi-circulaire.**

**demi-dieu** n. m. Personnage mythologique issu d'une mortelle et d'un dieu, d'une déesse et d'un mortel, ou divinisé pour ses exploits. → **héros.** ♦ fig. Personne que l'on traite presque comme un dieu.

**demi-douzaine** n. f. Moitié d'une douzaine ou six unités. – Environ six.

**demi-droite** n. f. géom. Portion de droite limitée par un point appelé *origine.*

**demi-finale** n. f. Avant-dernière épreuve d'une compétition. ► **demi-finaliste** n.

**demi-fond** n. m. sports *Course de demi-fond,* de moyenne distance.

**demi-frère** n. m. Frère par le père ou la mère seulement.

**demi-gros** n. m. invar. Commerce intermédiaire entre le gros et le détail.

**demi-heure** n. f. Moitié d'une heure.

**demi-jour** n. m. Clarté faible comme celle de l'aube, du crépuscule. *Des demi-jour(s).*

**demi-journée** n. f. Moitié d'une journée.

**démilitariser** v. tr. [1] Priver (une zone, un pays) de sa force militaire. → **désarmer.** ► **démilitarisation** n. f.

**demi-litre** n. m. Moitié d'un litre.

**demi-lune** n. f. Espace en demi-cercle (spécialt fortification).

**demi-mal** n. m. sing. Inconvénient moins grave que celui qu'on prévoyait.

**demi-mesure** n. f. Moyen insuffisant et provisoire. → **compromis.**

**demi-mondaine** n. f. ancienn Femme légère fréquentant le monde. → **courtisane.**

**demi-mot** n. m. loc. adv. *À demi-mot :* sans qu'il soit nécessaire de tout exprimer.

**déminer** v. tr. [1] Débarrasser (un lieu) des mines ou engins explosifs. ► **déminage** n. m.

**déminéraliser** v. tr. [1] **1** méd. Faire perdre des sels minéraux à (l'organisme). **2** Éliminer les sels minéraux de (l'eau). – au p. p. *Eau déminéralisée.* ► **déminéralisation** n. f.

**démineur, euse** n. Technicien(ne) du déminage.

**demi-pension** n. f. **1** Pension partielle (un seul repas). **2** Régime scolaire où l'élève déjeune sur place. ► **demi-pensionnaire** n.

**demi-portion** n. f. fam. et péj. Personne petite, insignifiante.

**demi-queue** adj. *Piano demi-queue,* plus court que le piano à queue. – n. m. *Des demi-queues.*

**démis, ise** → ① **démettre**

**demi-saison** n. f. L'automne ou le printemps. *Vêtement de demi-saison.*

**demi-sang** [-sɑ̃] n. m. Cheval dont un seul géniteur est de pur sang. *Des demi-sang(s).*

**demi-sel 1** adj. invar. Qui n'est que légèrement salé. *Beurre demi-sel.* **2** n. m. argot Homme qui feint d'appartenir au milieu.

**demi-sœur** n. f. Sœur par le père ou la mère seulement.

**demi-sommeil** n. m. État intermédiaire entre le sommeil et la veille. → **somnolence.**

**demi-soupir** n. m. mus. Silence dont la durée est égale à la moitié d'un soupir.

**démission** n. f. **1** Acte par lequel on se démet d'une fonction, d'un emploi. *Donner sa démission.* **2** fig. Acte par lequel on renonce à qqch. ; attitude de fuite devant les difficultés. ► **démissionnaire** adj.

**démissionner** v. intr. [1] **1** Donner sa démission. ♦ trans. fam. Forcer à démissionner. *On l'a démissionné.* **2** fam. Renoncer.

**demi-tarif** n. m. Tarif réduit de moitié. - adj. invar. *Places demi-tarif.* ♦ Billet à demi-tarif. *Deux demi-tarifs.*

**demi-teinte** n. f. Teinte ni claire ni foncée. - fig. *En demi-teinte(s)* : tout en nuances.

**demi-ton** n. m. mus. Le plus petit intervalle entre deux degrés (ex. mi et fa).

**demi-tour** n. m. **1** Moitié d'un tour que l'on fait sur soi-même. **2** loc. *Faire demi-tour* : retourner sur ses pas.

**démiurge** n. m. **1** philos. Créateur de l'univers. **2** par ext., littér. Créateur, animateur d'un monde. ► **démiurgique** adj.

**demi-vie** n. f. phys. Temps au bout duquel une grandeur atteint la moitié de sa valeur initiale.

**démobiliser** v. tr. [1] **1** Rendre à la vie civile (des troupes mobilisées). **2** fig. Priver (les militants...) de toute combativité. → **démotiver.** ► **démobilisation** n. f. ► **démobilisateur, trice** adj.

**démocrate** n. et adj. Partisan de la démocratie. *Une démocrate convaincue.*

**démocratie** n. f. Forme de gouvernement dans laquelle la souveraineté appartient au peuple ; État ainsi gouverné.

**démocratique** adj. **1** De la démocratie. **2** Conforme à la démocratie. *Loi démocratique.* ► **démocratiquement** adv.

**démocratiser** v. tr. [1] **1** Introduire la démocratie dans. **2** Rendre accessible à tous. ► **démocratisation** n. f.

se **démoder** v. pron. [1] N'être plus à la mode. ▷ adj. **démodé, ée** → **vieillot.** - *Procédé démodé.* → **dépassé, désuet.**

**démographie** n. f. **1** Étude statistique des populations humaines. **2** État quantitatif (d'une population). ► **démographique** adj. ► **démographe** n.

**demoiselle** n. f. **I 1** Femme célibataire. ♦ courtois ou iron. Jeune fille. **2** *Demoiselle d'honneur* : jeune fille ou fillette qui accompagne la mariée. **II** Libellule.

**démolir** v. tr. [2] **I** *Démolir qqch.* (opposé à *construire*). **1** Défaire (une construction) en abattant élément par élément. **2** fig. Détruire entièrement. → **anéantir. 3** Mettre (qqch.) en pièces, en mauvais état. → **abîmer, casser. II** *Démolir qqn.* **1** fam. Frapper avec violence. ♦ Fatiguer, épuiser ; déprimer. **2** Ruiner la réputation de (qqn). ► **démolissage** n. m.

**démolisseur, euse** n. **1** Personne qui démolit un bâtiment. **2** fig. Destructeur.

**démolition** n. f. **I 1** Action de démolir (une construction). **2** fig. Destruction. **II** au plur. Décombres, gravats.

**démon** n. m. **I** mythol. Être surnaturel, bon ou mauvais, attaché à la destinée de qqn, d'une collectivité. → **génie.** *Le démon de Socrate.* **II 1** relig. Ange déchu, révolté contre Dieu (esprit du mal). → **diable, satan.** - *Le démon* : Satan. **2** Personne méchante ou espiègle. **3** *Le démon de,* personnification d'un défaut. *Le démon du jeu.* - loc. *Le démon de midi* : appétit érotique qui s'empare des humains vers le milieu de leur vie.

**démonétiser** v. tr. [1] Retirer (une monnaie) de la circulation. ► **démonétisation** n. f.

**démoniaque 1** adj. et n. didact. Possédé du démon. **2** adj. Digne du démon. → **diabolique, satanique.**

**démonstrateur, trice** n. Personne qui parle d'un produit pour le faire vendre.

**démonstratif, ive** adj. **I 1** Qui démontre. *Preuve démonstrative.* **2** gramm. Qui sert à montrer. *Adjectif, pronom démonstratif.* → ① **ce** ; ② **ce** ; **celui** ; **ceci, cela** ; **ça. II** Qui manifeste vivement ses sentiments (éprouvés ou simulés). → **expansif.**

**démonstration** n. f. **1** Opération mentale, raisonnement par lequel on établit la vérité d'une proposition. *La démonstration d'un théorème.* **2** Action de montrer par des expériences les principes d'une science, etc. **3** Signes extérieurs volontaires qui manifestent les intentions, les sentiments. *Des démonstrations de joie.*

**démontable** adj. Qui peut être démonté (3).

**démonte-pneu** n. m. Levier destiné à déjanter un pneu. *Des démonte-pneus.*

**démonter** v. tr. [1] **1** Jeter (qqn) à bas de sa monture. → **désarçonner. 2** fig. Étonner au point de faire perdre l'assurance. **3** Défaire (un tout) en séparant les éléments. ► **démontage** n. m. ▷ v. pron. se **démonter** **1** Perdre son sang-froid. **2** passif *Ce lit se démonte.* ▷ adj. **démonté, ée 1** Qu'on a démonté. **2** *Mer démontée,* agitée par la tempête.

**démontrer** v. tr. [1] **1** Établir la vérité de (qqch.) d'une manière rigoureuse (→ **démonstration**). **2** (sujet chose) Fournir une preuve de. → **indiquer, montrer, prouver.** ► **démontrable** adj.

**démoralisateur, trice** adj. littér. Qui fait perdre courage, qui tend à décourager.

**démoraliser** v. tr. [1] Affaiblir le moral, le courage de (qqn). ► **démoralisation** n. f. ► **démoralisant, ante** adj.

**démordre** v. tr. ind. [41] *Démordre de* : renoncer à. *Il ne veut pas en démordre.*

**démotiver** v. tr. [1] Faire perdre à (qqn) toute motivation, toute envie de continuer un travail, une action. ▷ adj. **démotivé, ée**

**démouler** v. tr. [1] Retirer (qqch.) du moule. ► **démoulage** n. m.

**démultiplication** n. f. Rapport de réduction de vitesse.

**démultiplier** v. tr. [7] Réduire la vitesse de (un mouvement transmis).

**démunir** v. tr. [2] Priver (qqn, qqch. d'une chose essentielle). ▷ v. pron. **se démunir** (de) ▷ adj. **démuni, ie** *Être complètement démuni* (spécialt ne plus avoir d'argent).

**démystifier** v. tr. [7] Détromper (les victimes d'une mystification collective, d'un mythe). ► **démystification** n. f. ► **démystificateur, trice** n. et adj.

**démythifier** v. tr. [7] didact. Supprimer en tant que mythe. ► **démythification** n. f.

**dénatalité** n. f. Diminution du nombre des naissances.

**dénationaliser** v. tr. [1] Transférer au secteur privé (une entreprise nationalisée). → **privatiser.** ► **dénationalisation** n. f.

**dénaturé, ée** adj. **1** techn. *Alcool dénaturé* (→ **dénaturer** (1)). **2** Altéré dans ses caractères humains. → **dépravé.**

**dénaturer** v. tr. [1] **1** Altérer la nature de (qqch.). *Dénaturer du vin.* → **frelater. 2** abstrait Donner une fausse apparence à. → **déformer.** *Vous dénaturez ma pensée.*

**dendrite** [dɑ̃dʀit ; dɛ̃dʀit] n. f. anat. Prolongement ramifié du neurone.

**dénégation** n. f. Action de dénier (qqch.). → **démenti, désaveu.** *Geste de dénégation.*

**déneiger** v. tr. [3] Débarrasser (un lieu) de la neige. ► **déneigement** n. m.

**dengue** [dɛ̃g] n. f. Maladie infectieuse des régions tropicales et subtropicales, transmise par un moustique.

**déni** n. m. **1** *Déni (de justice)* : refus de rendre justice à qqn. **2** psych. *Déni (de la réalité)* : refus de reconnaître une réalité traumatisante. – *Déni de grossesse.*

**déniaiser** v. tr. [1] **1** Rendre (qqn) moins niais. → **dégrossir. 2** fam. Faire perdre sa virginité à (qqn).

**dénicher** v. tr. [1] **1** Enlever (un oiseau) du nid. ♦ fig. Faire sortir (qqn) de sa cachette. **2** Trouver à force de recherches.

**denier** n. m. **1** Ancienne monnaie romaine. **2** Ancienne monnaie française, douzième d'un sou. **3** loc. *Denier du culte* : somme versée par les catholiques pour les besoins du culte. **4** au plur. *De ses deniers* : avec son propre argent. – *Les deniers publics* : les revenus de l'État.

**dénier** v. tr. [7] **1** Refuser de reconnaître comme sien. → **nier. 2** Refuser injustement d'accorder. *Dénier à qqn le droit de...*

**dénigrer** v. tr. [1] S'efforcer de diminuer (qqn, qqch.) en disant du mal, en niant les qualités. ► **dénigrement** n. m.

**denim** [dənim] n. m. anglic. Toile servant à fabriquer les jeans. → **jean.**

**dénivelé** n. m. Différence de niveau, d'altitude. – syn. **dénivelée** et **dénivellation** n. f.

**dénombrer** v. tr. [1] Faire le compte de ; énoncer en comptant. → **compter, énumérer, recenser.** ► **dénombrable** adj. ► **dénombrement** n. m.

**dénominateur** n. m. math. Terme situé sous la barre de fraction, qui indique le diviseur. *Numérateur et dénominateur.* – *Dénominateur commun,* diviseur commun à plusieurs fractions ; fig. élément commun.

**dénomination** n. f. Nom affecté (à une chose, une notion). → **appellation.**

**dénommer** v. tr. [1] Donner un nom à. → **appeler, désigner, nommer.** – au p. p. *Le dénommé Untel.*

**dénoncer** v. tr. [3] **1** Annoncer la rupture de. → **annuler, rompre.** *Dénoncer un contrat.* **2** Faire connaître (une chose répréhensible). *Dénoncer des abus.* ♦ Signaler (qqn) comme coupable. ► **dénonciation** n. f. → **annulation ; accusation, délation.** ► **dénonciateur, trice** n. et adj.

**dénoter** v. tr. [1] (sujet chose) Indiquer par une caractéristique. *Cela dénote du courage.*

**dénouement** n. m. **1** Ce qui termine, dénoue une action au théâtre, au cinéma. **2** Manière dont se dénoue une affaire difficile.

Ne pas oublier le *e* muet.

**dénouer** v. tr. [1] **1** Défaire (un nœud, une chose nouée). – loc. *Dénouer la langue* : faire parler. **2** fig. Démêler, résoudre (une difficulté, une intrigue). ▷ v. pron. **se dénouer**

**dénoyauter** v. tr. [1] Séparer (un fruit) de son noyau. ► **dénoyautage** n. m.

**denrée** n. f. **1** Produit servant à l'alimentation de l'homme ou du bétail. **2** fig. *Une denrée rare* : une chose, une qualité rare.

**dense** adj. **1** Qui est compact, épais. *Feuillage dense.* – *Une foule dense* (nombreuse). **2** (écrits...) Qui renferme beaucoup d'éléments en peu de place. **3** Qui a une certaine densité (2). *Le plomb, métal dense.*

**densifier** v. intr. et tr. [7] Augmenter en densité. ► **densification** n. f.

**densimètre** n. m. techn. Instrument de mesure des densités des liquides. → **aréomètre.** ► **densimétrie** n. f.

**densité** n. f. **1** Qualité de ce qui est dense. ♦ *Densité de population* : nombre d'habitants au km². **2** phys. Rapport entre la masse d'un corps et celle d'un même volume d'eau (ou d'air, pour les gaz).

**dent** n. f. **I 1** Chacun des organes annexes de la bouche, durs et calcaires, implantés sur le bord libre des deux maxillaires. *Les 32 dents de l'homme.* → **dentition.** *Dents de lait* (premières dents). *Dents de sagesse,* les quatre troisièmes molaires. ♦ (animaux) *Les dents d'un chien.* → **croc. 2** loc. fig. *Serrer les* *dents* : s'apprêter à un dur effort. *Parler entre ses dents,* peu distinctement. - *Montrer les dents* : menacer. - *Avoir, garder une dent contre qqn,* du ressentiment. *Avoir la dent dure* : être sévère dans la critique. - fam. *Avoir la dent* : avoir faim. - *Mordre à belles dents, à pleines dents,* vigoureusement. - *Avoir les dents longues,* être ambitieux. *Se casser les dents* : échouer. - *Être sur les dents,* très occupé. - *Quand les poules auront des dents* : jamais. **II** (Objet ou forme pointue) **1** Découpure pointue (→ **dentelé**). **2** Élément allongé et pointu. *Les dents d'un peigne.* - loc. *En dents de scie* : qui présente des pointes et des creux aigus.

**dentaire** adj. Relatif aux dents.

**dental, ale, aux** adj. *Consonnes dentales,* qui se prononcent en appliquant la langue sur les dents ([d], [t]).

**denté, ée** adj. Dont le bord présente des saillies pointues, aiguës. *Roue dentée.*

**dentelé, ée** adj. Qui présente des pointes et des creux aigus. *Feuille dentelée.*

**dentelle** n. f. **1** Tissu fin à motifs ajourés. - loc. fam. *Ne pas faire dans la dentelle* : agir sans délicatesse. **2** appos. (invar.) *Crêpes dentelle,* très fines.

**dentellier, ière** [-əlje, -əljɛʀ] **1** n. f. Ouvrière ou machine qui fabrique de la dentelle. **2** adj. *Industrie dentellière,* de la dentelle.

**dentelure** n. f. Découpure dentelée.

**dentier** [-tje] n. m. Prothèse amovible remplaçant tout ou partie des dents.

**dentifrice** n. m. Préparation, pâte pour nettoyer les dents.

**dentiste** n. Praticien diplômé spécialiste des soins dentaires. → aussi **orthodontiste, stomatologiste.**

**dentisterie** n. f. didact. Étude et pratique des soins dentaires. → **odontologie.**

**dentition** n. f. **1** didact. Formation des dents. **2** cour. Ensemble des dents. → **denture.**

**denture** n. f. Ensemble des dents (d'une personne, d'un animal). → **dentition.**

**dénucléariser** v. tr. [1] didact. Diminuer ou interdire les armes nucléaires dans (un pays, une région). ► **dénucléarisation** n. f.

**dénuder** v. tr. [1] Mettre à nu ; dépouiller (qqch.) de ce qui recouvre. → **découvrir.** ▷ v. pron. se **dénuder 1** *Cet arbre se dénude,* perd ses feuilles. **2** (personnes) Se déshabiller, se dévêtir. ▷ adj. **dénudé, ée**

**dénué, ée** adj. *Dénué de* : démuni de.

**dénuement** n. m. État de qqn qui est dénué du nécessaire. → **misère, pauvreté.**

se **dénuer** v. pron. [1] littér. Se priver (de).

**dénutrition** n. f. didact. Ensemble des troubles dus à une alimentation ou une assimilation déficitaire. → **malnutrition.**

**déodorant** n. m. et adj. anglic. Désodorisant contre les odeurs corporelles.

**déontologie** n. f. didact. Ensemble des règles et devoirs régissant une profession. *Code de déontologie.* ► **déontologique** adj.

**dépanner** v. tr. [1] **1** Réparer (un mécanisme en panne). **2** fig., fam. Tirer (qqn) d'embarras, notamment en prêtant de l'argent. ► **dépannage** n. m.

**dépanneur, euse I 1** n. Professionnel chargé de dépanner. ♦ adj. Qui dépanne. **2** n. f. Voiture de dépannage. **II** n. m. (Québec) Épicerie ouverte tard le soir.

**dépaqueter** v. tr. [4] Défaire (un paquet) ; retirer (le contenu) d'un paquet. → **déballer.** ► **dépaquetage** n. m.

**dépareiller** v. tr. [1] Rendre incomplet (un ensemble de choses assorties). → **désassortir.** ▷ adj. **dépareillé, ée**

**déparer** v. tr. [1] Nuire à la beauté, au bon effet de. → **enlaidir.**

**déparier** v. tr. [7] Séparer (deux choses qui forment une paire).

① **départ** n. m. **1** Action de partir. - *Être sur le départ,* prêt à partir. ♦ fig. *Prendre un bon départ dans la vie.* **2** Fait de quitter un lieu, une situation. **3** fig. loc. *Au départ* : au début. - *De départ* : initial. *L'idée de départ. Point de départ.* → **origine.**

② **départ** n. m. loc. littér. *Faire le départ entre* (deux abstractions) : distinguer nettement.

**départager** v. tr. [3] **1** Séparer (un groupe) en deux parties inégales. *Départager les votes,* pour établir une majorité. **2** Choisir entre (des opinions, des camps). → **arbitrer.** *Venez nous départager.* - Faire cesser d'être à égalité. *Départager des gagnants.*

**département** n. m. **1** Division administrative du territoire français dirigée par un préfet et administrée par un conseil départemental. **2** Secteur dont s'occupe un ministre. ♦ Branche spécialisée d'une administration. ► **départemental, ale, aux** adj.

**départir** v. tr. [16] littér. Attribuer en partage. → **impartir.** ▷ v. pron. se **départir** *Se départir de* : se séparer de ; abandonner (une attitude). *Sans se départir de son calme.*

**dépassement** n. m. **1** Action de dépasser. *Dépassement dangereux* (véhicule). **2** Fait de se dépasser.

**dépasser** v. tr. [1] **1** Laisser derrière soi en allant plus vite. *Dépasser un cycliste.* → **doubler. 2** Aller plus loin que. *Dépasser la ligne d'arrivée.* - *Dépasser le temps imparti.* **3** Surpasser (qqn) dans un domaine. **4** Aller au-delà de (certaines limites). → **outrepasser.** - *Cela me dépasse* : c'est trop difficile pour moi ; ou bien je ne peux l'admettre. ▷ v. pron. se **dépasser** Se surpasser. ▷ adj. **dépassé, ée 1** Qui a été dépassé. **2** (choses) Qui n'a plus cours. → **caduc, périmé. 3** Qui ne peut plus maîtriser la situation. *Il est complètement dépassé.*

**dépassionner** v. tr. [1] Rendre moins passionné (un sujet...). → **dédramatiser.**

se **dépatouiller** v. pron. [1] fam. Se débrouiller.

**dépaver** v. tr. [1] Dégarnir de pavés. ► **dépavage** n. m.

**dépayser** [-pei-] v. tr. [1] **1** vx Faire changer (qqn) de pays. **2** Troubler, désorienter par un changement de milieu, d'habitudes. ► **dépaysant, ante** adj. ► **dépaysement** n. m.

**dépecer** v. tr. [5] et [3] **1** Mettre en pièces (un animal). **2** fig. Morceler. ► **dépeçage** n. m.

**dépêche** n. f. **1** Lettre concernant les affaires publiques. **2** Communication transmise par voie rapide.

**dépêcher** v. tr. [1] Envoyer (qqn) en hâte pour exécuter une mission. ▷ v. pron. se **dépêcher** Se hâter, faire vite.

**dépeigner** v. tr. [1] Déranger l'arrangement des cheveux de (qqn).

**dépeindre** v. tr. [52] Décrire et représenter par le discours.

**dépenaillé, ée** adj. fam. En lambeaux, en loques. – Dont la mise est très négligée.

**dépénaliser** v. tr. [1] dr. Soustraire (une infraction, une action) à la sanction du droit pénal. ► **dépénalisation** n. f.

**dépendance** n. f. **1** Rapport qui fait qu'une chose dépend d'une autre. → **corrélation, enchaînement. 2** (surtout plur.) Terre, bâtiment dépendant d'un domaine. **3** Fait pour qqn de dépendre de qqn ou de qqch. ♦ spécialt Asservissement à une drogue. **4** État d'une personne qui n'est pas, n'est plus autonome dans la vie quotidienne. ► **dépendant, ante** adj.

① **dépendre** v. tr. ind. [41] *Dépendre de* **1** Ne pouvoir se réaliser sans l'action ou l'intervention de (qqn, qqch.). → **résulter** de. ♦ impers. *Cela dépend des circonstances.* – (en réponse) *Ça dépend :* peut-être. **2** Faire partie de (qqch.). → **appartenir** à ; **relever** de. **3** Être sous l'autorité de.

② **dépendre** v. tr. [41] Retirer (ce qui est pendu). → **décrocher.**

**dépens** n. m. pl. **1** *Aux dépens de* (qqn) : en faisant supporter la dépense par. → à la **charge** de. ♦ fig. → au **détriment** de. *Apprendre qqch. à ses dépens*, par une expérience désagréable. **2** dr. Frais judiciaires à la charge de la personne condamnée.

**dépense** n. f. **1** Action de dépenser. *S'engager dans des dépenses.* → **frais.** – loc. *Regarder à la dépense :* être économe (→ regardant). ♦ comptab. Sortie d'argent ; compte sur lequel elle est portée (→ **débit**). **2** fig. Emploi (de qqch.). *Dépense d'énergie.*

**dépenser** v. tr. [1] **1** Employer (de l'argent). *Dépenser une forte somme.* **2** Consommer (une quantité d'énergie). **3** fig. Employer (ses efforts). ▷ v. pron. se **dépenser** **1** (passif) *Cent francs, cela se dépense vite.* **2** Faire des efforts. → se **démener.**

**dépensier, ière** adj. Qui aime dépenser (1).

**déperdition** n. f. Diminution, perte.

**dépérir** v. intr. [2] **1** S'affaiblir par consomption graduelle. **2** S'acheminer vers la ruine, la destruction. → **péricliter.** ► **dépérissement** n. m.

**dépersonnaliser** v. tr. [1] Ôter sa personnalité à ; rendre impersonnel. ▷ v. pron. se **dépersonnaliser** ► **dépersonnalisation** n. f.

**dépêtrer** v. tr. [1] Dégager de ce qui gêne les mouvements. ♦ fig. Dégager d'une difficulté. ▷ v. pron. se **dépêtrer** (de) → se **libérer.**

**dépeupler** v. tr. [1] **1** Dégarnir d'habitants (une région...). **2** Dégarnir (un lieu) d'animaux. ▷ v. pron. se **dépeupler** ▷ adj. **dépeuplé, ée** ► **dépeuplement** n. m.

**déphasé, ée** adj. fam. Qui n'est pas en accord avec la réalité présente ; désorienté.

**dépiauter** v. tr. [1] fam. **1** Dépouiller (un animal) de sa peau. **2** Débarrasser de ce qui recouvre (emballage, etc.).

**dépiler** v. tr. [1] Provoquer la chute des poils, des cheveux de (qqn). ► **dépilatoire** adj. → **épilatoire.**

① **dépister** v. tr. [1] **1** Découvrir (le gibier) ou retrouver (qqn) en suivant sa piste. **2** fig. Rechercher et découvrir (ce qui est peu apparent). *Dépister une maladie.* ► **dépistage** n. m.

② **dépister** v. tr. [1] Détourner de la piste.

**dépit** n. m. **1** Chagrin mêlé de colère, dû à une déception, à un froissement d'amour-propre. → **amertume, rancœur, ressentiment. 2** loc. prép. *En dépit de :* sans tenir compte de. → **malgré.**

**dépiter** v. tr. [1] Causer du dépit à (qqn). → **vexer.** ▷ adj. **dépité, ée**

**déplacement** n. m. **1** Action de (se) déplacer. **2** Voyage auquel oblige un métier.

**déplacer** v. tr. [3] **1** Changer (qqch.) de place. – *Déplacer un rendez-vous.* **2** Faire changer (qqn) de poste, de pays... ▷ v. pron. se **déplacer** **1** (choses) Changer de place. **2** (êtres vivants) Quitter sa place. – Avancer, marcher. ▷ adj. **déplacé, ée** **1** Qu'on a déplacé. **2** Qui n'est pas opportun. **3** → **inconvenant, malséant.**

**déplafonner** v. tr. [1] Supprimer le plafond, la limite supérieure de (un crédit, une cotisation). ► **déplafonnement** n. m.

**déplaire** v. tr. indir. [54] *Déplaire à* **1** Ne pas plaire ; causer du dégoût, de l'aversion à. **2** Causer une irritation passagère à. → **contrarier, fâcher, indisposer. 3** loc. *Ne vous en déplaise :* que cela vous plaise ou non. ▷ v. pron. se **déplaire** Ne pas se plaire (à soi ; là où l'on est).

**déplaisant, ante** adj. **1** Qui ne plaît pas. **2** Qui contrarie, agace. → **désagréable.**

**déplaisir** n. m. Impression désagréable. → **contrariété, mécontentement.**

**déplâtrer** v. tr. [1] Ôter le plâtre de. ► **déplâtrage** n. m.

**déplétion** n. f. didact. Diminution de la quantité (de qqch.).

**dépliant, ante 1** n. m. Imprimé que l'on déplie pour le lire. **2** adj. Qui se déplie.

**déplier** v. tr. [7] Étendre (ce qui était plié). ▷ v. pron. se **déplier** ► **dépliage** n. m.

**déplisser** v. tr. [1] Défaire les plis de (une étoffe, un papier...). ► **déplissage** n. m.

**déploiement** n. m. **1** Action de déployer. **2** fig. Étalage, démonstration.

Ne pas oublier le *e* muet.

**déplorable** adj. **1** littér. Qui mérite d'être déploré. → **attristant, navrant. 2** Très regrettable. → **fâcheux. 3** Très mauvais. → **exécrable.** ► **déplorablement** adv.

**déplorer** v. tr. [1] **1** S'affliger à propos de (qqch.). *Déplorer la perte d'un ami.* → **pleurer. 2** Regretter beaucoup.

**déployer** v. tr. [8] **1** Développer dans toute son extension (une chose qui était pliée). *L'oiseau déploie ses ailes.* ♦ loc. *Rire à gorge déployée,* aux éclats. **2** Disposer sur une grande étendue. – pronom. *Le cortège se déploie.* **3** fig. Montrer dans toute son étendue. *Déployer toute son énergie.*

se **déplumer** v. pron. [1] Perdre ses plumes. ♦ fam. Perdre ses cheveux.

**dépoitraillé, ée** adj. fam. Qui porte un vêtement largement ouvert sur la poitrine.

**dépolir** v. tr. [2] Enlever le poli, l'éclat de. ▷ adj. **dépoli, ie** *Verre dépoli,* qui laisse passer la lumière mais non les images.

**dépolitiser** v. tr. [1] Ôter tout caractère politique à. ► **dépolitisation** n. f.

**dépolluer** v. tr. [1] Diminuer, supprimer la pollution de (un lieu). ► **dépollution** n. f.

**déponent, ente** adj. Se dit d'un verbe latin à forme passive et sens actif.

**déportation** n. f. **1** dr. (anciennt) Exil définitif d'un condamné. **2** Internement dans un camp de concentration à l'étranger. *La déportation des Juifs par les nazis.*

**déporté, ée** n. Personne qui a subi la déportation (spécialt, dans un camp nazi).

**déportement** n. m. (véhicule) Fait d'être déporté (II).

**déporter** v. tr. [1] **I** Infliger la déportation à (qqn). **II** Dévier de sa direction, de sa trajectoire.

**déposant, ante** n. **1** dr. Personne qui fait une déposition en justice. **2** Personne qui fait un dépôt d'argent.

**déposer** v. tr. [1] **I** Dépouiller (qqn) de l'autorité souveraine. → **destituer.** *Déposer un roi.* **II 1** Poser (une chose que l'on portait). **2** Laisser (qqn) quelque part, après l'y avoir conduit. **3** (sujet chose) Laisser (un dépôt). – pronom. *La poussière se dépose sur les meubles.* **4** Mettre (qqch.) en lieu sûr, en dépôt. ♦ Faire enregistrer. – au p. p. *Marque déposée.* ♦ dr. *Déposer une plainte en justice.* – *Déposer son bilan :* se déclarer en faillite. **5** intrans. Déclarer ce que l'on sait d'une affaire. → **témoigner.**

**dépositaire** n. **1** Personne à qui l'on confie un dépôt. – Commerçant qui a des marchandises en dépôt. **2** fig., littér. *Le, la dépositaire d'un secret.*

**déposition** n. f. Déclaration que fait sous la foi du serment la personne qui témoigne en justice. → **témoignage.**

**dépositoire** n. m. Lieu servant au dépôt des défunts, dans leur cercueil fermé.

**déposséder** v. tr. [6] Priver (qqn) de la possession (d'une chose). → **dépouiller.** ► **dépossession** n. f.

**dépôt** n. m. **1** Action de déposer ; spécialt de placer en lieu sûr. *Dépôt d'espèces. Mettre qqch. en dépôt.* ♦ *Dépôt légal :* remise à l'Administration d'exemplaires de toute publication. **2** Ce qui est confié au dépositaire. **3** Lieu où l'on dépose certaines choses, où l'on gare du matériel. ♦ Prison où sont gardés les prisonniers de passage. **4** Particules solides qui tombent au fond d'un liquide trouble au repos.

**dépoter** v. tr. [1] **1** techn. Transvaser (un liquide). **2** Enlever (une plante) d'un pot pour la replanter. ► **dépotage** n. m. **3** intrans. fam. Être efficace. *Ça dépote !*

**dépotoir** n. m. Lieu public où l'on dépose des ordures. → **décharge.**

**dépôt-vente** n. m. Magasin dans lequel des particuliers déposent ce qu'ils veulent vendre. *Des dépôts-ventes.*

**dépouille** n. f. **I 1** Peau enlevée à un animal. – Peau perdue lors de la mue. **2** littér. *Dépouille (mortelle).* → **cadavre. II** au plur. *Dépouilles :* ce qu'on enlève à l'ennemi sur le champ de bataille. → **trophée.**

**dépouillement** n. m. **1** État d'une personne privée de tout. → **dénuement. 2** (choses) Fait d'être débarrassé du superflu, des ornements. **3** Examen minutieux (de documents). *Le dépouillement d'un scrutin.*

**dépouiller** v. tr. [1] **I 1** Enlever la peau de (un animal). **2** Dégarnir (qqn, qqch.) de ce qui couvre. **3** Déposséder (qqn) en lui enlevant ce qu'il a. **4** Analyser, examiner (un document). **II** littér. **1** Ôter (ce qui couvre). *Dépouiller ses vêtements.* **2** fig. Renoncer à. *Dépouiller tout orgueil.* ▷ v. pron. se **dépouiller** (de) **1** Ôter. ♦ Perdre. **2** Se défaire (de), abandonner. ▷ adj. **dépouillé, ée** Sans ornement. → **sobre.**

**dépourvu, ue** adj. **1** *Dépourvu de :* qui n'a pas de. → **sans ; dénué** de. **2** loc. adv. *Au dépourvu :* sans qu'on soit averti. → à l'**improviste.** *Votre question me prend au dépourvu.*

**dépoussiérer** v. tr. [6] **1** Débarrasser de sa poussière par des moyens mécaniques. **2** fig. Rajeunir, rénover. ► **dépoussiérage** n. m.

**dépraver** v. tr. [1] **1** Amener (qqn) à désirer le mal, à s'y complaire. → **corrompre, pervertir. 2** littér. Altérer. *Dépraver le jugement.* ▷ adj. et n. **dépravé, ée** ► **dépravation** n. f.

**déprécier** v. tr. [7] **1** Diminuer la valeur, le prix de. **2** fig. Ne pas apprécier à sa valeur réelle ; chercher à déconsidérer. → **dénigrer.** ▷ v. pron. se **déprécier 1** Perdre de sa valeur. *Monnaie qui se déprécie.* **2** fig. → se **dévaloriser.** ► **dépréciation** n. f. ► **dépréciatif, ive** adj. didact. → **péjoratif.**

**déprédation** n. f. Dommage matériel causé aux biens d'autrui, aux biens publics.

**se déprendre** v. pron. [58] littér. (abstrait) Se dégager (de ce qui retient, immobilise).

**dépressif, ive 1** adj. Relatif à la dépression (II). **2** adj. et n. Sujet à la dépression.

**dépression** n. f. **I 1** Enfoncement, concavité. → **creux.** *Dépression de terrain.* **2** Baisse de la pression atmosphérique ; zone de basse pression. ► **dépressionnaire** adj. **II** État mental caractérisé par de la lassitude, du découragement, de la faiblesse, de l'anxiété. **III** anglic. Crise économique.

**dépressuriser** v. tr. [1] Faire perdre sa pressurisation à. ► **dépressurisation** n. f.

**déprime** n. f. fam. Dépression (II).

**déprimer** v. [1] **I** v. tr. **1** (concret) Abaisser, incurver par une pression. **2** Affaiblir, abattre (qqn). **II** v. intr. fam. Être abattu, démoralisé. ▷ adj. **déprimé, ée** ► **déprimant, ante** adj.

**de profundis** [depʀɔfɔ̃dis] n. m. invar. Psaume des prières pour les morts.

**déprogrammer** v. tr. [1] Supprimer d'un programme. ► **déprogrammation** n. f.

**dépuceler** v. tr. [4] fam. Faire perdre sa virginité, son pucelage à (qqn). → **déflorer.** ► **dépucelage** n. m.

**depuis** prép. À partir de. **I** (temps) **1** À partir de (un moment passé). *Depuis hier.* – adv. *Nous ne l'avons plus vu depuis.* – loc. conj. *Depuis que* (+ indic.). **2** Pendant la durée (passée) écoulée. *Depuis longtemps.* **II** (espace) **1** *Depuis... jusqu'à :* de tel endroit à tel autre. **2** (provenance) *Depuis la fenêtre, il observait la rue.* **III** *Depuis... jusqu'à :* exprime une succession dans une série.

**dépuratif, ive** adj. et n. m. (Produit) qui purifie l'organisme, en favorisant l'élimination.

**dépurer** v. tr. [1] didact. Rendre plus pur. → **épurer, purifier.** ► **dépuration** n. f.

**députation** n. f. **1** Envoi de personnes chargées d'une mission ; ces personnes. → **délégation. 2** Fonction de député.

**député, ée** n. **1** Personne envoyée en mission. **2** Personne qui fait partie d'une assemblée délibérante. → **représentant.** – Personne élue à une chambre législative. → **élu, parlementaire.**

**députer** v. tr. [1] Envoyer (qqn) comme député (1). → **déléguer, mandater.**

**déqualifier** v. tr. [7] **1** Employer (qqn) à un niveau de qualification inférieur au sien. → **sous-employer. 2** dr. Donner à (une information) une qualification inférieure. ► **déqualification** n. f.

**déraciner** v. tr. [1] **1** Arracher (ce qui a des racines). **2** fig. Arracher (qqn) de son pays, de son milieu. ► **déracinement** n. m.

**dérailler** v. intr. [1] **1** (wagon, train) Sortir des rails. **2** fig., fam. S'écarter du bon sens. → **déraisonner.** ► **déraillement** n. m.

**dérailleur** n. m. Mécanisme qui fait changer de pignon à la chaîne d'une bicyclette.

**déraison** n. f. littér. Manque de raison (dans les paroles, la conduite).

**déraisonnable** adj. Qui n'est pas raisonnable. → **absurde, insensé.** *Conduite déraisonnable.* ► **déraisonnablement** adv.

**déraisonner** v. intr. [1] littér. Tenir des propos dépourvus de raison. → **divaguer.**

**dérangement** n. m. **1** Mise en désordre. **2** Fait de déranger qqn. → **gêne, trouble. 3** *En dérangement :* qui ne fonctionne pas.

**déranger** v. tr. [3] **1** Déplacer, mettre en désordre (ce qui était rangé). **2** Troubler le fonctionnement de (qqch.). – au p. p. *Avoir l'estomac dérangé.* **3** Gêner (qqn) dans ses occupations. → **importuner.** ▷ v. pron. se **déranger** Modifier ses occupations.

**déraper** v. intr. [1] **1** Glisser latéralement sur le sol (automobile...). **2** fig. Effectuer un écart incontrôlé. *La conversation a dérapé.* ► **dérapage** n. m.

**dératé** n. m. loc. *Courir comme un dératé,* très vite.

**dératiser** v. tr. [1] Débarrasser (un lieu) des rats. ► **dératisation** n. f.

**derby** n. m. **1** Course de chevaux annuelle qui a lieu à Epsom, en Angleterre. **2** sports Rencontre entre deux équipes voisines.

**derche** n. m. argot Derrière. – loc. *Faux derche :* hypocrite (→ faux cul).

**derechef** [dəʀəʃɛf] adv. littér. Une seconde fois ; encore une fois.

**dérèglement** n. m. Fait de se dérégler.

**déréglementer** v. tr. [1] Soustraire à la réglementation. ► **déréglementation** n. f.

**dérégler** v. tr. [6] **1** Faire que (qqch.) ne soit plus réglé ; mettre en désordre. – pronom. *Le mécanisme s'est déréglé.* **2** fig. Troubler l'ordre moral de. ▷ adj. **déréglé, ée 1** *Pendule déréglée.* – *Estomac déréglé.* **2** fig. Qui est hors de l'équilibre. *Vie déréglée.* **3** Excessif, démesuré.

**déréliction** n. f. relig. État d'une personne qui se sent abandonnée, privée de secours.

**déremboursement** n. m. admin. (en France) Arrêt du remboursement (d'un médicament) par la Sécurité sociale. ► **dérembourser** v. tr. [1]

**déresponsabiliser** v. tr. [1] Ôter toute responsabilité à (qqn). ► **déresponsabilisation** n. f.

**dérider** v. tr. [1] Rendre moins soucieux, moins triste. → **égayer.** ▷ v. pron. se **dérider** Cesser d'être tendu ; sourire, rire.

**dérision** n. f. Mépris qui incite à rire, à se moquer de (qqn, qqch.). → **ironie, moquerie, raillerie.**

**dérisoire** adj. **1** Très faible, insignifiant. **2** (personnes) Qui paraît ridicule par son insignifiance. *Un rival dérisoire.*

**dérivatif** n. m. Ce qui permet de se distraire de ses préoccupations. → **distraction.**

**dérivation** n. f. **1** Action de dériver (les eaux). **2** ling. Formation de mots à partir d'une base et d'affixes*. *«Saison» donne «saisonnier» par dérivation.* **3** électr. Communication entre deux points d'un circuit, au moyen d'un second conducteur.

**dérive** n. f. **I** Déviation d'un navire, d'un avion, sous l'effet des vents ou des courants. - loc. *À la dérive :* en dérivant. ♦ fig. *La dérive d'un adolescent.* **II** Dispositif qui empêche un navire, un avion de dériver.

**dérivé** n. m. **1** Mot qui provient d'une dérivation. **2** Produit dérivé (d'un autre). *Les dérivés de la houille.*

**dérivée** n. f. math. Limite du rapport de l'accroissement d'une fonction à celui de la variable lorsqu'il tend vers zéro.

① **dériver** v. [1] **I** v.tr. Détourner (des eaux) de leur cours. **II** v. tr. ind. *Dériver de :* avoir son origine dans. → **provenir** de. - au p. p. *Produit dérivé,* d'une autre nature que le produit original, et exploitant sa marque.

② **dériver** v. intr. [1] **1** S'écarter de sa direction (navire...). - fig. *Une politique qui dérive.* **2** Être sans volonté, sans énergie.

**dériveur** n. m. Voilier muni d'une dérive.

**dermatologie** n. f. Partie de la médecine qui a trait aux maladies de la peau. ► **dermatologique** adj. ► **dermatologue** n.

**dermatose** n. f. méd. Maladie de la peau.

**derme** n. m. Couche profonde de la peau, recouverte par l'épiderme. ► **dermique** adj.

**dernier, ière** adj. **I 1** adj. (avant le n.) Qui vient après tous les autres (s'oppose à *premier*). *Le dernier mois de l'année. - Faire un dernier effort.* → **ultime.** *Avoir le dernier mot*.* ♦ (attribut) *Il est arrivé bon dernier.* **2** n. *Le dernier de la famille ; le petit dernier.* → **benjamin. 3** loc. adv. *En dernier :* à la fin, après tous les autres. **II** Extrême. **1** Le plus haut, le plus grand. *Au dernier degré.* **2** Le plus bas, le pire... *C'est mon dernier prix* (dans un marchandage). **III** Qui est le plus proche du moment présent. → **récent.** *L'an dernier.* - (n. f.) fam. *Tu connais la dernière ?,* l'événement qui vient de se produire.

**dernièrement** adv. Ces derniers temps. → **récemment.**

**dernier-né, dernière-née** n. Enfant qui, dans une famille, est né le dernier. → **benjamin.** *Les derniers-nés, les dernières-nées.*

**dérobade** n. f. Action de se dérober. → **échappatoire, faux-fuyant.**

à la **dérobée** loc. adv. En cachette.

**dérober** v. tr. [1] **1** littér. Prendre furtivement (ce qui appartient à autrui). → **subtiliser, voler. 2** fig. Obtenir (qqch.) par des moyens peu honnêtes. → **extorquer. 3** (sujet chose) Masquer, dissimuler. **4** littér. Cacher ou éloigner. *Dérober son regard.* ▷ v. pron. se **dérober 1** *Se dérober à.* → se **soustraire** à. **2** Éviter de répondre, d'agir. **3** S'écarter de qqn. ♦ spécialt (cheval) Faire un écart pour éviter l'obstacle. **4** (sujet chose) *Se dérober sous,* s'effondrer. ▷ adj. **dérobé, ée** *Escalier dérobé, porte dérobée,* qui permet de sortir ou d'entrer sans être vu. → **secret.**

**dérogation** n. f. **1** Fait de déroger (à une loi...). **2** Autorisation spéciale, dispense.

**dérogatoire** adj. Qui contient, qui constitue une dérogation.

**déroger** v. tr. ind. [3] *Déroger à* **1** dr. Ne pas observer, ne pas appliquer (une loi...). *Déroger à la loi.* → **enfreindre. 2** littér. Manquer à (sa situation sociale, ses principes).

**dérouillée** n. f. fam. Volée de coups.

**dérouiller** v. tr. [1] fam. **1** Exercer, dégourdir. *Se dérouiller les jambes.* **2** Battre. ♦ intrans. Être battu ; souffrir.

**déroulé** n. m. Succession des étapes (d'un événement, d'un processus). → **déroulement, enchaînement.**

**dérouler** v. tr. [1] **1** Défaire, étendre (ce qui était roulé). **2** fig. Montrer, développer successivement. ▷ v. pron. se **dérouler 1** *Store qui se déroule.* **2** Avoir lieu (à tel endroit, à tel moment). → se **passer.** ► **déroulement** n. m.

**dérouleur** n. m. Dispositif pour l'enroulement et le déroulement d'une bande.

**déroute** n. f. **1** Fuite désordonnée de troupes. → **débâcle, débandade. 2** Échec, défaite.

**dérouter** v. tr. [1] **1** Faire changer d'itinéraire, de destination (un navire, un avion). **2** fig. Déconcerter, démonter (qqn). ► **déroutant, ante** adj.

**derrick** n. m. anglic. Bâti métallique qui supporte le trépan servant à forer les puits de pétrole.

① **derrière** Du côté opposé au visage, à la face, au côté visible. **I** prép. **1** En arrière, au dos de. *Derrière le mur.* - loc. prép. *De derrière, par-derrière.* **2** À la suite de. *Marcher l'un derrière l'autre.* **II** adv. **1** Du côté opposé à la face, à l'endroit ; en arrière. *Il est resté derrière.* **2** loc. adv. *Par-derrière :* par l'arrière.

② **derrière** n. m. **1** Le côté opposé au *devant,* la partie postérieure. → **arrière.** **2** Partie du corps qui comprend les fesses. → **arrière-train, postérieur.**

**derviche** n. m. Religieux musulman appartenant à une confrérie mystique. *Les derviches tourneurs* (turcs), qui tournent sur eux-mêmes (danse rituelle).

① **des** → ① et ② **de**

② **des** art. indéf. Pluriel de *un, une. Un livre, des livres.* – REM. *Des* est remplacé par *de* devant un adjectif (*il a de bonnes idées ;* [élidé] *il m'a fait d'amers reproches*) sauf si l'adjectif fait corps avec le nom *(des petits fours).*

**dès** prép. **I** (temps) **1** Immédiatement, à partir de. *Être debout dès l'aube.* **2** loc. adv. *Dès lors :* dès ce moment, aussitôt ; fig. en conséquence. ♦ loc. conj. *Dès lors que* (+ indic.) : dès l'instant où ; fig. étant donné que, puisque. **3** loc. conj. *Dès que* (+ indic.) : aussitôt que. **II** (lieu) À partir de, depuis.

**désabonner** v. tr. [1] Faire cesser d'être abonné. ▷ v. pron. se **désabonner** ► **désabonnement** n. m.

**désabuser** v. tr. [1] littér. Tirer (qqn) de l'erreur, de l'illusion qui l'abuse. ▷ adj. **désabusé, ée** cour. Qui a perdu ses illusions.

**désaccord** n. m. **1** Fait de n'être pas d'accord ; état de personnes qui s'opposent. → **différend, mésentente.** **2** (choses) Fait de ne pas aller ensemble.

**désaccorder** v. tr. [1] **1** Détruire l'accord de (un instrument). **2** Rompre l'accord, l'harmonie de. ▷ adj. **désaccordé, ée**

**désaccoutumer** v. tr. [1] littér. Faire perdre une habitude (à qqn). ▷ v. pron. se **désaccoutumer** ► **désaccoutumance** n. f.

**désacraliser** [-s-] v. tr. [1] didact. Retirer son caractère sacré à (qqch., qqn). ► **désacralisation** n. f.

**désaffecter** v. tr. [1] Faire cesser, changer l'affectation de (un édifice). ▷ adj. **désaffecté, ée** Qui a perdu sa destination première. ► **désaffectation** n. f.

**désaffection** n. f. Perte de l'attachement que l'on éprouvait. → **détachement.**

**désagréable** adj. **1** Qui se conduit de manière à choquer, blesser. **2** (choses) Qui déplaît. → **pénible.** ► **désagréablement** adv.

**désagréger** v. tr. [3] et [6] Décomposer (qqch.) en séparant les parties liées. ▷ v. pron. se **désagréger** ► **désagrégation** n. f.

**désagrément** n. m. Déplaisir causé par qqch. de désagréable ; sujet de contrariété.

**désaltérer** v. tr. [6] Apaiser la soif de. ▷ v. pron. se **désaltérer** → **boire.** ► **désaltérant, ante** adj.

**désamianter** v. tr. [1] Débarrasser (un lieu) de l'amiante qu'il contient. ► **désamiantage** n. m. → **déflocage.**

**désamorcer** v. tr. [3] **1** Enlever l'amorce de. **2** Interrompre le fonctionnement de (une pompe...). **3** fig. Empêcher le déclenchement de. *Désamorcer un conflit.* ► **désamorçage** n. m.

**désamour** n. m. littér. Fin de l'amour.

**désappointer** v. tr. [1] Tromper (qqn) dans son attente, dans ses espérances. → **décevoir.** ▷ adj. **désappointé, ée** ► **désappointement** n. m. → **déception, déconvenue.**

**désapprendre** v. tr. [58] littér. Oublier (ce qu'on a appris).

**désapprobateur, trice** adj. Qui marque la désapprobation.

**désapprobation** n. f. Action de désapprouver. → **réprobation.**

**désapprouver** v. tr. [1] Juger d'une manière défavorable. → **blâmer, réprouver.**

**désarçonner** v. tr. [1] **1** Mettre (qqn) hors des arçons, jeter à bas de la selle. **2** fig. Faire perdre son assurance à. → **déconcerter.**

**désarmant, ante** adj. Qui enlève toute sévérité ou laisse sans défense.

**désarmement** n. m. Action de désarmer ; spécialt réduction ou suppression des armements. *Désarmement nucléaire.*

**désarmer** v. tr. [1] **I 1** Enlever ses armes à (qqn). **2** Limiter ou supprimer les armements militaires de (un pays...). **3** mar. *Désarmer un navire,* en retirer le matériel et l'équipage. **II** fig. **1** Rendre moins sévère, pousser à l'indulgence. *Sa candeur me désarme.* **2** intrans. Céder (sentiment hostile, violent). *Sa colère ne désarme pas.*

**désarroi** n. m. Trouble moral, détresse.

**désarticuler** v. tr. [1] **1** Faire sortir (un os) de son articulation. **2** fig. Démonter, disloquer ; défaire. ► **désarticulation** n. f.

**désassortir** v. tr. [2] Priver (un ensemble de choses assorties) d'une partie de ses éléments. ▷ adj. **désassorti, ie**

**désastre** n. m. **1** Malheur très grave ; ruine qui en résulte. → **calamité, cataclysme, catastrophe.** **2** Échec entraînant de graves conséquences. *Nous courons au désastre.*

**désastreux, euse** adj. Malheureux, mauvais ; fâcheux. ► **désastreusement** adv.

**désavantage** n. m. Condition d'infériorité ; élément négatif. → **inconvénient.** *Tourner au désavantage de qqn.* → **détriment.**

**désavantager** v. tr. [3] Faire subir un désavantage à (qqn). → **handicaper.**

**désavantageux, euse** adj. Qui cause ou peut causer un désavantage. ► **désavantageusement** adv.

**désaveu** n. m. Fait de désavouer.

**désavouer** v. tr. 1 **1** Refuser de reconnaître pour sien. → **renier.** **2** Blâmer.

**désaxer** v. tr. 1 **1** Faire sortir de l'axe. **2** fig. Faire sortir (qqn) de l'état normal, habituel. ▷ adj. **désaxé, ée** **1** *Roue désaxée.* **2** adj. et n. → **déséquilibré.**

**desceller** v. tr. 1 Détacher, arracher (ce qui est scellé). ► **descellement** n. m.

> Ne pas confondre avec *desseller* «ôter la selle».

**descendance** n. f. Ensemble des descendants de qqn.

**descendant, ante** **I** n. Personne qui est issue d'un ancêtre. **II** adj. Qui descend.

**descendre** v. 41 **I** v. intr. (auxiliaire *être*) **1** Aller du haut vers le bas. *Il est descendu à pied.* **2** Aller vers le sud. **3** Loger, au cours d'un voyage. **4** *Descendre de :* cesser d'être sur, dans ; sortir de. *Descendre de voiture.* **5** Faire irruption (→ **descente** (I, 2)). **6** (abstrait) Aller vers ce qui est considéré comme plus bas ou plus profond. **II** (choses) **1** Aller de haut en bas. *Le soleil descend sur l'horizon.* ♦ *La nuit descend.* → **tomber.** **2** S'étendre de haut en bas. *Robe qui descend à la cheville.* **3** Diminuer de niveau. → **baisser.** *La marée descend.* **III** fig. (personnes) *Descendre de :* tenir son origine, être issu de (→ **descendance**). **IV** v. tr. (auxiliaire *avoir*) **1** Aller en bas, vers le bas de. **2** Porter de haut en bas. ♦ fam. Avaler, boire. **3** fam. Faire tomber ; abattre. *Se faire descendre.* → **tuer.** – loc. *Descendre* (qqn, qqch.) *en flammes :* critiquer violemment.

**descente** n. f. **I** **1** Action de descendre, d'aller d'un lieu élevé vers un autre plus bas. **2** Vive attaque (militaire...) dans le camp adverse. ♦ Irruption soudaine (en vue d'un contrôle...). *Descente de police.* **3** (choses) Déplacement de haut en bas. **II** Action de porter en bas. – *Descente de croix :* représentation de Jésus-Christ qu'on détache de la croix. **III** **1** Chemin par lequel on descend. *Freiner dans les descentes.* **2** *Descente de lit :* petit tapis placé le long du lit. **3** fam. *Avoir une bonne descente :* boire beaucoup.

**déscolarisé, ée** adj. Dont la scolarité se trouve interrompue ou empêchée. *Des enfants déscolarisés.* ► **déscolarisation** n. f.

**descriptif, ive** adj. **1** Qui décrit, s'attache à décrire. **2** n. m. Document (plans, schémas...) qui décrit précisément qqch.

**description** n. f. **1** Action de décrire. **2** dans une œuvre littéraire Passage qui évoque la réalité concrète. *Description vivante.*

**désembouteiller** v. tr. 1 Faire cesser d'être embouteillé.

**désembuer** v. tr. 1 Débarrasser (une vitre, etc.) de la buée. ► **désembuage** n. m.

**désemparé, ée** adj. Qui ne sait plus où il en est, qui ne sait plus que dire, que faire. → **déconcerté, décontenancé.**

**désemparer** v. intr. 1 loc. littér. *Sans désemparer :* sans faiblir.

**désemplir** v. intr. 2 (forme négative) *Ne pas désemplir :* être constamment plein.

**désenchanter** v. tr. 1 Faire revenir (qqn) de ses illusions. ▷ adj. **désenchanté, ée** → **blasé, déçu.** ► **désenchantement** n. m.

**désenclaver** v. tr. 1 Faire cesser d'être enclavé ; rompre l'isolement de (une région...).

**désencombrer** v. tr. 1 Faire cesser d'être encombré. ► **désencombrement** n. m.

**désenfler** v. intr. 1 Cesser d'être enflé.

**désenfumer** v. tr. 1 Chasser la fumée de (un lieu). ► **désenfumage** n. m.

**désengager** v. tr. 3 Faire cesser d'être engagé ; libérer d'un engagement. ▷ v. pron. se **désengager** ► **désengagement** n. m.

**désengorger** v. tr. 3 Faire cesser d'être engorgé. ► **désengorgement** n. m.

**désenivrer** [dezɑ̃nivʀe] v. tr. 1 littér. Mettre fin à l'ivresse de (qqn).

**désennuyer** [-ɑ̃nɥi-] v. tr. 8 Faire cesser l'ennui de (qqn). ▷ v. pron. se **désennuyer**

**désensabler** v. tr. 1 Dégager (ce qui était ensablé).

**désensibiliser** [des-] v. tr. 1 **1** méd. Diminuer la sensibilité à l'égard de certaines substances. ♦ *Désensibiliser une dent.* → **dévitaliser.** **2** Rendre (qqn) moins sensible à qqch. ► **désensibilisation** n. f.

**désépaissir** v. tr. 2 Rendre moins épais.

**déséquilibre** n. m. **1** Absence d'équilibre. → **instabilité.** – méd. Trouble de l'équilibre ; trouble de la régulation. **2** État psychique qui se manifeste par des difficultés d'adaptation, des changements d'attitude...

**déséquilibré, ée** adj. et n. (Personne) qui n'a pas ou n'a plus son équilibre mental.

**déséquilibrer** v. tr. 1 **1** Faire perdre l'équilibre à (qqch., qqn). **2** Causer un déséquilibre chez (qqn).

① **désert, erte** adj. **1** Sans habitants. – Peu fréquenté. *Plage déserte.* **2** Privé de ses occupants. → **vide.** *Rue déserte.*

② **désert** n. m. Zone aride et peu habitée. ♦ loc. *Prêcher, parler dans le désert,* sans être entendu.

**déserter** v. tr. 1 **1** Abandonner (un lieu où l'on doit être, etc.). *Déserter son poste.* **2** sans compl. Quitter l'armée sans permission. **3** fig. Renier, trahir. ► **désertion** n. f.

**déserteur** n. m. Soldat qui a déserté.

se **désertifier** v. pron. 7 **1** Se transformer en désert (par le climat...). **2** fig. Se dépeupler. ► **désertification** n. f.

**désertique** adj. **1** Relatif au désert. **2** Vide ; inhabité. *Quartier désertique.*

**désescalade** n. f. Retour au calme après une escalade* (domaine militaire, etc.).

**désespérance** n. f. littér. État d'une personne qui n'a aucune espérance. → **désespoir.**

**désespérant, ante** adj. Qui fait perdre espoir, qui lasse. → **décourageant.**

**désespéré, ée** adj. **1** Réduit au désespoir. – n. *Un désespéré.* **2** Qui exprime le désespoir. *Regard désespéré.* **3** Extrême ; dicté par le danger. *Tentative désespérée.* **4** Qui ne laisse aucune espérance.

**désespérément** adv. **1** Avec désespoir. ♦ Absolument, dans la tristesse. *Être désespérément seul.* **2** Avec acharnement.

**désespérer** v. [6] **I 1** v. tr. ind. (avec *de*) Perdre l'espoir en. – littér. *Désespérer que* (+ subj.). **2** v. intr. Cesser d'espérer. **II** v. tr. Réduire au désespoir. ♦ par exagér. Désoler, navrer. ▷ v. pron. se **désespérer**

**désespoir** n. m. **1** Perte de tout espoir. – loc. *L'énergie du désespoir :* la force déployée lorsque tout est perdu. **2** Affliction extrême. → **détresse. 3** par exagér. Ce qui cause une grande contrariété. *Faire le désespoir de qqn.* – *Être au désespoir :* regretter vivement. **4** *En désespoir de cause* loc. adv. : comme dernière tentative et sans grand espoir de succès.

**déshabillé** n. m. Léger vêtement d'intérieur féminin.

**déshabiller** v. tr. [1] Dépouiller (qqn) de ses vêtements. ▷ v. pron. se **déshabiller** ► **déshabillage** n. m.

**déshabituer** v. tr. [1] Faire perdre une habitude à (qqn). → **désaccoutumer.** ▷ v. pron. se **déshabituer** *Se déshabituer de fumer.*

**désherbant, ante** adj. et n. m. (Produit) qui détruit les mauvaises herbes.

**désherber** v. tr. [1] Enlever les mauvaises herbes de. → **sarcler.** ► **désherbage** n. m.

**déshérence** n. f. dr. Absence d'héritiers pour recueillir une succession qui est en conséquence dévolue à l'État.

**déshériter** v. tr. [1] **1** Priver (qqn) de l'héritage auquel il a droit. **2** fig. Priver (qqn) des avantages naturels. → **désavantager.** *La nature l'a déshérité.* ▷ adj. **déshérité, ée 1** Privé d'héritage. **2** fig. Défavorisé.

**déshonnête** adj. littér. Contraire à la pudeur. → **inconvenant.**

**déshonneur** n. m. Perte de l'honneur.

**déshonorer** v. tr. [1] **1** Porter atteinte à l'honneur de (qqn). → **avilir. 2** vieilli Abuser de, séduire (une femme). ▷ v. pron. se **déshonorer** ► **déshonorant, ante** adj.

**déshumaniser** v. tr. [1] Faire perdre le caractère humain à. ▷ adj. **déshumanisé, ée**

**déshydratant, ante** adj. Qui déshydrate.

**déshydrater** v. tr. [1] Enlever l'eau de. → **dessécher ; lyophiliser.** ▷ v. pron. se **déshydrater** Perdre l'eau nécessaire à l'organisme. ▷ adj. **déshydraté, ée 1** *Organisme déshydraté.* **2** fam. Assoiffé. ► **déshydratation** n. f

**desiderata** [dezideʀata] n. m. pl. Choses souhaitées.

**design** [dizajn ; dezajn] n. m. anglic. Esthétique industrielle appliquée à la recherche de formes nouvelles et adaptées à leur fonction. ♦ adj. invar. D'une esthétique fonctionnelle. ► **designer** [-œʀ] n. – recomm. off. *stylicien, ienne.*

**désignation** n. f. **1** Action de désigner ; appellation. **2** Action de choisir, d'élire (qqn).

**désigner** v. tr. [1] **I 1** Indiquer de manière à faire distinguer, par un geste, une marque, un signe. **2** *Désigner qqn à,* le signaler à. *Son talent l'a désigné à l'attention du jury.* **3** Être le signe linguistique de. → **représenter.** *Tout ce que désigne le mot « amour ».* **II 1** Choisir (qqn) pour une activité, un rôle... **2** (sujet chose) → **destiner** à. *Ses qualités le désignent pour ce rôle.*

**désillusion** n. f. Perte d'une illusion.

**désillusionner** v. tr. [1] Faire perdre une illusion à. → **décevoir, désappointer.**

**désimlocker** [-s-] v. tr. [1] Débloquer (un téléphone mobile verrouillé par un opérateur). ► **désimlockage** n. m.

**désincarcération** n. f. Dégagement d'une personne bloquée à l'intérieur d'un véhicule accidenté. ► **désincarcérer** v. tr. [6]

**désincarné, ée** adj. Qui néglige les choses charnelles (souvent iron.).

**désindustrialiser** v. tr. [1] Réduire les activités industrielles de (un secteur économique, une région). – pronom. *Région qui se désindustrialise.* ► **désindustrialisation** n. f.

**désinence** n. f. Élément variable qui s'ajoute au radical d'un mot pour produire les formes des conjugaisons, des déclinaisons. → **flexion, terminaison.**

**désinfecter** v. tr. [1] Procéder à la désinfection de. → **assainir, purifier.** ► **désinfectant, ante** adj. et n. m.

**désinfection** n. f. Destruction des germes infectieux, notamment à la surface du corps. → **antisepsie, asepsie, stérilisation.**

**désinformer** v. tr. [1] Informer de manière à cacher ou falsifier certains faits. ► **désinformation** n. f.

**désinhiber** v. tr. [1] Lever l'inhibition de (qqn). → **décomplexer.** ► **désinhibiteur, trice** adj. *L'effet désinhibiteur de l'alcool.* ► **désinhibition** n. f.

**désinsectiser** v. tr. [1] Supprimer les insectes de. ► **désinsectisation** n. f.

**désinstaller** v. tr. [1] inform. Ôter (un logiciel) d'un ordinateur. ► **désinstallation** n. f.

**désintégrer** v. tr. [6] 1 phys. Transformer (la matière) en énergie. 2 abstrait Détruire complètement. ▷ v. pron. se **désintégrer** ► **désintégration** n. f.

**désintéressé, ée** adj. Qui n'agit pas par intérêt personnel. → **altruiste.** – *Avis désintéressé.* ► **désintéressement** n. m.

se **désintéresser** v. pron. [1] (avec *de*) Ne plus porter intérêt à. → **négliger.**

**désintérêt** n. m. littér. État de l'esprit qui se désintéresse de qqch. → **indifférence.**

**désintoxiquer** v. tr. [1] Guérir (qqn) d'une intoxication, de l'habitude d'une drogue... ▷ v. pron. se **désintoxiquer** ► **désintoxication** n. f.

**désinvolte** adj. Qui fait montre d'une liberté un peu insolente, d'une légèreté excessive. → **sans-gêne.** ► **désinvolture** n. f.

**désir** n. m. 1 Tendance qui porte à vouloir obtenir un objet connu ou imaginé. → **aspiration, envie ; souhait, vœu.** 2 Tendance consciente aux plaisirs sexuels.

**désirable** adj. 1 Attrayant ; souhaitable. 2 Qui inspire un désir charnel.

**désirer** v. tr. [1] 1 Tendre consciemment vers (ce que l'on aimerait posséder) ; éprouver le désir de. → **souhaiter, vouloir.** 2 *Laisser à désirer* : être imparfait. 3 *Se faire désirer* : se faire attendre (souvent iron.). 4 Éprouver du désir (2) pour (qqn).

**désireux, euse** adj. *Désireux de* (+ inf.) : qui veut, a envie de. *Désireux de plaire.*

se **désister** v. pron. [1] Renoncer à une candidature ; se retirer d'une élection. *Se désister en faveur de qqn.* ► **désistement** n. m.

**désobéir** v. tr. ind. [2] *Désobéir à* 1 Ne pas obéir à (qqn), en refusant de faire ce qu'il commande ou en faisant ce qu'il défend. 2 (compl. chose) → **contrevenir ; enfreindre, transgresser.** *Désobéir à la loi.* ► **désobéissance** n. f. ► **désobéissant, ante** adj.

**désobliger** v. tr. [3] littér. Indisposer (qqn) par des actions ou des paroles désagréables. ► **désobligeance** n. f. littér. ► **désobligeant, ante** adj. → **désagréable.**

**désodoriser** v. tr. [1] Débarrasser des mauvaises odeurs, au moyen d'un produit. ► **désodorisant, ante** adj. et n. m.

**désœuvré, ée** adj. Qui ne fait rien et ne cherche pas à s'occuper. → **inactif, oisif.** ► **désœuvrement** n. m.

**désolant, ante** adj. 1 littér. Qui désole. → **affligeant.** 2 cour. Contrariant, ennuyeux.

**désolation** n. f. 1 État de ce qui est désolé (1). 2 Extrême affliction. → **détresse.**

**désoler** v. tr. [1] 1 littér. Ruiner, dévaster. 2 Causer une affliction extrême à (qqn). → **affliger, consterner.** ▷ adj. **désolé, ée** 1 Désert et triste. 2 Affligé, éploré. *Avoir l'air désolé.* 3 par exagér. *Être désolé* : regretter.

se **désolidariser** [des-] v. pron. [1] Cesser d'être solidaire (de).

**désopilant, ante** adj. Qui fait rire.

**désordonné, ée** adj. 1 Mal réglé, sans ordre. *Gestes désordonnés.* 2 Qui manque d'ordre, ne range pas ses affaires. 3 littér. → **déréglé, dissolu.** *Vie désordonnée.*

**désordre** n. m. 1 Absence d'ordre. *Chambre en désordre.* 2 Trouble dans un fonctionnement. *Désordre hormonal.* 3 littér. Fait de ne pas respecter les règles, la morale ; débauche. 4 Absence d'ordre ou rupture de l'ordre dans un groupe. → **anarchie.** 5 au plur. Troubles sociaux. → **agitation.**

**désorganiser** v. tr. [1] Détruire l'organisation de. ► **désorganisation** n. f.

**désorienter** v. tr. [1] 1 Faire perdre la bonne direction à. 2 Rendre hésitant sur le comportement à avoir. → **déconcerter, troubler.** ▷ adj. **désorienté, ée** ► **désorientation** n. f.

**désormais** adv. À partir du moment actuel. → **dorénavant.**

**désosser** v. tr. [1] Ôter l'os, les os de.

**désoxyribonucléique** adj. biol. *Acide désoxyribonucléique.* → **A. D. N.**

**desperado** [dɛspeʀado] n. m. Hors-la-loi prêt à tout.

**despote** n. m. 1 Souverain qui gouverne avec une autorité arbitraire et absolue. → **tyran ; dictateur.** – *Despote éclairé* (→ **despotisme** éclairé). 2 fig. *Ce directeur est un despote.* ► **despotique** adj.

**despotisme** n. m. Pouvoir absolu du despote. – Dictature, tyrannie. ♦ hist. *Despotisme éclairé* : doctrine des philosophes du XVIIIe siècle, selon laquelle le souverain doit gouverner selon les lumières de la raison.

se **desquamer** [-kwa-] v. pron. [1] (peau) Se détacher par petites lamelles (squames). ► **desquamation** n. f.

**desquels, desquelles** → **lequel**

**dessaisir** v. tr. [2] *Dessaisir qqn de,* enlever son bien, ses responsabilités. dr. *Dessaisir un tribunal d'une affaire.* ▷ v. pron. se **dessaisir** (de) Se défaire volontairement (de). ► **dessaisissement** n. m. dr.

**dessaler** v. [1] I v. tr. 1 Rendre moins salé. 2 fam. Rendre plus déluré. II v. intr. fam. Se renverser, chavirer (bateau).

**dessécher** v. tr. [6] 1 Rendre sec (ce qui contient de l'eau). → **déshydrater.** *Le froid dessèche les lèvres.* 2 Rendre insensible. → **endurcir ; appauvrir.** ▷ v. pron. se **dessécher** ► **dessèchement** n. m.

**dessein** n. m. Idée que l'on forme d'exécuter qqch. → **but, intention, projet.** ♦ *Dans le dessein de* (+ inf.) : dans l'intention de. ♦ *À dessein* : délibérément. → **exprès.**

Ne pas confondre avec *dessin* «croquis».

**desseller** v. tr. [1] Ôter la selle de.

Ne pas confondre avec *desceller* «détacher».

**desserrer** v. tr. [1] Relâcher (ce qui était serré). ► **desserrage** n. m.

**dessert** n. m. Mets sucré, pâtisserie, fruits servis à la fin du repas.

① **desserte** n. f. Fait de desservir (①).

② **desserte** n. f. Meuble où l'on pose les plats et couverts, après avoir desservi (②).

**desservant** n. m. anciennt Ecclésiastique qui desservait une cure, une paroisse... (→ **curé**).

① **desservir** v. tr. [14] **1** Assurer le service religieux de (une paroisse...). **2** Faire le service de (un lieu). *Aucun train ne dessert ce village.* **3** Donner dans (un lieu).

② **desservir** v. tr. [14] **I** Débarrasser (une table) après un repas. **II** Nuire à (qqn). - Faire obstacle à l'exécution de (qqch.).

**dessiccation** n. f. Élimination de l'humidité d'un corps (→ **dessécher**).

**dessiller** v. tr. [1] *Dessiller les yeux de, à qqn,* lui ouvrir les yeux, l'amener à connaître ce qu'il ignorait ou voulait ignorer.

**dessin** n. m. **1** Représentation ou suggestion des objets sur une surface, à l'aide de moyens graphiques. *Dessin rapide.* → **croquis, ébauche.** ♦ *Dessin animé :* film composé d'une suite de dessins (film d'animation*). **2** Art, technique du dessin. **3** Représentation linéaire précise des objets. → **épure.** *Dessin industriel.* **4** Aspect linéaire des formes naturelles. → **contour, ligne.** *Le dessin d'un visage.*

Ne pas confondre avec *dessein* «projet».

**dessinateur, trice** n. Personne qui pratique le dessin, qui fait métier de dessiner.

**dessiner** v. tr. [1] **1** Représenter ou suggérer par le dessin. **2** (sujet chose) Faire ressortir le dessin de. - Former (un dessin). ▷ v. pron. se **dessiner** Paraître avec un contour net. - fig. Prendre forme, se préciser. ▷ adj. **dessiné, ée 1** *Visage bien dessiné,* dont la forme est jolie. **2** *Bande* dessinée.*

**dessouder** v. tr. [1] Ôter la soudure de.

**dessoûler** v. [1] fam. **1** v. tr. Tirer (qqn) de l'ivresse. → **dégriser. 2** v. intr. Cesser d'être soûl. *Il ne dessoûle jamais.*

① **dessous** [d(ə)su] adv. Indique la position d'une chose sous une autre (opposé à *dessus*). **I 1** À la face inférieure, dans la partie inférieure. **2** loc. adv. *Par-dessous.* - *En dessous :* contre la face inférieure ; fig. sournoisement. - *Ci-dessous* (dans un texte). → **infra.** - *Là-dessous :* sous cet objet. fig. *Il y a qqch. là-dessous :* cela cache qqch. **II** loc. prép. *Par-dessous ; de dessous.* → **sous.**

② **dessous** [d(ə)su] n. m. (opposé à *dessus*) **1** Face inférieure (de qqch.) ; ce qui est sous, ou plus bas que qqch. **2** *Dessous-de-...,* nom de certains objets qui se placent sous qqch. (pour isoler, protéger). *Un, des dessous-de-plat.* **3** Ce qui est caché. *Les dessous de la politique.* → **secret. 4** au plur. Sous-vêtements féminins. **5** loc. *Être dans le trente-sixième dessous,* très mal. - *Avoir le dessous,* être dans un état d'infériorité (lutte, discussion). **6** loc. adv. *Au-dessous :* en bas ; plus bas. ♦ loc. prép. *Au-dessous de :* plus bas que ; fig. inférieur à. - *Être au-dessous de tout,* n'avoir aucune valeur (personne, œuvre).

**dessous-de-table** n. m. invar. Somme d'argent versée secrètement, illégalement, lors d'une transaction. → **pot-de-vin.**

① **dessus** [d(ə)sy] adv. Indique la position d'une chose sur une autre (opposé à *dessous*). **I 1** À la face supérieure (opposé à *dessous*), extérieure (opposé à *dedans*). - fig. *Mettre la main dessus.* → **saisir ; trouver. 2** loc. adv. *Par-dessus.* - *Ci-dessus :* plus haut que ce qu'on vient d'écrire. → **supra.** - *Là-dessus :* sur cela ; alors, sur ce. **II** loc. prép. *Par-dessus.* - fig. *Par-dessus tout.* → **surtout.** - fam. *En avoir par-dessus la tête de* (qqch., qqn), en avoir assez. - *Par-dessus le marché*.*

② **dessus** [d(ə)sy] n. m. (opposé à *dessous*) **1** Face, partie supérieure (de qqch.). - loc. *Le dessus du panier :* ce qu'il y a de mieux. **2** *Dessus-de-...,* nom de certains objets qui se placent sur qqch. (pour protéger, garnir). *Un, des dessus-de-lit.* **3** fig. *Avoir le dessus.* → **avantage.** - *Reprendre le dessus :* surmonter un état pénible. **4** loc. adv. *Au-dessus :* en haut ; plus haut. ♦ loc. prép. *Au-dessus de :* plus haut que ; fig. supérieur à. - *Être au-dessus de tout soupçon. Il est au-dessus de cela :* cela ne l'atteint pas.

**déstabiliser** v. tr. [1] Rendre moins stable ou instable. ► **déstabilisation** n. f.

**destin** n. m. **1** Puissance censée fixer de façon irrévocable le cours des événements. → **destinée, fatalité. 2** Ensemble des événements qui composent la vie d'un être humain. → **sort.** *Il a eu un destin tragique.* **3** Ce qu'il adviendra (de qqch.). → **avenir.** *Le destin d'une civilisation.*

**destinataire** n. Personne à qui s'adresse un envoi. *L'expéditeur et le destinataire.*

**destination** n. f. **1** Ce pour quoi qqn, qqch. est fait, ce à quoi il est destiné. **2** Lieu où l'on doit se rendre, où qqch. est adressé. → **but.** - *Arriver à destination.*

**destinée** n. f. **1** Destin (1). **2** Destin (d'un être). ♦ Avenir (de qqch.). **3** littér. Vie, existence. *Unir sa destinée à qqn,* l'épouser.

**destiner** v. tr. [1] *Destiner à* **1** Fixer d'avance (pour être donné à qqn). *Il vous destine ce poste.* - passif *Cette remarque vous est destinée,* vous concerne. **2** Réserver (qqch.) pour un usage. → **affecter.** *Destiner une somme à tel achat.* **3** Préparer (qqn) à un emploi, une occupation.

**destituer** v. tr. [1] Priver (qqn) de sa fonction, de son emploi. → **démettre, limoger, renvoyer, révoquer.** ► **destitution** n. f.

**destrier** n. m. Cheval de bataille, au Moyen Âge (opposé à *palefroi*).

**destroy** [dɛstʀɔj] adj. invar. anglic., fam. Relatif à une attitude qui exprime un goût pour la destruction. *Un look destroy.*

**destroyer** [dɛstʀwaje ; dɛstʀɔjœʀ] n. m. mar. Bâtiment de guerre rapide.

**destructeur, trice** 1 n. Personne qui détruit. 2 adj. Qui détruit.

**destructible** adj. Qui peut être détruit.

**destructif, ive** adj. Qui peut détruire.

**destruction** n. f. Action de détruire. **1** Action de démolir (une construction). **2** Action d'altérer profondément, de faire disparaître. **3** Action de tuer (des êtres vivants). *Destruction d'un peuple.* → **extermination, génocide. 4** Fait de se dégrader jusqu'à disparaître. *La destruction d'un empire.*

**déstructurer** v. tr. [1] didact. Faire disparaître la structure de. ▷ v. pron. se **déstructurer** ► **déstructuration** n. f.

**désuet, ète** [dezɥɛ ; desɥɛ, ɛt] adj. Archaïque, sorti des habitudes, du goût moderne. → **suranné ; vieillot.**

**désuétude** [desɥetyd ; dezɥetyd] n. f. *Tomber en désuétude :* être abandonné, n'être plus en usage.

**désunion** n. f. Désaccord, mésentente.

**désunir** v. tr. [2] **1** Séparer (des choses, des personnes unies). **2** Jeter le désaccord entre. ▷ adj. **désuni, ie** *Famille désunie.*

**détachable** adj. Qu'on peut détacher.

**détachage** n. m. Action de détacher (②).

**détachant, ante** n. m. et adj. (Produit) pour enlever les taches.

**détaché, ée** adj. **1** Qui n'est plus attaché. ♦ Séparé d'un tout. – *Pièces détachées,* servant au remplacement des pièces usagées d'un mécanisme. **2** Froid, insensible, indifférent. **3** *Fonctionnaire détaché.* → ① **détacher** (5).

**détachement** n. m. **I 1** État d'une personne détachée (2). → **indifférence. 2** Situation d'une personne détachée (3). **II** Petit groupe de soldats affecté à un service spécial.

① **détacher** v. tr. [1] **1** Dégager (qqn, qqch.) qui était attaché. **2** Éloigner (qqn, qqch.) de ce avec quoi il était en contact. → **écarter. 3** loc. *Ne pouvoir détacher son regard, sa pensée de...* → **détourner. 4** Faire partir (qqn) pour faire qqch. → **dépêcher, envoyer. 5** Affecter provisoirement (qqn) à un autre service. **6** Ne pas lier. *Détacher nettement les syllabes.* ▷ v. pron. se **détacher 1** (concret) Cesser d'être attaché. – Se séparer. **2** Apparaître nettement sur un fond. *Titre qui se détache en grosses lettres.* **3** Ne plus être attaché (par le sentiment, etc.) à.

② **détacher** v. tr. [1] Débarrasser des taches. → **dégraisser, nettoyer.**

**détacheur, euse** n. **1** Personne qui nettoie le linge. **2** n. m. → **détachant.**

**détail, ails** n. m. **1** *Le détail :* fait de vendre ou d'acheter des marchandises par petites quantités (opposé à *gros, demi-gros*). *Vente au détail.* **2** *Le détail de,* action de considérer qqch. dans ses éléments, ses particularités. – *Raconter qqch. dans le détail, en détail.* ♦ Les éléments. *Se perdre dans le détail.* **3** *(Un, des détails)* Élément non essentiel d'un ensemble ; circonstance particulière.

**détaillant, ante** n. Vendeur au détail.

**détailler** v. tr. [1] **1** Vendre (une marchandise) au détail. **2** littér. Considérer, exposer (qqch.) avec toutes ses particularités. **3** Examiner (qqn) en détail. ▷ adj. **détaillé, ée** Qui contient beaucoup de détails.

**détaler** v. intr. [1] fam. S'en aller très vite.

**détartrer** v. tr. [1] Débarrasser du tartre (un conduit ; les dents). ► **détartrage** n. m. ► **détartrant, ante** adj. et n. m.

**détaxer** v. tr. [1] Réduire ou supprimer la taxe sur. ► **détaxation** et **détaxe** n. f.

**détecter** v. tr. [1] Déceler l'existence de (un objet, un phénomène caché).

**détecteur, trice** 1 n. m. Appareil servant à détecter. **2** adj. Qui détecte.

**détection** n. f. Action de détecter.

**détective** n. m. **1** en Grande-Bretagne Policier enquêteur. **2** *Détective (privé) :* personne chargée d'enquêtes policières privées.

**déteindre** v. [52] **1** v. tr. Faire perdre sa teinture à. **2** v. intr. Perdre sa couleur. ♦ fig. *Déteindre sur :* avoir de l'influence sur.

**dételer** v. [4] **1** v. tr. Détacher (une bête attelée ; l'attelage). **2** v. intr. fam. Cesser de faire qqch. *Sans dételer :* sans s'arrêter.

**détendre** v. tr. [41] **1** Relâcher (ce qui était tendu, contracté). **2** fig. Faire cesser l'état de tension de (qqn, qqch.). *Chercher à détendre l'atmosphère.* ▷ v. pron. se **détendre** ▷ adj. **détendu, ue**

**détenir** v. tr. [22] **1** Garder, tenir en sa possession. *Détenir un objet volé.* → **receler.** – *Détenir le pouvoir.* **2** Garder, retenir (qqn) en captivité (→ **détention ; détenu).**

**détente** n. f. **1** Relâchement de ce qui est tendu. ♦ sports Puissance (d'un athlète). **2** (armes à feu) Pièce qui sert à faire partir le coup. *Appuyer sur la détente.* – loc. fam. *Être dur à la détente,* avare ; difficile à décider ; lent à comprendre. **3** Expansion (d'un fluide). **4** abstrait Relâchement d'une tension intellectuelle, nerveuse... ; état agréable qui en résulte. ♦ Diminution de la tension internationale. *Politique de détente.*

**détenteur, trice** n. Personne qui détient qqch. *Le détenteur d'un titre.* → **tenant.**

**détention** n. f. **1** Fait de détenir (qqch.). *Détention d'armes.* **2** Action de détenir (qqn) ; situation d'une personne détenue.

**détenu, ue** adj. Maintenu en captivité. – n. → **prisonnier.** *Détenu politique.*

**détergent, ente** adj. Qui nettoie en entraînant par dissolution les impuretés. → **détersif.** – n. m. *Un détergent.*

**détériorer** v. tr. [1] **1** Mettre (qqch.) en mauvais état, rendre inutilisable. → **abîmer, dégrader, endommager. 2** fig. *Détériorer sa santé par des excès.* ▷ v. pron. se **détériorer** ► **détérioration** n. f.

**déterminant, ante 1** adj. Qui détermine, qui décide d'une chose ou d'une action. → **essentiel, prépondérant. 2** n. m. gramm. Mot qui en détermine un autre.

**déterminatif, ive** adj. gramm. Qui détermine, précise le sens d'un mot.

**détermination** n. f. **1** Action de déterminer. **2** Résultat d'une décision. → **résolution. 3** Attitude d'une personne qui agit sans hésitation, selon les décisions qu'elle a prises. → **décision, fermeté, ténacité.**

**déterminer** v. tr. [1] **1** Indiquer, délimiter avec précision. → **caractériser, définir, fixer, préciser, spécifier.** ♦ gramm. Rapporter à une situation précise (→ **déterminant, déterminatif**). **2** Entraîner la décision de (qqn). → **décider. 3** (sujet chose) Être la cause de, être à l'origine de (un phénomène...). → **provoquer.** ▷ v. pron. se **déterminer** *Se déterminer à :* prendre la décision de. ▷ adj. **déterminé, ée 1** Précisé, défini. **2** (personnes) Décidé, résolu.

**déterminisme** n. m. Doctrine philosophique suivant laquelle les événements sont liés et déterminés par les événements antérieurs. ► **déterministe** adj. et n.

**déterrer** v. tr. [1] Retirer de terre (ce qui s'y trouvait enfoui). → **exhumer.** ▷ p. p. **déterré, ée** – n. fam. *Une mine de déterré,* pâle.

**détersif, ive** adj. et n. m. → **détergent.**

**détestable** adj. Très désagréable ; très mauvais. ► **détestablement** adv.

**détester** v. tr. [1] **1** Avoir de l'aversion pour. → **abhorrer, exécrer ; haïr. 2** Ne pas pouvoir endurer, supporter (qqch.). ► **détestation** n. f.

**détonant, ante** adj. Qui peut détoner.

> Ne pas confondre avec *détonnant,* p. prés. de *détonner.*

**détonateur** n. m. Dispositif qui fait détoner un explosif. ♦ fig. Fait, événement qui déclenche une action.

**détonation** n. f. Bruit soudain et violent de ce qui détone.

**détoner** v. intr. [1] Exploser avec bruit.

> Ne pas confondre avec *détonner* «chanter faux».

**détonner** v. intr. [1] **1** mus. Sortir du ton ; chanter faux. **2** fig. Ne pas être dans le ton, ne pas être en harmonie avec le reste.

> Ne pas confondre avec *détoner* «exploser».

**détour** n. m. **1** Tracé qui s'écarte du chemin direct (voie, cours d'eau). – *Au détour du chemin.* → **tournant.** – fig. *Au détour de la conversation.* **2** Action de parcourir un chemin plus long que le chemin direct ; ce chemin. **3** fig. Moyen indirect de dire, de faire ou d'éluder qqch. → **biais, faux-fuyant.** – *Sans détour :* simplement.

**détourné, ée** adj. **1** Qui fait un détour. **2** Qui n'est pas exprimé directement.

**détournement** n. m. **1** Action de détourner (I, 1). – *Détournement d'avion :* action de contraindre l'équipage d'un avion de ligne à changer de destination. **2** Action de détourner (qqch.) à son profit. *Détournement de fonds.* **3** *Détournement de mineur :* séduction (punie par la loi) d'une personne mineure par une personne majeure.

**détourner** v. tr. [1] **I 1** Changer la direction de (qqch.). – *Détourner un avion* (→ **détournement**). **2** fig. Changer le cours de. *Détourner les soupçons.* **3** Écarter (qqn) du chemin à suivre. **II** Tourner d'un autre côté. *Détourner la tête.* **III** Soustraire à son profit (ce qui a été confié). → **voler.**

**détox** [-ɔks] adj. *Régime détox,* qui vise à détoxifier l'organisme.

**détoxifier** v. tr. [7] Supprimer les toxines de (l'organisme).

**détracteur, trice** n. Personne qui cherche à rabaisser le mérite de qqn, la valeur de qqch.

**détraquer** v. tr. [1] **1** Déranger dans son mécanisme, dans son fonctionnement. **2** fig., fam. *Se détraquer l'estomac.* ▷ adj. **détraqué, ée 1** *Horloge détraquée.* **2** fam. *Avoir le cerveau détraqué.* – n. → **déséquilibré.** ► **détraquement** n. m.

**détrempe** n. f. Couleur liée avec de la colle ou de la gomme ; œuvre utilisant ce procédé.

① **détremper** v. tr. [1] Amollir ou délayer en mélangeant avec un liquide. – p. p. adj. *Terrain détrempé,* imbibé d'eau.

② **détremper** v. tr. [1] techn. Faire perdre sa trempe à (l'acier).

**détresse** n. f. **1** Sentiment d'abandon, de solitude, d'impuissance que l'on éprouve dans une situation difficile. → **désarroi. 2** Situation très pénible et angoissante ; spécialt, manque dramatique de moyens matériels. **3** Situation périlleuse (d'un navire, d'un avion). → **perdition.**

**détriment** n. m. *À (mon, son...) détriment ; au détriment de :* au préjudice de.

**détritique** adj. géol. Formé de débris.

**détritivore** adj. zool. Qui se nourrit de débris organiques.

**détritus** [-y(s)] n. m. Matériaux réduits à l'état de débris ; ordures, déchets.

**détroit** n. m. Bras de mer entre deux terres rapprochées.

**détromper** v. tr. [1] Tirer (qqn) d'erreur. ▷ v. pron. se **détromper** Revenir de son erreur. *Détrompez-vous :* n'en croyez rien.

**détrôner** v. tr. [1] **1** Déposséder de la souveraineté, du trône. **2** fig. Faire cesser la prééminence de. → **éclipser, supplanter.**

**détrousser** v. tr. [1] vx ou plais. Dépouiller, dévaliser (qqn), en usant de violence.

**détruire** v. tr. [38] **1** Jeter bas, démolir (une construction). → **abattre, raser ; destruction.** **2** Altérer jusqu'à faire disparaître. → **anéantir, supprimer.** *Détruire un document.* **3** Supprimer (un être vivant) en ôtant la vie. → **tuer.** **4** fig. Défaire entièrement (ce qui est établi, organisé). *Détruire un régime ; une théorie.* **5** sans compl. (opposé à *créer, construire...*) *Le besoin de détruire.* ▷ v. pron. se **détruire** **1** Se tuer, se suicider. **2** récipr. S'annuler.

**dette** n. f. **1** Argent qu'une personne (→ **débiteur**) doit à une autre. ♦ *Dette publique,* engagements financiers contractés par l'État. → **emprunt.** **2** fig. Devoir qu'impose une obligation contractée envers qqn.

**deuil** n. m. **1** Douleur, affliction que l'on éprouve de la mort de qqn. ♦ psych. *Travail du deuil,* par lequel on se détache d'un objet d'attachement disparu. **2** Mort d'un proche. **3** Signes extérieurs du deuil, consacrés par l'usage. *Être en deuil.* **4** fam. *Faire son deuil de qqch.,* se résigner à en être privé.

**deus ex machina** [deusɛksmakina ; deys-] n. m. invar. (au théâtre, et fig. dans la vie) Personnage dont l'intervention apporte un dénouement inespéré.

**D. E. U. S. T.** n. m. (sigle) (en France) Diplôme sanctionnant une formation scientifique ou professionnelle, obtenu en deux ans après le bac.

**deux** I adj. numéral **1** (cardinal) Un plus un (2). – loc. *De deux choses l'une :* il n'y a que deux possibilités. ♦ (Indiquant la distance) *L'algèbre et moi, cela fait deux.* ♦ (Indiquant un petit nombre) *C'est à deux pas,* tout près. **2** (ordinal) → **deuxième, second.** *Tome deux.* **II** n. m. Le chiffre, le nombre, le numéro deux. – loc. fam. *En moins de deux :* très vite. *Ne faire ni une ni deux :* se décider rapidement. *Entre les deux :* ni ceci ni cela ; à moitié.

**deuxième** adj. numéral ordinal Qui succède au premier. → **second.** – n. *Le, la deuxième.* ► **deuxièmement** adv. → **secundo.**

**deux-mâts** n. m. Voilier à deux mâts.

**deux-pièces** n. m. **I 1** Ensemble comprenant une jupe ou un pantalon et une veste. **2** Maillot de bain formé d'un slip et d'un soutien-gorge. → **bikini.** **II** Appartement de deux pièces.

**deux-points** n. m. Signe de ponctuation formé de deux points superposés ( :).

**deux-roues** n. m. Véhicule à deux roues (bicyclette, cyclomoteur, moto...).

**deux-temps** n. m. Moteur à deux temps ; véhicule ayant ce moteur.

**dévaler** v. intr. et tr. [1] Descendre rapidement.

**dévaliser** v. tr. [1] Dépouiller (qqn) de tout ce qu'il a sur lui, avec lui. – par ext. *Dévaliser un appartement.* → **cambrioler.**

**dévaloriser** v. tr. [1] **1** Diminuer la valeur de (spécialt de la monnaie). → **déprécier, dévaluer.** **2** fig. Déprécier. *Dévaloriser le talent.* ▷ v. pron. se **dévaloriser** **1** Perdre de sa valeur. **2** Se déprécier soi-même. ► **dévalorisant, ante** adj. ► **dévalorisation** n. f.

**dévaluer** v. tr. [1] **1** Abaisser la valeur légale de (une monnaie). **2** fig. Dévaloriser. ► **dévaluation** n. f.

**devancer** v. tr. [3] **1** Être devant (d'autres qui avancent). → **dépasser, distancer.** **2** Être avant, quant au mérite. → **surpasser.** **3** Arriver avant (qqn) dans le temps. → **précéder.** **4** Aller au-devant de. → **prévenir.** *Devancer une objection.* ► **devancement** n. m. ► **devancier, ière** n. → **prédécesseur.**

① **devant** I prép. **1** Du même côté que le visage d'une personne, que le côté visible ou accessible d'une chose. → en **face** de, **vis-à-vis.** **2** En présence de (qqn). – À l'égard de, face à. *Égaux devant la loi.* **3** Dans la direction qui est en face de qqn, qqch. ; à l'avant de. – loc. *Avoir de l'argent devant soi,* en réserve. **II** adv. **1** (lieu) Du côté du visage d'une personne, de la face d'une chose ; en avant. – *Par-devant :* du côté qui est devant. **2** (temps) vx Auparavant. – loc. *Être Gros-Jean comme devant :* se retrouver comme avant, avoir été dupé.

② **devant** n. m. **1** La partie qui est placée devant. ♦ loc. *Prendre les devants :* devancer qqn ou qqch. dans l'action. **2** loc. prép. *Au-devant de :* à la rencontre de. – fig. *Aller au-devant des désirs de qqn.* → **devancer.**

**devanture** n. f. **1** Façade, revêtement du devant d'une boutique. **2** Étalage des marchandises soit à la vitrine, soit dehors.

**dévaster** v. tr. [1] Ruiner, ravager en détruisant systématiquement. ► **dévastation** n. f. ► **dévastateur, trice** adj. et n.

**déveine** n. f. fam. Malchance.

**développement** n. m. **I** Action de développer (I). **II 1** (organisme, organe) Fait de se développer. → **croissance.** **2** Progrès, en extension ou en qualité. ♦ loc. *Pays en voie de développement* (économique). – *Développement durable :* développement économique qui tend au respect de l'environnement naturel, et ne compromet pas les développements futurs. **3** Suite, prolongement. *Les développements d'un scandale.* **4** Exposition détaillée (d'un sujet).

**5** comm. Phase de l'élaboration (d'un produit...) avant la commercialisation.

**développer** v. tr. [1] **I 1** Étendre (ce qui était plié) ; donner toute son étendue à. → **déployer. 2** Faire apparaître les images de (une pellicule), au moyen de procédés chimiques. **II 1** Faire croître ; donner de l'ampleur à. **2** Exposer en détail. *Développer une argumentation.* ▷ v. pron. se **développer 1** Se déployer. **2** (êtres vivants) Croître, s'épanouir. **3** Prendre de l'importance. ▷ adj. **développé, ée**

**développeur, euse** n. inform. Personne qui crée des logiciels.

① **devenir** v. intr. [22] **1** Passer d'un état à (un autre), commencer à être (ce qu'on n'était pas). *Il est devenu fou.* **2** (dans des questions, etc.) Être dans un état, avoir un sort nouveau. *Qu'allons-nous devenir ? – Qu'est devenu mon sac ?*, où est-il passé ?

② **devenir** n. m. Passage d'un état à un autre ; suite des changements. → **évolution.**

**déverbal, aux** n. m. ling. Nom formé à partir du radical d'un verbe (ex. *pliage* de *plier*), et spécialt sans suffixe (ex. *pli* de *plier*).

**dévergondé, ée** adj. **1** Qui ne respecte pas la morale sexuelle admise (s'est surtout dit des femmes). – n. *Une dévergondée.* ♦ *Vie dévergondée.* **2** littér. Excessif, exubérant.

se **dévergonder** v. pron. [1] Devenir dévergondé. ► **dévergondage** n. m.

**déverrouiller** v. tr. [1] Ouvrir en tirant le verrou. ► **déverrouillage** n. m.

**devers** prép. loc. prép. *Par-devers.* dr. En présence de. – littér. En la possession de.

**dévers** n. m. Inclinaison, pente. – Relèvement du bord extérieur d'un virage.

**déverser** v. tr. [1] **1** Faire couler (un liquide) d'un lieu dans un autre. – **pronom.** → s'**écouler. 2** Déposer en versant. → **décharger. 3** fig. Laisser sortir, répandre en grandes quantités. ► **déversement** n. m.

**déversoir** n. m. Orifice par lequel s'écoule le trop-plein d'un canal, d'un réservoir.

**dévêtir** v. tr. [20] Dépouiller (qqn) de ses vêtements. → **déshabiller.** ▷ v. pron. se **dévêtir** Enlever ses vêtements.

**déviant, ante** adj. Qui s'écarte de la règle, de la norme sociale. – n. *Un déviant sexuel.* ► **déviance** n. f.

**déviation** n. f. **I** Changement de direction ; changement de position. **II** Action de dévier (un véhicule) ; chemin que doivent prendre les véhicules déviés.

**déviationnisme** n. m. Attitude qui s'écarte de la doctrine, dans un parti. ► **déviationniste** n. et adj.

**dévider** v. tr. [1] **1** Mettre en écheveau (du fil). – Dérouler. *Dévider un cordage.* **2** Faire passer entre ses doigts. *Dévider son chapelet* (fig. débiter tout ce qu'on a à dire).

**dévier** v. [7] **1** v. intr. Se détourner, être détourné de sa direction, de sa voie. *La balle a dévié.* ♦ *Dévier de son chemin*, s'en écarter (aussi fig.). **2** v. tr. Écarter de la direction normale. *Dévier la circulation.*

**devin, devineresse** n. Personne qui prétend découvrir ce qui est caché, prédire l'avenir par la divination. → **voyant.**

**deviner** v. tr. [1] **1** Parvenir à connaître par conjecture, supposition, intuition. → **découvrir, pressentir, trouver. 2** Trouver la solution de (une énigme).

**devinette** n. f. Question dont il faut deviner la réponse. *Poser une devinette.*

**devis** n. m. État détaillé des travaux à exécuter avec l'estimation des prix.

**dévisager** v. tr. [3] Regarder (qqn) avec attention, avec insistance.

**devise** n. f. **I 1** Formule qui accompagne l'écu dans les armoiries. **2** Paroles exprimant une pensée, un mot d'ordre. *La devise d'un pays.* – Règle de vie (de qqn). **II** Valeur étrangère négociable dans un pays.

① **deviser** v. intr. [1] littér. Converser, parler.

② **deviser** v. tr. [1] Établir le devis de. *Deviser des travaux.*

**dévisser** v. [1] **1** v. tr. Défaire (ce qui est vissé). **2** v. intr. alpin. Lâcher prise et tomber. ► **dévissage** n. m.

**de visu** [devizy] loc. adv. Après l'avoir vu, pour l'avoir vu. *S'assurer de qqch. de visu.*

**dévitaliser** v. tr. [1] Priver (une dent) de son tissu vital (pulpe dentaire). ► **dévitalisation** n. f.

**dévoiler** v. tr. [1] **1** Enlever le voile de (qqn), ce qui cache (qqch.). → **découvrir. 2** fig. Découvrir, révéler (ce qui était secret). ▷ v. pron. se **dévoiler** ► **dévoilement** n. m.

① **devoir** v. tr. [28] p. p. *dû, due, dus, dues* **I** *Devoir qqch. à qqn* **1** Avoir à payer (une somme d'argent), à fournir (qqch.) à qqn (→ **dette). 2** Être redevable (à qqn ou à qqch.) de ce qu'on possède. – *Devoir la vie à qqn*, avoir été sauvé par lui. – **passif** (sujet chose) *Être dû à* : avoir pour cause. **3** Être tenu à (qqch.) par la loi, les convenances, etc. *Je vous dois des excuses.* **II** (+ inf.) **1** Être dans l'obligation de (faire qqch.). → **avoir** à. *Il doit terminer ce travail ce soir.* ♦ (obligation atténuée) *Je dois avouer que je me suis trompé.* **2** (nécessité) *Cela devait arriver.* **3** Avoir l'intention de. *Nous devons partir demain.* **4** (vraisemblance, hypothèse...) *Elle devrait réussir.* ▷ **v. pron.** se **devoir 1** réfl. Être obligé de se consacrer (à). *Se devoir à ses enfants. – Se devoir de* (+ inf.). **2** passif (impers.) *Comme il se doit* : comme il le faut ; fam. comme c'était prévu.

② **devoir** n. m. **1** *(Le devoir)* Obligation morale générale. *Le sentiment du devoir.* **2** *(Un, des devoirs)* Ce que l'on doit faire, défini par le système moral que l'on accepte, par la loi, les circonstances... → **charge, obligation, responsabilité, tâche.** – *Faire son devoir de citoyen* : voter. **3 au plur.**

*Présenter ses devoirs à qqn.* → **hommage, respect.** – loc. *Rendre à qqn les derniers devoirs,* assister à ses funérailles. **4** Exercice scolaire qu'un professeur fait faire à ses élèves.

**dévolu, ue** **1** adj. Acquis, échu par droit. **2** n. m. (loc.) *Jeter son dévolu sur (qqn, qqch.)* : fixer son choix sur.

**dévorant, ante** adj. **1** *Une faim dévorante,* qui pousse à manger beaucoup. **2** Ardent, brûlant, dévastateur.

**dévorer** v. tr. [1] **1** Manger en déchirant avec les dents. **2** (personnes) Manger avidement. → **engloutir, engouffrer. 3** fig. Lire avec avidité. **4** *Dévorer qqn, qqch. des yeux* : regarder avec avidité. **5** Faire disparaître rapidement. → **consumer. 6** Faire éprouver un trouble violent à (qqn), tourmenter. *Le mal qui le dévore.* – passif *Être dévoré de remords.* ► **dévoreur, euse** n.

**dévot, ote** adj. **1** vieilli ou péj. Qui est attaché à une religion et à ses pratiques. → **pieux.** ♦ n. → **bigot. 2** Qui a le caractère de la dévotion. ► **dévotement** adv.

**dévotion** n. f. **1** Attachement sincère, fervent à une religion (en général monothéiste ; souvent la religion chrétienne), à ses pratiques. → **piété. 2** Culte. *Dévotion à la Vierge.* **3** fig. Adoration, vénération.

**dévouement** n. m. **1** Action de sacrifier sa vie, ses intérêts (à qqn, à une cause). **2** Disposition à se dévouer pour qqn.

se **dévouer** v. pron. [1] **1** *Se dévouer à* : se consacrer entièrement à. – sans compl. Faire une chose pénible (effort, privation) au profit d'une personne, d'une cause. → **se sacrifier. 2** passif *Être (tout) dévoué à qqn,* être prêt à le servir. ▷ adj. **dévoué, ée** → **fidèle ; serviable.** – (politesse épistolaire) *Veuillez croire à mes sentiments dévoués.*

**dévoyer** v. tr. [8] littér. Pervertir (qqn). ▷ adj. et n. **dévoyé, ée**

**dextérité** n. f. Adresse manuelle. – Habileté dans l'exécution de qqch.

**dextre** n. f. vx Main droite (opposé à *sénestre*).

**dey** n. m. hist. Gouverneur (d'Alger).

**DHEA** [deaʃøa] n. f. (sigle) biochim. Hormone naturelle synthétisée par les glandes surrénales. *Le taux de DHEA dans le sang décroît lentement avec l'âge.*

**dia** interj. Cri pour faire aller un cheval à gauche. – loc. *Tirer à hue* et à dia.*

**diabète** n. m. Maladie liée à un trouble de l'assimilation des glucides, avec présence de sucre dans le sang et les urines. ► **diabétique** adj. et n.

**diable** n. m. **I 1** Démon, personnage représentant le mal, dans la tradition populaire chrétienne. *Un diable à pieds fourchus.* **2** *Le diable* : le prince des démons ou des diables. → **démon, satan.** ♦ loc. *Avoir le diable au corps* : avoir de l'énergie (notamment pour faire le mal). – *Tirer le diable par la queue* : avoir peu pour vivre. – *Ce serait bien le diable si...,* ce serait bien étonnant si. **3** fig. *Au diable (vauvert)* : très loin. – *À la diable* : sans soin. – *Du diable* : extrême. – *En diable* : très, terriblement. **4** interj. Exprime l'étonnement. *Diable ! C'est cher.* **II** fig. **1** Enfant turbulent. **2** *Un pauvre diable* : un homme pitoyable. **3** *Diable de* (+ nom) : drôle de. → **drôle. III 1** Petit chariot bas. **2** Ustensile de cuisson fait de deux poêlons en terre.

**diablement** adv. fam. Très. → **rudement.**

**diablerie** n. f. Parole, action pleine de turbulence, de malice. → **espièglerie.**

**diablesse** n. f. **1** Diable femelle. **2** fig. Femme très active, remuante, pétulante.

**diablotin** n. m. Petit diable ; lutin.

**diabolique** adj. **1** Qui tient du diable. → **démoniaque. 2** Qui rappelle le diable. → **satanique ; méchant.** ► **diaboliquement** adv.

**diaboliser** v. tr. [1] Faire passer pour diabolique ; présenter sous un jour défavorable.

**diabolo** n. m. **I** Jouet fait d'une bobine que l'on lance et rattrape au moyen d'une ficelle. **II** Boisson, limonade au sirop.

**diachronie** [-kʀɔni] n. f. ling. Évolution des faits linguistiques dans le temps (opposé à *synchronie*).

**diaconat** n. m. relig. Le second des ordres majeurs dans l'Église catholique, inférieur à la prêtrise (→ **diacre**).

**diaconesse** n. f. Religieuse protestante se consacrant à des œuvres de charité.

**diacre** n. m. Clerc qui a reçu le diaconat.

**diacritique** adj. ling. Se dit d'un signe graphique (point, accent...) que l'on adjoint à une lettre (ex. les accents sur *à* et *dû*).

**diadème** n. m. **1** Antiq. Bandeau orné, insigne du pouvoir monarchique. **2** Bijou féminin qui ceint le haut du front.

**diagnostic** [-gn-] n. m. **1** Détermination (d'une maladie, d'un état) d'après ses symptômes. **2** fig. Prévision, hypothèse.

**diagnostique** [-gn-] adj. méd. Qui permet de déterminer une maladie.

**diagnostiquer** [-gn-] v. tr. [1] Connaître par un diagnostic (sens propre et fig.).

**diagonal, ale, aux** adj. géom. Qui joint deux sommets d'une figure qui n'appartiennent pas au même côté (→ **diagonale**).

**diagonale** n. f. **1** Ligne diagonale. **2** loc. adv. *En diagonale* : en biais, obliquement. – fig. *Lire en diagonale* : parcourir.

**diagramme** n. m. **1** Schéma montrant la disposition des parties d'un ensemble. **2** Représentation graphique des variations (d'un phénomène). → **courbe, graphique.**

**dialecte** n. m. Forme régionale, nettement distincte, d'une langue. ► **dialectal, ale, aux** adj.

**dialecticien, ienne** n. Personne qui emploie les procédés de la dialectique.

**dialectique** **I** n. f. **1** Moyens mis en œuvre dans la discussion en vue de démontrer, réfuter (→ **argumentation, raisonnement**). **2** philos. Marche de la pensée reconnaissant le caractère inséparable des propositions contradictoires (thèse, antithèse), que l'on peut unir dans une synthèse. **II** adj. Qui opère par la dialectique (2). *Raisonnement dialectique.*

**dialectologie** n. f. Étude des dialectes. ► **dialectologue** n.

**dialogue** n. m. **1** Entretien entre deux personnes. → **conversation.** ♦ Contact, discussions entre deux groupes. **2** Ensemble des paroles qu'échangent les personnages d'une pièce, d'un film... **3** Ouvrage littéraire, philosophique, en forme de conversation. *Les dialogues de Platon.*

**dialoguer** v. [1] **1** v. intr. Avoir un dialogue (avec qqn). → s'**entretenir.** **2** v. tr. Mettre en dialogue (2).

**dialoguiste** n. Auteur des dialogues (d'un film...).

**dialyse** n. f. **1** chim. Séparation de substances en solution. **2** méd. Méthode d'épuration du sang lors d'une insuffisance rénale.

**diamant** n. m. **1** Pierre précieuse, la plus brillante et la plus dure de toutes, le plus souvent incolore. **2** techn. Instrument de coupe à pointe de diamant. **3** Pointe de lecture des disques microsillons.

**diamantaire** n. Personne qui taille ou vend des diamants. → **joaillier.**

**diamantifère** adj. Qui contient du diamant.

**diamétral, ale, aux** adj. Relatif au diamètre. ♦ fig. *Opposition diamétrale,* totale.

**diamétralement** adv. Selon le diamètre. ♦ fig. *Opinions diamétralement opposées.* → **absolument, radicalement.**

**diamètre** n. m. Segment qui joint deux points (d'un cercle, d'une sphère) en passant par le centre. ♦ par ext. *Diamètre d'un tube.* → **calibre.**

**diantre** interj. vieilli Juron qui marque l'étonnement, l'admiration... → **diable.**

**diapason** n. m. **1** Son de référence utilisé pour l'accord des voix et des instruments. ♦ fig. *Être, se mettre au diapason,* en harmonie avec (qqn, un groupe). **2** Petit instrument qui donne le la lorsqu'on le fait vibrer.

**diaphane** adj. **1** Qui laisse passer la lumière sans laisser distinguer les formes. → **translucide.** **2** littér. Très pâle, délicat.

**diaphragme** n. m. **1** Muscle large et mince qui sépare le thorax de l'abdomen. **2** Contraceptif féminin (capuchon souple). **3** Membrane vibrante (d'appareils acoustiques). **4** Disque opaque à ouverture réglable.

**diaporama** n. m. **1** Projection de diapositives. **2** Diffusion séquentielle d'images numériques.

**diapositive** n. f. Tirage photographique positif destiné à la projection. – abrév. fam. **diapo.**

**diapré, ée** adj. De couleur variée et changeante. ► **diaprure** n. f. littér.

**diarrhée** n. f. Évacuation de selles liquides. → **colique.** ► **diarrhéique** adj.

**diaspora** n. f. hist. Dispersion des Juifs exilés de leur pays. ♦ par ext. Dispersion (d'une communauté) à travers le monde.

**diastole** n. f. physiol. Mouvement de dilatation du cœur, qui alterne avec la systole*.

**diatomée** n. f. Algue unicellulaire.

**diatonique** adj. mus. Qui procède par tons et demi-tons (opposé à *chromatique*).

**diatribe** n. f. Critique violente.

**dichotomie** n. f. didact. Division, opposition. ► **dichotomique** adj.

**dicible** adj. Qui peut être dit, exprimé.

**dico** → **dictionnaire**

**dicotylédone** adj. et n. f. (Plante) dont la graine a deux cotylédons.

**dictaphone** n. m. Magnétophone servant à la dictée du courrier.

**dictateur** n. m. **1** Antiq. romaine Magistrat nommé en cas de crise, investi d'un pouvoir illimité. **2** Personne qui s'empare du pouvoir et l'exerce sans contrôle. → **despote, tyran.** ► **dictatorial, iale, iaux** adj.

**dictature** n. f. **1** Antiq. romaine Magistrature extraordinaire, la plus élevée de toutes. **2** Concentration de tous les pouvoirs entre les mains d'un individu, d'un parti... **3** fig. Pouvoir absolu. *La dictature des trusts.*

**dictée** n. f. **1** Action de dicter. ♦ fig., littér. *Agir sous la dictée des circonstances.* **2** Exercice consistant à transcrire correctement un texte lu à haute voix.

**dicter** v. tr. [1] **1** Dire (qqch.) à haute voix en détachant les mots, pour que qqn les écrive. **2** Indiquer à l'avance à qqn (ce qu'il doit dire ou faire). **3** Stipuler et imposer. *Dicter ses conditions.* → **prescrire.**

**diction** n. f. Manière de dire, de réciter (un texte, des vers, etc.). → **élocution.**

**dictionnaire** n. m. **1** Recueil contenant des mots, des expressions d'une langue, présentés dans un ordre convenu, et qui donne des définitions, des informations sur eux. – *Dictionnaire de langue,* donnant des renseignements sur les mots de la langue commune et leurs emplois. – *Dictionnaire encyclopédique,* donnant des informations sur les choses désignées par les mots, et souvent traitant les noms propres. – *Dictionnaire bilingue,* qui donne la traduction des mots d'une langue dans une autre en tenant compte des emplois. **2** Ensemble des mots différents (d'un groupe...). → **lexique,**

**vocabulaire.** **3** fam. *Un dictionnaire vivant,* une personne aux connaissances très étendues. → **encyclopédie.** – abrév. fam. **dico.**

**dicton** n. m. Sentence passée en proverbe. → **adage, maxime.**

**didacticiel** n. m. inform. Logiciel à fonction pédagogique.

**didactique** adj. **1** Qui vise à instruire. *Ouvrage didactique.* **2** Qui appartient à la langue des sciences et des techniques. ► **didactisme** n. m.

**didascalie** n. f. didact. Indication de jeu, dans une œuvre théâtrale, un scénario.

**dièdre** n. m. géom. Figure formée par deux demi-plans à arête commune.

**diégèse** n. f. didact. Espace et temps servant de cadre au récit (d'un film...).

**diérèse** n. f. phonét. Prononciation dissociant deux voyelles (ex. pli-er).

**dièse** n. m. **1** mus. Signe (♯) élevant d'un demi-ton chromatique la note devant laquelle il est placé. **2** *Mot-dièse.* → **hashtag.** ► **diéser** v. tr. [6]

**diesel** [djezɛl] n. m. **1** Moteur à combustion interne, à allumage par compression. **2** Véhicule à moteur diesel.

**dies irae** [djɛsiʀe] n. m. invar. Chant de la messe des morts, qui commence par les mots *dies irae.*

① **diète** n. f. **1** méd. Régime alimentaire particulier. **2** cour. Privation de nourriture pour raison médicale ou hygiénique.

② **diète** n. f. hist. Assemblée politique (en Allemagne, Suède, Suisse...).

**diététique** **1** n. f. Science de l'hygiène alimentaire. **2** adj. Relatif à la diététique ; préparé selon les règles de la diététique. ► **diététicien, ienne** n.

**dieu** n. m. Principe d'explication de l'existence du monde, conçu comme un être personnel, selon des modalités particulières aux croyances, aux religions. **I** (dans le monothéisme) **1** Être éternel, unique, créateur et juge. *Croire en Dieu ; ne pas croire en Dieu* (→ **athée).** – avec article *Le Dieu des juifs* (Yahvé, Jéhovah), *des chrétiens* (Dieu), *des musulmans* (Allah). **2** dans des loc. *Dieu sait...* (pour insister) *Dieu sait si je dis la vérité.* – (incertitude) *Dieu sait ce que nous ferons demain.* ♦ *À la grâce de Dieu.* – *Dieu vous entende !* **3** interj. *Mon Dieu ! Grand Dieu !* – (jurons) *Nom de Dieu ! Bon Dieu !* **II** (dans le polythéisme) *Un dieu, les dieux* **1** Être supérieur doué d'un pouvoir sur l'homme et d'attributs particuliers. → **divinité ; idole.** *Histoire des dieux.* → **mythologie.** **2** loc. *Être aimé, béni des dieux,* avoir des atouts, de la chance. *Jurer ses grands dieux :* jurer solennellement.

**diffamation** n. f. **1** Action de diffamer. **2** Écrit, parole qui diffame.

**diffamer** v. tr. [1] Chercher à porter atteinte à la réputation, à l'honneur de (qqn). → **attaquer, calomnier, médire** de. ► **diffamateur, trice** n. ► **diffamatoire** adj.

**différé** n. m. Fait d'émettre, de diffuser (une émission) après l'enregistrement. – *En différé* (opposé à *en direct*).

**différemment** [-amɑ̃] adv. D'une manière autre, différente.

**différence** n. f. **1** Caractère ou ensemble de caractères qui distingue une chose d'une autre, un être d'un autre. → **dissemblance, distinction.** – loc. prép. *À la différence de :* contrairement à. – loc. conj. *À la différence que* (+ indic.) : avec cette différence que. ♦ *Le droit à la différence* (de culture, de mœurs...). **2** Écart entre deux quantités. *La différence entre 7 et 5 est 2.*

**différencier** v. tr. [7] **1** (sujet chose) Rendre différent. → **distinguer.** **2** (sujet personne) Établir une différence entre. → **distinguer, séparer.** ▷ v. pron. se **différencier** **1** Être caractérisé par telle ou telle différence. → **différer.** **2** Devenir différent ou de plus en plus différent. ► **différenciation** n. f. → **distinction.**

**différend** n. m. Désaccord résultant d'une opposition d'opinions, d'intérêts entre des personnes. → **conflit.**

Attention, ce mot se termine par un *d.*

**différent, ente** adj. **1** Qui diffère, présente une différence. → **autre, dissemblable, distinct.** **2** au plur. (avant le nom) Plusieurs et distincts. → **divers.** *Par différents moyens.*

Ne pas confondre avec *différend* « désaccord » *(un différend les oppose).*

**différentiel, elle** didact. **I** adj. Qui concerne les différences ; qui établit des différences. ♦ math. *Calcul différentiel* (partie du calcul infinitésimal*). **II** n. m. Combinaison d'engrenages qui permet une différence de vitesse de rotation.

**différer** v. [6] **I** v. tr. Remettre à un autre temps ; éloigner la réalisation de (qqch.). **II** v. intr. Être différent, dissemblable.

**difficile** adj. **1** Qui n'est pas facile ; qui ne se fait qu'avec effort, avec peine. → **ardu, dur, laborieux, malaisé.** **2** Qui demande un effort, des capacités (pour être compris, résolu). *Problème difficile.* → **compliqué.** **3** (passage...) Qui présente un danger. **4** Qui donne du souci, du mal. *Situation difficile.* **5** (personnes) Avec qui les relations ne sont pas aisées. **6** Qui n'est pas facilement satisfait. → **exigeant.**

**difficilement** adv. Avec difficulté.

**difficulté** n. f. **1** Caractère de ce qui est difficile ; ce qui rend qqch. difficile. **2** Mal que l'on a à faire qqch. *Se déplacer avec difficulté.* **3** Chose difficile ; embarras, ennui. *Difficultés matérielles.* **4** Raison alléguée, opposition soulevée contre qqch.

→ **objection.** *Il n'a pas fait de difficultés.* **5** *En difficulté :* dans une situation difficile.

**difficultueux, euse** adj. littér. Difficile.

**difforme** adj. Qui n'a pas la forme et les proportions naturelles (se dit surtout du corps humain). ► **difformité** n. f.

**diffraction** n. f. phys. Déviation d'un rayonnement au voisinage d'un obstacle. ► **diffracter** v. tr. [1]

**diffus, use** adj. **1** Qui est répandu dans toutes les directions. *Douleur diffuse.* **2** littér. Qui délaye sa pensée. → **verbeux.**

**diffuser** v. tr. [1] **1** Répandre dans toutes les directions. → **propager. 2** Transmettre par la radio, la télévision. **3** fig. Répandre dans le public. *Diffuser une nouvelle.* **4** Distribuer (un ouvrage de librairie).

**diffuseur** n. m. **1** Appareil qui diffuse qqch. **2** Entreprise qui diffuse des livres.

**diffusion** n. f. **1** Action de diffuser. **2** Fait de se répandre.

**digérer** v. tr. [6] **1** Faire la digestion de. *Digérer son repas.* **2** fig. Mûrir par un travail intellectuel. → **assimiler. 3** fam. Supporter patiemment (qqch. de fâcheux).

**digestible** adj. Qui se digère facilement. – syn. (critiqué) **digeste adj.**

**digestif, ive** adj. **1** Relatif à la digestion. *L'appareil digestif* (bouche, œsophage, estomac, intestin). *Le tube* digestif.* **2 n. m.** Alcool, liqueur pris après le repas.

**digestion** n. f. **1** Ensemble des transformations subies par les aliments dans le tube digestif avant l'assimilation. **2** fig. Assimilation.

**digicode** n. m. (marque déposée) anglic. Appareil à code alphanumérique commandant l'ouverture d'une porte.

① **digital, ale, aux** adj. Des doigts.

② **digital, ale, aux** adj. anglic. Basé sur des données numériques. – recomm. off. *numérique.*

**digitale** n. f. Plante herbacée vénéneuse à fleurs en forme de doigtier.

**digitaline** n. f. Principe actif très toxique extrait de la digitale, utilisé en cardiologie.

**digitigrade** adj. zool. Qui marche en appuyant sur les doigts (ex. le chat).

**digne** adj. **I** *Digne de* **1** Qui mérite (qqch.). *Objet digne d'intérêt.* **2** Qui est en accord, en conformité avec (qqn ou qqch.). **II** Qui a de la dignité. ► **dignement** adv.

**dignitaire** n. m. Personne revêtue d'une dignité (I).

**dignité** n. f. **I** Fonction, titre ou charge qui donne à qqn un rang éminent. **II 1** Respect que mérite qqn, qqch. → **grandeur, noblesse. 2** Respect de soi. → **fierté, honneur.**

**digression** n. f. Développement oral ou écrit qui s'écarte du sujet.

**digue** n. f. Construction destinée à contenir les eaux. → **chaussée, jetée, môle.**

**diktat** [-at] n. m. Chose imposée, décision unilatérale. → **oukase.**

**dilapider** v. tr. [1] Dépenser (des biens) de manière excessive et désordonnée. → **gaspiller.** ► **dilapidation** n. f.

**dilatable** adj. Qui peut se dilater. ► **dilatabilité** n. f.

**dilatateur, trice** adj. anat. Qui dilate. *Muscles dilatateurs* (opposé à *constricteur*).

**dilater** v. tr. [1] Augmenter le volume de (qqch.). – au p. p. *Pupilles dilatées,* agrandies. ♦ loc. fam. *Se dilater la rate :* rire beaucoup. ▷ v. pron. se **dilater** ► **dilatation** n. f.

**dilatoire** adj. dr. Qui tend à retarder par des délais, à prolonger un procès. ♦ *Réponse dilatoire,* qui vise à gagner du temps.

**dilemme** n. m. Alternative contenant deux propositions contraires ou contradictoires entre lesquelles on doit choisir.

**dilettante** n. Personne qui s'occupe de qqch. pour le plaisir. ► **dilettantisme** n. m.

**diligemment** [-amɑ̃] adv. D'une manière diligente, avec diligence (I).

**diligence** n. f. **I 1** littér. Activité empressée. → **célérité, empressement.** – loc. *Faire diligence :* se dépêcher. **2** dr. *À la diligence de qqn,* sur sa demande. **II** Voiture à chevaux qui servait au transport des voyageurs.

**diligent, ente** adj. littér. Qui montre de la diligence. – *Soins diligents.* → **attentif.**

**diluant** n. m. Liquide qui sert à diluer.

**diluer** v. tr. [1] Délayer, étendre (une substance) dans un liquide. ► **dilution** n. f.

**diluvien, ienne** adj. **1** Relatif au déluge (1). **2** *Pluie diluvienne,* très abondante.

**dimanche** n. m. Septième jour de la semaine, qui succède au samedi. – loc. *Du dimanche,* se dit de qqn qui agit en amateur.

**dîme** n. f. hist. Ancien impôt sur les récoltes, prélevé par l'Église.

**dimension** n. f. **I 1** Grandeur réelle, mesurable, qui détermine la portion d'espace occupée par un corps. → **étendue, grandeur, grosseur ; taille. 2** Grandeur qui mesure (un objet). **3** math. Nombre associé à un objet. *Espace à deux dimensions* (plan), *à trois dimensions* (géométrie dans l'espace). ♦ *La quatrième dimension* (dans la théorie de la relativité) : le temps. **II** fig. **1** Importance. **2** Aspect significatif (d'une chose). *La dimension politique d'un problème.*

**diminué, ée** adj. **1** Rendu moins grand. **2** (personnes) Amoindri, affaibli.

**diminuer** v. [1] **I** v. tr. **1** Rendre plus petit (une grandeur). → **réduire ;** contr. *augmenter.* **2** Rendre moins grand, moins fort. *Diminuer un risque.* **3** Réduire les mérites, la valeur de (qqn). → **déprécier. II** v. intr. Devenir moins grand. → **baisser, décroître.**

**diminutif, ive 1** adj. Qui ajoute une idée de petitesse. *Suffixe diminutif.* **2 n. m.** Mot formé d'un radical et d'un suffixe diminutif (ex. *tablette* sur *table*). ♦ Nom propre formé par suffixation, etc., ayant une valeur affective (ex. *Pierrot* sur *Pierre*).

**diminution** n. f. Action de diminuer ; son résultat. → **baisse, réduction.**

**dinanderie** n. f. Ensemble des ustensiles de cuivre jaune.

**dinar** n. m. Unité monétaire de l'Algérie, de la Tunisie, de l'Irak, etc.

**dînatoire** adj. Qui sert de dîner.

**dinde** n. f. **1** Femelle du dindon. **2** fig. Femme stupide et prétentieuse.

**dindon** n. m. **1** Grand oiseau de basse-cour, dont la tête et le cou sont recouverts d'une membrane rouge violacé ; spécialt le mâle. *Le dindon glougloute.* **2** loc. *Être le dindon de la farce,* la dupe.

**dindonneau** n. m. Petit de la dinde.

① **dîner** v. intr. [1] **1** vx ou région. Prendre le repas du milieu du jour. → ① **déjeuner.** **2** Prendre le repas du soir. **3** prov. *Qui dort dîne :* le sommeil fait oublier la faim.

② **dîner** n. m. **1** vx ou région. Repas de la mi-journée. **2** Repas du soir. → **souper.**

**dînette** n. f. **1** Petit repas, vrai ou simulé, que les enfants s'amusent à faire entre eux. **2** Service de table miniature (jouet).

**dîneur, euse** n. Personne qui dîne.

**ding** [diŋ] interj. Onomatopée évoquant un tintement. – *Ding, ding, dong* (carillon).

**dinghy** [diŋgi] n. m. anglic. Canot pneumatique. *Des dinghys* ou *des dinghies.*

① **dingo** n. m. Chien sauvage d'Australie.

② **dingo** adj. et n. fam. et vieilli Fou. → **dingue.**

**dingue** adj. fam. **1** Fou. – n. *Mener une vie de dingue.* **2** Extraordinaire. → **dément.**

**dinguer** v. intr. [1] fam. Tomber, être projeté. *Envoyer dinguer qqn* (fig. l'éconduire).

**dinosaure** [-zɔʀ] n. m. Très grand reptile fossile quadrupède de l'ère secondaire (ordre des *Dinosauriens*).

**diocèse** n. m. Circonscription d'un évêque ou d'un archevêque. ► **diocésain, aine** adj.

**diode** n. f. phys. Composant électronique utilisé pour transformer un courant alternatif en courant de sens constant.

**dioptrie** n. f. sc. Unité de convergence ou de divergence d'un système optique.

**dioptrique** n. f. didact. Partie de l'optique qui traite de la réfraction. – adj. *Le système dioptrique de l'œil.*

**diorama** n. m. Tableau que l'on soumet à des jeux d'éclairage (à la mode au XIXᵉ s.).

**dioxine** n. f. Sous-produit d'un dérivé du phénol, très toxique.

**dioxyde** n. m. chim. Oxyde contenant deux atomes d'oxygène.

**diphtérie** n. f. Maladie contagieuse due à un bacille, et provoquant des étouffements. → **croup.** ► **diphtérique** adj. et n.

**diphtongue** n. f. Voyelle qui change de timbre en cours d'émission.

**diplodocus** [-ys] n. m. Reptile dinosaurien herbivore.

**diplômant, ante** adj. Qui permet d'obtenir un diplôme. *Stage diplômant.*

**diplomate I 1** n. Personne chargée par un gouvernement de fonctions diplomatiques. **2** n. et adj. fig. (Personne) qui sait mener une affaire avec tact. **II** n. m. Gâteau à base de biscuits et de fruits confits.

**diplomatie** n. f. **1** Partie de la politique qui concerne les relations entre États : représentation des intérêts d'un gouvernement à l'étranger, négociations entre États, etc. (→ **ambassade, légation ; consulat).** ♦ Carrière diplomatique. **2** fig. Habileté, tact dans la conduite d'une affaire. → **doigté.**

**diplomatique** adj. **1** Relatif à la diplomatie. ♦ *Maladie diplomatique,* invoquée pour se dérober à une obligation. **2** fig. (actions...) → **adroit, habile.** ► **diplomatiquement** adv.

**diplôme** n. m. **1** Acte qui confère et atteste un titre, un grade. **2** Examen, concours passé pour obtenir un diplôme.

**diplômé, ée** adj. et n. (Personne) qui a obtenu un diplôme.

**diplômer** v. tr. [1] Décerner un diplôme à (qqn).

**diptère 1** n. m. Insecte à métamorphoses complètes, à deux ailes et à trompe (ex. la mouche). **2** adj. Qui a deux ailes (insecte).

**diptyque** n. m. **1** Tableau pliant formé de deux volets. **2** Œuvre en deux parties.

① **dire** v. tr. [37] **I** Émettre (les sons, les éléments signifiants d'une langue). *Dire un mot, quelques paroles.* → **articuler, énoncer, prononcer. II** Exprimer (la pensée, les sentiments, les intentions) par la parole. **1** Exprimer, communiquer ; formuler. *Dire la vérité. Dire oui.* ♦ loc. *À ce qu'il dit :* selon ses paroles. – *À vrai dire :* véritablement. – *C'est beaucoup dire :* c'est exagéré. – *Pour tout dire :* en somme, en résumé. – *Cela va sans dire :* la chose est évidente. – *Entre nous soit dit :* confidentiellement. – *Ce disant :* en disant cela. *Ceci dit :* ayant dit ces mots. – *Ceci dit* ou *cela dit :* malgré tout. **2** Décider, convenir de (qqch.). – *Tenez-vous le pour dit :* considérez que c'est un ordre. – *Aussitôt* dit, aussitôt fait.* **3** Exprimer (une opinion ; un jugement). *Que vont en dire les gens ?* → **qu'en-dira-t-on.** ♦ *Dire que* (en tête de phrase), exprime l'étonnement, l'indignation... *Dire qu'il n'a pas encore vingt ans !* ♦ *On dirait :* on croirait, il semble. **4** Raconter (un fait, une nouvelle). – *Je me suis laissé dire que :* j'ai entendu que. **5** *Dire à qqn de, que :* exprimer (sa volonté). → **commander, ordonner.** *Dites-lui de venir ; qu'il vienne.* **6** (dans des loc.) Énoncer une objection. → **objecter.** prov. *Bien faire et laisser dire :* il faut faire ce qu'on croit bien sans se soucier des critiques. **7** Lire, réciter. *Dire un* *poème.* **8** pronom. *Se dire :* être employé (tournure, expression). *Cela ne se dit plus.* **III** Exprimer par le langage (écrit ou oral). *Avoir des choses à dire.* **1** Exprimer par écrit. → **écrire.** – *La loi dit que.* → **stipuler.** **2** (avec un adv. ou une loc. adv.) → **exprimer.** *C'est très bien dit.* – loc. *Il ne croit pas si bien dire :* il ne sait pas que ce qu'il dit correspond tout à fait à la réalité. – *Pour ainsi dire ;* fam. *comme qui dirait.* **3** Employer (telles formes linguistiques) pour exprimer qqch. *Il faut dire «se souvenir de qqch.» et non pas «se rappeler de qqch.».* **4** (auteur) Exprimer, révéler (qqch. de personnel...). **IV** (sujet chose) **1** Faire connaître, exprimer par un signe, une manifestation quelconque. *Son silence en dit long.* – *Que dit le baromètre ?* → **indiquer.** ♦ *Cela me dit, ne me dit rien,* me tente, ne me tente pas. **2** *Vouloir dire.* → **signifier.** ♦ *C'est dire :* cela montre.

② **dire** n. m. **1** Ce qu'une personne dit, rapporte. *Au dire de, selon le(s) dire(s) de :* d'après. **2** dr. Déclaration juridique.

**direct, ecte** [-ɛkt] **I** adj. **1** Qui est en ligne droite. **2** fig. Sans détour. *Être franc et direct.* **3** Qui se fait sans intermédiaire. *Vente directe.* ♦ gramm. *Complément direct,* construit sans préposition. *Verbe transitif direct.* – *Discours direct,* rapporté dans sa forme originale, après un verbe de parole (ex. Il m'a dit : «J'étais là hier»). **4** Qui ne s'arrête pas (ou peu). *Train direct.* **II** n. m. **1** boxe Coup droit. **2** *En direct* (radio...) : transmis au moment même (opposé à *en différé*).

**directement** adv. **1** En droite ligne, sans détour. **2** Sans intermédiaire.

**directeur, trice I** n. **1** Personne qui dirige (une entreprise...). → **chef, patron, président ; directorial. 2** *Directeur de conscience :* prêtre qui dirige qqn en matière de religion. **3** Membre d'un directoire ; (hist.) du Directoire. **II** adj. Qui dirige. → **dirigeant.** – fig. *L'idée directrice d'un ouvrage.*

**directif, ive** adj. **1** Qui décide seul du programme d'action d'un groupe. → **autoritaire.** **2** Conduit de façon prédéterminée. *Entretien directif.* ► **directivité** n. f.

**direction** n. f. **I 1** Action de diriger (I). **2** Fonction de directeur ; équipe qui dirige. **3** Services confiés à un directeur. **II 1** Ligne suivant laquelle un corps se meut, une force s'exerce. **2** Voie à suivre pour aller à un endroit ; orientation (aussi fig.). **3** Ensemble des mécanismes qui permettent de guider les roues d'un véhicule.

**directive** n. f. Indication donnée par une autorité. → **consigne, instruction, ordre.** ♦ *Directive européenne,* fixant à un État membre un résultat à atteindre.

**directoire** n. m. **1** hist. *Le Directoire :* dans la Constitution de l'an III, Conseil de cinq membres (directeurs) chargé du pouvoir exécutif ; le régime politique durant cette période (de 1795 à 1799). **2** Organe chargé de la gestion d'une société anonyme.

**directorial, ale, aux** adj. D'un directeur.

**dirham** [diʀam] n. m. Unité monétaire du Maroc.

**dirigeable** adj. et n. m. *(Ballon) dirigeable :* aérostat qu'on peut diriger.

**dirigeant, ante 1** adj. Qui dirige. *Classes dirigeantes.* **2** n. Personne qui dirige.

**diriger** v. tr. [3] **I 1** Conduire, mener (une entreprise, une opération, des affaires...) comme chef responsable. → **administrer, gérer, organiser. 2** Conduire l'activité de (qqn...). *Diriger un orchestre.* **II** Guider (qqch.) dans une certaine direction (déplacement, mouvement...). *Diriger une voiture.* – *Diriger ses pas vers...* → **aller.** – *Diriger son regard vers qqch.* – fig. (passif) *Cet article est dirigé contre vous.* ▷ v. pron. se **diriger** *Se diriger vers.* → **aller.** ♦ fig. → s'**orienter.** ▷ adj. **dirigé, ée** *Économie dirigée* (→ **dirigisme**).

**dirigisme** n. m. Système dans lequel l'État assume la direction de l'économie (dans le cadre de la société capitaliste). ► **dirigiste** adj. et n.

**dirimant, ante** adj. dr. *Empêchement dirimant,* qui annule un mariage.

**discal, ale, aux** adj. anat. Relatif à un disque intervertébral. *Hernie discale.*

**discernable** adj. Qui peut être discerné.

**discernement** n. m. Capacité de l'esprit à juger clairement et sainement. → **jugement.**

**discerner** v. tr. [1] **1** Percevoir (un objet) par rapport à ce qui l'entoure. → **distinguer, identifier, reconnaître. 2** (abstrait) Se rendre compte de la nature de (qqch.) ; faire la distinction entre (des choses). *Discerner le vrai du faux.*

**disciple** n. **1** Personne qui reçoit l'enseignement d'un maître. **2** Personne qui adhère aux doctrines de qqn. → **adepte.**

**disciplinaire** adj. Qui se rapporte à la discipline, et spécialt aux sanctions.

**discipline** n. f. **1** vx Fouet utilisé pour se mortifier. **2** Règle de conduite d'un groupe ; obéissance à cette règle. **3** Règle de conduite que qqn s'impose. **4** Branche de la connaissance, des études. → **matière.**

**discipliner** v. tr. [1] **1** Accoutumer à la discipline. **2** Plier à une discipline (3). ▷ adj. **discipliné, ée** → **obéissant, soumis.**

**disc-jockey** n. anglic. Personne qui passe de la musique de variétés à la radio, dans une discothèque. → **D. J.** – var. **disque-jockey.**

**disco** n. m. anglic. Musique de danse inspirée du jazz et du rock. – adj. invar. *Albums disco.*

**discobole** n. Athlète lanceur de disque.

**discographie** n. f. Répertoire de disques. ► **discographique** adj.

**discontinu, ue** adj. **1** Qui n'est pas continu, qui offre des solutions de continuité. – math. *Quantité discontinue.* → ② **discret. 2** Qui n'est pas continuel. → **intermittent.** ► **discontinuité** n. f.

**discontinuer** v. [1] **1** v. tr. littér. Ne pas continuer (une chose commencée). **2** (intrans.) loc. *Sans discontinuer* : sans arrêt.

**disconvenir** v. tr. ind. [22] littér. *Ne pas disconvenir de qqch.*, ne pas le nier.

**discordant, ante** adj. Qui manque d'harmonie. – Qui sonne faux ; dissonant. ► **discordance** n. f.

**discorde** n. f. littér. Dissentiment durable entre personnes (s'oppose à *concorde*). – loc. *Pomme de discorde* : sujet de division.

**discothèque** n. f. **1** Collection de disques. ♦ Organisme de prêt de disques. **2** Lieu de réunion où l'on peut danser.

**discount** [diskunt ; diskaunt] n. m. anglic. **1** Rabais sur un prix. **2** Vente à bas prix.

**discourir** v. tr. [11] péj. Parler sur un sujet en le développant longuement. → **pérorer.** ► **discoureur, euse** n. péj.

**discours** n. m. **1** vieilli Propos que l'on tient. – mod., péj. *Assez de discours !* → **bavardage. 2** Développement oratoire fait en public. **3** Écrit didactique sur un sujet. «*Discours de la méthode*» (de Descartes). **4** Expression verbale de la pensée. → **parole ; langage.** – *Les parties du discours* : les catégories grammaticales traditionnelles. ♦ ling. Ensemble des énoncés, des messages parlés ou écrits (par opposition au système abstrait que constitue la langue). → **parole.**

**discourtois, oise** adj. littér. Qui n'est pas courtois. → **impoli.** ► **discourtoisie** n. f.

**discrédit** n. m. Perte du crédit, de l'estime, de la considération. → **défaveur.**

**discréditer** v. tr. [1] **1** Diminuer fortement la valeur, le crédit de (qqch.). **2** Porter atteinte à la réputation de (qqn).

① **discret, ète** adj. **1** Qui témoigne de retenue, se manifeste peu dans les relations sociales, n'intervient pas dans les affaires d'autrui. → **réservé.** ♦ (choses) *Tenue discrète.* – *Endroit discret,* retiré. **2** Qui garde les secrets. ► **discrètement** adv.

② **discret, ète** adj. didact. (quantité) Qui ne peut prendre qu'un ensemble fini ou dénombrable de valeurs. → **discontinu.**

**discrétion** n. f. **I 1** Qualité d'une personne discrète. → **délicatesse, réserve, tact. 2** Qualité consistant à savoir garder les secrets. **II** vx Discernement ; pouvoir de décider. ♦ mod. loc. *Être à la discrétion de qqn,* dépendre de lui. – loc. adv. *À discrétion* : comme on le veut. → à **volonté.**

**discrétionnaire** adj. Qui est laissé à la discrétion (II) de qqn.

**discriminant, ante** adj. didact. Qui établit une distinction, une discrimination (1).

**discrimination** n. f. **1** littér. Action de discerner, de distinguer (les choses les unes des autres) avec précision. **2** Traitement inégal et défavorable appliqué à certaines personnes. → **ségrégation.** – *Sans discrimination* : de manière égalitaire. ♦ loc. *Discrimination positive* : réaction contre une discrimination, qui favorise le groupe qui la subit (en établissant des quotas...).

**discriminatoire** adj. Qui tend à créer une discrimination (2), à distinguer (un groupe...) à son détriment.

**discriminer** v. tr. [1] littér. Faire la discrimination (1) entre. → **distinguer.**

**disculper** v. tr. [1] Prouver l'innocence de (qqn). ▷ v. pron. se **disculper** Se justifier, s'excuser. ► **disculpation** n. f.

**discursif, ive** adj. **1** Qui procède par raisonnements successifs (opposé à *intuitif*). **2** ling. Relatif au discours.

**discussion** n. f. **1** Action de discuter, d'examiner (qqch.). **2** Fait de discuter (qqch.), de s'y opposer. **3** Échange d'arguments, de vues contradictoires.

**discutable** adj. **1** Qu'on peut discuter, contester. → **contestable. 2** Plutôt mauvais. → **douteux.**

**discutailler** v. intr. [1] péj. Discuter de façon oiseuse et interminable. → **ergoter.**

**discuté, ée** adj. Qui soulève des discussions. → **contesté, controversé, critiqué.**

**discuter** v. [1] **I** v. tr. **1** Examiner (qqch.) par un débat, en étudiant le pour et le contre. → **débattre.** *Discuter un point litigieux.* **2** Mettre en question, considérer comme peu fondé. → **contester. 3** Opposer des arguments à (une décision), refuser d'exécuter. *Discuter un ordre.* **4** loc. fam. *Discuter le coup* : discuter (II). **II** v. intr. Parler avec d'autres en échangeant des idées, des arguments sur un sujet. *Discuter (de) politique.* ▷ v. pron. se **discuter** *Cela se discute,* on peut en faire l'objet d'une discussion.

**disert, erte** adj. littér. Qui parle avec facilité et élégance. → **éloquent.**

**disette** n. f. Manque de vivres. → **famine.**

**diseur, diseuse** n. **1** *Diseur de* : personne qui dit habituellement (telles choses). **2** *Diseur, diseuse de bonne aventure* : personne qui prédit l'avenir.

**disgrâce** n. f. **1** Perte des bonnes grâces, de la faveur d'une personne dont on dépend ; état qui en découle. → **défaveur. 2** vx Événement malheureux. → **infortune.**

**disgracié, ée** adj. **1** Qui est tombé en disgrâce. **2** fig. Peu favorisé. → **défavorisé.**

**disgracieux, euse** adj. Qui n'a aucune grâce. ► **disgracieusement** adv.

**disharmonie** n. f. littér. Absence d'harmonie. → **discordance.**

**disjoindre** v. tr. [49] **1** Écarter les unes des autres (des parties jointes). **2** fig. Séparer ; traiter isolément. ▷ adj. **disjoint, ointe** **1** Qui n'est plus joint. **2** → **distinct.**

**disjoncter** v. [1] **I** v. tr. Interrompre (le courant). **II** v. intr. fam. **1** Se mettre en position d'interruption du courant. **2** Perdre le contact avec la réalité.

**disjoncteur** n. m. Interrupteur automatique de courant électrique.

**disjonction** n. f. **1** didact. Action de disjoindre (des idées) ; son résultat (s'oppose à *conjonction*). **2** dr. Séparation (de causes).

**dislocation** n. f. **1** Fait de se disloquer. **2** Séparation des membres (d'un groupe). *La dislocation d'un cortège.* → **dispersion.**

**disloquer** v. tr. [1] **1** Déplacer violemment (les parties d'une articulation). → **démettre, désarticuler.** **2** Séparer violemment (les parties d'un ensemble) ; séparer les éléments de. → **casser, démolir.** ▷ v. pron. se **disloquer** ▷ adj. **disloqué, ée**

**disparaître** v. intr. [57] **I** Ne plus être vu ou visible. **1** Cesser d'être visible. *Il a disparu dans la foule.* **2** S'en aller. → **fuir, partir.** **3** Être introuvable. *Mes gants ont disparu.* **4** *Faire disparaître qqn, qqch.*, le soustraire à la vue, le cacher. **II** Cesser d'être, d'exister. **1** (êtres vivants) → s'**éteindre, mourir.** **2** *Navire qui disparaît en mer.* → **sombrer.** **3** abstrait *Ses soucis ont disparu.* → s'**évanouir.** **4** *Faire disparaître qqch. ; qqn.* → **détruire, effacer ; supprimer, tuer.**

**disparate** adj. Qui n'est pas en harmonie avec ce qui l'entoure ; dont la diversité est gênante. → **discordant, hétéroclite.** ▶ **disparité** n. f.

**disparition** n. f. **1** Fait de n'être plus visible. **2** Action de partir d'un lieu ; absence inexplicable. **3** Fait de disparaître en cessant d'exister. → **mort ; extinction.**

**disparu, ue** adj. **1** Qui a cessé d'être visible. **2** Qui est parti ; introuvable. **3** Qui a cessé d'exister. ♦ n. Mort, défunt.

**dispatcher** v. tr. [1] anglic. Répartir, distribuer.

**dispendieux, ieuse** adj. Qui exige une grande dépense. → **coûteux.**

**dispensaire** n. m. Établissement où l'on donne des consultations, des soins médicaux.

**dispensateur, trice** n. Personne qui dispense, qui distribue.

**dispense** n. f. Autorisation spéciale qui décharge d'une obligation.

**dispenser** v. tr. [1] **I** littér. (personnes ; réalités...) Distribuer. → **accorder, prodiguer.** **II** *Dispenser* (qqn) *de* **1** Libérer (qqn) de (une obligation). → **exempter.** *Dispenser un élève de gymnastique.* ♦ (sujet chose) *Ton succès ne te dispense pas de travailler.* **2** iron. *Dispensez-moi de vos réflexions.* → **épargner.**

**disperser** v. tr. [1] **1** Jeter, répandre çà et là. → **éparpiller.** **2** Répartir çà et là, en divers endroits. – fig. *Disperser son attention,* ne pas la concentrer. **3** Faire se séparer (des personnes). ▷ v. pron. se **disperser** **1** *Les manifestants se dispersent.* **2** S'occuper à des activités trop diverses. ▷ adj. **dispersé, ée** *Habitat dispersé.* → **clairsemé.**

**dispersion** n. f. **1** Action de (se) disperser ; état de ce qui est dispersé. ♦ phys. Décomposition (d'un rayonnement). **2** fig. *Dispersion des efforts.* → **éparpillement.**

**disponibilité** n. f. État de ce qui est disponible, d'une personne disponible. ♦ **spécialt** au plur. Fonds dont on peut disposer.

**disponible** adj. **1** Dont on peut disposer. → **libre.** *Appartement disponible.* **2** *Officier, fonctionnaire disponible,* qui n'est pas en activité, mais demeure à la disposition de l'armée, de l'Administration. **3** Qui n'est lié ou engagé par rien ; qui peut disposer de son temps. → **libre.**

**dispos, ose** adj. En bonne disposition pour agir. → en **forme.** – loc. *Frais et dispos.*

**disposer** v. [1] **I** v. tr. **1** Arranger, mettre dans un certain ordre. **2** *Disposer* (qqn) *à,* préparer psychologiquement (qqn) à (qqch.). *Disposer un malade à mourir, à la mort.* **II** v. tr. ind. *Disposer de* **1** Avoir à sa disposition, avoir la possession, l'usage de. **2** *Disposer de qqn,* s'en servir comme on le veut. – *Le droit des peuples à disposer d'eux-mêmes* (→ **liberté**). – sans compl. *Vous pouvez disposer :* partez (se dit à un inférieur). **III** v. intr. Décider, décréter. prov. *L'homme propose, Dieu dispose.* ▷ v. pron. se **disposer** (à) Être sur le point (de) ; se préparer (à). ▷ adj. **disposé, ée** **1** Arrangé, placé. **2** *Être disposé à :* être préparé à, avoir l'intention de. **3** *Être bien, mal disposé envers qqn,* lui vouloir du bien, du mal. – absolt *Être bien, mal disposé,* de bonne, de mauvaise humeur.

**dispositif** n. m. **1** dr. Énoncé final (d'un jugement). **2** Manière dont sont disposées les pièces d'un appareil ; le mécanisme lui-même. *Dispositif de commande.* **3** Ensemble de moyens disposés conformément à un plan. *Dispositif de défense.*

**disposition** n. f. **I 1** Action de disposer, de mettre dans un certain ordre ; son résultat. **2** au plur. Moyens, précautions par lesquels on se dispose à qqch. → **mesure, préparatifs.** **II 1** *Disposition à* (+ inf.) : tendance à. → **prédisposition.** **2** État d'esprit passager. ♦ au plur. (qualifié) Intentions envers qqn. **3** Aptitude à faire qqch. → **don.** **4** *(À... disposition).* Faculté de disposer, pouvoir de faire ce que l'on veut (de qqn, de qqch.). *Je mets ma voiture ; je me mets à votre disposition.* **5** Clause d'un acte juridique (contrat...). ♦ Point réglé par une loi, un arrêté, etc.

**disproportion** n. f. Défaut de proportion, différence excessive (entre des choses).

**disproportionné, ée** adj. Qui n'est pas proportionné (à qqch.). – sans compl. → **démesuré.**

**dispute** n. f. Échange violent de paroles (arguments, reproches...) entre personnes qui s'opposent. → **altercation, querelle.**

**disputer** v. 1 I v. tr. ind. littér. *Disputer de* 1 Discuter de. → **débattre.** 2 Rivaliser de. II v. tr. 1 littér. *Le disputer en* : rivaliser de. 2 Lutter pour la possession ou la conservation de (qqch.). *Disputer un poste à un rival.* ♦ *Disputer un combat* (en vue de la victoire). 3 fam. Réprimander (qqn). ▷ v. pron. se **disputer** 1 → se **quereller.** 2 *Le match s'est disputé hier.*

**disquaire** n. Marchand(e) de disques.

**disqualifier** v. tr. 7 1 Exclure d'une épreuve, en raison d'une infraction au règlement. 2 littér. Discréditer. ▷ v. pron. se **disqualifier** ► **disqualification** n. f.

**disque** n. m. I 1 Palet que des athlètes (→ **discobole**) lancent en pivotant sur eux-mêmes. 2 Surface visible (de certains astres). *Le disque du Soleil.* 3 Objet de forme ronde et plate. - *Freins à disques* (à mâchoires serrant un disque). - anat. *Disque intervertébral,* séparant deux vertèbres. II 1 Plaque circulaire sur laquelle sont enregistrés des sons dans la gravure d'un sillon spiralé (→ **microsillon**). *Disque noir, disque vinyle.* - loc. fam. *Changer de disque* : parler d'autre chose. ♦ *Disque optique* : disque de petite taille sur lequel les informations sont enregistrées sous forme de microcavités, et peuvent être lues par un système optique (rayon laser). - *Disque compact* : disque optique destiné au grand public, permettant la reproduction de sons. - On emploie aussi *CD* et l'anglic. *compact-disc* (marque déposée). - *Disque optique compact* (sigle *D. O. C.*). → **CD-ROM.** - *Disque numérique à usages multiples.* → **DVD.** 2 Support magnétique d'information. *Le disque dur d'un ordinateur.*

**disque-jockey** → **disc-jockey**

**disquette** n. f. Petit disque (II, 2) destiné à s'insérer dans le lecteur d'un ordinateur.

**dissection** n. f. Action de disséquer.

**dissemblable** adj. Se dit de personnes ou de choses qui ne sont pas semblables, bien qu'ayant des caractères communs. ► **dissemblance** n. f.

**disséminer** v. tr. 1 1 Répandre en de nombreux points assez écartés. → **disperser, éparpiller, semer.** 2 Disperser. *Disséminer des troupes.* ▷ v. pron. se **disséminer** ► **dissémination** n. f.

**dissension** n. f. Division profonde de sentiments, d'intérêts, de convictions.

**dissentiment** n. m. Différence dans la manière de voir, qui crée des heurts.

**disséquer** v. tr. 6 1 Diviser les parties de (un organisme) en vue de l'étudier. *Disséquer une grenouille.* 2 fig. Analyser minutieusement. *Disséquer un texte.*

**dissertation** n. f. 1 vieilli Texte où l'on disserte. 2 Exercice scolaire écrit sur des sujets littéraires, philosophiques, etc.

**disserter** v. intr. 1 Faire un développement, le plus souvent oral (sur un sujet).

**dissidence** n. f. Action ou état de ceux qui se séparent d'une communauté politique, etc. - Groupe de dissidents.

**dissident, ente** adj. et n. Qui est en dissidence, qui fait partie d'une dissidence.

**dissimulateur, trice** n. et adj. (Personne) qui dissimule (1). → **hypocrite.**

**dissimulation** n. f. 1 Action de dissimuler. 2 Comportement d'une personne qui dissimule. ♦ péj. Hypocrisie.

**dissimuler** v. tr. 1 1 Ne pas laisser paraître (ce qu'on pense, ce qu'on sait), ou chercher à en donner une idée fausse. → **cacher, taire ; déguiser.** 2 Empêcher de voir (une chose concrète). → **masquer.** ♦ Camoufler, cacher ; tenir secret. ▷ v. pron. se **dissimuler** Cacher sa présence. ▷ adj. **dissimulé, ée** 1 *Une joie non dissimulée.* 2 (personnes) → **dissimulateur.**

**dissipateur, trice** n. et adj. (Personne) qui dissipe son bien.

**dissipation** n. f. I 1 Fait de (se) dissiper (1). 2 Action de dissiper en dépensant. II 1 Manque d'attention ; agitation (spécialt d'un écolier). → **indiscipline.** 2 littér. Débauche.

**dissipé, ée** adj. 1 Qui manque d'application. 2 littér. → **dissolu.** *Vie dissipée.*

**dissiper** v. tr. 1 I 1 Faire cesser, faire disparaître. → **chasser.** - fig. *Dissiper un malentendu.* 2 Dépenser follement. *Dissiper une fortune.* → **dilapider.** II littér. *Dissiper qqn,* le détourner de ses occupations sérieuses, du devoir. ▷ v. pron. se **dissiper** 1 *La brume se dissipe.* 2 Devenir dissipé.

**dissocier** v. tr. 7 1 Séparer (des éléments qui étaient associés). 2 Distinguer, séparer. *Dissocier deux questions.* ► **dissociation** n. f.

**dissolu, ue** adj. Qui vit dans la débauche. - *Mœurs dissolues.* → **dépravé, déréglé.**

**dissolution** n. f. I 1 Décomposition, désagrégation. ♦ dr. Action de mettre fin légalement. → **rupture ; dissoudre.** *Dissolution d'une assemblée.* 2 vieilli Débauche. II 1 Passage à l'état de solution. ♦ Liquide résultant de la dissolution. → **solution.** 2 Colle au caoutchouc.

**dissolvant, ante** 1 adj. Qui dissout (1), forme une solution avec un corps. 2 n. m. Produit qui dissout (un corps). → **solvant.**

**dissonance** n. f. 1 Réunion désagréable de sons. ♦ mus. Intervalle, accord qui appelle une consonance*. 2 fig. Manque d'harmonie, discordance. ► **dissonant, ante** adj.

**dissoner** v. intr. 1 Faire une dissonance ; produire des dissonances.

**dissoudre** v. tr. 51 1 Désagréger (un corps solide ou gazeux) au moyen d'un liquide dans lequel ses molécules se dispersent (→ **diluer**). - pronom. *Le sel se dissout dans* *l'eau* (→ **soluble**). **2** Mettre légalement fin à (une association...).

**dissuader** v. tr. [1] *Dissuader qqn de,* l'amener à renoncer à (faire qqch.).

**dissuasif, ive** adj. **1** Propre à dissuader. **2** Propre à dissuader l'ennemi d'attaquer.

**dissuasion** n. f. Action de dissuader ; son résultat. – *Force de dissuasion :* force de frappe dissuasive.

**dissyllabique** adj. Qui a deux syllabes (mot, vers). – syn. **dissyllabe.**

**dissymétrie** n. f. Défaut de symétrie. → **asymétrie.** ► **dissymétrique** adj.

Deux *s*, contrairement à *asymétrie.*

**distance** n. f. **1** Longueur qui sépare une chose d'une autre. *Parcourir de grandes distances. Distance de la Terre à la Lune.* – loc. adv. *À distance :* de loin. **2** Espace qui sépare deux personnes. ♦ loc. *Prendre ses distances :* s'aligner en étendant le bras horizontalement ; fig. se tenir dans la réserve vis-à-vis de qqn. *Garder ses distances* (même sens). **3** Écart dans le temps. → **intervalle. 4** fig. Différence notable. → **abîme.**

**distancer** v. tr. [3] Dépasser (ce qui avance). → **devancer.** ♦ fig. → **surpasser.**

**distanciation** n. f. Recul, détachement pris par rapport à qqn, qqch. (spécialt, au théâtre, par rapport à la situation).

se **distancier** v. pron. [7] Mettre une distance (fig.) entre soi et qqn, qqch.

**distant, ante** adj. **1** Qui est à une certaine distance. → **éloigné, loin. 2** Qui garde ses distances. → **froid, réservé.**

**distendre** v. tr. [41] Augmenter les dimensions de (qqch.) par la tension. → **étirer,** ⓘ **tendre.** ▷ v. pron. se **distendre** Être moins tendu, serré ; se relâcher. ► **distension** n. f.

**distillat** [-il-] n. m. sc. Produit d'une distillation.

**distillateur, trice** [-il-] n. Personne qui distille des produits et les vend ; spécialt fabricant(e) d'eau-de-vie.

**distillation** [-il-] n. f. Procédé de purification par ébullition puis condensation de la vapeur dans un autre récipient.

**distiller** [-il-] v. [1] **I** v. tr. **1** Laisser couler goutte à goutte. → **sécréter.** – fig. *Distiller des informations.* **2** Soumettre (qqch.) à la distillation. – au p. p. *Eau distillée,* absolument pure. **II** v. intr. Se séparer (d'un mélange) par distillation.

**distillerie** [-il-] n. f. Lieu où l'on fabrique les produits de la distillation.

**distinct, incte** [-ɛ̃(kt), ɛ̃kt] adj. **1** Qui ne se confond pas avec qqch. d'analogue. **2** Qui se perçoit nettement. *Une voix distincte.* → **clair, net.** ► **distinctement** adv.

**distinctif, ive** adj. Qui permet de distinguer. → **caractéristique, typique.**

**distinction** n. f. **1** Action de distinguer, de reconnaître pour différent. **2** Fait d'être distinct, séparé. **3** vieilli Supériorité qui place au-dessus du commun. **4** Marque d'estime, d'honneur. *Distinction honorifique.* **5** Élégance, délicatesse et réserve dans la tenue et les manières (→ **distingué**).

**distingué, ée** adj. **1** littér. Remarquable par son rang, son mérite. → **éminent.** ♦ (dans des formules de politesse) Particulier, spécial. **2** Qui a de la distinction (5).

**distinguer** v. tr. [1] **1** (le sujet désigne un trait caractéristique) Permettre de reconnaître (une personne ou une chose d'une autre). → **différencier. 2** Reconnaître (une personne ou une chose) pour distincte (d'une autre). → **discriminer, séparer.** *Distinguer le vrai du faux.* → **discerner. 3** Mettre (qqn) à part, en le remarquant comme supérieur. **4** Percevoir d'une manière nette. ▷ v. pron. se **distinguer 1** Être ou se rendre distinct, différent. **2** Se faire remarquer. → s'**illustrer. 3** Être perçu, discerné.

**distinguo** n. m. Distinction subtile.

**distique** n. m. Groupe de deux vers.

**distordre** v. tr. [41] Déformer par une torsion. – au p. p. *Bouche distordue.*

**distorsion** n. f. **1** méd. État d'une partie du corps qui se tourne d'un seul côté. **2** Défaut d'un système qui déforme ce qu'il doit reproduire. **3** fig. Déséquilibre entraînant une tension. → **décalage, disparité.**

**distraction** n. f. **I** Action de distraire (I) ; son résultat. → **prélèvement. II 1** Manque d'attention aux choses dont on devrait normalement s'occuper, l'esprit étant absorbé par un autre objet. → **inattention.** – *Une distraction.* → **étourderie, oubli. 2** Diversion apportée par une occupation propre à délasser l'esprit en l'amusant. – Cette occupation. → **divertissement**

**distraire** v. tr. [50] **I** littér. Séparer d'un ensemble. **II 1** Détourner (qqn) de l'objet auquel il s'applique, de ce qui l'occupe. – *Distraire l'attention.* **2** Faire passer le temps agréablement à (qqn). → **amuser, divertir.** ▷ v. pron. se **distraire** S'amuser, se détendre.

**distrait, aite** adj. **1** Absorbé par autre chose. → **absent. 2** Qui est, par caractère, sujet à la distraction. → **étourdi.** ► **distraitement** adv.

**distrayant, ante** adj. Avec quoi l'on peut se distraire. → **amusant, divertissant.**

**distribuer** v. tr. [1] **1** Donner à plusieurs personnes prises séparément (une partie de qqch.). → **partager, répartir.** *Distribuer à chacun sa ration.* **2** Donner à diverses personnes, au hasard. *Distribuer des poignées de main.* **3** (sujet chose) Répartir dans plusieurs endroits. → **amener, conduire. 4** Répartir d'une manière particulière. → **arranger. 5** Assurer la distribution de (un produit...). ▷ p. p. **distribué, ée** *Appartement bien distribué.* → **agencé.**

**distributeur, trice** 1 n. Personne qui distribue (qqch. ; spécialt un produit). 2 n. m. Appareil servant à distribuer.

**distributif, ive** adj. 1 Qui distribue. 2 gramm. Qui désigne en particulier (opposé à *collectif*). *«Chaque» est un adjectif distributif.*

**distribution** n. f. 1 Répartition à des personnes. *La distribution du courrier.* 2 Ensemble d'opérations et de circuits qui mettent un produit à la disposition des acheteurs. 3 Répartition à des endroits différents. 4 Arrangement selon un certain ordre. → **agencement.** 5 Ensemble des interprètes (d'un film...).

**district** [-ikt] n. m. Subdivision administrative territoriale.

**dit, dite** I adj. 1 Surnommé. 2 dr. (joint à l'article défini) *Ledit, ladite, lesdits, lesdites,* dont on vient de parler. 3 Fixé, convenu. II n. m. Pièce de vers, au Moyen Âge.

**dithyrambe** n. m. littér. Éloge.

**dithyrambique** adj. Très élogieux.

**diurèse** n. f. méd. Excrétion de l'urine.

**diurétique** adj. Qui augmente la sécrétion urinaire. – n. m. *Un diurétique.*

**diurne** adj. 1 didact. Qui dure vingt-quatre heures. 2 (opposé à *nocturne*) Qui se montre le jour ; du jour.

**diva** n. f. Cantatrice célèbre.

**divaguer** v. intr. [1] 1 Errer çà et là. 2 fig. Ne pas raisonner correctement. → **déraisonner.** ► **divagation** n. f.

**divan** n. m. I hist. Conseil du Sultan. II Siège sans dossier ni bras qui peut servir de lit.

**dive** adj. f. loc. *La dive bouteille :* le vin.

**divergence** n. f. 1 Situation de ce qui diverge (1). 2 fig. Grande différence.

**divergent, ente** adj. 1 Qui diverge (1). *Strabisme divergent.* 2 fig. Qui ne s'accorde pas. → **opposé.**

> Ne pas confondre avec *divergeant,* p. prés. de *diverger.*

**diverger** v. intr. [3] contr. *converger* 1 Aller en s'écartant de plus en plus. → s'**écarter.** 2 fig. Être en désaccord. → s'**opposer.**

**divers, erse** adj. 1 littér. au sing. Qui présente plusieurs aspects. → **varié.** *Un pays divers.* 2 au plur. Qui présentent des différences intrinsèques et qualitatives. *Les divers sens d'un mot.* 3 *Les faits divers :* les incidents du jour (accidents, crimes, etc.) ; la rubrique qui les regroupe. 4 adj. indéf. (au plur.) → **plusieurs.** *À diverses reprises.*

**diversement** adv. D'une manière diverse ; de plusieurs manières différentes.

**diversifier** v. tr. [7] Rendre divers. ▷ v. pron. se **diversifier** ► **diversification** n. f.

**diversion** n. f. 1 Opération militaire destinée à détourner l'ennemi d'un point. 2 fig., littér. Ce qui détourne qqn d'une préoccupation. → **distraction.** – *Son arrivée a fait diversion,* a détourné l'attention.

**diversité** n. f. État de ce qui est divers.

**divertir** v. tr. [2] 1 vx ou dr. Détourner. *Divertir de l'argent.* 2 vieilli Détourner (qqn) d'une occupation. 3 mod. Distraire en amusant. ▷ v. pron. se **divertir** Se distraire.

**divertissant, ante** adj. Qui divertit. → **distrayant ; amusant, récréatif.**

**divertissement** n. m. 1 vx ou dr. Action de divertir (1). 2 vieilli Ce qui détourne l'être humain de l'essentiel. 3 Action de (se) divertir ; moyen de se divertir. 4 Petit opéra ou pièce musicale.

**dividende** n. m. 1 math. Nombre à diviser par un autre (le diviseur). 2 Part des bénéfices attribuée à chaque actionnaire.

**divin, ine** adj. 1 Qui appartient à Dieu, aux dieux. – *Droit divin,* considéré comme révélé par Dieu aux hommes. 2 Dû à Dieu, à un dieu. *L'amour divin* (opposé à *profane*). 3 Excellent, parfait. – Délicieux.

**divinateur, trice** adj. Qui devine l'avenir.

**divination** n. f. 1 Art de découvrir ce qui est caché par des moyens qui ne relèvent pas d'une connaissance naturelle. → **devin.** 2 Faculté, action de deviner, de prévoir. → **intuition, prescience.**

**divinatoire** adj. Relatif à la divination.

**divinement** adv. D'une manière divine (3), à la perfection. → **parfaitement.**

**diviniser** v. tr. [1] 1 Mettre au rang des dieux. → **déifier.** 2 Donner une valeur sacrée à (qqn, qqch.). ► **divinisation** n. f.

**divinité** n. f. 1 Nature, essence divine. 2 Être divin. → **déesse, dieu.** *Les divinités antiques.*

**divis, ise** adj. dr. Divisé (opposé à *indivis*).

**diviser** v. tr. [1] I 1 Séparer en plusieurs parties. → **fractionner, partager.** *Diviser une somme en plusieurs parts.* – (en parties égales) *Diviser un gâteau en six.* – Calculer combien de fois une quantité est contenue dans une autre (→ **division ; dividende, diviseur**). *Diviser un nombre par six* (opposé à *multiplier*). 2 abstrait Séparer en éléments. II Séparer, semer la discorde entre (des personnes, des groupes). *L'affaire Dreyfus divisa la France.* – (sans compl.) loc. prov. *Diviser pour régner.* ▷ v. pron. se **diviser** 1 Se séparer en parties. 2 Être en désaccord.

**diviseur, euse** 1 n. Ce qui divise (personne...). 2 n. m. math. Nombre par lequel on en divise un autre (le dividende).

**divisible** adj. Qui peut être divisé. – *Les nombres pairs sont divisibles* (exactement) *par 2.* ► **divisibilité** n. f.

**division** n. f. 1 Action de diviser ; état de ce qui est divisé (rare en emploi concret). ♦ Opération par laquelle on divise* une quantité par une autre, pour obtenir le quotient. *Division qui tombe juste,* dont le reste est nul. ♦ *Division du travail* (décomposition et répartition des tâches). **2** Fait de se diviser. *Division cellulaire,* où une cellule donne deux cellules filles. → **mitose. 3** Trait qui divise. **4** Partie d'un tout divisé. **5** Grande unité militaire. ♦ Réunion de services, de groupes... **6** fig. Opposition d'intérêts, de sentiments entre personnes. → **désaccord, discorde, dissension.**

**divisionnaire** adj. D'une division (5).

**divorce** n. m. **1** Rupture légale du mariage civil, du vivant des époux. **2** Séparation d'intérêts, de sentiments... → **divergence.**

**divorcer** v. intr. [3] Se séparer par le divorce (de l'autre époux). ▷ adj. et n. **divorcé, ée**

**divulguer** v. tr. [1] Porter à la connaissance du public. → **publier, répandre.** ► **divulgation** n. f. ► **divulgateur, trice** n.

**dix** [dis] **I** adj. numéral **1** (cardinal) Neuf plus un (10). ♦ Un grand nombre de. *Répéter dix fois la même chose.* **2** (ordinal) Dixième. *Page dix. Charles X.* **II** n. m. Le nombre, le numéro 10.

**dix-huit** [dizɥit] **I** adj. numéral invar. **1** (cardinal) Dix plus huit (18). *Dix-huit ans.* **2** (ordinal) *Louis XVIII.* **II** n. m. invar. Le nombre, le numéro dix-huit. ► **dix-huitième** adj. et n.

**dixième** [diz-] **1** adj. Qui suit le neuvième (10e). ♦ n. *Le, la dixième.* **2** adj. et n. m. Se dit d'une partie d'un tout divisé également en dix. ► **dixièmement** adv.

**dixit** [diksit] didact. ou iron. S'emploie devant ou après le nom de qqn dont on rapporte les paroles.

**dix-neuf** [diznœf] **I** adj. numéral invar. **1** (cardinal) Dix plus neuf (19). *Dix-neuf ans.* **2** (ordinal) Dix-neuvième. *Page dix-neuf.* **II** n. m. invar. Le nombre, le numéro dix-neuf. ► **dix-neuvième** adj. et n.

**dix-sept** [di(s)sɛt] **I** adj. numéral invar. **1** (cardinal) Dix plus sept (17). *Dix-sept ans.* **2** (ordinal) Dix-septième. *Louis XVII.* **II** n. m. invar. Le nombre, le numéro dix-sept. ► **dix-septième** adj. et n.

**dizain** n. m. Pièce de poésie de dix vers.

**dizaine** n. f. **1** Groupe de dix unités (nombre). *Le chiffre des dizaines* (ex. 9 dans 298). **2** Réunion de dix personnes, de dix choses ; quantité voisine de dix.

**D. J.** [didʒi ; didʒɛ] n. invar. (sigle) anglic. **1** Disc-jockey. **2** Personne qui crée de la musique, des effets musicaux en manipulant des disques de musique (de vinyle) en cours de lecture.

**djebel** [dʒebɛl] n. m. Montagne, terrain montagneux, en Afrique du Nord.

**djellaba** [dʒɛ(l)laba] n. f. (au Maghreb) Longue robe à manches longues, à capuchon.

**djembé** [dʒɛmbe] n. m. Tambour d'Afrique de l'Ouest, creusé dans une bille de bois et recouvert d'une peau de chèvre.

**djihad** [dʒi(j)ad] n. m. Guerre sainte menée pour propager ou défendre l'islam. – var. **jihad.**

**djihadisme** [dʒi(j)adism] n. m. Forme radicale du djihad ; terrorisme islamiste. – var. **jihadisme.**

**djinn** [dʒin] n. m. Génie (bon ou mauvais), dans le Coran, etc.

**do** n. m. invar. Premier son de la gamme naturelle. → **ut.**

**doberman** [-man] n. m. Chien de garde haut et svelte, à poil ras.

**docile** adj. Qui obéit facilement ; qui se laisse diriger. ► **docilement** adv. ► **docilité** n. f.

**docimologie** n. f. didact. Étude des moyens de contrôle des connaissances, en éducation.

**dock** n. m. anglic. **1** Vaste bassin destiné au chargement et au déchargement des navires. **2** souvent au plur. Hangar, magasin situé en bordure de ce bassin.

**docker** [dɔkɛʀ] n. m. anglic. Celui qui charge et décharge les navires. → **débardeur.**

**docte** adj. Érudit, savant. – *Un ton docte.* → **doctoral** (2). ► **doctement** adv.

**docteur** n. **I** (souvent avec un compl.) **1** n. m. relig. Celui qui enseignait des points de doctrine. *Les docteurs de la Loi* (dans le judaïsme). *Les docteurs de l'Église* (→ les Pères de l'Église). **2** Personne promue au plus haut grade universitaire (→ doctorat). *Docteur ès sciences.* **II** Personne qui a le titre de docteur en médecine et qui exerce la médecine ou la chirurgie. → **médecin.**

**doctoral, ale, aux** adj. **1** didact. Des docteurs. **2** péj. Grave, solennel, pontifiant.

**doctorant, ante** n. Personne qui prépare un doctorat. → **thésard.**

**doctorat** n. m. Grade de docteur (I, 2).

**doctoresse** n. f. vieilli Femme médecin.

**doctrinaire** **1** n. Personne étroitement attachée à une doctrine. **2** adj. Sentencieux.

**doctrine** n. f. Ensemble de notions qu'on affirme être vraies et par lesquelles on prétend fournir une interprétation des faits ou diriger l'action. → **dogme, idéologie, théorie.** ► **doctrinal, ale, aux** adj.

**docu-fiction** n. m. techn. Film de fiction intégrant des éléments didactiques (archives...) dans une histoire basée sur des faits réels. – syn. **docu-drame** n. m.

**document** n. m. **1** Écrit servant de preuve ou de renseignement. – par ext. *Document sonore.* **2** Ce qui sert de témoignage. **3** inform. Fichier créé à partir d'un logiciel. *Ouvrir, enregistrer un document.*

**documentaire** adj. **1** Qui a le caractère d'un document, repose sur des documents. – loc. *À titre documentaire*, d'information. **2** n. m. Film didactique présentant des faits authentiques. **3** Relatif à la documentation.

**documentaliste** n. Personne qui collecte, gère et diffuse des documents.

**documentariste** n. Auteur de documentaires (2).

**documentation** n. f. **1** Recherche de documents. **2** Ensemble de documents. **3** Activité de documentaliste.

**documenter** v. tr. [1] **1** Fournir des documents à (qqn). **2** Appuyer (un travail) sur des documents. ▷ v. pron. se **documenter** → s'**informer.** ▷ adj. **documenté, ée**

**dodécaphonique** adj. mus. Qui utilise la série de douze sons de la gamme chromatique (→ **sériel**) en dehors des modes et des tons (→ **atonal**). *Musique dodécaphonique* (*dodécaphonisme* n. m.).

**dodécasyllabe** [-si(l)lab] adj. (vers) Qui a douze syllabes. – n. m. → **alexandrin.**

**dodeliner** v. intr. [1] Se balancer doucement. ► **dodelinement** n. m.

① **dodo** n. m. (enfantin) Fait de dormir.

② **dodo** n. m. anglic. Oiseau disparu d'Afrique australe (syn. *dronte* n. m.).

**dodu, ue** adj. Bien en chair. → **gras.**

**doge** n. m. Chef élu de l'ancienne république de Venise (ou de Gênes).

**dogmatique** adj. **1** didact. Relatif au dogme. ♦ Qui admet certaines vérités ou principes (opposé à *sceptique*). **2** Qui exprime ses opinions d'une manière péremptoire. → **doctrinaire ; doctoral, sentencieux.**

**dogmatisme** n. m. **1** Caractère d'une philosophie, d'une religion qui s'appuie sur un dogme. **2** Caractère dogmatique (2).

**dogme** n. m. **1** Point de doctrine établi ou regardé comme une vérité fondamentale, incontestable (dans une religion, une école philosophique). ♦ Opinion émise comme une vérité indiscutable. **2** *Le dogme* : l'ensemble des dogmes (d'une religion).

**dogue** n. m. Chien de garde trapu, à grosse tête, au museau écrasé.

**doigt** [dwa] n. m. **I 1** Chacun des cinq prolongements qui terminent la main de l'homme. ♦ loc. *Vous avez mis le doigt sur la difficulté*, vous l'avez trouvée. – *Montrer qqn du doigt*, le désigner ; fig. le ridiculiser. – *Se mordre les doigts de qqch.*, regretter. – *Ils sont comme les deux doigts de la main*, très unis. – *Être obéi au doigt et à l'œil*, exactement. – *Savoir qqch. sur le bout des doigts*, parfaitement. – *Mon petit doigt me l'a dit* : je l'ai appris (se dit à un enfant). ♦ *Doigt de pied.* → **orteil. 2** Extrémité articulée des pieds, des pattes de certains animaux (et de la main du singe). **3** par analogie *Les doigts d'un gant.* **II** Mesure approximative, équivalant à un travers de doigt. – loc. *À un doigt, à deux doigts de*, très près.

**doigté** [dwate] n. m. **1** Jeu des doigts dans l'exécution d'un morceau de musique. **2** fig. → **diplomatie, savoir-faire, tact.**

**doigtier** [dwatje] n. m. Fourreau servant à protéger un doigt.

**doit** n. m. comptab. Partie d'un compte établissant ce que qqn doit (→ ② débit).

**dojo** n. m. sports Salle où l'on pratique les arts martiaux.

**dol** n. m. dr. Manœuvres frauduleuses destinées à tromper (→ **dolosif**).

**dolby** n. m. (nom déposé) Procédé de réduction du bruit de fond (enregistrements sonores).

**doléances** n. f. pl. Plaintes. → **récrimination.**

**dolent, ente** adj. Qui se sent malheureux et cherche à se faire plaindre.

**doline** n. f. didact. Dépression fermée de forme circulaire (relief calcaire).

**dollar** n. m. Unité monétaire des États-Unis d'Amérique et de divers autres pays, divisée en 100 cents.

**dolmen** [-ɛn] n. m. Monument mégalithique fait de pierres brutes agencées en forme de table gigantesque.

**dolosif, ive** adj. dr. Qui tient du dol.

**dom** n. m. **1** Titre donné à certains religieux. **2** Titre donné aux nobles espagnols et portugais. → ② **don.**

**D. O. M.** [dɔm] n. m. invar. Département français d'outre-mer. *Les D. O. M.-T. O. M.* : départements et territoires d'outre-mer.

**domaine** n. m. **1** Terre possédée par un propriétaire. → **propriété, terre.** ♦ *Domaine de l'État* : les biens de l'État. *Domaine public*, biens affectés à l'usage direct du public ou à un service public (→ **domanial**). **2** loc. *Tomber dans le domaine public*, se dit des œuvres qui, après un temps déterminé par les lois, cessent d'être la propriété des auteurs ou de leurs héritiers. **3** fig. Ce qu'embrasse (un art, une science, un sujet...). → **champ, discipline, secteur, sphère.** – *Être du domaine de qqn, de qqch.* → **relever** de. – *L'art médiéval est son domaine.* → **spécialité.**

**domanial, iale, iaux** adj. Qui appartient à un domaine ; spécialt, au domaine public.

**dôme** n. m. Sommet arrondi de certains grands édifices. → **coupole.**

**domesticité** n. f. Ensemble des domestiques.

**domestique I** adj. **1** (dans des expr.) Qui concerne la vie à la maison. *Travaux domestiques.* **2** (animaux) Qui vit auprès de l'homme, et dont l'espèce est depuis longtemps apprivoisée. **II** n. ancienn Employé(e) de maison.

**domestiquer** v. tr. [1] **1** Rendre domestique (une espèce ; un animal). → **apprivoiser.** **2** Maîtriser (qqch.) pour utiliser. *Domestiquer un fleuve.* ► **domestication** n. f.

**domicile** n. m. Lieu ordinaire d'habitation, demeure légale et habituelle. → **logement, résidence.** *Élire domicile* (quelque part), s'y fixer pour y habiter. ♦ loc. adv. *À domicile :* dans la demeure même de qqn. ♦ *Domicile d'une société.* → **siège.**

**domiciliaire** adj. dr. *Visite domiciliaire,* au domicile de qqn (par autorité de justice).

**domiciliation** n. f. dr. Désignation du domicile où un effet est payable.

**domicilier** v. tr. [7] **1** Fixer un domicile à (qqn). – passif *Être domicilié à Lyon.* **2** *Domicilier une traite* (→ **domiciliation**).

**dominant, ante** adj. **1** Qui exerce l'autorité, domine sur d'autres. ♦ biol. *Gène dominant,* qui se manifeste seul (opposé à *récessif*). **2** Qui est le plus important, l'emporte parmi d'autres. → **prédominant, prépondérant.** **3** Qui domine, surplombe.

**dominante** n. f. **1** Ce qui est dominant (2), parmi plusieurs choses. **2** mus. Cinquième degré de la gamme diatonique ascendante (ex. sol dans la gamme de do).

**dominateur, trice** **1** n. littér. Personne ou puissance qui domine sur d'autres. **2** adj. Qui aime à dominer. → **autoritaire.**

**domination** n. f. **1** Action, fait de dominer ; autorité souveraine. → **suprématie.** **2** Fait d'exercer une influence déterminante.

**dominer** v. [1] **I** v. tr. **1** Avoir, tenir sous sa suprématie, sous sa domination. **2** fig. Être plus fort que. *Dominer son trouble.* → **maîtriser.** ♦ *Sa voix dominait le tumulte.* **3** Avoir au-dessous de soi, dans l'espace environnant. → **surplomber.** ♦ fig. *Dominer son sujet,* l'embrasser dans son ensemble. **II** v. intr. **1** littér. Avoir la suprématie. **2** Être le plus apparent, le plus important, parmi plusieurs éléments. *Les femmes dominent dans cette profession,* il y a surtout des femmes. ▷ v. pron. **se dominer** Se maîtriser.

**dominicain, aine** n. Religieux, religieuse de l'ordre des Frères prêcheurs, fondé par saint Dominique au XIII^e siècle.

**dominical, ale, aux** adj. Du dimanche.

**dominion** [-njɔn] n. m. Ancienne colonie britannique, aujourd'hui État indépendant.

**domino** n. m. **I** Costume de bal masqué, robe à capuchon. **II** Petite plaque dont le dessus est divisé en deux parties portant chacune de zéro à six points noirs. ♦ *Les dominos :* jeu qui se joue avec ces plaques.

**dommage** n. m. **1** Préjudice subi par qqn. – *Dommages-intérêts* (ou *dommages et intérêts*) : indemnité due à qqn en réparation d'un préjudice. **2** Dégâts matériels causés aux choses. → **ravage.** – *Dommages de guerre.* **3** Chose fâcheuse (dans quelques emplois). *Quel dommage ! C'est (bien) dommage !* – ellipt *Dommage !,* tant pis !

**dommageable** adj. Qui cause du dommage. → **nuisible, préjudiciable.**

**domotique** n. f. techn. Ensemble des techniques de gestion automatisée appliquées à l'habitation (confort, sécurité...).

**dompter** [dɔ̃(p)te] v. tr. [1] **1** Réduire à l'obéissance (un animal sauvage, dangereux). → **dresser.** **2** Soumettre à son autorité. ♦ fig., littér. *Dompter ses passions.*

**dompteur, euse** [dɔ̃(p)tœʀ, øz] n. Personne qui dompte des animaux.

① **don** n. m. **1** Action d'abandonner gratuitement (→ **donner**) à qqn la propriété ou la jouissance de qqch. *Faire don de qqch. à qqn.* ♦ fig. *Le don de soi.* → **dévouement.** **2** Ce qu'on abandonne à qqn (sans rien recevoir de lui en retour). → **cadeau, donation, présent.** **3** Avantage naturel (considéré comme donné par la nature, Dieu...). → **faveur.** **4** Disposition innée pour qqch. → **aptitude, génie, talent.**

② **don** n. m., **doña** [dɔnja] n. f. Titre d'honneur des nobles d'Espagne. → **dom.**

**donataire** n. Bénéficiaire d'une donation.

**donateur, trice** n. **1** Personne qui fait un don, des dons à une œuvre. **2** Personne qui fait une donation.

**donation** n. f. Contrat par lequel le *donateur* abandonne un bien en faveur du *donataire* qui l'accepte.

**donc** [dɔ̃k] conj. **1** Amenant la conséquence, la conclusion de ce qui précède. → par **conséquent.** « *Si ce n'est toi, c'est donc ton frère* » (La Fontaine). ♦ Pour revenir à un sujet, après une digression. *Je disais donc que...* **2** Exprimant la surprise. → **ainsi.** *Vous habitez donc là ?* ♦ Pour renforcer une injonction. *Taisez-vous donc !*

**dondon** n. f. fam. et péj. Grosse femme.

à **donf** loc. adv. fam. À fond (concret ou abstrait). *Vas-y à donf !*

**donjon** n. m. Tour principale qui domine un château fort.

**don Juan** n. m. Séducteur sans scrupule. ► **donjuanesque** adj. ► **donjuanisme** n. m.

**donnant, ante** adj. loc. *Donnant(,) donnant :* en ne donnant qu'à la condition de recevoir en échange.

**donne** n. f. **1** Distribution des cartes, au jeu. **2** fig. Répartition (des chances, des forces).

**donné, ée** adj. **1** Qui a été donné. **2** *C'est donné :* c'est vendu bon marché. **3** Connu, déterminé. – loc. *À un moment donné :* soudain. **4** loc. prép. *Étant donné.* → **vu.** *Étant donné* (ou littér. *donnée*) *l'heure, il faut partir.* – loc. conj. *Étant donné que* (+ indic.) : puisque.

**donnée** n. f. **1** Ce qui est donné, connu dans l'énoncé d'un problème. **2** Élément qui sert de base à un raisonnement, à une recherche. **3** inform. Représentation d'une information, permettant un traitement automatique. *Données alphanumériques. Banque, base de données.*

**donner** v. [1] **I** v. tr. Mettre (qqch.) en la possession de qqn *(donner qqch. à qqn).* **1** Abandonner à qqn sans rien demander en retour (une chose que l'on possède ou dont on jouit). → **offrir.** *Donner de l'argent à qqn.* **2** Faire don de. *Donner son sang.* **3** *Donner qqch. pour, contre qqch.* : céder en échange d'autre chose. → **échanger, fournir.** ♦ (dans le commerce) Vendre. *Donnez-moi une laitue.* **4** Confier (une chose) à qqn, pour un service. *Donner sa montre à réparer.* **II** v. tr. Mettre à la disposition de qqn *(donner à).* **1** Mettre à la disposition, à la portée de. → **fournir, offrir, procurer.** *Donner du travail à qqn.* **2** Organiser pour (un public). *Donner un spectacle.* **3** Communiquer, exposer (qqch.) à qqn. *Donner son avis.* ♦ *Donner un cours* (à des élèves). **4** Transmettre, provoquer (une maladie). **5** Accepter de mettre (qqch.) à la disposition, à la portée de qqn. → **accorder, concéder, octroyer.** *Donnez-moi un peu de répit.* **6** fam. Dénoncer à la police. **7** littér. passif *Être donné à :* être possible pour... *Ce n'est pas donné à tout le monde.* **8** Assigner à qqn, à qqch. (une marque, un signe, etc.). *Donner un nom à un enfant.* **9** *Donner à* (+ inf.). Confier. *On m'a donné cela à faire.* **III** v. tr. Être l'auteur, la cause de. **1** (dans des loc.) *Donner l'alarme. Donner des soins à qqn.* **2** (le compl. exprime un sentiment, etc.) → **causer, susciter.** *Cela me donne envie de dormir.* – loc. *Donner lieu, matière, sujet à,* provoquer. – *Donner à rire, à penser.* → **prêter. 3** (choses concrètes) sans compl. indir. Produire ; rapporter. *L'eau que donne une source.* **4** Appliquer, mettre. *Donner un baiser à qqn.* **5** Conférer (un caractère nouveau) à (qqn, qqch.) en modifiant. *Donner une forme à qqch.* – loc. *Donner la vie à un enfant,* engendrer. *Donner la mort :* tuer. **6** Considérer (un caractère) comme propre à qqn, à qqch. → **accorder, attribuer, prêter, supposer.** *Quel âge lui donnez-vous ?* **7** *Donner pour :* présenter comme étant. *Donner une chose pour certaine.* **IV** v. intr. **1** Porter un coup (contre, sur). → **cogner, heurter.** – loc. *Ne plus savoir où donner de la tête*.* **2** Se porter (dans, vers). → se **jeter, tomber.** *Donner dans un piège.* **3** Attaquer, combattre. *Faire donner l'infanterie.* **4** *Donner sur :* être exposé, situé ; avoir vue, accès sur. ▷ v. pron. se **donner 1** réfl. Faire don de soi-même. → se **consacrer,** se **vouer.** ♦ *Se donner pour un progressiste,* faire croire qu'on l'est. **2** passif Être donné ; avoir lieu, être représenté. **3** faux pron. Donner à soi-même. *Se donner du mal.* **4** récipr. → **échanger.** – loc. *Se donner le mot :* s'entendre à l'avance. *Ils s'étaient donné le mot.*

**donneur, euse** n. **1** *Donneur, donneuse de :* personne qui donne (qqch.). *Un donneur de leçons.* ♦ Personne qui donne (son sang, un organe, etc.). *Donneur de sang.* **2** fam. Personne qui donne (II, 6), dénonce.

**don Quichotte** n. m. Homme généreux et naïf qui se pose en redresseur de torts. ► **donquichottisme** n. m.

**dont** pron. Pronom relatif des deux genres et des deux nombres servant à relier une proposition correspondant à un complément introduit par *de.* → **duquel,** de **qui. I** Exprimant le complément du verbe. **1** (Provenance). *La pièce dont je sors.* **2** (Moyen, instrument, manière). *La manière dont il est habillé.* – (Agent). *La femme dont il est aimé.* **3** (Objet). *L'homme dont je parle.* **4** Au sujet de qui, de quoi. *Cet homme dont je sais qu'il a été marié.* **II** Exprimant le complément de l'adjectif. *Le malheur dont vous êtes responsable.* **III** Exprimant le complément de nom. **1** Possession, qualité, matière. *Un pays dont le climat est doux.* **2** Partie d'un tout. *Des livres dont trois sont reliés.*

**donut** [-œt] n. m. anglic. Beignet en forme d'anneau.

**donzelle** n. f. Jeune fille prétentieuse.

**dopage** n. m. Action de (se) doper. – syn. **doping** n. m. (anglic.).

**dopant, ante** adj. (produit) Qui dope.

**dope** n. f. anglic., fam. Drogue, stupéfiant.

**doper** v. tr. [1] Administrer un stimulant à. ▷ v. pron. se **doper** Prendre un stimulant.

**doping** → **dopage**

**doppler** [dɔplɛʀ] n. m. méd. Examen basé sur l'*effet Doppler* (modification de la fréquence d'ondes quand la source de ces ondes et l'observateur sont en mouvement relatif), permettant notamment de déceler des anomalies dans la circulation sanguine.

**dorade** n. f. → **daurade**

**doré, ée** adj. **1** Recouvert d'une mince couche d'or (ou d'un métal jaune). **2** Qui a l'éclat, la couleur de l'or. **3** *La jeunesse dorée :* jeunes gens riches et oisifs.

**dorénavant** adv. À partir du moment présent, à l'avenir. → **désormais.**

**dorer** v. tr. [1] **1** Revêtir (qqch.) d'une couche d'or. **2** loc. *Dorer la pilule à qqn,* lui faire accepter une chose désagréable par des paroles aimables. **3** Donner une teinte dorée à. ♦ pronom. *Se dorer au soleil.* – loc. fam. *Se (faire) dorer la pilule.* → **bronzer.**

**doreur, euse** n. Personne dont le métier est de dorer (1).

**dorique** adj. et n. m. Se dit du premier, du plus simple des trois ordres d'architecture grecque (→ aussi **corinthien, ionique).**

**dorloter** v. tr. [1] Entourer de soins ; traiter délicatement (qqn). → **cajoler, choyer.**

**dormant, ante** adj. **1** rare Qui dort. **2** Qui n'est agité par aucun mouvement. *Eau dormante.* → **immobile, stagnant. 3** techn. Qui ne bouge pas. → **fixe.** ♦ **n. m.** Partie fixe (d'un châssis, d'une porte...).

**dormeur, euse** **n. 1** Personne qui dort ; qui aime dormir. **2 n. m.** Tourteau (crabe).

**dormir** v. intr. [16] **1** Être dans l'état de sommeil. **– loc.** *Ne dormir que d'un œil,* en restant vigilant. *Dormir à poings fermés,* profondément. *Dormir debout,* avoir sommeil. *Une histoire à dormir debout,* invraisemblable. **2** fig. Être dans l'inactivité. ♦ *Laisser dormir un projet,* ne pas s'en occuper. **–** *Capitaux qui dorment,* ne rapportent pas d'intérêts. **3** littér. Rester caché. *Les souvenirs qui dorment au fond de nous.*

**dormitif, ive** adj. vx ou plais. Qui fait dormir. → **soporifique.**

**dorsal, ale, aux** **1** adj. Du dos. *L'épine* dorsale.* **2** n. f. Crête d'une chaîne de montagnes. – Chaîne sous-marine.

**dorsalgie** n. f. méd. Douleur au dos.

**dortoir** n. m. **1** Grande salle où dorment les membres d'une communauté. **2 appos.** Qui n'est habité que la nuit. *Cité-dortoir.*

**dorure** n. f. **1** techn. Action de dorer (1). **2** Mince couche d'or appliquée à un objet. ♦ Ornement doré.

**doryphore** n. m. Insecte coléoptère aux élytres rayés de noir, parasite des pommes de terre.

**dos** n. m. **I 1** Partie du corps de l'homme qui s'étend des épaules jusqu'aux reins, de chaque côté de la colonne vertébrale. ♦ **loc.** *Avoir bon dos :* supporter injustement une responsabilité ; servir de prétexte. **–** *Tourner le dos :* se présenter de dos. *Tourner le dos à qqch. :* marcher dans une direction opposée ; *à qqn* (fig. cesser de le fréquenter). **–** *Se mettre qqn à dos,* s'en faire un ennemi. **–** *Dans le dos. Passer la main dans le dos de qqn,* le flatter. *Donner froid dans le dos :* effrayer. *Agir dans le dos de qqn,* par-derrière (syn. *derrière le dos*). **–** *De dos* (opposé à *de face*). *Vu de dos.* **–** *Dos à dos* (opposé à *face à face*). *Renvoyer deux adversaires dos à dos :* refuser de donner raison à l'un plus qu'à l'autre. **–** *Mettre qqch. sur le dos de qqn,* l'en accuser. **–** *Être toujours sur, derrière le dos de qqn,* surveiller ce qu'il fait. **2** Face supérieure du corps des animaux. *Faire le gros dos :* bomber le dos (chat) ; fig. attendre que les choses se passent ou s'améliorent. **II 1** Partie (d'un vêtement) qui couvre le dos. **2** Dossier. **3** Partie supérieure et convexe. *Dos de la main.* → **revers. 4** Côté opposé au tranchant. **5** Partie d'un livre qui unit les deux plats (opposé à *tranche*). **6** Envers d'un papier écrit. → **verso.** *Signer au dos d'un chèque* (→ **endosser).**

**dosage** n. m. Action de doser ; son résultat.

**dos d'âne** n. m. invar. → **âne**

**dose** n. f. **1** Quantité d'un médicament qui doit être administrée en une fois. ♦ (stupéfiant) *Dose excessive.* → **overdose** (anglic.), **surdose. 2** Quantité quelconque.

**doser** v. tr. [1] **1** Déterminer la dose de (un médicament). **2** Déterminer la proportion des éléments (d'un mélange). ▷ **adj. dosé, ée** *Mélange savamment dosé.*

**doseur, euse** n. m. et **adj.** Instrument donnant la mesure d'une dose. **– adj.** *Bouchon doseur.*

**dossard** n. m. Carré d'étoffe que les concurrents d'une épreuve sportive portent sur le dos et qui indique leur numéro d'ordre.

**dossier** n. m. **I** Partie d'un siège sur laquelle on appuie le dos. **II** Ensemble des pièces relatives à une affaire ; chemise les contenant. ♦ Les informations du dossier.

**dot** [dɔt] n. f. Bien qu'une femme apporte en se mariant. ► **dotal, ale, aux** adj.

**dotation** n. f. **1** Revenus assignés à un établissement d'utilité publique. **2** Action de doter d'un équipement, de matériel.

**doter** v. tr. [1] **1** Pourvoir d'une dot. **2** Assigner un revenu à (un service, un établissement). **3** Fournir en équipement, en matériel. → **équiper, munir. 4** fig. Pourvoir de certains avantages. **– passif** *Être doté d'une excellente mémoire.* → **doué.**

**douairière** n. f. péj. Vieille femme de la haute société.

**douane** n. f. **1** Administration chargée d'établir et de percevoir les droits imposés sur les marchandises, à la sortie ou à l'entrée d'un pays. *Droits de douane.* **2** Siège de cette administration. **3** Droits de douane.

**douanier, ière** n. et adj. **1** n. Membre du service actif de l'administration des douanes. **2** adj. Relatif à la douane.

**douar** n. m. Division administrative, en Afrique du Nord.

**doublage** n. m. **1** Action de doubler, de mettre en double. **2** Remplacement d'un acteur par une doublure (2). **3** Adaptation des dialogues (d'un film) dans une langue différente.

**double I** adj. **1** Qui est répété deux fois, qui vaut deux fois (la chose désignée), ou qui est formé de deux choses identiques. *Fermer à double tour* (de clé). **2** Qui a deux aspects dont un est caché. *Phrase à double sens.* **–** loc. *Mener une double vie :* mener, en marge de sa vie habituelle, une existence cachée. **3** Pour deux personnes (opposé à *individuel*). **II** n. m. **1** Quantité qui équivaut à deux fois une autre. **2** Chose semblable à une autre. *L'original et le double d'une facture.* ♦ (personnes) Personne qui ressemble beaucoup à qqn. → **alter ego. 3** Partie de tennis entre deux équipes de deux joueurs.

**double-clic** n. m. anglic. Succession très rapprochée de deux clics (sur la souris d'un ordinateur). ► **double-cliquer** v. intr. [1] anglic.

① **doublement** adv. De deux manières.

② **doublement** n. m. Action de doubler.

**doubler** v. [1] **I** v. tr. **1** Rendre double. - loc. *Doubler le pas* : accélérer le pas. **2** Mettre (qqch.) en double. **3** Garnir intérieurement de qqch. qui recouvre. *Doubler une veste.* **4** Dépasser en contournant. *Doubler un camion.* **5** Remplacer (un acteur). → **doublure** (2). **6** Faire le doublage (3) de. **II** v. intr. Devenir double. *Les ventes ont doublé.* ▷ v. pron. se **doubler** *Se doubler de* (fig.) : s'accompagner de. ▷ **doublé, ée I** adj. **1** Rendu ou devenu double. **2** Garni d'une doublure. **3** *Doublé de :* qui est aussi. *Un ivrogne doublé d'un menteur.* **4** Qui a subi le doublage (3). **II** n. m. Deux réussites successives (sport, jeu).

**doublet** n. m. Chacun des deux mots de même origine, ayant le même étymon, et de forme et de signification différentes (ex. *frêle* et *fragile,* d'étymon latin *fragilis*).

**doublure** n. f. **1** Étoffe, matière qui sert à doubler (I, 3). **2** Personne qui remplace, en cas de besoin, un acteur, une actrice.

en **douce** loc. adv. → **doux**

**douceâtre** adj. D'une douceur fade.

**doucement** adv. **1** Sans grande énergie, sans hâte, sans violence. *Marcher doucement.* **2** Avec douceur, sans sévérité. **3** fam. Médiocrement ; assez mal. *Ça va doucement.* **4** Interjection pour calmer, modérer.

**doucereux, euse** adj. **1** D'une douceur fade. **2** D'une douceur affectée. → **mielleux.** ► **doucereusement** adv.

**doucettement** adv. fam. Très doucement.

**douceur** n. f. **1** Qualité de ce qui procure aux sens un plaisir délicat. *La douceur d'une peau.* **2** Qualité de ce qui est sans rudesse, sans heurt. - *En douceur :* sans brusquerie. **3** Impression douce, plaisir modéré et calme. *La douceur de* (+ inf.) : l'agrément qu'il y a à. **4** Qualité morale qui porte à ne pas heurter autrui, à être patient, conciliant. → **bienveillance, bonté, gentillesse, indulgence.** **5** Chose douce ; petit plaisir. ♦ Friandise, sucrerie.

**douche** n. f. **1** Projection d'eau qui arrose le corps et produit une action hygiénique. ♦ *Douche écossaise,* alternativement chaude et froide ; fig. paroles, événements désagréables qui en suivent d'autres agréables. **2** Installation pour prendre des douches. **3** Averse que l'on subit ; liquide qui asperge. **4** fig. Ce qui détruit un espoir, une illusion.

**doucher** v. tr. [1] **1** Arroser au moyen d'une douche. - pronom. *Se doucher à l'eau froide.* **2** *Se faire doucher :* recevoir une averse ; fig., fam. (vieilli) se faire réprimander. **3** Rabattre l'exaltation de (qqn).

**douchette** n. f. **1** Petit appareil analogue à une pomme de douche (pour un évier...). **2** techn. Appareil servant à la lecture des codes-barres.

① **doudou** n. f. (aux Antilles) Jeune femme ; compagne.

② **doudou** n. m. fam. Objet, généralement souple et doux (tissu, etc.) qu'un jeune enfant choisit pour «compagnon» (pour jouer, pour dormir).

**doudoune** n. f. Veste en duvet.

**doué, ée** adj. **1** *Doué de :* qui possède naturellement. **2** Qui a un don, des dons.

**douer** v. tr. [1] (le sujet désigne la nature, etc.) Pourvoir (qqn) de qualités. → **doter.**

**douille** n. f. Pièce cylindrique creuse (spécialt, d'une cartouche ; dans laquelle on fixe le culot d'une ampoule électrique).

**douillet, ette** adj. **1** Délicatement moelleux. ♦ (lieu) Confortable et protecteur. **2** (personnes) Trop sensible aux petites douleurs physiques. ► **douillettement** adv.

**douillette** n. f. Manteau, vêtement ouaté.

**douleur** n. f. **1** Sensation physique pénible. *Avoir une douleur à la tête.* → **mal ; souffrir.** **2** Sentiment ou émotion pénible résultant d'un manque, d'une peine, d'un événement malheureux. → **affliction, peine, souffrance.**

**douloureux, euse** adj. **1** Qui cause une douleur, s'accompagne de douleur physique. **2** Qui est le siège d'une douleur physique. **3** Qui cause une douleur morale. **4** Qui exprime la douleur. *Regard douloureux.* **5** n. f. fam. *La douloureuse :* la note à payer. ► **douloureusement** adv.

**douma** n. f. hist. Assemblée législative, dans la Russie tsariste.

**doute** n. m. **1** État de l'esprit qui est incertain de la réalité d'un fait, de la vérité de paroles, de la conduite à adopter. → **hésitation, incertitude, perplexité.** - *Hors de doute :* incontestable. - *Mettre qqch. en doute :* contester la valeur de. ♦ Position philosophique qui consiste à ne rien affirmer d'aucune chose. → **scepticisme.** **2** Jugement par lequel on doute de qqch. *Il n'y a pas de doute, pas l'ombre d'un doute :* la chose est certaine. **3** Manque de confiance en qqn. **4** loc. adv. *Sans doute :* selon toutes les apparences, mais sans certitude. → **apparemment, peut-être, probablement.**

**douter** v. tr. ind. [1] *Douter de* **1** Être dans l'incertitude de (la réalité d'un fait, la vérité d'une assertion). *N'en doutez pas :* soyez-en certain. ♦ tr. dir. *Douter que* (+ subj.). **2** Mettre en doute (des croyances reçues). *Les sceptiques doutent de tout.* **3** loc. *Ne douter de rien :* aller de l'avant sans s'inquiéter des difficultés. **4** Ne pas avoir confiance en. *Douter de soi.* ▷ v. pron. se **douter** *Se douter de.* → **pressentir, soupçonner.** *Je m'en doutais :* je l'avais prévu. - *Se douter que* (+ indic. ou cond.). → **supposer.**

**douteusement** adv. D'une manière douteuse, suspecte.

**douteux, euse** adj. **1** Dont l'existence ou la réalisation n'est pas certaine. → **incertain.** *Son succès est douteux.* **2** Dont la valeur n'est pas certaine ; sur quoi l'on s'interroge. **3** Dont la qualité est mise en cause. ♦ *D'une* *propreté douteuse :* plutôt sale. ♦ *Plaisanterie douteuse,* de mauvais goût. **4** Suspect. *Individu douteux.* → ① **louche.**

① **douve** n. f. **I** Fossé, originellement rempli d'eau, autour d'un château. **II** Planche servant à la fabrication des tonneaux.

② **douve** n. f. Ver parasite du foie.

**doux, douce** adj. **I 1** Qui a un goût faible ou sucré. *Amandes douces. Vin doux,* sucré (opposé à *sec, brut*). ♦ Non salé. *Eau douce.* **2** Agréable au toucher par son caractère lisse, souple. *Peau douce.* **3** Qui épargne les sensations violentes, désagréables. *Climat doux.* – *Voix douce.* **4** fig. Qui procure une jouissance calme et délicate. → **agréable. 5** Qui n'a rien d'extrême, d'excessif. → **faible, modéré.** *Pente douce.* ♦ Qui agit sans effets secondaires néfastes, en utilisant les ressources de la nature. *Énergies douces,* peu polluantes. *Médecines douces.* → **alternatif, parallèle. 6** (personnes) Qui ne heurte, ne blesse personne, n'impose rien, ne se met pas en colère. ♦ loc. *Faire les yeux doux :* regarder amoureusement. **II** adv. **1** loc. *Filer doux :* obéir humblement. **2** loc. adv. fam. *En douce :* avec discrétion.

**doux-amer, douce-amère** adj. littér. À la fois plaisant et amer. *Réflexions douces-amères.*

**douzaine** n. f. **1** Réunion de douze choses de même nature. **2** Quantité d'environ douze.

**douze I** adj. numéral invar. **1** (cardinal) Dix plus deux (12). *Douze francs.* **2** (ordinal) Douzième. *Louis XII.* – *12 heures :* midi. **II** n. m. invar. Le nombre, le numéro douze. ► **douzième** adj. et n. ► **douzièmement** adv.

**doyen, enne** n. **1** Titre de dignité ecclésiastique ou universitaire. **2** Le plus ancien des membres d'un corps. **3** Personne la plus âgée (on dit aussi *doyen d'âge*).

**doyenné** n. m. Circonscription ecclésiastique ayant à sa tête un doyen.

**drachme** [dʀakm] n. f. **1** (dans la Grèce antique) Monnaie d'argent. **2** Ancienne unité monétaire de la Grèce moderne (avant l'euro).

**draconien, ienne** adj. Très sévère.

**dragage** n. m. Action de draguer (I).

**dragée** n. f. **1** Confiserie, amande ou noisette recouverte de sucre durci. **2** Médicament recouvert de sucre. **3** loc. *Tenir la dragée haute à qqn,* lui tenir tête.

**dragéifier** v. tr. [7] Présenter sous forme de dragée. – au p. p. *Comprimé dragéifié.*

**dragon** n. m. **I 1** Animal fabuleux représenté avec des ailes, des griffes et une queue de serpent. **2** Gardien vigilant. – plais. loc. *Un dragon de vertu :* une femme affectant une vertu farouche. **3** relig. Figure du démon. **II 1** hist. Soldat de cavalerie. **2** Soldat d'une unité blindée.

**dragonne** n. f. Cordon de la poignée d'une épée. – Courroie attachée à un objet.

**drag-queen** [dʀagkwin] n. f. ou m. anglic. Travesti masculin vêtu de manière recherchée et exubérante. *Des drag-queens.*

**drague** n. f. **I 1** Filet de pêche qui racle le fond. **2** Engin pour curer les fonds des fleuves, etc. **3** Dispositif pour détruire les mines sous-marines. **II** fam. Fait de draguer (II).

**draguer** v. tr. [1] **I 1** Curer, nettoyer le fond de (une rivière...) à la drague. **2** Enlever les mines sous-marines de (un lieu). **II** fam. Faire la cour à (qqn).

**dragueur, euse I** n. m. Bateau qui drague (I). **II** n. fam. Personne qui drague (II).

**drain** n. m. **1** Tuyau pour drainer les sols humides. **2** méd. Tube destiné à favoriser l'écoulement des liquides (pus, etc.).

**drainer** v. tr. [1] **1** Débarrasser (un terrain) de son excès d'eau. **2** méd. *Drainer une plaie, un organe,* favoriser l'écoulement des liquides (pus, etc.) en plaçant un drain. **3** fig. Faire affluer en attirant à soi. *Drainer des capitaux.* ► **drainage** n. m.

**draisienne** n. f. Véhicule à deux roues (ancêtre de la bicyclette) que l'on faisait avancer par l'action des pieds sur le sol.

**draisine** n. f. Wagonnet léger.

**drakkar** n. m. hist. Navire des Vikings, à voile carrée et à rames.

**dramatique** adj. **1** Destiné au théâtre (texte) ; relatif aux ouvrages de théâtre. *Art dramatique :* ensemble des activités théâtrales. ♦ *Auteur dramatique.* → **dramaturge. 2** *Comédie dramatique,* qui tient du drame (2). **3** Susceptible d'émouvoir le spectateur, au théâtre. **4** fig. (événements réels) Très grave et dangereux ou pénible. **5** n. f. Récit créé pour la télévision ou la radio.

**dramatiquement** adv. D'une manière dramatique (4), tragique. → **tragiquement.**

**dramatiser** v. tr. [1] Présenter (qqch.) sous un aspect dramatique ; accorder une gravité excessive à. ► **dramatisation** n. f.

**dramaturge** n. Auteur d'ouvrages destinés au théâtre.

**dramaturgie** n. f. didact. Art de la composition théâtrale.

**drame** n. m. **1** didact. Genre littéraire comprenant tous les ouvrages composés pour le théâtre. → **théâtre. 2** Genre théâtral comportant des pièces dont l'action généralement tragique, pathétique, s'accompagne d'éléments réalistes, comiques ; pièce de théâtre appartenant à ce genre. ♦ Pièce d'un caractère grave (opposé à *comédie*). **3** fig. Événement ou suite d'événements tragiques, terribles.

**drap** n. m. **1** Tissu de laine dont les fibres sont feutrées par le foulage. ♦ *Drap d'or,* tissé d'or. **2** Pièce de toile rectangulaire servant à isoler le corps du matelas ou des couvertures. – loc. fig. *Dans de beaux draps :* dans une situation critique. ♦ *Drap de bain :* grande serviette éponge.

**drapé** n. m. Plis formés par un vêtement.

**drapeau** n. m. **1** Étoffe attachée à une hampe et portant les couleurs, les emblèmes (d'une nation, d'un groupe...) pour servir de symbole, etc. → **étendard, pavillon. 2** fig. *Être sous les drapeaux :* appartenir à l'armée ; faire son service militaire. **3** Drapeau servant de signal.

**draper** v. tr. [1] **1** Habiller (qqn) de vêtements aux plis harmonieux. – au p. p. *Indienne drapée dans un sari.* **2** Disposer (une étoffe) en plis harmonieux. ▷ v. pron. se **draper** (loc. fig.) *Se draper dans sa dignité :* affecter une attitude de dignité offensée.

① **draperie** n. f. **1** comm. Tissu de laine. → **lainage. 2** Étoffe drapée. **3** (peinture, sculpture) Représentation d'un drapé.

② **draperie** n. f. Industrie du drap.

**drap-housse** [dʀaus] n. m. Drap de dessous aux coins cousus de manière à emboîter le matelas. *Des draps-housses.*

**drapier, ière** n. Personne qui fabrique ou vend le drap (1).

**drastique** adj. **1** Qui exerce une action très énergique. *Purgatif drastique.* **2** anglic. *Mesures drastiques.* → **draconien.**

**drave** n. f. (Canada) Flottage du bois.

**dravidien, ienne** adj. didact. De certaines populations du sud de l'Inde.

**dreadlocks** [dʀɛdlɔks] n. f. pl. anglic. Petites tresses réalisées sur l'ensemble de la chevelure (coiffure des rastas*).

**dressage** n. m. **1** Action de dresser (①, 2). **2** Action de dresser (un animal).

① **dresser** v. tr. [1] **1** Tenir droit et verticalement. → **lever, redresser.** – loc. *Dresser l'oreille :* écouter attentivement. **2** Faire tenir droit ; installer, ériger. *Dresser une statue.* **3** littér. Disposer comme il le faut. **4** Faire, établir avec soin ou dans la forme prescrite. *Dresser un procès-verbal.* **5** fig. Mettre (qqn) en opposition (contre qqn). → **braquer, monter.** ▷ v. pron. se **dresser 1** Se mettre droit. ♦ Être droit. **2** fig. *Se dresser contre qqn.* → s'**opposer** à.

② **dresser** v. tr. [1] **1** Habituer (un animal) à faire docilement et régulièrement qqch. **2** fam. Faire céder, plier (qqn). → **mater.**

**dresseur, euse** n. Personne qui dresse (des animaux).

**dressoir** n. m. Étagère, buffet où l'on dresse, dispose de la vaisselle.

**dreyfusard, arde** adj. et n. hist. Partisan de Dreyfus (condamné injustement, dans une atmosphère d'antisémitisme).

**DRH** n. (sigle) **1** n. f. Direction des ressources humaines (d'une entreprise). **2** Directeur, directrice des ressources humaines (d'une entreprise).

**dribble** n. m. anglic. Action de dribbler.

**dribbler** v. [1] anglic. **1** v. intr. Courir en poussant devant soi la balle sans en perdre le contrôle. **2** v. tr. Éviter (un joueur) en dribblant.

**drille** n. m. *Un joyeux drille :* un joyeux compagnon, un homme jovial. → **luron.**

**dring** [dʀiŋ] interj. Onomatopée, bruit de sonnette (surtout électrique).

**drisse** n. f. mar. Cordage servant à hisser.

**drogue** n. f. **1** Médicament confectionné par des non-spécialistes. ♦ péj. Médicament dont on conteste l'efficacité. **2** Substance toxique, stupéfiant. *Drogues dures* (entraînant une dépendance) *et drogues douces.*

**droguer** v. tr. [1] **1** Faire prendre à (un malade) beaucoup de médicaments. **2** Administrer une drogue, un somnifère à. ▷ v. pron. se **droguer 1** Prendre de nombreux médicaments. **2** Prendre de la drogue (2). ▷ adj. et n. **drogué, ée** → **toxicomane.**

**droguerie** n. f. Commerce des produits chimiques courants, des produits d'hygiène, d'entretien ; magasin où on les vend. ► **droguiste** n.

① **droit, droite I** adj. **1** Qui est sans déviation, d'un bout à l'autre. *Tige droite.* ♦ Dont la direction est constante. → **direct, rectiligne.** *Il y a deux kilomètres en ligne droite* (→ à vol d'oiseau). – fig. *Ramener qqn dans le droit chemin,* dans la norme. **2** Vertical. *Remettre droit.* → **debout ; dresser, redresser.** ♦ *Veston droit,* bord à bord. *Jupe droite,* sans ampleur. **3** *Angle droit,* de 90°. *À angle droit* (→ **perpendiculaire). 4** fig. Qui ne s'écarte pas d'une norme, d'une règle morale (→ **droiture).** ♦ Qui dénote la franchise. **II** adv. **1** Selon une ligne droite. *Aller droit devant soi.* **2** fig. Par la voie la plus courte, la plus rapide. → **directement.** *Aller droit au but.*

② **droit, droite I** adj. Qui est du côté opposé à celui du cœur de qqn (opposé à *gauche*). *La rive droite d'une rivière* (sens du courant). **II** n. m. boxe Poing droit.

③ **droit** n. m. **I** *Un droit, des droits* **1** Ce que chacun peut exiger, ce qui est permis, selon une règle morale, sociale. ♦ *Droits de l'homme,* définis notamment par la Constitution de 1789 et considérés comme droits naturels. ♦ *Avoir le droit de* (+ inf.) ; *être en droit de* (+ inf.). → **permission ; possibilité.** ♦ *Avoir droit à* (+ n.). *Vous avez droit à des excuses.* **2** Ce qui est exigible ou permis par conformité à une loi, un règlement. *Droits civiques* (électorat, éligibilité, etc.). – *Défendre ses droits devant la justice* (→ **procès).** – *Droit de grève.* **3** Ce qui donne une autorité, une influence considérée comme légitime. → **prérogative, privilège.** *Les droits de l'amitié.* **4** Somme d'argent, redevance exigée. *Acquitter un droit.* **II** *Le droit* **1** Ce qui constitue le fondement des droits des hommes et des femmes vivant en société. → **légalité, légitimité ; justice ; juri-**

**dique.** *Le droit et la force.* – *À bon droit* loc. adv. : à juste titre. ♦ *Droit divin**. **2** Pouvoir de faire ce que l'on veut. *Le droit du plus fort.* **3** Règles juridiques en vigueur dans un État correspondant à la coutume, à des lois (→ **code**), à des jurisprudences. *Le droit romain.* – *Droit commun* (règles générales). ♦ loc. *De droit :* d'une manière légale. – *De plein droit :* sans qu'il soit nécessaire de manifester de volonté. – *Qui de droit :* personne habilitée à... ♦ *Droit public et droit privé. Droit civil,* traitant des personnes, des biens, de leur transmission non commerciale. *Droit constitutionnel :* partie du droit public relative à l'organisation de l'État. – *Droit pénal* ou *criminel,* qui a trait aux infractions et aux peines, à la procédure criminelle. **4** La science juridique. *Étudiant en droit.*

① **droite** n. f. Ligne dont l'image est celle d'un fil parfaitement tendu ; (géom.) notion de base de la géométrie élémentaire.

② **droite** n. f. (opposé à *gauche*) **I 1** Le côté droit, la partie droite. – loc. adv. *À droite :* du côté droit. **2** Main droite. ♦ Coup de la main droite. **II** Représentants des partis conservateurs. – Fraction conservatrice de l'opinion publique. – *Voter à droite.*

**droitier, ière** adj. et n. (Personne) qui se sert mieux de la main droite que de la main gauche.

**droiture** n. f. Qualité d'une personne droite. → **franchise, honnêteté, loyauté.**

**drolatique** adj. littér. Qui a de la drôlerie.

> Ce mot n'a pas d'accent circonflexe, contrairement à *drôle.*

① **drôle** adj. **I** Comique. **1** Qui prête à rire, fait rire. → **amusant, comique. 2** (personnes) Qui sait faire rire. **II** Bizarre. **1** Anormal, étonnant. → **bizarre, curieux, étrange, singulier.** – *Se sentir tout drôle.* **2** *Drôle de... Un drôle de type,* qui étonne. ♦ fam. (intensif) *Il a une drôle de poigne.* → **rude, sacré. 3** *De drôles :* des choses curieuses ou désagréables. *En faire voir de drôles à qqn.*

② **drôle, drôlesse** n. **1** vx Coquin, coquine. **2** région. Gamin, gamine.

**drôlement** adv. **1** Bizarrement. **2** fam. (intensif) → **rudement, sacrément.**

**drôlerie** n. f. **1** Parole, action drôle. **2** Caractère de ce qui est drôle, cocasse.

**dromadaire** n. m. Mammifère voisin du chameau, à une seule bosse.

**drone** n. m. anglic., milit. Petit avion de reconnaissance, sans pilote.

**droniste** n. Personne qui dirige un drone.

**drop-goal** [dʀɔpgol] n. m. anglic. (rugby) Coup de pied donné dans le ballon, au rebond. *Des drop-goals.* – abrév. **drop.**

**droséra** n. m. Plante carnivore des tourbières.

**drosophile** n. f. Insecte diptère, aussi appelé *mouche du vinaigre.*

**dru, ue 1** adj. Qui pousse vigoureusement et en épaisseur. → **épais, touffu.** *Herbe drue.* ♦ *Pluie drue.* **2** adv. *La neige tombe dru.*

**drugstore** [dʀœgstɔʀ] n. m. anglic., vieilli Ensemble formé d'un bar, d'un café-restaurant, de magasins divers.

**druide** n. m. Prêtre gaulois ou celte. ► **druidique** adj.

**druidesse** n. f. Prêtresse gauloise ou celte.

**drupe** n. f. bot. Fruit indéhiscent, charnu, à noyau (ex. amande, pêche, cerise).

**dry** [dʀaj] adj. invar. anglic. Sec (vin).

**dryade** n. f. mythol. Nymphe des forêts.

**du 1** Article défini contracté. *Venir du Portugal.* → ① **de. 2** Article partitif. *Manger du pain.* → ② **de.**

**dû, due I** adj. **1** Que l'on doit. *Somme due.* **2** *Dû à :* causé par. **3** dr. *Acte en bonne et due forme,* conforme à la loi. **II** n. m. Ce qui est dû. *Réclamer son dû.*

**dual, ale, als** adj. didact. Double et réciproque. ♦ Caractérisé par le dualisme.

**dualisme** n. m. didact. **1** Doctrine ou système qui admet la coexistence de deux principes irréductibles. **2** Coexistence de deux éléments différents. → **dualité.** ► **dualiste** adj. et n.

**dualité** n. f. Caractère ou état de ce qui est double en soi ; coexistence de deux éléments de nature différente. → **dualisme.**

**dubitatif, ive** adj. Qui exprime le doute. ► **dubitativement** adv.

**duc** n. m. **I 1** hist. Souverain d'un duché. **2** Celui qui porte le titre de noblesse le plus élevé après celui de prince. **II** Rapace nocturne, variété de hibou. *Grand(-)duc.*

**ducal, ale, aux** adj. D'un duc, d'une duchesse.

**ducasse** n. f. Fête publique, en Belgique et dans le nord de la France. → **kermesse.**

**ducat** n. m. Ancienne monnaie d'or.

**duché** n. m. Seigneurie, principauté à laquelle le titre de duc était attaché.

**duchesse** n. f. **I 1** hist. Femme possédant un duché. **2** Épouse d'un duc. **II** Variété de poire fondante.

**ductile** adj. Qui peut être allongé, étendu, étiré sans se rompre. ► **ductilité** n. f.

**duègne** n. f. anciennt Femme âgée chargée de veiller sur la conduite d'une jeune fille ou d'une jeune femme. → **chaperon.**

① **duel** n. m. **1** Combat entre deux personnes dont l'une exige la réparation d'une offense par les armes. **2** fig. Compétition.

② **duel** n. m. gramm. Nombre* des déclinaisons et conjugaisons de certaines langues (arabe, grec...) qui sert à désigner deux personnes, deux choses. *Singulier, duel et pluriel.*

**duelliste** n. Personne qui se bat en duel.

**duettiste** n. Interprète d'un duo.

**duffel-coat** ou **duffle-coat** [dœfœlkot] n. m. anglic. Manteau trois-quarts à capuchon, en laine. *Des duffel-(duffle-)coats.*

**dugong** [dygɔ̃g] n. m. Mammifère marin herbivore qui vit dans l'océan Indien.

**dulcinée** n. f. plais. Femme aimée.

**dûment** adv. Selon les formes prescrites. - iron. *Il l'a dûment sermonné.*

**dumping** [dœmpiŋ] n. m. anglic. Pratique qui consiste à casser les prix sur les marchés extérieurs.

**dune** n. f. Butte, colline de sable fin formée par le vent (bord des mers, déserts).

**dunette** n. f. Large superstructure élevée sur le pont arrière d'un navire.

**duo** n. m. **1** Composition musicale pour deux voix ou deux instruments. ♦ *Duo comique* (music-hall). **2** fig., fam. *Un duo d'injures* : échange d'injures. **3** fam. Couple.

**duodécimal, ale, aux** adj. arithm. Qui a pour base le nombre douze.

**duodénum** [-ɔm] n. m. Partie initiale de l'intestin grêle, qui commence au pylore. ► **duodénal, ale, aux** adj.

**dupe 1** n. f. Personne que l'on trompe facilement. - loc. *Marché de dupes,* où l'on est abusé. **2** adj. (seulement attribut) Que l'on abuse facilement.

**duper** v. tr. [1] littér. Abuser, tromper (qqn). ► **duperie** n. f.

**duplex** [-ɛks] n. m. **1** Système de télécommunications qui permet des transmissions simultanées (→ **multiplex**). **2** Appartement sur deux étages.

**duplicata** n. m. Double d'une pièce ou d'un acte ayant même validité. *Des duplicata(s).*

**duplicité** n. f. Caractère d'une personne qui feint, qui a deux attitudes. → **hypocrisie.**

**dupliquer** v. tr. [1] Faire une ou des copies de. ► **duplication** n. f.

**duquel** → **lequel**

**dur, dure I** adj. **1** Qui résiste à la pression, au toucher ; qui ne se laisse pas entamer facilement. → **résistant, rigide, solide.** - loc. fig. *Avoir la peau dure* : résister à tout. *Avoir la tête dure* : être obtus ou entêté. **2** Qui résiste ; qui ne cède pas facilement. *Serrure dure.* ♦ loc. *Être dur d'oreille,* un peu sourd. - *Avoir la vie dure* : résister à la mort. fig. *Les préjugés ont la vie dure.* → **tenace.** ♦ *Dur à* (+ n.) : résistant à. loc. *Être dur à la détente**. - (+ inf.) → **difficile.** ♦ Difficile, qui résiste à l'effort intellectuel. → **ardu. 3** Pénible à supporter. → **âpre, rigoureux, rude.** ♦ *Avoir les traits* (du visage) *durs,* accusés et sans grâce. **4** Qui manque de cœur, d'humanité, d'indulgence. → **inflexible, inhumain, insensible, sévère. 5** Intransigeant (surtout dans : *pur et dur*). **II** adv. Avec violence. *Cogner dur.* → **fort.** ♦ Avec intensité. *Travailler dur.* **III** n. **1** n. m. Ce qui est dur. *Bâtiment en dur,* en matériau dur (opposé à *préfabriqué*). **2** n. f. *Coucher sur la dure,* par terre. - *À la dure* : de manière rude. ♦ *En voir de dures* : subir des épreuves pénibles. **3** n. Personne qui n'a peur de rien, ne recule devant rien (aussi loc. : *dur, dure à cuire*). ♦ Politicien, etc. intransigeant.

**durable** adj. De nature à durer. *Faire œuvre durable.* - loc. *Développement* durable.* ► **durablement** adv.

**duralumin** n. m. Alliage léger d'aluminium, cuivre, magnésium et manganèse.

**durant** prép. **1** (avant le n.) Pendant la durée de. → **pendant.** *Durant la nuit.* **2** (après le n., dans des loc.) *Parler une heure durant.*

**durcir** v. [2] **I** v. tr. **1** Rendre dur, ferme. **2** fig. Rendre plus ferme, plus intransigeant. **3** Faire paraître dur, plus dur. *Sa coiffure lui durcit les traits.* **II** v. intr. Devenir dur. ▷ v. pron. se **durcir** ► **durcissement** n. m.

**durcisseur** n. m. Produit qui, ajouté à un autre, provoque son durcissement.

**durée** n. f. **1** Espace de temps qui s'écoule entre le début et la fin (d'un phénomène). **2** Déroulement du temps qui passe. → **temps.**

**durement** adv. **1** D'une manière pénible à supporter. **2** Sans bonté, sans humanité.

**dure-mère** n. f. anat. La plus superficielle et la plus résistante des trois méninges.

**durer** v. intr. [1] **I 1** Avoir une durée de. *Leur entretien a duré deux heures.* ♦ absolt Durer longtemps. **2** Résister contre les causes de destruction, d'usure. → se **conserver, subsister, tenir. II** (personnes) Vivre, exister longtemps.

**dureté** n. f. **1** Propriété, caractère de ce qui est dur. **2** fig. *Dureté d'une eau,* teneur en certains sels (de calcium, etc.).

**durillon** n. m. Callosité qui se forme aux pieds, aux mains. → **cal, cor.**

**durit** ou **durite** [-it] n. f. Tuyau en caoutchouc traité pour les raccords de canalisations des moteurs à explosion.

**D. U. T.** n. m. (sigle) (en France) Diplôme universitaire de technologie, obtenu en deux ans après le bac.

**duvet** n. m. **I 1** Petites plumes molles et très légères des oisillons, et du ventre et du dessous des ailes des oiseaux adultes. **2** Sac de couchage bourré de duvet ou d'une matière analogue. **II** Poils fins et doux (de certains animaux ou plantes ; chez l'être humain).

**duveté, ée** adj. Couvert de duvet. - syn. **duveteux, euse.**

se **duveter** v. pron. [5] Se couvrir de duvet.

**DVD** n. m. (sigle) anglic. Disque optique numérique de très grande capacité.

**dyade** n. f. didact. Ensemble de deux éléments. ► **dyadique** adj.

**dynamique I** adj. **1** phys. Relatif aux forces, à la notion de force (s'oppose à *statique*). **2** didact. Qui considère les choses dans leur mouvement, leur devenir. **3** cour. Qui manifeste une grande vitalité. **II** n. f. **1** Partie de la mécanique qui étudie le mouvement et les forces. **2** Ensemble de forces orientées vers un développement ; leur étude.

**dynamiquement** adv. Avec dynamisme.

**dynamiser** v. tr. [1] anglic. Communiquer du dynamisme à. ► **dynamisation** n. f.

**dynamisme** n. m. Énergie, vitalité.

**dynamite** n. f. Substance explosive à base de nitroglycérine.

**dynamiter** v. tr. [1] **1** Faire sauter à la dynamite. **2** fig. Détruire violemment (un système...). ► **dynamitage** n. m.

**dynamo** n. f. Machine transformant l'énergie mécanique en énergie électrique.

**dynamomètre** n. m. Instrument servant à mesurer l'intensité des forces.

**dynastie** n. f. **1** Succession de souverains d'une même famille. **2** fig. Succession d'hommes célèbres, dans une même famille. *La dynastie des Bach.* ► **dynastique** adj.

**dyne** n. f. Ancienne unité de mesure de force, valant $10^{-5}$ newton.

**dysenterie** [dis-] n. f. Maladie infectieuse provoquant des diarrhées graves. ► **dysentérique** [dis-] adj. et n.

**dysfonctionnel, elle** adj. didact. Qui présente un dysfonctionnement.

**dysfonctionnement** n. m. Trouble dans le fonctionnement. *Dysfonctionnement rénal.*

**dyslexie** n. f. didact. Trouble de la capacité à lire, ou difficulté à reconnaître et reproduire le langage écrit. ► **dyslexique** adj. et n.

**dysménorrhée** n. f. didact. Menstruation difficile et douloureuse.

**dysorthographie** n. f. didact. Trouble dans la maîtrise des règles de l'orthographe.

**dyspepsie** n. f. Digestion difficile et douloureuse. ► **dyspeptique** adj. et n.

**dyspnée** n. f. méd. Difficulté respiratoire.

**dystopie** n. f. didact. Récit de fiction qui décrit un monde utopique sombre.

**dystrophie** n. f. méd. Trouble de la nutrition ou du développement (d'un organe...). ► **dystrophique** adj.

**dytique** n. m. zool. Insecte coléoptère très carnassier, qui vit dans l'eau.

# E

**e** [ø] n. m. Cinquième lettre, deuxième voyelle de l'alphabet. *É, è, ê.*

**E. A. O.** [øɑo] Sigle de *enseignement assisté par ordinateur.*

**eau** n. f. **I 1** Liquide naturel, inodore, incolore et transparent quand il est pur. *Eau douce ; eau de mer. Eau minérale.* – loc. fig. *Mettre de l'eau dans son vin :* modérer ses prétentions. ♦ *Prendre l'eau :* (vêtement) être perméable. **2** au plur. Eaux minérales d'une station thermale. *Ville d'eaux.* **3** Étendue ou masse de ce liquide. *Tomber à l'eau* (fig. échouer, être oublié). – loc. fig. *Être sous l'eau :* être débordé. ♦ au plur. *Basses eaux,* niveau le plus bas d'un fleuve. – *Grandes eaux,* jets d'eau d'un parc. **4** Solution aqueuse. *Eau oxygénée.* **5** *Les Eaux et Forêts*.* **II** dans des loc. Sécrétion liquide incolore du corps humain. *Être en eau,* en sueur. *Avoir l'eau à la bouche,* saliver ; fig. être attiré par qqch. ♦ au plur. Liquide amniotique. *Poche des eaux.* **III** Transparence, pureté (des pierres précieuses).

**eau-de-vie** n. f. Liquide alcoolique obtenu par distillation de jus fermenté des fruits ou de céréales, etc. *Des eaux-de-vie.*

**eau-forte** n. f. **1** Acide dont les graveurs (→ **aquafortiste**) se servent pour attaquer le cuivre. **2** Gravure obtenue par ce procédé.

**ébahir** v. tr. [2] Frapper d'un grand étonnement. – au p. p. *Un air ébahi.* → **ahuri.** ► **ébahissement** n. m.

**ébarber** v. tr. [1] Débarrasser des aspérités, des barbes. → **limer.** ► **ébarbage** n. m.

**ébats** n. m. pl. littér. Mouvements de qqn qui s'ébat. – *Ébats amoureux* (érotiques).

**s'ébattre** v. pron. [41] littér. Se donner du mouvement pour s'amuser. → **folâtrer.**

**ébaubi, ie** adj. vx Ébahi, ahuri.

**ébauche** n. f. **1** Première forme, encore imparfaite, que l'on donne à une œuvre. → **esquisse. 2** fig. *L'ébauche d'un sourire.*

**ébaucher** v. tr. [1] **1** Donner la première forme à (→ **dégrossir**) ; préparer dans les grandes lignes (→ **esquisser**). **2** Commencer sans aller jusqu'au bout. *Ébaucher un geste.*

**ébauchoir** n. m. Outil pour ébaucher.

**s'ébaudir** v. pron. [2] vx Se réjouir. – var. **s'esbaudir.**

**ébène** n. f. Bois d'un arbre (l'*ébénier*), très noir, d'une grande dureté.

**ébénisterie** n. f. Fabrication des meubles de luxe, ou décoratifs. ► **ébéniste** n.

**éberlué, ée** adj. Ébahi, stupéfait.

**éblouir** v. tr. [2] **1** Troubler (la vue ou qqn dans sa vision) par un éclat insoutenable. → **aveugler. 2** fig. Frapper d'admiration. → **émerveiller.** ► **éblouissant, ante** adj.

**éblouissement** n. m. **1** Fait d'éblouir, d'être ébloui. ♦ Trouble de la vue accompagné de vertige. **2** Émerveillement.

**ébonite** n. f. Matière dure et noire, isolante, obtenue par vulcanisation du caoutchouc.

**e-book** [ibuk] n. m. anglic. **1** Livre* numérique. *Des e-books.* **2** Liseuse (4).

**éborgner** v. tr. [1] Rendre borgne.

**éboueur, euse** n. Personne chargée du ramassage des ordures. → **boueux.**

**ébouillanter** v. tr. [1] **1** Passer à l'eau bouillante. **2** Blesser, brûler avec de l'eau très chaude. ▷ v. pron. **s'ébouillanter**

**éboulement** n. m. Chute de terre, de rochers, constructions qui s'éboulent.

**s'ébouler** v. pron. [1] Tomber par morceaux, en s'affaissant. → **s'effondrer.**

**éboulis** n. m. Amas de matériaux éboulés. → **éboulement.**

**ébouriffant, ante** adj. fam. Étonnant.

**ébouriffer** v. tr. [1] **1** Mettre (les cheveux) en désordre. – au p. p. *Être tout ébouriffé.* **2** fig., fam. Surprendre au point de choquer.

**ébrancher** v. tr. [1] Dépouiller (un arbre) de ses branches. → **élaguer, émonder, tailler.** ► **ébranchage** n. m.

**ébranlement** n. m. **1** Oscillation ou vibration produite par un choc ou une secousse. **2** fig. État chancelant. ♦ Choc nerveux, commotion.

**ébranler** v. tr. [1] **1** Faire trembler, osciller, vibrer par un choc. **2** fig. Mettre en danger de crise. **3** Rendre peu ferme, incertain. → **affaiblir, troubler.** ▷ v. pron. **s'ébranler** Se mettre en marche.

**ébrécher** v. tr. [6] **1** Endommager en entamant le bord de. **2** fig. → **écorner** (2).

**ébriété** n. f. (style admin.) Ivresse.

**s'ébrouer** v. pron. [1] **1** (cheval) Souffler bruyamment en secouant la tête. **2** Souffler en s'agitant. ► **ébrouement** n. m.

**ébruiter** v. tr. [1] Faire circuler (une nouvelle). → **divulguer.** ► **ébruitement** n. m.

**ébullition** n. f. **1** État d'un liquide qui bout. **2** fig. *En ébullition :* dans un état de vive agitation. → **effervescence.**

**éburnéen, enne** adj. littér. Qui a l'apparence de l'ivoire.

**e-business** n. m. → **e-commerce**

**écaille** n. f. **1** Chacune des petites plaques qui recouvrent la peau (de poissons, de reptiles). ♦ Lame enveloppant certains organes végétaux. **2** Parcelle détachée de qqch. qui se desquame. **3** Matière qui recouvre la carapace de grandes tortues.

① **écailler** v. tr. [1] **1** Enlever, racler les écailles de (un poisson). **2** Ouvrir (une huître). **3** Faire tomber en écailles (2). – pronom. *La peinture s'écaille.* ► **écaillage** et **écaillement** n. m.

② **écailler, ère** n. Personne qui ouvre et vend des huîtres.

**écailleux, euse** adj. **1** Qui a des écailles. **2** Qui se détache par écailles.

**écale** n. f. bot. Enveloppe recouvrant la coque des noix, noisettes, amandes, etc.

**écaler** v. tr. [1] Enlever l'écale de. – *Écaler des œufs,* en ôter la coquille.

**écarlate** **1** n. f. Couleur rouge tirée de la cochenille. **2** adj. Très rouge.

**écarquiller** v. tr. [1] Ouvrir démesurément (les yeux).

**écart** n. m. **1** Distance qui sépare deux choses qu'on écarte ou qui s'écartent. – *Grand écart :* position où les jambes forment un angle de 180°. **2** Différence entre deux grandeurs ou valeurs. **3** Action de s'écarter, de s'éloigner. **4** fig. *Écart de conduite.* → **faute. 5** loc. adv. *À l'écart :* dans un endroit écarté, à distance (d'un groupe).

**écarté, ée** adj. **1** Éloigné, isolé. **2** au plur. Éloignés l'un de l'autre.

**écarteler** v. tr. [5] **1** anciennt Déchirer (un condamné) en faisant tirer ses membres par quatre chevaux. **2** fig. (surtout passif et p. p.) → **tirailler.** ► **écartèlement** n. m.

**écartement** n. m. Espace qui sépare une chose d'une ou plusieurs autres.

**écarter** v. tr. [1] **1** Mettre (plusieurs choses ou des parties d'une chose) à distance les unes des autres (s'oppose à *rapprocher*). *Écarter les bras.* **2** Mettre à une certaine distance. → **éloigner.** ♦ Repousser. *Écarter un danger.* **3** Éloigner d'une direction. → **détourner.** ▷ v. pron. **s'écarter** Se disperser. ♦ S'éloigner (d'un lieu, d'une direction) ; fig. se détourner (d'une ligne...).

**E. C. B. U.** n. m. (sigle) méd. Examen cytobactériologique des urines, comportant une étude des cellules *(cyto-)* et la recherche de bactéries.

**ecchymose** [eki-] n. f. Tache (noire, jaunâtre...) produite par l'épanchement du sang sous la peau. → **bleu, contusion, hématome.**

**ecclésiastique** **1** adj. Relatif à une Église, à son clergé. **2** n. m. Membre d'un clergé (→ **ministre, pasteur, prêtre, religieux).**

**écervelé, ée** adj. et n. Qui est sans jugement.

**échafaud** n. m. Plate-forme en charpente destinée à l'exécution des condamnés. ♦ Peine de mort par décapitation.

**échafaudage** n. m. **1** Construction temporaire soutenue par une charpente (sur la façade d'un bâtiment à édifier, à réparer). **2** Assemblage de choses posées les unes sur les autres. *Un échafaudage de livres.*

**échafauder** v. [1] **1** v. intr. Construire un échafaudage. **2** v. tr. fig. Former par des combinaisons fragiles. *Échafauder des projets.*

**échalas** n. m. Pieu soutenant un arbuste. – fig. Personne grande et maigre.

**échalier** n. m. **1** Échelle rudimentaire. **2** Clôture mobile.

**échalote** n. f. **1** Variété d'ail dont les bulbes sont utilisés comme condiment. **2** (Canada) Petit oignon vert.

**échancrer** v. tr. [1] Creuser ou découper en creux. ▷ adj. **échancré, ée** *Corsage échancré.* → **décolleté.** – *Côte échancrée.* → **découpé.**

**échancrure** n. f. Partie échancrée.

**échange** n. m. **1** Opération par laquelle on échange ; fait de donner une chose contre une autre. **2** Commerce, opération commerciale. **3** Communication réciproque (de documents, etc.). *Un échange de lettres.* – loc. *Échange de vues*.* **4** sc. Passage de substances entre la cellule et le milieu extérieur. *Échanges gazeux.* **5** *En échange* loc. adv. → en **contrepartie,** en **retour.**

**échanger** v. tr. [3] **1** *Échanger qqch. contre,* laisser (qqch.) à qqn en recevant autre chose en contrepartie. – (sujet au plur.) Donner et recevoir (des choses équivalentes). *Ils échangent des timbres.* **2** (abstrait) Adresser et recevoir en retour. – (sujet au plur.) *Ils échangèrent un regard.*

**échangeur** n. m. **1** Appareil destiné à réchauffer ou refroidir un fluide au moyen d'un autre fluide. **2** Intersection routière à plusieurs niveaux.

**échangiste** adj. Qui procède à des échanges ; fondé sur des échanges. ♦ spécialt Qui pratique l'échange des partenaires sexuels entre couples (*échangisme* n. m.).

**échanson** n. m. anciennt Officier d'une cour, dont la fonction était de servir à boire.

**échantillon** n. m. **1** Petite quantité (d'une marchandise) qu'on montre pour donner une idée. **2** Spécimen remarquable (d'une espèce, etc.). → **exemple, représentant.**

3 Fraction représentative d'une population, choisie en vue d'un sondage.

**échantillonner** v. tr. [1] 1 Prélever, choisir des échantillons de (tissus, etc.). 2 Choisir un échantillon en vue d'un sondage. ► **échantillonnage** n. m.

**échappatoire** n. f. Moyen détourné par lequel on cherche à se tirer d'embarras. → **faux-fuyant, subterfuge.**

**échappée** n. f. 1 Action d'échapper à des poursuivants. – Action menée par un coureur qui lâche le peloton. 2 Espace libre mais resserré (ouvert à la vue, etc.). *Échappée sur la mer.* ♦ littér. Bref moment.

**échappement** n. m. 1 Mécanisme d'horlogerie qui règle le mouvement. 2 Dernier temps du cycle d'un moteur pendant lequel les gaz brûlés sont évacués.

**échapper** v. [1] I *Échapper à* v. tr. ind. 1 Cesser d'être prisonnier de (un lieu, qqn). – Se tirer de (un danger). *Échapper à un accident.* → **réchapper.** 2 Cesser d'appartenir à, de subir l'influence de. 3 Être prononcé par inadvertance par (qqn). *Ça m'a échappé.* 4 Éviter (qqn, qqch. de menaçant). 5 (sujet chose) N'être pas touché, contrôlé, compris par. *Son raisonnement m'échappe.* II *Échapper de* v. tr. ind. (sujet chose) Cesser d'être tenu, retenu par. *La tasse lui a échappé des mains.* III v. tr. 1 loc. *L'échapper belle,* échapper de justesse à un danger. 2 région. (centre et est de la France ; Canada) Laisser échapper, laisser tomber involontairement. ▷ v. pron. **s'échapper** (de) 1 S'enfuir ; partir discrètement. 2 (choses) Sortir.

**écharde** n. f. Petit fragment de bois qui a pénétré sous la peau par accident.

**écharpe** n. f. 1 Large bande d'étoffe servant d'insigne. 2 Bandage passé par-dessus une épaule, qui soutient l'avant-bras. *Avoir un bras en écharpe.* ♦ loc. adv. *En écharpe :* en bandoulière ; en oblique. 3 Bande de tissu, de tricot portée autour du cou.

**écharper** v. tr. [1] Massacrer.

**échasse** n. f. 1 Chacun des deux bâtons munis d'un étrier pour le pied, pour se déplacer dans des terrains difficiles. 2 Oiseau des marais, à longues pattes fines, au plumage noir et blanc.

**échassier** n. m. Oiseau des marais à longues pattes fines (ex. la bécasse).

**échauder** v. tr. [1] 1 Passer, laver à l'eau chaude. – Tremper dans l'eau bouillante. → **ébouillanter.** ♦ prov. *Chat* échaudé craint l'eau froide.* 2 fig. *Se faire échauder, être échaudé,* être victime d'une mésaventure.

**échauffer** v. tr. [1] Rendre chaud par degrés. → **chauffer.** – loc. *Échauffer la bile, les oreilles :* irriter. ▷ v. pron. **s'échauffer** 1 Entraîner ses muscles avant l'effort. 2 S'animer en parlant. ► **échauffement** n. m.

**échauffourée** n. f. Courte bagarre.

**échauguette** n. f. Guérite d'angle en pierre, pour surveiller.

**èche** ou **esche** n. f. Appât fixé à l'hameçon.

**échéance** n. f. 1 Date à laquelle expire un délai. ♦ Obligations, paiement dont l'échéance tombe. ♦ fig. Date à laquelle un événement doit se produire. 2 loc. adv. *À longue, à brève échéance :* à long, à court terme.

**échéancier** n. m. Registre d'obligations inscrites à leur échéance. ♦ Ensemble de délais à respecter. → **calendrier.**

**échéant, ante** adj. 1 dr. Qui arrive à échéance. 2 loc. adv. *Le cas échéant :* si l'occasion se présente.

**échec** n. m. I *Les échecs :* jeu dans lequel deux joueurs font manœuvrer l'une contre l'autre deux séries de 16 pièces (pion, fou, cavalier, tour, roi, reine), sur une tablette divisée en 64 cases (→ **échiquier**). II au sing. aux échecs Situation du roi ou de la reine qui se trouve battu. *Échec et mat*.* III fig. 1 Fait de ne pas réussir, de ne pas obtenir qqch. – Insuccès, faillite (d'un projet...). *Tentative vouée à l'échec.* 2 *Tenir qqn en échec,* le mettre en difficulté.

**échelle** n. f. 1 Objet formé de deux montants réunis de distance en distance par des barreaux transversaux (→ **échelon**) servant de marches. – loc. *Faire la courte échelle à qqn,* l'aider à s'élever en lui offrant comme points d'appui les mains puis les épaules. 2 Suite continue ou progressive. *Échelle sociale,* hiérarchie des conditions. *L'échelle des salaires. Échelle mobile* (selon le coût de la vie). 3 Rapport existant entre une longueur et sa représentation sur la carte ; proportion (d'un plan...). *1 mm représente 100 m à l'échelle de 1/100 000. Carte à grande échelle,* détaillée. ♦ Série de divisions (sur un instrument, etc.). → **graduation.** ♦ fig. *À l'échelle (de) :* à la mesure (de). *À l'échelle mondiale.*

**échelon** n. m. 1 Traverse d'une échelle. → **barreau.** 2 fig. Ce par quoi on monte ou descend d'un rang à un autre. ♦ Position hiérarchique d'un fonctionnaire. 3 *À l'échelon (de) :* au niveau (d'une administration, etc.).

**échelonner** v. tr. [1] 1 Disposer (des choses) à distance les unes des autres, ou par degrés. 2 Distribuer dans le temps, exécuter à intervalles réguliers. ▷ v. pron. **s'échelonner** ► **échelonnement** n. m.

**écheniller** v. tr. [1] Débarrasser (un arbre, une haie) des chenilles. ► **échenillage** n. m.

**écheveau** n. m. 1 Assemblage de fils repliés et liés. 2 fig. Situation compliquée.

**échevelé, ée** adj. 1 Dont les cheveux sont en désordre. 2 Désordonné, effréné.

**échevin, ine** n. 1 n. m. hist. Magistrat municipal. 2 Magistrat adjoint au bourgmestre (Belgique...). ► **échevinal, ale, aux** adj. ► **échevinat** n. m.

**échidné** [-ki-] n. m. zool. Mammifère australien, ovipare, hérissé de piquants.

**échine** n. f. **1** Colonne vertébrale de l'homme et de certains animaux ; région correspondante du dos. – loc. fig. *Courber, plier l'échine,* se soumettre. **2** Partie antérieure de la longe du porc.

s'**échiner** v. pron. [1] Se donner de la peine.

**échinoderme** [-ki-] n. m. Invertébré marin à symétrie radiale (embranchement des *Échinodermes :* astéries, oursins, etc.).

**échiquier** n. m. **1** Tableau divisé en 64 cases alternativement blanches et noires sur lequel on joue aux échecs. – Damier, quadrillage. **2** fig. Terrain où s'opposent des intérêts. *L'échiquier international.* **3** (en Grande-Bretagne) *Le chancelier de l'Échiquier,* le ministre des Finances.

**écho** [eko] n. m. **1** Réflexion du son par un obstacle qui le répercute ; le son répété. **2** fig. Ce qui est répété par qqn. – loc. *Se faire l'écho d'une nouvelle.* → **propager.** ♦ *Les échos d'un journal,* nouvelles mondaines ou locales. **3** Accueil et réaction favorable. *Sa protestation est restée sans écho.*

**échographie** [eko-] n. f. Exploration médicale du corps, au moyen d'ultrasons ; image qui en résulte. ► **échographe** n. m. (appareil) ► **échographier** v. tr. [7] ► **échographique** adj. ► **échographiste** n.

**échoir** v. intr. défectif : *il échoit, ils échoient, il échut, il échoira* (vx *écherra*), *il échoirait* (vx *écherrait*), *échéant**, *échu** littér. **1** Être dévolu par le sort ou par un hasard. *Le rôle qui m'échoit.* **2** Arriver à échéance.

**échoppe** n. f. Petite boutique.

**échotier, ière** [ekɔtje] n. Journaliste chargé des échos.

**échouage** n. m. Fait d'échouer (1).

**échouer** v. intr. [1] **1** (navire) Toucher le fond par accident et être arrêté dans sa marche. *Le navire a échoué* (pronom. *s'est échoué*) *sur la côte.* – Être poussé sur la côte. **2** S'arrêter par lassitude, ou comme par hasard. *Échouer dans un hôtel miteux.* **3** Ne pas réussir (dans une entreprise...). – (sujet chose) *Tous ses essais ont échoué.*

**échu, ue** adj. Arrivé à échéance.

**écimer** v. tr. [1] Couper la cime de (un arbre, une plante). ► **écimage** n. m.

**éclabousser** v. tr. [1] **1** Couvrir d'un liquide salissant qu'on a fait rejaillir. **2** fig. Salir par contrecoup. ► **éclaboussure** n. f.

① **éclair** n. m. **1** Lumière intense et brève, formant une ligne sinueuse, provoquée par une décharge électrique pendant un orage. ♦ loc. *Comme l'éclair,* très vite. **2** appos. (invar.) Très rapide. *Visite éclair.* **3** Lumière vive, de courte durée. **4** Manifestation passagère ; bref moment. *Un éclair de génie.*

② **éclair** n. m. Petit gâteau allongé, fourré d'une crème pâtissière et glacé.

**éclairage** n. m. **1** Action, manière d'éclairer artificiellement. *Éclairage public.* **2** Distribution de la lumière (naturelle ou artificielle). **3** fig. Manière de décrire, d'envisager. → **angle, aspect, point de vue.**

**éclairagiste** n. (théâtre...) Personne qui s'occupe de l'éclairage.

**éclaircie** n. f. Endroit clair dans un ciel nuageux ; brève amélioration du temps. → **embellie.**

**éclaircir** v. tr. [2] **1** Rendre plus clair, moins sombre. – faux pronom. *S'éclaircir la gorge,* se racler la gorge. **2** Rendre moins épais, moins dense. **3** fig. Rendre clair pour l'esprit. → **débrouiller, élucider.**

**éclaircissement** n. m. **1** Fait d'éclaircir (1 et 2). **2** Explication, mise au point.

**éclairé, ée** adj. Qui a de l'instruction, de l'esprit critique. – loc. *Despotisme* éclairé.*

**éclairement** n. m. Durée ou intensité de la lumière ; rapport de cette intensité à la surface éclairée.

**éclairer** v. tr. [1] **I 1** Répandre de la lumière sur. ♦ Pourvoir de la lumière nécessaire. **2** Répandre une sorte de lumière sur (le visage). → **illuminer.** – pronom. *Son visage s'éclaira.* **II** fig. **1** Mettre (qqn) en état de voir clair, de discerner le vrai du faux. **2** Rendre clair, intelligible. → **éclaircir.**

**éclaireur, euse** n. **1** n. m. Soldat envoyé en reconnaissance. **2** Membre de certaines associations scoutes.

**éclat** n. m. **I 1** Fragment d'un corps qui éclate, qu'on brise. *Éclat de verre ; d'obus.* – *Voler en éclats,* se briser. **2** Bruit violent et soudain. *Éclat de voix. Éclat de rire.* **3** Scandale, tapage. **II 1** Lumière vive. **2** (couleurs) Vivacité et fraîcheur. **3** Caractère de ce qui est brillant, magnifique. – *D'éclat :* remarquable, éclatant. *Action, coup d'éclat.*

**éclatant, ante** adj. **1** Qui fait un grand bruit. **2** Qui brille avec éclat, dont la couleur a de l'éclat. → **éblouissant. 3** Qui se manifeste de façon frappante. → **remarquable.**

**éclatement** n. m. Fait d'éclater.

**éclater** v. intr. [1] **1** Se rompre avec violence et généralement avec bruit, en projetant des fragments, ou en s'ouvrant. → **exploser, sauter. 2** Se diviser en plusieurs éléments. **3** Retentir avec un bruit violent et soudain. – loc. (personnes) *Éclater de rire. Éclater en sanglots.* **4** (sujet chose) Se manifester brutalement. *La guerre a éclaté.* **5** littér. Apparaître de façon manifeste, évidente. ▷ v. pron. s'**éclater** fam. Éprouver un violent plaisir (dans une activité).

**éclectique** adj. **1** philos. Qui emprunte des éléments à plusieurs systèmes. **2** Qui n'a pas de goût exclusif. ► **éclectiquement** adv. ► **éclectisme** n. m.

**éclipse** n. f. **1** Disparition passagère d'un astre, masqué par un autre corps céleste. **2** fig. Période de fléchissement, de défaillance. **3** *À éclipses :* intermittent.

**éclipser** v. tr. [1] **1** Provoquer l'éclipse de (un autre astre). **2** Empêcher de paraître, de plaire, en brillant soi-même davantage. ▷ v. pron. s'**éclipser** S'en aller à la dérobée.

**écliptique** n. m. Grand cercle d'intersection du plan de l'orbite terrestre avec la sphère céleste ; ce plan.

**éclisse** n. f. **1** Éclat de bois. ♦ Plaque qui maintient un membre fracturé. **2** Pièce d'acier reliant les rails de chemin de fer.

**éclopé, ée** adj. et n. Qui marche péniblement (accident, blessure). → **estropié.**

**éclore** v. intr. [45] **1** (œuf ; fleur) S'ouvrir. *Les œufs ont* (ou *sont*) *éclos.* **2** fig. Naître, apparaître. ► **éclosion** n. f.

**écluse** n. f. Espace limité par des portes à vannes, destiné à retenir ou lâcher l'eau.

**écluser** v. tr. [1] **1** Faire passer (un bateau) par une écluse. **2** fam. Boire.

**éclusier, ière** n. Personne chargée de la manœuvre d'une écluse.

**écobilan** n. m. didact. Bilan des effets sur l'environnement (d'un objet fabriqué).

**écobuer** v. tr. [1] Enlever les mottes, les racines de (une terre) et les brûler. ► **écobuage** n. m.

**écoconduite** n. f. Style de conduite d'un véhicule visant à l'économie et au respect de l'environnement.

**écœurer** v. tr. [1] **1** Dégoûter au point de donner envie de vomir. **2** fig. Dégoûter, en inspirant indignation ou mépris. **3** Décourager profondément. ► **écœurant, ante** adj. ► **écœurement** n. m.

**écohabitat** n. m. Habitat conçu pour un respect maximal de l'environnement.

**écoinçon** n. m. techn. Pièce en coin.

**école** n. f. **1** Établissement dans lequel est donné un enseignement collectif (général ou spécialisé). ♦ spécialt Établissement d'enseignement maternel et primaire. **2** Instruction, exercice militaire. – loc. *Haute école,* équitation savante. **3** Ce qui est propre à instruire et à former ; source d'enseignement. – *Être à bonne école.* **4** Groupe ou suite de personnes qui se réclament d'un maître ou d'une doctrine. → **mouvement.** – loc. *Faire école* : avoir des disciples.

**écolier, ière** n. Enfant qui fréquente l'école primaire, un collège. → **élève.**

**écologie** n. f. **1** sc. Étude des milieux où vivent les êtres vivants et des rapports de ces êtres avec le milieu. **2** cour. Doctrine visant à un meilleur équilibre entre l'homme et l'environnement. ► **écologique** adj.

**écologiste** n. **1** sc. Spécialiste de l'écologie. **2** adj. et n. cour. Partisan de la défense de la qualité de l'environnement. ► **écologisme** n. m.

**e-commerce** [i-] n. m. anglic. Commerce électronique, pratiqué par l'intermédiaire du réseau Internet. ► **e-commerçant, ante** n.

**écomusée** n. m. Musée présentant une activité humaine dans son contexte.

**éconduire** v. tr. [38] **1** Repousser (un solliciteur). **2** Congédier, renvoyer.

**économat** n. m. Fonction d'économe.

**économe** **I** n. Personne chargée de l'administration, dans une communauté, un établissement. → **intendant.** **II** **1** adj. Qui dépense avec mesure. **2** n. m. Épluche-légumes.

**économétrie** n. f. Étude statistique des données économiques.

**économie** n. f. **I** **1** didact. Organisation des éléments, des parties (d'un ensemble). *L'économie d'une œuvre.* **2** Science des phénomènes concernant la production, la distribution et la consommation des richesses, des biens matériels, dans un groupe humain. **3** Activité économique. *L'économie française.* **II** **1** littér. Gestion où l'on évite toute dépense inutile. **2** Ce que l'on épargne ou évite de dépenser. – loc. *Des économies de bouts de chandelle**. – fig. *Faire l'économie de,* éviter. **3** au plur. Somme d'argent économisée.

**économique** adj. **I** Qui concerne l'économie (I, 2 et 3). **II** (choses) Qui réduit la dépense. ► **économiquement** adv.

**économiser** v. tr. [1] **1** Dépenser, utiliser avec mesure. **2** Mettre de côté en épargnant.

**économiste** n. Spécialiste d'économie (I, 2).

**écoparticipation** n. f. Taxe payée par le consommateur sur un appareil électrique ou électronique, destinée à financer le recyclage du produit. ► **écoparticipatif, ive** adj.

**écopastille** n. f. (en France) Dispositif de taxation des véhicules polluants.

**écope** n. f. Pelle pour écoper.

**écoper** [1] **I** v. tr. mar. Vider l'eau de (un bateau) avec l'écope. **II** v. tr. ind. fam. *Écoper de* : recevoir (un coup, une punition...).

**écorce** n. f. **1** Enveloppe d'un tronc d'arbre et de ses branches, qu'on peut détacher du bois. **2** Enveloppe coriace (de fruits : melon, orange...). **3** *Écorce terrestre,* partie superficielle du globe.

**écorcer** v. tr. [3] Dépouiller de l'écorce.

**écorché, ée** n. **1** Bête, personne écorchée. – fig. *Écorché vif, écorchée vive* : personne d'une sensibilité et d'une susceptibilité extrêmes. **2** n. m. Statue d'homme, d'animal représenté dépouillé de sa peau.

**écorcher** v. tr. [1] **1** Dépouiller de sa peau (un corps). **2** Blesser en entamant superficiellement la peau. → **égratigner, griffer.** – par exagér. *Ces cris écorchent les oreilles.* **3** Mal prononcer. ► **écorchement** n. m.

**écorchure** n. f. Légère déchirure cutanée.

**écorner** v. tr. [1] **1** Casser, abîmer un angle de. **2** fig. Entamer. *Écorner ses économies.*

**écossais, aise** adj. **1** De l'Écosse. – n. *Un Écossais, une Écossaise.* **2** (tissu) À bandes de couleurs croisées.

**écosser** v. tr. [1] Dépouiller de la cosse. ► **écossage** n. m.

**écosystème** n. m. Unité écologique de base, formée par le milieu (→ **biotope**) et les organismes qui y vivent (→ **biocénose**).

**écot** n. m. Quote-part d'un convive.

**écotaxe** n. f. Impôt sur les activités économiques polluantes (industrie, commerce), visant un effet dissuasif.

**écoulement** n. m. Fait d'écouler, de s'écouler ; mouvement de ce qui s'écoule.

**écouler** v. [1] **I** *S'écouler* v. pron. **1** (liquide) Couler hors d'un endroit. → se **déverser**. ♦ par analogie *La foule s'écoulait lentement.* **2** Disparaître progressivement ; se passer (temps). – au p. p. *Les années écoulées,* passées. **II** v. tr. Vendre de façon continue jusqu'à épuisement. – *Écouler de faux billets,* les mettre en circulation.

**écourter** v. tr. [1] **1** Rendre plus court en longueur. → **raccourcir.** **2** Rendre plus court en durée. **3** Abréger ; tronquer.

① **écoute** n. f. **1** Action d'écouter (qqn). – *Être à l'écoute de qqn,* lui prêter attention. **2** milit. Détection par le son. **3** Action d'écouter (une émission). *Les heures de grande écoute.* ♦ Action d'écouter (une communication téléphonique) à l'insu des personnes qui communiquent. **4** loc. *Aux écoutes de :* attentif à.

② **écoute** n. f. Manœuvre, cordage servant à orienter une voile.

**écouter** v. tr. [1] **1** S'appliquer à entendre, prêter son attention à (des bruits, des paroles). **2** Recevoir, accepter. *Écouter les conseils d'un ami.* → **suivre.** – *N'écouter que son courage,* se laisser guider par lui. ▷ v. pron. s'**écouter** **1** Entendre sa propre voix. **2** Suivre son inspiration. **3** Prêter une trop grande attention à sa personne.

**écouteur** n. m. Partie du récepteur téléphonique qui sert à écouter.

**écoutille** n. f. Ouverture rectangulaire dans le pont d'un navire, qui permet l'accès aux étages inférieurs.

**écouvillon** n. m. Brosse cylindrique pour nettoyer un objet creux. → **goupillon.**

**écrabouiller** v. tr. [1] fam. Écraser, réduire en bouillie. → **broyer.** ► **écrabouillage** et **écrabouillement** n. m.

**écran** n. m. **1** Enveloppe ou paroi destinée à protéger de la chaleur, d'un rayonnement. **2** Objet interposé qui dissimule ou protège. **3** Surface sur laquelle se reproduit l'image d'un objet. ♦ spécialt Surface blanche pour les projections. ♦ Surface sur laquelle se forme l'image. *L'écran d'un téléviseur.* – *Écran publicitaire.* → anglic. **spot** (3). **4** *L'écran,* l'art cinématographique. – *Le petit écran :* la télévision.

**écrasant, ante** adj. **1** Extrêmement lourd. → **accablant.** **2** Qui entraîne l'écrasement de l'adversaire.

**écrasé, ée** adj. Très aplati.

**écrasement** n. m. **1** Action d'écraser ; fait d'être écrasé. **2** Destruction complète (des forces d'un adversaire).

**écraser** v. tr. [1] **1** Aplatir et déformer (un corps) par une forte compression, par un choc violent. **2** Renverser et passer sur le corps de. **3** Dominer par sa masse. ♦ fig. Dominer, humilier. **4** Accabler. *Écraser qqn de travail.* **5** Vaincre, réduire totalement (un ennemi...). → **anéantir.** **6** fam. *Écrase !,* n'insiste pas ! **7** inform. Détruire (un fichier) en le remplaçant par un autre. ▷ v. pron. s'**écraser** **1** S'aplatir, éclater en tombant. **2** Se faire petit. **3** fam. Ne rien dire.

**écrémer** v. tr. [6] **1** Dépouiller (le lait) de la crème, de la matière grasse. **2** fig. Dépouiller (un ensemble) des meilleurs éléments. ► **écrémage** n. m.

**écrémeuse** n. f. Machine à écrémer.

**écrêter** v. tr. [1] Ôter la crête de (qqch.). ► **écrêtement** n. m.

**écrevisse** n. f. Crustacé d'eau douce, aux pattes antérieures armées de pinces.

**s'écrier** v. pron. [7] Dire d'une voix forte.

**écrin** n. m. Boîte ou coffret où l'on range des bijoux, des objets précieux.

**écrire** v. tr. [39] **I** **1** Tracer (des signes d'écriture, un ensemble organisé de ces signes). – sans compl. *Apprendre à écrire.* ♦ Orthographier. *Je ne sais pas écrire ce mot.* **2** Consigner, noter par écrit. → **inscrire.** **3** Rédiger (un message destiné à être envoyé). *Écrire une lettre à qqn.* **4** Annoncer par lettre. **II** **1** Composer (un ouvrage littéraire, etc.). *Écrire un roman.* **2** sans compl. Exprimer par l'écriture (littéraire). *Il écrit bien.* → **rédiger.** **3** Composer (une œuvre musicale). **III** (passif et p. p.) *C'était écrit,* voulu par la Providence ou le destin, fixé d'avance. → **fatal.**

① **écrit** n. m. **1** Document écrit. **2** Composition littéraire, etc. → **livre.** **3** Épreuves écrites (d'un examen...). *L'écrit et l'oral.* **4** *Par écrit :* par un document écrit.

② **écrit, ite** adj. **1** Tracé par l'écriture. – Couvert de signes d'écriture. **2** Exprimé par l'écriture. *Langue écrite, langue parlée.*

**écriteau** n. m. Surface plane portant une inscription en grosses lettres.

**écritoire** n. f. Petit coffret contenant tout ce qu'il faut pour écrire.

**écriture** n. f. **1** Système de signes visibles, tracés, représentant le langage. *Écriture idéographique, alphabétique.* **2** Caractères adoptés dans un tel système. *Écriture romaine, arabe, russe.* **3** Manière personnelle dont qqn trace les caractères en écrivant ; ces caractères. **4** littér. Manière de s'exprimer par écrit. → **style.** **5** Acte d'écrire (un texte, une œuvre) ; activité de l'écrivain. **6** dr., admin. Écrit. **7** *L'Écriture, les Écritures,* les livres saints. → **Bible.**

**écrivailleur, euse** n. péj. Homme ou femme de lettres médiocre. – syn. **écrivassier, ière ;** (du masc.) **écrivaillon** n. m. ► **écrivailler** ou **écrivasser** v. tr. [1]

**écrivain** n. m. **1** Personne qui compose, écrit des ouvrages littéraires. → **auteur.** – au fém. *une écrivaine.* **2** *Écrivain public :* personne qui écrit, rédige (des lettres, etc.) pour le compte d'autrui.

① **écrou** n. m. dr. Procès-verbal constatant l'emprisonnement de qqn. – *Levée d'écrou,* constatation de la libération d'un détenu.

② **écrou** n. m. Pièce percée d'un trou fileté pour le logement d'une vis.

**écrouelles** n. f. pl. vx Abcès ganglionnaire. → **scrofule.**

**écrouer** v. tr. [1] Incarcérer.

s'**écrouler** v. pron. [1] **1** Tomber soudainement de toute sa masse. → s'**affaisser, crouler,** s'**effondrer.** **2** fig. Subir une destruction, une fin brutale. **3** fam. Se laisser tomber lourdement. → s'**affaler.** ► **écroulement** n. m.

**écru, ue** adj. **1** Qui n'est pas blanchi (chanvre, soie, toile). **2** De couleur beige.

**ecstasy** n. f. anglic. Stupéfiant hallucinogène dérivé de l'amphétamine, à effet désinhibiteur. – abrév. fam. **ecsta** n. f.

**ectoplasme** n. m. **1** (occultisme) Émanation visible du corps du médium. **2** Personne inconsistante. → **zombie.**

① **écu** n. m. **1** Bouclier des hommes d'armes, au Moyen Âge. **2** blason Bouclier où sont représentées les armoiries. **3** Ancienne monnaie française.

② **écu** ou **E. C. U.** n. m. (sigle de l'angl. *European Currency Unit*) anglic. Ancienne unité monétaire européenne (unité de compte).

**écubier** n. m. Ouverture ménagée à l'avant d'un navire, de chaque côté, pour le passage des câbles ou des chaînes.

**écueil** [ekœj] n. m. **1** Rocher, banc de sable à fleur d'eau contre lequel un navire risque de se briser ou de s'échouer. → **brisant, récif.** **2** fig. Obstacle dangereux.

**écuelle** n. f. Assiette sans rebord.

**éculé, ée** adj. **1** Dont le talon est usé, déformé. **2** fig. Usé, ressassé. → **rebattu.**

**écumant, ante** adj. **1** Qui écume (I, 1). **2** Qui bave. – fig. *Être écumant de rage.*

**écume** n. f. **I 1** Mousse blanchâtre qui se forme à la surface des liquides agités, chauffés ou en fermentation. **2** Bave mousseuse (d'animaux ; de malades...). – Sueur blanchâtre (d'un cheval...). **3** Impuretés à la surface des métaux en fusion. **II** *Écume (de mer) :* silicate naturel de magnésium.

**écumer** v. [1] **I** v. intr. **1** (mer) Se couvrir d'écume. **2** Baver. – fig. *Écumer (de rage),* être au comble de la fureur. **II** v. tr. **1** Débarrasser (qqch.) de son écume, des impuretés. **2** Parcourir en pillant, en raflant.

**écumeux, euse** adj. Qui écume.

**écumoire** n. f. Ustensile composé d'un disque percé de trous, servant à écumer.

**écureuil** n. m. Petit mammifère rongeur au pelage généralement roux, à longue queue en panache.

**écurie** n. f. **1** Bâtiment destiné à loger des chevaux, ânes, mulets. **2** Ensemble des bêtes logées dans une écurie. ♦ Ensemble des chevaux qu'un propriétaire fait courir. – Voitures de course, coureurs, cyclistes courant pour une même marque.

**écusson** n. m. **1** Petit écu (①, 2). **2** Plaque servant d'enseigne. **3** Morceau d'étoffe décoré, cousu sur un vêtement.

**écuyer, yère** **1** n. m. anciennt Gentilhomme qui était au service d'un chevalier. – Celui qui s'occupait des écuries d'un prince. **2** n. Personne sachant bien monter à cheval. – Personne qui fait des numéros d'équitation.

**eczéma** [ɛgzema] n. m. Affection cutanée caractérisée par des vésicules et des rougeurs. ► **eczémateux, euse** adj. et n.

**édam** [edam] n. m. Fromage de Hollande à pâte cuite et à croûte rouge.

**edelweiss** [edɛlvɛs ; edɛlvajs] n. m. Plante alpine, couverte d'un duvet blanc.

**éden** [edɛn] n. m. *L'Éden :* le Paradis. ♦ fig. Lieu de délices. ► **édénique** adj.

**édenté, ée** **1** adj. Qui a perdu une partie ou la totalité de ses dents. **2** n. m. Mammifère à dents réduites (ordre des *Édentés :* paresseux, fourmilier, etc.).

**édenter** v. tr. [1] Casser les dents de.

**édicter** v. tr. [1] Établir par une loi, un règlement. → **promulguer.** ► **édiction** n. f.

**édicule** n. m. **1** Dépendance d'un édifice religieux. **2** Petite construction édifiée sur la voie publique (kiosque, urinoir...).

**édifiant, ante** adj. Qui édifie (II).

**édification** n. f. Action d'édifier (I et II).

**édifice** n. m. **1** Bâtiment important. **2** fig. Ensemble vaste et organisé.

**édifier** v. tr. [7] **I 1** Bâtir (un édifice, un ensemble architectural). **2** abstrait Établir, créer (un vaste ensemble). **II 1** Porter (qqn) à la vertu, par l'exemple ou par le discours. **2** iron. Mettre à même d'apprécier, de juger sans illusion. → **éclairer.**

**édile** n. m. **1** Antiq. Magistrat romain chargé de l'approvisionnement de la ville, etc. **2** Magistrat municipal d'une grande ville (en style officiel). ► **édilité** n. f.

**édit** n. m. hist. (Ancien Régime) Acte législatif émanant du roi.

**éditer** v. tr. [1] **I 1** Publier et mettre en vente (un texte imprimé). *Éditer des romans.* - *Éditer un auteur.* **2** didact. Faire paraître (un texte qu'on présente, etc.). **II** anglic., inform. Présenter (des informations).

**éditeur, trice** n. **1** Personne, société qui assure la publication d'ouvrages imprimés. **2** didact. Érudit qui établit un texte.

**édition** n. f. **I 1** Reproduction et diffusion (d'une œuvre) par un éditeur (1). **2** Ensemble des exemplaires d'un ouvrage publié édités en une fois. *Édition originale.* - Ensemble des exemplaires (d'un journal) imprimés en une fois. **3** Métier, activité d'éditeur. **II** Action d'éditer (un texte qu'on présente, etc.). ♦ Texte ainsi édité. *Édition critique.* **III** anglic., inform. Matérialisation des informations traitées.

① **éditorial, aux** n. m. Article (de journal...) qui reflète une orientation générale. ► **éditorialiste** n.

② **éditorial, ale, aux** adj. Qui concerne l'activité (technique, économique) d'édition.

**édredon** n. m. Couvre-pied de duvet.

**éducateur, trice 1** n. Personne qui éduque. ♦ Personne spécialisée dans l'éducation de certains groupes (jeunes, handicapés...). **2** adj. Éducatif.

**éducatif, ive** adj. Qui a l'éducation pour but ; qui éduque, forme efficacement.

**éducation** n. f. **1** Mise en œuvre des moyens propres à assurer la formation et le développement d'un être humain ; moyens pour y parvenir. → **instruction.** ♦ *Éducation physique.* → **gymnastique, sport. 2** Développement méthodique (d'une faculté...). **3** Connaissance et pratique des usages de la société. → **savoir-vivre.**

**édulcorant** n. m. Substance qui donne une saveur douce.

**édulcorer** v. tr. [1] **1** Adoucir par addition de sucre, de sirop. **2** fig. Rendre plus faible dans son expression. → **atténuer.**

**éduquer** v. tr. [1] Former par l'éducation.

**effacé, ée** adj. **1** Qui a disparu ou presque. *Une inscription effacée.* **2** Qui ne se fait pas voir, reste dans l'ombre. → **discret.**

**effacer** v. [3] v. tr. **1** Faire disparaître sans laisser de trace (ce qui était marqué, écrit). - (sujet chose) Rendre moins visible. **2** Faire oublier. **3** Empêcher de paraître. → **éclipser** (2). **4** Tenir en retrait. *Effacez le ventre.* ▷ v. pron. **s'effacer 1** (choses) Disparaître plus ou moins. → s'**estomper. 2** (personnes) Se tenir de façon à paraître ou à gêner le moins possible. ► **effacement** n. m.

**effarer** v. tr. [1] Troubler en provoquant un effroi mêlé de stupeur. → **affoler, effrayer, stupéfier.** ▷ adj. **effaré, ée** → **étonné.** ► **effarant, ante** adj. ► **effarement** n. m.

**effaroucher** v. tr. [1] **1** Effrayer (un animal) de sorte qu'on le fait fuir. **2** Mettre (qqn) dans un état de crainte ou de défiance. ▷ adj. **effarouché, ée** ► **effarouchement** n. m.

① **effectif, ive** adj. Qui se traduit par un effet réel. → **concret, tangible.**

② **effectif** n. m. **1** milit. Nombre réglementaire des soldats qui constituent une formation militaire. - au plur. Troupes. **2** Nombre des membres (d'un groupe).

**effectivement** adv. **1** D'une manière effective. → **réellement. 2** adv. de phrase → en **effet.** *Effectivement, il s'est trompé.*

**effectuer** v. tr. [1] Faire, exécuter (une opération complexe ou délicate, technique).

**efféminé, ée** adj. Qui a certains des caractères qu'on prête traditionnellement aux femmes (s'oppose à *viril*).

**effervescence** n. f. **1** Bouillonnement produit par un dégagement de gaz lorsque certaines substances entrent en contact. **2** fig. Agitation, émotion vive mais passagère.

**effervescent, ente** adj. **1** Qui est ou peut être en effervescence. *Comprimé effervescent.* **2** fig. *Foule effervescente.* → **tumultueux.**

**effet** n. m. **I 1** Ce qui est produit par une cause. → **conséquence, résultat, suite. 2** Phénomène (acoustique, etc.) apparaissant dans certaines conditions. **3** loc. *Prendre effet :* devenir applicable, exécutoire (loi...). - *En effet :* s'emploie pour confirmer, ou pour introduire un argument. - *À cet effet :* en vue de cela. **4** Impression produite (sur qqn). *Faire mauvais effet.* - *Faire de l'effet :* produire une forte impression. - *Faire l'effet de :* donner l'impression de. **5** Impression esthétique recherchée par l'emploi de certaines techniques. - *Effets spéciaux,* trucages (cinéma...). **6** au plur. Impression recherchée par des gestes, des attitudes. *Faire des effets de voix.* **II** *Effet (de commerce) :* titre donnant droit au paiement d'une somme d'argent à une échéance (billet, chèque, traite). - *Effets publics* (émis et garantis par l'État, les collectivités publiques). **III** au plur. Le linge et les vêtements.

**effeuiller** v. tr. [1] **1** Dépouiller de ses feuilles. **2** Dépouiller de ses pétales. ► **effeuillage** n. m.

**effeuilleuse** n. f. fam. Strip-teaseuse.

① **efficace** adj. **1** (choses) Qui produit l'effet qu'on en attend. *Un remède efficace.* **2** (personnes) Dont la volonté, l'activité produisent leur effet. ► **efficacement** adv.

② **efficace** n. f. didact. Efficacité.

**efficacité** n. f. **1** Caractère de ce qui est efficace. **2** Capacité de produire un résultat avec le minimum d'effort.

**effigie** n. f. **1** Représentation d'une personne (en arts). **2** Représentation du visage (de qqn), sur une monnaie, une médaille.

① **effilé** n. m. Frange formée en effilant.

② **effilé, ée** adj. Qui va en s'amincissant.

**effiler** v. tr. [1] **I** Défaire (un tissu) fil à fil. ♦ *Effiler des haricots verts,* en enlever les fils. **II** Rendre effilé. ► **effilage** n. m.

**effilocher** v. tr. [1] Effiler (des tissus, des chiffons) pour réduire en bourre, en ouate. ▷ v. pron. s'**effilocher** ▷ adj. **effiloché, ée** Qui laisse échapper des fils. ► **effilochage** et **effilochement** n. m.

**efflanqué, ée** adj. (cheval) Trop maigre.

**effleurer** v. tr. [1] **1** Toucher légèrement. → **frôler. 2** fig. Examiner superficiellement (un sujet). – (sujet chose) Faire une impression fugitive sur (qqn). ► **effleurement** n. m.

**efflorescence** n. f. littér. Floraison (d'un art...).

**effluent** n. m. **1** Cours d'eau issu d'un lac, d'un glacier. **2** Eaux usées.

> Ne pas confondre avec *affluent* «cours d'eau qui se jette dans un autre».

**effluve** n. m. **1** littér. (surtout au plur.) Émanation qui se dégage d'un corps. **2** phys. Décharge électrique faiblement lumineuse.

**effondré, ée** adj. Très abattu, sans réaction (après un malheur, un échec).

**s'effondrer** v. pron. [1] **1** Tomber sous le poids ou faute d'appui. → s'**affaisser,** s'**écrouler. 2** fig. S'écrouler, ne plus tenir. **3** (personnes) Tomber comme une masse. – fig. Céder brusquement. → fam. **craquer.** ► **effondrement** n. m.

**s'efforcer** v. pron. [3] **1** *S'efforcer de* (+ inf.) : faire des efforts, employer toutes ses qualités en vue de (faire, etc.). **2** littér. *S'efforcer à, vers* (+ nom) : vouloir atteindre, réaliser.

**effort** n. m. **1** Activité d'un être conscient qui emploie ses forces pour vaincre une résistance. *Effort physique ; intellectuel.* – loc. *Je veux bien faire un effort,* faire preuve de bonne volonté. **2** sc. Force exercée.

**effraction** n. f. Bris de clôture ou de serrure.

> Ne pas confondre avec *infraction* «faute».

**effraie** n. f. Chouette au plumage clair.

**effranger** v. tr. [3] Effiler le bord (d'un tissu).

**effrayant, ante** adj. **1** Qui inspire ou peut inspirer de la frayeur. **2** fam. Extraordinaire, extrême.

**effrayer** v. tr. [8] **1** Frapper de frayeur. → **épouvanter, terrifier. 2** Inquiéter.

**effréné, ée** adj. littér. Qui est sans retenue, sans mesure. → **démesuré, immodéré.**

**effriter** v. tr. [1] Réduire en poussière. ▷ v. pron. s'**effriter** ► **effritement** n. m.

**effroi** n. m. Grande frayeur. → **terreur.**

**effronté, ée** adj. et n. Qui est d'une grande insolence. ► **effrontément** adv. ► **effronterie** n. f. → **insolence.**

**effroyable** adj. **1** Effrayant. **2** Extrême, énorme. → **effrayant** (2). ► **effroyablement** adv.

**effusion** n. f. **1** *Effusion de sang :* action de faire couler le sang (violemment). **2** littér. Manifestation sincère d'un sentiment.

**s'égailler** [egaje] v. pron. [1] Se disperser, s'éparpiller.

> Ne pas confondre avec *égayer* «rendre gai».

**égal, ale, aux** adj. et n. **1** (personnes, choses) Qui est de même quantité, dimension, nature, qualité ou valeur. → **identique, même ; équivalent.** – loc. *Toutes choses égales d'ailleurs,* en supposant que la situation reste la même. – *N'avoir d'égal que,* n'être égalé que par. *Sa sottise n'a d'égale que sa méchanceté.* **2** Qui ne crée pas de différence entre les personnes. **3** (personnes) Qui est sur le même rang ; qui a les mêmes droits ou charges. *Égaux devant la loi.* ♦ n. Personne égale. – loc. *Traiter d'égal à égal avec qqn* (→ sur un pied d'égalité). – *Sans égal,* inégalable (invar. au masc. plur.). – *À l'égal de,* autant que. **4** Qui est toujours le même ; qui ne varie pas. → **constant, régulier. 5** loc. *Cela m'est (bien, complètement...) égal,* indifférent. – *C'est égal :* quoi qu'il en soit.

**également** adv. **1** D'une manière égale. → **pareillement. 2** De même, aussi.

**égaler** v. tr. [1] **1** Être égal à. **2** Être égal en quantité à. *Deux plus trois égalent* (ou *égale*) *cinq* (2 + 3 = 5). **3** Faire une performance égale à. *Égaler un record.*

**égaliser** v. tr. [1] **1** Rendre égal quant à la quantité ou aux dimensions. – Aplanir, niveler (un terrain...). **2** intrans. (sports) Obtenir le même nombre de points que l'adversaire. ► **égalisation** n. f.

**égalitaire** adj. Qui vise à l'égalité (2) entre les hommes. *Socialisme égalitaire.*

**égalitarisme** n. m. Doctrine ou système égalitaire. ► **égalitariste** adj. et n.

**égalité** n. f. **1** Caractère de ce qui est égal. – Rapport entre des grandeurs égales. – *Les joueurs sont à égalité* (de points). → **ex æquo.** – gramm. *Comparatif d'égalité* (ex. aussi, autant... que). **2** Rapport entre individus égaux. – loc. *Être sur un pied* d'égalité.* **3** Qualité de ce qui est égal (4).

**égard** n. m. **1** loc. *Avoir égard à :* considérer (qqn, qqch.) avec une attention particulière. – prép. *Eu égard à :* en tenant compte de. – prép. *À l'égard de :* envers (qqn). – adv. *À cet égard :* sous ce rapport. – adv. *À tous égards :* sous tous les rapports. **2** Considération d'ordre moral, déférence, respect.

*Par égard pour son âge.* – au plur. Marques de considération, d'estime.

**égaré, ée** adj. **1** Qui a perdu son chemin. ♦ Qui a été égaré, perdu. **2** Qui est comme fou ; qui trahit le désordre mental.

**égarement** n. m. Dérèglement mental.

**égarer** v. tr. [1] **1** Mettre (qqn) hors du bon chemin. – Mettre (qqch.) à une place qu'on oublie ; perdre momentanément. **2** Écarter (qqn) de la vérité, du bien. *La colère vous égare.* ▷ v. pron. **s'égarer 1** Se perdre. **2** fig. Faire fausse route ; s'écarter du bon sens.

**égayer** v. tr. [8] **1** Rendre gai, amuser. → **divertir, réjouir. 2** (sujet chose) Rendre agréable, gai. ▷ v. pron. **s'égayer** S'amuser. ► **égaiement** ou **égayement** n. m.

Ne pas confondre avec *s'égailler* «se disperser».

**égérie** n. f. Conseillère, inspiratrice (d'un artiste...). ♦ comm. Personnalité rémunérée par une marque pour être son image publicitaire.

**égide** n. f. **1** mythol. Bouclier de Zeus, d'Athéna. **2** fig., littér. *Sous l'égide de* : sous la protection de (une autorité, une loi).

**églantier** n. m. Rosier sauvage.

**églantine** n. f. Fleur de l'églantier.

**églefin** n. m. Poisson de mer, proche de la morue (→ **haddock**). – var. **aiglefin.**

**église** n. f. **I** *(L'Église)* **1** Ensemble des chrétiens. → **chrétienté. 2** Ensemble de chrétiens unis dans une communion particulière. *L'Église catholique, orthodoxe ; les Églises réformées.* **3** absolt L'Église catholique. **4** L'ensemble des ecclésiastiques. → **clergé. II** *(Une, des églises)* Édifice consacré au culte de la religion chrétienne (surtout catholique).

**églogue** n. f. Petit poème pastoral.

**ego** [ego] n. m. philos. Sujet pensant. ♦ psych. Le moi.

**égocentrisme** n. m. Tendance à tout rapporter à soi, à ne s'intéresser qu'à soi. ► **égocentrique** et **égocentriste** adj. et n. → **égoïste.**

**égoïne** n. f. Petite scie à main, à poignée.

**égoïsme** n. m. Attachement excessif à soi-même qui fait rechercher exclusivement son plaisir et son intérêt personnels. ► **égoïste** adj. et n. ► **égoïstement** adv.

**égorger** v. tr. [3] Tuer en coupant la gorge. ► **égorgement** n. m. ► **égorgeur, euse** n. → **assassin.**

**s'égosiller** v. pron. [1] **1** Se fatiguer la gorge à parler, à crier. → s'**époumoner. 2** (oiseaux) Chanter longtemps et très haut.

**égotisme** n. m. littér. Disposition à parler de soi, à s'analyser en détail. ♦ Culte du moi. → **narcissisme.** ► **égotiste** adj. et n.

**égout** n. m. Canalisation, généralement souterraine, servant à l'écoulement et à l'évacuation des eaux usées.

**égoutier, ière** n. Personne qui travaille à l'entretien des égouts.

**égoutter** v. tr. [1] Débarrasser (qqch.) d'un liquide qu'on fait écouler goutte à goutte. ▷ v. pron. **s'égoutter** ► **égouttage** et **égouttement** n. m.

**égouttoir** n. m. Ustensile pour égoutter.

**égrapper** v. tr. [1] Détacher (les fruits) de la grappe. ► **égrappage** n. m.

**égratigner** v. tr. [1] **1** Écorcher, en déchirant superficiellement la peau. → **érafler, griffer.** ♦ Entamer superficiellement (une matière quelconque). **2** fig. Blesser légèrement par un mot, un trait ironique.

**égratignure** n. f. Blessure superficielle. ♦ Dégradation légère, rayure.

**égrenage** [egʀənaʒ ; -gʀe-] n. m. Action d'égrener.

**égrènement** n. m. Fait de s'égrener.

**égrener** [egʀəne ; -gʀe-] v. tr. [5] **1** Dégarnir de ses grains (un épi, une cosse, une grappe). **2** *Égrener un chapelet,* en faire passer chaque grain successivement entre ses doigts. **3** Présenter un à un, de façon détachée. *L'horloge égrène les heures.* ▷ v. pron. **s'égrener** Se présenter en une série d'éléments semblables et distincts.

**égrillard, arde** adj. Qui se complaît dans des propos licencieux.

**égrotant, ante** adj. littér. Maladif.

**égyptien, ienne 1** adj. et n. De l'Égypte. **2** n. m. *L'égyptien ancien* : la langue des anciens Égyptiens (écrite en hiéroglyphes). ♦ *L'égyptien moderne* : l'arabe d'Égypte.

**égyptologie** n. f. Connaissance de l'ancienne Égypte, de sa civilisation. ► **égyptologue** n.

***eh** interj. Exclamation, variante de *hé.*

**éhonté, ée** adj. Qui commet sans honte des actes répréhensibles. → **cynique.** *Un tricheur éhonté.* – *Mensonge éhonté.* ► **éhontément** adv.

**EHPAD** [epad] n. m. invar. Établissement d'hébergement pour personnes âgées dépendantes.

**eider** [ɛdɛʀ] n. m. Grand canard des pays du Nord, fournissant un duvet apprécié.

**éjaculation** n. f. Émission du sperme par la verge. ► **éjaculatoire** adj.

**éjaculer** v. intr. [1] Émettre le sperme.

**éjectable** adj. (siège) Qui peut être éjecté hors de l'avion, avec son occupant.

**éjecter** v. tr. [1] **1** Rejeter en dehors. **2** fam. Renvoyer (qqn). ► **éjection** n. f.

**éjecteur** n. m. Appareil, mécanisme servant à éjecter, à évacuer.

**élaboration** n. f. **1** Action d'élaborer (1). **2** physiol. Production (d'une substance) par une transformation physiologique.

**élaborer** v. tr. [1] **1** Préparer mûrement, par un lent travail de l'esprit. **2** physiol. Réaliser l'élaboration de. ▷ adj. **élaboré, ée**

**élæis** [eleis] → **éléis**

**élaguer** v. tr. [1] **1** Dépouiller (un arbre) des branches superflues. → **ébrancher. 2** fig. Débarrasser des détails ou développements inutiles. *Élaguer un exposé.* – Retrancher. → **couper.** ► **élagage** n. m.

① **élan** n. m. **1** Mouvement par lequel on s'élance. *Prendre son élan.* ♦ Mouvement d'une chose lancée. **2** fig. Mouvement subit, ardent. *Un élan de générosité.*

② **élan** n. m. Grand cerf des pays du Nord, à grosse tête, aux bois aplatis.

**élancé, ée** adj. Mince et svelte.

**élancement** n. m. Douleur brusque, aiguë, lancinante.

**élancer** v. [3] **I** v. tr. vx Lancer ; élever très haut. **II** v. tr. et tr. ind. Causer des élancements (à). ▷ v. pron. **s'élancer** Se lancer en avant avec force et vitesse.

**élargir** v. tr. [2] **I 1** Rendre plus large. ♦ intrans. Devenir plus large. **2** fig. Rendre plus ample, plus général. → **développer, étendre. II** dr. Mettre en liberté (un détenu). → **libérer, relâcher.** ► **élargissement** n. m.

**élasthanne** n. m. Fibre synthétique, élastomère d'une grande élasticité. – var. **élasthane.**

**élasticité** n. f. **1** Propriété qu'ont certains corps de reprendre (au moins partiellement) leur forme et leur volume primitifs quand la force qui s'exerçait sur eux cesse d'agir. **2** Souplesse (de l'allure, des mouvements). **3** fig. Possibilité de s'adapter, de varier.

**élastique I** adj. **1** Qui a de l'élasticité ; qui est fait d'une matière douée d'élasticité. **2** Souple. *Une foulée élastique.* **3** fig. Dont on peut étendre l'application, le sens. – péj. *Une morale élastique,* accommodante. **II** n. m. Tissu souple contenant des fils de caoutchouc. – Ruban d'une matière élastique.

**élastomère** n. m. Polymère ayant des propriétés voisines de celles du caoutchouc.

**eldorado** n. m. Pays merveilleux, lieu d'abondance (→ pays de cocagne).

**électeur, trice** n. **1** Personne qui a le droit de vote. **2** hist. Prince, évêque de l'Empire germanique qui élisait l'empereur.

**électif, ive** adj. **1** Qui choisit, élit. **2** Désigné ou conféré par élection.

**élection** n. f. **1** vx Choix. – mod. loc. *D'élection :* qu'on a choisi. *Patrie d'élection.* **2** Désignation (de qqn) par un vote (→ **élire).**

**électoral, ale, aux** adj. Des élections.

**électoralisme** n. m. Tendance à subordonner sa politique à la recherche des succès électoraux. ► **électoraliste** adj. et n.

**électorat** n. m. **1** Qualité d'électeur. **2** Ensemble des électeurs.

**électricien, ienne** n. **1** didact. Physicien spécialiste de l'électricité. **2** Spécialiste du matériel et des installations électriques.

**électricité** n. f. **1** Une des formes de l'énergie, mise en évidence par la structure de la matière ; ensemble des phénomènes causés par une charge électrique. *Électricité statique* (en équilibre). *Électricité dynamique* (courant électrique). – loc. *Il y a de l'électricité dans l'air,* les gens sont nerveux. **2** Cette énergie dans ses usages domestiques, industriels, techniques. – fam. *Allumer, éteindre l'électricité,* l'éclairage électrique.

**électrifier** v. tr. [7] **1** Faire fonctionner par l'énergie électrique. **2** Pourvoir d'énergie électrique. ► **électrification** n. f.

**électrique** adj. **1** Propre ou relatif à l'électricité. *Charge, courant électrique.* – *Centrale électrique,* qui produit de l'électricité. **2** Qui utilise l'électricité. **3** fig. Qui évoque les effets de l'électricité. *Atmosphère électrique,* tendue. – *Bleu électrique,* très vif. ► **électriquement** adv.

**électriser** v. tr. [1] **1** Communiquer à (un corps) des charges électriques. **2** fig. Pousser à l'action. → **galvaniser.** ► **électrisation** n. f.

**électro** ou **electro** n. f. et adj. Musique électronique. – adj. *Morceaux électros.*

**électroacoustique** n. f. Technique de production, d'enregistrement et de reproduction des sons par des moyens électriques. – adj. *Musique électroacoustique.*

**électroaimant** n. m. Dispositif produisant un champ magnétique par des bobines parcourues par un courant électrique.

**électrocardiogramme** n. m. Tracé obtenu par enregistrement des phénomènes électriques du cœur vivant (l'*électrocardiographie* n. f.).

**électrochimie** n. f. Étude des transformations réciproques de l'énergie électrique et de l'énergie chimique.

**électrochoc** n. m. méd. Traitement psychiatrique consistant à faire passer un courant à travers la boîte crânienne.

**électrocuter** v. tr. [1] **1** Tuer (qqn) par une décharge électrique. **2** Commotionner par une décharge électrique. ► **électrocution** n. f.

**électrode** n. f. Conducteur par lequel le courant arrive ou sort. → **anode, cathode.**

**électrodynamique I** n. f. Science qui traite de l'électricité dynamique (courants électriques). **II** adj. Relatif à cette science.

**électro-encéphalogramme** n. m. méd. Tracé obtenu par enregistrement de l'activité électrique du cerveau (l'*électroencéphalographie* n. f.).

**électrogène** adj. Qui produit de l'électricité. – *Groupe électrogène,* formé par un moteur et une dynamo.

**électroluminescent, ente** adj. Se dit d'un corps qui a la propriété d'émettre de la lumière sous l'action d'un champ électrique. ► **électroluminescence** n. f.

**électrolyse** n. f. Décomposition chimique obtenue par le passage d'un courant électrique. ► **électrolyser** v. tr. [1]

**électrolyte** n. m. chim. Corps qui peut être décomposé par électrolyse.

**électrolytique** adj. chim. **1** D'un électrolyte. **2** De l'électrolyse.

**électromagnétique** adj. Relatif à l'électromagnétisme. - *Ondes électromagnétiques* (ondes hertziennes, lumière visible, rayons X, etc.).

**électromagnétisme** n. m. sc. Étude des relations entre électricité et magnétisme.

**électroménager** adj. m. *Appareils électroménagers* : appareils électriques à usage domestique (aspirateurs, etc.). - n. m. Ces appareils ; industrie qui les produit.

**électromètre** n. m. Appareil servant à mesurer les différences de potentiel.

**électromoteur, trice** adj. Qui développe de l'électricité sous l'action d'un agent mécanique ou chimique.

**électron** n. m. phys. Particule chargée d'électricité négative, gravitant normalement autour du noyau atomique.

**électronicien, ienne** n. Spécialiste de l'électronique.

**électronique** I adj. **1** Propre ou relatif aux électrons. **2** Qui appartient à l'électronique (II), fonctionne suivant ses lois. - Fait par des procédés électroniques. **II** n. f. **1** Partie de la physique étudiant les phénomènes où sont mis en jeu des électrons à l'état libre. **2** Technique dérivant de cette science. ► **électroniquement** adv.

**électronucléaire** adj. Qui produit de l'électricité à partir de la fission nucléaire.

**électronvolt** [-vɔlt] n. m. phys. Unité de mesure d'énergie (symb. eV) utilisée en physique des particules et en électronique.

**électrophone** n. m. vieilli Appareil de reproduction sonore à partir de disques microsillons.

**électrosensibilité** n. f. didact. Forte sensibilité aux ondes électromagnétiques, notamment celles de la téléphonie mobile. ► **électrosensible** adj.

**électrostatique** I adj. De l'électricité statique. **II** n. f. Partie de la physique traitant de l'électricité statique.

**électrotechnique** [-tɛk-] I n. f. Étude des applications techniques de l'électricité. **II** adj. Relatif à cette étude. ► **électrotechnicien, ienne** n.

**électrum** [-ɔm] n. m. didact. Alliage d'or et d'argent utilisé dans l'Antiquité.

**électuaire** n. m. didact. Préparation pharmaceutique molle (poudres dans du miel...).

**élégance** n. f. Qualité de ce qui est élégant ; bon goût, délicatesse, raffinement.

**élégant, ante** adj. **1** Qui a de la grâce et de la simplicité. **2** Qui a de la délicatesse, du chic. → **distingué. 3** Qui a de la pureté dans l'expression. **4** Qui a de la distinction morale, intellectuelle. ► **élégamment** adv.

**élégie** n. f. Poème lyrique exprimant une plainte, de la mélancolie. ► **élégiaque** adj.

**éléis** [eleis] n. m. Palmier à huile. - var. **élæis.**

**élément** n. m. **I 1** Chacune des choses dont la combinaison, la réunion forme une autre chose, un tout. → **composant(e), morceau, partie.** - math. Un des «objets» qui constituent un ensemble. - Partie (d'un mécanisme, d'un appareil composé de séries semblables). **2** au plur. Premiers principes sur lesquels on fonde une science, une technique. → **rudiment ; élémentaire. 3** Personne appartenant à un groupe. - (sing. collectif) *L'élément féminin était fortement représenté.* **II 1** *Les quatre éléments* : terre, eau, air, feu. **2** *Les éléments* : ensemble des forces naturelles qui agitent la terre, la mer, l'atmosphère. **3** Milieu, entourage habituel ou favorable, où qqn est à l'aise. **4** sc. Corps chimique simple. - *Classification périodique des éléments*, qui les répartit en lignes et en colonnes faisant apparaître des propriétés analogues.

**élémentaire** adj. **I 1** Qui concerne les premiers éléments d'une science, etc. **2** Très simple ; réduit au minimum. **II** sc. D'un élément (II, 4). *Particule élémentaire.*

**éléphant** n. m. **1** Très grand mammifère herbivore, à corps massif, à peau rugueuse, à grandes oreilles plates, au nez allongé en trompe et à défenses d'ivoire. **2** péj. Personne grosse, inélégante. **3** loc. *Pattes d'éléphant* : bas de pantalon évasé. **4** *Éléphant de mer* : phoque de grande taille.

**éléphanteau** n. m. Très jeune éléphant.

**éléphantesque** adj. Énorme.

**éléphantiasis** [-tjazis] n. m. méd. Maladie de la peau, caractérisée par un œdème de certaines parties du corps. ► **éléphantiasique** adj. et n.

**élevage** n. m. **1** Action d'élever (les animaux domestiques ou utiles) ; ensemble des techniques permettant de les faire naître et de veiller à leur entretien, leur reproduction. - absolt Élevage du bétail. **2** Ensemble des animaux élevés ensemble.

**élévateur, trice 1** adj. (muscle) Qui élève, relève. **2** n. m. Appareil de levage.

**élévation** n. f. **1** Action de lever, d'élever ; position élevée. **2** relig. cathol. Moment de la messe où le prêtre élève l'hostie. **3** Fait de s'élever. → **montée ; hausse. 4** Terrain élevé. → **hauteur. 5** Caractère élevé (de l'esprit).

**élève** n. **1** Personne qui reçoit ou suit l'enseignement d'un maître (dans un art, une science). → **disciple. 2** Enfant, adolescent qui reçoit l'enseignement donné dans une école, un collège, un lycée... **3** Candidat à un grade militaire.

**élevé, ée** adj. **I 1** Situé à une certaine hauteur. **2** Qui atteint une grande importance. **3** littér. Supérieur moralement ou intellectuellement. **II** *Bien, mal élevé, ée :* qui a reçu une bonne, une mauvaise éducation, est poli, impoli. **–** n. *Un, une mal élevé, ée.* **–** fam. *C'est très mal élevé.* → **impoli, incorrect.**

**élever** v. tr. [5] **I 1** Mettre ou porter plus haut. **2** Faire monter à un niveau supérieur. → **hausser. 3** Construire (en hauteur). *Élever un mur.* **II** fig. **1** Porter à un rang supérieur. → **promouvoir. 2** Porter à un degré supérieur. → **augmenter, relever. –** *Élever la voix,* parler plus haut. **3** Rendre moralement ou intellectuellement supérieur. *Lecture qui élève l'esprit.* **III 1** Amener (un enfant) à son plein développement physique et moral. **2** Faire l'éducation de (qqn). → **éduquer. 3** Faire l'élevage de (un animal). ▷ **v. pron. s'élever 1** Aller plus haut, monter. **2** Se dresser jusqu'à une certaine hauteur. **3** (personnes) *S'élever contre :* intervenir contre. **4** (personnes) Arriver à un rang supérieur. **5** (choses mesurables) Augmenter. **–** *S'élever à :* atteindre.

**éleveur, euse** n. Personne qui pratique l'élevage.

**elfe** n. m. (mythol. scandinave) Génie de l'air.

**élider** v. tr. [1] Effacer (une voyelle) par l'élision. ▷ **v. pron. s'élider**

**éligible** adj. **1** Qui est dans les conditions requises pour pouvoir être élu. **2** *Être éligible à :* remplir les conditions requises pour bénéficier de (un service, un produit, etc.). ► **éligibilité** n. f.

**élimer** v. tr. [1] User (un tissu) par le frottement, à force de s'en servir. ▷ **adj. élimé, ée** *Chemise élimée.*

**élimination** n. f. **1** Action d'éliminer. **–** *Procéder par élimination,* en écartant des hypothèses. **2** Fait d'être éliminé. **3** Fait d'éliminer (4).

**éliminatoire 1** adj. Qui sert à éliminer (1). **2** n. f. Épreuve sportive qui sélectionne les sujets les plus qualifiés.

**éliminer** v. tr. [1] **1** Écarter à la suite d'un choix, d'une sélection. **2** Supprimer, faire disparaître (ce qui est gênant ou inutile). *Éliminer une erreur.* **3** Faire disparaître en supprimant l'existence. → **détruire, tuer. 4** Évacuer (les déchets, toxines de l'organisme).

**élingue** n. f. mar. Cordage, câble dont on entoure les fardeaux pour les soulever.

**élire** v. tr. [43] **1** vx Choisir. **–** mod. *Élire domicile* quelque part.* **2** Nommer (qqn) à une dignité, à une fonction par voie de suffrages (→ **élection).**

**élisabéthain, aine** adj. Qui appartient au règne d'Élisabeth Ire (1533-1603). *Le théâtre élisabéthain* (Shakespeare...).

**élision** n. f. Effacement d'une voyelle finale devant une voyelle ou un h muet.

**élite** n. f. **1** Ensemble des personnes les plus remarquables (d'un groupe, d'une communauté). **–** loc. adj. *D'élite :* éminent, supérieur. **2** *Les élites :* les personnes qui occupent le premier rang. ► **élitaire** adj.

**élitisme** n. m. Fait de favoriser une élite aux dépens de la masse. ► **élitiste** adj.

**élixir** n. m. **1** Médicament liquide, mélange de sirop, d'alcool et d'aromates. **2** Boisson magique. → **philtre.**

**elle, elles** pron. pers. f. Pronom personnel féminin de la troisième personne.

**ellébore** n. m. Herbe dont la racine a des propriétés purgatives et vermifuges.

① **ellipse** n. f. Procédé d'omission d'un ou plusieurs mots dans une phrase (ex. «chacun pour soi» pour «chacun *agit* pour soi»). ♦ Art du raccourci, du sous-entendu.

② **ellipse** n. f. géom. Courbe plane fermée dont chaque point est tel que la somme de ses distances à deux points fixes (→ **foyer)** est constante. ♦ Ovale.

① **elliptique** adj. **1** Qui présente une ellipse (①), des ellipses. **2** Qui ne développe pas toute sa pensée. ► **elliptiquement** adv.

② **elliptique** adj. De l'ellipse (②).

**élocution** n. f. Manière de s'exprimer oralement, d'articuler et d'enchaîner les phrases. ► **élocutoire** adj.

**éloge** n. m. **1** Discours pour célébrer qqn ou qqch. → **dithyrambe, panégyrique. 2** Jugement favorable (qu'on exprime sur qqn). → **compliment, félicitation, louange.**

**élogieux, ieuse** adj. Qui fait, qui renferme un, des éloges. ► **élogieusement** adv.

**éloigné, ée** adj. **1** Qui est à une certaine distance, à une assez grande distance (dans l'espace ou dans le temps). **2** Qui a des liens de parenté indirects avec qqn. **3** fig. Différent, divergent.

**éloignement** n. m. **1** Fait d'éloigner (qqn). **2** Fait d'être éloigné (dans l'espace ou le temps). **3** littér. Fait de se tenir à l'écart.

**éloigner** v. tr. [1] **1** Mettre ou faire aller à une certaine distance, loin (dans l'espace ou dans le temps). **2** fig. Écarter, détourner. ▷ **v. pron. s'éloigner**

**élongation** n. f. Lésion produite par un étirement d'un muscle, d'un tendon.

**éloquemment** [-amɑ̃] adv. Avec éloquence ; d'une manière éloquente.

**éloquence** n. f. **1** Don de la parole, facilité pour bien s'exprimer. **2** Art de toucher et de persuader par le discours. → **rhétorique. 3** Qualité de ce qui (sans parole) est expressif, éloquent (2).

**éloquent, ente** adj. **1** Qui a, qui montre de l'éloquence. **–** Qui convainc (paroles). **2** Qui, sans discours, est expressif, révélateur. *Un geste éloquent.* – Qui parle de lui-même. → **probant.** *Ces chiffres sont éloquents.*

**élu, ue** adj. **I 1** relig. Choisi par Dieu. – loc. *Le peuple élu,* le peuple juif. ♦ n. *Les élus,* les personnes destinées à la vie éternelle. **2** n. Personne aimée. *L'élu de son cœur.* **II** Désigné par élection. – n. *Les élus locaux.*

**élucider** v. tr. [1] Rendre clair (ce qui présente à l'esprit des difficultés). → **clarifier, éclaircir, expliquer.** *Élucider une énigme.* ► **élucidation** n. f.

**élucubration** n. f. péj. Œuvre ou théorie laborieusement édifiée et peu sensée.

**éluder** v. tr. [1] Éviter avec adresse, par un artifice, un faux-fuyant. → **escamoter.**

**élyséen, enne** adj. **1** mythol. De l'Élysée, région des enfers. **2** De l'Élysée, présidence de la République française.

**élytre** n. m. Aile dure et cornée des coléoptères, qui recouvre l'aile postérieure.

**émacié, ée** adj. Très amaigri.

**e-mail** [imɛl] n. m. anglic. Courrier* électronique. *Envoyer un document par e-mail.* → **courriel, mail, mél.**

**émail, aux** n. m. **1** Vernis constitué par un produit vitreux, coloré, fondu, puis solidifié. **2** au plur. Ouvrages émaillés. **3** Matériau émaillé. **4** Substance transparente et dure qui recouvre l'ivoire de la couronne des dents.

**émailler** v. tr. [1] **1** Recouvrir d'émail. – au p. p. *Fonte émaillée.* ► **émaillage** n. m. **2** littér. (sujet chose) Orner de points de couleur. **3** fig. Semer (un ouvrage) d'ornements. – au p. p. iron. *Lettre émaillée de fautes.*

**émailleur, euse** n. Personne qui fabrique des émaux ou qui émaille des métaux.

**émanation** n. f. **1** Ce qui émane (de qqn ou qqch.). → **expression, manifestation.** (relig.) *L'âme, émanation de Dieu.* **2** Émission ou exhalaison de particules ; odeur.

**émancipation** n. f. **1** dr. Acte par lequel un mineur est émancipé (1). **2** Action d'affranchir ou de s'affranchir d'une autorité, de servitudes ou de préjugés.

**émanciper** v. tr. [1] **1** dr. Affranchir (un mineur) de la puissance parentale ou de la tutelle. **2** Affranchir, libérer (qqn). → **émancipation** (2). ▷ v. pron. s'**émanciper** ► **émancipateur, trice** adj. (sens 2).

**émaner** v. intr. [1] **1** Provenir comme de sa source naturelle. → **découler, procéder** de. **2** Provenir (d'une source physique, d'un corps). **3** Provenir comme par rayonnement. *Le charme qui émane de qqn.*

**émarger** v. tr. [3] Signer dans la marge (un compte, un état). ♦ sans compl. Toucher son traitement. ► **émargement** n. m.

**émasculer** v. tr. [1] **1** Priver (un mâle) des organes de la reproduction. → **castrer, châtrer.** **2** fig. Dépouiller de sa force originelle. ► **émasculation** n. f.

**embâcle** n. m. Obstruction du lit d'un cours d'eau par un amas de glace flottante.

**emballage** n. m. **1** Action d'emballer. **2** Ce qui sert à emballer.

**emballement** n. m. Fait de s'emballer.

**emballer** v. tr. [1] **I 1** Mettre (un objet, une marchandise) dans qqch. qui protège, sert au transport, à la présentation. → **empaqueter, envelopper.** **2** fam. Arrêter (qqn). **II 1** Faire tourner (un moteur) trop vite. **2** fam. Enchanter, enthousiasmer. ▷ v. pron. s'**emballer 1** (cheval) Prendre le mors aux dents. ♦ (moteur...) Prendre un régime trop rapide. **2** (personnes) Céder à l'impatience, à l'enthousiasme.

**emballeur, euse** n. Personne spécialisée dans l'emballage.

**embarcadère** n. m. Emplacement aménagé dans un port, etc. pour permettre l'embarquement et le débarquement.

**embarcation** n. f. Bateau de petite dimension.

**embardée** n. f. Brusque changement de direction (d'un bateau, d'un véhicule).

**embargo** n. m. **1** Interdiction gouvernementale de laisser partir les navires étrangers ou d'exporter des marchandises. **2** Interdiction de laisser circuler (une nouvelle...).

**embarquement** n. m. Action d'embarquer, de s'embarquer.

**embarquer** v. [1] **I** v. tr. **1** Mettre, faire monter dans un navire. ♦ mar. Recevoir par-dessus bord (un paquet de mer). **2** Charger (dans un véhicule). ♦ fam. Arrêter et emmener (qqn). **3** Engager dans une affaire difficile. **II** v. intr. **1** Monter à bord d'un bateau. **2** mar. Passer par-dessus bord (mer). ▷ v. pron. s'**embarquer 1** Monter à bord d'un bateau. **2** fig. S'engager (dans une affaire difficile).

**embarras** n. m. **I 1** vx Encombrement, embouteillage. **2** Encombrement des voies digestives. **II 1** Situation difficile et ennuyeuse. *Être dans l'embarras.* **2** Obstacle, gêne. **3** Incertitude de l'esprit. *Vous n'avez que l'embarras du choix,* la seule difficulté est de choisir. **4** Malaise pour agir ou parler. **5** loc. *Faire des embarras :* faire des manières.

**embarrassant, ante** adj. **1** Qui met dans l'embarras. → **gênant.** **2** Qui encombre.

**embarrasser** v. tr. [1] **1** Gêner dans les mouvements ; encombrer. **2** Mettre dans une position difficile. → **gêner.** **3** Rendre hésitant, perplexe. → **déconcerter, troubler.** ▷ v. pron. s'**embarrasser 1** S'encombrer. **2** Se soucier (de). **3** S'empêtrer. ▷ adj. **embarrassé, ée 1** Gêné, encombré. **2** Qui éprouve de l'incertitude. → **perplexe.** **3** Qui montre de la gêne. **4** Qui manque d'aisance ou de clarté. → **confus, obscur.**

**embastiller** v. tr. [1] hist. Emprisonner à la Bastille. – mod., plais. Emprisonner. ► **embastillement** n. m.

**embauche** n. f. Action d'embaucher. *Offre d'embauche.* – syn. **embauchage** n. m.

**embaucher** v. tr. [1] **1** Engager (qqn) en vue d'un travail. **2** fam. Entraîner (qqn) dans une activité (souvent, une corvée).

**embauchoir** n. m. Ustensile qui se place dans les chaussures pour garder leur forme.

**embaumer** v. tr. [1] **I** Remplir (un cadavre) de substances qui permettent de le conserver. – fig. Fixer pour préserver. **II** Remplir d'une odeur agréable. – sans compl. *Ces fleurs embaument.* ► **embaumement** n. m.

**embaumeur, euse** n. Personne dont le métier est d'embaumer les morts.

**embellie** n. f. **1** Accalmie (sur mer). **2** Brève amélioration du temps. → **éclaircie.**

**embellir** v. [2] **I** v. tr. **1** Rendre beau ou plus beau (une personne, un visage). – Orner, décorer (un lieu, une maison...). **2** Faire apparaître sous un plus bel aspect. → **idéaliser, poétiser. II** v. intr. Devenir beau, plus beau. ► **embellissement** n. m.

**emberlificoter** v. tr. [1] Entortiller, embrouiller (qqn, notamment pour le tromper). – pronom. → s'**embrouiller.** – au p. p. *Réponse emberlificotée,* embrouillée. ► **emberlificotage** n. m.

**embêtant, ante** adj. fam. Qui ennuie. ♦ Qui contrarie. → **fâcheux.** – n. m. *L'embêtant, c'est que...* → **ennui.**

**embêtement** n. m. fam. Chose qui donne du souci. → **contrariété, ennui.**

**embêter** v. tr. [1] fam. **1** Ennuyer. → **raser. 2** Contrarier. – Importuner. ▷ v. pron. s'**embêter** S'ennuyer. ♦ *Il ne s'embête pas !,* il n'est pas à plaindre.

**emblaver** v. tr. [1] agric. Ensemencer (une terre) en blé, ou toute autre céréale.

d'**emblée** loc. adv. Du premier coup.

**emblème** n. m. **1** Figure, ornement symbolique. **2** Attribut destiné à représenter une personne, une autorité, un métier, etc. → **symbole.** ► **emblématique** adj.

**embobiner** v. tr. [1] fam. Tromper en embrouillant. – syn. **embobeliner.**

**emboîtage** n. m. **1** Action d'emboîter. **2** Étui d'un livre de luxe.

**emboîtement** n. m. Assemblage de deux pièces qui s'emboîtent. → **encastrement.**

**emboîter** v. tr. [1] **1** Faire entrer (une chose dans une autre ; plusieurs choses l'une dans l'autre). → **encastrer. 2** Envelopper exactement. **3** loc. *Emboîter le pas à qqn,* marcher juste derrière lui ; fig. l'imiter. ▷ v. pron. s'**emboîter** → s'**ajuster.**

**embolie** n. f. méd. Obstruction brusque d'un vaisseau sanguin par un corps étranger. *Embolie cérébrale.*

**embonpoint** n. m. État d'un corps bien en chair, un peu gras. → **corpulence.**

mal **embouché, ée** adj. Mal élevé.

**emboucher** v. tr. [1] Mettre à sa bouche (un instrument à vent).

**embouchure** n. f. **I 1** Bout ou trou latéral d'un instrument à vent, qu'on met contre les lèvres pour jouer. **2** Ouverture extérieure (d'un récipient). **II** Ouverture par laquelle un cours d'eau se jette dans une mer, un lac.

**embourber** v. tr. [1] Enfoncer dans un bourbier. → **enliser.** ▷ v. pron. s'**embourber** ► **embourbement** n. m.

s'**embourgeoiser** v. pron. [1] Prendre les habitudes, l'esprit de la bourgeoisie (goût de l'ordre, du confort, respect des conventions...). ► **embourgeoisement** n. m.

**embout** n. m. Garniture qui se place au bout (d'une canne, d'un parapluie, etc.).

**embouteillage** n. m. Encombrement qui arrête la circulation. → **bouchon.**

**embouteiller** v. tr. [1] **1** Mettre en bouteilles. **2** fig. Obstruer (une voie) en provoquant un encombrement.

**emboutir** v. tr. [2] **1** techn. Travailler (un métal ; une plaque de métal) pour lui donner une forme. **2** Enfoncer en heurtant violemment. ► **emboutissage** n. m.

**embranchement** n. m. **1** Subdivision d'une voie, d'une canalisation en une ou plusieurs autres secondaires. → **ramification. 2** Point de jonction de ces voies. → **carrefour, croisement. 3** sc. Chacune des grandes divisions du monde animal ou végétal, partagée en classes.

**embrancher** v. tr. [1] Raccorder (une voie...) à une ligne déjà existante.

**embraser** v. tr. [1] **1** Enflammer, incendier. **2** Illuminer. **3** fig. Emplir d'une passion ardente. ► **embrasement** n. m.

**embrassade** n. f. Geste de personnes qui s'embrassent amicalement. → **accolade.**

**embrasse** n. f. Cordelière ou pièce d'étoffe servant à retenir un rideau.

**embrassement** n. m. littér. Action, fait d'embrasser.

**embrasser** v. tr. [1] **I 1** Prendre et serrer entre ses bras (souvent pour marquer son affection). **2** fig., littér. Adopter (une opinion...). – Choisir (une carrière). – prov. *Qui trop embrasse mal étreint :* qui veut trop faire risque de ne rien réussir. **3** Saisir par la vue dans toute son étendue. ♦ fig Appréhender par la pensée. **II** Donner un, des baiser(s) à. – pronom. *S'embrasser sur la bouche.*

**embrasure** n. f. Ouverture d'un mur qui reçoit une porte, une fenêtre.

**embrayage** n. m. Mécanisme permettant d'embrayer. *Pédale d'embrayage.*

**embrayer** v. [8] 1 v. tr. Mettre en communication (une pièce mobile) avec l'arbre moteur. - sans compl. Mettre en communication un moteur et les mécanismes qu'il entraîne. 2 v. intr. fig. (personnes) *Embrayer sur,* commencer à parler de. - Avoir de l'influence sur.

**embrigader** v. tr. [1] péj. Rassembler sous une autorité, en vue d'une action. → **enrégimenter, enrôler.** ► **embrigadement** n. m.

**embringuer** v. tr. [1] fam. Engager de façon fâcheuse. → **embarquer.**

**embrocation** n. f. méd. 1 Application d'un liquide calmant. 2 Ce liquide.

**embrocher** v. tr. [1] 1 Enfiler (de la viande) sur une broche, des brochettes. 2 fam. Transpercer (qqn) d'un coup d'épée. ► **embrochement** n. m.

**embrouillamini** n. m. fam. Désordre ou confusion extrême. → **imbroglio.**

**embrouille** n. f. fam. 1 Action de tromper. 2 Situation confuse. 3 Querelle.

**embrouiller** v. tr. [1] 1 Emmêler (des fils). 2 fig. Compliquer, rendre obscur (qqch.). 3 Troubler (qqn) ; tromper. ▷ v. pron. s'**embrouiller** 1 Devenir confus. 2 Se perdre (dans qqch.). ▷ adj. **embrouillé, ée**

**embroussailler** v. tr. [1] Couvrir de broussailles. ▷ adj. **embroussaillé, ée** → **broussailleux.** ♦ fig. *Cheveux embroussaillés,* emmêlés. ► **embroussaillement** n. m.

**embrumer** v. tr. [1] 1 Couvrir de brume. 2 fig. Mettre de la confusion dans (les idées...). 3 Rendre triste. ▷ adj. **embrumé, ée**

**embrun** n. m. surtout plur. Poussière de gouttelettes formée par les vagues qui se brisent, et emportée par le vent.

**embryogenèse** n. f. sc. Ensemble des transformations par lesquelles passent l'œuf et l'embryon, de la fécondation à l'éclosion (ovipares) ou à la naissance (vivipares).

**embryologie** n. f. Science du développement des organismes. → **génétique.** ► **embryologique** adj. ► **embryologiste** n.

**embryon** n. m. 1 Organisme en développement dans l'œuf des ovipares, et chez l'animal vivipare ou l'homme, avant d'être un fœtus. ♦ bot. Ensemble de cellules donnant naissance à la jeune tige. 2 fig. Ce qui commence d'être. → **ébauche, germe.** ► **embryonnaire** adj.

**embu, ue** adj. et n. m. peint. Se dit d'une zone imbibée d'huile, qui a un aspect mat.

**embûche** n. f. Difficulté ; traquenard.

**embuer** v. tr. [1] Couvrir d'une buée.

**embuscade** n. f. Manœuvre par laquelle on dissimule une troupe pour attaquer.

**embusquer** v. tr. [1] 1 Mettre en embuscade. 2 Affecter par faveur (un mobilisé) à un poste non exposé.

**éméché, ée** adj. fam. Un peu ivre. → **gai.**

**émeraude** n. f. 1 Pierre précieuse verte, variété de béryl (ou de corindon). 2 adj. invar. D'un vert qui rappelle celui de l'émeraude.

**émergence** n. f. didact. 1 Endroit d'où sort (qqch.). 2 fig. Apparition soudaine (dans une suite d'événements, d'idées).

**émerger** v. intr. [3] 1 Sortir d'un milieu liquide de manière à apparaître à la surface. *L'îlot émerge à marée basse.* ♦ Sortir d'un milieu quelconque. → **apparaître.** 2 fig. Se manifester, apparaître clairement. *La vérité émerge.* 3 fam. Devenir actif, attentif. ► **émergent, ente** adj.

**émeri** n. m. 1 Abrasif fait d'une roche (corindon) réduite en poudre. - *Papier (d')émeri,* enduit de poudre d'émeri. 2 loc. *Bouché à l'émeri,* complètement borné.

**émerillon** n. m. Petit faucon très vif.

**émérite** adj. Qui, par une longue pratique, a acquis une grande compétence. ► **éméritat** n. m.

**émerveiller** v. tr. [1] Frapper d'étonnement et d'admiration. - pronom. *S'émerveiller de qqch.* - au p. p. *Un regard émerveillé.* ► **émerveillement** n. m. → **enchantement.**

**émétique** adj. et n. m. Vomitif.

**émetteur, trice** 1 n. Personne, organisme qui émet (des billets, des effets). 2 n. m. *Poste émetteur* ou *émetteur :* dispositifs produisant des ondes électromagnétiques qui transmettent des signaux, des sons et des images.

**émettre** v. tr. [56] 1 Mettre en circulation, offrir au public (des billets...). - au p. p. *Emprunt émis par l'État.* 2 Faire sortir de soi (un son). - Exprimer (une opinion...). 3 Projeter par rayonnement (des radiations...). ♦ Envoyer sur ondes électromagnétiques.

**émeu** n. m. Oiseau coureur d'Australie.

**émeute** n. f. Soulèvement populaire. ► **émeutier, ière** n.

**émietter** v. tr. [1] 1 Réduire en miettes ; désagréger en petits morceaux. 2 Morceler à l'excès. ► **émiettement** n. m.

**émigrant, ante** n. Personne qui émigre.

**émigration** n. f. 1 Action, fait d'émigrer. 2 Ensemble des émigrés.

**émigré, ée** n. 1 hist. Personne réfugiée à l'étranger pendant la Révolution française. 2 Personne qui s'est expatriée (pour des raisons politiques, économiques...). - adj. *Populations émigrées.* → **immigré.**

**émigrer** v. intr. [1] 1 Quitter son pays pour aller s'établir dans un autre, momentanément ou définitivement. → s'**expatrier.** 2 (animaux) Quitter par troupes une contrée (→ **migration**).

**émincer** v. tr. [3] Couper en tranches minces (une viande...). ► **émincé, ée** adj. et n. m. *Un émincé de volaille.*

**éminemment** [-amɑ̃] adv. Au plus haut degré. → **supérieurement.**

**éminence** n. f. I Élévation de terrain isolée. II Titre honorifique des cardinaux. ♦ loc. *Éminence grise,* conseiller secret.

**éminent, ente** adj. Remarquable, supérieur.

> Ne pas confondre avec *imminent* «immédiat».

**émir** n. m. Titre honorifique du monde musulman.

**émirat** n. m. Territoire d'un émir.

① **émissaire** n. m. I Agent chargé d'une mission. II techn. Canal d'évacuation.

② **émissaire** adj. m. → **bouc** émissaire.

**émissif, ive** adj. phys. D'une émission (3).

**émission** n. f. 1 physiol. Fait de projeter au-dehors (un liquide physiologique). *Émission d'urine.* 2 Production (de sons vocaux). 3 phys. Production en un point donné et rayonnement dans l'espace (d'ondes, de vibrations, etc.). ♦ spécialt Transmission, à l'aide d'ondes électromagnétiques, de signaux, de sons et d'images. – Ce qui est ainsi transmis. *Émission télévisée.* 4 Mise en circulation (de monnaies, etc.).

**emmagasiner** [ɑ̃m-] v. tr. [1] 1 Mettre en magasin, entreposer (des marchandises). → **stocker.** 2 fig. Garder dans l'esprit, dans la mémoire. ► **emmagasinage** n. m.

**emmailloter** [ɑ̃m-] v. tr. [1] 1 anciennt Envelopper (un bébé) dans un maillot. 2 Envelopper (un corps, un objet...).

**emmancher** [ɑ̃m-] v. tr. [1] 1 Ajuster sur un manche ; engager et fixer dans un support. 2 fig., fam. (surtout pronom.) Engager, mettre en train (un processus...).

**emmanchure** [ɑ̃m-] n. f. Chacune des ouvertures d'un vêtement, pour adapter une manche ou laisser passer le bras.

**emmêler** [ɑ̃m-] v. tr. [1] 1 Mêler ensemble, de manière désordonnée. – au p. p. *Cheveux emmêlés.* 2 fig. Embrouiller, compliquer. ▷ v. pron. **s'emmêler** → s'**embrouiller.** ► **emmêlement** n. m.

**emménager** [ɑ̃m-] v. intr. [3] S'installer dans un nouveau logement. ► **emménagement** n. m.

**emmener** [ɑ̃m-] v. tr. [5] 1 Mener avec soi (qqn, un animal) en allant d'un lieu à un autre, en partant. 2 (sujet chose) Conduire, transporter au loin.

> Avec un objet, on emploie *emporter : elle a emporté ses livres.* Ne pas confondre avec *amener* «mener à un endroit» : *il a amené ses enfants à l'école.*

**emmental** [emɛ̃tal ; emɛntal] n. m. Fromage à pâte cuite, à grands trous.

**emmerdant, ante** [ɑ̃m-] adj. fam. Qui contrarie. – Qui fait naître l'ennui.

**emmerdement** [ɑ̃m-] n. m. fam. 1 Gros ennui. – syn. fam. **emmerde** n. f. 2 Action d'emmerder ; fait d'être emmerdé.

**emmerder** [ɑ̃m-] v. tr. [1] fam. 1 (sujet personne) Importuner (qqn) ; (sujet chose) contrarier (qqn). → **embêter, ennuyer, importuner.** – pronom. Se donner du mal. 2 Faire naître l'ennui. – pronom. *On s'emmerde ferme.* 3 Tenir pour négligeable (par défi).

**emmerdeur, euse** [ɑ̃m-] n. fam. Personne ennuyeuse ou agaçante.

**emmitoufler** [ɑ̃m-] v. tr. [1] Envelopper dans des vêtements chauds et moelleux. – pronom. Se couvrir chaudement.

**emmurer** [ɑ̃m-] v. tr. [1] Enfermer (qqn) dans un cachot muré. – (sujet chose) *L'éboulement les a emmurés.* ♦ fig. (surtout pronom. et p. p.) *S'emmurer, être emmuré dans le silence.* → se **murer.** ► **emmurement** n. m.

**émoi** n. m. littér. 1 Agitation, effervescence. 2 Trouble qui naît de l'appréhension, ou d'une émotion sensuelle.

**émoji** n. m. (marque déposée) Image utilisée dans un message électronique pour représenter une émotion, une action.

**émollient, ente** [-ljɑ̃, ɑ̃t] adj. 1 méd. Qui relâche les tissus. 2 fig. Doux, apaisant.

**émoluments** n. m. pl. Rétribution.

**émonctoire** n. m. didact. Organe d'élimination, d'excrétion.

**émonder** v. tr. [1] Débarrasser (un arbre) des branches inutiles. ► **émondage** n. m.

**émoticône** ou **émoticon** [-kon] n. m. anglic., inform. → **smiley.**

**émotif, ive** adj. 1 Relatif à l'émotion. 2 (personnes) Qui est facilement ému. – n. *Un émotif, une émotive.*

**émotion** n. f. 1 État affectif intense, accompagné de troubles divers (pâleur, tremblements, etc.). 2 État affectif, plaisir ou douleur, nettement prononcé. → **sentiment.**

**émotionnel, elle** adj. Relatif à l'émotion.

**émotionner** v. tr. [1] fam. → **émouvoir.**

**émotivité** n. f. Capacité de ressentir des émotions. ♦ Caractère d'une personne émotive.

**émouchet** n. m. Petit rapace diurne.

**émoulu, ue** adj. loc. *Frais émoulu de :* récemment sorti de (une école). – fém. *Frais* ou *fraîche émoulue.*

**émousser** v. tr. [1] 1 Rendre moins coupant, moins aigu. 2 fig., littér. Rendre moins vif, moins incisif. – pronom. *Son chagrin s'est émoussé.* ▷ adj. **émoussé, ée** ► **émoussement** n. m.

**émoustiller** v. tr. [1] Mettre de bonne humeur en excitant. ► **émoustillant, ante** adj.

**émouvant, ante** adj. Qui émeut, qui fait naître une émotion désintéressée.

**émouvoir** v. tr. [27] p. p. *ému, ue* 1 Agiter (qqn) par une émotion. 2 Toucher en éveillant un intérêt puissant, une sympathie profonde.

▷ v. pron. s'**émouvoir** **1** Se troubler; s'alarmer. **2** Être touché.

**empailler** v. tr. [1] **1** Bourrer de paille (la peau d'animaux morts qu'on veut conserver). → **naturaliser; taxidermie.** **2** Entourer de paille pour protéger. → **pailler.** ► **empaillage** n. m.

**empailleur, euse** n. **1** Rempailleur. **2** Taxidermiste.

**empaler** v. tr. [1] Soumettre au supplice du pal. ▷ v. pron. s'**empaler** Tomber sur un objet pointu qui traverse le corps. ► **empalement** n. m.

**empan** n. m. **1** ancienn Mesure de longueur, espace maximum entre l'extrémité du pouce et du petit doigt. **2** fig. Ampleur, envergure.

**empanaché, ée** adj. Orné d'un panache.

**empaqueter** v. tr. [4] Faire un paquet de (linge, etc.). ► **empaquetage** n. m.

s'**emparer** v. pron. [1] *s'emparer de* **1** Prendre violemment ou indûment possession de (qqn, qqch.). → se **saisir** de. **2** Se rendre maître de (qqn, une faculté). – (sujet chose) → **envahir, gagner.** *Le sommeil s'empara de lui.*

**empâter** v. tr. [1] **1** Rendre épais; surcharger. **2** *S'empâter* v. pron. Épaissir, grossir. ▷ adj. **empâté, ée** → **bouffi.** ► **empâtement** n. m.

**empathie** n. f. didact. Capacité de s'identifier à autrui par l'émotivité.

**empattement** n. m. **1** Pied, base plus large. **2** Distance entre les essieux d'une voiture.

**empêchement** n. m. Ce qui empêche d'agir. → **contretemps, difficulté, obstacle.**

**empêcher** v. tr. [1] **1** *Empêcher qqch.*, faire en sorte que cela ne se produise pas. ♦ loc. *Il n'empêche que :* cependant, malgré cela. – fam. *N'empêche* (même sens). **2** *Empêcher qqn de faire qqch.*, faire en sorte qu'il ne puisse pas. ▷ v. pron. s'**empêcher** Se retenir de. *Il ne put s'empêcher de rire.* ▷ adj. **empêché, ée** Retenu par des occupations.

**empêcheur, euse** n. loc. *Empêcheur, empêcheuse de danser en rond.* → **rabat-joie, trouble-fête.**

**empeigne** n. f. Dessus (d'une chaussure).

**empennage** n. m. **1** Ensemble des plumes qui empennent une flèche. – syn. **empenne** n. f. **2** Surfaces à l'arrière des ailes ou de la queue d'un avion, destinées à lui donner de la stabilité. – Ailettes d'un projectile.

**empenner** v. tr. [1] Garnir (une flèche) de plumes pour régulariser sa direction.

**empereur** n. m. Souverain d'un empire.

**emperler** v. tr. [1] Couvrir de gouttelettes.

**empeser** v. tr. [5] Apprêter en amidonnant. → **amidonner; empois.** ▷ adj. **empesé, ée** **1** *Col empesé.* **2** fig. → **guindé.**

**empester** v. [1] **1** v. tr. Infester de mauvaises odeurs. **2** v. intr. Sentir mauvais.

**empêtrer** v. tr. [1] **1** Entraver (qqn ou les pieds, les jambes) dans qqch. qui retient ou embarrasse. **2** fig. Engager dans une situation difficile (surtout passif et pronom.).

**emphase** n. f. Ton, style déclamatoire. → **grandiloquence.**

**emphatique** adj. Plein d'emphase. → **pompeux.** ♦ gramm. Qui marque une certaine intensité dans l'expression. ► **emphatiquement** adv.

**emphysème** n. m. méd. Gonflement produit par une infiltration gazeuse dans le tissu cellulaire (notamment du poumon). ► **emphysémateux, euse** adj. et n.

**emphytéotique** adj. dr. *Bail emphytéotique,* de longue durée (18 à 99 ans).

**empiècement** n. m. Pièce rapportée qui constitue le haut d'un vêtement (robe, etc.).

**empierrer** v. tr. [1] Couvrir d'une couche de pierres. ► **empierrement** n. m.

**empiéter** v. intr. [6] **1** *Empiéter sur* (une propriété, un droit...), en prendre indûment et progressivement une partie. **2** (choses) Déborder sur. ► **empiétement** n. m. – var. **empiètement.**

s'**empiffrer** v. pron. [1] fam. Manger avec excès, gloutonnement.

**empiler** v. tr. [1] **1** Mettre en pile. **2** Entasser (des êtres vivants) dans un petit espace. **3** fam. Tromper (qqn) en le volant. ► **empilement** et **empilage** n. m. ► **empilable.** adj.

**empire** n. m. **1** Autorité, domination absolue. – *Être sous l'empire de :* sous l'influence de. **2** Autorité d'un empereur; État ou ensemble d'États soumis à cette autorité. – *Style Empire,* du Premier Empire (Napoléon Ier). **3** Ensemble de territoires colonisés par une puissance.

**empirer** v. [1] **1** v. intr. (situation, état) Devenir pire. **2** v. tr. Rendre pire. → **aggraver.**

**empirique** adj. Qui s'appuie principalement sur l'expérience. ► **empiriquement** adv.

**empirisme** n. m. **1** Méthode empirique. **2** philos. Théorie d'après laquelle les connaissances viennent de l'expérience. ► **empiriste** n. et adj.

**emplacement** n. m. Lieu choisi (pour une construction...). ♦ Place effectivement occupée par qqch.

**emplâtre** n. m. **1** Médicament externe adhérent. **2** fig. Aliment lourd et bourratif.

**emplette** n. f. vieilli Achat. ♦ mod. au plur. *Faire des emplettes.* – Objets achetés.

**emplir** v. tr. [2] **1** littér. Rendre plein. → **remplir.** **2** Occuper (un espace).

**emploi** n. m. **1** Action ou manière d'employer (qqch.); ce à quoi sert (qqch.). → **usage, utilisation.** – *Mode d'emploi :* notice expliquant la manière de se servir d'un objet. – *Emploi du temps :* répartition dans le temps de tâches à effectuer. – loc. *Faire* *double emploi :* être superflu. **2** Ce à quoi s'applique une activité rétribuée. *Demandeur d'emploi* (→ **chômeur**). ♦ Travail humain effectivement employé et rémunéré, dans un système économique. *Marché de l'emploi.* **3** Genre de rôle dont est chargé un acteur. - loc. *Avoir la tête de l'emploi,* l'aspect correspondant à ce qu'on fait.

**employé, ée** n. Salarié non cadre qui effectue un travail non manuel.

**employer** v. tr. [8] **1** Faire servir à une fin (un instrument, un moyen...). → se **servir** de, **utiliser. 2** Faire travailler (qqn) contre rémunération. ▷ v. pron. s'**employer 1** Être en usage. **2** *S'employer à.* → se **consacrer** à.

**employeur, euse** n. Personne, entreprise employant du personnel salarié.

**emplumé, ée** adj. Couvert de plumes.

**empocher** v. tr. [1] Recevoir (de l'argent).

**empoignade** n. f. Altercation.

**empoigne** n. f. loc. péj. *Foire d'empoigne :* mêlée, affrontement d'intérêts.

**empoigner** v. tr. [1] **1** Prendre en serrant dans la main. - pronom. Se battre ; fig. se quereller. **2** fig. (sujet chose) Émouvoir.

**empois** n. m. Colle à base d'amidon employée à l'apprêt du linge (→ **empeser**).

**empoisonnant, ante** adj. fam. Très ennuyeux, agaçant.

**empoisonnement** n. m. **1** Grave intoxication. **2** Meurtre par le poison. **3** fam. Ennui, embêtement.

**empoisonner** v. tr. [1] **1** (sujet personne) Faire mourir, ou mettre en danger de mort (qqn, un animal) en faisant absorber du poison. ♦ Intoxiquer. **2** Mêler, infecter de poison. **3** Remplir d'une odeur infecte. **4** Altérer dans son agrément. → **gâcher. 5** fam. Importuner (qqn). ▷ v. pron. s'**empoisonner** Absorber du poison. ▷ adj. **empoisonné, ée** *Flèche empoisonnée.* - fig. *Des propos empoisonnés.* → **venimeux.**

**empoisonneur, euse** n. **1** Criminel(le) qui use du poison. **2** Personne ennuyeuse.

**empoissonner** v. tr. [1] Peupler de poissons. ► **empoissonnement** n. m.

**emporté, ée** adj. Qui s'emporte facilement. → **coléreux, irritable, violent.**

**emportement** n. m. **1** littér. Élan, ardeur. **2** Violent mouvement de colère.

**emporte-pièce** n. m. invar. **1** Outil servant à découper et à enlever des pièces. **2** loc. fig. *À l'emporte-pièce :* mordant, incisif.

**emporter** v. tr. [1] **1** Prendre avec soi et porter hors d'un lieu (qqch., qqn). - loc. *Il ne l'emportera pas au paradis,* je me vengerai. **2** (sujet chose) Enlever avec rapidité, violence. - loc. *Autant en emporte le vent :* il n'en restera rien. ♦ (maladie) Faire mourir. **3** S'emparer de (qqch.) par la force. - loc. *Emporter le morceau,* avoir gain de cause. **4** (passion...) Entraîner, pousser. **5** *L'emporter :* avoir le dessus. → **triompher.** ▷ v. pron. s'**emporter** Se laisser aller à la colère.

**empoté, ée** adj. fam. Maladroit, lent.

**empoter** v. tr. [1] Mettre en pot.

**empourprer** v. tr. [1] littér. Colorer de pourpre, de rouge (par un phénomène naturel). ♦ pronom. Devenir cramoisi.

**empreindre** v. tr. [52] Marquer (une forme) par pression sur une surface. ▷ p. p. **empreint, einte** (fig., littér.) Marqué (par).

> Ne pas confondre *empreint* avec *emprunt* «prêt».

**empreinte** n. f. **1** Marque laissée par un corps qu'on presse sur une surface. ♦ Trace naturelle. *Les empreintes d'un animal.* - *Empreintes digitales :* traces laissées par les doigts, qui permettent d'identifier qqn. **2** fig. Marque profonde, durable.

**empressé, ée** adj. Très zélé.

s'**empresser** v. pron. [1] **1** Mettre de l'ardeur, du zèle à servir qqn ou à lui plaire. **2** *S'empresser de* (+ inf.) : se hâter de. ► **empressement** n. m.

**emprise** n. f. **1** Domination intellectuelle ou morale. **2** dr. Mainmise de l'Administration sur une propriété privée.

**emprisonner** v. tr. [1] **1** Mettre en prison. → **incarcérer. 2** Tenir à l'étroit, serrer. ► **emprisonnement** n. m.

**emprunt** n. m. **1** Action d'obtenir une somme d'argent, à titre de prêt ; cet argent. - spécialt Mesure par laquelle l'État, etc. demande des fonds ; ces fonds. **2** fig. Action d'emprunter (2) à un auteur ; ce qui est ainsi pris. ♦ ling. Processus par lequel une langue accueille un élément d'une autre langue ; élément (mot, tour) ainsi incorporé. **3** loc. adj. *D'emprunt :* qui n'appartient pas en propre au sujet, vient d'ailleurs.

> Ne pas confondre avec *empreint* «marqué».

**emprunté, ée** adj. Qui manque d'aisance ou de naturel. → **contraint.**

**emprunter** v. tr. [1] **1** Obtenir (de l'argent, un objet...) à titre de prêt ou pour un usage momentané. **2** fig. Prendre ailleurs et faire sien (un bien d'ordre intellectuel...). ♦ au p. p. spécialt *Mot emprunté à une langue.* → **emprunt** (2). **3** Prendre (une voie). *Emprunter un sens interdit.*

**emprunteur, euse** n. Personne qui emprunte de l'argent. → **débiteur.**

**empuantir** v. tr. [2] Remplir (un lieu), gêner (qqn) par une odeur infecte. ► **empuantissement** n. m.

**empyrée** n. m. littér. Ciel, paradis.

**ému, ue** adj. **1** En proie à une émotion. **2** Qui manifeste une émotion.

**émulation** n. f. **1** Sentiment qui porte à égaler ou à surpasser qqn. **2** inform. Action d'émuler, son résultat.

**émule** n. Personne qui cherche à égaler ou à surpasser qqn en qqch. de louable.

**émuler** v. tr. [1] inform. Simuler, imiter le fonctionnement de (un programme...).

**émulsifiant** n. m. Produit qui favorise la formation et la stabilité d'une émulsion.

**émulsion** n. f. **1** Préparation liquide tenant en suspension, à l'état de particules très fines, un autre liquide. **2** photogr. Couche sensible à la lumière.

**émulsionner** v. tr. [1] Mettre (une substance) à l'état d'émulsion.

① **en** prép. **I** (devant un nom sans art. déf.) Préposition marquant la position à l'intérieur d'un espace, d'un temps, d'un état. **1** Dans. *Monter en voiture.* – (abstrait) *Avoir qqch. en mémoire.* **2** (matière) *Un buste en marbre.* → **de.** **3** Pendant. *En été, en automne, en hiver* (mais *au printemps*). ♦ (espace de temps) *En dix minutes.* **4** (état, manière) *Être en danger.* ♦ (+ nom qui fait fonction d'attribut) → **comme.** *Il parle en connaisseur.* **5** *De... en...* (progression) *De plus en plus.* ♦ (périodicité) *De temps en temps.* **II** (formant des loc. adv.) *En général, en vain.* **III** (devant un p. prés.) *L'appétit vient en mangeant.*

② **en** pron. et adv. De ce..., de cette..., de ces..., de cela (représente une chose, un énoncé, et quelquefois une personne). **I** (compl. d'un verbe) **1** Indique le lieu d'où l'on vient, la provenance, l'origine. *J'en viens.* – (cause, agent) *Je n'en dors plus.* **2** (compl. d'un verbe construit avec *de*) *J'en veux.* **3** (dans des loc. verb.) *Je m'en tiens là.* **II** De (cela). *J'en connais les avantages. Je n'en sais rien !* **III** (compl. d'adj.) *Il en est bien capable.*

s'**enamourer** [ɑ̃n-] v. pron. [1] vieilli ou plais. S'éprendre (de). – var. s'**énamourer** [en-].

**énarque** n. Ancien(ne) élève de l'École nationale d'administration.

**en-avant** [ɑ̃n-] n. m. invar. au rugby Faute commise par un joueur qui envoie le ballon à la main en avant de lui.

**encablure** n. f. mar. Mesure de longueur d'environ 200 m. – var. **encâblure.**

**encadré** n. m. Texte encadré.

**encadrement** n. m. **1** Action d'entourer d'un cadre ; ornement servant de cadre. ♦ Ce qui entoure comme un cadre. *L'encadrement d'une porte.* **2** Action d'encadrer (du personnel...). ♦ Personnes qui encadrent. → **cadre.** **3** Fait de donner un cadre légal à qqch.

**encadrer** v. tr. [1] **1** Mettre dans un cadre, entourer d'un cadre. – loc. fam. *Ne pas pouvoir encadrer qqn,* le détester. **2** Entourer à la manière d'un cadre. ♦ pronom. Apparaître comme dans un cadre. **3** Pourvoir de cadres (un personnel...) ; diriger pour le travail. **4** Donner un cadre légal à (qqch.).

**encadreur, euse** n. Artisan qui exécute et pose des cadres (de tableaux, etc.).

**encaisse** n. f. Sommes, valeurs qui sont dans la caisse ou en portefeuille.

**encaissé, ée** adj. Resserré entre deux pentes. *Vallée encaissée,* profonde et étroite.

**encaissement** n. m. **1** Action d'encaisser (de l'argent...). **2** État de ce qui est encaissé (rivière, voie...).

**encaisser** v. tr. [1] **1** Recevoir, toucher (de l'argent...). **2** fam. Recevoir (des coups). **3** fam. (surtout contexte négatif) Supporter.

**encaisseur** n. m. Employé qui va à domicile encaisser de l'argent.

à l'**encan** loc. vieilli ou région. En vente aux enchères publiques. – fig. Livré au plus offrant.

s'**encanailler** v. pron. [1] Fréquenter des gens de mœurs douteuses.

**encapuchonner** v. tr. [1] Couvrir d'un capuchon, comme d'un capuchon.

**encart** n. m. Feuille volante ou petit cahier que l'on insère dans une brochure.

**encarter** v. tr. [1] **1** Insérer (un encart). **2** techn. Fixer sur des cartons.

**en-cas** n. m. invar. Repas léger.

**encastrer** v. tr. [1] Insérer (dans qqch. qui est taillé ou creusé à cet effet). ▷ v. pron. s'**encastrer** ► **encastrable** adj. ► **encastrement** n. m.

**encaustique** n. f. Préparation à base de cire et d'essence pour faire briller le bois. ► **encaustiquer** v. tr. [1] → **cirer.**

**enceindre** v. tr. [52] Entourer d'une enceinte.

① **enceinte** n. f. **1** Ce qui entoure un espace et en défend l'accès. **2** Espace ainsi entouré. *L'enceinte du tribunal.* **3** *Enceinte (acoustique)* : ensemble de haut-parleurs. – syn. (anglic.) **baffle.**

② **enceinte** adj. En état de grossesse.

**encens** n. m. Substance résineuse aromatique, qui brûle en parfumant.

**encenser** v. tr. [1] **1** Honorer en brûlant de l'encens, en agitant l'encensoir. **2** fig. Honorer d'hommages excessifs, flatter.

**encensoir** n. m. Cassolette suspendue à des chaînettes, où on brûle l'encens. – fig., fam. *Manier l'encensoir,* flatter avec excès.

**encéphale** n. m. anat. Ensemble des centres nerveux contenus dans le crâne (le cerveau et ses annexes).

**encéphalite** n. f. méd. Inflammation de l'encéphale.

**encéphalogramme** n. m. méd. Tracé obtenu par exploration radiographique de l'encéphale (*encéphalographie* n. f.). → **électro-encéphalogramme.**

**encéphalopathie** n. f. Affection du cerveau, d'origine toxique ou liée à une dégénérescence. *Encéphalopathie spongiforme bovine,* causée par un prion.

**encercler** v. tr. [1] Entourer de toutes parts. → **cerner.** ► **encerclement** n. m.

**enchaînement** n. m. **1** Série de choses en rapport de dépendance. **2** Rapport entre des éléments. **3** Action d'enchaîner (II).

**enchaîner** v. [1] **I** v. tr. **1** Attacher avec une chaîne. **2** fig., littér. Mettre sous une dépendance, asservir. **3** Unir par une succession naturelle ou des liens logiques. – pronom. *Idées qui s'enchaînent.* **II** v. intr. Reprendre, continuer (un discours...).

**enchanté, ée** adj. **1** Qui a un pouvoir d'enchantement (1). ♦ Soumis à un enchantement. **2** (personnes) Très content, ravi.

**enchantement** n. m. **1** Opération magique consistant à enchanter (1) ; son effet. → **charme, ensorcellement, incantation.** **2** État d'une personne enchantée (2), joie très vive. ♦ Sujet de joie, de plaisir.

**enchanter** v. tr. [1] **1** Soumettre à une action surnaturelle par magie. → **ensorceler.** **2** Remplir d'un vif plaisir. → **ravir.**

**enchanteur, teresse** **I** n. Personne qui pratique des enchantements (1). → **magicien, sorcier.** **II** adj. Qui enchante (2).

**enchâsser** v. tr. [1] **1** Mettre (une pierre) dans une monture. → **monter, sertir.** ♦ Encastrer, fixer (dans un châssis...). **2** fig. Insérer, inclure. ► **enchâssement** n. m.

**enchère** n. f. **1** Offre d'une somme supérieure, dans une vente au plus offrant. *Vente aux enchères.* **2** (cartes) Demande supérieure à celle de l'adversaire.

**enchérir** v. intr. [2] **1** Mettre une enchère. **2** fig., littér. → **renchérir** (2).

**enchérisseur, euse** n. Personne qui fait une enchère.

**enchevêtrement** n. m. **1** Disposition ou amas de choses enchevêtrées. **2** (abstrait) Complication, désordre. → **imbroglio.**

**enchevêtrer** v. tr. [1] **1** Engager l'une dans l'autre (des choses) de façon désordonnée ou complexe. **2** fig. Embrouiller, compliquer. ▷ v. pron. s'**enchevêtrer**

**enchifrené, ée** adj. vieilli Enrhumé.

**enclave** n. f. Terrain, territoire complètement entouré par un autre.

**enclaver** v. tr. [1] **1** Contenir, entourer en formant une enclave. **2** Engager (une pièce dans une autre). ▷ adj. **enclavé, ée** ► **enclavement** n. m.

**enclencher** v. tr. [1] **1** Faire fonctionner (un mécanisme) en rendant les pièces solidaires. **2** Engager (un processus). ▷ v. pron. s'**enclencher** ► **enclenchement** n. m.

**enclin, ine** adj. littér. Porté, par un penchant naturel et permanent (à) ; sujet (à).

**enclore** v. tr. [45] littér. **1** Entourer d'une clôture. **2** Entourer comme une clôture.

**enclos** n. m. **1** Espace entouré d'une clôture. **2** Clôture. *Un enclos de pierres sèches.*

**enclume** n. f. **1** Masse métallique sur laquelle on bat les métaux. – Outil destiné à recevoir des chocs. – loc. *Être entre le marteau et l'enclume,* pris entre deux partis opposés. **2** anat. Un des quatre osselets de l'oreille.

**encoche** n. f. Petite entaille.

**encocher** v. tr. [1] Faire une encoche à.

**encoder** v. tr. [1] didact. Produire selon un code. ► **encodage** n. m.

**encoignure** [ɑ̃kɔɲyʀ ; ɑ̃kwaɲyʀ] n. f. **1** Angle intérieur de deux murs. → **coin.** **2** Petit meuble de coin.

**encoller** v. tr. [1] Enduire de colle, de gomme, d'apprêt. ► **encollage** n. m.

**encolure** n. f. **1** Partie du corps (du cheval, etc.) qui s'étend entre la tête et le poitrail. – Longueur de cette partie du corps. **2** Dimension du col d'un vêtement. **3** Partie (du vêtement) où passe la tête.

**encombrant, ante** adj. **1** Qui encombre. **2** fig. Importun, pesant.

sans **encombre** loc. adv. Sans rencontrer d'obstacle, sans incident.

**encombrement** n. m. **1** État de ce qui est encombré (1). ♦ fig. *L'encombrement d'un marché* (→ surproduction). **2** Amas de choses qui encombrent. ♦ Voitures qui encombrent une voie. → **bouchon, embouteillage.** **3** Dimensions, volume (d'un objet).

**encombrer** v. tr. [1] **1** Remplir en s'entassant, en faisant obstacle. → **gêner, obstruer.** **2** fig. Remplir ou occuper à l'excès, en gênant. ▷ v. pron. s'**encombrer** de Se charger de (qqn, qqch. de gênant).

à l'**encontre** littér. **1** loc. adv. Contre cela. **2** loc. prép. *À l'encontre de* : contre.

**encorbellement** n. m. archit. Position d'une construction en saillie soutenue par des corbeaux ; cette construction.

s'**encorder** v. pron. [1] alpin. S'attacher avec une corde pour constituer une cordée.

**encore** adv. – var. vx ou poét. **encor** **1** adv. de temps Marque la persistance d'une action ou d'un état au moment considéré. *Vous êtes encore là ? – Pas encore :* pas au moment présent. **2** Marquant une idée de répétition ou de supplément. *J'en veux encore.* **3** Introduisant une restriction. *Si encore il faisait un effort...* → si **seulement.** **4** littér. loc. conj. *Encore que :* quoique.

**encorné, ée** adj. Qui a des cornes.

**encorner** v. tr. [1] Frapper, blesser à coups de cornes.

**encornet** n. m. région. Calmar.

**encourageant, ante** adj. Qui encourage.

**encouragement** n. m. **1** Action d'encourager. **2** Acte, parole qui encourage.

**encourager** v. tr. [3] **1** Donner du courage, de l'assurance à (qqn). → **réconforter, stimuler.** – (avec *à* + inf.) *Encourager qqn à* *persévérer.* → **inciter.** **2** Aider ou favoriser par une protection, des subventions...

**encourir** v. tr. [11] littér. Se mettre dans la situation de subir (qqch. de fâcheux). → s'**exposer** à, **mériter.**

**encrage** n. m. **1** Opération consistant à encrer. **2** Manière dont qqch. est encré.

**encrasser** v. tr. [1] Couvrir d'un dépôt (suie, rouille, saletés diverses) qui empêche le bon fonctionnement. ▷ v. pron. s'**encrasser** ► **encrassement** n. m.

**encre** n. f. **1** Liquide coloré, utilisé pour écrire. – *Encre sympathique,* qui apparaît sous l'action d'un réactif ou de la chaleur. ♦ loc. fam. *Se faire un sang d'encre,* beaucoup de souci. **2** Liquide noir émis par certains céphalopodes (seiche...) pour se protéger.

Ne pas confondre avec *ancre* «attache d'un navire».

**encrer** v. tr. [1] Enduire d'encre (typographique...).

**encreur** adj. m. Qui sert à encrer.

**encrier** n. m. Petit récipient pour l'encre.

**encroûter** v. tr. [1] **1** Couvrir d'une croûte. **2** fig. (surtout pronom. et p. p.) Enfermer (qqn) dans des habitudes figées, routinières. ► **encroûtement** n. m.

**enculer** v. tr. [1] vulg. Sodomiser. ▷ n. **enculé, ée** (terme injurieux).

**encyclique** n. f. Lettre du pape aux évêques.

**encyclopédie** n. f. **1** Ouvrage où l'on expose méthodiquement les connaissances dans tous les domaines. – Ouvrage analogue qui traite d'un domaine. **2** fig. Personne aux connaissances très étendues et variées. ► **encyclopédique** adj.

**encyclopédiste** n. Auteur d'une encyclopédie ; spécialt, auteur qui collabora à l'*Encyclopédie* de Diderot (XVIII$^e$ s.).

**endémie** n. f. méd. Présence habituelle d'une maladie dans une région déterminée.

**endémique** adj. **1** méd. Qui a un caractère d'endémie. **2** fig. Qui sévit constamment. *Un chômage endémique.*

**endetter** v. tr. [1] Engager dans des dettes. ▷ v. pron. s'**endetter** ► **endettement** n. m.

**endeuiller** v. tr. [1] Plonger dans le deuil ; remplir de tristesse.

**endiablé, ée** adj. D'une grande vivacité.

**endiguer** v. tr. [1] **1** Contenir au moyen de digues. **2** fig. Retenir ; canaliser. ► **endiguement** n. m.

s'**endimancher** v. pron. [1] S'habiller de manière plus soignée que d'habitude, avec une certaine gêne.

**endive** n. f. Pousse blanche d'une variété de chicorée, obtenue par forçage et étiolement.

**endocarde** n. m. anat. Tunique interne du cœur.

**endocarpe** n. m. Partie interne du fruit.

**endocrine** adj. f. Se dit des glandes à sécrétion interne, dont les produits sont déversés directement dans le sang (contr. *exocrine*). ► **endocrinien, ienne** adj.

**endocrinologie** n. f. Discipline médicale qui traite des glandes endocrines et soigne leurs troubles. ► **endocrinologue** n.

**endoctriner** v. tr. [1] péj. Faire la leçon à (qqn) pour convaincre, faire adhérer à une doctrine. ► **endoctrinement** n. m.

**endogène** adj. didact. Qui provient de l'intérieur, est dû à une cause interne.

**endolorir** v. tr. [2] Rendre douloureux. ▷ adj. **endolori, ie** → **douloureux.** ► **endolorissement** n. m.

**endomètre** n. m. anat. Muqueuse qui tapisse l'intérieur de l'utérus.

**endométriose** n. f. méd. Affection caractérisée par la présence d'endomètre en dehors de la cavité utérine.

**endommager** v. tr. [3] Causer des dommages, des dégâts à (qqch.). ► **endommagement** n. m.

**endormant, ante** adj. Qui donne envie de dormir à force d'ennui. → **soporifique.**

**endormi, ie** adj. **1** En train de dormir. ♦ Où tout semble en sommeil. **2** fig. Dont l'activité est en sommeil. **3** Indolent, inerte.

**endormir** v. tr. [16] **1** Faire dormir, amener au sommeil. – (Sommeil artificiel) → **anesthésier.** **2** Donner envie de dormir à (qqn) par ennui. **3** fig., littér. Atténuer, calmer (une sensation, etc. pénible). – Rendre moins vif, moins agissant (un sentiment...). *Endormir les soupçons.* ▷ v. pron. s'**endormir** **1** Commencer à dormir. **2** fig., littér. Perdre de sa vivacité, de sa force. ► **endormissement** n. m.

**endorphine** n. f. sc. Substance sécrétée par l'hypophyse, qui lutte contre la douleur.

**endos** n. m. Mention au dos (d'une traite, etc.) pour ordonner son paiement.

**endoscope** n. m. méd. Instrument servant à l'examen des cavités profondes du corps en les éclairant (l'*endoscopie* n. f.).

**endosser** v. tr. [1] **I 1** Mettre sur son dos (un vêtement). **2** Assumer la responsabilité de. **II** Mettre un endos sur (une traite, etc.). ► **endossement** n. m. → **endos.** ► **endossable** adj. *Chèque endossable.*

**endroit** n. m. **I 1** Partie déterminée d'un espace. → **lieu, place.** *Un bel endroit.* **2** Place déterminée, localisée (d'une chose, du corps). *Trouver l'endroit sensible.* → **point.** **3** Passage déterminé (d'un ouvrage). **4** loc. adv. *Par endroits :* çà et là. – littér. *À l'endroit de* (qqn) loc. prép. : envers (qqn). **II** Côté destiné à être vu, dans un objet à deux faces. → **recto** ; opposé à *envers.* – loc. adv. *À l'endroit :* du bon côté.

**enduire** v. tr. [38] Recouvrir (une surface) d'une matière qui imprègne.

Ne pas confondre avec *induire* «inciter».

**enduit** n. m. Préparation qu'on applique sur une surface pour protéger. → **revêtement.** – Préparation préalable à la peinture.

**endurance** n. f. Aptitude à résister à la fatigue, à la souffrance. → **résistance.** ► **endurant, ante** adj.

**endurci, ie** adj. **1** Devenu dur, résistant ou insensible. **2** Qui avec le temps s'est figé dans une option. → **invétéré.**

**endurcir** v. tr. [2] Rendre (qqn) plus dur, plus résistant (physiquement ou moralement). ▷ v. pron. **s'endurcir** ► **endurcissement** n. m.

**endurer** v. tr. [1] Supporter avec patience (ce qui est dur, pénible). → **subir ; supporter.**

**enduro** n. m. anglic. Épreuve d'endurance tout-terrain, en moto.

**énergétique I** adj. Relatif à l'énergie. **II** n. f. Science de l'énergie et de ses transformations.

**énergie** n. f. **I** Force et fermeté dans l'action, qui rend efficace. → **détermination, volonté.** ♦ Vitalité physique. → **dynamisme, vigueur. II** sc. **1** Caractère d'un système matériel capable de produire du travail. *Énergie électrique, thermique, solaire...* **2** Énergie chimique potentielle de l'organisme vivant. *Dépense d'énergie.*

**énergique** adj. **1** Actif, efficace. **2** (personnes ; actions) Qui a ou marque de l'énergie, de la volonté. → **ferme, résolu.** ► **énergiquement** adv. → **fermement.**

**énergisant, ante** adj. et n. m. Se dit d'un produit qui stimule, tonifie.

**énergivore** adj. Qui consomme de l'énergie, beaucoup d'énergie.

**énergumène** n. Personne exaltée qui parle, gesticule avec excès.

**énervant, ante** adj. Agaçant, irritant.

**énervé, ée** adj. Qui est dans un état de nervosité inhabituel. ♦ Qui marque l'énervement.

**énerver** v. tr. [1] Agacer, exciter, en provoquant de la nervosité. ▷ v. pron. **s'énerver** Devenir de plus en plus nerveux, agité. ► **énervement** n. m. → **agacement, nervosité.**

**enfance** n. f. **1** Première période de la vie humaine, de la naissance à l'adolescence. **2** (sing. collectif) Les enfants. *Protection de l'enfance.* **3** fig. Première période d'existence (de qqch.). – loc. *C'est l'enfance de l'art,* c'est élémentaire.

**enfant** n. **I 1** Être humain dans l'âge de l'enfance. ♦ *Enfant de chœur :* enfant qui sert le prêtre pendant les offices ; fig. personne naïve. ♦ loc. *L'enfant terrible* (d'un groupe), un membre qui manifeste de l'indépendance d'esprit. **2** fig. Personne qui a conservé dans l'âge adulte des traits propres à l'enfance. – adj. *Il est resté très enfant.* → **enfantin, puéril. II 1** Être humain à l'égard de sa filiation. → **fils, fille.** – *Enfant naturel,* né hors mariage. **2** Descendant (→ **postérité**). ♦ Personne originaire de (un pays, un milieu). *Un enfant du peuple.* **3** fig. littér. Ce qui est produit par qqch.

**enfanter** v. tr. [1] **1** littér. Mettre au monde (un enfant). **2** fig. Créer, produire (une œuvre). ► **enfantement** n. m.

**enfantillage** n. m. Comportement peu sérieux, qui ne conviendrait qu'à un enfant.

**enfantin, ine** adj. **1** Qui est propre à l'enfant, à l'enfance. **2** péj. Qui ne conviendrait qu'à un enfant. → **infantile, puéril. 3** Très facile. ► **enfantinement** adv.

**enfariné, ée** adj. Couvert de farine ou de poudre blanche. – loc. fam. *Venir le bec enfariné,* avec de naïves certitudes.

**enfer** [ɑ̃fɛʀ] n. m. **I 1** relig. chrét. Lieu destiné au supplice des damnés (→ **infernal**). – prov. *L'enfer est pavé de bonnes intentions :* de bonnes résolutions peuvent n'aboutir qu'à un résultat nul. ♦ loc. adj. *D'enfer :* qui évoque l'enfer ; fig. très intense ; fam. extraordinaire, fabuleux. **2** fig. Lieu, occasion de souffrance. **3** Endroit (d'une bibliothèque) où sont regroupés les livres licencieux. **II** *Les enfers :* lieu souterrain habité par les morts, séjour des ombres (mythol. et diverses religions).

**enfermer** v. tr. [1] **1** Mettre en un lieu d'où il est impossible de sortir. – *Il est bon à enfermer :* il est fou. ♦ pronom. *S'enfermer.* Fermer sa porte pour s'isoler. → se **barricader.** – fig. *S'enfermer dans son silence.* **2** Mettre (qqch.) dans un lieu clos. **3** (sujet chose) Entourer complètement (un espace...). → **enclore.** ► **enfermement** n. m.

**s'enferrer** v. pron. [1] **1** Tomber sur l'épée de son adversaire. **2** fig. Se prendre à ses propres mensonges, ses propres pièges.

**enfeu** n. m. archéol. Niche funéraire.

**enfiévrer** v. tr. [6] littér. Animer d'une sorte de fièvre, d'une vive ardeur. → **exalter, surexciter.** – au p. p. *Une atmosphère enfiévrée.*

**enfilade** n. f. Suite de choses en file. *Une enfilade de pièces.* – *Des chambres en enfilade.*

**enfiler** v. tr. [1] **1** Passer un fil, un lien à l'intérieur de (un objet percé). *Enfiler une aiguille.* – *Enfiler des perles,* les réunir par un fil ; loc. fam. perdre son temps à des futilités. **2** Mettre (un vêtement). **3** S'engager tout droit dans (une voie). **4** fam. *S'enfiler qqch.,* l'avaler. ♦ Avoir à supporter (une corvée). ► **enfilage** n. m.

**enfin** adv. **1** Au terme d'une longue attente. *Enfin seuls !* **2** En dernier lieu (dans une succession). **3** En conclusion. **4** (impatience...) *Mais enfin !* **5** (pour rectifier) *Elle est blonde, enfin rousse.*

**enflammé, ée** adj. **1** En flammes. **2** Dans un état inflammatoire. **3** Plein d'ardeur.

**enflammer** v. tr. [1] **1** Mettre en flammes. → **allumer.** ♦ fig. Colorer vivement. *Une rougeur enflammait ses joues.* **2** Mettre dans un état inflammatoire. → **irriter. 3** Remplir d'ardeur, de passion. ▷ v. pron. **s'enflammer 1** Prendre feu. **2** S'enthousiasmer.

**enflé, ée 1** adj. Atteint d'enflure. **2** n. fam. Gros lourdaud, imbécile.

**enfler** v. [1] **I** v. tr. **1** Faire augmenter de volume. ♦ Provoquer l'enflure de (une partie du corps). **2** Augmenter la force de (un son...). **3** fig. Exagérer, grossir. **II** v. intr. Augmenter anormalement de volume.

**enflure** n. f. **1** État d'un organe, d'une partie du corps qui enfle par suite d'une maladie, d'un accident... **2** (injure) fam. Crétin.

**enfoiré, ée** vulg. **1** adj. Souillé d'excréments. **2** n. (injure) Imbécile.

**enfoncé, ée** adj. Qui rentre dans le visage, dans le corps. *Des yeux très enfoncés.*

**enfoncement** n. m. **1** Action d'enfoncer ; fait de s'enfoncer. **2** Partie située vers le fond ou en retrait. → **renfoncement.**

**enfoncer** v. [3] **I** v. tr. **1** Faire aller vers le fond, faire pénétrer profondément. ♦ loc. *Enfoncer le clou* : recommencer inlassablement une explication. – *Enfoncer qqch. dans la tête de qqn,* l'en persuader de force. **2** fig. Entraîner, pousser (dans une situation comparable à un fond, un abîme). *Enfoncer qqn dans l'erreur.* **3** Briser, faire plier (une porte, etc.) en poussant, en pesant. – loc. *Enfoncer une porte ouverte* : démontrer une évidence. **4** Forcer (une troupe) à plier. ♦ fam. Surpasser. **II** v. intr. Aller vers le fond, pénétrer jusqu'au fond. ▷ v. pron. **s'enfoncer 1** Aller vers le fond, vers le bas ; pénétrer profondément. **2** (sujet personne) Pénétrer, s'engager dans (un lieu ; une situation).

**enfouir** v. tr. [2] **1** Mettre en terre, sous terre, après avoir creusé le sol. **2** *Enfouir sous, dans qqch.* : enfoncer, cacher. ► **enfouissement** n. m.

**enfourcher** v. tr. [1] Se mettre à califourchon sur (un cheval, une bicyclette). – fig., fam. *Enfourcher son dada,* reprendre son sujet favori.

**enfourner** v. tr. [1] **1** Mettre dans un four (du pain, un aliment, des poteries). **2** fam. Avaler rapidement. **3** fam. Introduire brutalement dans. → **fourrer.**

**enfreindre** v. tr. [52] littér. Ne pas respecter (une loi...). → **transgresser ; infraction.**

**s'enfuir** v. pron. [17] **1** S'éloigner en fuyant, ou en hâte. **2** poét. S'écouler rapidement. *Le temps s'enfuit.*

**enfumer** v. tr. [1] Remplir ou environner de fumée. *Enfumer des abeilles,* pour les neutraliser (n. m. *enfumage*). – au p. p. *Pièce enfumée.*

**engageant, ante** adj. Attirant, séduisant.

**engagement** n. m. **1** Action de se lier par une promesse ou une convention. *Prendre l'engagement de...* **2** Contrat par lequel un individu s'engage à servir dans l'armée. ♦ Contrat par lequel qqn loue son service. **3** Fait d'être engagé (II, 1). **4** milit. Introduction d'une unité dans la bataille ; combat localisé. **5** sports Coup d'envoi (d'un match...). **6** Acte ou attitude d'une personne qui s'engage politiquement.

**engager** v. tr. [3] **I 1** Mettre, donner (qqch.) en gage. **2** Lier par une promesse ou une convention. **3** Recruter (qqn) par engagement. **II 1** Faire entrer (dans qqch. qui retient ; dans un lieu resserré). *Engager la clé dans la serrure.* **2** Mettre en train, commencer. *Engager la conversation.* → **entamer. 3** Faire entrer (dans une entreprise, etc. qui ne laisse pas libre). **III** *Engager qqn à,* tenter d'amener à. → **exhorter, inciter.** ▷ v. pron. **s'engager 1** Se lier par une promesse, une convention. **2** Contracter un engagement (2). **3** Entrer, avancer (dans). **4** (choses) Commencer. **5** Se lancer (dans une entreprise...). **6** Se mettre au service d'une cause politique ou sociale. – au p. p. *Écrivain engagé* (→ **engagement** (6)).

**engeance** n. f. Catégorie de personnes méprisables ou détestables.

**engelure** n. f. Lésion et enflure douloureuse des extrémités, due au froid.

**engendrer** v. tr. [1] **1** littér. Donner la vie à (un enfant). **2** Faire naître, avoir pour effet (qqch.). → **causer, produire. 3** géom. Décrire ou produire (une figure) en se déplaçant. ► **engendrement** n. m.

**engin** n. m. **1** Appareil, instrument, machine. – (armes) *Engins sol-sol, sol-air...,* projectiles autopropulsés (nommés d'après leur point de départ et leur objectif). – (véhicules) *Engin blindé.* **2** fam. Objet. → **bidule, machin.**

**englober** v. tr. [1] **1** *Englober* (qqch.) *dans* : faire entrer dans (un ensemble déjà existant). **2** Réunir en un tout (des choses ou personnes). → **amalgamer.**

**engloutir** v. tr. [2] **1** Avaler gloutonnement. **2** fig. Dépenser rapidement. → **dissiper. 3** (sujet chose) Faire disparaître brusquement en noyant ou en submergeant. ► **engloutissement** n. m.

**engluer** v. tr. [1] **1** Prendre à la glu (un oiseau). – Prendre dans une matière gluante. ♦ fig. *Se laisser engluer* (pronom. *s'engluer*) *dans des ennuis.* **2** Enduire de glu, d'une matière gluante. ► **engluement** n. m.

**engobe** n. m. techn. Enduit appliqué sur la pâte céramique, avant cuisson. ► **engober** v. tr. [1]

**engoncer** v. tr. [3] (vêtement) Habiller d'une façon disgracieuse, en faisant paraître le cou enfoncé dans les épaules. ► **engoncement** n. m.

**engorger** v. tr. [3] **1** Obstruer (un conduit...) par l'accumulation de matières. → **boucher.** **2** Obstruer (une voie de communication). ► **engorgement** n. m.

**s'engouer** v. pron. [1] *S'engouer de :* se prendre d'une passion ou d'une admiration excessive pour (qqn ou qqch.). → s'**enticher** de. ► **engouement** n. m. → **toquade.**

**engouffrer** v. tr. [1] **1** littér. Faire disparaître comme dans un gouffre. **2** fam. Manger avidement. ▷ v. pron. s'**engouffrer** Entrer précipitamment (dans).

**engoulevent** n. m. Oiseau passereau brun-roux, au bec largement fendu.

**engourdir** v. tr. [2] **1** Priver en grande partie (un membre, le corps) de mobilité et de sensibilité. **2** Mettre dans un état général de moindre réaction. ▷ v. pron. s'**engourdir** ▷ adj. **engourdi, ie** *Mains engourdies.* → **gourd.** ► **engourdissement** n. m. → **léthargie, torpeur.**

**engrais** n. m. **I** (animaux) *À l'engrais :* de manière qu'ils engraissent. **II** Substance que l'on mêle au sol pour le fertiliser.

**engraisser** v. [1] **I** v. tr. **1** Rendre gras, faire grossir (des animaux). **2** fig. Rendre prospère. **3** Enrichir (une terre) par de l'engrais. → **fertiliser.** **II** v. intr. Devenir gras, gros. ► **engraissement** n. m.

**engranger** v. tr. [3] **1** Mettre (une récolte) en grange. **2** fig., littér. Mettre en réserve. ► **engrangement** n. m.

**engrenage** n. m. **1** Système de roues dentées, de pignons qui s'engrènent. **2** fig. Enchaînement à caractère mécanique et irréversible. *L'engrenage de la violence.*

① **engrener** v. tr. [5] agric. Emplir de grain. ♦ Engraisser avec du grain.

② **engrener** v. tr. [5] Faire entrer (les dents d'une roue) dans les espaces correspondants d'une autre roue, pour transmettre le mouvement (→ **engrenage**). – pronom. *Les pignons s'engrènent.*

**engrosser** v. tr. [1] vulg. Rendre (une femme) enceinte.

**engueuler** v. tr. [1] fam. **1** Invectiver grossièrement et bruyamment pour exprimer son mécontentement. – pronom. *Ils se sont engueulés dans la rue.* **2** Réprimander. ► **engueulade** n. f.

**enguirlander** v. tr. [1] **I** Orner de guirlandes. **II** fam. Réprimander.

**enhardir** [ɑ̃aʀdiʀ] v. tr. [2] Rendre hardi, plus hardi. ▷ v. pron. s'**enhardir**

**enharmonique** [ɑ̃n-] adj. mus. Se dit des notes de noms distincts représentées par un son unique dans les instruments à son fixe (ex. do dièse et ré bémol).

**énième** ou **nième** [enjɛm] adj. et n. Qui occupe un rang non précisé (mais élevé).

**énigmatique** adj. **1** Qui tient de l'énigme. **2** (personnes) Mystérieux, ambigu.

**énigme** n. f. **1** Jeu d'esprit où l'on donne à deviner une chose définie ou écrite en termes obscurs. – *Le mot de l'énigme,* l'explication qu'on attendait. **2** Chose difficile à comprendre, à expliquer, à connaître.

**enivrant, ante** [ɑ̃nivʀɑ̃ ; en-] adj. Qui remplit d'une sorte d'ivresse. → **grisant.**

**enivrer** [ɑ̃n- ; en-] v. tr. [1] **1** littér. Rendre ivre. → **griser, soûler.** – pronom. Se mettre en état d'ivresse. **2** fig. Remplir d'une sorte d'ivresse, d'une émotion très vive. ► **enivrement** n. m. → **griserie.**

**enjambée** n. f. Grand pas.

**enjambement** n. m. Rejet vers le vers suivant d'un ou plusieurs mots nécessaires au sens du vers précédent.

**enjamber** v. tr. [1] **1** Franchir (un obstacle) en étendant la jambe. **2** (choses) *Pont qui enjambe une rivière.*

**enjeu** n. m. **1** Argent mis en jeu au début d'une partie et qui revient au gagnant. → **mise.** **2** par ext. Ce que l'on peut gagner ou perdre. *Les enjeux d'une décision.*

**enjoindre** v. tr. [49] littér. *Enjoindre à qqn de* (+ inf.), ordonner (→ **injonction**).

**enjôler** v. tr. [1] littér. Abuser par de belles paroles, des flatteries. → **séduire.** ► **enjôlement** n. m. rare

**enjôleur, euse** **1** n. Personne habile à enjôler. **2** adj. Charmeur, séduisant.

**enjolivement** n. m. Ornement ou ajout destiné à enjoliver.

**enjoliver** v. tr. [1] **1** Orner de façon à rendre plus joli. → **embellir.** **2** Agrémenter de détails ajoutés (plus ou moins exacts).

**enjoliveur** n. m. Garniture métallique des roues de voiture.

**enjolivure** n. f. Ornement qui enjolive.

**enjoué, ée** adj. Qui a ou marque de l'enjouement. *Caractère enjoué.*

**enjouement** n. m. littér. Disposition à la bonne humeur, à la gaieté. → **entrain.**

**s'enkyster** v. pron. [1] méd. Former un kyste.

**enlacer** v. tr. [3] **1** Entourer plusieurs fois en serrant. **2** Serrer (qqn) dans ses bras, ou en passant un bras autour de la taille. → **embrasser** (I, 1), **étreindre.** ▷ v. pron. s'**enlacer** ► **enlacement** n. m. littér.

**enlaidir** v. [2] **1** v. tr. Rendre ou faire paraître laid, plus laid. **2** v. intr. Devenir laid. ► **enlaidissement** n. m.

**enlevé, ée** adj. Fait avec brio.

**enlèvement** n. m. Action d'enlever (II et III). – spécialt → **kidnappage, rapt.**

**enlever** v. tr. [5] **I 1** littér. Porter vers le haut. → **lever, soulever.** **2** Faire bondir (un cheval). **3** fig. Faire brillamment (→ **enlevé**). **II 1** Faire qu'une chose ne soit plus là où elle était (en déplaçant, séparant, supprimant). → **ôter, retirer ; supprimer.** **2** Priver (qqn) de. *Vous* *m'enlevez tout espoir.* **III 1** Prendre avec soi. → **emporter. 2** S'emparer de. *Enlever une place forte.* ♦ Obtenir facilement (ce qui fait l'objet d'une compétition). **3** Prendre (qqn) avec soi, par force. → **kidnapper.** ♦ fam. Emmener qqn avec soi (fugue amoureuse, etc.). **4** littér. (maladie...) Faire mourir (qqn). ▷ v. pron. **s'enlever 1** S'élever. **2** Se déplacer, se retirer. **3** Disparaître.

**enliser** v. tr. [1] Enfoncer en terrain mouvant ou marécageux. ▷ v. pron. **s'enliser 1** *S'enliser dans le sable.* **2** fig. *S'enliser dans la médiocrité.* ► **enlisement** n. m.

**enluminer** v. tr. [1] **1** Orner d'enluminures. **2** Colorer vivement.

**enlumineur, euse** n. Artiste spécialisé dans l'enluminure. → **miniaturiste.**

**enluminure** n. f. **1** Lettre peinte ou miniature ornant d'anciens manuscrits, des livres religieux. **2** Art des enlumineurs.

**enneigé, ée** [ɑ̃n-] adj. Couvert de neige.

**enneigement** [ɑ̃n-] n. m. État d'une surface enneigée ; hauteur de la neige.

**ennemi, ie** n. **I 1** Personne qui est hostile et cherche à nuire (à qqn). – *Ennemi public :* personne qui présente un danger pour la communauté. ♦ adj. *Des familles ennemies.* **2** Personne qui a de l'aversion (pour qqch.). *Les ennemis du progrès.* **3** (choses) Ce qui est jugé nuisible. **II** (au plur. ou sing. collectif) Ceux contre lesquels on est en guerre, leur nation ou leur armée. – *Passer à l'ennemi :* trahir. – adj. *L'armée ennemie.*

**ennoblir** [ɑ̃n-] v. tr. [2] Donner de la noblesse, de la grandeur morale à (qqn, qqch.). ► **ennoblissement** n. m.

> Ne pas confondre avec *anoblir* «conférer un titre de noblesse».

**ennui** [ɑ̃nɥi] n. m. **1** vx Tristesse profonde. **2** Peine qu'on éprouve d'une contrariété ; cette contrariété. → **désagrément, souci, tracas.** – *L'ennui, c'est que...,* ce qu'il y a d'ennuyeux. ♦ Mauvais fonctionnement (d'un objet). *Ennuis mécaniques.* **3** au sing. Impression de vide, de lassitude causée par le désœuvrement, par une occupation monotone ou sans intérêt. **4** littér. Mélancolie profonde, désintérêt de tout. → **neurasthénie, spleen.**

**ennuyer** [ɑ̃n-] v. tr. [8] **1** (sujet chose) Causer de la contrariété à (qqn). → **contrarier, préoccuper. 2** (sujet personne) Importuner (qqn). **3** Remplir (qqn) d'ennui (3). ▷ v. pron. **s'ennuyer 1** Éprouver de l'ennui. **2** *S'ennuyer de qqn,* souffrir de son absence.

**ennuyeux, euse** [ɑ̃n-] adj. **1** Qui cause de la contrariété, de la gêne. → **contrariant, désagréable. 2** Qui ennuie (3). → **fastidieux, monotone.** ► **ennuyeusement** adv. – syn. région. (usuel au Québec) **ennuyant, ante** adj.

**énoncé** n. m. **1** Formule, ensemble de formules exprimant (qqch.) de façon précise. **2** ling. Résultat de l'énonciation ; segment de discours (oral ou écrit). → **parole, texte.**

**énoncer** v. tr. [3] Exprimer (ce qu'on veut dire) en termes nets. → **formuler.**

**énonciation** n. f. **1** Action, manière d'énoncer. **2** ling. Acte de production (individuelle) d'un énoncé.

**enorgueillir** [ɑ̃nɔʀgœjiʀ] v. tr. [2] littér. Rendre orgueilleux, flatter (qqn) dans sa vanité. ▷ v. pron. **s'enorgueillir** Devenir orgueilleux ; tirer vanité (de qqch.).

**énorme** adj. **1** Qui dépasse ce que l'on a l'habitude d'observer et de juger. → **démesuré, monstrueux.** *Une faute énorme.* **2** Dont les dimensions sont considérables. → **gigantesque, immense.**

**énormément** adv. D'une manière énorme (sert de superlatif à *beaucoup*).

**énormité** n. f. **1** Importance anormale ou considérable. **2** Très grosse faute ou maladresse. *Dire des énormités,* des sottises.

**s'enquérir** v. pron. [21] littér. *S'enquérir de :* chercher à savoir (en examinant, en interrogeant). → s'**informer** de ; se **renseigner.**

**enquête** n. f. **1** Recherche de la vérité par l'audition de témoins et l'accumulation d'informations. – Phase de l'instruction criminelle comportant les interrogatoires. **2** Recherche méthodique reposant sur des questions et des témoignages. – Étude d'une question par le rassemblement des avis des intéressés. → **sondage.**

**enquêter** v. intr. [1] Faire une enquête.

① **enquêteur, euse** n. Personne qui mène une enquête (1).

② **enquêteur, trice** n. Personne qui effectue des sondages, des enquêtes (2).

**enquiquiner** v. tr. [1] fam. Ennuyer. ► **enquiquinant, ante** adj. ► **enquiquineur, euse** n. → **emmerdeur.**

**enraciner** v. tr. [1] **1** Faire prendre racine à (un arbre, une plante). **2** fig. Fixer profondément, solidement (dans l'esprit, le cœur). → **ancrer.** ♦ Établir de façon durable (dans un pays). ▷ adj. **enraciné, ée** ► **enracinement** n. m.

**enragé, ée** adj. **1** Atteint de la rage. **2** Fou de colère. ♦ Très passionné.

**enrager** v. intr. [3] Éprouver un violent dépit. – *Faire enrager qqn,* l'exaspérer en le taquinant. ► **enrageant, ante** adj. → **rageant.**

**enrayer** v. tr. [8] **1** Empêcher accidentellement de fonctionner (une arme à feu, un mécanisme). – pronom. *Son fusil s'est enrayé.* **2** fig Arrêter dans son cours (un mal...). ► **enraiement** ou **enrayement** n. m.

**enrégimenter** v. tr. [1] **1** vieilli Incorporer dans un régiment. **2** péj. → **embrigader.**

**enregistrement** n. m. **1** dr. Transcription sur un registre public, moyennant le paiement d'un droit fiscal (d'actes, de déclarations). – Administration chargée de ce service. ♦ Opération par laquelle on enregistre les bagages. **2** Action de noter par écrit. **3** Action ou manière d'enregistrer (3). ♦ Support sur lequel a été effectué un enregistrement (disque, bande magnétique).

**enregistrer** v. tr. [1] **1** Inscrire sur un registre. – dr. Procéder à l'enregistrement de. ♦ Inscrire (les bagages qui ne restent pas avec le voyageur). **2** Consigner par écrit, noter. – Constater avec l'intention de se rappeler. *J'enregistre votre promesse.* **3** Transcrire et fixer sur un support matériel (un phénomène, une information ; des sons, des images). **4** inform. Sauvegarder (des données).

**enregistreur, euse** adj. et n. m. Se dit d'un appareil destiné à enregistrer (3) un phénomène.

**enrhumer** v. tr. [1] Causer le rhume de (qqn). – pronom. Attraper un rhume.

**enrichir** v. tr. [2] **1** Rendre riche ou plus riche. **2** fig. Rendre plus riche ou plus précieux en ajoutant qqch. *Enrichir une collection.* – fig. *Lectures qui enrichissent l'esprit.* **3** Traiter en augmentant la teneur en une substance. ▷ v. pron. s'**enrichir** ▷ adj. **enrichi, ie 1** Qui est devenu riche. **2** *Minerai enrichi.*

**enrichissant, ante** adj. Qui enrichit l'esprit. *Une expérience enrichissante.*

**enrichissement** n. m. **1** Fait de devenir riche. **2** Action, manière d'enrichir (une collection, un ouvrage, l'esprit, etc.).

**enrober** v. tr. [1] **1** Entourer (un produit...) d'une enveloppe ou d'une couche protectrice. **2** fig. Envelopper de manière à masquer ou adoucir. ► **enrobage** et **enrobement** n. m.

**enrôler** v. tr. [1] **1** Inscrire sur les rôles (I) de l'armée ; amener à s'engager. → **recruter.** **2** fig. → **embrigader.** ▷ v. pron. s'**enrôler** ► **enrôlement** n. m.

**enroué, ée** adj. Atteint d'enrouement.

**enrouer** v. tr. [1] Rendre (la voix) voilée, rauque, moins nette. ▷ v. pron. s'**enrouer** Devenir enroué. ► **enrouement** n. m.

**enroulement** n. m. **1** Disposition de ce qui est enroulé. **2** Ornement en spirale.

**enrouler** v. tr. [1] **1** Rouler (une chose) sur elle-même. **2** Rouler (qqch.) sur, autour de qqch. ▷ v. pron. s'**enrouler** ► **enrouleur** n. m.

**enrubanner** v. tr. [1] Garnir de rubans.

**ensablement** n. m. Dépôt de sable naturel ; état d'un lieu ensablé.

**ensabler** v. tr. [1] **1** Enfoncer dans le sable. **2** Remplir (un lieu naturel) de sable. ▷ v. pron. s'**ensabler 1** S'enliser. **2** Se remplir de sable. – au p. p. *Port ensablé.*

**ensacher** v. tr. [1] Mettre en sac, en sachet. ► **ensachage** n. m.

**ensanglanter** v. tr. [1] **1** Tacher de sang. **2** (guerre, etc.) Couvrir, souiller de sang.

**enseignant, ante** adj. Qui enseigne. *Le corps enseignant ;* n. *les enseignants.*

**enseigne I** n. f. **1** vx Marque, indice. – mod. loc. adv. *À telle enseigne que :* si bien que. **2** Signe de ralliement pour les troupes. **3** Panneau portant un emblème, une inscription, etc. qui signale un établissement. – loc. *Être logé à la même enseigne que qqn,* être dans la même situation désagréable. **II** n. m. Officier de la marine de guerre.

**enseignement** n. m. **1** Action, art d'enseigner. → **éducation, instruction, pédagogie.** ♦ Profession des enseignants. **2** surtout plur. littér. Précepte, leçon.

**enseigner** v. tr. [1] **1** Transmettre à un élève de façon qu'il comprenne et assimile (des connaissances...). → **apprendre. 2** Apprendre à qqn (par l'exemple, etc.).

**ensellure** n. f. Cambrure des reins.

**ensemble I** adv. **1** L'un avec l'autre, les uns avec les autres. → en **commun.** *Aller bien ensemble* (→ s'**assortir,** s'**harmoniser). 2** L'un avec l'autre et en même temps. → **simultanément. II** n. m. **1** Unité tenant au synchronisme des mouvements, à l'harmonie des éléments, etc. **2** Totalité d'éléments constituant un tout. – loc. *Vue d'ensemble,* globale. – loc. adv. *Dans l'ensemble :* dans les grandes lignes. **3** Groupe de plusieurs personnes ou choses réunies en un tout. *Ensemble vocal.* – *Ensemble architectural.* loc. *Grand ensemble :* groupe important d'habitations collectives présentant une unité. ♦ Pièces d'habillement assorties. ♦ math. Collection d'éléments ayant en commun certaines propriétés, et susceptibles d'avoir entre eux des relations.

**ensemencer** v. tr. [3] **1** Pourvoir de semences (une terre). → **semer. 2** Peupler (une rivière) de poisson. → **aleviner. 3** biol. Introduire des germes, des bactéries dans (un milieu). ► **ensemencement** n. m.

**enserrer** v. tr. [1] littér. (sujet chose) Entourer en serrant étroitement, de près.

**ensevelir** v. tr. [2] **1** littér. Mettre (un mort) au tombeau. → **enterrer.** ♦ Envelopper dans un linceul. **2** (sujet chose) Faire disparaître sous un amoncellement. ► **ensevelissement** n. m. littér.

**ensiler** v. tr. [1] Mettre en silo (des produits agricoles) pour conserver. – var. **ensiloter.** ► **ensilage** n. m. – var. **ensilotage**

**ensoleillement** n. m. **1** État d'un lieu ensoleillé. **2** Temps pendant lequel un lieu est ensoleillé.

**ensoleiller** v. tr. [1] **1** Remplir de la lumière du soleil. **2** fig., littér. → **illuminer.** ▷ adj. **ensoleillé, ée** Exposé au soleil.

**ensommeillé, ée** adj. Mal réveillé, encore sous l'influence du sommeil. → **somnolent.**

**ensorceler** v. tr. [4] **1** Soumettre (qqn) à l'action d'un sortilège. → **envoûter. 2** fig. Captiver entièrement, comme par un sortilège.

→ charmer, fasciner, séduire. ► **ensorcelant, ante** adj. → séduisant.

**ensorceleur, euse** adj. et n. littér. (Personne) qui ensorcelle.

**ensorcellement** n. m. **1** Action d'ensorceler (1). ♦ État d'un être ensorcelé. **2** fig. Séduction irrésistible.

**ensuite** adv. **1** Après cela, plus tard. **2** Derrière, en suivant. ♦ fig. En second lieu.

s'**ensuivre** v. pron. [40] inf. et 3ᵉ pers. seulement **1** loc. *Et tout ce qui s'ensuit,* et tout ce qui vient après. **2** Survenir en tant qu'effet naturel ou conséquence logique. *Jusqu'à ce que mort s'ensuive.* – impers. *Il s'ensuit que :* il résulte que.

**ensuqué, ée** adj. région. (sud de la France) Fatigué, abruti, endormi.

**entablement** n. m. archit. **1** Saillie au sommet d'un mur, qui supporte la charpente. **2** Partie surmontant une colonnade, comprenant l'architrave, la frise et la corniche.

**entacher** v. tr. [1] **1** littér. Marquer d'une tache morale. → souiller, ternir. **2** *(Être) entaché, ée de :* gâté par (un défaut).

**entaille** n. f. **1** Coupure qui enlève une partie, laisse une marque allongée ; cette marque. → encoche, fente. **2** Incision profonde dans les chairs. ► **entailler** v. tr. [1]

**entame** n. f. Premier morceau coupé (d'une chose à manger).

**entamer** v. tr. [1] **I 1** Enlever en coupant une partie à (qqch. dont on n'a encore rien pris). **2** Diminuer (un tout encore intact) en utilisant une partie. *Entamer son capital.* **3** (sujet chose) Couper, pénétrer (la matière). **4** fig. *Rien ne peut entamer sa détermination.* **II** Commencer à faire (qqch.). → engager, entreprendre.

**entarter** v. tr. [1] fam. Agresser (qqn) en jetant une tarte à la crème au visage, pour ridiculiser. *Entarter un ministre.*

**entartrer** v. tr. [1] Recouvrir de tartre incrusté. ► **entartrage** n. m.

**entassement** n. m. **1** Action d'entasser, de s'entasser. **2** Choses entassées. → tas.

**entasser** v. tr. [1] **1** Mettre (des choses) en tas, sans ordre. → amonceler. **2** Réunir (des personnes) dans un espace trop étroit. **3** Accumuler, amasser.

**entéléchie** n. f. philos. Principe qui détermine un être à une existence définie.

**entendement** n. m. **1** philos. Faculté de comprendre. **2** Ensemble des facultés intellectuelles. – loc. *Cela dépasse l'entendement :* c'est incompréhensible.

**entendeur** n. m. loc. *À bon entendeur, salut :* que celui qui comprend en profite.

**entendre** v. tr. [41] **I** littér. *Entendre que* (+ subj.), *entendre* (+ inf.) : avoir l'intention de. → vouloir. – *Faites comme vous l'entendez.* **II 1** littér. Percevoir, saisir par l'intelligence. → comprendre ; entendement. – loc. *Laisser entendre,* laisser deviner. → sous-entendre. **2** (personnes) Vouloir dire. *Qu'entendez-vous par là ?* **III 1** Percevoir par le sens de l'ouïe. – loc. *Il ne l'entend pas de cette oreille,* il n'est pas d'accord. ♦ *Entendre parler de qqch., qqn,* apprendre qqch. à ce sujet. *Ne pas vouloir entendre parler d'une chose,* la rejeter sans examen. **2** absolt Percevoir (plus ou moins bien) par l'ouïe. *Il entend mal.* **3** littér. Écouter, prêter attention à. – loc. *Entendre raison,* accepter les conseils raisonnables. ▷ v. pron. s'**entendre 1** littér. Être compris. **2** Être entendu, perçu par l'ouïe. – *Cette expression s'entend encore,* est encore employée. **3** *S'entendre à, en :* être habile (dans un domaine). – *S'y entendre.* → s'y connaître. **4** Se mettre d'accord. ♦ Avoir des rapports (bons ou mauvais). *Elles s'entendent très bien.*

**entendu, ue** adj. **1** Accepté ou décidé après accord. – *Entendu !* → d'accord. ♦ loc. adv. *Bien entendu.* → évidemment. **2** *Un air, un sourire entendu,* malin, complice.

**entente** n. f. **I** vx Compréhension (→ entendement). – mod. loc. *Une phrase à double entente,* qui a deux significations. → ambigu. **II** Fait de s'entendre, de s'accorder ; état qui en résulte. → accord. ♦ Collaboration entre entreprises, entre États... ♦ *(Bonne) entente,* relations amicales entre personnes.

**enter** v. tr. [1] Greffer. *Enter la vigne.*

**entériner** v. tr. [1] **1** dr. Rendre définitif, valide (un acte) en l'approuvant juridiquement. → ratifier, valider. **2** Admettre ou consacrer. ► **entérinement** n. m.

**entérite** n. f. Inflammation intestinale, généralement accompagnée de diarrhée.

**enterrement** n. m. **1** Action d'enterrer un mort. → inhumation. – Cérémonies qui s'y rattachent. → funérailles, obsèques. **2** Cortège funèbre. **3** fig. Abandon (d'un projet...).

**enterrer** v. tr. [1] **I 1** Déposer le corps de (qqn) dans la terre, dans une sépulture. → ensevelir, inhumer. ♦ loc. *Vous nous enterrerez tous :* vous vivrez plus longtemps que nous. – *Enterrer sa vie de garçon :* passer avec ses amis une dernière et joyeuse soirée de célibataire. **2** fig. Abandonner (comme une chose finie). **II 1** Enfouir dans la terre. **2** Recouvrir d'un amoncellement. **3** pronom. fig. Se retirer (dans un lieu).

**entêtant, ante** adj. Qui entête.

**en-tête** n. m. Inscription en tête d'un texte (officiel, commercial...).

**entêté, ée** adj. Qui s'entête. → têtu.

**entêtement** n. m. Fait de s'entêter. → obstination. ♦ Caractère d'une personne têtue.

**entêter** v. [1] **I** v. tr. littér. Incommoder par des émanations qui montent à la tête. **II** v. pron. *S'entêter à* (faire qqch.), *dans* (une opinion, etc.) : persister avec obstination.

**enthousiasme** n. m. **1** didact. (dans l'Antiquité) Délire sacré. ♦ par ext. État d'inspiration exaltée. **2** mod. Émotion vive portant à admirer. **3** Émotion vive et joyeuse.

**enthousiasmer** v. tr. 1 Remplir d'enthousiasme. – pronom. *S'enthousiasmer pour qqn, qqch.* ► **enthousiasmant, ante** adj. → **passionnant.**

**enthousiaste** adj. Qui ressent de l'enthousiasme, marque de l'enthousiasme.

s'**enticher** v. pron. 1 *S'enticher de* : se prendre d'un goût extrême et irraisonné pour. → s'**engouer** de. ► **entichement** n. m. rare

**entier, ière** adj. **1** Dans toute son étendue. – *Payer place entière,* sans réduction. – *Tout entier* : absolument entier. ♦ n. m. *En, dans son entier* : dans sa totalité. – loc. adv. *En entier* : complètement. **2** À quoi il ne manque rien. → **complet, intact, intégral.** – *Lait entier,* non écrémé. ♦ *Nombre entier,* composé d'unités. **3** (chose abstraite) Sans altération. → **absolu, parfait, total.** – *La question reste entière,* le problème n'a pas reçu un commencement de solution. **4** Qui n'admet aucune demi-mesure. *Un caractère entier.*

**entièrement** adv. D'une manière entière. → **complètement, totalement.**

**entièreté** n. f. Intégralité, totalité.

**entité** n. f. didact. Idée générale, abstraction considérée comme une réalité.

**entoiler** v. tr. 1 Fixer sur une toile. ♦ Renforcer d'une toile. ► **entoilage** n. m.

**entomologie** n. f. Partie de la zoologie qui traite des insectes. ► **entomologique** adj. ► **entomologiste** n.

① **entonner** v. tr. 1 **1** Verser dans un tonneau. **2** Avaler, ingurgiter. ► **entonnage** n. m.

② **entonner** v. tr. 1 **1** Commencer à chanter. **2** fig. *Entonner des louanges.*

**entonnoir** n. m. **1** Instrument conique terminé par un tube et servant à verser un liquide dans un récipient étroit. **2** Cavité naturelle qui va en se rétrécissant.

**entorse** n. f. **1** Lésion douloureuse d'une articulation, provenant d'une distension violente. → **foulure, luxation. 2** fig. *Faire une entorse à,* ne pas respecter.

**entortiller** v. tr. 1 **1** Envelopper (un objet) dans qqch. que l'on tortille ; tortiller (qqch.), notamment autour d'un objet. **2** fig. Persuader, circonvenir (qqn) par la ruse. **3** Compliquer, embrouiller (des propos). ► **entortillage** et **entortillement** n. m.

**entour** n. m. littér. au plur. Environs (d'un lieu).

**entourage** n. m. **1** Personnes qui vivent dans la familiarité (de qqn). **2** Ornement disposé autour (de certains objets).

**entourer** v. tr. 1 **1** Garnir de qqch. qu'on met tout autour ; mettre autour de. – fig. *Entourer qqn d'égards.* **2** (sujet chose) Être autour de (qqch., qqn) de manière à enfermer. **3** (personnes ou choses) Être habituellement autour de (qqn) (→ **entourage ; milieu). 4** S'occuper de (qqn), aider ou soutenir. – passif et p. p. *Elle est très entourée.* ▷ v. pron. s'**entourer** Réunir, mettre autour de soi.

**entourloupette** n. f. fam. Mauvais tour joué à qqn. – syn. fam. **entourloupe** n. f.

**entournure** n. f. Partie du vêtement qui fait le tour du bras, là où s'ajuste la manche. → **emmanchure.** – loc. *Être gêné aux entournures,* mal à l'aise, en difficulté.

**entracte** n. m. **1** Intervalle entre les parties d'un spectacle. **2** fig. Temps de repos.

s'**entraider** v. pron. 1 S'aider mutuellement. → s'**épauler.** ► **entraide** n. f.

**entrailles** n. f. pl. **1** Ensemble des organes enfermés dans l'abdomen (hommes, animaux). **2** littér. Les organes de la gestation. → **sein** (littér.) ; **utérus. 3** fig. Partie profonde, intime (de qqch., de qqn).

**entrain** n. m. **1** Vivacité et bonne humeur communicatives (→ **boute-en-train). 2** (actes, paroles) Animation gaie.

**entraînant, ante** adj. Qui entraîne à la gaieté, donne de l'entrain.

**entraînement** n. m. **I 1** Communication d'un mouvement. *Entraînement par engrenages.* **2** Mouvement par lequel qqn se trouve déterminé à agir, indépendamment de sa volonté. → **impulsion. II** Action d'entraîner (II) qqn, de s'entraîner.

**entraîner** v. tr. 1 **I 1** Emmener de force avec soi. – Communiquer son mouvement à. **2** Conduire, mener (qqn) avec soi. → **emmener, mener.** – (En exerçant une pression). *Il se laisse entraîner par ses camarades.* **3** fig. (sujet chose) Pousser (qqn) par un enchaînement. → **emporter, inciter. 4** (sujet chose) Avoir pour conséquence. → **amener, provoquer. II 1** Préparer à une performance (sportive) au moyen d'exercices appropriés. – pronom. *S'entraîner quotidiennement.* **2** → **former.** – pronom. *S'entraîner à prendre la parole en public.*

**entraîneur, euse** n. **I** Personne qui entraîne les autres. → **chef, meneur. II** Personne qui entraîne (des chevaux ; des sportifs).

**entraîneuse** n. f. Jeune femme employée dans les bars, les boîtes de nuit pour engager les clients à danser, à consommer.

**entrave** n. f. **1** Ce qu'on met aux jambes d'un animal pour gêner sa marche. **2** fig. Ce qui retient, gêne, contraint.

① **entraver** v. tr. 1 **1** Retenir (un animal) au moyen d'une entrave. – au p. p. *Cheval entravé.* **2** fig. Empêcher de se faire, de se développer. → **freiner, gêner.**

② **entraver** v. tr. 1 fam. Comprendre.

**entre** prép. **I 1** Dans l'espace qui sépare (des choses, des personnes). *Distance entre deux points.* → **intervalle. 2** Dans le temps qui sépare (deux dates, deux époques...). **3** fig. À égale distance de. *Être entre la vie et la mort.* **II** (Au milieu de) **1** (En tirant d'un ensemble) *Choisir entre plusieurs solutions.* → **parmi. 2** suivi d'un pron. pers. En ne sortant pas d'un groupe. – *Entre nous,* dans le secret. **III 1** (réciprocité) L'un l'autre, l'un à l'autre, avec l'autre. *Dialogue entre deux personnes.* **2** (comparaison) *Il n'y a rien de commun entre lui et moi.*

**entrebâiller** v. tr. 1 Ouvrir très peu (une porte...). → **entrouvrir.** – au p. p. *Porte entrebâillée.* ► **entrebâillement** n. m.

**entrechat** n. m. **1** danse Saut pendant lequel les pieds passent rapidement l'un devant l'autre. **2** Saut, gambade.

**entrechoquer** v. tr. 1 Choquer, heurter l'un contre l'autre. ▷ v. pron. s'**entrechoquer** ► **entrechoquement** n. m.

**entrecôte** n. f. Morceau de viande de bœuf coupé entre les côtes.

**entrecouper** v. tr. 1 Interrompre par intervalles. – au p. p. *Paroles entrecoupées.*

**entrecroiser** v. tr. 1 Croiser ensemble plusieurs fois. → **entrelacer.** ▷ v. pron. s'**entrecroiser** ► **entrecroisement** n. m.

s'**entredéchirer** v. pron. 1 Se détruire mutuellement.

**entre-deux** n. m. invar. **1** État entre deux extrêmes. **2** Bande qui coupe un tissu.

**entre-deux-guerres** n. m. invar. Période entre deux guerres (spécialt de 1918 à 1939).

s'**entredévorer** v. pron. 1 Se dévorer, se détruire mutuellement.

**entrée** n. f. **I 1** Passage de l'extérieur à l'intérieur (opposé à *sortie*). *À son entrée...* → **arrivée.** – abstrait *Entrée en fonctions.* **2** Possibilité d'entrer dans un lieu. → **accès.** *Entrée interdite.* ♦ Titre pour entrer. → **billet, place.** – loc. *Avoir ses entrées chez qqn,* y être reçu. **3** (biens...) Fait d'entrer (dans un pays). **4** *Les entrées,* l'argent qui entre dans un avoir. **5** inform. Passage (des informations) dans un ordinateur. **II 1** Ce qui donne accès ; endroit par où l'on entre. → **porte ; orifice, ouverture. 2** Pièce à l'entrée d'un appartement. → **antichambre, vestibule. 3** *Entrée de :* ce qui donne accès à. *Entrée d'air.* **4** anglic. Mot faisant l'objet d'un article de dictionnaire. **III** (temporel) loc. *À l'entrée de :* au début de. – loc. adv. *D'entrée de jeu :* dès le commencement. **IV** Plat qui est servi avant le plat principal.

sur ces **entrefaites** loc. adv. À ce moment. → **alors.**

**entrefilet** n. m. Court article de journal.

**entregent** n. m. Adresse à se conduire en société, à lier d'utiles relations.

**entrejambe** n. m. **1** fam. Sexe, organes sexuels (syn. *entrecuisse*). **2** Partie d'un pantalon, d'une culotte, entre les jambes.

**entrelacer** v. tr. 3 Enlacer l'un dans l'autre ; entrecroiser. ▷ v. pron. s'**entrelacer** ► **entrelacement** n. m.

**entrelacs** [-lɑ] n. m. Ornement composé de motifs entrelacés.

**entrelarder** v. tr. 1 **1** Piquer de lardons. → **larder. 2** fig. Parsemer, truffer.

**entremêler** v. tr. 1 **1** Mêler (des choses différentes). **2** *Entremêler de :* insérer dans. ▷ v. pron. s'**entremêler**

**entremets** n. m. Préparation servie comme dessert (excluant la pâtisserie).

**entremetteur, euse** n. **1** vx Personne qui s'entremet. → **intermédiaire. 2** péj. Intermédiaire dans les intrigues amoureuses.

s'**entremettre** v. pron. 56 Intervenir entre des personnes pour les rapprocher.

**entremise** n. f. Action d'une personne qui s'entremet. → **intervention, médiation.** – *Par l'entremise de...* → **canal, moyen.**

**entrepont** n. m. Espace, étage compris entre deux ponts d'un navire.

**entreposer** v. tr. 1 **1** Déposer dans un entrepôt. ► **entreposage** n. m. **2** Déposer, laisser en garde.

**entrepôt** n. m. Bâtiment, lieu servant d'abri, de dépôt pour les marchandises.

**entreprenant, ante** adj. **1** Qui entreprend avec audace, hardiesse. **2** adj. m. Hardi auprès des femmes. → **galant.**

**entreprendre** v. tr. 58 **I** Se mettre à faire (qqch.). → **commencer. II 1** Tâcher de convaincre, de séduire (qqn). **2** *Entreprendre qqn sur qqch.,* commencer à l'en entretenir.

**entrepreneur, euse** n. **1** Personne, société qui se charge d'un travail (spécialt, de travaux de construction) par un contrat d'entreprise (2). **2** Personne qui dirige une entreprise pour son compte. ► **entrepreneurial, ale, aux** adj. ► **entrepreneuriat** n. m.

**entreprise** n. f. **I 1** Ce qu'on se propose d'entreprendre, de faire ; mise à exécution d'un projet. *Son entreprise est difficile.* ♦ *Libre entreprise :* liberté de créer et de gérer des entreprises (3) privées, en régime capitaliste libéral. **2** dr. Fait, pour un entrepreneur, de s'engager à fournir son travail pour un ouvrage, dans des conditions données. **3** Organisation de production de biens ou de services à caractère commercial. → **affaire, commerce, établissement, exploitation, industrie ; firme, société. II** au plur. vieilli Tentatives de séduction.

**entrer** v. intr. (auxiliaire *être*) et tr. (auxiliaire *avoir*) 1 **I** v. intr. **1** (êtres vivants) Passer du dehors au dedans. *Entrer dans une maison ; chez un commerçant.* **2** Commencer à être dans (un lieu), à (un endroit). *Entrer dans un* *pays.* **3** absolt Passer à l'intérieur, dedans. *Défense d'entrer.* **4** (sujet chose) Aller à l'intérieur. → **pénétrer.** **5** Commencer à faire partie de (un groupe...). ♦ Commencer à prendre part à. → **participer.** **6** fig. *Entrer dans* : comprendre, saisir (ce que l'esprit pénètre). **II** v. intr. (temporel) **1** Aborder (une période), commencer à être (dans une période). *Nous entrons dans l'hiver.* **2** *Entrer en* : commencer à être dans (un état). *Entrer en ébullition. - Entrer en guerre.* **III** v. intr. **1** Être compris dans. *Entrer dans un tout.* **2** Être un élément de. *De la colère entre dans sa décision.* **3** (sujet chose) Être employé dans la composition ou dans la fabrication de qqch. **IV** v. tr. **1** Faire entrer (qqch.). **2** Enfoncer.

**entresol** [-s-] n. m. Étage entre le rez-de-chaussée et le premier étage.

**entre-temps** [-tɑ̃] **I** adv. Pendant ce temps. **II** n. m. vx Intervalle de temps.

**entretenir** v. tr. [22] **I 1** Faire durer, faire persévérer. *Entretenir un feu. - Entretenir de bons rapports avec ses voisins.* **2** *Entretenir qqn dans* : maintenir dans (un état affectif ou psychologique). **3** Faire durer en soi (un état). *Entretenir une illusion.* **4** Maintenir en bon état. **5** Fournir ce qui est nécessaire à la subsistance de (qqn). → se **charger** de, **nourrir.** - au p. p. *Femme entretenue,* qui vit de la générosité d'un amant. **II** *Entretenir qqn de qqch.,* lui en parler. - pronom. Converser (avec qqn).

**entretien** [-tjɛ̃] n. m. **I 1** Soins, réparations, dépenses qu'exige le maintien en bon état. *Produits d'entretien.* **2** vieilli Ce qui est nécessaire à l'existence matérielle (d'un individu, d'une collectivité). **II** Action d'échanger des paroles avec qqn ; sujet dont on s'entretient. → **conversation, discussion.**

**entretoise** n. f. Pièce qui sert à relier dans un écartement fixe des poutres, etc.

s'**entretuer** v. pron. [1] Se tuer mutuellement ; se battre jusqu'à la mort.

**entrevoir** v. tr. [30] **1** Voir à demi. → **apercevoir.** **2** Avoir une lueur soudaine de (qqch. d'actuel ou de futur). → **pressentir.**

**entrevue** n. f. Rencontre concertée entre personnes qui ont à parler, qqch. à régler.

**entrisme** n. m. polit. Technique d'influence dans (un groupe ou parti) en utilisant des éléments qu'on y fait entrer.

**entropie** n. f. **1** phys. Fonction exprimant le principe de la dégradation de l'énergie. **2** fig. Augmentation du désordre.

**entrouvrir** v. tr. [18] Ouvrir à demi. → **entrebâiller.** ▷ v. pron. s'**entrouvrir** ▷ p. p. **entrouvert, erte**

**entuber** v. tr. [1] fam. Duper, escroquer.

**énucléation** n. f. **1** Extraction du noyau (d'un fruit). **2** chir. Extirpation (d'une tumeur ; d'un organe). ► **énucléer** v. tr. [1]

**énumérer** v. tr. [6] Énoncer une à une (les parties d'un tout). → **détailler.** ► **énumération** n. f. → **dénombrement ; inventaire.** ► **énumératif, ive** adj.

**énurésie** n. f. méd. Émission involontaire et inconsciente d'urine. → **incontinence.**

**envahir** v. tr. [2] **1** Occuper (un territoire) brusquement et par la force. **2** Occuper (un espace) de manière abusive ou intense. **3** (idée...) Occuper en entier. *La joie l'envahit.*

**envahissant, ante** adj. **1** (choses) Qui envahit. **2** (personnes) Qui s'introduit dans l'intimité d'autrui. → **indiscret.**

**envahissement** n. m. **1** Action d'envahir (1). → **invasion.** **2** Fait d'envahir (2 et 3).

**envahisseur, euse** **1** n. Ennemi qui envahit. **2** adj. Qui envahit.

**envaser** v. tr. [1] **1** Enfoncer dans la vase. **2** Remplir de vase. ▷ v. pron. s'**envaser** **1** S'enfoncer dans la vase. → s'**enliser.** **2** Se remplir de vase. ► **envasement** n. m.

**enveloppant, ante** adj. **1** Qui enveloppe. **2** abstrait Qui séduit, captive habilement.

**enveloppe** n. f. **I 1** Chose qui enveloppe ; étui, gaine. **2** Feuille de papier pliée et collée en forme de poche. **II** littér. Apparence extérieure ; aspect extérieur.

**enveloppé, ée** adj. (personnes) Qui a un peu d'embonpoint, qui est bien en chair.

**envelopper** v. tr. [1] **1** Entourer d'une chose souple qui couvre de tous côtés. ♦ (sujet chose) Constituer l'enveloppe de. **2** Entourer complètement. **3** littér. *Envelopper de* : entourer de qqch. qui cache. → **déguiser, dissimuler.** ► **enveloppement** n. m.

**envenimer** v. tr. [1] **1** Infecter (une blessure). **2** Rendre plus virulent, plus pénible. *Envenimer une querelle.* ▷ v. pron. s'**envenimer** ► **envenimement** n. m.

**envergure** n. f. **1** Étendue des ailes déployées (d'un oiseau). ♦ La plus grande largeur (d'un avion). **2** (personnes) Ampleur, ouverture (de l'esprit). - (choses) Étendue. *Une entreprise de grande envergure.*

① **envers** prép. **1** À l'égard de (qqn). *Il est bien disposé envers vous.* - À l'égard de (une chose morale). **2** loc. *Envers et contre tous* : en dépit de l'opposition générale. - *Envers et contre tout* : malgré tout.

② **envers** n. m. **I 1** Côté (d'une chose) opposé à celui qui doit être vu ou qui est vu d'ordinaire. - loc. fig. *L'envers du décor,* les aspects cachés d'une situation. **2** Aspect opposé, mais inséparable. → **contrepartie.** **II** loc. adv. *À l'envers.* **1** Du mauvais côté, du côté qui n'est pas fait pour être vu. **2** Sens dessus dessous. **3** Dans un sens inhabituel. - *C'est le monde à l'envers !,* c'est aberrant.

à l'**envi** loc. adv. littér. En rivalisant.

Ne pas confondre avec *envie* «jalousie».

**enviable** adj. Digne d'envie ; que l'on peut envier. → **désirable, tentant.**

**envie** n. f. **I 1** Sentiment de désir mêlé d'irritation, de haine qu'éprouve qqn contre ceux qui ont ce qu'il n'a pas. → **jalousie.** **2** Désir de jouir d'un avantage, d'un plaisir égal à celui d'autrui. *Un regard d'envie.* **3** *Envie de :* désir (d'avoir, de faire qqch.). → **besoin, désir, goût.** - Besoin organique. *Envie de dormir.* **4** *Avoir envie de* (+ nom ou inf.) ; *avoir envie que* (+ subj.). → **souhaiter, vouloir.** - *Avoir envie de* (qqn), le désirer sexuellement. - *Faire envie :* exciter l'envie. → **tenter.** **II 1** Tache rouge cutanée de naissance. **2** au plur. Petits filets de peau autour des ongles.

> Ne pas confondre avec *envi* (*à l'envi* «à qui mieux mieux»).

**envier** v. tr. 7 **1** Éprouver de l'envie (1 ou 2) envers (qqn). **2** Souhaiter pour soi-même (qqch.). → **convoiter, désirer.**

**envieux, euse** adj. **1** Qui éprouve de l'envie. ♦ n. (loc.) *Faire des envieux,* provoquer l'envie. **2** Qui manifeste de l'envie. ► **envieusement** adv. rare

**environ I** adv. À peu près ; un peu plus, un peu moins (+ nom de nombre). → **approximativement.** **II** n. m. → **environs.**

**environnant, ante** adj. Qui environne.

**environnement** n. m. **1** Entourage (de qqn). **2** Ensemble des conditions naturelles et culturelles qui agissent sur les êtres vivants et les activités humaines. ► **environnemental, ale, aux** adj.

**environner** v. tr. 1 **1** Être autour de, dans les environs de. **2** Vivre habituellement auprès de (qqn). - pronom. *S'environner d'amis.*

**environs** n. m. pl. Les alentours (d'un lieu). ♦ temporel (emploi critiqué) *Aux environs de Noël,* à peu près à Noël.

**envisager** v. tr. 3 **1** Considérer sous un certain aspect. *Envisager la situation.* **2** Prendre en considération. → **considérer.** **3** Prévoir comme possible. *Envisager le pire.* **4** *Envisager de* (+ inf.) : faire le projet de. ► **envisageable** adj.

**envoi** n. m. **I 1** Action, fait d'envoyer. - *Coup d'envoi :* au football envoi du ballon qui ouvre le jeu ; fig. ce qui déclenche une action. **2** Ce qui est envoyé. **II** Dernière strophe qui dédie une ballade à qqn.

**envol** n. m. **1** Action de s'envoler. **2** (avion...) Fait de quitter le sol. → **décollage.**

**envolée** n. f. **1** Action de s'envoler. → **envol.** **2** Élan de l'inspiration (dans le discours). *Une envolée lyrique.*

**s'envoler** v. pron. 1 **1** Prendre son vol ; partir en volant. **2** fam. Disparaître subitement. **3** Être emporté par le vent, par un souffle. **4** (temps...) Passer rapidement, disparaître.

**envoûtant, ante** adj. Qui envoûte.

**envoûter** v. tr. 1 **1** Représenter (qqn) par une figurine pour lui faire subir l'effet magique de ce qui est fait à cette image (incantations...). **2** fig. Exercer sur (qqn) un attrait irrésistible. → **captiver, ensorceler, fasciner.** ► **envoûtement** n. m.

**envoyé, ée** n. Personne qu'on envoie en mission. - loc. *Envoyé(e) spécial(e),* journaliste envoyé(e) à l'occasion d'un événement.

**envoyer** v. tr. 8 **I** *Envoyer qqn* **1** Faire aller, partir (qqn quelque part). *Envoyer un enfant à l'école.* **2** Faire aller (qqn) quelque part (afin de faire qqch.). *Envoyer qqn aux nouvelles.* **3** Pousser, jeter (qqn quelque part). *Envoyer son adversaire au tapis.* **II** *Envoyer qqch.* **1** Faire partir, faire parvenir (qqch. à qqn). → **adresser, expédier.** **2** Faire parvenir (qqch.) à, jusqu'à (qqn ou qqch.), par une impulsion matérielle. → **jeter, lancer.** **3** (sujet chose) Faire aller jusqu'à. *Le cœur envoie le sang dans les artères.* **III** fam. *S'envoyer qqch. :* prendre pour soi. → s'**enfiler.** ♦ très fam. Posséder sexuellement (qqn).

**envoyeur, euse** n. Personne qui envoie. *Retour à l'envoyeur.* → **expéditeur.**

**enzyme** n. f. ou m. Substance organique produite par des cellules vivantes, qui catalyse une réaction chimique. ► **enzymatique** adj.

**éocène** n. m. géol. Période du début de l'ère tertiaire.

**éolien, ienne 1** adj. Mû par le vent. **2** n. f. Machine à capter l'énergie du vent.

**éosine** n. f. chim. Matière colorante rouge utilisée notamment comme désinfectant.

**épagneul, eule** n. Chien, chienne de chasse, à poil soyeux et oreilles pendantes.

**épais, épaisse** adj. **I 1** Qui est de grande dimension, en épaisseur (2) (opposé à *mince*). *Un mur épais.* - *Épais de :* qui mesure (telle dimension) en épaisseur. **2** Dont la grosseur rend les formes lourdes. **3** Qui manque de finesse (au moral). → **grossier, lourd.** **4** Dont les constituants sont nombreux et serrés. → **fourni.** *Feuillage épais.* - n. m. *Au plus épais de,* à l'endroit le plus dense. **5** (liquide) Qui est peu fluide. *Une huile épaisse.* ♦ (gaz, vapeur) Dense. *Brouillard épais.* **II** *Épais* adv. **1** *Semer épais.* **2** fam. Beaucoup. *Il n'y en a pas épais !*

**épaisseur** n. f. **1** Caractère de ce qui est épais, gros. **2** Troisième dimension (d'un solide), les deux autres étant la longueur (ou la hauteur) et la largeur. - *Trois épaisseurs de tissu.* → **couche.** **3** Caractère de ce qui est épais (I, 4). **4** Consistance, densité.

**épaissir** v. 2 **I** v. tr. Rendre plus épais. **II** v. intr. Devenir plus épais (syn. *s'épaissir* v. pron.). ► **épaississant, ante** adj. et n. m. ► **épaississement** n. m.

**épanchement** n. m. **I** méd. Écoulement anormal ou accumulation dans les tissus ou dans une cavité, d'un liquide organique.

*Épanchement de synovie.* **II** Action de s'épancher (2). → **confidence, expansion.**

**épancher** v. tr. [1] **I** littér. Répandre. **II** Communiquer librement, avec confiance et sincérité. *Épancher ses secrets.* – *Épancher son cœur.* ▷ v. pron. **s'épancher 1** Se répandre. **2** Communiquer librement ses sentiments, etc. → s'**abandonner,** se **confier.**

**épandage** n. m. Action d'épandre. – *Champ d'épandage,* où s'épurent les eaux d'égout ; où l'on verse les ordures.

**épandre** v. tr. [41] **1** Étendre en étalant. → **répandre.** *Épandre de l'engrais.* **2** littér. Donner en abondance.

**épanouir** v. tr. [2] **1** Ouvrir, déployer. **2** fig. Détendre, en rendant joyeux. → **réjouir.** ▷ v. pron. **s'épanouir 1** Éclore (fleur). – S'ouvrir comme une fleur. **2** fig. Devenir radieux. **3** Se développer librement dans toutes ses possibilités. ▷ adj. **épanoui, ie** *Fleur épanouie.* – fig. → **radieux.** ► **épanouissant, ante** adj. ► **épanouissement** n. m. → **éclosion.** – fig. *L'épanouissement d'un talent.*

**épargnant, ante** n. Personne qui épargne (II, 2), met de l'argent de côté.

**épargne** n. f. **1** Fait de dépenser moins que ce qu'on gagne. *Plan (d')épargne-logement,* pour financer l'acquisition d'une habitation. – *Caisse* d'épargne.* **2** Ensemble des sommes mises en réserve ou employées à créer du capital. **3** fig. Action de ménager, d'épargner (II, 3).

**épargner** v. tr. [1] **I** (compl. personne) **1** Ne pas tuer (qqn), laisser vivre. → **gracier.** **2** Traiter avec ménagement, indulgence. **3** Ménager (en paroles, dans un écrit). **II** (compl. chose) **1** Consommer, dépenser avec mesure, de façon à garder une réserve. → **économiser.** **2** Conserver, accumuler par épargne. → **économiser, thésauriser.** **3** Employer avec mesure. → **compter, ménager.** *Épargner ses forces.* **4** *Épargner qqch. à qqn,* ne pas imposer. → **éviter.** *Épargnez-moi vos justifications.*

**éparpiller** v. tr. [1] **1** Jeter, laisser tomber çà et là (des choses légères ou des parties d'une chose légère). → **disséminer.** **2** Disposer irrégulièrement. → **disperser.** **3** *Éparpiller son attention,* la disperser inefficacement. ▷ v. pron. **s'éparpiller** → se **disperser.** ► **éparpillement** n. m.

**épars, arse** adj. **1** au plur. Placé dans des lieux séparés et au hasard. → **dispersé, éparpillé.** – fig. *Souvenirs épars.* **2** au sing. Dispersé ; dont les éléments sont dispersés.

**épatant, ante** adj. fam. et vieilli Qui provoque l'admiration, donne un grand plaisir. ► **épatamment** adv.

**épate** n. f. fam. Action d'épater. → **bluff.**

**épater** v. tr. [1] **I** vx Écraser, aplatir. **II** fam. Provoquer un étonnement admiratif chez (qqn). → **ébahir, stupéfier.** ▷ adj. **épaté, ée** **1** Élargi à la base. **2** fam. Très étonné.

**épaulard** n. m. Mammifère marin à haute nageoire dorsale (syn. *orque*).

**épaule** n. f. **1** Partie supérieure du bras à l'endroit où il s'attache au tronc. *Largeur d'épaules* (→ **carrure**). – loc. *Avoir la tête sur les épaules,* être sensé. **2** Partie de la jambe de devant qui se rattache au corps (d'un quadrupède). ◆ Cette partie découpée pour la consommation.

**épaulé-jeté** n. m. (poids et haltères) Mouvement consistant à amener la barre au niveau des épaules *(épaulé),* puis à la soulever à bout de bras *(jeté). Des épaulés-jetés.*

**épaulement** n. m. **1** Mur de soutènement. **2** Escarpement naturel.

**épauler** v. tr. [1] **I** *Épauler qqn,* l'aider dans sa réussite. → **assister, soutenir.** – pronom. S'entraider. **II 1** Appuyer (qqch.) contre l'épaule. *Épauler un fusil* (pour tirer). **2** techn. Amortir la poussée de (un mur...) par une maçonnerie pleine.

**épaulette** n. f. **1** Ornement militaire fait d'une patte placée sur l'épaule. **2** Bretelle étroite d'un vêtement féminin. **3** Rembourrage cousu à l'épaule d'un vêtement.

**épave** n. f. **I 1** Coque d'un navire naufragé ; objet abandonné en mer. ◆ Véhicule irréparable. **2** fig. Personne désemparée, qui a des difficultés sociales. **II** dr. Objet mobilier égaré par son propriétaire.

**épeautre** n. m. Blé dur.

**épée** n. f. **1** Arme blanche faite d'une lame aiguë et droite, munie d'une poignée à garde. – loc. *Un coup d'épée dans l'eau,* un effort inutile. – *Épée de Damoclès,* danger qui peut s'abattre sur qqn d'un moment à l'autre. **2** Escrime à l'épée.

**épeiche** n. f. Variété de pic (oiseau).

**épeire** n. f. Araignée très commune, à l'abdomen développé, qui tisse des toiles à réseau concentrique.

**épéisme** n. m. Escrime à l'épée. ► **épéiste** n.

**épeler** v. tr. [4] Nommer successivement chacune des lettres de (un mot).

**éperdu, ue** adj. **1** Qui a l'esprit troublé par une émotion violente. – *Être éperdu de joie.* **2** (sentiments) Très violent. → **passionné.** **3** Extrêmement rapide.

**éperdument** adv. D'une manière éperdue. → **follement.** – *Je m'en moque éperdument,* complètement.

**éperlan** n. m. Petit poisson marin.

**éperon** n. m. **1** Pièce de métal fixée au talon du cavalier et terminée par une roue à pointes, pour piquer les flancs du cheval. **2** Pointe de la proue (d'un navire). **3** Avancée en pointe. *Éperon rocheux.*

**éperonner** v. tr. [1] **1** Piquer avec des éperons (1). **2** fig., littér. Stimuler.

**épervier** n. m. **I** Petit rapace diurne. **II** Filet de pêche conique, garni de plomb.

**épeurant, ante** adj. (Canada) Qui fait peur. → **effrayant.**

**éphèbe** n. m. **1** (Grèce antique) Jeune garçon arrivé à l'âge de la puberté. **2** iron. Très beau jeune homme. → **adonis, apollon.**

**éphélides** n. f. pl. Taches de rousseur.

**éphémère I** adj. **1** vx Qui ne vit qu'un jour. **2** Qui est de courte durée. **II** n. m. Insecte ressemblant à une petite libellule, dont l'adulte vit quelques heures.

**éphéméride** n. f. **1** Calendrier dont on détache chaque jour une feuille. **2** au plur. Tables astronomiques donnant pour chaque jour la position des astres.

**épi** n. m. **I 1** Partie terminale de la tige de certaines graminées (graines serrées). *Un épi de blé, de maïs.* **2** bot. Fleurs disposées le long d'un axe allongé. **3** Mèche de cheveux de direction contraire à celle des autres. **II 1** Ornement sur la crête d'un toit. **2** Ouvrage perpendiculaire ; ramification. **3** *En épi :* selon une disposition oblique.

**épice** n. f. **1** Substance végétale, aromatique ou piquante, pour l'assaisonnement des mets. **2** anc. dr. (au plur.) Cadeau offert au juge ; taxe payée dans un procès.

**épicéa** n. m. Conifère à tronc conique.

**épicène** adj. didact. **1** (terme) Qui désigne aussi bien le mâle que la femelle (ex. *la souris*). **2** Dont la forme ne varie pas selon le genre. *«Habile» est un adjectif épicène.*

**épicentre** n. m. Foyer apparent des ébranlements d'un tremblement de terre.

**épicer** v. tr. [3] **1** Assaisonner avec des épices. **2** fig. → **pimenter, relever.** ▷ adj. **épicé, ée 1** *Plat épicé.* **2** fig. → **grivois.**

**épicerie** n. f. **1** ancienn<sup></sup>t Commerce d'épices. **2** Vente de produits d'alimentation courante ; magasin où se fait cette vente. **3** Produits d'alimentation qui se conservent. ► **épicier, ière** n.

**épicurien, ienne 1** adj. philos. Relatif à la doctrine d'Épicure (*épicurisme* n. m.), recherche d'un plaisir maîtrisé. - adj. et n. Partisan de cette doctrine. **2** n. Personne qui ne songe qu'au plaisir.

**épicycle** n. m. astron. Petit cercle décrit par un astre, lorsque le centre de ce cercle décrit lui-même un autre cercle.

**épidémie** n. f. **1** Apparition et propagation d'une maladie infectieuse contagieuse qui frappe un grand nombre de sujets (personnes...). → **pandémie. 2** fig. Ce qui touche un grand nombre de personnes en se propageant. ► **épidémique** adj.

**épidémiologie** n. f. Étude des rapports entre les maladies et les facteurs susceptibles de les causer. ► **épidémiologique** adj. ► **épidémiologiste** n.

**épiderme** n. m. Couche superficielle de la peau qui recouvre le derme.

**épidermique** adj. **1** De l'épiderme. → **cutané. 2** fig. (réaction...) Immédiat, instinctif.

**épier** v. tr. [7] **1** Observer attentivement et secrètement. → **espionner. 2** Observer attentivement (qqch.), avant d'agir. → **guetter.** *Épier les réactions de qqn.*

**épierrer** v. tr. [1] Débarrasser (un lieu) des pierres. ► **épierrage** n. m.

**épieu** n. m. Gros bâton terminé par un fer plat, large et pointu.

**épigastre** n. m. anat. Creux de l'estomac.

**épigone** n. m. littér. Successeur, imitateur.

① **épigramme** n. f. **1** Petit poème satirique. **2** Trait satirique contre qqn.

② **épigramme** n. m. *Épigramme d'agneau :* mince tranche de poitrine.

**épigraphe** n. f. **1** Inscription sur un édifice qui en indique la date, etc. **2** Courte citation en tête d'un livre, d'un chapitre.

**épigraphie** n. f. didact. Étude scientifique des inscriptions. ► **épigraphique** adj.

**épilateur** n. m. Appareil qui sert à épiler.

**épilation** n. f. Action d'épiler.

**épilatoire** adj. Qui sert à épiler.

**épilepsie** n. f. Maladie nerveuse caractérisée par des phénomènes convulsifs. ► **épileptique** adj. et n.

**épiler** v. tr. [1] Arracher les poils de (une partie du corps).

**épilobe** n. m. bot. Plante à fleurs roses ou mauves, qui pousse dans les lieux humides.

**épilogue** n. m. **1** Partie qui termine (un ouvrage littéraire). **2** fig. Dénouement.

**épiloguer** v. tr. ind. [1] *Épiloguer sur :* faire de longs commentaires sur.

**épinard** n. m. **1** Plante aux feuilles épaisses d'un vert soutenu. **2** au plur. Feuilles comestibles de cette plante.

**épine** n. f. **1** vx ou dans des loc. Arbrisseau aux branches armées de piquants. **2** Piquant (d'une plante). - loc. *Enlever, ôter à qqn une épine du pied,* le tirer d'embarras. ♦ (animaux) *Les épines du hérisson.* **3** *Épine dorsale :* saillie longitudinale que déterminent les vertèbres au milieu du dos. - Colonne vertébrale, qui contient la moelle* épinière.

① **épinette** n. f. Instrument à clavier et cordes pincées, plus petit qu'un clavecin.

② **épinette** n. f. (Canada) Épicéa.

**épineux, euse** adj. **1** Hérissé d'épines ou de piquants. **2** fig. Plein de difficultés.

**épine-vinette** n. f. Arbrisseau à fleurs jaunes, à baies rouges comestibles. *Des épines-vinettes.*

**épingle** n. f. **1** Petite tige de métal, pointue d'un bout, garnie d'une boule (tête) de l'autre, qui sert à attacher, fixer des choses souples. - loc. *Être tiré à quatre épingles :*

être vêtu avec soin. - *Tirer son épingle du jeu,* se tirer adroitement d'une situation délicate. **2** Objet servant à attacher, à fixer. *Épingle de cravate.* - loc. *Monter en épingle,* mettre en relief. ♦ *Épingle à cheveux,* à deux branches. - fig. *Virage en épingle à cheveux,* très serré. ♦ *Épingle de sûreté* ou *épingle à nourrice,* munie d'une fermeture.

**épingler** v. tr. 1 **1** Attacher, fixer avec des épingles. **2** fig., fam. Arrêter (qqn). ♦ Critiquer ; sanctionner.

**épinglette** n. f. Insigne fixé au moyen d'une épingle (recomm. off. pour *pin's*).

**épinière** adj. f. *Moelle épinière.* → **moelle.**

**épinoche** n. f. Poisson qui porte de deux à quatre épines sur le dos.

**Épiphanie** n. f. **1** Fête catholique qui commémore l'adoration des Rois mages *(jour des Rois).* **2** didact. Manifestation de la divinité ; de qqch. qui était caché.

**épiphénomène** n. m. didact. Phénomène accessoire lié à un phénomène essentiel.

**épiphyse** n. f. anat. Extrémité renflée (d'un os long).

**épiphyte** adj. bot. Qui croît sur d'autres plantes sans les parasiter.

**épique** adj. **1** Qui raconte en vers une action héroïque (→ **épopée).** - Relatif à l'épopée. **2** Qui a un caractère d'épopée.

**épiscopal, ale, aux** adj. D'un évêque.

**épiscopat** n. m. **1** Dignité, fonction d'évêque ; sa durée. **2** Ensemble des évêques.

**épisiotomie** n. f. Incision du périnée pratiquée lors de l'accouchement pour éviter les déchirures.

**épisode** n. m. **1** Action secondaire (dans un roman, un film...). ♦ Division (d'un roman, d'un film...). **2** Fait accessoire. *Ce n'est qu'un épisode dans sa vie.*

**épisodique** adj. **1** littér. De l'épisode (1). **2** Qui a un caractère secondaire. **3** Qui a lieu irrégulièrement. ► **épisodiquement** adv.

**épissure** n. f. Jonction, nœud de deux cordages, etc. dont on entrelace les fils.

**épistémologie** n. f. didact. **1** Étude critique des sciences (de leur origine, leur valeur...). **2** Théorie de la connaissance et de sa validité. ► **épistémologique** adj. ► **épistémologue** ou **épistémologiste** n.

**épistolaire** adj. Qui a rapport à la correspondance par lettres.

**épistolier, ière** n. littér. Écrivain, personne qui écrit des lettres.

**épitaphe** n. f. Inscription funéraire.

**épithalame** n. m. littér. Poème composé à l'occasion d'un mariage.

**épithélium** [-jɔm] n. m. biol. Tissu formé de cellules juxtaposées disposées en couches. ► **épithélial, ale, aux** adj.

**épithète** n. f. **1** Ce qu'on adjoint à un nom, à un pronom pour le qualifier (adjectif qualificatif, nom...). ♦ **n. f.** et **adj.** gramm. Se dit d'un adjectif qualificatif qui n'est pas relié au nom par un verbe (opposé à *attribut*). **2** Qualification (1) donnée à qqn.

> Mot féminin : *une épithète flatteuse.*

**épitoge** n. f. **1** Antiq. romaine Vêtement porté sur la toge. **2** Bande d'étoffe fixée à l'épaule de la robe des magistrats, etc.

**épitomé** n. m. didact. Abrégé d'histoire.

**épître** n. f. **1** au plur. Lettres des Apôtres, dans le Nouveau Testament. **2** littér. Lettre.

> Mot féminin : *une longue épître.*

**épizootie** [-zooti] n. f. didact. Épidémie qui frappe les animaux. ► **épizootique** adj.

**éploré, ée** adj. littér. En pleurs.

**éployer** v. tr. 8 littér. Étendre (les ailes).

**épluche-légumes** n. m. invar. Couteau à éplucher les légumes, les fruits.

**éplucher** v. tr. 1 **1** Nettoyer en enlevant les parties inutiles ou mauvaises, en coupant, grattant. ♦ Enlever la peau de. → **peler.** *Éplucher des carottes.* **2** fig. Examiner avec soin pour critiquer. ► **épluchage** n. m.

**épluchette** n. f. (Canada) Fête où l'on mange des épis de maïs.

**éplucheur, euse** n. Personne ou instrument qui épluche.

**épluchure** n. f. Ce qu'on enlève en épluchant.

**E. P. O.** n. f. → **érythropoïétine.**

**épointer** v. tr. 1 Émousser la pointe de.

**éponge** n. f. **I 1** Substance légère et poreuse (d'abord *éponge,* II), qui peut absorber les liquides et les rejeter à la pression ; objet fait de cette substance (→ **spongieux). 2** loc. *Passer l'éponge sur* (une erreur, etc.), pardonner. - *Jeter l'éponge,* abandonner un combat. **3** appos. (invar.) *Tissu éponge,* dont les fils dressés absorbent l'eau. **II** Animal marin dont le squelette léger et poreux fournit la matière appelée *éponge* (I, 1).

**éponger** v. tr. 3 **1** Étancher (un liquide) avec une éponge, un chiffon. **2** Essuyer, sécher. **3** fig. Résorber, absorber (ce qui est en excédent). - *Éponger une dette.*

**éponyme** adj. didact. Qui donne son nom à. *Athéna, déesse éponyme d'Athènes.*

**épopée** n. f. **1** Long poème ou récit de style élevé où la légende se mêle à l'histoire pour célébrer un héros ou un fait (→ **épique). 2** Suite d'événements de caractère héroïque et sublime.

**époque** n. f. **1** vx Début d'une ère ; moment important. **2** mod. Période historique déterminée par des événements importants ou caractérisée par un état de choses. - loc. *La Belle Époque* : les premières années du XX^e^

siècle. **3** Période caractérisée par un style artistique. – *D'époque :* authentiquement ancien. **4** Période marquée par un fait déterminé. → **moment.** – *À l'époque,* à ce moment-là (passé). **5** Division d'une période géologique.

**épouiller** v. tr. [1] Débarrasser (un être vivant) de ses poux. ► **épouillage** n. m.

s'**époumoner** v. pron. [1] Parler, crier très fort. ♦ Se fatiguer (en parlant).

**épousailles** n. f. pl. vx ou plais. Noce.

**épouser** v. tr. [1] **1** Prendre pour époux, épouse ; se marier avec. **2** fig. S'attacher avec ardeur à (qqch.). *Épouser les idées de qqn.* → **soutenir. 3** S'adapter exactement à (une forme...). → **mouler.**

**épousseter** v. tr. [4] Nettoyer en ôtant la poussière. ► **époussetage** n. m.

**époustoufler** v. tr. [1] fam. Jeter (qqn) dans la surprise admirative. → **épater.** ► **époustouflant, ante** adj. → **stupéfiant.**

**épouvantable** adj. **1** Qui cause ou peut causer de l'épouvante. **2** Inquiétant ; très désagréable. **3** Excessif. *Fracas épouvantable.* → **terrible.** ► **épouvantablement** adv.

**épouvantail** n. m. **1** Objet (mannequin, etc.) qu'on utilise pour effrayer les oiseaux. **2** fig. Chose, personne laide ou qui inspire d'excessives terreurs.

**épouvante** n. f. **1** Peur violente et soudaine causée par qqch. de menaçant. → **effroi, frayeur, terreur. 2** Vive inquiétude.

**épouvanter** v. tr. [1] **1** Remplir d'épouvante. → **effrayer, terrifier. 2** Causer de vives appréhensions à. → **inquiéter.**

**époux, ouse** n. Personne unie à qqn par le mariage. → **femme, mari ; conjoint.**

s'**éprendre** v. pron. [58] *S'éprendre de* **1** littér. Être saisi, entraîné (par un sentiment...). **2** Tomber amoureux de (qqn). → **épris.**

**épreuve** n. f. **I 1** Ce qui permet de juger la valeur de (une idée, qqn, une œuvre...). – *À l'épreuve. Mettre à l'épreuve.* → **éprouver** (1). – *À toute épreuve :* inébranlable, résistant. **2** Essai qui permet de juger les qualités de qqch. – *À l'épreuve de :* capable de résister à. **3** Acte imposé à qqn et destiné à lui conférer une qualité, une dignité, à le classer. *Les épreuves d'un examen.* **II 1** Texte imprimé, tel qu'il sort de la composition. **2** Exemplaire d'une estampe. ♦ Photographie. **III** Souffrance, malheur, difficulté qui atteint qqn.

**épris, ise** adj. **1** *Épris de qqch.,* pris de passion pour. **2** *Épris de qqn,* amoureux de (qqn). – sans compl. *Il semble très épris.*

**éprouvant, ante** adj. Qui éprouve (II, 1).

**éprouver** v. tr. [1] **I 1** Essayer (qqch.) pour vérifier la valeur, la qualité. – au p. p. *Des qualités éprouvées,* certaines. **2** Apprécier, connaître par une expérience personnelle. → **constater, reconnaître. 3** Ressentir (une sensation, un sentiment). **II 1** (sujet chose) Faire subir une épreuve (III), des souffrances à (qqn). **2** Subir (qqch. de nuisible ou de désagréable).

**éprouvette** n. f. Tube allongé fermé à un bout employé dans les expériences de laboratoire. → **tube** à essai.

**épuisant, ante** adj. Qui épuise (II).

**épuisé, ée** adj. **1** Qui n'est plus disponible pour la vente. **2** À bout de forces. → **exténué.**

**épuisement** n. m. **1** Action d'épuiser (I). **2** Absence de forces, grande faiblesse (physique ou morale).

**épuiser** v. tr. [1] **I 1** Utiliser (qqch.) jusqu'à ce qu'il ne reste plus rien. → **consommer, dépenser, user. 2** fig. User jusqu'au bout. *Épuiser la patience de qqn.* – *Épuiser un sujet,* le traiter à fond. **II** Réduire (qqn ; ses forces, sa santé) à un affaiblissement complet. → **exténuer, user.** ♦ Excéder, lasser. *Son bavardage m'épuise.*

**épuisette** n. f. Petit filet de pêche monté sur un cerceau et fixé à un manche.

**épurateur** n. m. Appareil servant à épurer (1).

**épuration** n. f. **1** Action d'épurer (1 et 2). → **purification. 2** Élimination (des membres jugés indésirables) dans un parti, etc. → **exclusion, purge.** – hist. *L'épuration* (des collaborateurs, en 1944).

**épure** n. f. **1** Dessin au trait qui donne l'élévation, le plan et le profil d'une figure. → **plan. 2** fig. Schéma simplifié ; ébauche.

**épurer** v. tr. [1] **1** Rendre pur, plus pur. → **purifier.** *Épurer de l'eau ; un minerai.* **2** fig. Rendre meilleur, plus correct. → **améliorer, perfectionner. 3** Éliminer certains éléments de (un groupe).

**équanimité** [ekwa-] n. f. littér. Égalité d'humeur. → **impassibilité, sérénité.**

**équarrir** v. tr. [2] **I** Tailler pour rendre carré, régulier. ♦ au p. p. *Tronc équarri.* – fig. *Mal équarri,* grossier. **II** Couper en quartiers (un animal mort). ► **équarrissage** n. m.

**équarrisseur, euse** n. Personne dont le métier est d'équarrir les animaux.

**équateur** [ekwa-] n. m. **1** Grand cercle de la sphère terrestre, perpendiculaire à son axe de rotation. **2** Régions comprises dans la zone équatoriale (jusqu'aux tropiques).

**équation** [ekwa-] n. f. **1** math. Relation d'égalité qui n'est vérifiée que pour certaines valeurs de la variable (appelée inconnue). **2** Formule d'égalité. – *Équation chimique* (représentation d'une réaction).

**équatorial, iale, iaux** [ekwa-] **I** adj. Relatif à l'équateur. **II** n. m. astron. Appareil qui sert à mesurer la position d'une étoile.

**équerre** n. f. **1** Instrument destiné à tracer des angles droits. **2** *À l'équerre, en équerre ; d'équerre :* à angle droit.

**équestre** adj. **1** Qui représente une personne à cheval. **2** Relatif à l'équitation.

**équeuter** v. tr. [1] Dépouiller (un fruit) de sa queue. ► **équeutage** n. m.

**équidé** n. m. Mammifère à pattes terminées par un seul doigt (famille des *Équidés ;* ex. cheval, âne, zèbre).

**équidistant, ante** [ekɥi-] adj. Qui est à égale distance (de points, etc. déterminés). ► **équidistance** n. f.

**équilatéral, ale, aux** [ekɥi-] adj. Dont tous les côtés sont égaux.

**équilibrage** n. m. Action d'équilibrer.

**équilibre** n. m. **I** État de ce qui est soumis à des forces qui se compensent. ♦ spécialt Attitude ou position verticale stable. *Perdre l'équilibre.* **II 1** Juste proportion entre des choses opposées ou juste répartition des parties d'un ensemble ; état qui en résulte. *Équilibre politique.* **2** Harmonie entre les tendances psychiques qui se traduit par un comportement dit normal. **3** Répartition des lignes, des masses, etc. ; agencement harmonieux (en art).

**équilibré, ée** adj. **1** En état d'équilibre. → **stable.** **2** Dont les qualités sont dans un rapport harmonieux.

**équilibrer** v. tr. [1] **1** Opposer une force à (une autre), de manière à créer l'équilibre. → **compenser, contrebalancer.** **2** Mettre en équilibre ; rendre stable. **3** Répartir harmonieusement. ▷ v. pron. **s'équilibrer** *Ses qualités et ses défauts s'équilibrent.*

**équilibriste** n. Personne dont le métier est de faire des tours d'adresse, d'équilibre. → **acrobate.**

**équille** n. f. Poisson long et mince qui s'enfouit dans le sable.

**équin, ine** adj. didact. Relatif au cheval.

**équinoxe** n. m. L'une des deux périodes de l'année où le jour a une durée égale à celle de la nuit. *Équinoxe de printemps* (21 mars), *d'automne* (23 septembre).

**équipage** n. m. **I 1** Personnel navigant, marins assurant la manœuvre et le service sur un navire. **2** Ensemble des personnes qui assurent la manœuvre et le service, dans un avion. **II** anciennt Voitures, chevaux, personnel (d'un grand personnage).

**équipe** n. f. **1** Groupe de personnes devant accomplir une tâche commune. – *Esprit d'équipe,* animant une équipe en parfait accord. **2** Groupe de personnes qui agissent, se distraient ensemble. → **bande.** **3** sports Groupe de joueurs en nombre déterminé.

**équipée** n. f. **1** Sortie, promenade. **2** Aventure entreprise à la légère.

**équipement** n. m. Action d'équiper ; ce qui sert à équiper. → **matériel.**

**équiper** v. tr. [1] Pourvoir des choses nécessaires à une activité. *Équiper une armée ; un navire.* → **armer, fréter.** – *Équiper un local.* → **aménager, installer.**

**équipier, ière** n. Membre d'une équipe sportive. → **coéquipier.**

**équitable** adj. **1** littér. (personnes) Qui a de l'équité. → **impartial.** **2** (choses) Conforme à l'équité. – *Commerce équitable,* basé sur la juste rémunération du travail et le refus de l'exploitation des pays pauvres. ► **équitablement** adv.

**équitation** n. f. Art de monter à cheval.

**équité** n. f. **1** Vertu qui consiste à régler sa conduite sur le sentiment naturel du juste et de l'injuste (s'oppose à *iniquité*). → **droiture, justice.** *En toute équité.* **2** dr. Justice spontanée (opposé à *loi,* etc.).

**équivalence** n. f. Qualité de ce qui est équivalent. → **égalité.** ♦ Assimilation d'un titre, d'un diplôme à un autre.

**équivalent, ente I** adj. **1** Dont la quantité a la même valeur. → **égal.** *Sommes équivalentes.* **2** Qui a la même valeur ou fonction. **II** n. m. Ce qui équivaut, la chose équivalente (en quantité ou en qualité). – *Sans équivalent,* unique.

> Ne pas confondre avec *équivalant,* p. prés. de *équivaloir.*

**équivaloir** v. tr. ind. [29] rare à l'inf. *Équivaloir à* **1** Avoir la même valeur en quantité que. **2** Avoir la même valeur ou fonction que. *Cela équivaut à un refus.*

**équivoque I** adj. **1** Qui peut s'interpréter, s'expliquer de plusieurs manières. → **ambigu.** ♦ Qui semble impliquer un désir sexuel. *Geste équivoque.* **2** Qui n'inspire pas confiance. → **douteux, louche. II** n. f. **1** Caractère de ce qui prête à des interprétations diverses. → **ambiguïté.** **2** Incertitude laissant le jugement hésitant. *Dissiper l'équivoque.* ► **équivoquement** adv.

**érable** n. m. Grand arbre dont le fruit est muni de deux ailes membraneuses (→ samare). *Érable faux platane.* → **sycomore.** – *Érable du Canada* ou *érable à sucre,* qui donne un sucre comestible (→ **acériculture**). ♦ Bois d'érable.

**érablière** n. f. Plantation d'érables.

**éradiquer** v. tr. [1] Arracher, extirper, supprimer. ► **éradication** n. f.

**érafler** v. tr. [1] **1** Entamer légèrement la peau de. → **écorcher, égratigner.** **2** par analogie *Érafler le plâtre d'un mur.* → **rayer.**

**éraflure** n. f. → **égratignure.**

**érailler** v. tr. [1] **1** Déchirer superficiellement. → **érafler, rayer.** **2** Rendre rauque (la voix). ▷ adj. **éraillé, ée** ► **éraillement** n. m.

**éraillure** n. f. Marque sur ce qui est éraillé.

**ère** n. f. **1** Espace de temps de longue durée, qui commence à un point déterminé. *L'ère chrétienne.* **2** Époque qui commence avec un nouvel ordre de choses. → **âge, époque, période.** *L'ère atomique.* **3** La plus grande division des temps géologiques.

Ne pas confondre avec *air* «atmosphère» ni avec *aire* «surface».

**érectile** adj. Capable de se dresser.

**érection** n. f. **I** littér. Action d'ériger. *L'érection d'une statue.* **II** Fait, pour des tissus ou organes (spécialt le pénis), de se redresser en devenant durs et gonflés.

**éreintage** n. m. Critique très sévère.

**éreintant, ante** adj. Qui éreinte (1).

**éreinter** v. tr. [1] **1** Accabler de fatigue. → **épuiser, harasser. 2** fig. Critiquer de manière à nuire à la réputation de (qqn, qqch.). ► **éreintement** n. m.

**érémitique** adj. didact. Propre aux ermites.

**érésipèle** → **érysipèle**

① **erg** [ɛʀg] n. m. Dunes désertiques.

② **erg** [ɛʀg] n. m. Ancienne unité de mesure d'énergie valant $10^{-7}$ joules.

**ergonomie** n. f. didact. Étude des conditions de travail et des relations entre l'homme et la machine. ► **ergonome** n. ► **ergonomique** adj.

**ergot** n. m. **I** (chez les gallinacés mâles) Pointe recourbée du tarse servant d'arme offensive. - loc. fig. *Monter sur ses ergots :* prendre une attitude agressive, menaçante. **II** Petit corps oblong et vénéneux formé par un champignon parasite des céréales.

**ergoter** v. intr. [1] Trouver à redire sur des points de détail. → **chicaner, pinailler.** ► **ergotage** n. m. ► **ergoteur, euse** n. et adj.

**ergothérapie** n. f. didact. Traitement de rééducation des infirmes, etc. par le travail manuel. ► **ergothérapeute** n.

**ériger** v. tr. [3] **1** Placer (un monument) en station verticale. → **dresser ; érection.** ♦ Construire, bâtir. *Ériger un temple.* **2** fig. *Ériger qqn, qqch. en :* donner à (qqn, qqch.) le caractère de. *Ériger qqn en modèle.* - pronom. *S'ériger en.* → se **poser** en.

**ermitage** n. m. **1** Habitation d'un ermite. **2** Lieu écarté, solitaire.

**ermite** n. m. Religieux retiré dans un lieu désert. → **anachorète.** - *Vivre en ermite,* seul et coupé du monde.

**éroder** v. tr. [1] didact. User, détruire par une action lente (→ **érosion**).

**érogène** adj. psych. Susceptible de provoquer une excitation sexuelle.

**éros** [-os] n. m. didact. Principe du désir, dont l'énergie correspond à la libido*.

**érosion** n. f. **1** Usure et transformation que les eaux et agents atmosphériques font subir à l'écorce terrestre. **2** fig. Usure, dégradation graduelle.

**érotique** adj. **1** didact. Qui a rapport à l'amour. **2** Qui a rapport à l'amour physique, au plaisir. ♦ Qui provoque le désir amoureux. → **excitant.** ► **érotiquement** adv.

**érotiser** v. tr. [1] Donner un caractère érotique à. ► **érotisation** n. f.

**érotisme** n. m. **1** Caractère érotique. **2** Caractère de ce qui a les activités érotiques pour thème. *Érotisme et pornographie.*

**erpétologie** ou **herpétologie** n. f. didact. Étude des reptiles. ► **erpétologue** ou **herpétologue** n.

**errance** n. f. Action d'errer çà et là.

① **errant, ante** adj. **1** Qui va de côté et d'autre. → **vagabond. 2** littér. (expression, sourire...) Flottant, incertain.

② **errant, ante** adj. dans des loc. Qui voyage. *Chevalier errant.*

**erratique** adj. **1** didact. Qui n'est pas fixe ; qui n'est pas régulier. **2** géol. *Blocs erratiques,* transportés par les glaciers.

**erratum** [-ɔm] n. m. **1** Faute signalée dans un ouvrage imprimé. **2** au plur. *Errata :* liste des fautes d'impression d'un ouvrage.

**errements** n. m. pl. littér. Habitude mauvaise ; manière d'agir blâmable.

**errer** v. intr. [1] **I 1** Aller au hasard, à l'aventure. → **vagabonder ; rôder. 2** (choses) Se manifester çà et là, ou fugitivement. → **flotter.** *Un sourire errait sur ses lèvres.* **II** fig. Se tromper (→ **erreur ; aberrant**).

**erreur** n. f. **I 1** Acte de l'esprit qui tient pour vrai ce qui est faux et inversement. - *Faire erreur.* → se **méprendre,** se **tromper.** - *Sauf erreur :* excepté si l'on se trompe. - *Par erreur :* à la suite d'une confusion. **2** État d'une personne qui se trompe. **3** Assertion, opinion fausse. **4** Action regrettable, maladroite, déraisonnable. → **faute ; bévue, maladresse. II 1** Chose fausse par rapport à une norme (différence par rapport à un modèle ou au réel). → **faute, inexactitude. 2** Chose fausse, élément inexact, dans une opération particulière (→ **erroné**). *Erreur de calcul.* ♦ *Erreur judiciaire :* condamnation injuste.

**erroné, ée** adj. Qui contient des erreurs ; qui constitue une erreur. → **faux, inexact ; fautif.** ► **erronément** adv.

**ers** [ɛʀ] n. m. agric. Plante herbacée annuelle, cultivée comme fourrage.

**ersatz** [ɛʀzats] n. m. **1** Produit alimentaire qui en remplace un autre de qualité supérieure. → **succédané. 2** fig. Ce qui remplace (qqch., qqn) sans le valoir.

**éructer** v. [1] **1** v. intr. littér. Renvoyer par la bouche les gaz de l'estomac. → fam. **roter. 2** v. tr. fig. Proférer grossièrement. ► **éructation** n. f.

**érudit, ite 1** adj. Qui a de l'érudition. → **savant.** ♦ (choses) Relatif à l'érudition. **2** n. Personne érudite. → **lettré.**

**érudition** n. f. Savoir approfondi fondé sur l'étude des sources, des documents.

**éruptif, ive** adj. **1** méd. Qui s'accompagne d'éruption (1). **2** Des éruptions (2).

**éruption** n. f. **1** Apparition soudaine (de boutons, etc.) sur la peau. **2** Jaillissement des matières volcaniques ; état d'un volcan qui émet ces matières. **3** *Éruption solaire*, accroissement de l'activité solaire.

Ne pas confondre avec *irruption* « entrée soudaine ».

**érysipèle** ou **érésipèle** n. m. Maladie infectieuse où la peau est enflammée.

**érythème** n. m. Affection cutanée caractérisée par une rougeur superficielle.

**érythrocyte** n. m. biol. Hématie.

**érythropoïétine** n. f. biochim. Hormone qui stimule la formation des érythrocytes (en réponse à une carence en oxygène). - abrév. **E. P. O.** ou **EPO** n. f.

**ès** [ɛs] prép. (devant un nom pluriel) *Docteur ès lettres*, en lettres. *Licence ès sciences.*

**E. S. B.** ou **ESB** n. f. (sigle) Encéphalopathie* spongiforme bovine.

**esbroufe** n. f. fam. Étalage de manières fanfaronnes. ► **esbroufer** v. tr. [1] fam. → **bluffer, épater.**

**escabeau** n. m. **1** Tabouret. **2** Marchepied à quelques degrés.

**escabèche** n. f. Marinade de poissons.

**escadre** n. f. **1** Force navale importante. **2** *Escadre aérienne* : division d'avions.

**escadrille** n. f. Groupe d'avions de combat.

**escadron** n. m. **1** Unité de cavalerie, de blindés, etc. **2** plais. Groupe important.

**escalade** n. f. **1** Action d'escalader (1). **2** Ascension (d'une montagne...). - *Faire de l'escalade* (sport). **3** fig. Stratégie qui consiste à prendre des mesures de plus en plus graves. ♦ Intensification (d'un phénomène). *L'escalade de la violence.*

**escalader** v. tr. [1] **1** Passer par-dessus (une clôture...). → **franchir. 2** Faire l'ascension de. → **gravir ; grimper** sur. **3** (sujet chose) S'élever le long de.

**escale** n. f. **1** Lieu d'arrêt, de ravitaillement (pour un navire, un avion). **2** Fait de s'arrêter pour se ravitailler, pour embarquer ou débarquer des passagers, du fret. *Faire escale.* ♦ Durée de l'arrêt.

**escalier** n. m. **1** Suite de degrés qui servent à monter et à descendre. - loc. *Avoir l'esprit de l'escalier, d'escalier*, un esprit de repartie à retardement. **2** *Escalier mécanique* : escalier articulé et mobile, qui transporte l'usager (syn. anglic. *escalator*).

**escalope** n. f. Tranche mince (de viande blanche, de poisson).

**escamoter** v. tr. [1] **1** Faire disparaître (qqch.) par un tour de main qui échappe à la vue des spectateurs. **2** S'emparer de (qqch.) sans être vu. → **dérober, subtiliser. 3** Rentrer (un train d'atterrissage...). **4** fig. Éviter habilement, de façon peu honnête. → **éluder, esquiver. 5** *Escamoter un mot*, le prononcer très vite ou très bas. ► **escamotage** n. m.

**escamoteur, euse** n. Personne qui escamote (1 ou 2) qqch. → **illusionniste, prestidigitateur ; pickpocket.**

**escampette** n. f. loc. *Prendre la poudre d'escampette* : s'enfuir. → **déguerpir.**

**escapade** n. f. Fait d'échapper aux obligations, aux habitudes de la vie quotidienne (par une absence...).

**escarbille** n. f. Fragment incandescent qui s'échappe d'un foyer.

**escarcelle** n. f. **1** anciennt Grande bourse suspendue à la ceinture. **2** plais. Bourse.

**escargot** n. m. Mollusque gastéropode terrestre, à coquille arrondie en spirale. → **colimaçon, limaçon.**

**escarmouche** n. f. **1** Petit combat entre des soldats ou groupes isolés. → **échauffourée. 2** fig. Petite lutte ou dispute.

**escarpé, ée** adj. En pente raide. → **abrupt.**

**escarpement** n. m. Pente raide.

**escarpin** n. m. Chaussure fine qui laisse le cou-de-pied découvert.

**escarpolette** n. f. vieilli Balançoire suspendue par des cordes.

**escarre** n. f. Croûte noirâtre formée sur la peau par la nécrose des tissus, après une brûlure, un frottement prolongé, etc.

**eschatologie** [ɛska-] n. f. théol. Étude des fins dernières de l'homme et du monde. ► **eschatologique** adj.

**esche** → **èche**

**escient** [-jɑ̃] n. m. loc. adv. *À bon, à mauvais escient* : avec, sans discernement.

**s'esclaffer** v. pron. [1] Éclater de rire.

**esclandre** n. m. Éclat, scandale.

**esclavage** n. m. **1** État, condition d'esclave. → **servitude.** - *Esclavage moderne* : situation où une personne est contrainte de servir qqn, en étant privée de ses droits et de sa liberté. **2** Soumission à une autorité tyrannique. → **asservissement. 3** Chose qui impose une contrainte.

**esclavagiste** adj. et n. Partisan de l'esclavage. ► **esclavagisme** n. m.

**esclave** n. **1** Personne qui n'est pas libre, qui est sous la puissance absolue d'un maître. *La traite* des esclaves noirs, aux XVIIe et XVIIIe siècles.* **2** Personne qui se soumet (à qqn, à qqch.), qui se laisse dominer. - adj. *Être esclave de ses habitudes.*

**escogriffe** n. m. Homme dégingandé.

**escompte** [ɛskɔ̃t] n. m. **1** fin. Action d'escompter un effet de commerce. **2** Réduction du montant d'une dette lorsqu'elle est payée avant son échéance. ♦ Remise sur le prix de vente.

**escompter** [-kɔ̃te] v. tr. 1 **I** Payer (un effet de commerce) avant l'échéance, moyennant une retenue. **II** S'attendre à (qqch.), et se comporter en conséquence. → **attendre, compter** sur, **espérer, prévoir.**

**escopette** n. f. ancienn*t* Arme à feu portative à bouche évasée. → **tromblon.**

**escorte** n. f. **1** Action d'escorter (qqn, qqch.) pour protéger. *Faire escorte à qqn.* ♦ Troupe chargée d'escorter. **2** Cortège qui accompagne une personnalité.

**escorter** v. tr. 1 Accompagner pour guider, surveiller, protéger, faire honneur, etc.

**escorteur** n. m. Petit navire de guerre.

**escouade** n. f. Petite troupe.

**escrime** n. f. Exercice par lequel on apprend l'art de manier l'arme blanche (épée, fleuret, sabre). ► **escrimeur, euse** n.

s'**escrimer** v. pron. 1 **1** vieilli Se battre (comme avec une épée). **2** mod. *S'escrimer à* (+ inf.) : faire avec effort. → s'**évertuer** à.

**escroc** [-o] n. m. Personne qui escroque.

**escroquer** v. tr. 1 **1** Obtenir (qqch. de qqn) en trompant. → **extorquer, soutirer. 2** *Escroquer qqn,* obtenir qqch. de lui en le trompant. → fam. **arnaquer.**

**escroquerie** n. f. Fait d'escroquer.

**escudo** [ɛskydo ; ɛskudo] n. m. Ancienne unité monétaire du Portugal (avant l'euro).

**esgourde** n. f. argot Oreille.

**eskimo** → **esquimau**

**ésotérique** adj. **1** (connaissance...) Qui se transmet seulement à des adeptes qualifiés. → **occulte. 2** Incompréhensible pour qui ne fait pas partie des initiés.

**ésotérisme** n. m. **1** Doctrine ésotérique (ex. alchimie, hermétisme, occultisme). **2** Caractère d'une œuvre impénétrable.

① **espace** n. m. **I** (Milieu où peut se situer qqch.) **1** (espace physique) *L'espace :* étendue qui ne fait pas obstacle au mouvement. - *Espace visuel, tactile.* **2** Portion de ce milieu. → **place.** *Espace vacant.* **3** Milieu géographique. *L'espace urbain.* - *Espace vert :* espace planté d'arbres, entre des espaces construits. - *Espace vital,* revendiqué par un pays ; nécessaire au bien-être d'un individu. **4** Étendue des airs. → **air, atmosphère, ciel.** ♦ Le milieu extraterrestre. → **cosmos.** *La conquête de l'espace* (→ **spatial**). **II** (Milieu abstrait) **1** Système de référence d'une géométrie. *L'espace à trois dimensions de la géométrie euclidienne.* - phys. (relativité) *Espace-temps :* milieu à quatre dimensions (les trois de l'espace euclidien, et le temps). **2** Distance qui sépare deux objets. → **espacement, intervalle. 3** Étendue de temps. *En l'espace de dix minutes.*

② **espace** n. f. typogr. Blanc entre deux mots.

**espacement** n. m. **1** Disposition de choses espacées. **2** Distance, écart.

**espacer** v. tr. 3 **1** Disposer (des choses) en laissant entre elles un intervalle. **2** Séparer par un intervalle de temps. ▷ v. pron. s'**espacer** Devenir plus distant ; devenir plus rare. ▷ adj. **espacé, ée**

**espadon** n. m. Grand poisson comestible à mâchoire en forme d'épée.

**espadrille** n. f. Chaussure de toile à semelle en corde.

**espagnol, ole** adj. **1** De l'Espagne. → **hispanique, ibérique.** *La peseta, unité monétaire espagnole, avant l'euro.* - n. *Un(e) Espagnol(e).* - n. m. *L'espagnol* (langue romane). → **castillan. 2** loc. *Auberge* espagnole.* - *Parler français comme une vache espagnole,* très mal.

**espagnolette** n. f. Ferrure à poignée tournante servant à fermer et à ouvrir les châssis d'une fenêtre. → **crémone.**

**espalier** n. m. **1** Mur le long duquel on plante des arbres fruitiers. **2** Appareil de gymnastique, large échelle fixée à un mur.

**espar** n. m. Longue pièce de bois, de métal... du gréement d'un navire.

**espèce** n. f. **I** au plur. vx Apparences sensibles des choses. **1** relig. *Communier sous les deux espèces* (pain et vin). **2** littér. *Sous les espèces de :* sous la forme de. **II 1** Nature propre à plusieurs personnes ou choses, qui permet de les considérer comme appartenant à une catégorie distincte. → **genre, qualité, sorte, type. 2** *Une espèce de :* personne ou chose qu'on ne peut définir précisément et qu'on assimile à une autre. → **sorte.** *Une espèce de chapeau.* ♦ (personnes) *Espèce d'imbécile !* **3** loc. *Cas d'espèce,* qui ne rentre pas dans la règle générale. → **particulier.** - *En l'espèce,* en ce cas particulier. **III 1** dans une classification Division du genre. *Les caractères d'une espèce* (→ **spécifique**). **2** Ensemble d'individus ayant en commun des caractères distinctifs et pouvant se croiser. *Espèces animales, végétales.* ♦ *L'espèce humaine :* les humains. **IV** au plur. ancienn*t* Monnaie métallique (opposé à *billet*). ♦ mod. *Payer en espèces,* en argent liquide.

> Mot toujours féminin : *une espèce de chapeau.*

**espérance** n. f. **1** Sentiment qui fait entrevoir comme probable la réalisation de ce que l'on désire. → **espoir. 2** Ce sentiment, appliqué à un objet déterminé. **3** *Espérance de vie :* durée moyenne de la vie humaine, dans une société donnée.

**espéranto** n. m. Langue internationale conventionnelle, créée par Zamenhof vers 1887.

**espérer** v. 6 **1** v. tr. Considérer (ce qu'on désire) comme devant se réaliser. → **compter** sur, **escompter ; attendre, souhaiter.** ♦ *Espérer qqn,* sa venue. ♦ (appliqué au passé) *J'espère avoir bien fait.* ♦ (formule de souhait) *Espérons qu'il n'a rien entendu.* **2** v. intr. Avoir confiance. *Il espère encore.* – *Espérer en des temps meilleurs.*

**esperluette** n. f. Signe typographique représentant le mot *et* (&).

**espiègle** adj. Vif et malicieux. ► **espièglerie** n. f. → **farce, gaminerie.**

**espion, onne** n. **1** Personne chargée d'épier qqn. **2** Personne chargée de recueillir clandestinement des renseignements secrets sur une puissance étrangère.

**espionnage** n. m. **1** Action d'espionner. → **surveillance.** – *Espionnage industriel* (pour connaître des secrets de fabrication...). **2** Activité des espions (2).

**espionner** v. tr. [1] **1** Surveiller secrètement. **2** Faire de l'espionnage (2).

**esplanade** n. f. Terrain plat aménagé.

**espoir** n. m. **1** Fait d'espérer, d'attendre (qqch.) avec confiance. → **espérance.** ♦ Ce qu'on espère. *Ses espoirs se sont réalisés.* ♦ Personne sur laquelle on fonde un espoir. **2** Sentiment qui porte à espérer.

**esprit** n. m. **I 1** Souffle de Dieu. ♦ relig. chrét. *Saint-esprit* ou *esprit saint* : Dieu comme troisième personne de la Trinité, qui procède du Père et du Fils. **2** Inspiration provenant de Dieu. **3** Principe de la vie de l'homme. → **âme.** – littér. *Rendre l'esprit.* → **mourir. II** (Émanation) **1** loc. *Reprendre ses esprits* : reprendre connaissance. **2** *Esprit-de-sel* : acide chlorhydrique étendu d'eau. *Esprit-de-vin* : alcool éthylique (→ **spiritueux**). **III 1** Être immatériel, sans corps (→ **spirituel**). **2** Être actif dans les mythes, les légendes (fée, génie...). **3** Âme d'un mort. → **fantôme, revenant ; spiritisme. IV 1** Le principe pensant en général (opposé à l'objet de pensée, à la matière). → **intellect ; pensée. 2** Principe de la vie psychique, affective et intellectuelle (chez qqn). → **âme, conscience, moi.** *L'esprit et le corps.* – loc. *Avoir l'esprit ailleurs* : être distrait. *En esprit* : par la pensée. **3** Ensemble des dispositions, des façons d'agir habituelles. → **caractère.** – *Avoir l'esprit à* : être d'humeur à. **4** Principe de la vie intellectuelle (opposé à la sensibilité). → **entendement, intelligence, pensée, raison.** *Esprit logique.* – *Dans mon esprit,* selon moi. ♦ La personne qui pense. *Un grand esprit.* **5** Aptitude à l'intelligence, à une activité intellectuelle. *Esprit de synthèse.* **6** Vivacité, ingéniosité dans la façon de concevoir et d'exposer qqch. (→ **finesse, humour ; spirituel**). **7** Attitude, idée qui détermine (une action...). → **intention, volonté.** *Esprit de révolte.* ♦ Fonds d'idées, de sentiments (d'une collectivité). *L'esprit d'une époque.* → **génie. 8** Sens profond (d'un texte). *L'esprit et la lettre.*

**esquif** n. m. littér. Embarcation légère.

**esquille** n. f. Petit fragment d'un os.

① **esquimau, aude** ou **eskimo** n. et adj. vieilli Inuit*.

② **esquimau** n. m. Glace enrobée de chocolat qu'on tient par un bâtonnet plat.

**esquinter** v. tr. [1] fam. **1** Abîmer (qqch.) ; blesser (qqn). ♦ fig. Critiquer sévèrement. → **éreinter. 2** Fatiguer extrêmement. → **épuiser.** ▷ adj. **esquinté, ée**

**esquisse** n. f. **1** Première forme (d'un dessin, d'une statue...), qui sert de guide à l'artiste. → **croquis, ébauche, maquette. 2** Plan, notes indiquant l'essentiel (d'un travail...). → **canevas, projet. 3** Action d'esquisser (3). → **ébauche.**

**esquisser** v. tr. [1] **1** Représenter en esquisse (1). **2** Fixer les grands traits de (une œuvre...). **3** Commencer à faire. → **amorcer, ébaucher.** *Esquisser un sourire.*

**esquive** n. f. Action d'esquiver un coup.

**esquiver** v. tr. [1] **1** Éviter adroitement. *Esquiver un coup.* ♦ fig. → **éluder. 2** *S'esquiver* v. pron. S'en aller en évitant d'être vu.

**essai** n. m. **I 1** Opération par laquelle on s'assure des qualités, des propriétés (de qqch.) ou de la manière d'utiliser. *Banc* d'essai.* – *Vol, pilote d'essai,* pour essayer les prototypes d'avions. – *À l'essai* : aux fins d'essai. *Mettre qqn à l'essai.* **2** Action faite sans être sûr du résultat. → **tentative.** *Coup d'essai.* – Chacune des tentatives d'un athlète. **3** (au rugby) Avantage obtenu quand un joueur pose le ballon derrière la ligne de but adverse. *Transformer un essai* (en but). **II 1** Résultat d'un essai ; premières productions. **2** Ouvrage littéraire en prose, de facture libre. *Essai philosophique.*

**essaim** n. m. **1** Groupe d'abeilles, d'insectes. **2** fig. Groupe nombreux.

**essaimer** v. intr. [1] (abeilles) Quitter la ruche en essaim pour aller s'établir ailleurs. ♦ fig. (collectivité) *Sa famille a essaimé dans toute l'Europe.* ► **essaimage** n. m.

**essart** n. m. agric. Terre essartée.

**essarter** v. tr. [1] agric. Débroussailler (un terrain) par arrachage ou brûlage. ► **essartage** n. m.

**essayage** n. m. Action d'essayer (2).

**essayer** v. tr. [8] **1** Soumettre (une chose) à une ou des opérations pour voir si elle répond aux caractères qu'elle doit avoir. → **contrôler, examiner, tester ; essai. 2** Mettre (un vêtement, etc.) pour voir s'il va. **3** Employer, utiliser (une chose) pour voir si elle convient. *Essayer un vin.* **4** Employer (qqch.) pour un but particulier. *Essayer une méthode.* – *Essayer de* (+ inf.). → **chercher** à ; **tenter** de. ▷ v. pron. **s'essayer** (à) Faire l'essai de ses capacités pour (une activité). *S'essayer à la course.* – (+ inf.) *S'essayer à parler en public.*

**essayeur, euse** n. **1** Personne qui fait essayer les vêtements aux clients. **2** Personne qui essaie, contrôle un matériel, etc.

**essayiste** n. Auteur d'essais littéraires.

**esse** n. f. Crochet en forme de S.

**essence** n. f. **I** philos. **1** Fond de l'être, nature des choses. → **nature, substance.** – (opposé à *existence*) Nature d'un être, opposée au fait d'être. **2** Ce qui fait qu'une chose est ce qu'elle est ; ensemble des caractères constitutifs et invariables (→ **essentiel**). – *Par essence* : par sa nature même. → par **définition. II** Espèce (d'un arbre). *Une forêt d'essences variées.* **III 1** Liquide volatil odorant qu'on extrait des végétaux (→ huile* essentielle). *Essence de lavande.* **2** Extrait concentré (d'aliments). *Essence de café.* **3** Produit liquide, volatil, inflammable, de la distillation du pétrole (utilisé comme carburant).

**essentialisme** n. m. Philosophie pour laquelle l'essence (I) précède l'existence.

**essentiel, ielle I** adj. **1** philos. ou littér. Qui est ce qu'il est par son essence (I). – Qui appartient à l'essence. → **fondamental. 2** *Essentiel à, pour,* absolument nécessaire. → **indispensable. 3** Le plus important, très important (opposé à *secondaire*). → **principal ; capital. 4** *Huiles* essentielles.* **II** n. m. Ce qui est le plus important. → **principal.**

**essentiellement** adv. **1** Par essence. → **fondamentalement. 2** Avant tout, au plus haut point. → **absolument.**

**esseulé, ée** adj. littér. Seul, délaissé.

**essieu** n. m. Pièce transversale d'un véhicule, entrant dans les moyeux des roues.

**essor** n. m. **1** Élan d'un oiseau qui s'envole. → **envol, envolée. 2** fig. Élan, développement important et fécond.

**essorer** v. tr. [1] Débarrasser (une chose mouillée) d'une grande partie de l'eau qu'elle contient. ► **essorage** n. m. ► **essoreuse** n. f. (machine)

**essoriller** v. tr. [1] Couper les oreilles.

**essouffler** v. tr. [1] Mettre hors d'haleine, à bout de souffle. ▷ v. pron. s'**essouffler 1** Avoir du mal à respirer. **2** fig. Perdre l'inspiration ; ne plus pouvoir suivre un rythme. ► **essoufflement** n. m.

**essuie-glace** n. m. Tige de métal munie d'une lame (balai) qui essuie le pare-brise (ou la vitre arrière) d'un véhicule. *Des essuie-glaces.*

**essuie-mains** n. m. invar. Serviette pour s'essuyer les mains.

**essuie-tout** n. m. invar. Papier absorbant assez résistant, à usage domestique.

**essuyage** n. m. Action d'essuyer (I).

**essuyer** v. tr. [8] **I 1** Sécher (ce qui est mouillé) en frottant avec un linge sec, etc. – loc. fam. (fig.) Subir le premier une situation fâcheuse. ♦ Ôter (ce qui mouille). *Essuyer ses larmes.* **2** Ôter la poussière de (qqch.) en frottant. ♦ Enlever (ce qui salit...). **II** fig. Avoir à supporter (qqch. de fâcheux). → **endurer, subir.**

**est** [ɛst] n. m. **1** Celui des quatre points cardinaux qui est au soleil levant. ♦ Lieu situé du côté de l'est (→ **oriental**). **2** *L'Est* (en France) : l'Alsace et la Lorraine. ♦ hist. Les pays à l'est de l'Europe.

> On écrit *il habite dans l'Est* mais *dans l'est de la France.*

**estacade** n. f. Barrage, jetée de pieux.

**estafette** n. f. anciennt Messager. ♦ mod. Militaire agent de liaison.

**estafilade** n. f. Entaille faite avec une arme tranchante. → **balafre, coupure.**

**estaminet** n. m. région. Café populaire.

**estampe** n. f. Image imprimée par gravure sur bois, etc. ou par lithographie. → **gravure.**

**estamper** v. tr. [1] **1** Imprimer en relief ou en creux sur (un support) une empreinte gravée. **2** fig. fam. Faire payer trop cher (qqn). → **escroquer.** ► **estampage** n. m.

**estampille** n. f. Empreinte (cachet, poinçon...) qui atteste l'authenticité, l'origine d'un produit, d'un document. ► **estampiller** v. tr. [1] ► **estampillage** n. m.

**estancia** n. f. Grande exploitation agricole d'élevage, en Amérique latine.

① **ester** [ɛste] v. intr. [1] dr. *Ester en justice* : intenter un procès.

② **ester** [ɛstɛʀ] n. m. chim. Corps résultant de l'action d'un acide sur un alcool avec élimination d'eau (→ **polyester**).

**esthète** n. et adj. (Personne) qui affecte le culte raffiné de la beauté formelle.

**esthéticien, ienne** n. **1** didact. Spécialiste d'esthétique (I, 1). **2** Personne qui donne des soins de beauté (maquillage, etc).

**esthétique I** n. f. **1** Science du beau dans la nature et dans l'art ; conception particulière du beau. **2** Beauté. *L'esthétique d'un monument.* **3** *Esthétique industrielle.* → anglic. **design. II** adj. **1** Relatif à la beauté, à l'esthétique (I, 1). **2** Qui a un caractère de beauté. **3** *Chirurgie esthétique,* qui change les formes du corps, du visage dans un but esthétique. ► **esthétiquement** adv.

**estimable** adj. **1** Digne d'estime. **2** Qui a du mérite, sans être remarquable.

**estimatif, ive** adj. Qui contient une estimation. *Devis estimatif.*

**estimation** n. f. **1** Action d'estimer (I, 1). → **expertise ; devis. 2** Action d'évaluer (une grandeur). *Selon mes estimations...*

**estime** n. f. **I** mar. Calcul de la position d'un navire en estimant le chemin parcouru. ♦ loc. adv. *À l'estime. Naviguer à l'estime,* en utilisant les instruments de navigation. – fig. Approximativement, au jugé. **II 1** Sentiment favorable né de la bonne opinion qu'on a de la valeur (de qqn). → **considération, respect. 2** Sentiment qui attache du prix (à qqch.).

*Succès d'estime* (d'une œuvre qui a la faveur de la critique).

**estimer** v. tr. [1] **I 1** Déterminer le prix, la valeur de (qqch.) par une appréciation. → **apprécier, évaluer ; estimation. 2** Calculer approximativement. **II 1** Avoir une opinion sur. → **considérer, tenir** pour. *Estimer utile de faire qqch. J'estime avoir fait mon devoir.* **2** Reconnaître la valeur de (qqn ou, moins souvent, qqch.). → **apprécier, considérer ; estime.** ▷ v. pron. s'**estimer** (+ adj. attribut) Se considérer. *Estimons-nous heureux.* ▷ adj. **estimé, ée** Qui jouit de l'estime d'autrui. – (choses) Apprécié.

**estival, ale, aux** adj. Propre à l'été.

**estivant, ante** n. Vacancier qui passe l'été dans une station de villégiature.

**estiver** v. [1] Se dit des troupeaux qui passent l'été dans des pâturages de montagne (→ **transhumance**). ► **estivage** n. m.

**estoc** n. m. *D'estoc et de taille,* avec la pointe et le tranchant de l'épée.

**estocade** n. f. (tauromachie) Coup d'épée, dans la mise à mort du taureau.

**estomac** [-a] n. m. **I** Viscère creux, organe de l'appareil digestif. **1** (personnes) Poche musculeuse, située dans la partie supérieure de la cavité abdominale. → **stomacal.** – loc. *Avoir l'estomac dans les talons :* avoir faim. **2** (animaux) Partie renflée du tube digestif, qui reçoit les aliments. *L'estomac des ruminants* (panse, bonnet, feuillet, caillette). **II** Partie du torse située sous les côtes. *Frapper qqn à l'estomac.* **III** *Avoir de l'estomac,* de l'audace.

**estomaquer** v. tr. [1] fam. Étonner, surprendre par qqch. de choquant.

**estompe** n. f. Petit rouleau servant à étendre la trace du crayon, du fusain, etc. sur un dessin.

**estomper** v. tr. [1] **1** Dessiner, ombrer avec l'estompe. **2** Rendre flou, moins net. → **voiler. 3** fig. Enlever de son relief à (un sentiment...). → **adoucir, atténuer.** ▷ v. pron. s'**estomper** ► **estompage** n. m.

**estonien, ienne** adj. De l'Estonie. – n. *Un Estonien, une Estonienne.* – n. m. *L'estonien,* langue finno-ougrienne parlée par les Estoniens.

**estoquer** v. tr. [1] Tuer par l'estocade.

**estourbir** v. tr. [2] fam. Assommer.

① **estrade** n. f. vx Route. – loc. *Battre l'estrade :* courir les chemins.

② **estrade** n. f. Plancher élevé au-dessus du sol ou du parquet.

**estragon** n. m. Plante dont la tige et les feuilles servent comme condiment.

**estran** n. m. Partie du littoral périodiquement recouverte par la marée.

**estrapade** n. f. anciennt Supplice qui consistait à laisser tomber un condamné suspendu par une corde à une potence.

**estrogène** → **œstrogène**

**estropier** v. tr. [7] **1** Priver d'un membre, mutiler par blessure ou maladie. **2** fig. Modifier, déformer ou tronquer (un mot, etc.). ▷ adj. et n. **estropié, ée** → **infirme.**

**estuaire** n. m. Embouchure (d'un cours d'eau) dessinant un golfe évasé et profond.

**estudiantin, ine** adj. Des étudiants.

**esturgeon** n. m. Grand poisson qui vit en mer et va pondre dans les grands fleuves. *Œufs d'esturgeon.* → **caviar.**

**et** conj. **I** Conjonction de coordination qui sert à lier les mots, les syntagmes, les propositions ayant même fonction ou même rôle et à exprimer une addition, une liaison. **1** reliant des parties de même nature *Deux et deux font quatre. Du thym, du laurier et du romarin.* **2** reliant deux parties de nature différente et de même fonction *Il chanta, et avec brio.* **3** dans les nombres composés (joignant *un* aux dizaines) *Vingt et un* (mais *quatre-vingt-un*). – devant la fraction *Deux heures et quart* (aussi *un quart*), *et demie.* **II** (en début de phrase) *Et voici que tout à coup...* → **alors. III** n. m. **1** Le mot *et. Signe représentant et.* → **esperluette. 2** math., log. Symbole ou opérateur représentant l'intersection, le produit logique.

**étable** n. f. Bâtiment où on loge le bétail, les bovidés (→ **stabulation**).

**établi** n. m. Table massive sur laquelle on dispose ou fixe la pièce à travailler.

**établir** v. tr. [2] **I** Mettre, faire tenir (une chose) dans un lieu et d'une manière stable. → **construire, installer.** *Établir un campement.* **II** fig. **1** Mettre en vigueur, en application. → **fonder, instituer.** *Établir un impôt.* – Fonder de manière stable. *Établir sa réputation.* **2** vieilli Pourvoir (qqn) d'une situation, d'un emploi. **3** Fonder sur des arguments. → **appuyer, baser, étayer.** – Faire apparaître comme vrai. → **démontrer, prouver. 4** Faire commencer (des relations). *Établir des liens avec qqn.* → **nouer.** ▷ v. pron. s'**établir 1** Se fixer (en un lieu). → s'**installer. 2** (+ attribut) Se poser en. *S'établir juge des actes d'autrui.* **3** Prendre naissance, s'instaurer. ▷ adj. **établi, ie** → **solide.**

**établissement** n. m. **I 1** Action de fonder, d'établir. → **création, fondation, institution. 2** Fait d'établir (II, 3). → **démonstration, preuve. 3** Fait de s'établir (1). **II** Ensemble des installations d'une entreprise ; cette entreprise. *Les établissements X.* → **société.** ♦ *Établissement scolaire.*

**étage** n. m. **I 1** Espace compris entre deux planchers successifs d'un édifice. *Immeuble de six étages.* **2** Chacun des plans (d'une chose aux parties superposées). *Le terrain descend par étages.* **3** géol. Ensemble de terrains de même âge (subdivision de l'époque). **4** Élément détachable (d'une fusée). **II** loc. *De bas étage :* de condition médiocre.

**étager** v. tr. [3] Disposer par étages superposés. → **échelonner, superposer.** ▷ v. pron. s'**étager** ► **étagement** n. m.

**étagère** n. f. **1** Planche fixée horizontalement. **2** Meuble fait de montants supportant des tablettes horizontales.

① **étai** n. m. Pièce de charpente destinée à soutenir provisoirement **(→ étayer).**

② **étai** n. m. Câble à l'avant d'un navire, soutenant un mât (→ aussi **hauban).**

**étaiement → étayage**

**étain** n. m. **1** Élément (symb. Sn), métal grisâtre, très malléable. **2** Objet d'étain.

**étal, étals** ou rare **étaux** n. m. **1** Table où l'on expose les marchandises dans les marchés. **→ éventaire. 2** Table de bois sur laquelle les bouchers débitent la viande.

**étalage** n. m. **1** admin. Exposition de marchandises qu'on veut vendre. **2** Lieu où l'on expose des marchandises ; marchandises exposées. **→ étal ; devanture, vitrine. 3** fig. Action d'exposer avec ostentation. *Étalage d'érudition.* – *Faire étalage de.* **→ exhiber.**

**étalagiste** n. Personne dont le métier est de disposer les étalages des magasins.

**étale** adj. Sans mouvement, immobile. – *Mer étale,* qui ne monte ni ne descend.

**étalement** n. m. Action d'étaler, de répartir (dans l'espace ou dans le temps).

**étaler** v. tr. [1] **I** concret **1** Exposer (des marchandises à vendre). **2** Disposer sur une grande surface, notamment pour montrer. *Étaler ses cartes.* – *Étaler un journal.* **→ déployer. 3** Étendre en couche fine. *Étaler du beurre sur du pain.* **4** fam. Faire tomber (qqn). **II** abstrait **1** Montrer avec prétention. *Étaler son savoir.* **2** Montrer, exposer. *Étaler ses amours.* **III** Répartir dans le temps. **→ échelonner.** ▷ v. pron. **s'étaler 1** (passif) *Peinture qui s'étale bien.* **2** S'afficher, s'exhiber. **3** S'étendre (dans le temps). **4** fam. (personnes) Prendre de la place. **5** fam. Tomber.

① **étalon** n. m. Cheval destiné à la reproduction (opposé à *hongre*).

② **étalon** n. m. **1** Modèle légal de mesure ; représentation matérielle d'une unité de mesure. – appos. *Mètre étalon.* **2** fig. **→ modèle, référence. 3** écon. Métal fondant la valeur d'une monnaie.

**étalonner** v. tr. [1] **1** Vérifier (une mesure) par comparaison avec un étalon. **2** Graduer (un instrument) conformément à l'étalon. ► **étalonnage** et **étalonnement** n. m.

**étambot** n. m. Partie d'un navire qui continue la quille à l'arrière.

**étamer** v. tr. [1] **1** Recouvrir (un métal) d'une couche d'étain. – au p. p. *Tôle étamée :* fer-blanc. **2** Recouvrir (une face d'une glace) de tain*. ► **étamage** n. m. ► **étameur, euse** n.

① **étamine** n. f. **1** Étoffe mince, légère. **2** Tissu lâche qui sert à filtrer.

② **étamine** n. f. Organe mâle producteur du pollen, chez les plantes à fleurs.

**étampe** n. f. Poinçon, outil pour étamper.

**étamper** v. tr. [1] techn. Imprimer une marque sur (une surface dure). ► **étampage** n. m.

**étanche** adj. Qui ne laisse pas passer les fluides, ne fuit pas. *Toiture étanche.* **→ imperméable.** ► **étanchéité** n. f.

**étancher** v. tr. [1] **1** Arrêter (un liquide) dans son écoulement. **→ éponger. 2** *Étancher sa soif,* l'apaiser en buvant. **→** se **désaltérer.** ► **étanchement** n. m.

**étançon** n. m. Grosse pièce de bois de soutien. **→ béquille, contrefort, étai.**

**étang** [etɑ̃] n. m. Étendue d'eau moins vaste et moins profonde qu'un lac.

**étape** n. f. **1** Lieu où l'on s'arrête au cours d'un déplacement, d'un voyage. – loc. *Brûler l'étape :* ne pas s'arrêter à l'étape prévue. fig. *Brûler les étapes :* aller plus vite que prévu. **2** Distance pour arriver à une étape (1). *Une longue étape.* **3** fig. Période dans une progression, une évolution. **→ moment, phase.** *Par étapes.* **→ degré.**

**état** n. m. **I** Manière d'être (d'une personne ou d'une chose), considérée dans ce qu'elle a de plus ou moins durable (opposé à *devenir*). *État permanent ; momentané.* **1** Manière d'être physique, intellectuelle, morale (d'une personne). ♦ loc. *Être dans tous ses états,* très agité. – *État d'esprit :* disposition d'esprit. – *État d'âme :* disposition des sentiments. *Avoir des états d'âme,* des réactions affectives incontrôlées. ♦ *En état de, hors d'état de* (+ inf.) : capable ou non de. **2** Manière d'être (d'une chose). – *En bon, en mauvais état. En état de marche.* – *En état :* dans l'état normal ou antérieur. – *En l'état :* tel quel. – *État de choses :* circonstance. – *En tout état de cause :* dans tous les cas. ♦ (choses abstraites) *L'état de la question.* **3** sc. Manière d'être (d'un corps) résultant de la plus ou moins grande cohésion de ses molécules. *État solide, liquide, gazeux.* **4** *Faire état de :* tenir compte de ; mettre en avant. **5** Écrit constatant ou décrivant un fait, une situation à un moment donné. *État des lieux.* **II** Situation (d'une personne) dans la société. **1** littér. Fonction sociale. *L'état religieux.* – *Il est architecte de son état,* c'est son métier. **2** dr. Ensemble de qualités inhérentes à la personne, auxquelles la loi civile attache des effets juridiques. *État d'époux.* ♦ *État civil :* mode de constatation des principaux faits relatifs à l'état des personnes (naissance, mariage, décès...) ; service chargé de constater ces faits. **3** hist. *Tiers état :* sous l'Ancien Régime, Troisième état comprenant ceux qui n'appartenaient ni à la noblesse ni au clergé. – au plur. *États généraux :* assemblée des députés des trois états, convoquée par le roi. **III** (avec une maj.) **1** Autorité souveraine s'exerçant sur un peuple et un territoire déterminés. *L'État et la nation.* – *Chef d'État :* personne qui exerce l'autorité souveraine dans un pays. *Le chef de l'État* (même sens). – *Homme, femme d'État :* personne qui a ou peut avoir un rôle très important dans l'État. – *Coup d'État* : conquête ou tentative de conquête du pouvoir par des moyens illégaux. → **putsch.** – *Raison d'État* : considération d'intérêt public que l'on invoque pour justifier une action. **2** Ensemble des services généraux d'une nation ; pouvoir central. *L'État et les collectivités locales.* **3** Groupement humain fixé sur un territoire déterminé, soumis à une même autorité. → **nation, pays.**

**étatique** adj. Qui concerne l'État.

**étatiser** v. tr. [1] Transformer en propriété d'État ; faire gérer par l'État. → **nationaliser.** ► **étatisation** n. f.

**étatisme** n. m. Doctrine préconisant l'extension du rôle de l'État dans la vie économique et sociale. ► **étatiste** adj. et n.

**état-major** n. m. **1** Officiers et personnel attachés à un officier supérieur ou général pour élaborer et transmettre les ordres. → **commandement.** *Des états-majors.* **2** Ensemble des dirigeants (d'un groupe...).

**étau** n. m. **1** Presse formée de deux mâchoires qu'on rapproche de manière à serrer l'objet que l'on veut travailler. **2** loc. fig. *Être pris dans un étau,* dans une situation pénible.

**étayage** n. m. Action d'étayer ; opération par laquelle on étaie. – syn. **étaiement.**

**étayer** v. tr. [8] **1** Soutenir à l'aide d'étais (①). *Étayer un mur.* **2** fig. Appuyer, soutenir. *Étayer une démonstration.*

**et cætera** ou **et cetera** [ɛtseteʀa] loc. Et le reste. – abrév. graphique **etc.**

① **été** Participe passé (invar.) de *être.*

② **été** n. m. Saison qui succède au printemps et précède l'automne, et qui, dans l'hémisphère Nord, commence au *solstice d'été* et s'achève à l'équinoxe d'automne. ♦ *L'été indien* : période de beaux jours en automne, en Amérique du Nord.

**éteignoir** n. m. **1** Ustensile creux qu'on pose sur une bougie, etc. pour l'éteindre. **2** fig. Ce qui arrête l'élan de l'esprit, de la gaieté. – (personnes) → **rabat-joie. 3** Cendrier de rue.

**éteindre** v. tr. [52] **1** Faire cesser de brûler. *Éteindre un feu* (→ **extinction**). ♦ Faire cesser d'éclairer. *Éteindre une lampe.* ♦ Faire cesser de fonctionner (un appareil). *Éteindre la radio.* **2** fig., littér. Diminuer l'intensité de ; faire cesser d'exister. → **apaiser, calmer, diminuer. 3** dr. *Éteindre un droit ; une dette.* → **annuler ; acquitter.** ▷ v. pron. s'**éteindre 1** Cesser de brûler ; cesser d'éclairer. **2** littér. (sons...) Perdre son éclat, sa vivacité. **3** fig. Disparaître, finir. *Souvenir qui s'éteint.* – (personnes) Mourir. ▷ adj. **éteint, einte 1** Qui ne brûle plus ; qui n'éclaire plus. **2** Qui a perdu son éclat, sa vivacité. **3** fig. Affaibli ; supprimé.

**étendage** n. m. **1** Action d'étendre pour faire sécher. **2** Cordes à linge, séchoir.

**étendard** n. m. **1** Enseigne de guerre, drapeau. **2** fig. Signe de ralliement ; symbole (d'une cause...). *L'étendard de la liberté.*

**étendoir** n. m. → **étendage** (2).

**étendre** v. tr. [41] **1** Déployer (un membre, une partie du corps) dans sa longueur (en l'écartant, en le dépliant). **2** Placer à plat ou dans sa grande dimension (ce qui était plié). *Étendre du linge,* pour qu'il sèche. **3** Coucher (qqn) de tout son long. ♦ fig., fam. → **coller, refuser.** *Se faire étendre au bac.* **4** Faire couvrir une surface plus grande à. → **étaler. 5** Diluer. *Étendre une sauce.* **6** fig. Rendre plus grand. → **accroître.** *Étendre son influence.* ▷ v. pron. s'**étendre 1** Augmenter en surface ou en longueur. **2** (personnes) → s'**allonger,** se **coucher. 3** (sujet chose) Occuper un certain espace. **4** Prendre de l'ampleur. **5** *S'étendre sur un sujet,* le développer longuement. ▷ adj. **étendu, ue 1** Qu'on a étendu ou qui s'est étendu. **2** Qui a une grande étendue.

**étendue** n. f. **1** philos. Propriété des corps d'être situés dans l'espace et d'en occuper une partie. **2** Espace perceptible, visible ; espace occupé par qqch. **3** (voix...) Écart entre le son le plus grave et le son le plus aigu. → **registre. 4** Espace de temps. → **durée. 5** fig. Importance, développement.

**éternel, elle** adj. **I 1** Qui est hors du temps, qui n'a pas eu de commencement et n'aura pas de fin. ♦ n. m. *L'Éternel* : Dieu. – Ce qui a une valeur d'éternité*. **2** Qui est de tous les temps ou qui doit durer toujours. – relig. *La vie éternelle,* après la mort. – *Le repos éternel* : la mort. **3** Qui dure très longtemps ; dont on ne peut imaginer la fin. – *Neiges éternelles,* qui ne fondent pas. **II** (avant le nom) **1** Qui ne semble pas devoir finir ; qui ennuie par la répétition. → **sempiternel.** – (personnes) *Un éternel mécontent.* **2** Qui se trouve continuellement associé à qqch., à qqn. → **inséparable.** *Avec son éternel chapeau.*

**éternellement** adv. **1** De tout temps. → **indéfiniment. 2** Sans cesse. → **toujours.**

**éterniser** v. tr. [1] **1** littér. Rendre éternel. → **immortaliser, perpétuer. 2** Prolonger indéfiniment. ▷ v. pron. s'**éterniser 1** Se perpétuer, se prolonger. **2** fam. S'attarder trop longtemps.

**éternité** n. f. **I 1** Durée qui n'a ni commencement ni fin (surtout dans un contexte religieux). **2** Durée ayant un commencement, mais pas de fin ; relig. la vie future. **3** Temps qui semble extrêmement long. **4** loc. adv. *De toute éternité* : depuis toujours. **II** Caractère de ce qui est éternel. → **pérennité.**

**éternuement** n. m. Expulsion brusque d'air par le nez et la bouche, provoquée par l'irritation des muqueuses nasales (→ **sternutation**).

**éternuer** v. intr. [1] Faire un éternuement.

**étêter** v. tr. [1] Couper la tête de (un arbre...). ► **étêtage** ou **étêtement** n. m.

**éteule** n. f. agric. Chaume laissé sur place.

**éthane** n. m. Gaz combustible, hydrocarbure saturé.

**éthanol** n. m. Alcool éthylique*.

① **éther** [etɛʀ] n. m. **1** littér. L'air le plus pur ; les espaces célestes. → **air, ciel. 2** sc. anc. Fluide subtil supposé emplir l'espace.

② **éther** [etɛʀ] n. m. **1** chim. anc. Tout composé volatil résultant de la combinaison d'acides avec des alcools. **2** Oxyde d'éthyle, liquide d'une odeur forte, très volatil.

**éthéré, ée** adj. **1** Qui est de la nature de l'éther (①). **2** → **aérien, irréel, léger.** *Créature éthérée. – Sentiments éthérés.* → **pur.**

**éthéromane** adj. et n. Toxicomane qui se drogue à l'éther (②, 2).

**éthique I** n. f. **1** Science de la morale. **2** Ensemble des conceptions morales de qqn, un milieu, une culture. **II** adj. **1** Qui concerne la morale. → **moral. 2** Qui intègre des critères moraux dans le fonctionnement social.

Ne pas confondre avec *étique* «très maigre».

**ethnie** n. f. Ensemble de personnes que rapprochent des caractères de civilisation, notamment la langue et la culture.

**ethnique** adj. **1** Relatif à une ethnie. – loc. *Purification* ethnique.* **2** Qui représente une tradition populaire, notamment non occidentale. *Bijoux ethniques.*

**ethnocentrisme** n. m. didact. Tendance à privilégier son groupe ethnique. ► **ethnocentrique** adj.

**ethnographie** n. f. Étude descriptive des groupes humains (ethnies). ► **ethnographe** n. ► **ethnographique** adj.

**ethnologie** n. f. Étude théorique des groupes humains (décrits par l'ethnographie*). → **anthropologie.** ► **ethnologique** adj. ► **ethnologue** n.

**éthologie** n. f. Étude des comportements animaux. ► **éthologique** adj. ► **éthologiste** n.

**éthyle** n. m. chim. Radical formé de carbone et d'hydrogène.

**éthylène** n. m. Hydrocarbure gazeux incolore, peu soluble dans l'eau.

**éthylique** adj. **1** chim. *Alcool éthylique :* l'alcool ordinaire. **2** Dû à l'ingestion exagérée d'alcool. ♦ n. Alcoolique, ivrogne.

**éthylisme** n. m. méd. Alcoolisme.

**éthylomètre** n. m. techn. Appareil qui sert à mesurer le taux d'alcool dans le sang.

**étiage** [etjaʒ] n. m. Baisse des eaux (d'un cours d'eau) ; le plus bas niveau des eaux.

**étincelant, ante** adj. **1** littér. Qui étincelle. ♦ Qui brille, scintille. **2** D'un ton éclatant. **3** fig. → **brillant.** *Une verve étincelante.*

**étinceler** v. intr. [4] **1** Briller au contact d'un rayon lumineux. **2** littér. Produire un éclat vif. **3** littér. (abstrait) Avoir de l'éclat. ► **étincellement** n. m. → **scintillation.**

**étincelle** n. f. **1** Parcelle incandescente qui se détache d'un corps qui brûle, ou qui jaillit au contact ou sous le choc de deux corps. **2** Point brillant ; reflet. – (personnes) *Faire des étincelles,* être brillant. **3** fig. *Une étincelle de raison.* → **lueur.**

**étioler** [etjɔle] v. tr. [1] **1** Rendre (une plante) grêle et décolorée, par manque d'air, de lumière. **2** Rendre (qqn) chétif, pâle. **3** fig. Affaiblir, atrophier. ▷ v. pron. **s'étioler** ► **étiolement** n. m.

**étiologie** [-tjɔ-] n. f. méd. Étude des causes des maladies.

**étique** adj. littér. D'une extrême maigreur.

Ne pas confondre avec *éthique* «moral».

**étiqueter** v. tr. [4] **1** Marquer d'une étiquette. ► **étiqueteuse** n. f. (machine) **2** fig. Classer (qqn) d'après son origine, ses opinions, etc. ► **étiquetage** n. m.

**étiquette** n. f. **I 1** Petit morceau de papier, de carton, fixé à un objet (pour en indiquer la nature, le prix, le possesseur...). **2** fig. Ce qui marque qqn et le classe (dans un parti, une école, etc.). **II** Ordre de préséances ; cérémonial en usage auprès d'un grand personnage. → **protocole.**

**étirage** n. m. Action d'étirer.

**étirement** n. m. Fait de s'étirer.

**étirer** v. tr. [1] Allonger ou étendre par traction. ▷ v. pron. **s'étirer 1** Se tendre, s'allonger. **2** (êtres vivants) Étendre ses membres. **3** S'étendre dans le temps.

**étoffe** n. f. **I** Tissu dont on fait des habits, des garnitures d'ameublement. **II 1** Ce qui constitue la nature, les qualités (de qqn ou qqch.). – *Avoir de l'étoffe,* une forte personnalité. **2** Matière, sujet. *Ce roman manque un peu d'étoffe.*

**étoffer** v. tr. [1] Rendre plus abondant, plus riche. → **enrichir.** *Étoffer un roman.* → **nourrir.** ▷ v. pron. **s'étoffer** (personnes) S'élargir. – (choses) Devenir plus consistant.

**étoile** n. f. **I 1** cour. Tout astre visible, excepté le Soleil et la Lune ; point brillant dans le ciel, la nuit. *L'étoile Polaire,* située dans la direction du nord. *L'étoile du berger :* la planète Vénus. – *À la belle étoile :* en plein air, la nuit. **2** astron. Astre producteur et émetteur d'énergie. → aussi **nova, supernova. 3** *Étoile filante :* météorite dont le passage dans l'atmosphère terrestre se signale par une traînée de lumière. **II** (dans des expr.) Astre, considéré comme influant sur la destinée de qqn. *Être né sous une bonne étoile.* **III 1** Objet, ornement disposé en rayons (représentation traditionnelle des étoiles). – *Étoile de David,* symbole du judaïsme. *L'étoile jaune,* insigne que les nazis obligeaient les Juifs à porter. – Signe en étoile.

→ **astérisque.** **2** *Étoile de mer* : échinoderme marin en forme d'étoile à cinq branches (syn. *astérie*). **IV** Personne qui a une très grande réputation (dans le monde du spectacle). → **star, vedette.** - appos. *Danseur, danseuse étoile.*

**étoilement** n. m. **1** Action d'étoiler, de s'étoiler. **2** Disposition en étoile.

**étoiler** v. tr. [1] **1** Parsemer d'étoiles. → **consteller.** - pronom. Se couvrir d'étoiles. **2** Former une étoile (III) sur. **3** Fêler en forme d'étoile. ▷ adj. **étoilé, ée**

**étole** n. f. **1** Bande d'étoffe que l'évêque, le prêtre et le diacre portent au cou. **2** Écharpe rappelant la forme de l'étole.

**étonnant, ante** adj. **1** Qui surprend par qqch. d'extraordinaire. → **incroyable, surprenant.** **2** Qui frappe par un caractère remarquable, réussi. → **épatant, fantastique.** - (personnes) Digne d'admiration ; singulier. ► **étonnamment** adv.

**étonnement** n. m. Surprise causée par qqch. d'extraordinaire, d'inattendu.

**étonner** v. tr. [1] **1** vx Ébranler. **2** Causer de la surprise à (qqn). → **abasourdir, ébahir, surprendre.** - *Cela m'étonnerait,* cela est peu probable. ▷ v. passif : s'**étonner** v. pron., (être) **étonné, ée** trouver étrange, être surpris. - au p. p. *Regard étonné.*

**étouffant, ante** adj. Qui fait qu'on étouffe. → **asphyxiant, suffocant.**

**étouffe-chrétien** [-kʀetjɛ̃] n. m. plais. Aliment épais, difficile à avaler.

à l'**étouffée** loc. adj. et adv. Se dit d'aliments cuits dans un récipient clos, à la vapeur (syn. *à l'étuvée*).

**étouffement** n. m. **1** Action d'étouffer (un être vivant). → **asphyxie.** **2** Difficulté à respirer. **3** fig. Action d'étouffer, d'empêcher de se développer.

**étouffer** v. [1] **I** v. tr. **1** Asphyxier ou suffoquer (qqn) en empêchant de respirer. **2** (sujet chose) Gêner (qqn) en rendant la respiration difficile. - fig., fam. *Les scrupules ne l'étouffent pas* : il n'a aucun scrupule. **3** Gêner la croissance de (une plante). **4** Priver de l'oxygène nécessaire à la combustion. → **éteindre.** *Étouffer un foyer d'incendie.* **5** Empêcher (un son) de se propager. - au p. p. *Bruits étouffés.* ♦ fig. Faire taire. *Étouffer l'opposition.* → **bâillonner, garrotter.** **6** Empêcher de se développer en soi. → **contenir, refouler, réprimer.** *Étouffer ses émotions.* **7** Empêcher de se développer. *Étouffer un scandale.* **II** v. intr. **1** Respirer avec peine ; ne plus pouvoir respirer. → **suffoquer.** ♦ Avoir très chaud. **2** fig. Être mal à l'aise, ressentir une impression d'oppression. ▷ v. pron. **s'étouffer** Perdre la respiration. ♦ Mourir par asphyxie.

**étouffoir** n. m. Lieu où l'on étouffe.

**étoupe** n. f. Partie grossière de la filasse.

**étourderie** n. f. **1** Acte d'étourdi. **2** Caractère d'une personne étourdie.

**étourdi, ie** **1** adj. Qui agit sans réflexion, sans attention. → **distrait, irréfléchi, léger.** - Qui oublie, égare facilement ; qui manque d'organisation. **2** n. *Un, une étourdi(e).* **3** loc. adv. *À l'étourdie.* → **étourdiment.**

**étourdiment** adv. À la manière d'un étourdi. → **inconsidérément.**

**étourdir** v. tr. [2] **1** Faire perdre à demi connaissance à (qqn). **2** Causer une ivresse, un vertige à (qqn). → **griser.** **3** Fatiguer par le bruit, les paroles. ▷ v. pron. **s'étourdir** Perdre la claire conscience de soi-même. - *S'étourdir de paroles.* → se **griser.**

**étourdissant, ante** adj. **I** Qui étourdit par son bruit. **II** Qui fait sensation.

**étourdissement** n. m. **1** Trouble caractérisé par une sensation de tournoiement, d'engourdissement. → **faiblesse, vertige.** - État d'une personne grisée. → **griserie.** **2** Action de s'étourdir.

**étourneau** n. m. **1** Petit oiseau à plumage sombre moucheté de taches blanches. → **sansonnet.** **2** fig. Personne étourdie.

**étrange** adj. **1** Très différent de ce qu'on a l'habitude de voir, d'apprendre ; qui étonne, surprend. → **bizarre, curieux, drôle, extraordinaire, singulier.** **2** n. m. Caractère étrange (de...). → **étrangeté.** ♦ Ce qui est étrange. *Le goût de l'étrange.* ► **étrangement** adv. → **bizarrement, curieusement.**

**étranger, ère** **I** adj. **1** Qui est d'une autre nation. - Qui est autre (en parlant d'une nation). **2** Relatif aux rapports avec les autres nations. *Politique étrangère.* **3** Qui n'appartient pas à un groupe (familial, social). **4** (choses) *Étranger à* (qqn) : qui n'est pas naturel à (qqn). - Qui n'est pas familier de (qqn). **5** (personnes) *Étranger à* (qqch.) : qui se tient à l'écart de (qqch.). - *Être étranger à toute envie,* être incapable d'éprouver ce sentiment. **6** (choses) Qui ne fait pas partie (de) ; qui n'a aucun rapport (avec). → **distinct, extérieur.** **7** *Corps étranger* : chose qui se trouve contre nature dans l'organisme. **II** n. **1** Personne dont la nationalité n'est pas celle d'un pays donné. **2** Personne qui ne fait pas partie d'un groupe ; personne inconnue. **3** n. m. *L'étranger* : un pays étranger ; les pays étrangers.

**étrangeté** n. f. **1** Caractère étrange. → **singularité.** **2** littér. Action, chose étrange.

**étranglement** n. m. **1** Fait d'étrangler (1). → **strangulation.** **2** Fait de se resserrer. **3** fig., littér. Action d'entraver, de freiner.

**étrangler** v. tr. [1] **1** Priver de respiration (jusqu'à ce que mort s'ensuive, ou non) par une forte compression du cou. - pronom. *S'étrangler en avalant de travers.* → s'**étouffer.** **2** Gêner la respiration de (qqn). *L'émotion l'étranglait.* - pronom. *S'étrangler à force de crier.* - au p. p. *Voix étranglée* (par l'émotion). **3** fig. Gêner ou supprimer par une contrainte insupportable. **4** (sujet chose) Resserrer, comprimer.

**étrangleur, euse** 1 n. Personne qui étrangle. 2 adj. Qui étrangle.

**étrave** n. f. Pièce saillante qui forme la proue d'un navire.

① **être** v. intr. [61] aux temps composés, se conjugue avec *avoir* **I 1** Avoir une réalité. → **exister.** – littér. *Il n'est plus* : il est mort. **2** impers. (surtout littér.) *Il est, est-il, il n'est pas...* : il y a, y a-t-il, etc. *Il était une fois...* (début de contes). *Il n'est rien d'aussi beau.* – *Toujours est-il que,* en tout cas. – *Un menteur s'il en est,* un parfait menteur. ♦ (moment dans le temps) *Il est midi.* **II** verbe reliant l'attribut au sujet *La Terre est ronde. Soyez poli.* – *Il est tout pour moi.* → **représenter. III** (+ prép. ou adv.) **1** (état) *Être bien, être mal* (relativement au confort, à la santé). → **aller. 2** (lieu) *Je suis chez des amis.* → **demeurer. 3** Avoir l'esprit attentif. *Il n'est pas à ce qu'il fait.* – *Y être* : comprendre. *Ah ! J'y suis !* **4** (au passé + compl. de lieu ou inf.) Aller. *J'y ai été ; j'ai été la voir* (= je suis allé). **5** (temps) *Quel jour sommes-nous ?* **6** *Être à. Ceci est à moi,* m'appartient. – *Être à son travail,* occupé par. ♦ *Être de* : venir, provenir de. – Participer à. *Être de la fête.* **IV** *C'est, ce sera, c'était...* **1** Présentant une personne, une chose ; rappelant ce dont il a été question. *Ce sont mes amis. Qui est-ce ?* **2** Annonçant ce qui suit (mise en relief). *C'est à vous d'agir.* – *Si ce n'était ;* littér. *n'eût été* : sans (cette circonstance). ♦ *Est-ce que ?,* formule interrogative qui s'emploie concurremment avec l'inversion du sujet (rétablit l'ordre sujet-verbe inversé dans est-il... ?). *Est-ce qu'il est arrivé ?* – fam. (après un adv., un pron. interrog.) *Quand est-ce qu'il vient ? Qu'est-ce qui se passe ?* ♦ *C'est-à-dire.* → **c'est-à-dire.** – *N'est-ce pas.* → **n'est-ce pas. V** verbe auxiliaire **1** passif des v. tr. *Être aimé.* **2** temps composés de v. intr. *Nous étions partis.* **3** temps composés des v. pron. *Ils se sont aimés, plu.*

② **être** n. m. **I** Fait d'être (→ **existence**), qualité de ce qui est. *Étude de l'être.* → **ontologie. II 1** Ce qui est vivant et animé. *Les êtres et les choses.* ♦ *L'Être suprême,* Dieu. **2** Être humain. → **personne.** *L'être aimé.* – loc. *Désirer qqch. de tout son être.*

**étreindre** v. tr. [52] **1** Entourer avec les membres, avec le corps, en serrant étroitement. → **enlacer, serrer. 2** (sentiments) → **oppresser.** *Angoisse qui étreint le cœur.*

**étreinte** n. f. **1** Action d'étreindre ; pression exercée par ce qui étreint (aussi abstrait). **2** Action de presser (qqn) dans ses bras.

**étrenne** n. f. **I** vieilli *Avoir l'étrenne de qqch.,* l'utiliser le premier. → **primeur. II** surtout au plur. Présent ou gratification offert à l'occasion du premier jour de l'année.

**étrenner** v. [1] **1** v. tr. Être le premier à employer. – Utiliser pour la première fois. **2** v. intr. Être le premier à subir (un inconvénient).

**êtres** n. m. pl. → **aîtres**

**étrier** n. m. **1** Anneau qui pend de chaque côté de la selle et soutient le pied du cavalier. – loc. *Avoir le pied à l'étrier* (fig. être bien placé pour réussir). – *Le coup de l'étrier* : le dernier verre avant de partir. **2** Un des osselets de l'oreille interne.

**étrille** n. f. **I** Instrument garni de petites lames dentelées, utilisé pour nettoyer certains animaux (cheval, etc.). **II** Crabe à pattes postérieures aplaties, à la chair très appréciée.

**étriller** v. tr. [1] **1** Frotter (un animal) avec une étrille. **2** Malmener violemment.

**étriper** v. tr. [1] Ôter les tripes à (un animal). → **vider.** ▷ v. pron. **s'étriper** fig., fam. Se battre. ► **étripage** n. m.

**étriqué, ée** adj. **1** (vêtement) Qui est trop étroit. – (personnes) *Il semblait étriqué dans ce vieux manteau.* **2** fig. Sans ampleur. *Un esprit étriqué.* → **étroit, mesquin.**

**étriquer** v. tr. [1] Rendre étriqué.

**étrivière** n. f. Courroie par laquelle l'étrier est suspendu à la selle.

**étroit, oite** adj. **1** Qui a peu de largeur. **2** (espace) De peu d'étendue, petit. → **exigu.** ♦ *Mot pris dans son sens étroit* (opposé à *large*). → **restreint. 3** fig. Insuffisant par l'ampleur. *Esprit étroit.* → **borné, mesquin. 4** Qui tient serré. *Nœud étroit.* ♦ fig. Qui unit de près. *Une union étroite.* **5** loc. adv. *À l'étroit* : dans un espace trop petit.

**étroitement** adv. **1** Par un lien étroit. **2** De près. **3** Rigoureusement.

**étroitesse** n. f. **1** (spatial) Caractère de ce qui est étroit. **2** Caractère de ce qui est étroit (3), borné.

**étron** n. m. Excrément moulé (de l'homme et de certains animaux). → **crotte.**

**étude** n. f. **I** Application méthodique de l'esprit cherchant à apprendre et à comprendre. **1** Effort pour acquérir des connaissances. ♦ au plur. Série ordonnée de travaux et d'exercices nécessaires à l'instruction. *Études primaires, secondaires, supérieures* (→ **enseignement**). – loc. iron. *Renvoyer qqn à ses chères études,* à ses activités antérieures et privées. **2** Effort intellectuel orienté vers l'observation et la compréhension (de qqch.). → **science. 3** Examen. *Projet de loi à l'étude.* **II** (Ouvrage) **1** Ouvrage littéraire étudiant un sujet. → **essai. 2** Représentation graphique (dessin, peinture) constituant un essai. **3** Composition musicale écrite pour servir (en principe) à exercer l'habileté. **III** (Lieu) **1** Cabinet de travail. **2** Salle où les élèves travaillent en dehors des heures de cours. **3** Local où travaille un notaire, etc.

**étudiant, ante** 1 n. Personne qui fait des études supérieures et suit les cours d'une université, d'une grande école. **2** adj. Propre aux étudiants. → **estudiantin.**

**étudier** v. tr. [7] **1** Chercher à acquérir la connaissance de. *Étudier l'histoire.* **2** Chercher à comprendre par un examen. → **ana-**

**lyser, observer. 3** Examiner afin de décider, d'agir. *Étudier un projet.* ▷ v. pron. **s'étudier 1** Se prendre pour objet d'étude. **2** (récipr.) S'observer l'un l'autre. ▷ adj. **étudié, ée 1** Médité et préparé. **2** Produit de manière voulue (s'oppose à *naturel, spontané*). *Des gestes étudiés.*

**étui** n. m. Enveloppe, le plus souvent rigide, adaptée à ce qu'elle doit contenir.

**étuve** n. f. **1** Endroit clos chauffé pour provoquer la sudation. - Lieu où il fait très chaud. **2** Appareil clos destiné à chauffer, stériliser, etc. → **autoclave.**

**à l'étuvée** loc. adj. et adv. → à l'**étouffée.**

**étuver** v. tr. [1] **1** Faire passer à l'étuve (2). **2** Cuire à l'étuvée.

**étymologie** n. f. **1** Science de l'origine des mots, reconstitution de leur évolution en remontant à l'état le plus ancien accessible (hors de la langue ou dans la langue). **2** Origine (d'un mot). → **étymon.** ► **étymologiste** n.

**étymologique** adj. **1** Relatif à l'étymologie. **2** Conforme à l'étymologie. ► **étymologiquement** adv.

**étymon** n. m. Mot, racine qui donne l'étymologie (2) d'un autre mot. *Le latin «pater» est l'étymon de «père».*

**eu, eue** [y] Participe passé de *avoir.*

**eucalyptus** [-ys] n. m. Arbre originaire d'Australie, à feuilles odorantes.

**eucaryote** adj. biol. À cellules à noyau structuré (s'oppose à *procaryote*).

**eucharistie** [økaʀisti] n. f. Sacrement essentiel du christianisme qui commémore et perpétue le sacrifice du Christ. → **communion.** ► **eucharistique** adj.

**euclidien, ienne** adj. Relatif à Euclide. - *Géométrie euclidienne,* qui repose sur le postulat d'Euclide sur les parallèles (opposé à *non-euclidien*).

**eugénique I** n. f. Étude et mise en œuvre de méthodes censées améliorer l'espèce humaine, fondée sur la génétique. **II** adj. Relatif à l'eugénique.

**eugénisme** n. m. Eugénique (I). ► **eugéniste** n. et adj.

***euh** interj. Marque l'embarras, le doute.

**eunuque** n. m. **1** Homme châtré qui gardait les harems. ♦ méd. Homme castré. → **castrat. 2** fig., fam. (péj.) Homme sans virilité (physique ou morale).

**euphémisme** n. m. Expression atténuée d'une notion dont l'expression directe aurait quelque chose de déplaisant, de choquant. ► **euphémique** adj.

**euphonie** n. f. Harmonie de sons agréablement combinés (spécialt dans le mot ou la phrase). ► **euphonique** adj. ► **euphoniquement** adv.

**euphorbe** n. f. Plante à suc laiteux âcre.

**euphorie** n. f. Sentiment de bien-être.

**euphorique** adj. **1** adj. et n. m. → **euphorisant. 2** De l'euphorie. - (personnes) *Se sentir euphorique.*

**euphorisant, ante** adj. Qui suscite l'euphorie. *Une atmosphère euphorisante.* - *Médicament euphorisant* et n. m. *un euphorisant.*

**eurasien, enne** adj. et n. **1** D'Eurasie. **2** Métis d'Européen(ne) et d'Asiatique.

**eurêka** interj. S'emploie lorsqu'on trouve subitement une solution, une bonne idée.

**euro** n. m. Monnaie unique européenne (depuis janvier 1999). - *La zone euro,* où l'euro a cours.

**eurodéputé, ée** n. Député(e) au Parlement européen.

**eurodevise** n. f. Avoir convertible déposé en Europe hors du pays émetteur.

**eurodollar** n. m. Avoir en dollars déposé dans des banques européennes.

**euromissile** n. m. Missile nucléaire de moyenne portée basé en Europe.

**euro-obligation** n. f. fin. **1** Obligation libellée dans une monnaie autre que celle du pays dans lequel elle est émise. **2** Obligation émise par l'ensemble des pays de la zone euro.

**européaniser** v. tr. [1] **1** Donner un caractère européen à. **2** Envisager à l'échelle européenne. ▷ v. pron. s'**européaniser** ► **européanisation** n. f.

**européen, éenne 1** adj. et n. De l'Europe. **2** adj. Qui concerne le projet d'une Europe unifiée ; qui en est partisan.

**eurythmie** n. f. didact. Harmonie des proportions (en arts). ► **eurythmique** adj.

**eustatisme** n. m. géol. Variation du niveau général des mers.

**euthanasie** n. f. Usage de procédés qui permettent de hâter ou de provoquer la mort de malades incurables. ► **euthanasier** v. tr. [7] ► **euthanasique** adj.

**eux** pron. pers. (3e pers. masc. plur.) Pronom compl. après une préposition, pluriel de *lui* (→ **lui**). *C'est à eux de parler.* ♦ (insistance) *Ils savent, eux.* - (sujet) *Eux sauront.*

**évacuation** n. f. **1** Rejet hors de l'organisme. **2** Écoulement (d'un liquide) hors d'un lieu. **3** Fait d'abandonner en masse (un lieu). **4** Action d'évacuer (des personnes).

**évacuer** v. tr. [1] **1** Rejeter, expulser de l'organisme. → **éliminer. 2** Faire sortir (un liquide) d'un lieu. → **vider. 3** Cesser d'occuper militairement (un lieu). ♦ Quitter (un lieu) en masse, par nécessité ou par ordre. **4** Faire partir (des personnes) en masse, hors d'un lieu dangereux, etc. **5** fig. Se débarrasser de (un souci).

**s'évader** v. pron. [1] **1** S'échapper (d'un lieu où l'on était retenu, enfermé). → s'**enfuir,** se **sauver ; évasion.** ♦ au p. p. *Prisonnier évadé.* - n. *Un(e) évadé(e).* → **fugitif. 2** Quitter furtivement. **3** fig. Échapper volontairement (à une réalité). → **fuir.**

**évaluation** n. f. **1** Action d'évaluer. **2** Valeur, quantité évaluée. → **mesure.**

**évaluer** v. tr. [1] **1** Porter un jugement sur la valeur, le prix de. → **estimer** (I, 1). ♦ Déterminer (une quantité) par le calcul sans recourir à la mesure. **2** Fixer approximativement. → **apprécier, juger.** *Évaluer ses chances.*

**évanescent, ente** adj. **1** littér. Qui s'amoindrit et disparaît graduellement. **2** (personnes, comportements) Délicat et insaisissable. ► **évanescence** n. f. littér.

**évangéliaire** n. m. Livre contenant les passages des Évangiles lus ou chantés à la messe. → **missel.**

**évangélique** adj. **1** Relatif ou conforme à l'Évangile. → **chrétien. 2** De la religion protestante, fondée sur les Évangiles.

**évangéliser** v. tr. [1] Prêcher l'Évangile à. → **christianiser.** ► **évangélisateur, trice** adj. et n. ► **évangélisation** n. f.

**évangéliste** n. m. **1** Auteur de l'un des Évangiles. **2** Prédicateur itinérant de l'Église réformée.

**évangile** n. m. **1** (avec maj.) Enseignement de Jésus-Christ. **2** (avec maj.) Chacun des livres de la Bible où la vie et la doctrine de Jésus-Christ ont été consignées. *Les Évangiles synoptiques*.* – *L'Évangile* : les quatre Évangiles. – loc. *Parole d'évangile* : chose sûre, indiscutable. **3** Document essentiel (d'une croyance...). → **bible.**

s'**évanouir** v. pron. [2] **1** Disparaître sans laisser de traces. → s'**effacer. 2** Perdre connaissance ; tomber en syncope. → **défaillir.** ▷ p. p. **évanoui, ie 1** *Rêve évanoui,* disparu. **2** Qui est tombé en syncope. ► **évanouissement** n. m.

**évaporateur** n. m. **1** Appareil de dessiccation. **2** Appareil qui produit du froid par évaporation d'un fluide.

s'**évaporer** v. pron. **1** Se transformer lentement en vapeur par sa surface libre. **2** fig., fam. Disparaître brusquement. → s'**évanouir.** ► **évaporation** n. f.

**évaser** v. tr. [1] Élargir (qqch.) à l'orifice, à l'extrémité. ▷ v. pron. s'**évaser** ▷ adj. **évasé, ée** Qui va en s'élargissant. ► **évasement** n. m.

**évasif, ive** adj. Qui cherche à éluder en restant dans l'imprécision. → **ambigu, vague.** ► **évasivement** adv.

**évasion** n. f. **1** Action de s'évader (1). **2** fig. Fait d'échapper (à une réalité). *Besoin d'évasion.* → **changement, distraction. 3** Fuite (de valeurs). *Évasion de capitaux.*

**évêché** n. m. **1** Juridiction d'un évêque. → **diocèse. 2** Palais épiscopal.

**éveil** n. m. **1** Action d'éveiller. – *Être en éveil,* attentif, sur ses gardes. **2** (facultés...) Action de se révéler, de se manifester. – *Activité d'éveil* (pour stimuler l'observation, la curiosité intellectuelle des enfants). **3** *L'éveil de la nature au printemps.* → **réveil.**

**éveillé, ée** adj. **1** Qui ne dort pas. – *Rêve éveillé,* que l'on a sans dormir. **2** (personnes) Plein de vie. → **déluré, vif.**

**éveiller** v. tr. [1] **1** littér. Tirer du sommeil. → **réveiller** (plus cour.). **2** Rendre effectif, manifester (une disposition, etc.). *La lecture éveille l'imagination.* **3** Faire naître, apparaître (un sentiment...). → **provoquer, susciter.** *Éveiller la curiosité.* ▷ v. pron. s'**éveiller 1** Sortir du sommeil. → se **réveiller.** ♦ *S'éveiller à* (un sentiment), l'éprouver pour la première fois. **2** (sentiments...) Naître, se manifester.

**événement** ou **évènement** n. m. Ce qui arrive et a de l'importance pour les humains. → **fait.** – loc. *Un heureux événement* : une naissance. – par euphémisme *Les événements d'Algérie* : la guerre d'Algérie.

**événementiel, elle** ou **évènementiel, elle** adj. **1** didact. *Histoire événementielle,* qui décrit les événements. **2** Qui constitue un événement. – n. m. *L'événementiel* : secteur d'activité créé autour des événements de communication.

**évent** n. m. **1** Narines des cétacés. **2** techn. Conduit pour l'échappement des gaz.

**éventail** n. m. **1** Instrument portatif qu'on agite pour produire un courant d'air. ♦ *En éventail* : en forme d'éventail ouvert (lignes qui s'écartent d'un point). **2** Ensemble de choses diverses d'une même catégorie qui peut augmenter ou diminuer (comme on ouvre ou ferme un éventail). *Éventail de produits.* → **choix, gamme.**

**éventailliste** n. Fabricant d'éventails.

**éventaire** n. m. Étalage en plein air, sur la voie publique, sur un marché.

**éventé, ée** adj. **I** Exposé au vent. **II 1** Altéré, corrompu par l'air. *Parfum, vin éventé.* **2** Découvert, connu. *Secret éventé.*

**éventer** v. tr. [1] **I** Rafraîchir (qqn) en agitant l'air. **II 1** vx Exposer à l'air. ♦ loc. *Éventer la mèche*.* **2** Rendre public, faire connaître. *Éventer un complot.* ▷ v. pron. s'**éventer 1** *S'éventer avec un journal.* **2** Perdre son parfum, son goût, au contact de l'air.

**éventration** n. f. **1** Fait d'être éventré. ♦ Hernie ventrale. **2** Action d'éventrer.

**éventrer** v. tr. [1] **1** Déchirer en ouvrant le ventre. **2** Fendre largement (un objet) pour atteindre le contenu. *Éventrer un sac.* – Défoncer (qqch.). *Éventrer un mur.* ► **éventrement** n. m.

**éventreur** n. m. Meurtrier qui éventre.

**éventualité** n. f. **1** Caractère de ce qui est éventuel. → **possibilité. 2** Circonstance, événement pouvant survenir. – *Parer à toute éventualité,* prévoir ce qui peut s'opposer à un projet.

**éventuel, elle** adj. Qui peut ou non se produire. → **possible ; hypothétique.** - (personnes) *Son successeur éventuel.* ► **éventuellement** adv. → le cas échéant*.

**évêque** n. m. Dignitaire le plus élevé de la prêtrise chrétienne. → **évêché ; épiscopat.**

**éversion** n. f. méd. Renversement, retournement (d'un organe).

s'**évertuer** v. pron. [1] *S'évertuer à :* se donner de la peine pour. → s'**escrimer** à.

**éviction** n. f. Action d'évincer.

**évidemment** [-amɑ̃] adv. **1** littér. De manière évidente. **2** (affirmation) → **assurément, certainement ; naturellement.**

**évidence** n. f. **1** Caractère de ce qui s'impose à l'esprit avec une telle force qu'on n'a besoin d'aucune autre preuve pour en connaître la vérité, la réalité. → **certitude.** - loc. *Se rendre à l'évidence :* admettre ce qui est incontestable. ♦ Chose évidente. **2** *En évidence :* en se présentant de façon à être vu immédiatement. **3** loc. adv. *À l'évidence ; de toute évidence.* → **sûrement.**

**évident, ente** adj. Qui a un caractère d'évidence. → **certain, incontestable, manifeste.**

**évider** v. tr. [1] Creuser en enlevant une partie de la matière. ► **évidage** et **évidement** n. m.

**évier** n. m. Bassin d'une cuisine muni d'une alimentation en eau et d'une vidange (servant à la vaisselle, etc.).

**évincer** v. tr. [3] Déposséder (qqn) d'une affaire, etc., notamment par intrigue. → **chasser, écarter, éliminer** ► **évincement** n. m. rare → **éviction.**

**éviscérer** v. tr. [6] Enlever les viscères de. ► **éviscération** n. f.

**évitable** adj. Qui peut être évité.

**évitement** n. m. Action d'éviter. ♦ *Voie d'évitement,* où l'on gare les trains.

**éviter** v. tr. [1] **1** Faire en sorte de ne pas heurter en rencontrant (qqn, qqch.). **2** Faire en sorte de ne pas rencontrer (qqn). - pronom. *Ils s'évitent depuis des mois.* **3** Écarter, ne pas subir (ce qui menace). *Éviter le pire.* **4** *Éviter de* (+ inf.). → s'**abstenir,** se **dispenser** de. **5** *Éviter qqch. à qqn.* → **épargner.** *Je voulais vous éviter cette fatigue.*

**évocateur, trice** adj. **1** Qui peut évoquer (2). → **évocatoire. 2** Qui évoque (4 et 5).

**évocation** n. f. **1** dr. Fait de porter une cause au tribunal. **2** Action d'évoquer (les esprits...) par la magie. → **sortilège. 3** Action de rappeler, de rendre présent à l'esprit. *L'évocation du passé.*

**évocatoire** adj. Relatif à l'évocation (2).

**évolué, ée** adj. Qui a subi une évolution.

**évoluer** v. intr. [1] **I 1** Changer de position par des mouvements réglés. *Danseuse qui évolue sur scène.* **2** Vivre (dans un milieu). **II** Passer par une série de transformations. → **changer,** se **modifier.**

**évolutif, ive** adj. Qui peut évoluer (II).

**évolution** n. f. **I** Mouvements réglés. **II 1** Suite de transformations dans un même sens ; transformation graduelle. → **changement.** *L'évolution des mœurs.* **2** Transformation progressive d'une espèce vivante. *Théories de l'évolution.* → **évolutionnisme, transformisme ; darwinisme.**

**évolutionnisme** n. m. Théorie biologique qui défend l'idée d'évolution (opposé à *fixisme*). ► **évolutionniste** adj. et n.

**évoquer** v. tr. [1] **1** dr. Se saisir de (une cause). *Le tribunal qui doit évoquer l'affaire.* **2** Appeler, faire apparaître par la magie. **3** littér. Interpeller dans un discours (l'esprit d'un héros, des choses, en leur prêtant vie). **4** Rappeler à la mémoire. *Évoquer qqn, son souvenir.* **5** Faire apparaître à l'esprit (par des images et des associations d'idées). → **représenter ; décrire.** - (sujet chose) Faire penser à. → **suggérer.**

**evzone** n. m. Fantassin grec.

**ex-** (+ nom, joint par un trait d'union) Antérieurement. *M. X, ex-député.* → **ancien.** *Son ex-mari, son ex-femme ;* abrév. fam. *son ex.*

**ex abrupto** [ɛksabʀypto] loc. adv. De manière brusque, immédiate.

**exacerber** v. tr. [1] **1** Porter (un mal) à son paroxysme. **2** Rendre plus violent. - au p. p. *Orgueil exacerbé.* ► **exacerbation** n. f.

**exact, exacte** [-a(kt), akt] adj. **1** littér. Scrupuleux, soigneux. **2** Entièrement conforme à la réalité, à la vérité. → **correct, vrai.** *C'est l'exacte vérité ; c'est exact.* ♦ Qui reproduit fidèlement la réalité, le modèle... → **conforme.** *Copie exacte.* **3** (après le nom) Adéquat à son objet. → **juste.** *Un raisonnement exact.* **4** (après le nom) Égal à la grandeur mesurée. *Mesure exacte.* → **précis.** - *Sciences exactes,* celles qui sont constituées par des propositions déterminées quantitativement. **5** (personnes) Qui arrive à l'heure convenue. → **ponctuel.**

**exactement** adv. D'une manière exacte. ♦ (en réponse) Tout à fait.

**exaction** n. f. didact. **1** Action d'exiger ce qui n'est pas dû ou plus qu'il n'est dû. **2** au plur. Mauvais traitements, sévices.

**exactitude** n. f. Caractère de ce qui est exact ; qualité d'une personne exacte.

**ex æquo** [ɛgzeko] loc. adv. À égalité.

**exagération** n. f. **1** Action d'exagérer. **2** Propos exagéré. **3** Caractère exagéré.

**exagéré, ée** adj. Qui exagère, amplifie. → **excessif ; extrême, outré.** ► **exagérément** adv. → **trop.**

**exagérer** v. tr. [6] **1** Présenter (qqch.) comme plus grand, plus important qu'il n'est. → **amplifier, grossir. 2** Accentuer en donnant un caractère (taille, intensité, etc.) qui dépasse la normale. *Exagérer une atti-*

*tude.* **3** *S'exagérer qqch.*, se le représenter comme plus important qu'il n'est. **4** sans compl. En prendre trop à son aise. → **abuser.**

**exaltant, ante** adj. Qui exalte.

**exaltation** n. f. **1** littér. Fait d'exalter (1). **2** Grande excitation de l'esprit. → **ardeur.**

**exalter** v. tr. [1] **1** littér. Glorifier, magnifier. **2** littér. Rendre plus fort, plus actif, plus intense. **3** Élever (qqn) au-dessus de l'état d'esprit ordinaire. → **enthousiasmer, passionner, transporter.** ▷ adj. **exalté, ée 1** *Imagination exaltée.* **2** (personnes) → **enthousiaste, passionné.** – n. *Des exaltés.*

**examen** [-mɛ̃] n. m. **1** Action d'examiner (1). → **étude, investigation, observation.** – *Examen médical.* **2** *Examen de conscience* : réflexion sur sa propre conduite, du point de vue moral. **3** Épreuve que subit un candidat et où l'admission dépend d'une note à atteindre.

**examinateur, trice** n. Personne qui fait passer un examen (3).

**examiner** v. tr. [1] **1** Considérer avec attention, avec réflexion. → **observer ; analyser.** *Examiner un projet ; un malade.* **2** Regarder très attentivement. **3** Faire subir un examen (3), une épreuve à (qqn).

**exanthème** n. m. Rougeur cutanée qui accompagne certaines maladies (rougeole...).

**exaspérant, ante** adj. Qui exaspère (2).

**exaspération** n. f. **1** littér. Aggravation (d'un mal...). **2** État de violente irritation.

**exaspérer** v. tr. [6] **1** littér. Rendre plus intense (un mal physique ou moral ; un sentiment). → **aggraver, exacerber.** **2** Irriter (qqn) excessivement. → **crisper, énerver, excéder.** ▷ adj. **exaspéré, ée 1** Très intense. *Douleur exaspérée.* **2** Très irrité, furieux.

**exaucer** v. tr. [3] **1** (en parlant de Dieu...) Satisfaire (qqn) en accordant ce qu'il demande. **2** Accueillir favorablement (une demande...). ► **exaucement** n. m.

> Ne pas confondre avec *exhausser* « élever ».

**ex cathedra** [-te-] loc. adv. *Parler ex cathedra*, du haut de la chaire. ♦ plais. D'un ton doctoral, dogmatique.

**excavateur** n. m. Machine destinée à creuser le sol. → **bulldozer, pelle, pelleteuse.** – syn. **excavatrice** n. f.

**excavation** n. f. **1** Action de creuser le sol (*excaver* v. tr. [1]). **2** Creux d'un terrain.

**excédant, ante** adj. Qui excède (II).

**excédent** n. m. Ce qui est en plus du nombre fixé. → **excès, surplus.** – *En excédent* : en plus. ► **excédentaire** adj.

**excéder** v. tr. [6] **I** *Excéder qqch.* **1** Dépasser en nombre, en quantité. – Dépasser en durée. **2** Aller au-delà de (certaines limites ; une capacité). → **outrepasser.** **II** *Excéder qqn.* Fatiguer en irritant. → **exaspérer.** – au p. p. *Un air excédé.*

**excellemment** [-amɑ̃] adv. Parfaitement.

**excellence** n. f. **1** littér. Caractère de ce qui est excellent, ne peut être meilleur. → **perfection, supériorité.** **2** (avec maj.) Titre honorifique donné aux ambassadeurs, ministres, évêques. **3** loc. adv. *Par excellence* : au plus haut point.

**excellent, ente** adj. **1** Très bon. → **admirable, merveilleux, parfait, supérieur.** **2** (moralement) Bon et généreux.

**exceller** v. intr. [1] Être supérieur, excellent. *Exceller dans sa profession.* – *Exceller à* (+ n. ou inf.).

**excentrer** v. tr. [1] techn. Déplacer le centre de ; mettre loin du centre. ▷ adj. **excentré, ée 1** techn. *Poulie excentrée.* **2** Qui est loin du centre. *Quartier excentré.*

**excentricité** n. f. **I** sc. Position, caractère excentrique (I). **II 1** Manière excentrique (II) d'être, de penser. **2** Acte excentrique.

**excentrique** adj. **I 1** Qui s'éloigne d'un centre, d'un axe de référence. ♦ n. m. techn. Mécanisme dont l'axe de rotation de la pièce motrice n'occupe pas le centre. **2** Éloigné du centre. *Quartier excentrique.* → **périphérique.** **II** Dont l'apparence, le comportement s'écarte (volontairement) des habitudes sociales. → **extravagant, original.** – n. *Un, une excentrique.* ♦ (choses) *Des idées excentriques.* ► **excentriquement** adv.

**excepté** prép. (placé devant le nom) À l'exception de. → **hormis, hors,** à **part, sauf.**

**excepter** v. tr. [1] Ne pas comprendre dans (un ensemble). → **exclure.** *Tous, sans excepter aucun.* → **négliger, oublier.** – au p. p. (après le nom et accordé → excepté) *Tout le journal, la publicité exceptée.*

**exception** n. f. **1** Action d'excepter. → **dérogation, restriction.** – *D'exception* : en dehors de ce qui est courant. *Tribunal d'exception.* – loc. prép. *À l'exception de.* → **excepté, sauf.** **2** Ce qui est en dehors de la norme, du commun. → **anomalie, singularité.** *L'exception confirme la règle*, il n'y aurait pas d'exception s'il n'y avait pas de règle.

**exceptionnel, elle** adj. **1** Qui constitue une exception (1). *Congé exceptionnel.* **2** Qui est hors de l'ordinaire, spécialt par ses qualités. → **extraordinaire ; remarquable, supérieur.**

**exceptionnellement** adv. **1** Par exception (1). **2** D'une manière exceptionnelle. → **extraordinairement.**

**excès** n. m. **1** Différence entre deux quantités inégales ; ce qui dépasse une quantité. → **excédent.** **2** Trop grande quantité ; dépassement de la mesure normale. *Excès de vitesse.* – *À l'excès* : excessivement. **3** Chose, action qui dépasse la mesure ordinaire ou permise. → **abus.**

**excessif, ive** adj. 1 Qui dépasse la mesure souhaitable ou permise ; trop important. → **énorme, exagéré.** 2 (critiqué) Très grand (sans idée d'excès). → **extrême.** 3 (personnes) Incapable de modération.

**excessivement** adv. 1 Qui dépasse la mesure. → **trop.** 2 (critiqué) Très, tout à fait.

**exciper** v. tr. ind. [1] littér. *Exciper de :* se servir, faire état de (qqch.) pour sa défense. *Exciper de sa bonne foi.*

**excipient** [-pjɑ̃] n. m. Substance qui entre dans la composition d'un médicament et qui sert à incorporer les principes actifs.

**exciser** v. tr. [1] Enlever par excision.

**excision** n. f. Ablation d'une partie (d'organe, de tissu). ♦ spécialt Ablation rituelle du clitoris (→ **clitoridectomie**) ou du prépuce (→ **circoncision**).

**excitable** adj. I Irritable, nerveux. II physiol. Qui répond à l'excitation (II). ► **excitabilité** n. f.

**excitant, ante** adj. I Qui excite, éveille des sensations, des sentiments. ♦ spécialt Qui provoque le désir sexuel. II Qui excite, stimule l'organisme (s'oppose à *calmant*). – n. m. *Prendre un excitant.*

**excitateur, trice** n. littér. Personne qui excite (I). *Excitateur de troubles.* → **fauteur.**

**excitation** n. f. I 1 État d'une personne excitée ; accélération des processus psychiques. → **agitation, énervement, surexcitation.** 2 Action d'exciter (à). *Excitation à la violence.* II 1 physiol. Modification liée à un stimulus, pouvant déclencher une réponse dans un tissu ou un organe ; cette réponse. 2 phys. Accroissement d'énergie.

**excité, ée** adj. Qui a une activité psychique anormalement vive. – n. *Une bande d'excités.*

**exciter** v. tr. [1] I 1 Faire naître, provoquer (une réaction physique ou, plus cour., morale, mentale). → **éveiller, susciter.** *Exciter la curiosité.* 2 Accroître, rendre plus vif (une sensation, un sentiment...). → **stimuler.** 3 *Exciter à* (+ n. ou inf.) : pousser fortement à (qqch. de difficile ou violent). *Exciter qqn à l'action ; à agir.* → **encourager, inciter.** 4 Augmenter l'activité psychique, intellectuelle de (qqn). → **agiter, surexciter.** *La boisson l'excite.* ♦ (personnes) Mettre en colère. ♦ Éveiller le désir sexuel de (qqn). II Déclencher l'activité de (un système excitable) par une excitation (II).

**exclamatif, ive** adj. Qui marque, exprime l'exclamation. *Phrase exclamative.*

**exclamation** n. f. Fait de s'exclamer ; paroles, cris par lesquels on s'exclame. – *Point d'exclamation,* signe de ponctuation ( !) qui suit une phrase exclamative.

**s'exclamer** v. pron. [1] Proférer des paroles, des cris (→ **exclamation**) en exprimant spontanément une émotion. → s'**écrier.**

**exclu, ue** adj. 1 (personnes) Renvoyé, refusé. *Les membres exclus.* ♦ Victime d'exclusion (sociale). – n. *Les exclus.* 2 (choses) Qu'on refuse d'envisager. – Non compté (s'oppose à *inclus*). *Jusqu'à mardi exclu.* → **exclusivement.**

> Pas de *s* au singulier, contrairement à *inclus.*

**exclure** v. tr. [35] 1 Renvoyer (qqn) d'un endroit où il était admis, ou refuser d'admettre. → **expulser ; écarter.** 2 Ne pas admettre, ne pas employer (qqch.). 3 Refuser d'envisager. 4 (sujet chose) Rendre impossible (qqch.) par son existence même. *La bonté n'exclut pas la sévérité.*

**exclusif, ive** adj. 1 Qui exclut tout partage. *Droits exclusifs,* qui appartiennent à une seule personne. 2 Qui est produit, vendu par une seule firme. *Modèle exclusif.* – *Concessionnaire exclusif* (d'une marque). 3 Qui exclut tout élément étranger. 4 Absolu dans ses opinions, ses goûts... → **entier.**

**exclusion** n. f. 1 Action d'exclure (qqn). ♦ *Exclusion (sociale) :* situation de personnes mises à l'écart, qui ne bénéficient pas des avantages minimaux attachés à un type de société. 2 Action d'exclure (qqch.) d'un ensemble. 3 loc. prép. *À l'exclusion de :* en excluant.

**exclusive** n. f. Décision d'exclure. *Sans exclusive,* sans rien rejeter ni personne.

**exclusivement** adv. I 1 En excluant tout le reste. → **seulement, uniquement.** 2 D'une manière exclusive, absolue. II (en fin de proposition) En ne comprenant pas. → **exclu ;** s'oppose à *inclusivement.*

**exclusivité** n. f. 1 Propriété exclusive ; droit exclusif (de vendre, de publier...). – *En exclusivité :* d'une manière exclusive. *Film en exclusivité,* qui sort pour la première fois. 2 Produit vendu, exploité par une seule firme. 3 presse Information importante donnée en exclusivité. → anglic. **scoop.**

**excommunier** v. tr. [7] 1 Retrancher (qqn) de la communion de l'Église catholique (sanction). 2 fig. Exclure, rejeter avec force. ► **excommunication** n. f.

**excrément** n. m. souvent au plur. Matière évacuée du corps par les voies naturelles ; spécialt matière solide évacuée par le rectum. → **déjection, fèces, selle(s) ; crotte, crottin ; fiente, guano.** ► **excrémentiel, ielle** adj.

**excrétion** n. f. physiol. 1 Action par laquelle les déchets de l'organisme sont rejetés au-dehors. 2 au plur. Déchets de la nutrition rejetés hors de l'organisme. → **excrément.** ► **excréter** v. tr. [6] ► **excréteur, trice** adj.

**excroissance** n. f. Petite tumeur bénigne de la peau.

**excursion** n. f. Action de parcourir une région pour l'explorer, la visiter. → **expédition, tournée.** ► **excursionner** v. intr. [1]

**excusable** adj. Qui peut être excusé.

**excuse** n. f. **1** Raison alléguée pour se défendre d'une accusation, d'un reproche, pour expliquer ou atténuer une faute. → **justification. 2** Regret que l'on témoigne à qqn de l'avoir offensé, contrarié, gêné. *J'accepte vos excuses.* **3** Motif allégué pour se dispenser de qqch. → **prétexte.**

**excuser** v. tr. [1] **1** S'efforcer de justifier (qqn, qqch.) par des excuses. – (sujet chose) Servir d'excuse à (qqn, qqch.). **2** Décharger (qqn) d'un reproche, en admettant des motifs qui atténuent ou justifient une faute. → **pardonner. 3** Dispenser (qqn) d'une obligation. *Se faire excuser.* **4** (formules de politesse) *Excusez-moi, je vous prie de m'excuser...,* je regrette (de vous gêner, de refuser, etc.). ▷ v. pron. **s'excuser** Exprimer ses regrets (de qqch.). *Je m'excuse d'avoir pris du retard.* – *Je m'excuse* (emploi critiqué pour : *excusez-moi*).

**exécrable** [ɛgz- ; ɛks-] adj. **1** littér. Qu'on doit exécrer. *Procédé exécrable.* **2** Extrêmement mauvais. *Un temps exécrable.*

**exécrer** [ɛgz- ; ɛks-] v. tr. [6] **1** littér. Haïr (qqn) au plus haut point. → **abhorrer, détester. 2** Avoir de l'aversion pour (qqch.). ► **exécration** n. f. littér. → **aversion, horreur.**

**exécutable** adj. Qui peut être exécuté.

**exécutant, ante** n. **1** Personne qui exécute (un ordre, une tâche...). **2** Interprète d'un ensemble musical.

**exécuter** v. tr. [1] **I** *Exécuter qqch.* **1** Mener à accomplissement (un projet ; un ordre). → **accomplir, réaliser. 2** Faire (un ouvrage) d'après un plan, un projet. *Exécuter une commande.* **3** Interpréter, jouer (une œuvre musicale). **4** Faire (un ensemble de gestes). *Exécuter un pas de danse.* **II** *Exécuter qqn.* **1** Faire mourir (qqn) conformément à une décision de justice. **2** Faire mourir sans jugement. → **assassiner.** *Exécuter un otage.* **3** fig. Discréditer (qqn). → **éreinter.** ▷ v. pron. **s'exécuter** Se décider à faire une chose pénible. → se **résoudre.**

**exécuteur, trice** n. **I** *Exécuteur, exécutrice testamentaire* : personne chargée de l'exécution d'un testament. **II** n. m. Personne qui exécute un condamné. → **bourreau.**

**exécutif, ive** adj. Relatif à la mise en œuvre des lois. *Pouvoir exécutif,* le gouvernement. – n. m. *L'exécutif* : le pouvoir exécutif.

**exécution** n. f. **I 1** Action d'exécuter (qqch.). → **réalisation.** – *Mettre à exécution* : commencer à exécuter (ce qui a été prévu, décidé...). ♦ dr. Application (d'un jugement, d'un acte juridique). **2** Action, manière d'exécuter (un ouvrage) d'après une règle, un plan. **3** Action, manière d'interpréter une œuvre musicale. → **interprétation. II** Mise à mort (d'un condamné à mort).

**exécutoire** adj. dr. Qui peut et doit être mis à exécution.

**exégèse** n. f. didact. Interprétation d'un texte dont le sens, la portée sont obscurs. ► **exégète** n.

① **exemplaire** n. m. Chacun des objets reproduisant un type commun.

② **exemplaire** adj. **1** Qui peut servir d'exemple. → **édifiant. 2** Dont l'exemple doit servir de leçon. *Châtiment exemplaire.* ► **exemplairement** adv. ► **exemplarité** n. f.

**exemple** n. m. **I 1** Action, manière d'être qu'on peut imiter. – *Prendre exemple sur qqn,* l'imiter. – loc. prép. littér. *À l'exemple de* : pour imiter. → **comme. 2** Personne dont les actes sont dignes d'être imités. → **modèle. 3** Châtiment censé servir de leçon (pour les autres). *Fusillé pour l'exemple.* **II 1** Chose semblable ou comparable à celle dont il s'agit. **2** Cas particulier qui entre dans une catégorie et sert à illustrer, à préciser l'idée. *Donnez-moi un exemple.* – Énoncé que l'on cite pour illustrer l'emploi d'un mot, d'une expression. *Les exemples d'un dictionnaire.* **3** loc. adv. *Par exemple* : pour illustrer par un cas. *Considérons par exemple...* – vieilli *Par exemple !* (marque l'étonnement).

**exemplifier** v. tr. [7] didact. Illustrer d'exemples. ► **exemplification** n. f.

**exempt, empte** [ɛgzɑ̃(pt), -ɑ̃(p)t] **I** adj. **1** (personnes) *Exempt de,* qui n'est pas obligé d'accomplir (une charge...). – (choses) *Colis exempt de port.* **2** Préservé (d'un mal, etc.). → à l'**abri** de. **3** Qui n'est pas sujet à (un défaut...). *Être exempt de vanité.* – *Calcul exempt d'erreurs.* → **sans. II** n. m. Personne exempte, exemptée (d'une charge, d'un service...).

**exempter** [-ɑ̃(p)te] v. tr. [1] **1** Rendre exempt (d'une charge...). → **dispenser. 2** littér. (sujet chose) Dispenser, mettre à l'abri de. → **préserver.** ► **exemption** n. f.

**exercer** v. tr. [3] **1** Soumettre à une activité régulière, en vue d'entretenir ou de développer. *Exercer son souffle, sa mémoire.* **2** Soumettre (qqn) à un entraînement. **3** Faire agir (un moyen, une disposition). *Exercer une influence.* **4** Pratiquer (un métier). *Exercer la médecine.* – sans compl. *Il n'exerce plus.* ▷ v. pron. **s'exercer 1** Avoir une activité réglée pour acquérir la pratique. **2** (choses) Se manifester. → se faire **sentir.** ▷ adj. **exercé, ée** Devenu habile à force de s'exercer ou d'être exercé.

**exercice** n. m. **I 1** littér. Action ou façon de s'exercer. → **apprentissage, étude, travail.** *Acquérir une pratique par un long exercice.* **2** Fait d'exercer son corps par l'activité physique. *Prendre de l'exercice.* **3** Entraînement des soldats à la manœuvre. **4** Activité réglée destinée à exercer qqn dans un domaine particulier. **II 1** Action d'exercer (3) en employant. *L'exercice du pouvoir.* → **pratique. 2** Fait d'exercer (une fonction, un métier). – *En exercice* : en activité. **3** Fait de pratiquer (un culte). **III** Période (souvent une année) comprise entre deux inventaires, deux budgets.

**exérèse** n. f. méd. Ablation, extraction.

**exergue** n. m. **1** Inscription, dans une œuvre d'art (tableau...) ou en tête d'un texte. **2** *En exergue* : comme présentation.

**exfiltrer** v. tr. [1] Assurer le rapatriement de (un agent secret...). ► **exfiltration** n. f.

**exfoliant, ante** adj. Qui exfolie (la peau).

**exfolier** v. tr. [7] Détacher par feuilles, par lamelles. ► **exfoliation** n. f.

**exhalaison** n. f. Ce qui s'exhale.

**exhalation** n. f. Action d'exhaler. – physiol. Rejet de l'air (opposé à *inhalation*).

**exhaler** v. tr. [1] **1** Dégager et répandre au-dehors (une chose volatile : odeur, vapeur, gaz...). **2** Laisser échapper de sa bouche (un souffle, un son...). **3** fig., littér. Exprimer (un sentiment). *Exhaler sa douleur.* ▷ v. pron. s'**exhaler** → **émaner.**

**exhausser** v. tr. [1] Rendre plus élevé (un bâtiment). ► **exhaussement** n. m.

> Ne pas confondre avec *exaucer* « accorder ».

**exhaustif, ive** adj. Qui traite complètement un sujet. → **complet.** *Liste exhaustive.* ► **exhaustivement** adv. ► **exhaustivité** n. f.

**exhiber** v. tr. [1] **1** Montrer à une autorité. *Exhiber son passeport.* – (À un public) *Exhiber des chiens savants.* **2** péj. Montrer avec ostentation ou impudeur. → **étaler.** ▷ v. pron. s'**exhiber** péj. Se montrer en public.

**exhibition** n. f. **1** Action d'exhiber (1). → **présentation. 2** Étalage ostentatoire.

**exhibitionnisme** n. m. **1** psych. Obsession qui pousse qqn à exhiber ses organes génitaux. ♦ par ext. Goût de se montrer nu. **2** fig. Fait d'afficher ses sentiments, sa vie privée, etc. ► **exhibitionniste** n. et adj.

**exhortation** n. f. Paroles pour exhorter.

**exhorter** v. tr. [1] *Exhorter qqn à* (+ n. ou inf.) : s'efforcer par des discours persuasifs de lui faire faire qqch. → **encourager, inciter.**

**exhumer** v. tr. [1] **1** Retirer (un cadavre) de la terre, de la sépulture. → **déterrer. 2** Retirer (une chose enfouie) du sol, spécialt par des fouilles. **3** fig. Tirer de l'oubli. ► **exhumation** n. f. littér.

**exigeant, ante** adj. **1** Qui est habitué à exiger beaucoup. **2** (sentiment, activité...) Qui a besoin de beaucoup pour s'exercer. *Profession exigeante.* → **prenant.**

**exigence** n. f. Action d'exiger ; ce qui est exigé. **1** Ce qui est réclamé comme nécessaire. *Une exigence de clarté.* ♦ **au plur.** Ce qu'on réclame d'autrui. – spécialt Ce qu'on demande en argent (prix, salaire). → **condition, prétention. 2** Caractère d'une personne exigeante.

**exiger** v. tr. [3] **1** Demander impérativement (ce que l'on pense avoir le droit ou la force d'obtenir). → **réclamer. 2** (sujet chose) Rendre indispensable, obligatoire. → **imposer, nécessiter, requérir.**

**exigible** adj. Qu'on a le droit d'exiger ; qu'on peut exiger. ► **exigibilité** n. f.

**exigu, uë** [-gy] adj. (espace...) D'une dimension insuffisante. ► **exiguïté** [-gɥi-] n. f.

**exil** n. m. **1** Expulsion de qqn hors de sa patrie, avec défense d'y rentrer ; situation de la personne expulsée. → **bannissement ; déportation. 2** littér. Obligation de séjourner hors d'un lieu, loin de qqn qu'on regrette.

**exiler** v. tr. [1] **1** Envoyer (qqn) en exil. → **bannir, déporter, expatrier, expulser, proscrire. 2** Éloigner (qqn) d'un lieu et l'empêcher d'y revenir. ▷ v. pron. s'**exiler** S'installer loin de son pays. ▷ adj. et n. **exilé, ée**

**existant, ante** adj. **1** didact. Qui existe, qui a une réalité. → **positif, réel. 2** Qui existe actuellement. → **actuel.**

**existence** n. f. **I 1** philos. Fait d'exister. → ② **être.** ♦ (opposé à *essence*) La réalité vivante, vécue (d'un être conscient). **2** Fait d'exister (pour un observateur). *J'ignorais l'existence de ce livre.* **II 1** Vie, considérée dans sa durée, son contenu. **2** Mode de vie.

**existentialisme** n. m. philos. Doctrine selon laquelle l'être humain n'est pas déterminé d'avance par son essence* (« l'existence précède l'essence »), mais libre et responsable de son existence. ► **existentialiste** adj. et n.

**existentiel, elle** adj. didact. De l'existence en tant que réalité vécue. *Angoisse existentielle.*

**exister** v. intr. [1] **1** Avoir une réalité. → ① **être.** – Se trouver (quelque part). *Une plante qui n'existe pas en Europe.* – **impers.** *Il existe... :* il y a... **2** (sujet personne) Vivre. **3** (sens fort) Avoir de l'importance. → **compter.** *Le passé n'existe pas pour elle.*

**ex-libris** [-is] n. m. Inscription ou vignette apposée sur un livre pour en indiquer le propriétaire.

**ex nihilo** adv. et adj. invar. didact. En partant de rien. *Création ex nihilo.*

**exocet** n. m. **1** Poisson volant. **2** n. m. invar. (marque déposée) Missile autoguidé.

**exocrine** adj. f. Se dit d'une glande qui déverse sa sécrétion à la surface de la peau ou d'une muqueuse (contr. *endocrine*).

**exode** n. m. Émigration en masse. ♦ *Exode rural,* dépeuplement des campagnes.

**exogène** adj. didact. Qui provient de l'extérieur, se produit à l'extérieur.

**exonérer** v. tr. [6] Décharger (qqn de qqch. à payer). ► **exonération** n. f. → **abattement, déduction, dégrèvement, exemption.**

**exophtalmie** n. f. méd. Saillie anormale du globe oculaire hors de l'orbite. ► **exophtalmique** adj.

**exoplanète** n. f. astron. Planète qui se trouve hors du système solaire.

**exorbitant, ante** adj. Qui sort des bornes, qui dépasse la juste mesure. → **excessif.**

**exorbité, ée** adj. *Yeux exorbités*, qui sortent de l'orbite ; grand ouverts (de peur, etc.).

**exorciser** v. tr. [1] **1** Chasser (les démons) du corps des possédés à l'aide de formules et de cérémonies. ♦ fig. *Exorciser la peur.* **2** Délivrer (un possédé) de ses démons. ► **exorcisme** n. m. ► **exorciste** n.

**exorde** n. m. Première partie (d'un discours). → **introduction, préambule.**

**exotique** adj. Qui (dans une perception, notamment la perception occidentale) est perçu comme étrange et lointain et stimule l'imagination ; qui vient de pays lointains.

**exotisme** n. m. **1** Caractère de ce qui est exotique. **2** Goût des choses exotiques.

**expansé, ée** adj. techn. Qui a subi une expansion (1). *Polystyrène expansé.*

**expansible** adj. Qui est susceptible d'expansion. ► **expansibilité** n. f.

**expansif, ive** adj. **1** didact. Qui tend à s'étendre. **2** cour. Qui s'exprime avec effusion. → **démonstratif, exubérant.**

**expansion** n. f. **1** Développement (d'un corps) en volume. *L'expansion des gaz.* **2** Action de s'étendre, de se développer. → **extension. 3** Mouvement par lequel une personne communique ses pensées, etc. → **effusion, épanchement ; expansif.**

**expansionnisme** n. m. Politique d'expansion (2) d'un pays. ► **expansionniste** n. et adj.

**expansivité** n. f. Caractère expansif.

**expatrier** v. tr. [7] Obliger (qqn) à quitter sa patrie. → **exiler.** – *Expatrier des capitaux*, les placer à l'étranger. ▷ v. pron. **s'expatrier** → **émigrer.** ▷ adj. et n. **expatrié, ée**

**expectative** n. f. **1** littér. Attente fondée sur des promesses. **2** Attente prudente.

**expectorer** v. tr. [1] Rejeter (les mucosités des voies respiratoires). → **cracher, tousser.** ► **expectoration** n. f.

① **expédient, ente** [-jɑ̃, ɑ̃t] adj. littér. Qui convient. → **opportun.**

② **expédient** [-jɑ̃] n. m. **1** Moyen, méthode pour se tirer d'une difficulté, contourner un obstacle. **2** péj. *Vivre d'expédients*, de moyens peu honnêtes.

**expédier** v. tr. [7] **I 1** Faire (qqch.) rapidement, sans attendre ou sans soin. **2** En finir au plus vite avec (qqn) pour s'en débarrasser. **II 1** Faire partir pour une destination. → **envoyer. 2** fam. Envoyer (qqn) au loin.

**expéditeur, trice** n. Personne qui expédie. → **envoyeur.** – adj. *Gare expéditrice.*

**expéditif, ive** adj. **1** Qui expédie les affaires, son travail. → **rapide. 2** (choses) Qui permet d'expédier les affaires. *Moyen expéditif.* ♦ péj. *Justice expéditive.* → **sommaire.** ► **expéditivement** adv.

**expédition** n. f. **I 1** Action d'expédier (I) ce qu'on a à faire. **2** dr. Copie (d'un acte, d'un jugement). **II 1** Action d'expédier (II) (qqch.). → **envoi. 2** Opération militaire exigeant un déplacement de troupes. **3** Voyage d'exploration.

**expéditionnaire** **1** n. Employé(e) chargé(e) des expéditions (II, 1). **2** adj. Envoyé en expédition militaire.

**expérience** n. f. **I 1** *L'expérience de qqch.* : fait d'éprouver qqch., considéré comme un élargissement ou un enrichissement du savoir, des aptitudes. → **pratique, usage.** *Acquérir l'expérience d'un art.* **2** Événement vécu ou pratique prolongée de qqch., apportant un enseignement. *Une expérience amoureuse.* **3** absolt Connaissance acquise par des situations vécues. → **savoir.** *Un débutant sans expérience.* ♦ philos. La connaissance empirique (→ **empirisme). II 1** Fait de provoquer un phénomène dans l'intention de l'étudier, de contrôler une hypothèse. → **épreuve, essai ; expérimentation.** – Méthode scientifique utilisant les expériences. **2** Essai, tentative. *Une expérience de vie commune.*

**expérimental, ale, aux** adj. **1** Fondé sur l'expérience scientifique. *Méthode expérimentale. Sciences expérimentales.* **2** Qui constitue une expérience ; fait, construit pour une expérience. ► **expérimentalement** adv.

**expérimentateur, trice** n. Personne qui effectue des expériences scientifiques.

**expérimentation** n. f. Emploi systématique de l'expérience scientifique.

**expérimenté, ée** adj. Qui est instruit par l'expérience (I, 3). → **exercé, expert.**

**expérimenter** v. tr. [1] **I** Éprouver, connaître par l'expérience. **II** Pratiquer des expériences (II) pour étudier, juger (qqch.). → **éprouver, essayer, tester, vérifier.**

**expert, erte** **I** adj. **1** Qui a acquis une grande habileté par l'expérience, par la pratique. → **expérimenté. 2** inform. *Système expert* : programme d'intelligence artificielle. **II** n. m. Personne choisie pour ses connaissances et chargée de faire des examens, constatations, appréciations.

**expert-comptable, experte-comptable** [-kɔ̃t-] n. Personne faisant profession d'organiser, vérifier ou redresser les comptabilités.

**expertise** n. f. **I** Examen, étude, estimation par un expert. **II** Compétence d'un expert.

**expertiser** v. tr. [1] Soumettre à une expertise. → **estimer, évaluer.**

**expiation** n. f. Souffrance imposée ou acceptée à la suite d'une faute et considérée comme une purification. → **rachat, repentir.**

**expiatoire** adj. Destiné à une expiation.

**expier** v. tr. [7] **1** Réparer par une expiation. **2** *Expier une erreur.* → **payer.**

**expirant, ante** adj. **1** Près d'expirer. → **agonisant, mourant. 2** (choses) Qui finit.

**expiration** n. f. **I** Action d'expirer (I). **II** Moment où (qqch.) se termine. → **terme.**

**expirer** v. [1] **I** v. tr. Expulser des poumons (l'air inspiré). → **souffler. II** v. intr. **1** littér. Rendre le dernier soupir. → **mourir.** ♦ (choses) Cesser d'être. **2** Arriver à son terme (durée déterminée). → **finir.**

**explétif, ive** adj. et n. m. Qui est dans une phrase sans être nécessaire au sens. *Le* ne *explétif* (ex. *il craint que je* ne *sois trop jeune*). – n. m. *Un explétif.*

**explicable** adj. (choses) Qui peut s'expliquer.

**explicatif, ive** adj. (choses) Qui explique.

**explication** n. f. **1** Développement destiné à éclaircir le sens de qqch. → **commentaire, éclaircissement. 2** Ce qui rend compte (d'un fait). → **cause, motif, raison.** *Quelle est l'explication de ce phénomène ?* **3** Éclaircissement sur la conduite de qqn. → **justification. 4** Discussion dans laquelle on s'explique (3).

**explicitation** n. f. Action d'expliciter.

**explicite** adj. **1** dr. Exprimé, formulé. **2** Clair et précis dans l'énoncé. **3** (personnes) Qui s'exprime avec clarté. ► **explicitement** adv.

**expliciter** v. tr. [1] **1** Énoncer formellement. **2** Rendre clair et précis.

**expliquer** v. tr. [1] **1** Faire connaître, faire comprendre nettement en développant. *Expliquer ses projets à qqn.* → **exposer. 2** Rendre clair, faire comprendre (ce qui est ou paraît obscur). ♦ Donner les indications (pour faire qqch.). **3** Faire connaître la raison, la cause de (qqch.). *Expliquer un phénomène.* ♦ (sujet chose) Être la cause, la raison visible de. ▷ v. pron. **s'expliquer 1** Faire connaître sa pensée. **2** Justifier un fait, une opinion. **3** récipr. Avoir une discussion, faire une mise au point. ♦ fam. Se battre. **4** Comprendre la raison, la cause de (qqch.). **5** passif Être rendu intelligible. *Cet accident s'explique par une négligence.*

**exploit** n. m. **I** Action remarquable. → **prouesse ; performance. II** dr. *Exploit d'huissier :* acte judiciaire signifié par huissier.

**exploitable** adj. Qui peut être exploité.

**exploitant, ante** n. **1** Personne (ou société) qui gère une exploitation. **2** Personne qui exploite une salle de cinéma.

**exploitation** n. f. **1** Action d'exploiter, de faire valoir (une chose) (→ mise en valeur). ♦ inform. *Système d'exploitation :* programme qui gère le fonctionnement d'un ordinateur. **2** Bien exploité ; lieu où se fait la mise en valeur de ce bien. *Exploitation agricole, industrielle, commerciale.* **3** abstrait Utilisation méthodique. *L'exploitation d'une idée.* **4** Action d'abuser (de qqn) à son profit. ♦ (marxisme) *L'exploitation de l'homme par l'homme :* le fait de tirer un profit (plus-value) du travail d'autrui.

**exploiter** v. tr. [1] **1** Faire valoir (une chose) ; tirer parti de. *Exploiter une mine.* **2** Utiliser d'une manière avantageuse. *Exploiter une situation.* **3** Se servir de (qqn) en n'ayant en vue que le profit (→ **exploitation** (4)).

**exploiteur, euse** n. Personne qui exploite (2 ou 3). → **profiteur.**

**explorateur, trice** n. Personne qui explore un pays lointain, peu connu.

**exploration** n. f. **1** Action d'explorer (un lieu). **2** abstrait → **approfondissement. 3** méd. Examen minutieux (d'un organe).

**exploratoire** adj. Destiné à explorer.

**explorer** v. tr. [1] **1** Parcourir (un endroit mal connu) en l'étudiant avec soin. – Parcourir (un lieu) en observant. **2** abstrait Faire des recherches sur (qqch.). → **approfondir, étudier.** *Explorer une question.* **3** méd. Observer (un organe, etc.) à l'aide d'instruments ou de procédés spéciaux. → **ausculter, examiner, sonder.**

**exploser** v. intr. [1] **1** Faire explosion. → **éclater, détoner, sauter. 2** fig. → **éclater.** *Sa colère explosa.* **3** Se développer largement.

**explosible** adj. didact. → **explosif** (2).

**explosif, ive I** adj. **1** Relatif à l'explosion. **2** Qui peut faire explosion. **3** fig. *Situation explosive,* tendue. – *Tempérament explosif,* sujet à la colère. **II** n. m. Composé ou mélange de corps susceptible d'explosion. ► **explosivité** n. f.

**explosion** n. f. **1** Fait de se rompre brutalement en projetant des fragments. ♦ sc. Phénomène au cours duquel des gaz sous pression sont produits dans un temps très court. → **déflagration, éclatement.** *L'explosion d'un obus.* – *Explosion nucléaire.* ♦ Rupture violente, accidentelle. **2** *Moteur à explosion,* qui emprunte son énergie à l'expansion d'un gaz, provoquée par la combustion rapide d'un mélange détonant. **3** fig. Manifestation soudaine et violente (de). **4** Expansion soudaine et spectaculaire. *Explosion démographique.*

**exponentiel, ielle** adj. **1** math. Dont la variable est en exposant. **2** Qui augmente de manière continue et rapide. ► **exponentiellement** adv.

**export** n. m. Exportation. *Ventes à l'export.*

**exportable** adj. Qui peut être exporté.

**exportateur, trice** n. Personne qui exporte. – adj. *Pays exportateurs de pétrole.*

**exportation** n. f. **1** Action d'exporter (des produits). **2** Ce qui est exporté.

**exporter** v. tr. [1] **1** Envoyer et vendre hors d'un pays (ses produits). ♦ *Exporter des capitaux,* les placer à l'étranger. **2** fig. Transporter à l'étranger (une mode, etc.).

**exposant** n. m. **1** Personne dont les œuvres, les produits sont présentés dans une exposition (2). **2** math. Expression exprimant la puissance à laquelle une quantité est élevée. *Deux est l'exposant du carré.*

**exposé** n. m. **1** Développement par lequel on expose (des faits, des idées). → **description, rapport, récit. 2** Bref discours sur un sujet didactique. → **conférence** ; fam. **laïus.**

**exposer** v. tr. [1] **I 1** Disposer de manière à mettre en vue. → **montrer, présenter. 2** Placer (des œuvres d'art...) dans un lieu de présentation publique. **3** Présenter en ordre (un ensemble de faits, d'idées). → **décrire, énoncer, raconter. 4** *Exposer qqch. à :* disposer dans la direction de. → **orienter. 5** Disposer pour soumettre à une action. *Exposer un film à la lumière.* **II 1** *Exposer qqn à,* mettre dans une situation dangereuse. **2** Risquer de perdre. *Exposer sa vie.* ▷ v. pron. s'**exposer 1** Se soumettre à l'action de. *S'exposer au soleil.* **2** Se mettre dans la situation de subir. *S'exposer à un péril.* – sans compl. Se mettre en danger.

**exposition** n. f. **1** Action d'exposer, de mettre en vue (spécialt des choses à vendre). → **étalage. 2** Présentation publique de produits, d'œuvres d'art ; objets exposés. **3** Action de faire connaître, d'expliquer. → **exposé.** ♦ Partie initiale (d'une œuvre littéraire). *L'exposition d'une tragédie.* **4** Situation par rapport à une direction donnée. → **orientation. 5** Action de soumettre à l'action de. *Exposition à la lumière.*

① **exprès, esse** [-pʀɛs] adj. **1** dr. Qui exprime formellement la volonté de qqn. *Défense expresse.* **2** (invar.) *Lettre exprès, colis exprès* (ou n. m. *un exprès*), remis immédiatement au destinataire.

② **exprès** [-pʀɛ] adv. Avec intention spéciale ; à dessein. → **délibérément, intentionnellement.** – *Faire exprès. Il fait exprès de vous contredire.* – loc. *Un fait exprès :* une coïncidence (fâcheuse).

① **express** [-pʀɛs] adj. Qui assure un service rapide. – n. m. vieilli Train express.

② **express** [-pʀɛs] adj. *Café express* (ou n. m. *un express*), fait à la vapeur. → **expresso.**

**expressément** adv. En termes exprès (①), formels. → **explicitement, nettement.**

**expressif, ive** adj. **1** Qui exprime bien ce qu'on veut exprimer, faire comprendre. *Geste expressif.* → **éloquent. 2** Qui a beaucoup d'expression, de vivacité. → **animé, mobile, vivant.** *Une physionomie expressive.*

**expression** n. f. **I** vx Action de faire sortir (un liquide) en pressant (→ **exprimer** (I)). **II** Action ou manière d'exprimer ou de s'exprimer. **1** Fait d'exprimer par le langage. – *Liberté d'expression,* d'exprimer ses opinions. – *Au-delà de toute expression :* extrêmement. **2** Manière de s'exprimer. – spécialt Groupe de mots faisant partie de la langue. → **locution, tour, tournure. 3** math. Formule par laquelle on exprime une valeur, un système. – loc. fig. *Réduire qqch. à sa plus simple expression,* à la forme la plus simple. **4** Fait d'exprimer, de s'exprimer par l'art. – Qualité d'un artiste ou d'une œuvre qui exprime qqch. avec force. **5** Fait d'exprimer (les émotions, les sentiments...) par le comportement. *Une expression indifférente.* **6** absolt Aptitude à manifester ce qui est ressenti. *Un sourire plein d'expression.* **III** Ce par quoi qqn ou qqch. s'exprime, se manifeste. *L'expression d'un besoin.* → **manifestation.** *L'expression d'une volonté.* → **émanation.**

**expressionnisme** n. m. Forme d'art où prime l'intensité de l'expression (d'abord en peinture). ► **expressionniste** adj. et n.

**expressivité** n. f. Caractère expressif.

**expresso** n. m. Café express à l'italienne.

**exprimer** v. tr. [1] **I** littér. ou techn. Faire sortir par pression (un liquide). **II** Rendre sensible par un signe (→ **expression**). **1** Faire connaître par le langage. **2** sc. Servir à noter (une relation...). *Le signe = exprime l'égalité.* **3** Rendre sensible, faire connaître par le moyen de l'art. **4** Rendre sensible par le comportement. → **manifester.** ▷ v. pron. s'**exprimer 1** Manifester sa pensée, ses sentiments (par le langage, les gestes, l'art). **2** Se manifester librement, selon des tendances profondes. ► **exprimable** adj.

**exproprier** v. tr. [7] Déposséder légalement (qqn) d'un bien. ► **expropriation** n. f.

**expulser** v. tr. [1] **I 1** Chasser (qqn) du lieu où il était établi. *Expulser qqn de son pays.* → **exiler.** *Expulser des locataires.* **2** Faire sortir (qqn) avec violence. **II** Évacuer (qqch.) de l'organisme. → **éliminer.** ► **expulsion** n. f.

**expurger** v. tr. [3] Abréger (un texte) en éliminant ce qui est contraire à une morale, à un dogme. ► **expurgation** n. f.

**exquis, ise** adj. **1** D'une délicatesse raffinée. → **délicat. 2** Agréable par sa délicatesse. → **délicieux.** ► **exquisément** adv. littér.

**exsangue** [ɛksɑ̃g ; ɛgzɑ̃g] adj. **1** méd. Qui a perdu beaucoup de sang. **2** Très pâle. *Lèvres exsangues.* **3** fig., littér. Vidé de sa substance, de sa force. *Pays exsangue.*

**exsuder** v. [1] didact. **1** v. intr. Sortir comme la sueur. → **suinter. 2** v. tr. Émettre par suintement. ► **exsudation** n. f.

**extase** n. f. **1** État dans lequel qqn se trouve comme transporté hors de soi et du monde sensible. **2** Exaltation due à une joie ou une admiration extrême. → **ravissement.**

s'**extasier** v. pron. [7] Manifester avec enthousiasme son admiration, son émerveillement. → se **pâmer.** ▷ adj. **extasié, ée**

**extatique** adj. littér. **1** De l'extase (1). *Vision extatique.* **2** Qui est en extase.

**extenseur 1** adj. m. Qui sert à étendre. **2** n. m. Appareil pour les exercices d'extension musculaire.

**extensible** adj. Qui peut s'étendre. → **élastique ; ductile.** ► **extensibilité** n. f.

**extensif, ive** adj. **1** didact. Relatif à l'étendue, à l'extension. **2** (opposé à *intensif*) *Culture extensive,* sur de grandes surfaces (avec un rendement assez faible). **3** Qui marque une extension (3) plus grande.

**extension** n. f. **1** Action de donner à qqch. une plus grande dimension ; fait de s'étendre. → **augmentation, développement.** **2** Mouvement par lequel on étend un membre. *Extension et flexion du bras.* **3** fig. Action de donner à qqch. une portée plus générale. ♦ Propriété d'un terme de s'appliquer à plus d'objets. *Extension du sens propre d'un mot.*

**exténuer** v. tr. [1] Rendre faible par épuisement des forces. → **épuiser.** – au p. p. *Un air exténué.* ► **exténuant, ante** adj. ► **exténuation** n. f. littér.

① **extérieur, eure** adj. **I 1** *Extérieur à* : qui est situé dans l'espace hors de (qqch.). → **en dehors** de. ♦ fig. → **étranger** à. *Des considérations extérieures au sujet.* **2** (sans compl.) Qui est dehors ou loin du centre. ♦ Qui concerne les pays étrangers. *Politique extérieure.* **3** Qui existe en dehors d'un individu. *La réalité extérieure.* **II 1** (partie) En contact avec l'espace que qqch. n'occupe pas. *Poche extérieure.* **2** Que l'on peut voir du dehors. → **apparent, visible.**

② **extérieur** n. m. **I 1** Partie de l'espace en dehors de qqch. (opposé à *dedans, intérieur*). → **dehors.** **2** cin. Prise de vues hors des studios. **II 1** Partie (de qqch.) en contact avec l'espace qui l'environne. *L'extérieur d'un coffret.* **2** littér. Apparence (de qqn, qqch.).

**extérieurement** adv. **1** À l'extérieur. **2** En apparence. → **apparemment.**

**extérioriser** v. tr. [1] Donner une réalité extérieure, visible à (ce qui n'existait que dans la conscience). → **exprimer, manifester, montrer.** ▷ v. pron. s'**extérioriser** ► **extériorisation** n. f.

**extériorité** n. f. didact. Caractère de ce qui est extérieur.

**exterminateur, trice** adj. littér. Qui extermine. *L'ange exterminateur,* de la mort.

**exterminer** v. tr. [1] Faire périr en nombre et jusqu'au dernier. → **anéantir, détruire, supprimer.** ► **extermination** n. f. → **massacre ; génocide.**

**externaliser** v. tr. [1] Confier (une activité relative à une entreprise) à une entreprise extérieure. *Externaliser la comptabilité.* ► **externalisation** n. f.

**externat** n. m. **1** École où l'on ne reçoit que des élèves externes. **2** Fonction, statut d'externe (II).

**externe I** adj. Qui est situé en dehors, est tourné vers l'extérieur. *Bord externe.* – *Médicament à usage externe,* à ne pas avaler. **II** n. **1** Élève qui suit les cours d'une école, mais n'y vit pas en pension. **2** Étudiant(e) en médecine, qui assiste les internes dans les hôpitaux.

**exterritorialité** n. f. Privilège par lequel les agents diplomatiques sont censés résider dans le pays qu'ils représentent et ne sont pas soumis à la juridiction du pays où ils exercent leurs fonctions.

**extincteur** n. m. Appareil capable d'éteindre un foyer d'incendie.

**extinction** n. f. **1** Action d'éteindre. **2** Fait de perdre son existence ou son efficacité. *Espèce en voie d'extinction.* → **disparition.** – loc. *Extinction de voix* : impossibilité momentanée de parler d'une voix claire.

**extirper** v. tr. [1] **1** littér. Faire disparaître (qqch. d'abstrait). *Extirper un mal.* **2** Arracher (une plante) avec ses racines. ♦ chir. Enlever complètement. → **extraire.** **3** fam. Faire sortir avec difficulté. → **arracher.** ► **extirpation** n. f.

**extorquer** v. tr. [1] Obtenir (qqch.) sans le consentement du détenteur (par la ruse...).

**extorsion** n. f. didact. Action d'extorquer. *Extorsion de fonds.*

① **extra** n. **1** n. m. Chose ajoutée à ce qui est habituel. → **supplément.** **2** Employé(e) supplémentaire engagé(e) pour peu de temps.

② **extra** adj. invar. De qualité supérieure. ♦ fam. Très bien, très agréable.

**extraconjugal, ale, aux** adj. Qui a lieu en dehors du mariage.

**extracorporel, elle** adj. Qui existe ou se fait à l'extérieur du corps.

**extracteur** n. m. Appareil d'extraction (I).

**extractible** adj. Qui peut être extrait.

**extractif, ive** adj. Relatif à l'extraction.

**extraction** n. f. **I** Action d'extraire*. **II** vieilli Origine, lignage.

**extrader** v. tr. [1] Livrer par extradition.

**extradition** n. f. Procédure permettant à un État de se faire livrer par un autre État un individu poursuivi ou condamné.

**extra-fin, fine** adj. **1** Très fin, très petit. **2** (aliments, confiserie) Supérieur.

**extra-fort, forte I** adj. Très fort. *Moutarde extra-forte.* **II** n. m. Ruban dont on garnit intérieurement les ourlets, etc.

**extragalactique** adj. astron. Qui est en dehors de la Galaxie (celle du Soleil).

**extraire** v. tr. [50] **I 1** Tirer (une chose) du lieu dans lequel elle se trouve enfouie ou enfoncée. *Extraire la houille d'une mine.* ♦ Enlever, retirer de l'organisme (un corps étranger, etc.) par une opération. **2** Tirer (un passage → **extrait**) d'un livre, d'un écrit. **3** Faire sortir (qqn) avec difficulté d'un lieu étroit. **II 1** Séparer (une substance) du corps dont elle fait partie. **2** littér. Dégager (un contenu, une idée...). **3** *Extraire la racine carrée d'un nombre,* la calculer.

**extrait** n. m. **1** Produit qu'on retire d'une substance par une opération chimique. ♦ Parfum concentré. → **essence.** ♦ Préparation alimentaire concentrée. **2** Passage tiré d'un texte. → **fragment, morceau.** – par ext. *Projeter des extraits d'un film.* **3** Copie conforme (d'un acte officiel).

**extralégal, ale, aux** adj. didact. En dehors de la légalité. → **illégal.**

**extralucide** adj. *Voyante extralucide,* réputée voir et prédire l'avenir.

**extra-muros** [-os] adv. et adj. Hors de la ville.

**extraordinaire** adj. **1** Qui n'est pas selon l'usage ordinaire, selon l'ordre commun. → **exceptionnel, inhabituel.** – *Par extraordinaire :* par un événement peu probable. **2** Qui suscite la surprise ou l'admiration par sa rareté, sa singularité. → **bizarre, étonnant, étrange, insolite, singulier. 3** Remarquable dans son genre. → **exceptionnel.** *Une femme extraordinaire.*

**extraordinairement** adv. **1** Par l'effet de circonstances extraordinaires. **2** D'une manière étrange, bizarre. **3** D'une manière intense. → **extrêmement, très.**

**extrapoler** v. intr. 1 didact. Appliquer une chose connue à un autre domaine pour en déduire qqch. ► **extrapolation** n. f.

**extrasensoriel, ielle** [-s-] adj. psych. Qui ne se fait pas par les sens.

**extrasolaire** adj. astron. Extérieur au système solaire. *Planète extrasolaire.* → **exoplanète.**

**extrasystole** [-s-] n. f. méd. Contraction anticipée du cœur.

**extraterrestre 1** adj. Extérieur à la Terre ou à l'atmosphère terrestre. **2** n. Habitant d'une autre planète que la Terre (dans un contexte d'anticipation).

**extra-utérin, ine** adj. méd. *Grossesse extra-utérine,* qui se fait, se produit (anormalement) hors de la cavité utérine.

**extravagant, ante** adj. **1** Bizarre et déraisonnable. **2** (personnes) Très excentrique. ► **extravagance** n. f. → **excentricité.**

**extravaguer** v. intr. 1 littér. Penser, parler, agir de manière extravagante.

**extraverti, ie** adj. Qui est tourné vers le monde extérieur. – syn. **extroverti, ie.**

**extrême I** adj. **1** (souvent avant le nom) Qui est tout à fait au bout, qui termine (un espace, une durée). *L'extrême limite. L'extrême droite, l'extrême gauche* (politique). **2** littér. Qui est au plus haut point ou à un très haut degré. → **grand, intense.** *Joie extrême.* – *D'extrême urgence.* **3** (après le nom) Qui est le plus éloigné de la moyenne, du juste milieu. → **excessif, immodéré. II** n. m. **1** (surtout plur.) Situation extrême. **2** *Les extrêmes :* les deux limites extrêmes d'une chose. → **contraire, opposé.** – au sing. *Passer d'un extrême à l'autre.* **3** loc. adv. *À l'extrême :* à la dernière limite ; au-delà de toute mesure.

**extrêmement** adv. D'une manière extrême, à un très haut degré. → **très.**

**extrême-onction** n. f. relig. cathol. Sacrement destiné aux fidèles en péril de mort.

**extrême-oriental, ale, aux** [-ʀjɑ̃-] adj. et n. De l'Extrême-Orient. – n. *Les Extrême-Orientaux.*

in **extremis** → **in extremis**

**extrémiste** n. Partisan d'une doctrine, jusqu'à ses limites extrêmes ; personne qui a des opinions extrêmes. – adj. *Parti extrémiste.* ► **extrémisme** n. m.

**extrémité** n. f. **1** Partie extrême, qui termine une chose. → **bout, fin. 2** au plur. Les pieds et les mains. **3** État très misérable ; situation désespérée. – loc. *Être réduit à la dernière extrémité.* – *Le malade est à la dernière extrémité,* à l'agonie. **4** Décision, action extrême ; excès de violence.

**extrinsèque** adj. didact. Qui est extérieur, n'appartient pas à l'essence de qqch. (opposé à *intrinsèque*).

**extroverti, ie** → **extraverti**

**extruder** v. tr. 1 techn. Fabriquer par extrusion (2).

**extrusion** n. f. **1** géol. Sortie de lave. **2** techn. Fabrication de produits par écoulement de matières liquides (spécialt, matières plastiques).

**exubérance** n. f. **1** État de ce qui est très abondant. → **profusion. 2** Vitalité irrépressible qui se manifeste dans le comportement. ► **exubérant, ante** adj.

**exulter** v. intr. 1 (personnes) Être transporté d'une joie extrême, qu'on ne peut contenir ni dissimuler. → **jubiler.** ► **exultation** n. f. → **allégresse.**

**exutoire** n. m. littér. Ce qui permet de se soulager (d'un besoin, d'une envie).

**ex-voto** n. m. invar. Objet symbolique placé dans une église en accomplissement d'un vœu ou en remerciement.

# F

**f** [ɛf] n. m. **I** Sixième lettre et quatrième consonne de l'alphabet. **II 1** *F1, F2...*, logement de une, deux... pièces principales. **2** *F* : symbole du *franc*.

**fa** n. m. invar. Note de musique, quatrième degré de la gamme de do.

**fablab** [-ab] n. m. anglic. Atelier mettant à la disposition du public des outils de fabrication d'objets assistée par ordinateur.

**fable** n. f. **1** littér. Récit de fiction exprimant une vérité générale. → **légende, mythe. 2** Petit récit en vers ou en prose, destiné à illustrer un précepte. *Les Fables d'Ésope.* **3** littér. Mensonge élaboré (→ **fabuler**). **4** loc. *Être la fable de*, être un sujet de moquerie pour. → **risée.**

**fabliau** n. m. Petit récit en vers de huit syllabes (XIII^e^ et XIV^e^ siècles).

**fabricant, ante** n. Personne qui fabrique, fait fabriquer des produits commerciaux.

> Ne pas confondre avec *fabriquant*, p. prés. de *fabriquer*.

**fabrication** n. f. Art ou action de fabriquer.

**fabrique** n. f. Établissement industriel de moyenne importance produisant des objets finis. → **manufacture ; usine.**

**fabriquer** v. tr. [1] **1** Faire (un objet) grâce à un travail exécuté sur une matière. → **confectionner. 2** fam. *Qu'est-ce que tu fabriques ?* → **faire. 3** Produire par des procédés mécaniques, à l'aide de matières premières ou semi-finies (des objets destinés au commerce). **4** Élaborer (pour tromper). *Fabriquer de la fausse monnaie.* – au p. p. *Une histoire fabriquée.* → **faux ; inventé.**

**fabuler** v. intr. [1] Présenter comme réels des faits imaginés. → **affabuler ; fable.** ► **fabulation** n. f. ► **fabulateur, trice** adj. et n.

**fabuleux, euse** adj. **1** littér. Qui appartient à la fable, au merveilleux. → **légendaire, mythique, mythologique.** *Animal fabuleux.* **2** Qui paraît fabuleux ; incroyable mais vrai. → **extraordinaire, prodigieux.** ► **fabuleusement** adv.

**fabuliste** n. Auteur de fables.

**fac** n. f. fam. Faculté ou université.

**façade** n. f. **1** Face antérieure (d'un bâtiment) où s'ouvre l'entrée principale. **2** fig. Apparence (qui trompe). – *Une amabilité de façade.*

**face** n. f. **1** Partie antérieure de la tête humaine. → **figure, visage ; facial.** ♦ loc. *À la face de* : devant, en présence de. – *Perdre la face* : perdre toute considération. *Sauver la face* : sauvegarder sa dignité. **2** (médaille...) Côté qui porte une figure (opposé à *pile*, à *revers*). → **avers. 3** Chacun des côtés (d'une chose). *Les faces d'un cube.* **4** fig. Aspect sous lequel une chose se présente. **5** loc. *Faire face à* : présenter l'avant vers ; fig. réagir efficacement en présence de (une difficulté). **6** loc. prép. *Face à* : en faisant face à ; fig. en étant confronté à. **7** loc. adv. *En face* : par-devant. *Il le lui a dit en face*, directement. – fig. *Voir les choses en face.* ♦ loc. prép. *En face de.* → **vis-à-vis** de. **8** loc. adv. *Face à face* : les faces tournées l'une vers l'autre (→ nez à nez, vis-à-vis). **9** *De face* : le visage s'offrant aux regards. *Un portrait de face* (par oppos. à *de profil*). – (par oppos. à *de côté*) *Une loge de face* (au théâtre).

**face-à-face** n. m. invar. Débat confrontant des personnalités.

**face-à-main** n. m. Binocle à manche, tenu à la main. *Des faces-à-main.*

**facétie** n. f. Plaisanterie burlesque.

**facétieux, euse** adj. Qui aime à dire ou à faire des facéties.

**facette** n. f. **1** Une des petites faces (d'un corps qui en a beaucoup). *Les facettes d'un diamant.* **2** fig. Chacun des aspects (d'une chose). – *À facettes*, à plusieurs aspects. **3** zool. Chacun des éléments de l'œil composé des insectes.

**fâché, ée** adj. **1** Mécontent. *Vous avez l'air fâché.* – *Fâché de*, qui regrette (qqch.). **2** *Être fâché contre qqn*, en colère contre lui. ♦ *Être fâché avec qqn*, brouillé avec lui.

**fâcher** v. tr. [1] Mettre (qqn) dans un état d'irritation. → **mécontenter.** ▷ v. pron. **se fâcher** Se mettre en colère. ♦ *Se fâcher avec qqn.* → se **brouiller, rompre.**

**fâcherie** n. f. Brouille, désaccord.

**fâcheux, euse** adj. **1** Qui est cause de déplaisir ou de souffrance. *Une fâcheuse nouvelle.* **2** Qui comporte des inconvénients ; qui porte préjudice. *Un contretemps fâcheux.* ► **fâcheusement** adv.

**facho** adj. et n. fam. Fasciste (2).

**facial, ale, aux** adj. De la face.

**faciès** [-jɛs] n. m. didact. Aspect (permanent), expression du visage. → **physionomie.**

**facile** adj. **1** Qui se réalise, s'accomplit, s'obtient sans effort. → **aisé, commode, élémentaire, enfantin, simple.** **2** *Facile à* (+ inf.) : qui demande peu d'efforts pour être (fait, réussi). ♦ (personnes) *Être facile à vivre,* d'humeur égale. **3** Qui semble avoir été fait sans effort. → **aisé.** – péj. Sans profondeur. *Une ironie facile.* **4** Accommodant, tolérant. **5** (femme) Qui accepte facilement des relations sexuelles. **6** adv. fam. Pour le moins. *Il faut une heure, facile.*

**facilement** adv. **1** Sans effort, sans peine. → **aisément.** ♦ Pour peu de chose. *Il se vexe facilement.* **2** Au moins. → **facile** (6).

**facilité** n. f. **1** Caractère, qualité de ce qui se fait sans peine, sans effort. **2** surtout au plur. Moyen qui permet de réaliser, d'obtenir qqch. sans effort, sans peine. *Facilités de paiement :* délai. **3** Disposition à faire qqch. sans peine, sans effort. → **aisance, aptitude.**

**faciliter** v. tr. [1] Rendre facile, moins difficile. → **aider, arranger.**

**façon** n. f. **I** (Action de donner une forme à qqch.) **1** *De ma, ta, sa... façon. C'est bien une idée de sa façon.* **2** *La façon :* le travail qui met en œuvre une matière. → **exécution, fabrication ; main-d'œuvre.** – *Travail à façon* (sans fournir la matière première). **3** Manière dont une chose est faite ; forme donnée par l'artiste, l'artisan. ♦ appos. *Reliure façon cuir,* qui imite le cuir. **4** littér. *Une façon de,* une espèce, une sorte de. **II** (Manière d'agir) **1** *Façon de* (+ inf.) : manière d'agir, de se comporter. **2** *De... façon :* de (telle) manière. *De cette façon.* → **ainsi.** *De quelle façon... ?* → **comment.** – *De toute façon,* en tout cas. – *De façon à, que :* pour (que). – *De telle façon que :* de sorte que. **3** *À la façon de.* → **comme.** – *À ma, ta, sa... façon. Il veut vivre à sa façon.* → à sa **guise.** **III** au plur. Manières particulières (de qqn). *Il a de curieuses façons.* ♦ spécialt *Ne faites pas tant de façons.* → **cérémonie, chichi, simagrée.** ♦ loc. adj. et adv. *Sans façon :* simple ; simplement.

**faconde** n. f. littér. Élocution facile, abondante (jusqu'à déplaire).

**façonner** v. tr. [1] **1** Mettre en œuvre, travailler (une matière...). **2** Faire (un ouvrage), fabriquer en travaillant la matière. **3** littér. Former peu à peu (qqn). ► **façonnage** n. m.

**façonnier, ière** **1** n. Personne qui travaille à façon. **2** adj. littér. Qui fait des façons (III).

**fac-similé** n. m. Reproduction à l'identique (d'un dessin...). *Des fac-similés.*

① **facteur, trice** n. **I** techn. (mus.) Fabricant (d'instruments). *Facteur d'orgues.* **II** Personne qui distribue le courrier, les colis... envoyés par la poste. → admin. **préposé.**

② **facteur** n. m. **1** math. Chacun des éléments constitutifs d'un produit. **2** biol. Substance qui favorise un processus. *Facteur de croissance.* **3** Élément contribuant à un résultat. – (+ appos.) *Le facteur chance.*

**factice** adj. **1** Qui est faux, imité. **2** Qui n'est pas naturel. → **artificiel.**

**factieux, euse** **1** adj. Qui exerce contre le pouvoir établi une opposition violente tendant à provoquer des troubles. → **séditieux.** **2** n. → **agitateur, insurgé.**

**faction** n. f. **I** Groupe se livrant à une activité factieuse (dans un État...) ; cette activité. **II** Service d'un soldat en armes qui surveille les abords d'un poste. – par ext. Surveillance, attente prolongée.

**factionnaire** n. m. Soldat en faction. → **sentinelle.**

**factitif, ive** adj. gramm. *Emploi factitif,* dans lequel le sujet du verbe est la cause de l'action, sans agir lui-même (ex. elle *fait construire* une maison).

**factoriel, ielle** adj. Relatif à un facteur (②). ♦ n. f. math. Produit des nombres entiers inférieurs ou égaux à (un nombre donné). *La factorielle de 3 est :* $3\,!=1\times2\times3$.

**factoriser** v. tr. [1] math. Écrire (une expression, un nombre) sous la forme d'un produit de facteurs. ► **factorisation** n. f.

**factotum** [-ɔm] n. m. littér. Personne dont les fonctions consistent à s'occuper de tout (dans une maison, auprès de qqn).

**factuel, elle** adj. didact. Qui est de l'ordre du fait. → **attesté, réel.** *Preuves factuelles.*

**factum** [-ɔm] n. m. littér. Pamphlet.

**facturation** n. f. **1** Action d'établir une facture (②). **2** Service (d'une entreprise), locaux où ce travail s'effectue.

① **facture** n. f. didact. **1** Manière dont est faite, réalisée (une œuvre). **2** Fabrication des instruments de musique.

② **facture** n. f. Écrit (pièce comptable) indiquant la nature, la quantité et le prix de marchandises vendues, de services exécutés. – Note d'une somme à payer.

**facturer** v. tr. [1] Porter, compter (une marchandise) sur une facture.

**facturette** n. f. Reçu de paiement par carte bancaire.

**facturier, ière** n. Personne chargée d'établir les factures comptables.

**facultatif, ive** adj. Qu'on peut faire, employer, suivre ou non. ► **facultativement** adv.

**faculté** n. f. **I** **1** Possibilité naturelle ou légale (de faire qqch.). **2** Aptitude, capacité. *Facultés intellectuelles.* **II** **1** Corps des professeurs qui, dans une université, sont chargés d'une même discipline ; partie de l'université où se donne cet enseignement. **2** absolt vieilli *La Faculté :* les médecins.

**fada** adj. et n. fam. Un peu fou, niais.

**fadaise** n. f. Propos sot ou insignifiant.

**fadasse** adj. fam. Trop fade.

**fade** adj. **1** Qui manque de saveur, de goût. → **insipide.** ♦ Sans éclat. *Une couleur fade.* **2** fig. Sans caractère, sans intérêt.

**fadeur** n. f. Caractère de ce qui est fade.

**fado** n. m. Chanson portugaise, mélancolique et nostalgique.

**fagot** n. m. Faisceau de petit bois, de branchages. – loc. *Bouteille de derrière les fagots,* du meilleur vin (vieilli à la cave).

**fagoter** v. tr. [1] **1** vx Mettre en fagots. **2** Habiller mal, sans goût. → **accoutrer, affubler.** – au p. p. *Mal fagoté.* → **ficelé.**

**faiblard, arde** adj. fam. Un peu faible.

**faible I** adj. **1** Qui manque de force, de vigueur physique (opposé à *fort*). **2** (choses) Qui a peu de résistance, de solidité. → **fragile. 3** Qui n'est pas en état de résister, de lutter. *Un État faible.* **4** Qui manque de capacités (facultés intellectuelles). **5** Sans force, sans valeur. *Un argument faible.* **6** Qui manque de force morale, d'énergie. **7** (choses) Qui a peu d'intensité. *Une faible lumière.* **8** Peu considérable. *De faibles revenus.* **9** *Le côté, le point faible* (de qqn, qqch.), ce qu'il y a de faible. → **faiblesse. II** n. **1** Personne faible. – spécialt Personne sans force morale. **2** *Faible d'esprit :* personne dont les facultés intellectuelles sont peu développées. → **simple** d'esprit. **3** n. m. littér. Défaut, partie faible (de qqn, qqch.). ♦ Goût, penchant. *Il a un faible pour le porto.*

**faiblement** adv. **1** D'une manière faible. **2** À un faible degré. → **peu.**

**faiblesse** n. f. **1** Manque de force, de vigueur physique. – *Une faiblesse.* → **défaillance, évanouissement. 2** Incapacité à se défendre, à résister. **3** Manque de valeur intellectuelle. **4** Défaut de qualité (d'une œuvre...). → **médiocrité. 5** Manque de force morale. ♦ Défaut, point faible. *Chacun a ses faiblesses.* **6** Manque d'intensité, d'importance. → **petitesse ; insignifiance.**

**faiblir** v. intr. [2] **1** Devenir faible. → s'**affaiblir. 2** Perdre de son ardeur. *Travailler sans faiblir.* **3** (choses) Perdre de son intensité. → **diminuer. 4** Ne plus opposer de résistance. → **céder, fléchir. 5** (productions intellectuelles) Devenir moins bon.

**faïence** [fajɑ̃s] n. f. Poterie de terre recouverte de vernis ou d'émail.

**faïencerie** [fajɑ̃-] n. f. **1** Industrie et commerce de la faïence. – Fabrique de faïence. **2** Objets de faïence.

① **faille** n. f. **1** Fracture de l'écorce terrestre, accompagnée du glissement des parties séparées. **2** fig. Point faible, défaut.

② **faille** n. f. Tissu de soie à gros grain.

**failli, ie** n. et adj. dr. (Commerçant) qui a fait faillite.

**faillible** adj. Qui peut se tromper.

**faillir** v. intr. [2] ou archaïque : *je faux,* etc. (surtout inf., passé simple et temps composés) **1** littér. *Faillir à :* manquer à, négliger. **2** vieilli Commettre une faute ; se tromper. **3** (+ inf.) Indique que l'action était sur le point de se produire. *J'ai failli tomber.*

**faillite** n. f. **1** Situation d'un commerçant, d'une entreprise qui ne peut pas payer ses dettes, tenir ses engagements. **2** Échec (d'une idée...).

**faim** n. f. **1** Sensation qui, normalement, accompagne le besoin de manger. *Rester sur sa faim* (après avoir mangé) ; fig. ne pas obtenir ce qu'on attendait. **2** fig. Appétit, aspiration ardente. *Avoir faim de justice.*

**faîne** ou **faine** n. f. Fruit du hêtre.

**fainéant, ante** n. et adj. (Personne) qui ne veut rien faire. → **paresseux.** ► **fainéanter** v. intr. [1] ► **fainéantise** n. f. → **paresse ; inaction.**

**faire** v. tr. [60] **I** (Réaliser [un être : qqch. ou qqn]) **1** Réaliser hors de soi (une chose matérielle). → **construire, fabriquer.** *Faire un outil. Faire le pain.* **2** Réaliser (une chose abstraite). → **élaborer.** *Faire une loi.* **3** (emplois spéciaux) Produire de soi, hors de soi. *Faire un enfant.* → **engendrer, procréer.** *La chatte a fait ses petits.* → **mettre** bas. ♦ Évacuer (les déchets de l'organisme). *Faire ses besoins* (euphémisme). → **déféquer, uriner. 4** Se fournir en ; prendre (qqch.). → s'**approvisionner** en. *Faire de l'essence.* ♦ → **obtenir.** *Faire des bénéfices.* ♦ → **fournir, produire.** *Faire du blé,* le cultiver. **5** Constituer (quant à la quantité, la qualité...). *Deux et deux font quatre.* → **égaler.** – (personnes) *Elle fera une excellente avocate.* **II** (Réaliser [une manière d'être] ; être le sujet de [une activité], la cause de [un effet]) **1** Effectuer (un mouvement). *Faire un pas.* **2** Effectuer (une opération, un travail) ; s'occuper à (qqch.). – *Ce n'est ni fait ni à faire,* c'est très mal fait. ♦ *Avoir à faire avec* (qqn), avoir à faire un travail avec lui. – par ext. *Je n'ai rien à faire avec lui,* je ne veux avoir aucune relation. **3** Exercer (une activité suivie). *Que fait-il dans la vie ?* **4** Accomplir, exécuter (un acte, une action). *Faire une erreur.* – *C'est bien fait :* c'est mérité. ♦ intrans. Agir. *Il a bien fait.* – *En faire à sa tête, à sa fantaisie,* faire ce qui plaît. ♦ *Je, tu... ferais bien de, mieux de* (+ inf.) : je, tu devrais... ♦ *Ne faire que (de)* (+ inf.). *Ne faire que,* ne pas cesser de. – *Ne faire que, que de,* venir de (passé récent). **5** Exécuter (une prescription). *Faire son devoir.* → s'**acquitter** de. **6** Être la cause de, l'agent de. *Faites-moi plaisir.* – (sujet chose) *Cela ne fait rien,* c'est sans importance. ♦ *Faire...* (à qqch.), *y faire. Cela ne fait rien à l'affaire,* cela ne change rien. – fam. *Savoir y faire,* être habile, débrouillard. ♦ *Faire que,* suivi d'une complétive. – (souhait → **pourvu que**) *Fasse le ciel qu'il revienne bientôt.* – (avec l'indic.) *Sa négligence a fait qu'il a perdu beaucoup d'argent.* **7** Parcourir (un trajet, une distance). *Faire dix kilomètres à pied.* ♦ fam. Parcourir pour visiter. *Faire la Bretagne.* **8** Exprimer, par la parole. → **dire.** *Chut ! fit-il.* – (geste) *Il fit «non» de la tête.* ♦ (choses) *La pendule fait tic-tac.* **9** Présenter (un aspect). *Tissu qui fait des plis.* ♦ Avoir pour variante morphologique. *«Journal» fait «journaux» au pluriel.* ♦ Avoir pour mesure, pour valeur. *Mur qui fait six mètres de haut.* – impers. *Ça fait huit jours qu'il n'est pas venu.* **10** Subir (un trouble physique). *Faire de la tension.* **III** (Déterminer [qqn, qqch.] dans sa manière d'être) **1** Arranger, disposer (qqch.) comme il convient. *Faire sa chambre.* → **nettoyer, ranger. 2** Former (qqn, qqch.). *École qui fait de bons ingénieurs.* **3** *Faire qqn...* → **rendre.** *Il les a faits riches.* – Représenter comme. *Vous le faites plus méchant qu'il n'est.* ♦ fam. Donner un prix à (qqch. qu'on vend). *Je vous le fais cent vingt euros.* **4** *Faire* (qqn ; qqch.) *de* (qqn ; qqch.). → **transformer** en. *Vous en avez fait un enfant heureux.* ♦ *N'avoir que faire de,* n'avoir aucun besoin de. ♦ Disposer (de), mettre en un endroit. *Qu'avez-vous fait de mon stylo ?* **5** Jouer un rôle (dans un spectacle...). *Faire Harpagon dans «L'Avare» de Molière.* ♦ Avoir, remplir le rôle de. *Faire l'imbécile.* ♦ → **contrefaire, imiter, simuler.** *Faire le mort.* **6** (+ adj. ou n. sans article [qui reste généralt invar.]) Avoir l'air de, donner l'impression d'être. → **paraître.** *Elle fait vieux, elle fait vieille pour son âge.* – *Faire bien,* avoir belle allure (dans un décor...). **IV** (+ inf.) Être cause que. *Faire tomber un objet. Faire taire qqn.* – REM. *Fait* reste invar. *Je les ai fait venir.* – *Faire faire. Faire faire un costume à* (ou *par*) *son tailleur.* **V** (sujet impers.) **1** Pour exprimer les conditions de l'atmosphère ou du milieu. *Il fait jour. Il fait (du) soleil.* **2** *Il fait bon, beau...* (+ inf.). *Il fait bon vivre ici.* **VI** (employé comme substitut d'autres verbes) littér. (dans une compar.) *On n'agit point comme vous faites.* – (avec *de* ou *pour*) *Il l'embrassa comme il aurait fait d'un ami, pour un ami.* **VII** *Se faire* (emplois spéciaux). **1** Se former. *Fromage qui se fait.* – *Cet homme s'est fait seul.* **2** (+ adj.) → **devenir.** *Se faire vieux. Produit qui se fait rare.* – impers. *Il se fait tard,* il commence à être tard. **3** Devenir volontairement. → se **rendre.** *Elle s'est fait belle.* – *Se faire avocat.* **4** *Se faire à :* s'habituer à. **5** Se procurer. *Se faire des amis.* **6** Former en soi. *Se faire du souci.* ♦ fam. *S'en faire :* être soucieux. **7** fam. Attaquer, posséder ; spécialt posséder sexuellement. **8** (passif) *Voilà ce qui se fait de mieux.* – *Cela ne se fait pas.* **VIII** passif **1** *Être fait pour,* destiné à. **2** littér. *C'en est fait de :* c'est fini (de...). *C'en est fait de la vie facile.* – *C'en est fait de moi,* je suis perdu.

**faire-part** n. m. invar. Lettre imprimée qui annonce une nouvelle ayant trait à la vie civile (naissance, etc.).

**faire-valoir** n. m. invar. Personne qui met en valeur qqn (→ comparse).

**fair-play** n. m. invar. anglic. Acceptation loyale des règles (dans un sport...). – adj. invar. *Il n'est pas très fair-play* (→ beau joueur).

**faisable** [fə-] adj. Qui peut être fait. → **possible, réalisable.** ► **faisabilité** n. f.

**faisan, ane** [fə-] n. Oiseau gallinacé à plumage coloré, dont la chair est estimée.

**faisander** [fə-] v. tr. [1] Soumettre (le gibier) à un début de décomposition, pour faire acquérir du fumet. ▷ adj. **faisandé, ée** **1** *Viande faisandée.* **2** fig. → **corrompu, malsain.**

**faisanderie** [fə-] n. f. Élevage de faisans.

**faisceau** n. m. **1** Assemblage (de choses de forme allongée liées ensemble). ♦ Antiq. romaine *Les faisceaux :* verges liées autour d'une hache (portés par les licteurs ; symbole du pouvoir de l'État). – hist. mod. Emblème du fascisme italien. **2** par analogie *Faisceau lumineux* (ensemble de rayons). – *Faisceau musculaire.* **3** fig. Ensemble (d'éléments abstraits assemblés).

**faiseur, euse** [fə-] n. **1** *Faiseur, euse de :* personne qui fait, fabrique (qqch.). – absolt *Un bon faiseur.* → **tailleur.** ♦ plais. Personne qui fait habituellement qqch. *Un faiseur d'embarras.* ♦ loc. vieilli *Faiseuse d'anges :* avorteuse. **2** n. m. péj. Celui qui cherche à se faire valoir. → **hâbleur, poseur.**

**faisselle** n. f. **1** Récipient percé de trous, pour faire égoutter le fromage. **2** Fromage frais égoutté dans ce récipient.

① **fait, faite** adj. **1** Qui présente tel aspect. *Être bien fait.* → bien **bâti. 2** Qui est arrivé à son plein développement. *Un homme fait.* → **mûr.** ♦ *Fromage bien fait.* → à **point. 3** Fabriqué, composé, exécuté. *Un travail bien fait.* ♦ *Tout fait :* fait à l'avance, tout prêt. – *Idées toutes faites.* → **préjugé. 4** Maquillé. *Des yeux faits.* **5** (personnes) fam. *Être fait,* pris.

② **fait** n. m. **I 1** *(Le) fait de :* action de faire (qqch.). → **acte, action.** *Le fait de parler.* – *La générosité n'est pas son fait,* n'est pas dans ses habitudes. *Prendre qqn sur le fait,* au moment où il agit. → flagrant **délit.** – *Les faits et gestes de qqn,* ses activités. **2** (dans des loc.) Action remarquable. → **exploit, prouesse.** *Fait d'armes ; hauts faits.* **3** dr. Action susceptible de produire un effet juridique. – *Voie de fait :* coup, violence. – *Prendre fait et cause pour qqn,* prendre son parti. **II 1** Ce qui est arrivé, a eu lieu. → **événement.** *Le déroulement des faits.* – *Du fait de :* par suite de. – *Du fait que.* → **puisque.** – loc. *Le fait accompli*.* ♦ Information (dans un journal). – *Faits divers :* nouvelles peu importantes. **2** Ce qui existe réellement (opposé à l'idée, au rêve, etc.). → **réalité, réel.** ♦ loc. adv. *Par le fait, de fait, en fait :* en réalité. → **effectivement, réellement.** – *Tout à fait.* → ① **tout. 3** Ce qui est constaté par l'observation (notamment scientifique). *Faits sociaux.* **4** Cas, sujet particulier. *Aller au fait,* à l'essentiel. *Être au fait de,* au courant de. – *Au fait* (en tête de phrase) : à propos. – *En fait de :* en matière de. – *De ce fait.* → par **suite.**

**faîtage** n. m. **1** Arête supérieure d'un comble. **2** par ext. Toiture (d'un bâtiment).

**faîte** n. m. **1** techn. Faîtage (1). **2** Partie haute (de qqch. d'élevé). → **sommet.**

**fait-tout** (invar.) ou **faitout** n. m. Grande marmite à deux poignées et à couvercle.

**faix** n. m. littér. Lourd fardeau.

**fakir** n. m. **1** didact. Ascète. **2** cour. Professionnel présentant des numéros d'insensibilité à la douleur, d'hypnose, etc.

**falaise** n. f. Escarpement rocheux créé par le travail des eaux.

**falbalas** n. m. pl. Ornements excessifs (d'une toilette).

**falconidé** n. m. zool. Rapace diurne aux ailes et à la queue pointues (ex. le faucon).

**fallacieux, euse** adj. littér. Trompeur ; illusoire.

**falloir** v. impers. [29] **I** (Manquer) *Il s'en faut (de),* il manque. *Il s'en faut de beaucoup.* – *Il est perdu ou peu s'en faut.* → **presque. II** (Être l'objet d'un besoin) *Il faut (qqch.) à (qqn). Combien vous faut-il ?* **III** (Être l'objet d'une nécessité ou d'une obligation) **1** *Il faut* (+ inf.). *Il faut l'avertir tout de suite.* ♦ *Il faut que* (+ subj.). *Il faut qu'il vienne.* ♦ *Il le faut* (*le* remplaçant l'inf. ou la proposition). *Vous irez le voir, il le faut.* **2** (avec ellipse) *Il fait ce qu'il faut,* ce qui est juste, à propos. **3** *Comme il faut* loc. adv. → **convenablement.** – loc. adj. invar. fam. *Des gens très comme il faut.* **IV** *Il faut* (+ inf.), *il faut que* (+ subj.) : il est nécessaire, selon la logique (que). *Dire cela ! Il faut avoir perdu, que vous ayez perdu l'esprit,* vous avez dû...

**falot, ote** adj. Terne, sans personnalité.

**falsifier** v. tr. [7] Altérer volontairement, dans le dessein de tromper. *Falsifier un vin.* ► **falsification** n. f. ► **falsificateur, trice** n.

**falzar** n. m. fam. Pantalon.

**famé, ée** adj. (lieu) *Mal famé :* qui a mauvaise réputation. – On écrit aussi *malfamé, ée.*

**famélique** adj. littér. Qui ne mange pas à sa faim, qui est maigre.

**fameux, euse** adj. **1** Qui a une grande réputation. → **célèbre, renommé.** *Région fameuse par* (ou *pour*) *ses crus.* ♦ iron. *C'était le fameux jour où...* **2** (avant le nom) *Une fameuse canaille.* → **beau, rude, sacré. 3** (après le nom) Très bon. → **excellent.** *Un vin fameux.* ► **fameusement** adv.

**familial, ale, aux** adj. **1** Relatif à la famille. *Allocations familiales.* **2** Qui concerne une famille. *Fête familiale.*

**familiariser** v. tr. [1] Rendre familier (avec). → **accoutumer, habituer.** ▷ v. pron. se **familiariser 1** Devenir familier (avec qqn). **2** *Se familiariser avec* (qqch.), se le rendre familier par la pratique.

**familiarité** n. f. **1** Relations familières (comme celles des membres d'une même famille). → **intimité. 2** Manière familière de se comporter. **3** au plur. péj. Façons trop libres. → **liberté, privauté. 4** littér. Manière de parler ou d'écrire qui a le ton de la conversation familière.

**familier, ière I** n. m. Personne qui est considérée comme un membre de la famille. → **ami, intime.** ♦ Personne qui fréquente (un lieu). → **habitué. II** adj. **1** Qui est bien connu. *Visages familiers.* **2** Qui montre une grande simplicité. – péj. Trop désinvolte. **3** (mot, expression...) Qu'on emploie dans la conversation courante, et même par écrit, mais qu'on évite dans les relations officielles et le style soutenu. ► **familièrement** adv.

**famille** n. f. **I** didact. Groupe de personnes unies par le sang ou les alliances. **II 1** (sens restreint) Les personnes apparentées vivant sous le même toit et, spécialt, les parents et les enfants. – fam. *Un petit dîner des familles,* sans prétention. ♦ spécialt Les enfants d'un couple, d'un parent. **2** (sens large) L'ensemble des personnes liées entre elles par le mariage ou par la filiation (ou par l'adoption). *Nom de famille.* → **patronyme. 3** Succession des individus qui descendent les uns des autres, de génération en génération. → **descendance, lignée, postérité.** *Une famille de musiciens.* **III** fig. **1** (avec un adj., un déterminatif) Personnes ayant des caractères communs. *Famille littéraire.* **2** *Famille de langues,* groupe de langues ayant une origine commune. – *Famille de mots* (provenant d'une même origine, ou d'un même radical). **3** L'une des grandes divisions de la classification des animaux et des végétaux, qui regroupe des genres.

**famine** n. f. Manque d'aliments par lequel une population souffre de la faim. → aussi **disette.** ♦ loc. *Salaire de famine,* très insuffisant.

**fan** [fan] n. et adj. anglic. Admirateur, admiratrice enthousiaste (d'une vedette). → **groupie.** – par ext. *Il est fan de musique.* → **fana.**

**fana** adj. et n. fam. Amateur passionné (de qqn, de qqch.).

**fanal, aux** n. m. Grosse lanterne (signal).

**fanatique** adj. **1** Animé envers une religion (et, par ext., une doctrine, qqn), d'une foi absolue et d'un zèle aveugle. – n. *Les excès des fanatiques.* **2** Qui a une passion intense pour qqn, qqch. – n. *Une fanatique de jazz.* ► **fanatiquement** adv.

**fanatiser** v. tr. [1] Rendre fanatique.

**fanatisme** n. m. **1** Comportement de fanatique (1). **2** Enthousiasme de fanatique (2).

**fan-club** n. m. anglic. Association, club d'admirateurs (d'une vedette).

**fandango** n. m. Danse espagnole (andalouse), accompagnée de castagnettes.

**fane** n. f. surtout au plur. Tiges et feuilles de certaines plantes. *Fanes de radis.*

① **faner** v. tr. [1] Retourner (un végétal fauché) pour faire sécher. ► **faneur, euse** n.

② **faner** v. tr. [1] **1** Faire perdre à (une plante) sa fraîcheur. → **flétrir, sécher. 2** littér. Altérer dans sa fraîcheur, son éclat. → **défraîchir.** ▷ v. pron. se **faner** ▷ adj. **fané, ée**

**fanfare** n. f. **1** Air vif et rythmé, dans le mode majeur, exécuté par des cuivres. *Réveil en fanfare* (fig. réveil brutal). **2** Orchestre de cuivres. → **orphéon.**

**fanfaron, onne 1** adj. Qui se vante avec exagération d'exploits réels ou imaginaires. **2** n. → **bravache, matamore.**

**fanfaronnade** n. f. Propos ou acte de fanfaron. → **rodomontade, vantardise.**

**fanfaronner** v. intr. [1] littér. Faire des fanfaronnades.

**fanfreluche** n. f. (souvent péj.) Ornement léger du vêtement ou de l'ameublement.

**fange** n. f. littér. **1** Boue liquide et sale. **2** fig. Ce qui souille moralement.

**fangeux, euse** adj. Plein de fange.

**fanion** n. m. Petit drapeau.

**fanon** n. m. **1** Repli de la peau qui pend sous le cou de certains animaux. **2** Chacune des lames cornées qui garnissent la bouche de certains cétacés.

**fantaisie** n. f. **1** vx Imagination. ♦ mod. *De fantaisie,* se dit de produits dont la valeur réside dans l'originalité. – appos. *Bijoux fantaisie.* **2** Œuvre dans laquelle l'imagination s'est donné libre cours. *Fantaisie littéraire.* **3** Désir, goût passager. → **caprice, désir, envie. 4** Tendance à agir selon son humeur. *N'en faire qu'à sa fantaisie* (→ à sa guise). **5** Imagination ; originalité amusante.

**fantaisiste I** adj. **1** vieilli Qui s'abandonne à sa fantaisie, à son imagination. **2** Qui agit à sa guise ; qui n'est pas sérieux. → **fantasque, farfelu. 3** (choses) Qui n'est pas sérieux ; qui est sans fondement. *Une hypothèse fantaisiste.* **4** Qui témoigne de fantaisie. *Une tenue fantaisiste.* **II** n. **1** Personne qui agit par fantaisie, par caprice. **2** vieilli Artiste de music-hall, de cabaret qui chante, imite, etc.

**fantasia** n. f. Divertissement équestre de cavaliers arabes.

**fantasmagorie** n. f. Vision fantastique, surnaturelle. ► **fantasmagorique** adj.

**fantasmatique** adj. Du fantasme ; relatif aux fantasmes.

**fantasme** ou (vieilli) **phantasme** n. m. Production de l'imaginaire par laquelle le moi cherche à échapper à l'emprise de la réalité. *Fantasmes sexuels.* ► **fantasmer** v. intr. [1]

**fantasque** adj. **1** Dont on ne peut prévoir le comportement. → **changeant, lunatique. 2** (choses) littér. Bizarre, extravagant.

**fantassin** n. m. Soldat d'infanterie.

**fantastique I** adj. **1** Qui est créé par l'imagination, ou semble tel. → **imaginaire.** *Une créature fantastique.* **2** Où dominent des éléments surnaturels. *Littérature fantastique.* **3** Qui paraît surnaturel. **4** (intensif) Étonnant, extravagant. **II** n. m. **1** Ce qui est fantastique, irréel. **2** Le genre fantastique, dans l'art. ► **fantastiquement** adv.

**fantoche** n. m. **1** Marionnette articulée manipulée par des fils. → **pantin. 2** Personne sans consistance ni volonté. – appos. *Gouvernement fantoche.*

**fantomatique** adj. Relatif aux fantômes ; semblable à un fantôme.

**fantôme** n. m. **1** Apparition surnaturelle d'une personne morte. → **revenant. 2** Personnage ou chose qui hante l'esprit. **3** Idée, être imaginaire. **4** appos. Qui apparaît et disparaît comme un fantôme. ♦ Qui a peu de réalité. *Un pouvoir fantôme.*

**faon** [fɑ̃] n. m. Petit du cerf, du daim ou du chevreuil.

**FAQ** n. f. (sigle) inform. Foire* aux questions (sur Internet...).

**far** n. m. Dessert breton, sorte de flan cuit au four. *Far aux pruneaux.*

Ne pas confondre avec *fard* «maquillage».

**faramineux, euse** adj. fam. Qui étonne par son étrangeté ou son importance. – var. **pharamineux, euse.**

**farandole** n. f. Danse provençale rythmée, exécutée par une file de danseurs.

**faraud, aude** n. vieilli Personne qui affecte l'élégance, qui cherche à se faire valoir. – adj. *Un air faraud.*

① **farce** n. f. Hachis d'aliments (viande ou autres) servant à farcir.

② **farce** n. f. **1** Pièce comique où dominent les jeux de scène. – Genre littéraire de ces pièces. **2** Tour qu'on joue à qqn. ♦ Objet servant à faire des farces. *Farces et attrapes.*

**farceur, euse** n. et adj. (Personne) qui fait des farces, ou qui raconte des histoires pour mystifier. → **blagueur, plaisantin.**

**farci, ie** adj. **1** Rempli de farce (①). **2** péj. Rempli (de). *Il est farci de préjugés.*

**farcir** v. tr. [2] **1** Remplir de farce (①). **2** (abstrait) péj. Remplir, garnir abondamment (de). → **bourrer. 3** fam. *Se farcir* (qqch.) : prendre, consommer. *Se farcir un bon repas.* – Faire (une corvée) ; supporter.

**fard** n. m. 1 Produit qu'on applique sur le visage pour en changer l'aspect naturel. → **maquillage.** 2 fig. *Sans fard :* sans artifice. 3 loc. *Piquer un fard :* rougir brusquement.

Ne pas confondre avec *far* «dessert».

**fardeau** n. m. 1 Chose pesante qu'il faut lever ou transporter. 2 fig. Chose pénible (qu'il faut supporter).

**farder** v. tr. [1] 1 Mettre du fard à. – pronom. *Se farder discrètement.* 2 fig. Déguiser (qqch.) sous une apparence trompeuse.

**fardier** n. m. ancien᷊nt Chariot servant à transporter des fardeaux pesants.

**fardoches** n. f. pl. (Canada) Broussailles.

**farfadet** n. m. Esprit follet, lutin d'une grâce vive et légère.

**farfelu, ue** adj. fam. Un peu fou, bizarre.

**farfouiller** v. intr. [1] fam. Fouiller en bouleversant tout.

**faribole** n. f. Propos vain et frivole.

**farine** n. f. 1 Poudre obtenue par la mouture de grains de céréales. *Farine de maïs.* ♦ absolt Farine de froment. ♦ loc. *De la même farine,* qui ne valent pas mieux l'un(e) que l'autre. – *Rouler qqn dans la farine,* le tromper. 2 Poudre résultant du broyage de certaines denrées (poisson, soja...).

**farineux, euse** adj. 1 Qui contient de la farine et, par ext., de la fécule. – n. m. *Les pois sont des farineux.* 2 Couvert de farine. 3 Qui donne en bouche l'impression de la farine. *Pomme farineuse.*

**farlouche** n. f. → **ferlouche.**

**farniente** [faʀnjɑ̃t ; faʀnjɛnte] n. m. Douce oisiveté.

**farouche** adj. 1 (animaux) Qui n'est pas apprivoisé et s'effarouche facilement. → **sauvage.** 2 (personnes) Qui redoute par tempérament le contact avec d'autres personnes (→ **timide).** 3 (personnes) D'une rudesse sauvage. *Un adversaire farouche.* → **acharné.** 4 (choses) D'aspect rude et sauvage. *Une côte farouche.* ♦ Qui exprime l'hostilité, la violence. *Un air farouche.* ► **farouchement** adv.

**farsi** n. m. Langue parlée en Iran, en Afghanistan. → **persan.**

**fart** [faʀt] n. m. Produit dont on enduit la semelle des skis pour améliorer la glisse. ► **farter** v. tr. [1]

**fascicule** n. m. Chaque partie d'un ouvrage publié par fragments. – Petit cahier imprimé.

**fascinant, ante** adj. Qui fascine, charme.

**fascination** n. f. 1 Action de fasciner (1). 2 Vive influence, irrésistible séduction.

**fascine** n. f. Fagot serré.

**fasciner** v. tr. [1] 1 Maîtriser par la seule force du regard (→ **hypnotiser).** 2 Éblouir, captiver par la beauté, le prestige.

**fascisme** [faʃism ; fasism] n. m. 1 Doctrine, système politique nationaliste et totalitaire que Mussolini établit en Italie en 1922. 2 Doctrine ou système politique totalitaire du même type. 3 par ext. Attitude politique réactionnaire et autoritaire.

**fasciste** [faʃist ; fasist] n. 1 Partisan du fascisme italien et, par ext., d'un régime analogue. – adj. *Régime fasciste.* 2 Personne réactionnaire. – adj. *Idées fascistes.*

**faseyer** [fas- ; faz-] v. intr. [1] mar. (voile) Battre au vent.

① **faste** n. m. Déploiement de magnificence. → **apparat, luxe, pompe.**

② **faste** adj. Antiq. (à Rome) *Jour faste :* jour où les auspices étaient favorables ; cour. jour heureux, favorable.

**fast-food** [fastfud] n. m. anglic. Commerce de repas rapides, standardisés (recomm. off. *restauration rapide*). – Établissement servant ces repas. *Des fast-foods.*

**fastidieux, euse** adj. Qui rebute en provoquant l'ennui. ► **fastidieusement** adv.

**fastoche** adj. fam. Facile.

**fastueux, euse** adj. Qui aime le faste. – Qui marque le faste. ► **fastueusement** adv.

**fat, fate** [fa(t), fat] littér. 1 adj. m. (homme) Qui montre sa prétention de façon déplaisante. → **vaniteux.** – n. m. *Quel fat !* 2 adj. (choses) Qui manifeste de la fatuité.

**fatal, ale, als** adj. 1 littér. Du destin ; fixé par le destin. *L'instant fatal,* décisif. 2 Qui doit arriver inévitablement. → **inévitable.** 3 Qui est signe de mort ou accompagne la mort. – Qui donne la mort. *Un coup fatal.* 4 Qui a des effets désastreux. – loc. *Femme fatale,* qui séduit et perd les hommes.

**fatalement** adv. littér. D'une manière fatale, inévitable.

**fatalisme** n. m. Doctrine ou attitude selon laquelle on ne peut modifier le cours des événements (fixés par le destin). ► **fataliste** n. et adj.

**fatalité** n. f. 1 Caractère de ce qui est fatal (1 et 2). 2 Force surnaturelle par laquelle, selon certains, tout ce qui arrive est déterminé d'avance. → **destin.** 3 Contrainte irrémédiable. *Fatalité historique.* 4 Hasard malheureux.

**fatidique** adj. Qui marque un arrêt du destin, une intervention du destin.

**fatigant, ante** adj. 1 Qui cause de la fatigue. → **épuisant, pénible, rude.** 2 Qui lasse. → **assommant, ennuyeux.**

Ne pas confondre avec *fatiguant,* p. prés. de *fatiguer.*

**fatigue** n. f. 1 Affaiblissement physique dû à un effort excessif ; sensation pénible qui l'accompagne. → **lassitude ; épuisement.** – *Fatigue intellectuelle.* 2 Cause de fatigue.

**fatigué, ée** adj. **1** Dont l'activité est diminuée par la fatigue. *Muscle fatigué.* – (personnes) Qui ressent de la fatigue. **2** Qui dénote de la fatigue. *Des traits fatigués.* **3** Qui a beaucoup servi. *Des souliers fatigués.* **4** (personnes) *Fatigué de,* las de.

**fatiguer** v. [1] **I** v. tr. **1** Causer de la fatigue à. *Lecture qui fatigue les yeux. – Ce travail m'a fatigué.* ♦ fig. *Fatiguer la terre* (en la remuant). **2** Rebuter par l'ennui. → **lasser.** **II** v. intr. **1** Se donner de la fatigue ; donner des signes de fatigue. → **peiner.** **2** (choses) Subir des déformations dues à un effort. ▷ v. pron. se **fatiguer**

**fatras** n. m. Ensemble confus, hétéroclite (de choses sans valeur, sans intérêt).

**fatrasie** n. f. hist. littér. Pièce satirique du Moyen Âge, d'un caractère absurde.

**fatuité** n. f. Satisfaction de soi qui s'étale d'une manière déplaisante ou ridicule.

**fatwa** n. f. didact. (dans l'islam) Consultation juridique sur un point de religion ; décision qui en résulte.

**faubourg** [-buʀ] n. m. **1** hist. Partie d'une ville qui déborde son enceinte, ses limites. **2** Quartier populaire périphérique.

**faubourien, ienne** adj. Qui appartient aux faubourgs populaires de Paris.

**fauchage** n. m. Action de faucher.

**fauche** n. f. fam. **1** Fait d'être fauché, sans argent. **2** Action de faucher (II) ; vol.

**fauché, ée** adj. et n. fam. Sans argent.

**faucher** v. tr. [1] **I 1** Couper avec une faux, une faucheuse. *Faucher l'herbe.* ♦ fig. *La mort fauche tout.* **2** Faire tomber. → **abattre.** **II** fam. Voler. → **barboter, chiper.**

**faucheur, euse I** n. Personne qui fauche (I, 1). ♦ fig. *La Faucheuse, le Faucheur :* la Mort. **II** n. f. Machine agricole pour faucher.

**faucheux** n. m. Animal voisin de l'araignée, à pattes longues et fines.

**faucille** n. f. Petite faux à manche court, pour couper l'herbe. → **serpe.** – *La faucille et le marteau,* symboles des classes paysanne et ouvrière (et emblème communiste).

**faucon** n. m. Oiseau rapace diurne au bec court et crochu.

**fauconneau** n. m. Jeune faucon.

**fauconnerie** n. f. Art de dresser les oiseaux de proie.

**faufiler** v. tr. [1] Coudre à grands points pour maintenir (les parties d'un ouvrage). → **bâtir.** ► **faufilage** n. m.▷ v. pron. se **faufiler** Passer adroitement. *Se faufiler dans, à travers la cohue.*

① **faune** n. m. Divinité champêtre, à l'image du dieu grec Pan. → **satyre.** ► **faunesque** adj.

② **faune** n. f. **1** Ensemble des animaux (d'une région, d'un milieu). **2** péj. Ensemble de gens qui fréquentent un lieu. ► **faunique** et **faunistique** adj.

**faussaire** n. Personne qui fait un faux*.

**fausse couche** n. f. Interruption accidentelle de la grossesse entraînant la mort du fœtus.

**faussement** adv. **1** Contre la vérité. → **à tort.** **2** D'une manière fausse, inexacte. **3** devant un adj. D'une manière affectée.

**fausser** v. [1] **I** v. tr. **1** Rendre faux, déformer la vérité, l'exactitude de (une chose abstraite). → **altérer, dénaturer, falsifier.** **2** Faire perdre sa justesse à. → **déformer.** *Ses lectures lui ont faussé le jugement.* **3** Déformer (un instrument, un objet...) par une pression excessive. **4** loc. *Fausser compagnie à qqn,* le quitter brusquement ou sans se faire remarquer. **II** v. intr. (Canada) Chanter faux.

**fausset** n. m. *Voix de fausset* ou *fausset :* registre vocal aigu, résonnant dans la tête.

**fausseté** n. f. **I 1** Caractère d'une chose fausse, contraire à la vérité. **2** Caractère de ce qui manque de justesse. → **inexactitude.** **II** Défaut qui consiste à dissimuler ses pensées véritables, à mentir.

**faute** n. f. **I** Fait de manquer ; manque (dans quelques expr.). loc. prép. *Faute de :* par manque de. – *Sans faute :* à coup sûr. – *Ne pas se faire faute de :* ne pas manquer de. **II 1** Manquement à la règle morale, au devoir ; mauvaise action. → **méfait.** – *Prendre qqn en faute.* **2** dr. Acte ou omission constituant un manquement à une obligation. **3** Manquement à une règle, à un principe (dans une discipline). → **erreur.** – *Faute de langage.* → **incorrection.** – *Faute d'impression.* → **coquille.** **4** Manière d'agir maladroite, imprudente. *Une faute de jeunesse.* **5** (dans des expr.) Responsabilité d'une action. *C'est (de) sa faute.*

**fauter** v. intr. [1] **1** vx Faire une faute morale. **2** vieilli (jeune fille) Se laisser séduire.

**fauteuil** n. m. **1** Siège à dossier et à bras, pour une personne. ♦ loc. fam. *Arriver (comme) dans un fauteuil,* être premier sans peine (dans une compétition). **2** Siège, dans une assemblée. *Fauteuil d'académicien.*

**fauteur, trice** n. littér. (surtout au masc.) Personne qui favorise, cherche à provoquer (qqch. de blâmable). *Fauteur de troubles.*

**fautif, ive** adj. **1** Qui est en faute. → **coupable.** – n. *C'est lui le fautif.* → **responsable.** **2** Qui renferme des fautes, des erreurs, des défauts. ► **fautivement** adv.

**fauve I** adj. **1** D'un jaune tirant sur le roux. **2** Se dit des grands mammifères féroces (félins). – n. m. *Les grands fauves.* **3** *Odeur fauve :* odeur forte et animale. **II** n. m. arts Peintre appartenant au fauvisme. – adj. *La période fauve de Matisse.*

**fauvette** n. f. Petit oiseau des buissons, au plumage fauve, au chant agréable.

**fauvisme** n. m. arts Mouvement pictural français du début du XXe siècle, fondé sur la simplification des formes et l'utilisation de couleurs pures juxtaposées.

① **faux, fausse I** adj. **1** Qui n'est pas vrai, qui est contraire à la vérité (pensable, constatable). *Avoir des idées fausses sur une question.* → **erroné.** – *Faux témoignage.* → **mensonger. 2** (souvent avant le nom) Qui n'est pas vraiment, réellement ce qu'il paraît être. *Fausses perles.* – *Un faux Vermeer.* ♦ abstrait *Une fausse indifférence.* → **simulé. 3** Qui n'est pas ce qu'on le nomme (et pour marquer une désignation approximative ; ex. *faux acacia, fausse oronge, faux-filet, faux frais*). ♦ Qui ne mérite pas son nom. *Un faux champion.* **4** Qui n'est pas ce qu'il veut paraître. *Un faux prophète.* ♦ Hypocrite. *Un homme faux.* **5** Qui n'est pas naturel à qqn. *Une fausse barbe.* **6** Qui n'est pas justifié, fondé. *Fausse alerte.* **7** Qui n'est pas comme il doit être (par rapport à ce qui est normal). *Faire un faux pas.* – *Une situation fausse.* → **équivoque. 8** Qui marque un écart par rapport à ce qui est correct, exact. *Un calcul faux.* **9** (esprit, faculté) Qui juge mal. – **adv.** *Il raisonne faux.* **10** Qui n'est pas dans le ton juste. *Fausse note.* – **adv.** *Il chante faux.* **11** *À faux* loc. adv. *Accuser à faux.* → **calomnier.** ♦ Hors d'aplomb. *Porter à faux.* → **porte-à-faux. II** n. m. **1** Ce qui est faux. *Le vrai et le faux.* **2** *Un faux* : contrefaçon ou falsification d'une œuvre, d'un objet.

② **faux** n. f. Instrument formé d'une lame arquée fixée au bout d'un long manche, pour couper le fourrage, les céréales.

**faux-filet** n. m. Morceau de bœuf à rôtir, situé à côté du filet (→ contre-filet).

**faux-fuyant** n. m. Moyen détourné par lequel on évite de s'expliquer, de se décider, etc. → **échappatoire, prétexte.**

**faux-monnayeur** n. m. Personne qui fabrique de la fausse monnaie.

**faux-semblant** n. m. littér. Apparence trompeuse. → **simulacre.**

**faux sens** n. m. Erreur de compréhension portant sur le sens d'un mot.

**favela** [favela] n. f. Bidonville, au Brésil.

**faveur** n. f. **I 1** Disposition à accorder son appui à qqn de préférence aux autres. **2** Considération (de qqn, du public) qui confère une importance sociale à qqn. – *En faveur* : qui a la faveur de qqn, du public. → en **vogue. 3** Avantage que l'on tire de la préférence de qqn. – littér. *Accorder ses faveurs,* se donner sexuellement (femme). **4** Bienfait, décision indulgente qui avantage qqn. *Solliciter une faveur.* – *De faveur* : obtenu par faveur. **5** loc. prép. *En faveur de* : en considération de. – Au profit, au bénéfice de. *Le jugement a été rendu en votre faveur.* ♦ loc. prép. *À la faveur de* : en profitant de. **II** Ruban étroit qui sert d'ornement.

**favorable** adj. **1** Qui est animé d'une disposition bienveillante (à l'égard de qqn). *L'opinion lui est favorable.* **2** Qui est à l'avantage de qqn ou de qqch. → **propice.** ► **favorablement** adv.

**favori, ite I** adj. **1** Qui plaît particulièrement. *C'est sa lecture favorite.* **2** Qui est considéré comme le gagnant probable. **II 1** n. Personne qui a la faveur, la préférence (de qqn, du public...). → **préféré. 2** n. m. hist. Celui qui a la faveur d'un roi, d'un grand personnage. **3** n. f. hist. Maîtresse préférée d'un roi. **4** n. m. Cheval et, par ext., concurrent considéré comme devant gagner une compétition. **5** n. m. inform. Adresse d'une page web mémorisée par le navigateur. → **marque-page, signet. III** n. m. pl. Touffe de poils qu'un homme laisse pousser sur la joue devant chaque oreille.

**favoriser** v. tr. [1] **1** Agir en faveur de ; être favorable à (qqn). → **aider ; avantager. 2** Contribuer au succès de (qqch.). ▷ adj. **favorisé, ée** *Les classes* (sociales) *favorisées.*

**favoritisme** n. m. Attribution d'avantages par faveur, et non selon la justice.

**fax** [faks] n. m. anglic. **1** Télécopie. **2** Télécopieur. **3** Document transmis par fax. ► **faxer** v. tr. [1]

**fayot, ote** [-aj-] n. fam. **I** n. m. Haricot blanc. **II** n. Personne qui fait du zèle (*fayoter* v. intr. [1]) pour se faire bien voir.

**féal, ale, aux 1** adj. vx Fidèle à la foi jurée. **2** n. m. littér. Partisan, ami dévoué.

**fébrifuge** adj. Qui combat la fièvre. → **antipyrétique.** – n. m. Remède fébrifuge.

**fébrile** adj. **1** De la fièvre. – *Se sentir fébrile.* → **fiévreux. 2** Qui manifeste une grande agitation. ► **fébrilement** adv.

**fébrilité** n. f. État fébrile, état d'excitation intense. → **fièvre** (2), **nervosité.**

**fécal, ale, aux** adj. Des excréments humains. *Matières fécales.* → **fèces.**

**fèces** [fɛs] n. f. pl. didact. Excréments solides des humains.

**fécond, onde** adj. **1** Capable de se reproduire (contr. *stérile*). **2** (animaux) Qui produit beaucoup de petits. → **prolifique. 3** littér. (terre, sol) Qui produit beaucoup. → **fertile. 4** fig. → **fructueux ; productif.**

**fécondation** n. f. Action de féconder (1 et 2) ; résultat de cette action. – *Fécondation in vitro* (sigle F. I. V.).

**féconder** v. tr. [1] **1** Transformer en embryon, en œuf. **2** Rendre (une femelle) pleine. **3** Rendre fertile, productif (la terre, le sol). **4** fig. Développer, faire produire.

**fécondité** n. f. Faculté, état de ce qui est fécond.

**fécule** n. f. Substance composée d'amidon, extraite notamment de tubercules.

**féculent, ente** adj. Qui est riche en fécule. – n. m. *Les pois sont des féculents.*

**fedayin** [fedajin] n. m. Combattant palestinien menant des opérations de guérilla.

**fédéral, ale, aux** adj. **1** Se dit d'un État composé de collectivités politiques autonomes (États fédérés), dans lequel les compétences constitutionnelles sont partagées entre celles-ci et un gouvernement central. – D'un État fédéral. *Armée fédérale.* **2** Relatif au gouvernement central, dans un État fédéral. **3** Relatif à une fédération de sociétés, etc. *Union fédérale de syndicats.*

**fédéralisme** n. m. Système politique d'un État fédéral. ► **fédéraliste** adj. et n.

**fédération** n. f. **1** Groupement, union de plusieurs États en un État fédéral. → aussi **confédération. 2** Association, groupement de sociétés, de syndicats, etc.

**fédéré, ée 1** adj. Qui fait partie d'une fédération. **2** n. m. hist. Insurgé de la Commune de Paris, en 1871 (→ **communard**).

**fédérer** v. tr. [6] Réunir en une fédération. ▷ v. pron. se **fédérer**

**fée** n. f. **1** Être imaginaire d'apparence féminine auquel la légende attribue un pouvoir surnaturel. **2** loc. *Avoir des doigts de fée :* être d'une grande adresse. – *La fée du logis,* maîtresse de maison très habile.

**feeling** [filiŋ] n. m. anglic. **1** Expressivité musicale (en jazz). **2** fam. Intuition.

**féerie** [fe(e)ʀi] n. f. **1** littér. Univers des fées. **2** Spectacle splendide, merveilleux.

**féerique** [fe(e)ʀik] adj. **1** Du monde des fées. **2** Magnifique, extraordinaire.

**feignant, ante** n. et adj. fam. Paresseux.

**feignasse** adj. et n. f. fam. Fainéant(e).

**feindre** v. tr. [52] **1** Simuler (un sentiment que l'on n'a pas). → **affecter. 2** *Feindre de :* faire semblant de. **3** intrans. littér. Cacher à autrui ce qu'on sent, ce qu'on pense.

**feinte** n. f. **1** vieilli Action, fait de feindre. **2** Coup simulé par lequel on trompe l'adversaire. **3** fam. Piège ; ruse. ► **feinter** v. [1]

**feldspath** [fɛldspat] n. m. Minéral à structure en lamelles, à éclat vitreux.

**fêlé, ée** adj. **1** Qui a une fêlure. **2** (voix) Au timbre peu clair. **3** fam. Un peu fou.

**fêler** v. tr. [1] Fendre (un objet cassant) sans que les parties se séparent.

**félibre** n. m. Écrivain de langue d'oc.

**félibrige** n. m. École littéraire provençale, fondée en 1854 pour redonner au provençal un statut de langue littéraire.

**félicitation** n. f. au plur. **1** Compliments que l'on adresse à qqn à propos d'un événement heureux. **2** Chaleureuse approbation (de la conduite, etc. de qqn). → **éloge.**

**félicité** n. f. littér. **1** Bonheur calme et durable. → **béatitude. 2** Joie, plaisir.

**féliciter** v. tr. [1] **1** Assurer (qqn) de la part qu'on prend à ce qui lui arrive d'heureux. **2** Complimenter (qqn) sur sa conduite. ▷ v. pron. se **féliciter** (de) **1** S'estimer content (de). → se **réjouir. 2** S'approuver soi-même.

**félin, ine** adj. **1** Qui appartient au genre chat. – n. m. *Un félin :* un carnassier du type chat (puma, tigre, lion, panthère...). **2** Qui a des mouvements souples et gracieux.

**fellaga** ou **fellagha** n. m. Combattant pour l'Algérie indépendante (1954-1962).

**fellah** n. m. Paysan (Égypte, etc.).

**fellation** n. f. Pratique sexuelle, caresses buccales du sexe masculin (→ aussi cunnilingus).

**félon, onne** adj. et n. hist. ou littér. Traître. ► **félonie** n. f.

**felouque** n. f. Petit bateau de la Méditerranée, à voile ou à rames.

**fêlure** n. f. Fente d'une chose fêlée.

**femelle I** n. f. Animal du sexe qui reproduit l'espèce en étant fécondé par le mâle. **II** adj. **1** (animaux, plantes) Qui appartient au sexe des femelles. **2** Se dit de pièces destinées à en recevoir une autre, appelée *mâle. Prise femelle.*

**féminin, ine** adj. **1** De la femme ; propre à la femme (contr. *masculin, viril*). **2** Qui appartient au sexe féminin. **3** Qui a de la féminité. **4** Qui a rapport aux femmes. *Revendications féminines* (→ féminisme). **5** Qui est composé de femmes. **6** gramm. Qui appartient au genre marqué (opposé à *masculin*). – n. m. *Féminin singulier.* ♦ *Rime féminine,* terminée par un e muet.

**féminiser** v. tr. [1] **1** Donner un caractère, un aspect féminin à. **2** Augmenter la proportion de femmes dans (une profession, etc.). **3** gramm. Faire du genre féminin ; donner un féminin à. ► **féminisation** n. f.

**féminisme** n. m. Doctrine qui préconise l'égalité entre l'homme et la femme, et l'extension du rôle de la femme dans la société. ► **féministe** adj. et n.

**féminité** n. f. Caractère féminin ; ensemble des caractères correspondant à une image biologique et sociale (charme, douceur...) de la femme (contr. *virilité*).

**femme** [fam] n. f. **I** Être humain de sexe féminin. **1** Adulte de sexe féminin. **2** collectif *La femme :* l'ensemble des femmes (au plan biologique, de l'image sociale, etc.). **3** loc. *Femme de tête,* intelligente et efficace. *Maîtresse femme,* qui sait se faire obéir. – *Femme au foyer,* qui n'exerce pas de profession. – *Femme-objet,* considérée comme un objet sexuel et non comme un sujet. ♦ → **bonne femme ; sage-femme. II** Épouse. – *Prendre qqn pour femme,* l'épouser. **III** (dans des expr.) *Femme de chambre ; femme de ménage ; femme de service* (métiers de service, de nettoyage).

**femmelette** [famlɛt] n. f. fam. et péj. Homme sans énergie.

**fémur** n. m. Os long qui constitue le squelette de la cuisse. ► **fémoral, ale, aux** adj.

**fenaison** n. f. Coupe et récolte des foins.

**fendiller** v. tr. [1] Faire des fentes à. ▷ v. pron. se **fendiller** ► **fendillement** n. m.

**fendre** v. tr. [41] **1** Diviser (un corps solide), le plus souvent dans le sens de la longueur. *Fendre du bois.* – loc. fam. *Se fendre la gueule* : s'amuser. **2** fig. *Fendre le cœur, l'âme* (à qqn), faire éprouver du chagrin, etc. **3** S'ouvrir un chemin à travers. *Fendre la foule.* ▷ v. pron. se **fendre 1** Se couvrir de fentes. **2** fig. *Son cœur se fend.* **3** escr. Porter vivement une jambe en avant. **4** fam. *Se fendre de,* se décider à offrir. ▷ adj. **fendu, ue 1** Coupé. **2** Qui présente une fente. **3** Ouvert en longueur. *Yeux fendus en amande.*

**fenêtre** n. f. **1** Ouverture (faite dans un mur) pour laisser pénétrer l'air et la lumière ; le dispositif qui la ferme. – loc. *Jeter l'argent par les fenêtres,* le dépenser inconsidérément. **2** par analogie *Enveloppe à fenêtre,* comportant un rectangle découpé. ♦ inform. Zone rectangulaire (d'un écran), constituant l'espace de travail. **3** techn. Intervalle de temps à l'intérieur duquel une opération se fait. *Fenêtre de lancement* (d'une fusée).

**feng shui** [fɛ̃gʃɥi] n. m. invar. Art de vivre, d'inspiration chinoise, par la recherche d'une harmonie avec l'environnement.

**fenil** [fəni(l)] n. m. Grenier à foin.

**fennec** [fenɛk] n. m. Mammifère carnivore, à grandes oreilles pointues, aussi appelé *renard des sables.*

**fenouil** n. m. Plante à goût anisé, cultivée comme potagère ou aromatique.

**fente** n. f. **I 1** Ouverture étroite et longue (à la surface d'un solide). – anat. Séparation étroite. *Fente vulvaire.* **2** Ouverture étroite et allongée (dans l'épaisseur d'une matière). → **interstice. II** Action de fendre (dans quelques emplois). *Bois de fente.*

**féodal, ale, aux I** adj. Qui appartient à un fief, à l'ordre politique et social fondé sur l'institution du fief. ♦ Qui rappelle la féodalité. **II** n. m. Grand seigneur féodal. ♦ par analogie Grand propriétaire terrien.

**féodalisme** n. m. Caractère féodal.

**féodalité** n. f. Forme d'organisation politique, économique et sociale du Moyen Âge, caractérisée par l'existence des fiefs.

**fer** [fɛʀ] n. m. **I 1** Métal blanc grisâtre (symb. Fe), très commun. *Industries du fer.* → **métallurgie, sidérurgie.** – *Âge du fer,* période qui succède à l'âge du bronze (vers l'an 1000 av. J.-C.). ♦ loc. *Croire dur comme fer à qqch.,* en être convaincu. **2** loc. adj. fig. *De fer.* → **résistant, robuste ; inflexible. II** (Objet en fer, en acier) **1** Partie en fer ou métallique (d'un instrument, d'une arme). – fig. *Le fer de lance* (d'une organisation...), l'avant-garde. **2** Objet, instrument en fer, en métal (servant à donner une forme, à marquer...). *Fers de relieur.* – *Fer à repasser* et absolt *fer. Fer à vapeur.* – *Fer rouge* : tige de fer que l'on porte au rouge. **3 (dans des loc.)** Épée, fleuret. *Croiser le fer,* se battre à l'épée. **4** (Bande de métal formant semelle) *Fer à cheval* ou *fer* : pièce de métal qui sert à garnir les sabots des chevaux, etc. – fig. *Tomber les quatre fers en l'air,* à la renverse. ♦ Renfort métallique (d'une semelle). **5** au plur. *Les fers* : ce qui sert à enchaîner un prisonnier. – littér. *Être dans les fers.* → **captif.**

**fer-blanc** n. m. Tôle de fer recouverte d'étain.

**ferblantier, ière** n. Personne qui fabrique ou vend des objets en fer-blanc.

**féria** n. f. Fête comportant des courses de taureaux.

**férié, ée** adj. (jour) Où il y a cessation de travail. → **chômé ;** contr. *ouvrable.*

**férir** v. tr. (seulement inf.) loc. *Sans coup férir,* sans rencontrer la moindre résistance.

**ferler** v. tr. [1] mar. Serrer (une voile) pli par pli contre un espar.

**ferlouche** n. f. (Canada) Mélange de raisins secs et de mélasse, pour garnir une tarte. – var. **farlouche.**

**fermage** n. m. Exploitation agricole par ferme (I, 1). *Fermage et métayage.*

① **ferme I** adj. **1** Qui n'est ni mou, ni dur, mais entre les deux. → **compact, consistant.** *Sol ferme.* **2** Qui se tient, qui a de l'assurance. → **solide ; assuré, décidé.** – *De pied ferme* : sans bouger ; fig. sans crainte. **3** Qui ne se laisse pas ébranler ou influencer, qui montre une calme autorité. → **déterminé, inflexible.** *Soyez ferme avec lui.* – *Avoir la ferme intention de...* **4** (conventions...) Qui ne change pas. *Prix fermes et définitifs.* **II** adv. **1** Avec force, vigueur. *Frotter ferme.* – *Discuter ferme,* avec ardeur. **2** Beaucoup, intensément. *S'ennuyer ferme.*

② **ferme** n. f. **I 1** Louage d'une exploitation agricole à qqn. → **fermage.** *Donner une terre à ferme.* **2** hist. (Ancien Régime) Système de perception des impôts indirects dans lequel le fonctionnaire (→ **fermier**) traitait à forfait pour une somme remise d'avance au roi. **II 1** Exploitation agricole. **2** Bâtiments de l'exploitation agricole ; maison de paysans.

**fermement** adv. **1** D'une manière ferme, assurée. **2** Avec fermeté, conviction.

**ferment** n. m. **1** Substance qui en fait fermenter une autre. **2** fig. Ce qui fait naître (un sentiment, un changement...).

**fermentation** n. f. **1** Transformation (d'une substance organique) sous l'influence d'enzymes produites par des micro-organismes. **2** fig. Agitation fiévreuse (des esprits). → **effervescence.**

**fermenté, ée** adj. Qui a subi une fermentation.

**fermenter** v. intr. 1 **1** Être en fermentation. **2** fig. (esprits) S'échauffer.

**fermentescible** adj. didact. Qui peut entrer en fermentation.

**fermer** v. 1 **I** v. tr. **1** Appliquer les éléments mobiles de (une ouverture) de manière à boucher le passage entre l'intérieur et l'extérieur (contr. *ouvrir*). *Fermer une porte.* **2** Priver de communication avec l'extérieur, par la mise en place d'un élément mobile. *Fermer un magasin.* **3** Rapprocher, réunir (des éléments mobiles) ; disposer en rapprochant les éléments. *Fermer les yeux. Fermer un livre.* **4** Rendre infranchissable. *Fermer une route.* **5** fam. Arrêter par un mécanisme. **6** abstrait Rendre inaccessible. *Fermer une carrière à qqn.* **7** Mettre une fin à. *Fermer une liste.* → **arrêter, clore. II** v. intr. **1** Être fermé. **2** Pouvoir être fermé. ▷ v. pron. se **fermer** ▷ adj. **fermé, ée 1** Qui ne communique pas avec l'extérieur. *Mer fermée.* **2** Qu'on a fermé. → **clos. 3** Où l'on s'introduit difficilement. *Un milieu fermé.* **4** *Courbe fermée,* qui limite une surface (ex. le cercle). **5** Peu expansif. – *Visage fermé.* **6** *Fermé à,* inaccessible, insensible à.

**fermeté** n. f. **1** État de ce qui est ferme. *Fermeté des chairs.* **2** État de ce qui est assuré, décidé. → **vigueur.** – *Fermeté du style.* **3** Qualité d'une personne ferme, déterminée. → **détermination.**

**fermeture** n. f. **I** Dispositif servant à fermer. ♦ *Fermeture à glissière,* formée de deux rubans dentelés qui s'engagent l'un dans l'autre. – (marque déposée) *Fermeture Éclair* (même sens). **II** Action de fermer ; état de ce qui est fermé (local, etc.).

**fermier, ière** n. **1** Personne qui exploite un domaine agricole à ferme*. ♦ hist. Personne qui prenait à ferme le recouvrement des impôts. *Les fermiers généraux.* **2** Personne (propriétaire ou non) qui exploite un domaine agricole. → **agriculteur. 3** en fonction d'adj. Produit dans une ferme, de manière artisanale. *Beurre fermier.*

**fermoir** n. m. Attache ou dispositif destiné à tenir fermé (un sac, un bijou...).

**féroce I** adj. **1** (animaux) Qui est cruel par instinct. **2** (personnes) Cruel et brutal. **3** Très dur, impitoyable. *Une ironie féroce.* **4** par exagér. → **terrible.** *Une faim féroce.* ► **férocement** adv. ► **férocité.** n. f. **II** n. m. Plat antillais à base d'avocat et de morue écrasés, relevé de piment.

**ferraille** n. f. **1** Déchets de fer, d'acier. **2** fam. Petite monnaie. → **mitraille.**

**ferrailler** v. intr. 1 Se battre au sabre ou à l'épée.

① **ferrailleur** n. m. péj. Celui qui aime à ferrailler, à se battre à l'épée. → **bretteur.**

② **ferrailleur, euse** n. Marchand(e) de ferraille.

**ferré, ée** adj. **1** De fer ; garni de fer. – *Voie* ferrée.* **2** Qui a des fers. **3** fig. *Être ferré sur, en* (tel domaine), calé, fort.

**ferrer** v. tr. 1 **1** Garnir de fer. **2** Munir de fers. *Ferrer un âne.* **3** Engager le fer d'un hameçon dans les chairs de (un poisson).

**ferret** n. m. Pièce (de fer, etc.) au bout d'un lacet, d'une aiguillette.

**ferreux, euse** adj. Qui contient du fer.

**ferromagnétisme** n. m. phys. Propriété de certains corps fortement magnétiques.

**ferronnerie** n. f. **1** Travail (spécialt, artistique) du fer. **2** Objets, ornements en fer.

**ferronnier, ière** n. Personne qui fabrique ou vend des objets en fer.

**ferroviaire** adj. Relatif aux chemins de fer.

**ferrugineux, euse** adj. Qui contient du fer (le plus souvent à l'état d'oxyde).

**ferrure** n. f. Garniture de fer, de métal.

**ferry** n. m. → **car-ferry ; ferry-boat**

**ferry-boat** [feribot] n. m. anglic. Navire conçu pour le transport des trains, des véhicules. *Des ferry-boats.* – abrév. **ferry.**

**fertile** adj. **1** (sol, terre) Qui produit beaucoup de végétation utile. **2** fig. Inventif ; riche (en). *Imagination fertile.*

**fertilisant, ante** adj. Qui fertilise. – n. m. Produit fertilisant. → **engrais.**

**fertiliser** v. tr. 1 **1** Rendre fertile (une terre). → **amender. 2** fig. Rendre capable de produire. ► **fertilisation** n. f.

**fertilité** n. f. **1** Qualité d'un sol, d'une terre fertile. **2** fig. Capacité à inventer.

**féru, ue** adj. Qui est très épris, pris d'un vif intérêt. *Être féru de poésie.*

**férule** n. f. **1** Petite palette avec laquelle on frappait les écoliers. **2** loc. *Être sous la férule de qqn,* dans l'obligation de lui obéir.

**fervent, ente** adj. **1** Qui a de la ferveur. **2** Où il entre de la ferveur. *Amour fervent.*

**ferveur** n. f. Ardeur vive et enthousiaste.

**fesse** n. f. Chacune des deux masses charnues à la partie postérieure du bassin, dans l'espèce humaine et chez certains mammifères. *Les fesses.* → **derrière ; croupe.** – loc. fam. *Coûter la peau des fesses,* très cher.

**fessée** n. f. **1** Tape(s) donnée(s) sur les fesses. **2** fig. Défaite humiliante.

**fesse-mathieu** n. m. vx Usurier ; avare.

**fesser** v. tr. 1 Battre sur les fesses.

① **fessier** n. m. fam. Les deux fesses.

② **fessier, ière** adj. Relatif aux fesses.

**fessu, ue** adj. fam. Qui a de grosses fesses.

**festif, ive** adj. didact. De la fête.

**festin** n. m. Repas somptueux, excellent.

**festival, als** n. m. **1** Grande manifestation musicale. ♦ par ext. *Festival de cinéma.* **2** fig. Démonstration remarquable.

**festivalier, ière** adj. et n. (Personne) qui fréquente les festivals.

**festivité** n. f. Fête, réjouissance.

**fest-noz** [fɛstnoz] n. m. région. Fête bretonne traditionnelle, bal breton. *Des fest-noz* ou (plur. breton) *festou-noz.*

**feston** n. m. **1** Guirlande de fleurs et de feuilles liées. **2** Bordure, ornement dentelé.

**festonner** v. tr. [1] Orner de festons.

**festoyer** v. intr. [8] Participer à un festin.

**feta** [feta] n. f. Fromage de brebis grec.

**fêtard, arde** n. fam. Personne qui aime faire la fête.

**fête** n. f. **I** (Solennité à caractère commémoratif) **1** Solennité religieuse célébrée certains jours de l'année. *Jour de fête* (→ **férié**). **2** Jour de la fête du saint dont qqn porte le nom. **3** Réjouissance publique et périodique (civile) en mémoire d'un événement. *La fête nationale.* **4** Réjouissances organisées occasionnellement. *Fête de village.* **5** Réjouissances en famille, entre amis. **6** loc. *Faire la fête :* mener joyeuse vie. **II** (dans des expr.) Bonheur, joie, plaisir. *Se faire une fête de qqch.* – *Avoir le cœur en fête,* gai. – *Être à la fête,* heureux, satisfait.

**fêter** v. tr. [1] **1** Marquer par une fête. **2** Faire fête à. *Fêter un ami retrouvé.*

**fétiche** n. m. **1** Objet de culte des civilisations animistes. **2** Objet auquel on attribue un pouvoir bénéfique. → **amulette.**

**féticheur** n. m. Prêtre des religions animistes ; initié qui fait agir des fétiches.

**fétichisme** n. m. **1** Culte des fétiches. **2** Perversion sexuelle centrée sur des objets normalement dénués d'érotisme. ► **fétichiste** adj. et n.

**fétide** adj. Qui a une odeur très désagréable. → **nauséabond.** ► **fétidité** n. f.

**fétu** n. m. Brin de paille.

① **feu** n. m. **I 1** *Le feu :* combustion dégageant de la chaleur et de la lumière (→ **flamme ; pyr(o)-**). – loc. *Jouer avec le feu,* avec le danger. – *Feu follet*.* **2** Matières rassemblées et allumées (pour produire de la chaleur, etc.). → **foyer.** – prov. *Il n'y a pas de fumée sans feu,* pas d'effet sans cause. – loc. *Feu de paille :* sentiment vif et passager. **3** Source de chaleur (à l'origine, foyer enflammé) pour la cuisson des aliments, etc. – *Coup de feu :* action vive du feu ; fig. moment de grande activité. **4** vieilli Foyer, famille. – loc. *N'avoir ni feu ni lieu,* ne pas avoir de domicile fixe. **5** Embrasement ; incendie. *Au feu !* – loc. *Mettre à feu et à sang,* détruire par la guerre. **6** Supplice du bûcher. – fig. *À petit feu,* lentement et cruellement. **7** Ce qui sert à allumer le tabac. **II** (Combustion amenant une déflagration) **1** *Coup de feu.* → **détonation.** – *Arme à feu :* arme lançant un projectile par l'explosion d'une matière fulminante. ♦ fig. *Faire long feu :* échouer. – *Ne pas faire long feu :* ne pas durer. **2** Tir d'armes à feu. *Ouvrir le feu.* **3** *Feu d'artifice*.* **4** fam. Pistolet, revolver. **III 1** Source de lumière (d'abord flamme d'un feu). *Les feux de la ville.* **2** Signal lumineux. ♦ *Feu tricolore,* réglant la circulation. – loc. fig. *Donner le feu vert,* autoriser qqn à agir. **3** poét. *Les feux du couchant.* **4** loc. fig. *N'y voir que du feu,* ne rien y voir (comme qqn qui est ébloui) ; par ext., n'y rien comprendre. **5** Éclat. *Le feu d'un regard.* **IV 1** Sensation de chaleur intense, de brûlure. *Avoir les joues en feu.* **2** Ardeur (des sentiments). *Dans le feu de la colère.* – loc. *Être tout feu tout flamme,* ardent, passionné.

② **feu, feue** adj. littér. Qui est mort depuis peu de temps. → **défunt.** *Feu son père. Feu la reine ; la feue reine.*

**feudataire** n. hist. Titulaire d'un fief.

**feuillage** n. m. **1** Ensemble des feuilles (d'un arbre...). **2** Rameaux coupés.

**feuillaison** n. f. Renouvellement annuel des feuilles.

**feuille** n. f. **I 1** Partie des végétaux (siège de la photosynthèse) par laquelle ils respirent. **2** Représentation d'une feuille. – *Feuille de vigne :* feuille sculptée cachant le sexe des statues nues. **II 1** Morceau de papier rectangulaire. *Feuille blanche.* ♦ (documents) *Feuille de paye. Feuille de soins.* **2** Journal. *Feuille locale.* **III 1** Plaque mince (d'une matière). **2** fam. Oreille.

**feuillée** n. f. **I** littér. Abri que forme le feuillage des arbres. **II** au plur. Tranchée servant de latrines.

**feuillet** n. m. **I** Chaque partie d'une feuille de papier pliée ; feuille de papier utilisée sur ses deux faces. **II** anat. Troisième poche de l'estomac des ruminants.

**feuilleté, ée** adj. **1** Qui présente des feuilles, des lames superposées. **2** *Pâte feuilletée,* faite de fines feuilles superposées. ♦ n. m. Pâtisserie feuilletée.

**feuilleter** v. tr. [4] Tourner les pages de (un livre...), en regardant rapidement.

**feuilleton** n. m. **1** Chronique régulière, dans un journal. **2** Épisode d'un roman qui paraît régulièrement dans un journal. – Histoire fragmentée (télévision, radio). ♦ *Roman-feuilleton,* qui paraît par fragments dans un journal. – fig. Histoire invraisemblable.

**feuilletoniste** n. Personne qui écrit des feuilletons ou des romans-feuilletons.

**feuillu, ue** adj. **1** Qui a beaucoup de feuilles. **2** Qui porte des feuilles. *Arbre feuillu ;* n. m. *un feuillu,* à feuilles caduques.

**feulement** n. m. Cri du tigre.

**feuler** v. intr. [1] (tigre) Pousser son cri. – (chat) Grogner.

**feutre** n. m. **1** Étoffe non tissée obtenue en agglutinant du poil ou de la laine. **2** Chapeau de feutre. ♦ Instrument pour écrire à pointe en feutre ou en nylon.

**feutré, ée** adj. **1** Fait, garni de feutre. **2** Qui a l'aspect du feutre. → **pelucheux. 3** Peu sonore. *Marcher à pas feutrés.*

**feutrer** v. [1] **I** v. tr. **1** techn. Mettre en feutre (du poil, de la laine). ♦ Garnir de feutre. **2** Amortir (un bruit). **II** *Se feutrer* v. pron. ou *feutrer* v. intr. Prendre l'aspect du feutre. ► **feutrage** n. m.

**feutrine** n. f. Feutre mince.

**fève** n. f. **1** Plante légumineuse dont on consomme les graines. – Graine de cette plante. **2** Figurine que l'on met dans la galette de la fête des Rois. **3** (Canada) Haricot. *Fèves jaunes, rouges.*

**février** n. m. Second mois de l'année, qui a vingt-huit jours dans les années ordinaires et vingt-neuf dans les années bissextiles.

**fez** [fɛz] n. m. Coiffure tronconique de laine. → **chéchia.**

**fi** interj. **1** vx Interjection exprimant le dédain. **2** *Faire fi de :* dédaigner, mépriser.

**fiable** adj. En qui ou en quoi on peut avoir toute confiance, auquel on peut se fier (personne, matériel...). ► **fiabilité** n. f.

**fiacre** n. m. ancienn Voiture à cheval louée à la course ou à l'heure.

**fiançailles** n. f. pl. **1** Promesse solennelle de mariage entre futurs époux. **2** Temps qui s'écoule entre la promesse et le mariage.

**fiancé, ée** n. Personne fiancée.

**fiancer** v. tr. [3] Engager par une promesse de mariage. ▷ v. pron. **se fiancer**

**fiasco** n. m. **1** Défaillance d'ordre sexuel (chez l'homme). **2** Échec complet.

**fiasque** n. f. Bouteille à col long et à large panse garnie de paille.

**fibre** n. f. **I 1** Chacun des filaments qui, groupés en faisceaux, constituent certaines substances. *Les fibres du bois. Fibres musculaires.* **2** *Fibre textile,* substance filamenteuse susceptible d'être tissée. *Fibres synthétiques.* ♦ *Fibre de verre* (isolation thermique). ♦ *Fibre optique,* filament conducteur de lumière. **3** Matière fabriquée à partir de fibres. **II** fig., littér. Disposition à ressentir certaines émotions. *Avoir la fibre paternelle.*

**fibrer** v. tr. [1] Équiper de la fibre optique. – au p. p. *Immeuble fibré.*

**fibreux, euse** adj. Qui a des fibres.

**fibrille** [-ij ; -il] n. f. Petite fibre.

**fibrine** n. f. biol. Protéine du plasma sanguin qui contribue à la coagulation.

**fibrociment** n. m. Matériau de construction fait de ciment renforcé de fibres.

**fibrome** n. m. Tumeur bénigne formée de tissu fibreux. ► **fibromateux, euse** adj.

**fibroscope** n. m. méd. Endoscope souple comportant des fibres optiques.

**fibroscopie** n. f. méd. Exploration (d'un organe) au fibroscope.

**fibula** n. f. anat. Péroné. ► **fibulaire** adj.

**fibule** n. f. Antiq. Agrafe, épingle.

**ficelage** n. m. Action de ficeler.

**ficeler** v. tr. [4] **1** Attacher, lier avec de la ficelle. **2** fam. Habiller. **3** fig. Bâtir (un travail intellectuel). ▷ adj. **ficelé, ée 1** *Paquet ficelé.* **2** fam. *Mal ficelé,* mal habillé. → **fagoté. 3** *Un travail bien ficelé,* bien fait.

**ficelle** n. f. **I 1** Corde mince. – loc. fig. *Tirer sur la ficelle :* exagérer. **2** fig. *Tirer les ficelles,* faire agir les autres. ♦ *Les ficelles d'un art,* les procédés cachés. **3** Petite baguette (pain). **II** adj. fam. Malin, futé.

① **fiche** n. f. **I** Cheville, tige de bois ou de métal destinée à être fichée, enfoncée. **II** Feuille cartonnée sur laquelle on écrit des renseignements en vue d'un classement.

② **fiche** v. tr. → ② **ficher**

① **ficher** v. tr. [1] Faire pénétrer et fixer par la pointe. → **planter.**

② **ficher** ou **fiche** v. tr. [1] p. p. *fichu, ue* fam. (équivalent moins fam. de *foutre**) **1** Faire. *Je n'ai rien fichu hier.* **2** Donner, faire subir. *Ça me fiche le cafard.* **3** Mettre. *Je l'ai fichu à la poubelle.* **4** loc. *Se fiche dedans,* se tromper. – *Fiche* (ou *ficher*) *le camp,* décamper, partir. **5** *Se ficher de* v. pron. : se moquer de.

③ **ficher** v. tr. [1] Mettre sur une fiche. – *Ficher qqn,* établir une fiche à son nom.

**fichier** n. m. **1** Réunion de fiches. – inform. Ensemble structuré d'informations, qui peut être manipulé et mémorisé. *Fichier (de) programme. Fichier de données.* → **document. 2** Meuble, etc. contenant des fiches.

**fichtre** interj. fam., vieilli Interjection qui exprime l'étonnement, l'admiration.

② **fichu** n. m. Pièce d'étoffe triangulaire dont les femmes se couvrent la tête.

① **fichu, ue** adj. fam. (équivalent moins fam. de *foutu**) **1** Mauvais. **2** Dans un mauvais état. **3** *Bien, mal fichu :* bien, mal bâti, fait. – (moins fam.) *Mal fichu :* un peu malade, souffrant. ♦ *Fichu de :* capable de.

**fictif, ive** adj. **1** Créé par l'imagination. **2** Qui n'existe qu'en apparence. → **faux, feint. 3** Supposé par convention (→ **fiduciaire**). ► **fictivement** adv.

**fiction** n. f. **1** Fait imaginé (opposé à *réalité*) ; construction imaginaire. → **invention. 2** Création de l'imagination, en littérature ; genre littéraire formé par ces œuvres (romans...).

**ficus** [-ys] n. m. Plante d'appartement (du genre *Ficus*), d'origine tropicale.

**fidèle I** adj. **1** Qui ne manque pas à la foi donnée (à qqn), aux engagements pris (envers qqn). → **dévoué, loyal. 2** Dont les sentiments (envers qqn) ne changent pas. **3** Qui n'a de relations amoureuses qu'avec la personne à laquelle il (elle) a donné sa foi. **4** *Fidèle à* (qqch.) : qui ne manque pas à, qui ne trahit pas. *Être fidèle à ses engagements.* **5** Qui ne s'écarte pas de la vérité. – *Traduction fidèle,* conforme au texte original. ♦ *Mémoire fidèle.* → **fiable. 6** (instrument) Dont les résultats ne changent pas au cours du temps. **II** n. **1** Personne fidèle. **2** Personne unie à une religion par la foi. → **croyant.**

**fidèlement** adv. D'une manière fidèle.

**fidélité** n. f. **1** Qualité d'une personne fidèle (à qqn). **2** Constance dans les sentiments, les relations. **3** *Fidélité à* (qqch.) : fait de ne pas manquer à, de ne pas trahir. **4** Conformité à la vérité, à un modèle. → **exactitude, véracité. 5** Qualité d'un instrument fidèle (6). **6** *Haute-fidélité :* technique visant à obtenir une restitution très exacte du son enregistré. → anglic. **hi-fi.** – appos. *Chaîne* haute-fidélité.*

**fiduciaire** adj. écon. Se dit de valeurs fictives, fondées sur la confiance en celui qui les émet. *Monnaie fiduciaire* (billets...). ♦ *Société fiduciaire,* qui effectue des travaux d'organisation, etc. pour d'autres sociétés.

**fief** n. m. **1** Au Moyen Âge, Domaine concédé par le seigneur à son vassal (→ **feudataire**), en contrepartie de certains services. **2** fig. Domaine où qqn est maître.

**fieffé, ée** adj. **I** hist. Pourvu d'un fief. **II** Qui possède au plus haut degré un défaut, un vice. *Un fieffé menteur.*

**fiel** n. m. **1** Bile des animaux de boucherie, etc. **2** fig., littér. Amertume méchante.

**fielleux, euse** adj. Plein de fiel (2). → **haineux, méchant.**

**fiente** [fjɑ̃t] n. f. Excrément d'oiseau, de certains animaux. ► **fienter** v. intr. [1]

**se fier** v. pron. Accorder sa confiance (à qqn, à qqch.). *Je me fie à vous.*

**fier, fière** [fjɛʀ] adj. **1** vieilli Hautain, méprisant. → **arrogant, prétentieux.** – n. *Faire le fier.* **2** Qui a un vif sentiment de sa dignité. **3** *Fier de :* qui a de la satisfaction de (qqn, qqch.). **4** (avant le nom) vieilli → **fameux.** *Une fière canaille !*

**fier-à-bras** n. m. vieilli Fanfaron.

**fièrement** adv. D'une manière fière.

**fierté** n. f. **1** vieilli Attitude arrogante. **2** Sentiment élevé de la dignité, de l'honneur. **3** Fait d'être fier de qqn, de qqch. ♦ Ce qui fait concevoir de la fierté. *C'est sa fierté.*

**fiesta** n. f. fam. Partie de plaisir, fête.

**fièvre** n. f. **1** Élévation anormale de la température du corps (→ **fébrile ; fiévreux**). ♦ Maladie fébrile. *Fièvre jaune* (maladie virale). **2** fig. Vive agitation, état passionné. ♦ *Fièvre de :* désir ardent de.

**fiévreux, euse** adj. **1** Qui a ou dénote la fièvre. → **fébrile** (1). **2** Agité, hâtif, inquiet. → **fébrile** (2). ► **fiévreusement** adv.

**fifre** n. m. **1** Petite flûte en bois. **2** Joueur de fifre. «*Le Fifre*» (tableau de Manet).

**fifrelin** n. m. vieilli Chose sans valeur.

**fifty-fifty** loc. adv. anglic., fam. Moitié-moitié. *Partager fifty-fifty.*

**figement** n. m. Fait de (se) figer.

**figer** v. tr. [3] **1** Coaguler (le sang). **2** Solidifier (un liquide gras) par le froid. **3** Rendre immobile, fixer dans une certaine attitude. ▷ v. pron. **se figer 1** Se coaguler. **2** Se solidifier. **3** S'immobiliser. ▷ adj. **figé, ée** *Huile figée.* – *Regard figé.* ♦ *Expression, locution figée,* dont on ne peut changer aucun des termes et dont le sens global ne peut pas se déduire de celui de ses constituants (ex. prendre le mors aux dents).

**fignoler** v. tr. [1] fam. Exécuter avec un soin minutieux jusque dans les détails. – au p. p. *Travail fignolé.* → **léché.** ► **fignolage** n. m.

**fignoleur, euse** n. fam. Personne qui fignole.

**figue** n. f. **1** Fruit charnu et comestible du figuier, vert ou violacé. **2** *Figue de Barbarie :* fruit comestible de l'oponce. **3** *Mi-figue, mi-raisin :* qui exprime un mélange de satisfaction et de mécontentement.

**figuier** n. m. **1** Arbre méditerranéen (Ficus), à feuilles lobées, qui donne les figues. **2** *Figuier de Barbarie :* oponce.

**figurant, ante** n. **1** Personnage de théâtre, de cinéma, remplissant un rôle secondaire. **2** Personne dont le rôle est accessoire, dans une réunion, une société.

**figuratif, ive** adj. Qui représente la forme de qqch. – *Art figuratif,* attaché à la représentation de l'objet (par oppos. à *art abstrait*).

**figuration** n. f. **1** Fait de figurer, de représenter (qqch.), notamment par des moyens graphiques. ♦ *La figuration :* la peinture figurative. **2** Fait de figurer, dans un spectacle. ♦ Ensemble des figurants.

**figure** n. f. **I 1** vx Forme, aspect. – loc. mod. *Ne plus avoir figure humaine :* être si mal en point que l'apparence humaine n'est plus reconnaissable. **2** rare Représentation visuelle (de qqn, qqch.). → **image.** ♦ spécialt Représentation d'un personnage humain. → **effigie, portrait, statue.** ♦ *Figure de proue :* buste (d'une personne, d'un animal...) à la proue des anciens navires ; fig. personnalité de premier plan. **3** loc. littér. *Faire figure :* être un personnage important. – *Faire bonne, piètre, triste figure,* avoir une apparence (bonne...). – *Faire figure de :* paraître, passer pour. ♦ *Prendre figure :* prendre forme. **4** Personnalité marquante. *Les grandes figures d'une époque.* **5** Représentation des objets géométriques (droites, courbes, surfaces...) ; ensemble de points constituant ces objets. ♦ danse, sports Chemin suivi par un danseur, un patineur, suivant une ligne déterminée. **II** (Forme de la face humaine) **1** Apparence momentanée de la face humaine, exprimant une attitude, des sentiments. → **tête ; air, physionomie. 2** Partie antérieure de la tête humaine. → **face, visage.** ♦ (Caractérisant la personne) *Des figures de connaissance.* **III** *Figure de style,* *de rhétorique* et absolt *figure* : mode d'expression linguistique et stylistique de certaines formes de pensée dans le discours ; transfert de sens (→ sens **figuré**). → **trope.**

**figuré, ée** adj. **1** Représenté par une figure. **2** *Sens figuré* (d'un mot), qui résulte d'une figure* de style (transfert sémantique d'une image concrète à des relations abstraites). *Sens propre et sens figuré.*

**figurer** v. [1] **I** v. tr. Représenter sous une forme visible. → **dessiner, peindre, sculpter.** ♦ Représenter d'une manière symbolique ou conventionnelle. **II** v. intr. **1** Jouer un rôle de figurant. **2** Se trouver (quelque part). *Son nom figure sur la liste.* ▷ v. pron. se **figurer** → s'**imaginer,** se **représenter.**

**figurine** n. f. Statuette.

**fil** n. m. **I 1** Brin long et fin des matières textiles ; réunion de ces brins, tordus et filés (→ **filature, filer**). – *Droit fil :* sens des fils d'un tissu (opposé à *biais*) ; fig. ligne de pensée, orientation. ♦ loc. *Malice cousue de fil blanc,* trop apparente. – *De fil en aiguille,* petit à petit. – *Donner du fil à retordre à qqn,* lui créer des difficultés. **2** Brin de matière souple, servant à tenir, à attacher. – loc. *Ne tenir qu'à un fil,* être fragile. – fig. *Le fil d'Ariane,* ce qu'on peut suivre pour se guider. ♦ *Fil à plomb :* instrument, masse de plomb fixée à un fil, qui donne la verticale. **3** Morceau d'une matière qui s'étire en brins longs et minces. **4** Matière métallique étirée en un long brin mince. *Fil d'acier.* **5** Conducteur électrique, fil métallique entouré d'une gaine isolante. – loc. fam. *Donner un coup de fil,* un coup de téléphone. **6** Matière produite et filée par quelques animaux (araignée, ver à soie). – loc. *Fils de la Vierge.* → **filandre** (2). **7** Fibre de certaines matières ; sens des fibres. *Le fil du bois.* **8** Filament durci de certains légumes (notamment les haricots). **II** fig. **1** Sens dans lequel un cours d'eau coule. *Au fil de l'eau.* **2** Cours, enchaînement. *Suivre le fil de ses idées.* **III** Partie coupante (d'une lame). – loc. *Être sur le fil du rasoir,* dans une situation instable, dangereuse. – *Passer au fil de l'épée,* tuer à l'épée.

**fil-à-fil** n. m. invar. Tissu de laine ou de coton, en fils de deux couleurs alternées.

**filage** n. m. Action de filer (un textile) à la main.

**filament** n. m. **1** Production organique longue et fine comme un fil. **2** Fil conducteur très fin (ampoules électriques).

**filamenteux, euse** adj. Qui a des filaments (1). → **fibreux.**

**filandière** n. f. littér. Femme qui file à la main.

**filandre** n. f. didact. **1** Fibre coriace (des viandes, légumes). **2** Fil d'araignée qui vole dans l'air (→ fil* de la Vierge).

**filandreux, euse** adj. **1** (viande, légumes) Rempli de filandres. **2** fig. Confus.

**filant, ante** adj. **1** Qui coule en s'allongeant en une sorte de fil continu. **2** *Pouls filant,* très faible. **3** *Étoile* filante.*

**filasse** n. f. **1** Matière textile végétale non encore filée (→ **étoupe**). **2** appos. *Cheveux blond filasse,* et adj. invar. *cheveux filasse,* d'un blond fade, sans éclat.

**filature** n. f. **I 1** Opérations industrielles qui transforment les matières textiles en fils à tisser. **2** Usine où est fabriqué le fil. **II** Action de filer, de suivre (qqn).

**file** n. f. Suite (de personnes, de choses) en rang et l'un derrière l'autre. – fig. *Chef de file,* personne qui dirige. ♦ loc. adv. *En file, à la file :* les uns derrière les autres, l'un derrière l'autre. ♦ *En double file :* à côté d'une première file de voitures.

**filer** v. [1] **I** v. tr. **1** Transformer en fil (une matière textile). *Filer de la laine* (→ **filage ; filature**). ♦ *Filer du verre,* l'étirer en fil. **2** (ver à soie, araignée) Faire en sécrétant son fil. *L'araignée file sa toile.* **3** (Dérouler de façon égale et continue) mar. *Filer les amarres.* – *Navire qui file trente nœuds,* qui a une vitesse de trente nœuds. ♦ mus. *Filer une note,* la tenir. ♦ littér. *Filer une métaphore,* la développer. ♦ fam. *Filer le parfait amour,* vivre un amour partagé. **4** Marcher derrière (qqn), suivre pour surveiller. **5** fam. Donner. → **refiler. II** v. intr. **1** (liquide, matière) Former des fils. **2** Se dérouler, se dévider. **3** Aller droit devant soi, très vite. *Filer ventre à terre.* **4** fam. S'en aller très vite.

① **filet** n. m. **1** Ce qui ressemble à un fil fin. – Saillie en hélice (d'une vis...). **2** Écoulement fin et continu. *Un filet d'eau.* – fig. *Un filet de voix,* une voix très faible.

② **filet** n. m. **1** Morceau de viande, partie tendre le long de l'épine dorsale (de quelques animaux). **2** Morceau de chair, de part et d'autre de l'arête (d'un poisson).

③ **filet** n. m. Réseau de filet (①), de fil, fait de mailles. **1** Réseau à larges mailles servant à capturer des animaux. – fig. *Coup de filet,* arrestation de malfaiteurs. **2** Réseau de mailles (pour envelopper, tenir, retenir). ♦ Réseau tendu sous des acrobates. – loc. fig. *Travailler sans filet,* en prenant des risques. ♦ en sports Réseau au-dessus duquel la balle doit passer (tennis, etc.). – fig. *Monter au filet,* s'engager seul, avant son groupe.

**filetage** n. m. **1** Action de fileter. **2** Ensemble des filets (d'une vis, etc.).

**fileter** v. tr. [5] Pratiquer un filet, des filets (①) dans. → **tarauder.** – au p. p. *Tige filetée.*

**fileur, euse I** n. Personne qui file (du textile). **II** adj. (animal) Qui sécrète un fil.

**fileyeur** n. m. pêche Bateau équipé pour la pêche au filet.

**filial, ale, aux** adj. Qui émane d'un enfant à l'égard de ses parents.

**filiale** n. f. Société jouissant d'une personnalité juridique mais dirigée ou contrôlée par la société mère.

**filialiser** v. tr. [1] écon. Transformer (une entreprise) en filiale. - Découper (une entreprise) en filiales. ► **filialisation** n. f.

**filiation** n. f. **1** Lien de parenté unissant l'enfant à son père, à sa mère. **2** fig. Succession, enchaînement.

**filière** n. f. **1** mar. Filin servant de garde-corps. **2** Instrument, outil destiné à produire des fils, à pratiquer des filets (①). **3** Succession d'étapes avant un résultat.

**filiforme** adj. Mince, fin comme un fil.

**filigrane** n. m. **1** Ouvrage de fils de métal (or...). **2** Dessin qui se voit par transparence dans l'épaisseur d'un papier. - loc. *En filigrane :* d'une manière implicite.

**filigrané, ée** adj. **1** Façonné en filigrane (1). **2** Qui présente un filigrane (2).

**filin** n. m. mar. Cordage.

**fille** n. f. **I 1** (opposé à *fils*) *La fille de qqn, sa fille :* personne du sexe féminin, par rapport à ses parents. **2** littér. Descendante. *Une fille de rois.* - plais. *Fille d'Ève :* femme. **II 1** (opposé à *garçon*) Enfant du sexe féminin. **2** (dans des loc.) *Petite fille :* enfant du sexe féminin jusqu'à l'âge nubile. - *Jeune fille :* fille nubile ou femme jeune non mariée. **3** Jeune fille ; jeune femme. *Une jolie fille.* **4** vieilli Femme non mariée. *Elle est restée fille.* - *Fille-mère :* mère célibataire. - péj. *Vieille fille :* femme qui a atteint l'âge mûr sans se marier. **5** Prostituée. - loc. *Fille de joie* (même sens). **6** Nom donné à certaines religieuses.

① **fillette** n. f. Petite fille. - Jeune fille.

② **fillette** n. f. Petite bouteille de vin.

**filleul, eule** n. Personne qui a été tenue sur les fonts baptismaux, par rapport à ses parrain et marraine.

**film** [film] n. m. **I 1** Pellicule photographique. - Pellicule cinématographique. **2** Œuvre cinématographique enregistrée sur film (→ **cinéma**). **II** anglic., techn. Couche très mince (d'une matière).

**filmage** n. m. Action de filmer.

**filmer** v. tr. [1] **I** Enregistrer (des vues) sur un film cinématographique ; par ext. sur un support magnétique. → **tourner.** - absolt *Filmer en studio.* - au p. p. *Théâtre filmé.* **II** Couvrir d'un film (II).

**filmographie** n. f. didact. Liste des films (d'un auteur, d'un acteur, d'un genre...).

**filocher** v. intr. [1] fam. Aller vite, filer*.

**filon** n. m. **1** Masse allongée (de minéraux solides, dans le sol). → **veine. 2** fig. → **mine.** *Ce sujet est un filon.*

**filou** n. m. Escroc, voleur.

**filouter** v. tr. [1] vieilli Voler adroitement (qqch. ; qqn). ► **filouterie** n. f.

**fils** [fis] n. m. **I 1** (opposé à *fille*) Personne du sexe masculin, par rapport à ses parents. - loc. péj. *Fils à papa*.* **2** relig. chrét. *Fils de Dieu, Fils de l'homme :* Jésus-Christ. **3** Descendant du sexe masculin. **4** fig. *Fils spirituel.* → **disciple. II** Enfant du sexe masculin. → **garçon.**

**filtrage** n. m. Action de filtrer.

**filtrat** n. m. didact. Liquide filtré.

**filtre** n. m. **1** Dispositif (tissu ou réseau, passoire) à travers lequel on fait passer un liquide pour le débarrasser des particules solides qui s'y trouvent. - *Café-filtre,* préparé au moyen d'un filtre. **2** Appareil servant à débarrasser un fluide ou un aérosol de ses impuretés. **3** sc. Dispositif modifiant certaines oscillations. **4** Bout poreux (d'une cigarette). - appos. *Bout filtre.*

> Ne pas confondre avec *philtre* « breuvage magique ».

**filtrer** v. [1] **I** v. tr. **1** Faire passer à travers un filtre. **2** fig. *Filtrer la lumière.* → **tamiser. 3** Soumettre à un contrôle, un tri. *Censure qui filtre les nouvelles.* **II** v. intr. **1** S'écouler lentement. **2** (lumière) Passer faiblement.

① **fin** n. f. **I** (Point d'arrêt, arrêt) **1** Moment, instant auquel s'arrête (un phénomène, une période, une action). → **limite, terme.** ♦ loc. adv. *À la fin.* → en **définitive, enfin, finalement. 2** Point auquel s'arrête qqch. dont on fait usage. *Arriver à la fin d'un livre.* **3** Derniers éléments (d'une durée), dernière partie (d'une action, d'un ouvrage). *La fin du film.* → **dénouement, épilogue. 4** Disparition (d'un être, d'un phénomène, d'un sentiment). - *Mettre fin à :* faire cesser. → **terminer.** *Mettre fin à ses jours,* se suicider. - *Prendre fin :* cesser. **5** Cessation par achèvement. → **aboutissement.** *Mener à bonne fin un travail.* **II** (But, terme) **1** souvent au plur. Chose qu'on veut réaliser. → **but, objectif.** *En venir à ses fins.* → **réussir.** - philos. *Fin en soi,* objective et absolue ; cour. résultat cherché pour lui-même. - loc. *À cette fin,* pour arriver à ce but (→ **afin** de). *À toutes fins utiles :* pour servir le cas échéant. **2** Terme auquel tend un être ou une chose (par instinct, par nature). → **tendance ; finalité. 3** dr. But juridiquement poursuivi. - loc. cour. *Fin de non-recevoir :* refus.

② **fin, fine** adj. **I 1** (dans des loc.) Extrême ; qui est au bout. *Le fin fond de la forêt.* - *Le fin mot de l'histoire,* le dernier mot, celui qui donne la clé. **2** adv. Tout à fait. *Elle est fin prête.* **II 1** Qui est d'une très grande pureté. *Pierres fines.* → **précieux. 2** Qui est de la meilleure qualité. *Vins fins.* - *Eau-de-vie fine* et n. f. *fine :* eau-de-vie naturelle de qualité supérieure. ♦ (n. m.) loc. *Le fin du fin,* ce qu'il y a de mieux dans le genre. **3** D'une grande acuité. → **sensible.** *Avoir l'oreille fine.* **4** Qui marque de la subtilité. *Une remarque fine et spirituelle.* **5** (personnes) Qui excelle dans une activité réclamant du discernement. *Fin limier.* - *Un fin gourmet.* **6** Qui a une habileté proche de la ruse. → **astucieux, malin, rusé.** - *Une fine manœuvre.* **III 1** Dont les éléments sont très petits. *Sel fin* (opposé à *gros sel*). - *Une pluie fine.* **2** Délié, mince.

*Taille fine.* **3** Qui est très mince ou aigu (par oppos. à *épais*). **4** Difficile à percevoir. *Une fine nuance.* → **ténu.**

**final, ale, als** ou (rare) **aux** adj. **1** Qui est à la fin, qui sert de fin (contr. *initial*). – hist. *La solution* finale.* ♦ **loc. adv.** fam. *Au final :* finalement. **2** philos. Qui marque une fin (II), un but. **3** gramm. *Proposition finale* et n. f. *finale :* subordonnée de but.

① **finale** n. f. **1** Son ou syllabe qui termine (un mot...). **2** Dernière épreuve (d'une coupe...) qui désigne le vainqueur.

② **finale** n. m. Dernière partie (d'un opéra, d'une symphonie...). → **coda.**

**finalement** adv. À la fin ; en définitive.

**finaliser** v. tr. [1] **1** didact. Donner une fin, un but à. **2** anglic. Mettre au point de manière détaillée (un projet...). ► **finalisation** n. f.

**finaliste** n. Concurrent(e), équipe qualifié(e) pour une finale.

**finalité** n. f. Fait de tendre à un but.

**finance** n. f. **1** vx Ressources pécuniaires. – mod. **loc.** *Moyennant finance :* contre de l'argent. – fam. **au plur.** *Ses finances vont mal.* **2** au plur. Activité de l'État dans le domaine de l'argent. → **budget, fisc, Trésor.** – *Loi de finances,* fixant le budget de l'État. **3** Grandes affaires d'argent ; activité bancaire, boursière. *Être dans la finance.*

**financer** v. tr. [3] Soutenir financièrement, procurer des capitaux à (une entreprise). ► **financement** n. m.

**financier, ière I 1** n. m. hist. (Ancien Régime) Celui qui s'occupait des finances publiques. **2** n. Personne qui fait de la finance (3). **II adj. 1** Relatif à l'argent. **2** Relatif aux finances publiques. **3** Relatif à la finance (3).

**financièrement** adv. En matière de finances ; au point de vue financier.

**finasser** v. intr. [1] Agir avec une finesse excessive. ► **finasserie** n. f.

**finaud, aude** adj. et n. Qui cache de la finesse sous un air simple. → **matois.**

**fine** n. f. → ② **fin** (II, 2)

**fine de claire** n. f. → **claire**

**finement** adv. **1** Avec finesse, subtilité. **2** Avec habileté. **3** D'une manière fine, délicate. *Objet finement ouvragé.*

**finesse** n. f. **1** Qualité de ce qui est délicat, bien exécuté. **2** (sens) Grande acuité. *Finesse de l'ouïe.* **3** Aptitude à discerner des choses subtiles. → **pénétration. 4** Adresse, habileté. **5** Extrême délicatesse (de matière...). **6 surtout au plur.** Plan, action marquant la ruse. ♦ Chose difficile à saisir. → **subtilité.**

**finette** n. f. Étoffe de coton pelucheux.

**finir** v. [2] **I** v. tr. (Mener à sa fin (I)) **1** Conduire (une occupation) à son terme en faisant ce qui reste à faire. → **achever, terminer ; parachever. 2** Mener (une période) à son terme. *Finir ses jours à la campagne.* **3** Mener (une quantité) à épuisement. *Finir son verre.* **4** Mettre un terme à. → **arrêter, cesser,** mettre **fin** à. ♦ *Finir de* (+ inf.) : cesser de. **II** v. intr. (Arriver à sa fin (I)) **1** Arriver à son terme dans le temps. → s'**achever,** se **terminer ; cesser. 2** Avoir telle fin. *Un film qui finit bien.* – *Ce garçon finira mal.* **3** Arriver à son terme dans l'espace. *Le sentier finit là.* → s'**arrêter. 4** *Finir par* (+ inf.) : arriver à (tel résultat). *Tout finit par s'arranger.* **III** *En finir* **1** (personnes) Mettre fin à une chose longue, désagréable. – *En finir avec qqch.* → **régler.** *En finir avec qqn,* se débarrasser de lui. **2 avec une négation** Arriver à son terme. *Cela n'en finit plus.* ▷ **adj. fini, ie 1** Qui a été mené à son terme. **2** Dont la finition est bonne. – n. m. *Le fini,* la qualité de ce qui est soigné. ♦ péj. Achevé, parfait en son genre. *Un menteur fini.* **3** Qui est arrivé à son terme. → **révolu. 4** Qui a des limites. – n. m. *Le fini et l'infini.*

**finish** n. m. anglic., sports Aptitude à finir (dans une course...). *Gagner au finish.*

**finissage** n. m. Action de finir (une fabrication, une pièce). → **finition.**

**finissant, ante** adj. En train de finir.

**finisseur, euse** n. **1** Personne chargée des travaux de finissage, de finition. **2** Sportif qui finit bien une épreuve.

**finition** n. f. **1** Opération ou ensemble d'opérations (finissage, etc.) qui termine la fabrication d'un objet, d'un produit. **2** Caractère de ce qui est plus ou moins bien fini. **3 au plur.** Les derniers travaux.

**finitude** n. f. didact. Fait d'être fini, borné.

**finlandais, aise** adj. De Finlande. *Le mark finlandais, monnaie remplacée par l'euro.* – n. *Les Finlandais.* → **finnois.**

**finnois, oise** adj. Du peuple de langue non indo-européenne (→ **finno-ougrien**) qui vit en Finlande. – n. m. *Le finnois,* cette langue.

**finno-ougrien, ienne** adj. didact. Se dit d'un groupe de langues comprenant le finnois, le lapon, l'estonien, le hongrois et des langues de Sibérie.

**fiole** n. f. **1** Petite bouteille de verre à col étroit. **2** fig., fam. Tête.

**fiord** → **fjord**

**fioriture** n. f. **1** mus. Ornement ajouté à la phrase. **2** Ornement complexe.

**fiotte** ou **fiote** n. f. vulg. **1** Homosexuel. **2** Homme lâche.

**fioul** → **fuel**

**firmament** n. m. poét. Voûte céleste.

**firme** n. f. Entreprise industrielle ou commerciale.

**fisc** n. m. Administrations qui s'occupent des impôts. → **contribution(s).**

**fiscal, ale, aux** adj. Qui se rapporte au fisc, à l'impôt. ► **fiscalement** adv.

**fiscaliser** v. tr. [1] **1** Soumettre à l'impôt. **2** Financer par l'impôt. ► **fiscalisation** n. f.

**fiscalité** n. f. Système fiscal.

**fissible** adj. phys., vieilli → **fissile** (2).

**fissile** adj. sc. **1** Qui tend à se fendre. **2** Susceptible de subir la fission.

**fission** n. f. phys. Rupture d'un noyau atomique.

**fissure** n. f. Fente fine. → **fêlure, lézarde.**

**fissurer** v. tr. [1] Diviser par fissures. ▷ v. pron. se **fissurer**

**fiston** n. m. fam. Fils.

**fistule** n. f. Canal qui se forme pour donner passage à un liquide physiologique ou pathologique. ► **fistuleux, euse** adj.

**fitness** [fitnɛs] n. m. anglic. Exercices destinés à restaurer ou entretenir une bonne forme physique.

**F. I. V.** [fiv ; ɛfive] n. f. (sigle) Fécondation in vitro, où l'ovule prélevé est fécondé en laboratoire.

**fixateur, trice I** adj. Qui fixe. **II** n. m. **1** Vaporisateur projetant un fixatif. **2** Substance qui fixe une image photographique, une préparation de cellules, etc.

**fixatif** n. m. peint. Vernis fixateur.

**fixation** n. f. **1** Action de fixer. **2** Attache. *Fixations de sécurité.* **3** psych. Attachement intense à qqn, qqch.

① **fixe** adj. **I 1** Qui ne bouge pas, ne change pas de position. → **immobile.** ♦ *Avoir le regard fixe.* **2** interj. *Fixe ! :* commandement militaire prescrivant de se tenir immobile. → **garde-à-vous. II 1** Qui ne change pas, reste en l'état. → **immuable, permanent. 2** Réglé d'une façon précise et définitive. *Menu à prix fixe.* **3** loc. *Idée fixe :* idée dominante, dont l'esprit ne peut se détacher. → **obsession. 4** → **assuré, régulier.** *Revenu fixe.* – n. m. *Fixe mensuel.*

② **fixe** n. m. anglic., argot de la drogue Injection d'un stupéfiant.

**fixement** adv. D'un regard fixe.

**fixer** v. tr. [1] **I 1** Établir de façon durable à une place déterminée. → **attacher, maintenir.** ♦ pronom. (personnes) S'installer durablement. **2** *Fixer* (qqn) *du regard,* le regarder avec insistance. **3** abstrait *Fixer son attention sur qqch.* **II 1** Rendre stable et immobile (ce qui évolue, change). **2** Faire qu'une personne ne soit plus dans l'indécision ou l'incertitude. – au p. p. *Je ne suis pas encore fixé.* → **décidé. III** Régler d'une façon déterminée, définitive. *Fixer une règle ; un rendez-vous.* – au p. p. *Au jour fixé,* convenu.

**fixette** n. f. fam. **1** Fixation (3) sur qqch., qqn. **2** Injection d'une drogue.

**fixie** n. m. anglic. Bicyclette au pignon solidaire de la roue arrière. – recomm. off. *vélo à pignon fixe.*

**fixisme** n. m. hist. des sc. Doctrine de la fixité des espèces (opposé à *évolutionnisme*).

**fixité** n. f. **1** État de ce qui est fixe. **2** didact. Caractère de ce qui est stable, fixé.

**fjord** ou **fiord** [fjɔʀ(d)] n. m. Golfe (ancienne vallée glaciaire) s'enfonçant profondément dans l'intérieur des terres (Scandinavie, Écosse).

**flac** interj. Onomatopée, bruit de chute.

**flacon** n. m. Petit récipient de verre, fermé par un bouchon.

**fla-fla** n. m. fam. Recherche de l'effet. → **chichi, manière(s).** – var. **flafla.**

**flagada** adj. fam. Sans force, fatigué.

**flagellation** n. f. Action de flageller ; supplice du fouet.

**flagelle** n. m. biol. Filament mobile, organe locomoteur de certains protozoaires, du spermatozoïde.

**flagellé, ée** adj. biol. Muni d'un flagelle.

**flageller** v. tr. [1] Battre de coups de fouet. → **fouetter.**

**flageoler** v. intr. [1] (jambes) Trembler de faiblesse, de fatigue, de peur. – *Flageoler sur ses jambes.* → **chanceler.** ► **flageolant, ante** adj.

① **flageolet** n. m. Flûte à bec, généralement percée de six trous.

② **flageolet** n. m. Variété de haricot nain très estimé, qui se mange en grains.

**flagorner** v. tr. [1] littér. Flatter bassement. ► **flagorneur, euse** n. et adj.

**flagornerie** n. f. Flatterie servile.

**flagrant, ante** adj. **1** Qui est commis sous les yeux de la personne qui le constate. loc. *Flagrant délit*.* **2** Qui paraît évident.

**flair** n. m. **1** Faculté de discerner par l'odeur. → **odorat. 2** fig. Aptitude à deviner. → **intuition, perspicacité.**

**flairer** v. tr. [1] **1** (animaux) Discerner ou chercher par l'odeur. ♦ (personnes) Sentir avec insistance. **2** fig. Discerner (qqch.) par intuition. → **deviner, pressentir.**

**flamand, ande 1** adj. et n. De la Flandre. **2** n. m. Ensemble des parlers néerlandais de Belgique (→ **flamingant).**

> Ne pas confondre avec *flamant* «oiseau».

**flamant** n. m. Oiseau échassier au plumage généralement rose *(flamant rose).*

> Ne pas confondre avec *flamand* «de la Flandre».

**flambage** n. m. Action de flamber (qqch.).

**flambant, ante** adj. **1** Qui flambe. **2** fam. Superbe. – loc. *Flambant neuf :* tout neuf.

> Invar. dans *flambant neuf,* alors que *neuf* s'accorde : *des tenues flambant neuves.*

**flambé, ée** adj. **1** Passé à la flamme. **2** Arrosé d'alcool auquel on met le feu.

**flambeau** n. m. **1** Mèche enduite de cire, de résine pour éclairer. → **torche. 2** fig. Ce qui éclaire (intellectuellement...). *Le flambeau de la liberté.* **3** Candélabre.

**flambée** n. f. **1** Feu vif et assez bref. **2** fig. Explosion (d'un sentiment violent, d'une action). ◆ Brusque hausse (des prix).

**flamber** v. [1] **I** v. intr. **1** Brûler avec flammes et production de lumière. **2** Produire une vive lumière, de l'éclat. **3** *Prix qui flambent,* qui augmentent très rapidement. **II** v. tr. **1** Passer à la flamme. *Flamber une aiguille* (pour la stériliser). **2** Arroser (un mets) d'alcool que l'on brûle. **3** fig. Dépenser de manière immodérée. - intrans. fam. Jouer gros jeu (► **flambeur, euse** n.).

**flamboiement** n. m. Éclat de ce qui flamboie.

**flamboyant, ante** **I** adj. **1** Qui flamboie. **2** *Gothique flamboyant* (XV^e siècle), aux ornements ondulés. **II** n. m. Arbre des régions tropicales, à fleurs rouge vif.

**flamboyer** v. intr. [8] **1** Jeter par intervalles des flammes ou des reflets éclatants de lumière. **2** Briller, étinceler.

**flamenco** [-mɛn-] n. m. Genre musical traditionnel andalou, caractérisé par son expressivité, qui associe le chant et la danse.

**flamingant, ante** adj. **1** Qui parle flamand ; où l'on parle flamand. **2** adj. et n. Partisan de la limitation de l'influence française en Flandre belge.

**flamme** n. f. **I 1** Production lumineuse et mobile de gaz en combustion (→ **flamber ; flamboyer**). - *En flammes,* qui brûle par incendie. **2** Éclat (du regard...). **3** Animation, passion. *Parler avec flamme.* **4** littér. Passion amoureuse. **II 1** Pavillon long et étroit. → **oriflamme. 2** Marque postale allongée.

**flammé, ée** adj. Qui présente des taches en forme de flamme, des tons variés.

**flammèche** n. f. Parcelle enflammée qui se détache d'un brasier, d'un foyer.

**flammekueche** [flaməkyʃə] n. f. région. (Alsace) Préparation de pâte fine cuite au four, garnie de lardons, d'oignons, de crème. - var. **flammeküche.** - syn. **tarte flambée.**

**flan** n. m. **I 1** Crème à base de lait, d'œufs, de farine cuite au four. **2** techn. Disque destiné à recevoir une empreinte. **II** loc. fam. **1** *En rester comme deux ronds de flan :* être stupéfait. **2** *C'est du flan,* de la blague. - *Au flan :* au hasard, sans réfléchir.

**flanc** [flɑ̃] n. m. **1** Partie latérale du corps (de l'homme et de certains animaux). - loc. fam. *Tirer au flanc :* paresser (→ **tire-au-flanc**). **2** littér. Côtés du torse, symbole de la vie. → **entrailles, sein. 3** littér. (choses) Partie latérale. - *À flanc de :* sur le flanc de. **4** Côté droit ou gauche (d'une armée) (opposé à *front*). → **aile.** ◆ loc. fig. *Prêter le flanc :* donner prise (à). → s'**exposer.** *Prêter le flanc à la critique.*

**flancher** v. intr. [1] fam. Céder, faiblir.

**flanchet** n. m. Morceau de bœuf, de veau, entre la poitrine et la tranche grasse.

**flandrin, ine** **1** adj. et n. De la Flandre. **2** n. m. Homme grand, d'allure gauche.

**flanelle** n. f. Tissu de laine pelucheux.

**flâner** v. intr. [1] **1** Se promener sans hâte, en s'abandonnant à l'impression du moment. **2** S'attarder, être dans l'inaction. ► **flânerie** n. f. ► **flâneur, euse** n. et adj.

① **flanquer** v. tr. [1] **1** Être sur le côté, sur le flanc de (une construction...). - au p. p. *Château flanqué de tours.* **2** (surtout p. p.) Accompagner ; escorter.

② **flanquer** v. tr. [1] fam. **1** Lancer, jeter brutalement ou brusquement. *Flanquer qqn à la porte.* → **renvoyer. 2** Provoquer brutalement. → **donner.** *Il m'a flanqué la frousse.*

**flapi, ie** adj. fam. Épuisé, éreinté.

**flaque** n. f. Petite nappe de liquide.

**flash** n. m. anglic. **1** Lampe à émission de lumière brève et intense, pour prendre des instantanés. ◆ Éclair produit par cet appareil. - fig. Idée, réminiscence soudaine. **2** Séquence de courte durée. *Flash publicitaire.* **3** Courte nouvelle (presse). **4** fam. Vif plaisir (par la drogue...).

**flash-back** n. m. invar. anglic. Retour en arrière, dans un film, un récit.

**flash-ball** [-bol] n. m. anglic. Arme à feu défensive, utilisant des balles de caoutchouc durci. *Des flash-balls.*

**flashcode** n. m. (marque déposée) Pictogramme représentant un code-barre en deux dimensions, permettant d'accéder à un contenu multimédia avec un smartphone.

**flasher** v. [1] anglic. **I** v. intr. **1** Produire un éclair (flash). **2** fam. Avoir un flash (4). **3** fam. *Flasher sur* (qqn, qqch.), être très intéressé, séduit... **II** v. tr. **1** Photographier au flash. **2** techn. Produire (une page...) en photocomposition. **3** Enregistrer l'image de (un véhicule) au moyen d'un appareil (radar...).

① **flasque** adj. Qui manque de fermeté.

② **flasque** n. f. Petite bouteille plate.

**flatter** v. tr. [1] **I 1** Louer excessivement ou faussement (qqn), pour séduire. → **encenser, flagorner. 2** littér. *Flatter qqn de qqch.,* le lui laisser faussement espérer. **3** Caresser avec la main. *Flatter un chien.* **II** (sujet chose) **1** Faire concevoir de la fierté à. *Cet honneur me flatte.* **2** Faire paraître plus beau que la réalité. → **avantager.** *Ce portrait la flatte.* **III** (compl. chose) **1** Favoriser avec complaisance. *Flatter les vices de qqn.* **2** Affecter agréablement (les sens). *Ce vin flatte le palais.* ▷ v. pron. se **flatter** (de) **1** (+ inf.) Se croire assuré de. **2** (+ n. ou inf.) Tirer orgueil, vanité de. → se **targuer** de.

**flatterie** n. f. Action, fait de flatter.

**flatteur, euse** **I** n. Personne qui flatte. **II** adj. **1** Qui loue avec exagération ou de façon intéressée. **2** Qui flatte l'amour-propre (→ **élogieux**). **3** Qui flatte (II, 2), embellit. ► **flatteusement** adv.

**flatulence** n. f. Accumulation de gaz dans les intestins (se traduisant par un ballonnement intestinal, des flatuosités).

**flatulent, ente** adj. Qui s'accompagne de flatulence. - Sujet à la flatulence.

**flatuosité** n. f. Gaz accumulé dans les intestins ou expulsé. → **vent ; pet.**

① **fléau** n. m. **1** Instrument à battre les céréales, composé de deux bâtons liés bout à bout. **2** anciennt *Fléau d'armes* : arme formée d'une boule cloutée reliée à un manche par une chaîne. **3** Pièce rigide (d'une balance), mobile verticalement.

② **fléau** n. m. **1** Calamité qui s'abat sur un peuple. **2** Personne, chose nuisible.

**flèche** n. f. **I 1** Arme de jet consistant en une tige munie d'une pointe à une extrémité et d'un empennage à l'autre. - loc. *Faire flèche de tout bois* : utiliser tous les moyens disponibles. **2** littér. Trait d'esprit, raillerie. → **pique. 3** loc. *La flèche du Parthe* : trait piquant qui conclut une conversation. **II 1** Signe figurant une flèche, servant à indiquer une direction. **2** Toit pyramidal ou conique d'un clocher, d'une tour. **3** Ce qui avance en pointe. - loc. *Se trouver en flèche*, à l'avant-garde.

**flécher** v. tr. [6] Indiquer par des flèches (II, 1). - au p. p. *Itinéraire fléché.* ► **fléchage** n. m.

**fléchette** n. f. Petite flèche.

**fléchir** v. [2] **I** v. tr. **1** Faire plier progressivement sous un effort, une pression. → **courber, ployer.** - *Fléchir le genou* : s'agenouiller. **2** fig. Faire céder peu à peu (qqn). **II** v. intr. **1** Plier, se courber peu à peu sous un effort, une pression. **2** fig. Céder ; perdre de sa force.

**fléchissement** n. m. **1** Action de fléchir ; état d'un corps qui fléchit. → **flexion. 2** fig. Fait de céder, de faiblir.

**flegmatique** adj. Calme, peu émotif. ► **flegmatiquement** adv.

**flegme** n. m. Caractère, comportement calme, non émotif. → **impassibilité, sang-froid.**

**flegmon** → **phlegmon**

**flemmard, arde** adj. et n. fam. Paresseux.

**flemmarder** v. intr. [1] fam. Avoir la flemme ; ne rien faire.

**flemme** n. f. fam. Grande paresse. *Tirer sa flemme* : paresser.

**flétan** n. m. Grand poisson plat des mers froides, à chair blanche et délicate.

① **flétrir** v. tr. [2] **1** Faire perdre sa forme, son port et ses couleurs à (une plante), en privant d'eau. → **faner, sécher. 2** littér. Dépouiller de son éclat, de sa fraîcheur. → **altérer. 3** littér. Faire perdre la pureté, l'innocence à. → **avilir, souiller.**

② **flétrir** v. tr. [2] **1** anciennt Marquer (un criminel) au fer rouge. → **stigmatiser. 2** littér. Vouer à l'opprobre ; déshonorer.

① **flétrissure** n. f. **1** État d'une plante flétrie. **2** Altération de l'éclat (du teint...).

② **flétrissure** n. f. **1** anciennt Marque au fer rouge. **2** littér. Atteinte à l'honneur.

**fleur** n. f. **I 1** Production délicate, souvent odorante, des plantes à graines, qui porte les organes reproducteurs (→ **flor(i)-**). - *Des arbres en fleur(s).* ♦ par métaphore «*Les Fleurs du mal*» (poèmes de Baudelaire). **2** Plante qui porte des fleurs (belles, grandes). *Pot de fleurs.* **3** Reproduction, imitation de cette partie du végétal. - *Fleur de lis*.* **4** loc. *Couvrir qqn de fleurs*, de louanges. ♦ loc. adj. invar. *Fleur bleue* : d'une sentimentalité romanesque. ♦ fam. *Comme une fleur* : très facilement. - *Faire une fleur à qqn*, une faveur. **5** *À la, dans la fleur de* : au moment le plus beau de. **6** fam., plais. Virginité. *Elle a perdu sa fleur.* **7** Ce qu'il y a de meilleur. → **crème, élite. 8** par métaphore Ornement poétique. *Fleurs de rhétorique.* **II** *Fleurs de vin, de vinaigre*, moisissures qui s'y développent. **III 1** loc. prép. *À fleur de* : presque au niveau de, et sur le même plan (→ **affleurer, effleurer**). - *Sensibilité à fleur de peau*, qui réagit à la plus petite excitation. **2** Côté du poil (d'une peau tannée).

**fleurdelisé, ée** adj. Orné, décoré de fleurs de lis. - n. m. (Canada) Drapeau du Québec (orné de fleurs de lis).

**fleurer** v. tr. [1] littér. Répandre une odeur agréable de. → **embaumer.**

**fleuret** n. m. **1** Épée à lame de section carrée, pour s'exercer. **2** Sport du fleuret.

**fleurette** n. f. **I 1** Petite fleur. **2** loc. *Conter fleurette à une femme*, la courtiser. **II** appos. *Crème fleurette* : crème très fluide.

**fleuri, ie** adj. **1** En fleur, couvert de fleurs. **2** Garni de fleurs. **3** Orné de fleurs. **4** Qui présente des moisissures (fromage...). **5** Qui a la fraîcheur de la santé. *Un teint fleuri.* **6** plais. Qui a des boutons. *Un nez fleuri.* **7** Très orné, précieux. *Un style fleuri.*

**fleurir** v. [2] **I** v. intr. **1** (plantes) Produire des fleurs, être en fleur. **2** plais. (visage...) Se couvrir de boutons. → **bourgeonner. 3** fig. S'épanouir ; être dans tout son éclat (imparfait *fleurissait* ou littér. *florissait*). → **florissant. II** v. tr. Orner de fleurs.

**fleuriste** n. Personne qui vend des fleurs.

**fleuron** n. m. Ornement en forme de fleur. - fig. *Le plus beau fleuron de* (une collection) : l'élément le plus précieux.

**fleuve** n. m. **1** Cours d'eau important (remarquable par le nombre de ses affluents, la longueur de son cours...) qui se jette dans la mer. **2** Ce qui coule. *Un fleuve de sang.* ♦ appos. *Roman-fleuve* : roman très long.

**flexible** adj. **1** Qui fléchit facilement, se laisse plier. *Tige flexible.* **2** fig. Qui s'accommode aux circonstances. *Caractère flexible.* - *Horaire flexible.* ► **flexibilité** n. f.

**flexion** n. f. **1** Mouvement par lequel une chose fléchit ; état de ce qui est fléchi. → **fléchissement.** *Flexion de la jambe* (opposé à *extension*). **2** ling. Modification d'un mot à l'aide d'éléments (→ **désinence**) qui expriment certains aspects et rapports grammaticaux (ex. conjugaison, déclinaison).

**flibustier** n. m. anciennt Pirate.

**flic** n. fam. **1** Agent de police ; policier. **2** péj. Personne autoritaire.

**flingue** n. m. fam. Pistolet, revolver, etc.

**flinguer** v. tr. [1] fam. Tirer sur (qqn) avec une arme à feu.

① **flipper** [flipœʀ] n. m. anglic. **1** Dans un billard électrique, Dispositif qui permet de renvoyer la bille. **2** Billard électrique.

② **flipper** [flipe] v. intr. [1] anglic., fam. Être subitement déprimé ; être angoissé.

**fliquer** v. tr. [1] fam. Surveiller (qqn).

**flirt** [flœʀt] n. m. anglic. **1** Relation amoureuse plus ou moins chaste. ♦ fig. Rapprochement momentané (→ **flirter**, fig.). **2** Personne avec laquelle on flirte.

**flirter** [flœʀte] v. intr. [1] anglic. Avoir un flirt (avec qqn). ♦ fig. *Flirter avec :* se rapprocher de (notamment en politique).

**floc** interj. Onomatopée, chute dans l'eau.

**flocage** n. m. techn. Collage de fibres courtes, qui donne un aspect velouté.

**floche** adj. techn. (fil) De faible torsion.

**flocon** n. m. **1** Petite touffe (de laine, de soie, etc.). **2** Petite masse peu dense (de neige...). **3** Petite lamelle (de céréales).

**floconneux, euse** adj. En flocons.

**floculation** n. f. chim. Rassemblement en flocons des particules d'une solution colloïdale.

**flonflons** n. m. pl. Accords bruyants de certains morceaux de musique populaire.

**flop** [flɔp] n. m. fam. Échec. → **bide,** ② **four.** *Le film a fait un flop.*

**flopée** n. f. fam. Grande quantité.

**floqué, ée** adj. techn. Traité par flocage.

**floraison** n. f. Épanouissement des fleurs. ♦ fig. *Une floraison de talents.*

**floral, ale, aux** adj. De la fleur.

**floralies** n. f. pl. **I** Antiq. Fêtes pour la déesse Flore. **II** Exposition de fleurs.

**flore** n. f. **1** Ensemble des plantes (d'une région...). **2** biol. Ensemble des microorganismes vivant dans les tissus, les organes.

faire **florès** [-ɛs] loc. verbale littér. Obtenir des succès. → **briller, réussir.**

**floriculture** n. f. Branche de l'horticulture qui s'occupe des fleurs.

**florilège** n. m. Recueil de pièces choisies. → **anthologie.**

**florin** n. m. **1** anciennt Pièce de monnaie en or. **2** Ancienne unité monétaire des Pays-Bas (avant l'euro).

**florissant, ante** adj. En plein épanouissement ; en pleine prospérité.

**flot** n. m. **I 1** au plur. Eaux en mouvement ; spécialt, poét. la mer. ♦ **au sing.** Eau qui s'écoule. - *Le flot :* la marée montante. **2** Ce qui est ondoyant, se déroule en vagues. *Un flot de rubans.* **3** Grande quantité de liquide versé, répandu. *Des flots de larmes.* **4** Écoulement, mouvement abondant. *Des flots de lumière.* - abstrait *Des flots de paroles.* ♦ *À flots* loc. adv. → **abondamment. II** loc. adj. *À flot :* qui flotte. *Navire à flot.* - fig. *Être à flot,* cesser d'être submergé par les difficultés.

**flottable** adj. **1** techn. (cours d'eau) Sur lequel on peut faire flotter du bois. **2** Qui peut flotter. ► **flottabilité** n. f.

**flottage** n. m. Transport de bois flotté.

**flottaison** n. f. Intersection avec le plan de l'eau de la surface d'un navire à flot.

**flottant, ante** adj. **1** Qui flotte. **2** Qui flotte au gré du vent. **3** Qui n'est pas fixe ou assuré. → **variable. 4** Qui ne s'arrête à rien de précis. *Attention flottante.*

① **flotte** n. f. **1** Réunion de navires naviguant ensemble. → **escadre. 2** Forces navales d'un pays. ♦ par analogie *Flotte aérienne.*

② **flotte** n. f. fam. Eau. - Pluie.

**flottement** n. m. **1** Mouvement d'ondulation. **2** fig. État incertain ; fluctuation.

① **flotter** v. [1] **I** v. intr. **1** Être porté sur un liquide (notamment l'eau). → **surnager. 2** Être en suspension dans l'air. **3** Bouger, remuer au gré du vent ou d'un mouvement. ♦ Être libre, ample (vêtement). **4** (abstrait) Être instable, variable. **II** v. tr. Lâcher (du bois) dans un cours d'eau pour qu'il soit transporté. - au p. p. *Bois flotté.*

② **flotter** v. impers. [1] fam. Pleuvoir.

**flotteur** n. m. **1** Objet capable de flotter à la surface de l'eau. **2** Organe qui repose sur l'eau et fait flotter un engin.

**flottille** n. f. Flotte de petits bâtiments.

**flou, floue** adj. **1** De contours peu nets. *Photo floue.* - n. m. *Flou artistique* (fig. imprécision volontaire). **2** fig. Incertain, indécis.

**flouer** v. tr. [1] Voler, tromper (qqn).

**flouter** v. tr. [1] techn. Rendre volontairement flou, par altération de la netteté de l'image. *Flouter un visage.*

**flouze** n. m. fam. Argent. - var. **flouse.**

**fluctuant, ante** adj. **1** Qui varie, va d'un objet à un autre. → **inconstant ; indécis. 2** Qui subit des fluctuations. → **flottant.**

**fluctuation** n. f. surtout au plur. Variations successives en sens contraire.

**fluctuer** v. intr. [1] Être fluctuant.

**fluet, ette** adj. (personnes...) Mince et frêle. ♦ *Une voix fluette.* → **faible.**

**fluide I** adj. **1** Qui n'est ni solide ni épais, qui coule aisément. **2** fig. Coulant, limpide. *Un style fluide.* **3** Difficile à saisir, à fixer. → **fluctuant. 4** (circulation) Qui se fait aisément. **II** n. m. **1** Tout corps qui épouse la forme de son contenant (les liquides, les gaz) (opposé à *solide*). **2** Influence subtile qui émanerait des êtres, des choses.

**fluidifier** v. tr. [7] didact. Rendre fluide.

**fluidité** n. f. État de ce qui est fluide.

**fluo** adj. invar. Fluorescent (2). *Vert fluo. Les couleurs fluo.*

**fluor** n. m. Corps simple (symb. F), gaz toxique jaune verdâtre.

**fluoré, ée** adj. Qui contient du fluor.

**fluorescence** n. f. Propriété de certains corps d'émettre de la lumière sous l'influence d'un rayonnement (→ aussi phosphorescence).

**fluorescent, ente** adj. **1** Relatif à la fluorescence ; doué de fluorescence. **2** Qui évoque la fluorescence (couleurs ; objets). → fam. **fluo.**

**flûte** n. f. **I 1** Instrument à vent formé d'un tube percé de plusieurs trous. - *Flûte de Pan,* à plusieurs tuyaux. **2** Pain de forme allongée. → **baguette. 3** Verre à pied, haut et étroit. **4 au plur.** fam. Les jambes. **II** interj. Interjection marquant la déception. → **zut.**

**flûté, ée** adj. Proche du son de la flûte.

**flûtiau** [-tjo] n. m. Petite flûte rustique.

**flûtiste** n. Musicien qui joue de la flûte.

**fluvial, ale, aux** adj. Relatif aux fleuves, aux rivières. *Navigation fluviale.*

**flux** n. m. **1** didact. Écoulement (d'un liquide organique). ♦ fig. *Un flux de reproches.* **2** Marée montante (opposé à *reflux*). **3** sc. *Flux lumineux,* débit de lumière. **4** écon. Mouvement, déplacement. *Flux monétaires.*

**fluxion** n. f. **1** méd. Congestion. - vx *Fluxion de poitrine.* → **pneumonie. 2** Gonflement inflammatoire des gencives ou des joues.

**flyer** [flajœʀ] n. m. anglic. Tract, petit prospectus servant à annoncer un spectacle (concert...), un événement.

**foc** n. m. Voile triangulaire à l'avant d'un bateau.

**focal, ale, aux** adj. Qui concerne le foyer, les foyers d'un instrument d'optique. - *Distance focale* ou n. f. *focale :* distance de la lentille au foyer principal.

**focaliser** v. tr. [1] **1** Concentrer (un rayonnement) en un point (→ **foyer**). **2** fig. Concentrer, rassembler. ▷ v. pron. **se focaliser** ▶ **focalisation** n. f.

**foehn** [føn] n. m. Vent chaud des Alpes.

**fœtal, ale, aux** [fe-] adj. Du fœtus.

**fœtus** [fetys] n. m. Produit de la conception encore renfermé dans l'utérus, lorsqu'il n'est plus à l'état d'embryon* et présente les caractères de l'espèce.

**fofolle** → **foufou**

**foi** n. f. **I 1** littér. Assurance donnée d'être fidèle à ses engagements. ♦ loc. *Ma foi :* certes, en effet. *C'est ma foi vrai.* **2** (Garantie résultant d'une promesse) *Sous la foi du serment.* - *Sur la foi des témoins.* ♦ *Faire foi* (sujet chose) : porter témoignage. *Le cachet de la poste faisant foi.* **3** loc. *Bonne foi :* qualité d'une personne qui parle, agit avec une intention droite, sans ruse. - *Mauvaise foi :* déloyauté, duplicité. **II 1** Fait de croire qqn, qqch. *Un témoin digne de foi.* **2** Confiance absolue que l'on met (en qqn, en qqch.) (→ **se fier**). **3** Fait de croire en un dieu (spécialt, en la religion dominante), en un dogme par une adhésion profonde. → **croyance.** - *N'avoir ni foi ni loi,* ni religion ni morale.

> Ne pas confondre avec *foie* «organe» ni avec *fois* «occasion».

**foie** n. m. **1** Organe situé dans la partie supérieure droite de l'abdomen, qui filtre et renouvelle le sang (→ **hépatique**). **2** Cet organe, chez certains animaux, utilisé pour la consommation. - *Foie gras :* foie de canard (ou d'oie) engraissé par gavage. **3** loc. fam. *Avoir les foies :* avoir peur.

> Ne pas confondre avec *foi* «croyance» ni avec *fois* «occasion».

**foil** [fɔjl] n. m. anglic., techn. Aileron incurvé placé sous une coque, pouvant porter un bateau capable de déjauger (→ **hydrofoil**).

① **foin** n. m. **1** Herbe des prairies fauchée et séchée pour la nourriture du bétail. → **fourrage. 2** Herbe sur pied destinée à être fauchée. **3** au plur. *Faire les foins :* couper et ramasser les foins. ♦ *Rhume des foins* (coryza chronique saisonnier). **4** Poils soyeux du fond de l'artichaut. **5** fam. *Faire du foin,* du scandale ; protester.

② **foin** interj. vieilli Interjection de dédain, de mépris. → **fi.**

**foire** n. f. **1** Grand marché public qui a lieu à des dates et en un lieu fixes. *Foire aux bestiaux.* **2** Grande manifestation commerciale périodique. **3** fam. *Faire la foire :* mener une vie de plaisirs. **4** *Foire aux questions* (pour traduire le sigle angl. *FAQ*) : rubrique, document électronique rassemblant les principales questions posées sur un sujet et leur réponse. - abrév. **FAQ** n. f. *La rubrique FAQ d'un site Internet.*

**foirer** v. intr. [1] **1** vulg., vieilli Évacuer des excréments liquides. **2** fam. Mal fonctionner ; échouer lamentablement.

**foireux, euse** adj. **1** vulg., vieilli Qui a la diarrhée. **2** fam. Qui échoue ; raté.

**fois** n. f. **I** marquant la fréquence, le retour d'un événement Cas, occasion où un fait se produit, se reproduit. **1** (sans prép.) *Une seule fois. Une bonne fois, une fois pour toutes,* d'une manière définitive. – fam. *Des fois.* → **parfois, quelquefois. 2** (précédé d'une prép.) *Par deux fois :* à deux reprises. – *Pour une fois..., pour cette fois...* → **exceptionnellement. 3** loc. adv. *À la fois :* en même temps. **4** vx *Une fois :* un certain jour. *Il était une fois* (commencement traditionnel des contes de fées). **5** loc. conj. *Une fois que :* dès que, dès l'instant où. ♦ ellipt *Une fois la crise passée...* **II 1** servant d'élément multiplicateur ou diviseur *Deux fois plus grand, plus petit...* **2** littér. Équivalent d'un superlatif. « *Ô jour trois fois heureux !* » (Racine). – cour. *Vous avez mille fois raison.*

> Ne pas confondre avec *foi* « croyance » ni avec *foie* « organe ».

**foison** n. f. **1** vx ou littér. Abondance. **2** mod. *À foison* loc. adv. : en grande quantité.

**foisonner** v. intr. [1] **1** Être en grande abondance, à foison. → **abonder. 2** *Foisonner en, de :* être pourvu abondamment de. ► **foisonnant, ante** adj. ► **foisonnement** n. m.

**fol, folle** → **fou**

**folâtre** adj. Qui aime la plaisanterie.

**folâtrer** v. intr. [1] Jouer ou s'agiter de façon folâtre. → **batifoler.**

**foliacé, ée** adj. didact. En forme de feuille.

**foliation** n. f. didact. Disposition ; développement des feuilles.

**folichon, onne** adj. *Pas folichon :* pas réjouissant.

① **folie** n. f. **I 1** Trouble mental ; égarement de l'esprit. → **aliénation, démence. 2** Manque de jugement ; absence de raison. → **déraison ; inconscience.** – loc. *À la folie.* → **passionnément. 3** Idée, parole, action déraisonnable. – spécialt Dépense excessive. **II** Danse ancienne (XVIIe siècle).

② **folie** n. f. vx Maison d'agrément.

**folié, ée** adj. bot. Garni de feuilles.

**folio** n. m. **1** Feuillet de registre. **2** Chiffre qui numérote chaque page d'un livre. ► **folioter** v. tr. [1]

**foliole** n. f. bot. Chacune des feuilles qui forment une feuille composée (trèfle...).

**folk** n. f. ou m. et adj. anglic. Musique traditionnelle modernisée (d'abord aux États-Unis). – adj. *Groupes folks* ou *folk* (invar.).

**folklore** n. m. anglic. **1** Science des traditions, des usages et de l'art populaires (d'un pays...). **2** Ensemble de ces traditions. **3** fam. *C'est du folklore,* ce n'est pas sérieux.

**folklorique** adj. **1** Relatif au folklore. **2** fam. Pittoresque, mais sans sérieux.

**folle** → **fou**

**follement** adv. D'une manière folle, excessive. – Au plus haut point.

**follet, ette** adj. **1** Qui a quelque chose de capricieux, d'irrégulier. **2** *Feu follet :* flamme due à une exhalaison de gaz (hydrogène phosphoré) qui brûle spontanément.

**follicule** n. m. anat. Petit sac membraneux. ► **folliculaire** adj.

**fomenter** v. tr. [1] Susciter (qqch. de néfaste). *Fomenter des troubles.* ► **fomentateur, trice** ou **fomenteur, euse** n.

**foncé, ée** adj. D'une nuance sombre.

> Avec un adj. de couleur, les deux sont invariables : *des robes bleu foncé.*

**foncer** v. [3] **I** v. tr. techn. Garnir d'un fond. **II 1** v. tr. Rendre (une teinte) plus sombre. **2** v. intr. Devenir plus foncé. **III** v. intr. **1** Se jeter impétueusement (sur, dans). **2** fam. Aller très vite et tout droit. – fig. Aller hardiment de l'avant (→ **fonceur**).

**fonceur, euse** n. Personne qui fonce, qui va de l'avant. → **battant.** – adj. *Tempérament fonceur.*

**foncier, ière** adj. **1** Qui constitue, est relatif à un bien-fonds. **2** Qui est au fond du caractère de qqn. ► **foncièrement** adv.

**fonction** n. f. **I** (personnes) **1** Ce que doit accomplir une personne dans son travail, son emploi. → **activité, office, service, tâche, travail. 2** Cet emploi, considéré en rapport avec la collectivité. → **charge, métier, poste, situation.** – *Voiture de fonction,* allouée à qqn dans le cadre de sa fonction. ♦ *Fonction publique :* situation de l'agent d'un service public. **II** (choses) **1** (sens général) Action particulière (d'une chose dans un ensemble). → **rôle.** *Faire fonction de :* tenir lieu de. **2** spécialt Ensemble des propriétés actives concourant à un but, chez l'être vivant. *La fonction respiratoire.* ♦ ling. Ensemble des propriétés (d'une unité par rapport aux autres). *Fonctions de l'adjectif* (attribut, épithète). **3** math. Correspondance qui à tout élément d'un ensemble associe au plus un élément d'un autre ensemble. → **application. 4** loc. *Être fonction de :* dépendre de. ♦ *En fonction de :* par rapport à.

**fonctionnaire** n. Personne qui a un emploi permanent dans une administration publique.

**fonctionnel, elle** adj. **1** didact. Relatif aux fonctions (II). **2** cour. (choses) Qui est adapté à sa fonction. *Meuble fonctionnel.*

**fonctionner** v. intr. [1] (organe, mécanisme...) Accomplir une fonction. → **marcher.** – *Sa mémoire ne fonctionne plus.* ► **fonctionnement** n. m.

**fond** n. m. **I** Partie la plus basse de qqch. de creux, de profond (contr. *dessus ; surface*). **1** Paroi ou partie inférieure (d'un récipient, d'un contenant). *Le fond d'un verre ; d'un sac.* **2** Substance contenue au fond, près du fond. – *Un fond* (de verre, etc.), une petite quantité. **3** Sol où reposent des eaux. → **bas-fond, haut-fond.** ♦ Hauteur d'eau. → **profondeur.** **4** fig. Point le plus bas. *Toucher le fond du désespoir.* **5** Partie basse (d'un paysage). **6** Intérieur de la mine. *Mineur de fond.* **II** (Partie la plus reculée) **1** Partie (d'un lieu) opposée à l'entrée (contr. *bord, entrée*). *Au fond de la cour.* – (Opposée à l'ouverture). *Le fond d'une armoire.* **2** Partie (d'un vêtement) éloignée des bords. *Un fond de culotte.* **3** Partie (d'un organe) opposée à l'orifice. *Le fond de la gorge.* **III** (Partie qui sert d'appui) **1** Ce qui supporte un édifice. – loc. *De fond en comble**. **2** Ce que l'on voit, etc. en arrière-plan. *Rayures noires sur fond rouge.* **3** *Fond de teint :* crème colorée destinée à unifier le teint. **4** loc. fam. *Le fond de l'air,* la température de base. **IV** (abstrait) **1** (pensées, sentiments) *Le fond de son cœur.* → **tréfonds.** **2** Réalité profonde. *Aller au fond des choses.* **3** loc. adv. *Au fond, dans le fond :* en considérant le fond des choses. → en **réalité.** ♦ *À fond* → **complètement, entièrement.** **4** Élément essentiel, permanent. *Un fond d'honnêteté.* **5** Ce qui appartient au contenu (d'une œuvre...) (opposé à *forme*). *Je suis d'accord sur le fond.* – *Article de fond,* qui fait le point sur un sujet important. **6** Qualités physiques de résistance. *Course de fond, de demi-fond,* disputée sur une longue distance (opposé à *vitesse, sprint*). – *Ski de fond.*

> Ne pas confondre avec *fonds* «capital» ni *fonts* «bassin pour le baptême».

**fondamental, ale, aux** adj. **1** Qui sert de fondement ; qui a un caractère essentiel et déterminant. **2** Qui se manifeste avant toute chose et à fond. → **foncier, radical.** **3** *Recherche fondamentale,* théorique. ► **fondamentalement** adv. → **essentiellement.**

**fondamentalisme** n. m. Tendance religieuse conservatrice. ♦ Courant religieux intégriste.

**fondamentaliste** adj. **1** didact. Qui se livre à la recherche fondamentale. **2** Du fondamentalisme religieux. → **intégriste.** – n. *Les fondamentalistes musulmans.*

**fondant, ante** adj. Qui fond (II, 1 et 2 ; spécialt dans la bouche).

**fondateur, trice** n. Personne qui fonde (qqch.). – adj. *Membres fondateurs.*

**fondation** n. f. **1** (généralt au plur.) Travaux et ouvrages destinés à assurer la stabilité d'une construction à la base. **2** Action de fonder (une ville, une institution...). → **création.** **3** dr. Création par donation ou legs d'une œuvre d'intérêt public ou d'utilité sociale. **4** Œuvre qui recueille des dons ou des legs.

**fondé, ée de pouvoir** n. Personne chargée d'agir au nom d'une autre, d'une société.

**fondement** n. m. **I 1** Fait justificatif (d'un discours...). *Vos craintes sont sans fondement.* → **motif, raison.** **2** Point de départ (d'un système d'idées). → **principe.** **II** fam. Derrière ; anus.

**fonder** v. tr. [1] **1** Prendre l'initiative d'établir, d'édifier (une ville ; une œuvre). → **créer ; constituer, former.** **2** *Fonder* (qqch.) *sur :* établir sur (une base déterminée). → **baser.** **3** Constituer le fondement de. → **justifier, motiver.** ♦ au p. p. *Un reproche fondé.* → **juste.** – (personnes) *Être fondé à* (+ inf.) : avoir de bonnes raisons pour.

**fonderie** n. f. Usine où l'on fond le minerai (→ **aciérie, forge**), où l'on coule le métal en fusion.

① **fondeur** n. m. Personne (technicien...) qui travaille dans une fonderie.

② **fondeur, euse** n. Personne qui fait du ski de fond.

**fondre** v. [41] **I** v. tr. **1** Rendre liquide (un corps solide ou pâteux) par l'action de la chaleur. → **liquéfier ; fondu, fonte, fusion.** **2** Fabriquer avec une matière fondue. *Fondre une cloche.* **3** fig. Combiner intimement de manière à former un tout. **II** v. intr. **1** (solide) Passer à l'état liquide par l'effet de la chaleur. *La neige a fondu.* ♦ *Fondre en. La glace fond en eau.* – fig. *Fondre en larmes.* ♦ fig. S'attendrir. *J'ai fondu devant sa gentillesse.* **2** Se dissoudre dans un liquide. – *Cela fond dans la bouche* (→ **fondant**). **3** fig. Diminuer rapidement. **III** v. intr. *Fondre sur :* s'abattre avec violence sur. ▻ v. pron. **se fondre** **1** Se liquéfier. **2** S'unir en un tout. → se **confondre, fusionner.** – *Se fondre dans la foule.* → **disparaître,** s'**évanouir.**

**fondrière** n. f. Trou, dans un chemin.

**fonds** n. m. **I 1** Bien immeuble (domaine ou sol à bâtir). → **bien-fonds ; foncier.** **2** *Fonds (de commerce) :* ensemble des biens mobiliers et des droits appartenant à un commerçant ou un industriel et lui permettant d'exercer sa profession. **II** (souvent au plur.) **1** Capital. – *Bailleur de fonds :* commanditaire. ♦ *Fonds publics :* emprunts d'État ou ressources garanties par l'État. **2** Organisme de financement. *Le Fonds monétaire international* (F. M. I.). **3** Argent comptant. – *Être en fonds :* disposer d'argent. **III** Ressources (en œuvres, documents...).

> Ne pas confondre avec *fonts* «bassin pour le baptême» ni *fond* «partie la plus basse».

**fondu, ue** **I** adj. **1** Amené à l'état liquide. **2** (couleur, ton) Mélangé, dégradé. **II** n. m. cin. *Fondu enchaîné,* dans lequel une image se substitue à une autre.

**fondue** n. f. **1** *Fondue (savoyarde) :* mets à base de fromage fondu, dans lequel on trempe du pain. **2** *Fondue bourguignonne :* plat composé de morceaux de viande crue que l'on trempe dans l'huile bouillante.

**fongicide** adj. et n. didact. Qui détruit les champignons parasites. → **antifongique.**

**fongique** adj. didact. Relatif aux champignons. – Causé par les champignons.

**fontaine** n. f. **1** vieilli Source. **2** Construction d'où sortent des eaux amenées par canalisation (souvent avec bassin).

**fontanelle** n. f. Espace membraneux entre les os du crâne des nouveau-nés, qui s'ossifie au cours de la croissance.

① **fonte** n. f. **I 1** Fait de fondre, de se liquéfier. **2** Fabrication par fusion et moulage d'un métal. *La fonte d'une statue.* **II** Alliage de fer et de carbone obtenu dans les hauts fourneaux. **III** typogr. Ensemble de caractères d'un même type.

② **fonte** n. f. Fourreau de cuir attaché à une selle (pour y placer des armes, etc.).

**fonts** n. m. pl. *Fonts baptismaux :* bassin sur un socle, destiné à l'eau du baptême.

> Ne pas confondre avec *fonds* «capital» ni *fond* «partie la plus basse».

**football** [futbol] n. m. Sport opposant deux équipes de onze joueurs, où il faut faire pénétrer un ballon rond dans les buts adverses sans utiliser les mains (au Canada, on dit *soccer*). – abrév. fam. **foot.** *Jouer au foot.* ♦ *Football américain* (sport voisin du rugby ; au Canada, on dit *football*). ► **footballeur, euse** [futbolœʀ, øz] n. ► **footballistique** adj.

**footing** [futiŋ] n. m. anglic. Promenade hygiénique rapide, à pied.

**for** n. m. loc. *En, dans mon (son...) for intérieur :* au fond de soi-même.

**forage** n. m. Action de forer.

**forain, aine 1** adj. Qui a son activité sur les marchés et les foires. ♦ *Fête foraine,* groupant des entrepreneurs forains. **2** n. Personne qui organise des distractions dans les foires et fêtes foraines.

**forban** n. m. **1** Pirate qui entreprenait une expédition armée sur mer sans autorisation. **2** littér. Individu sans scrupules.

**forçage** n. m. Culture des plantes avant la saison (en châssis, serres...).

**forçat** n. m. **1** anciennt Bagnard ; galérien. **2** Condamné aux travaux forcés. **3** fig. Personne réduite à une condition pénible.

**force** n. f. **I** au sens individuel **1** Puissance d'action physique. → **vigueur.** *Ne plus avoir la force de marcher.* ♦ au plur. Énergie personnelle. *De toutes ses forces :* le plus fort possible. ♦ *En force,* en utilisant la force physique. – *De force :* qui exige de la force. *Épreuve de force :* conflit ouvert. – *Dans la force de l'âge :* mûr, adulte. **2** Capacité de l'esprit ; possibilités intellectuelles et morales. *Force de caractère.* → **courage, énergie, fermeté, volonté.** *Ils sont de la même force en chimie.* → **niveau. II** au sens collectif **1** Pouvoir, puissance. prov. *L'union fait la force.* – *Force de frappe :* ensemble des moyens militaires modernes (missiles, armes nucléaires). *Force de dissuasion**. – comm. *Force de vente :* personnel commercial. – *En force. Être en force,* avoir des effectifs considérables. **2** au plur. Ensemble des armées. *Les forces de l'ordre :* la police. **III** (choses) **1** Résistance (d'un objet). → **robustesse, solidité. 2** Intensité ou pouvoir d'action ; caractère de ce qui est fort. *La force du vent.* – (abstrait) *La force d'un sentiment.* **IV** (Principe d'action) sc. Cause capable de déformer un corps, ou d'en modifier le mouvement. *Force centrifuge.* ♦ cour. Courant électrique ; spécialt courant triphasé. **V** (Pouvoir de contrainte) **1** Contrainte, violence (individuelle ou collective). *Recourir à la force.* **2** (choses) Caractère irrésistible. – loc. *La force des choses :* la nécessité qui résulte d'une situation. – *Cas de force majeure :* événement imprévisible et inévitable. – *Force est de* (+ inf.) : on ne peut éviter de. **3** loc. adv. *De force :* en faisant effort pour surmonter une résistance. *Il obéira de gré ou de force,* qu'il le veuille ou non. – *Par force :* en recourant ou en cédant à la force. **VI** adv. littér. Beaucoup de. *Il nous a reçus avec force sourires.* ♦ loc. prép. *À force de :* par, grâce à beaucoup de. – loc. adv. fam. *À force :* à la longue.

**forcé, ée** adj. **1** Qui est imposé par la force des hommes ou des choses. *Atterrissage forcé.* ♦ fam. *C'est forcé.* → **inévitable. 2** Qui s'écarte du naturel. *Un sourire forcé.* → **affecté.**

**forcement** n. m. Action de forcer (I, 1).

**forcément** adv. D'une manière nécessaire, inévitable. → **inévitablement.**

**forcené, ée I** adj. **1** Qui dépasse la mesure. *Un désir forcené.* **2** Plein de rage. **3** Plein d'une folle ardeur. → **acharné. II** n. Personne en proie à une crise furieuse.

**forceps** [-ɛps] n. m. Instrument en forme de pince qui sert à faciliter l'expulsion, lors de certains accouchements.

**forcer** v. [3] **I** v. tr. **1** Faire céder (qqch.) par force. *Forcer une porte* (→ **effraction**). **2** Faire céder (qqn) par la force ou la contrainte. → **contraindre, obliger.** – *Forcer* (qqn) *à* (+ subst. ou inf.). – littér. *Forcer* (qqn) *de* (+ inf.). **3** Obtenir, par un effet personnel. *Forcer l'admiration.* **4** Imposer un effort excessif à. **5** Altérer, déformer par une interprétation abusive. → **dénaturer.** *Forcer la vérité.* **II** v. intr. Fournir un grand effort. ▷ v. pron. se **forcer** → se **contraindre.**

**forces** n. f. pl. techn. Grands ciseaux pour tondre les moutons, couper le métal, etc.

**forcing** n. m. anglic. Attaque sportive soutenue. – fig., fam. Attaque à outrance.

**forcir** v. intr. [2] Devenir plus fort ou plus gros.

**forclore** v. tr. [45] didact. Exclure, rejeter. ► **forclusion** n. f.

**forer** v. tr. [1] **1** Percer un trou dans (une matière dure) par des moyens mécaniques. **2** Former (un trou) en creusant mécaniquement.

**foresterie** n. f. Exploitation des forêts.

**forestier, ière** I n. Personne qui exerce une charge dans une forêt publique. – adj. *Garde forestier.* II adj. Qui est couvert de forêts ; qui appartient à la forêt. *Maison forestière :* habitation du garde forestier.

**foret** n. m. Instrument servant à forer. → **perceuse, vilebrequin, vrille.**

**forêt** n. f. 1 Vaste étendue de terrain couverte d'arbres ; ensemble de ces arbres. → **bois.** – *Eaux et Forêts :* ancien nom de l'administration française chargée des forêts. 2 fig. Ensemble très dense (d'objets hauts et serrés). *Une forêt de mâts.*

**foreur, euse** n. 1 Spécialiste du forage. 2 n. f. Machine servant à forer.

① **forfait** n. m. littér. Crime énorme.

② **forfait** n. m. Convention fixant par avance le prix d'un travail, etc. – *À forfait :* à un prix fixé d'avance. ► **forfaitaire** adj.

③ **forfait** n. m. Indemnité que doit payer le propriétaire d'un cheval engagé dans une course, s'il ne le fait pas courir. – loc. fig. *Déclarer forfait :* abandonner, renoncer.

**forfaiture** n. f. 1 hist. Violation du serment féodal. 2 littér. Déloyauté. 3 dr. Crime d'un fonctionnaire qui commet de graves infractions aux devoirs de sa charge.

**forfanterie** n. f. Vantardise impudente.

**forge** n. f. 1 Atelier où l'on travaille les métaux au feu et au marteau. 2 Installation où l'on façonne par traitement mécanique les métaux et alliages. 3 *Maître de forges :* industriel possédant une, des fonderies.

**forgeage** n. m. Action de forger.

**forger** v. tr. [3] 1 Travailler (un métal, un alliage) à chaud ou à froid (pour lui donner une forme...). → **battre.** – au p. p. *Fer forgé* (servant à fabriquer la ferronnerie d'art). 2 Façonner (un objet de métal) à la forge. 3 fig. Élaborer, inventer.

**forgeron, onne** n. Personne qui travaille le fer au marteau, au feu de la forge.

① se **formaliser** v. pron. [1] Être choqué (d'un manquement au savoir-vivre, etc.).

② **formaliser** v. tr. [1] didact. Donner à (un ensemble de connaissances) des caractères formels. ► **formalisation** n. f.

**formalisme** n. m. 1 littér. Attachement aux formes, aux formalités, dans la vie sociale. 2 dr. Système dans lequel la validité des actes est soumise à l'observation de formalités. 3 en art Tendance à rechercher la beauté formelle. 4 philos. Doctrine selon laquelle les vérités sont formelles, reposent sur des conventions. 5 didact. Emploi de systèmes formels (II, 3). ► **formaliste** adj. et n.

**formalité** n. f. 1 Opération prescrite par la loi, la règle et sans laquelle un acte n'est pas légal, valide. 2 Acte social, geste imposé par le respect des convenances. 3 Acte que l'on doit accomplir, mais qui ne présente pas de difficulté. *Une simple formalité.*

**format** n. m. 1 Dimension caractéristique d'un imprimé (livre, journal). 2 Dimension type (d'une feuille de papier, etc.). 3 Dimension, taille (d'un objet). 4 inform. Organisation des données d'un support d'information.

**formater** v. tr. [1] anglic., inform. Préparer (un support) à recevoir des données, selon un format. ► **formatage** n. m.

**formateur, trice** I n. Personne qui forme, éduque. II adj. Qui forme. *Influence formatrice.*

**formation** n. f. I Action de former, de se former ; manière dont une chose est formée. → **constitution, création, élaboration.** II (Ce qui est formé) 1 Couche de terrain d'origine définie. *Formations sédimentaires.* 2 Disposition d'une troupe. *Formation en carré.* 3 Groupement (de personnes). *Formation politique.* III 1 Éducation intellectuelle et morale. *La formation du goût.* 2 Ensemble de connaissances (dans un métier...) ; leur acquisition. *Formation professionnelle.*

**forme** n. f. I (Apparence naturelle) 1 Ensemble des contours (d'un objet, d'un être), en fonction de ses parties. → **configuration, conformation, contour, figure.** *Forme allongée.* 2 Être ou objet confusément aperçu. *Une forme imprécise au loin.* 3 Apparence extérieure (d'un objet, d'un être) ; modèle à reproduire. – *En forme de. Sous (la) forme de :* avec l'apparence de. 4 *Les formes :* les contours du corps humain. 5 Contour considéré d'un point de vue esthétique. → **galbe, ligne, modelé.** *Beauté des formes* (→ **plastique**). II (Réalisation d'un fait, d'une notion) 1 Manière dont une notion, un phénomène se présente. *Les différentes formes de la vie.* → **aspect, état, variété.** 2 Variante grammaticale ; aspect sous lequel se présente un mot, un énoncé (→ **morphologie**). *Les formes du féminin.* 3 Manière dont (une pensée, une idée) s'exprime. → **expression, style.** III (idée de conformité à une norme) 1 Manière de procéder, d'agir selon les règles. → **formalité, norme, règle.** – *Pour la forme ; dans les formes,* en respectant les formes habituelles. 2 Aspect d'un acte juridique. *Contrat en bonne et due forme.* IV Condition physique (d'un sportif, etc.). *Être en pleine forme.* – absolt Bonne condition physique et morale. *Être en forme.* V didact. (Principe interne d'unité) 1 Ce qui règle l'exercice de la pensée. *Forme d'un raisonnement.* 2 Entité organisée considérée dans sa structure*. VI 1 Ce qui sert à donner une forme déterminée à un produit manufacturé. → **gabarit, modèle, patron.** 2 Moule creux.

**formel, elle** adj. I Dont la précision et la netteté excluent tout malentendu. → **clair, explicite, précis.** *Refus formel.* – *Il a été formel.* II 1 Qui repose sur la forme, qui privilégie la forme par rapport au contenu. **2** Relatif à la forme (d'une œuvre...). *Beauté formelle.* **3** didact. Qui concerne les formes de la pensée ; qui traite et décrit des structures, des relations entre éléments. *Logique formelle.* ► **formellement** adv.

**former** v. tr. [1] **I 1** Faire naître dans son esprit. *Former un projet.* **2** Créer (un ensemble, une chose complexe). → **constituer.** **3** (sujet chose) Être la cause de. *Dépôts qui forment des sédiments.* **II 1** Façonner en donnant une forme déterminée. *Bien former ses lettres.* **2** Développer, exercer (une aptitude ; l'esprit de qqn). *Former son goût.* **III 1** Constituer en tant qu'élément. *Les personnes qui forment une assemblée.* **2** Prendre la forme de. *La route forme des courbes.* ▷ v. pron. **se former 1** Acquérir une forme. **2** Prendre une forme déterminée. **3** S'instruire, se cultiver... ▷ p. p. adj. **formé, ée**

**formica** n. m. (nom déposé) Matériau stratifié recouvert d'une résine dure.

**formidable** adj. **1** vieilli Qui inspire une grande crainte. → **effrayant.** **2** Dont la taille, la force, la puissance est très grande. → **énorme, imposant.** **3** fam. Excellent. → **sensationnel.** ► **formidablement** adv.

**formique** adj. *Acide formique :* liquide corrosif présent dans l'organisme des fourmis, les orties, etc. – *Aldéhyde formique* (antiseptique). → aussi **formol.**

**formol** n. m. Solution d'aldéhyde formique, employée comme antiseptique.

**formulaire** n. m. **1** Recueil de formules. **2** Imprimé portant une série de questions auxquelles on répond. → **questionnaire.**

**formulation** n. f. Action de formuler ; manière dont qqch. est formulé.

**formule** n. f. **I 1** dr. Modèle selon lequel un acte doit être rédigé. **2** Paroles rituelles prononcées dans certaines circonstances (en religion...). **3** Expression dont la coutume commande l'emploi dans certaines circonstances. *Formules de politesse.* **II 1** Expression concise et générale, souvent symbolique, définissant une relation ou une opération. *Formule algébrique.* **2** Solution type (d'un problème) ; manière de procéder. *Trouver la bonne formule.* → **méthode, procédé.** **3** Expression concise, nette et frappante (d'une idée). → **aphorisme, sentence.** **4** Imprimé destiné à recevoir un texte court. → **formulaire.**

**formuler** v. tr. [1] **1** didact. Rédiger en formule ; faire d'après une formule. *Formuler un problème.* **2** Énoncer avec précision et netteté. **3** Exprimer (par des mots). *Formuler son opinion ; un souhait.*

**forniquer** v. intr. [1] relig. Avoir des relations sexuelles coupables. ► **fornication** n. f.

**fors** prép. vx Excepté, sauf. → **hormis.** « *Tout est perdu, fors l'honneur* » (attribué à François Ier, après la défaite de Pavie).

**forsythia** [-sja] n. m. bot. Arbuste décoratif à fleurs jaunes.

① **fort, forte** adj. **I 1** (personnes) Qui a de la force physique. → **robuste, vigoureux.** ♦ *La manière forte,* la force. → **force** (V). **2** Considérable par les dimensions. – (euphémisme pour *gros*) → **corpulent.** **3** Qui a une grande force intellectuelle, de grandes connaissances (dans un domaine). → **doué, habile.** **II 1** (choses) Qui résiste. → **solide.** *Papier fort.* **2** (dans des expr.) Fortifié. *Une place forte. Un château fort.* → ③ **fort** (II). **3** (sur le plan moral) Capable de résister au monde extérieur ou à soi-même. → **courageux, ferme.** **III 1** (mouvement, effort physique) Intense. *Un coup très fort.* – (avant le nom) Qui dépasse la normale. *Une forte fièvre.* **2** Dont l'intensité a une grande action sur les sens. *Voix forte. Moutarde forte.* **3** (abstrait) Intense. *Faire une forte impression sur qqn.* **4** Difficile à croire ou à supporter par son caractère excessif. *C'est un peu fort !* **5** (personnes) Qui a un grand pouvoir d'action, de l'influence. → **puissant.** ♦ loc. *Être fort de :* puiser sa force dans. *Fort de son innocence.* – *Se faire fort de* (*fort* invar.) : se dire capable de. → se **targuer** de. **6** Qui a la force (II) et n'hésite pas à l'employer. *Gouvernement fort.* **7** Qui agit efficacement, produit des effets importants (qualités morales ou intellectuelles). « *L'amour est fort comme la mort* » (Bible). **8** *Monnaie forte,* à cours élevé et stable.

② **fort** adv. **I 1** Avec de la force physique, en fournissant un effort. *Frapper fort.* **2** Avec intensité. – *Y aller fort :* exagérer. **II** littér. → **beaucoup.** *J'en doute fort.* – → **très.** *Un homme fort occupé. Fort bien !*

③ **fort** n. m. **I** (personnes) **1** *Les forts des Halles :* les employés de la Halle de Paris. **2** Personne qui a la force, la puissance (matérielle). → **puissant.** **3** Personne qui a de la force morale. **II** Ouvrage fortifié. → **forteresse, fortin.** **III 1** (après un poss. ; surtout négatif) Ce en quoi qqn est fort, excelle. *Le courage n'est pas son fort.* **2** *Au fort de l'été.* → **cœur, milieu.**

**forte** [fɔʀte] adv. mus. Fort (opposé à *piano*).

**fortement** adv. **1** Avec force. → ② **fort.** – *Espérer fortement.* → **profondément.** **2** Très. *Il a été fortement ému.* → **vivement.**

**forteresse** n. f. Lieu fortifié pour défendre une ville, etc. → **citadelle,** ③ **fort.**

**fortiche** adj. et n. fam. Fort ; habile, malin.

**fortifiant, ante** adj. Qui fortifie. → **reconstituant, tonique.** – n. m. → **remontant.**

**fortification** n. f. **1** Action de fortifier. **2** souvent plur. Ouvrages fortifiés destinés à la défense d'une position, d'une place. → **bastion, citadelle,** ③ **fort, forteresse, fortin.** ♦ au plur. Les anciennes fortifications de Paris. – abrév. fam. Les **fortifs.**

**fortifier** v. tr. [7] **I** Rendre fort, vigoureux ; donner plus de force à. ♦ fig. *Le temps fortifie l'amitié.* → **renforcer.** **II** Munir d'ouvrages de défense. – au p. p. *Ville fortifiée.*

**fortin** n. m. Petit fort (③, II).

a **fortiori** → **a fortiori**

**fortissimo** adv. mus. Très fort.

**fortran** n. m. inform. Langage informatique évolué, pour le calcul scientifique.

**fortuit, uite** adj. Qui arrive par hasard, de manière imprévue. ► **fortuitement** adv.

**fortune** n. f. **I 1** littér. → **hasard, sort. 2** (dans des expr.) Événement ou suite d'événements considérés dans ce qu'ils ont d'heureux ou de malheureux. *Bonne, mauvaise fortune.* - *De fortune :* improvisé pour parer au plus pressé. *Une installation de fortune.* ♦ loc. *À la fortune du pot :* sans préparatifs ni façons (→ à la bonne franquette). **II** Ensemble important des biens, des richesses (de qqn). → **argent, capital, richesse.** ♦ par métonymie *Les plus grandes fortunes d'un pays,* les gens les plus fortunés.

**fortuné, ée** adj. **1** vx Heureux. **2** Qui a de la fortune (II). → **aisé, riche.**

**forum** [-ɔm] n. m. **1** Antiq. Place où se discutaient les affaires publiques à Rome (→ aussi agora). **2** Réunion-débat.

**fosse** n. f. **1** Trou creusé dans le sol et aménagé. - *Fosse d'aisances,* destinée à recevoir les matières fécales. *Fosse septique*.* ♦ *Fosse d'orchestre :* espace devant la scène, en contrebas. **2** Trou creusé en terre pour l'inhumation des morts. → **tombe ; fossoyeur. 3** Cavité naturelle. *Fosses nasales.*

**fossé** n. m. **1** Fosse creusée en long dans le sol. **2** fig. Coupure. *Le fossé des générations.*

**fossette** n. f. Petit creux dans une partie charnue (joues, menton, etc.).

**fossile I 1** adj. Se dit des débris ou des empreintes d'espèces disparues, conservés dans les dépôts sédimentaires. **2** n. m. *Science des fossiles.* → **paléontologie. II** adj. fig. Archaïque. ♦ n. m. Personne aux idées archaïques.

**fossiliser** v. tr. [1] Rendre fossile ; amener à l'état de fossile. ▷ v. pron. se **fossiliser** ▷ p. p. **fossilisé, ée** ► **fossilisation** n. f.

**fossoyeur, euse** n. **1** Personne qui creuse les fosses dans un cimetière. **2** littér. Personne qui anéantit qqch. *Les fossoyeurs d'un régime.*

① **fou** (ou **fol**), **folle I** n. **1** Personne atteinte de troubles, de désordres mentaux (ne s'emploie plus en psychiatrie). → **aliéné, dément.** ♦ fig. «*La folle du logis*» (Malebranche) : l'imagination. **2** Personne qui se comporte d'une manière extravagante. **3** fam. *Folle* n. f. Homosexuel efféminé. **4** Personne d'une gaieté exubérante. *Faire le fou* (→ **folâtrer**). **5** *Un fou de :* un fanatique, un passionné de. **II** adj. (*fol* devant un n. sing. commençant par une voyelle ou un *h* aspiré : *fol espoir, fol hasard ;* sinon par archaïsme) **1** cour. Atteint de désordres mentaux. **2** Qui est hors de soi. *Être fou de joie.* **3** *Fou de :* qui a un goût extrême pour. → **passionné ; fanatique. 4** Qui agit, se comporte d'une façon peu sensée. → **anormal, bizarre.** *Il est fou à lier.* - *Regard fou.* → **hagard.** *Fou rire :* rire que l'on ne peut réprimer. ♦ Contraire à la raison. → **absurde, déraisonnable.** *Idée folle.* **5** (après le n.) Dont le mouvement est irrégulier. *Moteur fou.* fam. *Patte folle :* jambe qui boite. - *Herbes folles.* **6** (après le n.) → **énorme, prodigieux.** *Il y avait un monde fou.* **III** n. m. **1** ancienn Bouffon (d'un roi...). ♦ Personnage parodique qui jouait la déraison. *La fête des fous.* **2** Pièce du jeu d'échecs qui se déplace en diagonale.

② **fou** n. m. Oiseau marin palmipède plongeur. *Fou de Bassan.*

**fouailler** v. tr. [1] littér. **1** Frapper de coups de fouet. **2** fig. Stimuler ou attaquer.

**foucade** n. f. littér. Caprice. → **toquade.**

① **foudre I** n. f. **1** Décharge électrique qui se produit par temps d'orage, avec un éclair et une détonation (→ **tonnerre**). **2** *Coup de foudre :* manifestation subite de l'amour dès la première rencontre. **3** au plur. Condamnation, reproches. **II** n. m. vieilli *Un foudre de guerre :* un grand capitaine.

② **foudre** n. m. techn. Grand tonneau.

**foudroyer** v. tr. [8] **1** (surtout passif) Frapper, tuer par la foudre (ou par une décharge électrique → **électrocuter**). **2** Tuer, anéantir avec soudaineté. - par exagér. *Foudroyer qqn du regard.* ► **foudroyant, ante** adj.

**fouet** n. m. **I 1** Instrument formé d'une lanière de cuir ou d'une cordelette au bout d'un manche (→ **cravache, knout, martinet**). **2** loc. fig. *Coup de fouet :* excitation, impulsion vigoureuse. **3** loc. adv. *De plein fouet :* de face et violemment. **II** Ustensile servant à battre les sauces, etc.

**fouetter** v. [1] **I** v. tr. **1** Frapper avec un fouet. - loc. *Avoir d'autres chats à fouetter,* autre chose à faire. **2** (sujet chose) Frapper comme avec un fouet. **3** Battre vivement. - au p. p. *Crème fouettée.* **4** fig. Exciter, stimuler. **II** v. intr. **1** Frapper comme le fait un fouet. **2** vulg. Sentir mauvais.

**foufou, fofolle** adj. fam. Un peu fou, folle ; léger et folâtre.

**foufoune** n. f. fam. Sexe de la femme. - dimin. *Foufounette* n. f. fam. (même sens).

**fougère** n. f. Plante cryptogame à tige rampante souterraine, à grandes feuilles très découpées.

**fougue** n. f. Ardeur impétueuse. → **élan, enthousiasme.** *La fougue de la jeunesse.*

**fougueux, euse** adj. Qui a de la fougue. → **impétueux.** ► **fougueusement** adv.

**fouille** n. f. **1** (surtout au plur.) Excavation pratiquée dans la terre pour découvrir et étudier les ruines de civilisations disparues. **2** Excavation faite dans la terre (pour les constructions, etc.). **3** Action d'explorer en vue de découvrir qqch. de caché (→ **fouiller** (I, 2)). **4** fam. Poche.

**fouiller** v. [1] **I** v. tr. **1** Creuser (un sol, un emplacement), notamment pour mettre à découvert ce qui peut être enfoui. **2** Explorer avec soin. *Fouiller un appartement.* – par ext. *Fouiller qqn.* **3** Travailler les détails de. – au p. p. *Étude très fouillée.* **II** v. intr. **1** Faire un creux dans le sol (→ **fouir**). **2** Explorer en déplaçant tout ce qui peut cacher ce que l'on cherche. – fig. *Fouiller dans son passé.*

**fouillis** n. m. fam. Entassement d'objets disparates réunis pêle-mêle. → **désordre.**

**fouine** n. f. Petit mammifère carnivore à corps mince et museau allongé.

**fouiner** v. intr. [1] fam. Fouiller indiscrètement. → **fureter.** ► **fouineur, euse** adj. et n.

**fouir** v. tr. [2] (animaux dits *fouisseurs*) Creuser (la terre, le sol). → **fouiller.**

**foulage** n. m. techn. Action de fouler (1).

**foulard** n. m. Écharpe ou carré de tissu.

**foule** n. f. **1** Multitude de personnes rassemblées en un lieu. → **affluence.** *Foule en désordre.* → **cohue. 2** *La foule :* le commun des humains. → **masse, multitude. 3** *Une foule de :* un grand nombre de. ♦ *En foule :* en masse, en grand nombre.

**foulée** n. f. Appui que le cheval prend sur le sol à chaque temps de sa course ; mouvement effectué à chaque temps de galop. ♦ Enjambée de l'athlète en course. ♦ loc. fig. *Dans la foulée :* sur son élan.

**fouler** v. tr. [1] **1** Presser (qqch.) en appuyant à plusieurs reprises, avec les mains, les pieds, un outil. *Fouler des cuirs, du drap. Fouler le raisin.* **2** littér. Presser (le sol) en marchant dessus. – *Fouler aux pieds.* → **piétiner** (II, 1 et 2). **3** Blesser en donnant une foulure. *Se fouler la cheville.* ♦ pronom. fam. *Ne pas se fouler :* ne pas se fatiguer.

**foulon** n. m. techn. *Terre à foulon :* argile utilisée pour le dégraissage du drap avant foulage.

**foulque** n. f. Oiseau échassier au plumage noir, voisin de la poule d'eau.

**foulure** n. f. Légère entorse.

① **four** n. m. **I 1** Ouvrage de maçonnerie muni d'une ouverture, où l'on fait cuire le pain, la pâtisserie. → **fournil. 2** Partie fermée d'une cuisinière ou appareil où l'on peut faire cuire les aliments. **3** Appareil dans lequel on soumet des matières à une chaleur intense, pour obtenir des transformations physiques ou chimiques. → **fourneau. II** *Petit four :* petit gâteau.

② **four** n. m. (spectacle) Échec complet.

**fourbe** adj. Qui trompe ou agit mal en se cachant, en feignant. → **hypocrite, sournois.** – n. *Un fourbe.* ► **fourberie** n. f.

**fourbi** n. m. fam. **1** Les armes, les objets que possède un soldat. → **barda, fourniment. 2** Les affaires, les effets que possède qqn. **3** Choses en désordre.

**fourbir** v. tr. [2] Nettoyer (un objet de métal) de façon à rendre brillant. – littér. *Fourbir ses armes :* se préparer au combat.

**fourbu, ue** adj. Harassé, épuisé.

**fourche** n. f. **1** Instrument agricole à long manche muni de deux dents ou plus. **2** Disposition en forme de fourche. – *Fourche de bicyclette,* partie du cadre où est fixée la roue. **3** loc. (allus. à l'histoire romaine) *Passer sous les fourches caudines :* subir une cuisante humiliation.

**fourcher** v. intr. [1] loc. *La langue lui a fourché,* il a dit un mot au lieu d'un autre.

**fourchette** n. f. **I 1** Ustensile de table, à dents, dont on se sert pour piquer les aliments et les porter à la bouche. – loc. *Avoir un bon coup de fourchette,* être gros mangeur. **2** techn. Pièce en forme de fourchette. **II** Écart entre deux valeurs extrêmes.

**fourchu, ue** adj. Qui a la forme, l'aspect d'une fourche ; qui fait une fourche.

① **fourgon** n. m. vieilli Tisonnier.

② **fourgon** n. m. **1** Long véhicule couvert pour le transport de bagages, d'animaux, etc. **2** Wagon servant au transport des bagages.

**fourgonner** v. intr. [1] **1** vieilli Remuer avec un fourgon (①). **2** Fouiller (dans qqch.) en dérangeant tout. → **fourrager.**

**fourgonnette** n. f. Petite camionnette.

**fourguer** v. tr. [1] **1** argot Vendre à un receleur (un *fourgue*). **2** fam. Placer (une mauvaise marchandise). → **refiler.**

**fourme** n. f. Fromage de lait de vache à pâte ferme, chauffée et pressée.

**fourmi** n. f. **1** Petit insecte hyménoptère qui vit en colonies nombreuses et organisées dans des fourmilières. **2** loc. *Avoir des fourmis dans les membres,* des picotements. **3** *Un travail de fourmi,* accompli obstinément. – *C'est une fourmi,* une personne laborieuse.

**fourmilier** n. m. Mammifère à langue visqueuse qui se nourrit de fourmis et de termites (→ **tamanoir**).

**fourmilière** n. f. **1** Colonie de fourmis. **2** fig. Lieu où s'agite une multitude de personnes.

**fourmilion** ou **fourmi-lion** n. m. Insecte dont la larve se nourrit des fourmis qui tombent dans un trou qu'elle a creusé.

**fourmillement** n. m. **1** Agitation désordonnée et continuelle d'une multitude d'êtres. **2** Sensation comparable à celle de fourmis courant sur la peau.

**fourmiller** v. intr. [1] **1** S'agiter en grand nombre. → **grouiller, pulluler. 2** Être le siège d'un picotement. → **démanger.**

**fournaise** n. f. 1 Feu ardent. 2 Endroit très chaud, surchauffé.

**fourneau** n. m. 1 Four dans lequel on soumet à un feu violent des substances à fondre, à calciner. – *Haut fourneau*, destiné à fondre le minerai de fer. 2 Petite cuisinière à bois, à charbon... 3 *Fourneau de mine* : cavité garnie d'explosifs. 4 Partie évasée (d'une pipe) où brûle le tabac.

**fournée** n. f. 1 Quantité de pain que l'on fait cuire à la fois dans un four. 2 fig. Ensemble, groupe de personnes.

**fournil** [-ni] n. m. Local où est placé le four du boulanger et se pétrit la pâte.

**fourniment** n. m. Ensemble des objets composant l'équipement (du soldat, etc.).

**fournir** v. tr. [2] I v. tr. dir. 1 *Fournir qqn en qqch.*, pourvoir de ce qui est nécessaire. → **approvisionner.** – pronom. → se **ravitailler,** se **servir.** 2 *Fournir qqch. à qqn*, le lui faire avoir. *Je vous en fournirai les moyens.* ♦ Procurer (à un client). → **vendre ; livrer.** 3 Produire. *Fournir un effort.* II v. tr. ind. vieilli *Fournir à* : contribuer à. *Fournir à la dépense.* ▷ adj. **fourni, ie** 1 Approvisionné, pourvu. 2 Où la matière abonde. *Barbe fournie.* → **dru.**

**fournisseur, euse** n. Personne qui fournit des marchandises à un client, à un marchand.

**fourniture** n. f. 1 Action de fournir. 2 Ce qu'on fournit, ce qu'on livre (surtout plur.). *Fournitures scolaires.*

**fourrage** n. m. Plantes servant à la nourriture du bétail.

① **fourrager, ère** adj. Qui fournit du fourrage. *Betterave fourragère.*

② **fourrager** v. [3] 1 v. intr. Chercher en mettant du désordre. *Fourrager dans un tiroir.* 2 v. tr. Mettre en désordre en manipulant. *Fourrager des papiers.*

**fourragère** n. f. I 1 Champ consacré à la production du fourrage. 2 Charrette servant au transport du fourrage. II Ornement, insigne formé d'une tresse agrafée à l'épaule.

① **fourré** n. m. Massif épais et touffu de végétaux de taille moyenne.

② **fourré, ée** adj. 1 Doublé de fourrure. 2 Dont on a garni l'intérieur. *Bonbons fourrés.* 3 *Coup fourré* : coup en traître.

**fourreau** n. m. 1 Enveloppe allongée, destinée à recevoir une chose de même forme. → **étui, gaine.** 2 Robe de femme très moulante.

**fourrer** v. tr. [1] I 1 Doubler de fourrure, de ce qui tient chaud. 2 Garnir l'intérieur de (une confiserie...). II 1 Faire entrer, mettre (dans une chose creuse). *Fourrer ses mains dans ses poches.* 2 Faire entrer brutalement ou sans ordre. → **enfourner, mettre.** *Fourrer des objets dans un sac.* – *Fourrer qqch.* (une idée...) *dans la tête, le crâne de qqn* (pour le lui faire croire, apprendre, etc.). 3 Placer sans soin. *Où ai-je fourré mes lunettes ?* ▷ v. pron. se **fourrer** (personnes) 1 Se mettre, se placer (quelque part). 2 *Se fourrer dans une mauvaise affaire.* → se **jeter.**

**fourre-tout** n. m. invar. fam. Endroit, sac où l'on met toutes sortes de choses.

**fourreur** n. m. Personne qui confectionne et vend des vêtements de fourrure.

**fourrière** n. f. Lieu de dépôt d'animaux, de voitures, saisis et retenus par la police.

**fourrure** n. f. 1 Peau d'animal munie de son poil, préparée pour servir de vêtement, etc. (→ **pelleterie**). 2 Pelage épais.

**fourvoyer** v. tr. [8] littér. 1 Mettre hors de la voie, détourner du bon chemin. 2 fig. Tromper, égarer. ▷ v. pron. se **fourvoyer** Faire fausse route, se tromper. ► **fourvoiement** n. m.

**foutaise** n. f. fam. Chose sans intérêt.

**foutoir** n. m. fam. Grand désordre.

① **foutre** v. tr. (*je fous, nous foutons ; je foutais ; je foutrai ; je foutrais ; que je foute, que nous foutions ; foutant, foutu* ; inusité aux passés simple et antérieur de l'indic., aux passé et plus-que-parfait du subj.) I vx, vulg. Posséder sexuellement. – mod., fig., fam. *Va te faire foutre !* II fam. 1 *Qu'est-ce que ça peut me foutre ?* → **faire.** 2 Donner (avec violence). *Foutre une baffe à qqn.* → **flanquer.** – Mettre. *Il a tout foutu par terre.* – loc. *Foutre le camp*, s'en aller. *Ça la fout mal*, c'est fâcheux. ▷ v. pron. se **foutre** fam. 1 Se mettre. *Se foutre par terre.* ♦ Se donner. *Se foutre un coup.* 2 *Se foutre de..., que...* → se **moquer.**

② **foutre** interj. vulg. → **fichtre.**

③ **foutre** n. m. vulg. Sperme.

**foutriquet** n. m. fam. Personnage insignifiant, incapable.

**foutu, ue** adj. 1 (avant le n.) Mauvais. *Il a un foutu caractère.* 2 (après le n.) Perdu, ruiné. 3 Dans tel ou tel état. → ① **fichu** (3).

**fox-terrier** ou **fox** [fɔks] n. m. Chien terrier à poils lisses et durs, blancs avec des taches fauves ou noires. *Des fox-terriers.*

**fox-trot** [fɔkstʀɔt] n. m. invar. Danse d'origine américaine, d'allure saccadée.

**foyer** n. m. I 1 Espace aménagé dans une maison pour y faire du feu. → **âtre.** 2 Feu qui brûle dans cet espace. – *Foyer d'incendie*, brasier d'où se propage l'incendie. 3 Partie fermée (d'un appareil de chauffage) où brûle le combustible. II 1 Lieu où habite la famille. – La famille. *Fonder un foyer.* – au plur. *Rentrer dans ses foyers*, chez soi. 2 Lieu de réunion, d'asile... *Foyer d'étudiants.* 3 Salle d'un théâtre où se retrouvent les spectateurs pendant l'entracte. III 1 Point d'où rayonne la chaleur, la lumière. – Point où convergent des rayons lumineux (→ **focal**). 2 Point par rapport auquel se définit une courbe. *Foyers d'une ellipse.* 3 Lieu d'origine (d'un phénomène). – *Foyer d'infection.*

**frac** n. m. Habit d'homme, noir et à basques.

**fracas** n. m. Bruit violent. – loc. *Avec perte et fracas,* brutalement.

**fracassant, ante** adj. **1** Très bruyant. **2** fig. Qui fait sensation. → **retentissant.**

**fracasser** v. tr. [1] Mettre en pièces, briser avec violence. ▷ v. pron. se **fracasser**

**fractal, ale, als** adj. math. Se dit d'une figure (une *fractale* n. f.) dont le motif se trouve indéfiniment répété à des échelles de plus en plus fines.

**fraction** n. f. **I** vx ou relig. Action de briser. **II 1** Nombre rationnel (représenté par un dénominateur et un numérateur). **2** Partie d'une totalité. *Une fraction de seconde.*

**fractionnaire** adj. Qui est sous forme de fraction.

**fractionner** v. tr. [1] Diviser (une totalité) en parties, en fractions. – pronom. *Se fractionner en trois groupes.* → se **scinder.** ► **fractionnement** n. m.

**fracture** n. f. **1** Rupture d'un os. *Fracture ouverte,* avec plaie. **2** Cassure (de l'écorce terrestre...). → **faille. 3** fig. Rupture, cassure (d'un équilibre...). *Fracture sociale* (séparation en groupes cloisonnés).

**fracturer** v. tr. [1] **1** Blesser par une fracture. **2** Briser (qqch.) avec effort.

**fragile** adj. **1** Qui se casse facilement. → **cassant. 2** (personnes) De constitution faible. → **délicat.** – *Une santé fragile.* ♦ Qui manque de résistance psychique. **3** Facile à ébranler, précaire. *Autorité fragile.*

**fragilité** n. f. **1** Manque de solidité (de qqch.). **2** Faiblesse de constitution. – Manque de résistance psychique. **3** Caractère éphémère. *La fragilité de la vie.*

**fragment** n. m. **1** Morceau d'une chose qui a été cassée. → **débris, éclat. 2** Partie (d'une œuvre...). → **extrait, passage.**

**fragmentaire** adj. À l'état de fragments.

**fragmenter** v. tr. [1] Partager en fragments. → **morceler.** ► **fragmentation.** n. f.

**fragrance** n. f. littér. Odeur agréable.

**frai** n. m. **1** Ponte des œufs (poissons). **2** Œufs (de batraciens, de poissons).

à la **fraîche** loc. adv. À l'heure où il fait frais (matin ou soir).

**fraîchement** adv. **1** Depuis très peu de temps. → **récemment. 2** Avec une froideur marquée. → **froidement.**

**fraîcheur** n. f. **I 1** Propriété de ce qui est frais (I, 1). **2** Température fraîche. ♦ Sensation de fraîcheur. **II 1** Qualité d'un produit frais, non altéré. **2** Qualité de ce qui a un aspect sain, vigoureux, éclatant.

**fraîchir** v. intr. [2] Devenir frais, ou plus frais. – mar. *Le vent fraîchit.* → **forcir.**

① **frais, fraîche** adj. **I 1** Un peu froid. *Un vent frais.* – adv. *Il fait frais ce matin.* – n. m. *Prendre le frais,* respirer l'air frais du dehors. **2** fig. Sans chaleur, sans cordialité. **II 1** Qui vient d'arriver, de se produire, d'être fait. → **neuf, nouveau, récent.** *De fraîche date,* récent. – *Peinture fraîche,* pas encore séchée. – adv. → **fraîchement** (1). *Un collègue frais émoulu* de l'université.* **2** Qui est tout nouvellement produit, n'a rien perdu de ses qualités naturelles. *Du pain frais.* **3** Qui a ou garde des qualités d'éclat, de vitalité, de jeunesse. *Être frais et dispos.* – *Avoir le teint frais.* **4** fam. Dans une fâcheuse situation. *Nous voilà frais !* → **propre. 5** En bon état, dans l'aspect du neuf. **6** Qui donne une impression de pureté, de jeunesse. *Couleurs fraîches.*

② **frais** n. m. pl. **1** Dépenses occasionnées par une opération. – loc. *Rentrer dans ses frais,* en être remboursé par un gain (→ **défrayer**). ♦ *Faux frais :* dépense supplémentaire accidentelle. **2** loc. *À grands frais,* en dépensant beaucoup ; fig. en se donnant de la peine. *Aux frais de qqn,* les frais étant couverts par lui. – *Se mettre en frais :* s'engager dans des dépenses ; fig. faire des efforts. – *Faire les frais de qqch.,* en être la victime. – fam. *Arrêter les frais :* cesser de se donner du mal inutilement.

① **fraise** n. f. **1** Fruit du fraisier. **2** loc. fam. *Sucrer les fraises,* être agité d'un tremblement (malades...). **3** fam. Figure, visage.

② **fraise** n. f. **1** techn. Outil pour usiner le bois, le métal. **2** Roulette de dentiste.

③ **fraise** n. f. **I** Membrane qui enveloppe les intestins du veau, etc. **II** Grand col blanc, plissé et empesé, porté au XVI^e^ siècle.

**fraiser** v. tr. [1] techn. Évaser l'orifice de (un trou). – Usiner (un matériau) à l'aide d'une fraise. ► **fraisage** n. m. techn.

**fraiseur, euse** n. techn. **1** Ouvrier, ouvrière qualifié(e) qui exécute des travaux de fraisage. **2** n. f. Machine-outil servant à fraiser les métaux.

**fraisier** n. m. **I** Plante qui produit les fraises. **II** Génoise à la crème et aux fraises.

**framboise** n. f. **1** Fruit du framboisier, de couleur rouge sombre, très parfumé. **2** Liqueur, eau-de-vie de framboise.

**framboisier** n. m. Arbrisseau qui produit les framboises.

① **franc, franque** [fʀɑ̃, fʀɑ̃k] n. et adj. hist. Membre de peuplades germaniques qui envahirent la Gaule.

② **franc, franche** [fʀɑ̃, fʀɑ̃ʃ] adj. **I 1** vx Libre. – mod. (dans des loc.) Sans entrave, ni obligation. *Avoir les coudées* franches.* – *Corps francs* (troupes). → **franc-tireur.** – *Coup franc* (football, etc.) : coup tiré sans opposition de l'adversaire, pour sanctionner une faute. **2** Exempt de charges, taxes. *Zone franche.* **II 1** Qui s'exprime ou se présente ouvertement, sans artifice. → **droit, honnête, loyal, sincère.** ♦ loc. *Jouer franc jeu :* agir loyalement. **2** Qui présente des caractères de naturel. *Couleurs* *franches,* tranchées. **3** (avant le nom) péj. Qui est véritablement tel. → **vrai.** *Une franche canaille.* **4** adv. *À parler franc,* franchement.

③ **franc** [fʀɑ̃] n. m. **1** Ancienne unité monétaire de la France (avant l'euro), divisée en cent centimes. **2** *Franc (belge), franc (luxembourgeois) :* ancienne unité monétaire de la Belgique, du Luxembourg (avant l'euro). *Franc suisse :* unité monétaire de la Suisse.

**français, aise** adj. et n. **1** adj. Qui appartient, est relatif à la France et à ses habitants. – n. *Un Français, une Française :* personne de nationalité française, ou qui est originaire de France. **2** n. m. Langue romane parlée en France, Belgique, Suisse, au Luxembourg, au Canada, et comme seconde langue en Afrique, etc. (→ **francophonie**). *Ancien français* (IXe-XIIIe s.) ; *moyen français* (XIVe-XVIe s.) ; *français classique* (XVIIe-XVIIIe s.) ; *français moderne.* ♦ adj. *La grammaire française.*

**franchement** adv. **1** Sans hésitation. → **carrément. 2** Sans équivoque, clairement. – (devant un adj.) Indiscutablement. **3** Sans détour, sans dissimulation. → **loyalement.**

**franchir** v. tr. [2] **1** Passer par-dessus (un obstacle), en sautant, en grimpant. – fig. Surmonter, vaincre (une difficulté). **2** Aller au-delà de (une limite). *Franchir une frontière.* **3** Traverser (un passage).

**franchise** n. f. **I 1** anciennt Droit qui limitait l'autorité souveraine au profit d'une ville, etc. **2** *Franchise (d'assurance),* partie des dommages non garantie par l'assureur. ♦ Exemption (d'une taxe). *Franchise postale.* **3** *Commerce en franchise,* dont l'exploitant est lié par contrat à une marque et à ses produits. **II** Qualité d'une personne franche. → **droiture, loyauté, sincérité.**

**franchissement** n. m. Fait de franchir.

**franchouillard, arde** adj. péj. Caractéristique des défauts du Français moyen.

**francique** n. m. ling. **1** Langue germanique des Francs. **2** Dialecte allemand.

**franciscain, aine** n. Religieux(euse) de l'ordre fondé par saint François d'Assise.

**franciser** v. tr. [1] Donner une forme française à (un mot). – au p. p. *«Gazole» est un anglicisme francisé.* ► **francisation** n. f.

**francisque** n. f. **1** Hache de guerre des Francs. **2** Emblème du pétainisme.

**franc-maçon, onne** [fʀɑ̃-] n. Membre de la franc-maçonnerie. *Les francs-maçons.* – adj. *Association franc-maçonne.*

**franc-maçonnerie** [fʀɑ̃-] n. f. **1** Association internationale, de caractère mutualiste et philanthropique, de nature initiatique et ésotérique. **2** péj. → **coterie.**

**franc-maçonnique** adj. Maçonnique. *Symboles franc-maçonniques.*

**franco** adv. **1** Sans frais de transport. *Franco de port.* **2** fam. Franchement, carrément.

**franco-français, aise** adj. **1** Qui concerne les rapports entre groupes de Français. **2** Inhérent aux Français. → **franchouillard. 3** ling. Propre au français de France.

**francophone** adj. **1** Qui parle habituellement le français. – n. *Les francophones d'Afrique.* **2** De la francophonie.

**francophonie** n. f. Ensemble des peuples francophones.

**franc-parler** [fʀɑ̃-] n. m. sing. Liberté de dire ce qu'on pense.

**franc-tireur, euse** [fʀɑ̃-] n. **1** n. m. Combattant qui n'appartient pas à une armée régulière. – Tireur isolé. **2** fig. Personne qui mène une action indépendante.

**frange** n. f. **1** Bande de tissu d'où pendent des fils, servant d'ornement. **2** Cheveux coupés couvrant le front. **3** Contour, bordure. *Une frange de lumière.* **4** Limite imprécise entre deux états, deux notions. **5** Minorité marginale (d'un groupe humain).

**franger** v. tr. [3] Garnir, orner de franges.

**frangin, ine** n. fam. Frère, sœur.

**frangipane** n. f. Crème aux amandes.

**franglais** n. m. Usage du français où l'anglicisme est excessif.

à la bonne **franquette** loc. adv. Sans façon, sans cérémonie. → **simplement.**

**franquisme** n. m. hist. Doctrine du régime autoritaire du général Franco (en Espagne). ► **franquiste** adj. et n.

**frappant, ante** adj. Qui frappe, fait une vive impression. → **impressionnant.**

① **frappe** n. f. fam. Voyou. – var. **frape.**

② **frappe** n. f. **1** Action, manière de taper sur un clavier. *Faute de frappe.* **2** Opération militaire.

**frapper** v. [1] **I** v. tr. dir. **1** Toucher rudement en portant un ou plusieurs coups. → **battre. 2** Marquer (qqch.) d'une empreinte par un choc, une pression. *Frapper la monnaie* (avec le poinçon, etc.). **3** *Frapper du vin,* le refroidir avec de la glace. – au p. p. *Champagne frappé.* **4** Atteindre d'un coup porté avec une arme. **5** Donner, porter (un coup). → **assener. 6** (sujet chose) Atteindre d'un mal. **7** Affecter d'une impression vive et soudaine. → **saisir, surprendre.** – passif *Être frappé de stupeur.* **II** v. tr. ind. Donner un coup, des coups. *Frapper dans ses mains.* **III** *Se frapper* v. pron. S'inquiéter, se faire du souci.

**frappeur, euse** adj. Qui frappe. – loc. *Esprit frappeur* (séances de spiritisme).

**frasque** n. f. Écart de conduite. → **fredaine, incartade.**

**fraternel, elle** adj. **1** Qui concerne les relations entre frères ou entre frères et sœurs. **2** Propre à des êtres qui se traitent en frères. → **amical, cordial.** ► **fraternellement** adv.

**fraterniser** v. intr. [1] Faire acte de fraternité, de sympathie ou de solidarité (avec qqn). ► **fraternisation** n. f.

**fraternité** n. f. **1** Lien existant entre personnes considérées comme membres de la famille humaine ; sentiment de ce lien. → **solidarité.** **2** Lien particulier établissant des rapports fraternels. → **camaraderie.**

**fratricide** n. et adj. **I** n. m. Meurtre d'un frère, d'une sœur. **II 1** n. Personne qui tue son frère ou sa sœur. **2** adj. Du fratricide. ♦ Qui conduit les humains à s'entre-tuer. *Guerre fratricide.*

**fraude** n. f. Tromperie ou falsification punie par la loi. – *En fraude.* → **illégalement.**

**frauder** v. [1] **1** v. tr. Commettre une fraude au détriment de. *Frauder le fisc.* **2** v. intr. Être coupable de fraude. ► **fraudeur, euse** n.

**frauduleux, euse** adj. Entaché de fraude. *Faillite frauduleuse.* ► **frauduleusement** adv.

**frayer** v. [8] **I** v. tr. Tracer ou ouvrir (un chemin) au milieu d'obstacles. *Se frayer un chemin à travers la foule.* **II** v. intr. **1** Se dit de la femelle du poisson qui dépose ses œufs, et du mâle qui les féconde (→ **frai**). **2** (personnes) Avoir des relations familières et suivies (avec qqn). → **fréquenter.**

**frayeur** n. f. Peur très vive.

**fredaine** n. f. surtout au plur. vieilli Écart de conduite sans gravité. → **frasque.**

**fredonner** v. tr. [1] Chanter (un air) à mi-voix. ► **fredonnement** n. m.

**freezer** [frizœr] n. m. anglic. Compartiment à glace (d'un réfrigérateur).

**frégate** n. f. **I 1** Ancien bateau de guerre à trois mâts. **2** Bâtiment de combat, entre la corvette et le croiseur. **II** Oiseau de mer aux grandes ailes fines, au bec long.

**frein** n. m. **1** Morceau de la bride qui entre dans la bouche du cheval et permet de l'arrêter. ♦ loc. fig. *Ronger son frein,* contenir difficilement son impatience. **2** Dispositif servant à ralentir, à arrêter le mouvement d'un ensemble mécanique. – *Frein moteur* (résistance opposée par le moteur). **3** fig. Ce qui entrave un développement.

**freiner** v. [1] **I** v. tr. **1** Ralentir (qqn, qqch.) dans son mouvement. **2** fig. Ralentir (un essor). **II** v. intr. Ralentir, arrêter la marche d'une machine au moyen de freins. ► **freinage** n. m.

**frelater** v. tr. [1] Altérer la pureté de (→ **falsifier**). ▷ adj. **frelaté, ée 1** *Vin frelaté.* **2** fig. Qui n'est pas pur. → **dénaturé.**

**frêle** adj. **1** Dont l'aspect ténu donne une impression de fragilité. **2** (personnes) Délicat, fragile. **3** littér. Fragile, faible. *De frêles espérances.*

**frelon** n. m. Grosse guêpe à corselet noir, dont la piqûre est douloureuse.

**freluquet** n. m. vieilli Jeune homme frivole et prétentieux. → **godelureau.**

**frémir** v. intr. [2] **1** Être agité d'un faible mouvement d'oscillation ou de vibration qui produit un son léger, confus. – (liquide) Être sur le point de bouillir. **2** (personnes) Être agité d'un tremblement. – *Frémir de,* être bouleversé par. *Frémir d'horreur.*

**frémissant, ante** adj. **1** Qui frémit. **2** Prompt à s'émouvoir. → **vibrant.**

**frémissement** n. m. Action de frémir (1 et 2) ; tremblement léger. → **frisson.** ♦ Léger changement positif (en politique, économie).

**frêne** n. m. Arbre à bois clair et dur.

**frénésie** n. f. **1** État d'exaltation violente qui met hors de soi. **2** Ardeur extrême.

**frénétique** adj. Qui marque de la frénésie, est poussé jusqu'à la frénésie. *Rythme frénétique.* ► **frénétiquement** adv.

**fréquemment** [-amɑ̃] adv. D'une manière fréquente. → **souvent.**

**fréquence** n. f. **1** Caractère de ce qui se reproduit à intervalles rapprochés. **2** sc. Nombre de périodes ou de cycles complets de variations qui se succèdent en une seconde (spécialt pour le son).

**fréquent, ente** adj. **1** Qui se produit souvent, se répète à intervalles rapprochés. → **nombreux, répété.** **2** Dont on voit de nombreux exemples. → **commun, courant.**

**fréquentatif, ive** adj. ling. Qui marque la fréquence, la répétition de l'action (verbe).

**fréquentation** n. f. **1** Action de fréquenter (un lieu, qqn). **2** Personne qu'on fréquente.

**fréquenter** v. tr. [1] **1** Aller souvent, habituellement dans (un lieu). **2** Avoir des relations habituelles (avec qqn) ; voir fréquemment. **3** Voir (qqn) fréquemment pour des raisons sentimentales ; courtiser. ▷ v. pron. récipr. se **fréquenter** ▷ adj. **fréquenté, ée** Où il y a habituellement du monde. – *Lieu mal fréquenté* (→ mal famé).

**fréquentiel, elle** adj. didact. De la fréquence (2).

**frère** n. m. **1** Celui qui est né des mêmes parents que qqn, ou du même père ou de la même mère. *Son frère aîné, cadet* (fam. *son grand, son petit frère*). *Ils sont frère et sœur.* – *Frère de lait*.* **2** (surtout plur.) Homme, considéré comme membre de la famille humaine. ♦ Fidèle d'une même religion. – Appellation des membres d'ordres religieux. **3** Homme qui a une communauté d'origine, d'idées, etc. (avec d'autres). *Des frères d'armes.* – appos. *Peuples frères.* – *Un faux frère :* un traître.

**frérot** n. m. fam. Petit frère.

**fresque** n. f. **1** Peinture murale qui utilise des couleurs à l'eau sur un enduit de mortier frais. **2** (abusif en art) Vaste peinture murale. **3** Vaste composition littéraire, tableau d'ensemble d'une époque, etc.

**fressure** n. f. Ensemble des gros viscères d'un animal (cœur, foie, rate, poumons).

**fret** [fʀɛ(t)] n. m. **1** Prix du transport des marchandises ; leur transport. *Payer le fret. Fret aérien.* **2** Chargement (d'un navire ; d'un avion, d'un camion).

**fréter** v. tr. [6] **1** Donner en location (un navire). ♦ Armer (un navire), mettre en état de prendre la mer. **2** → **affréter.**

**frétiller** v. intr. [1] S'agiter par petits mouvements rapides. - *Frétiller de joie.* ► **frétillant, ante** adj. ► **frétillement** n. m.

**fretin** n. m. **1** Petits poissons. **2** (dans un groupe) *Fretin, menu fretin :* ce qu'on considère comme négligeable ou insignifiant.

**frette** n. f. techn. Cercle métallique servant de renfort. ► **fretter** v. tr. [1]

**freudien, ienne** adj. Propre ou relatif à Freud (créateur de la psychanalyse). ♦ n. Partisan de Freud, de sa psychanalyse.

**freudisme** n. m. Ensemble des théories et méthodes de Freud et de ses disciples.

**freux** n. m. Corneille à bec étroit.

**friable** adj. Qui peut facilement se réduire en menus fragments, en poudre.

**friand, ande I** adj. **1** vx Gourmand. **2** fig. Qui recherche (qqch.). *Être friand de compliments.* → **avide. II** n. m. Petit pâté feuilleté à la viande. ♦ Petit gâteau à la pâte d'amandes.

**friandise** n. f. Petite pièce de confiserie ou de pâtisserie.

**fric** n. m. sing. fam. Argent (II).

**fricandeau** n. m. Morceau de poisson, de viande cuit dans son jus.

**fricassée** n. f. Ragoût de poulet ou de lapin cuit à la casserole. → **gibelotte.**

**fric-frac** n. m. fam. et vieilli Effraction.

**friche** n. f. **1** Terre non cultivée. **2** *En friche :* inculte. → **à l'abandon.** - fig. *Laisser ses dons en friche,* ne pas les employer.

**frichti** n. m. fam. Repas que l'on cuisine.

**fricot** n. m. fam. et vieilli **1** Mets grossièrement cuisiné. **2** Nourriture ; repas.

**fricoter** v. tr. et intr. [1] fam. Trafiquer.

**friction** n. f. **I 1** techn. Résistance au mouvement, entre deux surfaces en contact. → **frottement. 2** fig. Désaccord entre personnes. **II** Fait de frotter vigoureusement une partie du corps pour la masser.

**frictionner** v. tr. [1] Administrer une friction (II) à. ▷ v. pron. se **frictionner**

**frigidaire** n. m. invar. (nom déposé) Réfrigérateur.

**frigide** adj. **1** littér. Froid, insensible. **2** cour. Qui n'éprouve pas le plaisir sexuel. ► **frigidité** n. f.

**frigo** n. m. fam. Réfrigérateur.

**frigorifier** v. tr. [7] **1** Soumettre au froid pour conserver. → **réfrigérer. 2** fam. passif *Être frigorifié,* avoir très froid.

**frigorifique** adj. Qui sert à produire le froid. → **réfrigérant.** - *Camion frigorifique,* équipé d'une installation frigorifique.

**frigoriste** n. techn. Spécialiste des installations frigorifiques.

**frileux, euse** adj. **1** (personnes, animaux) Qui craint le froid, y est très sensible. **2** Qui dénote la crainte du froid. **3** fig. Craintif, apeuré. ► **frileusement** adv. ► **frilosité** n. f.

**frimas** n. m. **1** poét. (surtout plur.) Brouillard givrant. - *Les frimas :* l'hiver. **2** vx *Être poudré à frimas,* avec de la poudre blanche.

**frime** n. f. fam. Apparence trompeuse ; comportement trompeur. *C'est de la frime.* → **bluff.** ► **frimer** v. intr. [1] ► **frimeur, euse** n.

**frimousse** n. f. Visage agréable (d'enfant...). → **minois.**

**fringale** n. f. **1** Faim violente et pressante. **2** fig. Désir violent, irrésistible.

**fringant, ante** adj. **1** (chevaux) Très vif. **2** (personnes) Dont l'allure vive et élégante dénotent une belle humeur.

**fringuer** v. tr. [1] fam. Habiller. ▷ v. pron. se **fringuer**

**fringues** n. f. pl. fam. Vêtements.

**fripe** n. f. Vieux vêtement (surtout plur.). - *La fripe :* les vêtements d'occasion.

**friper** v. tr. [1] Défraîchir en froissant.

**friperie** n. f. **1** Vieux habits, linge usagé. **2** Commerce, boutique de fripier.

**fripier, ière** n. Personne qui revend d'occasion des habits (→ **fripe**), du linge.

**fripon, onne** n. et adj. **1** vieilli Personne malhonnête. **2** Personne espiègle. **3** adj. Malin et provocant. ► **friponnerie** n. f.

**fripouille** n. f. **1** vx (collectif) Racaille. **2** Personne malhonnête.

**friqué, ée** adj. fam. Riche. → **rupin.**

**frire** v. **1** v. tr. Faire cuire (qqch.) en plongeant dans un corps gras bouillant. **2** v. intr. Cuire dans la friture. *Mettre des pommes de terre à frire.*

① **frise** n. f. **1** archit. Partie de l'entablement entre l'architrave et la corniche. **2** Ornement en forme de bande continue.

② cheval de **frise** n. m. Pièce de bois ou de fer hérissée de pointes.

**friselis** n. m. littér. Faible frémissement.

**friser** v. [1] **I** v. tr. **1** Mettre en boucles (des cheveux, poils, fibres, etc.). **2** Passer au ras de, effleurer. → **frôler, raser. 3** Approcher de très près. *Friser la quarantaine.* **II** v. intr. Être ou devenir frisé. ▷ adj. **frisé, ée** *Cheveux frisés.* ♦ *Chou frisé ; chicorée frisée* et n. f. *frisée,* aux bords ondulés.

① **frisette** n. f. Boucle de cheveux frisés.

② **frisette** n. f. Ensemble de planches fines de sapin ou de pin.

**frison, onne** adj. De la Frise. – n. m. Langue germanique dont des dialectes sont parlés en Allemagne, aux Pays-Bas...

**frisotter** v. [1] **1** v. tr. Friser en petites boucles serrées. – au p. p. *Cheveux frisottés.* **2** v. intr. Friser (II) en ondulations serrées. ► **frisottant, ante** adj. ► **frisottement** n. m.

**frisquet, ette** adj. Un peu froid. → **frais.**

**frisson** n. m. **1** Tremblement irrégulier, accompagné d'une sensation de froid (dû à la fièvre...). **2** Frémissement qui accompagne une émotion. *Donner le frisson* : faire peur. **3** poét. Léger mouvement ; bruit léger (eau, etc.).

**frissonnement** n. m. littér. Léger frisson.

**frissonner** v. intr. [1] **1** Être agité de frissons. **2** Être saisi d'un léger tremblement dû à une émotion. **3** (choses) Trembler légèrement. ► **frissonnant, ante** adj.

**frisure** n. f. **1** Façon de friser ; état des cheveux frisés. **2** Boucle. → ① **frisette.**

**frit, frite** adj. Cuit dans la friture.

**frite** n. f. **1** Petit morceau allongé de pomme de terre frite. **2** loc. fam. *Avoir la frite* : se sentir en forme.

**se friter** ou **se fritter** v. pron. [1] fam. Avoir une violente dispute (avec qqn). *Se friter avec ses voisins.* ♦ récipr. *Ils ne cessent pas de se friter.*

**friterie** n. f. **1** Installation pour la friture des poissons. **2** Échoppe de marchand de frites.

**friteuse** n. f. Récipient pourvu d'un égouttoir, destiné aux fritures.

**friture** n. f. **I 1** Action, manière de frire un aliment. **2** Matière grasse servant à frire. **3** Aliment frit. – spécialt Petits poissons frits. **II** Grésillement parasite (radio...).

**frivole** adj. **1** (choses) Qui a peu de sérieux et, par suite, d'importance. → **futile. 2** (personnes) Qui ne s'occupe que de choses futiles. **3** Inconstant en amour. → **volage.**

**frivolité** n. f. **1** Caractère d'une personne, d'une action frivole. **2** Chose frivole. → **bagatelle, futilité. 3** au plur. vieilli Petits articles de mode, de parure.

**froc** n. m. **I** vieilli Habit de moine. **II** fam. Pantalon.

**froid, froide I** adj. (opposé à *chaud*) **1** Qui est à une température sensiblement plus basse que celle du corps humain (dans l'échelle : *glacial, glacé, froid, frais*). *Un vent froid.* – *Couleurs froides,* qui ont peu d'éclat (bleu, vert...). – *Sueur* froide.* **2** Qui s'est refroidi. *Le moteur est froid.* **II** adj. **1** Qui ne s'anime ou ne s'émeut pas facilement. → **calme.** – *Une colère froide,* rentrée. **2** Dont la réserve marque de l'indifférence ou de l'hostilité (opposé à *chaleureux*). – loc. *Cela me laisse froid,* indifférent. **3** en art Qui ne suscite aucune émotion, par défaut de sensibilité. → **inexpressif, terne. 4** loc. *Guerre froide* : tension internationale sans conflit déclaré. **III** loc. adv. *À froid* : sans mettre au feu, sans chauffer. – *Opérer à froid,* en dehors d'une crise aiguë. – *Plaisanter à froid,* d'une façon distanciée. **IV** n. m. (opposé à *chaleur*) **1** État de la matière, spécialt de l'atmosphère quand elle est froide ; sensation résultant du contact de la peau avec un corps ou un milieu froid. – *Prendre, attraper froid,* un refroidissement. – loc. *N'avoir pas froid aux yeux* : être audacieux, décidé. ♦ *Froid artificiel,* produit par réfrigération ou congélation. **2** Sensation comparable à celle donnée par le froid. – loc. *Cela me fait froid dans le dos* (de peur...). *Jeter un froid* : provoquer une gêne. ♦ Absence d'émotion, de chaleur humaine. – loc. *Ils sont en froid,* brouillés, fâchés.

**froidement** adv. **1** Avec réserve. *On l'a reçu froidement.* **2** Calmement. **3** Avec insensibilité. *Abattre froidement qqn.*

**froideur** n. f. **1** Absence relative d'émotivité. → **impassibilité.** – Manque de sensualité. **2** Indifférence marquée. → **détachement. 3** en art Défaut de chaleur, d'éclat.

**froidure** n. f. littér. Grand froid de l'hiver.

**froissement** n. m. Action de froisser ; son résultat. ♦ Bruit de ce qui est froissé.

**froisser** v. tr. [1] **I 1** Meurtrir par une pression violente. *Se froisser un muscle.* **2** Comprimer, en écrasant. **3** Faire prendre des faux plis à (une étoffe). **II** fig. Blesser légèrement (qqn) dans son amour-propre, dans sa délicatesse. → **désobliger, vexer.** ▷ v. pron. **se froisser 1** *Tissu qui ne se froisse pas.* **2** Se vexer. *Ne vous froissez pas.*

**frôlement** n. m. Léger et rapide contact d'un objet qui se déplace le long d'un autre.

**frôler** v. tr. [1] **1** Toucher légèrement en passant. → **effleurer. 2** Passer très près de, en touchant presque. – fig. *Frôler le ridicule.*

**fromage** n. m. **1** Aliment obtenu par la coagulation du lait, suivie ou non de cuisson, de fermentation ; masse moulée de cet aliment. ♦ loc. fam. *Faire un fromage de qqch.,* en faire toute une histoire. **2** Situation avantageuse. → **sinécure. 3** *Fromage de tête* : pâté de tête de porc en gelée.

① **fromager, ère 1** adj. Relatif au fromage. **2** n. Fabricant ou marchand de fromages.

② **fromager** n. m. Grand arbre tropical, dont les fruits fournissent le kapok.

**fromagerie** n. f. Local où l'on fabrique et où l'on vend en gros des fromages. – Industrie, commerce des fromages.

**froment** n. m. Blé. – Grains de blé.

**fronce** n. f. Pli court et serré donné à une étoffe en y passant un fil.

**froncer** v. tr. [3] **1** Plisser, rider en contractant, en resserrant. *Froncer les sourcils.* ► **froncement** n. m. **2** Plisser (une étoffe) en formant des fronces.

**frondaison** n. f. Feuillage (des arbres).

① **fronde** n. f. bot. Feuille des plantes sans cotylédons. *Les frondes des fougères.*

② **fronde** n. f. 1 Arme de jet, poche de cuir contenant un projectile (balle ou pierre). 2 Lance-pierres à élastique.

③ **fronde** n. f. 1 avec maj. Sédition qui éclata contre Mazarin (1648-1653). 2 *Un esprit de fronde, un vent de fronde,* de révolte.

**fronder** v. [1] I v. intr. hist. Appartenir à la Fronde. II v. tr. littér. Attaquer ou railler (ce qui est entouré de respect).

**frondeur, euse** n. 1 Personne qui appartenait à la Fronde. 2 Personne qui critique l'autorité, etc. – adj. *Un esprit frondeur.*

**front** n. m. I 1 Partie supérieure du visage entre les sourcils et la racine des cheveux, s'étendant d'une tempe à l'autre. ♦ Partie antérieure et supérieure de la tête (d'animaux). 2 loc. *Avoir le front de,* l'audace, la prétention de. II 1 Face antérieure, d'une certaine étendue. – loc. *Front de mer :* avenue en bordure de la mer. 2 Ligne des positions occupées face à l'ennemi. – loc. *Faire front :* faire face pour résister. *Sur tous les fronts :* partout. ♦ Zone des batailles (s'oppose à *l'arrière*). 3 Union politique étroite entre des partis, etc. 4 techn. Face, plan vertical. – météorol. Ligne entre des masses d'air. *Front froid.* 5 loc. adv. *De front :* pardevant. – fig. Directement. ♦ Sur la même ligne, côte à côte. *Chevaux attelés de front.* – fig. *Mener de front plusieurs affaires.*

**frontal, ale, aux** I adj. anat. Du front. II n. m. Pièce couvrant le front.

**frontalier, ière** n. Habitant d'une région frontière. – adj. *Ville frontalière.*

**frontière** n. f. 1 Limite d'un territoire, ou séparant deux États. *Frontière naturelle* (obstacle géographique). ♦ Région près d'une frontière. – appos. *Des villes frontière(s).* ♦ loc. *Sans frontières,* international. 2 fig. Limite, séparation. → **confins.**

**frontispice** n. m. 1 Grand titre d'un ouvrage. 2 Gravure placée face au titre.

**fronton** n. m. 1 Couronnement vertical d'un édifice. 2 Mur de pelote basque.

**frottement** n. m. 1 Action de frotter ; contact et friction de deux corps dont l'un se déplace par rapport à l'autre. 2 sc. Force qui s'oppose au glissement. 3 fig. Difficulté.

**frotter** v. [1] I v. tr. 1 Exercer une pression accompagnée de mouvement. 2 Rendre plus propre en frottant. → **astiquer, briquer.** 3 loc. *Se frotter les mains* (en signe de contentement). 4 *Frotter qqch. de, avec...,* enduire par frottement. II v. intr. Produire un frottement. ▷ v. pron. se **frotter** 1 Frotter son corps. → **frictionner.** 2 S'enduire (de). 3 *Se frotter à qqn,* se mesurer à lui.

**frottis** n. m. 1 peint. Mince couche de couleur. 2 Préparation en couche mince d'une substance organique (pour examen au microscope).

**frottoir** n. m. Objet pour frotter.

**froufrou** ou **frou-frou** n. m. Bruit léger de frôlement, de froissement (étoffe, etc.).

**froufrouter** v. intr. [1] Produire un froufrou. ► **froufroutant, ante** adj.

**frousse** n. f. fam. Peur. → fam. **trouille.** ► **froussard, arde** adj. et n.

**fructifier** v. intr. [7] 1 Produire, donner des récoltes. 2 Produire des bénéfices. *Faire fructifier un capital.* ► **fructification** n. f.

**fructueux, euse** adj. Qui donne des résultats avantageux. → **profitable, rentable.**

**frugal, ale, aux** adj. 1 Qui consiste en aliments simples et peu abondants. *Repas frugal.* 2 *Vie frugale.* → **austère, simple.** ► **frugalité** n. f.

**frugivore** adj. Qui se nourrit de fruits.

**fruit** n. m. I 1 Production des plantes qui apparaît après la fleur (surtout comestible et sucrée). 2 loc. *Le fruit défendu* (que Dieu avait défendu à Adam et Ève de manger) : chose qu'on désire et dont on doit s'abstenir. II (Produit) 1 littér. *Le fruit d'une union, d'un mariage,* l'enfant. 2 Résultat avantageux. → **avantage, profit.** *Le fruit de l'expérience.* 3 loc. *Fruits de mer :* coquillages comestibles, oursins, crustacés.

**fruité, ée** adj. Au goût de fruit frais.

**fruiterie** n. f. Commerce de fruits.

**fruitier, ière** I adj. Qui donne des fruits comestibles. II 1 n. m. Lieu planté d'arbres fruitiers. → **verger.** ♦ Local où l'on garde les fruits. 2 n. Personne qui tient une fruiterie.

**fruitière** n. f. région. Fromagerie.

**frusques** n. f. pl. fam. Vieux habits ; habits.

**fruste** adj. 1 didact. Usé, altéré par le temps. 2 (personnes) Mal dégrossi. → **grossier, primitif.**

**frustrant, ante** adj. Qui frustre (2).

**frustrer** v. tr. [1] 1 Priver (qqn) d'un bien, d'un avantage sur lequel il comptait. *Frustrer un héritier de sa part.* 2 Priver (qqn) d'une satisfaction. – au p. p. *Être, se sentir frustré.* ► **frustration** n. f.

**fuchsia** [fyʃja ; fyksja] n. m. 1 Arbrisseau aux fleurs pourpres, roses, en clochettes. 2 *Fuchsia, rose fuchsia* (couleur).

**fucus** [-ys] n. m. bot. Algue brune.

**fuel** [fjul] ou **fioul** n. m. anglic. Mazout.

**fugace** adj. Qui disparaît vite, dure très peu. → **éphémère, fugitif.** ► **fugacité** n. f.

**fugitif, ive** adj. 1 Qui s'enfuit, qui s'est échappé. – n. → **évadé, fuyard.** 2 Qui passe et disparaît rapidement. → **bref, fugace.** ► **fugitivement** adv.

**fugue** n. f. I Action, fait de s'enfuir du lieu où l'on vit habituellement. *Enfant qui fait une fugue.* II Composition musicale écrite dans le style du contrepoint, basée sur des imitations successives d'un thème.

**fugué, ée** adj. mus. De la forme semblable ou comparable à celle de la fugue.

**fuguer** v. intr. [1] Faire une fugue (I). ► **fugueur, euse** adj. et n.

**führer** [fyʀœʀ] n. m. Titre de Hitler.

**fuir** v. [17] **I** v. intr. **1** S'éloigner en toute hâte, partir pour échapper à une difficulté. → s'**enfuir.** - Partir au loin. **2** (sujet chose) S'éloigner ou sembler s'éloigner par un mouvement rapide. - (temps) Passer rapidement. **3** (liquide) S'échapper. **4** Présenter une issue, une fente par où s'échappe ce qui est contenu. *Tonneau qui fuit.* **II** v. tr. **1** Chercher à éviter. *Fuir qqn ; les responsabilités.* **2** (sujet chose) littér. Échapper à, se refuser à (qqn). *Le sommeil me fuit.*

**fuite** n. f. **I** (êtres vivants) **1** Action de fuir ; mouvement d'une personne qui fuit. - dr. *Délit de fuite* (après avoir causé un accident). ♦ loc. *Fuite en avant,* accélération risquée d'un processus. **2** Action de se dérober (à un devoir...). **II** (choses) **1** Action de s'éloigner. *Fuite des capitaux* (à l'étranger). - *La fuite du temps.* **2** Écoulement par une issue étroite ou cachée. *Fuite de gaz.* ♦ Cette issue (fissure...). **3** Disparition de documents secrets ; divulgation d'informations destinées à demeurer secrètes.

**fuiter** v. intr. [1] fam. **1** Fuir, se sauver. **2** Faire l'objet d'une fuite (II, 3).

**fulgurant, ante** adj. **1** Qui jette une lueur vive et rapide. *Clarté fulgurante.* **2** Qui frappe vivement et soudainement l'esprit. *Idée fulgurante.* **3** Très vif, très fort et rapide. *Des progrès fulgurants.* → **foudroyant.**

**fulgurer** v. intr. [1] littér. Briller vivement.

**fuligineux, euse** adj. De la suie ; qui rappelle la suie ; qui en a la couleur noirâtre.

**full-contact** [ful-] n. m. anglic. Sport de combat à mains nues, aussi appelé *boxe américaine.*

**fullerène** n. m. chim. Molécule stable formée d'atomes de carbone (60 et plus), troisième variété connue de carbone pur (avec le graphite et le diamant).

**fulminant, ante** adj. **1** chim. Qui peut détoner par l'effet de la chaleur ou d'un choc. **2** Qui est en colère et menaçant.

**fulminer** v. [1] **I** v. intr. **1** chim. Faire explosion. → **détoner, exploser.** **2** Éclater en menaces, en reproches (contre qqn, qqch.). **II** v. tr. **1** dr. canon Lancer (une condamnation) dans les formes. **2** littér. Formuler avec véhémence. *Fulminer des reproches.* ► **fulmination** n. f.

① **fumage** n. m. Action de fumer (des aliments). → ① **fumer** (II). - syn. **fumaison** n. f.

② **fumage** n. m. Action de fumer (②).

**fumant, ante** adj. **1** Qui émet de la fumée, qui fume (①). **2** Qui émet (ou semble émettre) de la vapeur. *Soupe fumante.* **3** fam. *Un coup fumant,* très bien réussi.

**fumé, ée** adj. **1** Préparé par fumage (①). **2** Obscurci comme par de la fumée.

**fume-cigarette** n. m. Petit tube au bout duquel on met une cigarette pour la fumer.

**fumée** n. f. **1** Produit gazeux, plus ou moins coloré, qui se dégage d'un feu, etc. - prov. *Il n'y a pas de fumée sans feu*.* - loc. *S'en aller en fumée :* être consommé sans profit. **2** Vapeur qui se dégage d'une surface liquide plus chaude que l'air. **3** au plur. Vapeurs qui sont supposées monter au cerveau, brouiller les idées. *Les fumées de l'ivresse.*

① **fumer** v. [1] **I** v. intr. **1** Dégager de la fumée (1). **2** Exhaler de la vapeur. **II** v. tr. Exposer, soumettre à l'action de la fumée. → **boucaner.** *Fumer du lard, du poisson* (pour sécher et conserver). **III** v. tr. Faire brûler (du tabac, etc.) en aspirant la fumée par la bouche. - absolt *Défense de fumer.*

② **fumer** v. tr. [1] Répandre du fumier sur (une terre). → **fumure ; fertiliser.**

**fumerie** n. f. Lieu où l'on fume l'opium.

**fumerolle** n. f. Émanation de gaz qui s'échappe d'un volcan.

**fumeron** n. m. **1** Morceau de charbon de bois fumant. **2** Petite lampe qui fume.

**fumet** n. m. **1** Odeur agréable et pénétrante d'un plat. **2** Odeur animale puissante.

**fumeterre** n. f. Plante à feuilles très découpées et à fleurs roses.

**fumeur, euse** n. Personne qui a l'habitude de fumer (III). - appos. *Espace fumeurs.*

**fumeux, euse** adj. **1** Qui répand de la fumée. **2** Qui manque de clarté, de netteté.

**fumier** n. m. **1** Mélange des litières et des excréments des animaux d'élevage, utilisé comme engrais. **2** fam. (très injurieux) Personne méprisable.

**fumigation** n. f. **1** Destruction de germes, etc. par des fumées toxiques. **2** méd. Soin par des vapeurs médicamenteuses.

**fumigène** adj. Qui produit de la fumée. *Grenade fumigène.* - n. m. *Des fumigènes.*

① **fumiste** n. Personne qui installe ou répare les cheminées et appareils de chauffage.

② **fumiste** n. et adj. fam. (Personne) qui ne fait rien sérieusement, sur qui on ne peut compter. → **plaisantin.** ► **fumisterie** n. f.

**fumoir** n. m. Local pour les fumeurs.

**fumure** n. f. Amélioration des terres par le fumier, par un fertilisant.

**fun** [fœn] n. m. invar. anglic. Amusement, plaisir. ♦ adj. invar. *Elles sont fun !*

**funambule** n. Personne qui marche, danse sur la corde raide. → **acrobate.**

**funambulesque** adj. **1** Du funambule. **2** fig. Bizarre, extravagant.

**funboard** [fœnbɔʀd] n. m. anglic. Planche à voile très courte, permettant de sauter. - Sport pratiqué avec cette planche.

**funèbre** adj. 1 Qui a rapport aux funérailles. → **funéraire, mortuaire.** – *Pompes* funèbres.* 2 Qui évoque la mort. ♦ Qui inspire un sentiment de sombre tristesse. → **lugubre, sinistre.**

**funérailles** n. f. pl. Ensemble des cérémonies accomplies pour rendre les derniers devoirs à un mort. → **enterrement, obsèques.**

**funéraire** adj. Qui concerne le souvenir, la commémoration des morts.

**funérarium** [-jɔm] n. m. Établissement qui reçoit le corps des personnes décédées, et où se réunissent les proches avant les obsèques (syn. *chambre funéraire*).

**funeste** adj. Qui porte avec soi le malheur et la désolation. – *Funeste à.* → **fatal** à.

**funiculaire** n. m. Chemin de fer tiré par des câbles (sur une voie en forte pente).

**furax** [-aks] adj. fam. Furieux.

**furet** n. m. 1 Petit mammifère carnivore, au pelage blanc et aux yeux rouges. 2 Jeu dans lequel des joueurs se passent rapidement un objet (le *furet*) qu'il faut déceler.

au **fur et à mesure** loc. adv. En même temps et proportionnellement.

**fureter** v. intr. [5] Chercher, s'introduire partout avec curiosité.

**fureteur, euse** n. Personne curieuse qui cherche partout. – adj. *Des yeux fureteurs.*

**fureur** n. f. I 1 littér. Folie poussant à la violence. 2 Colère sans mesure. 3 (choses) Caractère d'extrême violence. II 1 littér. Passion irrésistible. *La fureur de vivre.* 2 loc. *Faire fureur* : avoir grand succès.

**furibard, arde** adj. fam. Furibond.

**furibond, onde** adj. Qui ressent ou annonce une grande fureur.

**furie** n. f. 1 Fureur brutale. 2 mythol. romaine Chacune des trois divinités infernales de la vengeance. ♦ fig. Femme haineuse, méchante, coléreuse.

**furieux, euse** adj. 1 En proie à la fureur (I, 1), au délire. *Un fou furieux.* → **forcené.** 2 En proie à une folle colère. 3 (choses) Fort et violent. *Vent furieux.* ► **furieusement** adv.

**furoncle** n. m. Abcès fermé, douloureux, dû à un staphylocoque. → **anthrax, clou.**

**furonculose** n. f. Éruption de furoncles.

**furtif, ive** adj. 1 Qui se fait à la dérobée, qui passe presque inaperçu. *Regard, sourire furtif.* 2 *Avion furtif,* impossible à déceler au radar. ► **furtivement** adv.

**fusain** n. m. 1 Arbrisseau à feuilles sombres et luisantes et à fruits rouges. 2 Charbon à dessiner (fait avec le bois du fusain). 3 Dessin exécuté au fusain.

**fusant, ante** adj. Qui fuse. *Obus fusant.*

**fuseau** n. m. 1 Petite toupie allongée qui sert à tordre puis à enrouler le fil, lorsqu'on file à la quenouille. – Petite bobine de fil à broder. 2 *En fuseau* : de forme allongée, le centre étant légèrement renflé. ♦ *Un fuseau, des fuseaux* : pantalon étroit à souspieds. ♦ *Fuseau horaire* : chacun des 24 fuseaux imaginaires à la surface de la Terre, d'un pôle à l'autre, servant à fixer l'heure locale légale.

**fusée** n. f. 1 Pièce de feu d'artifice propulsée par de la poudre et qui éclate en dégageant une vive lumière colorée. 2 Engin propulsé par un moteur anaérobie à réaction *(moteur-fusée).* ♦ Véhicule spatial.

**fuselage** n. m. Corps d'un avion.

**fuselé, ée** adj. En forme de fuseau. – *Doigts fuselés,* longs et minces.

**fuser** v. intr. [1] 1 techn. Couler en fondant. 2 (explosifs) Brûler sans détoner. 3 Jaillir comme une fusée. *Les rires fusaient.*

**fusible** I adj. didact. Qui peut fondre sous l'effet de la chaleur. ► **fusibilité** n. f. II n. m. Petit fil d'un alliage fusible qu'on interpose dans un circuit électrique pour protéger une installation. → **coupe-circuit, plomb.**

**fusiforme** adj. En forme de fuseau.

**fusil** [-zi] n. m. I 1 Tige d'acier munie d'un manche, sur laquelle on aiguise les couteaux. 2 *Pierre à fusil* : silex donnant une étincelle par percussion sur une petite pièce d'acier. II 1 Arme à feu portative à long canon. ♦ *Fusil sous-marin,* arme tirant une flèche, un harpon attaché par un fil. 2 loc. *Changer son fusil d'épaule* : changer de projet. – fam. *Coup de fusil,* addition très élevée, dans un hôtel, etc.

**fusilier** n. m. vx Soldat armé d'un fusil. – mod. *Fusilier marin* : marin qui prend part aux combats.

**fusillade** n. f. 1 Combat à coups de fusil. 2 Action de fusiller pour exécuter.

**fusiller** v. tr. [1] 1 Tuer (un condamné) par une décharge de coups de fusil (→ passer par les armes). 2 fam. *Fusiller qqn du regard.* → **foudroyer.** ▷ adj. et n. **fusillé, ée** (Personne) mise à mort par fusillade.

**fusil-mitrailleur** [fyzi-] n. m. Arme collective automatique à chargeur.

**fusion** n. f. I 1 Passage d'un corps solide à l'état liquide sous l'action de la chaleur (→ **fondre**). 2 État d'une matière liquéfiée par la chaleur. *Métal en fusion.* 3 *Fusion nucléaire,* dans laquelle deux noyaux atomiques légers s'unissent et libèrent de l'énergie. II fig. Union intime. *La fusion des cœurs.* ♦ *Fusion d'entreprises.*

**fusionnel, elle** adj. De la fusion (entre personnes). – psych. *La relation fusionnelle entre mère et enfant.*

**fusionner** v. [1] 1 v. tr. Unir par fusion (des collectivités). 2 v. intr. S'unir par fusion.

**fustanelle** n. f. Court jupon masculin, tuyauté, du costume national grec.

**fustiger** v. tr. [3] **1** vx Battre à coups de bâton, etc. **2** littér. Blâmer violemment.

**fût** n. m. **I 1** Tronc d'arbre dans sa partie droite et dépourvue de branches. **2** Tige d'une colonne entre la base et le chapiteau. **3** techn. Monture de bois (d'une arme...). **II** Tonneau pour le vin, le cidre, etc. → **baril, futaille.**

**futaie** n. f. Forêt de grands arbres aux fûts dégagés.

**futaille** n. f. **1** → **fût** (II). **2** (collectif) Tonneaux, fûts. *Ranger la futaille dans un chai.*

**futal** n. m. fam. Pantalon. *Des futals.*

**futé, ée** adj. Qui est plein de finesse, de malice. – n. *C'est une futée.*

**futile** adj. **1** Qui est dépourvu d'intérêt, de sérieux. → **insignifiant. 2** (personnes) Qui ne se préoccupe que de choses sans importance. → **frivole, superficiel.** ► **futilement** adv. ► **futilité** n. f.

**futon** n. m. Matelas de coton de faible épaisseur, de style japonais.

**futur, ure I** adj. **1** Qui appartient à l'avenir. → **prochain, ultérieur.** – *Croire en une vie future* (après la mort). **2** (avant le nom) Qui sera tel dans l'avenir. *Vos futurs collègues.* – n. vieilli *Son futur, sa future.* → **fiancé. II** n. m. **1** Partie du temps qui vient après le présent. → **avenir. 2** Ensemble des formes d'un verbe qui expriment qu'une action, un état sont placés dans un moment de l'avenir. *Futur simple* (ex. *je parlerai*) ; *antérieur* (ex. *j'aurai parlé*)...

**futurisme** n. m. Mouvement esthétique moderniste né en Italie au début du XX^e^ siècle.

**futuriste 1** adj. et n. Partisan du futurisme. **2** adj. Qui évoque l'état futur de l'humanité tel qu'on peut l'imaginer.

**futurologie** n. f. didact. Recherches concernant les évolutions futures. → **prospective.** ► **futurologue** n.

**fuyant, ante** adj. **1** littér. Qui fuit, s'éloigne. **2** Qui se dérobe. → **insaisissable.** *Regard fuyant.* **3** en art Qui paraît s'éloigner. *Perspective fuyante.* **4** Dont les lignes s'incurvent vers l'arrière. *Front fuyant.*

**fuyard, arde** n. Personne qui s'enfuit. → **fugitif.** ♦ spécialt n. m. Soldat qui fuit devant l'ennemi.

# G

**g** [ʒe] n. m. **1** Septième lettre, cinquième consonne de l'alphabet. **2** *g* : symbole du *gramme.*

**gabardine** n. f. **1** Tissu serré de laine ou de coton. **2** Imperméable en gabardine.

**gabarit** n. m. **1** techn. Modèle en grandeur réelle d'une pièce de construction. **2** Appareil pour vérifier une forme ou des dimensions. **3** Type, modèle ; taille, stature. ♦ fig. *Du même gabarit.* → **acabit.**

**gabarre** n. f. **1** Embarcation plate. **2** Grand filet de pêche. – var. **gabare.**

**gabbro** n. m. Roche éruptive grenue.

**gabegie** n. f. Désordre ; gaspillage.

**gabelle** n. f. hist. Impôt indirect sur le sel (sous l'Ancien Régime, en France).

**gabelou** n. m. hist. Commis de la gabelle. – plais. Douanier.

**gabier** n. m. Matelot chargé de l'entretien de la voilure.

**gabion** n. m. **1** milit. Cylindre rempli de terre (protection). **2** Abri de chasse.

**gable** ou **gâble** n. m. Pignon décoratif.

**gâchage** n. m. Action de gâcher.

**gâche** n. f. Pièce de métal dans laquelle s'engage le pêne* d'une serrure.

**gâcher** v. tr. [1] **1** Délayer (du mortier, du plâtre) avec de l'eau. **2** fig. Faire (un travail) sans soin. ♦ Manquer, gâter, compromettre (qqch.).

**gâchette** n. f. **1** techn. Petite gâche. **2** Pièce immobilisant le percuteur d'une arme à feu. ♦ abusivt Détente de cette arme.

> On appuie sur la détente, pas sur la gâchette.

**gâcheur, euse** n. Personne qui gâche.

**gâchis** n. m. **1** Mortier gâché. **2** Amas de choses abîmées. ♦ fig. Désordre, gaspillage.

**gadget** [gadʒɛt] n. m. anglic. Objet amusant et nouveau, plus ou moins futile.

**gadin** n. m. fam. Chute (d'une personne).

**gadoue** n. f. Terre détrempée. → **boue.**

**gaélique 1** adj. Des populations celtes du nord de l'Écosse. **2** n. m. Groupe des dialectes celtiques des îles Britanniques.

① **gaffe** n. f. Perche munie d'un croc.

② **gaffe** n. f. fam. **1** *Faire gaffe :* faire attention. **2** Maladresse, bévue.

**gag** [gag] n. m. anglic. **1** (au cinéma) Brève action comique. **2** Situation burlesque.

**gaga** adj. et n. fam. Gâteux.

**gage** n. m. **I 1** Bien mobilier remis pour garantir le paiement d'une dette. → **caution, dépôt, garantie. 2** (jeux) Pénitence que le perdant doit exécuter. **3** fig. Ce qui représente une garantie. → **assurance, promesse. II** au plur. **1** Salaire d'un domestique. → **appointements. 2** loc. *Tueur à gages,* payé pour assassiner.

**gager** v. tr. [3] **1** littér. *Gager que* (+ indic.) : supposer que. **2** fin. Garantir par un gage.

**gageure** [-ʒyʀ] n. f. littér. Projet, opinion qui semble relever d'un défi, d'un pari.

> La deuxième syllabe se prononce comme le mot *jure.*

**gagnant, ante** s'oppose à *perdant* **1** adj. Qui gagne. **2** n. Le concurrent qui gagne.

**gagne-pain** n. m. invar. Ce qui permet à qqn de gagner modestement sa vie.

**gagne-petit** n. invar. Personne dont le métier rapporte peu.

**gagner** v. tr. [1] **I** S'assurer (un profit matériel) **1** (Par une activité). *Gagner sa vie* (en travaillant). **2** (Par un hasard). *Gagner le gros lot.* **II 1** Acquérir, obtenir (un avantage). *Gagner de l'assurance.* – *Gagner du temps* (→ **temporiser**) ; *de la place.* ♦ *Gagner en,* sous le rapport de. *Son style a gagné en force.* ♦ intrans. *Gagner à* (+ inf.) : retirer des avantages. *Il gagne à être connu.* **2** Obtenir (les dispositions favorables d'autrui). → s'**attirer, conquérir, mériter.** *Il a gagné l'estime de tous.* – *Gagner qqn à sa cause.* **III** (Dans une compétition, une rivalité ; opposé à *perdre*) **1** Obtenir, remporter (un enjeu, un prix). **2** Être vainqueur dans (la compétition). *Gagner un match.* – *On a gagné !* **3** L'emporter sur (qqn). – *Gagner qqn de vitesse.* → **devancer. 4** *Gagner du terrain sur qqn,* se rapprocher de qqn (si on le poursuit), s'en éloigner (si l'on est poursuivi). – (choses) *L'incendie gagne du terrain.* → s'**étendre. 5** intrans. S'étendre, se propager. *L'obscurité gagne.* **IV** Atteindre (une position). – (En se déplaçant). *Gagner la sortie.* – (En s'étendant). *Le cancer a gagné le foie.* – *Le sommeil le gagne,* s'empare de lui.

**gagneur, euse** n. I Personne qui gagne. ♦ n. f. argot Prostituée qui rapporte. II Personne animée par la volonté de réussir.

**gai, gaie** adj. 1 Qui a de la gaieté. → **content, joyeux.** ♦ Dont la gaieté provient d'une légère ivresse. → **éméché.** 2 (choses) Qui marque de la gaieté ; où règne la gaieté. 3 Qui inspire de la gaieté. → **amusant, comique, drôle.** – *Couleurs gaies.* → **riant.**

**gaiement** adv. Avec gaieté. → **joyeusement.** – var. anc. **gaîment.**

**gaieté** n. f. – var. anc. **gaîté** 1 Comportement, état d'esprit d'une personne animée par la bonne humeur. → **entrain, joie.** – loc. *De gaieté de cœur :* volontiers. 2 Caractère de ce qui est gai.

① **gaillard, arde** I adj. 1 Plein de vie. → **alerte, allègre.** 2 D'une gaieté un peu osée. → **grivois.** II n. m. 1 Homme plein de vigueur. 2 fam. Garçon, homme.

② **gaillard** n. m. mar. Superstructure située sur le pont supérieur d'un navire.

**gaillardement** adv. Avec vigueur, entrain.

**gaillardise** n. f. Gaieté un peu osée.

**gaîment ; gaîté** → **gaiement ; gaieté**

**gain** n. m. 1 Action, fait de gagner. – loc. *Obtenir gain de cause,* ce qu'on voulait. 2 Ce qu'on gagne. → **bénéfice, profit, revenu.** 3 Avantage obtenu. → **fruit, profit.** *Gain de temps.* → **économie.**

**gaine** n. f. 1 Enveloppe ayant la forme de ce qu'elle protège. 2 Sous-vêtement féminin élastique enserrant les hanches et la taille. 3 Support (d'une statue) plus étroit à la base. 4 anat. Enveloppe protectrice.

**gainer** v. tr. [1] 1 Mettre une gaine à. 2 Mouler comme fait une gaine.

**gala** n. m. Grande fête. → **cérémonie.**

**galactique** adj. D'une galaxie.

**galamment** adv. Avec galanterie (1).

**galant, ante** adj. I 1 (homme) Qui cherche à plaire aux femmes. ♦ Attentionné à l'égard des femmes. 2 vx *Un galant homme,* un homme d'honneur. 3 Qui a rapport aux relations amoureuses. II n. m. vieilli Amoureux, soupirant.

**galanterie** n. f. 1 Courtoisie auprès des femmes. 2 Propos flatteur (à une femme).

**galantine** n. f. Charcuterie à base de viande ou de volaille, servie en gelée.

**galapiat** n. m. fam. Vaurien.

**galaxie** n. f. 1 (avec maj.) La Voie lactée, galaxie (2) où se trouve le Soleil. 2 Vaste amas d'étoiles, l'une des structures essentielles de l'Univers.

**galbe** n. m. Contour harmonieux (d'un objet ; d'un corps, d'un visage). ► **galbé, ée** adj.

**gale** n. f. 1 Maladie contagieuse de la peau, due à un acarien parasite, et caractérisée par des démangeaisons. ♦ fig. (personnes) *Mauvais comme la gale :* très méchant. 2 Maladie des végétaux.

**galéjade** n. f. région. (Provence) Blague.

**galène** n. f. Sulfate naturel de plomb.

**galère** n. f. 1 Grand navire à rames et à voiles (de l'Antiquité au XVIII^e siècle). 2 au plur. Peine de ceux qui étaient condamnés à ramer sur les galères. 3 fig., fam. Métier pénible, situation difficile.

**galérer** v. intr. [6] fam. Être dans une situation pénible, difficile.

**galerie** n. f. 1 Lieu de passage ou de promenade, couvert, plus long que large. 2 Salle où sont réunies des œuvres d'art. ♦ Magasin où sont vendues des œuvres d'art. 3 (au théâtre) Balcon à plusieurs rangs de spectateurs. ♦ dans des loc. L'assistance. *Amuser la galerie.* 4 Cadre métallique fixé sur le toit d'une voiture. 5 Passage souterrain. *Galeries de mine.*

**galérien** n. m. Homme condamné à ramer sur les galères.

**galeriste** n. Personne qui tient une galerie d'art.

**galet** n. m. 1 Caillou usé et poli par l'eau. 2 techn. Disque, petite roue.

**galetas** n. m. Logement sordide.

**galette** n. f. 1 Gâteau plat et rond. ♦ Crêpe de sarrasin ou de maïs. 2 Objet en forme de galette.

**galeux, euse** adj. 1 Atteint de la gale. – n. *Un galeux.* 2 méd. De la gale. 3 Dont la surface est sale ou pelée. → **lépreux.**

**galicien, ienne** adj. et n. I De la Galice (Espagne). – n. m. Langue romane parlée en Galice, apparentée au portugais. II De la Galicie (Pologne).

**galimatias** [-tja] n. m. Discours confus.

**galion** n. m. Ancien navire de commerce.

**galiote** n. f. mar. anc. Petite galère.

**galipette** n. f. fam. Cabriole, culbute.

**galle** n. f. Tumeur d'un tissu végétal due à des insectes parasites.

**gallican, ane** adj. Qui concerne l'Église catholique de France. ♦ adj. et n. Partisan des libertés de cette Église (opposé à *ultramontain*). ► **gallicanisme** n. m.

**gallicisme** n. m. 1 Construction, emploi propre à la langue française. 2 Emprunt fait au français par une autre langue.

**gallinacé** n. m. Oiseau de la famille de la poule et du coq (caille, dindon, faisan...).

**gallium** [-jɔm] n. m. Corps simple (symb. Ga), métal proche de l'aluminium.

**gallois, oise** adj. et n. Du pays de Galles. ♦ n. m. *Le gallois* (langue celtique).

**gallon** n. m. Mesure de capacité des pays anglo-saxons pour les grains et les liquides.

Ne pas confondre avec *galon* «ruban».

**gallo-romain, aine** adj. et n. De la civilisation née en Gaule après la conquête par les Romains. - n. *Les Gallo-Romains.*

**gallo-roman** n. m. Langue romane parlée en Gaule avant le roman.

**galoche** n. f. Chaussure grossière. ♦ fig., fam. *Menton en galoche,* relevé.

**galon** n. m. Ruban de tissu épais ; spécialt signe distinctif des grades dans l'armée. - loc. *Prendre du galon :* monter en grade.

Ne pas confondre avec *gallon* «mesure de liquide».

**galonner** v. tr. [1] Orner de galons. ▷ adj. **galonné, ée** *Revers galonnés.* - n. m. fam. Officier ou sous-officier.

**galop** [-o] n. m. **1** Allure la plus rapide du cheval (et d'animaux de la même famille). **2** loc. *Galop d'essai :* entraînement, essai. - *Au galop :* très vite.

**galopade** n. f. **1** Chevauchée faite au galop. **2** Course précipitée.

**galopant, ante** adj. Qui croît très vite.

**galoper** v. intr. [1] **1** Aller au galop. **2** Courir vite. ♦ fig. *Son imagination galope.*

**galopin** n. m. vieilli Gamin qui court les rues. - Enfant espiègle, effronté. → **polisson.**

**galoubet** n. m. Flûte provençale.

**galuchat** n. m. Peau de certains poissons (squale, raie), traitée et utilisée en maroquinerie.

**galurin** n. m. fam. Chapeau. - syn. **galure.**

**galvanique** adj. sc. Relatif aux courants électriques continus de basse tension.

**galvaniser** v. tr. [1] **1** sc. Électriser au moyen d'un courant galvanique. **2** fig. Animer d'une énergie soudaine, souvent passagère. → **électriser. 3** techn. Recouvrir (un métal) d'une couche d'un autre métal par électrolyse. ► **galvanisation** n. f.

**galvanisme** n. m. sc. Phénomènes électriques des muscles et des nerfs.

**galvanomètre** n. m. phys. Instrument mesurant de faibles intensités de courant électrique.

**galvanoplastie** n. f. techn. Procédé de galvanisation (→ **galvaniser** (3)) d'un objet.

**galvauder** v. tr. [1] Compromettre (un avantage...) par un mauvais usage. → **gâcher.** ▷ adj. **galvaudé, ée** *Une idée galvaudée.*

**gambade** n. f. Bond joyeux et spontané.

**gambader** v. intr. [1] Faire des gambades. - fig. *Son esprit gambade,* suit sa fantaisie.

**gambas** [-as] n. f. pl. Grosses crevettes de la Méditerranée.

**gambe** → **viole** de gambe

**gamberger** v. [3] argot fam. **1** v. intr. Réfléchir. **2** v. tr. Combiner. ► **gamberge** n. f.

**gambette** n. f. fam. Jambe.

**gambiller** v. intr. [1] fam. Danser.

**gambiste** n. Instrumentiste qui joue de la viole* de gambe.

**gambit** n. m. aux échecs Sacrifice d'un pion (pour préparer une attaque, etc.).

**gamelan** n. m. Orchestre traditionnel indonésien (gongs, tambours...).

**gamelle** n. f. **1** Récipient individuel pour la nourriture. **2** fam. *Ramasser une gamelle :* tomber ; fig. subir un échec.

**gamète** n. m. Cellule reproductrice sexuée qui contient un chromosome de chaque paire.

**gameur, euse** [gɛmœʀ, øz] n. ou **gamer** [gɛmœʀ] n. m. anglic. Amateur de jeux vidéo.

**gamin, ine I 1** n. vieilli Petit garçon, petite fille vivant dans la rue. **2** mod. Enfant. → **gosse. II** adj. Jeune et espiègle. ► **gaminerie** n. f. → **enfantillage.**

**gamma** n. m. invar. Troisième lettre de l'alphabet grec (Γ, γ), correspondant au g.

**gammaglobuline** n. f. biol. Fraction du sérum sanguin contenant des anticorps.

**gamme** n. f. **1** mus. Suite montante ou descendante de notes* comprises dans une octave. **2** Gradation de couleurs. **3** Série continue (d'objets...). - loc. *Haut de gamme, bas de gamme,* produits les plus chers, les moins chers d'une série.

**gammée** adj. f. *Croix gammée,* aux branches en forme de gamma. → **svastika.**

**ganache** n. f. Crème à base de chocolat fondu et de crème fraîche.

**gandoura** n. f. Tunique sans manches, portée dans le Maghreb.

**gang** [gɑ̃g] n. m. anglic. Bande organisée, association de malfaiteurs.

Ne pas confondre avec *gangue* «enveloppe».

**ganglion** n. m. Renflement sur le trajet d'un vaisseau lymphatique ou d'un nerf. ► **ganglionnaire** adj.

**gangrène** n. f. **1** Putréfaction des tissus vivants. **2** fig. Ce qui pourrit, corrompt.

**gangrener** [-gʀə- ; -gʀe-] v. tr. [5] **1** Attaquer par la gangrène (1). **2** fig. → **empoisonner, pervertir.** ▷ adj. **gangrené, ée**

**gangreneux, euse** [-gʀə- ; -gʀe-] adj. Qui est de la nature de la gangrène.

**gangster** [gɑ̃gstɛʀ] n. m. anglic. Membre d'un gang. → **bandit, malfaiteur.** ♦ Crapule. → **escroc.** ► **gangstérisme** n. m.

**gangue** n. f. **1** Matière sans valeur qui entoure un minerai, une pierre précieuse à l'état naturel. ♦ par analogie *Une gangue de boue.* **2** fig. Ce qui enveloppe, dissimule.

Ne pas confondre avec *gang* «bande de malfaiteurs».

**ganse** n. f. Cordonnet, ruban (ornement).

**ganser** v. tr. [1] Garnir d'une ganse.

**gant** n. m. **1** Pièce de l'habillement qui s'adapte exactement à la main en couvrant chaque doigt séparément. **2** Objet analogue, qui enveloppe la main sans séparer les doigts. → **moufle.** *Gant de boxe.* – *Gant de toilette.* **3** loc. *Retourner qqn comme un gant,* le faire changer d'avis. – *Aller comme un gant à qqn,* lui convenir parfaitement. – *Jeter le gant* (à qqn), le défier. *Relever le gant,* le défi. – *Prendre des gants :* agir avec ménagement. – littér. *Se donner les gants* (de qqch.), s'en attribuer le mérite.

**gantelet** n. m. **1** ancienn<sup></sup>t Gant (d'une armure). **2** Morceau de cuir pour protéger la main.

**ganter** v. tr. [1] Mettre des gants à (qqn).

**gantier, ière** n. Personne qui confectionne ou qui vend des gants. ► **ganterie** n. f.

**garage** n. m. **I** Action de garer. ♦ spécial<sup></sup>t Action de ranger des wagons à l'écart. – *Voie de garage,* pour les wagons ; fig. situation sans avenir. **II 1** Abri destiné aux véhicules. **2** Entreprise d'entretien et de réparation des automobiles.

**garagiste** n. Personne qui tient un garage (II, 2).

**garance** adj. invar. Rouge vif.

**garant, ante** n. **1** dr. Personne qui s'engage à répondre (de qqch.). → **responsable.** **2** *Être, se porter garant de :* répondre de. **3** n. m. Ce qui constitue une garantie (2). → **assurance, gage.**

**garantie** n. f. **1** dr. Obligation d'assurer à qqn la jouissance d'une chose, d'un droit. – Engagement par lequel un vendeur répond de la qualité de ce qu'il vend. **2** Ce qui garantit, sert à garantir.

**garantir** v. tr. [2] **I** Assurer sous sa responsabilité (qqch.) à qqn. **1** dr. Fournir l'assurance, la garantie de (qqch.) – (sujet chose) *Lois garantissant les libertés.* **2** Assurer de la qualité. – au p. p. *Appareil garanti un an.* **3** Donner (qqch.) pour certain, véridique. → **certifier.** **II 1** dr. Assurer (qqn) par une garantie. **2** Mettre à l'abri (de). → **préserver, protéger.**

**garbure** n. f. région. Soupe au chou.

**garce** n. f. fam. **1** Fille de mauvaise vie. **2** Femme désagréable. – fig. *Garce de vie !*

**garçon** n. m. **I 1** Enfant du sexe masculin. – loc. *Garçon manqué :* fille aux allures de garçon. **2** Jeune homme. – *Mauvais garçon :* voyou. **3** *Vieux garçon :* jeune homme non marié. → **célibataire.** **II** Aide, commis. – Serveur.

**garçonnet** n. m. vieilli Petit garçon.

**garçonnier, ière** adj. Qui, chez une fille, rappelle les allures d'un garçon.

**garçonnière** n. f. Petit appartement pour un homme seul.

① **garde** n. f. **I 1** Action de conserver ou protéger (qqch.) en surveillant. *Confier à un ami la garde de ses affaires.* ♦ *Vin de garde,* qui peut vieillir longtemps. **2** Action de veiller sur (qqn). *Père divorcé qui a la garde des enfants.* **3** Surveillance. *Faire bonne garde.* – *Être de garde,* chargé de rester à un poste, d'assurer un service. *Le médecin de garde.* ♦ Surveillance militaire. *Monter la garde.* **4** Fait de surveiller, de garder (qqn). – dr. *Garde à vue :* mesure judiciaire par laquelle la police retient qqn pendant un délai légal. **II 1** Position de défense (en escrime...). *En garde !* **2** *Mettre qqn en garde,* l'avertir, le prévenir. *Mise en garde :* avertissement. ♦ *Être sur ses gardes,* vigilant. → **se méfier.** **3** *Prendre garde :* faire attention. → **veiller.** **4** littér. *N'avoir garde de,* s'abstenir soigneusement de (faire qqch.). **III 1** Groupe de personnes chargées de veiller sur qqn, qqch. ; spécial<sup></sup>t corps de troupe. ♦ loc. *La vieille garde :* les partisans les plus anciens d'un homme politique, etc. **2** Ensemble des soldats en armes qui occupent un poste, exercent une surveillance. ♦ *Corps de garde :* groupe de soldats chargés de garder un poste. – *Plaisanterie de corps de garde,* grossière. **3** Service de garde. *La garde de nuit.* **IV** (Chose qui protège) **1** Rebord (d'une épée...) placé entre la lame et la poignée. **2** *Pages de garde :* pages vierges placées au début et à la fin d'un livre. **3** techn. *Garde d'une pédale,* espace à parcourir avant qu'elle soit efficace.

② **garde I** n. **1** Personne qui garde (qqch., un lieu). – *Le, la garde des Sceaux :* le, la ministre de la Justice. – *Garde forestier,* chargé de surveiller les forêts. – *Garde champêtre,* préposé à la garde des propriétés rurales. **2** Personne qui a la garde d'un prisonnier. → **gardien.** **3** Personne qui veille sur une personnalité. – *Garde du corps,* qui suit qqn pour le protéger. **4** Soldat d'une garde. **II** n. f. Celle qui garde un malade, un enfant. → **garde-malade.**

**gardé, ée** adj. **1** *Chasse gardée,* réservée (au propriétaire, à un groupe). **2** loc. *Toutes proportions gardées.* → **garder** (II, 7).

**garde-à-vous** n. m. invar. Position immobile du soldat prêt à exécuter un ordre.

**garde-barrière** n. Personne qui surveille un passage à niveau. *Des gardes-barrières.*

**garde-boue** n. m. invar. Pièce qui recouvre le dessus d'une roue de bicyclette, etc. pour éviter les éclaboussures.

**garde champêtre** → ② **garde**

**garde-chasse** n. Personne préposée à la garde du gibier. *Des gardes-chasse(s).*

**garde-chiourme** n. m. anciennt Surveillant des galériens, des forçats. – n. péj. Surveillant brutal. *Des gardes-chiourme.*

**garde-corps** [-kɔʀ] → **garde-fou**

**garde-côte** n. m. Bateau chargé de la surveillance des côtes. *Des garde-côtes.*

**garde-fou** n. m. Parapet. *Des garde-fous.* – syn. **garde-corps** n. m. invar.

**garde-magasin** n. Militaire chargé de surveiller les magasins d'un corps de troupe. *Des gardes-magasins.*

**garde-malade** n. Personne qui garde et soigne les malades. *Des gardes-malades.*

**garde-manger** n. m. invar. Petite armoire dans laquelle on conserve des aliments.

**garde-meuble** n. m. Lieu où l'on entrepose des meubles. *Des garde-meubles.*

**gardénal** n. m. Nom d'un calmant.

**gardénia** n. m. Arbuste exotique à feuilles persistantes, à fleurs blanches.

**garden-party** [gaʀdɛn-] n. f. anglic., vieilli Réception mondaine donnée dans un jardin. *Des garden-partys* ou *garden-parties.*

**garde-pêche** n. **1** Personne chargée de faire observer les règlements sur la pêche. *Des gardes-pêche.* **2** n. m. invar. Navire qui assure le même service.

**garder** v. tr. [1] **I 1** Prendre soin de (qqn, un animal). → **surveiller, veiller** sur. *Garder des enfants.* **2** Empêcher (qqn) de sortir, de s'en aller. *Garder un prisonnier.* **3** Rester dans (un lieu) pour le surveiller. **4** littér. Protéger, préserver (qqn de qqch.). → **garantir.** *Garder qqn de l'erreur.* – loc. (souhait) *Dieu m'en garde !* **II** (Conserver) **1** Empêcher que (qqch.) ne se gâte, ne disparaisse. *Garder du beurre au frais.* **2** Conserver pour soi. *Garder le double d'une lettre.* **3** Conserver sur soi (un vêtement, un bijou). **4** dans des loc. Ne pas quitter (un lieu). *Garder la chambre, le lit.* **5** Retenir (une personne) avec soi. *Garder qqn à dîner.* **6** Ne pas divulguer. *Garder un secret.* **7** Continuer à avoir. *Garder sa liberté.* – loc. *Toutes proportions gardées :* en tenant compte des différences, dans une comparaison. ♦ (avec un adj. attribut du compl.) *Garder les idées claires.* **III** Mettre de côté, en réserve. → **réserver.** **IV** Observer avec soin. *Garder le silence.* ▷ v. pron. se **garder** **1** vx Se protéger. **2** *Se garder de* (+ n.). → se **méfier.** – *Se garder de* (+ inf.) : s'abstenir de. **3** (passif) Pouvoir être conservé.

**garderie** n. f. Local où l'on garde de jeunes enfants.

**garde-robe** n. f. **I 1** Armoire où l'on range les vêtements. → **penderie.** **2** Ensemble des vêtements d'une personne. *Des garde-robes.* **II** vx Lieu où l'on mettait la chaise percée. → **cabinet(s).**

**gardeur, euse** n. Personne qui garde (des animaux). *Gardeuse d'oies.*

**gardian** n. m. Gardien d'un troupeau (→ manade) de gros bétail, en Camargue.

**gardien, ienne** n. **1** Personne qui a charge de garder. *Gardien de prison.* – *Gardien(ne) de but :* joueur, joueuse chargé(e) de défendre le but (football, etc.). **2** n. m. anciennt *Gardien de la paix :* agent de police.

**gardiennage** n. m. Service du gardien.

**gardon** n. m. Petit poisson d'eau douce.

① **gare** n. f. Ensemble des bâtiments et installations établis aux stations des lignes de chemin de fer. ♦ *Gare routière,* pour les cars. – *Gare de fret,* dans un aéroport.

② **gare** interj. Exclamation pour avertir d'un danger. → **attention.** – loc. *Sans crier gare :* à l'improviste. – (menace) *Gare à toi !*

**garenne** n. f. Bois où les lapins vivent à l'état sauvage. – loc. *Lapin de garenne.*

**garer** v. tr. [1] Ranger (un bateau, un véhicule...) à l'écart de la circulation, ou dans un lieu abrité. ▷ v. pron. se **garer** **1** Garer son véhicule. **2** Se ranger pour laisser passer. **3** *Se garer de qqch.,* faire en sorte d'éviter.

**gargantuesque** adj. Digne de Gargantua, personnage de Rabelais (→ pantagruélique). *Repas gargantuesque.*

se **gargariser** v. pron. [1] **1** Se rincer la gorge avec un liquide. **2** fig., fam. → se **délecter** de.

**gargarisme** n. m. Médicament pour se gargariser. – Fait de se gargariser (1).

**gargote** n. f. Restaurant à bon marché.

**gargouille** n. f. Gouttière sculptée par laquelle s'éjectent les eaux de pluie.

**gargouillement** n. m. Bruit analogue à celui de l'eau tombant d'une gargouille. → **glouglou.** – Ce bruit, dans l'organisme. → **borborygme.** – syn. fam. **gargouillis.**

**gargouiller** v. intr. [1] Produire un gargouillement.

**gariguette** → **garriguette**

**garnement** n. m. Garçon turbulent.

**garni** n. m. vx → **meublé.**

**garnir** v. tr. [2] **1** Pourvoir d'éléments destinés à protéger ou à renforcer (→ **garniture**). **2** Pourvoir de tous les éléments nécessaires ou normaux. → **équiper.** **3** Pourvoir d'accessoires ou d'ornements. *Garnir de fleurs.* **4** (sujet chose) Orner en tant que garniture.

**garnison** n. f. Corps de troupes caserné dans une ville.

**garnissage** n. m. Action de garnir.

**garniture** n. f. **1** Ce qui sert à garnir qqch. → **ornement, parure. 2** Pièce destinée à protéger, à renforcer. *Garniture de frein.* **3** Ce qui accompagne (un plat).

**garou** → **loup-garou**

**garrigue** n. f. Terrain acide et calcaire de la région méditerranéenne ; végétation broussailleuse de ce terrain. → **maquis.**

**garriguette** n. f. Petite fraise cultivée, précoce, oblongue et parfumée. – var. **gariguette.**

① **garrot** n. m. Partie du corps des grands quadrupèdes située au-dessus de l'épaule, qui prolonge l'encolure.

② **garrot** n. m. **1** Lien servant à comprimer les vaisseaux pour arrêter une hémorragie. **2** Instrument de supplice pour étrangler, collier de fer serré par une vis.

**garrotter** v. tr. 1 **1** Serrer ou étrangler avec un garrot. **2** Attacher très solidement.

**gars** [gɑ] n. m. fam. Garçon, homme.

**gascon, onne** adj. et n. De Gascogne. – loc. *Une promesse de Gascon,* non tenue.

**gas-oil** → **gazole**

**gaspiller** v. tr. 1 Dépenser, consommer inutilement. → **dilapider ; gâcher.** ► **gaspillage** n. m. ► **gaspilleur, euse** adj. et n. → **dépensier.**

**gastéropode** n. m. Mollusque au large pied charnu qui lui sert à ramper (classe des *Gastéropodes ;* ex. escargot, limace, bigorneau).

**gastralgie** n. f. méd. Douleur à l'estomac. ► **gastralgique** adj.

**gastrectomie** n. f. méd. Ablation totale ou partielle de l'estomac.

**gastrique** adj. De l'estomac.

**gastrite** n. f. méd. Inflammation de la muqueuse de l'estomac.

**gastroentérite** n. f. Inflammation des muqueuses de l'estomac et de l'intestin. – abrév. fam. **gastro** n. f.

**gastroentérologie** n. f. Médecine du tube digestif (estomac, œsophage, intestins). ► **gastroentérologique** adj. ► **gastroentérologue** n.

**gastronome** n. Amateur de bonne chère.

**gastronomie** n. f. Art de la bonne chère (cuisine, vins, ordonnance des repas, etc.). ► **gastronomique** adj.

**gastroplastie** n. f. méd. Réduction chirurgicale du volume de l'estomac, traitement de l'obésité grave.

**gâteau** n. m. **I 1** Pâtisserie à base de farine, de beurre et d'œufs, le plus souvent sucrée. *Gâteaux secs,* qui se conservent. – *Gâteau de riz* (entremets). ♦ loc. fam. *Réclamer sa part du gâteau,* du profit. – *C'est du gâteau,* c'est tout simple. **2** *Gâteau de cire, de miel :* ensemble des alvéoles dans lesquelles les abeilles déposent leur miel. → ② **rayon. II** appos. (invar.) fam. Qui gâte les enfants. *Une tata gâteau.*

**gâter** v. tr. 1 **I 1** (surtout passif) Détériorer en pourrissant. → **corrompre ; avarié. 2** Priver de sa beauté, de ses qualités naturelles. → **enlaidir. 3** Enrayer la bonne marche de (qqch.). → **compromettre.** – loc. *Ça ne gâte rien :* c'est un avantage de plus. **4** Diminuer l'effet agréable de (qqch.). **II** Combler (qqn) d'attentions, de cadeaux. ▷ **v. pron. se gâter 1** S'abîmer, pourrir. **2** Se détériorer. ▷ **adj. gâté, ée 1** *Dent gâtée,* cariée. **2** *Enfant gâté,* dont on satisfait tous les désirs.

**gâterie** n. f. **1** Moyen de gâter (qqn). **2** Petit cadeau (surprise, friandise).

**gâte-sauce** n. vx Mauvais cuisinier. ♦ mod. Marmiton. *Des gâte-sauces.*

**gâteux, euse** adj. **1** Dont les facultés intellectuelles sont amoindries par l'âge. – n. *Un vieux gâteux.* **2** Qui devient stupide sous l'effet d'un sentiment (amour...).

**gâtisme** n. m. État d'une personne gâteuse (1 et 2).

**gauche I** adj. **1** Qui est de travers, dévié par rapport à une surface plane. **2** (personnes) Maladroit et disgracieux. **II 1** adj. Situé du côté du cœur de qqn (opposé à *droit*). *Main gauche.* **2** n. m. boxe Poing gauche. **3** n. f. Le côté gauche. – loc. fam. *Jusqu'à la gauche :* complètement. ♦ loc. adv. *À gauche :* du côté gauche. – *Mettre de l'argent à gauche,* de côté. **III** n. f. Personnes qui professent des idées politiques avancées, progressistes. – *Voter à gauche.*

**gauchement** adv. Maladroitement.

**gaucher, ère** adj. et n. Qui se sert ordinairement de la main gauche.

**gaucherie** n. f. Maladresse.

**gauchir** v. 2 **I** v. intr. (choses planes) Perdre sa forme. → se **courber. II** v. tr. **1** Rendre gauche. → **tordre. 2** fig. Altérer, fausser.

**gauchisant, ante** adj. et n. Dont les idées se rapprochent de celles de la gauche.

**gauchisme** n. m. Courant politique d'extrême gauche. ► **gauchiste** adj. et n.

**gauchissement** n. m. Action de gauchir.

**gaucho** [go(t)ʃo] n. m. en Amérique du Sud Gardien de troupeaux de la pampa.

**gaudriole** n. f. fam. **1** Plaisanterie un peu leste. **2** *La gaudriole :* l'amour physique.

**gaufrage** n. m. **1** Action de gaufrer. **2** Ornement gaufré.

**gaufre** n. f. Gâteau léger cuit entre deux plaques qui lui impriment un relief.

**gaufrer** v. tr. 1 Imprimer des motifs en relief ou en creux sur (qqch.).

**gaufrette** n. f. Petite gaufre sèche.

**gaufrier** n. m. Moule à gaufres.

**gaule** n. f. Longue perche pour faire tomber les fruits d'un arbre. ♦ Canne à pêche.

**gauler** v. tr. [1] Faire tomber (des fruits) avec une gaule. ► **gaulage** n. m.

**gaullisme** n. m. Courant se réclamant du général de Gaulle. ► **gaulliste** adj. et n.

**gaulois, oise** **I** adj. De Gaule. – n. *Les Gaulois.* – n. m. *Le gaulois* (langue celtique). ♦ par ext. Français, en tant que descendant des Gaulois. *Le coq gaulois.* **II** adj. D'une gaieté un peu leste.

**gauloiserie** n. f. Propos licencieux.

se **gausser** v. pron. [1] littér. Se moquer ouvertement (de qqn ou de qqch.).

**gave** n. m. Torrent pyrénéen.

**gaver** v. tr. [1] **1** Faire manger de force et abondamment (les volailles qu'on veut engraisser). **2** *Gaver qqn de,* lui faire manger trop de. ▷ v. pron. se **gaver** Manger énormément (de). ► **gavage** n. m.

**gavial, als** n. m. Animal voisin du crocodile, à longues mâchoires étroites.

**gavotte** n. f. **1** Ancienne danse à deux temps. **2** Danse bretonne collective.

**gavroche** n. m. Gamin de Paris, spirituel et moqueur. – adj. *Un air gavroche.*

**gay** adj. et n. anglic. Homosexuel.

**gaz** [gɑz] n. m. **1** Tout corps qui se présente à l'état de fluide expansible et compressible (état gazeux) dans les conditions normales de température et de pression. – *Gaz rares* (hélium, néon, argon, krypton, xénon, radon). ♦ *Avoir des gaz.* → **flatuosité.** **2** Produit gazeux, naturel ou manufacturé, utilisé comme combustible, etc. – loc. fam. *Il y a de l'eau dans le gaz :* l'atmosphère est à la querelle. **3** Mélange gazeux utilisé dans les moteurs. *Mettre les gaz* (pour accélérer). **4** Corps gazeux destiné à produire des effets nocifs sur l'organisme. – *Chambre à gaz,* utilisée dans les camps nazis et pour l'exécution de condamnés à mort.

> Ne pas confondre avec *gaze* «tissu léger».

**gaze** n. f. Tissu léger de soie ou de coton.

> Ne pas confondre avec *gaz* «corps gazeux».

**gazéifier** v. tr. [7] **1** Faire passer à l'état de gaz. **2** Faire dissoudre du gaz carbonique dans. – au p. p. *Boisson gazéifiée.* ► **gazéification** n. f.

**gazelle** n. f. Mammifère ruminant d'Afrique et d'Asie, à longues pattes fines.

① **gazer** v. tr. [1] vx Couvrir d'une gaze.

② **gazer** v. [1] **I** v. tr. Intoxiquer (qqn) avec un gaz. → **asphyxier.** **II** v. intr. fam. **1** Aller à toute vitesse. **2** *Ça gaze :* ça va bien.

**gazette** n. f. vx ou plais. Journal, revue.

**gazeux, euse** adj. **1** Relatif au gaz. **2** Qui contient du gaz carbonique dissous. *Eau gazeuse.* → **pétillant.**

**gazoduc** n. m. Canalisation qui alimente en gaz sur de très longues distances.

**gazogène** n. m. techn. Appareil transformant un combustible en gaz. – (en 1940-1945) Véhicule à gazogène.

**gazole** n. m. Produit pétrolier utilisé comme carburant dans les moteurs diesel. – syn. (anglic.) **gas-oil.**

**gazomètre** n. m. Réservoir de gaz.

**gazon** n. m. **1** hortic. Motte de terre garnie d'herbe. **2** Herbe courte et fine.

**gazouiller** v. intr. [1] **1** (oiseaux...) Produire un bruit léger et doux. **2** (nourrisson) Émettre des sons à peine articulés. ► **gazouillement** et **gazouillis** n. m.

**geai** n. m. Oiseau passereau de la taille du pigeon, à plumage bigarré. *Le geai jase.*

> Ne pas confondre avec *jais* «pierre» ni *jet* «jaillissement».

**géant, ante** **I** n. **1** Personne dont la taille dépasse anormalement la moyenne (→ **gigantisme**). **2** Génie, personne remarquable. *Les géants de l'art.* **II** adj. Dont la taille dépasse de beaucoup la moyenne.

**gecko** n. m. Lézard des régions chaudes.

**geek** [gik] n. anglic., fam. Passionné d'informatique et de nouveautés techniques (Internet, etc.).

**géhenne** n. f. **1** (dans la Bible) Enfer. **2** fig., littér. Torture ; souffrance intolérable.

**geignard, arde** adj. fam. Qui se lamente à tout propos. – *Un ton geignard.*

**geindre** v. intr. [52] **1** Faire entendre des plaintes faibles et inarticulées. **2** Se lamenter à tout propos (→ **geignard**).

**geisha** [gɛʃa ; gɛjʃa] n. f. Hôtesse japonaise qui reçoit et divertit les hommes.

**gel** n. m. **I** **1** Temps de gelée. **2** Congélation des eaux (et de la vapeur d'eau atmosphérique). **3** fig. Arrêt, blocage (d'une activité économique...). **II** **1** sc. Substance souple obtenue par formation de flocons dans une solution colloïdale. **2** Produit translucide à base d'eau ou d'huile.

**gélatine** n. f. Substance extraite, sous forme de gelée, de certains tissus animaux. ► **gélatineux, euse** adj.

**gelée** n. f. **I** Abaissement de la température au-dessous de zéro, ce qui provoque la congélation de l'eau. – *Gelée blanche,* congélation de la rosée avant le lever du soleil, par nuit claire. **II** **1** Suc de substance animale (viande, os) coagulé. **2** Jus de fruits cuit au sucre et coagulé. **3** Corps de consistance gélatineuse.

**geler** v. [5] I v. tr. 1 Transformer en glace. 2 Endommager (des tissus organiques) par le froid. 3 Faire souffrir du froid. 4 fig. Arrêter, bloquer. II v. intr. 1 Se transformer en glace. 2 (tissus organiques) Être endommagé par le froid. 3 Souffrir du froid. III impers. *Il a gelé cette nuit.* ▷ adj. **gelé, ée** *Étang gelé.* – *Je suis gelé :* j'ai froid.

**gélifiant** n. m. Additif destiné à donner la consistance d'un gel à une préparation.

**gélifier** v. tr. [7] Transformer en gel (II).

**gélinotte** n. f. Oiseau voisin de la perdrix (communément appelé *coq des marais*).

**gélule** n. f. Capsule en gélatine dure qui contient un médicament en poudre.

**gelure** n. f. Lésion grave de la peau causée par le froid.

**gémeau, elle** adj. et n. 1 vx Jumeau. 2 n. m. pl. Troisième signe du zodiaque (21 mai-21 juin). – *Elle est Gémeaux.*

**gémellaire** adj. Relatif aux jumeaux.

**géminé, ée** adj. Disposé par paires.

**gémir** v. intr. [2] 1 Exprimer sa souffrance d'une voix plaintive et inarticulée. → **geindre.** 2 Se plaindre. *Gémir sur son sort.* 3 (sujet chose) Émettre un son plaintif et prolongé. ► **gémissant, ante** adj. → **plaintif.** ► **gémissement** n. m.

**gemme** n. f. 1 Pierre précieuse. ♦ adj. *Sel gemme,* qu'on extrait des mines. 2 Résine des pins.

**gemmer** v. tr. [1] techn. Inciser l'écorce de (un pin) pour recueillir la gemme (2).

**gemmologie** n. f. Étude des gemmes (1).

**gémonies** n. f. pl. loc. *Vouer qqn aux gémonies,* l'accabler publiquement de mépris.

**gênant, ante** adj. Qui gêne.

**gencive** n. f. Muqueuse épaisse qui recouvre la base des dents.

**gendarme** n. I n. m. anciennt Homme de guerre à cheval. II Militaire appartenant à la gendarmerie. III n. m. fig., fam. 1 Saucisson sec, plat et très dur. 2 Hareng saur.

se **gendarmer** v. pron. [1] Protester, réagir vivement.

**gendarmerie** n. f. I anciennt Corps de cavalerie lourde. II 1 Corps militaire, chargé de maintenir l'ordre et la sécurité publics, et de collaborer à la police judiciaire. 2 Caserne, bureaux des gendarmes.

**gendre** n. m. Le mari d'un enfant, par rapport aux parents de celui-ci. → **beau-fils.**

**gène** n. m. biol. Unité définie localisée sur un chromosome, grâce à laquelle se transmet un caractère héréditaire.

> Ne pas confondre avec *gêne* «malaise».

**gêne** n. f. I vx Torture. II 1 Malaise, trouble physique. 2 Situation imposant une contrainte, un désagrément. → **dérangement, embarras.** ♦ *Être dans la gêne,* manquer d'argent. 3 Impression désagréable de malaise que l'on éprouve devant qqn. → **confusion, embarras.**

> Ne pas confondre avec *gène* «élément du chromosome».

**généalogie** n. f. 1 Liste des ancêtres de (qqn). 2 Étude des filiations. ► **généalogique** adj. *Arbre* généalogique.* ► **généalogiste** n.

**génépi** n. m. Armoise, plante des montagnes. ♦ Liqueur faite avec cette plante.

**gêner** v. tr. [1] 1 Mettre (qqn) à l'étroit ou mal à l'aise, physiquement. → **serrer ; incommoder, indisposer.** 2 Entraver (une action). *Gêner la circulation.* 3 Mettre dans une situation embarrassante, difficile. ♦ Infliger à (qqn) qqch. d'importun. → **déranger, importuner.** 4 Mettre mal à l'aise. *Votre question me gêne.* ▷ v. pron. se **gêner** S'imposer une contrainte physique ou morale. ▷ adj. **gêné, ée** 1 Qui a, manifeste de la gêne. 2 (personnes) Dans une situation financière difficile.

① **général, ale, aux** adj. 1 Qui se rapporte à un ensemble de cas ou d'individus. – *En règle générale,* dans la plupart des cas. 2 Qui concerne, réunit la totalité des membres d'un groupe. *Grève générale.* – *Répétition générale,* ou n. f. *générale :* dernière répétition d'une pièce. – *Culture* générale. Médecine* générale.* 3 Qui concerne ou dirige l'ensemble d'un service, d'une organisation. 4 loc. adv. *En général* (opposé à *en particulier*). → **généralement.**

② **général, ale, aux** n. I 1 n. m. Celui qui commande une armée. 2 Personne qui est à la tête d'un ordre religieux. → **supérieur.** 3 Officier du plus haut grade commandant une grande unité dans les armées de terre et de l'air. 4 n. m. hist. Directeur d'une administration. II n. f. vieilli Femme d'un général.

**généralement** adv. 1 D'un point de vue général. 2 Dans la majorité des individus. 3 Dans la plupart des cas.

**généraliser** v. tr. [1] 1 Étendre, appliquer (qqch.) à l'ensemble ou à la majorité des individus. – pronom. *Mode qui se généralise.* – au p. p. *Crise généralisée.* 2 Tirer une conclusion générale de l'observation d'un cas limité. ► **généralisation** n. f.

**généralissime** n. m. Général en chef.

**généraliste** adj. 1 Qui pratique la médecine* générale. – n. *Un, une généraliste.* → **omnipraticien.** 2 Qui n'est pas spécialisé. *Ingénieur généraliste.* – *Télévision généraliste*

① **généralité** n. f. 1 Caractère de ce qui est général (1). → **universalité.** 2 Idée, notion générale. 3 *La généralité des...,* le plus grand nombre des (→ la plupart). **4** au plur. Propos vagues et inconsistants.

② **généralité** n. f. **I** hist. Circonscription dirigée par un *général des finances.* **II** Gouvernement de la province de Catalogne.

**générateur, trice** adj. **1** Qui génère. **2** n. m. Appareil, dispositif qui produit qqch.

**génératif, ive** adj. ling. *Grammaire générative :* description systématique des lois de production des phrases d'une langue.

**génération** n. f. **I** Action d'engendrer. **1** vx Reproduction (I). *Génération spontanée* (à partir de matière non vivante ; théorie ancienne). **2** fig. Fait de faire exister. → **genèse, production. II 1** Ensemble des êtres qui descendent de qqn à chacun des degrés de filiation. *La suite des générations.* **2** Espace de temps d'une trentaine d'années. **3** Ensemble des individus qui, à la même époque, sont dans la même tranche d'âge. **4** Série de produits d'un même niveau de développement.

**générationnel, elle** adj. Propre à une génération, à plusieurs générations. *Un conflit générationnel.*

**génératrice** n. f. Machine produisant de l'énergie électrique. → **dynamo.**

**générer** v. tr. [6] Engendrer, produire.

**généreusement** adv. **1** Avec générosité. **2** Abondamment.

**généreux, euse** adj. **1** Qui a des sentiments qui le portent au désintéressement, au dévouement. **2** Qui donne sans compter. – *Don généreux.* **3** D'une nature riche, abondante. *Une poitrine généreuse.*

**générique I** adj. **1** didact. Du genre (II, 1) (opposé à *spécifique*). *Terme générique.* **2** pharm. *Médicament générique,* dont la formule est dans le domaine public. **II** n. m. Partie (d'un film...) où sont indiqués les noms de ceux qui y ont participé.

**générosité** n. f. **1** Caractère d'une personne, d'une action généreuse. **2** Qualité qui dispose à sacrifier son intérêt. → **bonté ; altruisme.** ♦ Disposition à donner sans compter. → **libéralité.**

**genèse** n. f. **1** Création du monde. **2** Manière dont qqch. se forme, se développe. *La genèse d'une œuvre.*

**génésique** adj. vx ou didact. De la génération (I, 1). *Instinct génésique.* → **sexuel.**

**genêt** n. m. Arbrisseau sauvage, à fleurs jaunes odorantes.

**généticien, ienne** n. Spécialiste de la génétique.

**génétique I** adj. **1** Relatif à une genèse (2). **2** Relatif aux gènes, à l'hérédité. *Patrimoine génétique.* → **génotype. II** n. f. Science des lois de l'hérédité. ► **génétiquement** adv.

**gêneur, euse** n. Personne qui gêne.

**genévrier** n. m. Arbuste à feuilles piquantes, aux baies violettes. → **genièvre.**

**génial, ale, aux** adj. **1** Inspiré par le génie. **2** (personnes) Qui a du génie. **3** fam. Extraordinaire. ► **génialement** adv.

**génie** n. m. **I 1** Personnage surnaturel censé influer sur la destinée de qqn. **2** Être allégorique ; sa représentation. *Le génie de la liberté.* **II 1** *Le génie de* (qqch.), les caractères distinctifs qui fondent son originalité. *Le génie d'un peuple.* ♦ Disposition naturelle. *Il a le génie des affaires.* **2** Aptitude supérieure de l'esprit qui rend qqn capable de créations, d'inventions qui paraissent extraordinaires. *Le génie et le talent.* – *De génie* loc. adj. → **génial** (1 et 2). **3** Personne qui a du génie. **III 1** *Génie militaire :* services de travaux de l'armée. **2** *Génie civil :* art des constructions. ♦ Ensemble de techniques. → **ingénierie.** *Génie génétique.*

**genièvre** n. m. **1** Genévrier. – Son fruit. **2** Eau-de-vie aux baies de genièvre.

**génique** adj. biol. Relatif aux gènes. – *Thérapie génique,* par intervention sur les gènes.

**génisse** n. f. Jeune vache qui n'a pas encore eu de veau.

**génital, ale, aux** adj. Qui se rapporte à la reproduction sexuée des animaux et des hommes. *Organes génitaux.* → **sexe.** – psych. *Stade génital,* dernier stade de la libido, selon Freud.

**géniteur, trice 1** n. plais. Père, mère. **2** n. m. Animal destiné à la reproduction.

**génitif** n. m. gramm. Cas qui exprime le plus souvent la dépendance ou l'appartenance.

**génocide** n. m. Destruction méthodique d'un groupe humain. ► **génocidaire** adj.

**génois, oise** adj. et n. De Gênes. ♦ *Génoise* n. f. (pâtisserie légère).

**génome** n. m. biol. Ensemble des gènes (d'une espèce, d'un individu). ► **génomique** adj.

**génothérapie** n. f. biol. Thérapie génique.

**génotype** n. m. biol. Patrimoine héréditaire, dépendant de l'ensemble des gènes. *Génotype et phénotype*.*

**genou** n. m. **1** Partie du corps humain où la jambe s'articule avec la cuisse. *Fléchir le genou* (→ **génuflexion**). ♦ fam. *Être sur les genoux,* très fatigué. ♦ loc. adv. *À genoux :* sur les genoux posés au sol (→ s'**agenouiller**). – *C'est à se mettre à genoux :* c'est admirable. **2** (quadrupèdes) Articulation du membre antérieur.

**genouillère** n. f. Ce qu'on met sur le genou pour le protéger.

**genre** n. m. **I** *Le genre humain :* l'espèce humaine. → **humanité. II** (Ensemble abstrait) **1** didact. Idée générale d'un groupe d'êtres ou d'objets présentant des caractères communs (→ **générique**). – *Du même genre.* → **espèce, sorte.** 2 sc. nat. Subdivision de la famille. 3 didact. Construction sociale de l'identité sexuelle. *Identité de genre.* 4 Catégorie d'œuvres (définie par la tradition). III Catégorie grammaticale suivant laquelle un nom est dit masculin, féminin ou neutre. IV 1 *Genre de vie,* habitudes de vie. → **mode.** 2 Façons de s'habiller, de se comporter. → **allure, manière(s).** 3 loc. *Se donner un genre :* affecter certaines manières.

**gens** [ʒɑ̃] n. m. pl. et f. pl. 1 Personnes, en nombre indéterminé. *Beaucoup de gens* (mais : *plusieurs personnes*). – *Des gens simples.* – *Vieilles gens :* personnes âgées. *Jeunes gens :* jeunes filles et garçons. – *Les gens :* les humains. 2 *Gens de* (et activité). *Gens de loi, gens de lettres.* 3 *Le droit des gens :* droit des nations, droit international public.

> L'adj. placé avant s'accorde au fém. : *de bonnes gens ;* celui qui suit s'accorde au masc. : *des gens ennuyeux.*

**gent** [ʒɑ̃(t)] n. f. littér. ou plais. Espèce.

**gentiane** n. f. 1 Plante des montagnes à suc amer. 2 Boisson à base de gentiane.

① **gentil** [-ti] n. m. Nom que les juifs et les chrétiens donnaient aux personnes étrangères à leur religion. → **infidèle.**

② **gentil, ille** [-ti, ij] adj. 1 Qui plaît par sa grâce. → **charmant, mignon.** 2 Qui plaît par sa délicatesse morale, sa douceur. ♦ (enfants) → **sage.** 3 (somme d'argent) D'une certaine importance. → **coquet.**

**gentilé** n. m. didact. Dénomination des habitants d'un lieu, relativement à ce lieu.

**gentilhomme** [-ijɔ-] n. m. 1 vieilli Homme d'origine noble. *Des gentilshommes.* 2 Homme généreux, distingué. → **gentleman.**

**gentilhommière** [-ijɔ-] n. f. Petit château à la campagne.

**gentillesse** n. f. 1 Qualité d'une personne gentille. → **amabilité.** 2 Action, parole pleine de gentillesse. → **attention.**

**gentillet, ette** adj. Assez gentil.

**gentiment** adv. D'une manière gentille.

**gentleman** [ʒɑ̃tləman ; dʒɛntləman] n. m. anglic. Homme distingué, bien élevé. *Des gentlemen* ou (francisé) *gentlemans.*

**gentrification** [ʒɛn- ; ʒɑ̃-] n. f. sociol. Processus par lequel la population d'un quartier fait place à une couche sociale plus aisée.

**génuflexion** n. f. Action de fléchir le genou, les genoux (signe de respect, etc.).

**géode** n. f. Pierre arrondie, creuse, dont l'intérieur est tapissé de cristaux.

**géodésie** n. f. Science qui étudie la forme et les dimensions de la Terre.

**géographie** n. f. 1 Science qui a pour objet la description de l'aspect actuel du globe terrestre, au point de vue naturel et humain. 2 La réalité étudiée par cette science. ► **géographe** n. ► **géographique** adj.

**geôle** [ʒol] n. f. littér. Cachot, prison. ► **geôlier, ière** n. littér. → **gardien.**

**géolocalisation** n. f. Localisation précise à la surface de la Terre (d'objets, de personnes). *Géolocalisation par satellite.* → **G. P. S.** ► **géolocaliser** v. tr. [1]

**géologie** n. f. 1 Science qui étudie la structure et l'évolution de l'écorce terrestre. 2 Terrains, formations que la géologie étudie. ► **géologique** adj. ► **géologue** n.

**géomagnétisme** n. m. Magnétisme terrestre. ► **géomagnétique** adj.

**géomancie** n. f. didact. Divination par l'apparence du sol, des figures sur le sol.

**géomètre** n. 1 Spécialiste de géométrie. 2 Professionnel(le) qui relève des plans de terrains. → **arpenteur.**

**géométrie** n. f. 1 Science de l'espace ; partie des mathématiques qui a pour objet l'étude des figures dans l'espace. 2 loc. *À géométrie variable :* qui peut varier dans ses dimensions.

**géométrique** adj. 1 De la géométrie. – *Progression géométrique,* dont chaque terme s'obtient en multipliant le précédent par un nombre constant (ex. 2, 6, 18, 54...). 2 Simple et régulier. 3 Rigoureux et précis. ► **géométriquement** adv.

**géomorphologie** n. f. Étude de la forme et de l'évolution du relief terrestre. ► **géomorphologue** n.

**géophysique** n. f. Étude des propriétés physiques du globe terrestre (mouvements, magnétisme...). – adj. *Études géophysiques.* ► **géophysicien, ienne** n.

**géopolitique** n. f. Étude des rapports entre les données de la géographie et la politique. – adj. *Théories géopolitiques.* ► **géopoliticien, ienne** n.

**géosciences** n. f. pl. didact. Ensemble des disciplines scientifiques dont l'objet est la planète Terre (géographie, géologie, etc.).

**géostationnaire** adj. *Satellite géostationnaire,* dont l'orbite est telle qu'il semble immobile vu de la Terre.

**géostratégie** n. f. didact. Ensemble des facteurs stratégiques en relation avec la réalité géographique. ► **géostratégique** adj.

**géothermie** n. f. Étude de la chaleur des profondeurs de la Terre. ► **géothermique** adj.

**gérance** n. f. Fonction de gérant.

**géranium** [-jɔm] n. m. 1 bot. Plante sauvage odorante, souvent ornementale. 2 cour. Pélargonium, plante à feuilles arrondies et velues, à fleurs en ombelles.

**gérant, ante** n. Personne qui gère pour le compte d'autrui. *Gérant d'immeuble.* → **syndic.**

**gerbe** n. f. 1 Botte de céréales coupées, où les épis sont disposés d'un même côté. 2 Botte de fleurs coupées à longues tiges. 3 (par analogie de forme) *Une gerbe d'eau.*

**gerber** v. [1] I v. tr. 1 Mettre en gerbes. 2 Ranger en hauteur. II v. intr. fam. Vomir.

**gerbier** n. m. Grand tas de gerbes.

**gerboise** n. f. Petit rongeur à pattes postérieures et à queue très longues.

**gercer** v. tr. [3] (froid...) Crevasser l'épiderme. – au p. p. *Lèvres gercées.*

**gerçure** n. f. Petite fissure de l'épiderme.

**gérer** v. tr. [6] 1 Administrer (les intérêts, les affaires d'un autre). → **gérant.** 2 Administrer (ses propres affaires). *Gérer son budget.* 3 *Gérer une crise,* y faire face.

**gerfaut** n. m. Faucon à plumage gris.

**gériatrie** n. f. Médecine de la vieillesse et de ses troubles spécifiques. ► **gériatre** n. ► **gériatrique** adj.

① **germain, aine** adj. *Cousins germains :* cousins ayant une grand-mère ou un grand-père commun.

② **germain, aine** adj. et n. hist. De la Germanie.

**germanique** adj. 1 Qui a rapport aux Germains, à la Germanie. – *Langues germaniques :* langues des peuples que les Romains nommaient Germains, et celles qui en dérivent (francique, gotique... ; allemand, anglais, néerlandais, langues scandinaves). 2 De l'Allemagne. → **allemand.**

**germaniser** v. tr. [1] Rendre germanique. ► **germanisation** n. f.

**germanisme** n. m. Tournure propre à la langue allemande. ♦ Emprunt à l'allemand.

**germaniste** n. Spécialiste de la langue et de la culture allemandes.

**germanium** [-jɔm] n. m. Élément (symb. Ge), métal utilisé en électronique.

**germe** n. m. 1 Forme initiale d'un être vivant (terme non sc.). 2 biol. Œuf fécondé. – Micro-organisme capable d'engendrer une maladie. – bot. Première pousse (d'une plante). 3 fig. Principe, élément de développement (de qqch.). – *En germe :* à l'état latent.

**germer** v. intr. [1] 1 Pousser son germe au-dehors. *Le blé a germé.* 2 fig. Commencer à se développer.

**germinal** n. m. Septième mois du calendrier républicain (21-22 mars au 18-19 avril).

**germination** n. f. Phénomènes par lesquels une graine se développe et donne une plante. ► **germinatif, ive** adj.

**germon** n. m. Thon blanc.

**gérondif** n. m. 1 en latin Forme verbale, déclinaison de l'infinitif. 2 en français Participe présent généralement précédé de *en,* formant des compléments circonstanciels (ex. en forgeant, on devient forgeron).

**gérontocratie** n. f. didact. Gouvernement, domination par des vieillards.

**gérontologie** n. f. Étude des phénomènes de vieillissement de l'organisme humain. → **gériatrie.** ► **gérontologue** n. ► **gérontologique** adj.

**gésier** n. m. Troisième poche digestive des oiseaux.

**gésine** n. f. vx *En gésine :* en train d'accoucher (femme).

**gésir** v. intr. défectif (*je gis, tu gis, il gît, nous gisons, vous gisez, ils gisent ; je gisais,* etc. ; *gisant*) littér. 1 Être couché, étendu, sans mouvement (→ gisant). ♦ *Ci-gît, ici-gît :* ici repose (formule d'épitaphe). 2 Se trouver. → **résider.** *C'est là que gît le problème.*

**gesse** n. f. Plante légumineuse cultivée comme fourragère ou ornementale.

**gestation** n. f. 1 État d'une femelle vivipare qui porte son petit, jusqu'à la naissance. 2 fig. Lent travail d'élaboration.

① **geste** n. m. 1 Mouvement du corps (surtout des bras, des mains, de la tête), révélant un état d'esprit ou visant à exprimer, à exécuter qqch. → **attitude, mouvement.** *S'exprimer par gestes.* 2 fig. *Geste de,* acte, action de. *Un geste de générosité.* – loc. *Les faits* et gestes de qqn. Faire un geste,* une bonne action.

② **geste** n. f. Poèmes épiques du Moyen Âge relatant les exploits d'un héros.

**gesticuler** v. intr. [1] Faire beaucoup de gestes, trop de gestes. ► **gesticulation** n. f.

**gestion** n. f. Action, manière de gérer.

**gestionnaire** 1 adj. Qui concerne la gestion. 2 n. Personne chargée de la gestion d'une affaire.

**gestuel, elle** adj. didact. Du geste. *Langage gestuel.* ♦ n. f. Ensemble de gestes.

**gewurztraminer** [gevyʀtstʀaminɛʀ] n. m. 1 Cépage rosé à petits grains, cultivé en Alsace. 2 Vin blanc d'Alsace, très fruité, issu de ce cépage.

**geyser** [ʒɛzɛʀ] n. m. Source d'eau chaude qui jaillit par intermittence.

**ghetto** n. m. 1 Quartier où les Juifs étaient forcés de résider. 2 Quartier où une communauté vit à l'écart.

**ghettoïser** v. tr. [1] Transformer (un lieu) en ghetto. ► **ghettoïsation** n. f.

**gibbon** n. m. Singe d'Asie, sans queue.

**gibbosité** n. f. littér. Bosse.

**gibecière** n. f. Sac où le chasseur met son gibier. ♦ Sac en bandoulière.

**gibelotte** n. f. Fricassée au vin blanc.

**giberne** n. f. ancienntt Cartouchière.

**gibet** n. m. Potence où l'on exécutait les condamnés à la pendaison.

**gibier** n. m. **1** Animaux sauvages à chair comestible que l'on prend à la chasse. **2** fig. Personne que qqn cherche à prendre, à attraper, à duper. – loc. *Gibier de potence :* mauvais sujet.

**giboulée** n. f. Grosse averse.

**giboyeux, euse** adj. Riche en gibier.

**gibus** [-ys] n. m. Chapeau haut-de-forme à ressorts (syn. *chapeau claque*).

**giclée** n. f. Jet de ce qui gicle.

**gicler** v. intr. 1 **1** (liquide) Jaillir avec force. **2** fam. Être expulsé. ► **giclement** n. m.

**gicleur** n. m. **1** Petit tube du carburateur servant à doser l'arrivée d'essence. **2** Tube, dispositif qui fait jaillir de l'eau (notamment en cas d'incendie).

**gifle** n. f. **1** Coup donné de la main sur la joue de qqn. **2** fig. Humiliation, affront.

**gifler** v. tr. 1 **1** Frapper d'une gifle. **2** (sujet chose) Cingler, fouetter.

**gigantesque** adj. **1** Qui dépasse de beaucoup la taille ordinaire ; qui paraît très grand. **2** Qui dépasse la commune mesure. *L'œuvre gigantesque de Balzac.*

**gigantisme** n. m. Développement excessif de la taille (de qqn, de qqch.).

**gigogne** adj. (épithète) Se dit d'objets qui s'emboîtent les uns dans les autres.

**gigolo** n. m. fam. Jeune amant d'une femme plus âgée par laquelle il est entretenu.

**gigot** n. m. **1** Cuisse de mouton, d'agneau, coupée pour être mangée. **2** *Manches gigot,* bouffantes, serrées au coude.

**gigoter** v. intr. 1 fam. Agiter son corps.

① **gigue** n. f. *Gigue de chevreuil.* → **cuissot.**

② **gigue** n. f. Danse très rythmée.

**gilet** n. m. **1** Vêtement court sans manches. ♦ *Gilet de sauvetage,* qui permet de flotter. – *Gilet pare-balles.* **2** Tricot à manches longues fermé devant. → **cardigan.**

**gin** [dʒin] n. m. Eau-de-vie de grain aromatisée au genièvre. *Cocktail au gin et au citron* (*gin-fizz* n. m. invar.).

**gingembre** n. m. Plante tropicale dont le rhizome est utilisé comme condiment.

**gingival, ale, aux** adj. Des gencives.

**gingivite** n. f. Inflammation des gencives.

**ginseng** [ʒinsɛŋ] n. m. Plante d'Asie dont la racine possède des qualités toniques.

a **giorno** [adʒɔʀno ; -ʒjɔʀ-] loc. adv. Comme par la lumière du jour.

**girafe** n. f. Grand mammifère, à cou très long, au pelage roux. – loc. fam. *Peigner la girafe :* faire un travail inutile ; ne rien faire.

**girandole** n. f. **1** Gerbe tournoyante de feu d'artifice. **2** Candélabre orné de pendeloques. **3** Guirlande lumineuse.

**giration** n. f. Mouvement circulaire.

**giratoire** adj. (mouvement) Circulaire. – *Sens giratoire* (autour d'un rond-point).

**girl** [gœʀl] n. f. anglic. Jeune danseuse de music-hall faisant partie d'une troupe.

**girofle** n. m. *Clou de girofle :* bouton des fleurs d'un arbre exotique (le *giroflier*), utilisé comme condiment.

**giroflée** n. f. **1** Plante à fleurs odorantes. **2** fam. *Giroflée à cinq feuilles :* gifle.

**girolle** n. f. → ② **chanterelle.**

**giron** n. m. **1** vx Partie du corps allant de la ceinture aux genoux, chez une personne assise. **2** mod. *Dans le giron de :* au sein de.

**girond, onde** adj. fam. (personnes) Bien fait et un peu rond.

**girouette** n. f. **1** Plaque mobile autour d'un axe vertical, qui indique la direction du vent. **2** fig. Personne versatile.

**gisant** n. m. Statue funéraire représentant le défunt étendu.

**gisement** n. m. Masse de minerai.

**gît** → **gésir**

**gitan, ane** n. et adj. Tsigane (d'Espagne).

**gîte** **I** n. m. **1** littér. Lieu où l'on trouve à se loger, où l'on peut coucher. – cour. *Gîte rural.* **2** Lieu où s'abrite le gibier. **3** Partie inférieure de la cuisse du bœuf (en boucherie). **II** n. f. (navire) *Donner de la gîte :* s'incliner sur un bord. → ③ **bande.**

**gîter** v. intr. 1 **I** littér. Avoir son gîte (I, 1 et 2). **II** (navire) Donner de la gîte.

**giton** n. m. littér. Jeune homme entretenu par un amant.

**givrage** n. m. Formation de givre.

**givrant, ante** adj. Qui produit du givre.

**givre** n. m. Très fine couche de glace qui se forme par temps brumeux.

**givré, ée** adj. **I 1** Couvert de givre. *Arbres givrés.* **2** *Citron givré, orange givrée,* sorbet présenté dans l'écorce du fruit. **II** fam. Fou ; ivre.

**givrer** v. tr. 1 **1** Couvrir de givre. **2** Couvrir d'une couche évoquant le givre.

**glabre** adj. Dépourvu de poils.

**glaçage** n. m. Action de glacer (II).

**glaçant, ante** adj. Qui glace (fig.).

**glace** n. f. **I 1** Eau congelée. ♦ loc. *Rester de glace*, imperturbable. - *Rompre la glace* : dissiper la gêne. **2** Crème glacée ou sorbet. **II 1** Plaque de verre transparente. **2** Vitre (d'une voiture...). **3** → **miroir. 4** *Sucre glace*, en poudre très fine.

**glacer** v. tr. 3 **I 1** rare Transformer (un liquide) en glace. → **congeler, geler.** - fig. pronom. *Son sang se glaça dans ses veines.* **2** Causer une vive sensation de froid à. **3** fig. Paralyser, décourager par sa froideur. **4** Frapper d'une émotion violente et profonde, qui paralyse. **II 1** Garnir d'un apprêt, d'un enduit brillant. **2** Couvrir de sucre, de sirop. ▷ adj. **glacé, ée**

**glaciaire** adj. Des glaciers. - *Période glaciaire* : période géologique caractérisée par l'extension des glaciers (syn. *glaciation*).

Ne pas confondre avec *glacière* «coffre froid».

**glacial, ale, als** ou (rare) **aux** adj. **1** Qui est très froid. **2** fig. D'une froideur qui glace, paralyse. *Un accueil glacial.*

**glaciation** n. f. géol. Période glaciaire.

① **glacier** n. m. Champ de glace éternelle qui s'écoule très lentement.

② **glacier** n. m. Personne qui prépare ou vend des glaces (I, 2).

**glacière** n. f. **1** Coffre isotherme refroidi par de la glace, pour conserver les aliments. **2** fig., fam. Lieu très froid.

Ne pas confondre avec *glaciaire* «des glaciers».

**glaciologie** n. f. Étude des glaciers (①). ► **glaciologue** n.

① **glacis** n. m. Talus incliné.

② **glacis** n. m. peint. Vernis coloré.

**glaçon** n. m. **1** Morceau ou cube de glace. **2** fig., fam. Personne froide.

**gladiateur** n. m. Homme qui combattait armé dans les jeux du cirque, à Rome.

**glaïeul** n. m. Plante à feuilles pointues, à grandes fleurs décoratives ; ces fleurs.

**glaire** n. f. **1** rare Blanc d'œuf cru. **2** Liquide visqueux sécrété par les muqueuses. ► **glaireux, euse** adj.

**glaise** n. f. Terre grasse compacte et plastique, imperméable. → **argile, marne.** - adj. *Terre glaise.* ► **glaiseux, euse** adj.

**glaive** n. m. ancienn Épée de combat à deux tranchants. ♦ littér. Symbole du combat, de la guerre, du châtiment.

**glamour** n. m. anglic. Charme sophistiqué et sensuel (mode, spectacle...).

**gland** n. m. **1** Fruit du chêne. **2** Ornement en forme de gland. **3** Extrémité de la verge ; du clitoris. **4** fam. Imbécile.

**glande** n. f. **1** Organe dont la fonction est de produire une sécrétion. **2** fam. Ganglion lymphatique. **3** loc. fam. *Avoir les glandes* : être énervé, ennuyé ; avoir peur.

**glander** v. intr. 1 fam. Ne rien faire, perdre son temps. - syn. **glandouiller.**

**glandulaire** adj. Des glandes ; d'une glande.

**glaner** v. tr. 1 **1** Ramasser dans les champs (les épis), après la moisson. **2** fig. Recueillir par-ci par-là (des éléments). ► **glaneur, euse** n.

**glapir** v. intr. 2 **1** (animaux) Pousser un cri bref et aigu. *Le renard glapit.* **2** (personnes) Crier d'une voix aigre, aiguë. ► **glapissement** n. m.

**glas** n. m. Sonnerie de cloches pour annoncer un décès ou un enterrement. - fig. *Sonner le glas de qqch.*, en annoncer la fin, la chute.

**glatir** v. intr. 2 Crier (aigle).

**glaucome** n. m. Maladie des yeux (dureté du globe, compression du nerf optique).

**glauque** adj. **1** D'un vert qui tire sur le bleu. **2** fig. Triste, lugubre, sordide.

**glèbe** n. f. littér. Terre cultivée.

**glissade** n. f. Action, fait de glisser.

**glissant, ante** adj. **1** Qui fait glisser. **2** Qui glisse facilement (entre les mains...).

**glisse** n. f. Aptitude à glisser. ♦ *Sports de glisse* : sports où l'on glisse (ski, surf...).

**glissement** n. m. **1** Action de glisser. **2** fig. Changement progressif.

**glisser** v. 1 **I** v. intr. **1** Se déplacer d'un mouvement continu, sur une surface lisse ou le long d'un autre corps. *Glisser sur une pente raide.* - *Le savon lui a glissé des mains.* → **échapper. 2** Avancer comme en glissant. ♦ fig. Évoluer doucement, graduellement (vers). **3** Passer légèrement (sur). → **effleurer. II** v. tr. Faire passer, introduire adroitement ou furtivement (qqch.). ▷ v. pron. se **glisser** → se **faufiler.**

**glissière** n. f. Pièce métallique rainurée dans laquelle glisse une autre pièce. *Fermeture* à glissière.* ♦ *Glissière de sécurité* : bordure de protection, le long d'une route.

**glissoire** n. f. Étendue de glace où l'on peut glisser.

**global, ale, aux** adj. Qui s'applique à un ensemble (opposé à *partiel*). → **entier, total.** ► **globalement** adv.

**globalisation** n. f. anglic. Mondialisation*.

**globalité** n. f. didact. Caractère global, intégral. → **intégralité, totalité.**

**globe** n. m. **1** Boule, sphère. - *Le globe oculaire*, l'œil. **2** *Le globe terrestre ; le globe* : la Terre. ♦ Sphère représentant la Terre.

3 Sphère ou demi-sphère creuse (de verre...).

**globe-trotteur, euse** n. vieilli Voyageur qui parcourt la terre. *Des globe-trotteurs.* - var. au masc. **globe-trotter** [-œʀ ; -ɛʀ].

**globicéphale** n. m. zool. Grand mammifère marin à tête globuleuse.

**globulaire** adj. **1** Qui a la forme d'un globe. **2** Relatif aux globules du sang.

**globule** n. m. **1** vx Petit globe. **2** Corps, cellule en suspension dans un liquide organique. *Globules sanguins : globules rouges* (hématies), *blancs* (leucocytes).

**globuleux, euse** adj. En globule. - *Œil globuleux,* dont le globe est saillant.

**gloire** n. f. **I 1** Grande renommée répandue dans un très vaste public. → **célébrité, honneur, renom. 2** Honneur acquis par une action, un mérite. - *Se faire gloire de qqch.,* s'en vanter. **3** Personne célèbre. *Il fut une des gloires de son pays.* **II 1** vx Rayonnement, splendeur. ♦ relig. *Rendre gloire à Dieu,* rendre hommage. **2** relig. État de béatitude des élus. **3** arts Auréole enveloppant tout le corps du Christ. - Rayons émanant du triangle de la Trinité.

**gloria** n. m. invar. Hymne de la messe chanté ou récité à la gloire de Dieu.

**glorieux, euse** adj. **1** (choses) Qui procure de la gloire ou est plein de gloire. → **célèbre, fameux, illustre, mémorable. 2** Qui s'est acquis de la gloire. **3** vieilli, péj. *Être glorieux de qqch.,* en tirer vanité. **4** n. f. hist. *Les Trois Glorieuses :* les journées révolutionnaires des 27, 28 et 29 juillet 1830 (en France). ► **glorieusement** adv.

**glorifier** v. tr. [7] **1** Proclamer la gloire de (qqn, qqch.). → **célébrer, exalter. 2** Rendre gloire à (Dieu). ▷ v. pron. se **glorifier** (de) → se **flatter** de. ► **glorification** n. f.

**gloriole** n. f. Vanité futile.

**glose** n. f. Note explicative.

**gloser** v. tr. [1] **1** Expliquer par une glose. **2** *Gloser sur* (qqn, qqch.), critiquer.

**gloss** n. m. anglic. Fard gras qui donne un aspect brillant.

**glossaire** n. m. Lexique expliquant des mots mal connus. ♦ Lexique (d'un dialecte, d'un patois...).

**glotte** n. f. Partie du larynx située entre les cordes vocales inférieures.

**glouglou** n. m. **1** fam. Bruit d'un liquide qui coule. **2** Cri de la dinde, du dindon. ► **glouglouter** v. intr. [1]

**glousser** v. intr. [1] **1** Crier (poule...). **2** (personnes) Rire en poussant de petits cris. ► **gloussement** n. m.

**glouton, onne 1** adj. Qui mange avidement, excessivement. - n. *Quel glouton !* **2** n. m. Mammifère carnivore de la toundra.

**gloutonnement** adv. Avec gloutonnerie.

**gloutonnerie** n. f. Avidité de glouton (1).

**glu** n. f. Matière végétale visqueuse et collante. ♦ fig., fam. Personne importune.

**gluant, ante** adj. Visqueux et collant.

**glucide** n. m. sc. Composant de la matière vivante formé de carbone, d'hydrogène et d'oxygène. ► **glucidique** adj.

**glucose** n. m. Glucide à six atomes de carbone, sucre très répandu dans la nature, source d'énergie de l'organisme.

**glutamate** n. m. Sel d'un acide aminé, utilisé en cuisine (notamment asiatique).

**gluten** [-ɛn] n. m. Matière visqueuse obtenue après élimination de l'amidon des farines de céréales. ► **glutineux, euse** adj.

**glycémie** n. f. méd. Teneur du sang en glucose. ► **glycémique** adj.

**glycérine** n. f. Liquide incolore, sirupeux, sucré, extrait de corps gras.

**glycine** n. f. Arbre grimpant, à grappes de fleurs mauves et odorantes.

**glyphosate** n. m. chim. Composé chimique employé comme herbicide.

**gnangnan** [ɲɑ̃ɲɑ̃] adj. invar. fam. Mou, sans énergie ; mièvre.

**gneiss** [gnɛs] n. m. Roche composée de feldspath, de quartz, de mica.

**gnocchi** [ɲɔki] n. m. Boulette de pâte pochée, puis cuite au four.

**gnognote** ou **gnognotte** n. f. fam. *C'est de la gnognote,* c'est tout à fait négligeable.

**gnôle** ou **gniole** n. f. fam. Eau-de-vie, alcool.

**gnome** [gnom] n. m. Petit personnage de contes, laid et difforme.

**gnomon** [gnɔmɔ̃] n. m. didact. Tige faisant ombre portée, marquant la marche apparente du Soleil (heures, équinoxes...).

**gnon** n. m. Coup. - Marque de coup.

**gnose** [gnoz] n. f. didact. Philosophie prétendant à la connaissance des choses divines. ► **gnostique** adj. et n.

**gnou** [gnu] n. m. Mammifère (antilope) d'Afrique, à tête épaisse et barbue.

① **go** n. m. Jeu de stratégie qui se joue avec des pions sur un quadrillage.

② tout de **go** loc. adv. fam. Directement.

**goal** [gol] n. anglic. Gardien(ne) de but.

**gobelet** n. m. **1** Récipient pour boire, sans pied. **2** Récipient pour lancer les dés.

**gobe-mouches** n. m. invar. **1** Oiseau passereau (se nourrissant d'insectes). **2** fig., vieilli Personne crédule. - var. **gobe-mouche** n. m. *Des gobe-mouches.*

**gober** v. tr. [1] **1** Avaler brusquement en aspirant, et sans mâcher. *Gober un œuf cru.* - loc. fam. *Gober les mouches :* rêvasser. **2** fig., fam. Croire sans examen. → **avaler.**

**se goberger** v. pron. [3] Faire bombance.

**godasse** n. f. fam. Chaussure.

**godelureau** n. m. péj. Jeune élégant.

**godemiché** n. m. Phallus artificiel. – abrév. fam. **gode.**

**goder** v. intr. [1] Faire des faux plis.

**godet** n. m. **I 1** Petit récipient sans pied ni anse. **2** fam. Verre. *Boire un godet.* **3** Récipient fixé sur certaines machines. **II** Faux pli ou large pli (d'un vêtement...).

**godiche** adj. et n. fam. Benêt, maladroit.

**godille** n. f. **1** Aviron d'arrière. **2** ski Enchaînement de virages courts. ► **godiller** v. intr. [1]

**godillot** n. m. **1** Chaussure militaire à tige courte. **2** fam. Gros soulier.

**godron** n. m. **1** Ornement ovoïde. **2** anciennt Gros pli rond et empesé.

**goéland** n. m. Oiseau de mer à tête blanche, plus gros que la mouette.

**goélette** n. f. Bateau léger à deux mâts.

**goémon** n. m. Algues marines.

**goémonier, ière** **1** n. Ramasseur, ramasseuse de goémon. **2** adj. Relatif à la récolte du goémon. *La pêche goémonière.*

① à **gogo** loc. adv. fam. À volonté.

② **gogo** n. m. fam. Personne crédule.

**goguenard, arde** adj. Narquois.

**goguette** n. f. fam. *En goguette :* émoustillé, légèrement ivre ; d'humeur festive ; en promenade.

**goinfre** n. Personne qui mange avec excès et salement. → **glouton, goulu.** ► se **goinfrer** v. pron. [1] → s'**empiffrer.** ► **goinfrerie** n. f.

**goitre** n. m. Tumeur de la thyroïde, qui déforme l'avant du cou. ► **goitreux, euse** adj. et n.

**goji** [-(d)ʒi] n. m. *(Baie de) goji :* baie d'un arbrisseau originaire d'Asie.

**golden** [-ɛn] n. f. invar. Pomme jaune à chair juteuse.

**golem** [-ɛm] n. m. Être artificiel animé par un verset biblique (légendes juives).

**golf** n. m. **1** Sport consistant à envoyer une balle (au moyen d'un club) dans des trous disposés le long d'un parcours. **2** Terrain gazonné de ce parcours (→ **green**). **3** *Golf miniature,* jeu de jardin ou de salon. **4** *Culottes de golf,* bouffantes, serrées au-dessous du genou.

> Ne pas confondre avec *golfe* «baie».

**golfe** n. m. Vaste échancrure du littoral.

> Ne pas confondre avec *golf* «sport».

**golfeur, euse** n. Joueur, joueuse de golf.

**gombo** n. m. Plante potagère tropicale.

**gomina** n. f. Pommade pour les cheveux.

**gommage** n. m. Action de gommer.

① **gomme** n. f. **I 1** Substance visqueuse et transparente qui suinte de l'écorce de certains arbres (→ **gommier**). *Gomme arabique* (d'un acacia). **2** *Boule de gomme,* bonbon fait à partir d'une gomme (1). ♦ *Gomme à mâcher* (francisation de *chewing-gum*). **II** Petit bloc de caoutchouc ou de plastique servant à effacer. **III** Substance caoutchoutée des pneus. ♦ loc. fam. *Mettre la gomme :* accélérer.

② à la **gomme** loc. adj. Sans valeur.

**gommer** v. tr. [1] **I** Enduire de gomme, pour coller. – au p. p. *Papier gommé.* **II** Effacer avec une gomme. – fig. *Gommer un souvenir ; le réel.*

**gommette** n. f. Petit morceau de papier gommé ou adhésif.

**gommeux** n. m. vieilli Jeune homme désœuvré, d'une élégance ridicule.

**gommier** n. m. Arbre fournissant de la gomme (ex. acacia, mimosa).

**gonade** n. f. Organe qui produit les gamètes. *Gonade femelle* (ovaire), *mâle* (testicule).

**gond** n. m. **1** Pièce métallique autour de laquelle pivote le battant d'une porte ou d'une fenêtre. → **charnière. 2** loc. *Sortir de ses gonds :* se mettre en colère.

**gondole** n. f. **1** Barque vénitienne à un seul aviron, longue et plate, aux extrémités relevées. **2** Siège à dossier incurvé (style Empire). **3** Comptoir de vente.

**gondoler** v. intr. [1] Se bomber anormalement dans certaines parties. ▷ v. pron. se **gondoler** fam. Rire beaucoup.

**gondolier, ière** n. Batelier, batelière d'une gondole.

**gonflable** adj. Qui se gonfle.

**gonflage** n. m. Action de gonfler d'air.

**gonflant, ante** adj. **1** Qui gonfle. – n. m. *Le gonflant des cheveux.* **2** fam. Agaçant.

**gonflement** n. m. Action de (se) gonfler.

**gonfler** v. [1] **I** v. tr. **1** Distendre en remplissant d'air, de gaz. *Gonfler un pneu.* **2** Faire augmenter de volume. *Gonfler ses muscles.* **3** fig. → **remplir.** *Ses succès l'ont gonflé d'orgueil.* **4** Surestimer volontairement (un chiffre, un fait). → **grossir. 5** fam. Ennuyer, importuner. **II** v. intr. Augmenter de volume. ▷ v. pron. se **gonfler** Augmenter de volume. – fig. *Son cœur se gonfle d'amertume.* ▷ adj. **gonflé, ée** (spécialt) fam. Courageux ; audacieux.

**gonfleur** n. m. Appareil pour gonfler.

**gong** [gɔ̃(g)] n. m. Plateau de métal sur lequel on frappe pour qu'il résonne.

**goniomètre** n. m. Instrument servant à mesurer les angles. – Radiogoniomètre.

**gonocoque** n. m. Microbe de la blennorragie.

**gore** n. m. et adj. invar. anglic. Se dit d'un genre de films d'épouvante, où beaucoup de sang est versé.

**goret** n. m. Jeune cochon.

**gorfou** n. m. Manchot des mers australes.

**gorge** n. f. **I 1** Partie antérieure du cou. - loc. *Avoir le couteau sur, sous la gorge :* subir une contrainte (qui oblige à agir). **2** littér. Seins de femme. **II 1** Cavité intérieure du cou, à partir de l'arrière-bouche (larynx, pharynx). → **gosier. 2** loc. *Rendre gorge,* restituer par force ce qu'on a pris. ♦ *Faire des gorges chaudes de qqch.*, s'en moquer. **III** fig. **1** Vallée étroite et encaissée. **2** Partie creuse, cannelure (dans une pièce métallique...).

**gorge-de-pigeon** adj. invar. D'une couleur à reflets changeants.

**gorgée** n. f. Quantité de liquide qu'on avale en une seule fois. - *Une gorgée d'alcool* (syn. fam. **gorgeon** n. m.).

**gorger** v. tr. [3] **1** Remplir (qqn) de nourriture avec excès. **2** Remplir complètement. **3** fig. Pourvoir à profusion (de). ▷ v. pron. **se gorger** (de) → se **gaver.**

**gorgonzola** n. m. Fromage (bleu) italien à moisissures internes.

**gorille** n. m. **1** Grand singe anthropoïde d'Afrique. **2** fam. Garde du corps.

**gosier** n. m. Arrière-gorge et pharynx.

**gospel** n. m. anglic. Musique vocale sacrée des Noirs américains. → **negro-spiritual.**

**gosse** n. fam. **1** Enfant. → **môme.** - adj. *Elle est toute gosse.* **2** Adolescent(e). *Un beau gosse,* un garçon jeune et beau.

**gothique** adj. **I** vx Médiéval. **II** mod. **1** adj. et n. Se dit du style répandu en Europe du XIIe au XVIe siècle, entre le style roman et le style Renaissance. **2** *Écriture gothique,* à caractères droits et anguleux. **III 1** littér. *Roman gothique,* type de récits à thèmes médiévaux, aux XVIIIe-XIXe siècles. **2** Se dit d'un style sombre et romantique, parfois macabre.

**gotique** n. m. ling. Langue germanique disparue, qui était parlée par les Goths.

**gouache** n. f. Peinture à l'eau opaque. ♦ Tableau peint par ce procédé.

**gouaille** n. f. Attitude insolente et railleuse. - syn. **gouaillerie.**

**gouailler** v. intr. [1] littér. Dire des railleries. ► **gouailleur, euse** adj. → **railleur.**

**goualante** n. f. Chanson populaire.

**gouape** n. f. argot Voyou.

**gouda** n. m. Fromage de Hollande à pâte pressée.

**goudron** n. m. Produit visqueux, brun ou noir, obtenu par distillation de matières végétales ou minérales. → **asphalte, bitume.** ► **goudronner** v. tr. [1]

**gouffre** n. m. **1** Trou vertical, impressionnant par sa profondeur et sa largeur. → **abîme, précipice.** ♦ Cavité naturelle souterraine. → **aven. 2** Courant tourbillonnaire. **3** fig., littér. → **abîme.** - loc. *Être au bord du gouffre,* devant un péril imminent. **4** Ce qui engloutit de l'argent.

**gouge** n. f. techn. Outil en demi-tube, servant à creuser. ► **gouger** v. tr. [3]

**gougère** n. f. Pâtisserie au fromage.

**gouine** n. f. fam. (injurieux) Homosexuelle.

**goujat** n. m. Homme grossier, indélicat (surtout envers les femmes). → **malotru.** ► **goujaterie** n. f. → **muflerie.**

① **goujon** n. m. Cheville d'assemblage.

② **goujon** n. m. Petit poisson d'eau douce. - loc. plais. *Taquiner le goujon,* pêcher à la ligne.

**goulache** ou **goulash** n. m. ou f. Ragoût de bœuf au paprika.

**goulag** [-ag] n. m. hist. Camp de travail ; système concentrationnaire (en U. R. S. S.).

**goulash** → **goulache**

**goule** n. f. Vampire femelle des légendes orientales.

**goulée** n. f. fam. Grande gorgée.

**goulet** n. m. **1** Passage étroit dans un relief naturel. **2** Entrée étroite (d'une rade...). **3** fig. *Goulet d'étranglement :* passage difficile ; difficulté qui retarde un processus.

**gouleyant, ante** adj. (vin) Frais et léger.

**goulot** n. m. Col étroit d'un récipient.

**goulu, ue** adj. Qui mange avec avidité. - n. *Un goulu.* ► **goulûment** adv.

**goupil** [-i(l)] n. m. vx Renard.

**goupille** n. f. Cheville, broche métallique.

**goupiller** v. tr. [1] **1** Fixer avec des goupilles. **2** fam. Arranger, combiner.

**goupillon** n. m. **1** Instrument liturgique pour asperger d'eau bénite. - loc. *Le sabre et le goupillon :* l'armée et l'Église. **2** Longue brosse cylindrique pour nettoyer les objets creux.

**gourbi** n. m. **1** Habitation sommaire, en Afrique du Nord. **2** fam. Habitation sale.

**gourd, gourde** adj. Engourdi par le froid. *Avoir les doigts gourds.*

**gourde** n. f. **I 1** Variété de courge (pouvant servir de récipient). **2** Bouteille ou bidon pour transporter de la boisson. **II** Personne niaise et maladroite.

**gourdin** n. m. Gros bâton solide.

se **gourer** v. pron. [1] fam. Se tromper.

**gourgandine** n. f. vx Femme facile.

**gourmand, ande** adj. **I 1** Qui aime la bonne nourriture, mange par plaisir. – n. *Un gourmand, une gourmande.* **2** Qui dénote le désir, l'avidité. *Un regard gourmand.* ♦ *Son associé est trop gourmand.* **II** techn. *Branche gourmande,* dont la pousse nuit aux rameaux voisins.

**gourmander** v. tr. [1] littér. Réprimander.

**gourmandise** n. f. **1** Goût de la nourriture. **2** Mets délicieux, friandise.

**gourme** n. f. **1** Maladie de peau au visage, au cuir chevelu. **2** Maladie respiratoire du cheval. **3** loc. vieilli *Jeter sa gourme :* faire ses premières frasques.

**gourmé, ée** adj. Compassé, guindé.

**gourmet** n. m. Personne raffinée en matière de boire et de manger.

**gourmette** n. f. **1** Chaînette qui fixe le mors dans la bouche du cheval. **2** Bracelet à mailles de métal aplaties.

**gourou** n. **1** n. m. Maître spirituel, dans la religion brahmanique. **2** Maître à penser.

**gousse** n. f. **1** Fruit des légumineuses et de quelques plantes, de forme allongée, s'ouvrant par deux fentes. **2** *Gousse d'ail,* chacun des éléments de la tête d'ail.

**gousset** n. m. **1** anciennt Petite bourse. **2** Petite poche de gilet, de pantalon...

**goût** n. m. **I 1** Sens grâce auquel l'homme et les animaux perçoivent les saveurs des aliments. **2** Saveur. *Goût acide, amer, sucré.* **3** Appétit, envie (s'oppose à *dégoût*). *Le goût de vivre.* **4** *Goût de, pour qqch. :* penchant. → **disposition, vocation.** – *Prendre goût à,* se mettre à apprécier. – *Être au goût de qqn.* → **plaire. II 1** Aptitude à sentir, à discerner les beautés et les défauts (d'une œuvre, etc.). *Un goût sûr.* – Avis, jugement. *À mon goût...* **2** *Le bon goût ; le goût :* jugement sûr en matière esthétique. *Avoir du goût.* **3** au plur. Tendances, préférences. *Être liés par des goûts communs.* **4** *De* (tel ou tel) *goût :* qui dénote, révèle tel goût. *Une plaisanterie d'un goût douteux.* **5** *Dans le goût...* → **genre, manière, style.** *Tableau dans le goût classique.*

① **goûter** v. [1] **I** v. tr. **1** Manger ou boire un peu de (qqch.) pour connaître le goût. **2** Éprouver avec plaisir (une sensation, une émotion). → **savourer. 3** littér. Trouver à son goût. **II** v. tr. ind. **1** *Goûter à :* prendre un peu de (une chose dont on n'a pas encore bu ou mangé). **2** *Goûter de :* boire ou manger pour la première fois. – fig. Faire l'expérience de. **III** v. intr. Faire une collation, entre le déjeuner et le dîner.

> Ne pas confondre avec *goutter* «couler».

② **goûter** n. m. Collation de l'après-midi.

① **goutte** n. f. **I 1** Très petite quantité de liquide de forme arrondie. *Goutte d'eau.* – loc. adv. *Goutte à goutte :* une goutte après l'autre. **2** Très petite quantité de boisson. ♦ fam. Petite quantité d'alcool. **3** au plur. Médicament administré en gouttes. **II** Petit objet ou petite tache ronde.

② **goutte** adv. vx *Ne... goutte :* ne... pas.

③ **goutte** n. f. Inflammation douloureuse des articulations. → **rhumatisme.**

**goutte-à-goutte** n. m. invar. Appareil médical permettant une perfusion lente et régulière.

**gouttelette** n. f. Petite goutte de liquide.

**goutter** v. intr. [1] Couler goutte à goutte.

> Ne pas confondre avec *goûter* «déguster».

**goutteux, euse** adj. Atteint de la goutte.

**gouttière** n. f. **1** Canal demi-cylindrique, fixé au bord inférieur des toits, pour l'écoulement des eaux de pluie. **2** Appareil qui sert à immobiliser un membre fracturé.

**gouvernable** adj. Qui peut être gouverné.

**gouvernail** n. m. **1** Plan mince orientable qui sert à diriger un bateau. ♦ (avions) → **gouverne. 2** fig. Ce qui sert à diriger.

**gouvernant** n. m. au plur. Personnes qui détiennent et exercent le pouvoir politique (opposé à *gouvernés*).

**gouvernante** n. f. vieilli **1** Femme à qui on confie la garde et l'éducation d'enfants. **2** Femme chargée du ménage d'un homme.

**gouverne** n. f. **I** Dispositif externe orientable qui sert à diriger un engin aérien (avion, etc.). → **gouvernail. II** loc. *Pour ma (ta...) gouverne :* pour servir de règle ; pour informer.

**gouvernement** n. m. **I 1** vx ou littér. Action de diriger. **2** anciennt Direction politique, administrative ; charge de gouverneur. **II** mod. **1** Le pouvoir politique ; les organes de ce pouvoir (exécutif, législatif). → **État. 2** Pouvoir exécutif suprême ; organes qui l'exercent. *Le gouvernement français* (chef de l'État ; conseil des ministres). **3** (régimes parlementaires) Le corps des ministres. **III** Organisation politique de l'État. *Gouvernements démocratiques.*

**gouvernemental, ale, aux** adj. **1** Relatif au pouvoir exécutif. **2** Relatif au ministère. **3** Qui soutient le gouvernement.

**gouverner** v. tr. [1] **I** Diriger la conduite de (qqch., qqn). **1** vx ou littér. Exercer une influence déterminante sur. → **commander, guider. 2** gramm. Régir. *En latin, le verbe actif gouverne l'accusatif.* **II** Exercer le pouvoir politique sur. → **conduire, diriger.** – au p. p. subst. *Les gouvernés et les gouvernants.* ♦ sans compl. Diriger les affaires publiques d'un État, détenir et exercer le pouvoir politique, et spécialt le pouvoir exécutif. **III** Diriger (une embarcation, un navire).

**gouverneur** n. I 1 n. m. hist. Haut fonctionnaire royal. 2 (fém. *gouverneuse*) Personne qui est à la tête d'une région, d'une institution... II n. (Canada) *Gouverneur(e) général(e)* : personne qui représente le souverain britannique au Canada.

**goy** [gɔj] n. Non-juif, pour les Israélites. *Des goyim* (plur. hébreu) ou *des goys.*

**goyave** [-ɔj-] n. f. Fruit d'un arbre d'Amérique tropicale (le *goyavier,* n. m.).

**GPA** n. f. (sigle de *gestation pour autrui*) Fait, pour une femme, de porter un enfant pour une autre femme.

**G. P. L.** ou **GPL** (sigle) Gaz de pétrole liquéfié, utilisé notamment comme carburant.

**G. P. S.** ou **GPS** (sigle) anglic., techn. Système de localisation par satellite (de mobiles).

**grabat** n. m. Lit misérable.

**grabataire** adj. et n. (Personne) qui ne peut quitter son lit (maladie, vieillesse...).

**grabuge** n. m. fam. Dispute, désordre.

**grâce** n. f. I 1 Faveur accordée librement à qqn. – *Les bonnes grâces de qqn,* ses dispositions favorables. 2 Disposition à faire des faveurs, à être agréable à qqn. ♦ loc. *Être en grâce auprès de qqn,* jouir de sa faveur. – *Trouver grâce auprès de qqn, aux yeux de qqn,* lui plaire. – *De grâce :* je vous en prie. ♦ *Bonne, mauvaise grâce :* bonne, mauvaise volonté. 3 Titre d'honneur (pays anglo-saxons). 4 La bonté divine ; les faveurs qu'elle dispense. → **bénédiction, faveur.** ♦ loc. *À la grâce de Dieu :* en laissant les choses évoluer. – *An de grâce,* année de l'ère chrétienne. 5 relig. Aide de Dieu qui rend l'homme capable de parvenir au salut. 6 *Avoir la grâce,* avoir le don, l'inspiration. II 1 Pardon, remise de peine, de dette accordée bénévolement. *Demander une grâce. – Demander grâce. Crier grâce,* supplier. – *Je vous fais grâce du travail qui reste,* je vous en dispense. 2 *Coup de grâce,* qui achève qqn (qui est blessé, qui souffre). III 1 Reconnaissance, remerciements. – *Action de grâce(s),* témoignage de gratitude envers Dieu. 2 loc. prép. *Grâce à qqn, qqch. :* à l'aide, au moyen de (en parlant d'un résultat heureux). IV 1 Charme, agrément (→ **gracieux**). ♦ au plur. vieilli *Les grâces d'une personne.* → **attrait.** 2 (mythol. grecque) *Les Trois Grâces :* les trois déesses personnifiant le don de plaire.

**gracier** v. tr. [7] Faire grâce (II) à (qqn).

**gracieux, ieuse** adj. I Qui a de la grâce ; qui est aimable (s'oppose à *disgracieux*). II Qui est accordé bénévolement. → **gratuit.** ► **gracieusement** adv.

> Pas d'accent circonflexe, contrairement à *grâce.*

**gracile** adj. Mince et délicat.

**gradation** n. f. Progression par degrés.

**grade** n. m. I 1 Degré d'une hiérarchie (surtout militaire). → **échelon.** – *Avancer en grade.* 2 loc. fam. *En prendre pour son grade :* se faire réprimander. II Unité de mesure, centième partie d'un quadrant.

**gradé, ée** adj. et n. (Personne) qui a un grade inférieur à celui d'officier.

**gradient** [-jɑ̃] n. m. sc. Taux de variation (d'une grandeur).

**gradin** n. m. 1 Chacun des étages d'un amphithéâtre. 2 *En gradins :* disposé par paliers successifs. *Cultures en gradins.*

**graduation** n. f. Action de graduer (2). – Échelle graduée (d'un instrument).

**graduel, elle** adj. Qui va par degrés. → **progressif.** ► **graduellement** adv.

**graduer** v. tr. [1] 1 Augmenter de manière graduelle. 2 Diviser en degrés. → **étalonner ; graduation.** ▷ p. p. **gradué, ée**

**graff** n. m. Fresque murale réalisée à la bombe. ► **graffeur, euse** n.

**graffiti** n. m. Inscription, dessin tracé sur un mur. → anglic. **tag.** *Des graffiti(s).* ► **graffiter** v. tr. [1]

**graillon** n. m. 1 au plur. Restes de gras frits. 2 péj. Odeur de graisse brûlée, de mauvaise cuisine.

**graillonner** v. intr. [1] fam. 1 Tousser en crachant. 2 Parler d'une voix grasse.

**grain** n. m. I 1 Fruit comestible des graminées*. *Grain de blé, de riz.* – *Les grains* ou *le grain* (collectif) : les grains récoltés des céréales. 2 Semence. → **graine.** *Semer le grain.* 3 Fruit, petite graine arrondie. *Grain de raisin.* 4 Petite parcelle arrondie. *Grain de sable.* 5 *Grain de beauté :* nævus brun. 6 *Le grain :* aspect d'une surface qui a plus ou moins d'aspérités (→ grenu). 7 Très petite quantité. – loc. *Avoir un (petit) grain :* être un peu fou. 8 anciennt Très petite unité de poids (0,053 g). II 1 Coup de vent soudain, en mer. 2 loc. *Veiller au grain :* être vigilant.

**graine** n. f. I 1 Partie des plantes à fleurs qui, une fois germée, assure leur reproduction (→ **grain**). 2 loc. fig. *Monter en graine,* se dit d'un enfant qui grandit rapidement. – *En prendre de la graine :* tirer un exemple, une leçon (de qqch.). 3 fig., péj. *Graine de* (personnes). *De la graine de voyou.* – *Mauvaise graine* (même sens). II loc. fam. *Casser la graine :* manger.

**graineterie** [gʀɛntʀi ; gʀɛnɛtʀi] n. f. Commerce, magasin du grainetier.

**grainetier, ière** [gʀɛntje, jɛʀ] n. Personne qui vend des grains, des graines, des bulbes...

**graisse** n. f. 1 Substance onctueuse répandue en diverses parties du corps de l'homme et des animaux, sous la peau, dans le tissu conjonctif. 2 Cette substance, tirée d'animaux et utilisée dans l'alimentation. → **gras.** **3** Corps gras. *Graisses végétales* (huile...), *animales* (beurre, saindoux...).

**graisser** v. tr. [1] **1** Enduire, frotter d'un corps gras. **2** loc. fig. *Graisser la patte à qqn*, le soudoyer. ► **graissage** n. m.

**graisseur, euse** n. **1** Ouvrier, ouvrière qui opère le graissage. **2** n. m. Appareil pour graisser.

**graisseux, euse** adj. **1** De la nature de la graisse. → **adipeux.** **2** Taché, enduit de graisse. → **gras.**

**graminée** n. f. Plante à fleurs minuscules groupées en épis, à tige souvent creuse.

**grammage** n. m. techn. Poids de l'unité de surface (du papier, etc.), en grammes.

**grammaire** n. f. **1** Ensemble des règles à suivre pour parler et écrire correctement une langue. **2** Partie de la linguistique qui regroupe la phonologie, la morphologie et la syntaxe. – spécialt Syntaxe. **3** Système grammatical (d'une langue). **4** Livre, traité, manuel de grammaire.

**grammairien, ienne** n. **1** Lettré qui fixe les règles du bon usage d'une langue. **2** Linguiste spécialiste de grammaire.

**grammatical, ale, aux** adj. **1** Relatif à la grammaire ; de la grammaire. **2** Conforme aux règles de la grammaire.

**gramme** n. m. **1** Unité de masse valant un millième de kilogramme (symb. g). **2** fig. Très petite quantité.

**gramophone** n. m. anciennt Phonographe à disques, à plateau et pavillon.

**grand, grande** adj. **I** dans l'ordre physique (avec possibilité de mesure) [opposé à *petit*] **1** Dont la hauteur, la taille dépasse la moyenne. *De grands arbres.* **2** Qui atteint toute sa taille. – *Les grandes personnes* : les adultes. – n. *Les grands*, les aînés. **3** Dont la longueur dépasse la moyenne. → **long.** *Un grand nez.* **4** Dont la surface dépasse la moyenne. → **étendu, spacieux, vaste.** *Une grande pièce.* **5** Dont le volume, l'ensemble des dimensions dépasse la moyenne. **6** (mesures) *Grand nombre. Grand âge. À grande vitesse.* **7** Très abondant ou très important. → **considérable, nombreux.** – loc. *À grands frais. Au grand air* : en plein air. **II** dans l'ordre qualitatif **1** → **important.** *C'est un grand jour.* ♦ (équivalent d'un superlatif) *Grand blessé*, blessé grave. **2** (personnes) D'une condition sociale ou politique élevée. – n. *Les grands ; les grands de ce monde.* **3** Supérieur en raison de ses talents, de ses qualités, etc. → **illustre, supérieur.** *Un grand homme.* → **génie, héros.** ♦ (actions, qualités...) → **beau, grandiose, magnifique, noble.** *Grandes actions.* **III** dans des expr. *Grand* (+ n. f.). *La grand-rue* : la rue principale. *Avoir grand-faim. À grand-peine.* **IV** **1** adv. *Voir grand* : avoir de grands projets. ♦ *Yeux ouverts tout grand ; grand ouverts* (ou *grands ouverts*). **2** loc. adv. *En grand* : sur de grandes dimensions, un vaste plan. *Il faut voir les choses en grand.*

**grand-angle** [gʀɑ̃t-] n. m. Objectif photographique couvrant un large champ. *Des grands-angles.* – syn. **grand-angulaire.**

**grand-chose** **1** pron. indéf. *Cela ne vaut pas grand-chose*, cela vaut peu de chose. **2** n. invar. fam. *Un, une pas grand-chose*, personne qui mérite peu d'estime.

**grand-duc** n. m. **I** **1** Titre de princes souverains (fém. *grande-duchesse*). **2** fam. *Faire la tournée des grands-ducs*, la tournée des restaurants, des cabarets. **II** → **duc** (rapace).

**grand-duché** n. m. Pays gouverné par un grand-duc, une grande-duchesse.

**grandement** adv. **1** Beaucoup, tout à fait. *Il s'est grandement trompé.* **2** Dans des proportions qui dépassent l'ordinaire.

**grande surface** n. f. Grand magasin en libre service. → **hypermarché, supermarché.**

**grandeur** n. f. **I** (sens absolu) **1** Caractère de ce qui est grand, important. **2** Importance sociale, politique. → **gloire ; pouvoir, puissance.** – au plur. *Folie des grandeurs.* → **mégalomanie.** **3** Élévation, noblesse. *Grandeur d'âme.* **II** (sens relatif) **1** Qualité de ce qui est plus ou moins grand. → **dimension, étendue, taille.** **2** loc. adj. invar. *Grandeur nature* : représenté selon ses dimensions réelles. **3** Unité de mesure de l'éclat des étoiles. → **magnitude.** **III** sc. Ce qui est susceptible de mesure. → **quantité.**

**grand-guignolesque** adj. D'une outrance ridicule.

**grandiloquence** n. f. péj. Forme d'expression affectée, abusant des effets faciles. ► **grandiloquent, ente** adj. → **pompeux.**

**grandiose** adj. (choses) Qui impressionne par sa grandeur, son aspect majestueux.

**grandir** v. [2] **I** v. intr. **1** Devenir plus grand. **2** Devenir plus intense ; augmenter. **3** Gagner en valeur humaine, en réputation. – au p. p. *Sortir grandi d'une épreuve.* **II** v. tr. **1** Rendre ou faire paraître plus grand. **2** fig. Donner plus de grandeur, de noblesse à.

**grandissant, ante** adj. Qui grandit peu à peu, qui va croissant.

**grand-mère** n. f. **1** Mère du père ou de la mère de qqn. *Des grands-mères* (ou vx *grand-mères*). – syn. vieilli **grand-maman.** **2** fam. Vieille femme.

**grand-oncle** [gʀɑ̃t-] n. m. Frère du grand-père ou de la grand-mère. *Un de mes grands-oncles.*

**grand-père** n. m. **1** Père du père ou de la mère de qqn. *Des grands-pères.* – syn. vieilli **grand-papa.** **2** fam. Vieil homme.

**grands-parents** n. m. pl. Le grand-père et la grand-mère (du côté paternel ou maternel).

**grand-tante** n. f. Sœur du grand-père ou de la grand-mère. *Des grands-tantes.*

**grange** n. f. Bâtiment pour abriter la récolte, dans une exploitation agricole.

**granit** ou **granite** [-it] n. m. Roche dure, formée de cristaux de feldspath, de quartz, de mica, etc. ► **granitique** et **graniteux, euse** adj.

**granité, ée** I adj. Qui présente des grains. → **grenu.** II n. m. Sorbet granuleux.

**granivore** adj. Qui se nourrit de grains.

**granny smith** [granismis] n. f. invar. anglic. Pomme verte à chair acidulée.

**granulation** n. f. Masse granuleuse.

**granule** n. m. Petite pilule.

**granulé** n. m. Préparation pharmaceutique présentée sous forme de petits grains.

**granuleux, euse** adj. Formé de petits grains ; qui présente des petits grains.

**granulome** n. m. méd. Tumeur inflammatoire, au sein d'un tissu.

**grapefruit** ou **grape-fruit** [grɛpfrut] n. m. anglic. Pomélo. *Des grape(-)fruits.*

**graphe** n. m. math. Représentation graphique d'une fonction.

**graphème** n. m. ling. Lettre ou groupe de lettres correspondant à un phonème.

**graphie** n. f. Manière dont un mot est écrit. *Graphie correcte.* → **orthographe.**

**graphiose** n. f. arbor. Maladie parasitaire des ormes.

**graphique** I adj. **1** Qui représente ou suggère qqch. par des lignes, des figures. – *Arts graphiques* : dessin, peinture, gravure, etc. **2** Relatif à une écriture. *L'alphabet est un système graphique.* II n. m. Représentation des variations d'un phénomène, à l'aide d'une ligne. → **courbe, diagramme.** ► **graphiquement** adv.

**graphisme** n. m. **1** Manière de former les lettres, d'écrire. **2** Manière de dessiner, d'écrire, considérée sur le plan esthétique.

**graphiste** n. Spécialiste en techniques et arts graphiques (dessin, illustration...).

**graphite** n. m. Carbone cristallisé, gris-noir, dont on se sert pour écrire.

**graphologie** n. f. Étude du graphisme (1) de qqn en relation avec sa personnalité. ► **graphologique** adj. ► **graphologue** n.

**grappe** n. f. **1** Assemblage de fleurs ou de fruits portés par des pédoncules étagés sur un axe commun. *Grappe de glycine.* – spécialt Grappe de raisin. **2** Assemblage serré (de petits objets ou de personnes).

**grappiller** v. tr. [1] **1** Prendre de-ci, de-là (des fruits, des fleurs). **2** fig. Prendre, recueillir au hasard. ► **grappillage** n. m.

**grappin** n. m. **1** mar. Petite ancre. – Instrument muni de crochets. **2** loc. fig. *Mettre le grappin sur qqn,* l'accaparer.

**gras, grasse** adj. I **1** Formé de graisse ; qui contient de la graisse. *Les corps gras,* les graisses*, les lipides. – n. m. *Le gras,* la partie grasse de la viande. **2** *Jour gras,* où l'Église catholique permet aux fidèles de manger de la viande. *Mardi* gras.* **3** (personnes) Qui a beaucoup de graisse. → **adipeux, gros. 4** Enduit, sali de graisse. II par analogie **1** Qui évoque la graisse par sa consistance. → **onctueux.** – *Toux grasse,* accompagnée d'expectorations. **2** Important par le volume, l'épaisseur. ♦ *Crayon gras* (à mine tendre). ♦ *Plantes grasses,* à feuilles épaisses et charnues. ♦ n. m. *Le gras de la jambe,* le mollet. **3** fig. → **abondant.** *La prime n'est pas grasse.* ♦ loc. *Grasse matinée*.*

**gras-double** n. m. Membrane comestible de l'estomac du bœuf.

**grassement** adv. Abondamment.

**grasseyer** v. [1] **1** v. intr. Parler de manière gutturale. **2** v. intr. et tr. Prononcer les *r* sans les rouler. ► **grasseyement** n. m.

**grassouillet, ette** adj. Gras et potelé.

**gratifiant, ante** adj. Qui gratifie (II).

**gratification** n. f. I Somme donnée à qqn en sus. II anglic. Ce qui gratifie (II).

**gratifier** v. tr. [7] I Pourvoir libéralement (qqn) d'un avantage (don, faveur...). II anglic. Satisfaire, valoriser (qqn).

**gratin** n. m. I **1** *Au gratin,* se dit de plats cuits au four après avoir été saupoudrés de chapelure ou de fromage râpé. **2** Croûte dorée qui se forme à la surface d'un plat ainsi préparé ; ce plat. II fam. Partie d'une société particulièrement distinguée.

**gratiné, ée** adj. I Cuit au gratin. Soupe à l'oignon gratinée (ou n. f. *gratinée*). II fam. Remarquable, par l'excès ou le ridicule.

**gratiner** v. [1] **1** v. intr. Se couvrir de gratin. **2** v. tr. Faire cuire au gratin.

**gratis** [-is] adv. fam. Gratuitement. *Entrer gratis.* – adj. *L'entrée est gratis.*

**gratitude** n. f. Reconnaissance que l'on éprouve envers qqn dont on est l'obligé.

**gratos** [-os] adv. fam. Gratuitement. ♦ adj. Gratuit. *Un repas gratos.*

**gratouiller** ou **grattouiller** v. tr. [1] Gratter légèrement. – Démanger.

**grattage** n. m. Action de gratter.

**gratte** n. f. fam. I Petit profit obtenu en grattant. → **gratter** (I, 5). II Guitare. III techn. ou région. Grattoir.

**gratte-ciel** n. m. invar. Immeuble très haut à très nombreux étages. → **tour.**

**gratte-cul** [-ky] n. m. fam. Fruit du rosier, de l'églantier. *Des gratte-cul(s).*

**grattement** n. m. Action de (se) gratter. - Bruit de ce qui gratte.

**gratte-papier** n. péj. Employé(e) de bureau. → **scribouillard.** *Des gratte-papier(s).*

**gratter** v. [1] **I** v. tr. **1** Frotter avec qqch. de dur en entamant très légèrement la surface. → **racler. 2** (En employant les ongles, les griffes) *Chien qui gratte le sol. - Gratte-moi le dos, il me démange.* **3** fam. Faire éprouver une démangeaison à (qqn). *Ce pull me gratte.* **4** Enlever en grattant. *Gratter un vernis.* **5** fig., fam. Prélever, mettre de côté de petites sommes. **II** v. intr. **1** Faire entendre un grattement. **2** fam. Travailler. ▷ **v. pron. se gratter** Gratter l'endroit qui démange.

**grattoir** n. m. Instrument pour gratter.

**gratton** n. m. région. **I** Petite aspérité (de rocher...). **II au plur.** Morceaux de graisse (de porc, d'oie...) salés et frits.

**gratuit, uite** adj. **1** Que l'on donne sans faire payer ; dont on profite sans payer. **2** Qui n'a pas de fondement, de preuve. → **arbitraire.** *Accusation gratuite.* **3** *Acte gratuit,* sans motif apparent. ► **gratuité** n. f. ► **gratuitement** adv.

**grau** n. m. région. Chenal entre un cours d'eau, un étang et la mer.

**gravats** n. m. pl. Débris provenant d'une démolition. → **décombres, plâtras.**

**grave** adj. **I** vx Lourd, pesant. **II** abstrait **1** Qui se comporte, agit avec réserve et dignité. → **austère, digne, posé, sérieux. 2** (choses) Qui a de l'importance. → **important, sérieux. 3** Susceptible de suites dangereuses. *Maladie grave.* **4** *Blessé grave,* gravement touché. **5** fam. Lourd, pénible (personnes, situations...). ♦ **adv.** *Il commence à nous fatiguer grave.* **III 1** (son) Qui occupe le bas du registre musical (opposé à *aigu*). ♦ **n. m.** *Le grave,* les sons graves. **2** *Accent grave,* en français, signe (`) servant à noter le timbre de l'*e* ouvert et à distinguer certains mots de leurs homonymes *(à, où, là).*

**graveleux, euse** adj. **I** Qui contient du gravier. **II** fig., littér. Très licencieux.

**gravelle** n. f. vx Maladie qui provoque des calculs dans le rein.

**gravement** adv. **1** Avec gravité. → **dignement. 2** D'une manière importante ou dangereuse. *Être gravement blessé.*

**graver** v. tr. [1] **1** Tracer en creux sur une matière dure, au moyen d'un instrument pointu. **2** Tracer en creux (un dessin, etc.) sur une matière dure, dans le but de reproduire (→ **gravure**). **3** Reproduire par la gravure. **4** fig. Rendre durable (dans l'esprit...).

**graveur, euse** n. Professionnel(le) de la gravure.

**gravide** adj. méd. Qui contient un embryon.

**gravier** n. m. **1** Roche détritique, sable grossier mêlé de cailloux (rivières, bord de la mer). **2** Ensemble de petits cailloux servant de revêtement. **3** Petit caillou.

**gravillon** n. m. **1** Fin gravier. *Du gravillon.* **2** Petit caillou du gravillon.

**gravimétrie** n. f. phys. Mesure de l'intensité de la pesanteur. ► **gravimétrique** adj.

**gravir** v. tr. [2] Monter avec effort (une pente). → **escalader.** ♦ fig. *Gravir les échelons de la hiérarchie.*

**gravitation** n. f. Phénomène par lequel les corps s'attirent avec une force proportionnelle à leurs masses et inversement proportionnelle au carré de leur distance. ► **gravitationnel, elle** adj.

**gravité** n. f. **I 1** Qualité d'une personne grave. → **austérité, dignité. 2** Caractère de ce qui a de l'importance, de ce qui peut entraîner de graves conséquences. **II** Phénomène par lequel un corps subit l'attraction de la Terre. → **pesanteur ; gravitation.** *Centre* de gravité.*

**graviter** v. intr. [1] *Graviter autour :* tourner autour (d'un centre d'attraction).

**gravure** n. f. **I 1** Action de graver. ♦ Manière dont un objet est gravé. **2** Fait de graver un disque. **II 1** Art, technique de la décoration obtenue en gravant. *Gravure sur métaux.* **2** Art de graver une surface dure pour obtenir une œuvre graphique (spécialt pour reproduire une œuvre). *Gravure sur bois, sur pierre...* **3** Reproduction ainsi obtenue (estampe, lithographie...).

**gré** n. m. **1** dans des loc. Ce qui plaît ; ce qui convient. *Au gré de :* selon le goût de. *Agissez à votre gré.* → **convenance, guise.** - *De son plein gré.* → **volontairement.** - *De bon gré :* de bon cœur. - *De gré ou de force :* qu'on le veuille ou non. - *Bon gré, mal gré :* en se résignant, malgré soi. ♦ dr. *De gré à gré :* à l'amiable. **2** *Savoir gré à qqn,* avoir de la reconnaissance pour qqn.

**grèbe** n. m. Oiseau palmipède à plumage argenté, duveteux.

**grec, grecque 1** adj. et n. De Grèce. → **hellénique.** - n. *Les Grecs.* **2** n. m. La langue grecque. *Le grec ancien, le grec moderne.* **3** loc. *À la grecque,* à l'huile d'olive et aux aromates.

**gréco-latin, ine** adj. Qui concerne à la fois les civilisations grecque et latine.

**gréco-romain, aine** adj. Commun aux civilisations grecque et romaine antiques. - *Lutte gréco-romaine,* excluant les coups.

**grecque** n. f. Ornement fait de lignes brisées qui reviennent sur elles-mêmes.

**gredin, ine** n. vieilli → **bandit, coquin.**

**gréement** n. m. Ensemble du matériel nécessaire à la manœuvre des voiliers ; à l'amarrage et à la sécurité de tous les navires.

**green** [gRin] n. m. anglic. Espace gazonné d'un terrain de golf.

**gréer** v. tr. [1] Garnir de gréement. – au p. p. *Navire gréé en goélette.*

**greffage** n. m. Action de greffer.

① **greffe** n. m. Bureau où l'on garde les minutes des actes de procédure.

② **greffe** n. f. 1 Greffon végétal. ♦ Opération par laquelle on implante un greffon. 2 Opération par laquelle une portion (tissu, organe) d'un organisme est implantée sur une autre partie du corps ou sur un autre organisme (→ receveur).

**greffer** v. tr. [1] 1 Soumettre (une plante) à l'opération de la greffe. 2 Implanter (un greffon (2)) sur un sujet. 3 pronom. fig. *Se greffer sur :* s'ajouter à.

**greffier, ière** n. Officier du greffe.

**greffon** n. m. 1 Partie d'une plante que l'on insère sur une autre plante pour obtenir un spécimen nouveau. 2 Partie de l'organisme prélevée afin d'être greffée.

**grégaire** adj. 1 Qui vit par troupeaux. 2 Relatif au groupement des êtres vivants, à la tendance à vivre en groupe.

**grège** adj. *Soie grège,* brute (de couleur beige).

**grégorien, ienne** adj. *Chant grégorien* et n. m. *le grégorien :* le plain-chant.

① **grêle** adj. I 1 D'une longueur et d'une finesse excessives. 2 *L'intestin grêle :* la portion la plus étroite de l'intestin, comprise entre le duodénum et le cæcum. II (sons) Aigu et peu intense.

② **grêle** n. f. 1 Précipitation faite de grains de glace. 2 fig. Ce qui tombe comme la grêle. *Une grêle de balles ; d'injures.*

**grêlé, ée** adj. Marqué par de petites cicatrices (dues à la variole, etc.).

**grêler** v. impers. [1] *Il grêle :* il tombe de la grêle.

**grêlon** n. m. Grain de glace de la grêle.

**grelot** n. m. 1 Sonnette constituée d'une boule de métal creuse contenant un morceau de métal. 2 loc. fam. *Avoir les grelots :* trembler de peur (→ grelotter).

**grelotter** v. intr. [1] I Émettre un bruit de grelot. II Trembler (de froid, de peur...). ► **grelottant, ante** adj.

**grenade** n. f. I Fruit comestible du grenadier, grosse baie ronde à la pulpe rouge. II Projectile explosif muni d'un détonateur, qui se lance à la main ou au fusil.

① **grenadier** n. m. Arbrisseau épineux à fleurs rouges, qui produit les grenades.

② **grenadier** n. m. 1 vx Soldat chargé de lancer des grenades. 2 hist. Soldat d'élite.

**grenadine** n. f. Sirop sucré, rouge.

**grenaille** n. f. 1 Métal réduit en grains. 2 Pommes de terre de petit calibre. *De la grenaille de Noirmoutier.*

**grenat** n. m. 1 Pierre précieuse, souvent rouge. 2 adj. invar. Rouge sombre.

**grenier** n. m. 1 Partie d'une ferme, combles où l'on conserve le grain et le fourrage. → **fenil, grange.** 2 Étage supérieur d'une maison, sous les combles (débarras...).

**grenouille** n. f. Batracien aux pattes arrière palmées, à peau lisse, nageur et sauteur.

**grenouiller** v. intr. [1] fam. Intriguer, magouiller. ► **grenouillage** n. m.

**grenouillère** n. f. Combinaison de bébé recouvrant les pieds.

**grenu, ue** adj. Qui présente des grains.

**grès** n. m. 1 Roche sédimentaire dure formée de sable aux grains unis par un ciment. ► **gréseux, euse** adj. 2 Terre glaise mêlée de sable fin dont on fait des poteries.

**grésil** n. m. Grêle fine, blanche et dure.

**grésiller** v. intr. [1] Produire un crépitement rapide et faible. ► **grésillement** n. m.

**gressin** n. m. Petite flûte de pain séché.

① **grève** n. f. Terrain formé de graviers, au bord de la mer ou d'un cours d'eau.

② **grève** n. f. 1 Cessation volontaire et collective du travail décidée par des travailleurs, en vue d'obtenir des avantages. 2 *Grève de la faim,* refus de manger, en manière de protestation.

**grever** [gRə-] v. tr. [5] Frapper de charges financières, de servitudes.

**gréviste** n. Personne qui fait grève.

**gribiche** adj. *Sauce gribiche :* vinaigrette mêlée d'œuf dur et de condiments.

**gribouillage** n. m. 1 Dessin confus, informe. → **gribouillis.** 2 Écriture, texte informe, illisible.

**gribouille** n. Personne naïve qui se jette dans les ennuis qu'elle voulait éviter.

**gribouiller** v. [1] 1 v. intr. Faire des gribouillages. 2 v. tr. Écrire de manière confuse, peu lisible.

**gribouillis** n. m. Dessin, écriture informe. → **gribouillage.**

**grièche** → **pie-grièche**

**grief** n. m. Sujet, motif de plainte. *Avoir des griefs contre qqn.* – loc. *Tenir, faire grief à qqn de qqch.,* le lui reprocher.

**grièvement** adv. *Grièvement blessé, brûlé...,* gravement.

**griffe** n. f. 1 Ongle pointu et crochu de certains animaux. – loc. *Montrer les griffes :* menacer. *Toutes griffes dehors :* avec agressivité. 2 Petit crochet qui maintient une pierre sur un bijou. 3 Empreinte reproduisant une signature. - Marque au nom d'un fabricant, apposée sur ses produits. **4** Marque caractéristique du style (de qqn).

**griffer** v. tr. [1] Égratigner d'un coup de griffe ou d'ongle.

① **griffon** n. m. **I** Animal fabuleux, ailé, à corps de lion et à tête d'aigle. **II** Sortie de l'eau d'une source.

② **griffon** n. m. Chien à poils longs.

**griffonner** v. tr. [1] **1** Écrire (qqch.) d'une manière confuse, peu lisible. - sans compl. Tracer des signes informes. **2** Rédiger à la hâte. ► **griffonnage** n. m.

**griffu, ue** adj. Armé de griffes.

**griffure** n. f. Égratignure provoquée par un coup de griffe.

**grignoter** v. [1] **I** v. intr. **1** Manger en rongeant. *Le hamster grignote.* **2** Manger très peu. **II** v. tr. **1** Manger (qqch.) petit à petit, lentement, en rongeant. **2** fig. Détruire peu à peu. *Grignoter ses économies.* **3** S'approprier, gagner. → **gratter.** ► **grignotement** et **grignotage** n. m.

**grigou** n. m. fam. Homme avare.

**gri-gri** → **gris-gris**

**gril** [gʀil] n. m. Ustensile de cuisine fait d'une grille ou d'une plaque permettant une cuisson à feu vif. - loc. fig. *Être sur le gril,* extrêmement anxieux ou impatient. *Mettre qqn sur le gril,* à l'épreuve.

**grillade** n. f. **1** Viande grillée. **2** Morceau de porc à griller.

**grillage** n. m. **1** Treillis métallique qu'on met aux ouvertures (fenêtres, portes). **2** Clôture, etc. en treillis de fil de fer.

**grillager** v. tr. [3] Munir d'un grillage.

**grille** n. f. **I 1** Assemblage de barreaux entrecroisés ou parallèles fermant une ouverture. **2** Clôture formée de barreaux métalliques verticaux, plus ou moins ouvragés. ♦ Porte en grillage. **3** Châssis soutenant le charbon ou le petit bois dans un fourneau, une cheminée. **II 1** Surface quadrillée. - *Grille de mots croisés.* **2** Tableau présentant une organisation, une répartition chiffrée ; cette organisation.

**grille-pain** n. m. invar. Appareil servant à griller des tranches de pain.

① **griller** v. [1] **I** v. tr. **1** Faire cuire sur le gril. - au p. p. *Bifteck grillé.* **2** Chauffer à l'excès. **3** Torréfier. **4** fam. *Griller une cigarette,* la fumer. **5** Mettre hors d'usage par un court-circuit ou un courant trop intense. **6** *Griller un feu rouge,* ne pas s'y arrêter. → **brûler.** **7** fam. Dépasser, supplanter (qqn). **II** v. intr. **1** Rôtir sur le gril. **2** fam. Être exposé à une chaleur trop vive. **3** fig. *Griller de.* → **brûler** de. *Griller d'impatience.*

② **griller** v. tr. [1] Fermer d'une grille.

**grillon** n. m. Insecte sauteur noir.

**grimace** n. f. **1** Contorsion du visage, faite inconsciemment (→ tic) ou volontairement. - fig. *Faire la grimace :* manifester du mécontentement. - loc. *Soupe à la grimace :* accueil hostile ; attitude maussade. **2** au plur. Mines affectées, hypocrites.

**grimacer** v. intr. [3] **1** Faire une grimace, des grimaces. **2** Faire un faux pli. ► **grimaçant, ante** adj.

**grimacier, ière** adj. **1** Qui a l'habitude de faire des grimaces. **2** vx Affecté, maniéré.

**grimage** n. m. Maquillage de théâtre.

**grimaud** n. m. vx **1** Jeune écolier ignorant. **2** Maître ignare. - Pédant.

**grimer** v. tr. [1] Maquiller pour le théâtre, le cinéma, etc. ▷ v. pron. se **grimer**

**grimoire** n. m. **1** Livre de magie. **2** Écrit illisible ou incompréhensible.

**grimpant, ante I** adj. (plante) Qui s'élève le long d'un support. **II** n. m. fam. Pantalon.

**grimpée** n. f. Ascension rude et pénible.

**grimper** v. [1] **I** v. intr. **1** Monter en s'aidant des mains et des pieds. *Grimper aux arbres.* - n. m. Exercice de montée d'une corde. **2** (plantes) *Le lierre grimpe jusqu'au toit.* **3** Monter sur un lieu élevé, d'accès difficile. **4** S'élever en pente raide. **5** fam. Monter, augmenter rapidement. *Les prix ont grimpé.* **II** v. tr. Gravir.

**grimpette** n. f. fam. Chemin court qui monte raide. - Ascension.

**grimpeur, euse** adj. **1** (animaux) Qui a l'habitude de grimper. **2** n. Alpiniste. - Coureur qui excelle à monter les côtes.

**grinçant, ante** adj. **1** Qui grince. **2** fig. Acerbe. *Humour grinçant.*

**grincer** v. intr. [3] **1** (choses) Produire un son aigu et prolongé, désagréable. **2** (personnes) loc. *Grincer des dents :* faire entendre un crissement en serrant les mâchoires. ► **grincement** n. m.

**grincheux, euse** adj. Revêche, acariâtre. → **hargneux.** - n. *Un vieux grincheux.*

**gringalet** n. m. péj. Homme chétif.

**gringue** n. m. loc. fam. *Faire du gringue à qqn,* lui faire la cour.

**griot** n. m. en Afrique noire Membre d'une caste de poètes musiciens.

**griotte** n. f. **1** Cerise à queue courte, à chair acide. **2** Marbre taché de brun.

**grippe** n. f. **I 1** Maladie infectieuse, contagieuse, caractérisée par de la fièvre, un abattement général et des symptômes tels que rhume, bronchite, etc. → **influenza.** *Vaccin contre la grippe.* **2** Maladie infectieuse (des animaux), avec lésions bronchopulmonaires. *Grippe porcine. Grippe aviaire* (à l'origine d'une grave pneumopathie chez l'homme). **II** loc. *Prendre en grippe :* avoir une aversion contre (qqn, qqch.). ► **grippal, ale, aux** adj.

**grippé, ée** adj. Atteint de la grippe.

**gripper** v. [1] **1** v. tr. Coincer, arrêter par manque de lubrifiant. **2** v. intr. *Le moteur risque de gripper* (ou pron. *se gripper*). ► **grippage** n. m.

**gripper-sou** n. Personne avare. – *Des grippe-sous.* – adj. *Elle est grippe-sou.*

**gris, grise I** adj. **1** D'une teinte intermédiaire entre le blanc et le noir. – *Il fait gris,* le ciel est couvert. **2** *Cheveux gris,* mêlés de cheveux blancs. **3** loc. *Faire grise mine* à qqn.* **4** fig. Monotone, morne. → **terne. 5** Légèrement ivre. **II** n. m. Couleur grise.

**grisaille** n. f. **1** arts Peinture en camaïeu gris. **2** Teinte grise d'un paysage.

**grisant, ante** adj. Qui grise (2).

**grisâtre** adj. Qui tire sur le gris.

**grisé** n. m. Teinte grise obtenue par des hachures ou par un pointillé.

**griser** v. tr. [1] **1** Rendre un peu ivre. **2** Mettre dans un état d'excitation comparable aux premières impressions de l'ivresse. ▷ v. pron. se **griser 1** S'enivrer. **2** S'exalter (de). ► **griserie** n. f.

**grisette** n. f. vx Jeune ouvrière coquette.

**gris-gris** ou **gri-gri** n. m. Amulette.

**grisonner** v. intr. [1] (poil) Commencer à devenir gris. – Avoir le poil gris par l'effet de l'âge. ► **grisonnant, ante** adj. ► **grisonnement** n. m.

**grisou** n. m. Gaz inflammable qui se dégage des mines de houille et explose au contact de l'air *(coup de grisou).*

**grive** n. f. Oiseau passereau au plumage brunâtre, au chant mélodieux.

**grivèlerie** n. f. dr. Délit qui consiste à consommer sans payer, dans un café, etc.

**grivois, oise** adj. Licencieux. → **égrillard.**

**grivoiserie** n. f. **1** Caractère grivois. **2** Action ou propos grivois.

**grizzli** ou **grizzly** n. m. Ours des montagnes Rocheuses.

**grœnendael** [gʀɔ(n)ɛndal] n. m. Chien de berger à longs poils noirs.

**grog** [gʀɔg] n. m. Boisson faite d'eau chaude sucrée, de rhum et de citron.

**groggy** [gʀɔgi] adj. invar. anglic. **1** Étourdi par les coups. → **sonné. 2** fam. Assommé (par la fatigue, l'ivresse, etc.).

**grognard** n. m. Soldat de la vieille garde, sous Napoléon Ier.

**grogne** n. f. Mécontentement exprimé en grognant.

**grogner** v. intr. [1] **1** (cochon, ours...) Pousser son cri. ♦ (chien...) Émettre un grondement. **2** (personnes) Manifester son mécontentement par de sourdes protestations. ► **grognement** n. m.

**grognon, onne** adj. et n. Qui a l'habitude de grogner (2) ; maussade. ♦ au fém. *Grognon* ou *grognonne.* – n. *Un vieux grognon.*

**groin** n. m. Museau du porc, du sanglier, propre à fouir.

**grolle** ou **grole** n. f. fam. Chaussure.

**grommeler** v. intr. et tr. [4] Murmurer entre ses dents. ► **grommellement** n. m.

**grondant, ante** adj. Qui gronde.

**grondement** n. m. Bruit sourd et prolongé. *Un grondement de tonnerre.*

**gronder** v. [1] **I** v. intr. **1** Produire un bruit sourd et menaçant. *Le canon gronde.* **2** fig. Être menaçant, près d'éclater. *La révolte gronde.* **II** v. tr. Réprimander.

**gronderie** n. f. Réprimande.

**grondeur, euse** adj. Qui gronde.

**grondin** n. m. Poisson de mer comestible. – appos. *Rouget grondin.*

**groom** [gʀum] n. m. Jeune employé en livrée, dans les hôtels, cercles, etc.

**groove** [gʀuv] n. m. anglic., mus. Qualité rythmique (d'une musique de danse). → **swing.**

**gros, grosse I** adj. **1** Qui, dans son genre, dépasse la mesure ordinaire. → **grand ; énorme ;** opposé à *petit. Une grosse vague.* **2** (personnes) Qui est plus large et plus gras que la moyenne. → **corpulent, replet. 3** (dimensions relatives) *Gros comme :* qui est de la taille de. **4** Désignant une catégorie de grande taille par rapport à une autre. *Du gros sel. Gros gibier.* **5** Qui est temporairement, anormalement gros. *La mer est grosse,* houleuse. ♦ vieilli *Femme grosse,* enceinte. ♦ loc. *Avoir le cœur gros,* du chagrin. **6** *Gros de,* qui recèle certaines choses en germe. *Un fait gros de conséquences.* **7** Abondant, important. *De grosses dépenses.* **8** (personnes) Remarquable en tant que tel. *Un gros travailleur.* ♦ Important (par le rang...). *Un gros capitaliste.* **9** Dont les effets sont importants. *Grosse fièvre.* → **violent.** *De gros ennuis.* → **grave. 10** Qui manque de raffinement, de délicatesse. → **grossier, ordinaire ;** opposé à *fin. Grosse plaisanterie.* → **vulgaire.** – *Gros mot :* mot grossier*. **11** Exagéré, excessif. *C'est un peu gros.* **II** adv. **1** *Écrire gros,* avec de gros caractères. ♦ *En avoir gros sur le cœur* (de chagrin, de dépit). **2** loc. adv. *En gros :* en grandes dimensions ; en grande quantité ; dans les grandes lignes (→ grosso modo). **III** n. **1** Personne grosse. – fam. *Un gros plein de soupe*.* **2** fam. *Les gros,* les personnes riches, influentes. **3** n. m. *Le gros de :* la plus importante partie de. **4** *Commerce de gros,* en grandes quantités (opposé à *détail*). **5** Gros poissons. *Pêche au gros.*

**groseille** n. f. **1** Fruit du groseillier, petite baie acide rouge ou blanche, en grappes. – *Groseille à maquereau* (autre espèce). **2** adj. invar. De la couleur de la groseille rouge.

**groseillier** n. m. Arbuste cultivé pour ses fruits, les groseilles.

Se termine par *-ier*, comme beaucoup de noms d'arbres fruitiers.

**gros-grain** n. m. Large ruban à côtes, résistant, qui sert à renforcer. *Des gros-grains.*

**grosse** n. f. **1** dr. Copie exécutoire d'un acte. **2** comm. Douze douzaines.

**grossesse** n. f. État d'une femme enceinte. – *Grossesse nerveuse,* signes évoquant la grossesse (sans embryon).

**grosseur** n. f. **1** (sens absolu) État d'une personne grosse. → **corpulence, embonpoint ; obésité. 2** (sens relatif) Volume, dimension. **3** Enflure visible ou sensible au toucher. → **bosse, tumeur.**

**grossier, ière** adj. **1** Qui est de mauvaise qualité ou qui est fait de façon rudimentaire. **2** Qui n'est pas assez élaboré, approfondi. **3** Qui manque de finesse, de grâce. → **épais, lourd. 4** Sans éducation ni culture. → **fruste, inculte, primitif.** ◆ Digne d'une personne grossière. **5** Qui est contraire aux bienséances. *Mot grossier* (→ gros mot). **6** Qui manque d'éducation, de politesse.

**grossièrement** adv. **1** D'une manière grossière. **2** D'une façon inconvenante.

**grossièreté** n. f. **1** Caractère de ce qui est grossier. **2** Ignorance ou mépris des bonnes manières. **3** Mot, propos grossier.

**grossir** v. [2] **I** v. intr. **1** (personnes) Devenir gros, plus gros. **2** (choses) Enfler, gonfler. **3** Augmenter en nombre, en importance, en intensité. **II** v. tr. **1** Faire paraître gros, plus gros. *Microscope qui grossit mille fois.* **2** Rendre plus nombreux, plus important. **3** Amplifier, exagérer.

**grossissant, ante** adj. Qui grossit (II, 1).

**grossissement** n. m. **1** Fait de devenir gros. **2** Accroissement apparent, grâce à un instrument. *Télescope à fort grossissement.* **3** Amplification, exagération. *Le grossissement d'un fait divers.*

**grossiste** n. Marchand en gros.

**grosso modo** loc. adv. En gros, sans entrer dans le détail.

**grotesque I** n. f. pl. arts Ornements faits de compositions fantaisistes, de figures caricaturales. **II** adj. **1** Risible par son aspect bizarre. → **burlesque, extravagant. 2** Qui prête à rire (sans idée de bizarrerie). → **ridicule. 3** n. m. Ce qui est grotesque. ► **grotesquement** adv.

**grotte** n. f. Cavité naturelle de grande taille dans le rocher, le flanc d'une montagne. → **caverne.**

**grouillant, ante** adj. **1** Qui grouille (1). **2** Qui grouille (de...).

**grouillement** n. m. État de ce qui grouille.

**grouiller** v. intr. [1] **1** Remuer, s'agiter en masse confuse (en parlant d'éléments nombreux). **2** (sujet chose) Présenter une agitation confuse ; être plein (d'éléments qui s'agitent). *Rue qui grouille de monde.* ▷ v. pron. se **grouiller** fam. Se dépêcher.

**grouillot** n. m. Garçon de course.

① **groupage** n. m. Action de réunir des colis ayant une même destination.

② **groupage** n. m. méd. Détermination du groupe sanguin.

**groupe** n. m. **1** Réunion de plusieurs personnes dans un même lieu. **2** Ensemble de personnes ayant qqch. en commun. – *Groupe de pression.* → anglic. **lobby.** ◆ Petit orchestre. **3** milit. Unité de combat. **4** Ensemble (de choses) ayant une cohérence. *Groupe de lettres.* – *Groupe scolaire* (bâtiments). ◆ (dans une classification) *Groupes sanguins,* permettant la classification des individus selon la composition de leur sang. – *Les trois groupes des verbes français* (selon leur conjugaison). ◆ math. Ensemble associé à une loi particulière.

**groupement** n. m. **1** Action de grouper ; fait d'être groupé. → **assemblage. 2** Réunion importante (de personnes ou de choses). → **association.**

**grouper** v. tr. [1] Mettre ensemble. → **assembler, réunir.** ▷ v. pron. se **grouper**

**groupie** n. anglic. Jeune admirateur ou (surtout) admiratrice d'un chanteur, d'un groupe, qui le suit dans ses tournées.

**groupuscule** n. m. péj. Petit groupe.

**grouse** n. f. anglic. Lagopède d'Écosse.

**gruau** n. m. **1** Grains de céréales broyés et privés de son. **2** Fine fleur de froment.

**grue** n. f. **I 1** Oiseau échassier migrateur qui vole par bandes. – loc. *Faire le pied de grue :* attendre longtemps debout. **2** fam. Femme vénale. **II 1** Machine de levage et de manutention. **2** Appareil articulé permettant les mouvements de caméra.

**gruger** v. tr. [3] **1** littér. Duper, spolier (qqn). **2** (Canada) fam. Grignoter. **3** absolt, fam. Tricher, frauder.

**grume** n. f. *Bois de grume,* encore couvert de l'écorce. ◆ Tronc d'arbre non encore équarri.

**grumeau** n. m. Petite masse coagulée (dans un liquide, une pâte...). ► **grumeleux, euse** adj.

**grunge** [grœnʒ] n. m. et adj. invar. anglic. Se dit d'un style musical issu du punk et du style vestimentaire sale et négligé qui y est associé.

**grutier, ière** n. Conducteur, conductrice de grue (II).

**gruyère** [gryjɛr] n. m. Fromage de lait de vache, à pâte cuite et formant des trous.

**G. S. M.** ou **GSM** n. m. 1 télécomm. Norme de téléphonie mobile (en Europe). 2 (Belgique) Téléphone portable.

**guacamole** [gwakamɔl(e)] n. m. Préparation à base d'avocat, tomates, oignons, épices écrasés en purée.

**guano** [gwano] n. m. Engrais à base d'excréments d'oiseaux de mer.

**gué** n. m. Endroit d'une rivière où l'on peut traverser à pied (*à gué* loc. adv.).

**guelte** n. f. vieilli Pourcentage touché par un vendeur.

**guenille** n. f. 1 Vêtement vieux et déchiré. → **haillon, loque.** – *En guenilles.* → **déguenillé.** 2 fig., littér. Chose vile, méprisable.

**guenon** n. f. Femelle du singe.

**guépard** n. m. Félin voisin de la panthère, au pelage tacheté de noir, à la course très rapide.

**guêpe** n. f. Insecte hyménoptère, dont la femelle porte un aiguillon venimeux. – loc. *Taille de guêpe,* très fine.

**guêpier** n. m. 1 Nid de guêpes. 2 fig. Affaire dangereuse, piège.

**guêpière** n. f. Corset très serré.

**guère** adv. *Ne... guère* 1 Pas beaucoup, pas très. 2 Pas longtemps. *La paix ne dura guère.* – Pas souvent. *Il ne vient guère.*

**guéret** n. m. Terre labourée et non ensemencée. ♦ par ext. Jachère.

**guéridon** n. m. Petite table ronde ou ovale, généralement à pied central.

**guérilla** n. f. Guerre de coups de main.

**guérillero, guérillera** n. Personne qui se bat dans une guérilla.

**guérir** v. [2] I v. tr. 1 Délivrer d'un mal physique ; rendre la santé à (qqn). *Guérir un malade.* ♦ Faire cesser (une maladie). *Guérir une bronchite.* 2 fig. Délivrer d'un mal moral. II v. intr. 1 Recouvrer la santé. → se **rétablir.** ♦ (maladie) Disparaître. 2 fig. Être débarrassé (d'un mal moral...). ▷ v. pron. se **guérir** ▷ adj. **guéri, ie**

**guérison** n. f. Fait de guérir.

**guérissable** adj. Qui peut être guéri.

**guérisseur, euse** n. Personne qui soigne les malades sans être médecin, et par des procédés non reconnus par la médecine.

**guérite** n. f. 1 Abri d'une sentinelle. 2 Baraque aménagée en abri.

**guerre** n. f. I 1 Lutte armée entre groupes sociaux, entre États (considérée comme un phénomène historique et social). – *En guerre* : en état de guerre. – *De guerre. Blessé de guerre.* – prov. *À la guerre comme à la guerre* : il faut accepter les inconvénients qu'imposent les circonstances. 2 Les questions militaires ; l'organisation des armées. *Conseil de guerre.* 3 (qualifié) Conflit particulier. *La Grande Guerre, la guerre de 14* (1914). *La drôle de guerre* : la période qui précéda l'invasion allemande en France (septembre 1939-mai 1940). ♦ *Guerre sainte,* menée au nom d'une foi. → **croisade, djihad.** ♦ *Guerre civile,* au sein d'un même État. 4 Lutte n'allant pas jusqu'au conflit armé. – loc. *Guerre des nerfs,* visant à briser le moral de l'adversaire. – *Guerre froide* : état de tension prolongée. II Lutte. *Guerre littéraire.* III loc. *De guerre lasse* : en renonçant à résister, par lassitude. – *C'est de bonne guerre,* légitime, sans hypocrisie.

**guerrier, ière** I n. anciennt Personne dont le métier était de faire la guerre. → **soldat.** ♦ (collectif) *Le guerrier,* le soldat. – loc. *Le repos du guerrier,* de l'homme, auprès d'une femme. II adj. 1 Relatif à la guerre. → **militaire.** 2 Qui aime la guerre. → **belliqueux.**

**guerroyer** v. intr. [8] littér. Faire la guerre.

**guet** n. m. 1 Action de guetter. 2 anciennt Troupe chargée de la police, la nuit.

**guet-apens** [gɛtapɑ̃] n. m. 1 Fait d'attendre qqn dans un endroit afin de l'attaquer. 2 Piège préparé en vue de nuire gravement à qqn. *Des guets-apens.*

**guêtre** n. f. Enveloppe qui couvre le haut de la chaussure et le bas de la jambe. – loc. *Traîner ses guêtres* (quelque part), y flâner.

**guetter** v. tr. [1] 1 Observer en cachette pour surprendre. *Le chat guette la souris.* 2 Attendre avec impatience (qqn, qqch.) en étant attentif. 3 (sujet chose) Menacer. *La ruine le guette.*

**guetteur, euse** n. Personne chargée de surveiller et de donner l'alerte. → **sentinelle.**

**gueulante** n. f. fam. Explosion de colère ; clameur de protestation.

① **gueulard** n. m. Ouverture supérieure (d'un haut fourneau, d'une chaudière).

② **gueulard, arde** adj. et n. I fam. Qui a l'habitude de parler haut et fort. → **braillard.** II région. Gourmand.

**gueule** n. f. I Bouche (d'animaux, surtout carnassiers). – loc. *Se jeter dans la gueule du loup* : aller au-devant d'un danger, avec imprudence. II fam. Bouche humaine. 1 (Servant à parler ou crier) *(Ferme) ta gueule !* : tais-toi ! *Coup de gueule.* → **engueulade.** – *Une grande gueule* : qqn qui parle avec autorité, ou qui est plus fort en paroles qu'en actes. 2 (Servant à manger) – loc. *Avoir la gueule de bois* : avoir la bouche empâtée après avoir trop bu. – *Une fine gueule*, un gourmet. **III** fam. **1** Figure, visage. → **tête.** *Il a une sale gueule.* – loc. *Faire la gueule* : bouder. – argot milit. *Une gueule cassée* : un mutilé de guerre, blessé au visage. – argot du Nord *Les gueules noires* : les mineurs. **2** fam. Aspect, forme d'un objet. → **allure. IV** Ouverture par laquelle entre ou sort qqch. *La gueule d'un canon.*

**gueule-de-loup** n. f. Plante ornementale à fleur ouverte (comme une gueule). *Des gueules-de-loup.*

**gueulement** n. m. fam. Cri.

**gueuler** v. [1] fam. **I** v. intr. **1** Chanter, crier, parler très fort. → **hurler.** ♦ *Faire gueuler sa radio.* **2** Protester bruyamment. **II** v. tr. Dire en criant. *Gueuler des ordres.*

**gueules** n. m. blason Couleur rouge.

**gueuleton** n. m. fam. Très bon repas, copieux, et souvent gai. ► **gueuletonner** v. intr. [1] fam. → **festoyer.**

**gueuse** n. f. techn. Masse de métal fondu sortant du haut fourneau.

**gueux, euse** n. **1** vx Personne qui vit d'aumônes. → **mendiant, miséreux. 2** n. f. vieilli Femme de mauvaise vie.

① **gui** n. m. Plante parasite à baies blanches qui vit sur certains arbres.

② **gui** n. m. mar. Forte vergue.

**guibolle** n. f. fam. Jambe. – var. **guibole.**

**guiche** n. f. Accroche-cœur.

**guichet** n. m. **1** Petite ouverture d'une porte, d'un mur par laquelle on peut parler, etc. **2** Ouverture ou comptoir permettant au public de communiquer avec les employés d'un bureau. ♦ *Guichet automatique* (de banque). → **billetterie.**

**guichetier, ière** n. Personne préposée à un guichet.

**guidage** n. m. Action de guider. – spécialt → **radioguidage.**

**guide** n. **I 1** Personne qui accompagne pour montrer le chemin. **2** Personne qui conduit qqn dans la vie. → **conseiller.** ♦ Principe directeur suivi par qqn. **3** n. m. Ouvrage contenant des renseignements utiles. – Description (d'une région, d'un pays) à l'usage des voyageurs. **II** n. f. Jeune fille appartenant à un mouvement féminin de scoutisme. **III 1** n. f. Lanière de cuir qui sert à diriger un cheval de trait. **2** n. m. techn. Objet ou système servant à guider.

**guider** v. tr. [1] **1** Accompagner (qqn) en montrant le chemin. **2** Faire aller dans une certaine direction. → **diriger, mener. 3** (sujet chose) Mettre sur la voie, le chemin. **4** fig. Entraîner (qqn) dans une certaine direction ; aider à choisir. → **conseiller, éclairer, orienter.** ▷ v. pron. **se guider** (sur) Se diriger (d'après un repère).

**guidon** n. m. **I 1** vx Étendard. **2** Saillie à l'extrémité du canon d'une arme. **II** Tube de métal qui commande la roue directrice d'une bicyclette, d'une motocyclette.

① **guigne** n. f. **1** Petite cerise à chair ferme et sucrée. **2** loc. *Se soucier de qqn, qqch. comme d'une guigne*, pas du tout.

② **guigne** n. f. fam. Malchance.

**guigner** v. tr. [1] **1** Regarder à la dérobée. **2** fig. Considérer avec convoitise.

**guignol** n. m. **I 1** Marionnette à gaine de la tradition lyonnaise. **2** Personne comique ou ridicule. → **pantin, pitre. II** Théâtre de marionnettes lyonnais.

**guignolée** n. f. (Canada) Collecte effectuée en fin d'année en faveur des personnes démunies.

**guignolet** n. m. Liqueur de cerises.

**guilde** n. f. **1** (au Moyen Âge) Association de secours mutuel entre marchands, bourgeois, etc. **2** Association commerciale.

**guili-guili** interj. fam. *Faire guili-guili à qqn*, le chatouiller. – n. m. *Cela me fait des guili-guili(s).*

**guilledou** n. m. loc. fam. vieilli *Courir le guilledou* : chercher des aventures galantes.

**guillemet** n. m. Signe typographique («...») qu'on emploie par paires pour isoler un mot, etc., cité ou mis en valeur. – fig. *Entre guillemets*, prétendu (→ soi-disant).

**guilleret, ette** adj. Gai et insouciant.

**guillocher** v. tr. [1] Orner de traits gravés en creux et entrecroisés.

**guillotine** n. f. **1** (en France) Instrument de supplice qui servait à trancher la tête des condamnés à mort. **2** *Fenêtre à guillotine*, dont le châssis glisse verticalement entre deux rainures.

**guillotiner** v. tr. [1] Faire mourir par le supplice de la guillotine. → **décapiter.**

**guimauve** n. f. **1** Plante des terrains humides, à haute tige, à fleurs d'un blanc rosé. *Guimauve rose* : rose trémière. **2** *(Pâte de) guimauve* : pâte comestible molle et sucrée. **3** fig. Niaiserie sentimentale.

**guimbarde** n. f. **1** Petit instrument de musique rudimentaire que l'on fait vibrer dans la bouche. **2** Vieille voiture délabrée.

**guimpe** n. f. **1** Pièce de toile qui couvre la tête, encadre le visage des religieuses. **2** Corsage ou plastron léger porté avec une robe décolletée.

**guincher** v. intr. [1] fam. Danser.

**guindé, ée** adj. Compassé, contraint.

**guindeau** n. m. mar. Treuil à axe horizontal qui sert à manœuvrer les ancres.

**guinder** v. tr. [1] **1** mar. Hisser (un mât). ♦ Élever (un fardeau) avec une machine. **2** littér. Donner une allure raide.

de **guingois** loc. adv. fam. De travers.

**guinguette** n. f. anciennt Café populaire où l'on danse, souvent en plein air.

**guiper** v. tr. [1] techn. Gainer (un fil électrique) d'un isolant.

**guipure** n. f. Dentelle à mailles larges.

**guirlande** n. f. Cordon décoratif de végétaux, de papier découpé, etc.

**guise** n. f. **I** loc. adv. *À sa guise :* selon son goût, sa volonté propre. **II** loc. prép. *En guise de :* pour tenir lieu de.

**guitare** n. f. Instrument à cordes qu'on pince avec les doigts ou avec un petit instrument (→ médiator, plectre). - *Guitare électrique,* à son amplifié. ► **guitariste** n.

**guitoune** n. f. fam. Tente.

**gus** [gys] n. m. fam. Individu.

**gustatif, ive** adj. Qui a rapport au goût.

**gutta-percha** [-ka] n. f. Gomme isolante tirée du latex de certains arbres.

**guttural, ale, aux** adj. Du gosier. - *Une voix gutturale,* rauque.

**gymkhana** [ʒim-] n. m. Course d'obstacles au parcours compliqué.

**gymnase** n. m. **1** Établissement pour la pratique de la gymnastique. **2** (en Allemagne, en Suisse) École secondaire.

**gymnaste** n. Athlète qui pratique la gymnastique.

**gymnastique** n. f. **I** adj. vieilli Des exercices du corps. → **gymnique.** **II** n. f. **1** Art d'assouplir et de fortifier le corps par des exercices ; ces exercices (→ culture, éducation physique). - *Pas de gymnastique :* pas de course cadencé. **2** Série de mouvements acrobatiques. **3** fig. Exercice intellectuel.

**gymnique** adj. didact. De gymnastique.

**gymnosperme** n. f. bot. Plante à ovule nu porté par une feuille fertile (sous-embranchement des *Gymnospermes ;* ex. pin, if).

**gymnote** n. m. zool. Poisson d'eau douce qui paralyse ses proies par des décharges électriques.

**gynécée** n. m. Antiq. Appartement réservé aux femmes.

**gynécologie** n. f. Discipline médicale qui a pour objet l'étude de l'appareil génital de la femme. *Gynécologie et obstétrique.* ► **gynécologique** adj. ► **gynécologue** n.

**gypaète** n. m. zool. Grand oiseau rapace, diurne, qui se nourrit surtout de charognes.

**gypse** n. m. Roche sédimentaire, sulfate de calcium hydraté (aussi appelé *pierre à plâtre*).

**gyre** n. m. océanogr. Tourbillon marin formé par la réunion d'un ensemble de courants.

**gyrocompas** n. m. techn. Compas utilisant un gyroscope électrique, utilisé dans les avions, les navires.

**gyrophare** n. m. Phare rotatif placé sur le toit de certains véhicules prioritaires.

**gyroscope** n. m. Appareil tournant autour d'un axe, qui fournit une direction constante. ► **gyroscopique** adj.

# H

***h** [aʃ] n. m. Huitième lettre, sixième consonne de l'alphabet. – Le *h* dit *aspiré* interdit la liaison et l'élision *(un héros, le héros)* ; cf. dans ce dictionnaire les mots précédés de *. Le *h muet* rend la liaison et l'élision obligatoires *(un homme, l'homme).*

***ha** [a ; ha] interj. **1** Exprime la surprise, le soulagement. **2** (redoublé) Exprime le rire.

**habeas corpus** [abeaskɔʀpys] n. m. dr. Institution assurant le respect de la liberté individuelle (en Angleterre, au XVIIe siècle).

**habile** adj. **I** vx Capable. **II 1** Qui exécute (qqch.) avec adresse et compétence. ♦ (souvent péj.) Qui trouve les moyens de parvenir à ses fins. **2** Fait avec adresse et intelligence. ► **habilement** adv.

**habileté** n. f. **1** Qualité de qqn d'habile, de ce qui est habile. **2** Action habile.

**habiliter** v. tr. 1 Rendre légalement apte à (certains actes...). ► **habilitation** n. f.

**habillage** n. m. **I** techn. Action d'habiller (I). **II 1** Action d'habiller (II, 1). **2** Action d'habiller (II, 3). ♦ Ce qui protège (qqch.).

**habillement** n. m. **1** Action de (se) pourvoir d'habits. **2** Ensemble des habits. **3** Ensemble des professions du vêtement.

**habiller** v. tr. 1 **I** techn. Préparer. *Habiller une bête de boucherie.* **II 1** Couvrir (qqn) de vêtements, d'habits. – *Habiller en* (+ n.). → **costumer, déguiser.** ♦ Fournir (qqn) en vêtements. ♦ (sujet vêtement) *Un rien l'habille.* **2** Couvrir, recouvrir (qqch.). ▷ v. pron. s'**habiller 1** Mettre des habits. – *S'habiller en.* → se **déguiser. 2** Se vêtir ; se pourvoir d'habits. ▷ adj. **habillé, ée 1** Couvert de vêtements. **2** Dans une tenue élégante. – par ext. *Robe habillée.*

**habilleur, euse** n. Personne qui aide les acteurs, les mannequins à s'habiller.

**habit** n. m. **1** au plur. *Les habits :* l'ensemble des pièces qui composent l'habillement ; spécialt les vêtements visibles. **2** Vêtement propre à une fonction, à une circonstance. ♦ loc. *Prendre l'habit :* devenir prêtre, moine. – prov. *L'habit ne fait pas le moine :* on ne doit pas juger les gens sur leur aspect. **3** Costume de cérémonie masculin, à longues basques.

**habitable** adj. Où l'on peut habiter, vivre, se tenir. – *Surface habitable,* disponible pour être habitée. ► **habitabilité** n. f.

**habitacle** n. m. **1** mar. Abri pour le compas, etc. sur un navire. **2** Poste de pilotage (d'un avion...). **3** Intérieur d'une voiture.

**habitant, ante** n. **1** Être vivant qui peuple un lieu. **2** Personne qui réside habituellement en un lieu. – (collectif) *Loger chez l'habitant,* chez les gens du pays. **3** Personne qui habite (une maison...). → **occupant. 4** (Québec) Paysan.

**habitat** n. m. **1** Milieu propre à la vie d'une espèce animale ou végétale. **2** Mode d'organisation et de peuplement par l'homme du milieu où il vit.

**habitation** n. f. **1** Fait d'habiter quelque part. **2** Lieu où l'on habite.

**habiter** v. 1 **I** v. intr. Avoir sa demeure. → **demeurer, loger, résider, vivre.** *Habiter à la campagne.* **II** v. tr. **1** Demeurer dans. *Habiter un studio.* – *Habiter la banlieue.* **2** fig. (sujet chose) *La passion qui l'habite.* → **animer.** ▷ adj. **habité, ée** Qui a des habitants.

**habitude** n. f. **1** Manière usuelle d'agir, de se comporter (de qqn). – loc. *Par habitude.* → **machinalement.** – *À son habitude, suivant son habitude :* comme il fait d'ordinaire. – *Avoir, prendre, perdre l'habitude de* (qqch., de faire qqch.). ♦ (collectif) *L'habitude :* l'ensemble des habitudes de qqn. **2** Usage d'une collectivité, d'un lieu. → **coutume, mœurs. 3** Fait d'être accoutumé, par la répétition (à qqn, qqch.). *C'est une question d'habitude.* **4** loc. adv. *D'habitude :* de manière courante. → **généralement.** – *Comme d'habitude :* comme toujours.

**habitué, ée** n. Personne qui fréquente habituellement un lieu.

**habituel, elle** adj. **1** Passé à l'état d'habitude. → **coutumier. 2** Constant ; fréquent. → **courant, ordinaire.** ► **habituellement** adv.

**habituer** v. tr. 1 *Habituer à* **1** Faire prendre à (qqn, un animal) l'habitude de. **2** passif *Être habitué à :* avoir l'habitude de. ▷ v. pron. s'**habituer** à Prendre l'habitude de.

***hâbleur, euse** n. et adj. Personne qui parle beaucoup, en exagérant, en se vantant. ► ***hâblerie** n. f.

***hache** n. f. Instrument à lame tranchante, servant à fendre. *Fendre du bois à la hache.* – *Hache de guerre des Indiens* (→ **tomahawk).** loc. *Enterrer, déterrer la hache de guerre :* suspendre, ouvrir les hostilités.

***hacher** v. tr. [1] Couper en petits morceaux avec un instrument tranchant. *Hacher du persil.* ▷ adj. ***haché, ée 1** *Viande hachée ;* n. m. *du haché.* **2** fig. Entrecoupé, interrompu (langage). *Style haché.*

***hachette** n. f. Petite hache.

***hachis** n. m. Préparation d'aliments hachés très fin. *Hachis Parmentier :* hachis de bœuf à la purée de pommes de terre.

***hachisch** → **haschisch**

***hachoir** n. m. Large couteau ou appareil servant à hacher.

***hachure** n. f. Traits parallèles ou croisés figurant les ombres d'un dessin, etc.

***hachurer** v. tr. [1] Couvrir de hachures.

**hacienda** [asjɛnda] n. f. Grande exploitation rurale, en Amérique latine.

***hacker** [ake] v. tr. [1] anglic. Pirater (un système informatique).

***hackeur, euse** n. ou ***hacker** n. m. [-œʀ] anglic. Passionné(e) d'informatique qui s'infiltre dans un réseau protégé, par malveillance (→ ② **cracker**) ou goût de l'exploit.

***haddock** n. m. Églefin fumé.

***hadith** n. m. didact. Recueil des actes et paroles de Mahomet.

***hadji** [adʒi] n. m. Musulman qui a fait le pèlerinage de La Mecque.

**hadron** n. m. phys. Particule élémentaire lourde (ex. neutron, proton).

**hagard, arde** adj. Qui a une expression égarée et farouche.

**hagiographie** n. f. didact. **1** Rédaction des vies des saints. **2** Biographie excessivement élogieuse. ► **hagiographe** n. ► **hagiographique** adj.

***haie** n. f. **1** Clôture végétale pour limiter, protéger un champ, un jardin. ♦ *Course de haies,* où l'on franchit des barrières. **2** File de personnes formée pour laisser le passage à qqn, un cortège. *Haie d'honneur.*

***haïk** n. m. Pièce d'étoffe drapée sur les vêtements (vêtement féminin musulman).

***haïku** [ajku ; aiku] n. m. Poème classique japonais de dix-sept syllabes réparties en trois vers. – syn. (forme anc.) **haï-kaï.**

***haillon** n. m. Vieux morceau d'étoffe servant de vêtement.

***haillonneux, euse** adj. En haillons.

***haine** n. f. **1** Sentiment violent qui pousse à vouloir du mal à qqn. **2** Aversion profonde pour qqch.

***haineux, euse** adj. **1** Porté à la haine. → **malveillant, méchant. 2** Qui marque la haine. *Regard haineux.* **3** Inspiré par la haine. → **fielleux.** ► ***haineusement** adv.

***haïr** v. tr. [10] **1** Avoir (qqn) en haine. → **détester. 2** Avoir (qqch.) en haine.

***haïssable** adj. Qui mérite d'être haï. → **détestable, exécrable, odieux.**

***halage** n. m. Action de haler un bateau.

***halal** adj. invar. (viande) Conforme au rite musulman. ♦ Où l'on prépare de la viande halal. – var. **hallal.**

***halbran** n. m. Jeune canard sauvage.

***hâle** n. m. Couleur brune que prend la peau à l'air et au soleil. → **bronzage.**

**haleine** n. f. **1** Mélange gazeux qui sort des poumons pendant l'expiration. **2** La respiration (inspiration et expiration). → **souffle.** ♦ loc. *Être hors d'haleine,* à bout de souffle. – loc. adv. *À perdre haleine :* au point de ne plus pouvoir respirer ; fig. sans s'arrêter. **3** (dans des loc.) Intervalle entre deux inspirations. *D'une (seule) haleine.* → d'un **trait.** – *Tenir qqn en haleine,* maintenir dans un état d'attente. – *Travail de longue haleine,* qui exige beaucoup de temps et d'efforts.

***haler** v. tr. [1] **1** Tirer à soi, spécialt à l'aide d'un cordage. **2** Remorquer (un bateau) à l'aide d'un câble tiré du rivage.

***hâler** v. tr. [1] (air, soleil) Rendre (le teint...) brun. → **bronzer.** ▷ adj. ***hâlé, ée**

***haletant, ante** adj. **1** Qui halète. → **essoufflé.** – fig. *Être haletant d'impatience.* **2** Qui tient en haleine. *Intrigue haletante.*

***haleter** v. intr. [5] **1** Respirer à un rythme précipité ; être hors d'haleine. ► ***halètement** n. m. **2** fig. Être tenu en haleine.

***haleur, euse** n. Personne qui hale les bateaux le long des cours d'eau.

**halieutique** adj. didact. De la pêche.

***hall** [ol] n. m. anglic. **1** Grande salle servant d'entrée, d'accès. **2** Vaste local.

**hallali** n. m. chasse Cri ou sonnerie de cor annonçant que l'animal est aux abois.

***halle** n. f. **1** Vaste emplacement couvert où se tient un marché, un commerce de gros. **2** au plur. *Les halles :* emplacement, bâtiment où se tient le marché central de denrées alimentaires d'une ville.

***hallebarde** n. f. anciennt Arme d'hast à fers latéraux, l'un en croissant, l'autre en pointe. ♦ loc. fam. *Il pleut, il tombe des hallebardes :* il pleut à verse.

***hallebardier** n. m. anciennt Homme d'armes portant la hallebarde.

***hallier** n. m. Groupe de buissons serrés.

**Halloween** [alɔwin] n. f. En Amérique du Nord, Fête (31 octobre) où les enfants, déguisés, quêtent des friandises.

**hallucinant, ante** adj. Qui a une grande puissance d'évocation. ♦ Incroyable.

**hallucination** n. f. **1** méd. Perception pathologique de faits, d'objets, de sensations sans rapport avec le réel. **2** Erreur des sens, illusion. ► **hallucinatoire** adj.

**halluciné, ée** adj. Qui a des hallucinations. – *Un air halluciné.* → **égaré.**

**halluciner** v. tr. [1] Rendre halluciné.

**hallucinogène** adj. et n. m. Se dit d'une substance qui donne des hallucinations.

***halo** n. m. **1** Auréole lumineuse diffuse. **2** fig. → **auréole.** *Un halo de gloire.*

**halogène** n. m. **1** chim. Se dit des cinq éléments analogues au chlore (fluor, chlore, brome, iode, astate). **2** *Lampe (à) halogène,* qui contient un halogène.

***halte** n. f. **1** Temps d'arrêt consacré au repos, au cours d'une marche, d'un voyage. **2** Lieu où l'on fait halte. **3** interj. Commandement pour ordonner à qqn de s'arrêter.

**haltère** n. m. Instrument de gymnastique fait de deux boules ou disques de métal réunis par une tige. ♦ *Poids et haltères :* sport consistant à soulever des haltères en exécutant des mouvements (syn. *haltérophilie*). ► **haltérophile** n.

Mot masculin : *un haltère lourd.*

***halva** n. m. Confiserie au sésame.

***hamac** n. m. Rectangle de toile ou de filet suspendu, utilisé comme lit.

**hamamélis** [-is] n. m. Arbuste dont l'écorce et les feuilles servent en pharmacie.

***hamburger** [ãbœʀgœʀ ; ãbuʀgœʀ] n. m. anglic. Bifteck haché servi dans un pain rond.

***hameau** n. m. Petit groupe de maisons.

**hameçon** n. m. **1** Crochet pointu qu'on met au bout d'une ligne et qu'on garnit d'un appât, pour pêcher. **2** fig. Appât ; piège.

***hammam** [amam] n. m. Établissement de bains de vapeur.

① ***hampe** n. f. **1** Long manche de bois portant une arme, etc. **2** bot. Tige portant une ou des fleurs. **3** Trait vertical d'une lettre. *La hampe du p.*

② ***hampe** n. f. Partie supérieure et latérale du ventre du bœuf.

***hamster** [amstɛʀ] n. m. Petit rongeur roux et blanc.

***han** [ã ; hã] interj. Onomatopée traduisant le cri de qqn qui fait un effort.

***hanap** [-ap] n. m. (au Moyen Âge) Grand vase à boire en métal, à pied et couvercle.

***hanche** n. f. Chacune des deux régions du corps formant saillie sous la taille.

***handball** [ãdbal] n. m. Sport d'équipe qui se joue à la main avec un ballon rond. ► ***handballeur, euse** n.

***handicap** [-ap] n. m. **1** Course de chevaux ou épreuve sportive où l'on impose aux meilleurs certains désavantages au départ. **2** Déficience physique ou mentale, congénitale ou acquise. **3** fig. Désavantage.

***handicapant, ante** adj. Qui handicape. *Maladie handicapante.* → **invalidant.**

***handicapé, ée** adj. et n. (Personne) qui présente un handicap physique ou mental.

***handicaper** v. tr. [1] **1** Soumettre au handicap (1). **2** Donner un handicap (2) à. **3** fig. → **défavoriser, désavantager.**

***handisport** n. m. Sport pratiqué par les handicapés physiques. – adj. *Jeux olympiques handisports.* → **paralympique.**

***hangar** n. m. Construction sommaire destinée à abriter du gros matériel, des marchandises. – Vaste garage pour avions.

***hanneton** n. m. **1** Coléoptère ordinairement roux, au vol lourd et bruyant. **2** loc. fam. *Pas piqué des hannetons.* → **piquer.**

***hanse** n. f. hist. Association de marchands, au Moyen Âge.

Ne pas confondre *la hanse* avec *l'anse* «la poignée».

***hanter** v. tr. [1] **1** littér. Fréquenter (un lieu) d'une manière habituelle. *Hanter les bars.* **2** (esprits...) Fréquenter (un lieu). – au p. p. *Maison hantée.* **3** fig. Obséder (qqn).

***hantise** n. f. Tourment constant.

**hapax** [-aks] n. m. ling. Mot, emploi dont on ne connaît qu'un exemple.

**haploïde** adj. biol. Dont chaque paire de chromosomes est dédoublée.

***happening** n. m. anglic. Spectacle où priment l'imprévu et la spontanéité.

***happer** v. tr. [1] **1** Saisir, attraper brusquement et avec violence. **2** (animaux) Saisir brusquement dans la gueule, le bec.

**haptique** adj. didact. Qui concerne le sens du toucher. → **tactile.**

**haptonomie** n. f. Communication avec le fœtus par toucher du ventre de la mère.

***haquenée** n. f. vx Cheval ou jument d'allure douce, que montaient les dames.

***haquet** n. m. Charrette étroite.

***hara-kiri** n. m. Suicide par éventration, très honorable, au Japon. *Des hara-kiris.*

***harangue** n. f. **1** Discours solennel. **2** Discours pompeux et ennuyeux.

***haranguer** v. tr. [1] Adresser une harangue à. ► ***harangueur, euse** n.

***haras** n. m. Établissement destiné à la reproduction et à l'élevage des chevaux.

***harasser** v. tr. [1] Accabler de fatigue. ▷ adj. ***harassé, ée** → **épuisé.** ► ***harassant, ante** adj. → **épuisant.** ► ***harassement** n. m.

***harcèlement** n. m. Action de harceler (en actes ou paroles). – *Harcèlement sexuel. Harcèlement moral.*

***harceler** v. tr. [5] Soumettre sans répit à de petites attaques. → **assaillir.** ► ***harceleur, euse** adj.

***harde** n. f. Troupe de bêtes sauvages.

Ne pas confondre avec *horde* «troupe d'hommes».

***hardes** n. f. pl. péj. Vêtements pauvres.

***hardi, ie** adj. **1** Qui ose ; audacieux, intrépide. **2** péj., vieilli Effronté, insolent. ♦ Provocant. → **osé. 3** Original, nouveau. **4** interj. Formule pour encourager.

***hardiesse** n. f. littér. **1** Qualité d'une personne, d'une action hardie. ♦ péj., vieilli Effronterie. **2** Action, parole, etc. hardie.

***hardiment** adv. Avec hardiesse.

**hard rock** n. m. anglic. Rock d'un style simple et énergique, né dans les années 1970. – var. **hard-rock.**

***hardware** [-wɛʀ] n. m. anglic., inform. Matériel*.

***harem** [aʀɛm] n. m. Appartement réservé aux femmes (dans l'Islam).

***hareng** [aʀɑ̃] n. m. Poisson de mer vivant en bancs. – *Hareng saur**.

***harengère** n. f. Femme grossière.

***haret** adj. m. *Chat haret* ou n. m. *haret* : chat domestique retourné à l'état sauvage.

***hargne** n. f. Mauvaise humeur se traduisant par des propos acerbes, une attitude agressive. ♦ Ténacité rageuse. ► ***hargneux, euse** adj. ► ***hargneusement** adv.

***haricot** n. m. **I** *Haricot de mouton* : ragoût de mouton. **II 1** Plante légumineuse à fruits comestibles. **2** au plur. Gousses de cette plante, qui se mangent vertes ou contenant les graines. – Ces graines, fraîches ou sèches. **3** loc. fig., fam. *C'est la fin des haricots*, la fin de tout. **4** Récipient en forme de graine de haricot, utilisé en chirurgie.

***haridelle** n. f. Mauvais cheval.

***harissa** n. f. ou m. Poudre ou purée de piments utilisée comme condiment.

***harki** n. m. Militaire indigène d'Afrique du Nord qui servait aux côtés des Français.

**harmattan** n. m. Alizé chaud et sec qui souffle sur l'Afrique occidentale.

**harmonica** n. m. Instrument de musique en forme de petite boîte plate, dont on fait vibrer les anches par le souffle.

**harmonie** n. f. **I 1** littér. Combinaison de sons agréables à l'oreille. **2** mus. Ensemble des principes qui règlent l'emploi et la combinaison des sons simultanés ; science des accords (opposé à *mélodie*). **3** Orchestre de bois, de cuivres et de percussions. **II 1** Rapports entre les parties d'un tout, qui font qu'elles concourent à un effet d'ensemble. ♦ Beauté régulière. **2** Accord entre personnes. → **entente, union.**

**harmonieux, euse** adj. **1** Agréable à l'oreille. → **mélodieux.** *Voix harmonieuse.* **2** Qui a, qui produit de l'harmonie ; qui est en harmonie. ► **harmonieusement** adv.

**harmonique** adj. Relatif à l'harmonie (I, 2). ♦ n. m. ou f. Son de fréquence multiple de celle du son fondamental.

**harmoniser** v. tr. [1] **1** Mettre en harmonie. **2** mus. Combiner (une mélodie) avec d'autres parties, des accords. ▷ v. pron. **s'harmoniser** → s'**accorder.** ► **harmonisation** n. f.

**harmoniste** n. Musicien qui accorde de l'importance à l'harmonie (I, 2).

**harmonium** [-jɔm] n. m. Instrument à clavier et à soufflerie, comme l'orgue, mais muni d'anches libres au lieu de tuyaux.

***harnacher** v. tr. [1] **1** Mettre le harnais à (un animal). **2** Habiller (qqn) de manière incommode. ► ***harnachement** n. m.

***harnais** n. m. **1** anciennt Équipement complet d'un homme d'armes. – loc. *Blanchi sous le harnais* ou (forme anc.) *le harnois* : vieilli dans le métier (des armes...). **2** Équipement d'un animal de selle ou de trait. **3** Système de sangles pour s'attacher.

***haro** n. m. loc. *Crier haro sur le baudet* : condamner publiquement qqn, qqch.

***harpe** n. f. Grand instrument à cordes pincées, à cadre souvent triangulaire.

***harpie** n. f. **1** mythol. Monstre à corps de vautour et à tête de femme. **2** fig. Femme méchante, acariâtre.

***harpiste** n. Personne qui joue de la harpe.

***harpon** n. m. Instrument relié à une ligne, pour prendre les cétacés, etc.

***harponner** v. tr. [1] **1** Accrocher avec un harpon. **2** fig., fam. Arrêter, saisir brutalement. *Harponner un voleur.* ► ***harponnage** et (rare) ***harponnement** n. m.

**haruspice** → **aruspice**

***hasard** n. m. **I 1** Événement fortuit ; concours de circonstances inattendu et inexplicable. → **aléa. 2** littér. Risque. *Les hasards de la guerre.* **II 1** *Le hasard* : cause attribuée à des événements apparemment inexplicables. *Les caprices du hasard.* → **destin, fatalité, sort. 2** loc. adv. *Au hasard* : n'importe où ; n'importe comment. ♦ loc. prép. *Au hasard de* : selon les hasards (I, 1) de. ♦ loc. adv. *À tout hasard* : en prévision de tout ce qui pourrait arriver. ♦ loc. adv. *Par hasard.* → **accidentellement, fortuitement.** – *Comme par hasard* : comme si c'était un hasard. **3** *Jeu de hasard*, où le calcul, l'habileté n'ont aucune part (dés, loterie...).

***hasarder** v. tr. [1] **1** littér. Livrer (qqch.) au hasard, aux aléas du sort. → **exposer, risquer.** *Hasarder sa réputation.* **2** Entreprendre, dire (qqch.) en courant le risque d'échouer ou de déplaire. → **tenter.** ▷ v. pron. **se hasarder** → s'**aventurer.**

***hasardeux, euse** adj. Périlleux.

***haschisch** n. m. Chanvre indien, fournissant une drogue ; cette drogue. → **cannabis, marijuana.** – var. **hachisch.**

***hase** n. f. Femelle du lièvre.

***hashtag** [aʃtag] n. m. anglic. inform. Mot-clé précédé du signe #, permettant de retrouver tous les messages d'un microblog qui le contiennent. - recomm. off. *mot-dièse.*

***hassidisme** n. m. Nom de courants religieux juifs mystiques (dont les fidèles s'appellent des *hassidim* n. m. pl.).

**hast** [ast] n. m. anciennt *Arme d'hast :* arme au fer monté sur une longue hampe.

***hâte** n. f. Grande promptitude (dans un travail, etc.). → **célérité, empressement.** - *Avoir hâte de* (+ inf.) : être pressé, impatient de. ♦ loc. adv. *En hâte.* → **vite.** *En toute hâte.* - *À la hâte :* avec précipitation.

***hâter** v. tr. [1] **1** littér. Faire arriver plus vite. *Hâter son départ.* **2** Faire évoluer plus vite ; rendre plus rapide. → **accélérer.** *Hâter le pas.* ▷ v. pron. **se hâter** Se dépêcher.

***hâtif, ive** adj. **1** Qui est fait trop vite. → **bâclé ; prématuré. 2** De maturité précoce. *Petits pois hâtifs.* ► ***hâtivement** adv.

***hauban** n. m. **1** mar. Câble tenant le mât d'un navire par le travers et par l'arrière (→ aussi **étai**). **2** Câble de consolidation.

***haubaner** v. tr. [1] Consolider par des haubans. ► ***haubanage** n. m.

***haubert** n. m. (au Moyen Âge) Chemise de mailles à manches et à capuchon.

***hausse** n. f. **1** techn. Objet ou dispositif qui sert à hausser. **2** Augmentation (d'une grandeur numérique). *La hausse des prix.*

***haussement** n. m. *Haussement d'épaules :* mouvement (→ **hausser**) que l'on fait en signe de dédain, d'irritation, etc.

***hausser** v. tr. [1] **1** Donner plus de hauteur à. *Hausser une maison d'un étage.* **2** Mettre à un niveau plus élevé. *Hausser les épaules* (→ **haussement**). - pronom. *Se hausser sur la pointe des pieds.* ♦ *Hausser les prix.* → **augmenter. 3** Donner plus d'ampleur, d'intensité à. *Hausser le ton.*

① ***haut, *haute** adj. (opposé à *bas*) **I 1** D'une dimension déterminée *(haut de, comme...)* ou supérieure à la moyenne, dans le sens vertical. - loc. *Haut comme trois pommes :* tout petit. **2** Dans sa position la plus élevée. *Le soleil est haut dans le ciel.* - loc. *La tête* haute.* - *Avoir la haute main dans, sur qqch.,* en avoir le contrôle. **3** Situé au-dessus. *Le plus haut massif.* → **culminant.** - *Le haut Rhin, la haute Égypte* (région proche de la source ou éloignée de la mer). **4** dans le temps (avant le nom) → **ancien, reculé.** *Le haut Moyen Âge.* **5** en intensité → **fort, grand.** *Haute fréquence.* - *Lire à voix haute.* **II** abstrait (avant le nom) **1** (dans l'ordre de la puissance) → **important.** *La haute société ;* n. f. fam. *la haute.* - *En haut lieu*.* - n. m. *Le Très-Haut,* Dieu. **2** (dans l'échelle des valeurs) → **éminent, supérieur.** *Haute intelligence.* **3** Très grand. → **extrême.** *Tenir qqn en haute estime.*

② ***haut I** n. m. **1** Dimension verticale déterminée, de la base au sommet. → **altitude, hauteur.** *Tour de cent mètres de haut.* **2** Position déterminée sur la verticale. *Voler à mille mètres de haut.* **3** Partie, région haute d'une chose. **4** Partie la plus haute. → **sommet. 5** loc. *Avoir des hauts et des bas,* des alternances de bon et de mauvais état. **6** dans des expr. Terrain élevé. *Les hauts de Meuse.* **II** adv. **1** En un point élevé sur la verticale. *Sauter haut.* **2** (adj. à valeur adverbiale) En position haute. *Haut les mains ! :* sommation faite à qqn de lever les mains ouvertes. - *Haut la main :* avec brio, en surmontant les obstacles. **3** En un point reculé dans le temps. → **loin.** - (dans un texte) *Voir plus haut.* → **ci-dessus, supra. 4** (intensité) À haute voix, d'une voix forte. **5** À un haut degré. *Il vise haut,* il est ambitieux. **III** loc. adv. **1** *De haut :* d'un lieu élevé. - loc. fig. *Tomber de haut :* perdre ses illusions. *Voir les choses de haut,* d'une vue générale. *Le prendre de haut,* réagir avec arrogance. **2** *En haut (de) :* dans la région haute (de) ; en direction du haut (de). **3** *D'en haut :* de la région haute. - fig. *Des ordres qui viennent d'en haut,* d'une autorité supérieure.

***hautain, aine** adj. Fier et dédaigneux.

***hautbois** n. m. Instrument de musique à vent, à anche double. ► ***hautboïste** n.

***haut-de-chausses** n. m. anciennt Partie du vêtement masculin allant de la ceinture aux genoux. *Des hauts-de-chausses.*

***haut-de-forme** n. m. Chapeau d'homme haut et cylindrique. *Des hauts-de-forme.*

***haute-contre 1** n. f. Voix d'homme plus aiguë que celle du ténor. **2** n. m. Chanteur qui a cette voix. → **contre-ténor.** *Des hautes-contre.*

***haute-fidélité** n. f. → **fidélité**

***hautement** adv. **1** littér. Tout haut. **2** À un degré supérieur, fortement.

***hauteur** n. f. **I 1** Dimension dans le sens vertical, de la base au sommet. ♦ géom. Droite abaissée perpendiculairement du sommet à la base d'une figure. **2** Position déterminée sur la verticale. *Voler à une grande hauteur.* **3** loc. prép. *À la hauteur de :* au niveau de (aussi fig.). - absolt *Être à la hauteur :* faire preuve d'efficacité. **4** Terrain, lieu élevé. **II** fig. **1** Supériorité (morale, intellectuelle). → **grandeur. 2** péj. Attitude de qqn qui regarde les autres avec mépris.

***haut-fond** n. m. Sommet sous-marin recouvert de peu d'eau. *Des hauts-fonds.*

***haut fourneau** → **fourneau**

***haut-le-cœur** n. m. invar. Soulèvement de l'estomac. → **nausée.**

***haut-le-corps** n. m. invar. Mouvement brusque et involontaire du buste vers le haut sous l'effet de la surprise, etc.

***haut-parleur** n. m. Appareil qui transforme en ondes sonores les courants électriques. *Des haut-parleurs.*

***haut-relief** n. m. Sculpture présentant un relief très saillant sans se détacher du fond (opposé à *bas-relief*). *Des hauts-reliefs.*

***hauturier, ière** adj. De la haute mer*.

***havane** **1** n. m. Tabac de La Havane. – Cigare de ce tabac. **2** adj. invar. Marron clair.

***hâve** adj. littér. Amaigri et pâli.

***haver** v. tr. [1] techn. Entailler (le charbon) dans une mine. ► **havage** n. m.

***havre** n. m. **1** vx Petit port bien abrité. **2** fig., littér. Abri, refuge. *Un havre de paix.*

***havresac** [-s-] n. m. anciennt Sac que le fantassin portait sur le dos, et qui contenait son équipement.

**hawaïen, ïenne** adj. et n. Des îles Hawaii. – n. *Les Hawaïens.*

***hayon** n. m. Partie mobile tenant lieu de porte à l'arrière d'un véhicule. – *Hayon élévateur :* élévateur à l'arrière d'un camion.

***hé** [e ; he] interj. Sert à interpeller. – *Hé ! Hé !* (approbation, ironie, etc.).

***heaume** n. m. (au Moyen Âge) Casque enveloppant toute la tête du combattant.

**hebdomadaire** **1** adj. Qui s'effectue en une semaine. – Qui se fait chaque semaine. **2** n. m. Publication qui paraît chaque semaine. ► **hebdomadairement** adv.

**héberger** v. tr. [3] **1** Loger (qqn) chez soi. **2** Accueillir, recevoir sur son sol. *Pays qui héberge des réfugiés.* **3** (lieu) Servir de logement à. ► **hébergement** n. m.

**hébéter** v. tr. [6] Rendre obtus, stupide. ▷ adj. **hébété, ée** → **ahuri.**

**hébétude** n. f. littér. État d'une personne hébétée. → **abrutissement, stupeur.**

**hébraïque** adj. Qui concerne la langue ou la civilisation des Hébreux.

**hébreu** **I 1** n. Membre du peuple sémitique dont la Bible retrace l'histoire. → **juif. 2** n. m. Langue sémitique parlée autrefois par les Hébreux, et aujourd'hui par les Israéliens. – loc. fig. *C'est de l'hébreu,* c'est inintelligible. **II** adj. m. Se dit du peuple, de la langue des Hébreux. → **hébraïque.**

**hécatombe** n. f. Massacre, carnage.

**hectare** n. m. Mesure de superficie équivalant à cent ares (symb. ha).

**hectolitre** n. m. Mesure de cent litres (symb. hl).

**hectomètre** n. m. Longueur de cent mètres (symb. hm).

**hectopascal** n. m. météorol. Unité de pression valant cent pascals (symb. hPa). *Mille hectopascals.*

**hédonisme** n. m. philos. Doctrine qui prend pour principe de la morale la recherche du plaisir. ► **hédoniste** n. et adj.

**hégémonie** n. f. Suprématie d'un État sur d'autres. ► **hégémonique** adj.

**hégire** n. f. Ère des musulmans (qui commence en l'an 622 de l'ère chrétienne).

***hein** [ɛ̃ ; hɛ̃] interj. fam. **1** Pour faire répéter ou interrompre qqn. → **comment, pardon. 2** Renforce une phrase interrogative ou exclamative. → **n'est-ce pas.**

**hélas** [-ɑs] interj. Interjection de plainte, exprimant la douleur, le regret.

***héler** v. tr. [6] Appeler de loin.

**hélianthe** n. m. Plante d'origine exotique, à grands capitules jaunes.

**hélice** n. f. **1** math. Courbe engendrée par une droite oblique s'enroulant sur un cylindre. ♦ *Escalier en hélice.* → (abusivt) en **spirale. 2** Appareil de propulsion, de traction ou de sustentation constitué de plusieurs pales solidaires d'un arbre.

**héliciculture** n. f. Élevage des escargots.

**hélicoïdal, ale, aux** adj. En forme d'hélice (1).

**hélicon** n. m. Tuba contrebasse circulaire que l'on fait reposer sur une épaule.

**hélicoptère** n. m. Aéronef muni d'une ou de plusieurs hélices horizontales, et qui décolle à la verticale.

**héliogravure** n. f. Procédé de photogravure en creux.

**héliomarin, ine** adj. méd. Qui utilise l'action simultanée du soleil et de l'air marin.

**héliothérapie** n. f. Traitement médical par la lumière et la chaleur solaires.

**héliotrope** n. m. Plante à fleurs odorantes des régions chaudes et tempérées.

**héliport** n. m. Aéroport pour hélicoptères.

**héliporté, ée** adj. Transporté par hélicoptère.

**hélium** [eljɔm] n. m. Élément (symb. He), gaz rare le plus léger, ininflammable.

**hélix** [eliks] n. m. **1** Ourlet du pavillon de l'oreille. **2** zool. Escargot (→ **héliciculture).**

**hellène** adj. et n. De la Grèce ancienne *(Hellade)* ou moderne. → **grec.**

**hellénique** adj. Des Hellènes. → **grec.**

**hellénisme** n. m. **1** Construction ou emploi propre à la langue grecque. **2** Civilisation grecque (dans son ensemble).

**helléniste** n. Spécialiste de philologie, de littérature grecques.

**hellénistique** adj. De la civilisation de langue grecque, après la mort d'Alexandre et jusqu'à la conquête romaine.

**helminthe** n. m. Ver parasite de l'homme et de certains mammifères.

**helminthiase** n. f. méd. Parasitose causée par les helminthes.

**helminthologie** n. f. zool. Étude des vers.

**helvétique** adj. De la Suisse. → **suisse.**

**helvétisme** n. m. ling. Mot, tournure propre au français de la Suisse romande.

**hématie** n. f. Globule rouge du sang.

**hématite** n. f. Minerai de fer rougeâtre.

**hématocrite** n. m. biol. Rapport du volume des hématies au volume sanguin.

**hématologie** n. f. didact. Étude du sang. ► **hématologue** ou **hématologiste** n.

**hématome** n. m. Accumulation de sang dans un tissu (surtout tissu cutané), due à des lésions vasculaires. → **bleu.**

**hématose** n. f. physiol. Échanges gazeux qui se produisent lors de la respiration.

**hématozoaire** n. m. zool. Parasite (protozoaire) vivant dans le sang.

**hématurie** n. f. méd. Présence anormale de sang dans l'urine.

**hémicycle** n. m. **1** Construction en demi-cercle. **2** Gradins disposés en demi-cercle.

**hémione** n. m. zool. Équidé d'Asie.

**hémiplégie** n. f. Paralysie d'une moitié latérale du corps. ► **hémiplégique** adj. et n.

**hémiptère** n. m. Insecte suceur (ordre des *Hémiptères* ; ex. pucerons, punaises).

**hémisphère** n. m. **1** Moitié d'une sphère. **2** Moitié du globe terrestre. **3** *Hémisphères cérébraux* : les deux moitiés latérales du cerveau. ► **hémisphérique** adj.

Mot masculin : *un hémisphère.*

**hémistiche** n. m. Moitié d'un vers, marquée par une césure.

**hémoculture** n. f. didact. Ensemencement d'un milieu de culture avec du sang pour y rechercher des microbes.

**hémoglobine** n. f. **1** Protéine contenue dans les hématies, qui donne au sang sa couleur rouge. **2** fam. Sang.

**hémogramme** n. m. méd. Étude quantitative et qualitative des globules du sang.

**hémolyse** n. f. Destruction des hématies.

**hémophilie** n. f. Maladie héréditaire qui se traduit par une incapacité du sang à coaguler. *L'hémophilie se transmet par les femmes ; seuls les hommes en sont atteints.* ► **hémophile** adj. et n.

**hémoptysie** n. f. méd. Crachement de sang provenant des voies respiratoires. ► **hémoptysique** adj. et n.

**hémorragie** n. f. **1** Fuite de sang hors d'un vaisseau sanguin. **2** fig. Perte de vies humaines. ♦ Perte, fuite. *L'hémorragie des capitaux.* ► **hémorragique** adj.

**hémorroïde** n. f. Varice qui se forme à l'anus et au rectum. ► **hémorroïdaire** adj. et n. ► **hémorroïdal, ale, aux** adj.

**hémostase** n. f. méd. Arrêt d'une hémorragie.

**hémostatique** adj. Propre à arrêter les hémorragies. ♦ n. m. Médicament hémostatique.

***henné** n. m. Poudre jaune ou rouge d'origine végétale utilisée pour teindre les cheveux, etc. (surtout dans l'Islam).

***hennin** n. m. ancienn Coiffure féminine du Moyen Âge, bonnet conique très haut.

***hennissement** n. m. **1** Cri du cheval. **2** Bruit rappelant ce cri. ► ***hennir** v. intr. [2]

***hep** [ɛp ; hɛp] interj. Cri pour appeler.

**héparine** n. f. Substance acide anticoagulante, abondante dans le foie.

**hépatique** adj. **1** Qui a rapport au foie. **2** adj. et n. (Personne) qui souffre du foie.

**hépatite** n. f. Inflammation du foie. → **cirrhose, ictère, jaunisse.** *Hépatite virale.*

**heptathlon** n. m. Discipline de l'athlétisme qui regroupe sept épreuves.

**héraldique 1** adj. Relatif au blason. **2** n. f. Art des armoiries. → **blason.**

**héraldiste** n. Spécialiste du blason.

***héraut** n. m. **1** (au Moyen Âge) *Héraut (d'armes)* : officier qui transmettait les messages, faisait les proclamations solennelles, etc. **2** fig., littér. → **annonciateur, messager.**

Ne pas confondre avec *héros* « homme glorieux ».

**herbacé, ée** adj. bot. De la nature de l'herbe (opposé à *ligneux*).

**herbage** n. m. Prairie naturelle dont le bétail consomme l'herbe sur place.

**herbe** n. f. **1** bot. Végétal non ligneux, dont les parties aériennes meurent chaque année. ♦ cour. Ce végétal, lorsqu'il est de petite taille et souple. ♦ *Fines herbes ; herbes de Provence,* herbes aromatiques utilisées pour l'assaisonnement. **2** Plante herbacée, graminée sauvage. - *Mauvaise herbe :* herbe qui nuit aux cultures. **3** sing. collectif Végétation naturelle de plantes herbacées peu élevées. *Déjeuner sur l'herbe.* - loc. *Couper l'herbe sous les pieds de qqn,* le frustrer d'un avantage. **4** fam. → **haschisch, marijuana.** *Fumer de l'herbe.* **5** *En herbe,* se dit des céréales qui, au début de leur croissance, sont vertes et molles. - loc. *Manger son blé en herbe,* dépenser un capital. - (en parlant d'enfants, de jeunes personnes) *Un cinéaste en herbe.* → **apprenti, futur.**

**herbeux, euse** adj. Où il y a de l'herbe.

**herbicide** adj. Qui détruit les mauvaises herbes. - n. m. → **défoliant, désherbant.**

**herbier** n. m. Collection de plantes séchées conservées entre des feuillets.

**herbivore** adj. Qui se nourrit exclusivement de végétaux. - n. m. pl. *Les herbivores* (groupe de mammifères).

**herboriser** v. intr. [1] Recueillir des plantes dans la nature pour les étudier ou les utiliser. ► **herborisation** n. f.

**herboriste** n. Personne qui vend des plantes médicinales. ► **herboristerie** n. f.

**herbu, ue** adj. Où l'herbe foisonne.

**hercule** n. m. (n. d'un demi-dieu mythol.) Homme d'une très grande force physique.

**herculéen, éenne** adj. Digne d'Hercule.

**hercynien, ienne** adj. géol. Se dit de plissements datant du carbonifère.

***hère** n. m. loc. *Pauvre hère* : homme pauvre, misérable.

**héréditaire** adj. **1** Relatif à l'hérédité (I). **2** Qui se transmet par voie de reproduction, des parents aux descendants (→ **hérédité** (II) ;**génétique**). **3** Hérité des parents, des ancêtres par l'habitude, la tradition. *Ennemi héréditaire.* ► **héréditairement** adv.

**hérédité** n. f. **I** Transmission par voie de succession (d'un bien, d'un titre). **II 1** Transmission des caractères d'un être vivant à ses descendants par l'intermédiaire des gènes (→ **génétique**). **2** Ensemble des caractères hérités des parents, des ascendants. *Une hérédité chargée,* comportant des tares physiques ou mentales.

**hérésiarque** n. m. relig. Auteur d'une hérésie ; chef d'une secte hérétique.

**hérésie** n. f. **1** Doctrine, opinion émise au sein de l'Église catholique et condamnée par elle. **2** Idée, théorie, pratique qui heurte les opinions communément admises.

**hérétique** adj. **1** Qui soutient une hérésie (1). – n. *Un hérétique.* **2** Entaché d'hérésie. *Doctrine hérétique.* **3** Qui soutient une opinion, etc. contraire aux idées reçues (par un groupe). → **dissident.**

***hérissement** n. m. littér. **1** Fait d'être hérissé. **2** Disposition de choses hérissées.

***hérisser** v. tr. [1] **1** (animal) Dresser (ses poils, ses plumes...). ♦ par ext. *Le froid hérisse les poils.* – p. p. adj. *Cheveux hérissés.* **2** *Hérisser qqch. de,* garnir, munir de choses pointues. ♦ fig. → **surcharger.** – au p. p. *Parcours hérissé d'obstacles.* **3** Disposer défavorablement (qqn) en inspirant de la colère, de l'aversion. → **horripiler, irriter.** *Cela me hérisse.* ▷ v. pron. se **hérisser 1** (poils, plumes...) Se dresser. **2** → se **fâcher,** s'**irriter.**

***hérisson** n. m. **1** Petit mammifère au corps recouvert de piquants, qui se nourrit essentiellement d'insectes. **2** fig. Personne d'un abord difficile. **3** techn. Appareil, instrument muni de pointes.

**héritage** n. m. **1** Patrimoine laissé par une personne décédée et transmis par succession. **2** fig. Ce qui est transmis comme par succession. *Héritage culturel.* → **patrimoine.**

**hériter** v. [1] **1** *Hériter de* v. tr. ind. Devenir propriétaire de (qqch.), titulaire de (un droit) par voie de succession. ♦ fig. *Il a hérité des qualités de son père.* **2** v. tr. dir. Recevoir (un bien, un titre) par voie de succession. ▷ adj. **hérité, ée** *Patrimoine hérité.* – *Mot hérité,* en français, mot issu du latin parlé en Gaule (par oppos. à *emprunt*).

**héritier, ière** n. **1** Personne qui doit recevoir ou qui reçoit des biens en héritage. → **légataire, successeur. 2** fig. → **continuateur, successeur.**

**hermaphrodisme** n. m. biol. Caractère d'un organisme capable d'élaborer des gamètes de l'un et de l'autre sexe.

**hermaphrodite I** n. m. **1** Être légendaire auquel on supposait une forme humaine bisexuée. **2** biol. Être humain possédant à la fois ovaire(s) et testicule(s). → **androgyne. II** adj. **1** Doté de caractères des deux sexes. **2** bot. Dont la fleur porte à la fois les organes mâles (étamines) et femelles (pistil). – zool. À la fois mâle et femelle (ex. l'escargot).

**herméneutique** didact. **1** adj. Qui a pour objet l'interprétation des textes (philosophiques, religieux...). **2** n. f. Étude des signes et de leur sens. → **interprétation.**

**hermétique** adj. **I** didact. Relatif à l'hermétisme (1). **II 1** Se dit d'une fermeture aussi parfaite que possible. → **étanche.** ♦ fig. *Être hermétique à qqch.,* y être fermé, insensible. **2** Impénétrable, difficile ou impossible à comprendre.

**hermétiquement** adv. Par une fermeture hermétique.

**hermétisme** n. m. didact. **1** Ensemble des doctrines ésotériques de l'alchimie. **2** Caractère incompréhensible, obscur.

**hermine** n. f. **1** Mammifère carnivore voisin de la belette. **2** Fourrure de l'hermine.

**herminette** n. f. Hachette à fer recourbé.

***herniaire** adj. méd. D'une hernie.

***hernie** n. f. **1** Tumeur molle formée par un organe totalement ou partiellement sorti de sa cavité naturelle. **2** Gonflement localisé d'une chambre à air.

**héroïcomique** adj. Qui tient du genre héroïque et du comique (en littérature).

① **héroïne** n. f. **1** Femme qui fait preuve de vertus exceptionnelles. **2** Principal personnage féminin (d'une œuvre...).

② **héroïne** n. f. Médicament et stupéfiant dérivé de la morphine.

**héroïnomane** n. et adj. Toxicomane qui se drogue à l'héroïne.

**héroïque** adj. **1** Qui a trait aux héros anciens, à leurs exploits. – loc. *Temps héroïques* : époque très reculée. **2** littér. Qui célèbre les héros. → **épique. 3** Qui est digne d'un héros. **4** Qui fait preuve d'héroïsme. → **courageux.** ► **héroïquement** adv.

**héroïsme** n. m. Courage des héros.

***héron** n. m. Grand oiseau échassier à long cou grêle et à très long bec.

***héros** n. m. **1** Personnage légendaire auquel on prête un courage et des exploits remarquables. **2** Celui qui se distingue par ses exploits, son courage (notamment dans le domaine des armes). **3** Homme digne de gloire par son courage, son génie, etc. *Les héros de la science.* **4** Personnage principal (d'une œuvre, etc. → ①**héroïne**). – *Le héros du jour :* celui qui occupe le premier rang de l'actualité. ♦ *Un anti-héros :* un héros (au sens 4) très ordinaire.

Ne pas confondre avec *héraut* «messager».

**herpès** [-ɛs] n. m. Affection cutanée d'origine virale (éruption de vésicules sur une tache congestive). ► **herpétique** adj.

**herpétologie, herpétologue** → **erpétologie, erpétologue**

***herse** n. f. **1** Instrument à dents pour briser les mottes de terre. **2** Grille mobile armée par le bas de fortes pointes, à l'entrée d'un château fort.

***hertz** [ɛʀts] n. m. phys. Unité de mesure de fréquence (symb. Hz).

***hertzien, ienne** [ɛʀtsjɛ̃ ; ɛʀdzjɛ̃] adj. Se dit d'ondes électromagnétiques.

**hésitant, ante** adj. **1** (personnes) Qui hésite. → **indécis, irrésolu. 2** Qui n'est pas déterminé. *Réponse hésitante.* **3** Qui manque d'assurance, de fermeté. *Pas hésitant.*

**hésitation** n. f. Fait d'hésiter. ♦ Attitude qui traduit de l'indécision, de l'embarras.

**hésiter** v. intr. 1 **1** Être dans un état d'incertitude, d'irrésolution. *Répondre sans hésiter.* – *Hésiter sur, entre... ; à* (+ inf.). **2** Marquer de l'indécision (par un temps d'arrêt, etc.). *Hésiter en parlant.*

**hétaïre** n. f. Antiq. grecque Prostituée d'un rang social élevé.

**hétérochromosome** [-kʀo-] n. m. biol. Chromosome qui détermine le sexe.

**hétéroclite** adj. Fait de parties de styles différents. *Édifice hétéroclite.* ♦ Composé d'éléments variés. *Mélange hétéroclite.*

**hétérodoxe** adj. opposé à *orthodoxe* **1** relig. Qui s'écarte du dogme. **2** didact. Qui n'est pas conformiste. ► **hétérodoxie** n. f.

**hétérogamie** n. f. biol. Reproduction sexuée par deux gamètes de morphologie différente (par ex. ovule et spermatozoïde).

**hétérogène** adj. contr. *homogène* **1** Composé d'éléments de nature différente. **2** abstrait Qui n'a pas d'unité. *Œuvre hétérogène.* ► **hétérogénéité** n. f.

**hétérogreffe** n. f. méd. Greffe entre individus d'espèces différentes. → **allogreffe.**

**hétérosexuel, elle** [-s-] adj. Qui éprouve une attirance sexuelle pour les individus du sexe opposé. – n. *Un hétérosexuel, une hétérosexuelle.* – abrév. fam. **hétéro.** ► **hétérosexualité** n. f.

**hétérozygote** adj. biol. Se dit d'une cellule ou d'un individu qui possède deux gènes différents (récessif et dominant) sur chaque chromosome de la même paire (contr. *homozygote*).

***hêtraie** n. f. Lieu planté de hêtres.

***hêtre** n. m. Grand arbre forestier à écorce lisse gris clair. ♦ Son bois.

***heu** interj. Marque l'embarras, la gêne.

**heur** n. m. loc. *N'avoir pas l'heur de :* n'avoir pas la chance de.

Ne pas confondre avec *heure* «unité de temps» ni avec *heurt* «choc».

**heure** n. f. **1** Espace de temps égal à la vingt-quatrième partie du jour. *L'heure est subdivisée en 60 minutes.* – *Heure de :* heure occupée par. *Une heure de sommeil.* **2** Point précis du jour, chiffré sur la base des 24 divisions du jour (symb. h). *Le train de 20 h 50.* – *0 heure.* → **minuit.** *12 heures.* → **midi.** – *Heure locale* (différente d'un méridien à l'autre). *Heure légale,* déterminée pour chaque pays. ♦ absolt *L'heure :* l'heure fixée, prévue. *Commencer à l'heure.* ♦ loc. *À l'heure :* exact, ponctuel. *Il n'est jamais à l'heure.* **3** Moment de la journée, selon son emploi ou l'aspect sous lequel il est considéré. *Les heures de pointe. Une heure indue, avancée.* → **tard.** ♦ *À la première heure :* de très bon matin. – fig. *Les combattants de la première heure,* les premiers à avoir combattu. ♦ (avec un possessif) *Il est poète à ses heures,* quand ça lui plaît. ♦ loc. adv. *À la bonne heure :* à propos ; par ext. c'est parfait. **4** spécialt Moment où l'on récite les différentes parties du bréviaire (ex. matines, vêpres). ♦ *Livre d'heures, heures :* recueil de prières. **5** Moment de la vie d'un individu, d'une société. *Des heures heureuses.* – *Sa dernière heure,* ellipt *son heure est venue :* il va bientôt mourir. ♦ (avec un possessif) Moment particulier de la vie. *Avoir son heure de gloire.* ♦ absolt *L'heure :* le moment présent. *L'heure est grave.* → **circonstance.** ♦ *L'heure H :* l'heure prévue (pour attaquer, etc.). ♦ *Dernière heure,* information récente. **6** loc. *À cette heure* (région.) : maintenant. – *À toute heure :* à tout moment de la journée. – *Pour l'heure :* pour le moment. – *Sur l'heure :* sur-le-champ. ♦ *Tout à l'heure :* dans un moment. – Il y a très peu de temps. ♦ *D'heure en heure :* à mesure que le temps passe. – *D'une heure à l'autre :* d'un moment à l'autre. ♦ *De bonne heure :* à une heure matinale (→ **tôt**), ou en avance (→ **précocement**).

Ne pas confondre avec *heur* «chance» ni avec *heurt* «choc».

**heureusement** adv. **1** D'une manière heureuse, avantageuse ; avec succès. **2** Par une heureuse chance, par bonheur.

**heureux, euse** adj. **I 1** Qui bénéficie d'une chance favorable, que le sort favorise. *Être heureux au jeu, en amour.* – *S'estimer heureux de* (+ inf.), *que* (+ subj.) : estimer qu'on a de la chance de, que. **2** Favorable. → **avantageux, bon.** *Heureux hasard.* ♦ impers. *C'est heureux pour vous :* c'est une chance pour vous. **3** Qui semble marquer une disposition favorable de la nature. *Un heureux caractère.* **4** (domaine esthétique) Bien trouvé. → **réussi.** *La formule n'est pas très heureuse.* **II 1** Qui jouit du bonheur. – loc. *Être heureux comme un roi, comme un poisson dans l'eau,* très heureux. – *Être heureux de.* → se **réjouir** de. ♦ n. *Faire un heureux :* faire le bonheur de qqn. **2** Qui exprime le bonheur. *Un air heureux.* → **radieux. 3** Marqué par le bonheur. *Bonne et heureuse année !*

**heuristique** didact. **1** adj. Qui sert à la découverte. **2** n. f. Partie de la science qui a pour objet la découverte des faits.

***heurt** n. m. **1** Action de heurter ; son résultat. → **choc, coup. 2** Opposition, choc résultant d'un désaccord. → **conflit.**

> Ne pas confondre avec *heur* «chance» ni avec *heure* «unité de temps».

***heurter** v. [1] **I** v. tr. dir. **1** Toucher rudement, en entrant brusquement en contact avec. *Heurter un arbre.* ♦ Faire entrer brutalement en contact. *Heurter sa tête contre qqch.* **2** Contrecarrer (qqn) d'une façon qui choque et provoque une résistance. **II 1** v. intr. vieilli *Heurter contre qqch.* → **buter, cogner. 2** v. tr. ind. *Heurter à :* frapper avec intention à. *Heurter à la porte.* ▷ v. pron. se ***heurter 1** (réfl.) → se **cogner.** – fig. *Se heurter à un refus.* **2** (récipr.) *Ils se sont heurtés de plein fouet.* ♦ fig. Entrer en conflit ; faire un violent contraste. ▷ adj. ***heurté, ée** Fait de contrastes trop appuyés.

***heurtoir** n. m. Marteau dont on se sert pour frapper à la porte d'une maison.

**hévéa** n. m. Grand arbre originaire de la Guyane, cultivé pour son latex.

**hexagone** n. m. **1** Polygone à six côtés. **2** *L'Hexagone :* la France métropolitaine (à cause de la forme de sa carte). ► **hexagonal, ale, aux** adj.

**hexamètre** adj. et n. m. Se dit d'un vers qui a six pieds ou six syllabes.

**hexapode** adj. zool. Qui a six pattes. – n. m. *Les insectes sont des hexapodes.*

***hi** [i ; hi] interj. Onomatopée qui, répétée, figure le rire et, parfois, les pleurs.

**(*) hiatus** [-ys] n. m. **1** Rencontre de deux voyelles prononcées, à l'intérieur d'un mot (ex. *aérer*), ou entre deux mots (ex. *il a été*). **2** fig. Coupure, discontinuité.

**hibernal, ale, aux** adj. didact. Relatif à l'hibernation, à l'engourdissement d'hiver.

**hibernation** n. f. État d'engourdissement où sont certains mammifères pendant l'hiver. ♦ *Hibernation artificielle :* refroidissement du corps humain (chirurgie, etc.).

**hiberner** v. intr. [1] Passer l'hiver en hibernation. ► **hibernant, ante** adj.

**hibiscus** [-ys] n. m. Arbre tropical à grandes fleurs de couleurs vives.

***hibou** n. m. Oiseau rapace nocturne voisin de la chouette, mais à aigrettes.

***hic** n. m. fam. Point difficile, délicat.

**hidalgo** n. m. Noble espagnol.

***hideur** n. f. littér. Caractère de ce qui est hideux ; laideur extrême.

***hideux, euse** adj. **1** D'une laideur repoussante, horrible. **2** Moralement ignoble ; répugnant. ► ***hideusement** adv.

***hidjab** ou **hijab** [idʒab] n. m. Voile, pièce d'étoffe qui couvre les cheveux, les oreilles et le cou, prescrit aux femmes dans certaines communautés musulmanes.

***hie** n. f. techn. Lourde masse servant à enfoncer (des pavés, etc.). → **dame.**

**hiémal, ale, aux** adj. didact. De l'hiver.

**hier** [jɛʀ] adv. **1** Le jour qui précède immédiatement celui où l'on est. *Hier (au) soir.* – n. m. *Tout hier, il a plu.* **2** Dans un passé récent, à une date récente. – loc. fam. *N'être pas né d'hier :* avoir de l'expérience.

***hiérarchie** n. f. **1** Organisation sociale fondée sur des rapports de subordination. **2** Organisation d'un ensemble en une série où chaque terme est supérieur au suivant. ► ***hiérarchique** adj. ► ***hiérarchiquement** adv.

***hiérarchiser** v. tr. [1] Organiser selon une hiérarchie. – p. p. adj. *Société très hiérarchisée.* ► ***hiérarchisation** n. f.

***hiérarque** n. m. Personnage important dans une hiérarchie (surtout politique).

***hiératique** adj. **1** didact. Qui concerne les choses sacrées, et spécialt la liturgie. **2** littér. Qui semble réglé par un rite, un cérémonial, une tradition. *Gestes hiératiques.*

***hiératisme** n. m. Caractère hiératique.

***hiéroglyphe** n. m. **1** Caractère, signe des plus anciennes écritures égyptiennes. **2** fig. au plur. Écriture difficile à déchiffrer. ► ***hiéroglyphique** adj.

***hiérophante** n. m. **1** Antiq. grecque Prêtre des mystères d'Éleusis. **2** fig. Prêtre.

***hi-fi** n. f. invar. et adj. invar. anglic. Haute-fidélité. → **fidélité.**

***hi-han** interj. Onomatopée évoquant le cri de l'âne. – n. m. invar. → **braiment.**

**hijab** → **hidjab**

**hilarant, ante** adj. Qui fait rire.

**hilare** adj. Très gai, très content.

**hilarité** n. f. Brusque accès de gaieté ; explosion de rires.

***hile** n. m. anat. Point d'insertion, généralement déprimé, des vaisseaux et des conduits excréteurs sur un organe.

**(*)hindi, ie** [indi] n. m. et adj. Langue indo-européenne dérivée du sanskrit. ♦ adj. *La langue hindie.* – syn. **hindoustani, ie.**

**hindou, e** adj. et n. De l'Inde et de la civilisation brahmanique. ♦ n. Indien(ne) adepte de l'hindouisme.

**hindouisme** n. m. Religion brahmanique pratiquée en Inde. → **brahmanisme.** ► **hindouiste** adj. et n.

***hip-hop** n. m. anglic. Mouvement culturel et artistique (rap, danse acrobatique...), né aux États-Unis.

***hippie** ou ***hippy** n. et adj. anglic. Adepte d'un mouvement des années 1970, refusant la société de consommation et prônant liberté des mœurs et non-violence.

**hippisme** n. m. Sports pratiqués à cheval ou avec un cheval (course, polo...) et activités en rapport (paris). ► **hippique** adj.

**hippocampe** n. m. Petit poisson de mer qui nage en position verticale et dont la tête rappelle celle d'un cheval.

**hippocratique** adj. D'Hippocrate.

**hippodrome** n. m. Terrain de sport hippique ; champ de courses.

**hippogriffe** n. m. Animal fabuleux, monstre ailé moitié cheval, moitié griffon.

**hippologie** n. f. didact. Étude du cheval.

**hippomobile** adj. Tiré par des chevaux.

**hippophagique** adj. (boucherie) Où l'on vend de la viande de cheval. → **chevalin.**

**hippopotame** n. m. **1** Gros mammifère amphibie, aux membres trapus à quatre doigts. **2** fig., fam. Personne énorme.

**hirondelle** n. f. **1** Oiseau migrateur noir et blanc, aux ailes fines, à la queue fourchue. **2** *Hirondelle de mer.* → **sterne. 3** *Nid d'hirondelle :* nid d'un martinet, mets très apprécié en Extrême-Orient.

**hirsute** adj. Qui a le poil, le cheveu très fourni et en désordre.

**hispanique** adj. Qui a trait à l'Espagne.

**hispanisant, ante** n. Spécialiste de l'Espagne, de l'espagnol. – syn. **hispaniste.**

**hispanisme** n. m. ling. Construction ou emploi propre à la langue espagnole.

**hispano-américain, aine 1** adj. Qui a rapport à l'Amérique et à l'Espagne. **2** adj. et n. De l'Amérique où l'on parle espagnol.

**hispanophone** adj. et n. Qui parle espagnol. ♦ Où l'on parle espagnol.

***hisser** v. tr. [1] **1** Élever au moyen d'une manœuvre, d'un cordage. *Hisser un mât.* **2** Tirer en haut et avec effort. **3** interj. *Oh ! hisse !* (pour accompagner un effort collectif). ▷ v. pron. se **hisser** S'élever avec effort.

**histamine** n. f. Amine présente dans la plupart des tissus animaux, et dont le rôle est important dans les manifestations allergiques. ► **histaminique** adj.

**histogénèse** n. f. didact. Formation des divers tissus de l'embryon.

**histoire** n. f. **I 1** Connaissance et récit des événements du passé jugés dignes de mémoire ; faits ainsi relatés. *L'histoire ancienne, contemporaine. Histoire de l'art.* – *Histoire sainte :* les récits de la Bible. – *La petite histoire :* les anecdotes qui se rattachent à une période historique. **2** Étude scientifique d'une évolution. *L'histoire d'un mot.* **3** absolt Science et méthode permettant d'acquérir et de transmettre la connaissance du passé. *Les sources, les documents de l'histoire* (annales, archives, chroniques...). **4** La mémoire des hommes, le jugement de la postérité. *L'histoire jugera.* ♦ La vérité historique. *Mélanger l'histoire et la fiction.* **5** La suite des événements qu'étudie l'histoire. → **passé.** ♦ La partie du passé de l'humanité connue par des écrits (par oppos. à *préhistoire*). **II** vieilli *Histoire naturelle :* sciences naturelles. **III 1** Récit d'actions, d'événements (réels ou imaginaires). *Une histoire vraie.* **2** Histoire inventée, invraisemblable ou destinée à tromper. **3** Succession d'événements concernant qqn. *Une histoire d'argent.* → **question.** ♦ Succession d'événements malencontreux. *Se fourrer dans une sale histoire.* ♦ *Faire des histoires pour rien.* → **embarras, façon, manière.** ♦ loc. fam. *Histoire de* (+ inf.). → **pour.** *Histoire de rire...*

**histologie** n. f. Partie de la biologie qui traite des tissus vivants. ► **histologique** adj.

**historicité** n. f. didact. Caractère de ce qui est historique. → **authenticité.**

**historié, ée** adj. Décoré de scènes à personnages. *Chapiteau historié.*

**historien, ienne** n. Spécialiste de l'histoire ; auteur de travaux historiques.

**historiette** n. f. Récit d'événements de peu d'importance.

**historiographe** n. Écrivain chargé d'écrire l'histoire de son temps.

**historiographie** n. f. didact. **1** Travail de l'historiographe. **2** Aspect narratif du travail de l'historien.

**historique** adj. **1** Qui a rapport à l'histoire. *Méthode historique.* **2** (opposé à *légendaire*) Réel, vrai. **3** Qui est ou mérite d'être conservé par l'histoire. *Mot historique.* – *Monument historique,* présentant un intérêt au regard de l'histoire, etc. et protégé par l'État. **4** n. m. Exposé chronologique de faits. **5** n. m. inform. Liste des derniers éléments consultés. ► **historiquement** adv.

**histrion** n. m. littér. et péj. Comédien.

**hitlérien, ienne** adj. Qui a rapport à Hitler. – n. et adj. Partisan d'Hitler.

**hitlérisme** n. m. Doctrine d'Hitler. → **national-socialisme, nazisme.**

***hit-parade** [it-] n. m. anglic. vieilli Palmarès des meilleures ventes musicales. *Des hit-parades.*

***hittite** adj. et n. Des Hittites. – n. m. *Le hittite* (langue indo-européenne).

***H. I. V.** [aʃive] n. m. anglic. → **V. I. H.**

**hiver** n. m. La plus froide des quatre saisons de l'année (dans les zones tempérée et polaire), qui suit l'automne (→ **hiémal, hivernal**). *L'hiver commence au solstice d'hiver* (22 décembre) *et s'achève à l'équinoxe de printemps* (20 ou 21 mars).

**hivernage** n. m. **1** Temps de la mauvaise saison que les navires passent à l'abri ; cet abri. **2** Séjour du bétail à l'étable, l'hiver. **3** Saison des pluies, dans les tropiques.

**hivernal, ale, aux** adj. Propre à l'hiver.

**hivernant, ante** n. Personne qui séjourne dans un lieu pendant l'hiver (opposé à *estivant*).

**hiverner** v. [1] **1** v. intr. Passer l'hiver à l'abri (navires...) ou dans un lieu tempéré (animaux). **2** v. tr. *Hiverner les bestiaux.*

***H. L. M.** n. m. ou (plus correct) n. f. (sigle de *habitation à loyer modéré*) Grand immeuble construit par une collectivité et affecté aux foyers qui ont de petits revenus.

***ho** [o ; ho] interj. Cri pour appeler.

***hoax** [ɔks] n. m. anglic. Information fausse, périmée ou invérifiable propagée par Internet. *Des hoax* ou *des hoaxes.*

***hobby** n. m. anglic. Passe-temps favori. → **violon** d'Ingres. *Des hobbys* ou *des hobbies.*

***hobereau** n. m. Gentilhomme campagnard de petite noblesse.

***hochequeue** n. m. Bergeronnette.

***hocher** v. tr. [1] loc. *Hocher la tête,* la secouer (de haut en bas ou de droite à gauche). ► ***hochement** n. m.

***hochet** n. m. **1** Jouet de bébé qui fait du bruit quand on le secoue. **2** fig., littér. Chose futile qui flatte ou console.

***hockey** n. m. anglic. Sport d'équipe qui consiste à envoyer une balle dans un but au moyen d'une crosse. – *Hockey sur glace,* joué avec un palet par des patineurs. ► ***hockeyeur, euse** n.

**hoir** n. m. vx Héritier.

**hoirie** n. f. vx Héritage. – mod. *Avancement d'hoirie :* donation faite à un héritier présomptif. ♦ (Suisse) Héritage indivis.

***holà** [ɔla ; hɔla] **1** interj. Sert à appeler ou à modérer. *Holà ! Du calme !* **2** (n. m.) loc. *Mettre le holà à* (qqch.), y mettre fin.

***holding** n. m. ou f. anglic. Société qui détient des participations financières dans d'autres sociétés et les contrôle.

***hold-up** [ɔldœp] n. m. invar. anglic. Vol à main armée dans un lieu public.

***hollandais, aise** adj. et n. De Hollande ; abusivt des Pays-Bas. → **néerlandais.** ♦ n. m. *Le hollandais* (langue). → **néerlandais.**

***hollande** n. m. **1** Fromage de Hollande à pâte dure. **2** Papier de luxe.

**holocauste** n. m. **1** Sacrifice religieux où la victime était brûlée, chez les Hébreux. ♦ fig. Sacrifice total. **2** *L'Holocauste :* le génocide des Juifs par les nazis. → **shoah.**

**holographie** n. f. Procédé photographique qui donne une image en relief (*hologramme* n. m.) en utilisant les interférences de deux faisceaux laser.

**holothurie** n. f. Animal marin, échinoderme au corps mou et allongé.

***homard** n. m. Grand crustacé marin décapode, aux pattes avant armées de grosses pinces, pêché pour sa chair fine.

***home** [om] n. m. anglic. **1** Le foyer, le logis. → **chez-soi.** **2** région. *Home d'enfants :* centre d'accueil, foyer pour enfants.

**homélie** n. f. **1** Discours simple prononcé au cours de la messe. → **sermon.** **2** littér. Longue et ennuyeuse leçon de morale.

**homéopathe** n. Médecin qui pratique l'homéopathie.

**homéopathie** n. f. Méthode thérapeutique qui consiste à administrer à doses infinitésimales des remèdes capables, à doses plus élevées, de produire des symptômes semblables à ceux de la maladie à combattre (s'oppose à *allopathie*).

**homéopathique** adj. De l'homéopathie. ♦ fig. *À dose homéopathique,* très faible.

**homéostasie** n. f. physiol. Réglage des constantes physiologiques d'un organisme.

**homérique** adj. **1** Qui a rapport aux textes attribués à Homère. **2** Qui a un caractère épique. – loc. *Colère homérique,* très violente.

① **homicide** **I** n. littér. Personne qui tue un être humain. **II** adj. Qui cause la mort d'une ou de nombreuses personnes.

② **homicide** n. m. Action de tuer un être humain. → **assassinat, meurtre.**

**hominiens** n. m. pl. sc. Sous-ordre de primates auquel appartient l'espèce humaine. – au sing. *Un hominien.*

**hommage** n. m. **1** hist. Serment du vassal à son seigneur. **2** Acte de courtoisie d'un homme pour une femme. – au plur. (formule de politesse) *Mes hommages, Madame.* **3** (dans des expr.) Témoignage de respect. *Rendre hommage à qqn.* → **honorer.** **4** vieilli Don respectueux.

**hommasse** adj. péj. (femme) Qui évoque un homme par la carrure, les manières.

**homme** n. m. **I** **1** Être (mâle ou femelle) appartenant au règne animal, mammifère primate, seul représentant actuel du genre *Homo.* **2** L'être humain, en général. *Les hommes* ou (collectif) *l'homme.* → **humanité.** *Les droits de l'homme.* – loc. *Le Fils de l'homme :* le Christ. **II** Être humain mâle. **1** (dans tous les âges de la vie) → **garçon, mâle ; masculin, viril.** *Les hommes et les femmes.* **2** Être humain mâle et adulte. ♦ *Homme de.*

*Homme d'action.* – (condition) *Homme du monde.* – (profession) *Homme d'affaires.* ♦ *Homme à. Un homme à idées.* – loc. *Homme à femmes :* séducteur. – *Être homme à* (+ inf.) : être capable de. ♦ (précédé d'un possessif) L'homme qui convient, dont on a besoin. ♦ loc. *D'homme à homme :* directement et en toute franchise. **3** L'homme, considéré en tant qu'adulte responsable, courageux, fort. *Parole d'homme !* **III** Individu considéré comme dépendant d'une autorité. *Équipage de six hommes.* – loc. *Comme un seul homme :* avec un ensemble parfait. **IV** *Jeune homme :* homme jeune ; spécialt homme jeune célibataire. → **garçon.**

**homme-grenouille** n. m. Plongeur muni d'un scaphandre autonome, qui travaille sous l'eau. *Des hommes-grenouilles.*

**homme-orchestre** [-kɛstʀ] n. m. **1** Musicien qui joue de plusieurs instruments. **2** Personne qui a des fonctions diverses. *Des hommes-orchestres.*

**homme-sandwich** [-sɑ̃dwitʃ] n. m. Homme qui porte sur lui des panneaux publicitaires. *Des hommes-sandwichs.*

**homogène** adj. contr. *hétérogène* **1** Formé d'éléments de même nature ou répartis de façon uniforme. **2** abstrait Qui a une grande unité. ► **homogénéité** n. f.

**homogénéiser** v. tr. [1] Rendre homogène. ► **homogénéisation** n. f.

**homographe** adj. et n. m. ling. Se dit des mots qui ont même orthographe. *«Son»* (adj.) *et «son»* (n. m.) *sont homographes et homophones* (→ **homonyme**).

**homologie** n. f. État d'éléments homologues. ► **homologique** adj.

**homologue** adj. Équivalent. – n. *Le ministre a salué son homologue allemand.*

**homologuer** v. tr. [1] **1** dr. Entériner (un acte) afin de permettre son exécution. **2** Reconnaître, enregistrer officiellement (un record...). ► **homologation** n. f.

**homoncule** n. m. **1** Petit être à forme humaine, que les alchimistes disaient fabriquer. **2** vx Petit homme. – var. **homuncule.**

**homonyme** adj. et n. m. Se dit des mots de prononciation identique (→ **homophone**) et de sens différents, qu'ils soient de même orthographe (→ **homographe**) ou non (ex. *ceint, sain, sein, seing*).

**homoparental, ale, aux** adj. *Famille homoparentale,* où un parent est homosexuel. ► **homoparentalité** n. f.

**homophobe** adj. et n. (Personne) qui manifeste de l'hostilité à l'égard des homosexuels. ► **homophobie** n. f.

**homophone** adj. et n. m. Se dit de mots de même prononciation. → **homonyme.**

**homosexuel, elle** [-s-] adj. Qui éprouve une attirance sexuelle pour les individus de son propre sexe. – n. *Un homosexuel, une homosexuelle.* – abrév. fam. **homo.** ► **homosexualité** n. f.

**homothétie** [-si] n. f. géom. Transformation qui fait correspondre à tout point de l'espace un autre point dans un rapport constant, par rapport à un point fixe. ► **homothétique** adj.

**homozygote** adj. biol. Se dit d'une cellule ou d'un individu qui possède deux gènes identiques sur chaque chromosome de la même paire (contr. *hétérozygote*).

***hongre** adj. (cheval) Châtré.

***hongrois, oise** adj. et n. De Hongrie. → **magyar.** ♦ n. m. *Le hongrois* (langue).

**honnête** adj. **I 1** Qui se conforme aux lois de la probité, du devoir. → **droit, intègre, loyal.** ♦ vieilli (femmes) → **vertueux.** ♦ spécialt Qui respecte le bien d'autrui ; scrupuleux en matière d'argent. **2** (choses) → **bon, louable, moral.** *Intention honnête.* **II 1** (aux XVIIᵉ et XVIIIᵉ siècles) *Honnête homme,* homme de manières et d'esprit agréables. **2** vx ou région. Qui fait preuve de savoir-vivre. **III** Satisfaisant. → **convenable, correct.**

**honnêtement** adv. **I 1** Selon le devoir, la vertu, la probité. **2** Franchement. *Honnêtement, qu'en penses-tu ?* **II** Selon des normes raisonnables ; assez bien.

**honnêteté** n. f. **1** Qualité d'une personne honnête (I) ou de ce qui est honnête. → **probité.** **2** vieilli Décence. **3** vx Politesse.

**honneur** n. m. **I** Dignité morale. **1** Fait de mériter la considération, l'estime (d'autrui et de soi-même) sur le plan moral et selon les valeurs de la société. → **dignité, fierté.** – *Affaire d'honneur,* où l'honneur est engagé. – *Donner sa parole d'honneur :* jurer. ♦ vieilli *L'honneur d'une femme,* réputation liée au caractère irréprochable de ses mœurs. ♦ (collectivité) *L'honneur d'un peuple.* **2** Sentiment qui pousse à obtenir ou préserver l'estime d'autrui ou de soi-même. – *Homme d'honneur :* homme de probité, de vertu. **II** Considération accordée au mérite reconnu. **1** Considération qui s'attache au mérite, à la vertu, aux talents. → **gloire, réputation.** – *Travailler pour l'honneur,* de façon désintéressée. ♦ (sujet chose) *Être en honneur,* entouré de considération. → **apprécié.** ♦ *Être l'honneur de,* une source d'honneur pour. → **fierté.** ♦ *Champ d'honneur :* champ de bataille, à la guerre. **2** Traitement spécial destiné à honorer qqn. – *À toi l'honneur !,* à toi de commencer. – *Rendre honneur à :* célébrer. ♦ *En l'honneur de...,* en vue de célébrer. – fam. *En quel honneur ?,* pourquoi, pour qui ? ♦ *L'honneur de* (+ inf.). *Il m'a fait l'honneur de me recevoir.* → **faveur, grâce.** – sens affaibli (formules de politesse) *Faites-moi l'honneur d'être mon témoin.* ellipt *À qui ai-je l'honneur* (de parler) ? **3** (après un subst.) *D'honneur* (qui rend ou confère un honneur). *Vin d'honneur. La Légion d'honneur.* – *Président d'honneur.* → **honoraire.** **4** *Faire honneur à qqn,* lui valoir de la considération. ♦ *Faire honneur à qqch.,* le respecter. **5** *Votre Honneur :* traduction d'un titre usité en Grande-Bretagne et dans l'ancienne Russie. **III** au plur. **1** Témoignages d'honneur. *Les honneurs dus à son rang.* → **égard.** – *Honneurs militaires :* saluts, salves d'artillerie, sonneries. ◆ *Faire à qqn les honneurs d'une maison,* l'y accueillir et l'y guider soi-même avec politesse. **2** Ce qui confère éclat ou supériorité dans la société. **3** Cartes les plus hautes, à certains jeux.

***honnir** v. tr. [2] vieilli ou littér. Vouer à la haine et au mépris publics de façon à couvrir de honte. – (au p. p.) loc. (souvent iron.) *Honni soit qui mal y pense !,* honte à qui y voit du mal (devise en français de l'ordre de la Jarretière, en Angleterre).

**honorabilité** n. f. Qualité d'une personne honorable.

**honorable** adj. **I 1** Qui mérite d'être honoré, estimé. → **estimable, respectable.** **2** Qui honore, attire la considération. **3** Qui sauvegarde l'honneur. **II** (sens affaibli) → **honnête** (III). *Un résultat très honorable.*

**honorablement** adv. **1** D'une manière respectable. **2** D'une manière convenable.

**honoraire** adj. **1** Qui, ayant cessé d'exercer une fonction, en garde le titre et les prérogatives honorifiques. *Recteur honoraire.* **2** Qui, sans exercer une fonction, en a le titre honorifique. *Président honoraire.*

**honoraires** n. m. pl. Rétribution des personnes exerçant une profession libérale.

**honorer** v. tr. [1] **1** Faire honneur à (qqn) (s'oppose à *déshonorer*). *Ces scrupules vous honorent.* **2** Rendre honneur à, traiter avec respect. → **célébrer.** **3** Tenir en haute estime. → **respecter.** **4** Acquitter afin de faire honneur à un engagement. ▷ v. pron. **s'honorer** *S'honorer de :* tirer fierté de. ▷ adj. **honoré, ée 1** Respecté. **2** (politesse) Flatté. ◆ *Mon honoré confrère.* → **estimé, honorable.** **3** n. f. (correspondance commerciale) Lettre. *Votre honorée du trois août.*

**honorifique** adj. Qui confère des honneurs. – *À titre honorifique.* → d'**honneur, honoraire ; honoris causa.**

**honoris causa** [ɔnɔʀiskoza] loc. adj. *Docteur honoris causa* (d'une université), à titre honorifique.

***honte** n. f. **1** Déshonneur humiliant. → **opprobre.** *Couvrir qqn de honte.* ◆ *C'est une honte !,* c'est une chose honteuse. **2** Sentiment pénible d'infériorité ou d'humiliation devant autrui. → **confusion.** – *Avoir honte :* éprouver de la honte. – loc. littér. *Avoir toute honte bue :* être insensible au déshonneur. **3** *Faire honte à qqn,* être pour lui un sujet de honte. **4** Sentiment de gêne éprouvé par scrupule de conscience, crainte du ridicule, etc.

***honteusement** adv. D'une manière honteuse ; avec honte.

***honteux, euse** adj. **1** Qui cause de la honte. → **avilissant, dégradant, déshonorant.** ◆ Dont on a honte. *Pensée honteuse.* – spécialt, vieilli *Les parties honteuses,* les organes génitaux. *Maladies honteuses.* → **vénérien.** **2** Qui éprouve un sentiment de honte. **3** (épithète ; après le n.) Qui se cache d'être (ce qu'il est). *Un gourmand honteux.*

***hooligan** ou ***houligan** [uligan ; uligɑ̃] n. m. Voyou qui exerce la violence, notamment lors de rencontres sportives.

***hop** [ɔp ; hɔp] interj. Interjection pour stimuler, ou évoquer une action brusque.

**hôpital, aux** n. m. **1** ancienn Établissement charitable où l'on recevait les gens sans ressources. → **hospice.** **2** mod. Établissement public qui reçoit ou traite les malades, les blessés et les femmes en couches.

**hoplite** n. m. didact. (Antiq. grecque) Fantassin lourdement armé.

***hoquet** n. m. Contraction spasmodique du diaphragme ; bruit qui en résulte.

***hoqueter** v. intr. [4] Avoir le hoquet.

**horaire I** adj. **1** Relatif aux heures. **2** Qui correspond à une durée d'une heure. *Vitesse horaire.* **3** Qui a lieu toutes les heures. **II** n. m. **1** Relevé des heures de départ, etc. (transports), d'activité. – Tableau indiquant un horaire. **2** Emploi du temps.

***horde** n. f. **1** didact. Tribu nomade. **2** Troupe d'hommes indisciplinés.

> Ne pas confondre avec *harde* «troupe de bêtes».

***horion** n. m. littér. Coup violent.

**horizon** n. m. **1** Limite circulaire de la vue, pour un observateur. – *Ligne d'horizon,* qui semble séparer le ciel de la terre (ou de la mer), à l'horizon. **2** Parties de la surface terrestre (ou de la mer) et du ciel voisines de l'horizon. *Scruter l'horizon.* – *À l'horizon :* au loin. **3** fig. Domaine qui s'ouvre à la pensée, à l'activité. *Des horizons insoupçonnés.* – *Tour d'horizon :* examen (d'une question).

**horizontal, ale, aux I** adj. Perpendiculaire à la direction de la pesanteur (opposé à *vertical*). **II** n. f. Position horizontale. *Amener ses bras à l'horizontale.* ► **horizontalement** adv. ► **horizontalité** n. f.

**horloge** n. f. **1** Grand appareil, souvent muni d'une sonnerie, qui indique l'heure. **2** fig. *Horloge interne* ou *biologique :* mécanismes réglant la répartition dans le temps de l'activité de l'organisme. → **rythme** biologique.

**horloger, ère 1** n. Personne qui s'occupe d'horlogerie. **2** adj. Relatif à l'horlogerie.

**horlogerie** n. f. **1** Industrie, commerce des instruments de mesure du temps. ◆ Magasin d'horloger. **2** Ouvrages de cette industrie.

***hormis** prép. littér. Excepté. → **sauf.**

**hormone** n. f. Substance élaborée par une glande endocrine ou un tissu et qui exerce une action spécifique sur le fonctionnement d'un organe ou sur un processus. ► **hormonal, ale, aux** adj.

***hornblende** [ɔʀnblɛ̃d] n. f. Silicate de fer, d'aluminium et de magnésium.

**horodaté, ée** adj. Qui mentionne l'heure à laquelle il a été établi (document).

**horodateur, trice** 1 adj. Qui imprime la date et l'heure. 2 n. m. Appareil horodateur.

**horoscope** n. m. Étude astrologique de la destinée de qqn, effectuée d'après sa date, son heure et son lieu de naissance.

**horreur** n. f. I (sens subjectif) 1 Impression violente causée par la vue ou la pensée d'une chose qui fait peur ou qui répugne. → **épouvante.** – *Faire horreur (à).* → **répugner.** 2 Sentiment très défavorable qu'une chose inspire. → **dégoût.** – *Avoir horreur de.* → **détester.** II (sens objectif) 1 Caractère de ce qui inspire de l'horreur. → **atrocité.** 2 Ce qui inspire un sentiment d'horreur. → **monstruosité.** ♦ au plur. Aspects horribles d'une chose ; choses horribles. 3 au plur. Propos outrageants ou obscènes.

**horrible** adj. 1 Qui fait horreur. *Une mort horrible.* 2 Très laid ; très mauvais. 3 Excessif, désagréable. *Une chaleur horrible.*

**horriblement** adv. 1 D'une manière horrible. 2 par exagér. → **extrêmement.**

**horrifier** v. tr. [7] Remplir d'horreur. ► **horrifiant, ante** adj. → **épouvantable.**

**horrifique** adj. vx Qui cause de l'horreur.

**horripilation** n. f. 1 Érection des poils (frisson). 2 Agacement, exaspération.

**horripiler** v. tr. [1] Agacer fortement (qqn). → **énerver, exaspérer, impatienter.** ► **horripilant, ante** adj.

***hors** prép. I En dehors de, à l'extérieur de, au-delà de (dans des expr.). *Hors saison. Talent hors pair.* II loc. prép. *Hors de.* 1 À l'extérieur de. 2 loc. *Être hors d'affaire,* tiré d'affaire. – *Hors de prix :* très cher. – *Hors de moi, soi... :* furieux. *Elle était hors d'elle.*

> Ne pas confondre avec *or* «cependant».

***horsain** n. m. (Normandie) Étranger.

***hors-bord** n. m. invar. 1 Moteur placé en dehors de la coque d'une embarcation. 2 Canot propulsé par un moteur hors-bord.

***hors-d'œuvre** n. m. invar. Petit plat que l'on sert au début du repas.

***hors-jeu** n. m. invar. (sports d'équipe) Faute d'un joueur dont la position sur le terrain est interdite par les règles. ♦ adj. invar. (sans trait d'union) *Joueur hors jeu.*

***hors-la-loi** n. invar. Personne qui vit en marge des lois. → **bandit.**

***hors-piste** n. m. invar. Ski pratiqué en dehors des pistes balisées.

***hors service** adj. invar. Qui n'est pas ou plus en service (définitivement ou non). – abrév. **H. S.** adj. invar. – fig., fam. (personnes) Très fatigué. *Je suis complètement H. S.*

***hors-sol** adj. invar. 1 *Élevage hors-sol,* dans lequel la nourriture des animaux ne provient pas de l'exploitation elle-même. 2 *Culture hors-sol,* sans terre. – *Tomates hors-sol.*

***hors-texte** n. m. invar. Illustration imprimée à part, intercalée dans un livre.

**hortensia** n. m. Arbrisseau ornemental aux fleurs groupées en boules ; ces fleurs.

**horticole** adj. Relatif à l'horticulture.

**horticulture** n. f. Culture des plantes d'ornement ; culture maraîchère. ► **horticulteur, trice** n.

**hortillonnage** n. m. (en Picardie) Marais où l'on cultive des légumes.

**hosanna** n. m. Chant, cri de joie.

**hospice** n. m. 1 Maison où des religieux donnent l'hospitalité aux voyageurs. 2 Établissement où l'on accueillait les personnes âgées démunies.

> Ne pas confondre avec *auspices* «présage».

**hospitalier, ière** adj. I Relatif aux hôpitaux. II Qui pratique, où l'on pratique l'hospitalité. → **accueillant.**

**hospitaliser** v. tr. [1] Faire entrer, admettre (qqn) dans un hôpital. ► **hospitalisation** n. f.

**hospitalité** n. f. Fait de recevoir qqn sous son toit, de le loger gratuitement. *Demander l'hospitalité.* ♦ Action de recevoir chez soi. *Merci de votre aimable hospitalité.*

**hospitalo-universitaire** adj. De l'hôpital, dans la mesure où il y est dispensé un enseignement médical.

**hostellerie** n. f. comm. Hôtellerie (I, 1).

**hostie** n. f. Petite rondelle de pain azyme que le prêtre consacre pendant la messe.

**hostile** adj. 1 Qui manifeste de l'agressivité, se conduit en ennemi. *Foule hostile.* – *Nature hostile.* → **inhospitalier.** ♦ *Hostile à.* → **défavorable ; opposé** à. 2 Qui est d'un ennemi, caractérise un ennemi. *Silence hostile.* ► **hostilement** adv.

**hostilité** n. f. 1 au plur. Ensemble des opérations de guerre. 2 Disposition hostile, inamicale. → **antipathie, haine.**

**hosto** n. m. fam. Hôpital.

***hot-dog** [ɔtdɔg] n. m. anglic. Saucisse servie chaude dans du pain. *Des hot-dogs.*

**hôte, hôtesse** n. I *Un hôte, une hôtesse* 1 Personne qui reçoit qqn (→ **hospitalité**). 2 vx Aubergiste, hôtelier. ♦ loc. *Table d'hôte :* table commune où l'on mange à prix fixe. 3 n. m. biol. Organisme animal ou végétal qui héberge un parasite. **II 1** *Un hôte, une hôte.* Personne qui est reçue chez qqn. → **invité.** ♦ *Chambre d'hôte,* louée au voyageur par un particulier. **2** littér. *Les hôtes de l'air, des bois :* les oiseaux, les animaux.

**hôtel** n. m. **1** Maison meublée où on loge et où l'on trouve les commodités du service (à la différence du *meublé*), pour un prix journalier. **2** Demeure citadine d'un grand seigneur (ancienn*t*) ou d'un riche particulier *(hôtel particulier).* **3** *Maître d'hôtel :* personne qui dirige le service de table, chez un particulier, dans un restaurant. **4** Grand édifice destiné à un établissement public. - *Hôtel de ville.* → **mairie.**

Ne pas confondre avec *autel* «table d'église».

**hôtel-Dieu** n. m. ancienn*t* Hôpital principal de certaines villes. *Des hôtels-Dieu.*

**hôtelier, ière I** n. Personne qui tient un hôtel, une hôtellerie, une auberge. **II** adj. Relatif aux hôtels, à l'hôtellerie (II).

**hôtellerie** n. f. **I 1** Hôtel ou restaurant rustique, souvent luxueux. **2** Bâtiment d'une abbaye où l'on reçoit les hôtes laïcs. **II** Métier d'hôtelier ; industrie hôtelière.

**hôtesse** n. f. **1** *Hôtesse (de l'air) :* femme chargée de veiller au confort et à la sécurité des passagers d'un avion. **2** Femme chargée de l'accueil de visiteurs, de clients.

***hot-line** [ɔtlajn] n. f. anglic. Service d'assistance téléphonique. - var. **hot line, hotline.**

***hotte** n. f. **1** Grand panier qu'on porte sur le dos. **2** Construction se raccordant au bas d'un tuyau de cheminée, etc.

***hottentot, ote** adj. Des Hottentots.

***hou** [u ; hu] interj. **1** Sert à railler ou à faire peur. **2** (redoublé) Sert à appeler.

***houblon** n. m. Plante grimpante dont les fleurs servent à aromatiser la bière.

***houblonnière** n. f. Champ de houblon.

***houe** n. f. Pioche à lame assez large dont on se sert pour biner la terre.

***houille** n. f. **1** Combustible minéral de formation sédimentaire, noir, à facettes brillantes, à forte teneur en carbone. **2** *Houille blanche :* énergie hydraulique fournie par les chutes d'eau en montagne.

***houiller, ère** adj. Relatif à la houille.

***houillère** n. f. Mine de houille.

***houle** n. f. Mouvement d'ondulation qui agite la mer sans faire déferler les vagues.

***houlette** n. f. Bâton de berger. ♦ loc. *Sous la houlette de qqn,* sous sa conduite.

***houleux, euse** adj. **1** Agité par la houle. **2** fig. Agité, mouvementé. *Débat houleux.*

***houligan** n. m. → **hooligan**

***houppe** n. f. **1** Assemblage de brins (de fil...) formant une touffe. **2** Touffe.

***houppelande** n. f. ancienn*t* Long vêtement de dessus, chaud et très ample.

***houppette** n. f. Petite houppe.

***hourdis** n. m. Maçonnerie légère garnissant un colombage.

***houri** n. f. Beauté céleste du paradis d'Allah. ♦ vx Femme belle et sensuelle.

***hourra** n. m. Cri de joie, d'acclamation. - interj. *Hip, hip, hip, hourra !*

***hourvari** n. m. littér. Grand tumulte.

***house music** ou **house** ['aus] n. f. anglic. Style de musique associant la pop et le disco à la manipulation électronique du son.

***houspiller** v. tr. [1] Réprimander (qqn).

***housse** n. f. Enveloppe souple dont on recouvre certains objets pour les protéger.

***houx** n. m. Arbre ou arbuste à feuilles bordées de piquants, à baies rouge vif.

**hovercraft** [ovœʀkʀaft] n. m. anglic. → **aéroglisseur.**

**H. S.** → **hors service**

***HTML** n. m. invar. (sigle) anglic., inform. Langage de structuration de documents utilisé pour la création de pages web et la définition de liens hypertextes. - appos. *Le langage HTML.*

***huard** ou ***huart** n. m. **I** Plongeon (oiseau). **II** (Canada) **1** Pièce de un dollar canadien (où cet oiseau figure). **2** Dollar canadien.

***hublot** n. m. **1** Petite fenêtre étanche, souvent ronde, munie d'un verre épais, sur un navire. ♦ Fenêtre, dans un avion. **2** Partie vitrée de la porte (d'un four, etc.).

***huche** n. f. Grand coffre de bois rectangulaire à couvercle plat.

***hue** [y ; hy] interj. Cri pour faire avancer un cheval, ou le faire tourner à droite. - loc. *Tirer à hue et à dia,* aller dans des directions contraires et, fig., contradictoires.

***huée** n. f. Cri collectif de réprobation.

***huer** v. tr. [1] Pousser des cris de dérision, des cris hostiles contre (qqn).

***huguenot, ote** n. Surnom (péjoratif à l'origine) donné par les catholiques aux calvinistes, en France, du XVIe au XVIIIe siècle. - adj. *Parti huguenot.*

**huile** n. f. **1** Liquide gras, inflammable, insoluble dans l'eau, d'origine végétale, animale ou minérale. *Huile d'olive.* - *Huile de foie de morue.* - *Huiles minérales :* hydrocarbures liquides. ♦ *Huiles essentielles,* obtenues par distillation de substances aromatiques végétales. → **essence. 2** (emplois spéciaux) Huile comestible. ♦ Huile de graissage. → **lubrifiant.** ♦ Huile de lampe. **3** *Peinture à l'huile,* dont les pigments sont liés avec de l'huile (de lin, etc.). ♦ *Une huile,* tableau peint à l'huile. **4** *Les saintes huiles.* → **chrême. 5** loc. *Mer d'huile,* très calme. - *Faire tache d'huile,* se propager lentement. - *Jeter de l'huile sur le feu,* pousser à la dispute. - fam. *Huile de coude*.* **6** fam. Personnage important.

**huiler** v. tr. [1] Frotter avec de l'huile. → **graisser, lubrifier.** ► **huilage** n. m.

**huilerie** n. f. **1** Fabrique d'huiles végétales. **2** Industrie des huiles végétales.

**huileux, euse** adj. **1** Qui contient de l'huile. **2** Qui évoque l'huile. → **onctueux. 3** Qui est ou semble imbibé d'huile. → **gras.**

① **huilier** n. m. Ustensile composé de deux flacons pour l'huile et le vinaigre.

② **huilier, ière** adj. Qui a rapport à la fabrication des huiles.

**huis** n. m. **1** vx Porte. *Fermer l'huis.* **2** loc. *À huis clos :* toutes portes fermées ; dr. sans que le public soit admis. ♦ n. m. **huis clos. Tribunal qui ordonne le huis clos.*

**huisserie** n. f. techn. Bâti formant l'encadrement d'une baie.

**huissier, ière** n. **1** n. m. Celui qui a pour métier d'introduire les visiteurs (dans une administration...). **2** Employé(e) préposé(e) au service de certaines assemblées. **3** *Huissier, ière (de justice),* officier ministériel chargé de signifier les actes de procédure et de mettre à exécution les décisions de justice.

***huit I** adj. numéral invar. (prononcé [ɥi] devant un nom commençant par une consonne ou un *h* aspiré, [ɥit] dans les autres cas) **1** (cardinal) Sept plus un (8). – *Huit jours :* une semaine (bien qu'elle n'ait que sept jours). – *Jeudi en huit :* le jeudi après celui qui vient. **2** (ordinal) Huitième. *Henri VIII.* **II** n. m. invar. [ɥit] Le chiffre, le nombre, le numéro huit. *Huit et deux, dix.*

***huitaine** n. f. Ensemble de huit (ou d'environ huit) éléments de même sorte.

***huitième** [-tjɛm] **1** adj. numéral ordinal Qui suit le septième (8^e^). ♦ n. *Le, la huitième.* **2** adj. et n. m. Se dit d'une partie d'un tout divisé également en huit. ► ***huitièmement** adv.

**huître** n. f. Mollusque bivalve, à coquille rugueuse, comestible **(→ ostréiculture)** ou recherché pour ses sécrétions (nacre, perle).

***hulotte** n. f. Grande chouette au plumage brun (syn. *chat-huant*).

***hululer** ou **ululer** v. intr. [1] Crier (oiseaux de nuit). ► ***hululement** ou **ululement** n. m.

***hum** [œm ; hœm] interj. Exprime le doute, la réticence. ♦ Note une petite toux.

**humain, aine I** adj. **1** De l'homme (I), propre à l'homme. *La condition humaine.* – *Être humain.* → **individu, personne. 2** Qui est compréhensif et compatissant. **3** Qui a les caractéristiques de l'homme (opposé à *inhumain, surhumain*). **II** n. m. **1** Ce qui est humain. *L'humain et le divin.* **2** littér. Être humain. *Les humains.*

**humainement** adv. **1** En tant qu'être humain. **2** Avec humanité (2).

**humaniser** v. tr. [1] Rendre plus humain. ▷ v. pron. s'**humaniser** ► **humanisation** n. f.

**humanisme** n. m. **1** philos. Théorie, doctrine centrée sur la personne humaine. **2** hist. Mouvement de la Renaissance, caractérisé par un essor intellectuel et le retour aux sources gréco-latines.

**humaniste** n. m. **1** philos. Partisan de l'humanisme. **2** Spécialiste des langues et littératures grecques et latines. – spécialt Lettré de la Renaissance qui se consacrait à l'étude des auteurs antiques.

**humanitaire** adj. **1** Qui vise au bien de l'humanité. → **philanthropique. 2** Qui agit pour sauver des vies humaines, dans une situation de conflit. *Action humanitaire.*

**humanitarisme** n. m. didact. (souvent péj.) Conceptions humanitaires (jugées utopiques, etc.). ► **humanitariste** adj. et n.

**humanité** n. f. **1** philos. Caractère de ce qui est humain ; nature humaine (opposé à *divinité,* à *animalité*). **2** Sentiment de bienveillance, de compassion envers autrui. → **bonté, sensibilité. 3** Le genre humain, en général. **4** didact. *Les humanités :* étude des langues et littératures grecques et latines.

**humanoïde 1** adj. Qui rappelle l'homme (I). **2** n. (lang. de la science-fiction) Être vivant ou robot d'apparence humaine. → **androïde.**

**humble** adj. **I 1** Qui s'abaisse volontiers, par modestie ou par déférence. → **effacé, modeste. 2** D'une condition sociale modeste. – n. vieilli *Les humbles.* **II** (choses) **1** Qui marque de l'humilité. **2** littér. Sans éclat, sans prétention. *Une humble demeure.*

**humblement** adv. De manière humble.

**humecter** v. tr. [1] Rendre humide, mouiller légèrement. ► **humectage** n. m.

***humer** v. tr. [1] Aspirer par le nez (spécialt pour sentir). → **inspirer, respirer.**

**humérus** [-ys] n. m. Os long constituant le squelette du bras, de l'épaule au coude. ► **huméral, ale, aux** adj.

**humeur** n. f. **I** méd., vx *Les humeurs :* les liquides organiques du corps humain (sang, lymphe, etc.). ♦ mod. *Humeur vitrée* de l'œil.* **II 1** Ensemble des tendances dominantes qui forment le tempérament de qqn (attribuées autrefois aux *humeurs* (I) du corps). *Être d'humeur égale.* **2** littér. Ensemble des tendances spontanées. → **fantaisie, impulsion. 3** Disposition momentanée de qqn. *Cela dépendra de mon humeur.* – *Être d'humeur à* (+ inf.). → **disposé, enclin. 4** *Bonne humeur :* disposition à la gaieté, à l'optimisme. ♦ *Mauvaise humeur :* disposition à la tristesse, à la colère. **5** littér. Mauvaise humeur. *Mouvement d'humeur.*

**humide** adj. Imprégné d'eau, de liquide.

**humidificateur** n. m. Appareil utilisé pour accroître le degré d'humidité de l'air.

**humidifier** v. tr. [7] Rendre humide. ► **humidification** n. f.

**humidité** n. f. Caractère de ce qui est humide ; eau imprégnant un corps, un lieu.

**humiliation** n. f. **1** Action d'humilier, fait d'être humilié ; sentiment qui en découle. **2** Ce qui humilie. → **affront, vexation.**

**humilier** v. tr. 7 **1** vx ou relig. Rendre humble. **2** Rabaisser d'une manière insultante. **3** (sujet chose) Faire honte à (qqn). ► **humiliant, ante** adj.

**humilité** n. f. **1** Sentiment de sa propre insuffisance qui pousse à réprimer son orgueil. → **modestie. 2** littér. Caractère humble (d'une condition sociale...).

**humoral, ale, aux** adj. Des humeurs (I).

**humoriste** n. Écrivain, dessinateur satirique ou comique.

**humoristique** adj. Plein d'humour.

**humour** n. m. Forme d'esprit qui consiste à dégager les aspects plaisants et insolites de la réalité, avec un certain détachement. – *Humour noir*, qui s'exerce à propos de situations graves, voire macabres.

**humus** [-ys] n. m. Terre provenant de la décomposition des végétaux. → **terreau.**

***hune** n. f. Plate-forme arrondie fixée au mât d'un navire, à une certaine hauteur.

***huppe** n. f. **1** Touffe de plumes que certains oiseaux ont sur la tête. → **aigrette. 2** Oiseau passereau qui porte une huppe.

***huppé, ée** adj. **1** Qui porte une huppe. **2** fam. Haut placé et, spécialt, riche.

***hure** n. f. **1** Tête du sanglier, du cochon, et de poissons à tête allongée. **2** Charcuterie à base de morceaux de hure de porc.

***hurlant, ante** adj. **1** Qui hurle. **2** *Couleurs hurlantes.* → **criard.**

***hurlement** n. m. **1** Cri aigu et prolongé de certains animaux (loup, chien). **2** (personnes) *Hurlement de rage, de terreur.* **3** par analogie *Les hurlements du vent.*

***hurler** v. 1 **I** v. intr. **1** (animaux) Pousser des hurlements. – loc. fig. *Hurler avec les loups*, se ranger du côté du plus fort. **2** (personnes) Pousser des cris prolongés et violents. *Hurler de douleur.* **3** Parler, crier, chanter de toutes ses forces. **4** Produire un bruit semblable à un hurlement. **5** fig. Jurer (couleurs). **II** v. tr. Exprimer, dire en hurlant. *Hurler des injures.*

***hurleur, euse** adj. Qui hurle.

**hurluberlu** n. m. vieilli Personne extravagante, qui agit de manière inconsidérée.

***huron, onne** n. Membre d'un peuple amérindien du Canada.

***hurricane** [yʀikan ; œʀikan] n. m. anglic. Cyclone, en Amérique centrale.

***husky** [œski] n. m. anglic. Chien de traîneau à fourrure beige et noire, aux yeux bleus. *Des huskys* ou *des huskies.*

***hussard** n. m. anciennt Soldat de la cavalerie légère, dans diverses armées.

***hussarde** n. f. loc. *À la hussarde* : brutalement, sans retenue ni délicatesse.

***hutte** n. f. Abri rudimentaire.

**hyacinthe** n. f. Pierre fine jaune (zircon).

**hyalin, ine** adj. Qui a la transparence du verre. *Quartz hyalin* : cristal de roche.

**hybridation** n. f. biol. Croisement entre variétés d'une même espèce, entre espèces.

**hybride** adj. et n. m. **1** Issu du croisement de variétés ou d'espèces différentes. – n. m. *Le mulet est un hybride.* **2** ling. *Mot hybride*, formé d'éléments empruntés à des langues différentes. **3** Composé d'éléments de nature, style, etc. différents.

**hydrate** n. m. **1** Composé contenant une ou plusieurs molécules d'eau. **2** vieilli *Hydrate de carbone* : glucide.

**hydrater** v. tr. 1 **1** chim. Combiner avec de l'eau. **2** Introduire de l'eau dans (les tissus, l'organisme). ► **hydratation** n. f. ► **hydratant, ante** adj. *Crème hydratante.*

**hydraulique I** adj. **1** Mû par l'eau ; qui utilise l'énergie de l'eau. **2** *Énergie hydraulique*, fournie par les cours d'eau, les marées. **3** Relatif à la distribution de l'eau. **II** n. f. Science, technique des liquides en mouvement (► **hydraulicien, ienne** n.).

**hydravion** n. m. Avion conçu pour décoller et se poser à la surface de l'eau.

**hydre** n. f. **1** mythol. *L'hydre de Lerne* : serpent à sept têtes qui repoussaient sitôt coupées. **2** littér. Mal qui se renouvelle en dépit des efforts faits pour l'éradiquer.

**hydrique** adj. didact. De l'eau.

**hydroalcoolique** adj. (liquide) Qui contient de l'eau, de l'alcool et un agent antibactérien. *Solution hydroalcoolique* (antiseptique cutané).

**hydrocarbure** n. m. Composé contenant seulement du carbone et de l'hydrogène.

**hydrocéphale** adj. et n. Atteint d'un épanchement de sérosité à l'intérieur du cerveau (*hydrocéphalie* n. f.).

**hydrocution** n. f. Syncope due au contact brutal du corps avec l'eau froide, et pouvant entraîner la mort par noyade.

**hydrodynamique** n. f. Partie de la mécanique des fluides qui traite des liquides.

**hydroélectricité** ou **hydro-électricité** n. f. Électricité produite par l'énergie hydraulique. ► **hydro(-)électrique** adj.

**hydrofoil** [-fɔjl] n. m. anglic. Navire rapide à coque munie d'ailerons portants (les foils*). – recomm. off. *hydroptère.*

**hydrofuge** adj. didact. Qui préserve de l'eau, de l'humidité.

**hydrogène** n. m. Corps simple le plus léger (symb. H), gaz inflammable, incolore et inodore. – *Bombe à hydrogène* ou *bombe H.* → **thermonucléaire.**

**hydrogéner** v. tr. 6 chim. Combiner avec de l'hydrogène. ► **hydrogénation** n. f.

**hydroglisseur** n. m. Bateau à fond plat mû par une hélice aérienne ou un réacteur.

**hydrographie** n. f. didact. **1** Partie de la géographie physique qui traite des océans, des mers, des lacs et des cours d'eau. **2** Ensemble des cours d'eau et des lacs d'une région. ► **hydrographe** n. ► **hydrographique** adj.

**hydrolat** n. m. pharm. Eau chargée, par distillation, de principes végétaux volatils.

**hydrolien, ienne** adj. et n. **1** adj. Qui utilise la force des courants de marée. – n. m. *L'hydrolien* : l'énergie hydrolienne. **2** n. f. Turbine sous-marine hydrolienne.

**hydrologie** n. f. didact. Étude des eaux, de leurs propriétés. ► **hydrologique** adj. ► **hydrologue** n.

**hydrolyse** n. f. chim. Décomposition chimique d'un corps par fixation d'eau.

**hydromel** n. m. Boisson faite d'eau et de miel, souvent fermentée.

**hydrophile** adj. (choses) Qui absorbe l'eau, les liquides. *Coton hydrophile.*

**hydrophobe** adj. didact. **1** Qui a une peur morbide de l'eau. ► **hydrophobie** n. f. **2** Que l'eau ne mouille pas.

**hydropisie** n. f. méd. Épanchement de sérosité dans une partie du corps (spécialt l'abdomen). ► **hydropique** adj. et n.

**hydrosphère** n. f. géogr. L'élément liquide de la Terre (eau, glaces, vapeur...).

**hydrostatique** sc. **1** n. f. Partie de la mécanique qui étudie l'équilibre des liquides. **2** adj. Relatif à l'hydrostatique.

**hydrothérapie** n. f. méd. Emploi thérapeutique de l'eau (bains, douches, etc.). ► **hydrothérapique** adj.

**(*)hyène** n. f. Mammifère carnassier d'Afrique et d'Asie, se nourrissant surtout de charognes. *L'hyène* ou *la hyène.*

**hygiaphone** n. m. Plaque transparente perforée équipant un guichet.

**hygiène** n. f. Principes et pratiques tendant à préserver, à améliorer la santé. *Précautions d'hygiène.* ♦ spécialt Ensemble des soins visant à la propreté du corps.

**hygiénique** adj. **1** Relatif à l'hygiène, spécialt des parties intimes du corps. **2** → **sain.** *Promenade hygiénique.*

**hygiéniste** n. Spécialiste de l'hygiène.

**hygromètre** n. m. Instrument pour mesurer le degré d'humidité de l'air.

**hygrométrie** n. f. Mesure du degré d'humidité de l'atmosphère ; cette humidité.

① **hymen** [-ɛn] n. m. vx Mariage.

② **hymen** [-ɛn] n. m. anat. Membrane qui obstrue partiellement l'orifice vaginal, chez une femme vierge.

**hyménée** n. m. vx Hymen, noces.

**hyménoptère** n. m. Insecte à quatre ailes membraneuses transparentes (ordre des *Hyménoptères* ; ex. les abeilles).

**hymne 1** n. m. ou f. (dans la tradition chrét.) Chant à la gloire de Dieu. **2** n. m. Chant, poème exprimant la joie, l'enthousiasme, célébrant qqn, qqch.

**hyoïde** adj. anat. *Os hyoïde* : os en forme de fer à cheval situé au-dessus du larynx.

***hype** [ajp] adj. invar. anglic. À l'avant-garde de la mode. → **branché.** *Des boutiques hype.*

**hyper-** [ipɛʀ] **1** Préfixe qui exprime l'exagération, l'excès, le plus haut degré. – contr. *hypo-*. **2** Préfixe familier de renforcement. → **super-.**

**hyperbole** n. f. **I** Figure de style qui consiste à exagérer l'expression pour mettre en relief une idée. **II** math. Courbe formée par l'ensemble des points d'un plan dont la différence des distances à deux points fixes de ce plan (foyers) est constante. ► **hyperbolique** adj.

**hyperboréen, enne** adj. didact. ou littér. De l'extrême Nord. → **arctique, boréal.**

**hyperglycémie** n. f. méd. Excès de sucre dans le sang (→ diabète).

**hyperlien** n. m. inform. Lien hypertexte*.

**hypermarché** n. m. Magasin à libre service de surface supérieure à 2500 m$^2$.

**hypermédia** n. m. inform. Ensemble des liaisons hypertextes* appliquées à des données multimédias (textes, sons, images). – adj. *Des liens hypermédias.*

**hypermétropie** n. f. Défaut de la vision qui fait que l'image se forme en arrière de la rétine (s'oppose à *myopie*). ► **hypermétrope** adj. et n.

**hypernerveux, euse** adj. et n. Qui est d'une nervosité excessive, pathologique.

**hyperréalisme** n. m. Courant artistique (peinture, sculpture) né aux États-Unis, caractérisé par un rendu minutieux de la réalité. ► **hyperréaliste** adj. et n.

**hypersécrétion** n. f. physiol. Sécrétion excessive (d'une glande).

**hypersensible** adj. et n. Qui est d'une sensibilité extrême, exagérée. ► **hypersensibilité** n. f.

**hypertenseur** adj. m. et n. m. (Médicament) qui augmente la tension artérielle.

**hypertension** n. f. Tension artérielle supérieure à la normale ; augmentation de la tension. ► **hypertendu, ue** et **hypertensif, ive** adj. et n.

**hypertexte** n. m. Fonction qui, dans un ensemble de documents informatiques, permet de définir des renvois directs entre des éléments. *L'hypertexte est à la base du web.* – adj. *Un lien hypertexte* (hyperlien). ► **hypertextuel, elle**

**hypertrophie** n. f. **1** physiol. Augmentation de volume (d'un organe) avec ou sans altération (s'oppose à *atrophie*). **2** fig. Développement excessif. *Hypertrophie du moi.* ► **hypertrophique** adj.

**hypertrophier** v. tr. [7] Produire l'hypertrophie de. ▷ adj. **hypertrophié, ée**

**hypnagogique** adj. didact. Qui précède immédiatement le sommeil.

**hypnose** n. f. **1** État voisin du sommeil, provoqué par des manœuvres de suggestion (→ **hypnotisme, magnétisme),** ou des moyens chimiques (→ **narcose). 2** fig. État d'engourdissement de la volonté.

**hypnotique 1** adj. et n. m. méd. Se dit d'une substance qui provoque l'hypnose. → **narcotique, somnifère. 2** adj. Qui a rapport à l'hypnose, à l'hypnotisme.

**hypnotiser** v. tr. [1] **1** Mettre (qqn) sous hypnose. **2** fig. Fasciner ou obséder (qqn).

**hypnotiseur, euse** n. Personne qui hypnotise. → **magnétiseur.**

**hypnotisme** n. m. **1** Ensemble des procédés (suggestion...) mis en œuvre pour provoquer un état d'hypnose. **2** Science qui traite des phénomènes hypnotiques.

**hypoallergénique** adj. pharm. Qui minimise les risques d'allergie. → **anallergique.**

**hypocagne** → **hypokhâgne**

**hypocalorique** adj. Qui comporte peu de calories.

**hypocondrie** n. f. Anxiété habituelle et excessive (de qqn) à propos de sa santé. ► **hypocondriaque** adj. et n.

**hypocoristique** adj. ling. Qui exprime une intention affectueuse (mot).

**hypocrisie** n. f. **1** Fait de déguiser son caractère, d'exprimer des opinions ou sentiments qu'on n'a pas. → **dissimulation, duplicité, fausseté. 2** Caractère de ce qui est hypocrite. **3** Acte hypocrite.

**hypocrite I** n. Personne qui fait preuve d'hypocrisie. **II** adj. Qui a de l'hypocrisie. ► **hypocritement** adv.

**hypodermique** adj. Qui concerne le tissu sous-cutané (ou *hypoderme* n. m.).

**hypogée** n. m. Sépulture souterraine.

**hypoglosse** adj. et n. m. anat. Se dit du nerf crânien qui innerve les muscles de la langue.

**hypoglycémie** n. f. méd. Diminution ou insuffisance du taux de glucose du sang. ► **hypoglycémique** adj.

**hypokhâgne** ou **hypocagne** n. f. fam. Classe de préparation à l'École normale supérieure (lettres), précédant la khâgne.

**hypophyse** n. f. Glande endocrine située à la base du crâne. ► **hypophysaire** adj.

**hyposodé, ée** [-s-] adj. didact. Qui comporte peu de sel ajouté.

**hypostase** n. f. didact. Substance distincte ; spécialt, relig. chacune des trois personnes de la Trinité.

**hypostyle** adj. archéol. Dont le plafond est soutenu par des colonnes.

**hypotaupe** n. f. fam. Classe de mathématiques supérieures, avant la taupe*.

**hypotenseur** adj. m. et n. m. méd. Se dit d'un médicament qui fait baisser la tension artérielle.

**hypotension** n. f. Tension artérielle inférieure à la normale ; diminution de la tension. ► **hypotendu, ue** adj. et n. ► **hypotensif, ive** adj.

**hypoténuse** n. f. Le côté opposé à l'angle droit, dans un triangle rectangle.

**hypothalamus** [-ys] n. m. anat. Partie du cerveau, située sous le thalamus*, qui joue un rôle capital dans la régulation des fonctions vitales.

**hypothèque** n. f. **1** Droit accordé à un créancier sur un bien immeuble en garantie d'une dette (sans que le propriétaire en soit dépossédé) (► **hypothécaire** adj.). **2** Difficulté dans l'accomplissement de qqch.

**hypothéquer** v. tr. [6] **1** Grever d'une hypothèque. – au p. p. *Maison hypothéquée.* ♦ fig. Engager d'une façon compromettante. *Hypothéquer l'avenir.* **2** dr. Garantir par une hypothèque. *Hypothéquer une créance.*

**hypothèse** n. f. **I** sc. **1** Proposition admise comme donnée d'un problème ou pour la démonstration d'un théorème. **2** Proposition admise provisoirement avant d'être soumise au contrôle de l'expérience. **II** Conjecture concernant l'explication ou la possibilité d'un événement. → **supposition.** – *Dans l'hypothèse où...* → **éventualité.**

**hypothétique** adj. **1** sc. Qui est de la nature de l'hypothèse. **2** Qui n'est pas certain. → **douteux, incertain.** *Un héritage hypothétique.* ► **hypothétiquement** adv.

**hysope** n. f. Arbrisseau méditerranéen à feuilles persistantes et à fleurs bleues.

**hystérectomie** n. f. méd. Ablation de l'utérus.

**hystérie** n. f. **1** psych. Névrose caractérisée par une tendance aux manifestations émotives spectaculaires, qui peut se traduire par des symptômes organiques et des manifestations psychiques pathologiques (délire, angoisse, mythomanie...). *Crise d'hystérie.* **2** cour. Excitation intense. *Hystérie collective.* ► **hystérique** adj. et n.

**hystérotomie** n. f. méd. Incision de l'utérus.

# I

**i** [i] n. m. Neuvième lettre, troisième voyelle de l'alphabet. – loc. *Mettre les points sur les i* : préciser. ♦ *I* : un (en chiffres romains).

**iambe** n. m. didact. **1** Pied composé d'une syllabe brève et d'une longue. **2** Pièce de vers satiriques. – var. **ïambe.** ► **iambique** adj.

**iatrogène** adj. didact. Se dit d'une manifestation pathologique due à un acte médical, spécialt à un médicament.

**ibérique** adj. De l'Espagne et du Portugal.

**ibidem** [-ɛm] adv. didact. Dans le même ouvrage, déjà cité (abrév. *ibid.*).

**ibis** [ibis] n. m. Échassier d'Afrique et d'Amérique, à bec long, mince et arqué.

**iceberg** [isbɛʀg ; ajsbɛʀg] n. m. Masse de glace flottante, détachée de la banquise. – loc. *La partie cachée de l'iceberg*, partie cachée et importante d'une chose.

**icelui, icelle,** plur. **iceux, icelles** pron. et adj. dém. archaïsme littér. Celui-ci, celle-ci.

**ichtyologie** [ikt-] n. f. Partie de la zoologie qui traite des poissons. ► **ichtyologique** adj. ► **ichtyologiste** n.

**ichtyosaure** [iktjozɔʀ] n. m. paléont. Grand reptile marin fossile.

**ici** adv. **I** (lieu) **1** Dans le lieu où se trouve celui qui parle (opposé à *là, là-bas*). *Il fait frais ici.* – À cet endroit. *Assieds-toi ici.* ♦ *D'ici* : de ce lieu. – loc. *Je vois ça d'ici* : j'imagine la chose. ♦ *Par ici* : par cet endroit ; dans les environs. **2** loc. adv. *Ici-bas* : dans ce monde ; sur la terre. **3** À l'endroit dont on parle (dans un écrit...). **II** (temps) *Jusqu'ici* : jusqu'à présent. – *D'ici* (point de départ dans le temps). *D'ici peu* : dans peu de temps.

① **icône** n. f. **1** (Église d'Orient) Peinture religieuse exécutée sur un panneau de bois. **2** fig. Personne, personnage qui symbolise (un courant...). *Une icône du rock.*

② **icône** n. f. anglic., inform. Élément graphique, pictogramme qui représente à l'écran un fichier, un logiciel, etc.

**iconique** adj. **1** Antiq. *Statue iconique*, érigée en l'honneur d'un vainqueur de jeux. **2** didact. De l'image. **3** Qui représente qqch. de manière forte. → **emblématique.**

**iconoclasme** n. m. hist. Mouvement des iconoclastes, à Byzance (VIII^e et IX^e s.).

**iconoclaste** n. et adj. **1** Qui interdit ou détruit les images saintes et par ext. les œuvres d'art. **2** fig. Hostile aux traditions.

**iconographe** n. Spécialiste d'iconographie.

**iconographie** n. f. didact. **1** Étude des représentations figurées d'un sujet. *Iconographie religieuse.* **2** Ensemble des illustrations d'un livre. ► **iconographique** adj.

**iconologie** n. f. didact. Étude des images, des modes de représentation, en art. ► **iconologiste** ou **iconologue** n.

**iconostase** n. f. (dans les églises orthodoxes) Cloison décorée d'images, d'icônes, qui sépare la nef du sanctuaire.

**ictère** n. m. méd. Coloration jaune de la peau et des muqueuses, due à la présence de pigments biliaires. → **jaunisse.**

**idéal, ale, als** ou **aux** **I** adj. **1** Qui est conçu et représenté dans l'esprit sans être ou pouvoir être perçu par les sens. → **théorique.** **2** Qui atteint toute la perfection que l'on peut concevoir ou souhaiter. → **absolu.** *Beauté idéale.* **3** Parfait en son genre. *Un moyen idéal.* **II** n. m. **1** Ce que l'on se représente ou se propose comme type parfait ou modèle absolu (dans l'ordre pratique, esthétique ou intellectuel). **2** *L'idéal* : ce qui donnerait une satisfaction parfaite. – loc. *Dans l'idéal* : sans tenir compte de la réalité.

**idéalement** adv. D'une manière idéale ; parfaitement.

**idéaliser** v. tr. [1] Revêtir d'un caractère idéal. ► **idéalisation** n. f.

**idéalisme** n. m. **1** Système philosophique qui ramène l'être à la pensée, et les choses à l'esprit (s'oppose à *matérialisme*). **2** Attitude d'esprit qui pousse à faire une large place à l'idéal. ► **idéaliste** adj. et n.

**idéalité** n. f. didact. **1** Caractère de ce qui est idéal. **2** Être, objet idéal.

**idée** n. f. **1** Représentation intellectuelle (d'un être, d'une manière d'être, d'un rapport). *Idée générale, abstraite.* → **concept, notion.** *L'idée de nombre.* ♦ hist. philos. (chez Platon) Essence éternelle qui rend les choses intelligibles. **2** Toute représentation élaborée par la pensée (qu'il existe ou non un objet qui lui corresponde). *Perdre le fil de ses idées.* **3** Vue élémentaire, approximative. → **aperçu.** – *On n'a pas idée* : c'est inconcevable. – *J'ai idée que* : il me semble que.

**4** Conception imaginaire fausse ou irréalisable. → **chimère, rêve.** *Se faire des idées.* **5** Vue originale, dans le domaine de la connaissance, de l'action, de la création. *C'est une bonne idée.* **6** Façon particulière de se représenter le réel. → **opinion.** – *Idée reçue :* opinion courante. ♦ au plur. Ensemble des opinions (d'un individu, d'un groupe). *Des idées avancées.* – absolt *Les idées :* spéculations touchant aux grands problèmes. *Histoire des idées.* **7** Façon d'envisager la réalité. *Avoir des idées noires.* **8** loc. *J'ai dans l'idée que...,* dans l'esprit.

**idem** [idɛm] adv. Le même (être...). – S'emploie (abrév. *id.*) pour éviter une répétition.

**identifiable** adj. Qui peut être identifié.

**identifiant** n. m. inform. Nom servant à identifier l'utilisateur d'un service, sur Internet. *Identifiant et mot de passe.*

**identifier** v. tr. [7] **1** Considérer comme identique, ou comme ne faisant qu'un (avec autre chose). **2** Reconnaître. *Identifier qqn.* ♦ (Du point de vue de l'état civil). *Identifier un cambrioleur.* **3** Reconnaître comme appartenant à une catégorie. → **caractériser.** ▷ v. pron. **s'identifier 1** Se faire ou devenir identique. **2** inform. Indiquer son identifiant. ► **identification** n. f.

**identique** adj. **1** (êtres, objets) Tout à fait semblable, mais distinct. → **pareil.** *Deux couteaux identiques.* – n. m. *Reproduire à l'identique.* **2** Qui reste le même à des moments différents. ► **identiquement** adv.

**identitaire** adj. Relatif à l'identité personnelle, culturelle. *Une quête identitaire.*

**identité** n. f. **I 1** Caractère de deux choses identiques. **2** Caractère de ce qui demeure identique à soi-même. *L'identité du moi.* **II** Ce qui permet de reconnaître une personne parmi toutes les autres (état civil, signalement). *Carte d'identité.*

**idéogramme** n. m. Signe graphique qui représente le sens d'un mot (concret ou abstrait), et non les sons qui le composent.

**idéographique** adj. Se dit d'une écriture, d'un système de signes à idéogrammes.

**idéologie** n. f. Ensemble des idées, des croyances et des doctrines propres à qqn, une époque, une société, une classe. ► **idéologique** adj. ► **idéologiquement** adv.

**idéologue** n. Personne qui professe avec foi une idéologie.

**ides** n. f. pl. Dans le calendrier romain, Division du mois tombant vers son milieu.

**idiolecte** n. m. ling. Emploi particulier d'une langue par une personne.

**idiome** n. m. ling. Langue, envisagée comme ensemble des moyens d'expression propres à une communauté. ► **idiomatique** adj.

**idiosyncrasie** [-sɛ̃-] n. f. didact. Tempérament personnel de qqn.

**idiot, idiote I** adj. Qui manque d'intelligence, de bon sens. → **bête, stupide. II** n. **1** Personne sans intelligence. **2** méd. Personne atteinte d'idiotie.

**idiotement** adv. D'une façon idiote.

**idiotie** n. f. **1** Manque d'intelligence, de bon sens. **2** Action, parole qui traduit un manque d'intelligence, de bon sens. **3** méd. Grave arriération mentale. → **crétinisme.**

**idiotisme** n. m. ling. Forme, locution propre à une seule langue, intraduisible.

**idoine** adj. vx ou plais. Adéquat, approprié.

**idolâtre** adj. **1** Qui rend un culte aux idoles. **2** littér. Qui voue une adoration (à qqn, à qqch.). ► **idolâtrer** v. tr. [1] littér. ► **idolâtrie** n. f.

**idole** n. f. **1** Représentation d'une divinité (image, statue...), adorée comme si elle était la divinité elle-même. **2** Personne ou chose qui est l'objet d'une adoration. ♦ Célébrité adulée du public.

**idylle** n. f. **1** Petit poème à sujet pastoral et amoureux. → **églogue, pastorale. 2** Aventure amoureuse naïve et tendre. ♦ iron. Situation sans conflit ; bonne entente parfaite. ► **idyllique** adj.

**if** n. m. Conifère à fruits rouges.

**igloo** [iglu] n. m. Abri des Inuits, construit avec des blocs de glace. – var. **iglou.**

**igname** [iɲam ; ignam] n. f. Plante tropicale à gros tubercules farineux ; ce tubercule (consommé en Afrique).

**ignare** adj. et n. Totalement ignorant.

**igné, ée** [igne ; iɲe] adj. **1** littér. Qui est de feu. **2** sc. Produit par le feu.

**ignifuge** [iɲi- ; igni-] adj. Qui rend ininflammables les objets combustibles.

**ignifuger** [iɲi- ; igni-] v. tr. [3] Rendre ininflammable. – au p. p. *Carton ignifugé.*

**ignition** n. f. didact. État de ce qui est en feu. → **combustion.**

**ignoble** adj. **1** Vil, moralement bas. → **abject, infâme. 2** Très laid ou sale. *Un ignoble taudis.* ♦ par exagér. *Un temps ignoble,* très mauvais. ► **ignoblement** adv.

**ignominie** n. f. littér. **1** Déshonneur extrême. **2** Caractère de ce qui déshonore. *L'ignominie d'un crime.* **3** Action ignoble.

**ignominieux, euse** adj. littér. Qui apporte, cause de l'ignominie. → **abject, honteux.** ► **ignominieusement** adv.

**ignorance** n. f. **1** État d'une personne qui ignore qqch. ; fait de ne pas connaître qqch. **2** Manque d'instruction, de savoir, de culture générale. *Combattre l'ignorance.*

**ignorant, ante** adj. **1** *Ignorant de :* qui n'a pas la connaissance de (une chose) ; qui n'est pas informé de. **2** adj. et n. (Personne) qui manque d'instruction, de savoir.

**ignorer** v. tr. [1] **1** Ne pas connaître, ne pas savoir. *Nul n'est censé ignorer la loi.* ♦ *Ignorer qqn,* le traiter comme si sa personne ne méritait aucune considération. **2** Ne pas avoir l'expérience de. *Un peuple qui ignore la guerre.* ▷ adj. **ignoré, ée** → **inconnu.**

**iguane** [igwan] n. m. Reptile saurien, grand lézard d'Amérique tropicale.

**iguanodon** [igwa-] n. m. Reptile fossile du crétacé, à très grosse queue.

**ikebana** [ike-] n. m. Art floral japonais.

**il, ils** pron. pers. m. **I 1** Pronom personnel masculin de la troisième personne, faisant fonction de sujet. *Il cherche ses clés.* **2** *Ils :* des personnes indéterminées (gouvernement, etc.). → **on.** *Ils vont augmenter les impôts.* **II** au sing. Sert à introduire les verbes impersonnels et les verbes employés impersonnellement. *Il pleut. Il était une fois. Il se fait tard.*

**ilang-ilang** [ilãilã] n. m. Arbre cultivé en Indonésie, etc. pour ses fleurs utilisées en parfumerie. - var. **ylang-ylang.**

**île** n. f. **1** Étendue de terre ferme émergée d'une manière durable dans les eaux. **2** *Les Îles :* les Antilles. **3** *Île flottante :* entremets composé de blancs d'œufs battus flottant sur de la crème anglaise.

**iléon** n. m. anat. Troisième partie de l'intestin grêle, qui précède le gros intestin.

**iliaque** adj. *Os iliaque :* os de la hanche.

**îlien, îlienne** adj. Qui habite une île. → **insulaire.** - n. *Les îliens de Sein.*

**ilion** n. m. anat. Partie supérieure de l'os iliaque.

**illégal, ale, aux** adj. Contraire à la loi. → **illicite.** ► **illégalement** adv.

**illégalité** n. f. **1** Caractère de ce qui est illégal. ♦ Acte illégal. **2** Situation de qqn qui contrevient à la loi.

**illégitime** adj. **1** (enfant) Né hors du mariage. **2** Non conforme au droit moral. → **illégal, irrégulier.** **3** Qui n'est pas fondé. *Peur illégitime.* ► **illégitimité** n. f.

**illettré, ée** adj. **1** vieilli Inculte. **2** Qui est partiellement ou complètement incapable de lire et d'écrire. → aussi **analphabète.** - n. *Les analphabètes et les illettrés.* ► **illettrisme** n. m.

**illicite** adj. Qui n'est pas licite.

**illico** adv. fam. Sur-le-champ. - loc. *Illico presto* (même sens).

**illimité, ée** adj. **1** Qui n'a pas de limites perceptibles. → **immense, infini.** **2** Dont la grandeur n'est pas fixée. → **indéterminé.** *Durée illimitée.*

**illisible** adj. **1** Que l'on ne peut pas lire ; très difficile à lire. *Signature illisible.* **2** Dont la lecture est insupportable.

**illogique** adj. Qui n'est pas logique. ► **illogiquement** adv. ► **illogisme** n. m. didact.

**illumination** n. f. **I 1** théol. Lumière divine. **2** cour. Inspiration subite. **II** Action d'éclairer, de baigner de lumière. ♦ au plur. Ensemble de lumières en vue d'une fête. **III** (sens anc.) Enluminure. *«Les Illuminations»* (poèmes de Rimbaud).

**illuminé, ée** **1** n. Mystique qui se croit inspiré par Dieu. ♦ péj. Visionnaire qui ne doute pas de ses inspirations. **2** adj. Éclairé de nombreuses lumières.

**illuminer** v. tr. [1] **1** Éclairer d'une vive lumière. **2** Mettre un éclat lumineux sur. - pronom. *Son visage s'illumina.*

**illusion** n. f. **I 1** Interprétation fausse de ce que l'on perçoit. - loc. *Illusion d'optique,* provenant des lois de l'optique ; fig. erreur de point de vue. **2** Apparence dépourvue de réalité. *Illusions dues à des trucages.* **II** Opinion fausse, croyance erronée qui trompe par son caractère séduisant. → **chimère, rêve, utopie.** *Se faire des illusions.* ♦ *Faire illusion :* donner une impression favorable trompeuse.

**illusionner** v. tr. [1] Tromper par une illusion. ▷ v. pron. **s'illusionner** Se faire des illusions.

**illusionnisme** n. m. Art de créer l'illusion par des trucages, etc. ► **illusionniste** n. → **prestidigitateur.**

**illusoire** adj. Qui peut faire illusion, mais ne repose sur rien de réel.

**illustrateur, trice** n. Artiste spécialisé dans l'illustration (III).

**illustration** n. f. **I** vx Action de rendre (qqn, qqch.) illustre. **II** Action d'illustrer (II). **III** Figure (gravure, etc.) illustrant un texte.

**illustre** adj. Qui est très connu, du fait d'un mérite ou de qualités extraordinaires. - plais. *Un illustre inconnu.*

**illustré, ée** **1** adj. Orné d'illustrations. **2** n. m. Périodique qui comporte de nombreuses illustrations.

**illustrer** v. tr. [1] **I** vx ou littér. Rendre illustre, célèbre. - pronom. *S'illustrer par des découvertes.* **II** Rendre plus clair (par des exemples...). **III** Orner (un ouvrage) de figures, d'images en rapport avec le texte.

**îlot** n. m. **1** Très petite île. **2** Petit espace isolé. *Îlot de verdure.* ♦ fig. Point isolé. *Îlot de résistance.* **3** Groupe de maisons.

**ilote** n. **1** Antiq. grecque Habitant de Laconie réduit en esclavage par les Spartiates. **2** littér. Personne asservie.

**image** n. f. **I** Reproduction visuelle d'un objet réel. **1** Reproduction inversée (d'un objet qui se réfléchit). *Voir son image dans la glace.* **2** sc. Reproduction (d'un objet) par l'intermédiaire d'un système optique. ♦ Figure qui fait reconnaître ou évoque une réalité (produite par la photographie, le cinéma, la télévision). *Images de synthèse.* **3** Représentation (d'un objet) par les arts graphiques ou plastiques. → **dessin, figure, gravure, illustration.** - *Images d'Épinal* (images naïves du XIXᵉ siècle). **II** fig. **1** Reproduction ou représentation analogique (d'un être, d'une chose). *Il est l'image de son père.*

→ **portrait.** – *À l'image de.* → **ressemblance.** **2** Ce qui évoque une réalité. *C'est l'image de la vie moderne.* **3** Expression de l'abstrait par le concret, dans le langage. → **figure, métaphore.** **4** math. Élément d'un ensemble qui, par une relation déterminée (application), correspond à un élément d'un premier ensemble. **III 1** philos. Reproduction mentale d'une perception (ou impression) antérieure, en l'absence de l'objet. *Évoquer l'image d'un être.* → **souvenir.** **2** Produit de l'imagination. → **illusion, vision.** **3** loc. *Image de marque* : réputation (d'une entreprise, de qqn).

**imagé, ée** adj. (style) Orné d'images.

**imagerie** n. f. **1** Ensemble d'images caractéristique d'un genre, d'une époque. *L'imagerie populaire.* **2** didact. Technique permettant d'obtenir des images grâce à des rayonnements. *Imagerie médicale* (échographie, scanographie, I. R. M., etc.).

**imaginable** adj. Que l'on peut imaginer.

**imaginaire I** adj. **1** Qui n'existe que dans l'imagination. → **irréel ; fictif.** **2** Qui n'est tel que dans son imagination. «*Le Malade imaginaire*» (de Molière). **II** n. m. Domaine de l'imagination. *L'imaginaire et le réel.*

**imaginatif, ive** adj. et n. Qui a l'imagination fertile. → **inventif.**

**imagination** n. f. **I 1** Faculté que possède l'esprit d'imaginer (1). **2** Faculté de former des images d'objets qu'on n'a pas perçus ou de faire des combinaisons nouvelles d'images ou d'idées. *Avoir de l'imagination.* **II** littér. Chose imaginaire ou imaginée. → **chimère, rêve.**

**imaginer** v. tr. [1] **1** Se représenter dans l'esprit. → **concevoir.** *J'imagine très bien la scène.* – *Imaginer que.* → **penser, supposer.** **2** Inventer. *Imaginer une théorie.* ▷ v. pron. s'**imaginer 1** Se représenter, concevoir. → se **figurer.** **2** Croire à tort. *Si tu t'imagines...* ▷ adj. **imaginé, ée** → **inventé.**

**imam** [imam] n. m. **1** Chef religieux musulman. **2** Enseignant islamique.

**imbattable** adj. Qui ne peut être battu.

**imbécile** adj. **1** Atteint d'imbécillité (1). **2** Qui manifeste de la bêtise. ♦ n. → **idiot.** – loc. *Imbécile heureux,* satisfait de lui. ► **imbécilement** adv.

**imbécillité** [-ili-] n. f. **1** Faiblesse d'esprit, arriération mentale. **2** Grave manque d'intelligence. ♦ Acte, parole, idée imbécile. → **ânerie, bêtise, idiotie.**

**imberbe** adj. Sans barbe (→ **glabre**).

**imbiber** v. tr. [1] Pénétrer, imprégner d'eau, d'un liquide.

**imbitable** adj. fam. Incompréhensible. *Un texte imbitable.*

**imbrication** n. f. Disposition de choses imbriquées.

s'**imbriquer** v. pron. [1] **1** Se chevaucher. **2** fig. Être étroitement lié. ▷ adj. **imbriqué, ée**

**imbroglio** [ɛ̃bʀɔljo ; ɛ̃bʀɔglijo] n. m. Situation confuse, embrouillée.

**imbu, ue** adj. Imprégné, pénétré (de sentiments, d'idées...). – péj. *Être imbu de soi-même* : se croire supérieur aux autres.

**imbuvable** adj. **1** Qui n'est pas buvable. **2** fam. (personnes) Insupportable.

**imitable** adj. Qui peut être imité.

**imitateur, trice I** n. **1** Personne qui imite le comportement d'autrui. – Artiste qui imite des personnages connus. **2** Personne qui imite (les œuvres d'autrui). → **plagiaire, suiveur.** **II** adj. *Esprit imitateur.*

**imitatif, ive** adj. Qui imite.

**imitation** n. f. **1** Action de reproduire volontairement ou de chercher à reproduire (une apparence, un geste, un acte). *Imitation fidèle.* ♦ Reproduction consciente ou inconsciente de gestes, d'actes. *Instinct d'imitation.* **2** Fait de prendre qqn, une œuvre pour modèle. **3** Œuvre imitée d'un modèle. → **plagiat.** **4** Reproduction (d'un objet, etc.) qui imite l'original ; objet imité. → **copie, reproduction ; contrefaçon.**

**imiter** v. tr. [1] **1** Chercher à reproduire. *Imiter le cri d'un animal.* ♦ Faire comme (qqn). *Il s'assit et tout le monde l'imita.* **2** Prendre pour exemple. *Imiter un maître.* **3** Prendre pour modèle (l'œuvre d'un autre). → s'**inspirer** de. **4** Reproduire, pour faire passer la reproduction pour authentique. → **contrefaire.** **5** (sujet chose) Produire le même effet que. → **ressembler** à.

**immaculé, ée** adj. **1** relig. chrét. Qui est sans péché. **2** (choses) Sans une tache ; d'une propreté, d'une blancheur parfaite.

**immanent, ente** adj. philos. Qui est contenu dans la nature d'un être (s'oppose à *transcendant*). ♦ *Justice immanente,* qui découle naturellement des actions commises. ► **immanence** n. f.

**immangeable** [ɛ̃m-] adj. Qui n'est pas bon à manger ; très mauvais.

**immanquable** [ɛ̃m-] adj. **1** Qui ne peut manquer d'arriver. **2** Qui ne peut manquer son but. ► **immanquablement** adv.

**immatériel, elle** adj. **1** Qui n'est pas formé de matière, ou ne concerne pas les sens. → **spirituel.** **2** Qui ne semble pas matériel. *Une finesse immatérielle.*

**immatriculer** v. tr. [1] Inscrire sur un registre public. – au p. p. *Voiture immatriculée en Belgique.* ► **immatriculation** n. f.

**immature** adj. anglic. Qui manque de maturité intellectuelle, affective.

**immédiat, ate** adj. **1** Qui précède ou suit sans intermédiaire (dans l'espace ou dans le temps). *Le successeur immédiat de qqn.* ♦ philos. Qui agit ou se produit sans intermédiaire (s'oppose à *médiat*). **2** Qui suit sans délai ; qui a lieu tout de suite. → **imminent ; instantané.** – (n. m.) loc. *Dans l'immédiat* : pour le moment.

**immédiatement** adv. 1 didact. De manière immédiate (1). 2 Tout de suite avant ou après. ♦ À l'instant même.

**immémorial, ale, aux** adj. Qui remonte à une époque si ancienne qu'elle est sortie de la mémoire. → **ancestral.**

**immense** adj. 1 Dont l'étendue, les dimensions sont considérables. 2 Très considérable (par la force, l'importance...).

**immensément** adv. Extrêmement.

**immensité** n. f. 1 Étendue très vaste. *L'immensité de la mer.* – *L'immensité :* l'infini. 2 Grandeur considérable (de qqch.).

**immerger** v. tr. [3] Plonger (qqch., qqn dans un liquide). ▷ v. pron. **s'immerger** (fig.) *S'immerger dans un milieu.*

**immérité, ée** adj. Qui n'est pas mérité.

**immersion** n. f. Action d'immerger.

**immettable** [ɛ̃me-] adj. (vêtement) Que l'on ne peut pas mettre.

**immeuble** I adj. dr. Qui ne peut être déplacé (ou qui est réputé tel par la loi) (opposé à *meuble*). *Biens immeubles.* II n. m. Grand bâtiment urbain à plusieurs étages.

**immigrant, ante** n. Personne qui immigre dans un pays. → **migrant.**

**immigration** n. f. 1 Fait d'immigrer dans un pays, généralement pour y chercher un emploi. 2 Ensemble d'immigrés.

**immigré, ée** adj. et n. Qui est venu de l'étranger, souvent d'un pays peu développé, et qui vit dans un pays industrialisé.

**immigrer** v. intr. [1] Entrer dans un pays étranger pour s'y établir (opposé à *émigrer*).

**imminent, ente** adj. Qui va se produire dans très peu de temps. → **immédiat, proche.** ► **imminence** n. f.

> Ne pas confondre avec *éminent* «remarquable».

**s'immiscer** v. pron. [3] Intervenir mal à propos ou indûment (dans une affaire). ► **immixtion** [-ks-] n. f.

**immobile** adj. 1 Qui ne se déplace pas, reste sans bouger. – (choses) Que rien ne fait mouvoir. 2 fig. Fixé. → **invariable.**

**immobilier, ière** adj. 1 dr. Qui est immeuble, composé de biens immeubles. 2 Qui concerne des immeubles. – *Société immobilière,* s'occupant de la construction, de la vente d'immeubles. ♦ n. m. *L'immobilier :* le commerce d'immeubles, de maisons, etc.

**immobilisation** n. f. 1 Action d'immobiliser. 2 au plur. fin. Les éléments de l'actif (d'une entreprise) qui servent de façon durable à son exploitation.

**immobiliser** v. tr. [1] Rendre immobile, maintenir dans l'immobilité ou l'inactivité. ▷ v. pron. **s'immobiliser**

**immobilisme** n. m. Disposition à refuser le mouvement ou le progrès. ► **immobiliste** adj. et n.

**immobilité** n. f. 1 État de ce qui est immobile. 2 fig. État de ce qui ne change pas.

**immodéré, ée** adj. Qui n'est pas modéré, qui dépasse la mesure. → **démesuré, excessif.** ► **immodérément** adv. littér.

**immodeste** adj. vieilli Qui manque à la pudeur. ► **immodestie** n. f. vieilli

**immoler** v. tr. [1] 1 relig. Tuer en sacrifice à une divinité. 2 fig., littér. *Immoler ses intérêts à son devoir.* → **sacrifier.** ▷ v. pron. **s'immoler** Faire le sacrifice de sa vie. ► **immolation** n. f. littér.

**immonde** adj. 1 littér. Impur selon la loi religieuse. 2 D'une saleté ou d'une laideur qui soulève le dégoût. → **répugnant.** 3 Très immoral, révoltant. → **ignoble.**

**immondice** n. f. 1 vx Chose immonde. 2 au plur. Déchets, détritus. → **ordure.**

**immoral, ale, aux** adj. Contraire aux principes de la morale établie ; qui viole ces principes. → **corrompu, dépravé.** ► **immoralité** n. f.

> Ne pas confondre *immoral* avec *amoral* «étranger à la moralité».

**immoralisme** n. m. Doctrine qui propose des règles d'action différentes, voire inverses de celles qu'admet la morale courante. ► **immoraliste** adj. et n.

**immortaliser** v. tr. [1] Rendre immortel dans la mémoire des hommes.

**immortalité** n. f. 1 Qualité, état de ce qui est immortel. 2 littér. État de ce qui survit sans fin dans la mémoire des hommes.

**immortel, elle** adj. et n. 1 Qui n'est pas sujet à la mort. – n. littér. *Les immortels :* les dieux. 2 Que l'on suppose ne devoir jamais finir, que rien ne pourra détruire. → **impérissable.** 3 Qui survit et doit survivre dans la mémoire des hommes. 4 n. Membre de l'Académie française.

**immortelle** n. f. Plante dont la fleur desséchée présente une collerette colorée.

**immotivé, ée** adj. Qui n'a pas de motif. → **gratuit, injustifié.**

**immuable** adj. 1 didact. Qui reste identique. 2 cour. Qui ne change guère, dure longtemps. → **constant, invariable.** ► **immuabilité** n. f. ► **immuablement** adv.

**immuniser** v. tr. [1] 1 Rendre réfractaire à une maladie. 2 fig. *Immuniser qqn contre,* protéger de. ► **immunisation** n. f.

**immunitaire** adj. méd. De l'immunité (II). *Système immunitaire de l'organisme.*

**immunité** n. f. I Prérogative accordée par la loi à une catégorie de personnes. – *Immunité parlementaire,* protégeant les parlementaires des actions judiciaires. – *Immunité diplomatique,* protégeant les diplomates. II Propriété (d'un organisme) de résister à une cause de maladie.

**immunodéficience** [-jɑ̃s] n. f. méd. Déficience immunitaire. *Syndrome d'immunodéficience acquise.* → **sida.** ► **immunodéficitaire** adj. et n.

**immunodépresseur** adj. m. et n. m. biol. Se dit d'une substance, d'un procédé capable de diminuer ou de supprimer les réactions immunitaires de l'organisme. – syn. **immunosuppresseur** adj. m. et n. m.

**immunodéprimé, ée** adj. méd. Qui n'a pas des réactions immunitaires normales.

**immunologie** n. f. Étude des phénomènes d'immunité (II). ► **immunologique** adj. ► **immunologiste** n.

**immunothérapie** n. f. méd. Traitement pour provoquer ou augmenter l'immunité (II), par injection d'anticorps ou d'antigènes.

**impact** [-akt] n. m. **1** Collision, heurt. – *Point d'impact,* endroit où un projectile vient frapper ; trace qu'il laisse. **2** fig. Effet produit. *L'impact d'une décision.*

**impair, aire I** adj. Se dit d'un nombre entier qui n'est pas divisible par deux. **II** n. m. Maladresse choquante. → fam. **gaffe.**

**impala** [impala] n. m. Petite antilope des savanes de l'est et du sud de l'Afrique.

**impalpable** adj. **1** Immatériel, imperceptible au toucher. **2** Dont les éléments séparés sont si petits qu'on ne les sent pas au toucher. *Une poussière impalpable.*

**imparable** adj. Qu'on ne peut éviter.

**impardonnable** adj. Qui ne mérite pas de pardon, d'excuse.

**imparfait, aite I** adj. **1** littér. Qui n'est pas achevé, pas complet. → **incomplet. 2** Qui présente des défauts, des imperfections. → **inégal. II** n. m. Temps du verbe ayant surtout pour fonction d'énoncer une action en voie d'accomplissement dans le passé et conçue comme non achevée.

**imparfaitement** adv. D'une manière imparfaite.

**impartial, ale, aux** adj. Qui est sans parti pris. → **juste, neutre, objectif.** ► **impartialement** adv. ► **impartialité** n. f.

**impartir** v. tr. [2] seulement inf., indic. prés. et p. p. littér. Donner en partage. *Les dons que la nature nous a impartis.* – dr. Accorder. *Impartir un délai à qqn.*

**impasse** n. f. **1** Rue sans issue. ♦ fig. Situation sans issue. **2** *Impasse budgétaire :* déficit qui sera couvert par l'emprunt, etc. **3** (aux cartes) *Faire l'impasse au roi :* jouer la dame, quand on a l'as. ♦ Partie du programme qu'un élève néglige d'apprendre. – loc. *Faire l'impasse sur qqch.,* ne pas prendre en compte (en prenant un risque).

**impassible** adj. Qui n'éprouve ou ne trahit aucune émotion, aucun sentiment. ► **impassiblement** adv. ► **impassibilité** n. f.

**impatience** [-jɑ̃s] n. f. **1** Manque de patience (habituel, naturel). **2** Incapacité de se contraindre pour supporter, attendre qqch. ou qqn. *Donner des signes d'impatience.*

**impatient, ente** [-jɑ̃, -ɑ̃t] adj. **1** Qui manque de patience. **2** *Impatient de* (+ inf.) : pressé de. ► **impatiemment** adv.

**impatienter** [-sjɑ̃-] v. tr. [1] Faire perdre patience à. → **agacer, énerver.** ▷ v. pron. s'**impatienter**

**impavide** adj. littér. Qui n'éprouve ou ne montre aucune crainte. ► **impavidité** n. f.

**impayable** adj. fam. Bizarre et comique.

**impayé, ée** adj. Qui n'a pas été payé. ♦ n. m. Effet de commerce impayé.

**impeccable** adj. **1** littér. Incapable de commettre une erreur, une faute morale. **2** Sans défaut, parfait. → **irréprochable. 3** D'une propreté, d'une tenue parfaite.

**impeccablement** adv. D'une manière impeccable (2 ou 3).

**impécunieux, ieuse** adj. littér. Qui manque d'argent. ► **impécuniosité** n. f.

**impédance** n. f. électr. Grandeur qui est, pour les courants alternatifs, l'équivalent de la résistance pour les courants continus.

**impedimenta** [ɛ̃pedimɛ̃ta] n. m. pl. littér. Ce qui entrave l'activité.

**impénétrable** adj. **1** Où l'on ne peut pénétrer ; qui ne peut être traversé. *Forêt impénétrable.* **2** Difficile à connaître, à expliquer. → **incompréhensible, insondable. 3** Qui ne laisse rien deviner de soi-même. ► **impénétrabilité** n. f. littér.

**impénitent, ente** adj. **1** relig. Qui ne se repent pas de ses péchés. **2** Qui persiste dans une habitude. → aussi **invétéré.** ► **impénitence** n. f.

**impensable** adj. Difficile à concevoir.

**impératif, ive I** n. m. **1** gramm. Mode qui exprime le commandement et la défense. **2** Prescription d'ordre moral, etc. *Les impératifs de la mode.* **II** adj. Qui exprime, impose un ordre. ► **impérativement** adv.

**impératrice** n. f. **1** Épouse d'un empereur. **2** Souveraine d'un empire.

**imperceptible** adj. **1** Impossible ou difficile à percevoir par les organes des sens. **2** Difficile à apprécier par l'esprit. *Nuance imperceptible.* ► **imperceptiblement** adv.

**imperfectif** adj. gramm. *Verbe imperfectif,* qui exprime la durée (opposé à *perfectif*).

**imperfection** n. f. **1** État de ce qui est imparfait. **2** Ce qui rend imparfait ; défaut.

**impérial, ale, aux** adj. D'un empereur, d'un empire. ♦ Qui évoque un empereur.

**impériale** n. f. Étage supérieur de véhicules publics. *Autobus à impériale.*

**impérialisme** n. m. **1** Politique d'un État visant à réduire d'autres États sous sa dépendance. **2** fig. Caractère dominateur (de qqn, qqch.). ► **impérialiste** adj. et n.

**impérieux, euse** adj. **1** Qui commande d'une façon qui n'admet ni résistance ni réplique. **2** (choses) Qui force à céder. *Un besoin impérieux.* ► **impérieusement** adv.

**impérissable** adj. (choses) Qui ne peut périr, qui dure très longtemps.

**impéritie** n. f. littér. Manque d'aptitude, d'habileté. → **incapacité.**

**imperméabiliser** v. tr. [1] Rendre imperméable (1). – au p. p. *Tissu imperméabilisé.*

**imperméable** adj. **1** Qui ne se laisse pas traverser par un liquide, notamment par l'eau. ♦ n. m. Vêtement de pluie en tissu imperméabilisé. **2** fig. Qui ne se laisse pas atteindre ; étranger (à). *Imperméable à l'art.* → **insensible.** ► **imperméabilité** n. f.

**impersonnel, elle** adj. **1** gramm. Qui exprime une action sans sujet réel ou déterminé. *Verbes impersonnels* (ex. *pleuvoir*). **2** didact. Qui n'appartient pas, ne s'adresse pas à une personne. *La loi est impersonnelle.* **3** Qui n'a aucune particularité. *Un style impersonnel.* → **neutre.** ► **impersonnalité** n. f. ► **impersonnellement** adv.

**impertinence** n. f. **1** Attitude, conduite d'une personne impertinente. **2** Parole, action impertinente.

**impertinent, ente** adj. Qui montre de l'irrévérence. → **insolent.** – n. *Un impertinent.* ♦ (choses) *Ton impertinent.*

**imperturbable** adj. Que rien ne peut troubler. – (choses) *Une foi imperturbable.* → **inébranlable.** ► **imperturbablement** adv.

**impétigo** n. m. méd. Maladie de la peau caractérisée par la formation de vésicules.

**impétrant, ante** n. admin. Personne qui a obtenu qqch. (titre, etc.) d'une autorité.

**impétueux, euse** adj. **1** littér. Dont l'impulsion est violente et rapide. *Vent impétueux.* **2** (personnes) Ardent, fougueux. ► **impétueusement** adv. ► **impétuosité** n. f.

**impie** adj. et n. Qui a ou marque le mépris de la religion. ► **impiété** n. f.

**impitoyable** adj. **1** Qui est sans pitié. → **implacable. 2** Qui juge sans indulgence. → **sévère.** ► **impitoyablement** adv.

**implacable** adj. **1** littér. Dont on ne peut apaiser la violence. *Une haine implacable.* **2** Qui est sans pitié. → **inflexible. 3** À quoi l'on ne peut se soustraire. *Une logique implacable.* ► **implacablement** adv.

**implant** n. m. méd. Comprimé ou objet introduit sous la peau ou dans un tissu organique à des fins thérapeutiques, contraceptives.

**implanter** v. tr. [1] Introduire et faire se développer d'une manière durable. *Implanter une mode.* ▷ v. pron. **s'implanter** Se fixer, s'établir. ► **implantation** n. f.

**implémenter** v. tr. [1] anglic., inform. Réaliser la phase finale d'élaboration de (un système), permettant la mise en fonction. ► **implémentation** n. f. anglic.

**implication** n. f. **1** Action d'impliquer qqn. **2** Relation par laquelle une chose en implique une autre. ♦ **au plur.** Conséquences. → **incidence, retombée.**

**implicite** adj. Qui est contenu dans une proposition, un fait, sans être exprimé. *Condition implicite.* ► **implicitement** adv.

**impliquer** v. tr. [1] **1** Engager (dans une affaire fâcheuse) ; mettre en cause (dans une accusation). → **compromettre, mêler.** – passif *Être impliqué dans un trafic.* **2** (sujet chose) Entraîner (qqch.) comme conséquence. **3** Engager (dans un processus...). – pronom. *S'impliquer dans son travail.* → s'**investir.**

**implorer** v. tr. [1] **1** Supplier (qqn) d'une manière humble. **2** Demander (une aide, une faveur) avec insistance. → **solliciter.** ► **implorant, ante** adj. ► **imploration** n. f. littér.

**imploser** v. intr. [1] Faire implosion.

**implosion** n. f. Irruption brutale d'un fluide dans un milieu de pression beaucoup plus faible que la pression extérieure.

**impluvium** [-jɔm] n. m. Antiq. romaine Bassin creusé pour les eaux de pluie.

**impoli, ie** adj. Qui manque à la politesse. → **incorrect.** *Être impoli envers qqn.* – *Des manières impolies.* ► **impoliment** adv.

**impolitesse** n. f. **1** Manque de politesse. **2** Acte, manifestation d'impolitesse.

**impondérable** adj. **1** didact. Qui n'a pas de poids mesurable. **2** Dont l'action, quoique effective, ne peut être appréciée ni prévue. – n. m. *Les impondérables de la vie.*

**impopulaire** adj. Qui déplaît au peuple. ♦ Qui est mal vu (dans un groupe). ► **impopularité** n. f.

**importance** n. f. **1** Caractère de ce qui est important. **2** (personnes) Autorité que confèrent un rang social élevé, des responsabilités. **3** loc. adj. *D'importance* : important. *L'affaire est d'importance.*

**important, ante** adj. **I** (choses) **1** Qui a de grandes conséquences, beaucoup d'intérêt (→ ② **importer**). *Un rôle important.* – n. m. Ce qui importe. *Le plus important est fait.* **2** Considérable. *Une somme importante.* **II** (personnes) Qui a de l'importance (2). – n. péj. *Faire l'important.*

**importateur, trice** n. Personne qui importe (①) des produits. – adj. *Pays importateur.*

**importation** n. f. **1** Action d'importer (des produits). **2** Ce qui est importé.

① **importer** v. tr. [1] **1** Introduire sur le territoire national (des produits en provenance de pays étrangers). **2** Introduire (qqch. ; une coutume) dans un pays.

② **importer** v. [1] seulement à l'inf. et aux 3es pers. **1** v. tr. ind. (choses) *Importer à qqn* : avoir de l'importance pour qqn. → **intéresser.** *Votre opinion nous importe beaucoup.* **2** v. intr.

Avoir de l'importance. → **compter.** *C'est la seule chose qui importe.* **3 v. impers.** *Il importe de réfléchir, que nous réfléchissions.* **4 loc. pron. indéf.** *N'importe qui, quoi* : une personne, une chose quelconque. – **loc. adj. indéf.** *N'importe quel, quelle* (chose, personne). *Acheter à n'importe quel prix.* – **loc. adv.** *N'importe comment, où, quand* : d'une manière, dans un endroit, à un moment quelconque.

**import-export** n. m. anglic. Commerce de produits importés et exportés.

**importun, une** adj. **1** Qui ennuie, gêne par sa présence ou sa conduite. – n. *Éviter un importun.* → **gêneur. 2** (choses) Gênant.

**importuner** v. tr. [1] littér. Ennuyer en étant importun. → **déranger, gêner.**

**imposable** adj. Qui peut être imposé, assujetti à l'impôt.

**imposant, ante** adj. **1** Qui impose le respect. **2** Qui impressionne par l'importance, la quantité. → **considérable.**

**imposer** v. tr. [1] **I 1** Faire payer obligatoirement. *Imposer une taxe.* **2** Assujettir (qqn) à l'impôt. **3** *Imposer qqch. à qqn* : prescrire ou faire subir à qqn (une chose pénible). ♦ Faire admettre (qqch.). *Il a imposé ses vues.* **4** Faire accepter (qqn) par force, etc. *Il nous a imposé son protégé.* **II** tr. ind. *En imposer à qqn,* faire une forte impression sur lui. **III** *Imposer les mains,* les poser sur qqn (pour bénir...). ▷ v. pron. **s'imposer 1** (sujet chose) Être obligatoire. **2** (personnes) Se faire admettre (par sa valeur...). ▷ adj. **imposé, ée 1** Obligatoire. **2** Soumis à l'impôt.

**imposition** n. f. **I 1** Fait d'imposer (une contribution). **2** Impôt, contribution. **II** Action d'imposer (les mains).

**impossibilité** n. f. **1** Caractère de ce qui est impossible. **2** Chose impossible.

**impossible I** adj. **1** Qui ne peut se produire, être réalisé. *Événement impossible.* – *Une idée impossible à admettre,* qu'on ne peut admettre. ♦ impers. *Il est impossible de* (+ inf.) ; *que* (+ subj.). **2** Très difficile, très pénible (à faire, imaginer...). **3** fam. Extravagant, invraisemblable. *Il lui arrive toujours des aventures impossibles.* **4** (personnes) Insupportable. → **invivable. II** n. m. **1** Ce qui n'est pas possible. *Vouloir l'impossible.* – par exagér. *Nous ferons l'impossible,* tout notre possible. **2** loc. adv. *Par impossible* : par une hypothèse peu vraisemblable.

**imposte** n. f. **1** archit. Tablette saillante sur un pilier. **2** Partie supérieure (d'une porte, d'une fenêtre).

**imposteur** n. m. Personne qui trompe autrui en usurpant une qualité.

**imposture** n. f. Tromperie d'un imposteur.

**impôt** n. m. Prélèvement que l'État opère sur les ressources des particuliers pour subvenir aux charges publiques ; sommes prélevées. – *Impôts directs,* prélèvement d'une partie du revenu. *Impôts indirects,* taxes.

**impotent, ente** adj. Qui ne peut pas se déplacer, ou se déplace très difficilement. → **infirme, invalide.** – n. *Des impotents.* ► **impotence** n. f.

**impraticable** adj. **1** littér. Que l'on ne peut mettre en pratique. **2** Où l'on passe très difficilement. *Piste impraticable.*

**imprécateur, trice** n. littér. Personne qui profère des imprécations.

**imprécation** n. f. littér. Souhait de malheur contre qqn. → **malédiction.** ► **imprécatoire** adj. littér.

**imprécis, ise** adj. Qui n'est pas précis, manque de netteté. → **flou, vague.**

**imprécision** n. f. Manque de précision.

**imprédictible** adj. didact. Que l'on ne peut prédire. → **imprévisible.**

**imprégner** v. tr. [6] **1** Pénétrer (un corps) de liquide dans toutes ses parties. → **imbiber. 2** fig. Pénétrer, influencer profondément. ► **imprégnation** n. f.

**imprenable** adj. **1** Qui ne peut être pris. *Fort imprenable.* **2** *Vue imprenable,* qui ne peut être masquée par des constructions.

**impréparation** n. f. Manque de préparation (en sports, avant un examen...).

**imprésario** [ɛ̃pʀesaʀjo ; -z-] n. Personne qui s'occupe de l'organisation des spectacles et des engagements d'un artiste.

**imprescriptible** adj. Qui ne peut pas être enlevé après un délai (→ **prescription**).

**impression** n. f. **I 1** Procédé de reproduction par pression d'une surface sur une autre qui en garde l'empreinte. **2** Reproduction d'un texte par l'imprimerie. **II 1** Marque, effet qu'une cause produit sur qqn. – *Faire impression* : attirer l'attention. **2** Connaissance élémentaire, immédiate et vague. → **sentiment, sensation.** *Éprouver une impression de gêne.* – *Avoir l'impression de... ; que...* → **croire, imaginer. 3** psych. État physiologique provoquant une sensation. *Impression tactile.*

**impressionnable** adj. Facile à impressionner. → **émotif, sensible.**

**impressionner** v. tr. [1] **I** Affecter (qqn) d'une vive impression. → **frapper, toucher. II** Laisser une image (sur une pellicule photographique). ► **impressionnant, ante** adj. → **étonnant, frappant.**

**impressionnisme** n. m. **1** Style des peintres impressionnistes (1). **2** Manière littéraire, musicale qui cherche à rendre des impressions fugitives.

**impressionniste 1** adj. et n. Se dit de peintres qui, à la fin du XIXe siècle, s'efforcèrent d'exprimer les impressions que les objets et la lumière suscitent. **2** adj. De l'impressionnisme (2).

**imprévisible** adj. Qui ne peut être prévu.

**imprévoyant, ante** adj. Qui manque de prévoyance. → **insouciant.** ► **imprévoyance** n. f.

**imprévu, ue** adj. Qui n'a pas été prévu. → **inopiné.** - n. m. *Aimer l'imprévu.*

**imprimante** n. f. Machine (périphérique d'ordinateur) qui imprime sur papier des textes ou des éléments graphiques.

**imprimatur** n. m. invar. didact. Autorisation d'imprimer (accordée par une autorité).

**imprimé, ée** adj. **1** Reproduit par impression ; orné de motifs ainsi reproduits. *Tissu imprimé.* - n. m. *Un imprimé à fleurs.* **2** Reproduit par l'imprimerie. ♦ n. m. Impression ou reproduction sur papier. - Feuille imprimée. *Remplir un imprimé.*

**imprimer** v. tr. [1] **I 1** littér. Faire pénétrer (dans l'esprit de qqn). → **inspirer, inculquer.** **2** Communiquer, transmettre (un mouvement...). *Imprimer des secousses à qqch.* **II 1** littér. Faire, laisser (une trace) par pression. - au p. p. *Traces imprimées dans le sable.* **2** Reproduire (une figure, une image) par pression d'une surface sur une autre (→ **impression,** I, 1). **3** Reproduire (un texte) par la technique de l'imprimerie.

**imprimerie** n. f. **1** Action d'imprimer (II, 3) ; techniques permettant la reproduction d'un texte par impression de caractères mobiles (→ **typographie**) ou report sur plaques (→ **héliogravure, offset**). **2** Établissement, lieu où l'on imprime (des livres, des journaux...). ♦ Matériel artisanal servant à l'impression.

**imprimeur** n. m. **1** Propriétaire, directeur d'une imprimerie. **2** Personne travaillant dans une imprimerie.

**improbable** adj. **1** Qui n'est pas probable. *Éventualité improbable.* **2** Étonnant, insolite. *Tenue improbable.* ► **improbabilité** n. f.

**improbation** n. f. littér. Action de désapprouver, de condamner (contr. *approbation*).

**improductif, ive** adj. Qui ne produit, ne rapporte rien. *Un sol improductif.* ♦ n. Personne qui ne contribue pas à produire des biens. ► **improductivité** n. f.

**impromptu, ue** [-ɔ̃pty] **I** n. m. Petite pièce (de vers, de musique...). **II** adj. Improvisé. *Dîner impromptu.* **III** adv. À l'improviste, sans préparation.

**impropre** adj. **1** Qui ne convient pas, n'exprime pas exactement l'idée. *Mot impropre.* **2** *Impropre à :* qui n'est pas propre, adapté à. ► **improprement** adv.

**impropriété** n. f. Caractère de ce qui est impropre. ♦ Emploi impropre d'un mot.

**improvisateur, trice** n. Personne qui improvise.

**improvisation** n. f. **1** Action, art d'improviser. **2** Ce qui est improvisé.

**improviser** v. tr. [1] **1** Composer sur-le-champ et sans préparation. *Improviser un discours.* - absolt *Improviser au piano.* **2** Organiser à la hâte. *Improviser une rencontre.* **3** Pourvoir inopinément (qqn) d'une fonction. *On l'improvisa cuisinier.*

à l'**improviste** loc. adv. D'une manière imprévue. → **inopinément, subitement.**

**imprudence** n. f. **1** Manque de prudence. **2** Action imprudente.

**imprudent, ente** adj. Qui manque de prudence. - n. *Une imprudente.* ♦ (choses) *Choix imprudent.* ► **imprudemment** adv.

**impubère** adj. et n. littér. Qui n'a pas atteint la puberté. ► **impuberté** n. f.

**impubliable** adj. Qu'on ne peut pas publier (pour des raisons esthétiques...).

**impudence** n. f. littér. **1** Effronterie audacieuse ou cynique qui choque, indigne. **2** Action, parole impudente.

**impudent, ente** adj. littér. Qui montre de l'impudence. → **cynique, effronté, insolent.** ► **impudemment** [-amɑ̃] adv.

**impudeur** n. f. **1** Absence de pudeur, de retenue, de discrétion. → **impudicité, indécence.** **2** rare Impudence, cynisme.

**impudique** adj. Qui outrage la pudeur. - (choses) → **indécent, obscène.** ► **impudiquement** adv. ► **impudicité** n. f. vieilli

**impuissance** n. f. **1** Manque de moyens suffisants pour faire qqch. → **faiblesse, incapacité.** **2** (pour l'homme) Incapacité d'accomplir l'acte sexuel normal et complet.

**impuissant, ante** adj. **1** Qui n'a pas de moyens suffisants pour faire qqch. - (choses) Sans effet, inefficace. **2** (homme) Qui souffre d'impuissance (2). - n. m. *Un impuissant.*

**impulsif, ive** adj. Qui agit sous l'impulsion de mouvements spontanés ou plus forts que sa volonté. - n. *Un impulsif.* ♦ *Acte impulsif.* ► **impulsivement** adv.

**impulsion** n. f. **1** Action de pousser ; ce qui pousse. *Communiquer une impulsion à qqch.* **2** fig. Fait d'inciter ; ce qui anime. *Impulsion donnée à un projet.* **3** littér. → **influence.** *Sous l'impulsion de la colère.* **4** Tendance spontanée qui pousse à agir.

**impulsivité** n. f. littér. Caractère impulsif.

**impunément** adv. **1** Sans subir de punition. **2** Sans dommage pour soi.

**impuni, ie** adj. Qui n'est pas puni.

**impunité** n. f. Absence de punition.

**impur, ure** adj. **1** Altéré, corrompu par des éléments étrangers. **2** Dont la loi religieuse commande de fuir le contact. **3** littér. Mauvais (moralement). ♦ Indécent.

**impureté** n. f. **1** Caractère impur. **2** Ce qui rend impur ; élément qui altère qqch.

**imputable** adj. **1** Qui peut ou doit être imputé (I). **2** Qui doit être imputé (II).

**imputer** v. tr. [1] **I** *Imputer à qqn :* attribuer à qqn (une chose blâmable). **II** Appliquer (une somme) à un compte déterminé. ► **imputation** n. f.

**imputrescible** adj. Qui ne peut pourrir. ► **imputrescibilité** n. f.

**inabordable** adj. **1** littér. Impossible ou très difficile à approcher (sens propre et fig.). → **inaccessible. 2** D'un prix très élevé.

**inaccentué, ée** adj. Qui ne porte pas d'accent (1). → **atone.**

**inacceptable** adj. Que l'on ne peut, que l'on ne doit pas accepter. → **inadmissible.**

**inaccessible** adj. **1** Dont l'accès est impossible. *Un sommet inaccessible.* ♦ (personnes) D'un abord difficile. ♦ Qu'on ne peut atteindre, comprendre. **2** *Inaccessible à :* qui ne se laisse ni convaincre ni toucher par (qqch.). ► **inaccessibilité** n. f.

**inaccoutumé, ée** adj. Qui n'a pas coutume de se produire. → **inhabituel.**

**inachevé, ée** adj. Qui n'est pas achevé.

**inachèvement** n. m. État de ce qui n'est pas achevé.

**inactif, ive** adj. **1** Qui est sans activité. → **oisif.** ♦ écon. Qui n'a pas d'activité professionnelle régulière. - n. *Les inactifs.* **2** (choses) Qui est sans action, sans efficacité.

**inaction** n. f. Absence de toute action.

**inactiver** v. tr. [1] biol. Rendre inactif. - au p. p. *Virus inactivé.* ► **inactivation** n. f.

**inactivité** n. f. Absence d'activité.

**inadaptation** n. f. Défaut d'adaptation (à qqch.). ♦ État d'une personne inadaptée.

**inadapté, ée** adj. Qui n'est pas adapté (à qqch.). ♦ absolt *Enfant inadapté* (à la vie scolaire...). - n. *Rééducation des inadaptés.*

**inadéquat, ate** [-kwa(t), -at] adj. Qui n'est pas adéquat. ► **inadéquation** n. f.

**inadmissible** adj. Qu'on ne peut admettre.

**inadvertance** n. f. rare Inattention. ♦ cour. *Par inadvertance* loc. adv. : par mégarde.

**inaliénable** adj. **1** Qui ne peut être aliéné (1), cédé. **2** Qui ne peut être enlevé. *Droit inaliénable.*

**inaltérable** adj. **1** Qui ne peut être altéré. **2** Que rien ne peut changer. → **constant, éternel.** ► **inaltérabilité** n. f.

**inaltéré, ée** adj. Qui n'a subi aucune altération. → **intact, pur.**

**inamical, ale, aux** adj. Qui n'est pas amical. → **hostile.**

**inamovible** adj. **1** dr. Qui n'est pas amovible (1). **2** plais. Qu'on ne peut déplacer ; qui ne change pas. ► **inamovibilité** n. f.

**inanimé, ée** adj. **1** Qui, par essence, est sans vie. **2** (personnes) Mort ou sans connaissance. *Il est tombé inanimé.*

**inanité** n. f. littér. Caractère de ce qui est inutile, vain. *L'inanité de nos efforts.*

**inanition** n. f. Épuisement par défaut de nourriture. *Mourir d'inanition,* de faim.

**inaperçu, ue** adj. Qui n'est pas aperçu. - *Passer inaperçu,* ne pas être remarqué.

**inappétence** n. f. littér. Absence de besoin, de désir. - Absence d'appétit.

**inapplicable** adj. Qui ne peut être appliqué.

**inappréciable** adj. Qu'on ne saurait trop estimer ; de grande valeur. → **inestimable.**

**inapproprié, ée** adj. didact. Qui n'est pas approprié. → **inadéquat.**

**inapte** adj. **1** Qui n'est pas apte (à qqch.) ; qui manque d'aptitude. → **incapable. 2** milit. Impropre au service militaire ou à une arme en particulier. ► **inaptitude** n. f.

**inarticulé, ée** adj. Non articulé (son).

**inassouvi, ie** adj. littér. Qui n'est pas assouvi, satisfait. ► **inassouvissement** n. m.

**inattaquable** adj. **1** Qu'on ne peut attaquer ou mettre en cause avec succès. **2** Qui ne peut être altéré.

**inattendu, ue** adj. Qu'on n'attendait pas ; à quoi on ne s'attendait pas. → **inopiné.**

**inattentif, ive** adj. Qui ne prête pas attention. → **distrait, étourdi.**

**inattention** n. f. Manque d'attention.

**inaudible** adj. Qu'on ne peut entendre.

**inaugural, ale, aux** adj. Qui a rapport à une inauguration.

**inauguration** n. f. **1** Cérémonie par laquelle on inaugure (1). **2** fig., littér. Commencement, début.

**inaugurer** v. tr. [1] **1** Ouvrir au public pour la première fois (un monument, un édifice...). **2** Utiliser, entreprendre, mettre en pratique pour la première fois.

**inauthentique** adj. Qui n'est pas authentique. ► **inauthenticité** n. f.

**inavouable** adj. Qui n'est pas avouable.

**inavoué, ée** adj. Qui n'est pas avoué.

**inca 1** adj. Relatif aux Incas. **2** n. m. *L'Inca :* le chef de l'Empire inca.

**incalculable** adj. Impossible ou difficile à calculer ou à apprécier.

**incandescent, ente** adj. Chauffé à blanc ou au rouge vif ; rendu lumineux par une chaleur intense. ♦ fig., littér. → **ardent.** ► **incandescence** n. f.

**incantation** n. f. Emploi de paroles magiques pour opérer un charme, un sortilège ; ces paroles. ► **incantatoire** adj.

**incapable** adj. **1** *Incapable de :* qui n'est pas capable de (par nature ou par accident, de façon temporaire ou définitive). → **impuissant, inapte. 2** absolt Qui n'a pas l'aptitude, la capacité nécessaire. - n. *Un, une incapable.* → **nullité. 3** dr. Qui est en état d'incapacité (3) juridique.

**incapacité** n. f. **1** État d'une personne incapable (de faire qqch.). *Je suis dans l'incapacité de vous répondre.* ♦ absolt Incompétence. **2** État d'une personne qu'une blessure, une maladie a rendue incapable de travailler. **3** dr. Absence de l'aptitude à jouir d'un droit ou à l'exercer soi-même.

**incarcérer** v. tr. [6] Mettre en prison. ► **incarcération** n. f.

**incarnat, ate** adj. D'un rouge clair, vif.

**incarnation** n. f. **1** relig. chrét. Union en Jésus-Christ des natures divine et humaine. **2** Ce qui incarne (qqch. d'abstrait).

② **incarné, ée** adj. *Ongle incarné*, qui a pénétré dans la chair.

**incarner** v. tr. [1] **1** Revêtir (un être spirituel) d'un corps, d'une forme humaine ou animale (surtout pronom.). **2** Représenter en soi (une chose abstraite). **3** Représenter (un personnage) dans un spectacle. → **jouer.** ▷ adj. ① **incarné, ée** → **personnifié.**

**incartade** n. f. Léger écart de conduite.

**incassable** adj. Qui ne se casse pas.

**incendiaire I** n. Personne qui allume un incendie. → **pyromane. II** adj. **1** Propre à causer un incendie. **2** fig. Propre à enflammer les esprits, à allumer la révolte. ◆ Qui éveille le désir amoureux.

**incendie** n. m. Grand feu qui se propage en causant des dégâts.

**incendier** v. tr. [7] **1** Mettre en feu. → **brûler. 2** (sujet chose) Irriter en donnant une impression de brûlure. **3** littér. Colorer d'une lueur ardente. **4** fig. Enflammer, exciter (l'esprit...). **5** fam. Accabler (qqn) de reproches.

**incertain, aine** adj. **I 1** Qui n'est pas fixé d'avance, certain, assuré. *Le résultat est incertain.* ◆ Sur lequel on ne peut compter. - *Le temps est incertain.* → **changeant. 2** Qui n'est pas connu avec certitude. **3** littér. Dont la forme, la nature n'est pas nette. → **confus, imprécis, vague. II** (personnes) Qui manque de certitude, de décision ; qui est dans le doute. → **embarrassé, hésitant, indécis, irrésolu.** - *Une démarche incertaine.*

**incertitude** n. f. **I 1** État de ce qui est incertain. **2** Chose imprévisible. → **aléa. II** État d'une personne incertaine.

**incessamment** adv. **1** vieilli Continuellement. **2** mod. Très prochainement.

**incessant, ante** adj. Qui ne cesse pas. → **continuel, ininterrompu.**

**incessible** adj. dr. Qui ne peut être cédé.

**inceste** n. m. Relations sexuelles entre proches parents (dont le mariage est interdit). ► **incestueux, euse** adj.

**inchangé, ée** adj. Qui n'a pas changé.

**inchoatif, ive** [-kɔ-] adj. ling. Qui sert à exprimer une progression.

**incidemment** [-amɑ̃] adv. D'une manière incidente. → **accessoirement.**

**incidence** n. f. **1** phys. Rencontre d'un rayon et d'une surface. **2** littér. Conséquence, effet, influence. → **retombée.**

① **incident** n. m. **1** Petit événement qui survient. ◆ Petite difficulté imprévue. **2** Événement peu important en lui-même mais capable d'entraîner de graves conséquences. *Un incident de frontière.* **3** Objection, difficulté (dans un débat). - loc. *L'incident est clos* : la querelle est terminée.

② **incident, ente** adj. **1** Qui est accessoire, non essentiel. **2** phys. *Rayon incident* (à une surface), qui la rencontre. **3** adj. et n. f. gramm. Se dit d'une proposition qui introduit dans une phrase un énoncé accessoire (ex. *Vous irez — je le suppose — avec elle*).

**incinérateur** n. m. Dispositif pour incinérer (spécialt les ordures).

**incinérer** v. tr. [6] Réduire en cendres. → **brûler.** ► **incinération** n. f. → **crémation.**

**incipit** [ɛ̃sipit] n. m. invar. didact. Premiers mots (d'un livre...).

**incise** n. f. gramm. Courte proposition insérée dans une phrase, notamment pour rapporter les paroles de qqn (ex. *dit-elle*, dans *dès demain, dit-elle, je pars*).

**inciser** v. tr. [1] Fendre avec un instrument tranchant. → **couper, entailler.**

**incisif, ive** adj. **1** vx Tranchant (→ **incisive**). **2** fig. Mordant dans l'expression.

**incision** n. f. **1** Action d'inciser. **2** Coupure, fente faite en incisant.

**incisive** n. f. Dent aplatie et tranchante, sur le devant de la mâchoire.

**incitatif, ive** adj. Qui incite à faire qqch.

**inciter** v. tr. [1] **1** Entraîner, pousser (qqn à faire qqch.). **2** (sujet chose) Conduire (qqn) à un comportement. → **engager.** ► **incitation** n. f.

**incivil, ile** adj. littér. Impoli.

**incivilité** n. f. littér. Impolitesse.

**inclassable** adj. Qu'on ne peut classer, définir. *Une œuvre inclassable.*

**inclément, ente** adj. littér. Dur, rigoureux. *Temps inclément.* ► **inclémence** n. f.

**inclinaison** n. f. **1** État de ce qui est incliné. **2** phys. *Inclinaison magnétique* : angle formé avec l'horizon par une aiguille aimantée. **3** Position penchée (de la tête...).

> Ne pas confondre avec *inclination* «penchant».

**inclination** n. f. **I** Action d'incliner (la tête ou le corps) en signe d'acquiescement ou de déférence. **II** fig. **1** Mouvement affectif, spontané vers qqn, qqch. → **penchant, tendance.** *Suivre ses inclinations.* **2** littér. Mouvement qui porte à aimer qqn.

> Ne pas confondre avec *inclinaison* «état de ce qui est incliné».

**incliner** v. [1] **I** v. tr. **1** Rendre oblique (ce qui est droit). → **baisser, courber, pencher.** *Incliner la tête.* **2** *Incliner qqn à*, le rendre enclin à. → **inciter** à. **II** v. intr. littér. *Incliner* *à :* être enclin, porté à (qqch.). ▷ v. pron. s'**incliner** 1 Se courber, se pencher. 2 fig. *S'incliner devant qqn,* reconnaître sa supériorité. ♦ S'avouer vaincu, renoncer à lutter. *Je m'incline.*

**inclure** v. tr. [35] 1 Mettre (qqch.) dans un ensemble. → **insérer, introduire.** 2 abstrait (sujet chose) Comporter, impliquer.

Attention à la conjugaison au présent de l'indicatif : *j'inclus, tu inclus, il inclut.*

**inclus, use** adj. 1 Contenu, compris (dans). *Jusqu'à la page dix incluse.* 2 *Ci-inclus, ci-incluse,* ci-joint. *La lettre ci-incluse.* – (invar. avant le nom) *Ci-inclus notre facture.*

Avec un *s* au sing., contrairement à *exclu.*

**inclusif, ive** adj. 1 didact. Qui inclut (qqch.) en soi. 2 Qui n'exclut personne. *Société inclusive.*

**inclusion** n. f. 1 Action d'inclure ; ce qui est inclus. 2 math. Rapport entre deux ensembles dont l'un est compris dans l'autre.

**inclusivement** adv. En incluant (ce dont on vient de parler) (s'oppose à *exclusivement*).

**incoercible** [-kɔɛʀ-] adj. littér. Qu'on ne peut contenir, réprimer. → **irrépressible.**

**incognito** 1 adv. En faisant en sorte de ne pas être reconnu. 2 n. m. Situation de qqn qui cherche à ne pas être reconnu.

**incohérent, ente** adj. 1 Qui n'est pas cohérent. *Propos incohérents.* 2 Qui est sans unité. ► **incohérence** n. f.

**incollable** adj. I fam. Qu'on ne peut coller, qui répond à toutes les questions. II Qui ne colle pas. *Riz incollable.*

**incolore** adj. 1 Qui n'est pas coloré ; sans couleur. 2 fig. Sans éclat. → **terne.**

**incomber** v. tr. ind. [1] 3es pers. seulement (obligation...) *Incomber à :* peser sur (qqn), être imposé à (qqn). *Ces responsabilités lui incombent.* – impers. *C'est à vous qu'il incombe de,* c'est vous qui devez...

**incombustible** adj. Qui ne brûle pas. ► **incombustibilité** n. f.

**incommensurable** adj. didact. Non mesurable. ♦ cour. Très grand, très important. ► **incommensurablement** adv.

**incommode** adj. 1 Peu pratique à l'usage. 2 littér. Désagréable, qui gêne. ► **incommodément** adv. ► **incommodité** n. f.

**incommoder** v. tr. [1] Causer une gêne physique à (qqn), mettre mal à l'aise. → **indisposer.** – au p. p. *Être incommodé,* souffrant. ► **incommodant, ante** adj. → **gênant.**

**incommunicable** adj. 1 Dont on ne peut faire part à personne. 2 au plur. Qui ne peuvent être mis en communication. ► **incommunicabilité** n. f.

**incomparable** adj. 1 au plur. Qui ne peuvent être mis en comparaison. 2 À qui ou à quoi rien ne semble pouvoir être comparé (en bien) ; sans pareil. → **inégalable.** ► **incomparablement** adv.

**incompatible** adj. 1 Qui ne peut coexister, être associé (avec autre chose). 2 dr. (fonctions...) Dont la loi interdit le cumul. ► **incompatibilité** n. f.

**incompétent, ente** adj. 1 Qui n'a pas les connaissances suffisantes pour juger (dans un domaine). 2 dr. Qui n'est pas juridiquement compétent. ► **incompétence** n. f.

**incomplet, ète** adj. Qui n'est pas complet. ► **incomplètement** adv.

**incompréhensible** adj. 1 (sens fort) Inconcevable. 2 (sens faible) Impossible ou difficile à comprendre, à expliquer. *Texte incompréhensible.* – *Attitude incompréhensible.* ► **incompréhensibilité** n. f.

**incompréhensif, ive** adj. (personnes) Qui ne comprend pas autrui.

**incompréhension** n. f. Incapacité ou refus de comprendre qqn ou qqch.

**incompressible** adj. Qui n'est pas compressible. ► **incompressibilité** n. f.

**incompris, ise** adj. Qui n'est pas compris, apprécié. – n. *Un incompris.*

**inconcevable** adj. 1 Dont l'esprit humain ne peut se former aucune représentation. *L'infini est inconcevable.* 2 Impossible ou difficile à imaginer, à croire. → **incompréhensible, incroyable, inimaginable.** ► **inconcevablement** adv.

**inconciliable** adj. Qui n'est pas conciliable. → **incompatible.**

**inconditionnel, elle** adj. 1 Qui ne dépend d'aucune condition. → **absolu.** *Soutien inconditionnel.* 2 Partisan sans réserve (de qqn ; d'un parti). – n. *Des inconditionnels.* ► **inconditionnellement** adv.

**inconduite** n. f. Mauvaise conduite sur le plan moral. → **débauche.**

**inconfort** n. m. Manque de confort.

**inconfortable** adj. Qui n'est pas confortable. ► **inconfortablement** adv.

**incongru, ue** adj. Contraire aux usages, à la bienséance. *Une remarque incongrue.*

**incongruité** n. f. Action ou parole incongrue, déplacée.

**inconnaissable** adj. Qui ne peut être connu. – n. m. Ce qui échappe à la connaissance humaine.

**inconnu, ue** adj. 1 (choses) Dont on ignore l'existence ou la nature. – n. m. *La soif de l'inconnu.* 2 (personnes) Dont on ignore l'identité. *Enfant né de père inconnu.* – loc. fam. *Inconnu au bataillon**. 3 (choses) Qu'on connaît très peu, faute d'expérience. ♦ Qu'on n'a encore jamais ressenti. → **nouveau.** 4 (personnes) Dont on n'a jamais fait connaissance. – n. *Un inconnu l'a abordé.*

5 Qui n'est pas connu, célèbre. – n. plais. *Un illustre inconnu.*

**inconnue** n. f. math. Quantité inconnue (d'une équation). *Équation à deux inconnues.* ♦ Élément inconnu d'une situation.

**inconsciemment** [-amɑ̃] adv. De façon inconsciente, sans s'en rendre compte.

**inconscience** [-jɑ̃s] n. f. **1** Privation permanente ou momentanée de la conscience. **2** Absence de jugement. *C'est de l'inconscience.* → **folie.**

**inconscient, ente** [-jɑ̃, -ɑ̃t] **I** adj. **1** À qui la conscience fait défaut. **2** Qui n'a pas conscience (de qqch.). *Être inconscient du danger.* ♦ **absolt** *Il est complètement inconscient.* → **fou.** – n. *C'est un inconscient.* **3** (choses) Qui échappe à la conscience. *Mouvement inconscient.* **II** n. m. Ce qui échappe entièrement à la conscience, même quand le sujet cherche à le percevoir.

**inconséquence** n. f. **1** Manque de réflexion. **2** Action, parole inconséquente.

**inconséquent, ente** adj. littér. **1** (choses) Qui n'est pas conforme à la logique. ♦ Dont on n'a pas calculé les conséquences (qui risquent d'être fâcheuses). **2** (personnes) En contradiction avec soi-même. ♦ Qui ne calcule pas les conséquences de ses actes.

**inconsidéré, ée** adj. Qui témoigne d'un manque de réflexion. → **imprudent, irréfléchi.** ► **inconsidérément** adv.

**inconsistant, ante** adj. **1** Qui manque de consistance morale, de cohérence. *Un caractère inconsistant.* **2** Sans intérêt, sans profondeur (récit...). ► **inconsistance** n. f.

**inconsolable** adj. Qu'on ne peut consoler.

**inconsolé, ée** adj. Qui n'est pas consolé.

**inconstant, ante** adj. **1** Qui n'est pas constant, change facilement (d'opinion, etc.). → **changeant, instable, versatile.** ♦ spécialt Infidèle en amour. **2** (choses) littér. Qui est sujet à changer. ► **inconstance** n. f.

**inconstitutionnel, elle** adj. Qui n'est pas en accord avec la Constitution d'un État. ► **inconstitutionnalité** n. f.

**inconstructible** adj. (terrain) Où l'on ne peut construire.

**incontestable** adj. **1** Que l'on ne peut contester. → **certain, sûr.** **2** Indiscutable. *C'est un incontestable chef-d'œuvre.* ► **incontestablement** adv. → **assurément.**

**incontesté, ée** adj. Qui n'est pas contesté.

**incontinence** n. f. **1** Absence de retenue (dans le langage). **2** méd. Émission involontaire d'urine ou de matières fécales.

① **incontinent, ente** adj. **1** Qui manque de retenue, de modération. **2** méd. Atteint d'incontinence (2).

② **incontinent** adv. vieilli Sur-le-champ.

**incontournable** adj. Que l'on ne peut éviter ; dont il faut tenir compte.

**incontrôlable** adj. Qui n'est pas contrôlable.

**incontrôlé, ée** adj. **1** Qui n'est pas contrôlé. *Des nouvelles incontrôlées.* **2** Qui échappe à toute autorité. *Des éléments incontrôlés* (dans une manifestation).

**inconvenance** n. f. littér. **1** Caractère inconvenant. **2** Parole, action inconvenante.

**inconvenant, ante** adj. littér. Qui est contraire aux convenances, aux usages. → **choquant.** – spécialt Qui enfreint les règles sociales, en matière sexuelle. → **indécent.**

**inconvénient** [-jɑ̃] n. m. **1** Conséquence fâcheuse (d'une action, d'une situation). – *Si vous n'y voyez pas d'inconvénient :* si cela ne vous dérange pas. **2** Désavantage inhérent à une chose qui, par ailleurs, est ou peut être bonne.

**inconvertible** adj. Qu'on ne peut convertir (2). *Monnaie inconvertible.*

**incorporel, elle** adj. **1** Qui n'a pas de corps, n'est pas matériel. **2** dr. *Biens incorporels :* les droits, sauf le droit de propriété.

**incorporer** v. tr. [1] **1** Unir intimement (une matière à une autre). → **mélanger.** **2** Faire entrer comme partie dans un tout. → **joindre, réunir.** ♦ Enrôler (un conscrit). ► **incorporation** n. f.

**incorrect, ecte** [-ɛkt] adj. **1** Qui n'est pas correct (dans le domaine intellectuel, technique...). *Expression incorrecte.* → **impropre.** **2** Contraire aux usages, aux bienséances. *Tenue incorrecte.* – *Être incorrect avec qqn.* ► **incorrectement** adv.

**incorrection** n. f. **1** Défaut de correction du style. ♦ Expression incorrecte (1). **2** Caractère de ce qui est incorrect (2). → **inconvenance, indélicatesse.** ♦ Parole ou action incorrecte.

**incorrigible** adj. **1** Qui persévère dans ses défauts, ses erreurs. – plais. *Un incorrigible optimiste.* **2** (erreurs, défauts) Qui persiste chez qqn. ► **incorrigiblement** adv.

**incorruptible** adj. **1** (choses) Qui ne s'altère pas. → **inaltérable.** **2** (personnes) Qui ne se laisse pas corrompre. → **intègre.** ► **incorruptibilité** n. f.

**incrédule** adj. **1** Qui ne croit pas, qui doute (en matière de religion). → **sceptique.** – n. *Les incrédules.* **2** Qui se laisse difficilement persuader. – Qui marque un doute. *Un sourire incrédule.* ► **incrédulité** n. f.

**incréé, ée** adj. relig. Qui existe sans avoir été créé.

**increvable** adj. **1** Qui ne peut être crevé. **2** fig., fam. Qui n'est jamais fatigué.

**incriminer** v. tr. [1] Mettre (qqn, qqch.) en cause ; accuser (qqn). ► **incrimination** n. f.

**incroyable** **I** adj. **1** Qu'il est impossible ou très difficile de croire. → **étonnant, invraisemblable.** **2** Peu commun, peu ordinaire. → **extraordinaire, inouï.** *Un courage incroyable.* **3** (personnes) Dont le comportement étonne. **II** n. hist. *Les Incroyables :* sous le Directoire, Jeunes gens qui affichaient une recherche extravagante dans leur mise et dans leur langage.

**incroyablement** adv. D'une manière incroyable. → **extrêmement.**

**incroyant, ante** adj. Qui n'est pas croyant, refuse la foi religieuse. – n. *Les incroyants.* → **athée.** ► **incroyance** n. f.

**incrustation** n. f. **1** Action d'incruster. ♦ surtout plur. Ornement incrusté. **2** Dépôt pierreux laissé par une eau calcaire. **3** audiovis. Insertion d'une image dans une autre.

**incruste** n. f. fam. **1** Fait de s'incruster (chez qqn...). – loc. *Taper l'incruste,* se faire inviter. → **s'incruster** (2). **2** audiovis. Incrustation (3).

**incruster** v. tr. [1] **1** Orner (un objet, une surface) en insérant des fragments d'une autre matière. – au p. p. *Poignard incrusté d'or.* ♦ Insérer dans une surface (des fragments ornementaux). *Incruster de l'émail.* **2** (sujet chose) Couvrir d'un dépôt. **3** télév. Réaliser l'incrustation (3) de (une image). ▷ v. pron. **s'incruster 1** Adhérer fortement. **2** fig., fam. (personnes) *S'incruster chez qqn,* ne plus en partir.

**incubateur** n. m. → **couveuse** (2).

**incubation** n. f. **1** Action de couver des œufs ; développement de l'embryon dans l'œuf. **2** Temps qui s'écoule entre la contagion et l'apparition des symptômes d'une maladie. **3** fig. Période pendant laquelle un événement se prépare.

**incube** n. m. relig. Démon censé abuser d'une femme pendant son sommeil.

**inculper** v. tr. [1] Imputer à (qqn) une infraction sanctionnée pénalement. ▷ adj. et n. **inculpé, ée** ► **inculpation** n. f.

**inculquer** v. tr. [1] Faire entrer (qqch.) dans l'esprit d'une façon durable, profonde.

**inculte** adj. **I 1** (sol...) Qui n'est pas cultivé. **2** (cheveux...) Qui n'est pas soigné. **II** (personnes) Sans culture intellectuelle.

**inculture** n. f. Absence de savoir.

**incunable** n. m. Ouvrage imprimé antérieur à 1500 (très rare).

**incurable** adj. Qui ne peut être guéri.

**incurie** n. f. Manque de soin, d'organisation. → **négligence.**

**incuriosité** n. f. Absence de curiosité.

**incursion** n. f. **1** Entrée d'envahisseurs en pays ennemi. ♦ Entrée brusque. **2** fig. Fait de pénétrer momentanément dans un domaine qui n'est pas le sien.

**incurver** v. tr. [1] Rendre courbe. ► **incurvation** n. f.

**indécence** n. f. **1** rare Manque de correction. → **impudence. 2** Caractère impudique. **3** Action, parole indécente.

**indécent, ente** adj. **1** vieilli Choquant. → **inconvenant. 2** Contraire à la décence. → **impudique, obscène. 3** Qui choque par sa démesure. *Une chance indécente.* ► **indécemment** [-amɑ̃] adv.

**indéchiffrable** adj. Qui ne peut être déchiffré. → **illisible.** ♦ Incompréhensible.

**indécis, ise** adj. **1** (choses) Qui n'est pas décidé, certain. ♦ Qui n'est pas bien déterminé. → **imprécis, vague.** *Des formes indécises.* **2** (personnes) Qui a du mal à se décider. – n. *Un perpétuel indécis.*

**indécision** n. f. Hésitation, incertitude.

**indécrottable** adj. fam. Qu'on ne peut débarrasser de ses manières grossières.

**indéfectible** adj. littér. Qui ne peut cesser d'être. *Une amitié indéfectible.*

**indéfendable** adj. **1** rare Qui ne peut être défendu contre l'ennemi. **2** abstrait Trop mauvais pour être défendu.

**indéfini, ie** adj. **1** Dont les limites ne peuvent être déterminées. → **illimité. 2** Qui n'est pas défini, qu'on ne peut définir. → **imprécis, vague. 3** gramm. Qui sert à présenter un concept sous son aspect le plus général. *Articles, pronoms, adjectifs indéfinis.* – n. m. *Un indéfini.*

**indéfiniment** adv. → **perpétuellement.**

**indéfinissable** adj. **1** Qu'on ne peut définir. **2** Dont on ne saurait préciser la nature. → **indescriptible, indicible.**

**indéfrisable** n. f. vieilli Frisure artificielle.

**indéhiscent, ente** adj. bot. (fruit) Qui ne s'ouvre pas spontanément, à l'époque de la maturité.

**indélébile** adj. Qui ne peut s'effacer (sens propre et fig.).

**indélicat, ate** adj. **1** Qui manque de délicatesse morale. **2** Malhonnête.

**indélicatesse** n. f. **1** Défaut d'une personne indélicate. → **grossièreté. 2** Procédé, acte indélicat. → **malhonnêteté.**

**indémaillable** adj. (tissu) Dont les mailles ne peuvent se défaire.

**indemne** adj. Qui n'a éprouvé aucun dommage. *Sortir indemne d'un accident.*

**indemnisation** n. f. Action d'indemniser. ♦ Somme fixée pour indemniser.

**indemniser** v. tr. [1] Dédommager (qqn) de ses pertes, de ses frais, etc.

**indemnité** n. f. **1** Somme attribuée en réparation d'un dommage. **2** Somme versée en compensation de frais. → **allocation.**

**indémodable** adj. Qui ne peut se démoder.

**indémontrable** adj. Qui ne peut être démontré, prouvé.

**indéniable** adj. Qu'on ne peut nier ou réfuter. → **certain, incontestable, indiscutable.** ► **indéniablement** adv.

**indépendamment** adv. loc. prép. *Indépendamment de.* **1** En faisant abstraction de. **2** En plus de. → ② **outre.**

**indépendance** n. f. **I 1** État d'une personne indépendante. **2** Caractère indépendant. **3** Situation d'une collectivité qui n'est pas soumise à une autre. → **autonomie. II** Absence de relation, de dépendance (entre des phénomènes...).

**indépendant, ante** adj. **I 1** Qui ne dépend pas (de qqn, de qqch.) ; libre de toute dépendance. **2** Qui aime l'indépendance, ne veut être soumis à personne. **3** Qui jouit de l'indépendance politique. **II 1** *Indépendant de :* qui n'a pas de rapport avec (qqch.). **2** au plur. Sans dépendance mutuelle. *Roues indépendantes.* **3** (logement) Qui est séparé des logements contigus. **4** gramm. *Proposition indépendante,* qui ne dépend d'aucune autre.

**indépendantiste** adj. et n. Partisan de l'indépendance, de l'autonomie politique. → **autonomiste.** ► **indépendantisme** n. m.

**indéracinable** adj. Qu'on ne peut arracher de l'esprit, de la conscience.

**indescriptible** adj. Si fort, si important, etc. qu'on ne peut le décrire. → **indicible, inexprimable.**

**indésirable** adj. **1** Qui n'est pas désiré, souhaité. **2** Qu'on ne désire pas accueillir dans un groupe. – n. *Des indésirables.*

**indestructible** adj. **1** Qui ne peut être détruit. **2** abstrait Que rien ne peut altérer.

**indétectable** adj. Qu'on ne peut détecter.

**indétermination** n. f. **1** Caractère de ce qui n'est pas défini ou connu avec précision. **2** État d'une personne qui hésite.

**indéterminé, ée** adj. **1** Qui n'est pas déterminé, fixé. **2** (personnes) rare → **indécis.**

**indéterminisme** n. m. philos. Théorie selon laquelle les phénomènes ne sont pas soumis à une détermination causale stricte. ► **indéterministe** adj. et n.

**index** [-ɛks] n. m. **I** Doigt de la main le plus proche du pouce. **II 1** Table alphabétique (de sujets, de noms cités) accompagnée de références. **2** *L'Index :* catalogue des livres interdits par l'Église catholique (avant 1965). ♦ loc. *Mettre qqn, qqch. à l'index.* → **exclure, proscrire.**

**indexer** v. tr. [1] **1** Lier les variations de (une valeur) à celles d'un indice (II, 2) déterminé. **2** Attribuer à (un document) une marque distinctive. ► **indexation** n. f.

**indicateur, trice I** n. Personne qui renseigne la police en échange d'argent ou de protection. **II** n. m. **1** Livre, brochure donnant des renseignements. **2** Instrument, etc. fournissant des indications sur un phénomène. *Indicateur de vitesse.* **3** Variable significative (en statistique...). **III** adj. Qui fournit une indication.

**indicatif, ive I** adj. Qui indique. *À titre indicatif.* **II** n. m. **1** Mode verbal convenant à l'énoncé de la réalité. **2** Fragment musical qui annonce une émission (radio, etc.).

**indication** n. f. **1** Action d'indiquer. **2** Ce qui indique qqch. → **indice, signe. 3** Information indiquée. **4** méd. Cas où un traitement est indiqué (opposé à *contre-indication*).

**indice** n. m. **I** Signe apparent qui indique qqch. avec probabilité. *Un indice de colère.* **II 1** math. Indication qui caractérise un signe. *$a_n$ se lit « a indice n ».* **2** Nombre qui exprime un rapport. – *Indice des prix,* mesurant l'évolution des prix. ► **indiciel, ielle** adj.

**indicible** adj. Qu'on ne peut exprimer.

**indien, ienne** adj. et n. **I** De l'Inde. **II** Des autochtones d'Amérique. → **amérindien.**

**indienne** n. f. Toile de coton peinte ou imprimée (fabriquée d'abord aux Indes).

**indifféremment** [-amɑ̃] adv. Sans distinction, sans faire de différence.

**indifférence** n. f. **1** État de qqn qui n'éprouve ni douleur, ni plaisir, ni crainte, ni désir. → **apathie, insensibilité. 2** *Indifférence à, pour* (qqch.). → **détachement. 3** Absence d'intérêt pour qqn. ♦ spécialt Absence d'amour.

**indifférencié, ée** adj. Qui n'est pas différencié. *Cellules vivantes indifférenciées.*

**indifférent, ente** adj. **I** (choses, personnes) **1** Sans intérêt, sans importance. *Parler de choses indifférentes.* **2** Qui ne fait pas de différence (pour qqn). *Cela m'est indifférent.* → **égal. II** Qui n'est pas intéressé, ému. → **froid, insensible.** ♦ Qui marque de l'indifférence en amour.

**indifférer** v. tr. ind. [6] fam. Être indifférent (surtout 3^e^ pers. ; avec pronom compl.). *Cela m'indiffère,* cela m'est égal.

**indigence** n. f. **1** vieilli État d'une personne indigente. → **misère, pauvreté. 2** fig., littér. Pauvreté (intellectuelle, morale).

**indigène** adj. et n. **1** didact. Né dans le pays dont il est question. → **aborigène, autochtone. 2** adj. (animal, plante) Qui vit naturellement dans une région.

**indigent, ente** adj. **1** vieilli Qui manque des choses nécessaires à la vie. – n. *Aide aux indigents.* **2** fig., littér. Insuffisant, médiocre.

**indigeste** adj. **1** Difficile à digérer. **2** fig. Difficile à assimiler. *Un livre indigeste.*

**indigestion** n. f. **1** Indisposition momentanée due à une mauvaise digestion. **2** fig. Satiété, dégoût (de qqch.).

**indignation** n. f. Sentiment de colère que soulève ce qui heurte la conscience morale, le sentiment de la justice.

**indigne** adj. **I** *Indigne de* **1** Qui n'est pas digne de (qqch.), qui ne mérite pas. **2** Qui n'est pas à la hauteur de (qqn). *Une tâche indigne de lui.* **II** absolt **1** Qui n'est pas digne de son rôle. *Père indigne.* **2** (choses) Très condamnable. ► **indignement** adv.

**indigner** v. tr. 1 Remplir d'indignation. → **révolter, scandaliser.** ▷ v. pron. s'**indigner** ▷ adj. **indigné, ée**

**indignité** n. f. **1** Caractère indigne (II). → **bassesse. 2** Action, conduite indigne.

**indigo** n. m. **1** Teinture bleue, extraite autrefois d'un arbrisseau exotique (l'*indigotier* n. m.). **2** Bleu violacé très sombre. – adj. invar. *Des étoffes indigo.*

**indiquer** v. tr. 1 **1** Faire voir d'une manière précise, par un geste, un repère, un signal. *L'horloge indique l'heure.* **2** Faire connaître (à qqn) ce qu'il a besoin de connaître. *Indiquez-moi vos intentions.* **3** (sujet chose) Faire connaître en servant d'indice. *Les traces indiquent un passage.* **4** Représenter, décrire en s'en tenant aux traits essentiels. → **esquisser.** ▷ adj. **indiqué, ée 1** Déterminé, fixé. *À l'heure indiquée.* **2** Signalé comme étant bon, efficace (remède...). **3** Adéquat, opportun. *C'est le moyen indiqué !*

**indirect, ecte** [-ɛkt] adj. **1** Qui n'est pas direct, qui fait des détours. **2** Qui comporte des intermédiaires. ♦ gramm. *Complément indirect,* construit avec une préposition. *Verbe transitif indirect* (ex. parler à qqn). – *Discours indirect,* rapportant les paroles de qqn sous forme de propositions subordonnées (ex. Il m'a dit qu'il accepterait). ► **indirectement** adv.

**indiscernable** adj. **1** Qui ne peut être discerné (d'autre chose). **2** Dont on ne peut se rendre compte précisément.

**indiscipline** n. f. Manque de discipline.

**indiscipliné, ée** adj. Qui n'est pas discipliné, qui n'observe pas la discipline. ♦ *Cheveux indisciplinés,* difficiles à coiffer.

**indiscret, ète** adj. **1** Qui manque de discrétion, de retenue dans les relations sociales. **2** Qui dénote de l'indiscrétion. *Une curiosité indiscrète.* **3** Qui ne sait pas garder un secret. ► **indiscrètement** adv.

**indiscrétion** n. f. **1** Manque de discrétion, de retenue dans les relations sociales. **2** Fait de révéler un secret. ♦ Racontar.

**indiscutable** adj. Qui s'impose par son évidence, son authenticité. → **évident, incontestable.** ► **indiscutablement** adv.

**indispensable** adj. Dont on ne peut se passer. – n. m. *L'indispensable :* ce qui est indispensable. ► **indispensablement** adv.

**indisponible** adj. Qui n'est pas disponible. ► **indisponibilité** n. f.

**indisposé, ée** adj. vieilli **1** Affecté d'une indisposition. **2** (femme) Qui a ses règles.

**indisposer** v. tr. 1 **1** Altérer légèrement la santé de (qqn), mettre mal à l'aise. → **incommoder. 2** Déplaire à (qqn).

**indisposition** n. f. Légère altération de la santé. → **malaise ; fatigue.**

**indissociable** adj. Qu'on ne peut dissocier, séparer.

**indissoluble** adj. (abstrait) Qui ne peut être dissous, délié, désuni. ► **indissolublement** adv. ► **indissolubilité** n. f.

**indistinct, incte** [-ɛ̃(kt), ɛ̃kt] adj. Qui n'est pas distinct. → **imprécis, vague.**

**indistinctement** adv. **1** D'une manière indistincte. → **confusément. 2** Sans distinction. → **indifféremment.**

**individu** n. m. **I 1** sc. Être formant une unité distincte (dans une classification). → **exemplaire, spécimen. 2** Corps organisé vivant d'une existence propre et qui ne saurait être divisé sans être détruit (plante, animal...). **3** Unité élémentaire dont se composent les sociétés, notamment la collectivité humaine (→ **personne**). ♦ Être humain, en tant qu'être particulier. **II** péj. Homme quelconque. *Un sinistre individu.*

**individualiser** v. tr. 1 **1** Différencier par des caractères individuels. → **caractériser, distinguer. 2** Rendre individuel (en adaptant, etc.). – au p. p. *Enseignement individualisé.* ▷ v. pron. s'**individualiser** Acquérir ou accentuer des caractères distinctifs. ► **individualisation** n. f.

**individualisme** n. m. Théorie, tendance ou attitude qui privilégie la valeur et les droits de l'individu. ► **individualiste** adj. et n.

**individualité** n. f. **1** Caractères par lesquels qqn ou qqch. diffère des autres. → **originalité, particularité. 2** Individu, considéré dans ce qui le différencie des autres.

**individuel, elle** adj. **1** De l'individu, propre à un individu. → **personnel, propre. 2** Qui concerne une seule personne (opposé à *collectif*). ► **individuellement** adv.

**indivis, ise** adj. dr. Sur lequel plusieurs personnes ont un droit et qui n'est pas divisé entre elles (bien). ► **indivision** n. f.

**indivisible** adj. Qui n'est pas divisible. *La République française, proclamée une et indivisible en 1791.* ► **indivisibilité** n. f.

**indocile** adj. littér. Qui n'est pas docile. → **désobéissant, rebelle.** ► **indocilité** n. f.

**indo-européen, éenne** adj. Se dit de langues d'Europe et d'Asie qui ont une origine commune, répandues de l'Inde à l'Europe occidentale. ♦ Se dit des peuples qui parlent ces langues.

**indolent, ente** adj. littér. Qui évite de faire des efforts. ► **indolemment** [-amɑ̃] adv. ► **indolence** n. f. → **mollesse, nonchalance.**

**indolore** adj. (choses) Non douloureux.

**indomptable** [-dɔ̃(p)t-] adj. **1** Qu'on ne peut dompter (animaux). **2** littér. Qu'on ne peut pas soumettre. → **inflexible.**

**indu, ue** adj. Qui va à l'encontre de l'usage. – *Rentrer à une heure indue,* très tard. ♦ Qui n'est pas fondé. *Réclamation indue.*

**indubitable** adj. littér. Dont on ne peut douter. ► **indubitablement** adv.

**inductance** n. f. phys. Quotient du flux d'induction créé par un courant (dans un circuit) par l'intensité de ce courant.

**inducteur, trice** 1 adj. Qui produit l'induction (II). 2 n. m. Aimant ou électroaimant produisant un champ inducteur.

**inductif, ive** adj. I log. Qui procède par induction (I). II phys. De l'induction (II).

**induction** n. f. I Opération mentale qui consiste à remonter des faits à la loi, du particulier au général. → **généralisation.** II phys. Transmission d'énergie électrique ou magnétique par l'intermédiaire d'un aimant ou d'un courant.

**induire** v. tr. [38] p. p. *induit, ite* 1 vieilli Inciter (qqn) à faire qqch. ◆ mod. loc. *Induire qqn en erreur,* le tromper. 2 log. Trouver par l'induction. → **inférer.**

Ne pas confondre avec *enduire* «recouvrir».

**induit, ite** adj. phys. *Courant induit,* produit par induction (II). ◆ n. m. Organe dans lequel prennent naissance les forces électromotrices produites par un inducteur.

**indulgence** n. f. 1 Facilité à excuser, à pardonner. → **compréhension.** 2 relig. cathol. Remise des peines méritées par les péchés, accordée par l'Église.

**indulgent, ente** adj. Qui a de l'indulgence. → **bienveillant, favorable.**

**indûment** adv. D'une manière indue.

**induration** n. f. méd. Durcissement d'un tissu organique (peau, etc.).

**industrialiser** v. tr. [1] 1 Exploiter industriellement ; organiser en industrie. 2 Équiper d'industries (une région, un pays...). ► **industrialisation** n. f.

**industrie** n. f. I 1 vx Habileté, art (→ industrieux). 2 littér. Métier. – plais. *Voleur qui exerce sa coupable industrie.* II 1 vieilli Activités techniques qui produisent et font circuler les richesses. 2 Ensemble des activités économiques ayant pour objet l'exploitation des richesses minérales et des sources d'énergie, la transformation des matières premières en produits fabriqués. *Industrie lourde,* qui transforme les matières premières. 3 Secteur industriel.

**industriel, elle** I adj. 1 Qui a rapport à l'industrie (II). 2 Produit par l'industrie. ◆ Qui emploie les procédés de l'industrie (opposé à *artisanal*). 3 Où l'industrie est développée. II n. (fém. rare) Chef d'un établissement industriel. ► **industriellement** adv.

**industrieux, euse** adj. littér. Qui montre de l'adresse, de l'habileté.

**inébranlable** adj. 1 Qu'on ne peut ébranler. → **solide.** 2 (personnes) Qui ne se laisse pas abattre. ◆ Qu'on ne peut faire changer de dessein, d'opinion. → **inflexible.** – (choses) *Une certitude inébranlable.*

**inédit, ite** adj. 1 (texte) Qui n'a pas été édité. – n. m. *Publier un inédit.* 2 Qui n'est pas connu. → **nouveau.** – n. m. *C'est de l'inédit.*

**ineffable** adj. 1 littér. Qui ne peut être exprimé par des paroles (se dit de choses agréables). 2 iron. → **inénarrable.**

**ineffaçable** adj. Qui ne peut être effacé.

**inefficace** adj. Qui n'est pas efficace. → **inopérant.** ► **inefficacement** adv. ► **inefficacité** n. f.

**inégal, ale, aux** adj. I 1 au plur. De quantités, natures ou qualités différentes. *Des forces inégales.* – au sing. → **différent.** *Importance inégale.* 2 Dont les éléments ne sont pas égaux. *Combat inégal.* II 1 Qui n'est pas uni, lisse. 2 Irrégulier. *Pouls inégal.* 3 Qui n'est pas constant. → **changeant.** 4 Dont la qualité n'est pas constamment bonne.

**inégalable** adj. Qui ne peut être égalé.

**inégalé, ée** adj. Qui n'est pas égalé.

**inégalement** adv. De manière inégale.

**inégalitaire** adj. Caractérisé par des inégalités sociales (s'oppose à *égalitaire*).

**inégalité** n. f. I 1 Défaut d'égalité. → **différence, disproportion.** ◆ Absence d'égalité (entre humains). 2 Rapport entre deux quantités inégales. II Défaut d'uniformité, de régularité. *Inégalité de terrain.* → **accident.**

**inélégant, ante** adj. 1 Qui n'est pas élégant. 2 Qui n'est pas très correct. → **indélicat.** ► **inélégance** n. f.

**inéligible** adj. Qui ne peut pas être élu. ► **inéligibilité** n. f.

**inéluctable** adj. Qu'on ne peut empêcher, éviter. *Conséquences inéluctables.* → **inévitable ; fatal.** ► **inéluctablement** adv.

**inénarrable** adj. 1 vx Qu'on ne peut raconter. 2 mod. Bizarre et comique.

**inepte** adj. Tout à fait absurde, stupide.

**ineptie** n. f. 1 Caractère de ce qui est inepte. 2 Action, parole inepte.

**inépuisable** adj. 1 Qu'on ne peut épuiser. *Source inépuisable.* 2 → **intarissable** (2).

**inéquation** [-kwa-] n. f. math. Inégalité conditionnelle dépendant de variables.

**inerte** adj. 1 Qui n'a ni activité ni mouvement propre. *La matière inerte.* 2 Sans signe de vie. ◆ (personnes) Sans réaction.

**inertie** n. f. 1 sc. Propriété qu'ont les corps de ne pouvoir d'eux-mêmes changer l'état de repos ou de mouvement où ils se trouvent. – *Force d'inertie :* résistance au mouvement ; fig. résistance, apathie (de qqn). 2 cour. Manque d'activité, d'énergie.

**inespéré, ée** adj. Que l'on n'espérait pas.

**inesthétique** adj. 1 philos. Sans rapport avec l'esthétique. 2 Sans beauté. → **laid.**

**inestimable** adj. 1 didact. Impossible à estimer, à évaluer. 2 Dont la valeur dépasse toute estimation. → **inappréciable.**

**inévitable** adj. 1 Qu'on ne peut éviter. – n. m. *Se résigner à l'inévitable.* 2 plais. Qui est toujours là ; qu'il faut subir. *Son inévitable cigare.* ► **inévitablement** adv.

**inexact, e** [-a(kt), akt] adj. 1 Qui n'est pas exact. → **faux.** ► **inexactement** adv. 2 Qui manque de ponctualité.

**inexactitude** n. f. 1 Manque d'exactitude. 2 Erreur. 3 Manque de ponctualité.

**inexcusable** adj. Qu'il est impossible d'excuser. → **impardonnable.**

**inexistant, ante** adj. 1 littér. Qui n'existe pas. → **irréel.** 2 Sans valeur, sans efficacité. ► **inexistence** n. f.

**inexorable** adj. littér. 1 Sans pitié. → **impitoyable.** 2 À quoi l'on ne peut se soustraire. ► **inexorablement** adv.

**inexpérience** n. f. Manque d'expérience.

**inexpérimenté, ée** adj. Sans expérience. → **novice.**

**inexpiable** adj. littér. 1 Qui ne peut être expié. 2 Que rien ne peut faire cesser.

**inexplicable** adj. Impossible ou difficile à (s')expliquer. ♦ Dont le comportement ne s'explique pas. ► **inexplicablement** adv.

**inexpliqué, ée** adj. Non expliqué.

**inexploitable** adj. Qu'on ne peut exploiter ou utiliser. → **inutilisable.**

**inexploité, ée** adj. Qui n'est pas exploité.

**inexploré, ée** adj. Qui n'a pas été exploré.

**inexpressif, ive** adj. Qui n'est pas expressif. → **froid, terne.**

**inexprimable** adj. 1 Qu'il est impossible d'exprimer. → **indicible.** 2 Trop intense ou trop complexe pour pouvoir être exprimé.

**inexprimé, ée** adj. Non exprimé.

**inexpugnable** [-pygnabl ; -pyɲabl] adj. littér. Qui résiste aux attaques.

**in extenso** [inɛkstɛ̃so] loc. adv. et adj. invar. littér. Dans toute sa longueur (d'un texte). → **intégralement ; intégral.**

**inextinguible** adj. littér. Qu'il est impossible d'éteindre, d'apaiser, d'arrêter.

**in extremis** [inɛkstʀemis] loc. adv. et adj. invar. 1 À l'article de la mort, à la dernière extrémité*. 2 Au dernier moment.

**inextricable** adj. 1 Qu'on ne peut démêler. 2 Dont on ne peut sortir. *Dédale inextricable.* ► **inextricablement** adv.

**infaillible** adj. 1 vx Certain, inévitable. 2 Qui ne peut manquer de réussir. *Un moyen infaillible.* 3 (personnes) Qui ne peut pas se tromper, qui n'est pas sujet à l'erreur. – *Un instinct infaillible.* → **sûr.** ► **infailliblement** adv. ► **infaillibilité** n. f.

**infaisable** [-fə-] adj. Qui ne peut être fait. → **impossible, irréalisable.** ► **infaisabilité** n. f.

**infamant, ante** adj. littér. Qui entache l'honneur, la réputation. → **déshonorant.**

> Pas d'accent circonflexe, contrairement à *infâme.*

**infâme** adj. 1 littér. Infamant. *Un infâme trafic.* → **dégradant, honteux.** 2 Détestable, odieux. *Une infâme canaille.* → **ignoble, vil.** 3 Répugnant.

**infamie** n. f. littér. 1 Atteinte à la réputation de qqn. 2 Caractère infâme. → **abjection, bassesse.** 3 Action, parole infâme.

**infant, ante** n. Titre donné aux enfants puînés des rois d'Espagne et du Portugal.

**infanterie** n. f. 1 anciennt Ensemble des soldats qui allaient et combattaient à pied. 2 Arme chargée de la conquête et de l'occupation du terrain (→ **fantassin).**

**infanticide** I n. m. Meurtre d'un enfant (spécialt d'un nouveau-né). II adj. et n. (Personne) qui tue volontairement un enfant (spécialt un nouveau-né).

**infantile** adj. 1 Relatif à la première enfance. *Maladies infantiles.* 2 péj. (d'un adulte) Puéril. *Une réaction infantile.*

**infantiliser** v. tr. [1] Rendre infantile (2).

**infantilisme** n. m. 1 didact. État d'un adulte qui présente des caractères propres à l'enfant. 2 Caractère infantile (2).

**infarctus** [ɛ̃faʀktys] n. m. méd. Altération d'un tissu, d'un organe par obstruction de l'artère qui assure son irrigation. *Infarctus du myocarde* (du cœur).

> Attention à l'ordre des lettres : *a, r, c* (sans rapport avec *fracture*).

**infatigable** adj. Qui ne peut se fatiguer, qui ne se fatigue pas facilement. ► **infatigablement** adv. → **inlassablement.**

**infatuation** n. f. littér. Satisfaction de soi d'une personne infatuée. → **fatuité.**

**infatuer** v. tr. [1] littér. Inspirer à (qqn) un engouement excessif. – pronom. *S'infatuer de qqch. ; de ses qualités, de soi.* ▷ p. p. **infatué, ée** → **fat, prétentieux, vaniteux.**

**infécond, onde** adj. didact. 1 Qui n'est pas fécond. → **stérile.** 2 Qui ne produit rien. ► **infécondité** n. f. didact.

**infect, ecte** [-ɛkt] adj. 1 (odeur, goût...) Répugnant. 2 Très mauvais dans son genre. *Repas infect.* 3 Moralement ignoble.

**infecter** v. tr. [1] I vieilli Imprégner (l'air) d'émanations malsaines. → **polluer.** II 1 Communiquer, transmettre (à l'organisme) des germes pathogènes. – pronom. *La plaie s'infecte.* – au p. p. *Une blessure infectée.* 2 par métaph. (virus informatique) Affecter (un programme...). – au p. p. *Un fichier infecté.*

> Ne pas confondre avec *infester* «envahir».

**infectieux, euse** adj. Qui communique l'infection. *Germe infectieux.* ♦ Qui s'accompagne d'infection. *Maladie infectieuse.*

**infectiologie** n. f. didact. Discipline médicale qui étudie les maladies infectieuses. → **épidémiologie.** ► **infectiologue** n.

**infection** n. f. **I 1** vieilli Puanteur. **2** Chose infecte. **II 1** Entrée dans l'organisme de germes pathogènes. **2** Maladie infectieuse.

**inféoder** v. tr. [1] **1** (au Moyen Âge) Donner (une terre) en fief. **2** Soumettre (à une autorité). – pronom. *S'inféoder à un parti.* ► **inféodation** n. f.

**inférence** n. f. Opération logique par laquelle on admet une proposition en vertu de sa liaison avec d'autres propositions déjà tenues pour vraies. → **induction.**

**inférer** v. tr. [6] Établir par inférence.

**inférieur, eure** adj. **I** concret Qui est au-dessous, plus bas, en bas (opposé à *supérieur*). *La lèvre inférieure.* **II** abstrait **1** Qui a une valeur moins grande ; qui occupe une place au-dessous, dans une hiérarchie. **2** Plus petit que. *Nombre inférieur à 10* (<10). **3** Moins avancé dans l'évolution. *Les animaux inférieurs.* **4** n. Personne de position sociale inférieure (par rapport à une autre). → **subalterne, subordonné.**

**inférioriser** v. tr. [1] Rendre inférieur ; rabaisser (qqn). ► **infériorisation** n. f.

**infériorité** n. f. État de ce qui est inférieur (en rang, valeur...). ♦ *Sentiment d'infériorité :* impression pénible d'être inférieur (aux autres, à un idéal...).

**infernal, ale, aux** adj. **1** littér. Des enfers, de l'enfer. **2** Qui évoque l'enfer, le mal. → **diabolique. 3** Insupportable, terrible. *Un temps infernal.* → **exécrable.** ♦ (personnes) → **insupportable.**

**infertile** adj. littér. Qui n'est pas fertile. ► **infertilité** n. f.

**infester** v. tr. [1] **1** Ravager (un pays) par des attaques. **2** (êtres nuisibles) Envahir.

Ne pas confondre avec *infecter* «polluer».

**infibulation** n. f. didact. Opération par laquelle on suture les petites lèvres de la vulve ou on y passe un anneau afin d'empêcher les relations sexuelles.

**infidèle** adj. **I** hist. Qui n'a pas la religion considérée comme vraie. – n. *Croisade contre les infidèles.* **II 1** Changeant dans ses sentiments, notamment en amour. **2** Qui ne respecte pas (qqch. qui engage). *Infidèle à sa parole.* **3** Qui manque à la vérité, à l'exactitude.

**infidélité** n. f. **1** Manque de fidélité (dans les sentiments, en amour) ; acte qui en résulte. **2** rare Manque de fidélité (à une obligation). **3** Manque d'exactitude.

**infiltration** n. f. **1** (eau...) Fait de s'infiltrer. ♦ Pénétration accidentelle d'eau. **2** méd. Envahissement d'un tissu par un liquide, par des gaz. **3** méd. Injection d'un médicament à action prolongée. **4** Pénétration de personnes étrangères (dans un pays, un milieu...).

**infiltrer** v. tr. [1] **1** (liquide...) Pénétrer peu à peu (un corps). ♦ Faire entrer (un liquide) dans un corps. **2** Introduire qqn dans (un groupe). ▷ v. pron. **s'infiltrer 1** *L'eau s'infiltre dans le sol.* **2** → **s'introduire.**

**infime** adj. **1** vieilli Situé au plus bas (d'une hiérarchie). **2** Tout petit ; peu important. → **minime, minuscule.** ► **infimité** n. f. didact.

**infini, ie I** adj. **1** En quoi on ne peut observer ni concevoir aucune limite. – (dans le temps) Qui n'a pas de fin. → **éternel. 2** Très considérable (par la grandeur, l'intensité...). *Une patience infinie.* **II** n. m. **1** Ce qui est infini. *L'infini mathématique* (signe ∞). **2** Ce qui semble infini. *L'infini de l'océan.* **3** loc. adv. *À l'infini :* sans qu'il y ait de borne, de fin (perceptible ou imaginable) ; (dans le temps) indéfiniment.

**infiniment** adv. **1** D'une manière infinie. *Nombres infiniment petits* (→ **infinitésimal**). **2** Beaucoup, extrêmement. *Merci infiniment.*

**infinité** n. f. **1** didact. Quantité infinie, nombre infini. → **infini. 2** Très grande quantité. → **multitude.**

**infinitésimal, ale, aux** adj. **1** math. Relatif aux quantités infiniment petites. **2** cour. Extrêmement petit. → **infime.**

**infinitif, ive I** n. m. Forme nominale du verbe (mode impersonnel) exprimant l'idée de l'action ou de l'état d'une façon abstraite et indéterminée. **II** adj. *Proposition infinitive,* dont le verbe est à l'infinitif.

**infirme** adj. **I** vx Faible. **II** mod. Atteint d'une infirmité (II, 2). → **handicapé, impotent, invalide.** – n. *Un, une infirme.*

**infirmer** v. tr. [1] contr. *confirmer* **1** Affaiblir (qqch.) dans son autorité, son crédit. **2** dr. Annuler ou modifier (un jugement).

**infirmerie** n. f. Local destiné aux soins des malades, dans une communauté.

**infirmier, ière** n. Personne qui, par profession, soigne des malades et s'en occupe, au sein de l'équipe soignante.

**infirmité** n. f. **I** littér. Faiblesse. **II 1** vieilli Maladie. **2** mod. État d'un individu ne jouissant pas d'une de ses fonctions ou n'en jouissant qu'imparfaitement (sans que sa santé en souffre).

**inflammable** adj. Qui a la propriété de s'enflammer facilement. ► **inflammabilité** n. f.

**inflammation** n. f. **I** didact. Fait de s'enflammer. **II** Réactions qui se font au point de l'organisme irrité par un agent pathogène. ► **inflammatoire** adj.

**inflation** n. f. **1** Accroissement excessif des instruments de paiement, entraînant une hausse des prix (s'oppose à *déflation*). **2** par ext. Augmentation, extension excessive (d'un phénomène). ► **inflationniste** adj.

**infléchir** v. tr. [2] **1** Fléchir de manière à former une courbe. → **courber. 2** fig. Modifier la direction, l'orientation de (un phénomène...). ▷ v. pron. **s'infléchir** ► **infléchissement** n. m.

**inflexible** adj. Que rien ne peut fléchir ni émouvoir. → **ferme, intransigeant.** ► **inflexiblement** adv. ► **inflexibilité** n. f.

**inflexion** n. f. **1** Mouvement par lequel qqch. s'infléchit. → **flexion. 2** Changement subit d'accent ou de ton (dans la voix).

**infliger** v. tr. [3] **1** Appliquer (une peine à qqn). *On lui a infligé une amende.* **2** Faire subir (qqch. à qqn). *Infliger un affront à qqn.*

**inflorescence** n. f. Mode de groupement des fleurs d'une plante (par ex. en grappes). ♦ Ce groupe de fleurs (souvent appelé *fleur*).

**influençable** adj. Qui se laisse influencer.

**influence** n. f. **1** Action exercée sur (qqn ou qqch.). → **effet.** *Influence utile.* **2** (personnes) Action (sur qqn), volontaire ou non. *Elle a une bonne influence sur lui.* **3** Pouvoir social (de qqn qui amène les autres à se ranger à son avis). → **autorité, crédit. 4** Action morale, intellectuelle... *L'influence d'un penseur.*

**influencer** v. tr. [3] **1** Soumettre à son influence (2). **2** (sujet chose) Agir sur (qqch.).

**influenceur, euse** n. Personne qui influence l'opinion par son audience sur les réseaux sociaux.

**influent, ente** adj. Qui a de l'influence.

> Ne pas confondre avec *influant*, p. prés. de *influer*.

**influer** v. intr. [1] *Influer sur* : exercer une action qui modifie. → **influencer.**

**influx** n. m. **1** Fluide hypothétique transmettant une force. **2** physiol. *Influx nerveux* : phénomène par lequel se transmet l'excitation dans les centres nerveux.

**info** n. f. fam. Information.

**infographie** n. f. Ensemble des techniques informatiques liées à la création et au traitement des images. ► **infographique** adj. ► **infographiste** n.

**in-folio** [infɔljo] adj. invar. (format) Dont la feuille d'impression est pliée en deux. – n. m. invar. Livre de ce grand format.

**informateur, trice** n. Personne qui donne des informations. – spécialt Personne qui informe la police. → **indicateur.**

**informaticien, ienne** n. Spécialiste d'informatique.

**information** n. f. **I** dr. Enquête pour établir la preuve d'une infraction, pour en découvrir les auteurs. *Ouvrir une information contre* X. **II 1** Renseignement (sur qqn, sur qqch.). **2** Action d'informer, de s'informer. *Réunion d'information.* **3** Renseignement qu'on porte à la connaissance de qqn, du public. *Bulletin d'informations.* **III** sc. Ce qui peut être transmis par un signal ou une combinaison de signaux (message), selon un code commun.

**informatique** n. f. **1** Théorie et traitement de l'information (III), par des programmes mis en œuvre sur ordinateurs. **2** adj. De l'informatique. ► **informatiquement** adv.

**informatiser** v. tr. [1] Traiter, organiser par les méthodes et les moyens de l'informatique. ► **informatisation** n. f.

**informe** adj. **1** Qui n'a pas de forme propre. **2** Dont la forme n'est pas achevée. *Un brouillon informe.* **3** Laid, disgracieux.

**informé, ée 1** adj. Qui sait ce qu'il faut savoir. **2** (n. m.) loc. *Jusqu'à plus ample informé* : avant d'en savoir plus.

**informel, elle** adj. **I** arts Qui ne représente et ne produit pas de formes classables. **II** anglic. Qui n'est pas organisé de manière officielle. *Réunion informelle.*

**informer** v. tr. [1] **I 1** v. tr. philos. Donner une forme, une structure à. **2** v. tr. ind. dr. Faire une instruction en matière criminelle. *Informer d'un fait, sur un fait.* → **information** (I). **II** cour. Transmettre des connaissances, des renseignements (→ **information)** à (qqn). ▷ v. pron. **s'informer** S'enquérir en vue de se mettre au courant. *S'informer de la santé de qqn.* – absolt *S'informer avant d'agir.*

**infortune** n. f. littér. Malheur. – loc. *Compagnon d'infortune* : personne qui supporte les mêmes malheurs. ► **infortuné, ée** adj. littér. → **malheureux.**

**infox** n. f. Information mensongère contribuant à la désinformation.

**infra** adv. Sert à renvoyer à un passage qui se trouve après, dans un texte. → ci-**dessous.**

**infraction** n. f. **1** Violation (d'un engagement, d'une règle). *Infraction au règlement* (→ **enfreindre). 2** dr. Violation d'une loi, sanctionnée par le droit. → **délit.**

> Ne pas confondre avec *effraction* «bris de serrure».

**infranchissable** adj. Qu'on ne peut franchir.

**infrarouge** adj. Se dit des radiations invisibles qui sont en deçà du rouge, dans le spectre solaire. – n. m. *Four à infrarouge.*

**infrason** [-sɔ̃] n. m. Vibration inaudible, de fréquence très basse.

**infrastructure** n. f. **1** Parties inférieures (d'une construction) (opposé à *superstructure*). → **fondation. 2** Ensemble d'installations (militaires, etc.). **3** Ensemble des équipements économiques ou techniques. *Infrastructure routière.* **4** (marxisme) Organisation économique de la société, considérée comme le fondement de son idéologie.

**infroissable** adj. Qui ne se froisse pas.

**infructueux, euse** adj. Sans résultat. *Soins infructueux.* ► **infructueusement** adv.

**infus, use** adj. loc. *Avoir la science infuse* : être savant sans avoir étudié.

**infuser** v. tr. [1] **1** Laisser tremper (une substance) dans un liquide afin qu'il se charge des principes qu'elle contient. **2** fig., littér. Faire pénétrer, communiquer.

**infusion** n. f. **1** Action d'infuser (1) (une substance). **2** Tisane de plantes.

**ingambe** adj. vx ou plais. Qui a un usage normal de ses jambes. → **alerte, vif.**

**s'ingénier** v. pron. [7] *S'ingénier à* (+ inf.) : mettre en jeu, mobiliser les ressources de son esprit pour.

**ingénierie** n. f. **1** Étude globale d'un projet industriel. **2** Discipline d'applications scientifiques. → **génie** (III).

**ingénieur** n. Personne qui a reçu une formation scientifique et technique la rendant apte à diriger certains travaux. – REM. Au fém., on trouve aussi *ingénieure.*

**ingénieux, euse** adj. **1** Qui a l'esprit inventif. *Un bricoleur ingénieux.* **2** (choses) Qui marque beaucoup d'invention, d'imagination. *Un mécanisme ingénieux.* ► **ingénieusement** adv. ► **ingéniosité** n. f.

**ingénu, ue** adj. Qui a une sincérité innocente et naïve. → **candide, naïf.** – n. *Une ingénue.* ► **ingénument** adv. ► **ingénuité** n. f. littér. → **candeur, naïveté.**

**ingérable** adj. Qu'on ne peut gérer.

① **s'ingérer** v. pron. [6] Intervenir sans être requis ou sans en avoir le droit. → s'**immiscer.** ► **ingérence** n. f. *Droit d'ingérence* (en politique) *pour raisons humanitaires.*

② **ingérer** v. tr. [6] didact. Introduire par la bouche (dans les voies digestives). → **avaler.** ► **ingestion** n. f. didact.

**ingrat, ate** adj. **1** Qui n'a aucune reconnaissance, ne sait pas gré à qqn. **2** (choses) Qui ne dédommage guère de la peine qu'il donne. *Une terre ingrate.* **3** Qui manque de grâce. → **disgracieux.** – loc. *L'âge ingrat,* la puberté. ► **ingratitude** n. f.

**ingrédient** [-jɑ̃] n. m. Élément qui entre dans la composition (d'une préparation, d'un mélange).

**inguérissable** adj. → **incurable.**

**inguinal, ale, aux** [-gɥi-] adj. didact. De l'aine, de la région de l'aine.

**ingurgiter** v. tr. [1] Avaler avidement.

**inhabile** adj. littér. Qui manque d'habileté. → **malhabile.** ► **inhabileté** n. f.

**inhabitable** adj. Qui n'est pas habitable.

**inhabité, ée** adj. Qui n'est pas habité.

**inhabituel, elle** adj. Qui n'est pas habituel. → **inaccoutumé, insolite.**

**inhalation** n. f. Action d'inhaler (un gaz...). ♦ **absolt** Aspiration par le nez de vapeurs qui décongestionnent.

**inhaler** v. tr. [1] Absorber par les voies respiratoires. → **aspirer.**

**inhérent, ente** adj. Qui appartient essentiellement (à). → **intrinsèque.**

**inhiber** v. tr. [1] **1** (sujet chose) Empêcher (qqn) d'agir, de manifester ses sentiments, ses opinions. → **bloquer, paralyser.** – au p. p. → **complexé.** **2** didact. Réduire ou empêcher (un processus physiologique ou psychologique). *La pilule inhibe l'ovulation.*

**inhibiteur, trice** adj. Qui inhibe. – n. m. (sens 2 de *inhiber*) *Inhibiteur de croissance.*

**inhibition** n. f. **1** Fait d'être inhibé. **2** Action d'inhiber (2).

**inhospitalier, ière** adj. **1** Qui ne pratique pas l'hospitalité. **2** (choses) Peu accueillant.

**inhumain, aine** adj. **1** Qui manque d'humanité. → **barbare, cruel.** ♦ (actions) *Un traitement inhumain.* **2** Qui n'a rien d'humain. *Un cri inhumain.* ► **inhumainement** adv. ► **inhumanité** n. f. littér.

**inhumer** v. tr. [1] Mettre en terre (un mort), avec les cérémonies d'usage. → **ensevelir, enterrer.** ► **inhumation** n. f.

**inimaginable** adj. **1** Qu'on ne peut imaginer. → **extraordinaire, incroyable.** **2** Très grand, important, intense.

**inimitable** adj. Qui ne peut être imité.

**inimitié** [-tje] n. f. littér. Sentiment hostile (envers qqn). → **aversion, haine.**

**ininflammable** adj. Qui n'est pas inflammable (→ aussi ignifuger).

**inintelligent, ente** adj. Qui n'est pas intelligent. ► **inintelligence** n. f.

**inintelligible** adj. Qu'on ne peut comprendre. → **incompréhensible.** *Des bredouillements inintelligibles.* ► **inintelligiblement** adv. ► **inintelligibilité** n. f.

**inintéressant, ante** adj. Sans intérêt.

**ininterrompu, ue** adj. Qui n'est pas interrompu (espace ou temps). → **continu.**

**inique** adj. littér. Qui manque gravement à l'équité ; très injuste (s'oppose à *équitable*).

**iniquité** n. f. littér. Injustice extrême (s'oppose à *équité*). ♦ Acte, chose inique.

**initial, ale, aux** adj. **1** Qui est au commencement (de qqch.). *Vitesse initiale d'un projectile.* **2** Qui commence (qqch., spécialt un mot). ♦ n. f. Première lettre (d'un nom propre). *Signer de ses initiales.*

**initialement** adv. Au commencement.

**initialiser** v. tr. [1] Effectuer les opérations préliminaires à la mise en fonction de (un ordinateur, un périphérique...). ► **initialisation** n. f.

**initiateur, trice** n. Personne qui initie (qqn), qui propose (qqch.) le premier.

**initiation** n. f. Action d'initier. – spécialt *Rites d'initiation* (des jeunes, dans les sociétés traditionnelles). ► **initiatique** adj.

**initiative** n. f. **1** Action d'une personne qui propose, entreprend (qqch.) en étant la première. **2** polit. Droit de soumettre à l'autorité compétente une proposition en vue de la faire adopter. *Le Parlement a l'initiative des lois.* **3** Qualité d'une personne disposée à entreprendre, à oser.

**initié, ée** n. **1** Personne qui a été initiée (1). **2** Personne qui est dans le secret (d'un art...).

**initier** v. tr. [7] **1** Admettre (qqn) à la connaissance de savoirs secrets, ésotériques. ♦ Recevoir (qqn) au sein d'un groupe fermé (société secrète, etc.). **2** Introduire à une connaissance ; être le premier à mettre au fait. → **instruire.** *Elle l'a initié à la musique.* – pronom. *S'initier à la peinture.* **3** anglic. Prendre l'initiative de (qqch.).

**injectable** adj. Qu'on doit injecter.

**injecté, ée** adj. *Yeux injectés de sang,* colorés par l'afflux du sang.

**injecter** v. tr. [1] **1** Introduire (un liquide en jet, un gaz sous pression) dans un organisme. **2** Faire pénétrer (un liquide sous pression) dans un matériau. *Injecter du ciment dans un mur.* **3** écon. Apporter (des capitaux) pour relancer (une entreprise...).

**injecteur** n. m. techn. Dispositif assurant l'alimentation forcée d'une machine (moteur...).

**injection** n. f. **1** Action d'injecter. **2** Piqûre. **3** *Moteur à injection,* alimenté en carburant par un injecteur (sans carburateur).

**injonction** n. f. Action d'enjoindre ; ordre exprès, formel.

**injouable** adj. Qui ne peut être joué.

**injure** n. f. **1** littér. Offense grave. **2** Parole offensante. → **insulte.** ► **injurier** v. tr. [7]

**injurieux, euse** adj. Qui contient ou constitue une injure. → **insultant, offensant.**

**injuste** adj. **1** Qui agit contre la justice ou l'équité. **2** (choses) Qui est contraire à la justice. ► **injustement** adv.

**injustice** n. f. **1** Caractère d'une personne, d'une chose injuste ; manque de justice. → **iniquité.** **2** Acte injuste.

**injustifiable** adj. Qu'on ne peut justifier.

**injustifié, ée** adj. Qui n'est pas justifié.

**inlandsis** [inlɑ̃dsis] n. m. géogr. Glacier continental (régions polaires).

**inlassable** adj. Qui ne se lasse pas. → **infatigable.** ► **inlassablement** adv.

**inné, ée** adj. Que l'on a en naissant, dès la naissance (opposé à *acquis*).

**innerver** v. tr. [1] (tronc nerveux) Fournir de nerfs (un organe). ► **innervation** n. f.

**innocemment** [-amɑ̃] adv. Avec innocence, sans faire ou vouloir faire le mal.

**innocence** n. f. **1** relig. État de l'être qui n'est pas souillé par le mal. → **pureté.** **2** État d'une personne qui ignore le mal. → **candeur, ingénuité.** **3** État d'une personne qui n'est pas coupable (de qqch.). *L'accusé affirme son innocence.*

**innocent, ente** adj. **I 1** relig. Qui n'est pas souillé par le mal. → **pur.** **2** Qui ignore le mal. → **candide.** **3** Trop naïf. → **crédule, niais.** – n. Simple d'esprit. prov. *Aux innocents les mains pleines :* les simples sont heureux dans leurs entreprises. **4** (action) Qui n'est pas blâmable. *Des plaisirs innocents.* **II** Qui n'est pas coupable. – n. *On a condamné un innocent.*

**innocenter** v. tr. [1] Déclarer innocent, non coupable. → **disculper.**

**innocuité** n. f. didact. Qualité de ce qui n'est pas nuisible.

**innombrable** adj. Très nombreux.

**innommable** adj. **1** didact. Qui ne peut être nommé. → **indicible.** **2** cour. Méprisable, ignoble ; très mauvais. → **infect.**

**innovant, ante** adj. Qui innove, constitue une innovation.

**innovateur, trice** n. et adj. (Personne) qui innove. → **créateur, novateur.**

**innovation** n. f. Fait d'innover ; chose nouvelle. → **création, découverte, invention.**

**innover** v. intr. [1] Introduire du nouveau (dans un domaine).

**inoccupé, ée** adj. **1** (lieu) Où il n'y a personne. **2** (personnes) Désœuvré, oisif.

**inoculer** v. tr. [1] **1** Introduire dans l'organisme (les germes d'une maladie). **2** fig. Communiquer, transmettre (une idée mauvaise...). ► **inoculation** n. f.

**inodore** adj. **1** Sans odeur. **2** fig. Sans intérêt ; plat.

**inoffensif, ive** adj. Incapable de nuire.

**inondable** adj. Susceptible d'être inondé. *Zone inondable.*

**inondation** n. f. **1** Débordement d'eaux qui inondent une région. **2** Grande quantité d'eau qui se répand. **3** fig. Afflux massif.

**inonder** v. tr. [1] **1** Couvrir d'eaux qui débordent. *Le fleuve a inondé les prés.* **2** Mouiller abondamment. → **arroser, tremper.** **3** fig. Envahir massivement. **4** littér. (sentiments...) Submerger, remplir. ▷ p. p. **inondé, ée** **1** *Terrains inondés.* – *Joues inondées de larmes.* **2** littér. *Le cœur inondé de joie.*

**inopérable** adj. Qui ne peut être opéré.

**inopérant, ante** adj. Sans effet.

**inopiné, ée** adj. Qui arrive, se produit alors qu'on ne s'y attendait pas. → **imprévu, inattendu.** ► **inopinément** adv.

**inopportun, une** adj. Qui n'est pas opportun. → **déplacé, intempestif.** ► **inopportunément** adv. ► **inopportunité** n. f.

**inorganique** adj. sc. Qui n'a pas l'organisation d'un être vivant.

**inorganisation** n. f. Absence, manque d'organisation.

**inorganisé, ée** adj. **1** sc. Qui n'est pas constitué en organisme. **2** Qui manque d'organisation. **3** Qui n'appartient pas à une organisation (syndicale, politique...).

**inoubliable** adj. Que l'on ne peut oublier (du fait de sa qualité, de son caractère exceptionnel). → **mémorable.**

**inouï, ïe** adj. **1** littér. Qu'on n'a jamais entendu. **2** cour. Extraordinaire, incroyable.

**inox** [-ɔks] n. m. (nom déposé) Acier inoxydable.

**inoxydable** adj. Qui ne s'oxyde pas.

**in petto** [in-] loc. adv. littér. À part soi.

**inqualifiable** adj. Qu'on ne peut qualifier (assez sévèrement). → **indigne.**

**inquiet, ète** adj. **1** vx Agité. **2** Agité par l'inquiétude. → **anxieux, soucieux. 3** Empreint d'inquiétude. *Un air inquiet.*

**inquiétant, ante** adj. Qui inquiète (3).

**inquiéter** v. tr. [6] **1** vx Troubler, agiter. **2** Poursuivre, menacer (qqn). *La police ne l'a plus inquiété.* **3** Remplir (qqn) d'inquiétude. → **alarmer, tourmenter.** ▷ v. pron. s'**inquiéter** Commencer à être inquiet. – *S'inquiéter de,* se préoccuper de.

**inquiétude** n. f. État pénible déterminé par l'attente d'un événement, d'une souffrance que l'on craint, par l'incertitude. → **appréhension, souci, tourment.** ♦ *Avoir des inquiétudes,* des sujets d'inquiétude.

**inquisiteur, trice 1** n. m. hist. Juge du tribunal de l'Inquisition. **2** adj. Qui interroge indiscrètement ou de façon autoritaire.

**inquisition** n. f. **1** hist. *L'Inquisition :* juridiction ecclésiastique d'exception (surtout XIIIe-XVIe s.). **2** littér. Enquête arbitraire et vexatoire. ► **inquisitorial, ale, aux** adj.

**inracontable** adj. Impossible à raconter. → **inénarrable.** – syn. **irracontable.**

**insaisissable** adj. **1** dr. Qui ne peut être saisi. **2** Qu'on ne peut saisir, attraper. **3** Qui échappe aux sens. → **imperceptible.**

**insalubre** adj. Qui n'est pas salubre. → **malsain.** ► **insalubrité** n. f.

**insane** adj. vx ou littér. Qui est contraire au bon sens. → **absurde, inepte, insensé.**

**insanité** n. f. littér. **1** Caractère de ce qui est déraisonnable. **2** Action ou parole absurde, insensée. → **absurdité, ineptie.**

**insatiable** adj. Qui ne peut être satisfait.

**insatisfait, aite** adj. Qui n'est pas satisfait. – n. *Un éternel insatisfait.* → **mécontent.** ♦ (désir, passion) Qui n'est pas assouvi. ► **insatisfaction** n. f.

**inscription** n. f. **1** Ensemble de caractères écrits ou gravés pour transmettre une information, conserver un souvenir, etc. → **épigraphe ; graffiti. 2** Action d'inscrire (qqn, qqch.) sur un registre, etc. ; ce qui est inscrit. ♦ dr. *Inscription en faux,* procédure qui tend à établir la fausseté d'un écrit.

**inscrire** v. tr. [39] **1** Écrire, graver (sur une matière dure). **2** Écrire (ce qui ne doit pas être oublié). → **noter.** ♦ pronom. Inscrire ou faire inscrire son nom. *S'inscrire à un club.* → s'**affilier.** – p. p. subst. *Les inscrits.* ♦ loc. *S'inscrire en faux* (dr. → **inscription**) *contre,* opposer un démenti à. **3** géom. Tracer dans une figure (une autre figure). – au p. p. *Angle inscrit* (dans un cercle). **4** Placer dans un cadre plus général. – pronom. *Ce projet s'inscrit dans un plan de réformes.*

**insécable** adj. Qui ne peut être coupé.

**insecte** n. m. Petit animal invertébré articulé *(Arthropodes),* à six pattes, le plus souvent ailé, respirant par des trachées et subissant des métamorphoses. *Étude des insectes.* → **entomologie.**

**insecticide** adj. Qui tue les insectes. *Poudre insecticide.* – n. m. *Un insecticide.*

**insectivore** adj. Qui se nourrit d'insectes. – n. m. pl. *Les Insectivores* (ordre de mammifères ; ex. la taupe, le hérisson).

**insécurité** n. f. Manque de sécurité.

**insémination** n. f. *Insémination artificielle,* introduction de sperme dans les voies génitales femelles sans accouplement.

**inséminer** v. tr. [1] Féconder par insémination artificielle.

**insensé, ée** adj. **1** vx Fou. **2** Contraire au bon sens. → **absurde, déraisonnable, extravagant. 3** Extraordinaire. → **dément.**

**insensibiliser** v. tr. [1] Rendre insensible (I, 1). → **anesthésier.** ► **insensibilisation** n. f.

**insensible** adj. **I 1** Qui n'a pas de sensibilité physique. **2** Qui n'a pas ou a peu d'émotions. → **froid, impassible, indifférent.** – *Il est insensible à la poésie.* **II 1** Qu'on ne sent pas, qui est à peine sensible. → **imperceptible. 2** Graduel, progressif. ► **insensiblement** adv. ► **insensibilité** n. f.

**inséparable** adj. **1** (abstractions) Que l'on ne peut séparer, considérer isolément. **2** Qui est toujours avec (qqn) ; qui sont toujours ensemble. *Son inséparable ami. Deux amis inséparables.* – n. *Des inséparables.*

**insérer** v. tr. [6] **1** Introduire (une chose) dans une autre de façon à incorporer. **2** Faire entrer (un texte) dans. – au p. p. *Communiqué inséré dans un journal.* ▷ v. pron. s'**insérer 1** S'attacher à, sur. *Les muscles s'insèrent sur les os.* **2** Trouver sa place (dans un ensemble ; un groupe). → s'**intégrer.**

**insermenté** adj. m. hist. Se dit des prêtres qui refusèrent de prêter serment à la Constitution civile du clergé, en 1790.

**insertion** n. f. Action d'insérer, de s'insérer. – spécialt Intégration sociale.

**insidieux, euse** adj. **1** Qui a le caractère d'un piège. *Question insidieuse.* **2** (maladie) Dont l'apparence bénigne masque la gravité. ► **insidieusement** adv.

① **insigne** adj. littér. Qui s'impose à l'attention. → **remarquable.**

② **insigne** n. m. **1** Marque extérieure et distinctive d'une dignité, d'un grade. → **emblème, marque, symbole. 2** Signe distinctif des membres (d'un groupe...).

**insignifiant, ante** adj. **1** Qui ne présente aucun intérêt. → **quelconque. 2** Qui n'est pas important. *Des détails insignifiants.* → **infime, négligeable.** ► **insignifiance** n. f.

**insinuant, ante** adj. **1** vieilli (personnes) Qui s'insinue auprès des gens. **2** (action) Qui cherche à réussir par la ruse.

**insinuation** n. f. Ce que l'on fait comprendre sans le dire. → **sous-entendu.**

**insinuer** v. tr. [1] **1** littér. Faire pénétrer, introduire (qqch. dans qqch.). **2** Donner à entendre (qqch.) sans dire expressément (surtout avec un mauvais dessein). ▷ v. pron. **s'insinuer 1** Pénétrer en se glissant. **2** S'introduire habilement (auprès de qqn).

**insipide** adj. **1** Qui n'a aucune saveur. **2** fig. Sans intérêt. ► **insipidité** n. f.

**insistance** n. f. Action d'insister.

**insistant, ante** adj. Qui insiste. – *Un regard insistant.* → **appuyé.**

**insister** v. intr. [1] **1** S'arrêter avec force sur un point particulier ; mettre l'accent sur. *Insister sur un sujet.* **2** Persévérer à demander (qqch.). *Il insiste pour vous voir.* **3** fam. Persévérer dans son effort.

**insociable** adj. Qui n'est pas sociable. ► **insociabilité** n. f.

**insolation** n. f. **1** didact. Exposition à la chaleur, à la lumière. **2** Troubles provoqués par l'exposition prolongée au soleil.

**insolence** n. f. **1** Manque de respect injurieux. → **effronterie.** ♦ Parole insolente. **2** Orgueil offensant. → **arrogance, morgue.**

**insolent, ente** adj. **1** Dont le manque de respect est offensant. → **impertinent, impoli.** – n. *Un insolent.* **2** Arrogant. *Un vainqueur insolent.* **3** Extraordinaire au point de choquer. *Une chance insolente.* ► **insolemment** [-amɑ̃] adv.

**insoler** v. tr. [1] Exposer à la lumière.

**insolite** adj. Qui étonne, surprend par son caractère inhabituel. → **étrange.** – n. m. *Rechercher l'insolite.*

**insoluble** adj. **1** Qu'on ne peut résoudre. **2** Qui ne peut se dissoudre. ► **insolubilité** n. f.

**insolvable** adj. Qui est hors d'état de payer ses dettes. ► **insolvabilité** n. f.

**insomnie** n. f. Difficulté à s'endormir ou à dormir suffisamment. ♦ Temps pendant lequel qqn qui le souhaite ne peut dormir. ► **insomniaque** adj. et n.

**insondable** adj. **1** Dont on ne peut atteindre le fond. **2** fig. Difficile à comprendre. → **énigmatique. 3** péj. Immense. *Bêtise insondable.*

**insonore** adj. Qui amortit les sons.

**insonoriser** v. tr. [1] Rendre moins sonore, plus silencieux en isolant. *Insonoriser une pièce.* – au p. p. *Local insonorisé.* ► **insonorisation** n. f.

**insortable** adj. Qui n'est pas sortable.

**insouciance** n. f. État ou caractère d'une personne insouciante.

**insouciant, ante** adj. **1** littér. *Insouciant de :* qui ne se soucie pas de (qqch.). **2** Qui ne se préoccupe de rien, vit sans souci.

**insoucieux, euse** adj. littér. Insouciant.

**insoumis, ise** adj. **1** Qui refuse de se soumettre. → **rebelle, révolté. 2** *Soldat insoumis* et n. m. *un insoumis,* militaire qui ne s'est pas rendu là où il devait. → **déserteur.**

**insoumission** n. f. **1** Caractère, état d'une personne insoumise. **2** Délit du militaire insoumis.

**insoupçonnable** adj. À l'abri du soupçon.

**insoupçonné, ée** adj. Dont l'existence n'est pas soupçonnée. → **inconnu.**

**insoutenable** adj. **1** Qu'on ne peut soutenir, défendre. → **indéfendable. 2** Qu'on ne peut supporter. → **insupportable.**

**inspecter** v. tr. [1] **1** Examiner (ce dont on a la surveillance). → **contrôler, surveiller. 2** Examiner avec attention.

**inspecteur, trice** n. Personne chargée de surveiller, de contrôler. ♦ spécialt *Inspecteur (de police) :* ancien grade de la Police nationale, agent en civil chargé de tâches de direction et d'encadrement. → **lieutenant.**

**inspection** n. f. **1** Examen attentif dans un but de contrôle, de surveillance, de vérification. **2** Ensemble d'inspecteurs.

**inspirateur, trice** n. Personne qui inspire (qqn ; une entreprise...).

**inspiration** n. f. **I 1** didact. Souffle divin qui apporterait des révélations aux humains. **2** Souffle créateur qui anime les artistes, les chercheurs. *Inspiration poétique.* **3** Fait d'inspirer, de conseiller qqch. à qqn. → **influence, instigation. 4** *D'inspiration* (+ adj.), qui s'inspire de (une œuvre, un style...). **5** Idée spontanée et soudaine. **II** Fait d'inspirer (II).

**inspiré, ée** adj. **1** Animé par l'inspiration. *Un poète inspiré.* **2** *Bien, mal inspiré,* qui a une bonne, une mauvaise idée (pour agir).

**inspirer** v. [1] **I** v. tr. **1** Animer d'une inspiration (I, 1). **2** Donner l'inspiration (I, 2) à (qqn) (dans l'art, les activités intellectuelles). **3** Être la cause de (un sentiment, un dessein...) chez qqn. *Il m'inspire confiance ; du courage.* **4** v. pron. *S'inspirer de :* prendre des idées, des éléments à (un auteur...). **II** v. intr. Faire entrer l'air dans ses poumons.

**instable** adj. **1** Mal équilibré. → **branlant. 2** chim. Qui se décompose facilement en ses éléments. **3** Qui n'est pas stable en un lieu. → **nomade. 4** Qui n'est pas fixe, durable. *Temps instable.* **5** (personnes) Qui change constamment d'état affectif, de comportement. – n. *Un, une instable.* ► **instabilité** n. f.

**installateur, trice** n. Personne (artisan...) qui s'occupe d'installations.

**installation** n. f. **1** Action d'installer qqn, de s'installer dans un logement. – Manière dont qqn est installé. **2** Action d'installer (2) (qqch.). **3** Objets, bâtiments, etc., installés en vue d'un usage déterminé. → **équipement. 4** (art contemporain) Œuvre d'art complexe, réunissant divers objets et techniques.

**installer** v. tr. [1] **1** Mettre (qqn) dans la demeure ou l'endroit qui lui est destiné. **2** Disposer, établir (qqch.) dans un lieu désigné. *Installer un ordinateur dans un bureau.* ♦ Aménager (un appartement, une pièce). ♦ inform. Ajouter et rendre utilisable (un logiciel, un périphérique). **3** fig. Établir durablement. *Installer le mensonge autour de soi.* ▷ v. pron. **s'installer**

**instamment** adv. D'une manière instante, avec force.

**instance** n. f. **I** Sollicitation pressante, instante. *Céder aux instances de qqn.* **II 1** dr. Poursuite en justice ; procédure concernant un litige. – *Tribunal d'instance,* jugeant les contraventions. *Tribunal de grande instance* (délits). ♦ loc. *En instance (de) :* en cours (de). *Être en instance de divorce.* **2** Juridiction. ♦ Autorité, corps constitué. **3** psych. Partie du psychisme, élément dynamique de la personnalité (selon Freud : moi, surmoi et ça).

① **instant, ante** adj. littér. Très pressant. *De manière instante.* → **instamment.**

② **instant** n. m. Durée très courte que la conscience saisit comme un tout. → **moment.** ♦ loc. adv. *En un instant :* très vite. – *Dans un instant :* bientôt. – *À l'instant :* tout de suite. – *Par instants :* par moments. ♦ loc. adj. *De tous les instants :* constant.

**instantané, ée** adj. **1** Qui se produit en un instant, soudainement. → **immédiat, subit.** ♦ n. m. Photographie obtenue par une exposition de très courte durée. **2** Qui se dissout immédiatement. ▶ **instantanéité** n. f. ▶ **instantanément** adv. → **aussitôt.**

à l'**instar** de loc. prép. littér. À l'exemple, à la manière de.

**instaurer** v. tr. [1] Établir pour la première fois. → **fonder.** – pronom. Se mettre en place. ▶ **instauration** n. f. littér.

**instigateur, trice** n. Personne qui incite, qui pousse à faire qqch.

**instigation** n. f. **1** rare Incitation. **2** loc. *À l'instigation de qqn,* sur ses conseils.

**instiller** [-il-] v. tr. [1] Verser goutte à goutte. ▶ **instillation** [-il-] n. f.

**instinct** [ɛ̃stɛ̃] n. m. **1** Tendance innée et puissante, commune à tous les êtres vivants ou à tous les individus d'une même espèce. *L'instinct sexuel.* **2** sc. Tendance innée à des actes déterminés, exécutés parfaitement sans expérience préalable. **3** (chez l'être humain) L'intuition, le sentiment (opposé à la raison). *Se fier à son instinct.* – loc. adv. *D'instinct :* d'une manière naturelle et spontanée. ♦ Faculté naturelle (de sentir, de deviner...). *Un instinct infaillible.* ♦ Tendance irréfléchie. → **pulsion.**

**instinctif, ive** adj. **1** sc. De l'instinct. **2** Qui naît d'un instinct, de l'instinct. → **spontané.** **3** (personnes) En qui domine la spontanéité de l'instinct. ▶ **instinctivement** adv.

**instituer** v. tr. [1] **1** didact. Établir officiellement en charge, en fonction. **2** Établir de manière durable. → **fonder, instaurer.** – au p. p. *Le régime institué par la V^e^ République.*

**institut** n. m. **1** Corps constitué de savants, d'artistes, d'écrivains. – spécialt *L'Institut de France,* comprenant cinq Académies. **2** Établissement où l'on donne des soins. **3** Institution scolaire (privée).

**instituteur, trice** n. (anciennt, en France) Personne qui enseigne dans une école primaire (terme off. *professeur des écoles*).

**institution** n. f. **I 1** Action d'instituer. → **création, établissement.** **2** La chose instituée (groupement, régime...). – *Les institutions,* ensemble des organisations sociales établies par la loi ou la coutume. **3** iron. Pratique, etc. solidement établie. **II** Établissement d'enseignement privé. → **institut** (3).

**institutionnaliser** v. tr. [1] Donner à (qqch.) le caractère (stable, officiel) d'une institution. ▶ **institutionnalisation** n. f.

**institutionnel, elle** adj. Des institutions.

**instructeur, trice** n. **1** Militaire qui forme les recrues. **2** dr. Personne qui instruit (II) une affaire. – adj. *Juge instructeur.*

**instructif, ive** adj. (choses) Qui instruit.

**instruction** n. f. **I 1** Action d'enrichir et de former l'esprit (de la jeunesse). → **enseignement, pédagogie.** *L'instruction publique,* dispensée par l'État (en France). – *Instruction civique.* **2** Savoir d'une personne instruite. → **connaissance(s), culture.** **II 1** au plur. Explications à l'usage d'une personne chargée d'une mission, etc. → **consigne, directive.** – Ordre émanant d'une autorité. – Mode d'emploi d'un produit. **2** inform. Consigne exprimée dans un langage de programmation. **III** dr. Action d'instruire (II) une cause. *Juge d'instruction.*

**instruire** v. tr. [38] **I 1** littér. Mettre en possession de connaissances nouvelles. – au p. p. *Instruit par l'expérience...* **2** Dispenser un enseignement à (un élève). ♦ pronom. Enrichir ses connaissances, son expérience. → **étudier.** **3** littér. *Instruire qqn de,* l'informer de (qqch.). **II** dr. Mettre (une cause) en état d'être jugée. *Instruire une affaire.*

**instruit, ite** adj. Qui a des connaissances étendues dénotant une solide instruction. → **cultivé, érudit, savant.**

**instrument** n. m. **I 1** Objet fabriqué servant à exécuter qqch., à faire une opération. → **appareil, machine, outil, ustensile.** **2** *Instrument (de musique),* destiné à produire des sons musicaux. **II** fig., littér. Personne ou chose servant à obtenir un résultat. ▶ **instrumental, ale, aux** adj.

**instrumentaliser** v. tr. [1] Manipuler, utiliser à des fins détournées. ▶ **instrumentalisation** n. f.

**instrumentalisme** n. m. philos. Doctrine pragmatique selon laquelle la théorie est un outil, un instrument (II) pour l'action. ▶ **instrumentaliste** adj. et n.

**instrumentation** n. f. mus. Orchestration en fonction des qualités des instruments.

**instrumenter** v. intr. [1] dr. Dresser un contrat, un exploit, un procès-verbal.

**instrumentiste** n. Musicien qui joue d'un instrument.

à l'**insu** de loc. prép. Sans que la chose soit sue de (qqn). *À l'insu de qqn.* ♦ Sans en avoir conscience. *Tu t'es trahi à ton insu.*

**insubmersible** adj. Qui ne peut être submergé, coulé.

**insubordination** n. f. Refus de se soumettre. – spécialt Refus d'obéissance d'un militaire aux ordres d'un supérieur.

**insubordonné, ée** adj. Qui refuse de se soumettre. → **indiscipliné, insoumis.**

**insuccès** n. m. Fait d'échouer. → **échec.**

**insuffisance** n. f. **1** Caractère, état de ce qui ne suffit pas. *Insuffisance de moyens.* **2** au plur. Défaut, lacune. **3** méd. Déficience (d'un organe). *Insuffisance hépatique.*

**insuffisant, ante** adj. **1** Qui ne suffit pas. **2** (personnes) Qui manque de dons, de talent. → **inapte.** ► **insuffisamment** adv.

**insuffler** v. tr. [1] **1** littér. Communiquer par le souffle. *Dieu insuffla la vie à sa créature.* ♦ Inspirer (un sentiment). **2** méd. Faire pénétrer (de l'air...) dans une cavité de l'organisme. ► **insufflation** n. f. méd.

**insulaire** adj. D'une île ; qui habite une île. – n. → **îlien.** ► **insularité** n. f.

**insuline** n. f. Hormone sécrétée par le pancréas. ► **insulinique** adj.

**insulte** n. f. **1** Acte ou parole qui outrage ou vise à outrager. → **injure.** **2** Atteinte, offense. *Une insulte à sa pudeur.*

**insulter** v. tr. [1] **1** Attaquer (qqn) par des insultes (1). → **injurier, offenser.** **2** v. tr. ind. littér. *Insulter à* : constituer une atteinte à. ► **insultant, ante** adj. → **injurieux.**

> On dit *il m'a traité d'imbécile* mais *il m'a insulté*, sans attribut.

**insupportable** adj. **1** Qu'on ne peut supporter, endurer. → **intolérable.** ♦ Extrêmement désagréable. **2** (personnes) Particulièrement désagréable ou agaçant.

**insupporter** v. tr. [1] Déplaire à (qqn).

**insurgé, ée** adj. Qui s'est insurgé, soulevé. – n. *Des insurgés.*

s'**insurger** v. pron. [3] **1** Se soulever (contre l'autorité). **2** Protester vivement.

**insurmontable** adj. **1** Qu'on ne peut surmonter. → **infranchissable.** **2** (sentiments) Qu'on ne peut dominer, réprimer.

**insurrection** n. f. **1** Action de s'insurger ; soulèvement qui vise à renverser le pouvoir établi. **2** littér. Révolte, opposition indignée. ► **insurrectionnel, elle** adj.

**intact, e** [ɛ̃takt] adj. **1** Qui n'a pas subi de dommage. **2** (abstrait) Qui n'a souffert aucune atteinte. *Honneur intact.*

**intaille** n. f. Pierre fine gravée en creux.

**intangible** adj. littér. À quoi l'on ne doit pas porter atteinte ; que l'on doit maintenir intact. → **inviolable, sacré.**

**intarissable** adj. **1** Qui coule sans arrêt. → **inépuisable.** **2** fig. *Une verve intarissable.* – (personnes) *Il est intarissable sur ce sujet.* ► **intarissablement** adv. littér.

**intégral, ale, aux** adj. **I** Qui n'est l'objet d'aucune diminution, d'aucune restriction. → **complet, entier.** ► **intégralement** adv. ♦ n. f. Édition intégrale. *L'intégrale des cantates de Bach.* **II** math. **1** *Calcul intégral* : méthodes de calcul des primitives et des intégrales. **2** n. f. Résultat de l'opération fondamentale du calcul intégral, l'intégration (II).

**intégralité** n. f. État d'une chose complète. → **complétude, intégrité.** – *Dans son intégralité*, dans sa totalité.

**intégrant, ante** adj. *Partie intégrante*, sans laquelle un ensemble, un tout ne serait pas complet.

**intégration** n. f. **I 1** Incorporation (d'éléments) à un système. **2** Assimilation (d'un individu, d'un groupe) à une communauté, un groupe social. **3** didact. Établissement d'une interdépendance plus étroite entre des parties. **II** math. Opération par laquelle on détermine la grandeur limite de la somme de quantités infinitésimales en nombre indéfiniment croissant.

**intégrationniste** adj. et n. Favorable à l'intégration (I, 2) politique ou raciale. ► **intégrationnisme** n. m.

**intègre** adj. D'une honnêteté absolue.

**intégrer** v. [6] **I** v. tr. Faire entrer dans un ensemble en tant que partie intégrante. → **assimiler, incorporer.** – pronom. *S'intégrer dans un groupe.* – au p. p. *Être bien, mal intégré* (à un groupe, dans une société). **II** v. tr. math. Faire l'intégration (II) de. **III** v. tr. et intr. argot scol. Être reçu au concours d'entrée d'une grande école. *Elle a intégré (à) Centrale.* ▷ adj. **intégré, ée** *Populations intégrées.* ♦ techn. *Circuit* intégré.*

**intégrisme** n. m. Attitude qui consiste à refuser toute évolution d'une doctrine (spécialt d'une religion). ► **intégriste** adj. et n.

**intégrité** n. f. **I** État d'une chose qui demeure entière. **II** Honnêteté absolue.

**intellect** [-ɛkt] n. m. L'esprit, dans son fonctionnement intellectuel.

**intellectualiser** v. tr. [1] Revêtir d'un caractère intellectuel. – Élaborer par l'intelligence. ► **intellectualisation** n. f.

**intellectualisme** n. m. Tendance à tout subordonner à la vie intellectuelle. ► **intellectualiste** adj. et n.

**intellectuel, elle** adj. et n. **1** Qui se rapporte à l'intelligence (connaissance ou compréhension). *La vie intellectuelle.* → **mental.** **2** Qui a un goût prononcé (ou excessif) pour les choses de l'esprit. → **cérébral.** ♦ Qui se consacre aux activités de l'esprit. – n. *Les intellectuels.*

**intellectuellement** adv. Sous le rapport de l'intelligence, de l'activité intellectuelle.

**intelligemment** [-amɑ̃] adv. Avec intelligence ; d'une manière intelligente.

**intelligence** n. f. **I 1** Faculté de connaître, de comprendre ; qualité de l'esprit qui comprend et s'adapte facilement. **2** Ensemble des fonctions mentales ayant pour objet la connaissance rationnelle (opposé à la sensation et à l'intuition). **3** *Intelligence artificielle :* techniques développant des programmes informatiques complexes capables de simuler l'intelligence. **4** Personne intelligente. → **cerveau. 5** *L'intelligence de qqch. :* acte ou capacité (pour qqn) de comprendre (qqch.). **II 1** littér. *Être, agir d'intelligence avec qqn.* → **complicité, connivence. 2** au plur. Complicités secrètes. **3** *En bonne, mauvaise intelligence :* en s'entendant bien, mal.

**intelligent, ente** adj. **1** Qui a la faculté de connaître et de comprendre. → **pensant. 2** (qualifié) Qui est, à un degré variable, doué d'intelligence. – absolt Qui comprend vite et bien, s'adapte facilement aux situations. **3** Qui dénote de l'intelligence. **4** techn., anglic. (choses). Dont le fonctionnement est en partie automatisé, notamment par les techniques de l'intelligence* artificielle.

**intelligentsia** [ɛ̃teliʒɛnsja ; inteligɛnsja] n. f. parfois péj. Le groupe des intellectuels (dans une société, un pays).

**intelligible** adj. **1** didact. Qui ne peut être connu que par l'entendement (opposé à *sensible*). **2** Qui peut être compris, est aisé à comprendre. → **clair, compréhensible ;** opposé à *inintelligible.* **3** Qui peut être distinctement entendu. – loc. *Parler à haute et intelligible voix.* ► **intelligiblement** adv. ► **intelligibilité** n. f.

**intempérant, ante** adj. **1** vx Qui n'est pas modéré. **2** littér. Qui manque de modération dans les plaisirs de la table et les plaisirs sexuels. ► **intempérance** n. f.

**intempéries** n. f. pl. Rigueurs du climat (pluie, vent...).

**intempestif, ive** adj. Qui se fait ou se manifeste à contretemps. → **déplacé, inopportun.** ► **intempestivement** adv.

**intemporel, elle** adj. Qui, par sa nature, est étranger au temps. → **éternel.** ► **intemporellement** adv.

**intenable** adj. **1** Que l'on ne peut tenir ou soutenir. *Une position intenable.* **2** Insupportable, indocile.

**intendance** n. f. **1** hist. Charge, circonscription des intendants (I). **2** Service chargé du ravitaillement et de l'entretien (dans une armée, une collectivité).

**intendant, ante** n. **1** n. m. hist. Agent du pouvoir royal dans une province. **2** Personne chargée de l'intendance (2).

**intense** adj. (choses) Qui agit avec force, est à un haut degré. ► **intensément** adv.

**intensif, ive** adj. **1** Qui est l'objet d'un effort intense, pour accroître l'effet. *Propagande intensive.* **2** (opposé à *extensif*) *Culture intensive,* à haut rendement.

**intensifier** v. tr. [7] Rendre plus intense, au prix d'un effort. → **augmenter.** ▷ v. pron. **s'intensifier** Devenir plus intense. ► **intensification** n. f.

**intensité** n. f. **1** Degré d'activité, de force ou de puissance. ♦ *Intensité d'un courant électrique,* quantité d'électricité traversant un conducteur par unité de temps. **2** Caractère de ce qui est intense, très vif.

**intensivement** adv. De manière intensive.

**intenter** v. tr. [1] Entreprendre contre qqn (une action en justice).

**intention** n. f. Fait de se proposer un certain but. → **dessein.** *Acte commis avec l'intention de nuire.* – *Avoir l'intention de* (+ inf.) : se proposer de, vouloir. – *Dans l'intention de* (+ inf.). → **pour.** – *À l'intention de qqn,* pour lui ; en son honneur.

> Ne pas confondre *à l'intention de* et *à l'attention de* qui introduit le destinataire d'un envoi.

**intentionné, ée** adj. *Bien, mal intentionné :* qui a de bonnes, de mauvaises intentions.

**intentionnel, elle** adj. Qui est fait exprès, avec intention. ► **intentionnellement** adv.

**interactif, ive** adj. Qui permet une interaction. – Qui permet un échange aisé entre l'utilisateur d'un ordinateur et la machine. ► **interactivité** n. f.

**interaction** n. f. Réaction réciproque. → **interdépendance.** ♦ sc. Force qui s'exerce entre objets physiques. *Interaction forte :* la plus forte des *interactions fondamentales* (entre les constituants de la matière), au sein du noyau atomique.

**interallié, ée** adj. Qui concerne des nations alliées.

**interbancaire** adj. Qui relève des relations entre les banques.

**intercalaire** adj. Qui peut s'intercaler, être inséré. *Feuillet intercalaire.* – n. m. *Un intercalaire.* ♦ didact. *Jour intercalaire,* ajouté au mois de février, les années bissextiles.

**intercaler** v. tr. [1] Faire entrer après coup dans un ensemble ; mettre (une chose) entre deux autres. → **insérer, introduire.** ► **intercalation** n. f. didact.

**intercéder** v. intr. [6] Intervenir, user de son influence (en faveur de qqn). ► **intercession** n. f. littér. ► **intercesseur** n. m. littér. → **défenseur.**

**intercepter** v. tr. [1] **1** Prendre au passage et par surprise (ce qui est adressé, envoyé ou destiné à qqn). *Intercepter une lettre ; un ballon.* **2** Arrêter (une action, spécialt la lumière). ► **interception** n. f.

**interchangeable** adj. Se dit de choses, de personnes qui peuvent être mises à la place les unes des autres. → **remplaçable.**

**interclasse** n. m. Court intervalle entre deux cours, deux heures de classe.

**interclasser** v. tr. [1] Classer (les éléments de deux ou plusieurs séries) en une série unique. ► **interclassement** n. m.

**intercommunal, ale, aux** adj. Qui concerne plusieurs communes.

**intercommunication** n. f. Communication réciproque.

**interconnecter** v. tr. [1] Relier entre eux (des réseaux...). ► **interconnexion** n. f.

**intercontinental, ale, aux** adj. Qui concerne les relations entre continents.

**intercostal, ale, aux** adj. Qui est situé ou se fait sentir entre deux côtes.

**interdépendance** n. f. Dépendance réciproque. → **corrélation, interaction.** ► **interdépendant, ante** adj.

**interdiction** n. f. **1** Action d'interdire (qqch.). → **défense.** *Interdiction de stationner.* **2** Action d'interdire (à qqn) l'exercice de ses fonctions. – dr. *Interdiction de séjour,* défense de se trouver dans certains lieux.

**interdire** v. tr. [37] sauf *vous interdisez* **1** Défendre (qqch. à qqn). **2** (sujet chose) Empêcher. **3** Frapper (qqn) d'interdiction (2).

**interdisciplinaire** adj. Qui concerne plusieurs disciplines, plusieurs sciences à la fois. ► **interdisciplinarité** n. f.

① **interdit, ite** adj. **I 1** Non autorisé. *Passage interdit.* **2** Frappé d'interdiction (2). **II** Très étonné, stupide d'étonnement.

② **interdit** n. m. Interdiction émanant d'un groupe social. ♦ psych. → **tabou.**

**intéressant, ante** adj. **1** Qui retient l'attention, captive l'esprit. → **captivant, passionnant.** ♦ péj. *Chercher à se rendre intéressant,* à se faire remarquer. – n. *Faire l'intéressant(e).* **2** Qui touche moralement, qui est digne d'intérêt. – vieilli *Être dans une situation intéressante,* être enceinte. **3** Avantageux. *Une affaire intéressante.*

**intéressé, ée** adj. **I** Qui a un rôle (dans qqch.) ; qui est en cause. – n. *Le principal intéressé.* **II** (s'oppose à *désintéressé*) Qui recherche avant tout son intérêt matériel, est avide et avare. ♦ Inspiré par la recherche d'un avantage personnel. *Un avis intéressé.*

**intéressement** n. m. Action d'intéresser (I, 3) (qqn) aux bénéfices d'une entreprise.

**intéresser** v. tr. [1] **I 1** (sujet chose) Avoir de l'importance pour (qqn, qqch.). → **concerner, regarder.** **2** Avoir un intérêt (matériel...) pour (qqn). *Votre offre m'intéresse.* **3** Associer (qqn) à un profit. *Intéresser qqn aux bénéfices.* **II 1** Éveiller et retenir l'attention de (qqn) ; constituer un objet d'intérêt pour. *Cette conférence nous a intéressés.* ♦ (personnes) *Il ne sait pas intéresser son auditoire.* **2** Toucher (qqn), tenir à cœur à (qqn). *Leur sort n'intéresse personne.* ▷ v. pron. **s'intéresser** (à) Prendre intérêt (à).

**intérêt** n. m. **I 1** vx Préjudice. – mod., dr. *Dommages* et intérêts.* **2** Somme qui rémunère un créancier pour l'usage de son argent par un débiteur. *Prêt à intérêt.* – Ce que rapporte un capital placé. **3** Ce qui importe, ce qui convient (à qqn, un groupe). *Mesures d'intérêt général. Avoir intérêt à* (faire qqch.). → **avantage.** **4** Recherche d'un avantage personnel. *Agir par intérêt.* **II** (domaine intellectuel) **1** Attention favorable que l'on porte à qqn. *Témoigner de l'intérêt à qqn.* **2** État de l'esprit qui prend part à ce qu'il trouve digne d'attention, important. *Lire avec intérêt.* **3** Qualité de ce qui est intéressant. *Histoire pleine d'intérêt.*

**interface** n. f. **1** sc. Limite entre deux états (de la matière). **2** inform. Dispositif qui permet la communication entre deux éléments d'un système.

**interférence** n. f. **1** phys. Rencontre d'ondes (lumineuses, sonores...) de même nature. **2** Conjonction de faits.

**interférer** v. intr. [6] **1** phys. Produire des interférences. **2** (actions) Se gêner.

**intergalactique** adj. Situé entre des galaxies. *L'espace intergalactique.* – (contexte de la fiction) *Vaisseau intergalactique.*

**intérieur, eure I** adj. **1** Qui est au-dedans, tourné vers le dedans (opposé à *extérieur*). → **interne.** *Poche intérieure.* **2** Qui concerne un pays, son territoire. *Politique intérieure.* **3** Qui concerne la vie psychologique ; qui se passe dans l'esprit. *La vie intérieure. For* intérieur.* **II** n. m. **1** Espace compris entre les limites (d'une chose). → **dedans.** – **absolt** *Attendez-moi à l'intérieur* (de la maison). **2** Habitation, considérée dans son aménagement. – *Femme, homme d'intérieur,* qui se plaît à tenir sa maison. **3** Espace compris entre les frontières d'un pays. *Le ministère de l'Intérieur.*

**intérieurement** adv. **1** Au-dedans. – Par l'intérieur. **2** Dans l'esprit, dans le cœur.

**intérim** [ɛ̃teʀim] n. m. Temps pendant lequel une fonction est exercée par qqn d'autre que le titulaire ; exercice de cette fonction. – Activité de travail temporaire.

**intérimaire** adj. Relatif à un intérim ; qui assure l'intérim. – n. *Un(e) intérimaire.*

**intérioriser** v. tr. [1] Ramener à la vie intérieure. – au p. p. *Sentiment intériorisé.*

**intériorité** n. f. Caractère intérieur.

**interjection** n. f. Mot invariable pouvant être employé seul pour traduire une attitude affective (ex. ah !, zut !). → **exclamation.**

**interligne** n. f. Espace qui est entre deux lignes écrites ou imprimées.

**interligner** v. tr. [1] 1 Écrire dans les interlignes. 2 Séparer par des interlignes.

**interlocuteur, trice** n. 1 Personne qui parle avec une autre. 2 Personne avec laquelle on engage une négociation.

**interlope** adj. 1 Dont l'activité n'est pas légale. 2 D'apparence louche, suspecte.

**interloquer** v. tr. [1] Rendre (qqn) interdit (II), décontenancé. ▷ adj. **interloqué, ée** (plus cour.) Déconcerté, interdit.

**interlude** n. m. 1 Petit intermède (1). 2 Courte pièce musicale exécutée entre deux autres. 3 → **intermède** (2).

**intermède** n. m. 1 Divertissement entre les actes d'une pièce de théâtre, les parties d'un spectacle. 2 Ce qui interrompt momentanément une activité.

**intermédiaire** I adj. Qui, étant entre deux termes, forme une transition ou assure une communication. *Solution intermédiaire.* II 1 n. m. Terme, état intermédiaire. ♦ *Par l'intermédiaire de,* par l'entremise* de. 2 n. Personne qui met en relation deux personnes ou deux groupes. – Personne qui intervient dans un circuit commercial.

**intermezzo** [ɛ̃tɛʀmɛdzo] n. m. Intermède musical.

**interminable** adj. Qui n'a pas ou ne semble pas avoir de fin (dans l'espace ou dans le temps). ► **interminablement** adv.

**interministériel, elle** adj. Commun à plusieurs ministères.

**intermittence** n. f. Caractère intermittent ; arrêt momentané. – *Par intermittence,* irrégulièrement, par accès.

**intermittent, ente** adj. Qui s'arrête et reprend par intervalles. → **discontinu.** ♦ (personnes) Dont l'activité est intermittente. – n. *Les intermittents du spectacle.*

**internat** n. m. 1 École où vivent des internes. → **pensionnat.** 2 État d'élève interne. ♦ Fonction d'interne des hôpitaux, obtenue sur concours ; ce concours.

**international, ale, aux** adj. et n. 1 Qui a lieu de nation à nation, entre plusieurs nations ; qui concerne les rapports entre nations. 2 (personnes) *Fonctionnaire international.* – en sports *Joueur international ;* n. *un international.* 3 n. f. *L'Internationale :* groupement international de partis ouvriers. 4 n. m. *L'international :* le marché international, l'étranger.

**internationaliser** v. tr. [1] Rendre international. ► **internationalisation** n. f.

**internationalisme** n. m. Doctrine préconisant l'union internationale des peuples. ► **internationaliste** adj. et n.

**internaute** n. Utilisateur, utilisatrice d'Internet.

① **interne** I adj. 1 Qui est situé en dedans, est tourné vers l'intérieur (s'oppose à *externe*). 2 Qui appartient au dedans. *Structure interne.* II n. 1 Élève qui vit dans l'établissement scolaire qu'il (elle) fréquente. → **pensionnaire.** 2 Étudiant(e) en médecine reçu(e) au concours de l'internat, qui exerce des fonctions hospitalières.

② **interne** adj. anglic. *Médecine interne :* médecine générale (exercée par des *internistes*).

**interner** v. tr. [1] Enfermer (qqn) par mesure administrative. ♦ Enfermer dans un hôpital psychiatrique. ► **internement** n. m.

**Internet** [-nɛt] n. m. Réseau informatique mondial, réunissant des sous-réseaux utilisant le même protocole de communication. *Naviguer* (avec maj.) *sur Internet, sur l'internet.* → aussi **web.**

**interpellateur, trice** n. Personne qui interpelle.

**interpellation** n. f. Action d'interpeller. ♦ polit. Demande d'explications adressée au gouvernement par un membre du Parlement en séance publique.

**interpeller** [-pəle] v. tr. [1] I 1 Adresser la parole brusquement à (qqn). → **apostropher.** 2 polit. Adresser une interpellation à (un ministre). 3 dr. Questionner (un suspect) sur son identité. II (sujet chose) critiqué (ou iron.) Susciter de l'intérêt chez (qqn).

**interphone** n. m. (nom déposé) Appareil de communication téléphonique intérieure.

**interplanétaire** adj. Qui est, qui a lieu entre les planètes.

**interpoler** v. tr. [1] 1 Introduire dans un texte (des passages n'appartenant pas à l'original). 2 sc. Intercaler dans une série de valeurs connues (des valeurs intermédiaires). ► **interpolation** n. f.

**interposer** v. tr. [1] 1 Poser (qqch.) entre deux choses. 2 Faire intervenir. *Interposer un médiateur.* ▷ v. pron. **s'interposer** *S'interposer dans une dispute,* intervenir pour y mettre fin. ▷ adj. **interposé, ée** *Par personnes interposées :* avec des intermédiaires. ► **interposition** n. f.

**interprétation** n. f. Action d'interpréter ; son résultat.

**interprète** n. 1 littér. Personne qui éclaircit le sens (d'un texte, etc.). 2 Personne qui donne oralement l'équivalent en une autre langue (→ **traducteur**) de ce qui est dit. 3 Personne qui fait connaître les sentiments, les volontés de qqn. → **porte-parole.** 4 Acteur ou musicien qui interprète (4).

**interpréter** v. tr. [6] 1 Expliquer (un texte, un fait, un rêve, etc.) en rendant clair ce qui est obscur. 2 Donner un sens à (qqch.), tirer une signification de. *Interpréter l'attitude de qqn.* 3 Traduire oralement comme interprète (2). 4 Jouer (une œuvre) de manière à exprimer le contenu. *Interpréter une pièce ; une sonate.*

**interprofession** n. f. Organisation d'acteurs économiques d'une même filière.

**interprofessionnel, elle** adj. Commun à plusieurs professions.

**interracial, ale, aux** [-ɛʀʀ-] adj. Qui se fait entre personnes de races différentes.

**interrègne** [-ɛʀʀ-] n. m. Intervalle pendant lequel un État est sans chef.

**interrogateur, trice** 1 n. → **examinateur.** 2 adj. Qui contient une interrogation.

**interrogatif, ive** adj. 1 Qui exprime l'interrogation. 2 gramm. Qui sert à interroger. *Pronoms* (ex. lequel), *adjectifs* (ex. quel), *adverbes interrogatifs* (ex. où). – n. f. Proposition interrogative.

**interrogation** n. f. 1 Action de questionner, d'interroger (qqn). – Question ou ensemble de questions que l'on pose à un élève, à un candidat. 2 Type de phrase logiquement incomplète qui sert à poser une question ou qui implique un doute. *Interrogation directe* (ex. quelle heure est-il ?), *indirecte* (ex. je me demande quelle heure il est). – *Point d'interrogation* (?).

**interrogatoire** n. m. Questions posées pour savoir la vérité dans une affaire juridique. – Série de questions posées à qqn.

**interroger** v. tr. [3] 1 Questionner (qqn) avec l'idée qu'il doit une réponse. ♦ par ext. *Interroger une base de données.* 2 Examiner avec attention (qqch.) pour y trouver une réponse. *Interroger le passé.*

**interrompre** v. tr. [41] 1 Rompre (qqch.) dans sa continuité. 2 Empêcher (qqn) de continuer ce qu'il fait. 3 Couper la parole à (qqn). ▷ v. pron. **s'interrompre** S'arrêter (de faire qqch., de parler...).

**interrupteur** n. m. Dispositif pour interrompre et rétablir le passage du courant électrique dans un circuit. → **commutateur.**

**interruption** n. f. Action d'interrompre ; état de ce qui est interrompu. → **arrêt, coupure.**

**intersection** n. f. Rencontre (de lignes, de surfaces, de volumes qui se coupent).

**intersidéral, ale, aux** adj. Qui est situé, se passe entre les astres.

**interspécifique** adj. biol. Qui concerne deux espèces différentes et leurs relations.

**interstellaire** adj. Situé entre les étoiles.

**interstice** n. m. Très petit espace vide (entre les parties de qqch., etc.).

**intertropical, ale, aux** adj. géogr. Qui est situé entre les tropiques.

**interurbain, aine** adj. vieilli Qui assure les communications entre des villes.

**intervalle** n. m. 1 Distance d'un objet à un autre. 2 mus. Écart entre deux sons, mesuré par le rapport de leurs fréquences. 3 Espace de temps qui sépare deux faits. – *Dans l'intervalle.* → **entre-temps.** *Par intervalles* : de temps à autre.

**intervenant, ante** n. Personne qui prend la parole au cours d'une discussion.

**intervenir** v. intr. [22] 1 Arriver, se produire au cours d'une affaire, d'une discussion. *Un accord est intervenu.* 2 Prendre part à une action, à une affaire en cours. – absolt *La police est prête à intervenir.* 3 (sujet chose) Agir, jouer un rôle.

**intervention** n. f. 1 Action d'intervenir. 2 Acte chirurgical. → **opération.**

**interventionnisme** n. m. 1 Doctrine qui préconise l'intervention de l'État dans le domaine économique. 2 Politique d'intervention d'un État dans un conflit. ► **interventionniste** adj. et n.

**intervertir** v. tr. [2] Déplacer (les éléments d'un tout) en renversant l'ordre. – *Intervertir les rôles* (entre deux personnes). ► **interversion** n. f.

**interview** [ɛ̃tɛʀvju] n. f. anglic. Entrevue au cours de laquelle un(e) journaliste interroge qqn pour publier une relation de l'entretien ; cette relation. ► **interviewer** v. tr. [1] ► **intervieweur, euse** n.

**intestat** adj. et n. Qui n'a pas fait de testament. *Elle est morte intestat.* – n. *Des intestats.*

① **intestin, ine** adj. Qui se passe à l'intérieur d'un groupe social. *Luttes intestines.*

② **intestin** n. m. Partie du tube digestif qui fait suite à l'estomac. *L'intestin grêle* (→ **duodénum, iléon, jéjunum**) *et le gros intestin.* ► **intestinal, ale, aux** adj.

**intifada** [intifada] n. f. polit. Lutte menée à jets de pierres par les jeunes Palestiniens contre les Israéliens, dans les territoires occupés par Israël.

**intime** adj. 1 littér. Qui correspond à la réalité profonde, à l'essence (d'un être conscient). → **profond.** *Avoir l'intime conviction de qqch.* 2 Qui lie étroitement, par ce qu'il y a de plus profond. *Relations intimes* (spécialt de nature sexuelle). ♦ (personnes) Très lié, uni. *Ami intime.* – n. *Des intimes.* 3 Qui est privé et généralement tenu caché aux autres (opposé à *public*). → **personnel, privé.** ♦ *Toilette intime,* des parties génitales. 4 Qui crée ou évoque l'intimité. *Un décor intime.* ► **intimement** adv.

**intimer** v. tr. [1] Signifier (qqch. à qqn) avec autorité. → **commander, enjoindre.** *Il m'a intimé l'ordre de rester.*

**intimidant, ante** adj. Qui intimide (2).

**intimidation** n. f. Action d'intimider (1) volontairement. → **menace, pression.**

**intimider** v. tr. [1] 1 Remplir (qqn) de peur, en imposant sa force, son autorité. 2 Remplir (involontairement) de timidité, de gêne. → **impressionner, troubler.**

**intimiste** n. et adj. Se dit d'un peintre ou d'un écrivain qui prend pour sujet des scènes, des sentiments délicats, intimes. ♦ adj. *Atmosphère intimiste.* ► **intimisme** n. m.

**intimité** n. f. **1** littér. Caractère intime et profond. *Dans l'intimité de la conscience.* **2** Relations étroites et familières. *Désir d'intimité.* **3** La vie privée. *Préserver son intimité.* - *Dans l'intimité,* avec des intimes. **4** Agrément (d'un endroit intime).

**intitulé** n. m. Titre (d'un livre, etc.).

**intituler** v. tr. [1] Donner un titre à (un livre, etc.). ▷ v. pron. **s'intituler** Avoir pour titre. ♦ (personnes) Se donner le titre de.

**intolérable** adj. **1** Qu'on ne peut supporter. *Une douleur intolérable.* ♦ Pénible, désagréable. **2** → **inadmissible.**

**intolérance** n. f. **1** Tendance à ne pas supporter, à condamner ce qui déplaît dans les opinions ou la conduite d'autrui. → **fanatisme, intransigeance, sectarisme. 2** méd. Inaptitude (d'un organisme) à tolérer un agent extérieur (aliment, remède).

**intolérant, ante** adj. Qui fait preuve d'intolérance.

**intonation** n. f. **1** mus. Action, manière d'émettre les sons. **2** Ton que l'on prend en parlant, en lisant. → **accent, inflexion.**

**intouchable** adj. **1** Qu'on ne doit pas toucher. - n. *Un, une intouchable* (en Inde). → **paria. 2** fig. Qui ne peut être l'objet d'aucun blâme, d'aucune sanction.

**intoxication** n. f. **1** Action d'intoxiquer (1) ; troubles qui en résultent. *Intoxication alimentaire.* **2** fig. Action insidieuse sur les esprits (pour influencer, démoraliser...).

**intoxiquer** v. tr. [1] **1** Affecter (un être vivant) de troubles plus ou moins graves par l'effet de substances toxiques. **2** Influencer par l'intoxication (2).

**intradermique** adj. Qui se fait dans l'épaisseur du derme. *Injection intradermique* et n. f. *une intradermique.*

**intraduisible** adj. Qu'il est impossible de traduire ou d'interpréter.

**intraitable** adj. Qu'on ne peut pas faire changer d'avis ; qui refuse de céder.

**intra-muros** [ɛ̃tʀamyʀos] adv. et adj. À l'intérieur (de la ville).

**intramusculaire** adj. Qui se fait dans l'épaisseur d'un muscle. *Injection intramusculaire* et n. f. *une intramusculaire.*

**intranet** [-nɛt] n. m. Réseau informatique interne (dans une entreprise...), utilisant les protocoles et les techniques d'Internet. *Installer Intranet, l'intranet.*

**intransigeant, ante** [-tʀɑ̃z-] adj. Qui ne transige pas, n'admet aucun compromis. → **intraitable, irréductible.** ► **intransigeance** n. f.

**intransitif, ive** [-tʀɑ̃z-] adj. (verbe) Qui n'admet aucun complément d'objet. - n. m. Verbe intransitif. ► **intransitivement** adv. → **absolument.**

**intransportable** adj. Qui n'est pas transportable. *Blessé intransportable.*

**intra-utérin, ine** adj. Qui a lieu, se situe dans l'utérus.

**intraveineux, euse** adj. Qui se fait à l'intérieur des veines. *Injection intraveineuse* et n. f. *une intraveineuse.*

**intrépide** adj. **1** Qui ne craint pas le danger. *Un alpiniste intrépide.* **2** fig. Déterminé, imperturbable. → **inébranlable.** ► **intrépidement** adv. ► **intrépidité** n. f.

**intrication** n. f. didact. État de ce qui est entremêlé. → **enchevêtrement.**

**intrigant, ante** adj. Qui recourt à l'intrigue (1) pour parvenir à ses fins. - n. *Un intrigant sans scrupules.* → **arriviste.**

> Ne pas confondre avec *intriguant,* p. prés. de *intriguer.*

**intrigue** n. f. **1** Ensemble de manœuvres secrètes et compliquées. → **machination. 2** littér. Liaison amoureuse généralement clandestine et peu durable. **3** Ensemble des événements principaux (d'un récit, d'un film...). → **action, scénario.**

**intriguer** v. [1] **I** v. tr. Exciter la curiosité de (qqn). **II** v. intr. Mener une intrigue, recourir à l'intrigue (1).

**intrinsèque** adj. Qui est intérieur et propre (à ce dont il s'agit).

**intrinsèquement** adv. En soi.

**introducteur, trice** n. Personne qui introduit (qqn, qqch.).

**introductif, ive** adj. Qui sert à introduire.

**introduction** n. f. **I** Action d'introduire, de faire entrer. **II 1** Ce qui prépare qqn à la connaissance, à la pratique d'une chose (texte, etc.). *C'est une bonne introduction à la psychanalyse.* **2** Préface explicative. ♦ Entrée en matière (d'un exposé).

**introduire** v. tr. [38] **1** Faire entrer (qqn) dans un lieu. ♦ Faire admettre (qqn) dans un groupe, une société. **2** Faire adopter (qqch.). *Introduire une mode dans un pays.* **3** (concret) Faire entrer (qqch.). → **engager, insérer.** *Introduire la clé dans la serrure.* ▷ v. pron. **s'introduire** ▷ adj. **introduit, ite** Qui a ses entrées, est reçu.

**intromission** n. f. didact. Action d'introduire, de mettre (qqch. dans qqch.). ♦ spécialt Copulation.

**introniser** v. tr. [1] **1** Installer sur le trône, la chaire (un roi, un pape). **2** Introduire (qqch.) de manière officielle. ► **intronisation** n. f.

**introspection** n. f. littér. Observation, analyse de qqn par lui-même.

**introuvable** adj. **1** Qu'on ne peut trouver. **2** Très rare et difficile à trouver.

**introversion** n. f. psych. Orientation de l'énergie psychique sur le sujet lui-même.

**introverti, ie** adj. psych. Porté à l'introversion. - n. *Un introverti.*

**intrus, use** n. Personne qui s'introduit quelque part sans y être invitée, ni désirée. → **importun, indésirable.**

**intrusif, ive** adj. Qui constitue une intrusion. *Comportements intrusifs.*

**intrusion** n. f. Fait de s'introduire sans en avoir le droit (dans un groupe, etc.).

**intubation** n. f. méd. Introduction d'un tube creux (dans la trachée...) pour permettre le passage de l'air dans l'appareil respiratoire. ▷ v. tr. **intuber** [1] *Intuber un malade.*

**intuitif, ive** adj. 1 Qui est le résultat d'une intuition. 2 (personnes) Qui fait preuve d'intuition. – n. *Un intuitif.* 3 Dont l'utilisation ne demande pas de connaissances techniques. *Logiciel intuitif.* ► **intuitivement** adv.

**intuition** n. f. 1 Forme de connaissance immédiate qui ne recourt pas au raisonnement. 2 Sentiment de ce qu'on ne peut vérifier, de ce qui n'existe pas encore. – *Avoir de l'intuition,* sentir les choses.

**intumescence** n. f. didact. Fait de gonfler ; enflure, tuméfaction.

**inuit, e** [inɥit] adj. et n. Des ethnies vivant à l'extrême nord de l'Amérique. – n. *Les Inuits.*

**inuktitut** [inuktitut] n. m. Langue des Inuits.

**inusable** adj. Qui ne peut s'user.

**inusité, ée** adj. 1 (mot...) Que personne n'emploie ou presque. 2 Inhabituel.

**inutile** adj. 1 Qui n'est pas utile. → **superflu.** 2 (personnes) Qui ne rend pas de services. ► **inutilement** adv. ► **inutilité** n. f.

**inutilisable** adj. Qui ne peut être utilisé.

**inutilisé, ée** adj. Qui n'est pas utilisé.

**invagination** n. f. didact. Fait de se retourner vers l'intérieur (organe, etc.).

**invaincu, ue** adj. Qui n'a pas été vaincu.

**invalidant, ante** adj. Qui invalide (II).

**invalide** adj. I dr. Qui n'est pas valable. II (personnes) Qui n'est pas en état de mener une vie active, du fait de sa mauvaise santé, de ses infirmités, etc. → **handicapé.** – n. *Invalide de guerre ; du travail.*

**invalider** v. tr. [1] I dr. Rendre non valable. → **annuler.** ► **invalidation** n. f. II Rendre invalide (II).

**invalidité** n. f. I dr. Défaut de validité entraînant la nullité. II État d'invalide (II). → **handicap.**

**invariable** adj. 1 Qui ne varie pas. – (mot) Qui ne comporte pas de modifications dans sa forme. *Les adverbes sont invariables.* 2 Qui se répète sans varier. ► **invariabilité** n. f. ► **invariablement** adv. → **toujours.**

**invariant, ante** sc. (grandeur) Qui ne varie pas, qui se conserve.

**invasif, ive** adj. méd. 1 (examen, traitement...) Qui peut altérer l'organisme. *L'échographie, méthode non invasive.* 2 (tumeur...) Qui se propage dans l'organisme.

**invasion** n. f. 1 Pénétration massive (de forces armées sur le territoire d'un autre État). 2 Action d'envahir, de se répandre dangereusement. *Une invasion de rats.* 3 fig. (sans idée de danger) → **irruption** (2).

**invective** n. f. Parole ou suite de paroles violentes (contre qqn ou qqch.). → **injure.**

**invectiver** v. [1] 1 v. intr. Lancer des invectives. 2 v. tr. Couvrir (qqn) d'invectives. → **injurier.**

**invendable** adj. Qui n'est pas vendable.

**invendu, ue** adj. Qui n'a pas été vendu. *Journaux invendus.* – n. m. *Des invendus.*

**inventaire** n. m. 1 Opération qui consiste à recenser l'actif et le passif (d'une entreprise, etc.) ; état descriptif de cette opération. 2 Revue minutieuse et détaillée. *L'inventaire d'une collection.*

**inventer** v. tr. [1] 1 Créer ou découvrir (qqch. de nouveau). *Les Chinois ont inventé l'imprimerie.* 2 Trouver, imaginer pour un usage particulier. 3 Imaginer de façon arbitraire. *Inventer une excuse.* – pronom. *Cela ne s'invente pas,* c'est sûrement vrai.

**inventeur, trice** n. 1 Personne qui invente, qui a inventé. ♦ Auteur d'inventions importantes. 2 didact. Personne qui trouve (un trésor, un objet, etc.).

**inventif, ive** adj. 1 Qui a le don d'inventer. 2 Ingénieux, astucieux.

**invention** n. f. I didact. Fait de trouver. *L'invention d'un trésor.* → **inventeur** (2). II 1 Action d'inventer. *L'invention de l'imprimerie.* ♦ Chose inventée ; nouveauté scientifique ou technique. 2 Faculté, don d'inventer. → **imagination, inventivité.** 3 Action d'imaginer (un moyen), d'inventer (une histoire). 4 Chose imaginée. → **fiction, mensonge.** 5 mus. Petite pièce instrumentale en style fugué.

**inventivité** n. f. Capacité d'inventer.

**inventorier** v. tr. [7] Faire l'inventaire de.

**invérifiable** adj. Qui ne peut être vérifié.

**inverse** I adj. 1 (direction...) Qui est exactement opposé, contraire. *En sens inverse.* 2 *Rapport inverse,* de quantités dont l'une augmente dans la même proportion que l'autre diminue. II n. m. *L'inverse,* la chose inverse. *C'est justement l'inverse.* – loc. *À l'inverse,* tout au contraire.

**inversement** adv. 1 D'une manière inverse. 2 Par un phénomène, un raisonnement inverse. – *Ou inversement :* ou c'est l'inverse. → **vice versa.**

**inverser** v. tr. [1] 1 Changer (la position, l'ordre de). → **intervertir.** 2 Renverser le sens de (un mouvement, etc.).

**inversion** n. f. **1** Déplacement (d'un mot, d'un groupe de mots) par rapport à l'ordre habituel de la construction. **2** Changement de sens (d'un mouvement, etc.).

**invertébré, ée** adj. Qui n'a pas de vertèbres, de squelette. – n. m. Animal qui ne possède pas de colonne vertébrale.

**inverti, ie** n. vieilli Homosexuel(le).

**investigation** n. f. Recherche suivie, systématique. → **enquête, examen.**

**investir** v. tr. [2] **I** Mettre (qqn) en possession (d'un pouvoir, d'un droit...). ♦ Conférer l'investiture (2) à (qqn). **II** Encercler (un objectif militaire). **III** Employer, placer (des capitaux) dans une entreprise. ▷ v. pron. **s'investir** *S'investir dans (une activité),* y consacrer son énergie.

**investissement** n. m. **I** Action d'investir (II). **II** Action d'investir dans une entreprise des capitaux destinés à son équipement, etc. ; ces capitaux. **III** Fait de s'investir.

**investisseur, euse** n. Personne ou collectivité qui investit des capitaux.

**investiture** n. f. **1** hist. Acte solennel qui accompagnait la mise en possession (d'un fief...). **2** Acte par lequel un parti désigne un candidat à une élection.

**invétéré, ée** adj. **1** Fortifié et rendu immuable par la durée. *Une habitude invétérée.* **2** (personnes) Qui a depuis longtemps (un caractère, un vice) et ne change pas. → **endurci.** *Un buveur invétéré.*

**invincible** adj. **1** Qui ne peut être vaincu. **2** (choses) Dont on ne peut triompher. ► **invincibilité** n. f.

**inviolable** adj. Qu'il n'est pas permis de violer, d'enfreindre. → **intangible, sacré.** ► **inviolabilité** n. f.

**invisible** adj. **1** Qui n'est pas visible. ♦ fig. Imperceptible. **2** (personnes) Qui se dérobe aux regards ; qu'on ne peut rencontrer. ► **invisibilité** n. f.

**invitation** n. f. **1** Action d'inviter (1). **2** Action d'inviter (2), d'engager (à).

**invite** n. f. Invitation (2) discrète.

**invité, ée** n. Personne invitée (1).

**inviter** v. tr. [1] **1** Prier (qqn) de se rendre, de se trouver à un endroit, d'assister à qqch. → **convier.** *Invitons-les à dîner.* – pronom. *Il s'invite partout.* **2** Engager (qqn) de façon courtoise mais nette (à faire qqch.). → **exhorter, inciter.** *Je vous invite à me suivre.* ♦ (sujet chose) Inciter, porter (à).

**in vitro** [invitʀo] loc. adv. En milieu artificiel. *Fécondation in vitro.* – S'oppose à *in vivo* loc. adv. «dans l'organisme vivant».

**invivable** adj. **1** Très difficile à vivre, à supporter. **2** (personnes) Insupportable.

**invocation** n. f. Action d'invoquer.

**involontaire** adj. **1** Qui échappe au contrôle de la volonté. *Geste involontaire.* **2** Qui agit ou se trouve dans une situation, sans le vouloir. *Le héros involontaire d'un drame.* ► **involontairement** adv.

**involution** n. f. didact. Mouvement de repli vers l'intérieur (concret ou abstrait).

**invoquer** v. tr. [1] **1** Appeler à l'aide par des prières. *Invoquer Dieu.* **2** Faire appel, avoir recours à (qqch. qui peut aider). *Invoquer une excuse.*

**invraisemblable** [-s-] adj. **1** Qui n'est pas vraisemblable. → **incroyable.** *Une histoire invraisemblable.* **2** (concret) Très étonnant (et souvent comique). ♦ Excessif.

**invraisemblance** [-s-] n. f. **1** Défaut de vraisemblance. **2** Chose invraisemblable.

**invulnérable** adj. Qui n'est pas vulnérable (1 et 2). ► **invulnérabilité** n. f.

**iode** n. m. Corps simple (symb. I), très volatil, présent dans l'eau de mer, qui répand des vapeurs violettes quand on le chauffe. – *Teinture d'iode* (désinfectant).

**iodé, ée** adj. Qui contient de l'iode.

**iodler** ou **jodler** v. intr. [1] Vocaliser en passant de la voix de tête à la voix de poitrine et vice versa, sans transition.

**iodure** n. m. Nom de composés de l'iode.

**ion** n. m. Atome ou molécule ayant gagné ou perdu un ou plusieurs électrons. *Ion positif* (cation), *négatif* (anion).

① **ionique** adj. et n. m. Se dit d'un des trois styles d'architecture grecque (avec le dorique et le corinthien) caractérisé par un chapiteau orné de deux volutes latérales.

② **ionique** adj. sc. Relatif aux ions.

**ioniser** v. tr. [1] sc. Modifier en créant des ions. ► **ionisation** n. f.

**ionosphère** n. f. Couche supérieure ionisée de l'atmosphère.

**iota** n. m. invar. Neuvième lettre de l'alphabet grec (ι), qui correspond à *i.* – loc. *Sans changer d'un iota,* sans rien changer.

**ipéca** n. m. Racine à propriétés vomitives d'un arbrisseau du Brésil.

**ipso facto** loc. adv. Par voie de conséquence.

**irascible** adj. littér. Qui s'irrite, s'emporte facilement. → **coléreux ; irritable.** ► **irascibilité** n. f.

**ire** n. f. vx Colère.

**iridium** [-jɔm] n. m. Corps simple (symb. Ir), métal blanc très dur et cassant.

**iris** [iʀis] n. m. **I** Plante à haute tige, à grandes fleurs ornementales. **II 1** Membrane de l'œil, située derrière la cornée et présentant un orifice (pupille) en son centre. **2** Diaphragme (photographique).

**iriser** v. tr. [1] Colorer des couleurs du spectre, de manière changeante. ▷ adj. **irisé, ée** *Reflets irisés.* ► **irisation** n. f.

**irlandais, aise** adj. et n. D'Irlande. – *Café irlandais,* avec du whisky et de la crème fraîche. – n. *Les Irlandais.* ♦ n. m. *L'irlandais :* les dialectes celtiques d'Irlande.

**I. R. M.** [iɛʀɛm] n. f. (sigle de *imagerie par résonance magnétique*) méd. Technique permettant d'obtenir des images à partir de la résonance magnétique nucléaire.

**ironie** n. f. 1 Manière de se moquer (de qqn ou de qqch.) en disant le contraire de ce qu'on veut exprimer. → aussi **humour.** *Une ironie amère ; légère.* ♦ ling. → **antiphrase.** 2 Disposition moqueuse. → **moquerie.** *Une lueur d'ironie dans le regard.* 3 *Ironie du sort,* intention de moquerie méchante qu'on prête au sort.

**ironique** adj. Qui use d'ironie ; où entre de l'ironie. → **moqueur, railleur, sarcastique.** ► **ironiquement** adv.

**ironiser** v. intr. [1] Employer l'ironie.

**ironiste** n. vieilli → **humoriste.**

**iroquois, oise** adj. Des Iroquois.

**irracontable** → **inracontable**

**irradier** v. [7] 1 v. intr. (lumière, douleur...) Se propager en rayonnant à partir d'un centre. 2 v. tr. Exposer (un organisme, etc.) à des radiations (notamment à la radioactivité). ▷ adj. **irradié, ée** ► **irradiation** n. f.

**irraisonné, ée** adj. Non raisonné.

**irrationnel, elle** adj. 1 Qui n'est pas rationnel, n'est pas du domaine de la raison. – n. m. *La peur de l'irrationnel.* 2 math. *Nombre irrationnel,* qui ne peut être mis sous la forme d'un rapport entre deux nombres entiers (ex. le nombre π [pi]).

**irréalisable** adj. Qui ne peut se réaliser.

**irréalisme** n. m. Manque de réalisme, de sens des réalités. ► **irréaliste** adj.

**irréalité** n. f. Caractère irréel.

**irrecevable** adj. Qui n'est pas recevable, qui ne peut être admis. → **inacceptable.**

**irrécupérable** adj. Qui ne peut être récupéré (choses ; personnes).

**irrécusable** adj. 1 dr. Qui ne peut être récusé en justice. 2 Qu'on ne peut contester. *Preuve irrécusable.*

**irrédentisme** n. m. polit. Mouvement nationaliste italien né à la fin du XIX^e^ s. ► **irrédentiste** adj. et n.

**irréductible** adj. Qui ne peut être réduit ; dont on ne peut venir à bout. → **intraitable.** – n. *Des irréductibles.* ► **irréductibilité** n. f.

**irréel, elle** adj. 1 Qui n'est pas réel, qui est en dehors de la réalité. → **abstrait, imaginaire, fantastique.** – n. m. Ce qui est irréel. 2 Qui ne semble pas du domaine de la réalité. *Des couleurs irréelles.* → **merveilleux.**

**irréfléchi, ie** adj. Qui agit ou se fait sans réflexion. → **étourdi ; inconsidéré.**

**irréflexion** n. f. Manque de réflexion.

**irréfragable** adj. didact. (preuve...) Qu'on ne peut récuser. → **irrécusable.**

**irréfutable** adj. Qui ne peut être réfuté. ► **irréfutablement** adv.

**irrégularité** n. f. 1 Caractère, aspect irrégulier. 2 Chose ou action irrégulière. – Chose contraire à la loi, à un règlement.

**irrégulier, ière** adj. I 1 Qui n'est pas régulier dans sa forme, ses dimensions, sa disposition, son rythme. *Un visage aux traits irréguliers. – Pouls irrégulier.* 2 Qui n'est pas conforme à la règle, à l'usage commun. – gramm. *Verbes irréguliers.* II (personnes) 1 *Troupes irrégulières,* qui n'appartiennent pas à l'armée régulière. 2 Qui n'est pas constamment égal à soi-même. → **inégal.** ► **irrégulièrement** adv.

**irréligieux, euse** adj. Qui n'a pas de croyance religieuse ; qui s'oppose à la religion. → **incrédule, incroyant, sceptique.**

**irréligion** n. f. littér. Absence de religion.

**irrémédiable** adj. À quoi on ne peut remédier. ► **irrémédiablement** adv.

**irrémissible** adj. littér. (crime, faute) Impardonnable.

**irremplaçable** adj. Qui ne peut être remplacé (par qqch. ou qqn). → **unique.**

**irréparable** adj. 1 Qui ne peut être réparé. 2 fig. → **irrémédiable.** *C'est une perte irréparable.* – n. m. *L'irréparable est accompli.*

**irrépressible** adj. littér. Qu'on ne peut réprimer, contenir. → **irrésistible.**

**irréprochable** adj. À qui, à quoi on ne peut faire aucun reproche. → **parfait.**

**irrésistible** adj. 1 À quoi on ne peut résister. 2 Très séduisant. 3 Qui fait beaucoup rire. ► **irrésistiblement** adv.

**irrésolu, ue** adj. littér. Qui a du mal à se résoudre, à se déterminer. → **hésitant, indécis.** ► **irrésolution** n. f.

**irrespect** [-pɛ] n. m. Manque de respect.

**irrespectueux, euse** adj. Qui n'est pas respectueux. → **impertinent, insolent, irrévérencieux.**

**irrespirable** adj. Qui est pénible ou dangereux à respirer. *Une atmosphère irrespirable* (aussi fig. → **insupportable**).

**irresponsable** adj. 1 dr. Qui, devant la loi, n'est pas responsable, n'a pas à répondre de ses actes. 2 Qui se conduit sans assumer de responsabilités ; qui agit à la légère. – n. *C'est un irresponsable.* ♦ *Une attitude irresponsable.* ► **irresponsabilité** n. f.

**irrétrécissable** adj. Qui ne peut rétrécir.

**irrévérence** n. f. littér. Manque de révérence (I), de respect. → **irrespect.**

**irrévérencieux, euse** adj. littér. Qui fait preuve d'irrévérence. ► **irrévérencieusement** adv.

**irréversible** adj. Qui ne peut se faire que dans un seul sens, sans pouvoir être arrêté. *Une évolution irréversible.* ► **irréversibilité** n. f.

**irrévocable** adj. Qui ne peut être révoqué, repris. *Ma décision est irrévocable.* → **définitif.** ► **irrévocablement** adv. littér. ► **irrévocabilité** n. f.

**irriguer** v. tr. [1] Arroser par arrosage artificiel et méthodique. *Irriguer des champs.* - fig. *Les vaisseaux qui irriguent le cœur.* ► **irrigation** n. f.

**irritable** adj. Qui se met facilement en colère. → **irascible.** ► **irritabilité** n. f.

**irritant, ante** adj. **1** Qui irrite (1), met en colère. **2** Qui détermine de l'irritation (2).

**irritation** n. f. **1** État d'une personne irritée. → **colère, exaspération. 2** Inflammation légère. *Irritation de la gorge.*

**irriter** v. tr. [1] **1** Mettre en colère. - pronom. → se **fâcher. 2** littér. Rendre plus vif. *Irriter la curiosité.* **3** Rendre douloureux, sensible en déterminant une irritation (2). → **enflammer.** - au p. p. *Gorge irritée.*

**irruption** n. f. **1** Invasion (1) soudaine et violente. **2** Entrée de force, en masse ou de façon inattendue (dans un lieu).

**isard** n. m. Chamois des Pyrénées.

**isba** n. f. Petite maison de bois de paysans russes.

**ischion** [iskjɔ̃] n. m. anat. Partie inférieure et postérieure de l'os iliaque.

**islam** [islam] n. m. **1** Religion prêchée par Mahomet et fondée sur le Coran. **2** (avec maj.) L'ensemble des peuples musulmans ; leur civilisation. ► **islamique** adj. → **musulman.**

**islamiser** v. tr. [1] Convertir, intégrer à l'islam. ► **islamisation** n. f.

**islamisme** n. m. Religion musulmane, islam. ♦ Propagande, action en faveur de l'islam. ► **islamiste** adj. et n.

**islandais, aise** adj. et n. D'Islande. - n. *Les Islandais.* ♦ n. m. *L'islandais* (langue germanique).

**ISO** n. m. invar. (sigle) anglic. Système international de normalisation. - appos. *Norme ISO.*

**isobare** adj. D'égale pression atmosphérique. - *Ligne isobare,* qui relie sur une carte des points isobares.

**isocèle** adj. (triangle) À deux côtés égaux.

**isolant, ante** adj. Qui isole, est mauvais conducteur de l'électricité, de la chaleur ou du son. - n. m. *Un isolant.*

**isolateur, trice** adj. et n. m. → **isolant.**

**isolation** n. f. Action d'isoler (une pièce...) ; son résultat.

**isolationnisme** n. m. Politique d'isolement (3). ► **isolationniste** adj. et n.

**isolé, ée** adj. **1** Séparé des choses de même nature ou de l'ensemble auquel il (elle) appartient. **2** Éloigné de toute habitation. *Un endroit isolé.* **3** (personnes) Séparé des autres humains. → **seul, solitaire. 4** fig. Seul de sa sorte, non représentatif. *Un cas isolé.* **5** Protégé par un isolant.

**isolement** n. m. **1** État d'une chose isolée. **2** État, situation d'une personne isolée (→ **solitude**) ou qu'on isole. **3** État d'un pays sans relation avec les autres.

**isolément** adv. Séparément.

**isoler** v. tr. [1] **1** Séparer (qqch.) des objets environnants ; empêcher d'être en contact. *La tempête a isolé le village.* - *Isoler un virus* (pour l'étudier, l'identifier). ♦ Protéger avec un isolant. *Isoler une pièce.* **2** Éloigner (qqn) de la société des autres humains. - pronom. *S'isoler dans un coin.* **3** abstrait Considérer à part, hors d'un contexte.

**isoloir** n. m. Cabine où l'électeur s'isole pour préparer son bulletin de vote.

**isomère** adj. et n. m. chim. Se dit de composés ayant la même formule d'ensemble, mais des propriétés différentes. ► **isomérie** n. f.

**isomorphe** adj. chim. Se dit de corps qui ont la propriété (*isomorphisme* n. m.) d'avoir des formes cristallines voisines.

**isotherme** adj. **1** Qui a la même température. - *Ligne isotherme,* reliant sur une carte des points de même température moyenne. **2** phys. Qui se produit à température constante. **3** Isolé thermiquement.

**isotope** n. m. Chacun des éléments de même numéro atomique, mais de masses atomiques différentes.

**israélien, ienne** adj. et n. D'Israël.

**israélite** n. vieilli ou péj. Personne qui appartient à la communauté, à la religion juive. → **hébreu, juif.** - adj. *Culte israélite.*

**issu, ue** adj. Qui est né (de qqn...). *Issu d'une famille modeste.* - fig. Qui provient (de qqch.). *Progrès issu du travail.*

**issue** n. f. **1** Ouverture, passage offrant la possibilité de sortir. → **sortie.** *Issue de secours.* **2** fig. Moyen de se dégager d'une situation difficile. *Je ne vois pas d'autre issue.* ♦ Manière dont une chose arrive à son terme. → **fin.** *Une heureuse issue.* **3** *À l'issue de :* à la fin de.

**IST** [iɛste] n. f. (sigle) Infection sexuellement transmissible.

**isthme** [ism] n. m. **1** Bande de terre resserrée entre deux mers ou deux golfes et réunissant deux terres. **2** anat. Partie rétrécie (d'un organe). ► **isthmique** adj.

**italianisme** n. m. Manière de parler, mot propre à l'italien, dans une autre langue.

**italien, ienne** adj. et n. De l'Italie. *La lire, monnaie italienne avant l'euro.* - n. *Les Italiens.* ♦ n. m. *L'italien,* la langue officielle de l'Italie.

**italique** adj. **I** Qui a rapport à l'Italie ancienne. **II** *Lettres, caractères italiques* (inventés en Italie), légèrement inclinés vers la droite. - n. m. *Mot en italique.*

① **item** [itɛm] adv. comm. De même.

② **item** [itɛm] n. m. anglic., sc. Élément, unité (d'un ensemble).

**itératif, ive** adj. didact. Qui est répété plusieurs fois.

**itération** n. f. didact. Répétition.

**itinéraire** I n. m. **1** Chemin à suivre ou suivi pour aller d'un lieu à un autre. **2** fig. *Itinéraire spirituel.* II adj. didact. Qui a rapport aux voies de circulation.

**itinérant, ante** adj. Qui se déplace, dans son activité.

**itou** adv. fam. et vieilli Aussi, de même.

**IUFM** [iyɛfɛm] n. m. (sigle) Institut universitaire de formation des maîtres (qui forme les enseignants).

**I. U. T.** [iyte] n. m. (sigle) Institut universitaire de technologie.

**I. V. G.** n. f. (sigle de *interruption volontaire de grossesse*) Avortement provoqué volontaire et légal.

**ivoire** n. m. **1** Matière résistante, d'un blanc un peu jaune, qui constitue les défenses de l'éléphant. - loc. *Tour* d'ivoire.* ♦ Objet d'art en ivoire. **2** Partie dure des dents, revêtue d'émail à la couronne.

**ivraie** n. f. Plante herbacée, nuisible aux céréales. - loc. (Évangile) *Séparer le bon grain de l'ivraie,* le bien du mal.

**ivre** adj. **1** Qui est sous l'effet de l'alcool. → **soûl. 2** Transporté hors de soi (par une émotion violente). *Ivre d'orgueil.*

**ivresse** n. f. **1** État d'une personne ivre; intoxication par l'alcool, causant des perturbations dans l'adaptation nerveuse et la coordination motrice. → **ébriété. 2** État d'euphorie ou d'exaltation.

**ivrogne** adj. et n. Qui a l'habitude de s'enivrer et en témoigne par son comportement. → **alcoolique.** - loc. *Serment d'ivrogne,* qui ne sera pas tenu. ► **ivrognerie** n. f.

# J

**j** [ʒi] n. m. Dixième lettre, septième consonne de l'alphabet. - loc. *Le jour* J.*

**jabot** n. m. **1** Poche de l'œsophage des oiseaux, où les aliments séjournent. **2** Ornement (de dentelle...) du col d'une chemise, qui s'étale sur la poitrine.

**jaboter** v. intr. [1] fam., vieilli Bavarder.

**jacaranda** n. m. Arbre d'Amérique tropicale à bois recherché.

**jacasser** v. intr. [1] **1** (pie) Pousser son cri. **2** Parler beaucoup et d'une voix criarde. ► **jacassement** n. m. ► **jacasseur, euse** adj. et n.

**jachère** n. f. État d'une terre labourable qu'on laisse temporairement reposer ; cette terre. - fig. *Laisser qqn, qqch. en jachère,* ne pas en tirer parti.

**jacinthe** n. f. Plante à bulbe, à fleurs en grappe colorée et parfumée.

**jackpot** [(d)ʒakpɔt] n. m. Combinaison gagnante qui déclenche un mécanisme envoyant au joueur l'argent accumulé dans une machine à sous ; cet argent.

**jacobin, ine** **1** n. m. vx Dominicain. **2** n. m. hist. Membre de la société révolutionnaire des Jacobins (établie à Paris dans un ancien couvent de jacobins). ♦ n. fig. Républicain intransigeant, partisan d'un État centralisé. - adj. *Politique jacobine.*

**jacquard** n. m. **1** Métier à tisser conçu par Jacquard. **2** Tricot à dessins géométriques multicolores. - adj. invar. *Pulls jacquard.*

**jacquemart** n. m. → **jaquemart**

**jacquerie** n. f. hist. Révolte paysanne.

**jacquet** n. m. Jeu voisin du trictrac.

**jacquier** n. m. → **jaquier**

① **jactance** n. f. littér. Arrogance, vanité.

② **jactance** n. f. fam. et vieilli Bavardage ; bagout.

**jacter** v. intr. [1] fam. Parler, bavarder.

**jaculatoire** adj. relig. *Oraison jaculatoire :* prière courte et fervente.

**jacuzzi** [ʒakyzi] n. m. (nom déposé) anglic. Bassin ou baignoire muni(e) d'un dispositif qui provoque des remous dans l'eau.

**jade** n. m. **1** Pierre fine très dure, d'un vert plus ou moins foncé. **2** Objet en jade.

**jadis** [-is] adv. Dans le temps passé. → **autrefois.** - adj. *Au temps jadis.*

> Ne pas confondre avec *naguère* «récemment».

**jaguar** [-gwa-] n. m. Félin d'Amérique du Sud à pelage fauve tacheté de noir.

**jaillir** v. intr. [2] **1** (liquide...) Sortir, s'élancer en un jet subit et puissant. ♦ par analogie *Des rires jaillissaient.* → **fuser.** **2** Apparaître, se manifester soudainement. → **surgir.** *Idée qui jaillit.* ► **jaillissant, ante** adj. ► **jaillissement** n. m.

**jais** n. m. Variété de lignite dure, d'un noir luisant. - *Des yeux de jais,* très noirs.

> Ne pas confondre avec *geai* «oiseau» ni avec *jet* «jaillissement».

**jalon** n. m. **1** Tige qu'on plante en terre pour prendre un alignement, déterminer une direction. **2** fig. Ce qui sert à situer, diriger. - loc. *Poser des jalons :* faire les premières démarches, préparer une action.

**jalonner** v. [1] **I** v. intr. Planter des jalons. **II** v. tr. **1** Marquer la direction, les limites de (qqch.) au moyen de jalons, de repères. **2** (sujet chose) Marquer en se suivant (comme des jalons). *Les succès jalonnent sa carrière.* ► **jalonnement** n. m.

**jalousement** adv. Avec jalousie.

**jalouser** v. tr. [1] Être jaloux (2) de.

① **jalousie** n. f. **1** Sentiment hostile éprouvé en voyant autrui jouir d'un avantage qu'on ne possède pas ou qu'on voudrait posséder seul. → **dépit, envie.** **2** Sentiment douloureux que font naître un amour inquiet, le désir de possession de la personne aimée, la crainte de son infidélité.

② **jalousie** n. f. **1** vx Treillis de bois ou de métal au travers duquel on peut voir sans être vu. **2** Volet à lames orientables.

**jaloux, ouse** adj. **1** littér. *Jaloux de qqch.,* très attaché à. *Être jaloux de son indépendance.* - loc. *Avec un soin jaloux :* avec une vigilance particulière. **2** Qui éprouve de la jalousie (①). - n. *Sa réussite fait des jaloux.*

**jamais** adv. de temps **I** sens positif En un temps quelconque, un jour. *Elle est plus belle que jamais.* - loc. adv. *À (tout) jamais ; pour jamais :* pour toujours. **II** sens négatif **1** (avec *ne*) En aucun temps, à aucun moment. - loc. *On ne sait jamais :* on ne sait pas ce qui peut arriver. **2** (sans *ne*) À aucun moment. – *Jamais de la vie :* certainement pas. – *C'est le moment ou jamais (de...),* il faut agir.

**jambage** n. m. Trait vertical des lettres *m, n* et *u*. – Trait vertical du *p*, du *q*.

**jambe** n. f. **1** anat. Partie de chacun des membres inférieurs de l'homme, qui s'étend du genou au pied. ♦ cour. Cette partie, ou le membre inférieur tout entier (y compris la cuisse). – en sport *Jeu de jambes :* aptitude à mouvoir les jambes. ♦ loc. *Courir, s'enfuir à toutes jambes,* le plus vite possible. – *Prendre ses jambes à son cou**. – fam. *Tenir la jambe à qqn,* le retenir en lui parlant. – *Traiter qqn par-dessus la jambe,* de façon désinvolte. – *Partie de jambes en l'air :* ébats sexuels. – iron. *Cela me fait une belle jambe :* cela ne me sert à rien. **2** par analogie *Jambe de bois,* adaptée au moignon d'un amputé. → **pilon. 3** Patte des quadrupèdes. **4** Partie (d'un pantalon) qui couvre la jambe. **5** Branche (d'un compas).

**jambier, ière** adj. anat. Relatif à la jambe.

**jambière** n. f. Pièce qui enveloppe et protège la jambe.

**jambon** n. m. **1** Cuisse (ou épaule) de porc préparée (par salaison ou cuisson) pour être conservée. **2** fam. Cuisse.

**jambonneau** n. m. Petit jambon fait avec la partie inférieure de la jambe du porc.

**jamboree** [ʒɑ̃bɔʀe ; ʒambɔʀi] n. m. anglic. Réunion internationale de scouts.

**jam-session** [dʒam-] n. f. anglic. Réunion de musiciens de jazz qui improvisent. → **bœuf** (II). *Des jam-sessions.*

**janissaire** n. m. hist. Soldat d'élite de l'infanterie ottomane.

**jansénisme** n. m. Doctrine de Jansénius ; mouvement religieux et intellectuel animé par ses partisans. ♦ par ext. Morale austère, rigoriste. ► **janséniste** adj. et n.

**jante** n. f. Cercle qui constitue la périphérie d'une roue de véhicule, etc.

**janvier** n. m. Premier mois de l'année.

**japon** n. m. Papier de couleur ivoire.

**japonais, aise** adj. et n. Du Japon. → **nippon.** ♦ n. m. *Le japonais* (langue).

**japonaiserie** n. f. Objet d'art, bibelot de style japonais.

**japonisant, ante 1** n. Spécialiste de la langue et de la civilisation japonaises. **2** adj. Inspiré par le Japon.

**japper** v. intr. [1] Pousser des aboiements aigus et clairs. → **glapir.** *Chiot qui jappe.* - Crier (chacal). ► **jappement** n. m.

**jaque** n. m. Fruit du jaquier.

**jaquemart** ou **jacquemart** n. m. Automate muni d'un marteau, qui frappe les heures d'une horloge monumentale.

① **jaquette** n. f. **1** Vêtement masculin de cérémonie à pans descendant aux genoux. **2** vieilli Veste de femme à basques.

② **jaquette** n. f. **1** Chemise protégeant la couverture (d'un livre...). **2** Couronne dentaire en céramique ou en résine.

**jaquier** ou **jacquier** n. m. Arbre des régions tropicales, voisin de l'arbre à pain.

**jardin** n. m. **1** Terrain, généralement clos, où l'on cultive des végétaux utiles ou d'agrément. – *Jardin à la française,* aux parties symétriques. *Jardin anglais,* imitant la nature. – loc. *C'est une pierre dans son jardin,* une attaque voilée. **2** *Jardin d'hiver :* pièce formant serre. **3** *Jardin japonais :* vasque contenant un jardin miniature. **4** *Jardin d'enfants :* établissement privé pour enfants d'âge préscolaire. **5** fig. *Jardin secret :* domaine des sentiments, des pensées les plus intimes.

**jardiner** v. intr. [1] Cultiver, entretenir un jardin en amateur. ► **jardinage** n. m.

**jardinet** n. m. Petit jardin.

**jardinier, ière I 1** n. Personne qui cultive les jardins. **2** n. f. *Jardinière d'enfants :* éducatrice d'un jardin* d'enfants. **II** adj. Relatif aux jardins.

**jardinière** n. f. **I** Meuble où l'on fait pousser des plantes d'agrément. **II** Mélange de légumes cuits (carottes, petits pois...).

**jargon** n. m. **1** Langage déformé, fait d'éléments disparates. – par ext. Langage incompréhensible. **2** Façon de s'exprimer propre à un groupe, une activité. → **argot.** ► **jargonner** v. intr. [1]

**jarre** n. f. Grand récipient de forme ovoïde, en grès, en terre cuite, etc.

**jarret** n. m. **1** Région postérieure du genou humain. → creux **poplité. 2** Endroit analogue, chez les ongulés. ♦ Partie inférieure de la noix et de l'épaule, en boucherie. *Jarret de veau.*

**jarretelle** n. f. Bande élastique d'un porte-jarretelles, terminée par une attache.

**jarretière** n. f. Cordon, bande élastique destinée à fixer les bas en les entourant.

**jars** n. m. Mâle de l'oie domestique.

**jaser** v. intr. [1] **1** vieilli Parler sans arrêt. **2** Parler avec indiscrétion, ou de manière médisante. → **cancaner, médire. 3** → **gazouiller.** ► **jaseur, euse** adj. et n.

**jasmin** n. m. **1** Arbuste vivace à fleurs jaunes ou blanches très odorantes. – Ces fleurs. **2** Parfum extrait de cette fleur.

**jaspe** n. m. **1** Roche siliceuse, souvent rouge, présentant des taches ou des bandes colorées. **2** Objet d'art en jaspe.

**jaspé, ée** adj. Bigarré comme le jaspe.

**jaspiner** v. [1] fam. Parler, bavarder.

**jaspure** n. f. Aspect de ce qui est jaspé.

**jatte** n. f. Récipient de forme arrondie, très évasé, sans rebord ni anse.

**jauge** n. f. **1** Capacité que doit avoir un récipient déterminé. – mar. Capacité d'un navire, exprimée en tonneaux. → **tonnage.**

2 Instrument étalonné (baguette, règle...) qui sert à mesurer la contenance d'un récipient ou le niveau de son contenu.

**jauger** v. [3] **I** v. tr. **1** Mesurer ou contrôler (un récipient...) avec une jauge. **2** fig. Apprécier, évaluer. **II** v. intr. **1** Avoir un tirant d'eau de. *Péniche jaugeant un mètre.* **2** (navire) Avoir une jauge de. ► **jaugeage** n. m.

**jaunâtre** adj. Qui tire sur le jaune.

**jaune I** adj. **1** Qui est d'une couleur placée dans le spectre entre le vert et l'orangé et dont la nature offre de nombreux exemples (soufre, citron...). **2** Qui est jaune (1) ou tire sur le jaune, par rapport à qqch. de même nature mais d'une autre couleur. – loc. *Le métal jaune* : l'or. **II** n. m. **1** Une des sept couleurs fondamentales du spectre solaire, placée entre le vert et l'orangé. **2** Matière colorante jaune. **3** Partie jaune (de qqch.). *Jaune d'œuf* (opposé à *blanc*). **III** n. **1** (emploi raciste) Asiatique. **2** Personne qui refuse de prendre part à une grève. **IV** adv. *Rire jaune,* d'un rire forcé.

**jaunir** v. [2] **I** v. tr. Rendre jaune ; colorer de jaune. **II** v. intr. Devenir jaune. ► **jaunissement** n. m.

**jaunisse** n. f. Synonyme courant de *ictère.* – fig., fam. *Faire une jaunisse de qqch.*, en éprouver un violent dépit.

**java** n. f. **1** Danse de bal musette à trois temps, assez rapide. – Musique de cette danse. **2** loc. fam. *Faire la java* : faire la fête.

① **javanais, aise** adj. et n. De l'île de Java. ♦ n. m. Groupe de langues indonésiennes parlées à Java et à Sumatra.

② **javanais** n. m. Argot qui intercale dans les mots les syllabes *va* ou *av*.

eau de **Javel** n. f. Mélange de dérivés du chlore en solution aqueuse, utilisé comme détergent, décolorant et antiseptique.

**javeline** n. f. Javelot léger (arme de jet).

**javelle** n. f. Brassée de céréales qu'on laisse sur place avant de les mettre en gerbe.

**javelliser** v. tr. [1] Stériliser au moyen d'eau de Javel. ► **javellisation** n. f.

**javelot** n. m. **1** Arme de jet assez longue et lourde. **2** Instrument de lancer en forme de lance employé en athlétisme.

**jazz** [dʒaz] n. m. Musique issue de la musique profane des Noirs des États-Unis, caractérisée notamment par son articulation du rythme et du phrasé (→ **swing**).

**jazzman** [dʒazman] n. m. anglic. Musicien de jazz. *Des jazzmans* ou *jazzmen* [-mɛn].

**jazzy** [dʒazi] adj. invar. Du jazz ; qui évoque le jazz. *Un style jazzy.*

**je** pron. pers. **1** Pronom personnel sujet de la première personne du singulier des deux genres. *Je parle. J'entends.* – (renforcé par moi) *Moi, j'y crois.* **2** n. m. invar. *Employer le «je» dans un récit.*

**jean** [dʒin] n. m. **1** Pantalon de toile très solide (bleu à l'origine → **blue-jean**). *Un jean* ou *un jeans.* **2** Toile servant notamment à confectionner ces pantalons.

**jean-foutre** [ʒɑ̃-] n. m. invar. fam. **1** vx Gredin. **2** Individu incapable.

① **jeannette** n. f. Planchette à repasser.

② **jeannette** n. f. Petite fille appartenant au scoutisme catholique.

**jeep** [(d)ʒip] n. f. Automobile tout-terrain à quatre roues motrices.

**jéjunum** [-ɔm] n. m. anat. Deuxième partie de l'intestin grêle, avant l'iléon.

**je-m'en-fichisme** n. m. fam. Attitude indifférente envers ce qui devrait intéresser ou préoccuper. – syn. **je-m'en-foutisme.** ► **je-m'en-fichiste** adj. et n. – syn. **je-m'en-foutiste.**

**je-ne-sais-quoi** n. m. invar. Chose qu'on ressent et qu'on ne peut définir ou exprimer.

**jérémiade** n. f. fam. Plainte sans fin.

**jerez** n. m. → **xérès**

**jerk** [(d)ʒɛʀk] n. m. anglic. Danse dans laquelle tout le corps est agité de secousses rythmées.

**jéroboam** [-bɔam] n. m. Grosse bouteille contenant trois litres.

**jerrycan** [(d)ʒeʀikan] n. m. anglic. Bidon à poignée, d'environ 20 litres.

**jersey** n. m. Tissu très souple à mailles toujours semblables sur une même face. *Jersey de laine.* – *Point de jersey* (au tricot).

**jésuite I 1** n. m. Membre de la Compagnie de Jésus. **2** adj. Se dit d'un style d'architecture baroque (XVIIe siècle). **II** n. péj. Personne qui recourt à des astuces hypocrites. – adj. *Air jésuite.* → **hypocrite.**

**jésuitique** adj. péj. **1** Propre aux jésuites. **2** D'un jésuite (II). → **hypocrite.**

**jésuitisme** n. m. péj. **1** Système moral reproché aux jésuites. **2** Attitude, conduite jésuitique (2). → **hypocrisie.**

**jésus I** interj. Marquant la surprise, etc. *Jésus !* **II** n. m. Représentation de Jésus enfant. **III** n. m. Gros saucisson court.

① **jet** [ʒɛ] n. m. **I 1** Action de jeter ; trajectoire d'une chose lancée. – (Distance) *À un jet de pierre.* **2** loc. *D'un seul jet, d'un jet* : d'un coup. – *Premier jet* : première expression d'une œuvre. **II 1** Mouvement par lequel une chose jaillit avec force. *Jet de vapeur.* **2** *Jet d'eau* : gerbe d'eau jaillissante. – abusivt Tuyau d'arrosage. **3** Rayons qui jaillissent. *Jet de lumière.* **4** Nouvelle pousse (d'un arbre). → **rejet.**

> Ne pas confondre avec *geai* «oiseau» ni avec *jais* «pierre».

② **jet** [dʒɛt] n. m. anglic. Avion à réaction.

**jetable** adj. Destiné à être remplacé.

① **jeté** n. m. **1** danse Saut lancé par une jambe et reçu par l'autre. **2** sports → **épaulé-jeté.** **3** Tissu que l'on étend sur un meuble en guise d'ornement. *Jeté de lit.*

② **jeté, ée** adj. fam. Fou, cinglé.

**jetée** n. f. Chaussée qui s'avance dans l'eau. → **digue, estacade, môle.**

**jeter** v. tr. [4] **I** Envoyer (qqch.) à quelque distance de soi. **1** Lancer. *Jeter une pierre.* - (vers le bas) *Jeter l'ancre.* **2** Disposer dans l'espace, d'un point à un autre. *Jeter une passerelle sur un fossé.* ♦ Établir, poser. *Jeter les bases d'une société.* **3** Abandonner, rejeter comme encombrant ou inutile. *Vieux papiers bons à jeter.* **4** Déposer, mettre avec vivacité ou sans soin. *Jeter une lettre à la boîte.* - fig. *Jeter une idée sur le papier,* noter rapidement. **5** → **répandre, semer.** *Jeter l'épouvante.* **II 1** Diriger (une partie du corps). *Elle lui jeta ses bras autour du cou.* **2** Faire sortir de soi. → **émettre.** *Jeter un cri.* **III 1** Pousser, diriger avec force. *Jeter qqn dehors,* le mettre à la porte. **2** fig. → **plonger.** *Jeter qqn dans le désarroi.* ▷ v. pron. se **jeter** **1** Sauter, se laisser tomber. *Se jeter à l'eau* (fig. prendre une décision audacieuse). **2** → s'**élancer,** se **précipiter.** *Se jeter dans les bras de qqn.* **3** fig. S'engager avec fougue (dans). **4** (cours d'eau) Déverser ses eaux. *Les rivières qui se jettent dans la Seine.*

**jeteur, euse** n. *Jeteur, jeteuse de sort :* sorcier, sorcière qui jette un sort.

**jeton** n. m. **1** Pièce plate représentant une valeur, servant de marque, etc. **2** *Jeton de présence :* honoraires des membres d'un conseil d'administration. **3** fam. *Un(e) faux jeton* [foʃtɔ̃] : un(e) hypocrite. **4** fam. Coup. **5** loc. fam. *Avoir les jetons :* avoir peur.

**jet-set** [dʒɛtsɛt] n. f. ou m. anglic. Ensemble des personnalités de la vie mondaine internationale (qui voyagent beaucoup en avion). - syn. (anglic.) **jet-society** [dʒɛtsɔsajti] n. f.

**jet-ski** [dʒɛt-] n. m. anglic. Petite embarcation à moteur se pilotant debout ; sport ainsi pratiqué.

**jeu** n. m. **I 1** Activité physique ou mentale dont le but essentiel est le plaisir qu'elle procure. → **amusement, divertissement, récréation ; ludique.** **2** Activité qui présente un ou plusieurs caractères du jeu (gratuité, futilité, facilité...). - *Jeu de mots :* allusion plaisante fondée sur l'équivoque de mots qui ont une ressemblance phonétique (→ **calembour**). **3** *Jeu d'écriture :* opération comptable purement formelle. **II 1** Cette activité, organisée par des règles définissant un succès et un échec, un gain et une perte. - loc. *Jouer le jeu :* se conformer aux règles (du jeu, et fig. d'une activité). **2** au plur. Antiq. Compétitions sportives. - *Jeux olympiques**. **3** *Le jeu :* les jeux où l'on risque de l'argent (→ **jouer ; joueur**). *Se ruiner au jeu.* ♦ (dans des expr.) Argent joué, mise. *Jouer gros jeu* (fig. prendre de grands risques). **4** Partie qui se joue. *Suivre le jeu.* ♦ loc. fig. *Entrer en jeu.* → **intervenir.** - *Être en jeu,* en cause, en question. - *Se prendre, se piquer au jeu :* se laisser passionner ; s'obstiner. **5** hist. littér. Pièce de théâtre en vers, au Moyen Âge. **III** (Ce qui sert à jouer) **1** Instruments du jeu. *Jeu de 52 cartes.* **2** Assemblage de cartes qu'un joueur a en main. **3** Série complète d'objets de même nature et d'emploi analogue. **IV 1** Manière dont on joue. *Un jeu habile.* - fig. *Jouer double jeu :* agir de deux façons différentes pour tromper. *Jouer franc* jeu.* **2** Façon de jouer d'un instrument, etc. *Le jeu d'un violoniste.* **3** Manière de jouer un rôle. → **interprétation.** - loc. *Jouer le grand jeu :* utiliser tous ses talents pour séduire. - *Vieux jeu :* démodé, archaïque. **4** *Jeu de,* manière de mettre en œuvre. *Jeu de physionomie.* - *Jeu de lumière ; jeu d'eau* (à effet esthétique). **V 1** Mouvement aisé, régulier d'un mécanisme, etc. *Le jeu des muscles.* **2** Espace libre ou défaut de serrage.

**jeudi** n. m. Quatrième jour de la semaine, qui succède au mercredi. - loc. fam. *La semaine des quatre jeudis :* jamais.

à **jeun** [-ʒœ̃] loc. adv. Sans avoir mangé.

**jeune** **I** adj. Peu avancé en âge (opposé à *vieux*). **1** (personnes) Qui est dans la jeunesse. **2** (animaux) *Jeune chat.* - (plantes) *Jeune chêne.* **3** (choses) Nouveau, récent. *Une industrie jeune.* **4** (qualifiant une période) *Nos jeunes années.* **5** Qui a les caractères de la jeunesse. *Rester jeune.* **6** Qui convient à la jeunesse. *Une coiffure jeune.* - adv. *S'habiller jeune.* **7** Qui est nouveau (dans un état...). *Jeunes mariés.* **8** fam. → **insuffisant, léger.** *C'est un peu jeune !* **II** n. Personne jeune. *Les jeunes.* → **adolescent ; jeunesse.**

> Ne pas confondre avec *jeûne* «privation de nourriture».

**jeûne** n. m. Privation volontaire de toute nourriture. → **abstinence ; diète.**

> Ne pas confondre avec *jeune,* opposé à *vieux.*

**jeûner** v. intr. [1] Se priver de nourriture ou en être privé ; rester à jeun.

**jeunesse** n. f. **I 1** Temps de la vie entre l'enfance et la maturité. **2** Fait d'être jeune ; état d'une personne jeune. ♦ Ensemble de caractères attribués à la jeunesse. *Jeunesse de cœur.* **II 1** Les personnes jeunes. prov. *Si jeunesse savait, si vieillesse pouvait :* si les jeunes avaient l'expérience et les vieux la vigueur. **2** fam., vieilli Fille ou femme très jeune. **3** au plur. Mouvement de jeunes gens. *Les jeunesses communistes.*

**jeunet, ette** adj. fam. Bien jeune.

**jeûneur, euse** n. Personne qui jeûne.

**jeunisme** n. m. **I** Discrimination envers les jeunes. **II** Culte des valeurs associées à la jeunesse (beauté, etc.).

**jeunot, otte** adj. fam. Jeune.

**jihad ; jihadisme** → **djihad ; djihadisme**

**jingle** [dʒingœl] n. m. anglic. Court motif sonore répétitif.

**jiu-jitsu** n. m. Technique japonaise de combat sans armes, d'où dérive le judo. – var. **ju-jitsu.**

**joaillerie** n. f. **1** Art de monter les pierres précieuses ou fines pour en faire des joyaux. **2** Métier, commerce, atelier du joaillier.

**joaillier, ière** n. Personne qui fabrique ou vend des joyaux. → **bijoutier.**

Ne pas oublier le deuxième *i*.

**job** n. m. anglic., fam. Travail rémunéré.

**jobard, arde** adj. et n. Crédule jusqu'à la bêtise. ► **jobarderie** et **jobardise** n. f.

**jockey** n. Personne dont le métier est de monter les chevaux dans les courses.

**jocrisse** n. m. vx Benêt, nigaud.

**jodhpur** n. m. anglic. Pantalon de cheval serrant la jambe du genou au pied.

**jodler** → **iodler**

**jogging** [(d)ʒɔgiŋ] n. m. anglic. **1** Course à pied faite par exercice. **2** Survêtement.

**joie** n. f. **1** Émotion agréable et profonde, sentiment exaltant ressenti par toute la conscience. *Joie extrême.* → **allégresse, jubilation, ravissement. 2** Cette émotion, liée à une cause particulière. *C'est une joie de vous revoir.* ♦ au plur. *Les joies de la vie.* → **agrément, douceur, plaisir.**

**joignable** adj. Que l'on peut joindre (I, 5).

**joindre** v. [49] **I** v. tr. **1** Mettre (des choses) ensemble, de façon qu'elles se touchent ou tiennent ensemble. *Joindre les mains.* – loc. fig. *Joindre les deux bouts :* équilibrer son budget. **2** (sujet chose) Mettre en communication. → **relier. 3** Mettre ensemble. *Joignons nos efforts.* **4** *Joindre à :* mettre avec. → **ajouter.** – loc. *Joindre l'utile à l'agréable.* **5** Entrer en communication avec (qqn). *Il est difficile à joindre.* **II** v. intr. Se toucher sans laisser d'interstice. *Planches qui joignent bien* (→ **jointif**). ▷ v. pron. **se joindre** *Se joindre en un tout.* ♦ *Se joindre à :* se mettre avec, s'associer à.

① **joint, jointe** adj. **1** Qui est, qui a été joint. *Les pieds joints.* – *Compte joint :* compte bancaire qui a plusieurs titulaires. *Fichier joint* (à un courrier électronique). → **attaché. 2** *Ci-joint, ci-jointe :* joint ici même (→ ci-inclus). *Les documents ci-joints.* – (invar. avant le nom) *Ci-joint la copie.*

② **joint** n. m. **1** Espace qui subsiste entre des éléments joints. *Joints d'une fenêtre.* **2** Articulation entre deux pièces. *Joint de cardan*.* **3** Garniture assurant l'étanchéité. *Joint de robinet.* **4** loc. *Chercher, trouver le joint,* le moyen de résoudre une difficulté.

③ **joint** n. m. anglic., fam. Cigarette de haschisch.

**jointif, ive** adj. techn. Qui est joint, qui est en contact par les bords.

**jointoyer** v. tr. [8] techn. Remplir les joints de (une maçonnerie) avec du mortier.

**jointure** n. f. **1** Endroit où les os se joignent. → **articulation. 2** Endroit où deux parties, deux choses se joignent.

① **jojo** adj. invar. fam. Joli, agréable. *C'est pas jojo, tout ça !*

② **jojo** n. m. fam. *Affreux jojo :* enfant, jeune homme insupportable.

**jojoba** n. m. Arbuste des déserts américains dont on tire une huile utilisée en pharmacie.

**joker** [-ɛʀ] n. m. Carte à jouer à laquelle on est libre d'attribuer une valeur.

**joli, ie** adj. **1** Très agréable à voir. → **gracieux, mignon.** ♦ Très agréable à entendre. **2** fam. Assez réussi ou important. *Une jolie somme.* → **coquet.** *Un joli succès.* **3** iron. *Un joli coco :* un individu peu recommandable. ♦ n. m. *C'est du joli !,* c'est mal.

**joliesse** n. f. Caractère de ce qui est joli.

**joliment** adv. **1** D'une manière jolie, agréable. **2** Très, beaucoup. → fam. **rudement.**

**jonc** [ʒɔ̃] n. m. **1** Plante des terrains humides, à hautes tiges droites et flexibles ; sa tige. **2** Canne, badine (de jonc, etc.). **3** Bague, bracelet de grosseur uniforme.

**jonchée** n. f. littér. Amas (de branchages, de fleurs, etc.) jonchant le sol.

**joncher** v. tr. [1] **1** Parsemer (un lieu) de branchages, de fleurs, etc. **2** (le sujet désigne les choses éparses) → **couvrir.**

**jonchet** n. m. Chacun des bâtonnets jetés en tas que l'on joue à retirer, avec un crochet, sans faire bouger les autres.

**jonction** n. f. Action de joindre (des choses), de se joindre ; fait d'être joint. *Point de jonction.* ♦ Endroit où des choses se joignent. *À la jonction des deux routes.*

**jongler** v. intr. [1] **1** Lancer en l'air plusieurs objets qu'on reçoit et relance alternativement. **2** fig. *Jongler avec :* manier de façon adroite et désinvolte.

**jonglerie** n. f. **1** Art du jongleur. **2** fig. (souvent péj.) Exercice de virtuosité.

**jongleur, euse** n. **1** anciennt Ménestrel. **2** Personne dont le métier est de jongler.

**jonque** n. f. Voilier d'Extrême-Orient, dont les voiles sont tendues par des lattes horizontales de bambou.

**jonquille** n. f. Variété de narcisse à fleurs jaunes et odorantes ; cette fleur.

① **jota** [xɔta] n. f. Danse aragonaise.

② **jota** [xɔta] n. f. Consonne gutturale [x], notée *j*, du castillan (langue).

**jouabilité** n. f. inform. Qualité de maniabilité, d'ergonomie (d'un jeu vidéo).

**jouable** adj. Qui peut être joué ou tenté.

**joual** n. m. Français populaire canadien, marqué par des écarts phonétiques, lexicaux et des anglicismes.

**joubarbe** n. f. Plante grasse à feuilles charnues en rosettes, à fleurs roses.

**joue** n. f. **1** Partie latérale de la face s'étendant entre le nez et l'oreille, du dessous de l'œil au menton. – allus. biblique *Tendre l'autre joue* : s'exposer volontairement à un second affront. ♦ loc. *Mettre, coucher en joue,* viser avec un fusil, pour tirer. → **épauler.** **2** (animaux) *Joues du singe, du bœuf.*

**jouer** v. [1] **I** v. intr. **1** Se livrer au jeu. → s'**amuser.** **2** Se comporter dans un jeu (de telle manière). *Elle joue très bien.* **3** Agir à son tour, lors d'une partie. *À vous de jouer* (fig. à vous d'agir). **4** Pratiquer les jeux d'argent (→ **joueur**). **5** Se servir d'un instrument de musique. **6** Exercer l'activité d'acteur. **7** (sujet chose) Exercer librement son action. *La lumière joue dans les rideaux.* ♦ *Meuble qui a joué,* dont l'assemblage ne joint plus exactement. ♦ Fonctionner à l'aise. *Faire jouer la clé dans la serrure.* **8** Intervenir ; entrer, être en jeu. *Le temps joue pour lui.* **II** v. intr. (+ prép.) **1** *Jouer avec. Jouer avec une poupée.* → s'**amuser.** – Manier, pour s'amuser ou distraitement. *Ne jouez pas avec le feu.* – fig. Exposer imprudemment. *Jouer avec sa santé.* **2** *Jouer à* (un jeu déterminé). *Jouer au tennis.* – abstrait Affecter d'être. *Jouer au héros.* **3** *Jouer sur. Jouer sur le cours des devises.* – *Jouer sur les mots* (→ **jeu** de mots). **4** *Jouer de qqch.* : se servir avec plus ou moins d'adresse de. *Jouer du couteau.* ♦ loc. *Jouer de malchance* : accumuler les ennuis. ♦ Exploiter, tirer parti de. *Jouer de son charme.* **III** v. tr. **1** Faire (une partie). *Jouer la revanche.* – *Jouer un cheval,* miser sur lui. **2** Risquer au jeu. *Jouer une grosse somme.* **3** Tromper en ridiculisant. *Il vous a joué.* **4** Interpréter avec un instrument de musique. **5** Représenter ou interpréter sur scène ou à l'écran. – fig. *Jouer l'étonné ; jouer la surprise.* → **feindre.** ▷ v. pron. se **jouer** **1** vx Jouer. – mod. *Faire qqch. (comme) en se jouant,* très facilement. **2** *Se jouer de* : se moquer de. **3** passif *Ce jeu se joue à six.*

**jouet** n. m. **1** Objet dont les enfants se servent pour jouer. **2** *Être le jouet de* : être entièrement réglé, gouverné par.

**joueur, euse** n. **1** Personne qui joue (actuellement ou habituellement) à un jeu. ♦ adj. Qui aime jouer. **2** Personne qui joue à des jeux d'argent. **3** loc. (sens propre et fig.) *Beau joueur* : personne qui s'incline devant la victoire de l'adversaire. *Mauvais joueur,* qui accepte mal sa défaite. **4** Personne qui joue d'un instrument. *Joueur de flûte.*

**joufflu, ue** adj. Qui a de grosses joues.

**joug** [ʒu] n. m. **1** Pièce de bois qu'on met sur la tête des bœufs pour les atteler. **2** fig. Contrainte matérielle ou morale.

**jouir** v. tr. ind. [2] *Jouir de* **I** **1** Tirer plaisir, agrément, profit de (qqch.). *Jouir de la vie.* – dr. *Jouir d'un bien,* en percevoir les fruits (→ **jouissance, usufruit**). **2** absolt Éprouver le plaisir sexuel. **II** Avoir la possession de (qqch. ; un droit).

**jouissance** n. f. **1** Plaisir que l'on goûte pleinement. – spécialt Plaisir sexuel. → **orgasme.** **2** Action de se servir d'une chose, d'en tirer des satisfactions. → **usage.** ♦ dr. Fait de jouir (I, 1) d'un bien.

**jouisseur, euse** n. Personne qui ne songe qu'aux plaisirs matériels de la vie.

**jouissif, ive** adj. fam. Qui réjouit.

**joujou** n. m. lang. enfantin **1** *Faire joujou* : jouer. **2** vieilli Jouet. *Des joujoux.*

**joule** n. m. Unité de mesure (symb. J) de travail, d'énergie et de quantité de chaleur.

**jour** n. m. **I** (Clarté, lumière) **1** Clarté que le Soleil répand sur la Terre. *La lumière du jour.* – loc. *C'est le jour et la nuit,* deux choses, deux personnes très opposées. – fig. *Au grand jour* : aux yeux de tous. **2** loc. *Donner le jour à un enfant,* le mettre au monde. *Voir le jour* : naître. – *Se faire jour* : apparaître, se montrer. – *Sous un jour* (+ adj.) : sous un aspect particulier. **II** **1** Ouverture qui laisse passer le jour. **2** Ouverture décorative dans un tissu (→ **ajourer**). **III** **1** Espace de temps entre le lever et le coucher du soleil. → **journée ; diurne.** – loc. *Nuit et jour ; jour et nuit* : sans arrêt. **2** Espace de temps qui s'écoule pendant une rotation de la Terre sur elle-même (24 heures). ♦ loc. *Un jour* : un certain jour (dans le passé ou dans l'avenir). – *Jour après jour* : quotidiennement. – *De jour en jour* : peu à peu. – *D'un jour à l'autre* : dans peu de jours. – *Du jour* : du jour même. *Nouvelles du jour.* – *Du jour au lendemain* : sans transition. – *À jour* : en tenant compte des données du jour. *Des comptes à jour.* **3** Durée d'un jour. → **journée.** – *Une fois, trois fois par jour.* → **quotidiennement.** – *Vivre au jour le jour,* sans se préoccuper de l'avenir. **4** (Caractérisé par des événements...) → **journée.** *Jour férié.* – *Le jour J,* fixé pour une opération (militaire...). – *Être dans un bon (mauvais) jour,* de bonne (mauvaise) humeur. **5** Espace de temps, époque. – *Le goût du jour,* de l'époque. – loc. adv. *De nos jours.* → **actuellement.** **6** au plur. *Les jours.* → **vie.** *La fuite des jours.* – *Vieux jours,* la vieillesse.

**journal, aux** n. m. **I** comm. Registre de comptes. **II** **1** Récit quotidien des événements ; écrit portant ce récit. *Journal intime. Journal en ligne.* → **blog.** – *Journal de bord* (sur un navire). **2** Publication périodique. → **revue.** ♦ Publication quotidienne consacrée à l'actualité. → **quotidien.** ♦ L'administration, la direction, les bureaux d'un journal. *Écrire au journal.* **3** Bulletin quotidien d'information. *Journal parlé* (radiodiffusé), *télévisé.*

**journalier, ière** **1** adj. Qui se fait chaque jour. → **quotidien.** **2** n. Ouvrier, ouvrière agricole payé(e) à la journée.

**journalisme** n. m. **1** Métier de journaliste. **2** Le style propre aux journaux.

**journaliste** n. Personne qui collabore à la rédaction d'un journal (II, 2 ou 3).

**journalistique** adj. Propre aux journaux.

**journée** n. f. **1** Espace de temps qui s'écoule du lever au coucher du soleil. → **jour** (III). – loc. *À longueur de journée* : continuellement. **2** *Journée (de travail)*, travail effectué pendant une journée.

**journellement** adv. **1** Chaque jour. → **quotidiennement.** **2** Souvent.

**joute** n. f. **1** anciennt Combat singulier à la lance et à cheval. **2** fig. → **lutte.** *Joute oratoire.* ► **jouter** v. intr. [1]

**jouvence** n. f. *Fontaine de jouvence*, dont les eaux, selon la légende, redonnaient la jeunesse. ♦ fig. Source de jeunesse.

**jouvenceau, elle** n. vx Adolescent(e).

**jouxter** v. tr. [1] vx ou littér. Avoisiner.

**jovial, ale, aux** adj. Plein de gaieté franche et communicative. ► **jovialité** n. f.

**joyau** n. m. **1** Bijou de grande valeur. **2** fig. Chose rare et belle, de grande valeur.

**joyeusement** adv. Avec joie.

**joyeuseté** n. f. littér. Caractère joyeux. ♦ Propos, action qui amuse.

**joyeux, euse** adj. **1** Qui éprouve de la joie. → **gai, heureux.** ♦ Qui aime manifester sa joie. → **enjoué.** – loc. *Mener joyeuse vie*, une vie de plaisirs. **2** Qui exprime la joie. **3** Qui apporte la joie. *Joyeux Noël !*

**joystick** [(d)ʒɔj-] n. m. anglic. Manette de commande des jeux vidéo d'action.

**jubé** n. m. Tribune élevée entre la nef et le chœur, dans certaines églises.

**jubilation** n. f. Joie vive, expansive, exubérante. ► **jubilatoire** adj.

**jubilé** n. m. Fête célébrée à l'occasion du cinquantenaire d'un événement.

**jubiler** v. intr. [1] Se réjouir vivement (de qqch., spécialt des malheurs d'autrui).

**jucher** v. [1] **1** v. intr. Se percher en un lieu élevé pour dormir (oiseaux). **2** v. tr. Placer très haut. – pronom. → se **percher.**

**juchoir** n. m. Perchoir de basse-cour.

**judaïsme** n. m. Religion, communauté des Juifs. ► **judaïque** adj.

**judas** n. m. **I** Personne qui trahit. → **fourbe, traître.** **II** Petite ouverture pratiquée dans un mur, une porte, etc., pour voir sans être vu.

**judéo-chrétien, ienne** [-kʀetjɛ̃, jɛn] adj. Commun au judaïsme et au christianisme.

**judiciaire** adj. **1** Relatif à la justice et à son administration. **2** Qui se fait en justice ; par autorité de justice. → **juridique.** *Débat judiciaire.* ► **judiciairement** adv. ► **judiciariser** v. tr. [1] *Judiciariser la vie politique.*

**judicieux, euse** adj. **1** Qui a le jugement bon, sain. → **sensé.** **2** Qui résulte d'un bon jugement. → **intelligent, pertinent.** *Choix judicieux.* ► **judicieusement** adv.

**judo** n. m. Sport de combat d'origine japonaise qui se pratique à mains nues.

**judoka** n. Sportif qui pratique le judo.

**juge** n. **1** Magistrat chargé de rendre la justice. – (en France) *Juge d'instruction* : magistrat chargé d'informer en matière criminelle ou correctionnelle. *Juge de paix* (anciennt) ; *juge d'instance*, du tribunal d'instance. **2** Personne appelée à faire partie d'un jury, à se prononcer comme arbitre. **3** Personne appelée à donner une opinion, à porter un jugement. ♦ (n. m.) loc. *Être à la fois juge et partie**. – *Être bon, mauvais juge*, plus ou moins apte à porter un jugement.

**jugé** n. m. loc. adv. *Au jugé* : d'une manière approximative. – syn. **au juger.**

**jugement** n. m. **1** Action de juger ; décision en justice. *Rendre un jugement.* → **décision ; arrêt, sentence, verdict.** ♦ relig. chrét. *Jugement dernier*, celui que Dieu prononcera à la fin du monde. **2** Opinion exprimée sur qqn ou qqch. ♦ Façon de voir particulière à qqn. → **point de vue.** **3** Faculté de l'esprit permettant de bien juger des choses, hors d'une connaissance certaine. → **discernement, perspicacité,** bon **sens.**

**jugeote** n. f. fam. Jugement (3), bon sens.

**juger** v. tr. [3] **1** Soumettre (une cause, qqn) à la décision de sa juridiction. – absolt Rendre la justice. *Le tribunal jugera.* → **conclure, décider, statuer.** **2** Prendre nettement position sur (une question). *C'est à vous de juger ce qu'il faut faire.* **3** Émettre un jugement, une opinion sur (qqn, qqch.). *Juger un livre.* – trans. indir. *Il est difficile d'en juger.* **4** (+ adj. ou complétive) Considérer comme. → **estimer, trouver.** *Si vous le jugez bon. Il jugea qu'il était trop tard.* – pronom. *Se juger perdu.* **5** v. tr. ind. (surtout à l'impér.) → **imaginer,** se **représenter.** *Jugez de ma surprise.*

**jugulaire** n. f. **1** adj. anat. De la gorge. – *Veines jugulaires* : les quatre veines du cou. **2** n. f. Attache qui maintient une coiffure d'uniforme en passant sous le menton.

**juguler** v. tr. [1] Arrêter le développement de (qqch.). *Juguler une maladie ; une révolte.*

**juif, juive** n. et adj. **1** n. Nom donné depuis l'Exil (IVe siècle av. J.-C.) aux descendants d'Abraham, peuple sémite monothéiste qui vivait en Palestine. → **hébreu, israélite.** – Personne descendant de ce peuple, ou qui s'est convertie au judaïsme. **2** loc. fam. *Le petit juif* : endroit sensible du coude. **3** adj. Relatif à la communauté des Juifs.

**juillet** [ʒɥijɛ] n. m. Septième mois de l'année, de trente et un jours.

**juin** n. m. Sixième mois de l'année, de trente jours.

**ju-jitsu** n. m. → **jiu-jitsu**

**jujube** n. m. **1** Fruit d'un arbre épineux (le *jujubier*). **2** Pâte extraite de ce fruit.

**juke-box** [ʒykbɔks ; dʒukbɔks] n. m. anglic. Machine faisant passer automatiquement le disque demandé.

**jules** n. m. fam. Amant, amoureux, mari.

**julien, ienne** adj. *Calendrier julien*, réformé par Jules César, et modifié ensuite par Grégoire XIII. *Année julienne*, de 365 jours ou de 366 jours (bissextile).

**julienne** n. f. Préparation (spécialt, potage) de légumes variés coupés en bâtonnets.

**jumeau, elle** 1 adj. et n. Se dit d'enfants nés d'un même accouchement. – *Vrais jumeaux*, provenant d'un seul œuf. 2 adj. Se dit de choses semblables. *Lits jumeaux*.

**jumeler** v. tr. [4] 1 Ajuster ensemble (deux choses semblables). – au p. p. *Fenêtres jumelées*. 2 Associer (deux villes) afin de susciter entre elles des échanges.

**jumelle** n. f. Instrument portatif à deux lunettes ; double lorgnette. *Une jumelle marine*. – au plur. *Des jumelles de spectacle*.

**jument** n. f. Femelle du cheval.

**jumping** [dʒœmpiŋ] n. m. anglic. Saut d'obstacles à cheval.

**jungle** [ʒœ̃gl ; ʒɔ̃gl] n. f. 1 Forme de savane touffue des pays de mousson, où vivent les grands fauves. 2 fig. Milieu humain où règne la loi du plus fort.

**junior** adj. et n. anglic. 1 Jeune, cadet. 2 sports Se dit d'une catégorie intermédiaire entre les seniors et les cadets.

**junte** [ʒœ̃t] n. f. 1 hist. Assemblée administrative, politique, dans les pays ibériques. 2 Groupe de militaires de haut rang qui se saisissent du pouvoir politique.

**jupe** n. f. 1 Vêtement féminin qui descend de la ceinture à la jambe. 2 techn. Se dit de divers objets cylindriques.

**jupe-culotte** n. f. Vêtement féminin, culotte ample qui a l'aspect d'une jupe.

**jupette** n. f. Jupe très courte. → **minijupe.**

**jupon** n. m. 1 Jupe de dessous. 2 fig. (collectif) Les femmes. *Courir le jupon*.

**jurande** n. f. hist. Charge de juré (I, 1).

**jurassien, ienne** adj. et n. Du Jura.

**jurassique** adj. et n. m. géol. Se dit de la partie centrale de l'ère secondaire.

**juré, ée** I adj. 1 anc. dr. Qui a prêté serment en accédant à la maîtrise, dans une corporation. – n. *Les jurés d'un métier* (→ **jurande**). 2 *Ennemi juré* : ennemi déclaré et acharné. II n. Personne appelée par tirage au sort à faire partie d'un jury (1).

**jurement** n. m. vieilli Blasphème ; juron.

**jurer** v. [1] I v. tr. 1 Promettre (qqch.) solennellement (→ **serment**). *Jurer fidélité à qqn*. – pronom. *Elle s'est juré de ne rien dévoiler*. 2 littér. Décider avec force. *Ils ont juré sa perte*. 3 Affirmer solennellement. → **assurer, déclarer.** *Je vous jure que ce n'est pas moi*. 4 *Jurer de* (qqch.), affirmer de façon catégorique. «*Il ne faut jurer de rien*» (pièce de Musset). II v. intr. 1 Faire un serment. – loc. *On ne jure plus que par lui*, on l'admire en tout. 2 Dire des jurons. 3 (sujet chose) Produire une discordance. *Ces couleurs jurent*.

**juridiction** n. f. 1 Pouvoir de juger, de rendre la justice ; étendue de ce pouvoir. *Juge exerçant sa juridiction*. 2 Tribunal ; ensemble de tribunaux. → **chambre, conseil, cour.**

**juridique** adj. 1 Qui se fait, s'exerce en justice, devant la justice. → **judiciaire.** 2 Qui a rapport au droit. ► **juridiquement** adv.

**jurisconsulte** n. Juriste consultant.

**jurisprudence** n. f. 1 Ensemble des décisions des juridictions, en tant qu'elles constituent une source de droit (droit coutumier*). 2 Manière dont un tribunal juge habituellement une question.

**juriste** n. Spécialiste du droit.

**juron** n. m. Terme plus ou moins grossier ou familier, dont on se sert pour jurer.

**jury** n. m. 1 Commission de jurés (II) chargée de l'examen d'une question criminelle. 2 Ensemble d'examinateurs.

**jus** n. m. 1 Liquide contenu dans une substance végétale. *Jus de fruits*. 2 Liquide rendu par une substance animale qui cuit, macère. *Jus de viande*. 3 fam. Café noir. 4 fam. Courant électrique. – *Court-jus* : court-circuit.

**jusant** n. m. Marée descendante.

**jusqu'au-boutiste** n. Personne qui va jusqu'au bout de ses idées (en politique...). → **extrémiste.** ► **jusqu'au-boutisme** n. m.

**jusque** Marque le terme final, la limite que l'on ne dépasse pas. I prép. 1 *Jusqu'à*. (lieu) *Aller jusqu'au terminus*. – (devant un inf. après *aller*, etc.) *Il est allé jusqu'à nous insulter*. – (temps) *J'ai dormi jusqu'à midi*. – (totalité) *Tous, jusqu'à lui...* 2 (suivi d'une prép. autre que *à*) *C'est fermé jusqu'en mars*. 3 (suivi d'un adv.) *Jusqu'alors, jusqu'à présent*. II 1 adv. *Jusqu'à*. → **même.** *Il aime son caractère et jusqu'à ses défauts*. 2 conj. *Jusqu'à ce que* (+ subj.) : jusqu'au moment où. – *Jusqu'à tant que* (même sens). ▷ prép. **jusques** vx ou poét. Jusque.

**jusquiame** n. f. Plante à fleurs jaunes rayées de pourpre, à propriétés toxiques.

**justaucorps** [-kɔʀ] n. m. 1 anciennt Vêtement serré, à basques. 2 Maillot collant qui couvre le tronc (pour la danse, etc.).

**juste** I adj. 1 Qui se comporte, agit conformément à la justice, à l'équité. → **équitable.** *Il est sévère mais juste*. – (n. m.) loc. *Dormir du sommeil du juste*, d'un sommeil paisible. 2 (choses) Conforme à la justice, au droit, à l'équité. *Une loi juste*. 3 (devant le nom) → **fondé, légitime.** *Une juste colère*. – *À juste titre* : à bon droit. II adj. 1 Qui a de la justesse, qui convient bien. *Chercher le mot juste*. → **adéquat.** *L'heure juste*. → **exact.** – (d'un son ; s'oppose à *faux*) *Note juste*. ♦ Qui fonctionne avec précision. *Ma montre est juste*. 2 Conforme à la vérité, à la raison, au bon sens. *Remarque très juste*. – *C'est juste* : vous avez raison. **3** (vêtements...) Qui est trop ajusté. → **étroit, petit.** ♦ Qui suffit à peine. *Repas trop juste.* – fam. (personnes) *Être un peu juste :* manquer d'argent. **III adv. 1** Avec justesse, exactitude ; comme il convient. *Penser juste.* **2** Exactement, précisément. *C'est juste à côté.* – *Tout juste ! :* c'est bien cela. **3** D'une manière trop stricte, insuffisante. *Prévoir un peu juste* (opposé à *largement*). **4** loc. adv. *Au juste.* → **exactement, précisément.** – *Comme de juste :* comme il se doit.

**justement** adv. **I 1** rare Conformément à la justice. **2** À bon droit, avec raison. **3** Avec justesse, pertinence. **II adv. de phrase** → **précisément.** *C'est justement ce qu'il fallait faire.* – *Justement, ne lui dites rien !*

**justesse** n. f. **1** Qualité qui rend une chose parfaitement, exactement adaptée. *Justesse d'un récit ; d'une balance.* **2** Qualité qui permet d'exécuter très exactement une chose. → **précision. 3** loc. adv. *De justesse :* de peu. *Éviter de justesse une collision.*

**justice** n. f. **1** Juste appréciation, reconnaissance et respect des droits et du mérite de chacun. → **droiture, équité, impartialité, intégrité.** *Agir avec justice.* **2** Principe moral de conformité au droit. *Faire régner la justice.* **3** Pouvoir de faire régner le droit ; exercice de ce pouvoir. – *Rendre la justice.* → **juger.** ♦ Reconnaissance du droit, du bon droit. *Obtenir justice.* – *Faire justice de qqch. :* récuser, réfuter. – *Rendre justice à qqn,* lui reconnaître son droit ; par ext. ses mérites. – *Se faire justice :* se venger ; en parlant d'un coupable, se tuer. **4** Organisation du pouvoir judiciaire ; ensemble des organes chargés d'administrer la justice. *Litige soumis à la justice* (→ **procès**).

**justiciable** adj. **1** Qui relève de certains juges, de leur juridiction. – n. *Les justiciables.* **2** fig. Qui relève (d'une mesure...). *Malade justiciable d'une cure.*

**justicier, ière** n. **1** Personne qui fait régner la justice. **2** Personne qui venge les innocents, etc. (→ redresseur de torts).

**justifiable** adj. **1** Qui peut être justifié. → **défendable. 2** Qui peut être expliqué.

**justificateur, trice** adj. Qui justifie.

**justificatif, ive** adj. **1** Qui sert à justifier qqn. **2** Qui sert à prouver. – n. m. Pièce justificative. *Produire des justificatifs.*

**justification** n. f. **I 1** Action de justifier (qqn, qqch.), de se justifier. **2** Action d'établir (une chose) comme réelle. → **preuve. II** imprim. Longueur d'une ligne.

**justifier** v. tr. 7 **I 1** Innocenter (qqn) en expliquant sa conduite, en démontrant que l'accusation n'est pas fondée. → **décharger, disculper. 2** (sujet chose) Rendre (qqch.) légitime. → **autoriser, légitimer.** – prov. *La fin justifie les moyens.* **3** Faire admettre ou s'efforcer de faire reconnaître (qqch.) comme juste, légitime. → **expliquer, motiver.** – au p. p. *Un reproche justifié.* **4** (sujet chose) Confirmer après coup. *Les faits ont justifié ses espoirs.* **5** Montrer (qqch.) comme vrai, juste, réel, par des arguments, des preuves. *Justifier ce qu'on affirme.* **6** v. tr. ind. dr. *Justifier de son identité,* la prouver. **II** imprim. Mettre (une ligne) à la longueur requise (→ **justification**). ▷ v. pron. **se justifier 1** réfl. Prouver son innocence. **2** passif Être fondé sur de bonnes raisons.

**jute** n. m. **1** Plante cultivée pour la fibre textile de ses tiges. **2** Cette fibre.

**juter** v. intr. 1 Rendre du jus.

① **juteux, euse** adj. **1** Qui a beaucoup de jus. **2** fam. Qui rapporte beaucoup.

② **juteux** n. m. argot Adjudant.

**juvénile** adj. Propre à la jeunesse. – *Délinquance juvénile,* des mineurs.

**juxtalinéaire** adj. didact. *Traduction juxtalinéaire,* où texte et traduction se répondent ligne à ligne dans deux colonnes.

**juxtaposer** v. tr. 1 Poser, mettre (une, des choses) près d'une ou plusieurs autres, sans liaison. ► **juxtaposition** n. f.

# K

**k** [kɑ] n. m. **1** Onzième lettre, huitième consonne de l'alphabet. **2** *k* : symbole de *kilo-*.

**kabbale** n. f. Tradition juive donnant une interprétation allégorique de l'Ancien Testament. – var. (vx) **cabale.** ► **kabbalistique** adj.

**kabig** [kabik] n. m. Manteau court à capuche, à poche formant manchon.

**kabuki** [kabuki] n. m. Genre théâtral japonais traditionnel, avec musique et danses.

**kabyle** adj. et n. De Kabylie. ♦ n. m. Ensemble des parlers berbères de Kabylie.

**kaddish** n. m. Prière juive pour les morts.

**kafkaïen, ïenne** adj. Qui rappelle l'atmosphère absurde des romans de Kafka.

**kaiser** [kɛzɛʀ ; kajzɛʀ] n. m. *Le Kaiser* : l'empereur d'Allemagne (de 1870 à 1918).

**kakémono** n. m. Peinture japonaise étroite, se roulant autour d'un bâton.

① **kaki** adj. invar. et n. m. invar. (D'une) couleur jaunâtre tirant sur le brun.

② **kaki** n. m. Arbre aux fruits d'un jaune orangé. – Fruit de cet arbre.

**kalachnikov** [-kɔf] n. f. Fusil d'assaut d'origine soviétique.

**kalanchoé** [-kɔe] n. m. bot. Plante à fleurs tubulaires disposées en grappes, ornementale.

**kale** [ke(i)l] n. m. anglic. Variété de chou frisé.

**kaléidoscope** n. m. **1** Petit tube contenant un jeu de miroirs qui y produit d'infinies combinaisons d'images. **2** fig. Succession rapide et changeante (de sensations, etc.).

**kamikaze** n. **1** n. m. Avion-suicide, piloté par un volontaire ; ce volontaire. ♦ n. Auteur d'un attentat suicide. **2** par ext. Personne d'une grande témérité.

**kana** n. m. Signe syllabique japonais.

**kanak, kanake** ou **canaque** n. et adj. Autochtone de Nouvelle-Calédonie.

**kangourou** n. m. Grand marsupial australien herbivore, à pattes postérieures permettant des sauts de plusieurs mètres.

**kanji** [kɑ̃(d)ʒi] n. m. Caractère chinois de l'écriture japonaise.

**kantien, ienne** adj. philos. Qui a rapport à la philosophie de Kant.

**kantisme** n. m. philos. Doctrine de Kant, idéalisme transcendantal et philosophie critique.

**kaolin** n. m. Argile blanche, réfractaire, friable, utilisée pour faire la porcelaine.

**kapok** n. m. Fibre végétale faite du duvet qui recouvre les graines de certains arbres exotiques (notamment le *kapokier*).

**karaoké** n. m. Divertissement qui consiste à chanter des airs à succès à l'aide d'un appareil fournissant les paroles sur un écran et l'accompagnement musical.

**karaté** n. m. Art martial japonais, sport de combat dans lequel les coups sont retenus avant l'impact.

**karatéka** n. Sportif qui pratique le karaté.

**karité** n. m. Arbre d'Afrique qui fournit une matière grasse, le *beurre de karité*.

**karma** n. m. Dogme central de l'hindouisme, du bouddhisme, selon lequel la destinée d'un être est déterminée par la totalité de ses actions passées, de ses vies antérieures.

**karst** [kaʀst] n. m. géogr. Phénomènes de corrosion du calcaire ; région où prédominent ces phénomènes. ► **karstique** adj.

**kart** [kaʀt] n. m. anglic. Petit véhicule automobile de compétition, sans carrosserie, ni boîte de vitesses, ni suspension.

**karting** n. m. anglic. Sport pratiqué avec le kart.

**kascher** [kaʃɛʀ] adj. invar. → **casher**

**kathakali** n. m. didact. Théâtre sacré traditionnel de l'Inde du Sud.

**kayak** [kajak] n. m. Embarcation de sport manœuvrée avec une pagaie double. → aussi **canoë.** ► **kayakiste** n.

**kébab** n. m. **1** Viande coupée rôtie à la broche. → **chiche-kébab. 2** Sandwich garni de lamelles de viande grillée et de crudités.

**keffieh** [kefje ; kefjɛ] n. m. Coiffure des Bédouins, carré de tissu plié et retenu par un lien.

**kelvin** [kɛlvin] n. m. Unité de mesure de température (symb. K), partant du zéro absolu (– 273,16 °C).

**kendo** [kɛndo] n. m. Art martial japonais pratiqué avec un sabre de bambou.

**képhir** ou **kéfir** n. m. Boisson gazeuse et acidulée, obtenue par fermentation de petit-lait avec une levure *(grains de képhir)*.

**képi** n. m. Coiffure militaire rigide, à fond plat et surélevé, munie d'une visière.

**kératine** n. f. Protéine présente dans les productions épidermiques de l'homme et des animaux (cheveux, ongles, cornes...).

**kératite** n. f. méd. Inflammation de la cornée.

**kératose** n. f. méd. Épaississement de la couche cornée de l'épiderme.

**kermès** [-ɛs] n. m. **1** Cochenille parasite de certains chênes. **2** Chêne des garrigues méditerranéennes (arbuste épineux).

**kermesse** n. f. **1** région. (Nord) Fête patronale, foire annuelle. → **ducasse.** **2** Fête de bienfaisance.

**kérosène** n. m. Produit pétrolier liquide utilisé comme carburant pour les avions.

**kétamine** n. f. chim. Substance aux propriétés analgésiques et anesthésiques.

**ketchup** [kɛtʃœp] n. m. anglic. Sauce à la tomate, légèrement sucrée et épicée.

**kevlar** n. m.(n. déposé) techn. Résine très résistante, utilisée en fibres dans des matériaux composites. *Mât en kevlar.*

**khâgne** ou **cagne** n. f. fam. Classe préparatoire à l'École normale supérieure (lettres), qui fait suite à l'hypokhâgne. ► **khâgneux, euse** ou **cagneux, euse** n.

**khalife ; khalifat** → **calife ; califat**

**khamsin** [xamsin] n. m. Vent de sable analogue au sirocco, en Égypte.

**khan** n. m. Titre des souverains mongols, des chefs tartares, etc.

**khat** → **qat**

**khédive** n. m. Titre porté par le vice-roi d'Égypte entre 1867 et 1914.

**khmer, ère** [kmɛʀ] adj. et n. Des Khmers. – *Art khmer* : art ancien du Cambodge. ♦ n. m. *Le khmer* (langue).

**khôl** ou **kohol** n. m. Fard sombre pour les paupières, les cils, les sourcils (d'abord dans le monde arabe).

**kibboutz** [-uts] n. m. Ferme collective, en Israël. *Des kibboutz* ou (hébreu) *kibboutzim.*

**kick** n. m. anglic. Dispositif de mise en marche d'un moteur de motocyclette à l'aide du pied.

**kidnapper** v. tr. [1] Enlever (qqn), en général pour obtenir une rançon. ► **kidnappage** n. m. – syn. (anglic.) **kidnapping.**

**kif** n. m. Haschisch mélangé à du tabac.

**kifer** ou **kiffer** v. [1] fam. **1** v. intr. Prendre du plaisir. – *Kifer sur qqn,* l'apprécier. **2** v. tr. Apprécier, aimer bien (qqn, qqch.).

**kif-kif** adj. invar. fam. Pareil. *C'est kif-kif !*

**kiki** n. m. fam. **1** Gorge, gosier. **2** Pénis.

**kil** n. m. pop. Litre (de vin).

**kilim** [kilim] n. m. Tapis d'Orient tissé.

**kilo** n. m. (abrév.) Kilogramme.

**kiloeuro** n. m. Unité de compte correspondant à mille euros (symb. kE ou k€).

**kilogramme** n. m. Unité de mesure de masse du système international, valant mille grammes (symb. kg). → **kilo.**

**kilométrage** n. m. **1** Mesure en kilomètres. **2** Distance en kilomètres.

**kilomètre** n. m. Unité pratique de distance qui vaut mille mètres (symb. km). ► **kilométrique** adj. *Borne kilométrique.*

**kilowatt** [-wat] n. m. Ancienne unité de puissance valant 1 000 watts (symb. kW).

**kilowattheure** n. m. Unité de travail, travail accompli en une heure par un moteur d'une puissance de 1 000 watts (symb. kWh).

**kilt** [kilt] n. m. Jupe courte et plissée du costume écossais. ♦ Jupe analogue.

**kimono** n. m. **1** Longue tunique japonaise à manches, croisée, à large ceinture. **2** appos. (invar.) *Manches kimono,* amples.

**kinésithérapie** n. f. Traitement des affections osseuses, musculaires, articulaires par des mouvements combinés à des massages. ► **kinésithérapeute** n. – abrév. fam. **kiné.**

**kinesthésie** n. f. didact. Perception des déplacements des parties du corps.

**kinkajou** n. m. Mammifère arboricole d'Amérique tropicale, à queue préhensile.

**kiosque** n. m. **1** Pavillon de jardin ouvert. **2** Édicule où l'on vend des journaux, des fleurs, etc. **3** Superstructure d'un sous-marin.

**kippa** n. f. Calotte des juifs pratiquants.

**kir** n. m. Apéritif composé de vin blanc et de liqueur de cassis.

**kirsch** n. m. Eau-de-vie de cerise.

**kit** [kit] n. m. anglic. Ensemble des éléments d'un objet vendu prêt à être monté.

**kitchenette** n. f. anglic. → **cuisinette.**

**kitesurf** [kajtsœʀf] n. m. anglic. Sport nautique où le surfeur sur sa planche est entraîné par un cerf-volant.

**kitsch** adj. invar. Volontairement démodé et de mauvais goût. – n. m. invar. *Le kitsch.*

① **kiwi** [kiwi] n. m. Oiseau coureur de Nouvelle-Zélande, à ailes rudimentaires.

② **kiwi** [kiwi] n. m. Fruit oblong, à pulpe verte, d'un arbuste originaire de Chine.

**klaxon** [klaksɔn] n. m. (nom déposé) Avertisseur sonore. ► **klaxonner** v. [1]

**kleptomane** ou **cleptomane** n. et adj. (Personne) qui a une propension pathologique à commettre des vols (*kleptomanie* ou *cleptomanie* n. f.).

**knickers** [(k)nikœʀ(s) ; -ɛʀ(s)] n. m. pl. **1** anciennt Pantalon de golf. **2** mod. Pantalon de sport court serré sous le genou.

**knock-out** [(k)nɔkaut] anglic. – abrév. **K.-O.** **1** n. m. invar. Mise hors de combat du boxeur resté à terre plus de dix secondes. **2** adj. invar. *Boxeur knock-out.* ♦ fam. Épuisé.

**knout** [knut] n. m. Fouet de cuir, instrument de supplice de l'ancienne Russie.

**K.-O.** [kɑo] → **knock-out.**

**koala** n. m. Marsupial grimpeur australien au pelage gris, évoquant un petit ours.

**kob** ou **cob** n. m. Grande antilope.

**kobold** [-ɔld] n. m. Esprit familier, lutin, dans les contes allemands.

**kohol** → **khôl**

**koinè** [kɔine ; -nɛ] n. f. ling. Langue véhiculaire*.

**kola** → **cola**

**kolkhoze** n. m. hist. Exploitation agricole collective, en U. R. S. S.

**kop** n. m. anglic. Tribune d'un stade où se réunissent les supporteurs d'un club de football.

**kopeck** n. m. Monnaie russe valant le centième du rouble.

**korê** n. f. didact. Statue de jeune fille de l'art grec archaïque (→ kouros).

**korrigan, ane** n. Esprit, lutin des traditions populaires bretonnes.

**koto** n. m. Cithare japonaise traditionnelle.

**kouglof** n. m. Gâteau alsacien garni de raisins secs.

**koulak** n. m. hist. Riche paysan russe.

**koulibiac** n. m. Pâté de poisson russe.

**kouros** [-os] n. m. didact. Statue de jeune homme de l'art grec archaïque (→ korê).

**krach** [kʀak] n. m. Effondrement des cours de la Bourse.

> Ne pas confondre avec *crack* «champion» ni avec *krak* «château».

**kraft** n. m. Papier d'emballage résistant.

**krak** n. m. hist. Château fort établi au XIIe siècle par les croisés, en Syrie.

> Ne pas confondre avec *crack* «champion» ni avec *krach* «banqueroute».

**kraken** [-ɛn] n. m. Monstre marin fabuleux des légendes scandinaves.

**krill** [kʀil] n. m. Plancton des mers froides, constitué de petits crustacés.

**kriss** n. m. Poignard malais à lame sinueuse. – var. **criss.**

**krypton** n. m. Élément (symb. Kr), un des gaz rares de l'atmosphère.

**kss kss** interj. Onomatopée moqueuse.

**kummel** n. m. Alcool parfumé au cumin.

**kumquat** [kɔmkwat ; kumkwat] n. m. Très petite orange. – Arbuste qui la produit.

**kung-fu** [kuŋfu] n. m. Art martial chinois, proche du karaté.

**kurde** adj. et n. Du Kurdistan. ♦ n. m. *Le kurde* (langue).

**kuru** [kuʀu] n. m. méd. Maladie dégénérative du système nerveux central, due à un prion, observée chez des aborigènes de Nouvelle-Guinée, et attribuée au cannibalisme (ingestion rituelle du cerveau des défunts).

**kvas** ou **kwas** [kvɑs] n. m. Boisson russe alcoolisée à base de céréales ou de fruits fermentés.

**kwas** → **kvas**

**kwashiorkor** [kwaʃjɔʀkɔʀ] n. m. méd. Syndrome de dénutrition infantile extrême.

**kyrie** ou **kyrie eleison** [kiʀ(i)jeeleisɔn] n. m. invar. Invocation par laquelle commencent les litanies, lors de la messe.

**kyrielle** n. f. Longue suite (de paroles...).

**kyste** n. m. Cavité pathologique contenant souvent un liquide. ► **kystique** adj.

# L

**l** [ɛl] n. m. Douzième lettre, neuvième consonne de l'alphabet. ♦ *l,* symbole du litre. ♦ *L,* chiffre romain (50).

① **la** → ① **le**

② **la** → ② **le**

③ **la** n. m. invar. Sixième note de la gamme. - loc. fig. *Donner le la,* le ton.

**là** I adv. de lieu et de temps **1** Dans un lieu autre que celui où l'on est (opposé à *ici*). *Allez là.* ♦ Dans le lieu où l'on est. → **ici.** *Je reste là.* **2** À ce moment. *Là, il s'interrompit.* **3** Dans, en cela. *Là est l'idée.* ♦ (avec *en*) À ce point. *Nous n'en sommes pas là.* **4** (suivi d'une relative) *C'est là que :* dans ce lieu ; alors. - *Là où :* à l'endroit où. **5** (renforçant un pron. ou un adj. dém.) *C'est là le problème. Ce jour-là.* **6** loc. (précédé d'une prép.) *De là :* en partant de cet endroit ; fig. en se fondant sur ce fait. - *D'ici là...,* entre le moment présent et un moment postérieur. - *Par là :* par cet endroit. - *De-ci de-là ; par-ci par-là.* → **ci.** - *Çà* et là.* **7** *Là-bas :* à une distance assez grande. - *Là-dedans :* dans ce lieu ; fig. dans cela. - *Là-haut :* dans ce lieu au-dessus. II interj. Pour exhorter, apaiser, rassurer. *Hé là ! Là ! là !, calme-toi.*

**label** n. m. anglic. Marque sur un produit (pour en garantir l'origine, la qualité).

**labeur** n. m. Travail pénible et soutenu.

**labial, ale, aux** adj. anat. Relatif aux lèvres. ♦ phonét. *Consonne labiale,* qui s'articule avec les lèvres (ex. b, p, m).

**labié, ée** adj. bot. Se dit des fleurs, des plantes dont la corolle présente deux lobes en lèvres (famille des *Labiées* n. f. pl.).

**labile** adj. didact. Précaire, changeant.

**laborantin, ine** n. Aide de laboratoire.

**laboratoire** n. m. Local aménagé pour faire des expériences, des analyses biologiques, des recherches, etc.

**laborieusement** adv. Avec peine.

**laborieux, euse** adj. **1** littér. Qui coûte beaucoup de peine, de travail. ♦ Qui sent l'effort. *Style laborieux.* **2** vieilli Qui travaille beaucoup. ♦ *Les masses laborieuses,* qui n'ont pour vivre que leur travail.

**labour** n. m. **1** Action de labourer (1). → **labourage.** **2** Terre labourée. → **guéret.**

**labourage** n. m. Action de labourer (1).

**labourer** v. tr. [1] **1** Ouvrir et retourner (la terre) avec un instrument aratoire. **2** fig. Creuser, marquer profondément. - au p. p. *Visage labouré de rides.* → **sillonné.**

**laboureur** n. m. Personne qui laboure.

**labrador** n. m. Grand chien à poil ras.

**labre** n. m. Poisson marin comestible.

**labyrinthe** n. m. I **1** Réseau compliqué de chemins, etc. dont on a peine à sortir. **2** fig. Complication inextricable. II anat. Ensemble des cavités de l'oreille interne.

**lac** n. m. Grande nappe naturelle d'eau à l'intérieur des terres. - *Lac artificiel.* ♦ loc. fam. *Tomber dans le lac :* échouer.

**lacer** v. tr. [3] Attacher avec un lacet. ► **laçage** n. m.

Ne pas confondre avec *lasser* «fatiguer».

**lacérer** v. tr. [6] Mettre en lambeaux, en pièces. ► **lacération** n. f.

**lacet** n. m. **1** Cordon étroit, qu'on passe dans des œillets pour serrer, attacher. **2** Succession d'angles aigus. *Virage en lacet.* **3** Nœud coulant pour capturer le gibier.

**lâchage** n. m. **1** Action de lâcher (qqch.). **2** fam. Action d'abandonner (qqn).

**lâche** adj. I **1** Qui n'est pas tendu, pas serré. *Nœud lâche.* **2** fig., littér. Qui manque d'énergie et de concision. *Style lâche.* II **1** adj. et n. Qui manque de vigueur morale, de courage. ♦ Qui est brutal ou cruel sans risque. **2** Qui porte la marque de la lâcheté. → **bas, méprisable, vil.** ► **lâchement** adv. (sens I et II).

① **lâcher** v. [1] I v. tr. **1** Cesser de tenir. *Lâche-moi, tu me fais mal.* ♦ fam. Donner. *Il ne lâchera pas un sou.* **2** Cesser de retenir, laisser aller (qqch., un animal). ♦ loc. fam. *Lâcher le morceau,* tout avouer. **3** Émettre brusquement (des paroles, etc.). *Lâcher une absurdité.* **4** Lancer (un animal) à la poursuite de qqn, du gibier. II v. tr. **1** Laisser aller, partir (qqn). **2** Distancer (un concurrent) dans une course. **3** fam. Abandonner brusquement (qqn). → **plaquer.** III v. intr. (sujet chose) Se rompre, se détacher brusquement. *Le nœud a lâché.*

② **lâcher** n. m. Action de lâcher (dans quelques emplois). *Un lâcher de ballons.*

**lâcher-prise** n. m. Capacité de prendre de la distance face aux situations stressantes. *Des lâcher-prises.*

**lâcheté** n. f. **1** littér. Manque d'énergie morale. **2** Manque de bravoure, de courage devant le danger. ♦ Manque de courage moral qui porte à profiter de l'impunité. **3** Action, manière d'agir d'un lâche.

**lâcheur, euse** n. fam. Personne qui abandonne sans scrupule (qqn, un groupe).

**lacis** n. m. Réseau (de fils, etc.).

**laconique** adj. Qui s'exprime en peu de mots. ► **laconiquement** adv.

**laconisme** n. m. littér. Manière de s'exprimer en peu de mots. → **concision.**

**lacryma-christi** [-kʀisti] n. m. invar. Vin provenant de vignes du Vésuve.

**lacrymal, ale, aux** adj. Qui a rapport aux larmes. *Glande lacrymale.*

**lacrymogène** adj. Qui fait pleurer, par une action chimique. *Gaz lacrymogène.*

**lacs** [lɑ] n. m. littér. Nœud coulant.

**lactation** n. f. Sécrétion du lait, chez la femme et les femelles des mammifères.

**lacté, ée** adj. **I 1** Qui a rapport au lait. **2** littér. Qui a l'aspect du lait. → **laiteux. 3** Qui est à base de lait. **II** *Voie lactée* : bande blanchâtre qu'on voit dans le ciel pendant les nuits claires (apparence de la Galaxie).

**lactique** adj. *Acide lactique,* qui existe dans le lait aigri. - *Ferment lactique,* transformant le sucre du lait en acide lactique.

**lacune** n. f. Interruption fâcheuse dans un texte, un enchaînement de faits ou d'idées. ► **lacunaire** adj. → **incomplet.**

**lacustre** adj. Qui se trouve, vit auprès d'un lac, dans un lac.

**lad** [lad] n. m. anglic. Garçon d'écurie.

**ladre 1** adj. (animaux) Qui souffre de larves de ténia. **2** n. et adj. littér. Avare.

**ladrerie** n. f. littér. Avarice sordide.

**lagon** n. m. Petit lac d'eau salée entre la terre et un récif corallien.

**lagopède** n. m. Oiseau gallinacé des montagnes neigeuses d'Europe.

**laguiole** [lagjɔl] région. [lajɔl] n. m. **I** Fromage au lait de vache, fabriqué dans l'Aubrac. **II** Couteau de la coutellerie de Laguiole.

**lagune** n. f. Étendue d'eau de mer retenue par un cordon littoral (→ **lido).**

① **lai** n. m. (au Moyen Âge) Poème lyrique.

② **lai, laie** adj. vx Laïque. - *Frère lai* : frère servant, dans un couvent.

**laïc** → **laïque**

**laïciser** v. tr. [1] **1** Rendre laïque. **2** Organiser suivant les principes de la laïcité (2). ► **laïcisation** n. f.

**laïcité** n. f. **1** Caractère laïque. **2** (en France) Principe de séparation de la société civile et de la société religieuse.

**laid, laide** adj. **1** Qui produit une impression désagréable en heurtant le sens esthétique. - (personnes) Qui déplaît par ses imperfections physiques (surtout celles du visage). **2** Qui inspire le dégoût, le mépris moral. → **honteux, ignoble. 3** n. m. → **laideur.** *Le laid et le beau.* ► **laidement** adv.

**laideron** n. m. Jeune fille laide.

**laideur** n. f. **1** (physique) Caractère, état de ce qui est laid. **2** (moral) → **bassesse.**

① **laie** n. f. Femelle du sanglier.

② **laie** n. f. techn. Layon.

**lainage** n. m. **1** Étoffe de laine. **2** Vêtement de laine (tricotée, en général).

**laine** n. f. **1** Matière souple provenant du poil de l'épiderme des moutons (et de quelques mammifères). - loc. fig. *Se laisser manger la laine sur le dos* : se laisser exploiter. ♦ fam. *Une (petite) laine,* un vêtement de laine. **2** Produit fibreux utilisé comme la laine (isolant, textile). *Laine de verre.*

**laineux, euse** adj. **1** Garni de laine, riche en laine. **2** De l'apparence de la laine.

**lainier, ière** adj. Relatif à la laine.

**laïque** adj., **laïc, laïque** n. **1** Qui ne fait pas partie du clergé. **2** Indépendant des religions, des confessions religieuses. *Enseignement laïque* (→ **laïcité).**

**lais** n. m. **1** vx Legs. **2** dr. au plur. Terrains que les eaux découvrent en se retirant.

**laisse** n. f. **I** Lien avec lequel on attache un chien, un animal pour le mener. **II** littér. Tirade, couplet d'une chanson de geste.

**laissé(e)-pour-compte** [-kɔ̃t] adj. Dont personne ne veut. ♦ n. *Les laissés-pour-compte de la société.* → **exclu.**

**laisser** v. tr. [1] **I 1** (semi-auxiliaire ; + inf.) Ne pas empêcher de. → **consentir, permettre.** *Laisser faire qqn.* - *Laisser voir son trouble,* le montrer. - absolt *Laisser faire, laisser dire* : ne pas se préoccuper de ce que disent, font les autres. ♦ *Se laisser* (+ inf.) : ne pas s'empêcher de. *Se laisser aller.* → s'**abandonner,** se **détendre.** - (sens passif) *Se laisser attendrir.* **2** (avec un compl. déterminé) Maintenir (qqn, qqch.) dans un état, un lieu, une situation. *Cela me laisse indifférent.* **3** *Laisser* (qqn, qqch.) *à qqn,* maintenir avec ; ne pas priver de. **II 1** Ne pas prendre (ce qui se présente). *Manger les raisins et laisser les pépins.* **2** Ne pas supprimer. *Le correcteur a laissé des fautes.* **3** *Laisser à* : ne pas prendre pour soi (afin qu'un autre prenne). → **réserver.** *Laissez-nous de la place.*

– *Laisser un travail à qqn.* → **confier.** ♦ loc. *Laisser à penser, à juger* : laisser (à qqn) le soin de penser, de juger par soi-même. **III** Ne pas garder avec soi, pour soi. **1** Se séparer de (qqn, qqch.). → **abandonner, quitter.** **2** Abandonner (qqch. de soi). → **perdre.** *Y laisser sa santé.* – (choses) *Liquide qui laisse un dépôt.* **3** Remettre (qqch. à qqn) en partant. → **confier.** **4** Vendre à un prix avantageux. → **céder.** **5** Donner par voie de succession. → **léguer.** **IV** littér. *Ne pas laisser de* : ne pas cesser de.

**laisser-aller** n. m. invar. **1** Absence de contrainte. → **abandon, désinvolture.** **2** péj. Absence de soin. → **débraillé ; négligence.**

**laissez-passer** n. m. invar. Pièce autorisant qqn à circuler librement.

**lait** n. m. **I 1** Liquide blanc, opaque, très nutritif, sécrété par les glandes mammaires des femmes, des femelles de mammifères. – *Cochon de lait,* qui tète encore. – *Frères, sœurs de lait,* qui ont eu la même nourrice. **2** Lait de mammifères domestiques destiné à l'alimentation. *Lait de vache, de chèvre.* ♦ *Petit-lait* : ce qui reste du lait caillé en fromage. – loc. *Boire du petit(-)lait,* éprouver une vive satisfaction d'amour-propre. **II 1** Suc blanchâtre (de végétaux). **2** Préparation laiteuse.

**laitage** n. m. Aliment à base de lait.

**laitance** n. f. Liquide laiteux constitué par le sperme des poissons. – syn. **laite.**

**laiterie** n. f. **1** Lieu où s'effectuent la collecte et le traitement du lait. ♦ Industrie laitière. **2** vieilli Crémerie.

**laiteux, euse** adj. Qui a l'aspect, la couleur blanchâtre du lait.

① **laitier, ière** **I** n. Personne qui vend (→ **crémier**) ou livre du lait. **II** adj. **1** *Vache laitière,* élevée pour son lait. **2** Relatif au lait, matière première alimentaire.

② **laitier** n. m. Masse d'impuretés qui se forme à la surface des métaux en fusion.

**laiton** n. m. Alliage de cuivre et de zinc.

**laitue** n. f. Salade à feuilles tendres.

**laïus** [lajys] n. m. **1** fam. Allocution. **2** Discours emphatique. ► **laïusser** v. intr. [1]

① **lama** n. m. Mammifère ongulé qui vit dans les montagnes d'Amérique du Sud.

② **lama** n. m. Moine du lamaïsme.

**lamaïsme** n. m. Forme de bouddhisme (Tibet, Mongolie). ► **lamaïste** adj. et n.

**lamantin** n. m. Gros mammifère marin au corps épais, à nageoire non échancrée.

**lamaserie** n. f. Monastère de lamas (②).

**lambda** **1** n. m. Onzième lettre de l'alphabet grec (correspond à *l*). **2** adj. invar. fam. Moyen, quelconque. *Le téléspectateur lambda.*

**lambeau** n. m. **1** Morceau d'une étoffe déchirée. **2** Morceau arraché ; fragment.

**lambin, ine** n. et adj. fam. Lent, indolent. ► **lambiner** v. intr. [1]

**lambourde** n. f. techn. Poutrelle supportant un parquet.

**lambrequin** n. m. Bordure à festons.

**lambris** n. m. Revêtement (en bois...) de murs, de plafonds. ► **lambrisser** v. tr. [1]

① **lame** n. f. **1** Bande plate et mince d'une matière dure (métal, verre, bois). *Lames de parquet.* **2** Fer (d'un instrument, d'un outil tranchant). ♦ loc. *Une fine lame,* un bon escrimeur. **3** sc. Formation naturelle mince et allongée (en anat., etc.). **4** Carte du jeu de tarot. → **arcane.**

② **lame** n. f. Ondulation de la mer sous l'action du vent. → **vague.** – *Lame de fond,* provenant d'un phénomène sous-marin ; fig. phénomène brutal, qui emporte tout.

**lamé, ée** adj. (tissu) Où entre un fil entouré de métal. *Tissu lamé or.* – n. m. *Une robe de lamé.*

**lamelle** n. f. Petite lame très mince.

**lamellibranche** n. m. zool. Bivalve.

**lamentable** adj. **1** vx ou littér. Qui mérite des lamentations. → **déplorable.** **2** Qui exprime une lamentation. **3** Très mauvais. → **minable.** ► **lamentablement** adv.

**lamentation** n. f. Suite de paroles exprimant le regret, la récrimination.

se **lamenter** v. pron. [1] Se plaindre.

**lamento** [lamɛnto] n. m. mus. Air plaintif.

**laminer** v. tr. [1] **1** Amincir (une masse métallique) en feuilles, en lames, par une forte pression. **2** fig. Diminuer (qqch.) jusqu'à l'anéantissement. ► **laminage** n. m.

**laminoir** n. m. Machine pour laminer.

**lampadaire** n. m. Appareil d'éclairage électrique monté sur un haut support.

**lampant, ante** adj. *Pétrole lampant,* raffiné pour l'éclairage.

**lamparo** n. m. région. Source de lumière pour attirer le poisson.

**lampe** n. f. **I 1** Récipient contenant un liquide ou un gaz combustible, pour éclairer. – *Lampe-tempête,* à flamme protégée du vent. **2** Appareil d'éclairage par l'électricité. **3** Récipient dont le combustible produit de la chaleur. *Lampe à souder.* **4** Tube électronique. **II** fam. *S'en mettre plein la lampe* : manger et boire abondamment.

**lampée** n. f. fam. Grande gorgée.

**lamper** v. tr. [1] fam. Boire d'un trait.

**lampion** n. m. **1** anciennt Godet contenant une matière combustible et une mèche. **2** Lanterne* vénitienne.

**lampiste** n. **1** Personne qui entretient les lampes. **2** Subalterne modeste.

**lampisterie** n. f. **1** vx Industrie des lampes. **2** Entrepôt de lampes (gares...).

**lamproie** n. f. Poisson au corps cylindrique et allongé (rappelant l'anguille).

**lampyre** n. m. zool. Ver luisant.

**lance** n. f. **I** Arme à longue hampe terminée par un fer pointu. – *En fer de lance* (forme). – loc. fig. *Fer* de lance.* **II** Pièce servant à diriger un jet d'eau.

**lancée** n. f. Élan de ce qui est lancé.

**lance-flammes** n. m. invar. Engin de combat projetant des liquides enflammés.

**lance-fusées** n. m. invar. Dispositif de lancement de projectiles autopropulsés.

**lance-grenades** n. m. invar. Engin servant à lancer des grenades.

**lancement** n. m. Action de lancer. *Lancement du javelot. – Le lancement d'un film.*

**lance-missiles** n. m. invar. Engin servant à lancer des missiles.

**lancéolé, ée** adj. **1** En fer de lance. **2** archit. Caractérisé par des lancettes (2).

**lance-pierres** n. m. invar. Petite fronde. – fam. *Manger avec un lance-pierres,* vite.

① **lancer** v. tr. [3] **1** Envoyer loin de soi dans une direction déterminée. → **jeter, projeter.** *Lancer une balle. – Lancer une fusée.* **2** Faire sortir de soi, avec force. → **émettre.** *Lancer un cri.* ♦ Faire mouvoir avec rapidité (une partie du corps). **3** Envoyer sans ménagement (des paroles...) à l'adresse de qqn. **4** Faire partir vite et avec force. *Lancer un cheval au galop.* **5** Mettre en mouvement. *Lancer un moteur.* ♦ fam. Engager (qqn) dans un sujet de conversation. **6** Pousser (qqn, qqch.) en mettant en valeur. *Lancer un artiste ; une mode.*

② **lancer** n. m. **1** *Lancer* ou *pêche au lancer,* pêche à la ligne, qui consiste à lancer un leurre. **2** Épreuve d'athlétisme consistant à lancer le plus loin possible un poids, un disque, un javelot ou un marteau.

**lance-roquettes** n. m. invar. Dispositif pour le lancement des roquettes.

**lance-torpilles** n. m. invar. Dispositif pour le lancement des torpilles.

**lancette** n. f. **1** Petit instrument de chirurgie utilisé pour les petites incisions. **2** archit. Arc brisé aigu (en fer de lance).

**lanceur, euse** n. **1** Personne qui lance (qqch.). – Athlète spécialisé dans les lancers. **2** n. m. Fusée chargée d'envoyer un satellite, un missile, etc. dans l'espace.

**lancier** n. m. vx Soldat armé d'une lance.

**lanciner** v. tr. [1] littér. **1** (douleur) Donner des élancements douloureux à. **2** Tourmenter de façon qui obsède. ► **lancinant, ante** adj. *Douleur lancinante.*

**land** [lɑ̃d], plur. **länder** [lɛndœʀ] n. m. État fédéré de l'Allemagne.

> Ne pas confondre avec *lande* «terrain».

**landau** n. m. **1** ancienn† Voiture à cheval à quatre roues, à capote à soufflets. **2** Voiture d'enfant à caisse suspendue.

**lande** n. f. Étendue de terre où croissent l'ajonc, la bruyère, le genêt, etc.

> Ne pas confondre avec *land* «État allemand».

**landgrave** [lɑ̃dgʀav] n. m. hist. Titre de princes souverains allemands.

**langage** n. m. **I 1** Fonction d'expression de la pensée et de communication entre les humains, mise en œuvre par la parole ou par l'écriture. *Le langage et les langues* (II). **2** Tout système de signes permettant la communication. – inform. Ensemble codé de signes utilisé pour la programmation. *Langage machine* (d'un ordinateur). **II** Façon de s'exprimer propre à un groupe ou à un individu. *Langage littéraire.*

> Sans *u* entre le *g* et le *a*, contrairement à *langue.*

**langagier, ière** adj. Du langage.

**lange** n. m. Carré (de laine...) dont on emmaillotait un bébé (*langer* v. tr. [3]).

**langoureux, euse** adj. Qui manifeste de la langueur (2). ► **langoureusement** adv.

**langouste** n. f. Grand crustacé marin très apprécié, sans pinces.

**langoustier** n. m. Bateau équipé pour la pêche à la langouste.

**langoustine** n. f. Petit crustacé marin très estimé, aux longues pinces.

**langue** n. f. **I 1** Organe charnu, musculeux, allongé et mobile, placé dans la bouche. – loc. *Tirer la langue* (fig. désirer qqch. sans l'obtenir). ♦ Langue comestible (de certains animaux). *Langue de bœuf.* **2** (Organe de la parole) loc. *Avoir la langue bien pendue,* être bavard. *Ne pas savoir tenir sa langue,* être indiscret. *Se mordre la langue,* se retenir de parler, ou se repentir d'avoir parlé. *Donner sa langue au chat :* avouer son ignorance. *Tourner sept fois sa langue dans sa bouche,* réfléchir avant de parler. ♦ *Mauvaise langue ; langue de vipère :* personne médisante. **3** Chose, objet en forme de langue. ♦ *Langue-de-chat :* petit gâteau sec. *Des langues-de-chat.* **II 1** Système d'expression et de communication, commun à un groupe social (communauté linguistique). – *Langue maternelle*.* **2** Langage spécial à certains domaines ou à certains milieux (→ **usage**). – *La langue verte :* l'argot. **3** Façon de s'exprimer par le langage. – loc. *Langue de bois :* discours figé, stéréotypé (notamment, politique). **4** fig. Mode d'expression. *La* *langue des signes* (autres que ceux du langage). → **sémiotique.**

**languette** n. f. Petite langue (I, 3).

**langueur** n. f. **1** vieilli État de qqn dont les forces diminuent lentement. **2** Mélancolie douce et rêveuse. *Langueur amoureuse.* **3** Manque d'activité, d'énergie.

**languide** adj. littér. Languissant.

**languir** v. intr. [2] **1** (personnes) Manquer d'activité, d'énergie, de vigueur. ♦ (choses) *La conversation languit.* **2** Attendre avec impatience (ce qu'on désire).

**languissant, ante** adj. **1** vieilli Faible, abattu. **2** littér. ou plais. Qui exprime la langueur amoureuse. **3** Qui manque d'énergie, de vie, d'entrain.

**lanière** n. f. Étroite bande (de cuir, etc.).

**lanoline** n. f. Matière grasse utilisée dans la préparation des pommades.

**lansquenet** n. m. **1** hist. Mercenaire allemand (XV<sup>e</sup>-XVI<sup>e</sup> s.). **2** anciennt Jeu de cartes.

**lanterne** n. f. **I 1** Boîte à parois ajourées, translucides ou transparentes, contenant une source de lumière. *Lanterne vénitienne,* en papier de couleur. - *Lanterne rouge,* à l'arrière d'un convoi ; fig. dernier (d'un classement...). ♦ Feux de position (d'une automobile). **2** Appareil de projection. - *Lanterne magique,* qui projetait des images peintes. - loc. *Éclairer la lanterne de qqn,* lui fournir des explications. **II** archit. Dôme vitré. - Tourelle ajourée surmontant un dôme.

**lanterner** v. intr. [1] **1** Perdre son temps. **2** *Faire lanterner qqn,* le faire attendre.

**lanternon** n. m. Petite lanterne au sommet d'une coupole ; cage vitrée au-dessus d'un escalier, d'un atelier. - syn. **lanterneau.**

**lapalissade** n. f. Affirmation évidente.

**laper** v. tr. [1] (animal) Boire à petits coups de langue. ► **lapement** n. m.

**lapereau** n. m. Jeune lapin.

**lapidaire I** n. Artisan ou commerçant en pierres précieuses. **II** adj. **1** didact. Relatif aux pierres (précieuses ou non). **2** littér. Concis et vigoureux. *Style lapidaire.*

**lapider** v. tr. [1] Attaquer, poursuivre ou tuer à coups de pierres. ► **lapidation** n. f.

**lapilli** [lapi(l)li] n. m. pl. Petites pierres projetées par les volcans en éruption.

**lapin** n. m. **I 1** Petit mammifère rongeur à grandes oreilles. ♦ Sa chair comestible. *Civet de lapin.* **2** Fourrure de cet animal. **3** fam. *Chaud lapin :* homme porté sur les plaisirs sexuels. **4** terme d'affection *Mon petit lapin.* **II** loc. fam. *Poser un lapin à qqn :* ne pas venir à un rendez-vous.

**lapine** n. f. **1** Femelle du lapin. **2** fig. Femme très féconde.

**lapis-lazuli** [lapis-] n. m. Pierre d'un bleu d'azur ou d'outremer. *Des lapis-lazulis.*

**lapon, one** ou **onne** adj. et n. De Laponie. - n. *Les Lapons.* ♦ n. m. *Le lapon :* langue finno-ougrienne parlée en Laponie.

**laps** [laps] n. m. loc. *Laps de temps :* espace de temps.

**lapsus** [-ys] n. m. Emploi involontaire d'un mot pour un autre.

**laquais** n. m. anciennt Valet en livrée.

**laque** n. **I** n. f. **1** Matière résineuse d'un rouge brun extraite d'arbres d'Extrême-Orient. **2** Peinture brillante. **3** Vernis chimique. **4** Produit que l'on vaporise sur les cheveux pour les fixer. **II 1** n. m. ou f. Vernis préparé avec la laque (I, 1). **2** n. m. Objet d'art laqué (1).

**laquer** v. tr. [1] **1** Enduire de laque. **2** Vaporiser de la laque (I, 4) sur. ▷ adj. **laqué, ée 1** *Bibelot laqué.* **2** *Cheveux laqués.* **3** *Canard laqué,* badigeonné d'une sauce aigre-douce spéciale pendant la cuisson. ► **laquage** n. m.

**larbin** n. m. **1** fam. et péj. Domestique. **2** fig. Individu servile.

**larcin** n. m. littér. Petit vol (sans violence).

**lard** n. m. **1** Graisse ferme en couche épaisse dans le tissu sous-cutané du porc, employée dans l'alimentation. ♦ loc. fam. *Un gros lard :* un homme gros. - *Tête de lard :* entêté. - *Se demander si c'est du lard ou du cochon,* de quoi il s'agit. **2** fam. Graisse de l'homme. - loc. *Se faire du lard,* engraisser. *Rentrer dans le lard à qqn,* l'agresser.

**larder** v. tr. [1] **I** Garnir (une pièce de viande) de lard, de lardons. **II** fig. **1** Piquer à plusieurs reprises. *Larder qqn de coups de couteau.* **2** Entremêler. *Larder un texte de citations.*

**lardon** n. m. **I** Morceau de lard (pour la cuisine). **II** fam. Petit enfant.

**lare** n. m. chez les Romains Esprit tutélaire protégeant la maison. - adj. *Les dieux lares.*

**largable** adj. Qui peut être largué (2).

**largage** n. m. Action de larguer.

**large I** adj. **1** Qui a une étendue supérieure à la moyenne dans le sens de la largeur (s'oppose à *étroit*). **2** *Large de* (tant), qui a une largeur de. **3** (vêtement) Qui n'est pas serré. → **ample. 4** Étendu, vaste. *Décrire un large cercle.* **5** fig. Qui a une grande extension ou importance. *Dans une large mesure.* **6** Qui n'est pas borné. *Avoir les idées larges.* **7** Qui dépense volontiers (→ **largesse**). **II** n. m. **1** *De large :* de largeur. *Deux mètres de large.* **2** loc. *En long* et en large.* - *De long* en large.* **3** *Être au large :* avoir beaucoup de place ; fig. être dans l'aisance. **4** La haute mer. *Le grand large.* - fig., fam. *Prendre le large,* partir, s'enfuir. **III** adv. **1** D'une manière ample. *S'habiller large.* **2** D'une manière peu rigoureuse et par excès. *Compter large.* **3** loc. *Il n'en mène pas large,* il a peur.

**largement** adv. **1** Sur une grande largeur, un large espace. *Col largement ouvert.* ♦ *Idée largement répandue,* abondamment. **2** Sans compter. **3** En calculant large.

**largesse** n. f. **1** Disposition à être généreux. → **libéralité.** **2** Don généreux.

**largeur** n. f. **1** La plus petite dimension d'une surface (opposé à *longueur*), la dimension moyenne d'un volume (opposé à *longueur* et *hauteur*) ; son étendue. ♦ loc. fam. *Dans les grandes largeurs,* au maximum, complètement. **2** fig. Caractère de ce qui n'est pas borné, restreint. *Largeur d'esprit.*

**largo** adv. mus. Avec un mouvement majestueux. ♦ n. m. Mouvement joué largo.

**larguer** v. tr. [1] **1** Lâcher ou détacher (un cordage). *Larguer les amarres* (fig. partir). **2** Lâcher, laisser tomber (d'un avion...). **3** fig., fam. Se débarrasser de. → **lâcher.** **4** sports Distancer. ♦ fig. (passif) *Être largué :* ne plus suivre.

**larme** n. f. **1** Goutte de liquide salé qui humecte l'œil, et s'en écoule sous l'effet d'une douleur, d'une émotion. – loc. *Pleurer à chaudes larmes,* abondamment. *Avoir toujours la larme à l'œil,* une sensibilité excessive. – fam. *Larmes de crocodile*.* **2** fig., littér. (au plur.) Affliction, chagrin. – *Cette vallée de larmes :* le monde terrestre. **3** fam. Très petite quantité (de boisson).

**larmier** n. m. **1** techn. Moulure à rainure pour les eaux de pluie. **2** Angle interne de l'œil, d'où les larmes s'écoulent.

**larmoiement** n. m. **1** Écoulement continuel de larmes. **2** Plainte geignarde.

**larmoyer** v. intr. [8] **1** Être atteint de larmoiement. **2** fig. Se lamenter. ► **larmoyant, ante** adj. → **éploré ; plaintif.**

**larron** n. m. vx Voleur. – *Le bon, le mauvais larron,* crucifiés avec le Christ. – loc. *S'entendre comme larrons en foire,* à merveille. – *Le troisième larron :* la personne qui profite du conflit de deux autres.

**larsen** [-ɛn] n. m. *Effet larsen ; larsen :* oscillations parasites (sifflement), dans la diffusion du son par haut-parleurs.

**larvaire** adj. **1** Propre aux larves (II). **2** fig. À l'état d'ébauche. → **embryonnaire.**

**larve** n. f. **I 1** Antiq. romaine Esprit des morts. **2** littér. Fantôme. **II 1** Forme embryonnaire (des animaux à métamorphoses), à vie libre hors de l'œuf. **2** fig. et péj. Personne molle, sans énergie.

**larvé, ée** adj. **1** (maladie) Aux symptômes atténués. **2** Qui n'éclate pas, n'éclot pas.

**laryngé, ée** adj. Du larynx.

**laryngite** n. f. Inflammation du larynx.

**laryngologie** n. f. méd. Étude du larynx. ► **laryngologue** ou **laryngologiste** n.

**larynx** [-ɛ̃ks] n. m. Partie supérieure du canal respiratoire, entre le pharynx et la trachée, où se trouvent les cordes vocales.

① **las, lasse** [lɑ] adj. **1** Qui éprouve une sensation de fatigue générale et vague. **2** littér. *Las de :* fatigué et dégoûté de.

② **las** [lɑs] interj. vx Hélas.

**lasagne** n. f. au plur. Pâtes en forme de large ruban.

**lascar** n. m. fam. **1** vieilli Homme hardi et rusé. **2** Homme malin, ou qui fait le malin.

**lascif, ive** adj. **1** littér. Enclin aux plaisirs amoureux. **2** Très sensuel. *Pose lascive.* ► **lascivement** adv. ► **lascivité** n. f. littér.

**laser** [lazɛʀ] n. m. (sigle angl.) phys. Générateur d'ondes lumineuses, émettant des faisceaux très puissants et très fins. – appos. cour. *Disque laser.* → **compact.**

**lasser** v. tr. [1] Fatiguer en ennuyant. *Lasser son auditoire.* ♦ Décourager, rebuter. ▷ v. pron. se **lasser** (de) Devenir las (de). ► **lassant, ante** adj. → **ennuyeux.**

Ne pas confondre avec *lacer* «attacher».

**lassi** n. m. Boisson indienne à base de yaourt. *Lassi salé, sucré.*

**lassitude** n. f. **1** État d'une personne lasse (1). **2** Abattement mêlé d'ennui, de découragement.

**lasso** n. m. Longue corde à nœud coulant servant à attraper le bétail, etc.

**lastex** [-ɛks] n. m. (nom déposé) Fil de latex recouvert de fibres textiles.

**lasure** n. f. techn. Produit qui protège le bois en laissant les veines apparentes. ► **lasurer** v. tr. [1]

**latent, ente** adj. Qui reste caché, ne se manifeste pas. ► **latence** n. f.

**latéral, ale, aux** adj. Du côté ; situé sur le côté. ► **latéralement** adv.

**latéralisé, ée** adj. didact. Dont la latéralité est (bien ou mal) établie.

**latéralité** n. f. didact. Prépondérance droite ou gauche dans l'utilisation d'organes pairs (main, pied, œil).

**latérite** n. f. Roche rouge riche en fer et en alumine. ♦ Sol fait de cette roche.

**latex** [-ɛks] n. m. Liquide visqueux, d'aspect laiteux, sécrété par certains végétaux (surtout l'hévéa).

**latin, ine I** adj. **1** Du Latium (région d'Italie) ; de la Rome antique. → **romain.** ♦ De la langue latine. *Version latine.* ♦ *Quartier latin :* quartier de Paris où se trouvent des facultés. **2** D'origine latine. → ② **roman.** *Langues latines.* ♦ Où l'on parle des langues latines. *Amérique latine.* ♦ *Le tempérament latin.* → **méditerranéen.** – n. *Les Latins.* **II** n. m. La langue latine. *Latin classique.* – *Latin de cuisine* : jargon imitant le latin. – loc. *Y perdre son latin* : n'y rien comprendre.

**latinisme** n. m. Construction ou emploi propre à la langue latine ; emprunt au latin.

**latiniste** n. Spécialiste de la langue ou de la littérature latine. – Étudiant de latin.

**latinité** n. f. La civilisation latine.

**latino** n. et adj. Latino-américain (dans un contexte nord-américain). *Les Latinos de Los Angeles.* – adj. *La musique latino.*

**latino-américain, aine** adj. et n. De l'Amérique latine, partie de l'Amérique parlant espagnol ou portugais.

**latitude** n. f. **I** littér. dans des loc. Pouvoir d'agir. *Avoir toute latitude de* (+ inf.). **II 1** Distance angulaire d'un point de la Terre à l'équateur. **2** Région. *Sous nos latitudes.*

**latrines** n. f. pl. W.-C. sommaires.

**latte** n. f. Longue pièce de bois étroite.

**latter** v. tr. [1] Garnir de lattes.

**lattis** n. m. Ouvrage en lattes.

**laudanum** [-ɔm] n. m. Teinture alcoolique d'opium, calmante.

**laudatif, ive** adj. **1** Qui contient un éloge. **2** Qui fait un éloge. – syn. (littér.) **laudateur, trice** adj. (et n.).

**lauréat, ate** n. Personne qui a remporté un prix dans un concours.

**laurier** n. m. **I 1** Arbre à feuilles allongées, luisantes, persistantes et aromatiques (d'où le nom de *laurier-sauce*). **2** Feuilles de cet arbre. ♦ *Couronne de laurier,* dont on ornait le front des vainqueurs. – loc. *Être couvert de lauriers,* de gloire. *Se reposer, s'endormir sur ses lauriers* : ne plus agir, après un succès. **II** *Laurier(-)rose* : arbuste ornemental (toxique) à grandes fleurs roses ou blanches. *Des lauriers(-)roses.*

**lause** ou **lauze** n. f. Pierre plate et fine, utilisée comme tuile ou comme dalle.

**L. A. V.** [ɛlave] n. m. (sigle amér.) anglic. Virus du sida. → **V. I. H.** – var. **LAV.**

**lavable** adj. Qui peut être lavé.

**lavabo** n. m. **I** Prière dite par le prêtre au moment où il se lave les mains. **II 1** Dispositif de toilette à hauteur de table, avec cuvette, robinets d'eau courante et vidange. **2** (surtout au plur.) Pièce réservée à ce dispositif. ♦ Toilettes (publiques).

**lavage** n. m. **1** Action de laver. **2** loc. *Lavage de cerveau* : actions psychologiques menées pour modifier de force les opinions de qqn.

**lavallière** n. f. Cravate souple, nouée.

**lavande** n. f. **1** Arbrisseau vivace aux fleurs bleues en épi, très odorantes. ♦ Feuilles et fleurs séchées de cette plante. **2** Eau, essence de lavande. **3** appos. (invar.) *Bleu lavande* : bleu mauve, assez clair.

**lavandière** n. f. **1** Femme qui lave le linge à la main. **2** Bergeronnette.

**lavandin** n. m. Lavande hybride.

**lavasse** n. f. fam. Boisson, soupe trop étendue d'eau.

**lave** n. f. **1** Matière en fusion qui se répand hors d'un volcan. **2** Lave pétrifiée utilisée comme pierre de construction.

**lave-auto** n. m. (Canada) Station de lavage automatique pour automobiles.

**lave-glace** n. m. Appareil qui envoie un jet de liquide sur le pare-brise, les vitres d'un véhicule. *Des lave-glaces.*

**lave-linge** n. m. invar. Machine à laver le linge.

**lavement** n. m. **1** vx ou liturgie cathol. Lavage, ablution. **2** Injection d'un liquide dans le gros intestin, par l'anus.

**laver** v. tr. [1] **I 1** Nettoyer avec de l'eau, un liquide. – loc. *Laver son linge sale en famille,* régler les conflits intimes entre soi. **2** (corps...) *Laver un enfant.* – fig. *Laver la tête à qqn,* le réprimander. **3** loc. *Se laver les mains de qqch.,* décliner toute responsabilité. **4** *Se laver* v. pron. (passif) *La soie se lave à l'eau froide.* – (réfl.) Faire sa toilette. **5** fig. *Laver qqn d'un soupçon.* → **disculper.** **II 1** Enlever au moyen d'un liquide. *Laver une tache.* **2** fig. *Laver un affront,* s'en venger.

**laverie** n. f. *Laverie (automatique)* : blanchisserie en libre-service.

**lavette** n. f. **I** Morceau de linge pour nettoyer. **II** fig., fam. Personne veule, lâche.

**laveur, euse I** n. Personne qui lave. **II** n. f. (Canada) Machine à laver le linge. → **lave-linge.**

**lave-vaisselle** n. m. invar. Machine à laver la vaisselle.

**lavis** n. m. Passage de couleurs étendues d'eau sur un dessin. ♦ Dessin ainsi obtenu.

**lavoir** n. m. **1** Lieu où on lave le linge à la main. **2** Bac en ciment pour la lessive. **3** techn. Atelier de lavage du minerai.

**laxatif, ive** adj. et n. m. Se dit d'un remède qui aide à évacuer les selles. → **purgatif.**

**laxisme** n. m. Tendance excessive à la conciliation, à la tolérance (s'oppose à *purisme*). ► **laxiste** adj. et n.

**layette** n. f. Linge, habits du nouveau-né.

**layon** n. m. Sentier (rectiligne) en forêt.

**lazaret** n. m. Établissement où s'effectue le contrôle sanitaire des voyageurs susceptibles de maladies contagieuses.

**lazzi** [la(d)zi] n. m. (surtout au plur.) Plaisanterie, moquerie bouffonne. *Des lazzi(s).*

① **le, la, les** art. déf. *Le* et *la* se réduisent à *l'* devant une voyelle ou un *h* muet : *l'école, l'habit.* – *De + le, les* devient *du, des ; à + le, les* devient *au, aux* **I** devant un nom **1** (devant un nom générique) *L'homme est un mammifère.* ♦ (désignant qqch. de connu) *Le soleil.* **2** (devant un nom déterminé par la situation) *Ferme le verrou.* **3** (remplaçant l'adj. poss.) *Je me lave les mains.* **4** (devant un nom propre) *Le Japon, le Rhône.* – littér. *Le Paris de ma jeunesse.* – région. ou rural *La Marie.* – *Les Dupont :* la famille Dupont. **5** (pour transformer toute partie du discours en subst.) *Le boire et le manger. Les moins de vingt ans.* **6** (valeur distributive) → **chaque, par.** *Dix euros le kilo. Trois fois la semaine.* **II** (devant un adj. lorsque le nom n'est pas répété) *Quelle main, la droite ou la gauche ?* **III** (avec le superl.) *C'est le plus beau.* – *Ce jour-là, elle fut la plus heureuse. C'est ce jour-là qu'elle a été le plus heureuse.*

② **le, la, les** pron. pers. Pronom personnel objet ou attribut de la 3$^{e}$ personne. – *Le, la* sont élidés en *l'* devant une voyelle ou un *h* muet, sauf après un impér. *(faites-le entrer)* **I** (objet direct) **1** (représentant un nom, un pronom) *Claire ? Je la connais.* **2** *Le,* de valeur neutre. → **cela.** *Je vais vous le dire.* **3** (dans des gallicismes) *L'échapper belle. Se la couler douce.* **II** *Le* (attribut). *J'étais naïve, mais je ne le suis plus.*

**lé** n. m. **1** Largeur d'une étoffe. – Chaque partie verticale d'une jupe. **2** Largeur d'une bande de papier peint.

**leader** [lidœʀ] ou **leadeur, euse** [lidœʀ, øz] n. anglic. **1** Chef, porte-parole (d'un parti, d'un groupe...). **2** Concurrent qui est en tête (courses...).

**leasing** [liziŋ] n. m. anglic. Location avec option d'achat. – recomm. off. *crédit-bail.*

**lèche** n. f. fam. *Faire de la lèche à qqn,* le flatter servilement.

**lèche-bottes** n. et adj. invar. fam. Flatteur servile. – syn. (très fam.) **lèche-cul.**

**lèchefrite** n. f. Ustensile placé sous une broche pour recevoir la graisse et le jus.

**lécher** v. tr. [6] **1** Passer la langue sur (qqch.). – fig., fam. *S'en lécher les babines*.* **2** loc. fam. *Lécher les bottes* (vulg. *le cul*) *à qqn,* le flatter bassement. ♦ (au p. p.) *Ours mal léché :* individu grossier. **3** fig. Finir, polir avec soin. → **fignoler.** ► **léchage** n. m.

**lécheur, euse** n. péj. Flatteur.

**lèche-vitrine(s)** n. m. *Faire du lèche-vitrines :* flâner en regardant les vitrines.

**lécithine** n. f. biochim. Lipide des tissus végétaux et animaux (jaune d'œuf...).

**leçon** n. f. **1** Ce qu'un élève doit apprendre. **2** Enseignement donné par un professeur à une classe, un auditoire. → **cours.** – loc. ancienn *Leçons de choses :* activités d'éveil, d'observation. – *Leçons particulières.* **3** Conseils, règles de conduite donnés à qqn. – loc. *Faire la leçon à qqn.* → **réprimander. 4** Enseignement, morale à tirer de qqch.

**lecteur, trice** n. **1** Personne qui lit. ♦ Personne dont la fonction, le métier est de lire des œuvres pour les juger. **2** Personne qui lit à haute voix. **3** Assistant étranger, dans l'enseignement supérieur des langues vivantes. **4** n. m. Dispositif de lecture (II, 1 et 2).

**lecture** n. f. **I 1** Action matérielle de lire, de déchiffrer (ce qui est écrit). **2** Action de lire, de prendre connaissance du contenu (d'un écrit). *Aimer la lecture.* ♦ Livre, ouvrage lu. **3** Déchiffrage (d'un système graphique). *La lecture d'une partition.* **4** Action de lire à haute voix. *Faire la lecture à qqn.* **5** Délibération d'une assemblée législative sur un projet de loi. **II 1** Première phase de la reproduction des sons enregistrés. *Tête de lecture.* **2** Reconnaissance d'informations par une unité de traitement. *Lecture optique.*

**LED** ou **led** [lɛd] n. f. (sigle) anglic. Diode électroluminescente. *Des LED* (invar.) ou *des leds.*

**ledit, ladite** → **dit**

**légal, ale, aux** adj. Qui a valeur de loi, résulte de la loi, est conforme à la loi. → **juridique, réglementaire ;** s'oppose à *illégal.* ► **légalement** adv.

**légaliser** v. tr. [1] **1** Certifier authentique. **2** Rendre légal. ► **légalisation** n. f.

**légalité** n. f. **1** Caractère légal. **2** Ce qui est légal. *Sortir de la légalité.*

**légat** n. m. Ambassadeur du Saint-Siège.

**légataire** n. Bénéficiaire d'un legs.

**légation** n. f. **1** Charge de légat. **2** Représentation diplomatique (sans ambassade).

**legato** [legato] adv. mus. D'une manière liée, sans détacher les notes.

**légendaire** adj. **1** Des légendes ; qui a rapport aux légendes. **2** Qui est entré dans la légende par sa célébrité.

**légende** n. f. **I 1** Récit populaire traditionnel, plus ou moins fabuleux. → **fable, mythe. 2** Faits réels, déformés ou amplifiés. *Entrer dans la légende.* **II 1** Inscription (d'une médaille, d'une monnaie). **2** Texte qui accompagne et explique une image. **3** (plans, cartes) Liste explicative de signes conventionnels.

**légender** v. tr. [1] Accompagner d'une légende (II, 2 et 3).

**léger, ère** adj. **I 1** Qui a peu de poids, se soulève facilement (opposé à *lourd*). ♦ De faible densité. *Métal léger.* ♦ Qui ne pèse pas sur l'estomac. *Cuisine légère.* **2** Qui est peu chargé. *Avoir l'estomac léger.* – fig. *Le cœur* *léger :* sans inquiétude. **3** Qui se meut avec aisance et rapidité. → **agile, vif.** *D'un pas léger.* **4** Peu appuyé. *Peindre par touches légères.* **5** (voix) Qui monte aisément dans les aigus. **II** Qui a peu de matière, de substance (s'oppose à *épais,* à *fort,* à *intense...*). **III** Peu sensible ; peu important. *Un léger mouvement.* – *Une légère tristesse.* **IV 1** Qui a peu de profondeur, de sérieux. → **frivole, superficiel.** ♦ fam. *C'est un peu léger.* → **insuffisant.** **2** Qui est trop libre. → **grivois.** **3** Qui a de la grâce, de la désinvolture. *Ironie légère.* **4** loc. adv. *À la légère :* sans réfléchir ; avec insouciance.

**légèrement** adv. **1** D'une manière légère. **2** Un peu, à peine. **3** À la légère.

**légèreté** n. f. **I** Caractère léger (I à III). **II 1** Manque de profondeur, de sérieux. **2** Délicatesse et agrément (du style...).

**légiférer** v. intr. [6] Faire des lois.

**légion** n. f. **I 1** Antiq. romaine Corps d'armée composé d'infanterie et de cavalerie. **2** *Légion (étrangère) :* en France, Corps composé de volontaires (étrangers). **II** *Légion d'honneur :* ordre national français (et décoration). **III** littér. Grande quantité. – loc. *Être légion :* être très nombreux.

**légionelle** n. f. biol. Bactérie responsable de la légionellose.

**légionellose** n. f. méd. Maladie pulmonaire grave, associée à divers troubles neurologiques, digestifs, etc., due à la légionelle.

**légionnaire** n. m. **1** hist. Soldat d'une légion romaine. **2** Soldat de la Légion étrangère. **3** n. dr. Membre de la Légion d'honneur.

**législateur, trice** **1** n. Personne qui fait les lois. – adj. *Monarque législateur.* **2** n. m. Le pouvoir qui légifère. → **législatif.**

**législatif, ive** adj. **1** Qui légifère. *Assemblée législative.* – n. m. → **parlement.** *Le législatif et l'exécutif.* **2** Qui concerne l'Assemblée législative. *Élections législatives,* élections des députés. **3** Qui a le caractère d'une loi. *Acte législatif.*

**législation** n. f. **1** Ensemble des lois, dans un pays, un domaine déterminé. → **droit.** **2** Science, connaissance des lois.

**législature** n. f. Période d'exercice d'une assemblée législative.

**légiste** n. Spécialiste des lois. → **juriste.** ♦ adj. *Médecin légiste,* chargé d'expertises en matière légale.

**légitime** adj. **1** Qui est consacré par la loi ou reconnu conforme au droit. *Union légitime* (opposé à *libre*). – *Enfant légitime* (opposé à *naturel*). **2** Conforme à la justice, à l'équité. – *Légitime défense*.* **3** Justifié (par le bon droit, la raison, le bon sens). → **fondé.** ► **légitimement** adv.

**légitimer** v. tr. [1] **1** Rendre légitime (1). **2** Faire admettre comme juste ou excusable. → **justifier.** ► **légitimation** n. f.

**légitimiste** n. et adj. hist. Partisan d'une dynastie considérée comme seule légitime ; spécialt la branche aînée des Bourbons, après 1830 (s'oppose à *orléaniste*).

**légitimité** n. f. **1** État de ce qui est légitime. **2** Qualité de ce qui est juste, équitable.

**legs** [lɛg ; lɛ] n. m. **1** Don par testament. **2** fig., littér. *Le legs du passé.* → **héritage.**

> Peut se prononcer comme *lait* ou comme *lègue.*

**léguer** v. tr. [6] **1** Donner par disposition testamentaire. **2** fig. → **transmettre.** *Léguer une œuvre à la postérité.*

**légume** **I** n. m. Plante potagère dont certaines parties peuvent entrer dans l'alimentation humaine. **II** n. f. fam. *Une grosse légume :* un personnage important.

**légumier, ière** **I** adj. Relatif aux légumes. **II** n. m. Plat à légumes.

**légumineuse** n. f. Plante dont le fruit est une gousse (haricot, lentille...).

**leitmotiv** [lɛtmɔtiv ; lajtmɔtif] n. m. **1** mus. Motif musical répété. **2** fig. Phrase, formule qui revient à plusieurs reprises.

**lemme** n. m. didact. Proposition intermédiaire (d'un raisonnement).

**lemming** n. m. Rongeur des régions boréales.

**lémurien** n. m. Primate tropical, proche du singe (sous-ordre des *Lémuriens*).

**lendemain** n. m. **1** Jour qui suit immédiatement celui dont il est question. – loc. *Du jour* au lendemain.* **2** L'avenir. *Songer au lendemain.* **3** Temps qui suit de peu un événement. *Au lendemain de la guerre.*

**lénifier** v. tr. [7] méd. ou littér. Calmer, apaiser. ► **lénifiant, ante** et **lénitif, ive** adj. → **calmant ; apaisant.**

**léninisme** n. m. Doctrine marxiste de Lénine. ► **léniniste** adj. et n.

**lent, lente** adj. **1** Qui manque de rapidité, met plus, trop de temps (opposé à *rapide*). **2** Qui met du temps à agir, à s'accomplir. *Combustion lente.* ► **lentement** adv.

**lente** n. f. Œuf de pou.

**lenteur** n. f. **1** Manque de rapidité, de vivacité. **2** au plur. Actions, décisions lentes. *Les lenteurs de la procédure.*

**lenticulaire** adj. didact. Qui a la forme d'une lentille. – syn. **lentiforme.**

**lentigo** n. m. méd. Petite tache de la peau, pigmentée et ronde.

**lentille** n. f. **I 1** Plante aux gousses plates. **2** Graine comestible de cette plante, en forme de disque bombé. **3** *Lentille d'eau :* plante flottante à petites feuilles rondes. **II** Disque transparent à surface courbe, utilisé en optique. – *Lentilles (de contact),* qui s'appliquent directement sur l'œil pour corriger la vue.

**lentisque** n. m. Arbuste méditerranéen.

**lento** [lɛnto] adv. mus. Avec lenteur (plus lentement qu'adagio).

**léonin, ine** adj. **1** littér. Du lion ; qui rappelle le lion. **2** *Contrat léonin,* qui attribue tous les avantages à qqn.

**léopard** n. m. Panthère d'Afrique.

**lépidoptère** n. m. Nom savant des papillons (ordre des *Lépidoptères*).

**lépiote** n. f. Champignon dont une espèce (la *coulemelle*) est appréciée.

**lépisme** n. m. zool. Insecte aptère au corps effilé gris argenté (syn. *poisson d'argent*).

**lèpre** n. f. **1** Maladie infectieuse et contagieuse due à un bacille. **2** fig. Ce qui ronge. **3** littér. Mal qui s'étend et gagne.

**lépreux, euse** adj. **1** De la lèpre. ♦ adj. et n. Atteint de la lèpre. **2** *Mur lépreux.* → **galeux.**

**léproserie** n. f. Hôpital pour lépreux.

**lepton** n. m. phys. Particule élémentaire légère (ex. électron).

**lequel, laquelle, lesquels, lesquelles** pron. avec les prép. *à* et *de, lequel* se contracte en *auquel* et *duquel* **I** pron. rel. **1** (sujet) littér. Qui. **2** (compl. indir.) *La personne à laquelle vous venez de parler.* **3** adj. rel. (littér.) *Vous serez peut-être là, auquel cas je viendrai.* **II** pron. interrog. *Lequel préférez-vous ?*

**lérot** n. m. Petit rongeur hibernant.

① **les** → ① **le**

② **les** → ② **le**

**lesbien, ienne 1** adj. De l'homosexualité féminine. → **saphique. 2** n. f. et adj. Homosexuelle. ► **lesbianisme** n. m. didact.

**lèse-majesté** n. f. hist. *Crime de lèse-majesté,* atteinte à la majesté du souverain.

**léser** v. tr. [6] **1** Causer du tort à (qqn ; ses intérêts). – au p. p. *Se sentir lésé.* **2** méd. Blesser (un organe) (→ **lésion).**

**lésine** n. f. littér. Avarice sordide.

**lésiner** v. intr. [1] Épargner avec avarice.

**lésion** n. f. Changement grave (dans un organe) dû à une maladie, un accident.

**lessive** n. f. **1** Liquide alcalin qui sert à nettoyer. – Substance alcaline pour le lavage du linge. **2** Action de laver le linge. **3** Linge à laver, ou qui vient d'être lavé.

**lessiver** v. tr. [1] **1** Nettoyer, laver avec une solution détergente. **2** fam. Dépouiller, éliminer (un adversaire). ▷ adj. **lessivé, ée** (fig., fam.) Épuisé, très fatigué. ► **lessivable** adj. ► **lessivage** n. m.

**lessiveuse** n. f. anciennt Récipient en métal pour faire bouillir et laver le linge.

**lessiviel, elle** adj. Relatif à la lessive (1).

**lest** [lɛst] n. m. **1** Poids dont on charge un navire pour en assurer la stabilité. **2** Corps pesant (sacs de sable, etc.) pour régler le mouvement d'un aérostat. – loc. fig. *Lâcher du lest,* faire des concessions.

**leste** adj. **1** Qui a de l'agilité dans ses mouvements. – loc. *Avoir la main leste,* être prompt à frapper. **2** (langage) Trop libre. → **licencieux.** ► **lestement** adv.

**lester** v. tr. [1] **1** Garnir, charger de lest. **2** fam. Charger, remplir. ► **lestage** n. m.

**létal, ale, aux** adj. méd. Mortel (dose, etc.).

**léthargie** n. f. **1** Sommeil très profond et prolongé. **2** fig. Engourdissement complet. → **apathie.** ► **léthargique** adj.

**letton, one** ou **onne** adj. et n. De Lettonie. – n. *Les Lettons.* ♦ n. m. *Le letton :* langue du groupe balte. – syn. **lette** n. m.

**lettre** n. f. **I 1** Signe de l'écriture. → **caractère.** *Les 26 lettres de l'alphabet* (français). – loc. *En toutes lettres :* sans abréviation. – fam. *Les cinq lettres,* le mot «merde». **2** Caractère typographique représentant une lettre. **3** fig., littér. Le sens strict des mots, la forme (opposé à *l'esprit*). – *À la lettre, au pied de la lettre :* au sens propre ; rigoureusement. ♦ loc. *Rester lettre morte,* sans effet. **II 1** Écrit que l'on adresse à qqn pour lui communiquer qqch. – loc. *Comme une lettre à la poste,* facilement. ♦ *Lettre ouverte :* article de journal rédigé en forme de lettre. **2** loc. (écrits officiels...) *Lettres de créance,* accréditant un diplomate. – *Lettre de change,* effet de commerce. **III** *Lettres* n. f. pl. **1** littér. La culture littéraire. *Avoir des lettres.* – *Les belles-lettres,* la littérature. – *Homme, femme de lettres,* écrivain. **2** (opposé à *sciences*) Enseignement de la littérature, de la philosophie, de l'histoire, des langues. *Lettres classiques* (grec et latin).

**lettré, ée** adj. et n. Qui a des lettres*.

**lettrine** n. f. Lettre (ornée, etc.) qui commence un chapitre, un paragraphe.

**leucémie** n. f. Maladie très grave caractérisée par la prolifération des globules blancs dans le sang. ► **leucémique** adj. et n.

**leucocyte** n. m. Globule blanc du sang. ► **leucocytaire** adj.

① **leur** pron. pers. invar. (compl.) À eux, à elles. *Je le leur dirai.*

② **leur,** plur. **leurs 1** adj. Qui est (sont) à eux, à elles. **2** *Le leur, la leur, les leurs* pron. poss. Celui, celle (ceux, celles) qui est (sont) à eux, à elles. ♦ *Les leurs :* leurs parents, leurs amis, etc.

**leurre** n. m. 1 Ce qui trompe. → **illusion.** 2 Appât factice pour le poisson.

**leurrer** v. tr. [1] Attirer par de fausses espérances. ▷ v. pron. se **leurrer** → s'**illusionner.**

**levage** n. m. Action de lever, soulever.

**levain** n. m. 1 Pâte de farine qu'on a laissée fermenter ou qu'on a mélangée à de la levure. 2 fig., littér. Ce qui est capable d'exciter, d'aviver (les idées...).

**levant** 1 adj. m. *Soleil levant,* qui se lève. 2 n. m. Côté de l'horizon où le soleil se lève. → **est.** 3 n. m. vieilli *Le Levant,* les régions de la Méditerranée orientale.

**levantin, ine** adj. et n. vieilli Du Levant (3).

**levé** n. m. Action d'établir (un plan...).

**levée** n. f. 1 Remblai (de terre, de pierres...). → **chaussée, digue.** 2 Action d'enlever, de retirer. – spécialt *La levée du corps* (avant l'enterrement). 3 Action de mettre fin à. *La levée d'un siège.* 4 Action de lever, de ramasser (le courrier, etc.).

① **lever** v. [5] I v. tr. 1 Faire mouvoir de bas en haut. → **élever, soulever.** – *Lever l'ancre,* appareiller. 2 Mettre plus haut, soulever (une partie du corps). *Lever la main.* – *Lever le pied :* ne plus accélérer (conducteur). – (au p. p.) loc. *Voter à main levée. Au pied levé :* sans préparation. ♦ Diriger vers le haut. *Lever la tête.* 3 Relever, soulever. *Lever sa jupe.* 4 Faire sortir de son gîte (un animal). 5 Rendre (qqch.) vertical. *Lever une échelle.* 6 Établir (un plan, une carte). 7 Faire cesser. *Lever une punition.* – loc. *Lever le siège.* 8 Remonter pour prendre. *Lever les filets.* ♦ Ramasser. *Lever les cartes.* – *Lever des impôts.* → **percevoir.** – *Lever des troupes.* → **recruter.** II v. intr. (Se mouvoir vers le haut) 1 (plantes) Commencer à sortir de terre. 2 (pâte) Se gonfler par la fermentation. ▷ v. pron. se **lever** 1 Se mettre debout. 2 Sortir de son lit. 3 (astre...) Apparaître à l'horizon. *Le soleil se lève.* – *Le jour se lève.* 4 (vent) Commencer à souffler.

② **lever** n. m. 1 Moment où un astre paraît. 2 Action de se lever (2). 3 *Lever du rideau :* début d'un spectacle.

**levier** n. m. 1 Corps solide, mobile autour d'un point d'appui, permettant de multiplier une force. 2 Organe de commande (d'une machine...). 3 fig. Moyen d'action.

**lévitation** n. f. Élévation (de qqn, de qqch.) au-dessus du sol, sans aide.

**levraut** n. m. Jeune lièvre.

**lèvre** n. f. I Chacune des deux parties charnues, plus pigmentées que la face, qui bordent extérieurement la bouche. – *Manger du bout des lèvres,* sans appétit. ♦ (Servant à parler) loc. *Être suspendu aux lèvres de qqn,* l'écouter avec attention. *Approuver du bout des lèvres,* sans conviction. II au plur. Bords saillants (d'un organe, etc.). – *Les grandes, les petites lèvres* (de la vulve).

**levrette** n. f. 1 Femelle du lévrier. 2 Petit lévrier d'Italie.

**lévrier** n. m. Chien à jambes hautes, au corps allongé, agile et rapide.

**levure** n. f. 1 Ferment végétal. *Levure de bière.* ♦ *Levure chimique.* 2 sc. Champignon unicellulaire qui produit la levure (1).

**lexical, ale, aux** adj. Du lexique (2).

se **lexicaliser** v. pron. ling. Devenir une unité du lexique (mot composé, expression figée, locution...).

**lexicographe** n. Personne qui fait un dictionnaire de la langue.

**lexicographie** n. f. Recensement et étude des mots d'une langue. ► **lexicographique** adj.

**lexicologie** n. f. Science des mots, de leurs fonctions, de leurs relations dans la langue (→ **lexique**). ► **lexicologique** adj. ► **lexicologue** n.

**lexique** n. m. 1 Dictionnaire succinct (d'un domaine...). 2 Ensemble des mots (d'une langue). ♦ Ensemble des mots employés par qqn, un groupe. → **vocabulaire.**

**lézard** n. m. 1 Petit reptile à longue queue effilée, au corps allongé et recouvert d'écailles. 2 Peau traitée de cet animal.

**lézarde** n. f. Crevasse étroite et irrégulière, dans un ouvrage de maçonnerie.

① **lézarder** v. intr. [1] fam. Se chauffer au soleil ; rester sans rien faire.

② **lézarder** v. tr. [1] Fendre par une ou des lézardes. ▷ adj. **lézardé, ée** *Mur lézardé.*

**LGBT** adj. invar. Qui concerne les lesbiennes, les gays, les bisexuels et les transgenres. *Associations LGBT.*

**liaison** n. f. I (choses) 1 Ce qui lie, relie les éléments du discours, d'un raisonnement... 2 Prononciation de la dernière consonne d'un mot unie à la première voyelle du mot suivant (ex. les petits enfants). 3 Épaississement (d'une sauce) par ajout d'ingrédients. 4 chim. Relation d'interaction entre éléments. II (personnes) 1 Fait d'être lié avec qqn ; relations entre deux personnes. – *Avoir une liaison avec qqn,* une relation amoureuse. 2 Communication (des ordres), transmission (des nouvelles). – *Entrer en liaison* (→ **contact**). 3 Communication entre deux lieux. *Liaison aérienne.*

**liane** n. f. Plante grimpante des forêts tropicales, de la jungle.

**liant, liante** 1 adj. Qui se lie facilement avec autrui. → **sociable.** 2 n. m. littér. Disposition favorable aux relations sociales.

**liard** n. m. Ancienne monnaie française.

**liasse** n. f. Ensemble de papiers superposés (attachés ou non).

**libanais, aise** adj. et n. Du Liban.

**libation** n. f. **1** Antiq. Fait de répandre un liquide en offrande à un dieu. **2** loc. *Faire des libations,* boire abondamment (du vin, de l'alcool).

**libelle** n. m. littér. Court écrit satirique ou diffamatoire. → **pamphlet.**

**libellé** n. m. Termes dans lesquels un texte est rédigé.

**libeller** v. tr. [1] **1** Rédiger dans les formes. **2** Exposer, formuler par écrit.

**libellule** n. f. Insecte aux quatre ailes transparentes et nervurées, qui vit près de l'eau.

**liber** [-ɛʀ] n. m. Partie (d'un arbre) entre l'écorce et le bois, où circule la sève.

**libérable** adj. Qui peut être libéré (notamment, du service militaire).

**libéral, ale, aux** adj. **I** littér. Qui donne facilement. → **généreux. II 1** *Professions libérales,* de caractère intellectuel (avocat, médecin, etc.) et exercées librement. **2** adj. et n. Favorable aux libertés individuelles, en politique. **3** Partisan du libéralisme (2). **4** Qui respecte l'indépendance, les opinions d'autrui.

**libéralement** adv. Avec générosité.

**libéraliser** v. tr. [1] Rendre plus libéral (un régime, une économie). ► **libéralisation** n. f.

**libéralisme** n. m. **1** Doctrine des libéraux, partisans des libertés individuelles. **2** (opposé à *étatisme, socialisme*) Doctrine selon laquelle la liberté économique, le libre jeu de l'entreprise ne doivent pas être entravés. **3** Respect de l'indépendance, des opinions d'autrui. → **tolérance.**

**libéralité** n. f. littér. **1** Disposition à donner généreusement. **2** Don généreux.

**libérateur, trice 1** n. Personne qui libère. **2** adj. Qui libère. *Guerre libératrice.*

**libération** n. f. **1** Action de libérer (1). **2** fig. Délivrance d'une sujétion, d'un lien. **3** Délivrance (d'un pays, d'un peuple). – hist. *La Libération* (en France, à la fin de la Seconde Guerre mondiale). **4** Fait de libérer (de la matière, de l'énergie).

**libératoire** adj. dr. Qui libère d'une obligation, d'une dette.

**libérer** v. tr. [6] **1** Mettre (qqn) en liberté. → **relâcher.** ♦ Renvoyer (un soldat) chez lui. **2** Délivrer de ce qui lie, gêne, retient. *Libérer le passage.* **3** Rendre libre, affranchi (d'une obligation...). **4** Délivrer (un pays, un peuple) d'un asservissement. **5** *Libérer sa conscience* (en avouant). ♦ Laisser se manifester. *Libérer ses instincts.* **6** sc. Dégager (une substance, une énergie). *Réaction chimique qui libère un gaz.*

**libertaire** adj. et n. Qui n'admet aucune limitation de la liberté. → **anarchiste.**

**liberté** n. f. **I 1** Situation d'une personne qui n'est pas sous la dépendance de qqn (opposé à *esclavage, servitude*), ou qui n'est pas enfermée (opposé à *captivité*). → **libre. 2** Possibilité, pouvoir d'agir sans contrainte. → **autonomie, indépendance.** *Liberté d'action. Agir en toute liberté.* → **librement.** – *Liberté d'esprit ; de mœurs.* **II 1** Pouvoir d'agir, dans une société organisée, selon sa propre détermination, dans la limite de règles. *Liberté politique.* ♦ *La liberté :* absence de toute contrainte illégitime. **2** Pouvoir que la loi reconnaît aux individus (dans un domaine). → **droit.** *Liberté de la presse.* **3** (État) Indépendance nationale. **III** philos. Libre arbitre humain (sans déterminisme).

**libertin, ine** adj. et n. **1** hist. Qui rejette la contrainte, spécialt en matière de religion (→ **incrédule). 2** littér. Qui est déréglé dans ses mœurs. → **dévergondé, dissolu.**

**libertinage** n. m. **1** hist. Indépendance d'esprit du libertin (1). **2** Licence des mœurs.

**libidineux, euse** adj. littér. ou plais. Qui recherche constamment le plaisir sexuel.

**libido** n. f. **1** Recherche instinctive du plaisir et, spécialt, du plaisir sexuel. **2** psych. Énergie qui sous-tend les instincts de vie et, en particulier, les instincts sexuels.

**libraire** n. **1** vx Éditeur vendant des livres. **2** mod. Commerçant qui vend des livres.

**librairie** n. f. **1** vx Bibliothèque. **2** Commerce, profession des libraires. **3** Magasin où l'on vend des livres.

**libre** adj. **I 1** (opposé à *esclave, serf,* ou à *captif, prisonnier*) Qui n'est pas privé de sa liberté. **2** Qui a le pouvoir de décider, d'agir par soi-même. → **autonome, indépendant. 3** littér. *Libre de* (+ nom) : affranchi de. – *Libre de* (+ inf.) : qui a la possibilité de. **4** Qui n'est pas retenu (par une obligation...). *Se rendre libre.* **5** (choses) Qui s'accomplit librement, sans contrainte. – loc. *Donner libre cours* à.* **6** Qui ne se contraint pas. → **désinvolte, spontané. 7** Qui transgresse les convenances. → **cru, osé. II 1** Qui n'est pas soumis à une autorité arbitraire ; qui jouit de libertés* reconnues et garanties. **2** Dont le libre exercice est reconnu, garanti par la loi. *Élections libres.* – *Presse libre.* **III** philos. Qui jouit de liberté (III). **IV** (choses) **1** Autorisé, permis. *Accès libre.* – impers. *Libre à vous de* (+ inf.), vous êtes libre de. **2** Qui n'est pas attaché, retenu ou serré. *Avoir les mains libres.* **3** Qui n'est pas occupé, ne présente pas d'obstacle. *Place ; voie libre.* – *Temps libre,* que l'on peut employer à sa guise. **4** Dont la forme n'est pas imposée. *Vers libres.* – *Papier libre* (opposé à *papier timbré*).

**libre arbitre** n. m. philos. Volonté libre.

**libre-échange** n. m. sing. Système dans lequel les échanges commerciaux entre États sont libres (s'oppose à *protectionnisme*).

**librement** adv. D'une manière libre.

**libre penseur, euse** n. Personne qui pense librement, ne se fiant qu'à sa raison.

**libre-service** n. m. **1** Service assuré par le client lui-même (magasins...). **2** Magasin où l'on se sert soi-même. *Des libres-services.*

**librettiste** n. Auteur d'un livret (II).

① **lice** n. f. ancienn*t* Palissade, enclos ; champ clos pour les tournois. - loc. *Entrer en lice,* dans une compétition, un débat.

> Ne pas confondre avec *lis* «fleur» ni avec *lisse* «uni».

② **lice** ou **lisse** n. f. techn. Pièce d'un métier à tisser qui maintient les fils de chaîne. - *Haute lice* (chaîne verticale), *basse lice* (horizontale).

③ **lice** n. f. Chien de chasse femelle.

**licence** n. f. **I 1** littér. *Avoir, laisser (toute) licence de* (+ inf.), la liberté (I, 2) de. **2** Liberté que prend un écrivain avec les règles (de la grammaire, etc.). *Licence poétique.* **3** vieilli Désordre moral ; dérèglement dans les mœurs. **II 1** Grade universitaire intermédiaire entre le baccalauréat et le master. **2** Autorisation d'exercer une activité réglementée (commerce, sport, etc.).

① **licencié, ée** n. **1** Diplômé titulaire d'une licence (II, 1). **2** Titulaire d'une licence (II, 2).

**licencier** v. tr. [7] Priver (qqn) de son emploi. → **congédier, renvoyer.** ▷ adj. et n. ② **licencié, ée** ► **licenciement** n. m.

**licencieux, euse** adj. littér. Qui manque de pudeur, de décence. *Propos licencieux.*

**lichen** [likɛn] n. m. Végétal formé de l'association d'un champignon et d'une algue, qui ressemble à la mousse.

**lichette** n. f. fam. Petite tranche, petit morceau (d'un aliment).

**licite** adj. Qui est permis par la loi.

**licorne** n. f. Animal fabuleux, cheval (ou cerf) avec une corne unique au front.

**licou** ou (vx) **licol** n. m. Pièce de harnais qu'on met au cou des animaux attelés.

**licteur** n. m. Antiq. romaine Garde portant un faisceau, qui escortait les hauts magistrats.

**lido** n. m. géogr. Lagune derrière un cordon littoral ; ce cordon littoral.

**lie** n. f. **1** Dépôt qui se forme au fond des récipients contenant des boissons fermentées. - adj. invar. *Lie(-)de(-)vin :* rouge violacé. - loc. *Boire (le calice, etc.) jusqu'à la lie :* endurer jusqu'au bout une situation pénible. **2** fig., littér. Ce qu'il y a de plus vil.

**lied** [lid] n. m. Mélodie populaire allemande. *Des lieds* ou *lieder* (plur. allemand).

**liège** n. m. Matériau léger, imperméable et élastique, fourni par l'écorce de certains arbres (chêne-liège...).

**liégeois, oise** adj. et n. De Liège (Belgique). - *Café, chocolat liégeois* (dessert).

**lien** n. m. **1** Chose flexible et allongée servant à lier, à attacher. **2** abstrait Ce qui relie, unit (des choses). *Lien logique.* ♦ inform. Relation établie entre des informations. *Lien hypertexte*.* **3** Ce qui unit des personnes. *Lien de parenté.* **4** fig. Ce qui retient, enchaîne.

**lier** v. tr. [7] **I** (compl. chose) **1** Entourer, serrer avec un lien (des choses). → **attacher.** **2** Assembler, joindre. - au p. p. *Notes liées* (→ **legato**). **3** Joindre, unir à l'aide d'une substance. - *Lier une sauce,* l'épaissir. **4** abstrait Unir par un rapport logique, fonctionnel. → **relier.** - au p. p. *Tout cela est lié.* **5** dans des loc. Faire naître (un lien). → **nouer.** *Lier amitié avec qqn.* - *Avoir partie liée (avec qqn),* être d'accord pour une affaire. **II** (compl. personne) **1** Attacher, enchaîner. → **ligoter.** - loc. *Être fou à lier,* complètement fou. **2** Imposer une obligation (juridique, morale...) à. - passif *Être lié par un serment.* **3** Unir par des relations d'affection, de goût... - au p. p. *Ils sont très liés,* très amis.

**lierre** n. m. Arbrisseau rampant et grimpant, à feuilles luisantes toujours vertes.

**liesse** n. f. littér. Joie collective.

① **lieu** n. m. **I 1** Portion déterminée de l'espace (considérée de façon abstraite). → **endroit, place.** *La date et le lieu d'un événement.* - loc. *En lieu sûr,* en sûreté. - *Adverbe de lieu,* qui indique le lieu. ♦ math. *Lieu géométrique :* ensemble de points satisfaisant à une condition. **2** loc. *Haut lieu :* endroit où se sont passées des choses mémorables. - *En haut lieu :* auprès de personnes haut placées. ♦ *Lieu saint :* temple ; sanctuaire. **3** *Lieu public :* lieu qui par destination admet le public (rue...), ou auquel le public peut accéder (café...). **II** plur. à valeur de sing. **1** Endroit précis où un fait s'est passé. *J'étais sur les lieux.* **2** Appartement, maison, propriété. *État des lieux.* **3** vieilli *Lieux d'aisances.* → **cabinet(s).** **III 1** (dans des loc.) Espace ou temps déterminé (dans un ensemble, une succession). *En son lieu,* à son tour. - *En temps et lieu,* au moment et à la place convenables. - *En premier lieu,* d'abord. ♦ *Lieu commun :* banalité. **2** *Avoir lieu :* se passer (à un endroit, à un moment). **3** loc. prép. *Au lieu de :* à la place de. - (+ inf. ; exprime l'opposition) *Vous rêvez au lieu d'agir.* **4** *Tenir lieu de.* → **remplacer, servir** de. ♦ *Avoir lieu de* (+ inf.), avoir des raisons de. - *Il y a lieu de,* il convient de. ♦ *Donner lieu à* (+ n.) : fournir l'occasion de.

> Ne pas confondre avec *lieue* «unité de mesure» (plur. *lieues*).

②**lieu** n. m. Poisson de la famille du merlan. *Des lieus.* - *Lieu noir.* → **colin.**

**lieu-dit** ou **lieudit** n. m. Lieu de la campagne qui porte un nom traditionnel. *Des lieux-dits ; des lieudits.*

**lieue** n. f. **1** Ancienne mesure de distance (environ 4 km). **2** loc. fig. *Être à cent, à mille lieues de* (+ inf.), très loin de. **3** *Lieue marine :* 5 555 m.

Ne pas confondre avec *lieu* «endroit» (plur. *lieux*), «poisson» (plur. *lieus*).

**lieuse** n. f. Machine pour lier les gerbes.

**lieutenant** n. m. **1** Adjoint (d'un chef). ♦ hist. *Lieutenant général :* haut magistrat ou officier. **2** Officier de grade immédiatement inférieur à celui de capitaine. ♦ *Lieutenant de police,* officier de la Police nationale qui supplée et seconde les commissaires. **3** *Lieutenant de vaisseau,* officier de marine dont le grade correspond à celui de capitaine. - REM. Le féminin *lieutenante* est rare.

**lieutenant-colonel** n. m. Officier de grade immédiatement inférieur à celui de colonel.

**lièvre** n. m. **1** Mammifère rongeur, voisin du lapin, et qui vit en liberté. ♦ Sa chair comestible. **2** prov. *Il ne faut pas courir deux lièvres à la fois,* mener de front plusieurs activités. - loc. *Soulever un lièvre,* une question embarrassante.

**lifter** v. tr. [1] anglic. **1** sports Donner à (une balle) un effet (*lift* n. m.) qui l'accélère quand elle rebondit. **2** Faire un lifting à (qqn).

**liftier, ière** n. anglic. Personne qui manœuvre un ascenseur.

**lifting** n. m. anglic. Opération de chirurgie esthétique visant à remonter et tendre la peau du visage.

**ligament** n. m. Faisceau de tissu fibreux blanchâtre, très résistant, unissant les éléments (cartilages, os) d'une articulation.

**ligature** n. f. **1** Opération consistant à serrer, fixer avec un lien. **2** Lien permettant cette opération. ► **ligaturer** v. tr. [1]

**lige** adj. *Homme lige,* dévoué (à qqn, un groupe). *Être l'homme lige de qqn.*

**light** [lajt] adj. invar. anglic. Qui est allégé (aliment), et notamment sucré avec des édulcorants ; qui contient (en principe) moins de produits nocifs pour la santé.

**lignage** n. m. **1** littér. Ascendance. **2** didact. Les descendants d'un ancêtre commun.

**ligne** n. f. **I 1** Trait continu allongé, sans épaisseur. **2** Trait réel ou imaginaire qui sépare deux choses. → **frontière, limite.** - *Ligne blanche* (autrefois *jaune*), divisant une route. **3** Chacun des traits qui sillonnent la paume de la main. **4** Effet produit par une combinaison de lignes (silhouette, dessin). *La ligne d'une voiture.* - loc. *Garder la ligne,* rester mince. **5** fig. Élément, point. *Les lignes essentielles d'un projet.* **II 1** Direction. *En ligne droite.* - fig. *Ligne de conduite ; ligne politique.* **2** Tracé idéal dans une direction déterminée. *Ligne de tir.* **3** Trajet emprunté par un service de transport ; ce service. **III 1** Fil portant un hameçon pour la pêche. **2** Fils, câbles transportant l'énergie électrique. *Ligne téléphonique.* **3** loc. adj. *En ligne :* qualifie un matériel informatique connecté à un réseau, à Internet. ♦ loc. adv. En étant connecté (à Internet). *Regarder une vidéo en ligne.* **IV 1** Suite alignée (de choses, de personnes). *Être placé en ligne, sur une ligne.* ♦ fig. *Hors ligne :* hors pair, supérieur. **2** Série alignée d'ouvrages ou de positions (militaires). *Ligne de fortifications.* ♦ loc. fig. *Sur toute la ligne :* tout à fait, complètement. **3** Suite de caractères disposés sur une ligne horizontale. - loc. *Lire entre les lignes,* deviner ce qui est sous-entendu. **4** loc. *Entrer en ligne de compte :* avoir de l'importance. **5** Suite des degrés de parenté.

**ligné, ée** adj. Marqué de lignes.

**lignée** n. f. **1** Ensemble des descendants (d'une personne). → **lignage. 2** fig. Filiation spirituelle.

**ligneux, euse** adj. De la nature du bois.

se **lignifier** v. pron. [7] Se changer en bois.

**lignite** n. m. Charbon naturel fossile.

**ligoter** v. tr. [1] **1** Attacher, lier (qqn) en privant de l'usage des bras et des jambes. **2** fig. Priver (qqn) de son indépendance.

**ligue** n. f. **1** Alliance entre États, pour défendre des intérêts communs, poursuivre une politique. → **coalition, union. 2** Association pour défendre des intérêts politiques, religieux, moraux, etc.

**liguer** v. tr. [1] **1** Unir dans une ligue. **2** Associer dans un mouvement, une action. ▷ v. pron. se **liguer**

**ligueur, euse** n. Membre d'une ligue.

**like** [lajk] n. m. anglic. Indication par laquelle on signifie qu'on apprécie un contenu sur Internet. *Sa photo a reçu cent likes.* ► **liker** [lajke] v. tr. [1]

**lilas** n. m. **1** Arbuste ornemental aux fleurs en grappes très parfumées. - Ces fleurs. **2** adj. et n. m. Se dit d'un violet rosé.

**liliacée** n. f. bot. Plante d'une famille comprenant le lis, la tulipe, l'ail, etc.

**lilliputien, ienne** [lili-] adj. Très petit.

**limace** n. f. **1** Mollusque gastéropode terrestre, sans coquille. **2** fig., fam. Personne lente et molle.

**limaçon** n. m. **1** Escargot. **2** anat. Conduit en spirale, partie de l'oreille interne.

**limaille** n. f. Parcelles de métal.

**limande** n. f. Poisson de mer ovale et plat, comestible.

**limbe** n. m. 1 Partie graduée, en arc de cercle (d'instruments). 2 bot. Partie large (d'une corolle) ; partie plate (d'une feuille).

**limbes** n. m. pl. 1 théol. cathol. Séjour des âmes des justes morts avant la Rédemption, des enfants morts sans baptême. 2 littér. Région mal définie, état incertain.

① **lime** n. f. Outil de métal garni d'aspérités servant à user par frottement.

② **lime** n. f. ou m. Citron vert.

**limer** v. tr. 1 Travailler (qqch.) à la lime.

**limier** n. m. 1 Grand chien de chasse qui cherche l'animal. 2 fig. Policier, détective.

**liminaire** adj. didact. Placé en tête, au début (d'un ouvrage, d'un discours).

**limitatif, ive** adj. Qui fixe des limites.

**limitation** n. f. Action de limiter.

**limite** n. f. 1 Ligne qui sépare deux terrains ou territoires contigus. → **bord, confins, frontière.** 2 Partie extrême où se termine une surface, une étendue. 3 Terme extrême dans le temps (commencement ou fin). *Limite d'âge* (pour exercer une fonction, etc.). 4 fig. Point qu'on ne peut dépasser. → **borne.** *La patience a des limites ! – Dans une certaine limite.* → **mesure.** – *À la limite* : à l'extrême. – *Sans limites* : illimité. ♦ au plur. Possibilités extrêmes (physiques, intellectuelles). *Connaître ses limites.* ♦ adj. *Cas limite.* → **extrême.** *Vitesse limite.* → **maximum.** 5 sc. Grandeur dont une variable peut s'approcher indéfiniment, sans jamais l'atteindre (→ asymptote).

**limiter** v. tr. 1 1 Constituer la limite de. → **borner, délimiter.** 2 Renfermer dans des limites. → **restreindre.** *Limiter le pouvoir de qqn.* ▷ v. pron. **se limiter** 1 (réfl.) S'imposer des limites. 2 (passif) Avoir pour limites. ▷ adj. **limité, ée** Qui a des limites. ♦ abstrait *Confiance limitée.* → **restreint.** – fam. *Il est un peu limité* (intellectuellement...).

**limitrophe** adj. 1 Qui est aux frontières. → **frontalier.** 2 Qui est voisin, proche (de).

**limnée** n. f. Gastéropode d'eau douce.

**limoger** v. tr. 3 Frapper (une personne haut placée) d'une mesure de disgrâce. → **destituer, révoquer.** ► **limogeage** n. m.

**limon** n. m. Terre ou fines particules, spécialt entraînées par les eaux et déposées sur le lit et les rives des fleuves.

**limonade** n. f. 1 Boisson gazeuse sucrée et acidulée. 2 comm. Activité de cafetier.

**limonadier, ière** n. 1 Fabricant de boissons gazéifiées. 2 vieilli Cafetier.

**limonaire** n. m. Orgue de Barbarie.

**limoneux, euse** adj. Qui contient du limon. *Terre limoneuse.*

**limousine** n. f. 1 vieilli Grande cape. 2 Voiture longue, à six glaces latérales.

**limpide** adj. 1 (liquide) Dont rien ne trouble la transparence. → **clair, pur.** – par ext. *Regard limpide.* 2 fig. Parfaitement clair, intelligible. ► **limpidité** n. f.

**lin** n. m. 1 Herbe à fleurs bleues, à graines oléagineuses, cultivée surtout pour les fibres textiles de sa tige. 2 Tissu de lin.

**linceul** n. m. Pièce de toile dans laquelle on ensevelit un mort. → **suaire.**

**linéaire** adj. 1 Qui a rapport aux lignes. – *Mesure linéaire,* de longueur. 2 fig. Qui suit l'ordre du temps. *Récit linéaire.* ► **linéairement** adv. ► **linéarité** n. f.

**linéament** n. m. littér. 1 Ligne élémentaire, caractéristique d'un aspect général. *Les linéaments d'un visage.* 2 fig. Ébauche.

**lingam** [-am] n. m. didact. Symbole phallique du dieu Shiva.

**linge** n. m. 1 (collectif) Ensemble des pièces de tissu servant aux besoins domestiques. *Linge de maison* (lit, toilette, etc.). 2 *Linge de corps* : sous-vêtements et pièces détachables (cols, etc.). ♦ fam. *Du beau linge* : des gens élégants. 3 Pièce de linge (1).

**lingère** n. f. Femme chargée de l'entretien du linge, dans une collectivité, etc.

**lingerie** n. f. 1 vieilli Fabrication et commerce du linge. 2 Local pour le linge. 3 Linge de corps (surtout pour femmes).

**lingot** n. m. Masse de métal coulé.

**linguiste** [lɛ̃gɥist] n. Spécialiste du langage, des langues.

**linguistique** [-gɥi-] I n. f. Science qui a la langue (II) pour objet. II adj. 1 Relatif à la linguistique. 2 Qui concerne la langue. ► **linguistiquement** adv.

**liniment** n. m. Liquide gras qui contient un médicament, pour frictionner la peau.

**linoléum** [-eɔm] n. m. Forte toile imperméabilisée (revêtements de sol, etc.).

**linon** n. m. Tissu fin de lin ou de coton.

**linotte** n. f. 1 Petit passereau au plumage brun et rouge. 2 loc. *Tête de linotte* : personne écervelée, étourdie.

**linotype** n. f. (marque déposée) imprim. (ancienne) Machine à composer fondant d'un seul bloc la ligne. ► **linotypiste** n.

**linteau** n. m. Pièce horizontale qui forme la partie supérieure d'une ouverture et soutient la maçonnerie.

**lion, lionne** n. I 1 Grand mammifère carnivore, à pelage fauve, à crinière (chez le mâle), vivant en Afrique et en Asie. 2 (n. m.) loc. *La part du lion,* la plus grosse part (que s'adjuge le plus fort). – fam. *Avoir mangé du lion,* faire preuve d'une énergie inhabituelle. 3 n. m. Homme courageux. II n. m. Cinquième signe du zodiaque (23 juillet-22 août). – *Elles sont Lion.*

**lionceau** n. m. Petit du lion.

**lipide** n. m. Corps gras. ► **lipidique** adj.

**lipogramme** n. m. didact. Texte d'où une lettre est bannie.

**liposome** n. m. Vésicule formée de lipides, renfermant une substance active.

**liposuccion** n. f. méd. Traitement par aspiration chirurgicale de graisse en excès. ► **liposucer** v. tr. [3] – syn. **lipoaspiration.**

**lippe** n. f. **1** littér. Lèvre inférieure épaisse et proéminente. ► **lippu, ue** adj. **2** loc. *Faire la lippe,* la moue.

**liquéfier** v. tr. [7] **1** Faire passer à l'état liquide (un solide ou un gaz). – pronom. *L'hélium se liquéfie difficilement.* – au p. p. *Gaz liquéfié.* **2** v. pron. (personnes) *Se liquéfier :* perdre toute énergie. ► **liquéfiable** adj. ► **liquéfaction** n. f.

**liquette** n. f. fam. Chemise.

**liqueur** n. f. **1** vx Liquide. **2** Solution pharmaceutique. **3** Boisson sucrée aromatisée, à base d'alcool ou d'eau-de-vie. **4** comm. Eau-de-vie ou alcool (sucré ou non).

**liquidation** n. f. **1** Action de calculer le montant de sommes à régler ; règlement de ces sommes. *Liquidation d'une succession.* **2** Vente au rabais (de marchandises). → **solde(s).**

① **liquide I** adj. **1** Qui coule ou tend à couler. – *Air liquide,* conservé à l'état liquide par le froid. **2** phonét. Se dit des consonnes *l* et *r.* **II** n. m. **1** Corps à l'état liquide. **2** Aliment liquide. **3** *Liquides organiques,* lymphe, sang, sérosité.

② **liquide** adj. *Argent liquide* (et n. m. *du liquide*), disponible, en espèces.

**liquider** v. tr. [1] **1** Soumettre à une liquidation (1). *Liquider un compte.* **2** Vendre, au rabais. **3** fig., fam. En finir avec (qqch.). **4** Se débarrasser de (qqn) (en tuant...).

**liquidité** n. f. **1** État d'un bien liquide (②). **2** au plur. Sommes disponibles.

**liquoreux, euse** adj. Qui rappelle la liqueur (3), par la saveur douce, etc.

① **lire** v. tr. [43] **I 1** Suivre des yeux en identifiant (des caractères, une écriture). → **lecture.** *Lire des lettres, des numéros.* – absolt Être capable de lire une écriture. *Savoir lire et écrire.* **2** Déchiffrer. *Lire une partition.* **3** Reconnaître et interpréter (des informations codées). **4** Prendre connaissance du contenu de (un texte) par la lecture. *Lire un roman.* – absolt *Aimer lire.* **5** Énoncer à haute voix (un texte écrit). **II** fig. **1** Déchiffrer (ce qui est caché). *Lire l'avenir dans les astres.* **2** Discerner par un signe. *On lit la peur dans ses yeux.*

② **lire** n. f. Ancienne unité monétaire italienne (avant l'euro).

**lis** ou **lys** [lis] n. m. **1** Plante vivace, à feuilles allongées et pointues, à grandes fleurs blanches. **2** Fleur blanche du lis. – *Un teint de lis,* très blanc. **3** *Fleur de lys, de lis :* figure héraldique, fleur de lis schématisée (emblème de la royauté).

> Ne pas confondre avec *lice* «champ clos», «chienne» ni avec *lisse* «uni».

**liseré** ou **liséré** n. m. Ruban étroit dont on borde un vêtement, une étoffe.

**liseron** n. m. Plante grimpante, à fleurs.

**liseur, euse** n. Personne qui aime lire.

**liseuse** n. f. **1** Couvre-livre. **2** Veste d'intérieur féminine chaude et légère. **3** Petite lampe pour la lecture. **4** Support de lecture d'un texte numérique.

**lisible** adj. **1** Qui est aisé à lire, à déchiffrer. ► **lisiblement** adv. ► **lisibilité** n. f. **2** Digne d'être lu.

**lisier** n. m. agric. Mélange liquide d'excréments d'animaux (engrais). → **purin.**

**lisière** n. f. **1** Bordure d'une pièce d'étoffe. **2** Partie extrême (d'un terrain, d'une région). *À la lisière du bois.* → **orée.**

**lissage** n. m. Action de lisser. – → **lifting.**

① **lisse** adj. Sans aspérités au toucher.

> Ne pas confondre avec *lice* «champ clos», «chienne» ni avec *lis* «fleur».

② **lisse** n. f. **1** Membrure longitudinale de la coque d'un navire. **2** Garde-fou.

③ **lisse** n. f. → ② **lice**

**lisser** v. tr. [1] Rendre lisse. → **aplanir.**

**listage** n. m. Document produit par une imprimante (recomm. off. pour *listing*).

**liste** n. f. **1** Suite de mots, de signes, généralement inscrits les uns au-dessous des autres. – *Liste électorale.* – *Liste noire :* liste de gens à surveiller. *Liste rouge* (d'abonnés au téléphone qui refusent de figurer dans l'annuaire). **2** *Liste civile :* somme allouée annuellement à un chef d'État.

**listel** n. m. Petite moulure plate.

**lister** v. tr. [1] Mettre sous forme de liste.

**listériose** n. f. biol. Maladie due à l'infection par une bactérie (la *listeria* n. f.).

**listing** n. m. anglic. → **listage.**

**lit** n. m. **I 1** Meuble destiné au coucher. **2** Literie sur laquelle on s'étend. *Lit douillet.* **3** loc. *Dormir dans son lit,* chez soi. – *Au saut du lit :* au réveil. – *Garder le lit.* → s'**aliter.** – fig. *Faire le lit de qqn, qqch.,* préparer son succès. **4** *Enfants du premier lit,* d'un premier mariage. **5** *Lit de repos :* siège sur lequel on peut s'étendre. **6** Couche où l'on peut s'étendre, dormir. *Lit de feuillage.* **II** Matière répandue en couche. *Lit de cendres.* ♦ géol. Couche de matériaux déposés par les eaux, l'érosion. **III** Creux du sol (dans lequel coule un cours d'eau).

**litanie** n. f. **1** au plur. Prières liturgiques à formules brèves. **2** Répétition ennuyeuse et monotone (de plaintes, de demandes).

**litchi** n. m. Fruit à chair blanche, parfumée, d'un arbuste d'Extrême-Orient.

**liteau** n. m. **1** Baguette de bois (support). → **tasseau. 2** Raie de couleur (du linge de maison) parallèle à la lisière.

**literie** n. f. Ensemble des objets qui recouvrent le sommier : matelas, couette, oreiller, etc. ; matériel de couchage.

**litham** [-am] n. m. Voile couvrant la partie inférieure du visage (Touaregs...).

**lithium** [-jɔm] n. m. Élément (symb. Li), métal alcalin, le plus léger des solides.

**lithographe** n. Personne qui imprime par la lithographie. → **graveur.**

**lithographie** n. f. **1** Reproduction par impression sur une pierre calcaire. **2** Estampe obtenue par ce procédé. ► **lithographier** v. tr. [7] ► **lithographique** adj.

**litière** n. f. **1** anciennt Lit ambulant porté sur des brancards. **2** Paille, fourrage répandu sur le sol pour que les animaux puissent s'y coucher. ♦ Gravier absorbant où les chats font leurs besoins. **3** loc. littér. *Faire litière de qqch.*, n'en tenir aucun compte.

**litige** n. m. **1** Contestation donnant matière à procès. *Arbitrer un litige.* **2** Contestation, différend. ► **litigieux, ieuse** adj.

**litote** n. f. Figure de rhétorique qui consiste à atténuer l'expression de sa pensée (ex. *ce n'est pas mauvais* pour *c'est très bon*).

**litre** n. m. **1** Unité de mesure de capacité équivalant à 1 décimètre cube (symb. l ou L). **2** Récipient (bouteille...) contenant un litre.

**litron** n. m. fam. Litre de vin.

**littéraire** adj. **1** Qui a rapport à la littérature. ♦ Qui traite de littérature. *Critique littéraire.* ♦ (style, langue) Qui répond aux exigences esthétiques de la littérature. ► **littérairement** adv. **2** Doué pour les lettres. – n. *Un, une littéraire.*

**littéral, ale, aux** adj. **1** Qui utilise les lettres. – *Arabe littéral* (écrit, classique). **2** Qui suit un texte lettre à lettre. – *Traduction littérale*, mot à mot. **3** Qui s'en tient, est pris à la lettre. *Sens littéral d'un mot* (s'oppose à *figuré*). → **propre.** ► **littéralement** adv.

**littérarité** n. f. didact. Caractère d'un texte considéré comme littéraire.

**littérateur, trice** n. souvent péj. Écrivain.

**littérature** n. f. **I** Les œuvres écrites, dans la mesure où elles portent la marque de préoccupations esthétiques ; connaissances, activités qui s'y rapportent. **1** Œuvres littéraires. *La littérature contemporaine.* **2** Le travail de l'écrivain. **3** Ce qu'on trouve dans les œuvres littéraires (par opposition au réel). **4** Connaissances concernant les œuvres littéraires, leurs auteurs. **II** Ensemble des ouvrages publiés (sur une question).

**littoral, ale, aux 1** adj. Relatif à la zone de contact entre la terre et la mer. → **côtier. 2** n. m. La zone littorale. → **côte.**

**lituanien, enne** adj. et n. De Lituanie. – n. *Les Lituaniens.* ♦ n. m. *Le lituanien* : langue du groupe balte.

**liturgie** n. f. relig. chrét. Culte public et officiel (dans une Église). ► **liturgique** adj.

**livarot** n. m. Fromage rond, fermenté, à pâte molle, à odeur forte.

**live** [lajv] adj. invar. anglic. Enregistré en public. *Des albums live.* – n. m. invar. Enregistrement public. ♦ loc. adv. *En live* : en direct.

**livide** adj. **1** littér. De couleur plombée, bleuâtre. **2** D'une pâleur terne. → **blafard, blême.** ► **lividité** n. f.

**living-room** [liviŋRum] ou (abrév.) **living** n. m. anglic. Salle de séjour. → **séjour.** *Des living-rooms ; des livings.*

**livrable** adj. Qui peut ou doit être livré.

**livraison** n. f. Remise matérielle (d'un objet) à celui auquel l'objet est dû.

① **livre** n. m. **I 1** Assemblage (broché ou relié) d'un nombre assez grand de pages (à l'exclusion des périodiques). – loc. *Livre blanc*, recueil de pièces officielles. ♦ *Le livre* : l'imprimerie et ses produits. **2** Texte imprimé sous forme de livre (1), à un certain nombre d'exemplaires. *Écrire, lire un livre.* – loc. *Parler comme un livre*, savamment. – *À livre ouvert*, couramment. **3** par analogie *Livre sonore.* → **audiolivre.** – *Livre électronique, numérique* : texte numérisé pour pouvoir être lu sur un écran ; boîtier portable pour la lecture d'éditions numérisées. → **liseuse, tablette. II 1** Grande division (d'un ouvrage long). **2** Cahier, registre. – anciennt *Livre de raison* : livre de comptes. – *Livre d'or* : registre destiné à l'inscription de noms célèbres ou de commentaires élogieux.

② **livre** n. f. **I** Un demi-kilogramme. **II 1** Ancienne monnaie française. **2** *Livre (sterling)* : unité monétaire britannique (symb. £). ♦ *Livre irlandaise* (avant l'euro). *Livre égyptienne, turque.*

**livrée** n. f. **1** Vêtements aux couleurs des armes d'un roi, d'un seigneur, que portaient les hommes de leur suite. **2** Uniforme de certains serviteurs d'une même maison. **3** Pelage, plumage (d'un animal).

**livrer** v. [1] **I** v. tr. **1** Mettre (qqn) au pouvoir de (qqn, une entité). *Livrer un coupable à la justice.* **2** littér. Soumettre à l'action destructrice de qqch. – au p. p. *Pays livré au chaos.* **3** Remettre (qqn) par une trahison (à). *Livrer* *son complice à la police.* **4** Confier à qqn. *Il a livré son secret.* **5** Remettre au destinataire (ce qui a été commandé, payé). **II 1** Engager, commencer (un combat...). **loc.** *Livrer bataille.* **2** *Livrer passage à :* laisser passer. ▷ v. pron. **se livrer** (à) **1** Se mettre au pouvoir de. → se **rendre,** se **soumettre.** **2** absolt Se confier. *Cœur qui se livre.* **3** Se laisser aller à (un sentiment, etc.). *Se livrer à des excès.* ♦ Effectuer (un travail), exercer (une activité).

**livresque** adj. péj. Qui vient des livres, est purement théorique (s'oppose à *vécu,* etc.).

**livret** n. m. **I 1** vieilli Catalogue explicatif. **2** Petit registre. – *Livret de famille,* contenant des informations sur l'état civil des membres de la famille. **II** Texte sur lequel s'écrit la musique (d'une œuvre lyrique).

**livreur, euse** n. Personne qui livre (I, 5) des marchandises.

**lob** n. m. anglic. (tennis) Coup haut.

**lobby** n. m. anglic. Groupe de pression*. *Des lobbies* ou *des lobbys.* ► **lobbying** n. m. anglic. *Faire du lobbying.*

**lobe** n. m. **1** Partie arrondie et saillante (d'un organe). **2** *Lobe de l'oreille,* prolongement arrondi et charnu du pavillon. **3** bot. Partie arrondie (des feuilles, des pétales).

**lobé, ée** adj. Qui présente des lobes.

**lobectomie** n. f. chir. Opération par laquelle on enlève un lobe (du poumon...).

**lober** v. tr. [1] **1** Envoyer (la balle) par un lob. **2** Passer (l'adversaire) par un lob.

**lobotomie** n. f. chir. Section de fibres nerveuses à l'intérieur du cerveau.

**local, ale, aux I** adj. **1** Qui concerne, est particulier à un lieu, une région. *Presse locale.* → **régional.** ♦ loc. *Couleur* locale.* **2** Qui n'affecte qu'une partie du corps. *Anesthésie locale.* → **locorégional.** ► **localement** adv. **II** n. m. Partie d'un bâtiment, à usage déterminé.

**localiser** v. tr. [1] **1** Placer par la pensée en un lieu déterminé de l'espace (un phénomène...). *Localiser un bruit.* ♦ Repérer précisément. **2** Circonscrire, renfermer dans des limites. → **limiter.** ► **localisable** adj. ► **localisation** n. f.

**localité** n. f. **1** didact. Lieu déterminé. **2** Petite ville, village.

**locataire** n. Personne qui prend à bail une maison, un logement, etc. **(→ louer).**

① **locatif, ive** adj. dr. Qui concerne la location ou le locataire.

② **locatif, ive** adj. gramm. Qui marque le lieu.

**location** n. f. **1** Action de donner ou de prendre à loyer (un logement...). – *Location-vente* (→ anglic. leasing). **2** Action de retenir à l'avance (une place). → **réservation.**

**locavore** adj. et n. (Personne) qui consomme des produits alimentaires de provenance locale.

① **loch** [lɔk] n. m. Appareil pour mesurer la vitesse d'un navire.

② **loch** [lɔx ; lɔx] n. m. (en Écosse) Lac qui occupe le fond d'une vallée.

**loche** n. f. **1** Petit poisson d'eau douce à chair comestible. **2** Limace grise.

**lock-out** [lɔkaut] n. m. invar. anglic. Fermeture temporaire d'une entreprise décidée par la direction (répression d'une grève, etc.). ► **lock-outer** [-aute] v. tr. [1]

**locomotion** n. f. **1** Action de se mouvoir, de se déplacer d'un lieu vers un autre ; fonction qui assure ce mouvement. *Muscles de la locomotion.* **2** → **transport.** *Moyens de locomotion.* ► **locomoteur, trice** adj.

**locomotive** n. f. **1** Engin, véhicule de traction pour remorquer les trains. **2** fig. Personne, chose qui entraîne, fait agir.

**locorégional, ale, aux** adj. méd. *Anesthésie locorégionale :* anesthésie locale touchant un ensemble de nerfs, une partie du corps.

**locuteur, trice** n. ling. Personne qui emploie le langage, qui parle (opposé à *auditeur*).

**locution** n. f. Groupe de mots figé ou relativement stable ayant la même fonction qu'un mot. → **expression.**

**loden** [-ɛn] n. m. Tissu de laine épais et imperméable. – Manteau de loden.

**lœss** [løs] n. m. Limon très fin et fertile, déposé par le vent.

**lof** n. m. mar. Côté d'un navire qui reçoit le vent. – *Virer lof pour lof,* vent arrière.

**loft** [lɔft] n. m. anglic. Local commercial ou industriel aménagé en habitation.

**logarithme** n. m. math. Exposant à affecter à un nombre (la base) pour en obtenir un autre. – abrév. fam. **log** n. m. *Calculs de logs.* ► **logarithmique** adj.

**loge** n. f. **I 1** Logement de concierge, de portier. **2** Pièce où les comédiens se préparent et se reposent. **3** Compartiment cloisonné. **4** (théâtre...) Compartiment contenant plusieurs sièges. – loc. fig. *Être aux premières loges,* à la meilleure place. **II** Association de francs-maçons.

**logeable** adj. **1** Où l'on peut habiter, être logé. **2** Où l'on peut ranger des objets.

**logement** n. m. **1** Action de (se) loger. ♦ collectif *Crise du logement.* **2** Local à usage d'habitation. → **domicile, résidence.**

**loger** v. [3] **I** v. intr. Avoir sa demeure (le plus souvent temporaire) en un endroit. *Loger chez des amis, à l'hôtel.* **II** v. tr. **1** Établir dans une maison. *Je peux vous loger pour la nuit.* – pronom. *Avoir du mal à se loger.* ♦ (sujet :

le local) Être susceptible d'abriter, d'héberger. **2** Faire entrer, faire pénétrer. *Loger une balle dans la cible.*

**logeur, euse** n. Personne qui loue des chambres meublées.

**loggia** [lɔdʒja] n. f. Balcon couvert.

**logiciel, elle** n. m. et adj. **1** n. m. inform. Programme relatif au traitement de l'information (s'oppose à *matériel* ; remplace l'anglic. *software*). → **application.** **2** adj. Relatif à un logiciel.

**logicien, ienne** n. **1** Spécialiste de la logique. **2** Personne qui raisonne avec rigueur, selon les règles de la logique.

① **logique** n. f. **I 1** Étude scientifique, surtout formelle, des normes de la vérité. **2** Livre, traité de logique. **II 1** Manière de raisonner. *La logique de l'enfant.* **2** Enchaînement cohérent d'idées, manière de raisonner juste. *Manquer de logique.*

② **logique** adj. **1** Conforme aux règles, aux lois de la logique. *Conclusion logique.* **2** Conforme au bon sens. **3** fam. Normal, explicable. *C'est logique qu'il soit furieux.* **4** Qui raisonne bien, avec cohérence. **5** Qui se rapporte à l'intelligence, à l'entendement. → **intellectuel.** *Processus logiques.*

**logiquement** adv. **1** Conformément à la logique. **2** D'une façon logique (3).

**logis** n. m. littér. Endroit où on loge.

**logistique** n. f. **1** milit. Techniques de transport, ravitaillement et logement des troupes. **2** Moyens et méthodes d'organisation (d'une entreprise). **3** adj. *Soutien logistique* (sens 1 et 2).

**logithèque** n. f. Collection de logiciels.

**logo** n. m. → **logotype**

**logomachie** n. f. didact. Discours creux.

**logorrhée** n. f. didact. Flux de paroles. ► **logorrhéique** adj.

**logos** [-os ; -ɔs] n. m. didact. **1** philos. anc. Être semi-divin, esprit raisonnable. ♦ théol. Le verbe* divin. **2** Langage en tant qu'instrument de la raison.

**logotype** n. m. **1** Lettres liées. **2** Symbole graphique d'une marque (abrév. *logo*).

**loi** n. f. **I** Règle impérative. **1** Règle obligatoire établie par l'autorité souveraine d'une société et sanctionnée par la force publique. ♦ Disposition prise par le pouvoir législatif. *Projet de loi* (gouvernement) ; *proposition de loi* (parlement). - *Loi-cadre,* servant de cadre à des textes d'application. **2** *La loi :* l'ensemble des règles juridiques. → **droit, législation ; légal.** - *Homme, femme de loi,* juriste, magistrat. **3** (après un v. exprimant l'ordre) Commandement que l'on donne. *Dicter sa loi.* - *Faire la loi :* commander. **4** Règle, condition imposée par les circonstances. *La loi du destin.* **5** relig. Règle exprimant la volonté de Dieu. **6** (au plur.) Règles, conventions établies dans les rapports sociaux. *Les lois de l'honneur.* **II 1** Règle dictée à l'être humain par sa conscience, sa raison. *Loi morale.* → **devoir, principe.** **2** *Les lois du beau,* les conditions de la perfection esthétique. → **canon.** **III** Formule générale énonçant une corrélation entre des phénomènes. *Lois physiques.*

**loin I** adv. **1** À une grande distance (d'un observateur ou d'un point d'origine). ♦ loc. *Aller loin* (au futur), réussir. *Elle ira loin.* - *Aller trop loin,* exagérer. - *Une affaire qui peut aller loin,* avoir de graves conséquences. **2** Dans un temps éloigné (du présent ou d'un temps de référence). - *Sans remonter si loin,* il n'y a pas si longtemps. **II** n. m. (dans des loc.) **1** *Il y a loin,* une grande distance, fig. une grande différence. **2** loc. adv. *Au loin :* dans un lieu éloigné. **3** loc. adv. *De loin :* d'un lieu éloigné. - *Revenir de loin,* d'une situation très grave. ♦ De beaucoup. *C'est de loin son meilleur roman.* ♦ (temps) D'un temps très ancien. **4** loc. adv. *De loin en loin :* par intervalles ; de temps en temps. **III** *Loin de* loc. prép. **1** À une grande distance (dans l'espace ou dans le temps). - prov. *Loin des yeux, loin du cœur.* - loc. *Loin de moi la pensée de...,* j'écarte cette pensée. - *Loin de là :* bien au contraire. **2** *Être loin de* (+ inf.). *Il était loin de s'attendre à cela,* il ne s'y attendait pas du tout. **IV** loc. conj. *D'aussi loin que, du plus loin que :* d'une grande distance (espace ou temps).

**lointain, aine I** adj. **1** Qui est à une grande distance dans l'espace. **2** Qui n'est pas proche, direct. *Une ressemblance lointaine.* **3** Très éloigné dans le temps. **II** n. m. Plan (spécialt dans un tableau) situé dans l'éloignement. → **arrière-plan.**

**loir** n. m. Petit rongeur hibernant.

**loisible** adj. *Il lui est loisible de* (+ inf.), il lui est permis, possible de.

**loisir** n. m. **I 1** Temps dont on dispose pour faire commodément qqch. *Je n'ai guère le loisir de vous écrire.* **2** surtout plur. Temps libre. *Avoir beaucoup de loisirs.* **3** au plur. Distractions, pendant le temps libre. *Des loisirs coûteux.* **II** loc. adv. *(Tout) à loisir :* en prenant son temps, à son aise. - Autant qu'on le désire.

**lokoum** → **loukoum**

**lol** interj. (sigle angl.) anglic. fam. Interjection soulignant la drôlerie d'un propos (surtout écrit).

**lolita** n. f. fam. Adolescente, très jeune fille qui suscite le désir par l'image d'une féminité précoce.

**lolo** n. m. **1** lang. enfantin Lait. **2** fam. Sein de femme.

**lombaire** adj. Des lombes.

**lombes** n. m. pl. Régions postérieures de l'abdomen, situées symétriquement à droite et à gauche de la colonne vertébrale.

**lombric** n. m. Ver de terre.

**long, longue** [lɔ̃, lɔ̃g] I adj. 1 (avant le nom) Qui a une étendue supérieure à la moyenne dans le sens de la longueur. *Un long nez.* ♦ Qui couvre une grande étendue, s'étend sur une grande distance. *Longues enjambées.* 2 (après le nom) Dont la grande dimension (longueur) est importante (opposé à *court*). *Manches longues.* 3 *Long de* (telle grandeur). *Texte long d'une page.* 4 (langage, discours) *Un long roman.* II adj. (dans le temps) 1 Qui a une durée très étendue. *Un long hiver.* – (opposé à *bref*) *Syllabe longue.* ♦ Qui dure longtemps et ne se répète pas souvent. *À de longs intervalles.* 2 Qui remonte loin dans le temps. *Une longue habitude.* – loc. *De longue date :* depuis longtemps. 3 Éloigné dans l'avenir. – loc. adv. *À la longue :* avec le temps. 4 *Long à,* lent. *Le feu a été long à s'éteindre.* 5 *Long de :* de telle ou telle durée. III n. m. 1 (précédé de *au, de, en*) *Tomber de tout son long,* allongé par terre. – *De long en large,* en faisant des allées et venues. – *En long et en large,* dans tous les sens ; fig. sous tous les aspects. – *Tout du long,* sur toute la longueur. – *(Tout) au long :* complètement. 2 loc. prép. *Au long de, le long de, tout du long de :* en suivant sur toute la longueur de ; (temps) durant. IV adv. 1 Beaucoup. *En savoir long.* 2 Avec un vêtement long. *S'habiller long.*

**longanime** adj. littér. D'une grande patience (tolérante...). ► **longanimité** n. f.

**long-courrier** adj. m. et n. m. (navire ; avion) Qui fait de longs parcours. *Des long-courriers.*

① **longe** n. f. (veau...) Moitié de l'échine.

② **longe** n. f. Corde, courroie qui sert à attacher, à mener un cheval, un animal.

**longer** v. tr. [3] 1 Aller le long de (qqch.), en suivant le bord. 2 (sujet chose) Être, s'étendre le long de. *La route longe la mer.*

**longeron** n. m. Poutre transversale.

**longévité** n. f. Longue durée de la vie (d'un individu, d'un groupe, d'une espèce).

**longiligne** adj. Mince et élancé.

**longitude** n. f. Distance angulaire à un méridien d'origine, vers l'est ou l'ouest.

**longitudinal, ale, aux** adj. Qui est dans le sens de la longueur (opposé à *transversal*).

**longtemps** [lɔ̃tɑ̃] I adv. Pendant un long espace de temps. II n. m. 1 (compl. de prép.) *De longtemps :* depuis longtemps. – *Pas de longtemps* (après un verbe au futur), pas de sitôt. – *Avant longtemps,* bientôt. 2 *Il y a, voici longtemps.* → **autrefois.**

à la **longue** loc. adv. → **long** (II, 3)

**longuement** adv. Pendant un long temps, avec longueur et continuité.

**longuet, ette** adj. fam. Un peu trop long.

**longueur** n. f. I (dans l'espace) 1 Dimension d'une chose dans le sens de sa plus grande étendue (s'oppose à *largeur, hauteur, profondeur*) ; cette étendue. 2 en sport Unité définie par la longueur de la bête, du véhicule, et servant à évaluer la distance séparant des concurrents. – *Avoir une longueur d'avance* (fig. avoir un avantage). 3 Grandeur linéaire mesurant ce qui n'a qu'une dimension. *Longueur, surface et volume.* II 1 Espace de temps. → **durée.** – loc. prép. *À longueur de :* pendant toute la durée de. 2 Longue durée. – *Tirer les choses en longueur,* les faire durer. III 1 Étendue, durée (d'une œuvre...). 2 (surtout au plur.) Passage trop long.

**longue-vue** n. f. Lunette d'approche.

**loofa ; loofah** → **luffa**

**look** [luk] n. m. anglic. Allure (de qqn...).

**looping** [lupiŋ] n. m. anglic. Acrobatie aérienne, boucle dans le plan vertical.

**lope** n. f. 1 argot Homosexuel. 2 fam. Homme lâche.

**lopin** n. m. Petit morceau (de terrain).

**loquace** adj. Qui parle volontiers. → **bavard.** ► **loquacité** n. f. littér.

**loque** n. f. 1 Vêtement usé et déchiré. → **guenille, haillon.** – *Être en loques.* → **loqueteux.** 2 fig. Personne sans énergie.

**loquet** n. m. Fermeture de porte à tige mobile dont l'extrémité se bloque.

**loqueteux, euse** adj. 1 Vêtu de loques. 2 littér. En loques. *Habit loqueteux.*

**lord** [lɔʀ(d)] n. m. Titre de noblesse britannique. *La Chambre des lords.*

**lordose** n. f. méd. Déformation de la colonne vertébrale (cambrure excessive).

**lorgner** v. tr. [1] 1 Observer de façon particulière (avec insistance, de côté...). 2 fig. Convoiter (qqch.).

**lorgnette** n. f. Petite lunette (II, 2). – loc. *Voir par le petit bout de la lorgnette :* ne voir qu'un aspect secondaire des choses.

**lorgnon** n. m. Ensemble de deux lentilles et de leur monture sans branches. → **binocle, pince-nez.**

**loriot** n. m. Petit passereau au plumage jaune et noir.

**lors** adv. 1 *Lors de* loc. prép. : au moment de, à l'époque de. 2 loc. conj. *Dès lors que :* du moment que ; puisque. – littér. *Lors même que* (+ indic. ou cond.) : même si.

**lorsque** conj. de temps (le e s'élide en général devant les voyelles) 1 (simultanéité) Au moment où, quand. 2 littér. (opposition et simultanéité) Alors que, tandis que.

**losange** n. m. Parallélogramme à côtés égaux (spécialt autre que le carré).

**lot** n. m. **1** Partie (d'un tout que l'on partage entre des personnes). *Diviser un terrain en lots.* → **lotissement. 2** Ensemble (de marchandises). **3** Ce qu'on gagne dans une loterie. **4** littér. *Le lot de qqn,* ce que la vie lui réserve.

**loterie** n. f. **1** Jeu où des lots sont attribués à des gagnants désignés par le sort. **2** fig. Ce qui semble gouverné par le hasard.

**lotion** n. f. Liquide utilisé pour rafraîchir le corps, le soigner. ♦ Application de ce liquide. → **friction.** ► **lotionner** v. tr. [1]

**lotir** v. tr. [2] **1** Partager, répartir par lots (spécialt un terrain). **2** Mettre (qqn) en possession d'un lot. ♦ fig. **au p. p.** *Être bien, mal loti,* favorisé, défavorisé par le sort.

**lotissement** n. m. **1** Action de lotir (1). **2** Habitations construites sur un terrain loti.

**lotisseur, euse** n. Personne qui lotit (1).

**loto** n. m. **1** Jeu de hasard où l'on doit remplir une carte de cylindres de bois *(boules de loto)* ou de cartons numérotés tirés au hasard. – loc. fam. *Des yeux en boules de loto,* tout ronds, surpris. **2** (en France) Jeu public à numéros gagnants tirés au sort.

**lotte** n. f. Baudroie (poisson).

**lotus** [-ys] n. m. Nénuphar blanc (de l'Inde). ♦ Nénuphar du Nil. *Lotus bleu.*

① **louable** adj. Digne d'être loué (①).

② **louable** adj. Qu'on peut louer (②).

**louage** n. m. dr. Action de louer (②). → **location.** – *Louage de services.*

**louange** n. f. **1** littér. Action de louer (①) (qqn, qqch.) ; fait d'être loué. → **éloge. 2** au plur. Témoignage d'admiration ou de grande estime. → **compliment, félicitation.**

**louanger** v. tr. [3] littér. Couvrir de louanges. ► **louangeur, euse** adj. et n.

**loubard, arde** n. fam. Jeune citadin(e) asocial(e).

① **louche** adj. Qui n'est pas clair, pas honnête. → **suspect, trouble.**

② **louche** n. f. **1** Grande cuiller à long manche pour servir le potage. **2** fam. *Serrer la louche à qqn,* la main.

**loucher** v. intr. [1] **1** Être atteint de strabisme. **2** fig., fam. *Loucher sur, vers,* regarder avec envie, convoiter.

① **louer** v. tr. [1] **1** Déclarer (qqn, qqch.) digne d'admiration ou de grande estime (→ faire l'éloge de). ♦ *Louer qqn de, pour qqch.* → **féliciter. 2** *Louer Dieu.* → **bénir, glorifier.** – loc. *Dieu soit loué !* (joie, soulagement). ▷ v. pron. se **louer** → s'**applaudir,** se **féliciter** de. – *Se louer de qqn,* être satisfait de lui.

② **louer** v. tr. [1] **I** Donner (qqch.) en location. *Louer une chambre à un étudiant.* **II 1** Prendre en location, à bail. *Louer un appartement.* ♦ Réserver, retenir en payant. *Louer des places de concert.* **2** → **engager.** *Louer un guide.* – *Louer les services de qqn.*

**loueur, euse** n. Personne qui fait métier de donner (des voitures, etc.) en location.

**loufiat** n. m. fam. Garçon de café.

**loufoque** adj. fam. Fou ; extravagant. – syn. **louf ; louftingue.** ► **loufoquerie** n. f.

**louis** n. m. **1** Ancienne monnaie d'or, à l'effigie du roi de France. **2** Pièce d'or française de vingt francs. → **napoléon.**

**loukoum** [-um] n. m. Confiserie orientale, pâte aromatisée sucrée. – var. **lokoum.**

**loulou** n. m. **I** Petit chien au museau pointu, à long poil. **II** fam. **1** Terme d'affection (fém. *louloute*). **2** Mauvais garçon.

**lounge** [launʒ] n. m. invar. anglic. Salon-bar à l'ambiance feutrée. – appos. *Musique lounge,* musique d'ambiance, au rythme lent.

**loup** n. m. **I 1** Mammifère carnivore sauvage, qui ressemble à un grand chien. – loc. *Être connu comme le loup blanc,* très connu. – loc. prov. *Quand on parle du loup, on en voit la queue,* se dit quand qqn survient au moment où l'on parle de lui. ♦ fig. *Un jeune loup,* un jeune arriviste. **2** fam. Terme d'affection. *Mon loup.* **3** fam. *Loup de mer :* vieux marin expérimenté. **4** Bar (poisson). **II** Masque noir couvrant le haut du visage. **III** techn. Défectuosité dans un ouvrage (→ louper).

**loup-cervier** n. m. Lynx d'Europe.

① **loupe** n. f. **1** Nœud (d'un arbre). → **nœud. 2** Kyste sébacé du cuir chevelu.

② **loupe** n. f. Instrument d'optique, lentille convexe et grossissante.

**louper** v. tr. [1] fam. **1** Ne pas réussir (un travail, une action). **2** Laisser échapper. → **manquer.** *Louper son train.* ♦ *Il n'en loupe pas une,* il fait toutes les sottises. **3** intrans. *Ça n'a pas loupé,* ça devait arriver.

**loup-garou** n. m. Personnage légendaire, homme-loup errant la nuit dans la campagne. → **lycanthrope.** *Des loups-garous.*

**loupiot, iotte** n. fam. Enfant.

**loupiote** n. f. fam. Petite lampe, lumière.

**lourd, lourde** adj. **I 1** Difficile à déplacer, en raison de son poids (opposé à *léger*). → **pesant.** ♦ Qui gêne par une impression de pesanteur. *Aliment lourd.* → **indigeste.** ♦ *Terrain lourd,* compact. **2** De poids élevé ou supérieur à la moyenne. ♦ De densité élevée. *Gaz plus lourd que l'air.* **3** loc. *Avoir la main lourde :* frapper fort ; punir sévèrement. – Mesurer, verser en trop grande quantité. **4** Difficile à supporter. *Lourde responsabilité.* **5** Qui accable, oppresse. *Temps lourd.* **6** *Lourd (de) :* chargé (de). *Phrase lourde de menaces.* **7** Qui donne une impression de lourdeur, de pesanteur, sur les sens. → **épais, fort. 8** adv. Beaucoup. *Peser lourd* (fig. avoir de l'importance). – fam. *Il n'en fait pas lourd.* **II** (Maladroit) **1** (personnes) Qui manque de finesse, de subtilité. → **grossier. 2** Gauche, embarrassé.

**lourdaud, aude** n. et adj. Lourd, maladroit (au moral et au physique). → **balourd.**

**lourde** n. f. fam. et vieilli Porte.

**lourdement** adv. **1** De tout son poids, de toute sa force. **2** Avec une charge pesante. **3** Maladroitement. – *Se tromper lourdement.* → **grossièrement.**

**lourder** v. tr. [1] fam. Mettre à la porte. – Se débarrasser de (qqn, qqch.).

**lourdeur** n. f. **I 1** Caractère de ce qui est difficile à supporter. **2** Caractère massif. *Lourdeur des formes.* **II** Manque de finesse, de délicatesse. ♦ Gaucherie, maladresse.

**loustic** n. m. Farceur. ♦ fam., péj. Homme.

**loutre** n. f. **1** Petit carnivore à pelage brun épais et court, à pattes palmées, mangeur de poissons. **2** Fourrure de cet animal.

**louve** n. f. Femelle du loup.

**louveteau** n. m. **1** Petit du loup et de la louve. **2** Scout de moins de douze ans.

**louveterie** n. f. vx ou admin. Chasse aux loups et aux grands animaux nuisibles.

**louvoyer** v. intr. [8] **1** mar. Naviguer en zigzag pour utiliser un vent contraire. **2** Prendre des détours pour atteindre un but. → **biaiser.** ► **louvoiement** n. m. → **détour.**

**lover** v. tr. [1] mar. Ramasser en rond (un câble, un cordage). ▷ v. pron. **se lover** S'enrouler sur soi-même. – Se pelotonner.

**low cost** [lokɔst] adj. invar. anglic. À bas prix. *Vols low cost.*

**loyal, ale, aux** adj. Qui obéit aux lois de l'honneur et de la probité. → **honnête ; fidèle ; correct, droit.** ► **loyalement** adv.

**loyalisme** n. m. Fidélité à une cause.

**loyauté** n. f. Caractère loyal.

**loyer** n. m. **1** Prix de la location d'un local. **2** *Le loyer de l'argent,* le taux d'intérêt. **3** dr. Location (d'une chose quelconque).

**L. S. D.** n. m. (sigle angl.) Substance hallucinogène, dite aussi (argot fam.) *acide.*

**lubie** n. f. Idée, envie capricieuse.

**lubricité** n. f. Caractère lubrique.

**lubrifier** v. tr. [7] Enduire d'une matière qui atténue les frottements, facilite le fonctionnement. ► **lubrifiant, ante** adj. et n. m. ► **lubrification** n. f.

**lubrique** adj. Qui a un fort penchant pour la luxure. – plais. *Un regard lubrique.*

**lucane** n. m. Cerf-volant (insecte).

**lucarne** n. f. Petite fenêtre, ouverture.

**lucide** adj. **1** Caractérisé par la raison saine et claire. → **conscient. 2** Qui perçoit, comprend, exprime les choses avec perspicacité. **3** Clairvoyant sur soi-même. ► **lucidement** adv. ► **lucidité** n. f.

**luciole** n. f. Insecte lumineux (parfois confondu avec le ver luisant).

**lucite** n. f. méd. Lésion cutanée causée par un excès de radiations lumineuses (soleil, par ex.).

**lucratif, ive** adj. Qui procure un gain, des profits, des bénéfices. → **rentable.**

**lucre** n. m. littér. et péj. Gain, profit recherché avec avidité.

**ludion** n. m. Dispositif placé dans un bocal, qui bouge quand la pression varie.

**ludique** adj. didact. Relatif au jeu.

**luette** n. f. Prolongement vertical du bord postérieur du voile du palais, formant un petit appendice charnu à l'entrée du gosier.

**lueur** n. f. **1** Lumière faible, diffuse, ou éphémère. *Les lueurs de l'aube.* **2** Expression vive et momentanée (du regard). *Une lueur de colère.* **3** fig. Légère apparence ou trace. → **éclair.** *Lueur de raison.* – littér. au plur. Connaissances superficielles.

**luffa** [lufa] n. m. Plante grimpante originaire d'Afrique et d'Asie. – Son fruit (éponge végétale). – var. **loofa ; loofah.**

**luge** n. f. Petit traîneau à patins relevés.

**lugubre** adj. **1** littér. Qui est signe de deuil, de mort. **2** D'une profonde tristesse. → **sinistre.** ► **lugubrement** adv.

**lui** pron. pers. Pronom personnel de la troisième personne du singulier. **I** (aux deux genres) Représentant un nom de personne ou d'animal (plur. *leur*). **1** À lui, à elle. *Il lui parle.* – compl. d'un adj. attribut *Il lui est facile de venir,* c'est facile pour lui (pour elle). – *Je lui ai serré la main :* j'ai serré *sa* main. **2** compl. d'un v. et sujet d'un inf. ayant un complément *Je lui ai laissé lire cette lettre, je la lui ai laissé lire.* **II** (masculin ; → fém. **elle,** plur. **eux**) **1** sujet *Elle est moins raisonnable que lui* (n'est raisonnable). – *Lui, il a refusé.* **2** (après *c'est*) *C'est, c'était lui qui...* **3** (compl. direct) *Je n'aime que lui.* **4** *À lui* (compl. indirect). *Elle renonce à lui.* – après un nom (possession...) *Des idées bien à lui.* ♦ *De lui, en lui, par lui,* etc. *J'ai confiance en lui. Je le fais pour lui.* **5** réfléchi (au lieu de *soi*) *Un homme fier de lui.* **6** *Lui-même.* → **même.**

**luire** v. intr. [38] p. p. *lui* (invar.) **1** Émettre ou refléter de la lumière. → **briller, éclairer. 2** fig., littér. Apparaître comme une lueur.

**luisant, ante** adj. **1** Qui réfléchit la lumière, a des reflets. **2** *Ver* luisant.*

**lumbago** [lɔ̃bago ; lœ̃-] n. m. Douleur des lombes (→ tour de reins).

**lumen** [-ɛn] n. m. Unité de mesure des flux lumineux (symb. lm).

**lumière** n. f. I 1 Ce par quoi les choses sont éclairées. *La lumière du soleil, du jour.* - *Lumière électrique.* 2 Source de lumière, point lumineux. *Les lumières de la ville.* 3 sc. Rayonnement (visible ou invisible) émis par les corps incandescents ou luminescents. *Vitesse de la lumière* (environ 300 000 km/s). II fig. 1 Ce qui éclaire l'esprit. - *Faire la lumière sur qqch.* → **élucider.** 2 au plur. L'intelligence ou le savoir. *Aidez-moi de vos lumières.* ♦ *Le siècle des lumières,* le XVIII$^e$ siècle (en Europe occidentale). 3 Personne d'une grande intelligence.

**lumignon** n. m. Lampe faible.

**luminaire** n. m. Appareil d'éclairage.

**luminescent, ente** adj. Qui émet de la lumière à froid (après avoir reçu un rayonnement, etc.). ► **luminescence** n. f.

**lumineux, euse** adj. I 1 Qui émet ou réfléchit la lumière. 2 Clair, radieux. *Un regard lumineux.* 3 De la nature de la lumière (visible). *Rayon lumineux.* II Clair, lucide. *Une intelligence lumineuse.* - *Raisonnement lumineux.* ► **lumineusement** adv. (sens II).

**luminosité** n. f. 1 Qualité de ce qui est lumineux. 2 sc. Puissance lumineuse.

**lump** [lœp] n. m. Poisson nordique. - *Œufs de lump* (succédané du caviar).

**lunaire** adj. 1 Qui appartient ou a rapport à la lune. 2 Qui évoque la lune. *Paysage lunaire.* - *Face lunaire,* blafarde.

**lunaison** n. f. Mois lunaire (environ 29 jours), intervalle entre deux nouvelles lunes.

**lunatique** adj. D'humeur changeante.

**lunch** [lœntʃ ; lœʃ] n. m. anglic. Repas léger servi en buffet. *Des lunch(e)s.*

**lundi** n. m. Premier jour de la semaine.

**lune** n. f. 1 Satellite de la Terre, recevant sa lumière du Soleil. - *Nuit sans lune,* sans clair de lune. 2 loc. *Être dans la lune,* très distrait. - *Demander, promettre la lune,* l'impossible. - *Lune de miel :* les premiers temps de l'amour. ♦ *Face de lune :* gros visage rond. 3 fam. Derrière (humain).

**luné, ée** adj. *Bien, mal luné :* dans une disposition d'esprit bonne, mauvaise.

**lunetier, ière** n. Fabricant, marchand de lunettes (II). - adj. *Industrie lunetière.*

**lunette** n. f. I 1 Vitre arrière (d'une automobile). 2 Ouverture du siège d'aisances ; ce siège. II 1 au plur. Paire de verres (lentilles) enchâssés dans une monture munie de deux branches, et servant à corriger la vue. 2 au sing. Instrument d'optique grossissant (tube).

**lunetterie** n. f. Métier du lunetier.

**lunule** n. f. Tache blanche en demi-lune, à la base de l'ongle.

**lupanar** n. m. Maison de prostitution.

**lupin** n. m. Plante herbacée à fleurs.

**lupus** [-ys] n. m. Maladie de la peau caractérisée par des nodules (*lupome* n. m.).

**lurette** n. f. loc. *Il y a belle lurette, cela fait belle lurette :* il y a longtemps.

**luron, onne** n. vieilli Personne décidée et énergique. ♦ loc. *Joyeux luron,* bon vivant.

**lusitanien, ienne** adj. et n. Portugais.

**lustrage** n. m. Action de lustrer.

**lustral, ale, aux** adj. littér. Qui purifie.

① **lustre** n. m. littér. Cinq années. - au plur. *Il y a des lustres,* il y a longtemps.

② **lustre** n. m. I 1 Éclat (d'un objet brillant ou poli). 2 fig. Ce qui rehausse, met en valeur. → **éclat.** II Appareil d'éclairage à plusieurs lampes, suspendu au plafond.

**lustrer** v. tr. [1] Rendre brillant, luisant, spécialt par le frottement, l'usure.

**lustrine** n. f. Tissu de coton glacé.

**lut** [lyt] n. m. techn. Enduit servant à boucher, à protéger du feu. ► **luter** v. tr. [1]

**luth** n. m. Instrument à cordes pincées, ovale. ♦ poét. Symbole de la poésie.

**lutherie** n. f. Fabrication des instruments à cordes : violons, guitares, etc.

**luthérien, ienne** adj. De Luther, de sa doctrine. - n. Protestant luthérien.

**luthier, ière** n. Artisan en lutherie.

**lutin** n. m. Petit démon espiègle.

**lutiner** v. tr. [1] Taquiner (une femme) de manière érotique.

**lutrin** n. m. Pupitre pour poser un livre.

**lutte** n. f. 1 Combat corps à corps de deux adversaires qui s'efforcent de se terrasser. 2 Opposition violente entre deux adversaires (individus, groupes), où chacun s'efforce de triompher. - loc. (marxisme) *La lutte des classes* (sociales). 3 *Lutte contre, pour...,* action énergique. - *Lutte pour la vie :* sélection naturelle des espèces ; efforts pour survivre. 4 Antagonisme entre forces contraires. *La lutte du bien et du mal.* 5 loc. adv. *De haute lutte :* avec grand effort.

**lutter** v. intr. [1] 1 Combattre à la lutte (1). 2 S'opposer dans une lutte (2). - *Lutter de vitesse avec qqn.* → **rivaliser.** 3 Mener une action énergique (contre ou pour qqch.). *Lutter contre la maladie ; pour la liberté.*

**lutteur, euse** n. 1 Athlète qui pratique la lutte. 2 Personne qui aime l'action.

**luxation** n. f. Déplacement anormal des surfaces d'une articulation.

**luxe** n. m. 1 Mode de vie caractérisé par de grandes dépenses consacrées au superflu. - fam. *Ce n'est pas du luxe :* c'est utile. 2 Caractère coûteux, somptueux (d'un bien...). *Le luxe d'un salon.* - *Produits de* *luxe.* **3** Bien ou plaisir (relativement) coûteux. *Le cinéma est son seul luxe.* - *S'accorder le luxe de* (+ inf.), se permettre, comme chose inhabituelle et agréable. **4** *Un luxe de,* abondance ou profusion de.

**luxembourgeois, oise** adj. et n. Du Luxembourg. - n. *Les Luxembourgeois.* ♦ n. m. Dialecte germanique, langue du Luxembourg (avec le français et l'allemand).

**luxer** v. tr. [1] Provoquer la luxation de. → ① **démettre.** - *Elle s'est luxé la rotule.*

**luxueux, euse** adj. Qui se signale par son luxe. → **fastueux, magnifique, somptueux.** ► **luxueusement** adv.

**luxure** n. f. littér. Goût immodéré, recherche des plaisirs sexuels. ► **luxurieux, euse** adj. littér. → **débauché, lascif.**

**luxuriant, ante** adj. Qui se développe avec une remarquable abondance. *Végétation luxuriante.* ► **luxuriance** n. f.

**luzerne** n. f. Plante fourragère à petites fleurs violettes.

**lycanthrope** n. m. didact. Loup-garou.

**lycaon** [likaɔ̃] n. m. Mammifère carnivore d'Afrique tenant du loup et de l'hyène.

**lycée** n. m. **1** Établissement public d'enseignement secondaire (seconde à terminale). **2** Époque des études secondaires.

**lycéen, enne 1** n. Élève d'un lycée. **2** adj. De lycéens. *Organisations lycéennes.*

**lycopode** n. m. bot. Plante à tige grêle dont les spores renferment une poudre inflammable.

**lymphatique** adj. **I** Relatif à la lymphe. **II** Apathique, lent (► **lymphatisme** n. m.).

**lymphe** n. f. Liquide organique incolore ou ambré (d'une composition comparable à celle du plasma sanguin).

**lymphocyte** n. m. Petit leucocyte à gros noyau.

**lymphoïde** adj. didact. Qui se rapporte à la lymphe, aux lymphocytes.

**lymphome** n. m. méd. Prolifération cancéreuse du tissu lymphoïde.

**lyncher** v. tr. [1] anglic. **1** Exécuter (qqn) sans jugement et par une décision collective. **2** (foule) Exercer de graves violences sur (qqn). ► **lynchage** n. m.

**lynx** [lɛ̃ks] n. m. Mammifère carnivore, fort et agile, aux oreilles pointues. - loc. *Avoir des yeux de lynx,* une vue perçante.

**lyophiliser** v. tr. [1] Déshydrater par dessiccation. - au p. p. *Café lyophilisé.*

**lyre** n. f. Instrument antique à cordes pincées. ♦ poét. Symbole de la poésie.

**lyrique** adj. **I 1** (poésie...) Qui exprime des sentiments intimes au moyen de rythmes et d'images propres à émouvoir. ♦ n. m. Poète lyrique. **2** Plein d'un enthousiasme passionné. **II** Destiné à être mis en musique et chanté sur une scène (opéra, oratorio, etc.). - *Artiste lyrique* (chanteur).

**lyriquement** adv. littér. Avec lyrisme.

**lyrisme** n. m. **1** Poésie, genre lyrique. **2** Manière passionnée, poétique de sentir.

**lys** → **lis**

**lyse** n. f. sc. Destruction d'éléments organiques par des agents physiques, chimiques ou biologiques. ► **lyser** v. tr. [1]

**lytique** adj. sc. Qui provoque une lyse.

# M

**m** [ɛm] n. m. **I 1** Treizième lettre, dixième consonne de l'alphabet. **2** *M.*, abrév. de *Monsieur ; MM.*, de *Messieurs*. **II** *m*, symb. de *mètre*. **III** *M*, chiffre romain (1 000).

**ma** → **mon**

**maboul, e** n. et adj. fam. Fou.

**macabre** adj. Qui évoque la mort, les cadavres, les squelettes.

**macadam** [-am] n. m. Revêtement de pierre concassée et de sable agglomérés.

**macadamia** n. m. Arbre originaire d'Australie dont les noix comestibles *(noix de macadamia)* produisent une huile.

**macaque** n. m. **1** Singe d'Asie. **2** fig., fam. Personne très laide.

**macareux** n. m. Oiseau palmipède des mers septentrionales.

**macaron** n. m. **1** Gâteau sec, rond, à la pâte d'amandes. **2** Natte de cheveux roulée sur l'oreille. **3** fam. Insigne rond.

**macaroni** n. m. Pâte alimentaire en forme de tube.

**macaronique** adj. didact. *Poésie macaronique*, poésie burlesque mêlée de latin (XVIᵉ-XVIIᵉ s.).

**macchabée** [-ka-] n. m. fam. Cadavre.

**macédoine** n. f. Mélange de légumes ou de fruits.

**macérer** v. [6] **I** v. tr. relig. Mortifier (son corps). **II 1** v. tr. Mettre à tremper. **2** v. intr. Tremper longtemps. ► **macération** n. f.

**macfarlane** n. m. anciennt Cape à grand collet.

**Mach** [mak] n. (nom propre) *Nombre de Mach*, rapport d'une vitesse à celle du son. – ellipt *Voler à Mach 2*.

**mâche** n. f. Plante à petites feuilles allongées. – Salade de cette plante.

**mâchefer** [-fɛʀ] n. m. Scories, déchets solides de la combustion de la houille.

**mâcher** v. tr. [1] **1** Broyer avec les dents, par le mouvement des mâchoires (→ **mastication**). **2** loc. fig. *Mâcher le travail à qqn*, le lui préparer. – *Ne pas mâcher ses mots*, s'exprimer avec une franchise brutale. **3** Triturer dans sa bouche. – *Gomme à mâcher* : chewing-gum. ► **mâcheur, euse** n.

**machette** n. f. Grand coutelas pour se frayer un chemin, ou servant d'arme.

**machiavélique** [-kja-] adj. Rusé et perfide. ► **machiavélisme** [-kja-] n. m.

**mâchicoulis** n. m. Balcon au sommet d'une muraille, percé d'ouvertures à sa partie inférieure (pour laisser tomber des projectiles).

**machin** n. m. fam. Chose (quelconque). → **bidule, truc.**

**machinal, ale, aux** adj. Qui est fait sans intervention de la volonté, de l'intelligence, comme par une machine. → **automatique, instinctif.** ► **machinalement** adv.

**machination** n. f. Ensemble de manœuvres secrètes déloyales. → **complot, intrigue.**

**machine** n. f. **I 1** Objet fabriqué qui transforme l'énergie pour produire un travail (l'appareil et l'outil ne font qu'utiliser l'énergie). – *Machine à vapeur*. – *Machine à écrire. Taper à la machine* (à écrire). ♦ *Machine à sous* : appareil où l'on mise et où l'on peut gagner des pièces de monnaie. ♦ *Machines agricoles, industrielles.* – *Machine-outil* : machine portant un outil amovible. ♦ spécialt Machine électronique. → **ordinateur.** *Langage machine.* **2** *Les machines* (assurant la propulsion d'un navire). – loc. *Faire machine arrière*, reculer. **3** *Machine infernale*, engin terroriste. → **bombe. 4** Véhicule comportant un mécanisme. ♦ vieilli Locomotive. **5** techn. *Machines simples* (levier, plan incliné, poulie, treuil, vis). **6** théâtre Décors installés au moyen de machines. **II 1** Ce qui fonctionne comme une machine. → **robot. 2** Ensemble complexe qui fonctionne de façon implacable. *La machine administrative.* **3** péj. *Une grande machine* : une grande peinture à sujet compliqué.

**machiner** v. tr. [1] Organiser (des machinations). → **comploter, ourdir, tramer.**

**machinerie** n. f. **1** Ensemble des machines concourant à un but commun. **2** Salle des machines d'un navire.

**machinisme** n. m. hist. Emploi généralisé des machines (agriculture, industrie).

**machiniste** n. **1** théâtre, cinéma Personne qui s'occupe des machines, des changements de décor. **2** Conducteur (d'un véhicule de transport en commun).

**machisme** n. m. Idéologie suivant laquelle l'homme domine socialement la femme ; comportement conforme à cette idéologie. ► **machiste** n. et adj.

**macho** [matʃo] n. m. et adj. fam. Machiste.

**mâchoire** n. f. 1 Chacun des deux arcs osseux dans lesquelles sont implantées les dents. → **maxillaire ; mâcher.** 2 Pièce mécanique qui peut serrer, tenir.

**mâchonner** v. tr. 1 Mâcher lentement, longuement. ► **mâchonnement** n. m.

**mâchouiller** v. tr. 1 fam. Mâchonner.

**mackintosh** [makintɔʃ] n. m. anciennt Imperméable.

① **macle** n. f. I blason Losange. II 1 Minéral à inclusions symétriques, en losanges. 2 Cristal formé de cristaux simples semblables orientés différemment.

② **macle** n. f. Plante aquatique à fleurs blanches (châtaigne d'eau).

**maçon, onne** n. I Personne qui bâtit les maisons. II → **franc-maçon.**

**maçonner** v. tr. 1 Construire en maçonnerie.

**maçonnerie** n. f. I 1 Édification du gros œuvre et revêtement, en construction. 2 Construction faite d'éléments assemblés et joints. II Franc-maçonnerie.

**maçonnique** adj. Relatif à la franc-maçonnerie, aux francs-maçons.

**macoute** adj. m. et n. m. hist. *Tonton macoute* ou *macoute* : membre de la milice créée par F. Duvalier en Haïti, chargée de réprimer toute opposition.

**macramé** n. m. Ouvrage de fils tressés et noués, présentant des jours.

**macreuse** n. f. I Oiseau palmipède, migrateur, voisin du canard. II Viande maigre sur l'os de l'épaule du bœuf.

**macrobiotique** adj. *Zen macrobiotique* : doctrine diététique bouddhique. ♦ n. f. Régime alimentaire végétarien.

**macrocéphale** adj. didact. À grosse tête.

**macrocosme** n. m. littér. Le cosmos, l'univers. ► **macrocosmique** adj.

**macromolécule** n. f. sc. Très grosse molécule à groupements d'atomes répétés (ex. polymères). ► **macromoléculaire** adj.

**macroscopique** adj. didact. Qui se voit à l'œil nu (opposé à *microscopique*).

**macule** n. f. didact. Tache.

**maculer** v. tr. 1 littér. Couvrir, souiller de taches (surtout p. p.).

**madame** n. f. 1 Titre donné à une femme qui est ou a été mariée. *Chère madame. Bonsoir mesdames.* 2 Titre respectueux (toutes femmes). ♦ hist. Titre donné à la femme du frère du roi, à la cour de France. 3 La maîtresse de maison. *Madame est servie.*

**made in** [mɛdin] loc. adj. invar. anglic. Fabriqué en (tel pays).

**madeleine** n. f. I loc. fam. (allus. biblique) *Pleurer comme une Madeleine,* abondamment. II Petit gâteau sucré de forme arrondie.

**mademoiselle** n. f. 1 Titre donné aux jeunes filles et aux femmes célibataires. *Bonjour, mesdemoiselles.* 2 hist. *La Grande Mademoiselle,* la fille aînée du frère du roi Louis XIII.

**madère** n. m. Vin de Madère.

**madérisé, ée** adj. (vin) Qui a pris une saveur anormalement sucrée.

**madone** n. f. 1 Représentation de la Vierge. 2 (avec maj.) La Vierge.

**madras** [-ɑs] n. m. 1 Étoffe de soie et coton, de couleurs vives. 2 Mouchoir noué sur la tête et servant de coiffure (typiquement, aux Antilles).

**madré, ée** adj. Malin, rusé.

**madrépore** n. m. Animal *(Cnidaires),* variété de corail des mers chaudes. ► **madréporique** adj.

**madrier** n. m. Planche très épaisse.

**madrigal, aux** n. m. 1 Courte pièce de vers galants. 2 Chant profane, à plusieurs voix. ► **madrigaliste** n.

**maelström** [malstʀøm] n. m. Courant marin formant un tourbillon. – var. **malstrom.**

**maestria** [maɛstʀija] n. f. Maîtrise, facilité dans l'exécution (d'une œuvre). → **brio.**

**maestro** [maɛstʀo] n. m. Compositeur, chef d'orchestre célèbre.

**mafia** ou **maffia** n. f. Association secrète servant des intérêts privés par des moyens illicites (violence, racket...). ► **maf(f)ieux, euse** adj. et n.

**magasin** n. m. I 1 Endroit où l'on garde des marchandises. → **entrepôt.** 2 Partie creuse (d'un appareil) destinée à être chargée. *Le magasin d'une arme à feu.* II Local où l'on vend des marchandises. → **boutique, commerce.** – *Grand magasin,* comportant de nombreux rayons spécialisés.

**magasinage** n. m. (Canada) Fait d'aller dans les magasins (*magasiner* v. intr. 1) faire des achats (→ anglic. shopping).

**magasinier, ière** n. Personne qui garde les marchandises en magasin (I, 1).

**magazine** n. m. 1 Publication périodique, généralement illustrée. 2 Émission périodique d'actualité (radio, télévision).

**magdalénien, ienne** adj. didact. D'une période de la préhistoire (paléolithique supérieur ; civilisation du renne).

**mage** n. m. 1 Prêtre, astrologue, dans la Babylone antique, en Assyrie. ♦ loc. *Les (trois) Rois mages,* qui rendent hommage à l'enfant Jésus. 2 Personne qui pratique la magie. ♦ fig. Prophète, voyant.

**maghrébin, ine** adj. et n. Du Maghreb.

**magicien, ienne** n. 1 Personne qui pratique la magie. 2 fig. Personne qui produit des effets extraordinaires.

**magie** n. f. 1 Art de produire, par des procédés occultes, des phénomènes inexplicables. – *Magie noire,* magie qui ferait intervenir les démons (s'oppose à *magie blanche*). 2 fig. Impression forte, inexplicable. *La magie de la musique.*

**magique** adj. 1 De la magie. *Formule magique.* 2 fig. Qui produit des effets extraordinaires. ► **magiquement** adv.

**magistère** n. m. 1 didact. Autorité absolue. 2 Diplôme universitaire de formation professionnelle supérieure.

**magistral, ale, aux** adj. 1 D'un maître. *Cours magistral.* 2 Qui fait preuve de maîtrise. ► **magistralement** adv.

**magistrat, ate** n. Fonctionnaire public de l'ordre judiciaire, ayant pour fonction de rendre la justice (juge) ou de réclamer l'application de la loi (procureur général...).

**magistrature** n. f. 1 Fonction, charge de magistrat. 2 Corps des magistrats. – (en France) *Magistrature debout* (procureurs, avocats généraux) ; *assise* (juges).

**magma** n. m. 1 Masse épaisse, pâteuse. ♦ géol. Masse minérale profonde qui peut s'épancher en lave. ► **magmatique** adj. 2 fig. Mélange confus.

**magnanerie** n. f. Local où se pratique l'élevage des vers à soie.

**magnanime** adj. Qui pardonne les injures, est bienveillant envers les faibles. ► **magnanimité** n. f.

**magnat** [-gna ; -ɲa] n. m. Puissant capitaliste.

**se magner** v. pron. [1] fam. Se dépêcher.

**magnésie** n. f. 1 chim. Poudre blanche d'oxyde de magnésium. 2 Sulfate de magnésie (purgatif).

**magnésium** [-jɔm] n. m. Corps simple, métal léger, blanc argenté et malléable, qui brûle avec une flamme éblouissante.

**magnet** [maɲɛt] n. m. anglic. Petit objet décoratif monté sur un aimant.

**magnétique** adj. 1 Qui a rapport au magnétisme. *Bande magnétique,* magnétisée. 2 Du magnétisme animal. *Influx magnétique.* 3 fig. Qui fascine, envoûte.

**magnétiser** v. tr. [1] 1 Rendre (une substance) magnétique. → **aimanter.** 2 Soumettre (un être vivant) à l'action du magnétisme (2 et 3). ► **magnétisation** n. f.

**magnétiseur, euse** n. Personne qui pratique le magnétisme animal.

**magnétisme** n. m. 1 phys. Étude des propriétés des aimants et des phénomènes qui s'y rattachent (→ aussi **électricité**). – *Magnétisme terrestre,* champ magnétique de la Terre. 2 *Magnétisme animal,* force occulte (fluide*) dont disposeraient les êtres ; phénomènes (hypnose, suggestion) produits par elle. 3 fig. Charme, fascination.

**magnéto** n. f. Génératrice de courant électrique continu utilisant un aimant.

**magnétophone** n. m. Appareil d'enregistrement et de reproduction des sons sur une bande magnétisée.

**magnétoscope** n. m. Appareil permettant l'enregistrement des images et du son sur bande magnétique. → **vidéo.**

**magnificat** [maɲifikat ; -gni-] n. m. invar. relig. cathol. Cantique de la Vierge Marie. – Sa musique.

**magnificence** n. f. 1 Beauté magnifique. → **éclat, luxe, splendeur.** 2 littér. Disposition à dépenser sans compter. → **prodigalité.**

Ne pas confondre avec *munificence* «grande générosité».

**magnifier** v. tr. [7] littér. 1 Célébrer, glorifier. 2 Idéaliser.

**magnifique** adj. I vx (personnes) Qui dépense avec générosité. II 1 D'une beauté luxueuse, éclatante. → **somptueux.** 2 Très beau. → **splendide.** ► **magnifiquement** adv.

**magnitude** n. f. 1 astron. Grandeur qui caractérise l'éclat des astres visibles. *Astre de magnitude 1* (plus brillant). 2 Nombre qui caractérise l'énergie d'un séisme.

**magnolia** n. m. Arbre à feuilles luisantes, à grandes fleurs blanches, très odorantes.

**magnum** [magnɔm] n. m. Grosse bouteille d'un litre et demi.

① **magot** n. m. Figurine trapue de l'Extrême-Orient.

② **magot** n. m. Somme d'argent cachée.

**magouille** n. f. fam. Manœuvre, tractation malhonnête.

**magouiller** v. [1] 1 v. intr. Se livrer à des magouilles. 2 v. tr. Manigancer. ► **magouillage** n. m. ► **magouilleur, euse** n. et adj.

**magret** n. m. Filet de canard, d'oie.

**magyar, are** [magjaʀ] adj. et n. Hongrois.

**maharajah** ou **maharadjah** [ma(a)ʀadʒa] n. m. Prince hindou. *La maharané* ou *maharani, épouse du maharajah.*

**mahatma** n. m. Chef spirituel (en Inde). *Le mahatma Gandhi.*

**mahdi** n. m. Envoyé d'Allah, attendu pour compléter l'œuvre de Mahomet.

**mah-jong** [maʒɔ̃g] n. m. Jeu chinois voisin des dominos. *Des mah-jongs.*

**mahous ; mahousse** → **maous**

**mai** n. m. Cinquième mois de l'année.

**maie** n. f. Coffre à pain. → **huche.**

**maïeutique** n. f. philos. Méthode d'«accouchement» des pensées confuses, par le dialogue (Socrate).

**maigre** adj. **1** (êtres vivants) Dont le corps a peu de graisse ; qui pèse relativement peu. **2** Qui n'a, qui ne contient pas de graisse (opposé à *gras*). *Viande maigre.* – (n. m.) loc. *Faire maigre :* ne manger ni viande ni aliment gras. **3** Peu épais. *Caractères maigres.* **4** (végétation) Peu abondant. **5** De peu d'importance. → **médiocre, piètre.** *Un maigre salaire.* ► **maigrement** adv. (sens 5).

**maigreur** n. f. **1** État d'un être vivant maigre ; absence de graisse. **2** Caractère de ce qui est peu fourni, peu abondant.

**maigriot, otte** adj. Un peu trop maigre. – syn. **maigrelet, ette ; maigrichon, onne.**

**maigrir** v. [2] **I** v. intr. Devenir maigre. **II** v. tr. Faire paraître maigre. → **amincir.** *Cette robe la maigrit.*

① **mail** [maj] n. m. **I** Maillet pour un jeu ; ce jeu (croquet). **II** Allée, promenade bordée d'arbres. *Des mails.*

② **mail** [mɛl] n. m. anglic. Courrier électronique ; message transmis par courrier électronique. → **e-mail.**

**mailing** [meliŋ] n. m. anglic. Prospection par voie postale (recomm. off. → **publipostage**) ou électronique.

① **maille** n. f. **1** Chacune des boucles dont l'entrelacement forme un tissu, un tricot. – *Les mailles d'un filet.* **2** Trou formé par chaque maille. *Passer à travers les mailles.* **3** Anneau de métal. loc. *Cotte* de mailles.*

② **maille** n. f. (au Moyen Âge) Un demi-denier. ♦ loc. *Sans sou ni maille :* sans argent. – *Avoir maille à partir* («partager») *avec qqn,* avoir une dispute.

③ **maille** n. f. fam. (collectif) Argent. *Avoir de la maille.*

**maillechort** [-ʃɔʀ] n. m. Alliage inaltérable de cuivre, de zinc et de nickel qui imite l'argent.

**mailler** v. [1] **I** v. tr. Faire avec des mailles. **II** v. intr. (filet) Retenir le poisson.

**maillet** n. m. Outil fait d'une masse dure emmanchée en son milieu, pour frapper, enfoncer. ♦ *Maillet de sculpteur.*

**mailloche** n. f. **1** Gros maillet de bois. **2** Baguette terminée par une boule, pour la percussion (timbale, tambour...).

**maillon** n. m. Anneau (d'une chaîne). – loc. *Être un maillon de la chaîne,* un élément d'un ensemble complexe.

**maillot** n. m. **I** anciennt Lange. – loc. *Enfant au maillot,* en bas âge. **II 1** Vêtement souple porté à même la peau. **2** Vêtement collant qui couvre le haut du corps. – *Le maillot jaune* (du premier au Tour de France). – *Maillot de corps,* sous-vêtement en tissu à mailles. **3** *Maillot (de bain) :* vêtement de bain en maille extensible.

**main** n. f. **I 1** Partie du corps humain, à l'extrémité du bras, munie de cinq doigts (pouvant toucher, prendre, tenir...). *Prendre dans sa main, tenir dans ses mains. Se laver les mains. Se frotter les mains* (en signe de satisfaction). – loc. *À main droite, gauche :* à droite, gauche. **2** (La main qui prend, qui possède) – *(...) à main :* qui se tient, se manipule avec la main. *Sac à main.* ♦ loc. *Mettre la main sur qqn, qqch.,* le trouver. *Faire main basse* sur qqch.* – *La main dans le sac,* en train de voler ; en flagrant délit. ♦ *Demander, obtenir la main de qqn,* le mariage. ♦ *En main. Preuve en main :* en montrant une preuve. – *En bonnes mains :* sous la responsabilité d'une personne sérieuse. ♦ *Sous la main :* à disposition. **3** (La main qui frappe) loc. *En venir aux mains,* aux coups. – fam. *Ne pas y aller de main morte :* agir avec brutalité ou vigueur. ♦ *Homme de main* (tueur à gages...). – *Faire le coup de main,* une attaque rapide. **4** (La main qui donne, reçoit) *Remettre qqch. en main(s) propre(s),* au destinataire en personne. *De la main à la main :* sans intermédiaire. – *De première main :* directement, de la source. *Une voiture d'occasion de seconde main,* qui a eu deux propriétaires. **5** (La main qui travaille, agit → **manuel**) loc. *Faire des pieds et des mains :* multiplier les efforts (en vue d'un résultat). – *Mettre la main à la pâte :* participer à un travail. *Donner un coup de main à qqn,* l'aider. – *Forcer la main à qqn,* le forcer d'agir. ♦ (Habileté professionnelle) *Se faire la main :* apprendre. → s'**exercer. 6** L'initiative, au jeu. – loc. fig. *Passer la main :* abandonner. **II** (objets) **1** *Main de justice :* sceptre terminé par une main. **2** *Main de Fatma,* amulette arabe. **3** *Main courante :* rampe fixée au mur. ♦ Registre d'opérations commerciales, d'événements... **4** Assemblage de vingt-cinq feuilles de papier. **III** (personnes) *Petite main :* apprentie couturière ; ouvrière débutante. – *Première main :* première couturière d'un atelier.

**mainate** n. m. Passereau noir au bec rouge, parleur (originaire de Malaisie).

**main-d'œuvre** n. f. **1** Travail de l'ouvrier sur un ouvrage. **2** Ensemble des salariés, des ouvriers. *Des mains-d'œuvre.*

**main-forte** n. f. *Donner, prêter main-forte à qqn,* lui venir en aide.

**mainlevée** n. f. dr. Acte qui lève les effets d'une saisie, d'une hypothèque.

**mainmise** n. f. Action de s'emparer ; prise de possession, domination.

**mainmorte** n. f. **1** hist. Droit du seigneur sur les biens de son vassal mort. **2** dr. *Biens de mainmorte,* biens des collectivités qui survivent à leurs membres.

**maint, mainte** adj. (dans des loc.) Nombreux. – au sing. *En mainte occasion.*

**maintenance** n. f. Opérations d'entretien d'un matériel technique.

**maintenant** adv. **1** Dans le temps actuel, au moment présent. → à **présent.** – (+ futur) À partir du moment présent. *Maintenant,* *tout ira bien.* **2** (en tête de phrase) *Voilà les faits ; maintenant, décidez.*

**maintenir** v. tr. [22] **1** Conserver dans le même état ; faire ou laisser durer. – *Maintenir un malade en vie.* **2** Affirmer avec constance, fermeté. *Je l'ai dit et je le maintiens.* – *Maintenir sa candidature.* → **confirmer.** **3** Tenir dans une même position, empêcher de bouger. ▷ v. pron. **se maintenir** Rester dans le même état.

**maintien** [-tjɛ̃] n. m. **1** Action de faire durer. *Assurer le maintien de l'ordre.* **2** Manière de se tenir en société. – anciennt *Leçons de maintien.*

**maire** n. **1** Premier officier municipal élu par le conseil municipal, parmi ses membres. *Madame la maire.* – En Belgique, en Suisse, on dit *bourgmestre.* **2** hist. (Mérovingiens) *Maire du palais :* intendant du palais, jouant le rôle de premier ministre.

**mairie** n. f. Administration municipale. – Bâtiment où elle se trouve.

**mais** **I** conj. **1** (introduisant une idée contraire) *Je n'en veux pas un, mais deux.* ♦ (restriction, correction, précision) → en **revanche.** *C'est beau, mais c'est cher.* ♦ (objection) *Oui, mais...* **2** (transition ; en tête de phrase) *Mais c'est tout naturel.* **II** adv. **1** loc. vx ou littér. *N'en pouvoir mais :* n'y pouvoir rien. **2** (renforçant un mot exprimé) *Mais bien sûr.* **III** exclam. Marque la surprise, la menace, l'indignation.

**maïs** [mais] n. m. Céréale cultivée pour ses grains comestibles. ♦ Les grains.

**maison** n. f. **I** **1** Bâtiment d'habitation (→ **immeuble, logement, résidence**) ; spécialt bâtiment conçu pour un seul ou quelques foyers (→ **pavillon, villa**). – *Maison de campagne,* résidence secondaire. – loc. *La Maison(-)Blanche :* résidence du président des États-Unis d'Amérique ; le gouvernement américain. **2** Habitation, logement. → **domicile, foyer, logis ; appartement.** – *À la maison :* chez soi. ♦ (économie domestique) loc. *Maître*, maîtresse de maison. Les gens, le personnel de maison :* les domestiques. **II** (+ adj. ; + *de* et nom) Bâtiment, édifice pour (un usage spécial). *Maison d'arrêt.* → **prison.** – *Maison de repos, de retraite...* – *Maison de rendez-vous ; maison close, maison de tolérance.* → **bordel.** **III** Entreprise commerciale. → **établissement, firme.** *La maison mère et ses succursales.* **IV** fig. **1** vx Famille. *Une maison princière.* – hist. Lignée. *La maison d'Autriche.* **2** hist. Ensemble des personnes employées au service des grands personnages. **V** appos. invar. **1** Qui a été fait à la maison, sur place. *Tarte, pâté maison.* **2** fam. Particulièrement réussi, soigné. *Une bagarre maison.* **3** Particulier à une entreprise. *L'esprit maison.*

**maisonnée** n. f. Les habitants d'une maison ; la famille.

**maisonnette** n. f. Petite maison.

**maître, maîtresse** n. **I** **1** Personne qui a pouvoir et autorité (sur qqn) pour se faire obéir. *Être le maître* (quelque part) : commander. – loc. *L'œil du maître,* la vigilance du maître. *Trouver son maître :* trouver plus fort, plus habile que soi. **2** Possesseur (d'un animal domestique). *Chien sans maître.* **3** *(Maître de...)* Personne qui dirige. → **chef.** – loc. *Maître, maîtresse de maison :* personne (d'une famille) qui dirige la maison. **4** *Être son maître :* être libre et indépendant. – *Être maître, maîtresse de soi :* avoir de l'empire sur soi-même. **5** Personne qui possède une chose, en dispose. – loc. *Voiture, maison de maître,* belle voiture, maison dont l'usager est le propriétaire (opposé à *de louage*). **II** Personne compétente pour diriger. **1** dans des loc. → **chef.** *Maître d'œuvre*. Maître de chapelle*. Maître d'hôtel*.* – *Maître d'équipage* (marin officier). **2** anciennt *Maître, maîtresse d'école.* → **instituteur, professeur.** **3** n. m. Artisan qui dirige le travail et enseigne aux apprentis (corporations). *Un maître boulanger.* ♦ loc. *Être, passer maître en, dans :* devenir particulièrement adroit à. **4** n. m. Peintre, sculpteur qui dirigeait un atelier. ♦ Artiste, créateur célèbre (parfois anonyme) qui a fait école. *Le Maître de Moulins.* **5** n. m. Personne dont on est le disciple. *Maître spirituel.* → **gourou.** **III** (Titre) n. m. **1** vx Appellatif d'artisans, paysans propriétaires. *Maître Pierre.* **2** Appellatif des gens de loi (avocat, huissier, notaire). *Maître X, avocate à la cour.* – Appellatif pour un professeur éminent, un artiste, un écrivain célèbre. **IV** appos. ou adj. *Maître, maîtresse* **1** Qui a les qualités d'un chef. *Une maîtresse femme.* **2** (choses) Le plus important, la plus importante. → **principal.** *Maître-autel.* – (jeux) *Carte maîtresse.*

**maître chanteur, euse** n. Personne (homme ou femme) qui exerce un chantage*.

**maître-chien** n. Personne responsable d'un chien de surveillance.

**maîtresse** n. f. **I** Féminin de *maître*.* **II** (correspond à *amant*) **1** vx Jeune fille ou femme aimée. **2** mod. Femme qui a des relations sexuelles avec qqn sans être son épouse.

**maîtrisable** adj. Qui peut être maîtrisé.

**maîtrise** n. f. **I** **1** *Maîtrise de soi :* qualité d'une personne qui sait se dominer, se contrôler. **2** Contrôle militaire. *L'Angleterre avait la maîtrise des mers.* **II** **1** École de chant, chœur d'église. → **manécanterie.** **2** Qualité, fonction de maître (II, 3) dans un corps de métier. ♦ Ensemble des maîtres d'une corporation. ♦ *Agent de maîtrise,* technicien, cadre subalterne. **3** Diplôme universitaire du second cycle. **4** Perfection digne d'un maître (II, 5). ♦ Fait de connaître à fond (un sujet, une langue).

**maîtriser** v. tr. [1] **1** Se rendre maître de. *Maîtriser un cheval, un incendie.* **2** Dominer (une passion, une émotion, un réflexe).

*Maîtriser ses nerfs.* – pronom. → se **contrôler,** se **dominer. 3** Dominer (ce que l'on fait, ce dont on se sert).

**majesté** n. f. **I 1** Grandeur suprême. *La majesté divine.* – arts *Christ en majesté,* représenté de face, sur un trône. **2** Titre donné aux souverains héréditaires. **II** Caractère de grandeur, de noblesse.

**majestueux, euse** adj. **1** Qui a de la majesté. **2** D'une beauté pleine de grandeur, de noblesse. ► **majestueusement** adv.

① **majeur, eure I** adj. compar. (opposé à *mineur*). **1** Plus grand, plus important. *En majeure partie :* pour la plupart. **2** Très grand, très important. *Cas de force majeure.* **II** mus. Se dit d'une gamme diatonique dont certains intervalles ont un demi-ton de plus que dans le mode mineur. *Mode majeur.* – n. m. *Morceau en majeur.* **III** n. m. Le plus grand doigt de la main. → **médius.**

② **majeur, eure** adj. et n. Qui a atteint, dépassé l'âge de la majorité légale.

**majolique** n. f. Faïence italienne, notamment de la Renaissance.

**major I** adj. Supérieur par le rang (dans quelques composés). *Sergent*-major. Tambour-major. Infirmière-major.* **II** n. m. **1** (jusqu'en 1975) Officier supérieur chargé de l'administration. **2** Chef de bataillon (→ **commandant**), sous l'Ancien Régime français ; aujourd'hui dans certaines armées. **3** anciennt Médecin militaire. **4** n. Candidat reçu premier au concours (d'une grande école).

**majordome** n. m. Maître d'hôtel.

**majorer** v. tr. [1] Porter à un chiffre plus élevé (s'oppose à *minorer*). → **augmenter.** ► **majoration** n. f.

**majorette** n. f. Jeune fille en uniforme militaire de fantaisie, qui défile en maniant une canne de tambour-major.

**majoritaire** adj. **1** (système électoral) Dans lequel la majorité l'emporte. *Scrutin majoritaire* (opposé à *proportionnel*). **2** Qui fait partie d'une majorité ; qui détient la majorité. ► **majoritairement** adv.

① **majorité** n. f. **1** Groupement de voix qui l'emporte par le nombre, dans un vote. *La majorité des suffrages. Majorité absolue* (au moins la moitié plus un des suffrages exprimés). *Majorité relative.* **2** Parti, fraction qui réunit la majorité des suffrages. *La majorité et l'opposition.* **3** Le plus grand nombre. – *La majorité silencieuse* (en politique).

② **majorité** n. f. dr. Âge légal (dix-huit ans en France) à partir duquel une personne devient pleinement capable *(majorité civile)* ou responsable *(majorité pénale).*

**majuscule** adj. et n. f. *(Lettre) majuscule,* plus grande que la minuscule et d'une forme différente (début de phrases, noms propres).

**maki** n. m. Lémurien de Madagascar, à longue queue touffue.

① **mal, male** adj. **I** vx Mauvais. – loc. *Bon gré, mal gré. Bon an, mal an.* **II 1** Contraire à un principe moral, à une obligation (opposé à *bien*). **2** loc. adj. *Pas mal :* plutôt bien.

② **mal** adv. (opposé à *bien*). **I 1** D'une manière contraire à l'intérêt ou au plaisir de qqn. **2** Avec malaise, douleur. *Se sentir mal :* éprouver un malaise. *Se trouver mal :* s'évanouir. – *Aller mal, très mal. Être au plus mal,* dans un état de santé très grave. **3** D'une façon défavorable, avec malveillance. *Être mal avec qqn,* brouillé avec lui. **II 1** Autrement qu'il ne convient. *Travail mal fait.* – *Vous êtes mal renseigné.* **2** Insuffisamment (en qualité ou quantité). → **médiocrement.** *Travail mal payé.* **3** Difficilement, avec effort. *Le malade respire mal.* **III 1** loc. adv. (+ négation) *Pas mal :* assez bien. *Cela ne t'irait pas mal du tout.* – ellipt *Comment vas-tu ? – Pas mal, et toi ?* **2** *Pas mal* (sans négation) loc. adv. : assez, beaucoup (opposé à *peu*). *Je m'en moque pas mal.*

③ **mal, maux** n. m. **I 1** Ce qui cause de la douleur, de la peine, du malheur (à qqn). → **dommage, perte, préjudice, tort.** *Rendre le mal pour le mal.* – *Un mal, des maux.* → **malheur, peine. 2** Souffrance, malaise physique. → **douleur.** – loc. *Avoir mal.* → **souffrir.** – *(Avoir le) mal de mer,* des nausées (en bateau). – *Faire mal :* causer de la douleur. ♦ (formule de politesse) *Il n'y a pas de mal,* ce n'est rien. **3** Maladie. *Prendre mal, du mal* (spécialt prendre froid). ♦ vx *Le haut mal, le mal sacré :* l'épilepsie. **4** Souffrance morale. *Le mal du pays.* → **nostalgie.** – *Être en mal de* (+ nom), souffrir de l'absence, du défaut de (qqch.). **5** Difficulté, peine. *Se donner du mal.* **6** Choses mauvaises exprimées. *Dire, penser du mal de qqn.* → **calomnier, médire. II** *Le mal.* Ce qui est contraire à la morale, au bien. *Le problème du mal.* – *Sans penser à mal :* sans intentions mauvaises.

**malabar** n. m. fam. Homme très fort.

**malachite** [-ʃit ; -kit] n. f. Pierre (carbonate de cuivre) d'un beau vert diapré.

**malacologie** n. f. didact. Étude des mollusques.

**malade I** adj. **1** Qui souffre de troubles (→ **maladie**) ; qui est en mauvaise santé. *Tomber malade. Être malade du cœur.* ♦ fam. → **cinglé, fou. 2** fam. (choses) Détérioré, en mauvais état, très usé. **II** n. Personne malade. *Guérir, opérer un malade.* → **patient.** ♦ *Malade mental.* → **aliéné, fou.** – *C'est un malade.* → **désaxé, détraqué.** ♦ *Un, une malade imaginaire,* qui se croit malade sans l'être. → **hypocondriaque.**

**maladie** n. f. **I** Altération, trouble de l'organisme. *Maladie sexuellement transmissible (M. S. T.). Maladie mentale :* psychose. – *La maladie :* l'état des organismes malades ; les maladies en général. ♦ *Les maladies des* *plantes.* **II** fig. **1** Ce qui trouble, épuise. **2** Manie (II).

**maladif, ive** adj. **1** Qui est de constitution fragile, qui est souvent malade. **2** De la maladie. *Pâleur maladive.* **3** Excessif et irrépressible. *Peur maladive.* → **pathologique.** ► **maladivement** adv.

**maladrerie** n. f. vx Léproserie.

**maladresse** n. f. **1** Manque d'adresse. ♦ Manque d'habileté ou de tact. **2** Action maladroite. → **bêtise, bévue, erreur.**

**maladroit, oite** **1** adj. et n. Qui manque d'adresse, n'est pas adroit. → **gauche, inhabile, malhabile.** ♦ (comportement, relations sociales) *Un amoureux maladroit.* **2** adj. Qui dénote de la maladresse. *Remarque maladroite.* ► **maladroitement** adv.

**malaga** n. m. Vin liquoreux de la région de Malaga.

**mal-aimé, ée** adj. Qui n'est pas assez aimé. - n. *Des mal-aimés.*

**malais, aise** adj. et n. De Malaisie. - n. m. *Le malais :* langue du groupe indonésien parlée en Malaisie, en Indonésie.

**malaise** n. m. **1** Sensation pénible d'un trouble physiologique. - spécialt Évanouissement. **2** Sentiment pénible et irraisonné. **3** Mécontentement social inexprimé. *Le malaise paysan.*

**malaisé, ée** adj. littér. Qui ne se fait pas facilement. → **difficile.** *Tâche malaisée.* ► **malaisément** adv.

**malandrin** n. m. vieilli ou littér. Voleur ou vagabond dangereux.

**malappris, ise** n. (rare au fém.) Personne sans éducation.

**malaria** n. f. Paludisme.

**malaxer** v. tr. [1] **1** Pétrir (une substance) pour la rendre plus molle, plus homogène. *Malaxer le plâtre.* **2** Remuer ensemble pour mélanger. ► **malaxage** n. m.

**malaxeur** n. m. Appareil servant à malaxer.

**malbouffe** n. f. fam. et péj. Nourriture de qualité médiocre, produite industriellement.

**malchance** n. f. Mauvaise chance (1). → **adversité, déveine.** - loc. *Jouer de malchance,* accumuler les ennuis. ► **malchanceux, euse** adj. et n.

**malcommode** adj. Peu pratique.

**maldonne** n. f. **1** Mauvaise donne (aux cartes). **2** fig. Erreur, malentendu.

**mâle** **I** n. m. **1** Individu du sexe doué du pouvoir de fécondation. *Le mâle et la femelle.* **2** fam. Homme viril. **II** adj. **1** dr. Masculin. *Héritier mâle.* **2** Du sexe mâle. *Souris mâle.* - *Hormones mâles.* **3** Viril. **4** Se dit d'une pièce de mécanisme qui s'insère dans une autre, dite *femelle. Prise (de courant) mâle.*

**malédiction** n. f. **1** littér. Paroles par lesquelles on souhaite du mal à qqn en invoquant Dieu. - Condamnation au malheur (par Dieu). **2** Malheur auquel on semble voué par le sort.

**maléfice** n. m. Opération magique visant à nuire. → **envoûtement, sortilège.**

**maléfique** adj. Néfaste et occulte.

**malencontreux, euse** adj. Qui se produit, survient mal à propos. → **fâcheux.** ► **malencontreusement** adv.

**mal en point** → ① **point**

**malentendant, ante** n. et adj. (Personne) qui a des troubles de l'audition. → **sourd.**

**malentendu** n. m. **1** Méprise entre personnes qui croyaient se comprendre. → **quiproquo.** **2** Mésentente sentimentale.

**malfaçon** n. f. Défaut dans un ouvrage mal exécuté.

**malfaisant, ante** [-fəzɑ̃, ɑ̃t] adj. **1** Qui fait ou cherche à faire du mal à autrui. **2** Pernicieux, néfaste. ► **malfaisance** [-fəzɑ̃s] n. f.

**malfaiteur** n. m. Personne qui commet des méfaits*, des actes criminels.

**malfamé, ée** → **famé**

**malformation** n. f. Anomalie de la conformation issue d'un trouble du développement. → **difformité.**

**malfrat** n. m. fam. Malfaiteur. → **truand.**

**malgache** adj. et n. De Madagascar. ♦ n. m. Langue parlée à Madagascar.

**malgré** prép. **I** **1** Contre le gré de (qqn), en dépit de son opposition. **2** En dépit de (qqch.). - *Malgré tout :* quoi qu'il arrive ; quand même. **II** loc. conj. (critiqué) *Malgré que* (+ subj.) : bien que.

**malhabile** adj. Qui manque d'habileté.

**malheur** n. m. **1** Événement qui affecte péniblement (qqn). → **catastrophe, désastre, épreuve.** - prov. *À quelque chose malheur est bon.* ♦ Désagrément, inconvénient. *C'est un petit malheur.* ♦ fam. *Faire un malheur,* un éclat ; fig. remporter un triomphe. **2** *Le malheur,* situation, condition pénible (opposé à *bonheur*). **3** Malchance. *Jouer de malheur.* - *Avoir le malheur de* (+ inf.). - *Par malheur.* ♦ *De malheur :* qui porte malheur. *Oiseau* de malheur.* - fam. → **maudit.** *Quelle pluie de malheur !* **4** *Malheur à.* → **malédiction.** *Malheur aux vaincus !*

**malheureusement** adv. Par malheur.

**malheureux, euse** adj. **I** **1** Qui est accablé de malheurs. ♦ n. Personne qui est dans le malheur, spécialt indigent. **2** n. Personne qui inspire une pitié méprisante. → **misérable.** *Le malheureux n'a rien compris.* **3** Qui n'est pas heureux. - loc. *Être malheureux comme les pierres.* ♦ Mal à l'aise. *Être malheureux de ne pouvoir fumer.* **4** (choses) Qui cause du malheur. - *Avoir un mot malheureux,* qui offense ou peine. **II** Qui a de la malchance ; qui ne réussit pas. *Can-*

*didat malheureux.* – *Initiative malheureuse.* **III** (avant le nom) Qui mérite peu d'attention ; sans importance. *Quelle histoire pour un malheureux billet de dix euros !*

**malhonnête** adj. **I** Qui n'est pas honnête (financièrement ; moralement). **II** vx Qui manque aux convenances. ♦ spécialt mod. *Intentions, propositions malhonnêtes,* contraires à la pudeur. ► **malhonnêtement** adv.

**malhonnêteté** n. f. Caractère d'une personne malhonnête.

**malice** n. f. **1** Tournure d'esprit de la personne qui prend plaisir à s'amuser aux dépens d'autrui. **2** loc. *Sac à malice :* ensemble de ressources, de tours. **3** vx Méchanceté. – loc. *Sans malice.*

**malicieux, euse** adj. Qui s'amuse, rit volontiers aux dépens d'autrui. → **espiègle, spirituel, taquin.** ► **malicieusement** adv.

**malignité** n. f. **1** Caractère d'une personne qui cherche à nuire de façon dissimulée. **2** méd. Tendance à s'aggraver (tumeur...).

**malin, maligne** adj. et n. **I 1** vx Mauvais, méchant. ♦ mod. *L'esprit malin* et n. m. *le malin :* Satan. – *Prendre un malin plaisir à* (+ inf.). **2** Se dit d'une maladie grave, d'une tumeur, pouvant se généraliser et entraîner la mort (opposé à *bénin*). **II 1** Qui a de la ruse et de la finesse. → **astucieux, débrouillard, ingénieux, rusé.** ♦ Intelligent. – n. *Faire le malin :* vouloir faire de l'esprit. **2** impers. fam. *C'est malin !* → **fin, intelligent.** ♦ *Ce n'est pas bien malin,* pas difficile.

**malingre** adj. D'une constitution faible.

**malintentionné, ée** adj. Qui a de mauvaises intentions. → **mauvais, méchant.**

**malle** n. f. **I 1** Bagage de grande dimension. – loc. fam. *Se faire la malle :* s'enfuir. **2** Coffre d'une automobile. **II 1** *Malle-poste :* ancienne voiture postale. **2** hist. *La malle des Indes :* service postal de Londres.

**malléable** adj. **1** Qui a la propriété de s'aplatir et de s'étendre. → **ductile ;** contr. *cassant.* **2** (personnes) Qui se laisse manier, influencer. ► **malléabilité** n. f.

**malléole** n. f. anat. Saillie osseuse de la cheville. ► **malléolaire** adj.

**mallette** n. f. Petite valise.

**malmener** v. tr. [5] **1** Traiter (qqn) rudement. → **maltraiter ; brutaliser. 2** en sport Mettre (l'adversaire) en danger.

**malnutrition** n. f. Alimentation mal équilibrée ou mal adaptée.

**malodorant, ante** adj. Qui a une mauvaise odeur.

**malotru, ue** n. Personne grossière.

**malpoli, ie** adj. et n. pop. Mal élevé, grossier. → **impoli.**

**malpropre** adj. **1** Sale. ♦ *Travail malpropre,* mal fait. ► **malproprement** adv. **2** Qui manque d'honnêteté, de délicatesse. – n. *Se faire renvoyer comme un malpropre,* sans ménagement.

**malpropreté** n. f. Caractère malpropre.

**malsain, aine** adj. **1** vieilli Dont la nature n'est pas saine. **2** Qui n'est pas normal, manifeste de la perversité. *Curiosité malsaine.* → **morbide. 3** Qui engendre la maladie. *Logement malsain.* → **insalubre.** – fam. *Le coin est malsain !* → **dangereux.** ♦ fig. Pernicieux, qui corrompt l'esprit.

**malséant, ante** adj. littér. Contraire à la bienséance. → **incongru, inconvenant.**

**malsonnant, ante** adj. littér. Inconvenant (paroles).

**malt** [malt] n. m. Orge germée artificiellement et séchée. *Whisky pur malt.*

**maltais, aise 1** adj. et n. De Malte. – n. *Les Maltais.* ♦ n. m. *Le maltais,* dialecte arabe de Malte. **2** adj. et n. f. *(Orange) maltaise,* juteuse et sucrée.

**malté, ée** adj. Mêlé de malt.

**malthusianisme** n. m. **1** Limitation des naissances par restriction de la sexualité. **2** Restriction volontaire de la production.

**malthusien, ienne** adj. Du malthusianisme. – adj. et n. Partisan du malthusianisme.

**maltraitance** n. f. Mauvais traitements répétés sur (qqn, notamment un enfant). → **sévices.** ► **maltraitant, ante** adj. *Parents maltraitants.*

**maltraiter** v. tr. [1] **1** Traiter avec brutalité. **2** Traiter sévèrement en paroles.

**malus** [-ys] n. m. Majoration d'une prime d'assurance automobile (opposé à *bonus*).

**malveillance** n. f. **1** Tendance à vouloir du mal à autrui. → **hostilité ; animosité. 2** Intention de nuire. *Incendie dû à la malveillance.*

**malveillant, ante** adj. Qui a de la malveillance. – *Des propos malveillants.*

**malvenu, ue** adj. **1** littér. Qui n'est pas fondé à, n'a pas le droit de (faire telle chose). *Vous êtes malvenu de, à vous plaindre.* – *Requête malvenue.* → **déplacé. 2** Incomplètement développé (plantes).

**malversation** n. f. Faute grave, détournement de fonds, dans l'exercice d'une charge.

**malvoisie** n. f. Vin grec liquoreux.

**malvoyant, ante** adj. et n. (Personne) dont l'acuité visuelle est très diminuée.

**maman** n. f. fam. (enfants, intimes) Mère. *C'est sa maman. Comment va la future maman ?* – (appellatif) *Oui, maman.* ♦ *Bonne(-)maman :* grand-mère.

**mamelle** n. f. **1** Organe des femelles des mammifères, sécrétant le lait. → **pis, tétine ; mammaire. 2** loc. *Enfant à la mamelle.* → **nourrisson. 3** fig. Ce qui nourrit.

**mamelon** n. m. **I** Bout du sein. **II** fig. Sommet arrondi (colline).

**mamelonné, ée** adj. Formé de collines arrondies.

**mamelouk** ou **mameluk** [-uk] n. m. hist. **1** Cavalier égyptien. **2** Cavalier de la garde impériale de Napoléon.

**mamie** n. f. **1** lang. enfantin Grand-mère. **2** fam. Femme âgée.

**mammaire** adj. Relatif aux mamelles. *Glandes mammaires* (de la lactation).

**mammifère** n. m. Animal vertébré, à température constante, respirant par des poumons, à système nerveux central développé.

**mammographie** n. f. méd. Radiographie du sein.

**mammouth** n. m. Très grand éléphant fossile du quaternaire.

**mamours** n. m. pl. fam. Démonstrations de tendresse.

**manade** n. f. En Provence, Troupeau (de taureaux, de chevaux).

**management** [manaʒmɑ̃ ; manadʒmɛnt] n. m. anglic. Techniques d'organisation et de gestion des entreprises.

**manageur, euse** [-dʒœʀ, øz] n. ou **manager** [-dʒɛʀ ; -dʒœʀ] n. m. anglic. **1** Personne qui organise des spectacles, concerts, etc. **2** Dirigeant d'une entreprise. ► **managérial, iale, iaux** adj.

**manant** n. m. **1** hist. (au Moyen Âge) Roturier assujetti à la justice seigneuriale. **2** vx Paysan. - fig. et péj. Rustre.

① **manche** n. f. **I** Partie du vêtement qui entoure le bras. - loc. *Relever, retrousser ses manches* (fig. se mettre au travail avec ardeur). - *Avoir qqn dans sa manche,* en disposer à son gré. - fam. *C'est une autre paire de manches,* c'est tout à fait différent ; c'est plus difficile. **II** Chacune des deux parties liées d'un jeu. **III** *Manche à air :* conduit d'aération (navires). ♦ Tube en toile pour indiquer la direction du vent.

② **manche** n. m. **1** Partie allongée (d'un outil, d'un instrument) par laquelle on le tient. *Manche à balai* (fig. commande manuelle des gouvernails d'un avion). ♦ loc. fig. *Être, se mettre du côté du manche,* du côté du plus fort. **2** Os (de gigot, de côtelette). **3** Partie (d'un instrument de musique), le long de laquelle sont tendues les cordes.

③ **manche** n. m. et adj. fam. Maladroit.

④ **manche** n. f. loc. *Faire la manche :* faire la quête, mendier.

**manchette** n. f. **I 1** Poignet à revers d'une chemise. **2** Manche amovible de protection. **3** sports Coup porté avec l'avant-bras. **II** Titre de journal en gros caractères.

**manchon** n. m. **1** Fourreau cylindrique pour protéger les mains du froid. **2** techn. Pièce cylindrique (pour assembler ; isoler).

**manchot, ote I** adj. **1** Privé d'une main, d'un bras ou des deux. - n. *Un manchot.* **2** fam. Maladroit. loc. *N'être pas manchot.* **II** n. m. Oiseau marin palmipède des régions antarctiques à moignons d'ailes.

**mandala** n. m. didact. Dans le bouddhisme, Représentation symbolique de l'univers, géométrique et centrée.

**mandarin** n. m. **1** hist. Haut fonctionnaire lettré, dans l'Empire chinois. **2** fig. Personne d'un grand savoir, et très puissante. **3** Forme du chinois (pékinois).

**mandarinal, ale, aux** adj. **1** Des mandarins chinois. **2** Du mandarinat.

**mandarinat** n. m. Corps social prétendant s'ériger en élite et exerçant une autorité intellectuelle.

**mandarine** n. f. Petit agrume à la peau orange, sucré. ► **mandarinier** n. m.

**mandat** n. m. **1** dr. Acte par lequel une personne donne à une autre (le *mandataire*) le pouvoir de faire qqch. en son nom. → ② **pouvoir, procuration. 2** Mission conférée par élection. *Mandat présidentiel.* ♦ Durée de cette mission (syn. *mandature* n. f.). **3** *Mandat (postal) :* titre remis par la Poste, contre une somme versée ; somme versée au destinataire. **4** Ordre écrit émanant de la justice. *Mandat de perquisition.*

**mandataire** n. Personne à qui est conféré un mandat (1).

**mandater** v. tr. [1] Investir (qqn) d'un mandat (1).

**mandchou, e** adj. et n. De Mandchourie. ♦ n. m. *Le mandchou* (langue).

**mander** v. tr. [1] vx ou littér. **1** Transmettre (un ordre, une instruction). ♦ Faire savoir par lettre. **2** Faire venir (qqn).

**mandibule** n. f. **1** sc. Maxillaire inférieur. - fam. (au plur.) Mâchoires. **2** zool. Partie du bec des oiseaux, des pièces buccales des arthropodes (sauf les arachnides).

**mandoline** n. f. Instrument à cordes pincées, à caisse de résonance bombée.

**mandragore** n. f. Plante dont la racine fourchue évoque une forme humaine.

**mandrill** [-dʀil] n. m. Singe des forêts d'Afrique tropicale, au museau rouge.

**mandrin** n. m. Outil cylindrique pour forer. ♦ Pièce cylindrique de fixation.

**manécanterie** n. f. École de chant choral (sacré) pour garçons.

**manège** n. m. **I 1** Exercice que l'on fait faire à un cheval pour le dresser. **2** Lieu où l'on monte les chevaux. **3** *Manège (de chevaux de bois) :* plate-forme circulaire tournante garnie de montures (attraction foraine). **II** Comportement rusé.

**mânes** n. m. pl. (dans la religion romaine) Âmes des morts.

**manette** n. f. Clé, levier, poignée de commande.

**manga** n. m. Bande dessinée japonaise.

**manganèse** n. m. Métal gris clair, dur et cassant.

**mangeable** adj. Tout juste bon à manger, sans rien d'appétissant.

**mangeaille** n. f. fam. Nourriture abondante et médiocre.

**mangeoire** n. f. Auge pour animaux domestiques (chevaux, bestiaux, volaille).

① **manger** v. tr. 3 **1** Avaler pour se nourrir (un aliment solide ou consistant). ♦ sans compl. dir. S'alimenter, se nourrir. – Prendre un repas. **2** Dévorer (un être vivant, une proie). ♦ loc. fig. *Manger qqn des yeux,* le regarder avidement. **3** Ronger. *Laine mangée par les mites, aux mites.* **4** fig. *Manger ses mots,* les prononcer indistinctement. – *Manger la consigne, la commission,* oublier. **5** Consommer, dépenser. → **dilapider.**

② **manger** n. m. fam. Nourriture, repas.

**mange-tout** n. m. invar. Pois, haricots dont on mange la cosse avec la graine. – adj. invar. *Haricot, pois mange-tout.*

**mangeur, euse** n. **1** Personne qui mange (beaucoup, peu). *Un gros mangeur.* **2** *Mangeur de... :* personne, animal qui mange (qqch.).

**mangouste** n. f. Petit mammifère carnivore, prédateur des serpents.

**mangrove** n. f. géogr. Forêt impénétrable des littoraux tropicaux (→ **palétuvier**).

**mangue** n. f. Fruit d'un arbre tropical (le *manguier*), à chair jaune très parfumée.

**maniable** adj. **1** Qu'on manie et utilise facilement. *Outil maniable.* ♦ (véhicule) Qu'on manœuvre facilement. **2** fig. Qui se laisse aisément diriger. → **docile, souple.** ► **maniabilité** n. f.

**maniacodépressif, ive** adj. psych. *Psychose maniacodépressive,* faisant alterner la manie (I, 1) et la dépression. ♦ adj. et n. (Personne) atteinte de cette psychose.

**maniaque** adj. **I** psych. **1** Qui a une idée fixe ou une manie (I, 1). – n. *Un dangereux maniaque.* **2** De la manie (I). **II** cour. **1** Qui a une manie (II). **2** Exagérément attaché à ses manies (► **maniaquerie** n. f.). – n. *Un maniaque de l'ordre.* ♦ Propre à un maniaque.

**manichéisme** [-ke-] n. m. didact. Conception du bien et du mal comme deux forces égales et antagonistes. ► **manichéen, enne** adj.

**manie** n. f. **I** psych. **1** Maladie mentale caractérisée par de l'exaltation euphorique, de l'incohérence, alternant souvent avec la dépression (→ **maniacodépressif**). **2** Idée fixe pathologique. *Avoir la manie de la persécution.* **II** cour. **1** Goût excessif, déraisonnable (pour qqch.). **2** Habitude bizarre et tyrannique, souvent agaçante ou ridicule. *À chacun ses petites manies.*

**-manie** → ② **-mane**

**maniement** n. m. **1** Action ou façon de manier, d'utiliser manuellement. → **manipulation, usage.** *Maniement d'armes.* **2** fig. Action, manière d'employer ; de diriger.

① **manier** v. tr. 7 **1** Avoir en main, entre les mains tout en déplaçant, en remuant. **2** Utiliser en ayant en main. *Voiture facile à manier.* ♦ *Manier de l'argent* (→ **brasser**), *des fonds* (→ **gérer**). **3** fig. Mener à son gré (qqn). **4** fig. Employer plus ou moins habilement. *Savoir manier l'ironie.*

② **se manier** v. pron. seulement inf. fam. Se remuer, se dépêcher. → se **magner.**

**manière** n. f. **I 1** Façon de faire, de procéder, de se produire. – loc. *Avoir la manière :* savoir s'y prendre. – loc. adv. *De cette manière :* ainsi. *De toute manière :* en tout cas. – loc. prép. *À la manière de :* comme. *De manière à* (+ inf.) : afin de. – loc. conj. *De manière que* (+ subj.) : de telle sorte que. **2** Forme de comportement personnelle et habituelle. *À sa manière, il est heureux.* **3** littér. *En manière de plaisanterie,* comme une plaisanterie. **4** gramm. *Complément, adverbe de manière,* qui indique comment se fait qqch. **II** au plur. Comportement considéré dans son effet sur autrui. *Apprendre les bonnes manières.* → **politesse.** ♦ *Faire des manières :* être maniéré.

**maniéré, ée** adj. péj. **1** Qui montre de l'affectation, manque de naturel. **2** arts Qui manque de spontanéité.

**maniérisme** n. m. didact. Tendance de l'art italien au XVI^e^ siècle, caractérisé par le raffinement et la mise en évidence de l'artifice. ► **maniériste** adj. et n.

**manieur, euse** n. *Manieur, manieuse de :* personne qui manie (qqch.).

**manifestant, ante** n. Personne qui participe à une manifestation.

**manifestation** n. f. **I** Action ou manière de (se) manifester. *Des manifestations de joie.* → **démonstration, marque.** **II 1** Événement organisé pour attirer un large public. **2** Réunion, marche publique organisée pour manifester une opinion ou une volonté. – abrév. fam. **manif** n. f.

① **manifeste** adj. Dont l'existence ou la nature est évidente. → **flagrant.** ► **manifestement** adv.

② **manifeste** n. m. Déclaration écrite et publique par laquelle un groupe (politique, artistique, littéraire...) expose son programme.

**manifester** v. 1 **I** v. tr. **1** Exprimer clairement. *Manifester sa sympathie (à qqn).* **2** Faire ou laisser apparaître clairement. *Manifester de la crainte.* **II** v. intr. Participer à une manifestation (II, 2). ▷ v. pron. **se manifester** Se révéler clairement. – Donner de ses nouvelles.

**manigance** n. f. Manœuvre secrète et suspecte, sans grande portée.

**manigancer** v. tr. [3] Combiner par manigances.

① **manille** n. f. Jeu de cartes où les plus fortes sont le dix *(manille)*, puis l'as (*manillon* n. m.).

② **manille** n. f. **1** anciennt Anneau pour assujettir la chaîne (d'un forçat). **2** techn. Étrier métallique arrondi (fixation).

**manioc** n. m. Racine d'un arbrisseau tropical ; sa fécule. → **tapioca.**

**manipulateur, trice** n. **1** Personne qui procède à des manipulations. **2** fig. Personne qui en manipule (4) d'autres.

**manipulation** n. f. **1** Action, manière de manipuler (des substances, des produits, des appareils). ♦ *Manipulations génétiques.* ♦ Opérations manuelles de prestidigitation. **2** fig. Manœuvre pour manipuler (4) qqn. ♦ fam. Plan, manœuvre.

**manipuler** v. tr. [1] **1** Manier avec soin (expériences, etc.). **2** Manier et transporter (→ **manutention**). **3** fig. Modifier de façon malhonnête. → **trafiquer.** **4** fig. Amener habilement (qqn) à faire ce qu'on veut.

**manitou** n. m. **1** Grand esprit (Amérindiens). **2** fam. Personnage important et puissant.

**manivelle** n. f. **1** Levier coudé, manœuvré à la main pour imprimer un mouvement de rotation. – *Retour* de manivelle.* **2** techn. Pièce qui transmet un mouvement.

① **manne** n. f. Nourriture miraculeuse envoyée aux Hébreux dans le désert. ♦ fig. et littér. Don ou avantage inespéré.

② **manne** n. f. vieilli Grand panier d'osier.

**mannequin** n. m. **1** Forme humaine utilisée pour la confection, la présentation de modèles de vêtements. **2** Personne dont le métier est de porter et de présenter les modèles des couturiers.

**manœuvrable** adj. (bateau, véhicule) Apte à être manœuvré. ► **manœuvrabilité** n. f.

① **manœuvre** n. f. **I 1** Actions destinées à régler le mouvement d'un bateau, d'un véhicule. *Manœuvre pour se garer.* – *Fausse manœuvre* (fig. décision, démarche maladroite et sans résultat). ♦ Opérations permettant la marche d'un appareil, d'une machine. **2** Exercice militaire. *Grandes manœuvres.* **II** fig. Moyen pour atteindre un but (souvent avec ruse). **III** surtout au plur. Cordage du gréement d'un navire.

② **manœuvre** n. Ouvrier, ouvrière peu qualifié(e) exécutant des travaux n'exigeant pas d'apprentissage préalable.

**manœuvrer** v. [1] **I** v. intr. **1** Effectuer une manœuvre sur un bateau, un véhicule. **2** (militaires) Faire l'exercice. **3** fig. Employer des moyens adroits. **II** v. tr. **1** Faire fonctionner. *Manœuvrer le gouvernail, le volant.* **2** fig. Faire agir (qqn) habilement. → **manipuler.** – *Manœuvrer la presse.*

**manœuvrier, ière** n. Personne qui manœuvre habilement.

**manoir** n. m. Petit château ancien à la campagne.

**manomètre** n. m. sc. Appareil pour mesurer la pression. ► **manométrique** adj.

**manouche** n. Gitan nomade.

**manquant, ante** adj. Qui manque, est en moins. – n. *Les manquants* (choses, personnes). – loc. *Le chaînon* manquant.*

① **manque** n. m. **1** Fait de manquer, absence ou grave insuffisance. *Manque d'argent ; d'imagination.* – loc. *Manque de chance, de pot.* ♦ *État de manque,* de privation (drogue, alcool). – loc. *Être en manque.* ♦ loc. prép. *Par manque de :* faute de. **2** au plur. littér. → **insuffisance, lacune.** *Il est conscient de ses manques.* **3** loc. *Manque à gagner* (fig. occasion manquée de faire une affaire profitable).

② **manque** adj. loc. fam. *À la manque :* raté, défectueux, mauvais.

**manquement** n. m. Fait de manquer à un devoir. *Un manquement à la discipline.*

**manquer** v. [1] **I** v. intr. **1** Ne pas être, lorsqu'il le faudrait ; faire défaut. *Si l'eau venait à manquer.* – (impers.) loc. *Il ne manquait plus que cela !,* c'est le comble. **2** *Manquer à qqn. Le temps me manque.* – impers. *Il me manque cinq euros.* ♦ *Son frère lui manque,* il souffre de son absence. ♦ (sujet chose) Ne plus fonctionner. **3** (sujet chose) Échouer, rater. **II** v. tr. ind. Ne pas avoir, ne pas faire. **1** *Manquer de :* ne pas avoir (quand il le faudrait ou suffisamment). *Elle manque d'amis.* – *Manquer d'humour.* ♦ *La sauce manque de sel.* **2** *Manquer à qqch. :* ne pas se conformer à (qqch. qu'on doit observer). *Manquer à sa parole.* **3** *Ne pas manquer de* (+ inf.) : faire. *Je ne manquerai pas de vous informer ; je n'y manquerai pas.* **4** semi-auxiliaire (+ inf. ; + *de* et inf.) Être tout près de, sur le point de. → **faillir.** *Elle avait manqué (de) mourir.* **III** v. tr. dir. **1** Ne pas réussir. → **rater.** *Manquer son coup.* **2** Ne pas atteindre. *Manquer une marche ; la cible.* **3** Ne pas rencontrer (qqn qu'on voulait voir). ♦ *Manquer son train,* arriver après son départ. **4** Laisser échapper (qqch. de profitable). *Manquer une occasion.* **5** S'abstenir d'assister, d'être présent à. *Manquer un cours.* ▷ adj. **manqué, ée** Qui n'est pas réussi. *Photo manquée.* ♦ loc. *Acte manqué,* révélateur d'un contenu inconscient.

**mansarde** n. f. **1** Toit brisé à quatre pans. **2** Chambre dans un comble, dont un mur est en pente.

**mansardé, ée** adj. Dont une paroi est inclinée, du fait de la pente du toit.

**mansuétude** n. f. littér. Disposition à pardonner généreusement.

① **mante** n. f. *Mante (religieuse)* : insecte carnassier à fortes pattes antérieures, dont la femelle dévore son partenaire.

② **mante** n. f. anciennt Manteau de femme ample et sans manches.

**manteau** n. m. **I 1** Vêtement à manches qui se porte par-dessus les autres vêtements. **2** loc. fig. *Sous le manteau* : clandestinement. **II** *Manteau de cheminée*, partie en saillie au-dessus du foyer.

**mantille** n. f. Écharpe de dentelle drapée sur la tête (coiffure féminine).

**mantra** n. m. didact. Formule sacrée hindouiste, bouddhiste.

**manucure** n. Personne chargée des soins esthétiques des mains, des ongles.

**manucurer** v. tr. [1] Faire les mains, les ongles de (qqn).

① **manuel, elle I** adj. **1** Qui se fait avec la main ; nécessite une activité physique. *Travail manuel.* **2** Qui fait appel à l'intervention humaine (opposé à *automatique*). ► **manuellement** adv. **II** n. Personne disposée à l'activité manuelle.

② **manuel** n. m. Ouvrage présentant les notions d'une science, d'une technique.

**manufacture** n. f. **1** vx Fabrique, usine. **2** Établissement industriel où la qualité de la main-d'œuvre est primordiale.

**manufacturer** v. tr. [1] Transformer (une matière première). – au p. p. cour. (opposé à *brut*). *Produits manufacturés.*

**manu militari** loc. adv. En employant la force armée, la force publique.

**manuscrit, ite I** adj. Écrit à la main. **II** n. m. **1** Texte, ouvrage écrit ou copié à la main. *Manuscrit enluminé.* **2** Œuvre originale manuscrite ou dactylographiée.

**manutention** n. f. Déplacement de marchandises (emmagasinage, expédition, vente...). ► **manutentionner** v. tr. [1]

**manutentionnaire** n. Personne employée aux travaux de manutention.

**maoïsme** n. m. Mouvement gauchiste se réclamant de la politique de Mao Zedong. ► **maoïste** adj. et n.

**maous, ousse** [maus] adj. fam. Gros, énorme. – var. **mahous.**

**mappemonde** n. f. **1** Carte plane représentant le globe terrestre. → **planisphère. 2** abusivt Globe terrestre.

**maquer** v. tr. [1] argot fam. Mettre ensemble, marier.

① **maquereau** n. m. Poisson de mer comestible au dos vert et bleu.

② **maquereau, elle** n. fam. et vulg. Personne qui vit de la prostitution des femmes. → **proxénète.**

**maquette** n. f. **1** Modèle en réduction (d'une sculpture). **2** Modèle réduit, spécialt servant de jouet. **3** Projet (d'un imprimé).

**maquettiste** n. Spécialiste qui conçoit, exécute des maquettes (1, 2 et 3).

**maquignon** n. m. **1** Marchand de chevaux. ♦ péj. Marchand de bestiaux. **2** fig. Homme d'affaires ou entremetteur malhonnête.

**maquignonnage** n. m. Manœuvres, transactions frauduleuses.

**maquillage** n. m. **1** Action, manière de (se) maquiller, d'être maquillé. **2** Produits (fond de teint, fards) servant à se maquiller. **3** Modification frauduleuse de l'aspect (d'une chose).

**maquiller** v. tr. [1] **1** Modifier ou embellir (le visage) par des procédés et produits appropriés. → **farder.** – **pronom.** *Se maquiller.* **2** Modifier de façon trompeuse l'apparence de (qqch.). *Maquiller un passeport, une voiture.* **3** fig. Dénaturer volontairement. ► **maquilleur, euse** n.

**maquis** n. m. **I 1** Végétation méditerranéenne d'arbrisseaux touffus. **2** fig. Complication inextricable. **II** (en France, sous l'occupation allemande) Lieu peu accessible où se regroupaient les résistants. ♦ Organisation de résistance.

**maquisard** n. m. Résistant d'un maquis.

① **mara** n. m. zool. Petit rongeur de Patagonie ou des pampas.

② **mara** n. f. *Mara des bois* : variété de fraise cultivée, petite, d'un rouge foncé, très parfumée.

**marabout** n. m. **I 1** Pieux ermite, saint de l'islam. **2** Musulman sage et respecté. **3** français d'Afrique Envoûteur, sorcier (d'où *marabouter* v. tr. [1] «envoûter» ; *maraboutage* n. m.). **II** Tombeau d'un saint de l'islam. **III** Grand échassier d'Afrique au bec épais et au cou déplumé.

**maracas** [-as] n. f. pl. Instrument de percussion composé d'une paire de coques que l'on agite.

**maraîcher, ère** n. Cultivateur de légumes. – adj. *Production maraîchère.*

**marais** n. m. **1** Nappe d'eau stagnante où pousse la végétation (→ **marécage**). **2** *Marais salant* : bassin où l'on extrait le sel de mer.

**marasme** n. m. **1** Accablement, apathie profonde. **2** fig. Situation stagnante.

**marasquin** n. m. Liqueur parfumée avec une cerise acide (la *marasque*).

**marathon** n. m. **1** Course à pied de grand fond (42,195 km) sur route. **2** fig. Épreuve, délibération prolongée qui exige une grande résistance. *Le marathon budgétaire.* ► **marathonien, ienne** n.

**marâtre** n. f. **1** vx Belle-mère* (2). **2** vieilli Mauvaise mère.

**maraud, aude** n. vx Misérable, vaurien.

**maraude** n. f. **1** Vols commis en maraudant. **2** *Taxi en maraude* (→ **marauder** (2)). **3** Mission d'assistance envers les sans-abri. – Équipe qui mène cette mission.

**marauder** v. intr. [1] **1** Voler des produits dans les jardins et les fermes. **2** Circuler à vide, à la recherche de clients (taxi). ► **maraudage** n. m. ► **maraudeur, euse** n.

**marbre** n. m. **I 1** Roche calcaire, souvent veinée, qu'on peut polir. **2** Statue de marbre. **3** loc. *Être, rester de marbre,* impassible. **II** Surface utilisée pour des opérations techniques ; spécialt table de presse (d'imprimerie).

**marbrer** v. tr. [1] **1** Marquer (une surface) de veines, de taches pour donner l'apparence du marbre. **2** Marquer (la peau) de marbrures. ▷ p. p. **marbré, ée**

**marbrerie** n. f. **1** Métier du marbrier. **2** Industrie du marbre. *Marbrerie funéraire.*

**marbrier, ière** n. **1** Ouvrier, ouvrière qui traite le marbre. **2** Personne qui fabrique ou vend des ouvrages en marbre.

**marbrière** n. f. Carrière de marbre.

**marbrure** n. f. **1** Imitation des veines et taches du marbre. **2** Marques sur la peau.

① **marc** [maʀ] n. m. hist. Poids de huit onces.

② **marc** [maʀ] n. m. **1** Résidu des fruits pressés. **2** Eau-de-vie de marc de raisin. **3** Résidu (d'une substance infusée). *Lire dans le marc de café* (pour prédire l'avenir).

> Ne pas confondre avec *mare* «nappe d'eau» ni avec *marre (en avoir marre).*

**marcassin** n. m. Petit sanglier.

**marcel** n. m. fam. Débardeur (maillot de corps).

**marchand, ande I** n. Commerçant. - *Marchand de biens :* agent immobilier. *Marchand des quatre saisons*.* ♦ loc. péj. *Marchand de soupe :* personne qui ne songe qu'au profit. **II** adj. **1** Commercial. *Valeur marchande.* **2** *Galerie marchande,* où se trouvent des commerces. **3** *Marine marchande* (transports commerciaux).

**marchander** v. tr. [1] Essayer d'acheter (une chose) à meilleur marché, en discutant avec le vendeur. ► **marchandage** n. m.

**marchandisage** n. m. comm. Ensemble des techniques de présentation des marchandises. - syn. (anglic.) **merchandising.**

**marchandise** n. f. **1** Objet destiné à la vente. → **article, denrée. 2** loc. *Faire valoir sa marchandise* (fig. présenter les choses sous un jour favorable).

① **marche** n. f. **I** Surface plane sur laquelle on pose le pied pour passer d'un plan horizontal à un autre. *Les marches d'un escalier.* **II** (s'oppose à *arrêt*) **1** Action de marcher, suite de pas. - loc. fig. *La marche à suivre :* série d'opérations. **2** Mouvement, manifestation de personnes en marche. *Une marche de protestation.* **3** Musique rythmée pouvant régler la marche. **4** (choses) Déplacement continu dans une direction. *Marche arrière.* **5** Mouvement (d'un mécanisme...). **6** Fonctionnement. *Appareil en état de marche.* **7** loc. adv. *En marche :* en train d'avancer. - En fonctionnement.

② **marche** n. f. surtout plur. hist. Région frontière (d'un État).

**marché** n. m. **I 1** Réunion périodique de marchands, notamment de denrées alimentaires. *Marché couvert.* → **halle. 2** Opérations commerciales, financières dans une zone ; cette zone. *Le marché du blé ; des devises.* - anciennt *Marché commun :* communauté économique européenne (C. E. E.). - *Marché noir :* marché clandestin, parallèle. **3** Débouché pour un produit. *Étude de marché.* **II 1** Accord portant sur la fourniture de marchandises, de valeurs ou de services. → **affaire, contrat.** - loc. *Mettre* (à qqn) *le marché en main,* le sommer d'accepter ou non. - *Par-dessus le marché,* en plus, en outre. **2** loc. *À bon marché :* à bas prix. ♦ *Bon marché* adj. invar. : pas cher.

**marchepied** n. m. Degré(s) aidant à monter dans une voiture.

**marcher** v. intr. [1] **I 1** Se déplacer par mouvements et appuis successifs des jambes et des pieds (→ **pas**), sans interrompre le contact avec le sol (s'oppose à *courir, sauter*). → **marche** (II, 1). **2** Aller à pied. *Marcher sans but.* → **errer, flâner.** - *Marcher sur* (qqn, l'ennemi), pour attaquer. **3** (sujet chose) Se mouvoir de manière continue. **4** (mécanisme) Fonctionner. *La radio ne marche plus.* **5** Produire l'effet souhaité. *Ça n'a pas marché.* **II 1** Avancer à pied. **2** Poser le, les pieds. *Marcher dans une flaque d'eau.* **III** fam. Donner son adhésion à qqch. → **accepter, consentir.** *Je ne marche pas !* - *Faire marcher qqn,* le tromper.

**marcheur, euse 1** n. Personne qui marche (bien ou mal). **2** adj. *Oiseaux marcheurs,* qui marchent (et volent difficilement). → **coureur.**

**marcotte** n. f. Tige, branche qui a pris racine, ou qui peut produire un rejeton.

**mardi** n. m. **1** Deuxième jour de la semaine, qui succède au lundi. **2** *Mardi gras,* dernier jour du carnaval.

**mare** n. f. **1** Petite nappe d'eau peu profonde qui stagne. **2** *Mare de :* grande quantité de (liquide répandu).

> Ne pas confondre avec *marc* «résidu» ni avec *marre (en avoir marre).*

**marécage** n. m. Lieu inculte et humide où s'étendent des marais*. ► **marécageux, euse** adj.

**maréchal, aux** n. m. Officier général qui a la dignité la plus élevée dans la hiérarchie militaire. ► **maréchalat** n. m.

**maréchal des logis** n. m. Sous-officier (→ sergent) de cavalerie ou d'artillerie.

**maréchal-ferrant** n. m. Artisan qui ferre les chevaux. *Des maréchaux-ferrants.*

**maréchaussée** n. f. plais. Gendarmerie.

**marée** n. f. **I 1** Mouvement journalier d'oscillation de la mer, dû à l'attraction lunaire. *À marée haute, basse.* **2** *Marée noire :* mazout polluant l'eau de mer et atteignant les côtes. **3** fig. → **flot.** *Une marée humaine.* **II** Poissons, fruits de mer frais (→ **mareyeur**).

**marelle** n. f. Jeu d'enfants qui consiste à pousser à cloche-pied un palet dans des cases numérotées.

**marémotrice** adj. f. *Usine marémotrice,* où la marée produit de l'électricité.

**marengo** [-ʀɛ̃-] n. appos. *Poulet, veau marengo,* préparé avec tomates, champignons, vin blanc.

**mareyeur, euse** n. Grossiste qui achète et expédie les produits de la pêche.

**margarine** n. f. Corps gras alimentaire, végétal ou (plus rarement) animal.

**marge** n. f. **1** Espace blanc autour (spécialt, à gauche) d'un texte écrit ou imprimé. *Écrire dans la marge.* **2** fig. Intervalle d'espace ou de temps ; possibilité d'action. *Avoir une marge de réflexion.* → **délai.** **3** *Marge (bénéficiaire) :* différence entre prix de vente et coût. **4** *En marge de :* en dehors de, et en rapport. – *Vivre en marge* (→ **marginal**).

**margelle** n. f. Rebord de pierre (d'un puits, du bassin d'une fontaine).

**marginal, ale, aux** adj. **1** didact. Qui est mis dans la marge. **2** Secondaire. **3** Qui vit en marge de la société. → **asocial.** – n. *Des marginaux.* ▶ **marginalité** n. f.

**marginaliser** v. tr. [1] Mettre à l'écart, tendre à exclure.

**marginalisme** n. m. écon. Théorie selon laquelle la valeur d'échange est déterminée par celle de la dernière unité disponible d'un produit. ▶ **marginaliste** adj. et n.

**margoulette** n. f. fam. Tête, face.

**margoulin** n. m. péj. Individu peu scrupuleux qui fait de petites affaires.

**margrave** n. hist. Prince souverain (Allemagne). ▶ **margraviat** n. m.

**marguerite** n. f. Fleur blanche à cœur jaune, commune dans les prés.

**mari** n. m. Homme uni par le mariage. → **époux.**

**mariage** n. m. **I 1** Union légitime de deux personnes dans les conditions prévues par la loi (→ **matrimonial**). **2** Cérémonie du mariage. → **noce.** **3** État d'une personne mariée, d'un couple marié (opposé à *célibat*). **II** fig. Alliance, union. *Le mariage de deux parfums.*

**marié, ée** adj. et n. **1** Uni(s) par le mariage. **2** n. Personne dont on célèbre le mariage.

**marier** v. tr. [7] **1** Unir (deux personnes) en célébrant le mariage. ♦ Donner en mariage. **2** pop. Épouser. **3** fig. Allier, unir. ▷ v. pron. **se marier**

**marigot** n. m. Bras mort d'un fleuve, marais*, eau morte (tropiques).

**marijuana** [maʀiʀwana ; -ʒɥana] n. f. Stupéfiant tiré du chanvre indien.

**marimba** [maʀimba] n. m. Xylophone africain dont chaque lame est munie d'un résonateur.

① **marin, ine** adj. **1** De la mer. *Sel marin.* **2** Relatif à la navigation sur mer. – loc. *Le pied marin,* l'équilibre à bord.

② **marin** n. m. **1** Navigateur. **2** Personne dont la profession est de naviguer sur la mer. → **matelot, navigateur.** – loc. fam. *Marin d'eau douce,* médiocre marin. **3** adj. *Costume marin,* qui rappelle celui des marins.

**marina** n. f. anglic. Ensemble touristique côtier comportant un port de plaisance.

**marinade** n. f. **1** Liquide (vin, etc.) salé et épicé pour mariner le poisson, la viande. **2** Aliment mariné.

① **marine I** n. f. **1** Ce qui concerne la navigation sur mer. **2** Navires d'une nation ou d'une catégorie. **II** adj. invar. *(Bleu) marine :* bleu foncé (des uniformes de marine). **III** n. f. Peinture ayant la mer pour sujet.

② **marine** n. m. Soldat de l'infanterie de marine américaine ou anglaise.

**mariner** v. [1] **1** v. tr. Tremper dans une marinade. – au p. p. *Poissons marinés.* ♦ intrans. *La viande marine.* **2** v. intr. fam. (sujet personne) Rester longtemps et désagréablement.

**maringouin** n. m. (Tropiques ; Canada) Moustique.

**marinier, ière** n. Personne qui navigue sur les rivières. → **batelier.**

**marinière** n. f. **I** *(À la) marinière :* à la manière des pêcheurs, des marins. *Moules (à la) marinière.* **II 1** vieilli Blouse sans ouverture sur le devant. **2** Tee-shirt ou pull-over à rayures.

**mariolle** ou **mariol** adj. et n. fam. Malin.

**marionnette** n. f. **1** Figurine représentant un être humain ou un animal, actionnée à la main par une personne cachée. ▶ **marionnettiste** n. **2** fig. Personne qu'on manœuvre à son gré.

**marital, ale, aux** adj. Du mari ; du couple marié. ▶ **maritalement** adv.

**maritime** adj. **1** Près de la mer ; qui subit l'influence de la mer. **2** Qui se fait sur mer, par mer. **3** De la navigation. → **naval.**

**maritorne** n. f. vx Femme laide et sale.

**marivauder** v. intr. [1] Échanger des propos d'une galanterie délicate et recherchée. ▶ **marivaudage** n. m.

**marjolaine** n. f. Plante aromatique méditerranéenne (syn. *origan*).

**mark** [maʀk] n. m. **1** Ancienne unité monétaire de l'Allemagne, de la Finlande (avant l'euro). **2** Unité monétaire de la Bosnie-Herzégovine.

**marketing** [-ke-] n. m. anglic. Techniques de stratégie commerciale, d'études de marché. – recomm. off. *mercatique* n. f.

**marlin** n. m. Grand poisson des mers chaudes, à rostre.

**marmaille** n. f. fam. Groupe nombreux de jeunes enfants (→ **marmot**).

**marmelade** n. f. Fruits écrasés et cuits avec du sucre.

**marmite** n. f. **1** Récipient pour faire bouillir l'eau, cuire des aliments. – loc. *Nez en pied de marmite,* épaté. *Faire bouillir la marmite,* faire vivre sa famille. **2** géol. *Marmite de géants :* cuvette d'érosion.

**marmiton** n. m. Jeune aide-cuisinier.

**marmonner** v. tr. [1] Dire, murmurer entre ses dents. ► **marmonnement** n. m.

**marmoréen, éenne** adj. littér. Qui a l'apparence du marbre.

**marmot** n. m. **1** fam. Jeune enfant. **2** loc. vieilli *Croquer le marmot,* attendre longtemps.

**marmotte** n. f. **I** Mammifère rongeur, hibernant. – loc. *Dormir comme une marmotte.* ♦ Sa fourrure. **II** Malle à deux parties qui s'emboîtent.

**marmotter** v. tr. [1] Marmonner. ► **marmottement** n. m

**marmouset** n. m. **1** fam. vieilli Enfant. **2** Petit singe d'Amérique.

**marne** n. f. Mélange naturel d'argile et de calcaire. ► **marneux, euse** adj.

**marner** v. intr. [1] **1** Amender (la terre) avec de la marne. **2** fig., fam. Travailler dur.

**marocain, aine** adj. et n. Du Maroc.

**maronner** v. intr. [1] région. Maugréer.

**maroquin** n. m. Peau de chèvre ou de mouton, tannée et teinte.

**maroquinerie** n. f. Industrie des cuirs fins pour articles de luxe (portefeuilles, sacs, bagages). ♦ Commerce, magasin de ces articles. ► **maroquinier, ière** n.

**marotte** n. f. **1** hist. Sceptre de bouffon, surmonté d'une tête à capuchon garni de grelots. **2** mod. Idée fixe, manie.

**maroufler** v. tr. [1] Appliquer (un papier, une toile peinte) sur une surface avec de la colle forte. ► **marouflage** n. m.

**marquage** n. m. **1** Opération par laquelle on marque (I, 1) des animaux, etc. **2** sports Action de marquer (I, 8) un joueur.

**marquant, ante** adj. Qui laisse une trace, un souvenir. *Événement marquant.*

**marque** n. f. **I 1** Signe matériel, empreinte sur une chose, permettant de distinguer, reconnaître, repérer. *Faire une marque sur une liste.* **2** sports Trait, repère, dispositif pour régler certains mouvements. **3** Signe attestant un contrôle. → **cachet, estampille, poinçon. 4** *Marque de fabrique.* → **étiquette, label** (anglic.). *Produits de marque,* qui portent une marque connue. ♦ Entreprise qui fabrique ces produits. – loc. *Image* de marque.* **II 1** Trace naturelle dont l'origine est reconnaissable. → **empreinte, indice, trace. 2** Objet qui sert à faire reconnaître, à retrouver. **3** Insigne. *Les marques de son grade.* **4** fig. Manifestation reconnaissable. *Donner des marques d'estime.* → **preuve. III** sports Décompte des points.

**marque-page** n. m. **1** Signe matériel qu'on insère entre deux pages d'un livre pour en retrouver un passage. *Des marque-pages.* **2** inform. Favori (II, 5).

**marquer** v. [1] **I** v. tr. **1** Distinguer, rendre reconnaissable par une marque (I), un repère. *Marquer des animaux.* **2** fam. Écrire, noter. – au p. p. *C'est marqué dessus.* **3** (sujet chose) Former, laisser une trace, une marque sur (qqch.). – fig. *Ces événements l'ont marqué.* **4** Indiquer, signaler. *Marquer une limite.* **5** (instrument) Indiquer. **6** *Marquer les points,* les enregistrer (→ **marque** (III)). – loc. *Marquer le coup :* réagir ; manifester que l'on a été atteint, touché. – *Marquer un point,* obtenir un avantage. – sports *Marquer un but, un essai.* → **réussir. 7** Rendre sensible. *Marquer la mesure.* – loc. *Marquer le pas :* piétiner sur place ; fig. être ralenti dans son activité. **8** sports Surveiller (un joueur) en le serrant. **II** v. tr. fig. **1** Faire connaître, extérioriser (un sentiment, une pensée). → **exprimer, manifester.** *Marquer son refus.* **2** (sujet chose) Faire connaître, révéler par un signe. *Cela marque son intérêt.* **III** v. intr. **1** Faire une impression forte. *Des événements qui marquent.* **2** Laisser une trace, une marque. ▷ adj. **marqué, ée** *Visage marqué,* aux traits tirés, ou ridé. ♦ Qui se reconnaît facilement. *Une différence très marquée.*

**marqueté, ée** adj. **1** Bigarré, tacheté. **2** Formé ou décoré en marqueterie.

**marqueterie** [-kɛtʀi ; -kətʀi] n. f. **1** Assemblage décoratif de pièces (bois précieux, écaille, ivoire) sur un fond de menuiserie. **2** Fabrication de ces assemblages (ébénisterie).

**marqueur, euse I** n. **1** Personne qui appose des marques. **2** Personne qui compte les points. **II** n. m. **1** Instrument pour marquer. ♦ Crayon feutre. **2** sc. Élément repérable. **3** *Marqueur social :* ce qui indique l'origine sociale de qqn.

**marquis, ise** n. Noble qui prend rang avant le comte, la comtesse.

**marquise** n. f. Auvent vitré au-dessus d'une porte, d'un perron, etc.

**marraine** n. f. Femme qui tient (ou a tenu) un enfant (→ filleul) à son baptême.

**marrant, ante** adj. fam. **1** Amusant, drôle. **2** Bizarre, curieux.

**marre** adv. fam. *En avoir marre :* en avoir assez (→ ras le bol), être dégoûté.

> Ne pas confondre avec *mare* «nappe d'eau» ni avec *marc* «résidu».

se **marrer** v. pron. [1] fam. S'amuser, rire.

**marri, ie** adj. vx ou littér. Triste, fâché.

① **marron** n. m. **I 1** Fruit comestible du châtaignier cultivé. → **châtaigne.** – *Marrons glacés,* confits dans du sucre. – loc. *Tirer les marrons du feu,* se donner de la peine pour autrui. **2** *Marron d'Inde* ou *marron,* graine non comestible du marronnier d'Inde. **3** adj. invar. et n. m. (D'une) couleur brun foncé. **II** fam. Coup de poing.

> L'adj. est invar. : *des yeux marron.*

② **marron, onne** adj. **1** anciennt *Esclave marron,* qui s'était enfui pour vivre en liberté. **2** Qui se livre à l'exercice illégal d'une profession. *Médecin, avocat marron.* **3** adj. invar. fam. *Être (fait) marron,* pris, attrapé.

**marronnier** n. m. **1** Châtaignier cultivé. **2** *Marronnier (d'Inde) :* grand arbre d'ornement à fleurs blanches ou roses. **3** Sujet d'information rebattu, répétitif.

**mars** [maʀs] n. m. Troisième mois de l'année.

**marseillais, aise 1** adj. et n. De Marseille. **2** n. f. L'hymne national français.

**marsouin** n. m. Mammifère cétacé des mers froides, plus petit que le dauphin.

**marsupiaux** n. m. pl. Ordre de mammifères vivipares, dont la femelle porte une poche ventrale, qui renferme les mamelles (ex. kangourou, koala). – sing. *Un marsupial.*

**marte** → **martre**

**marteau** n. m. **I 1** Outil pour frapper, masse métallique fixée à un manche. *Le marteau et l'enclume.* **2** Machine-outil agissant par percussion. – loc. *Marteau pneumatique. Marteau-piqueur.* **3** Petit maillet de commissaire-priseur. **4** Pièce qui correspond à une touche du clavier et frappe une corde du piano. **5** Heurtoir (d'une porte). **6** appos. *Requin marteau,* dont la tête présente deux prolongements latéraux. **7** Osselet de l'oreille moyenne. **8** Sphère métallique, à poignée, que les athlètes lancent. ♦ Lancer de cet engin. **II** adj. fam. Fou, cinglé.

**martel** n. m. vx Marteau. ♦ loc. *Se mettre martel en tête :* se faire du souci.

**martelage** n. m. Action de marteler (1).

**martèlement** ou **martellement** n. m. Choc du marteau. ♦ Bruit répété.

**marteler** v. tr. [5] **1** Frapper, forger à coups de marteau. **2** Frapper fort et à coups répétés sur (qqch.). **3** Articuler avec force.

**martial, ale, aux** adj. **1** Relatif à la guerre, à la force armée. *Loi martiale.* – *Cour martiale,* tribunal militaire exceptionnel. **2** Militaire. *Allure martiale.* **3** *Arts martiaux,* sports de combat d'origine japonaise (aïkido, jiu-jitsu, judo, karaté...).

**martien, ienne 1** adj. De la planète Mars. **2** n. Habitant (fictif) de la planète Mars ; extraterrestre.

① **martinet** n. m. Oiseau passereau, à longues ailes, qui ressemble à l'hirondelle.

② **martinet** n. m. Petit fouet à plusieurs lanières.

**martingale** n. f. **I** Bande horizontale dans le dos d'un vêtement, à la taille. **II** au jeu Combinaison basée sur les probabilités.

**martin-pêcheur** n. m. Petit oiseau à long bec, qui se nourrit de poissons.

**martre** n. f. Mammifère carnivore au corps allongé, au museau pointu, au pelage brun. – Sa fourrure. – var. **marte.**

**martyr, yre** n. **1** Personne qui a souffert, a été mise à mort pour avoir refusé d'abjurer sa foi. **2** Personne qui meurt ou souffre pour une cause. **3** Personne que les autres maltraitent, martyrisent. → **souffre-douleur.** – appos. *Enfant martyr.*

> Ne pas confondre avec *martyre* «supplice».

**martyre** n. m. **1** La mort, les tourments des martyrs (1 et 2). **2** Grande souffrance.

> Ne pas confondre avec *martyr* «personne suppliciée».

**martyriser** v. tr. [1] Faire souffrir beaucoup, physiquement ou moralement.

**martyrologe** n. m. Liste de martyrs.

**marxisme** n. m. Doctrine de Karl Marx, Friedrich Engels et leurs continuateurs. → **communisme, socialisme.** *Marxisme-léninisme.* ► **marxiste** adj. et n.

**mas** [ma(s)] n. m. Ferme (en Provence).

**mascara** n. m. Fard pour les cils.

**mascarade** n. f. **1** Divertissement masqué. **2** Déguisement, accoutrement ridicule ou bizarre. **3** fig. Mise en scène trompeuse.

**mascaret** n. m. Longue vague déferlante à la rencontre du flux et du reflux.

**mascarpone** n. m. Fromage italien, crème de gorgonzola.

**mascotte** n. f. Animal, personne ou objet porte-bonheur. → **fétiche.**

**masculin, ine** adj. **I 1** Qui a les caractères de l'homme, du mâle. → **viril. 2** Qui a rapport à l'homme, est réservé aux hommes. **3** Composé d'hommes. **II** gramm. **1** adj. et n. m. Se dit d'un genre des noms (et adjectifs) opposé à d'autres (féminin, neutre) et qui s'applique à l'origine aux êtres mâles.

**2** *Rime masculine,* qui ne se termine pas par un e muet.

**maskinongé** n. m. (Canada) Grand brochet.

**masochisme** n. m. **1** psych. Comportement sexuel par lequel le plaisir ne peut être obtenu qu'en souffrant (s'oppose à *sadisme*). **2** cour. Comportement d'une personne qui aime souffrir. ► **masochiste** adj. et n.

**masquage** n. m. Action de masquer.

**masque** n. m. **I 1** Objet dont on couvre le visage humain pour le transformer. *Masques africains. Masque de carnaval.* – loc. *Lever, jeter le masque,* se montrer tel qu'on est. ♦ Personne masquée. **2** fig. Dehors trompeur. *Un masque d'indifférence.* **3** Aspect du visage. *Avoir un masque impénétrable.* → **air, expression. II 1** Empreinte prise sur le visage d'un mort. **2** Appareil qui sert à protéger le visage. *Masque d'escrime.* ♦ *Masque à gaz,* protégeant des gaz toxiques. – Dispositif anesthésique. **3** Couche appliquée sur le visage pour traiter l'épiderme.

**masquer** v. tr. [1] **1** Couvrir d'un masque (I, 1). **2** Déguiser sous une fausse apparence. *Masquer la vérité.* **3** Cacher. *Cela masque la vue.* ▷ adj. **masqué, ée** *Bandits masqués.* – *Bal masqué,* avec masques.

**massacrant, ante** adj. loc. *Humeur massacrante,* très mauvaise.

**massacre** n. m. **I 1** Action de massacrer. → **carnage, tuerie ; génocide, pogrom.** ♦ *Jeu de massacre,* où l'on abat des figurines, en lançant des balles. **2** fig. Mise à mal d'un adversaire. **3** fig. Destruction massive. ♦ Travail très mal exécuté. **II** Tête (par ext. bois) de cerf, de daim, servant de trophée.

**massacrer** v. tr. [1] **1** Tuer avec sauvagerie et en masse (des êtres sans défense). → **exterminer. 2** Mettre à mal (un adversaire en état d'infériorité). → fam. **démolir. 3** fam. Mettre (une chose) en très mauvais état. ♦ Endommager involontairement. ♦ Faire très mal (un travail). ► **massacreur, euse** n.

**massage** n. m. Action de masser ②; technique du masseur.

① **masse** n. f. **I 1** Quantité relativement grande (de substance solide ou pâteuse), sans forme précise. ♦ Quantité relativement grande (d'un fluide). *Masse d'air froid.* ♦ Volume important (de qqch.). – *Taillé dans la masse,* dans un seul bloc. **2** arts Éléments principaux perçus comme des unités. **3** *Masse de* (suivi du plur.) : réunion de nombreux éléments distincts. **4** Multitude de personnes. *Culture de masse. Les masses laborieuses.* – absolt *Les masses.* → **peuple. II** loc. adv. *En masse.* **1** En un groupe nombreux. → en **bloc,** en **foule. 2** fam. En grande quantité. **III** sc. **1** Quantité de matière (d'un corps) ; rapport constant qui existe entre les forces appliquées à un corps et les accélérations correspondantes. *Masse spécifique* (de l'unité de volume). → **densité.** – *Masse atomique.* **2** Conducteur électrique commun auquel sont reliés les points de même potentiel d'un circuit. – loc. fig. *Être à la masse,* un peu fou.

② **masse** n. f. **1** hist. *Masse (d'armes)* : arme de choc. → **massue. 2** Gros maillet. **3** fam. *Coup de masse* : choc violent ; prix excessif.

**massepain** n. m. Pâtisserie d'amandes pilées, sucre et blancs d'œufs.

① **masser** v. tr. [1] Rassembler en une masse, en masses. ▷ v. pron. se **masser**

② **masser** v. tr. [1] Frotter, presser, pétrir (des parties du corps) avec les mains ou des appareils, dans une intention thérapeutique (→ **masseur**).

**masséter** [-ɛʀ] n. m. anat. Muscle élévateur du maxillaire inférieur.

**masseur, euse 1** n. Professionnel du massage. *Masseur kinésithérapeute.* **2** n. m. Appareil servant à masser.

**massicot** n. m. techn. Machine à rogner le papier. ► **massicoter** v. tr. [1]

① **massif, ive** adj. **1** Dont la masse occupe tout le volume (opposé à *creux*). *Bijou d'or massif.* **2** Qui semble une masse épaisse ou compacte. *Une construction massive.* **3** Qui est fait, donné en masse. *Dose massive.*

② **massif** n. m. **1** archit. Ouvrage de maçonnerie formant une masse pleine. **2** Groupe compact (d'arbres, de fleurs). **3** Ensemble montagneux (opposé à *chaîne*).

**massivement** adv. **1** D'une manière massive. **2** En masse, en grand nombre.

**mass media** [masmedja] n. m. pl. anglic. Supports de diffusion massive de l'information. → **média.**

**massue** n. f. **1** Bâton à grosse tête noueuse, servant d'arme. → ②**masse. 2** appos. *Des arguments massue,* qui laissent sans réplique.

**mastaba** n. m. archéol. Tombeau égyptien en pyramide tronquée.

① **master** [-tœʀ ; -tɛʀ] n. m. anglic. Enregistrement original à partir duquel on réalise des copies.

② **master** [-tœʀ ; -tɛʀ] n. m. anglic. Grade universitaire entre la licence et le doctorat.

> Ne pas confondre avec *mastère* « diplôme des grandes écoles ».

**mastère** n. m. (nom déposé) Diplôme des grandes écoles sanctionnant une année de formation supérieure spécialisée de haut niveau.

> Ne pas confondre avec *master* « grade universitaire ».

**mastic** n. m. **I 1** Mélange pâteux et adhésif durcissant à l'air. **2** adj. invar. D'une couleur gris-beige clair. **II** imprim. Mélange de caractères ou interversion.

**masticateur, trice** adj. Qui sert à mâcher.

**masticatoire** 1 adj. didact. Qui sert à la mastication. 2 n. m. Substance à mâcher.

① **mastiquer** v. tr. [1] Joindre ou boucher avec du mastic.

② **mastiquer** v. tr. [1] Mâcher longuement. ► **mastication** n. f.

**mastoc** adj. invar. péj. Massif et sans grâce.

**mastocyte** n. m. biol. Cellule du tissu conjonctif, de grande taille, qui participe aux réactions immunitaires.

**mastodonte** n. m. 1 Grand animal fossile proche du mammouth. 2 Personne énorme. 3 Machine, objet gigantesque.

**mastoïdite** n. f. Inflammation de la muqueuse de la partie postérieure de l'os temporal (*mastoïde* n. f.).

**mastroquet** n. m. vx Tenancier de débit de boissons. – Café populaire.

**masturber** v. tr. [1] Procurer à (qqn) le plaisir par des contacts manuels. ▷ v. pron. se **masturber** ► **masturbation** n. f.

**m'as-tu-vu** [maty-] n. invar. et adj. invar. Prétentieux, vaniteux.

**masure** n. f. Petite habitation misérable.

① **mat, mate** [mat] adj. 1 Qui n'est pas brillant ou poli. 2 *Teint mat*, assez foncé et peu coloré (→ **matité**). 3 (sons) Qui a peu de résonance. *Un bruit mat.*

② **mat** [mat] adj. invar. et n. m. Se dit, aux échecs, du roi qui peut être pris et sera pris si on le déplace. *Échec* et mat.*

**mât** n. m. 1 Long poteau sur le pont d'un navire pour porter les voiles et leur gréement (voiliers), ou les installations radioélectriques, etc. 2 Longue perche ou poteau lisse.

**matador** n. m. Torero chargé de la mise à mort du taureau.

**matamore** n. m. Faux brave, fanfaron.

**match** n. m. Compétition entre concurrents ou équipes. *Des match(e)s.*

**matcha** n. m. Thé vert japonais finement moulu, utilisé notamment comme arôme dans des desserts. – en appos. *Thé matcha.*

**maté** n. m. Feuilles séchées et torréfiées de houx ; leur infusion, riche en caféine (comme le thé).

**matelas** n. m. 1 Pièce de literie, long et large coussin rembourré. – *Matelas pneumatique*, enveloppe gonflable. 2 Épaisse couche. *Un matelas de billets.*

**matelasser** v. tr. [1] 1 Rembourrer comme un matelas. 2 Doubler de tissu ouaté. – au p. p. *Manteau matelassé.* ► **matelassage** n. m.

**matelot** n. m. Homme d'équipage d'un navire. → **marin.**

**matelote** n. f. Plat de poissons en morceaux, avec du vin rouge et des oignons.

① **mater** v. tr. [1] 1 Rendre définitivement docile (qqn, une collectivité, un animal). → **dompter.** 2 Réprimer. *Mater une révolte.*

② **mater** v. tr. [1] fam. Regarder sans être vu. ► **mateur, euse** n.

**mâter** v. tr. [1] mar. Pourvoir de mâts.

**matérialiser** v. tr. [1] Représenter sous forme matérielle. ▷ v. pron. se **matérialiser** → se **concrétiser.** ► **matérialisation** n. f.

**matérialisme** n. m. I philos. 1 Doctrine d'après laquelle il n'existe d'autre substance que la matière (s'oppose à *idéalisme*, à *spiritualisme*). 2 *Matérialisme historique, dialectique*, le marxisme. II Recherche des jouissances, des biens matériels. ► **matérialiste** adj. et n.

**matérialité** n. f. Caractère matériel.

**matériau** n. m. Matière servant à construire, à fabriquer.

**matériaux** n. m. pl. 1 Matières nécessaires à la construction (d'un bâtiment, d'un ouvrage, d'un navire, d'une machine). *Matériaux de construction.* 2 fig. Éléments constitutifs d'un tout, d'une œuvre.

**matériel, elle** I adj. 1 didact. De la nature de la matière, constitué par de la matière (s'oppose à *idéal, spirituel*). 2 De nature concrète, physique. *Impossibilités matérielles. Preuve matérielle.* → **tangible.** 3 Qui concerne les aspects extérieurs, concrets. *L'organisation matérielle d'un spectacle.* 4 Relatif aux biens tangibles (spécialt à l'argent). *Difficultés matérielles*, financières. II n. m. 1 Ensemble des objets, instruments, machines utilisés ensemble. → **équipement, outillage.** 2 inform. Éléments concrets des machines informatiques (remplace l'anglic. *hardware* ; s'oppose à *logiciel*). 3 didact. Ensemble d'éléments soumis à l'analyse. → **donnée.**

**matériellement** adv. 1 Dans le domaine de la matière. ♦ Concrètement, physiquement. 2 Quant aux biens matériels. 3 En fait, effectivement. *C'est matériellement impossible.*

**maternel, elle** adj. 1 De la mère. 2 Qui a le comportement, joue le rôle d'une mère. *Elle est maternelle avec son mari* (► **maternellement** adv.). ♦ *(École) maternelle*, établissement d'enseignement primaire (deux à six ans). 3 Par la mère (filiation) (opposé à *paternel*). *Sa grand-mère maternelle.* 4 *Langue maternelle*, la première langue apprise par un enfant.

**materner** v. tr. [1] Traiter (qqn) de façon maternelle. → **choyer, dorloter.** ► **maternage** n. m.

**maternité** n. f. I 1 État, qualité de mère. 2 Fait de porter et de mettre au monde un enfant. II Établissement ou service hospitalier réservé aux femmes qui accouchent.

**mathématicien, ienne** n. Spécialiste, chercheur en mathématiques. → **matheux.**

**mathématique** I adj. 1 Des mathématiques. 2 Qui présente les caractères de la pensée mathématique. → **précis, rigoureux.** 3 fam. Absolument certain. → **automatique, logique.** II n. f. 1 *Les mathématiques* ; fam. *les maths* ; didact. *la mathématique* : sciences ayant pour objet la quantité et l'ordre. → **algèbre, analyse, arithmétique, calcul, géométrie ; nombre.** *Mathématiques pures ; appliquées (physique, statistique, etc.).* 2 Enseignement, classe de mathématiques.

**mathématiquement** adv. 1 Selon les méthodes des mathématiques. 2 Exactement, rigoureusement.

**matheux, euse** adj. et n. fam. Qui étudie les maths ; fort en maths. → **mathématicien.**

**maths** n. f. pl. → **mathématique.**

**matière** n. f. I 1 didact. Substance qui constitue le monde sensible, les corps. *Les trois états de la matière,* solide, liquide, gazeux. 2 Substance que l'on peut connaître par les sens. – *Matière première* : produit ou substance non encore transformé(e). ♦ *Matières grasses* : graisses alimentaires. 3 *Matières (fécales).* → **excrément.** 4 fam. *Matière grise* : le cerveau ; l'intelligence. II fig. 1 Contenu, sujet (d'un ouvrage). – *Entrée en matière* (d'un discours) : commencement. 2 Domaine d'études scolaires, d'enseignement. 3 (après *en, sur*) Ce sur quoi s'exerce ou peut s'exercer l'activité humaine. – *En matière* (+ adj.). *En matière artistique, scientifique.* – *En matière de* loc. prép. : dans le domaine, sous le rapport de. 4 *Donner matière à...,* donner lieu (III, 5) à.

**matin** n. m. 1 Début du jour. *Le petit matin* : le moment où se lève le jour. – *De bon matin* : très tôt. 2 La première partie de la journée qui se termine à midi. → **matinée.** – *Tous les lundis matin.* – *Un beau matin* (→ un beau jour). 3 Temps (douze heures) entre minuit et midi (opposé à *après-midi* ou à *soir*). 4 fig. Commencement. *Le matin de la vie.*

**mâtin** I n. m. Grand et gros chien de garde ou de chasse. II interj. vx Marque la surprise ou l'admiration.

**matinal, ale, aux** adj. 1 Du matin. 2 (personnes) Qui s'éveille, se lève tôt.

**mâtiné, ée** adj. *Mâtiné de* : mêlé de.

**matinée** n. f. 1 La partie de la journée qui va du lever du soleil à midi. – loc. *Faire la grasse matinée* : se lever tard, paresser au lit. 2 Réunion, spectacle qui a lieu l'après-midi (s'oppose à *soirée*).

**matines** n. f. pl. relig. cathol. Office nocturne.

**matité** n. f. Caractère de ce qui est mat.

**matois, oise** adj. littér. Rusé sous des dehors de bonhomie.

**maton, onne** n. argot Gardien(ne) de prison (qui *mate,* surveille les détenus).

**matos** n. m. fam. Matériel, équipement pour une activité.

**matou** n. m. Chat domestique mâle.

**matraque** n. f. Arme contondante assez courte.

**matraquer** v. tr. [1] 1 Frapper à coups de matraque sur (qqn). 2 Présenter une addition excessive à (qqn). 3 Infliger (un message publicitaire...) d'une manière répétée. ► **matraquage** n. m.

**matras** n. m. chim. Récipient au col étroit et long.

**matriarcat** n. m. didact. Régime juridique ou social où la mère est le chef de la famille (opposé à *patriarcat*). ► **matriarcal, ale, aux** adj.

**matrice** n. f. I vx Utérus. II Moule qui, après avoir reçu une empreinte en creux et en relief, peut la reproduire. *La matrice d'un disque.* III sc. Tableau rectangulaire de nombres.

**matriciel, ielle** adj. sc. Où interviennent les matrices (III). *Calcul matriciel.*

**matricule** n. 1 n. f. Liste où sont inscrits des noms avec un numéro. – adj. *Numéro matricule.* 2 n. m. Numéro d'inscription. – loc. fam. *Ça va barder pour son matricule* : il va avoir des ennuis.

**matrimonial, ale, aux** adj. Qui a rapport au mariage. → **conjugal.**

**matrone** n. f. 1 Antiq. Épouse d'un citoyen romain. 2 vx Sage-femme. 3 péj. Grosse femme d'âge mûr.

**maturation** n. f. Fait de mûrir.

**mature** adj. Qui fait preuve de maturité (I, 4).

> Ne pas confondre avec *mâture* «ensemble des mâts».

**mâture** n. f. Les mâts (d'un navire).

> Ne pas confondre avec *mature* «mûr».

**maturité** n. f. I 1 État d'un fruit mûr. 2 fig. Plein développement. *Idée qui vient à maturité.* 3 L'âge mûr. 4 Sûreté de jugement qui s'acquiert avec l'expérience. II (Suisse) Examen de fin d'études secondaires.

**maudire** v. tr. [2] sauf pour l'inf. et le p. p. *maudit, ite* 1 Vouer au malheur (→ malédiction). 2 relig. Vouer (qqn) à la damnation.

**maudit, ite** adj. 1 Rejeté par Dieu. – Condamné, repoussé. → **réprouvé.** *Les poètes maudits.* 2 (avant le nom) Mauvais. → **sale.** *Maudite panne !*

**maugréer** v. intr. [1] Protester à mi-voix avec mauvaise humeur.

**maure** adj. et n. 1 hist. De la Mauritanie romaine. – (au Moyen Âge) Arabe, sarrasin. – var. **more.** 2 Du Sahara occidental.

**mauresque** n. et adj. vx Arabe, musulman (style d'architecture).

**mausolée** n. m. Grand monument funéraire.

**maussade** adj. **1** Triste et désagréable. **2** Qui inspire de l'ennui. *Temps maussade.* ► **maussaderie** n. f. littér.

**mauvais, aise** adj. en épithète, souvent avant le nom **I** (opposé à *bon*) **1** Qui présente un défaut, une imperfection essentielle ; qui a une valeur faible ou nulle. *Un mauvais repas. Produit de mauvaise qualité. Ce film est mauvais. Mauvais raisonnement.* – Qui ne fonctionne pas correctement. *Il a de mauvais yeux.* **2** n. m. *Il y a du bon et du mauvais.* **3** (personnes) Qui ne remplit pas correctement son rôle. *Un mauvais directeur.* **4** Qui est mal choisi, ne convient pas. *Prendre la mauvaise route.* **II** (opposé à *bon, beau, heureux*) **1** Qui annonce du malheur. *C'est mauvais signe. Mauvaise nouvelle.* **2** Qui est cause de mal, de malheur, d'ennuis. → **dangereux, nuisible.** *C'est mauvais pour lui. – La mer est mauvaise,* très agitée. **3** Désagréable aux sens. *Mauvais goût. – Mauvais temps* (opposé à *beau*). *Il fait mauvais.* **4** Peu accommodant. *Mauvaise humeur.* **III** (opposé à *bon, honnête*) **1** Contraire à la morale. *Mauvaise conduite.* **2** (personnes) Qui fait ou aime à faire le mal. → **méchant.** – vieilli *Mauvais garçon :* voyou. – *Une mauvaise langue* (qui calomnie). – *Mauvaise action. Donner le mauvais exemple.* **3** (choses ; peut s'employer après le nom) Qui dénote de la méchanceté, de la malveillance. *Une joie mauvaise.* **IV** adv. *Sentir mauvais* (fig. prendre une mauvaise tournure).

**mauve I** n. f. Plante à fleurs roses ou violettes. **II** adj. et n. m. (D'un) violet pâle.

**mauviette** n. f. **1** vieilli Petit oiseau bon à manger. **2** fig. Personne chétive, maladive.

**maxillaire** [-il-] n. m. Os des mâchoires.

**maximal, ale, aux** adj. Qui constitue un maximum. *Températures maximales.*

**maxime** n. f. Formule énonçant une règle de conduite. → **aphorisme, sentence.**

**maximum** [-ɔm] **1** n. m. Valeur la plus grande atteinte par une quantité variable ; limite supérieure (s'oppose à *minimum*). *Les maximums* ou *les maxima. – Le maximum de* (+ nom au plur.), le plus grand nombre de. ♦ *Au maximum,* au plus. **2** adj. Qui constitue un maximum. *Rendement maximum.* – au plur. *Des prix maximums* ou *maxima.*

**maya** [maja] adj. Des Mayas.

**mayonnaise** [-ajɔ-] n. f. Sauce froide composée d'huile, d'œufs et d'assaisonnements battus jusqu'à prendre de la consistance. – loc. *La mayonnaise prend* (fig. la chose prend tournure). – appos. invar. *Des œufs mayonnaise.*

**mazagran** n. m. **1** vx Café (chaud ou froid). **2** Verre à pied en porcelaine.

**mazdéisme** n. m. Religion de l'Iran antique, dualiste. → **manichéisme.**

**mazette** interj. région. Exclamation d'étonnement, d'admiration.

**mazout** [-ut] n. m. Résidu de la distillation du pétrole, combustible épais, brun. → **fuel.** ▷ adj. **mazouté, ée** Souillé par le mazout répandu (→ marée noire).

**mazurka** n. f. Danse à trois temps d'origine polonaise ; sa musique.

**MBA** ou **M. B. A.** n. m. (sigle angl.) anglic. Diplôme d'études supérieures, sanctionnant une formation consacrée aux affaires (droit, finance...).

**me** pron. pers. (s'élide en *m'* devant voyelle ou *h* muet) Pronom personnel complément de la première personne du singulier. **1** compl. d'objet dir. (représente la personne qui parle, qui écrit) *On m'a vu. – Je me suis préparé. – Me voici de retour.* **2** compl. d'objet indir. À moi. *Il me fait pitié.*

**mé-** ou **més-** (devant voyelle) Préfixe qui signifie «mauvais» (ex. *mésaventure*).

**mea-culpa** [mea-] n. m. invar. Aveu (d'une faute, de ses fautes).

**méandre** n. m. **1** Sinuosité (d'un cours d'eau). **2** fig. *Les méandres d'un récit.*

**méat** n. m. Canal, orifice (d'un canal anatomique). *Méat urinaire.*

**mec** n. m. fam. Homme, individu.

**mécanicien, ienne** n. **1** didact. Physicien(ne) spécialiste de la mécanique (II, 1). ♦ Ingénieur en mécanique (II, 2). **2** cour. Professionnel(le) qui monte, entretient, répare les machines. → fam. **mécano. 3** Personne qui conduit une locomotive.

**mécanique I** adj. **1** Exécuté ou mû par un mécanisme ; qui utilise des machines. **2** Qui concerne les machines et moteurs. *Avoir des ennuis mécaniques.* **3** Machinal. *Un geste mécanique.* **4** sc. Qui consiste en mouvements, est produit par un mouvement. *Énergie mécanique.* **II** n. f. **1** Partie des mathématiques et de la physique qui étudie le mouvement et l'équilibre des corps. *Mécanique quantique.* **2** Science de la construction et du fonctionnement des machines. **3** Mécanisme. ♦ loc. fam. *Rouler les* (ou *des*) *mécaniques,* les épaules.

**mécaniquement** adv. D'une manière mécanique (I, 1 et 3).

**mécaniser** v. tr. [1] Rendre mécanique (par l'utilisation de machines). ► **mécanisation** n. f.

**mécanisme** n. m. **1** Combinaison, agencement de pièces, d'organes, montés en vue d'un fonctionnement. **2** Fonctionnement. *Les mécanismes économiques.*

**mécano** n. fam. Mécanicien, mécanicienne.

**mécanographie** n. f. Emploi de mécanismes pour des calculs, tris, classements documentaires. ► **mécanographique** adj.

**mécénat** n. m. **1** État de mécène. **2** Soutien financier d'un mécène (2).

**mécène** n. m. **1** Personne riche qui aide les écrivains, les artistes. **2** Personne, entreprise qui soutient financièrement une activité culturelle, sportive. → anglic. **sponsor.**

**méchamment** adv. **1** Avec méchanceté. **2** fam. Fortement, beaucoup.

**méchanceté** n. f. **1** Caractère, comportement d'une personne méchante. **2** Parole ou action méchante.

**méchant, ante** adj. **I 1** Qui fait délibérément du mal ou cherche à en faire. – *Une critique méchante.* – loc. *Bête et méchant.* **2** (enfants) Qui se conduit mal (opposé à *gentil*). **3** (animaux) Qui attaque. *Chien méchant.* **4** loc. fam. *Ce n'est pas bien méchant,* ni grave ni important. **II (avant le nom) 1** littér. Mauvais, médiocre. **2** Dangereux ou désagréable. *Une méchante histoire.* **III** n. Personne méchante. *Faire le méchant,* s'emporter, menacer ; opposer de la résistance.

① **mèche** n. f. **I 1** Cordon de fils imprégné de combustible et qu'on fait brûler. **2** Cordon qui transmet le feu. ♦ loc. fig. *Éventer, découvrir la mèche :* découvrir le secret d'un complot. *Vendre la mèche :* trahir le secret. **II** Tige, foret d'acier. **III** Groupe de cheveux distincts dans la chevelure.

② **de mèche** loc. invar. fam. *Être de mèche avec qqn,* être d'accord en secret.

**méchoui** n. m. **1** Mouton rôti à la broche. **2** Repas collectif où l'on sert ce plat.

**mécompte** [-kɔ̃t] n. m. Erreur de prévision ; faux espoir. – Déception.

**méconnaissable** adj. Tellement changé qu'on ne peut le reconnaître.

**méconnaître** v. tr. [57] **1** littér. Ne pas reconnaître (une chose), refuser d'en tenir compte. → **ignorer, négliger.** *Méconnaître les lois.* **2** Ne pas apprécier (qqn, qqch.) à sa juste valeur. ► **méconnaissance** n. f. ► **méconnu, ue** adj.

**mécontent, ente** **1** adj. Qui n'est pas content, pas satisfait. **2** n. (rare au fém.) *Un perpétuel mécontent.*

**mécontentement** n. m. Sentiment pénible d'insatisfaction. → **déplaisir.** *Sujet de mécontentement :* contrariété, ennui.

**mécontenter** v. tr. [1] Rendre mécontent. → **contrarier, fâcher.**

**mécréant, ante** adj. littér. ou plais. Qui n'a aucune religion. → **athée, irréligieux.** – n. *Un mécréant* (s'oppose à *croyant*).

**médaille** n. f. **1** Pièce de métal, généralement circulaire, frappée ou fondue en souvenir de qqn, d'un événement. *Science des monnaies et médailles.* → **numismatique.** **2** Décoration. *La médaille militaire.* **3** Petite pièce de métal portée autour du cou. *Médaille pieuse.*

**médaillé, ée** adj. Qui a reçu une médaille (2). – n. *Les médaillés olympiques.*

**médaillon** n. m. **1** Portrait ou sujet sculpté, dessiné ou gravé. **2** Bijou circulaire. **3** Tranche mince et ronde (de viande).

**médecin** n. m. Docteur en médecine. → **docteur ; généraliste, spécialiste.** *Médecin traitant,* qui suit le malade.

**médecine** n. f. **I** vx ou région. Médicament, remède. **II 1** Techniques pour la conservation et le rétablissement de la santé ; art de prévenir et de soigner les maladies (humaines). *Médecine et chirurgie.* – *Médecine mentale.* → **psychiatrie.** – *Médecines douces*.* – *Médecine légale,* pour aider la justice (en cas de crime supposé). **2** Profession du médecin.

**médersa** n. f. Établissement d'enseignement religieux musulman.

**média** n. m. anglic. au plur. *Les médias,* techniques, supports, organismes de diffusion de l'information (presse, radio, télévision, cinéma, Internet). → **mass media.** – au sing. *Un nouveau média.*

**médian, ane** adj. Situé, placé au milieu.

**médiane** n. f. **1** géom. Segment de droite joignant un sommet d'un triangle au milieu du côté opposé. **2** statist. Valeur centrale qui sépare en deux parties égales un ensemble.

**médiat, ate** adj. didact. Qui se fait par intermédiaire.

**médiateur, trice** **1** n. Personne qui s'entremet pour faciliter un accord. → **arbitre, conciliateur.** – adj. *Puissance médiatrice.* **2** n. m. Ce qui sert d'intermédiaire. ♦ *Médiateur chimique :* substance produite par une cellule, agissant sur une autre cellule.

**médiathèque** n. f. Collection de données consultables, de différents médias.

**médiation** n. f. Entremise destinée à mettre d'accord, à concilier.

**médiatique** adj. **1** Des médias. **2** Qui exerce une influence par les médias.

**médiatiser** v. tr. [1] Diffuser largement par les médias. ► **médiatisation** n. f.

**médiator** n. m. Lamelle utilisée pour jouer d'instruments à cordes. → **plectre.**

**médiatrice** n. f. géom. Lieu géométrique des points équidistants de deux points.

**médical, ale, aux** adj. Qui concerne la médecine. ► **médicalement** adv.

**médicaliser** v. tr. [1] Développer l'action médicale dans (un domaine), pour (des personnes). ► **médicalisation** n. f.

**médicament** n. m. Substance préparée pour servir de remède. ► **médicamenteux, euse** adj.

**médication** n. f. Emploi thérapeutique de médicaments.

**médicinal, ale, aux** adj. Qui a des propriétés curatives. *Plantes médicinales.*

**médicolégal, ale, aux** adj. De la médecine légale. *Institut médicolégal.* → **morgue.**

**médicosocial, ale, aux** [-sɔsjal, jo] adj. De la médecine sociale, du travail.

**médiéval, ale, aux** adj. Du Moyen Âge.

**médiéviste** n. didact. Spécialiste (historien...) du Moyen Âge.

**médina** n. f. Partie ancienne d'une ville en Afrique du Nord.

**médiocre** adj. **1** Qui est au-dessous de la moyenne, insuffisant. *Un salaire médiocre.* ♦ Assez mauvais. *Travail médiocre.* ► **médiocrement** adv. **2** (personnes) Qui ne dépasse pas ou même n'atteint pas la moyenne. *Esprit médiocre.* – n. *C'est un médiocre.*

**médiocrité** n. f. État de ce qui est médiocre ; insuffisance de valeur.

**médire** v. intr. [37] sauf *vous médisez* Dire du mal (de qqn). *Médire de, sur qqn.*

**médisance** n. f. **1** Action de médire. **2** Propos d'une personne qui médit. → **ragot.**

**médisant, ante** adj. et n. (Personne) qui médit.

**méditatif, ive** adj. Qui est porté à la méditation. – n. *Un méditatif.* ♦ *Avoir un air méditatif.*

**méditation** n. f. **1** Réflexion approfondie ; relig. recueillement. **2** Pensée profonde.

**méditer** v. [1] **I** v. tr. Examiner (qqch.) ; préparer (une activité) par une longue et profonde réflexion. **II** v. intr. Penser longuement (sur un sujet) ; spécialt se recueillir.

**méditerranéen, enne** adj. et n. De la Méditerranée, de ses rivages.

S'écrit avec deux *r* (famille de *terre*).

① **médium** [-jɔm] n. m. Registre des sons entre le grave et l'aigu.

② **médium** [-jɔm] n. Personne réputée avoir le don de communiquer avec les esprits. ► **médiumnique** adj.

**médius** [-jys] n. m. Doigt du milieu de la main. → **majeur.**

**médullaire** adj. Qui a rapport à la moelle épinière ou à la moelle des os.

**méduse** n. f. **1** Animal marin formé de tissus transparents d'apparence gélatineuse, à tentacules, ayant la forme d'une cloche *(ombrelle)*. **2** fam. **au plur.** Sandales de plage en plastique.

**méduser** v. tr. [1] Frapper de stupeur (surtout passif et p. p.).

**meeting** [mitiŋ] n. m. anglic. **1** Réunion politique publique. **2** Réunion sportive.

**méfait** n. m. **1** Action mauvaise, nuisible à autrui. **2** Résultat, effet pernicieux.

**méfiance** n. f. Disposition à se méfier ; état de qqn qui se méfie. → **défiance.** ► **méfiant, ante** adj. → **soupçonneux.**

se **méfier** v. pron. [7] **1** *Se méfier de* : ne pas se fier à (qqn) ; se tenir en garde. **2** Être sur ses gardes. *Méfiez-vous !* (→ attention).

**mégadonnées** n. f. pl. – recomm. off. pour l'anglic. *big* data.*

**mégahertz** [-ɛʀts] n. m. sc. Unité valant 1 million de hertz (symb. MHz).

**mégalithe** n. m. didact. Monument de pierre brute de grandes dimensions (ex. dolmen, menhir). ► **mégalithique** adj.

**mégalomanie** n. f. **1** méd. Comportement pathologique caractérisé par le désir excessif de gloire, de puissance (folie des grandeurs). **2** Ambition, orgueil démesurés. ► **mégalomane** adj. et n.

**mégalopole** n. f. didact. Très grande agglomération urbaine.

**mégaoctet** n. m. inform. Unité de capacité de mémoire valant $2^{20}$ octets (symb. Mo).

**mégaphone** n. m. Porte-voix.

par **mégarde** loc. adv. Par inattention, sans le vouloir.

**mégatonne** n. f. Unité de puissance destructrice (1 million de tonnes de T. N. T.).

**mégawatt** [-wat] n. m. techn. Unité valant 1 million de watts (symb. MW).

**mégère** n. f. Femme méchante, criarde.

**mégisserie** n. f. **1** Préparation des cuirs de ganterie et pelleterie. **2** Industrie, commerce de ces cuirs. ► **mégissier, ière** n.

**mégot** n. m. fam. Bout de cigarette ou de cigare en partie fumé(e).

**mégoter** v. tr. [1] fam. Lésiner.

**méhari** n. m. Dromadaire d'Arabie, dressé pour les courses rapides. *Des méharis* ou *des méhara.*

**meilleur, eure** adj. **I** Comparatif de *bon* (contr. *pire*). **1** Qui l'emporte (en bonté, qualité, agrément). *Rêver d'un monde meilleur.* **2** adv. *Il fait meilleur,* le temps est meilleur. **II** *Le meilleur, la meilleure.* Superlatif de *bon.* **1** *C'est la meilleure émission du programme. Meilleurs vœux.* ♦ (après un nom) *Ils choisissent les vins les meilleurs.* **2** (sans nom) *Que le meilleur gagne !* – La meilleure partie. *Garder le meilleur pour la fin.* – *Pour le meilleur et pour le pire* : pour toutes les circonstances de la vie. ♦ **au fém.** La chose, l'histoire la plus remarquable. *Tu sais la meilleure ?* **III** (seul, suivi d'un nom) (formules de souhait) *Meilleurs vœux !,* acceptez mes vœux les meilleurs. *Meilleure santé !*

**méiose** n. f. biol. Division de la cellule en deux étapes, avec réduction de moitié du nombre de chromosomes.

**méjuger** v. tr. [3] **1** v. tr. ind. *Méjuger de* : estimer trop peu. *Méjuger de qqn.* **2** v. tr. dir. Juger mal. *On l'a méjugé.*

**mél** n. m. → **messagerie**

**mélancolie** n. f. **I** vx Bile noire, hypocondrie. **II 1** littér. État de tristesse accompagné de rêverie. ♦ *La mélancolie d'un paysage.* **2** psych. État d'asthénie dépressive.

**mélancolique** adj. **1** Qui manifeste de la mélancolie (2). → **triste.** **2** Qui engendre la mélancolie. ► **mélancoliquement** adv.

**mélange** n. m. **1** Action de (se) mêler. ♦ *Sans mélange :* pur, parfait. *Un bonheur sans mélange.* **2** Union de choses différentes. - fig. *Un mélange de courage et de faiblesse.* **3** au plur. Réunion d'écrits variés.

**mélanger** v. tr. [3] **1** Unir (des choses différentes) de manière à former un tout. - pronom. *Les deux liquides se mélangent bien.* **2** fam. Mettre ensemble (des choses) sans ordre et sans unité. → **brouiller ;** contr. *classer, trier.* - loc. fam. *Se mélanger les pédales, les pinceaux,* s'embrouiller. ▷ adj. **mélangé, ée** *Une société assez mélangée.* → **composite, mêlé.**

**mélangeur, euse** n. Appareil servant à mélanger. - appos. *Robinet mélangeur* (d'eau froide et d'eau chaude).

**mélanine** n. f. biol. Pigment brun foncé (peau, cheveux, iris de l'œil).

**mélanome** n. m. méd. Tumeur constituée de cellules capables de produire de la mélanine, le plus souvent pigmentées. *Mélanome bénin* (nævus).

**mélasse** n. f. **I** Résidu sirupeux de la cristallisation du sucre. **II** fig., fam. Situation pénible et inextricable.

**Melba** adj. invar. *Pêches, fraises Melba,* servies avec de la glace et de la crème Chantilly.

**mêlécasse** n. m. **1** anciennt Mélange d'eau-de-vie et de cassis. **2** loc. fam. *Voix de mêlécasse,* rauque, cassée.

**mêlée** n. f. **1** Combattants au corps à corps. ♦ Lutte, conflit. - loc. *Au-dessus de la mêlée,* sans prendre parti. **2** Phase du jeu de rugby, où des joueurs de chaque équipe sont groupés autour du ballon.

**mêler** v. tr. [1] **1** (surtout abstrait) Unir, mettre ensemble (plusieurs choses différentes), réellement ou par la pensée, de manière à former un tout. → **amalgamer, combiner, mélanger.** **2** Mettre en désordre. → **brouiller, embrouiller.** **3** *Mêler* (qqch.) *à, avec,* ajouter, mettre ensemble et confondre. - fig. Allier, joindre. *Il mêle la bêtise à l'ignorance.* **4** *Mêler* (qqn) *à :* faire participer à. ▷ v. pron. **se mêler 1** (choses) Être mêlé, mis ensemble. - *Se mêler à, avec :* s'unir. **2** (personnes) Se joindre (à un ensemble de gens), aller avec eux. **3** *Se mêler de :* s'occuper de (qqch.), quand on ne le devrait pas. *Mêlez-vous de ce qui vous regarde !* ▷ adj. **mêlé, ée 1** Qui forme un mélange. **2** *Mêlé de :* mélangé à (qqch.).

**mélèze** n. m. Conifère à cônes dressés.

**méli-mélo** n. m. fam. Mélange confus. *Des mélis-mélos* ou (invar.) *des méli-mélo.*

**mélisse** n. f. **1** Plante herbacée et aromatique. → **citronnelle.** **2** Essence tirée de cette plante. *Eau de mélisse,* aux propriétés calmantes.

**mélo** n. m. fam. Mélodrame.

**mélodie** n. f. **1** Suite de sons reconnaissable et agréable. ♦ Art de composer ces suites. *La mélodie et l'harmonie.* **2** Pièce vocale composée sur un texte, avec accompagnement. → **chanson, lied.**

**mélodieux, euse** adj. (son, musique) Agréable à l'oreille.

**mélodique** adj. **1** Qui a rapport à la mélodie. **2** Qui a les caractères de la mélodie.

**mélodiste** n. mus. Musicien(enne) qui donne plus d'importance à la mélodie.

**mélodrame** n. m. **1** Drame populaire que caractérisent l'outrance des caractères, le sentimentalisme. **2** fig. Situation réelle analogue. ► **mélodramatique** adj.

**mélomane** n. et adj. (Personne) qui connaît et aime la musique.

**melon** n. m. **1** Gros fruit rond à chair juteuse et sucrée (cucurbitacée). - *Melon d'eau.* → **pastèque.** **2** *(Chapeau) melon,* chapeau d'homme de forme ronde et bombée.

**mélopée** n. f. Chant, mélodie monotone et mélancolique.

**melting-pot** [-pɔt] n. m. anglic. Brassage de population. *Des melting-pots.*

**membrane** n. f. **1** Tissu organique animal, mince et souple, qui enveloppe un organe, tapisse une cavité. ♦ Tissu végétal formant enveloppe, cloison. **2** biol. Couche différenciée constituant une limite. **3** phys., techn. Mince cloison.

**membraneux, euse** adj. Qui est de la nature d'une membrane (1).

**membre** n. m. **I 1** Chacune des quatre parties appariées du corps humain (bras, jambes) qui s'attachent au tronc. - Chacune des quatre parties articulées (ailes, pattes) qui s'attachent au corps des tétrapodes. **2** loc. *Membre (viril).* → **pénis.** **II 1** Personne qui fait partie (d'un corps). *Il n'est plus membre du parti.* - Personne qui appartient à (un groupe). **2** Groupe, pays qui fait librement partie (d'une union). **III 1** Fragment (d'énoncé). *Un membre de phrase.* **2** Chacune des deux parties d'une équation ou d'une inégalité.

**membrure** n. f. **1** littér. (avec un adj.) Ensemble des membres (d'une personne). **2** techn. Poutres transversales attachées à la quille et soutenant le pont d'un navire.

**mème** n. m. Image, vidéo ou texte humoristique se diffusant sur les réseaux sociaux et faisant l'objet de nombreuses variations.

**même I** adj. indéf. **1** (devant le nom) Identique ou semblable. *Être du même avis.* **2** (après le nom ou le pronom) *Ce sont les mots mêmes qu'il a prononcés.* → **propre.** - *Moi-même, elle-même, lui-même...* **II** pron. indéf. *Le, la, les même(s).* - loc. *Cela revient au même,* c'est pareil. **III** adv. **1** Marquant un renchérissement, une gradation. *Je ne m'en* *souviens même plus.* **2** Exactement, précisément. *Je l'ai rencontré ici même.* – *À même :* directement sur (qqch.). *Il dort à même le sol.* **3** loc. adv. *De même :* de la même façon. → **pareillement.** – *Tout de même :* néanmoins, pourtant. – *Quand même :* malgré tout. **4** loc. conj. *De même que :* ainsi que, comme. – *Même si* (introduit une propos. concessive). **5** loc. prép. *À même de :* en état, en mesure de. *Il n'est pas à même de répondre.* → **capable.**

**mémé** n. f. fam. **1** Grand-mère. **2** Femme ni jeune ni élégante.

**mémento** [-mɛ̃-] n. m. **1** relig. Prière de souvenir. **2** Agenda.

**mémère** n. f. fam. → **mémé** (2).

① **mémoire** n. f. **I 1** Faculté de conserver et de rappeler des choses passées et ce qui s'y trouve associé ; fonction mentale de représentation du passé. *Mémoire visuelle, auditive. Bonne mémoire.* – loc. *Perte, trou de mémoire.* – loc. adv. *De mémoire :* sans autre aide. *Réciter de mémoire.* → par **cœur.** **2** inform. Dispositif permettant de recueillir et de conserver des informations ; le support de ces informations. *Mémoire vive,* mémoire de travail. *Mémoire morte,* dont les informations ne peuvent être modifiées. *Mémoire de masse,* où les données sont sauvegardées (disque dur...). **II 1** *La mémoire de,* le souvenir (de qqch., de qqn). **2** Souvenir qu'une personne laisse d'elle à la postérité. – loc. *À la mémoire de qqn.* **3** (en phrase négative) *De mémoire d'homme,* d'aussi loin qu'on s'en souvienne. **4** *Pour mémoire :* à titre de rappel, d'indication.

② **mémoire** n. m. **I 1** État des sommes dues. → **facture.** **2** Exposé ; dissertation. ♦ *Mémoire de maîtrise* (après la licence). **II** au plur. Relation écrite des événements dont une personne a été témoin. *Les Mémoires de Saint-Simon.*

**mémorable** adj. Dont le souvenir est durable, mérite de l'être. *Jour mémorable.* – iron. *Une cuite mémorable.*

**mémorandum** [-ɔm] n. m. **1** Note diplomatique, point de vue d'un gouvernement. **2** Recueil de notes pour se souvenir.

**mémorial, iaux** n. m. **1** Monument commémoratif. **2** Livre de souvenirs.

**mémorialiste** n. Auteur de mémoires historiques.

**mémoriser** v. tr. [1] didact. **1** Fixer volontairement dans sa mémoire. **2** inform. Mettre en mémoire (des informations). ► **mémorisation** n. f.

**menaçant, ante** adj. **1** Qui exprime une menace. **2** (choses) Qui constitue une menace, un danger. → **inquiétant.** *Le temps est menaçant.*

**menace** n. f. **1** Annonce d'un mal, d'une violence (à, contre qqn). **2** Signe par lequel se manifeste ce qu'on doit craindre (de qqch.). → **danger.** *Menace de guerre.*

**menacer** v. tr. [3] **1** Chercher à intimider par des menaces. **2** (sujet chose) Mettre en danger. ♦ Laisser craindre (un mal).

**ménage** n. m. **I 1** Les choses domestiques ; travaux d'entretien et de propreté. **2** vieilli *De ménage :* fait à la maison. *Pain de ménage.* **II 1** (dans des loc.) Vie en commun d'un couple. *Scène* de ménage. Se mettre en ménage,* vivre ensemble. ♦ *Faire bon, mauvais ménage avec qqn,* s'entendre bien, mal. **2** Couple constituant une communauté domestique. *La paix des ménages.* ♦ Unité de population (famille, personne seule) en tant que consommateur.

**ménagement** n. m. **1** Mesure, réserve dans le comportement envers qqn (par respect, par intérêt). *Traiter qqn sans ménagement,* brutalement. **2** Procédé qui épargne. → **attention, égard.**

① **ménager, ère** adj. **1** (choses) Qui a rapport aux soins du ménage, à la tenue de l'intérieur domestique. **2** Qui provient du ménage, de la maison. *Ordures ménagères.*

② **ménager** v. tr. [3] **I 1** Employer (un bien) avec mesure, économie. *Ménager ses vêtements ; ses forces.* **2** Dire avec mesure. *Ménagez vos expressions !* **3** Employer ou traiter (un être vivant) avec le souci d'épargner. – prov. *Qui veut voyager loin ménage sa monture.* **4** Traiter (qqn) avec prudence ou indulgence. **II 1** Disposer, régler. → **arranger.** *Ménager une entrevue à, avec qqn.* **2** S'arranger pour réserver, laisser. *Se ménager du temps.* **3** Installer, pratiquer. *Ménager un passage.* ▷ v. pron. **se ménager** Avoir soin de sa santé, ne pas se fatiguer.

**ménagère** n. f. **1** Femme qui tient une maison, s'occupe du ménage. **2** Service de couverts de table.

**ménagerie** n. f. Lieu où sont rassemblés des animaux rares ; ces animaux.

**mendiant, ante** n. **1** Personne sans ressources qui mendie pour vivre. – adj. *Ordres* (religieux) *mendiants,* vivant d'aumônes. **2** Mélange de (quatre) fruits secs.

**mendicité** n. f. **1** Condition de mendiant. **2** Action de mendier.

**mendier** v. [7] **1** v. intr. Demander l'aumône, la charité. **2** v. tr. Solliciter (qqch.) à titre d'aumône. – fig., péj. → **quémander.** *Mendier des compliments.*

**mendigot, ote** n. fam. et péj. Mendiant.

**meneau** n. m. archéol., techn. Montant qui divise la baie (d'une fenêtre).

**menées** n. f. pl. Agissements secrets dans un dessein nuisible. *Menées subversives.*

**mener** v. tr. [5] **I** Faire aller (qqn, un animal) avec soi. **1** *Mener à, en, dans ; mener* (+ inf.) : conduire en accompagnant ou en commandant. **2** Être en tête de (un cortège, une file). **3** Diriger. – *Les idées qui mènent le monde.* **II** Faire aller en contrôlant. → **conduire.** ♦ fig. Faire marcher, évoluer sous sa direction. *Mener rondement une affaire.* – *Mener à...*

*Mener qqch. à bien, à terme.* **III** (sujet chose) **1** Transporter. → **amener, conduire. 2** Permettre d'aller (quelque part). *Où mène cette route ? – Cela peut vous mener loin,* avoir de graves conséquences. **IV** géom. Tracer.

**ménestrel** n. m. (au Moyen Âge) Musicien et chanteur ambulant.

**ménétrier** n. m. ancienn^t Violoniste de village, qui escortait les noces.

**meneur, euse** n. **1** Personne qui mène, conduit. – fig. *Un meneur d'hommes.* **2** *Meneur de jeu,* animateur. **3** souvent péj. Personne qui conduit un mouvement populaire.

**menhir** [meniʀ] n. m. Monument mégalithique vertical.

**menin, menine** [menɛ̃, -in] n. hist. Jeune noble d'une maison princière d'Espagne.

**méninge** n. f. **1** anat. Membrane entourant le cerveau, la moelle épinière. **2** fam. au plur. Le cerveau, l'esprit.

**méningé, ée** adj. Des méninges (1).

**méningite** n. f. Inflammation aiguë ou chronique des méninges (1).

**ménisque** n. m. **1** anat. Cloison cartilagineuse entre deux surfaces articulaires mobiles. **2** phys. Lentille convexe d'un côté et concave de l'autre.

**ménopause** n. f. Cessation des règles et de la fonction ovarienne (syn. vieilli *retour d'âge*). ► **ménopausée** adj. f.

**menotte** n. f. **1** au plur. Bracelets métalliques réunis par une chaîne, qui se fixent aux poignets. **2** Petite main.

**mensonge** n. m. **1** Assertion sciemment contraire à la vérité. **2** *Le mensonge,* l'acte de mentir ; les fausses affirmations. **3** fig. Ce qui est trompeur, illusoire. ► **mensonger, ère** adj. → **fallacieux,** ① **faux.**

**menstruation** n. f. Fonction physiologique caractérisée par les règles (→ menstrues), de la puberté à la ménopause.

**menstruel, elle** adj. Des règles.

**menstrues** n. f. pl. vx Règles*.

**mensualiser** v. tr. [1] **1** Rendre mensuel (un paiement). **2** Payer (qqn) au mois. ► **mensualisation** n. f.

**mensualité** n. f. Somme payée mensuellement ou perçue chaque mois.

**mensuel, elle** adj. **1** Qui a lieu, se fait tous les mois. **2** Payé chaque mois. ► **mensuellement** adv.

**mensuration** n. f. Détermination et mesure des dimensions caractéristiques du corps humain ; ces mesures.

**mental, ale, aux** adj. **1** Qui se fait dans l'esprit seulement, sans expression orale ou écrite. *Calcul mental.* **2** Qui a rapport aux fonctions intellectuelles. *Maladie mentale.* – *Âge mental,* degré de développement intellectuel. **3** n. m. *Le mental,* l'état d'esprit (→ **moral**).

**mentalement** adv. **1** Par la pensée. **2** Du point de vue mental (2).

**mentalité** n. f. **1** Ensemble de croyances et habitudes d'esprit collectives. **2** État d'esprit. *Sa mentalité me déplaît.*

**menterie** n. f. vx ou région. Mensonge.

**menteur, euse 1** n. Personne qui ment. **2** adj. Qui ment. → **faux, hypocrite.**

**menthe** n. f. **1** Plante très aromatique, qui croît dans les lieux humides. **2** Sirop ; essence de menthe. *Alcool de menthe.*

**menthol** n. m. Alcool de menthe poivrée. ► **mentholé, ée** adj.

**mention** n. f. **1** Action de nommer, de citer. *Faire mention de.* **2** Brève note donnant un renseignement. **3** Appréciation favorable (jury d'examen). *Mention bien.*

**mentionner** v. tr. [1] Faire mention de. → **citer, nommer, signaler.** *Ne faire que mentionner une chose,* la signaler seulement.

**mentir** v. intr. [16] **1** Faire un mensonge, affirmer ce qu'on sait être faux, nier ou taire ce qu'on devrait dire. – loc. *Il ment comme il respire,* continuellement. **2** (sujet chose) Exprimer une chose fausse. *Son sourire ment.* – loc. *Faire mentir le proverbe,* le contredire par l'action.

**menton** n. m. Partie saillante du visage ; avancée du maxillaire inférieur.

**mentonnet** n. m. techn. Pièce saillante (d'un mécanisme).

**mentonnière** n. f. **1** Jugulaire. **2** Plaquette d'un violon, appui du menton.

**mentor** [mɛ̃-] n. m. littér. Guide, conseiller expérimenté.

① **menu, ue** adj. littér. **1** Petit, fin. *Couper qqch. en menus morceaux.* – (personnes) Petit et mince. **2** Qui a peu d'importance, de valeur. *Menue monnaie.* – loc. adv. *Par le menu :* en détail. **3** adv. Finement. *Oignons hachés menu.*

② **menu** n. m. **1** Liste des mets d'un repas. – *Menu de restaurant (à prix fixe)* ; opposé à *carte.* **2** Liste d'opérations proposées sur l'écran d'un ordinateur.

**menuet** n. m. **1** Ancienne danse à trois temps. **2** Forme instrumentale comportant trois parties, dans la suite, la sonate.

**menuiserie** n. f. **1** Travail (assemblage) du bois pour la fabrication des meubles, la décoration des maisons. **2** Bois ainsi travaillé. **3** *Menuiserie métallique,* fabrication de portes et fenêtres en métal.

**menuisier, ière** n. Personne, artisan qui travaille le bois équarri en planches.

**méphitique** adj. (vapeur, exhalaison) Qui sent mauvais et est toxique.

**méplat** n. m. Partie plate, plane (du visage, d'une forme). *Le méplat de la tempe.*

**se méprendre** v. pron. [58] littér. Se tromper en prenant une personne, une chose pour une autre.

**mépris** n. m. **1** vx Fait de négliger. – loc. prép. *Au mépris de :* en dépit de. *Au mépris du danger.* **2** Sentiment par lequel on méprise (2) (qqn).

**méprisable** adj. Qui mérite le mépris.

**méprisant, ante** adj. Qui a, montre, exprime du mépris (2).

**méprise** n. f. Erreur d'une personne qui se méprend. → **malentendu, quiproquo.**

**mépriser** v. tr. [1] **1** Estimer indigne d'attention ou d'intérêt. → **dédaigner, négliger.** **2** Considérer (qqn) comme indigne d'estime, condamnable.

**mer** [mɛʀ] n. f. **1** Vaste étendue d'eau salée. *Haute, pleine mer,* partie éloignée des rivages. ♦ loc. *Un homme à la mer,* tombé dans la mer. – *Ce n'est pas la mer à boire :* ce n'est pas difficile. **2** *Une mer,* partie de la mer, délimitée. **3** *La mer de Glace :* grand glacier des Alpes.

**mercanti** n. m. Commerçant malhonnête.

**mercantile** adj. Qui ne considère que le profit.

**mercantilisme** n. m. hist. Doctrine économique des XVIe et XVIIe siècles, fondée sur le profit monétaire de l'État.

**mercatique** n. f. → **marketing.**

**mercato** n. m. Marché officiel des transferts de sportifs professionnels d'un club à un autre.

**mercenaire** I adj. littér. Qui n'agit que pour un salaire. II n. m. Soldat à la solde d'un gouvernement étranger.

**mercerie** n. f. Marchandises servant aux travaux de couture ; commerce de mercier.

**merchandising** n. m. → **marchandisage**

**merci** I n. f. littér. Pitié, grâce. ♦ loc. prép. *À la merci de :* dans la dépendance absolue de (qqn, qqch.). – loc. adv. *Dieu merci :* grâce à Dieu. – *Sans merci :* impitoyable (lutte, combat). II **1** n. m. Remerciement. **2** interj. *Merci beaucoup.* – *Merci de* (+ inf.) : je vous remercie de bien vouloir... ♦ *Non merci.*

**mercier, ière** n. Marchand(e) d'articles de mercerie.

**mercredi** n. m. Troisième jour de la semaine, qui succède au mardi.

**mercure** n. m. (nom mythol.) Métal blanc argenté, très mobile, liquide à la température ordinaire (symb. Hg).

**mercurochrome** [-kʀɔm] n. m. (nom déposé) Composé chimique rouge vif, antiseptique externe.

**merde** fam. I n. f. **1** Matière fécale. → **excrément ; crotte.** **2** fig. Être ou chose méprisable, sans valeur. ♦ Situation mauvaise et confuse. loc. *Foutre la merde :* mettre la pagaille. – Ennui. → **emmerdement.** II interj. Exclamation de colère, d'impatience, de mépris, parfois d'admiration.

**merdeux, euse** adj. fam. **1** Sali d'excréments. **2** Mauvais. – n. Gamin(e), blanc-bec.

**merdier** n. m. fam. Grand désordre.

**merdique** adj. fam. Mauvais, sans valeur.

**merdoyer** v. intr. [8] fam. S'embrouiller maladroitement ; échouer.

**mère** n. f. I **1** Femme qui a mis au monde un ou plusieurs enfants. ♦ par ext. *Mère adoptive.* – *Mère porteuse*.* **2** Femelle qui a un ou plusieurs petits. **3** Femme qui est comme une mère. **4** Titre donné à une religieuse (supérieure d'un couvent, etc.). **5** Appellatif rural, pour une femme d'un certain âge. II **1** *La mère patrie,* la patrie d'origine. **2** Origine, source. prov. *L'oisiveté est mère de tous les vices.*

**mère-grand** n. f. vx Grand-mère. *Des mères-grand.*

**merguez** [-ɛz] n. f. Saucisse pimentée.

**méridien, ienne** I adj. *Plan méridien,* plan défini par l'axe de rotation de la Terre et la verticale du lieu. – *Hauteur méridienne d'un astre.* II n. m. Cercle imaginaire passant par les deux pôles terrestres. – Demi-cercle joignant les pôles. *Méridiens et parallèles.*

**méridienne** n. f. **1** vieilli Sieste du milieu du jour. **2** Canapé à deux chevets.

**méridional, ale, aux** adj. **1** Qui est au sud (s'oppose à *septentrional*). **2** Qui est du Midi, du Sud (d'un pays). – n. *Les Méridionaux.*

**meringue** n. f. Gâteau très léger fait de blancs d'œufs battus et de sucre. ► **meringué, ée** adj.

**mérinos** [-os] n. m. **1** Mouton à toison épaisse ; sa laine. **2** loc. fam. *Laisser pisser le mérinos,* laisser aller les choses.

**merise** n. f. Petite cerise sauvage.

**merisier** n. m. **1** Cerisier sauvage. ♦ Bois de cet arbre. **2** (Canada) Bouleau à écorce foncée.

**méristème** n. m. bot. Tissu jeune, à cellules serrées, qui engendre les autres tissus végétaux.

**méritant, ante** adj. souvent iron. Qui a du mérite (I, 1).

**mérite** n. m. I **1** Ce qui rend (une personne) digne d'estime, de récompense. **2** Ce qui rend (une conduite) digne d'éloges. II **1** Ensemble de qualités particulièrement estimables. *Un homme de mérite.* → **valeur.** – *Vanter les mérites de qqn, de qqch.* → **louer.** **2** Avantage (de qqch.). *Cela a au moins le mérite d'exister.*

**mériter** v. tr. [1] **1** (personnes) Être en droit d'obtenir (un avantage) ou exposé à subir (un inconvénient). – au p. p. *Un repos bien mérité.* ♦ *Mériter de* (+ inf.). *Il ne mérite pas de réussir.* ♦ (sujet chose) Donner lieu à, requérir. *Ceci mérite réflexion.* **2** Être digne d'avoir (qqn) à ses côtés, dans sa vie. *Il ne méritait pas de tels amis.*

**méritoire** adj. (choses) Où le mérite est grand. – Digne d'éloge. *Effort méritoire.*

**merlan** n. m. **I** Poisson de mer comestible, à chair légère. – fam. *Faire des yeux de merlan frit,* rouler les yeux. **II** vx Coiffeur.

**merle** n. m. Oiseau passereau au plumage généralement noir chez le mâle. – loc. *Merle blanc :* chose, personne rare.

**merlin** n. m. Masse pour assommer les bœufs.

**merlu** n. m. région. Colin (poisson).

**merluche** n. f. Morue séchée.

**mérou** n. m. Grand poisson des côtes de la Méditerranée, à la chair très délicate.

**mérovingien, ienne** adj. Des Mérovingiens (rois des Francs).

**merveille** n. f. **1** Chose qui cause une intense admiration. – *Les Sept Merveilles du monde* (pour les Anciens : pyramides d'Égypte, phare d'Alexandrie, jardins de Babylone, temple de Diane à Éphèse, tombeau de Mausole, statue de Zeus par Phidias, colosse de Rhodes). **2** loc. adv. *À merveille :* parfaitement.

**merveilleux, euse I** adj. **1** littér. Qui étonne par son caractère inexplicable, surnaturel. → **magique, miraculeux. 2** Très admirable, exceptionnel. ► **merveilleusement** adv. **II 1** n. m. L'inexplicable, le surnaturel (dans une œuvre). **2** n. hist. Élégant(e) excentrique, pendant la Révolution et le Directoire.

**mes** adj. poss. → **mon**

**mésalliance** n. f. Mariage avec une personne jugée socialement inférieure.

**mésallier** v. tr. [7] Marier (qqn) par mésalliance. ▷ v. pron. se **mésallier** ▷ adj. **mésallié, ée**

**mésange** n. f. Petit oiseau au corps rond.

**mésaventure** n. f. Aventure fâcheuse, désagréable.

**mescal** ou **mezcal** n. m. Alcool tiré de l'agave. → **pulque.**

**mescaline** n. f. Alcaloïde hallucinogène.

**mesclun** [mɛs-] n. m. Mélange de salades (laitue, mâche, trévise...).

**mesdames, mesdemoiselles** [me-] n. f. Pluriel de *madame, mademoiselle.*

**mésentente** n. f. Défaut d'entente ou mauvaise entente. → **brouille, désaccord.**

**mésentère** n. m. anat. Repli du péritoine qui enveloppe l'intestin.

**mésestimer** v. tr. [1] littér. Ne pas apprécier (qqn, qqch.) à sa juste valeur. → **méconnaître, sous-estimer.**

**mésintelligence** n. f. littér. Défaut d'accord. → **discorde, mésentente.**

**mésolithique** n. m. et adj. didact. Se dit de la période qui suit le paléolithique.

**méson** n. m. phys. Particule de masse intermédiaire entre celle de l'électron (très faible) et celles du proton et du neutron.

**mésosphère** n. f. sc. Couche de l'atmosphère terrestre, après la stratosphère.

**mésozoïque** adj. et n. m. géol. (Ère) secondaire.

**mesquin, ine** adj. **1** (personnes) Qui manque de générosité. – *Des idées mesquines.* **2** Qui témoigne de petitesse morale, d'avarice. ► **mesquinerie** n. f.

**mess** [mɛs] n. m. Lieu où se réunissent les officiers ou les sous-officiers d'une unité, pour prendre leur repas, etc.

**message** n. m. **1** Charge de dire, de transmettre (qqch.). *S'acquitter d'un message.* **2** Information, paroles transmises. → **annonce, avis. 3** Contenu de ce qui est révélé. *Chanson à message.* **4** sc. Transmission d'une information. *Code et message.*

**messager, ère** n. **1** Personne chargée de transmettre une nouvelle, un objet. **2** littér. Ce qui annonce (qqch.). **3** biol. *A. R. N. messager :* forme de l'acide ribonucléique transportant l'information génétique.

**messagerie** n. f. **1** Service de transports de colis et de voyageurs. **2** *Messageries de presse :* organismes de distribution de la presse. **3** *Messagerie électronique :* transmission télématique de messages (abrév. *mél*). → **courriel.**

**messe** n. f. **1** Célébration rituelle du culte catholique commémorant le sacrifice de Jésus-Christ. **2** *Messe noire :* parodie sacrilège du saint sacrifice. **3** Œuvre musicale sur les chants de la messe. **4** loc. *Faire des messes basses :* parler en aparté.

**messidor** n. m. Dixième mois du calendrier révolutionnaire (19-20 juin au 19-20 juillet).

**Messie** n. m. relig. Libérateur désigné et envoyé par Dieu.

**messieurs** [mesjø] n. m. Pluriel de *monsieur.*

**messire** n. m. ancienn^t^ Dénomination des personnes de qualité.

**mesurable** adj. Qui peut être mesuré.

**mesure** n. f. **I 1** Détermination (de grandeurs) par comparaison avec une grandeur constante de même espèce (→ **mesurer**). **2** Grandeur ainsi déterminée. – *Sur mesure :* adapté à une personne, à un but. *Costume sur mesure.* fig. *Rôle sur mesure.* **3** Valeur, capacité appréciée ou estimée. *Donner sa mesure,* montrer ce dont on est capable. **4** loc. *À la mesure de :* proportionné à. – *Dans la mesure de..., où... :* dans la proportion de, où ; pour autant que. *À mesure :* progressivement. *À mesure que... :* en même temps que. – *Au fur* et à mesure.* **II 1** Quantité, unité de comparaison pour mesurer. *Mesures de longueur, de capacité.* **2** Récipient de capacité connue. **3** *Commune* *mesure* (en phrase négative) : rapport. *Il n'y a pas de (c'est sans) commune mesure.* **4** Appréciation par un étalon. **III 1** Quantité, dimension normale, souhaitable. *Dépasser la mesure.* – loc. *Outre mesure* : excessivement. **2** Modération dans le comportement. → **retenue ; mesuré** (2). **3** Manière d'agir proportionnée à un but ; acte officiel. *Prendre des mesures d'urgence.* **4** Division de la durée musicale en parties égales. *Le métronome donne la mesure.* – loc. adv. *En mesure* : en suivant la mesure. ♦ Chacune de ces parties. *Mesure à quatre temps.* **5** loc. *(Être) en mesure de* : avoir la possibilité de.

**mesurer** v. tr. [1] **I 1** Évaluer (une longueur, une surface, un volume) par une comparaison (→ **mesure** (I, 1)). *Mesurer une longueur.* – *Mesurer un appartement* (sa surface). **2** Déterminer la valeur de (une grandeur mesurable) par l'observation ou le calcul. **3** fig. Juger par comparaison. → **estimer, évaluer.** **4** intrans. Avoir pour mesure. *Mesurer un mètre quatre-vingts.* **II** fig. *Mesurer qqch. à* (qqn, qqch.). **1** Donner, régler avec mesure. → **compter.** *Le temps nous est mesuré.* **2** Donner, répartir avec modération. ▷ v. pron. se **mesurer** (personnes) *Se mesurer avec, à qqn,* avoir une épreuve de force avec. → se **battre, lutter.** ▷ adj. **mesuré, ée 1** Évalué par la mesure. **2** Qui montre de la mesure (III, 2). → **modéré.**

**mésuser** v. tr. [1] littér. Faire mauvais usage (de).

**métabolisme** n. m. physiol. Transformations chimiques et biologiques dans l'organisme (spécialt humain).

**métacarpe** n. m. anat. Ensemble des os (dits *métacarpiens*) de la main.

**métadonnée** n. f. inform. Caractéristique formelle normalisée et structurée utilisée pour la description et le traitement des contenus des ressources numériques.

**métairie** n. f. Domaine agricole exploité par métayage*. ♦ Ses bâtiments (→ **ferme**).

**métal, aux** n. m. **1** Corps simple, doué d'un éclat particulier, bon conducteur de la chaleur et de l'électricité, et formant, avec l'oxygène, des oxydes basiques. **2** Substance métallique (métal, alliage).

**métalangage** n. m. didact. Langage qui décrit un autre langage (dit «primaire»).

**métalangue** n. f. didact. Langue naturelle qui parle du langage, des faits de la langue.

**métallique** adj. **1** Fait de métal. **2** Du métal. *Reflet métallique.* **3** (son) Qui semble venir d'un corps fait de métal.

**métalliser** v. tr. [1] techn. **1** Couvrir d'une couche de métal. **2** Donner un éclat métallique à. ► **métallisation** n. f.

**métallo** n. fam. Métallurgiste (1).

**métallographie** n. f. sc. Étude de la structure et des propriétés des métaux.

**métalloïde** n. m. chim. Corps simple qui a certaines propriétés des métaux et des propriétés opposées (syn. *non-métal*).

**métallurgie** n. f. Industries, techniques de fabrication et mise en œuvre des métaux. *Métallurgie du fer.* → **sidérurgie.** ► **métallurgique** adj.

**métallurgiste** n. **1** Ouvrier, ouvrière qui travaille dans la métallurgie. → **métallo. 2** Industriel(le) de la métallurgie.

**métalogique** adj. didact. Qui étudie les valeurs de vérité en logique.

**métamorphique** adj. didact. Se dit d'une roche qui a été modifiée par la chaleur et la pression. ► **métamorphisme** n. m.

**métamorphose** n. f. **1** Changement de forme, de nature ou de structure qui rend méconnaissable. **2** Changement total survenant dans l'organisme (de batraciens, d'insectes), dans son développement vers la forme adulte. **3** Changement complet.

**métamorphoser** v. tr. [1] **1** Modifier par métamorphose (1 et 2). **2** fig. Changer complètement (qqn, qqch.). *L'amour l'a métamorphosé.* ▷ v. pron. se **métamorphoser**

**métaphore** n. f. Changement de sens (figure, trope) par substitution analogique (emploi d'un terme concret dans un contexte abstrait, etc.). *«Donner dans le panneau» est une métaphore.*

**métaphorique** adj. **1** De la métaphore. **2** Qui abonde en métaphores. → **imagé.** ► **métaphoriquement** adv.

**métaphysicien, ienne** n. Philosophe qui s'occupe de métaphysique.

**métaphysique I** n. f. **1** Recherche rationnelle sur l'être (esprit, nature, matière, Dieu...), les principes premiers de la connaissance. → **ontologie, philosophie. 2** Réflexion abstraite. **II** adj. Qui relève de la métaphysique.

**métastase** n. f. méd. Foyer secondaire éloigné d'un foyer initial (par ex. cancer).

**métatarse** n. m. anat. Os du pied entre le talon et les phalanges des orteils.

**métayage** n. m. Mode d'exploitation agricole, louage d'un domaine pour une partie du produit cultivé.

**métayer, yère** n. Personne qui prend à bail et fait valoir par métayage.

**métazoaire** n. m. zool. Organisme animal formé de plusieurs cellules (opposé à *protiste*).

**méteil** n. m. Mélange de seigle et de blé.

**métempsychose** [-koz] n. f. didact. Doctrine selon laquelle une âme se réincarne en plusieurs corps. – var. **métempsycose.**

**météo** (abrév.) **1** n. f. Météorologie. – Informations météorologiques. **2** adj. invar. Météorologique.

**météore** n. m. 1 didact. Phénomène atmosphérique (pluie, neige...). 2 cour. Corps céleste traversant l'atmosphère (→ **météorite**). ► **météorique** adj.

**météorisme** n. m. méd. Gonflement de l'abdomen par des gaz.

**météorite** n. m. ou f. Fragment de corps céleste qui traverse l'atmosphère. → **aérolithe, météore** (2).

**météorologie** n. f. 1 Étude scientifique des météores (1). 2 Service, informations de précision du temps. → **météo.** ► **météorologique** adj. ► **météorologiste** ou **météorologue** n.

**métèque** n. m. 1 Antiq. grecque Étranger. 2 vieilli (terme xénophobe) Étranger dont l'aspect physique, les allures sont jugés déplaisants.

**méthadone** n. f. méd. Substance de synthèse, voisine de la morphine, utilisée dans le traitement de toxicomanes.

**méthane** n. m. Carbure d'hydrogène, gaz incolore, inflammable.

**méthanier** n. m. Cargo destiné à transporter du gaz (méthane) liquéfié.

**méthanisation** n. f. techn. Transformation (de matières organiques) en méthane (→ **biogaz**), par fermentation. ► **méthaniser** v. tr. [1]

**méthanol** n. m. Alcool méthylique (→ **méthyle**).

**méthode** n. f. 1 sc. Démarche de l'esprit pour découvrir et démontrer la vérité. 2 Démarches raisonnées, suivies pour parvenir à un but. *Méthode de travail.* 3 Principes (d'une technique, d'un art). 4 fam. Moyen. → **formule, procédé.**

**méthodique** adj. 1 Fait selon une méthode (s'oppose à *empirique*). *Classement méthodique.* 2 Qui agit, raisonne avec méthode. ► **méthodiquement** adv.

**méthodiste** adj. et n. D'un mouvement religieux protestant cherchant la pureté de la doctrine. ► **méthodisme** n. m.

**méthodologie** n. f. didact. Étude des méthodes scientifiques, techniques (→ **épistémologie**). ► **méthodologique** adj.

**méthyle** n. m. chim. Radical monovalent $CH_3$. ► **méthylique** adj. *Alcool méthylique (méthanol, méthylène).*

**méthylène** n. m. 1 Alcool méthylique impur. 2 chim. Radical bivalent dérivé du méthane. – cour. *Bleu de méthylène,* colorant et antiseptique.

**méticuleux, euse** adj. Soigneux et très attentif aux détails. ► **méticuleusement** adv. ► **méticulosité** n. f.

**métier** n. m. I 1 Travail reconnu par la société et dont on peut tirer des moyens d'existence. → **fonction, profession.** 2 *Le métier de :* la fonction de. → **rôle.** 3 Habileté technique que confère l'expérience d'un métier. *Il a du métier.* II Machine servant à travailler les textiles. *Métier à tisser.*

**métis, isse** [-is] I adj. 1 Issu d'un métissage. – n. *Des métis.* 2 Hybride. *Œillet métis.* II n. m. Toile de coton et de lin.

**métissage** n. m. Croisement de races, de variétés. – fig. *Le métissage des cultures.* ► **métisser** v. tr. [1]

**métonymie** n. f. didact. Figure par laquelle on exprime un concept au moyen d'un terme désignant un autre concept qui lui est uni par une relation nécessaire (cause et effet, inclusion, ressemblance, etc.). ► **métonymique** adj.

**métope** n. f. archéol. Intervalle, souvent sculpté, entre deux triglyphes.

**métrage** n. m. 1 Action de mesurer au mètre. 2 Longueur de tissu vendu au mètre. 3 *Le métrage d'un film,* sa longueur. *Long, moyen, court métrage,* le film.

**mètre** n. m. I 1 Élément de mesure des vers grecs et latins. 2 Type de vers d'après le nombre de syllabes et la coupe. II 1 Unité principale de longueur, base du système métrique (symb. m), longueur parcourue par la lumière en 1/299 792 458 de seconde. – *Un cent mètres,* une course de cent mètres. ♦ *Mètre carré,* unité de superficie (symb. $m^2$). *Mètre cube,* unité de volume (symb. $m^3$). 2 Étalon du mètre. – Règle ou ruban gradué en centimètres.

**métrer** v. tr. [6] Mesurer au mètre. ► **métreur, euse** n.

① **métrique** n. f. Étude de la versification fondée sur l'emploi des mètres.

② **métrique** adj. Qui a rapport au mètre, unité de mesure. *Système métrique.*

**métrite** n. f. Inflammation de l'utérus.

**métro** n. m. Chemin de fer électrique, souvent souterrain, d'une grande ville.

**métronome** n. m. mus. Petit instrument à pendule, servant à marquer la mesure.

**métropole** n. f. I Ville principale. → **capitale.** II État considéré par rapport aux colonies, aux territoires extérieurs.

① **métropolitain, aine** adj. I relig. D'une métropole (I). II D'une métropole (II). – n. Personne originaire de la métropole (dans un territoire extérieur).

② **métropolitain** n. m. admin. → **métro.**

**métropolite** n. m. Archevêque de l'Église orthodoxe.

**mets** n. m. littér. Chacun des aliments préparés servis dans un repas. → **plat.**

**mettable** adj. (vêtements) Qu'on peut mettre.

**metteur, euse** n. (fém. rare) 1 techn. *Metteur en pages* (→ mise* en pages). 2 *Metteur en scène :* responsable de la mise* en scène (théâtre, cinéma, télévision). → **réalisateur.** – *Metteur en ondes* (radio).

**mettre** v. tr. 56 **I** Faire changer de lieu. **1** Faire passer (une chose) dans un endroit, à une place (où elle n'était pas). – *Mettre près* (approcher), *loin* (éloigner)... **2** Placer (un être vivant) à un endroit. → **installer. 3** Placer (un vêtement, un ornement, etc.) sur qqn, sur soi. **4** Ajouter en adaptant. *Mettre un couvercle à une casserole.* **5** Disposer. *Mettre le couvert.* – Installer. *Mettre l'électricité dans une grange.* **6** fig. Ajouter, apporter (un élément moral, affectif). *Mettre de l'énergie à faire qqch., un espoir dans...* **7** *Mettre* (un certain temps, de l'argent) *à* : dépenser, employer. **8** Provoquer, faire naître. *Il a mis du désordre partout.* **9** Écrire. *Mettre son nom sur un album.* ♦ fam. *Mettons que* : admettons que. **10** (compl. personne) Occuper, affecter. *On l'a mis à ce travail, sur cette affaire.* **II 1** (avec un adv.) Placer dans une position nouvelle (sans déplacement ni modification d'état). *Mettre qqn debout.* – sans compl. *Mettre bas,* accoucher (femelles d'animaux). **2** Placer, disposer dans une position. *Mettre le verrou* (le pousser). **III** Faire passer dans un état nouveau. **1** (concret) *Mettre en* : transformer en. – *Mettre à. Mettre un bassin à sec.* **2** (abstrait) *Mettre en contact, en présence. Mettre au point, en œuvre ; en mouvement, en service, en scène, en vente* (→ **mise** (en)). **3** Faire fonctionner. *Mettre la radio.* ▷ v. pron. se **mettre 1** réfl. Venir occuper un lieu, une situation. → se **placer. 2** passif (sujet chose) Avoir pour place habituelle. → se **ranger. 3** Devenir. *Se mettre en colère.* – récipr. *Elles se sont mises d'accord.* **4** réfl. Prendre une position, un état, une apparence. *Se mettre à genoux.* – loc. *N'avoir rien à se mettre* (pour s'habiller à son goût). **5** *Se mettre à* (+ nom ; + inf.) : commencer à (faire). **6** fam. récipr. Se donner des coups. ▷ **mis, mise** → **mis.**

**meuble I 1** adj. (terre) Qui se remue, se laboure facilement. **2** adj. et n. m. dr. (Bien) qui peut être déplacé (opposé à *immeuble*). **II** n. m. Objet mobile de formes rigides servant à l'aménagement de l'habitation, des locaux. → **ameublement, mobilier.**

**meubler** v. tr. 1 **1** Garnir de meubles (II). **2** Constituer le mobilier de. **3** fig. Remplir ou orner. *Meubler ses loisirs.* → **occuper.** ▷ v. pron. se **meubler** Acquérir des meubles. ▷ adj. **meublé, ée** – n. m. *Un meublé* : logement loué meublé.

**meuf** n. f. fam. Femme ; amie, épouse. → **nana.**

**meugler** v. intr. 1 Beugler. ► **meuglement** n. m.

**meuh** interj. Onomatopée évoquant le meuglement des bovidés.

**meule** n. f. **I 1** Cylindre plat et massif, servant à broyer, à moudre. *Meules de moulin.* **2** Disque en matière abrasive pour user, aiguiser, polir. **3** Grand fromage en forme de disque épais. **II 1** Gros tas de foin, de gerbes. **2** Tas de bois pour la confection du charbon de bois. **3** Champignonnière.

**meuler** v. tr. 1 Passer, dégrossir, affûter à la meule.

**meulière** adj. f. et n. f. *(Pierre) meulière* : pierre à surface rugueuse (construction).

**meunerie** n. f. Industrie de la farine.

**meunier, ière** n. **1** Personne qui exploite un moulin à céréales, qui fabrique de la farine. → **minotier. 2** appos. invar. Frit dans la farine. *Des soles meunière.*

**meurette** n. f. Sauce au vin rouge.

**meurtre** n. m. Fait de tuer volontairement un être humain. → **assassinat.**

**meurtrier, ière I** n. Personne qui a commis un ou des meurtres. **II** adj. (choses) **1** Qui concerne la mort de nombreuses personnes (circonstance, lieu). **2** Qui pousse à tuer. *Fureur meurtrière.*

**meurtrière** n. f. Fente verticale pratiquée dans un mur pour tirer.

**meurtrir** v. tr. 2 **1** Blesser en laissant une marque sur la peau. **2** (surtout p. p.) Endommager (un fruit, un légume). **3** fig., littér. Déchirer (le cœur...).

**meurtrissure** n. f. **1** Marque sur la peau (→ **bleu, contusion),** sur des fruits, etc. meurtris. **2** Marque de fatigue, de maladie.

**meute** n. f. **1** Troupe de chiens dressés pour la chasse à courre. **2** Bande, troupe de poursuivants acharnés.

**mévente** n. f. Insuffisance des ventes.

**mexicain, aine** adj. et n. Du Mexique.

**mezcal** → **mescal**

**mézigue** pron. argot Moi.

**mezzanine** [mɛdza-] n. f. **1** Petit entresol. ♦ Étage entre l'orchestre et le premier balcon (d'un théâtre, etc.) (syn. *corbeille*). **2** Petite plate-forme dans une pièce haute de plafond.

**mezze** [medze] n. m. Assortiment de hors-d'œuvre à l'orientale.

**mezzo** [medzo] n. **1** n. m. Voix de femme, entre soprano et contralto (aussi *mezzo-soprano*). **2** n. f. La chanteuse.

**mi** n. m. Troisième note de la gamme d'ut. *Mi bémol.*

**mi- 1** (formant un nom composé) Le milieu de. *La mi-janvier.* **2** (loc. adv.) *À mi-* : à la moitié de. *À mi-hauteur.* **3** (formant un adj. composé) *Yeux mi-clos.*

**miam** [mjam] interj. fam. Exclamation de plaisir à manger.

**miaou** interj. et n. m. Cri du chat.

**miasme** n. m. Émanation à laquelle on attribuait les maladies infectieuses.

**miauler** v. intr. 1 **1** (chats, certains félins) Pousser son cri. **2** Faire un bruit analogue. ► **miaulement** n. m.

**mi-bas** n. m. invar. Chaussette montante.

**mica** n. m. **1** Minerai constituant des roches volcaniques et métamorphiques. **2** Plaque de mica blanc transparent (vitre).

**mi-carême** n. f. Jeudi de la troisième semaine de carême, fête à déguisements.

**micelle** n. f. sc. Particule en suspension dans une solution colloïdale.

**miche** n. f. **1** Pain rond. **2** fam. Fesse.

**miché** n. m. argot Client d'une prostituée. – syn. **micheton.**

**micheline** n. f. anciennt Automotrice sur pneus.

à **mi-chemin** loc. adv. Au milieu du chemin, du trajet (aussi fig.).

**mi-clos, ose** adj. littér. À moitié fermé. *Yeux mi-clos.*

**micmac** n. m. fam. Agissements compliqués et suspects. → **manigance.**

**micocoulier** n. m. Arbre du genre orme.

à **mi-corps** [-kɔʀ] loc. adv. Au milieu du corps, jusqu'à la taille.

à **mi-course** loc. adv. Au milieu du parcours.

**micro** n. (abrév.) **1** n. m. Microphone. *Parler au micro.* **2** n. m. Micro-ordinateur. **3** n. f. Micro-informatique.

**microbe** n. m. **1** Micro-organisme pathogène. ► **microbien, ienne** adj. **2** fam. Personne chétive, petite.

**microbiologie** n. f. Science des micro-organismes. ► **microbiologiste** n.

**microchirurgie** n. f. Chirurgie des structures vivantes microscopiques.

**microclimat** n. m. Conditions climatiques d'une petite zone.

**microcosme** n. m. littér. Abrégé, image réduite du monde (opposé à *macrocosme*).

**microcrédit** n. m. Prêt d'un faible montant accordé, pour un projet, à des personnes démunies.

**microentreprise** n. f. Entreprise de très petite taille (qui peut bénéficier d'aides diverses).

**microfibre** n. f. Fibre textile synthétique extrêmement fine, donnant des tissus doux au toucher.

**microfilm** [-film] n. m. Photographie de très petit format sur film.

**micrographie** n. f. didact. Étude microscopique des matériaux. ► **micrographique** adj.

**micro-informatique** n. f. Informatique des micro-ordinateurs. → **micro** (3).

**micron** n. m. Unité de longueur (symb. µ : lettre *mu*) égale à un millionième de mètre.

**micro-onde** n. f. Onde électromagnétique de très petite longueur. *Four à micro-ondes* ou n. m. *un micro-onde* ou *micro-ondes.*

**micro-ordinateur** n. m. Ordinateur de format réduit (d'usage individuel). → **micro** (2), **P. C.** *Des micro-ordinateurs.*

**micro-organisme** n. m. didact. Organisme microscopique. → **microbe ; bacille, bactérie, virus.** *Des micro-organismes.*

**microphone** n. m. Appareil qui amplifie les ondes sonores. → **micro** (1).

**microphotographie** n. f. Photographie à fort coefficient de réduction.

**microphysique** n. f. Physique de l'atome, des particules.

**micropilule** n. f. Pilule contraceptive ne contenant que des progestatifs.

**microprocesseur** n. m. Très petit circuit intégré *(microcircuit)*, unité de traitement de l'information. → **puce.**

**microscope** n. m. Instrument d'optique qui permet de voir des objets invisibles à l'œil nu. – *Microscope optique, binoculaire ; électronique* (à faisceau d'électrons).

**microscopique** adj. **1** didact. Qui se fait à l'aide du microscope. **2** Visible seulement au microscope. ♦ Très petit, minuscule.

**microsillon** [-s-] n. m. Disque vinyle à sillon très petit. – adj. *Disques microsillons.*

**micro-trottoir** n. m. Enquête faite dans la rue, auprès de passants, par la radio ou la télévision.

**miction** n. f. méd. Action d'uriner.

Ne pas confondre avec *mixtion* «action de mélanger».

**midi** n. m. **I 1** Milieu du jour. **2** Douzième heure (après et avant minuit). – loc. *Chercher midi à quatorze heures,* des difficultés où il n'y en a pas. **II 1** Sud, exposition au sud. **2** Région qui est au sud.

**midinette** n. f. Jeune fille de la ville, simple, sentimentale ou frivole.

① **mie** adv. vx *Ne... mie,* ne... pas.

② **mie** n. f. Partie molle du pain (s'oppose à *croûte*).

**miel** n. m. **1** Substance sirupeuse et sucrée élaborée par les abeilles. **2** loc. *Être tout sucre tout miel :* mielleux (2). *Lune* de miel.*

**mielleux, euse** adj. **1** De miel. **2** Qui a une douceur affectée. → **doucereux.**

**mien, mienne I** adj. poss. de la 1re pers. du sing. À moi. littér. **1** épithète *Un mien cousin.* **2** attribut *Des idées que j'ai faites miennes.* **II** pron. poss. Ce qui est à moi. *Le mien, la mienne (les miens, les miennes).* **III** n. m. pl. *Les miens :* mes parents, mes amis...

**miette** n. f. **1** Petit morceau (de pain, de gâteau...) qui tombe quand on le coupe. **2** fig. *Les miettes* (d'une fortune, d'un partage). → **bribe. 3** Petit fragment. *Mettre qqch. en miettes* (en cassant).

**mieux** adv. Comparatif de *bien.* **I 1** D'une manière plus accomplie, meilleure (s'oppose à *plus mal*). – *Aller mieux :* être en meilleure santé. – *Vous feriez mieux de vous taire :* vous auriez avantage. **2** *Mieux que... Il réussit mieux que son frère. Mieux que jamais.* **3** (avec *plus, moins*) *Moins il mange, mieux il se porte.* **4** loc. adv. *On ne peut mieux,* parfaitement. – *À qui mieux mieux,* à qui fera mieux (ou plus) que l'autre. **II** *Le mieux* **1** De la meilleure façon. *Le mieux du monde.* **2** loc. *Au mieux :* dans le meilleur des cas. **3** *Pour le mieux :* le mieux possible, très bien. **III** adj. attribut **1** (personnes) En meilleure situation, état. *Mettez-vous là, vous serez mieux.* **2** (choses) Préférable, d'une plus grande qualité (s'oppose à *pire*). **3** loc. *Qui mieux est :* ce qui est mieux encore (s'oppose à *pis*). **IV** nominal **1** (sans article) Quelque chose de mieux. *En attendant mieux. Faute de mieux.* **2** n. m. *Le mieux.* prov. *Le mieux est l'ennemi du bien.* – *Un mieux,* une amélioration. – *Faire de mon (ton, son) mieux.*

**mieux-être** [mjøz-] n. m. invar. État plus heureux, amélioration du bien-être*.

**mièvre** adj. D'une grâce fade. ► **mièvrerie** n. f.

**mignard, arde** adj. vx Mignon.

**mignardise** n. f. **1** Délicatesse, grâce affectée. **2** Petit œillet odorant.

**mignon, onne I** adj. **1** Qui a de la grâce et de l'agrément. **2** Aimable, gentil. **3** *Filet mignon :* pointe du filet (bœuf, veau...). **II** n. **1** Personne mignonne. **2** n. m. hist. *Les mignons d'Henri III,* ses favoris homosexuels.

**migraine** n. f. Mal de tête. ► **migraineux, euse** adj. et n.

**migrant, ante 1** adj. Qui participe à une migration. **2** n. Personne qui s'expatrie pour des raisons économiques (→ **émigrant, immigrant**) ou pour échapper à un conflit (→ **réfugié**) ou à une catastrophe.

**migrateur, trice** adj. et n. m. (animaux) Qui émigre (→ **migration** (2)).

**migration** n. f. **1** Déplacement de populations qui passent d'un pays dans un autre pour s'y établir (→ **émigrer, immigrer**). **2** Déplacement saisonnier d'animaux (oiseaux, poissons...). ► **migratoire** adj.

**migrer** v. intr. [1] Émigrer.

**mihrab** n. m. didact. Niche orientée vers la Mecque aménagée dans le mur d'une mosquée.

**à mi-jambe** loc. adv. Au niveau du milieu de la jambe. – var. **à mi-jambes.**

**mijaurée** n. f. péj. Femme, jeune fille aux manières affectées. → **pimbêche.**

**mijoter** v. tr. [1] **I 1** Faire cuire ou bouillir lentement, avec soin. **2** fam. Préparer avec réflexion et discrétion. **II** intrans. Cuire lentement. *Ça mijote.*

**mikado** n. m. **I** Empereur du Japon. **II** Jeu d'adresse, jonchet.

**mil** n. m. Céréale à petits grains (sorgho, millet), cultivée en Afrique.

**milan** n. m. Rapace diurne, brun.

**mildiou** n. m. Maladie de plantes causée par des champignons minuscules. – Rouille des feuilles de la vigne.

**mile** n. m. Mesure anglo-saxonne de longueur (1 609 m). → ② **mille.**

Ne pas confondre avec le *mille* marin (→ ② mille).

**milice** n. f. **1** Troupe de police supplétive. – spécialt *La Milice :* corps de volontaires français qui soutint les occupants allemands. **2** Formation paramilitaire non officielle. ► **milicien, ienne** n.

**milieu** n. m. **I 1** Partie à égale distance des extrémités. – loc. hist. *L'Empire du Milieu,* l'Empire chinois. **2** Ce qui est placé entre d'autres. *Le doigt du milieu.* **3** Période entre le commencement et la fin. **4** *Au milieu :* à mi-distance (espace, temps). – *En plein milieu, au beau milieu :* exactement au milieu. **II** Ce qui est éloigné des extrêmes, des excès ; position, état intermédiaire. – loc. *Le juste milieu :* la position moyenne. **III 1** Ensemble des objets matériels, des circonstances physiques qui entourent et influencent un organisme vivant. → **environnement.** **2** Entourage, groupe social (d'une personne, d'un groupe). *Sortir du milieu familial.* **3** *Le milieu,* groupe social vivant du vol, de la prostitution.

**militaire I** adj. De la force armée. – *Coup d'État militaire.* ► **militairement** adv. **II** n. m. Personne qui fait partie des forces armées. → **soldat.**

**militant, ante** adj. et n. **1** Qui combat dans les luttes idéologiques. **2** Qui milite dans un parti, une organisation. ► **militantisme** n. m.

**militariser** v. tr. [1] Organiser d'une façon militaire ; pourvoir d'une force armée. ► **militarisation** n. f.

**militarisme** n. m. **1** Exaltation des valeurs militaires. **2** péj. Prépondérance (politique) de l'armée. ► **militariste** adj. et n.

**militer** v. intr. [1] **1** (sujet chose) *Militer pour, contre... :* constituer un argument (pour, contre). **2** (personnes) Agir, lutter pour ou contre (une cause). ♦ Agir dans et pour un parti, une organisation (syndicat, etc.).

① **mille** [mil] **I** adj. numéral invar. **1** (cardinal) Dix fois cent (1 000). **2** Un grand nombre. – loc. *Je vous le donne en mille :* vous n'avez pas une chance sur mille de deviner. **3** (ordinal) *Page mille.* – (dans une date ; parfois écrit *mil*) *L'an deux mille seize.* **II** n. m. invar. **1** Le nombre, le numéro mille. – *Pour mille* (précédé d'un numéral). *Natalité de 15 pour mille (15 ‰).* **2** Partie centrale d'une cible (marquée 1 000). *Mettre dans le mille.* → **but.** **3** Millier. – fam. *Des mille et des cents :* beaucoup d'argent.

② **mille** [mil] n. m. 1 Nom d'anciennes mesures de longueur. 2 *Mille anglais.* → **mile.** ♦ *Mille marin* (1852 m).

Ne pas confondre avec le *mile* (1 609 m).

**millefeuille** [mil-] n. m. Gâteau à pâte feuilletée.

**millénaire** [mil-] 1 adj. Qui a mille ans (ou plus). 2 n. m. Période de mille ans.

**mille-pattes** n. m. invar. Myriapode à quarante-deux pattes (deux par segment).

**millepertuis** [mil-] n. m. Plante dont la feuille est criblée de petits pores.

**millésime** [mil-] n. m. 1 Chiffre d'une date exprimant le nombre mille. 2 Date (à quatre chiffres) d'une monnaie, d'un timbre-poste, d'un vin.

**millésimé, ée** [mil-] adj. Qui porte un millésime. *Champagne millésimé.*

**millet** n. m. Graminée cultivée pour les grains (→ **mil**) ou comme fourrage.

**milliard** [miljaʀ] n. m. Nombre ou somme de mille millions. ► **milliardième** adj. et n.

**milliardaire** [mil-] adj. et n. Qui possède un milliard d'une monnaie.

**millibar** n. m. ancienn<sup></sup>t Millième de bar. → **hectopascal.**

**millième** [mil-] 1 adj. numéral ordinal Qui occupe le rang indiqué par le nombre mille. ♦ n. *Le, la millième.* 2 adj. et n. m. Se dit d'une des parties d'un tout divisé en mille.

**millier** [milje] n. m. Nombre, quantité d'environ mille. – loc. adv. *Par milliers.*

**milligramme** n. m. Millième partie du gramme (symb. mg).

**millimètre** n. m. Millième partie du mètre (symb. mm). ► **millimétré, ée** adj.

**millimétrique** adj. Dont la longueur est de l'ordre du millimètre.

**million** [miljɔ̃] n. m. 1 Mille fois mille. 2 Un million d'unités monétaires. *Un appartement d'un million.*

**millionième** [mil-] 1 adj. numéral ordinal Qui occupe le rang marqué par le nombre de un million. – n. *Le, la millionième.* 2 adj. et n. m. Se dit d'une partie d'un tout divisé en un million.

**millionnaire** [mil-] adj. et n. (Personne) qui possède un ou plusieurs millions (2).

**mi-lourd** adj. et n. m. (Sportif, boxeur) entre les poids moyens et les lourds.

**mime** I n. Acteur qui s'exprime par les attitudes et les gestes, sans paroles. II n. m. Spectacle sans paroles. → **pantomime.**

**mimer** v. tr. [1] Exprimer sans le secours de la parole.

**mimétisme** n. m. 1 (animaux, plantes) Propriété de se rendre semblables par l'apparence au milieu environnant ou à une autre espèce. 2 Imitation involontaire ; fait de se conformer à qqn d'autre.

**mimique** n. f. 1 didact. Signes (gestes, jeux de physionomie) qui accompagnent ou remplacent le langage. 2 cour. Expression du visage. → **grimace.**

**mimodrame** n. m. didact. Mime (II).

**mimolette** n. f. Fromage de Hollande à pâte demi-tendre, orangée.

**mimosa** n. m. 1 Variété d'acacia à fleurs jaunes en petites boules ; ces fleurs. 2 appos. invar. *Œufs mimosa :* œufs durs mayonnaise, à jaune écrasé.

**minable** adj. et n. fam. Très médiocre. → **lamentable, piteux.** – n. (personnes) *Une bande de minables.*

**minaret** n. m. Tour d'une mosquée.

**minauder** v. intr. [1] Prendre des manières affectées pour plaire, séduire.

**minauderie** n. f. 1 Action de minauder. 2 (surtout au plur.) Air, manière, geste affectés.

**minaudier, ière** adj. Qui minaude.

**minaudière** n. f. Petit sac du soir destiné à contenir des objets de maquillage.

**minbar** [min-] n. m. didact. Chaire d'une mosquée.

**mince** adj. I 1 (opposé à *épais*) Qui a peu d'épaisseur ; fin. ♦ (opposé à *large*) Étroit. 2 (personnes ; parties du corps) Qui donne une impression de finesse. 3 fig. Sans importance. II interj. fam. Exclamation de surprise.

**minceur** n. f. Caractère de ce qui est mince (I) (choses, personnes).

**mincir** v. intr. [2] Devenir plus mince.

① **mine** n. f. I (aspect physique) Aspect extérieur, apparence. – loc. *Ne pas payer de mine :* avoir mauvaise apparence. – *Faire mine de* (+ inf.) : paraître disposé à. → **faire semblant** de. – fam. *Mine de rien :* sans en avoir l'air. II Aspect du visage, selon la santé, l'humeur. *Avoir bonne mine.* – loc. *Faire grise mine à qqn,* l'accueillir avec froideur. III au plur. Attitudes, gestes (affectés).

② **mine** n. f. I Petit bâton d'une matière laissant une trace (partie centrale d'un crayon). *Mine de plomb.* → **graphite.** II 1 Terrain d'où l'on peut extraire un métal, du charbon ; ensemble d'ouvrages souterrains aménagés pour l'extraction d'un minerai. 2 fig. Réserve, source importante. *Une mine de renseignements.* III Engin explosif (sur terre ou dans l'eau). *Champ de mines.*

**miner** v. tr. [1] I 1 Creuser, attaquer. *La mer mine les falaises.* 2 fig. Attaquer, affaiblir par une action progressive. – passif et p. p. *Il est miné par le souci.* II Garnir de mines explosives. – au p. p. *Terrain miné.*

**minerai** n. m. Minéral qui contient des substances qu'on peut extraire.

**minéral, ale, aux** I adj. **1** Constitué de matière inorganique. *Huiles minérales.* **2** Relatif aux corps minéraux. *Chimie minérale.* **3** *Eau minérale,* contenant naturellement des matières minérales. **II** n. m. Élément ou composé naturel inorganique, constituant de l'écorce terrestre. → **roche.**

**minéralier** n. m. Cargo pour le transport des minerais.

**minéralogie** n. f. Science des minéraux, matériaux de l'écorce terrestre. ► **minéralogiste** n.

**minéralogique** adj. **I** De la minéralogie. **II** (en France) *Numéro minéralogique :* numéro d'immatriculation d'un véhicule.

**minerve** n. f. Appareil orthopédique pour maintenir la tête.

**minestrone** n. m. Soupe (italienne) au riz et aux légumes.

**minet, ette** n. **1** Petit chat. **2** (personnes) terme d'affection *Mon minet.* **3** n. m. Jeune élégant. – n. f. Jeune fille à la mode.

① **mineur, eure** adj. (opposé à *majeur*) **1** D'importance, d'intérêt secondaire (choses, personnes). **2** mus. *Intervalle mineur,* réduit d'un demi-ton. *Ton mineur.* – n. m. *Morceau en mineur.*

② **mineur, eure** adj. et n. Qui n'a pas atteint l'âge de la majorité.

③ **mineur** n. m. Ouvrier d'une mine, spécialt de houille. *Mineur de fond.*

**mini** adj. Très petit. *Des prix minis* ou *mini* (invar.).

**miniature** n. f. **1** Peinture fine de petits sujets. → **enluminure.** ► **miniaturé, ée** adj. **2** Genre de peinture de très petit format. **3** loc. *En miniature :* en réduction.

**miniaturiser** v. tr. [1] Donner à (un objet, un mécanisme) les plus petites dimensions possibles. ► **miniaturisation** n. f.

**miniaturiste** n. Peintre de miniatures.

**minibar** n. m. Réfrigérateur de petite dimension, destiné aux boissons.

**minibus** [-bys] n. m. Petit autobus.

**minidosé, ée** adj. (médicament) Faiblement dosé (en principes actifs).

**minier, ière** adj. **1** Qui a rapport aux mines (②). **2** Où il y a des mines.

**minijupe** n. f. Jupe très courte.

**minimal, ale, aux** adj. Qui constitue un minimum. *Températures minimales.*

**minimaliste** adj. Réduit, simplifié au strict minimum. ► **minimalisme** n. m.

**minime** **1** adj. Très petit, peu important. → **infime.** **2** n. Jeune sportif (âge entre les benjamins et les cadets).

**minimiser** v. tr. [1] Réduire l'importance de (qqch.).

**minimum** [-ɔm] **1** n. m. Valeur la plus petite atteinte par une variable ; limite inférieure (s'oppose à *maximum*). *Des minimums* ou *des minima.* – loc. *Au minimum :* pour le moins. – *Minimum vital :* le plus petit revenu permettant de subsister. **2** adj. Qui constitue un minimum. – au plur. *Des prix minimums* ou *minima.*

**mini-ordinateur** n. m. Ordinateur de taille moyenne.

**minipilule** n. f. Pilule contraceptive faiblement dosée en hormones.

**ministère** n. m. **I** **1** Corps des ministres et secrétaires d'État. **2** Administration, services dépendant d'un ministre. **3** Fonction de ministre. **II** *Ministère public :* magistrats qui défendent les intérêts de la société (avocat général, procureur, etc.). **III** relig. Charge de ministre (II).

**ministériel, elle** adj. **1** Relatif au ministère (I). *Crise ministérielle.* **2** Qui émane d'un ministre.

**ministre** n. **I** **1** Agent supérieur du pouvoir exécutif ; homme ou femme d'État à la tête d'un ministère. *Le Premier ministre :* le chef du gouvernement. *Madame la ministre.* **2** Diplomate à la tête d'une légation. **II** n. m. *Ministre du culte :* prêtre. – Pasteur protestant.

**minitel** n. m. (nom déposé) anciennt (en France) Petit terminal de banques de données.

**minium** [-jɔm] n. m. Peinture rouge préservant le fer de la rouille.

**minois** n. m. Jeune visage délicat, éveillé.

**minorer** v. tr. [1] didact. (s'oppose à *majorer*) Diminuer l'importance, la valeur de (qqch.).

**minorité** n. f. **I** (opposé à ② *majorité*) État d'une personne qui n'a pas atteint la majorité légale. – Temps pendant lequel un individu est mineur (①, II). **II** **1** Groupement (de voix) inférieur en nombre (vote). ♦ Parti, groupe qui n'a pas la majorité des suffrages. **2** *La, une minorité de :* le plus petit nombre de. **3** Groupe englobé dans une collectivité plus importante. *Minorités ethniques.* ► **minoritaire** adj.

**minoterie** n. f. **1** Établissement transformant les grains en farine. **2** Meunerie.

**minotier, ière** [-tje, jɛʀ] n. Industriel(le) qui exploite une minoterie.

**minou** n. m. fam., lang. enfantin Petit chat.

**minuit** n. m. **1** Milieu de la nuit. **2** Heure du milieu de la nuit, la douzième après midi (24 heures ou 0 heure).

**minus** [-ys] n. m. fam. Individu incapable ou peu intelligent.

**minuscule** **1** n. f. Lettre courante, plus petite que la majuscule. **2** adj. Très petit.

① **minute** n. f. **1** Division du temps, soixantième partie de l'heure (symb. min ou mn). **2** Court instant. – loc. *D'une minute à l'autre :* dans un futur imminent. *À la* *minute* : tout de suite. ♦ appos. invar. Préparé rapidement. *Des entrecôtes minute.* **3** Unité d'angle ; soixantième partie d'un degré (symb. ').

② **minute** n. f. dr. Original (d'un acte).

**minuter** v. tr. [1] Organiser selon un horaire précis. ► **minutage** n. m.

**minuterie** n. f. Appareil électrique (spécialt éclairage) réglé pour fonctionner pendant quelques minutes. – syn. **minuteur** n. m.

**minutie** n. f. Application minutieuse.

**minutieux, euse** adj. **1** (personnes) Qui s'attache, s'arrête aux détails. **2** (choses) Soigneux et précis. ► **minutieusement** adv.

**mioche** n. fam. Enfant. → **môme.**

**mirabelle** n. f. **1** Petite prune ronde et jaune. **2** Eau-de-vie de ce fruit.

**mirabellier** n. m. Prunier à mirabelles.

**miracle** n. m. **1** Fait extraordinaire qu'on suppose surnaturel. *Les miracles de Lourdes.* **2** Drame médiéval sacré. **3** Chose étonnante et inattendue. – loc. adv. *Par miracle* : d'une façon inattendue et heureuse.

**miraculer** v. tr. [1] rare Guérir par un miracle. ▷ adj. et n. **miraculé, ée**

**miraculeux, euse** adj. **1** Résultant d'un miracle (1). **2** Inattendu et heureux. → **merveilleux.** ► **miraculeusement** adv.

**mirador** n. m. **1** Belvédère. **2** Construction surélevée de surveillance (camp, prison).

**mirage** n. m. **1** Phénomène optique, illusion d'une nappe d'eau à l'horizon. **2** fig. Apparence séduisante et trompeuse.

**mire** n. f. **1** *Ligne de mire,* ligne droite imaginaire déterminée par l'œil du tireur. – fig. *Point de mire* : centre d'intérêt. **2** Signal fixe déterminant une direction. **3** Image fixe de télévision.

**mirer** v. [1] v. tr. Examiner (un œuf) à contre-jour pour vérifier sa fraîcheur. ▷ v. pron. **se mirer** littér. Se regarder, se refléter (dans l'eau, etc.).

**mirifique** adj. plais. Merveilleux.

**mirliton** n. m. Tube creux dans lequel on chantonne un air. – loc. *Vers de mirliton,* mauvaise poésie.

**mirobolant, ante** adj. fam. Incroyablement magnifique.

**miroir** n. m. **1** Surface polie qui sert à réfléchir la lumière, à refléter les images. – loc. *Miroir aux alouettes* : ce qui trompe en attirant. **2** littér. Surface unie (eau, marbre...) qui réfléchit la lumière ou les objets. **3** *En miroir* : en fournissant une image inversée.

**miroiter** v. intr. [1] **1** Réfléchir la lumière en produisant des reflets scintillants. → **chatoyer. 2** loc. fig. *Faire miroiter* : proposer (qqch.) de manière à séduire. ► **miroitant, ante** adj. ► **miroitement** n. m.

**miroiterie** n. f. Commerce, industrie des miroirs et des glaces. ► **miroitier, ière** n.

**miroton** n. m. Bœuf bouilli aux oignons. – appos. *Du bœuf miroton.*

**MIRV** [mirv] n. m. (sigle angl.) anglic., milit. Dernier étage d'un missile à têtes multiples, formé des têtes nucléaires.

**mis, mise** adj. (personnes) Vêtu, habillé. *Bien, mal mis. Mis avec soin.*

**misaine** n. f. Voile basse du mât de l'avant (d'un navire). *Mât de misaine.*

**misanthrope 1** n. Personne qui fuit le genre humain, qui aime la solitude. **2** adj. Qui évite de fréquenter ses semblables. ► **misanthropie** n. f. ► **misanthropique** adj.

**miscible** adj. sc. Qui peut se mêler à une autre substance en un mélange homogène.

**mise** n. f. **I** avec un compl. **1** (avec *en*) Action de mettre (quelque part). *Mise en place.* ♦ *Mise en pages* : répartition en pages (d'un texte imprimé). – *Mise en scène* : organisation de la représentation : décors, places, mouvements, jeu des acteurs (théâtre ; cinéma, télévision). **2** (dans quelques loc.) *La mise sur pied d'un programme.* ♦ (avec *en, à*) *Mise au net. Mise à prix* (avant des enchères). **II 1** Investissement, risque (d'argent). → **enjeu.** ♦ *Mise de fonds* : placement. **2** *De mise* : qui a cours, est reçu. *Ces manières ne sont plus de mise.* **3** Manière d'être habillé. *Soigner sa mise.*

**miser** v. tr. [1] **1** Déposer, mettre (un enjeu). *Miser cinq euros.* – *Miser sur un cheval.* **2** *Miser sur,* compter sur.

**misérabiliste** adj. arts Qui montre la misère sociale. ► **misérabilisme** n. m.

**misérable** adj. et n. **1** Qui inspire la pitié ; qui est dans le malheur, la misère. → **lamentable, malheureux, pitoyable. 2** Qui manifeste une extrême pauvreté. → **indigent.** – n. vieilli *Secourir les misérables.* «*Les Misérables*» (roman de Victor Hugo). **3** Sans valeur, sans mérite. *Une argumentation misérable.* **4** n. Personne méprisable.

**misérablement** adv. **1** Pitoyablement, tristement. **2** Dans l'extrême pauvreté.

**misère** n. f. **1** littér. Malheur extrême. **2** Événement pénible. – *Faire des misères à qqn,* le tracasser. **3** Extrême pauvreté, privation des choses nécessaires. → **indigence. 4** *Une misère,* chose, somme négligeable.

**miserere** [mizeʀeʀe] n. m. invar. relig. Psaume par lequel le croyant implore la pitié de Dieu. – Musique sur ce psaume.

**miséreux, euse** adj. Qui est dans la misère (3). – n. *Un miséreux.*

**miséricorde** n. f. **1** Pitié par laquelle on pardonne. **2** interj. Exclamation de surprise et de douleur.

**miséricordieux, ieuse** adj. Qui a de la miséricorde, de la compassion.

**miso** n. m. Pâte de soja fermentée (cuisine japonaise).

**misogyne** adj. et n. Qui hait ou méprise les femmes. ► **misogynie** n. f.

**miss** n. f. **1** Demoiselle anglo-saxonne. **2** Reine de beauté élue. *Miss France.*

**missel** n. m. Livre liturgique qui contient les prières et les lectures de la messe.

**missile** n. m. Engin de destruction autopropulsé et téléguidé. → **fusée.**

**mission** n. f. **1** Charge de faire qqch. *Mission accomplie.* – *Chargé de mission* (diplomatique). **2** Charge de propager une religion (prédications, œuvres). ♦ Groupe chargé de cette propagation. **3** Action, but auquel qqn semble destiné. → **vocation.** *La mission de l'artiste.*

**missionnaire 1** n. Religieux, religieuse des Missions. **2** adj. Qui a la mission de propager sa religion, son idéal.

**missive** n. f. littér. Lettre.

**mistigri** n. m. (jeux) Valet de trèfle. ♦ Jeu de cartes (où ce valet est important).

**miston, onne** n. région. Gamin.

**mistral** n. m. Vent violent qui souffle du nord ou du nord-ouest vers la mer (vallée du Rhône, Méditerranée).

**mitage** n. m. géogr. Éparpillement des constructions, des habitations. *Mitage du tissu urbain.*

**mitaine** n. f. **1** Gant qui laisse à nu les deux dernières phalanges des doigts. **2** (Canada) Moufle.

**mitan** n. m. vx ou région. Milieu, centre.

**mitard** n. m. argot Cachot.

① **mite** n. f. Petit papillon blanchâtre (teigne) dont la larve ronge les étoffes.

② **mite** n. f. Chassie (de l'œil).

**mité, ée** adj. Troué par les mites.

**mi-temps** [-tɑ̃] n. f. invar. **1** Temps de repos au milieu d'un match (football, rugby, hockey). ♦ Chacune des deux moitiés du temps réglementaire (dans un match). **2** *Travail à mi-temps* ; n. m. *un mi-temps,* pendant la moitié de la durée normale du travail.

se **miter** v. pron. [1] Être attaqué, rongé par les mites.

**miteux, euse** adj. En piteux état ; d'apparence misérable. *Un hôtel miteux.*

**mithridatiser** v. tr. [1] didact. Immuniser en accoutumant au poison. ► **mithridatisation** n. f.

**mitigé, ée** adj. **1** vx Adouci. *Sévérité mitigée.* **2** cour. Mêlé. *Des réactions mitigées.*

**mitochondrie** [-kɔ̃dʀi] n. f. biol. Granule du cytoplasme, indispensable aux réactions énergétiques de la cellule.

**mitonner** v. [1] **I** v. intr. Cuire longtemps à petit feu. **II** v. tr. Préparer soigneusement, longuement (cuisine ; et fig.).

**mitose** n. f. biol. Division de la cellule où chaque chromosome se dédouble.

**mitoyen, enne** adj. Entre deux choses, commun aux deux. *Mur mitoyen.* ► **mitoyenneté** n. f.

**mitraille** n. f. **1** ancienn Morceaux de métal servant de projectiles. **2** Décharge d'artillerie, de balles. **3** fam. Petite monnaie.

**mitrailler** v. tr. [1] **1** Prendre pour objectif d'un tir de mitrailleuse. **2** fam. Photographier ou filmer sans arrêt. ► **mitraillage** n. m.

**mitraillette** n. f. Arme portative à tir automatique (syn. *pistolet-mitrailleur*).

**mitrailleur 1** n. m. Servant d'une mitrailleuse. **2** adj. m. (arme) Qui peut tirer par rafales. – → aussi **fusil-mitrailleur, pistolet-mitrailleur.**

**mitrailleuse** n. f. Arme automatique lourde, sur support, à tir rapide.

**mitral, ale, aux** adj. **1** anat. En forme de mitre. *Valvule mitrale du cœur.* **2** méd. De la valvule mitrale. *Insuffisance mitrale.*

**mitre** n. f. Haute coiffure triangulaire de cérémonie portée par les évêques.

**mitron** n. m. Garçon boulanger.

à **mi-voix** loc. adv. D'une voix basse.

**mixage** n. m. anglic. Regroupement du son sur une même bande (film, chanson).

① **mixer** v. tr. [1] anglic. **1** Procéder au mixage de. **2** Passer au mixer.

② **mixer** ou **mixeur** [miksœʀ] n. m. anglic. Appareil électrique servant à mélanger, à battre des aliments.

**mixité** n. f. Caractère mixte (2).

**mixte** adj. **1** didact. Formé de plusieurs éléments de nature différente. **2** Qui comprend des personnes des deux sexes. *École mixte.* **3** Composé de personnes d'origines (sociales, ethniques...) différentes.

**mixtion** [mikstjɔ̃] n. f. didact. Action de mélanger, spécialt des drogues.

> Ne pas confondre avec *miction* «action d'uriner».

**mixture** n. f. **1** Mélange de substances chimiques, pharmaceutiques. **2** péj. Mélange comestible compliqué.

**M**lle Abréviation de *mademoiselle.*

**M**me Abréviation de *madame.*

**MMS** n. m. (sigle) techn., anglic. Technique et service d'envoi de messages multimédias à partir d'un téléphone mobile.

**mnémonique** adj. didact De la mémoire.

**mnémotechnique** [-tɛk-] adj. Capable d'aider la mémoire par des procédés d'association mentale.

**mobile I** adj. **1** Dont on peut changer la place ou la position. *Cloison mobile.* → **amovible.** – *Téléphone mobile.* → **portable. 2** Dont la date, la valeur peut être modifiée. *Les fêtes mobiles du calendrier.* **3** (personnes) Qui se déplace ou peut se déplacer. **4** Dont l'apparence change sans cesse. *Visage mobile.* **II** n. m. **1** sc. Corps qui se déplace, considéré dans son mouvement. **2** Ce qui incite à agir. *Les mobiles d'un acte.* **3** Œuvre, sculpture pouvant prendre des dispositions variées.

**mobilier, ière** **I** adj. (s'oppose à *immobilier*) **1** Qui consiste en biens meubles (I). **2** dr. De la nature des biens meubles. *Valeurs mobilières.* **II** n. m. Ensemble des meubles (II) d'une habitation, d'un local. ♦ *Mobilier urbain,* installations dans les lieux publics.

**mobilisable** adj. Susceptible d'être mobilisé (1).

**mobilisateur, trice** adj. Qui mobilise.

**mobilisation** n. f. **1** Fait de mobiliser une armée, une troupe sur le pied de guerre. **2** fig. *La mobilisation des énergies.*

**mobiliser** v. tr. [1] **1** Mettre sur le pied de guerre (une armée). ♦ Affecter (qqn) à l'armée. **2** Faire appel à (un groupe) pour une action collective. *Le syndicat a mobilisé ses militants.* **3** Faire appel à, mettre en jeu (des facultés intellectuelles ou morales).

**mobilité** n. f. **1** Caractère de ce qui peut se mouvoir, changer de place. **2** Caractère de ce qui change rapidement.

**mobylette** n. f. (marque déposée) Cyclomoteur de cette marque.

**mocassin** n. m. Chaussure basse (de marche, de sport), sans attaches.

**moche** adj. fam. Laid (aussi fig.). ► **mocheté** n. f.

**modal, ale, aux** adj. didact. Qui a rapport aux modes (→ ② **mode** 2). – *Musique modale* (opposé à *tonal*).

**modaliser** v. tr. [1] didact. Différencier selon des modes, des modalités. ► **modalisation** n. f.

**modalité** n. f. Forme particulière (d'un acte, d'un fait, d'une pensée, d'un objet). *Modalités de paiement.*

① **mode** n. f. **1** Manière collective de faire. *Les modes de l'époque.* – loc. *À la mode (de...).* **2** Goûts collectifs, manières passagères de vivre, de sentir qui sont appréciés socialement. – loc. *À la mode :* conforme au goût du jour (→ dans le vent). ♦ spécialt Habitudes collectives et passagères d'habillement.

② **mode** n. m. **1** philos. Manière d'être (d'une substance). *Les modes de la pensée.* **2** mus. Disposition particulière de la gamme caractérisée par la disposition des tons et demi-tons. *Mode majeur, mineur.* **3** ling. Caractère des formes verbales exprimant l'attitude du sujet (en français : indicatif, subjonctif, conditionnel, impératif, infinitif, participe). **4** cour. *Mode de...,* façon, manière. *Mode d'existence.* → **genre.** – *Mode d'emploi,* manière d'utiliser (un appareil...).

**modelage** n. m. Action de modeler (une substance plastique) ; son résultat.

**modèle** n. m. **I 1** Ce qu'on doit imiter. *Prendre qqn pour modèle.* – adj. *Des employés modèles.* → **exemplaire. 2** Personne ou objet dont l'artiste reproduit l'image. *Dessiner d'après (le) modèle.* ♦ Personne dont la profession est de poser. **3** *Modèle de :* représentant d'une catégorie. *Elle est, c'est un modèle de générosité.* **II 1** Catégorie, classe définie. → ② **mode, type. 2** Type selon lequel des objets semblables peuvent être reproduits. → **prototype.** – *Modèle déposé.* **3** Objet de même forme. – *Modèle réduit* (d'un véhicule, etc.). → **maquette. 4** sc. Représentation simplifiée, formalisée, d'un processus, d'un système. **5** Type d'organisation sociale et économique.

**modelé** n. m. arts Relief des formes.

**modeler** v. tr. [5] **1** Façonner (un objet) en donnant une forme à une substance molle. *Modeler une statuette.* ♦ Pétrir (une substance plastique) pour lui imposer une forme. *Modeler de l'argile.* ♦ **sans compl.** *Pâte à modeler.* **2** Conférer une certaine forme à (qqch.). *L'érosion modèle le relief.* **3** fig. *Modeler son goût sur celui de qqn.*

**modélisme** n. m. Conception et construction des modèles (II, 3) réduits.

**modéliste** n. **1** Personne qui fait ou dessine les modèles, dans la couture. **2** Personne qui fabrique des modèles réduits.

**modem** [-ɛm] n. m. inform. Appareil de traitement à distance de l'information.

**modénature** n. f. archit. Profil d'un ensemble de moulures.

**modérateur, trice 1** n. Personne, chose qui concilie les partis opposés. ♦ adj. *Une influence modératrice.* – *Ticket modérateur :* frais laissés à la charge du malade par la Sécurité sociale (en France). **2** n. m. Corps qui, dans une pile atomique, permet de régler une réaction en chaîne.

**modération** n. f. **1** Comportement éloigné de tout excès. **2** Action de modérer.

**moderato** [-de-] adv. mus. Mouvement modéré.

**modéré, ée** adj. **1** Qui fait preuve de mesure. **2** adj. et n. Qui professe des opinions politiques éloignées des extrêmes. **3** Peu intense, assez faible. *Prix modéré.* ► **modérément** adv.

**modérer** v. tr. [6] Diminuer l'intensité de (un phénomène, un sentiment), réduire à une juste mesure (ce qui est excessif). *Modérer sa colère.* – *Modérer son allure.*

**moderne** adj. **I 1** Actuel, contemporain ou récent. **2** Qui bénéficie des progrès récents ; qui correspond au goût actuel. → **neuf, nouveau ;** opposé à *ancien.* – n. m. *Aimer le moderne.* **3** (personnes) Qui tient compte de l'évolution récente. **II 1** didact. Qui appartient à une époque postérieure à l'Antiquité. – spécialt n. *Les Modernes* : les écrivains modernes, au XVII^e siècle. **2** *Histoire moderne ; les Temps modernes*, de la fin du moyen âge à la Révolution française. **3** (s'oppose à *classique*) *Enseignement moderne* (sciences et langues vivantes).

**moderniser** v. tr. [1] Rendre (plus) moderne. ► **modernisation** n. f.

**modernisme** n. m. Goût du moderne ; recherche de la modernité. ► **moderniste** adj.

**modernité** n. f. Caractère de ce qui est moderne, notamment en art.

**modern style** n. m. et adj. invar. anglic. Tendance artistique du début du XX^e siècle, avec décor floral stylisé (syn. *style nouille, art nouveau*).

**modeste** adj. **I 1** Simple, sans faste. *Un modeste cadeau. Milieu social modeste.* **2** Peu important. *Un salaire très modeste.* **II** (personnes) Qui a une opinion modérée de son mérite. ► **modestement** adv.

**modestie** n. f. Modération, retenue dans l'appréciation de soi-même. – *Fausse modestie*, modestie affectée.

**modicité** n. f. Caractère modique.

**modifiable** adj. Qui peut être modifié.

**modificateur, trice** adj. Qui a la propriété de modifier.

**modificatif, ive** adj. Qui modifie.

**modification** n. f. Changement (qui n'affecte pas l'essence de ce qui change). *Lente modification.* → **évolution.**

**modifier** v. tr. [7] Changer sans altérer la nature. ▷ v. pron. se **modifier**

**modillon** n. m. archit. Ornement placé sous une corniche, un support.

**modique** adj. Peu considérable. *Une somme modique.* ► **modiquement** adv.

**modiste** n. Fabricant, marchand de coiffures féminines.

**modulateur** n. m. Appareil qui module un courant, une onde **(→ modem).**

**modulation** n. f. **1** Changement de ton, de hauteur, etc. dans l'émission d'un son **(→ inflexion)** ; façon de moduler. **2** mus. Passage d'une tonalité à une autre. **3** Variation d'une onde. *Modulation de fréquence.*

**module** n. m. **1** arts Unité déterminant des proportions. **2** Unité de mesure de débit. **3** Coefficient de résistance des matériaux. **4** Unité constitutive d'un ensemble. ♦ Élément d'un engin spatial. ► **modulaire** adj.

**moduler** v. tr. [1] **1** Articuler, émettre (une mélodie, un son varié) par des modulations. **2** Effectuer des modulations (2). **3** radio Faire varier les caractéristiques de (un courant électrique ou une onde). **4** Adapter (qqch.) à des cas particuliers. *Moduler des tarifs.*

**modus vivendi** [mɔdysvivɛ̃di] n. m. invar. Transaction mettant d'accord deux parties.

**moelle** [mwal] n. f. **I 1** Substance molle et grasse de l'intérieur des os. **2** loc. *Jusqu'à la moelle (des os)*, à l'intérieur du corps. ♦ *La substantifique* moelle.* **II** *Moelle épinière* : cordon nerveux de l'épine dorsale.

**moelleux, euse** [mwalø, øz] adj. **1** Qui a de la douceur et de la mollesse au toucher. *Siège moelleux.* ♦ n. m. Gâteau moelleux. **2** Agréable, doux au goût. → **onctueux, savoureux. 3** Qui a une sonorité pleine et douce. **4** (formes naturelles ou artistiques) Qui a de la mollesse et de la grâce.

**moellon** [mwalɔ̃] n. m. Pierre de construction maniable.

**mœurs** [mœʀ(s)] n. f. pl. **I** Habitudes (d'une société, d'un individu) relatives à la pratique du bien et du mal. → **conduite, morale. II 1** Habitudes de vie, coutumes (d'un peuple, d'un groupe). **2** Habitudes de vie, comportement (de qqn). **3** (animaux) *Les mœurs des abeilles.*

**mogette** ou **mojette** n. f. région. (ouest de la France) Haricot blanc.

**mohair** n. m. Poil de la chèvre angora. – appos. *Laine mohair.* ♦ Étoffe de mohair.

**moi I** Pronom personnel de la première personne du singulier **(→** aussi **me)** représentant la personne qui s'exprime. **1** (compl. d'objet après un impér.) *Regarde-moi.* – (après un autre pron. pers.) *Donnez-la-moi.* **2** (sujet) «*Qui est là ? – Moi.*» – *Moi, je... Moi qui...* **3** (coordonné) *Mon frère et moi. Lui ou moi.* **4** (compar.) *Plus, moins que moi.* **5** (attribut) *C'est moi.* **6** (précédé d'une prép.) *Pour moi. Selon moi, d'après moi.* – *De vous à moi* (→ entre nous). **7** (renforcé) loc. *Moi-même.* – *Moi seul.* – *Moi aussi. Moi non plus.* **II** n. m. invar. **1** *Le moi* : ce qui constitue la personnalité d'un être humain. **2** psych. Instance psychique chargée de la médiation entre le ça, le surmoi et la réalité.

**moignon** n. m. **1** Extrémité d'un membre amputé. **2** Membre rudimentaire. *Les moignons d'ailes des pingouins.*

**moindre** adj. compar. **I** compar. Plus petit, plus faible. *Un moindre mal.* **II** superl. *Le moindre* : le moins important.

**moindrement** adv. littér. *Pas le moindrement* : pas du tout.

**moine** n. m. Religieux chrétien vivant à l'écart du monde, en communauté. – par ext. *Moine bouddhiste.* → **bonze.**

**moineau** n. m. Passereau de petite taille à livrée brune, striée de noir.

**moins** adv. **I** (compar. de *peu*) Plus faiblement, d'une manière moins importante (s'oppose à *plus*). *Il travaille moins.* – *Non moins que* : autant que, comme. – *Pas moins* : autant. – loc. *Plus ou moins* : à peu près. **II 1** *Le, la moins* (superl. de *peu*). – loc. *Pas le moins du monde* : pas du tout. **2** *Au moins. Si, au moins, il était venu !* → **seule-**

ment. *Pour le moins* : au minimum. – *Du moins* : néanmoins, en tout cas. **III nominal** 1 Une quantité, une chose moindre. *Ni plus ni moins* : exactement autant. **2** loc. *À moins de, que* : sauf si. **IV** n. m. **1** *Le moins* : la plus petite quantité, la moindre chose. **2** *Le signe moins* (–) : le signe de la soustraction. **V** adj. attribut *C'est moins que rien* : c'est insignifiant. – subst. *Un, une moins que rien,* personne sans aucune valeur. **VI** prép. **1** En enlevant, en ôtant. *Six moins quatre.* – *Deux heures moins dix.* **2** (introduisant un nombre négatif) *Il fait moins dix (degrés).*

**moire** n. f. **1** Apprêt de tissus par écrasement irrégulier du grain. – Tissu moiré. **2** fig., littér. Aspect changeant (d'une surface).

**moiré, ée** adj. **1** Qui a reçu l'apprêt de la moire. **2** fig., littér. Chatoyant. ► **moirure** n. f.

**mois** n. m. **1** Chacune des douze divisions de l'année, de trente jours environ. **2** Rétribution d'un mois de travail. → **mensualité.**

**moïse** n. m. Corbeille capitonnée qui sert de berceau.

**moisir** v. [2] **I** v. intr. **1** Se couvrir de moisissures sous l'effet de l'humidité. **2** fig., fam. Rester longtemps dans la même situation. **II** v. tr. Couvrir de moisissure. ▷ adj. **moisi, ie** *Fruit moisi.* – n. m. *Ça sent le moisi.*

**moisissure** n. f. Corruption d'une substance par de petits champignons ; ces champignons, en mousse veloutée.

**moisson** n. f. **1** Récolte des céréales parvenues à maturité. – Ces céréales. **2** fig. *Une moisson de souvenirs.*

**moissonner** v. tr. [1] Couper et récolter (des céréales).

**moissonneur, euse** **1** n. Personne qui fait la moisson. **2** n. f. Machine agricole qui moissonne. ► **moissonneuse-batteuse** n. f.

**moite** adj. Légèrement humide. ► **moiteur** n. f.

**moitié** n. f. **1** L'une des deux parties égales d'un tout. **2** *À moitié* : à demi, partiellement. ♦ *Faire moitié-moitié* : partager également. **3** fam. *Sa moitié* : sa femme.

**mojette** → **mogette**

**moka** n. m. **1** Café d'Arabie. **2** Gâteau fourré d'une crème au café.

**mol** → **mou**

① **molaire** n. f. Dent broyeuse de la partie postérieure de la mâchoire.

② **molaire** adj. chim. De la mole.

① **mole** n. f. chim. Unité de quantité de matière (autant de molécules qu'il y a d'atomes dans 12 g de carbone 12).

② **mole** [mɔle] n. m. cuis. Sauce mexicaine au piment (parfois additionnée de cacao).

**môle** n. m. Construction en maçonnerie, destinée à protéger l'entrée d'un port.

**molécule** n. f. chim. La plus petite partie d'un corps susceptible d'exister à l'état isolé en gardant les caractères de ce corps. – Assemblage stable d'atomes. ► **moléculaire** adj.

**moleskine** n. f. Toile revêtue d'un enduit imitant le cuir.

**molester** v. tr. [1] Maltraiter physiquement.

**molette** n. f. **1** Roue étoilée, à l'extrémité de l'éperon. **2** Roulette mobile au bout d'un manche. ♦ Roulette de réglage striée. *Clé à molette.* ► **moleté, ée** adj.

**mollah** n. m. Chef religieux islamique.

**mollard** n. m. fam. et vulg. Crachat.

**mollasse** adj. **1** Mou. **2** Sans énergie.

**mollasson, onne** n. fam. Personne molle.

**mollement** adv. **1** Sans énergie. **2** Avec douceur et abandon.

**mollesse** n. f. **1** Caractère de ce qui est mou. **2** Paresse ; manque d'énergie.

① **mollet** adj. m. **1** Agréablement mou. **2** *Œuf mollet,* à peine cuit dans sa coquille.

② **mollet** n. m. Partie charnue de la jambe, entre le jarret et la cheville.

**molletière** n. f. Jambière qui s'arrête en haut du mollet. ♦ adj. *Bande molletière,* qu'on enroule autour du mollet.

**molleton** n. m. Tissu gratté moelleux. ► **molletonné, ée** adj.

**mollir** v. intr. [2] **1** Perdre sa force. *Sentir ses jambes mollir.* – mar. *Le vent mollit.* **2** fig. Céder. ♦ fam. Flancher.

**mollo** adv. fam. Doucement.

**mollusque** n. m. **1** Animal invertébré au corps mou (céphalopodes, gastéropodes, bivalves). **2** fig., fam. Personne molle.

**molosse** n. m. littér. Gros chien.

**molybdène** n. m. Élément, métal blanc, dur, peu fusible. *Acier au molybdène.*

**môme** **1** n. et adj. fam. Enfant. **2** n. f. pop. Jeune fille. *Jolie môme.*

① **moment** n. m. **1** Espace de temps limité. → **instant.** **2** Court instant. *Dans un moment.* **3** Circonstance, temps. *De bons moments.* **4** Point de la durée (en rapport avec un événement). *C'est le moment ou jamais.* → **occasion.** **5** loc. prép. *Au moment de.* → **lors.** – loc. conj. *Du moment où, que* : puisque, dès lors que. – loc. adv. *D'un moment à l'autre* : bientôt.

② **moment** n. m. sc. Produit de forces, de vecteurs...

**momentané, ée** adj. Qui ne dure qu'un moment. ► **momentanément** adv.

**momie** n. f. Cadavre desséché et embaumé. *Momies égyptiennes.*

**momifier** v. tr. [7] Transformer en momie. → **embaumer.** ▷ v. pron. se **momifier** Se figer, se scléroser. ► **momification** n. f.

**mon, ma, mes** adj. poss. **I** (sens subjectif) **1** Qui est à moi, qui m'appartient. *Mon livre, ma voiture.* – (pour *ma*) *Mon écharpe.* – Auquel j'appartiens. *Ma génération.* **2** (devant un nom de personne) *Mon père. Mes voisins.* **3** (en s'adressant à qqn) *Mon cher ami.* **II** (sens objectif) De moi, relatif à moi. *Mon juge,* celui qui me juge.

**monacal, ale, aux** adj. Relatif aux moines. → **monastique.** ♦ De moine.

**monarchie** n. f. Régime politique dans lequel le chef de l'État est un monarque. → **royauté.** ♦ Cet État. → **royaume.** ► **monarchique** adj.

**monarchiste** n. et adj. Partisan de la monarchie. ► **monarchisme** n. m.

**monarque** n. m. Souverain personnel héréditaire. → **empereur, prince, roi.**

**monastère** n. m. Établissement où vivent des religieux (moines) d'un ordre.

**monastique** adj. Qui concerne les communautés de moines. → **monacal.**

**monceau** n. m. Élévation formée d'une grande quantité d'objets entassés. → **amas.**

**mondain, aine** adj. **1** Relatif à la société des gens du monde (III, 2). ♦ Qui aime leurs habitudes. – n. *Les mondains.* **2** ancienn*t* *Police mondaine,* n. f. *la mondaine* (répression du trafic de drogue et du proxénétisme).

**mondanité** **1** n. f. Caractère de ce qui est mondain. **2** n. f. pl. Habitudes, plaisirs des gens du monde (III, 2).

**monde** n. m. **I 1** La Terre et les astres (système organisé). → **cosmos.** ♦ L'ensemble de tout ce qui existe. → **univers.** **2** Ensemble de choses, domaine à part. *Le monde végétal.* **II 1** La planète Terre, sa surface. *Faire le tour du monde.* – *Le Nouveau Monde* : les deux Amériques. *L'Ancien Monde* : l'Europe, l'Afrique et l'Asie. ♦ *Il n'est plus de ce monde* : il est mort. **2** *Venir au monde* : naître. **3** L'humanité. ♦ *Du monde. C'est le meilleur homme du monde.* – *Pour rien au monde* : en aucun cas. **III 1** relig. La vie profane. *Renoncer au monde.* → **siècle.** **2** La vie en société, dans ses aspects de luxe, de divertissement ; les mondains. *Un homme du monde.* **3** Milieu, groupe social. *Le monde des lettres.* **IV 1** *Le monde, du monde* : les gens, des gens. *J'entends du monde.* – Beaucoup de personnes. *Cela attire du monde.* **2** *Tout le monde* : chacun.

**monder** v. tr. [1] Décortiquer, nettoyer. – au p. p. *Orge mondé.*

**mondial, ale, aux** adj. Relatif à la terre entière. ► **mondialement** adv.

**mondialisation** n. f. Fait d'exister, de se répandre dans le monde entier. – spécial*t* (Au plan économique) *La mondialisation des échanges, de l'économie.* → **globalisation.** *La contestation de la mondialisation libérale.* → **antimondialisation ; altermondialiste.**

**mondialiser** v. tr. [1] Rendre mondial ; donner un caractère mondial à (qqch.).

**mondialisme** n. m. Unité, perspective mondiale.

**monégasque** adj. et n. De Monaco.

**monétaire** adj. Relatif à la monnaie. *Unité monétaire.*

**monétique** n. f. Moyens bancaires électroniques.

**mongol, ole** adj. et n. De Mongolie. ♦ n. m. *Le mongol* (langue).

**mongolisme** n. m. Maladie congénitale (trisomie* 21) se manifestant par un faciès typique et des déficits. ► **mongolien, ienne** adj. et n.

① **moniteur, trice** n. Personne qui encadre les activités des jeunes, un sport. ► **monitorat** n. m.

② **moniteur** n. m. **1** inform. Programme de contrôle. **2** méd. Appareil électronique de surveillance. **3** Écran d'un ordinateur.

**monitoring** n. m. anglic., méd. Surveillance à l'aide d'un moniteur (②, 2).

**monnaie** n. f. **1** Pièces de métal servant d'unité de valeur. **2** Instrument de mesure et de conservation de la valeur, moyen d'échange des biens (→ **argent**). *Monnaie métallique, fiduciaire.* ♦ *Valeurs relatives des monnaies.* → **change, cours, parité.** ♦ loc. fig. *C'est monnaie courante* : c'est courant, banal. **3** *Fausse monnaie* : contrefaçon frauduleuse de pièces, de billets. **4** Ensemble de pièces, de billets de faible valeur. *Petite monnaie.* ♦ Subdivision de la valeur d'une pièce, d'un billet ; différence entre un billet, une pièce et une somme moindre. *Rendre la monnaie.* – loc. *Rendre à qqn la monnaie de sa pièce,* lui rendre le mal qu'il a fait.

**monnayer** [mɔnɛje] v. tr. [8] **1** Convertir en monnaie. **2** Tirer de l'argent de (qqch.). ► **monnayable** adj.

**monnayeur** n. m. **1** Personne qui fabrique les monnaies. ♦ Faux-monnayeur. **2** Appareil rendant la monnaie.

**monochrome** [-kʀom] adj. didact. D'une seule couleur. ► **monochromie** n. f.

**monocle** n. m. ancienn*t* Petit verre optique tenant dans une des arcades sourcilières.

**monoclonal, ale, aux** adj. biol. Qui appartient à un même clone cellulaire.

**monocoque** n. m. Bateau à une coque.

**monocorde** adj. Qui est sur une seule note, n'a qu'un son. → **monotone.**

**monocorps** n. m. → **monospace**

**monocotylédone** n. f. bot. Plante qui n'a qu'un seul cotylédon.

**monoculture** n. f. agric. Culture d'une seule plante, d'un seul produit.

**monocyte** n. m. biol. Grand leucocyte mononucléaire.

**monogamie** n. f. Régime juridique où un homme, une femme ne peut avoir plusieurs conjoints en même temps. ► **monogame** adj. et n. (opposé à *bigame, polygame*)

**monogramme** n. m. Chiffre composé de lettres d'un nom entrelacées.

**monographie** n. f. Étude détaillée sur un sujet précis.

**monoï** [mɔnɔj] n. m. invar. Huile de fleurs polynésiennes (fleurs de tiaré) et de noix de coco.

**monolingue** adj. En une seule langue. ► **monolinguisme** n. m.

**monolithe** adj. et n. m. (Monument) d'un seul bloc de pierre.

**monolithique** adj. **1** → **monolithe. 2** fig. Qui forme un ensemble rigide, homogène.

**monologue** n. m. **1** Scène à un personnage qui parle seul. **2** Long discours d'une seule personne. **3** Paroles d'une personne seule. **4** *Monologue intérieur,* longue suite de pensées. – littér. Texte censé transcrire les pensées d'un narrateur.

**monologuer** v. intr. [1] Parler seul, ou comme si l'on était seul.

**monôme** n. m. math. Expression algébrique à un seul terme.

**monomère** adj. et n. m. chim. (Composé) constitué de molécules simples, et capable de former des polymères.

**monomoteur** n. m. techn. Avion à un seul moteur.

**mononucléaire** adj. biol. (cellule) Qui n'a qu'un seul noyau. – adj. et n. *(Leucocyte) mononucléaire.* → **monocyte.**

**mononucléose** n. f. méd. Maladie d'origine virale (leucocytose) avec augmentation du nombre des monocytes.

**monoparental, ale, aux** adj. sociol. *Famille monoparentale,* où un seul des parents élève les enfants.

**monoplace** adj. (véhicule) À une place.

**monoplan** n. m. Avion qui n'a qu'un seul plan de sustentation.

**monopole** n. m. **1** Situation où une entreprise est seule à vendre un produit ; cette entreprise. **2** Possession exclusive. *S'attribuer le monopole du patriotisme.*

**monopoliser** v. tr. [1] **1** Exercer un monopole sur. **2** fig. Accaparer. ► **monopolisation** n. f.

**monorail** adj. et n. m. techn. (Train) qui n'a qu'un seul rail.

**monoski** n. m. Ski unique ; ce sport.

**monospace** n. m. Automobile spacieuse dont la carrosserie semble d'un seul corps, sans décrochements. – syn. **monocorps** n. m.

**monosyllabe** adj. et n. m. (Mot) d'une syllabe. ► **monosyllabique** adj.

**monothéiste** n. Personne qui croit en un dieu unique. – adj. *Religions monothéistes* (judaïsme, christianisme, islam). ► **monothéisme** n. m.

**monotone** adj. **1** Dont le ton est unique ou peu varié. *Chant monotone.* **2** fig. Qui lasse par son uniformité. ► **monotonie** n. f.

**monoxyde** n. m. chim. Oxyde contenant un seul atome d'oxygène dans sa molécule. *Monoxyde de carbone :* gaz très toxique.

**monseigneur,** plur. **messeigneurs** n. m. Titre donné à des prélats, des princes.

**monsieur** [məsjø], plur. **messieurs** [mesjø] n. m. **I 1** vx Titre pour les hommes de condition élevée. *Monsieur, frère du roi.* **2** Terme pour s'adresser à un homme. **3** Titre avant le nom ou la fonction d'un homme. *Monsieur le directeur.* **4** Titre de respect à un homme (domestiques). *Monsieur désire ?* **II 1** vieilli *Un monsieur :* un bourgeois. **2** Homme. *Un vieux monsieur.*

> L'abrév. est *M.*, à ne pas confondre avec *Mr* (abrév. de l'anglais *mister*).

**monstre I** n. m. **1** Être, animal fantastique et terrible (légendes, mythologies). – Animal réel gigantesque ou effrayant. **2** Organisme anormal. **3** fig. Personne effrayante de méchanceté. **4** loc. *Monstre sacré :* comédien célèbre. **II** adj. fam. Extraordinaire. *Un succès monstre.*

**monstrueux, euse** adj. **1** De monstre (1 et 2). – Qui rappelle les monstres. *Une laideur monstrueuse.* **2** D'une taille prodigieuse, excessive. **3** Qui choque la raison, la morale. *Un crime monstrueux.* – *Des prix monstrueux.* ► **monstrueusement** adv.

**monstruosité** n. f. **1** vx Anomalie congénitale grave. **2** Caractère de ce qui est monstrueux (1 et 3). ♦ Chose monstrueuse.

**mont** n. m. **1** vx ou dans des loc. Montagne. *Par monts et par vaux :* à travers tout le pays. *Promettre monts et merveilles,* des avantages considérables. **2** fig., anat. Petite éminence charnue. *Mont de Vénus.*

**montage** n. m. **1** Opération par laquelle on assemble les pièces (d'un objet complexe) pour qu'il fonctionne. **2** Assemblage d'images des plans (d'un film).

**montagnard, arde** adj. **1** Qui vit dans les montagnes. – n. *Les montagnards.* **2** Relatif à la montagne.

**montagne** n. f. **1** Importante élévation de terrain. – loc. *Faire une montagne de qqch.,* en exagérer l'importance. **2** Région de haute altitude. – loc. *La montagne à vaches :* les zones d'alpages. **3** loc. *Montagnes russes :* attraction foraine, suite de montées et de descentes parcourues à grande vitesse par un véhicule sur rails.

**montagneux, euse** adj. Où il y a des montagnes ; formé de montagnes.

**montant, ante** I adj. Qui monte (I). **1** Qui se meut de bas en haut. – *La génération montante,* qui va vers l'âge adulte. **2** Qui s'étend vers le haut. **II** n. m. **1** Pièce verticale (opposé à *traverse*). *Les montants d'une fenêtre.* **2** Chiffre auquel s'élève un compte. *Le montant des frais.*

**mont-de-piété** n. m. Établissement de prêt sur gage. *Des monts-de-piété.*

**monte** n. f. **1** Accouplement des équidés et bovidés (élevage). **2** Fait, manière de monter un cheval.

**monte-charge** n. m. Ascenseur pour marchandises. *Des monte-charges.*

**montée** n. f. **1** Action de monter, de se hisser. – (choses) Fait de s'élever. **2** Pente.

**monter** v. [1] **I** v. intr. (auxiliaire *être* ou *avoir*) (êtres vivants) **1** Se déplacer dans un mouvement vers un lieu plus haut (opposé à *descendre*). → **grimper.** *Monter à, sur une échelle.* ♦ *Monter à cheval.* – *Monter en voiture.* **2** fam. Se déplacer du sud vers le nord. **3** fig. Progresser (socialement, moralement...). **II** v. intr. (auxiliaire *être* ou *avoir*) (choses) **1** S'élever dans l'espace. *Le soleil monte au-dessus de l'horizon.* ♦ *Les bruits qui montent de la rue.* ♦ loc. *Monter à la tête* : exalter. **2** S'élever en pente. *La route monte.* ♦ S'étendre (jusqu'à une certaine hauteur). **3** Gagner en hauteur. *Le niveau monte.* **4** (sons) Aller du grave à l'aigu, du faible au fort. – loc. *Le ton monte,* tourne à la dispute. **5** (prix) Aller en augmentant* ; valoir plus cher. **III** v. tr. (auxiliaire *avoir*) **1** Parcourir en s'élevant. → **gravir.** *Monter une côte.* ♦ Se mettre, être sur (un animal). → ① **monture.** – *Police montée,* à cheval (police fédérale canadienne). **2** (quadrupèdes) Couvrir (la femelle). *L'étalon monte la jument.* **3** Porter, mettre (qqch.) en haut. *Monter une malle au grenier.* ♦ Mettre plus haut, à un niveau plus élevé. ♦ loc. fig. *Monter la tête à qqn, monter qqn,* l'exciter contre qqn. *Se monter la tête* : s'exalter. **IV** v. tr. (auxiliaire *avoir*) **1** Mettre en état de fonctionner en assemblant les parties (opposé à *démonter*). *Monter une tente.* – *Monter un film.* → **montage** (2). **2** *Monter une pièce de théâtre,* mettre en scène. – *Monter une affaire,* l'organiser. **3** Fournir de ce qui est nécessaire. *Monter son ménage.* **4** Fixer. *Monter un diamant sur une bague.* → ② **monture.** ▷ v. pron. se **monter** **1** S'élever à un certain total. → **atteindre ; montant.** **2** Se fournir (en...). ▷ adj. **monté, ée** **1** *Pièce* montée. Collet* monté.* **2** En colère. *Elle est très montée contre lui.*

**monteur, euse** n. **1** Personne qui monte des appareils, des machines. **2** Spécialiste chargé du montage des films.

**montgolfière** [mɔ̃g-] n. f. Aérostat, enveloppe remplie d'air chauffé.

**monticule** n. m. **1** Bosse de terrain. **2** Tas.

**montre** n. f. **I** (Action de montrer) **1** loc. *Faire montre de* : faire preuve de. **2** comm. *En montre* : en vitrine. **II** Petite boîte d'horlogerie à cadran (montrant l'heure). → **chronomètre.** ♦ loc. *Montre en main,* en mesurant le temps avec précision. – *Course contre la montre,* où le classement s'effectue d'après le temps ; fig. activité urgente.

**montrer** v. tr. [1] **I** **1** Faire voir, mettre devant les yeux. *Montrer qqch. à qqn.* – Faire voir de loin, par un signe. → **désigner, indiquer.** **2** (sujet chose) Laisser voir. *Robe qui montre le dos.* **II** (Faire connaître) **1** Faire imaginer. *Balzac montre toute une société.* → **décrire.** **2** Faire constater, mettre en évidence. *Montrer à qqn qu'il a tort.* → **démontrer.** – (sujet chose) Révéler. **3** Faire connaître volontairement par sa conduite. *Montrer l'exemple.* **4** Laisser paraître. *Montrer son étonnement.* **5** Expliquer. *Montrez-moi comment ça marche.* ▷ v. pron. se **montrer** **1** Se faire voir. → **paraître.** *Se montrer tel qu'on est.* **2** *Se montrer* (+ attribut), être effectivement. *Se montrer courageux.*

**montreur, euse** n. Personne qui montre en public (une curiosité).

**montueux, euse** adj. vieilli Qui présente des hauteurs, des élévations de terrain.

① **monture** n. f. Bête sur laquelle on monte (cheval, âne, mulet, éléphant...).

② **monture** n. f. Partie (d'un objet) qui sert à fixer l'élément principal. *Monture de lunettes.*

**monument** n. m. **1** Ouvrage destiné à perpétuer un souvenir. *Monument aux morts.* **2** Édifice remarquable. *Monument historique.* **3** fam. Objet énorme. ♦ Œuvre imposante, digne de durer.

**monumental, ale, aux** adj. **1** Qui a un caractère de monument (1), de grandeur majestueuse. → **imposant.** **2** fam. Énorme. *Erreur monumentale.*

**moquer** v. [1] v. tr. littér. Tourner en ridicule. ▷ v. pron. se **moquer** **1** Tourner (qqn) en ridicule. **2** Ne pas s'intéresser à, ne pas se soucier de (qqn, qqch.). → fam. se **ficher,** se **foutre.** **3** Tromper (qqn) avec désinvolture. *Vous vous moquez du monde.* **4** absolt littér. Plaisanter.

**moquerie** n. f. **1** Action, habitude de se moquer. **2** Action, parole moqueuse.

**moquette** n. f. Tapis cloué, collé... couvrant la surface d'une pièce.

**moqueur, euse** adj. **1** Qui se moque. **2** De la moquerie. *Rire moqueur.*

**moraine** n. f. Débris de roches entraînés par un glacier et formant un grand amas.

① **moral, ale, aux** adj. **I** **1** Qui concerne les mœurs*, les règles sociales. **2** philos. De la morale (I, 1). → **éthique.** **3** Conforme aux mœurs, à la morale (I, 2). **II** Relatif à l'esprit, à la pensée (opposé à *matériel, physique*).

② **moral** n. m. Disposition temporaire à affronter les difficultés. → **mental.** *Avoir bon, mauvais moral. Le moral des troupes.*

**morale** n. f. **I 1** philos. Théorie de l'action humaine soumise au devoir et ayant pour but le bien. *La morale stoïcienne.* **2** Ensemble de règles de conduite. **II 1** loc. *Faire la morale à qqn,* lui faire une leçon de morale. **2** Moralité. *La morale d'une fable.*

**moralement** adv. **1** Conformément à une règle de conduite. *Acte moralement condamnable.* **2** Sur le plan spirituel.

**moraliser** v. tr. [1] **I** vx Faire des leçons de morale à. → **sermonner. II** Rendre (plus) moral, meilleur. ► **moralisateur, trice** adj. et n. ► **moralisation** n. f.

**moraliste** n. **1** Auteur de réflexions sur les mœurs, la nature et la condition humaines. **2** adj. et n. (Personne) qui enseigne la morale, par ses paroles, son exemple.

**moralité** n. f. **I 1** Caractère moral, valeur éthique. *La moralité d'une action.* **2** Attitude, conduite ou valeur morale. ♦ Sens moral. → **conscience, honnêteté.** *Certificat de moralité.* **3** Enseignement moral (d'un événement, d'un récit). **II** hist. littér. Pièce de théâtre édifiante, au Moyen Âge.

**morasse** n. f. imprim. Dernière épreuve (d'un journal).

**moratoire** n. m. dr. Suspension des actions en justice, des obligations de paiement. – syn. vieilli **moratorium** [-jɔm].

**morbide** adj. **1** didact. Relatif à la maladie. → **pathologique. 2** Dépravé ; malsain. ► **morbidité** n. f.

**morbier** n. m. Fromage de vache à pâte pressée.

**morbleu** interj. vx Juron (pour *mort Dieu*).

**morceau** n. m. **1** Partie séparée ou distincte (d'un solide). → **bout, fragment, partie.** *Un morceau de bois. – Un morceau de pain, de sucre.* – loc. fam. *Manger un morceau,* faire un petit repas. fig. *Manger, casser, lâcher le morceau :* avouer, parler. **2** Fragment, partie (d'une œuvre littéraire). → **extrait, passage.** – loc. *Morceaux choisis.* → **anthologie. 3** Œuvre musicale. *Un morceau de piano.*

**morceler** v. tr. [4] **1** Diviser en morceaux. **2** Partager (un terrain) en parties. ► **morcellement** n. m. → **division, partage.**

**mordacité** n. f. littér. Causticité.

**mordant, ante I** adj. **1** Qui mord ; donne une impression de morsure. *Un froid mordant.* **2** fig. Qui attaque et blesse. *Ironie mordante.* **II** n. m. Énergie dans l'attaque ; vivacité. *Avoir du mordant.*

**mordicus** [-ys] adv. fam. *Affirmer, soutenir qqch. mordicus,* sans démordre.

**mordiller** v. tr. [1] Mordre légèrement et à plusieurs reprises.

**mordoré, ée** adj. et n. m. Brun doré.

**mordre** v. [41] **I** v. tr. **1** Saisir et serrer avec les dents de manière à blesser, à entamer, à retenir. *Se faire mordre par un chien.* **2** Blesser au moyen d'un bec, d'un crochet, d'un suçoir. *Être mordu par un serpent.* → **piquer. 3** fig. Entamer. *L'acide mord le métal.* **II 1** v. tr. ind. *Mordre à :* saisir avec les dents. *Poisson qui mord à l'appât, qui mord,* qui se laisse prendre. **2** v. intr. *Mordre dans,* enfoncer les dents. **3** *Mordre sur,* avoir prise sur, attaquer. ♦ Empiéter sur (qqch.).

**mordu, ue** adj. **1** Qui a subi une morsure. **2** Amoureux. *Il est mordu.* ♦ n. fam. Passionné (de). *C'est un mordu de jazz.*

**morfil** n. m. techn. Barbes métalliques au tranchant d'une lame affûtée.

**morfler** v. intr. [1] fam. **1** Subir un inconvénient. – Souffrir. **2** Être endommagé.

**se morfondre** v. pron. [41] Être triste par ennui.

**morganatique** adj. Se dit de l'union entre un prince et une femme de condition inférieure.

① **morgue** n. f. Contenance hautaine et méprisante. → **arrogance, hauteur.**

② **morgue** n. f. Lieu, salle où sont déposés les cadavres à identifier. → institut **médico-légal.** ♦ Salle réfrigérée où l'on dépose les malades décédés (dans un hôpital...). – syn. **chambre mortuaire.**

**moribond, onde** adj. et n. (Personne) qui est près de mourir.

**moricaud, aude** n. péj. et raciste Personne de couleur ou basanée.

**morigéner** v. tr. [6] littér. Réprimander (qqn) au nom de la morale.

**morille** n. f. Champignon comestible apprécié, au chapeau criblé d'alvéoles.

**morion** n. m. anciennt Casque léger, à bords relevés en pointe.

**mormon, one** n. et adj. Membre d'une secte américaine d'inspiration chrétienne mais polygame.

① **morne** adj. **1** D'une tristesse ennuyeuse. → **morose, sombre. 2** Triste et maussade. *Un temps morne.*

② **morne** n. m. (aux Antilles) Petite montagne isolée, arrondie.

**morose** adj. **I** D'une humeur triste, que rien ne peut égayer. ► **morosité** n. f. **II** relig. *Délectation morose :* plaisir pris à demeurer dans la tentation.

**morphème** n. m. ling. Forme minimum douée de sens (mot ou élément).

**morphine** n. f. Substance opiacée, soporifique et calmante.

**morphinomane** adj. et n. (Personne) qui s'intoxique à la morphine.

**morphologie** n. f. **1** Étude de la configuration et de la structure externe (d'un organe, organisme, objet naturel). **2** Forme, apparence extérieure (d'un organisme). **3** ling. Étude de la formation des mots (par des morphèmes). ► **morphologique** adj.

**morphopsychologie** n. f. didact. Étude des correspondances entre la psychologie et les types physiques, chez l'être humain. → **physiognomonie.**

**morpion** n. m. **1** fam. Pou du pubis. **2** fam. Gamin. **3** Jeu où l'on doit placer cinq signes d'affilée sur une grille.

**mors** n. m. **1** Levier qui passe dans la bouche du cheval et sert à le diriger. **2** loc. *Prendre le mors aux dents* : s'emballer.

① **morse** n. m. Grand mammifère amphibie des régions arctiques.

② **morse** n. m. (radiotélégraphie) Code de signaux utilisant des combinaisons de points et de traits. – appos. *Alphabet morse.*

**morsure** n. f. **1** Action de mordre. **2** Blessure, marque faite en mordant.

① **mort** n. f. **I 1** Cessation de la vie ; arrêt des fonctions vitales (circulation sanguine, respiration, activité cérébrale...). *Mort clinique suivie de réanimation.* **2** Fin d'une vie humaine. → **décès, disparition.** – loc. *Mourir de sa belle mort,* de vieillesse et sans souffrance. – *À l'article* de la mort.* ♦ *À mort* loc. adv. : d'une façon qui entraîne la mort. *Être blessé à mort.* – Intensément. *En vouloir à mort à qqn.* **3** Cette fin provoquée. → **assassinat, crime, homicide, meurtre, suicide ; euthanasie. II** fig. **1** Destruction (d'une chose). *C'est la mort du petit commerce.* → **fin, ruine. 2** dans des loc. Grande douleur. *Souffrir mille morts.* – *La mort dans l'âme.*

② **mort, morte I** adj. **1** Qui a cessé de vivre. → **décédé.** – *Arbre mort. Feuilles mortes.* **2** Qui semble avoir perdu la vie. *Ivre mort. Plus mort que vif* : terrorisé. **3** (choses) Sans activité. – loc. *Poids* mort. Temps* mort.* ♦ *Langue morte.* **4** fam. Hors d'usage. *Les piles sont mortes.* **II** n. **1** Dépouille mortelle d'un être humain. → **cadavre. 2** Être humain dans la mémoire des hommes ou supposé être dans l'au-delà. → **défunt.** *Culte des morts.* → **ancêtre. 3** Personne tuée. – *Faire le mort,* faire semblant d'être mort. **4** n. m. Joueur qui étale ses cartes et ne participe pas au jeu.

**mortadelle** n. f. Très gros saucisson de porc et de bœuf.

**mortaise** n. f. Entaille recevant une autre pièce ou sa partie saillante (tenon).

**mortalité** n. f. **1** Fait de mourir (considéré quant au nombre de morts). **2** *Taux de mortalité,* rapport entre le nombre des décès et le chiffre de la population.

**mort-aux-rats** [mɔʀɔʀa] n. f. sing. Poison pour détruire les rongeurs.

**mortel, elle I** adj. **1** Qui doit mourir. *Tous les hommes sont mortels.* ♦ (choses) Sujet à disparaître. **2** Qui cause la mort. *Poison mortel.* – *Ennemi mortel,* qui cherche la mort de son ennemi. – relig. cathol. *Péché mortel* (opposé à *véniel*). **3** fig. D'une intensité dangereuse et pénible. *Un froid mortel.* ♦ fam. Extrêmement ennuyeux. **4** fam. (intensif) Extraordinaire ; qui plaît beaucoup. *Ce film est trop mortel !* **II** n. Être humain. *Un heureux mortel,* un homme qui a de la chance.

**mortellement** adv. **1** Par un coup mortel. **2** fig. *Il était mortellement pâle.*

**morte-saison** n. f. Période d'activité réduite (dans un secteur de l'économie).

**mortier** n. m. **I** Mélange de chaux éteinte (ou de ciment) et de sable, délayé et utilisé pour lier ou recouvrir les pierres. **II** Récipient où l'on broie (au pilon). **III 1** Pièce d'artillerie portative à tir courbe. **2** Toque (de certains dignitaires ou magistrats).

**mortification** n. f. **1** Humiliation. **2** relig. Souffrance pour faire pénitence.

**mortifier** v. tr. ⑦ Faire souffrir (qqn) dans son amour-propre. → **humilier.** ▷ v. pron. se **mortifier** relig. S'imposer des souffrances pour racheter ses fautes. ► **mortifiant, ante** adj.

**mort-né, mort-née** adj. **1** Mort(e) en venant au monde. *Jumelles mort-nées.* **2** (choses) Qui échoue dès le début.

**mortuaire** adj. Relatif aux morts, aux cérémonies en leur honneur. → **funèbre.**

**morue** n. f. **1** Grand poisson des mers froides. *Morue fraîche* (cabillaud), *séchée* (merluche). **2** injurieux Prostituée.

**morula** n. f. embryol. Premier stade de l'embryon (masse ronde).

**morutier** n. m. Homme, bateau faisant la pêche à la morue.

**morve** n. f. **1** vétér. Grave maladie contagieuse des chevaux. **2** cour. Liquide visqueux qui s'écoule du nez.

**morveux, euse 1** adj. Qui a de la morve (2) au nez. **2** n. fam. injure Gamin.

① **mosaïque** n. f. **1** Assemblage décoratif (figures et couleurs) de petites pièces rapportées (pierre, marbre). ♦ Art des mosaïques. **2** fig. Ensemble d'éléments divers juxtaposés. **3** bot. Maladie des plantes.

② **mosaïque** adj. De Moïse. *La loi mosaïque.*

**mosaïste** n. Artiste en mosaïques.

**mosquée** n. f. Sanctuaire consacré au culte musulman.

**mot** n. m. **1** Groupe de sons (de lettres) correspondant à un sens isolable, dans le langage ; (par écrit) suite ininterrompue de lettres. – loc. *Les grands mots,* les mots emphatiques. *Gros mot* : mot grossier. – *Mot pour mot,* textuellement. *Mot à mot,* littéralement. ♦ *Mot de passe*.* **2** Élément du lexique, en tant que signe (opposé à la pensée, à la réalité...). **3** dans des loc. Phrase, parole. *En un mot* : en une courte phrase. *Avoir le dernier mot,* ne plus avoir de contradicteur. **4** Court message. **5** Parole, énoncé, phrase exprimant une pensée de façon concise et frappante. *Mot d'auteur.* – loc. *Le mot de la fin*, l'expression qui résume la situation. *Bon mot, mot d'esprit*, parole drôle et spirituelle. *Avoir le mot pour rire.*

**motard** n. m. Motocycliste.

**motel** n. m. Hôtel pour automobilistes.

**motet** n. m. Chant d'église à plusieurs voix.

**moteur, trice** I 1 n. m. didact. Personne qui incite à agir ; instigateur. ♦ (choses) Cause agissante. 2 adj. Qui donne le mouvement. *Muscle moteur.* II n. m. 1 Appareil servant à transformer une énergie en énergie mécanique. *Moteur à combustion interne* (dit *moteur à explosion*). *Moteur électrique.* 2 Moteur à explosion. *Un moteur de 750 cm³ (de cylindrée).* – *Bloc-moteur* : moteur et organes annexes. 3 inform. *Moteur de recherche* : logiciel permettant de chercher des informations sur Internet.

**motif** n. m. 1 Mobile d'ordre intellectuel, raison d'agir. ♦ loc. fam. *Pour le bon motif*, en vue du mariage. 2 Sujet d'une peinture. 3 Ornement décoratif répété.

**motilité** n. f. didact. Faculté du mouvement.

**motion** n. f. Proposition faite dans une assemblée délibérante par un de ses membres. – (en France) *Motion de censure* (du gouvernement par l'Assemblée).

**motivation** n. f. 1 Ce qui motive un acte. 2 Ce qui pousse à agir.

**motiver** v. tr. [1] 1 Justifier par des motifs. 2 (choses) Être, fournir le motif de (qqch.). 3 Créer chez (qqn) des motifs d'action. *C'est l'ambition qui le motive.* ▷ adj. **motivé, ée** (sens 1 et 2). ♦ (personnes) Qui a des motivations pour faire qqch. *Elle est très motivée dans son travail.*

**moto** n. f. Véhicule à deux roues, à moteur de plus de 125 cm³ (motocyclette).

**moto-cross** n. m. invar. Course de motos sur parcours accidenté. → **cross** (2).

**motoculteur** n. m. Petit engin de jardinage motorisé, à deux roues.

**motocyclette** n. f. vieilli Moto.

**motocycliste** n. Personne qui conduit une motocyclette. → **motard.**

**motomarine** n. f. (Canada) Petit engin à moteur, pour se déplacer sur l'eau.

**motoneige** n. f. (Canada) Petit véhicule à moteur qui permet de se déplacer sur la neige.

**motoriser** v. tr. [1] Munir de véhicules à moteur, de moteurs. ▷ adj. **motorisé, ée** *Troupes motorisées.* ► **motorisation** n. f.

**motoriste** n. techn. Spécialiste, constructeur de moteurs.

**motrice** n. f. Voiture à moteur qui en entraîne d'autres.

**motricité** n. f. physiol. Fonctions qui assurent les mouvements.

**mots croisés** n. m. pl. Mots qui se recoupent sur une grille. – Exercice consistant à reconstituer cette grille, en s'aidant de courtes suggestions (→ **cruciverbiste**).

**motte** n. f. 1 Morceau de terre compacte. 2 *Motte de beurre*, masse de beurre.

**motus** [-ys] interj. Demande de silence. *Motus et bouche cousue !*

**mou** ou **mol** devant voyelle ou *h* muet, **molle** I adj. 1 Qui cède facilement à la pression, au toucher (s'oppose à *dur*). 2 Qui plie, se déforme facilement (s'oppose à *rigide*). → **souple.** 3 (personnes) Qui manque d'énergie, de vitalité (s'oppose à *actif, énergique*). – Faible. *Il est trop mou avec ses enfants.* 4 (style, exécution d'une œuvre) Qui manque de fermeté. II adv. fam. Doucement, sans violence. *Vas-y mou.* III n. m. 1 fam. Homme faible. 2 (corde, fil) *Avoir du mou*, n'être pas assez tendu. 3 Poumon des animaux de boucherie (abats). *Mou de veau.* 4 loc. fam. *Bourrer le mou* (la cervelle) *à qqn*, lui mentir.

**mouais** interj. fam. Exprime un accord réservé. → **bof.**

**moucharabieh** [-bje] n. m. Balcon en saillie muni d'un grillage.

**mouchard, arde** n. 1 fam. Indicateur de police. 2 fam. Délateur. 3 n. m. Appareil de contrôle.

**moucharder** v. [1] fam. 1 v. tr. Dénoncer. 2 v. intr. Faire le mouchard. ► **mouchardage** n. m.

**mouche** n. f. I 1 Insecte ailé (diptère), aux formes ramassées. *Mouche tsé-tsé**. ♦ loc. *Pattes de mouches*, écriture très petite. – fam. *Mourir, tomber comme des mouches*, en masse. – *Faire la mouche du coche*, s'agiter sans résultat pour autrui. – *Prendre la mouche* : s'emporter. *Quelle mouche le (la) pique ?*, pourquoi se fâche-t-il (elle) soudain ? – *Gober* les mouches.* ♦ Mouche artificielle (pour pêcher). 2 loc. *Fine mouche* : personne habile et rusée. 3 appos. *Bateau*-mouche.* ♦ (invar.) *Poids mouche*, catégorie de boxeurs (48-51 kilos). II 1 Petit morceau de taffetas noir que les femmes mettaient sur la peau. 2 *Faire mouche* : toucher le centre de la cible. 3 Touffe de poils sous la lèvre inférieure.

**moucher** v. tr. [1] I 1 Débarrasser (le nez) de ses mucosités en soufflant. 2 Rejeter par le nez. *Moucher du sang.* 3 pronom. Moucher son nez. – loc. *Ne pas se moucher du coude* : se prendre pour quelqu'un d'important. II fam. Réprimander (qqn) durement.

**moucheron** n. m. 1 Insecte volant de petite taille. 2 fig., fam. Petit garçon.

**moucheter** v. tr. [4] Parsemer de petites marques. – au p. p. *Laine mouchetée.* → **chiné.** ► **moucheture** n. f.

**mouchoir** n. m. 1 Morceau de linge, de papier qui sert à se moucher. 2 *Mouchoir (de cou, de tête).* → **fichu, foulard.**

**moudjahid** [-aid] n. m. Combattant d'une armée islamique. *Des moudjahidin(e).*

**moudre** v. tr. [47] Broyer (des grains) avec une meule (→ **moulin**).

**moue** n. f. Grimace faite en avançant, en resserrant les lèvres. *Une moue boudeuse.*

**mouette** n. f. Oiseau de mer, palmipède.

**moufle** **I** n. f. Gant fourré sans séparation pour les doigts sauf pour le pouce. **II** n. m. ou f. techn. Assemblage de poulies.

**mouflet, ette** n. fam. Petit enfant.

**mouflon** n. m. Mammifère ruminant ongulé, proche du bouquetin.

**moufter** ou **moufeter** v. intr. [1] surtout inf. et temps composés fam. Broncher, protester.

**mouillage** n. m. **I** mar. **1** Action de mettre à l'eau. **2** (navire) Emplacement pour mouiller (3). **II** Action de mouiller. – Addition d'eau.

**mouiller** v. tr. [1] **1** Imbiber, mettre en contact avec un liquide. – loc. *Mouiller sa chemise* (de sueur) : travailler dur. **2** Étendre d'eau (un liquide). **3** mar. Mettre à l'eau. *Mouiller l'ancre ; des mines.* – absolt Jeter l'ancre, s'arrêter (navire). **4** *Mouiller une consonne,* l'articuler en rapprochant la langue du palais. **5** impers. région. *Il, ça mouille :* il pleut. «*Il pleut, il mouille, c'est la fête à la grenouille*» (comptine). ▷ v. pron. se **mouiller** **1** S'imbiber d'eau ; entrer dans l'eau. **2** fam. Se compromettre.

**mouillette** n. f. Petit morceau de pain long et mince qu'on trempe.

**mouilleur** n. m. **1** Appareil employé pour mouiller. **2** *Mouilleur de mines* (navire).

**mouillure** n. f. **1** Action de mouiller. – État de ce qui est mouillé. **2** Trace d'humidité.

**mouise** n. f. fam. Misère, pauvreté.

**moujik** n. m. Paysan russe.

**moujingue** n. m. fam. Enfant. → **mouflet.**

**moukère** n. f. fam. et sexiste Femme.

**moulage** n. m. **1** Action de mouler. **2** Objet, ouvrage obtenu au moyen d'un moule. → **empreinte.**

**moulant, ante** adj. Qui moule (3) le corps. → **collant.**

① **moule** n. f. **1** Mollusque comestible, aux valves oblongues d'un bleu ardoise (→ **mytiliculture**). **2** fam. Personne molle.

② **moule** n. m. **1** Corps creux dans lequel on verse une substance liquide ou pâteuse qui, solidifiée, conserve la forme. – spécialt *Moule à tarte, à gaufre.* **2** Objet plein sur lequel on applique une substance souple pour qu'elle en prenne la forme. – loc. *Le moule est cassé,* c'est unique. **3** fig. Forme imposée de l'extérieur (à une œuvre...).

**mouler** v. tr. [1] **1** Obtenir (un objet) grâce à un moule (1) creux. ♦ au p. p. *Ornements moulés en plâtre.* – *Pain moulé.* **2** Reproduire (un objet, un modèle plein) avec un moule (2) plein. ♦ (sujet chose) Épouser étroitement les contours de. *Robe qui moule les formes.* **3** *Mouler une lettre, un mot,* l'écrire selon un modèle.

**moulin** n. m. **1** Machine pour moudre le grain des céréales ; bâtiment qui abrite ces machines. *Moulin à eau, à vent.* – loc. *Se battre contre des moulins à vent,* des ennemis imaginaires (comme don Quichotte). – *Apporter de l'eau au moulin de qqn,* lui donner des arguments. – *Entrer comme dans un moulin,* comme on veut. **2** Installation, appareil pour broyer, écraser, moudre. *Moulin à café.* – loc. fig. *Moulin à paroles :* personne trop bavarde. **3** (religion bouddhiste) *Moulin à prières :* cylindre que l'on fait tourner en répétant une formule sacrée. **4** fam. Moteur.

**mouliner** v. tr. [1] fam. Écraser, passer au moulin à légumes (*moulinette* n. f.).

**moulinet** n. m. **I** Objet ou appareil qui fonctionne par rotation. *Le moulinet d'une canne à pêche.* **II** Mouvement de rotation rapide (avec un bâton, une épée, les bras) pour écarter l'adversaire.

**moult** [mult] adv. vx ou plais. Beaucoup.

**moulu, ue** adj. **1** Réduit en poudre. *Café moulu.* **2** fig. Brisé (de fatigue).

**moulure** n. f. Ornement allongé à profil constant (saillant ou creux). → **modénature.** ► **moulurer** v. tr. [1]

**moumoute** n. f. fam. **1** Cheveux postiches, perruque. **2** Veste en peau de mouton.

**mourant, ante** adj. **1** Qui se meurt ; qui va mourir. – n. *Les dernières volontés d'un mourant.* **2** fig. *Regard mourant.*

**mourir** v. intr. [19] **1** Cesser de vivre, d'exister. → **décéder,** s'**éteindre, expirer, périr, succomber, trépasser.** ♦ Vivre les derniers moments de sa vie. **2** (végétaux) Cesser de vivre (plantes annuelles) ; perdre sa partie aérienne (plantes vivaces). **3** fig. Souffrir, dépérir. – *S'ennuyer à mourir.* ♦ *Mourir de peur.* – *Mourir de faim.* **4** (sujet chose) Cesser progressivement d'être. *Civilisation qui meurt.* → **disparaître.** ▷ v. pron. se **mourir** littér. Être sur le point de mourir.

**mouroir** n. m. péj. Lieu où l'on dispense un minimum de soins à des personnes en fin de vie.

**mouron** n. m. **1** Plante à fleurs rouges, bleues ou blanches. **2** loc. fam. *Se faire du mouron,* du souci.

**mousmé** n. f. vieilli Jeune Japonaise.

**mousquet** n. m. Ancienne arme à feu.

**mousquetaire** n. m. hist. Cavalier armé d'un mousquet (troupes de la maison du roi). *Les trois mousquetaires.*

**mousqueton** n. m. **1** Fusil à canon court. **2** Boucle métallique.

**moussaillon** n. m. fam. Petit mousse.

**moussant, ante** adj. Qui mousse. *Bain moussant.*

① **mousse** n. f. I Plante rase et douce, sans fleurs, formant tapis. II 1 Bulles à la surface d'un liquide. *Mousse de bière.* – fam. *Une mousse* : une bière. ♦ Produit moussant. 2 Entremets ou dessert à base de blancs d'œufs. *Mousse au chocolat.* ♦ Pâté léger et mousseux. 3 Matière spongieuse. – appos. *Caoutchouc mousse.* ♦ *Mousse de nylon* : nylon épais et très extensible. – ellipt *Des bas mousse.* ♦ *Point mousse* (au tricot).

② **mousse** adj. vx ou techn. Qui n'est pas aigu ou tranchant. → **émoussé.**

③ **mousse** n. m. Jeune apprenti marin sur un navire de commerce.

**mousseline** n. f. 1 Tissu fin, souple et transparent (coton, soie...). 2 appos. *Pommes mousseline* : purée de pommes de terre fouettée. – *Sauce mousseline* : sauce hollandaise à la crème.

**mousser** v. intr. [1] 1 Produire de la mousse (①, II, 1). 2 fam., fig. *Faire mousser* : mettre exagérément en valeur.

**mousseron** n. m. Champignon comestible à chapeau et à lamelles.

**mousseux, euse** adj. 1 Qui produit de la mousse. *Vins mousseux.* → **pétillant.** – n. m. *Du mousseux.* 2 fig. D'un aspect léger, vaporeux.

**mousson** n. f. 1 Vent tropical qui souffle alternativement pendant six mois de la mer vers la terre (*mousson d'été,* humide) et de la terre vers la mer (*mousson d'hiver,* sèche). 2 Renversement de la mousson.

**moussu, ue** adj. Couvert de mousse (①, I).

**moustache** n. f. 1 Poils sur la lèvre supérieure de l'homme. 2 Longs poils tactiles à la lèvre supérieure (carnivores, rongeurs).

**moustachu, ue** adj. Qui a de la moustache. – n. m. *Un moustachu.*

**moustiquaire** n. f. 1 Rideau très fin dont on entoure un lit. 2 Toile métallique pour empêcher les insectes d'entrer.

**moustique** n. m. 1 Insecte diptère dont la femelle pique la peau pour aspirer le sang. 2 fig., fam. Enfant, personne minuscule.

**moût** n. m. 1 Jus de raisin avant la fermentation alcoolique. 2 Suc végétal préparé pour la fermentation alcoolique.

**moutard** n. m. fam. Petit garçon. – au plur. Enfants. → **môme.**

**moutarde** n. f. 1 Plante crucifère à fleurs jaunes, cultivée pour ses graines (cuisine, pharmacie). 2 Condiment préparé avec des graines de moutarde, du vinaigre. – loc. fig., fam. *La moutarde lui monte au nez,* la colère le gagne. 3 appos. invar. De couleur jaune verdâtre.

**moutardier** n. m. Récipient à moutarde (2).

**mouton** n. m. I 1 Mammifère ruminant domestiqué, à toison laineuse et frisée. ♦ (opposé à *bélier, brebis, agneau*) Bélier châtré. – loc. fig. *Revenons à nos moutons,* à notre sujet. *Des moutons de Panurge* : des personnes moutonnières. 2 Fourrure de mouton. – Peau de mouton. → **basane.** 3 Chair, viande de mouton et d'agneau. II fig. 1 Personne qui se laisse mener passivement. 2 Compagnon de cellule chargé de rapporter. → **mouchard.** 3 (souvent au plur.) Petite vague surmontée d'écume. – Petit nuage blanc. – Flocon de poussière. III techn. Lourde masse servant à enfoncer.

**moutonner** v. intr. [1] 1 Se couvrir de moutons (II, 3). → **écumer.** 2 Avoir des formes douces, ondulantes. ▷ adj. **moutonné, ée** *Ciel moutonné.* ► **moutonnement** n. m.

**moutonnier, ière** adj. Qui suit, imite les autres sans discernement.

**mouture** n. f. 1 Réduction en farine des grains de céréales. 2 fig. Reprise (d'un sujet) sous une forme différente.

**mouvant, ante** adj. 1 Qui change sans cesse de place, de forme, d'aspect. 2 Qui n'est pas stable, qui s'écroule, s'enfonce. *Sables mouvants.*

**mouvement** n. m. I (opposé à *arrêt, immobilité*) 1 Changement de position dans l'espace ; « action par laquelle un corps passe d'un lieu à un autre » (Descartes). 2 Changement de position ou déplacement du corps, d'une partie du corps (→ **geste**). – loc. *Faux mouvement* : mouvement mal adapté. – *Mouvements de gymnastique.* ♦ *Le mouvement* : la motilité. – *Se donner, prendre du mouvement,* de l'exercice. 3 Déplacement en masse. *Mouvements de population.* → **migration.** – *Mouvements de troupes.* → **manœuvre.** 4 *En mouvement* : qui se déplace, bouge (opposé à *au repos*). II 1 (récit, œuvre d'art) Ce qui traduit le mouvement, donne l'impression de la vie. → **action.** 2 Degré de rapidité, en musique. → **rythme, tempo.** – loc. fig. *Suivre le mouvement.* ♦ Partie d'une œuvre musicale d'un mouvement précis. *Les trois mouvements d'une sonate.* 3 Ligne, courbe. *Mouvement de terrain.* → **accident.** III Mécanisme créant un mouvement régulier. *Mouvement d'horlogerie.* IV fig. 1 Changement, modification. *Les mouvements de l'âme. Mouvements d'opinion.* ♦ loc. *Un bon mouvement* : une action généreuse. 2 Action collective (spontanée ou dirigée) tendant à produire un changement social. *Mouvement de grève.* – Organisation qui mène cette action. *Mouvement syndical ; artistique.* 3 Changement quantitatif. → **variation.**

**mouvementé, ée** adj. Qui a du mouvement (II, 1), de l'action. – Qui présente des péripéties. *Poursuite mouvementée.*

**mouvoir** v. tr. [27] rare sauf inf., prés. de l'indic. et participes 1 Mettre en mouvement. – au p. p. *Machine mue par l'électricité.* 2 fig., littér.

Mettre en action. → **animer.** ▷ v. pron. se **mouvoir** Être en mouvement. → **bouger.**

**MOX** n. m. (sigle) Combustible formé d'uranium enrichi et de plutonium, utilisé dans l'industrie nucléaire. *Réacteur fonctionnant au MOX.*

① **moyen, enne** adj. **I 1** Qui se trouve entre deux choses. *Le cours moyen d'un fleuve* (opposé à *supérieur* et à *inférieur*). – *Moyen terme :* parti intermédiaire. → **milieu.** – (dans le temps) Entre ancien et moderne. *Le moyen français* (XIV^e^-XVI^e^ s.). **2** Qui tient le milieu entre deux extrêmes. *Poids moyen.* – *Classes moyennes :* petite et moyenne bourgeoisies. **3** Du type le plus courant. → **courant, ordinaire. 4** Qui n'est ni bon, ni mauvais. → **médiocre** (1). *C'est assez moyen.* → **quelconque. II** Qui correspond à une moyenne. *Température moyenne.*

② **moyen** n. m. **1** Ce qui sert pour arriver à un résultat, à une fin. → **méthode, procédé, recette.** *Le meilleur moyen.* – *Trouver moyen de :* parvenir à. – loc. *Employer les grands moyens.* ♦ *Il y a moyen ; il n'y a pas moyen de :* il est possible, impossible de. *Pas moyen !,* rien à faire ! ♦ *Au moyen de :* à l'aide de (qqch. de concret). → **avec, grâce** à. **2** au plur. Aptitudes, capacités (de qqn). → **faculté, force.** *Garder, perdre (tous) ses moyens.* **3** au plur. Ressources pécuniaires.

**Moyen Âge** [mwajɛnɑʒ] n. m. Période (de l'histoire de l'Occident) entre l'Antiquité et les Temps modernes (V^e^-XV^e^ s.).

**moyenâgeux, euse** [-jɛn-] adj. Qui évoque le Moyen Âge. → **médiéval.**

**moyen-courrier** n. m. Avion de transport sur moyennes distances. *Des moyen-courriers.*

**moyennant** prép. Au moyen de, à la condition de. *Moyennant récompense* (→ en échange de). – loc. *Moyennant quoi :* en échange de quoi ; par suite de quoi.

**moyenne** n. f. **1** *Moyenne (arithmétique) :* quotient de la somme de plusieurs nombres par leur nombre. *Moyenne et médiane*.* – *La moyenne :* la moitié des points qu'on peut obtenir. – *En moyenne :* en évaluant la moyenne. ♦ Vitesse moyenne. **2** Type, courant également éloigné des extrêmes.

**moyennement** adv. D'une manière moyenne, ni peu ni beaucoup.

**moyeu** n. m. Partie centrale d'une roue, que traverse l'essieu.

**mozarabe** n. et adj. hist. Espagnol chrétien arabisé. – *Art mozarabe* (XI^e^-XII^e^ s.).

**mozzarella** [mɔdzaʀela ; -ɛlla] n. f. Fromage italien de lait de bufflonne ou de vache, non fermenté.

**MP3** n. m. (sigle) Format de compression des fichiers audionumériques. ♦ Fichier de ce format.

**MST** [ɛmɛste] n. f. (sigle) Maladie sexuellement transmissible. → **IST.**

**M. T. S.** n. m. (sigle) appos. *Système M. T. S.* (mètre, tonne, seconde), ancien système d'unités.

**mû, mue** Participe passé du v. *mouvoir.*

**mucilage** n. m. pharm. Substance végétale visqueuse. ► **mucilagineux, euse** adj.

**mucolytique** adj. pharm. Qui fluidifie les sécrétions des voies respiratoires supérieures (bronches...).

**mucosité** n. f. Amas de substance épaisse et filante (mucus) qui tapisse les muqueuses. → **glaire.**

**mucoviscidose** n. f. méd. Maladie congénitale grave, causée par la viscosité excessive des sécrétions.

**mucus** [-ys] n. m. Substance visqueuse sécrétée par les glandes muqueuses.

**mue** n. f. **1** Changement qui affecte la carapace, la peau, le plumage, le poil, etc. de certains animaux ; son époque. **2** Dépouille (d'un animal qui a mué). **3** Changement dans le timbre de la voix humaine au moment de la puberté (garçons).

**muer** v. 1 **I** v. intr. Subir la mue (1 ou 3). **II** v. tr. littér. *(Se) muer en :* (se) transformer en.

**muesli** [mysli ; mɥɛsli] n. m. Mélange de céréales, flocons d'avoine, fruits.

**muet, ette** adj. **I 1** adj. et n. Privé de la parole. *Muet de naissance.* **2** Silencieux, incapable de parler. *Être, rester muet de stupeur.* ♦ *Rôle muet,* sans texte. **II 1** Qui ne s'exprime pas. *Douleur muette.* **2** Qui ne contient aucune précision. *Le règlement est muet sur ce point.* **3** Qui ne produit aucun son. *Clavier muet* (pour exercer son doigté). ♦ *Cinéma, film muet* (opposé à *parlant*). – n. m. *Le muet.* **4** Qui ne se fait pas entendre dans la prononciation. *E, H muet.* **5** Sans inscription ou indication. *Carte muette.*

**muezzin** [mɥɛdzin] n. m. Fonctionnaire religieux musulman chargé d'appeler, du haut du minaret, les fidèles à la prière.

**muffin** [mœfin] n. m. Petit pain rond cuit dans un moule. – (Canada) Petit gâteau rond.

**mufle** n. m. **I** Extrémité du museau (de mammifères). *Le mufle du bœuf.* **II** Individu mal élevé. → **malotru.** ► **muflerie** n. f.

**mufti** n. m. Jurisconsulte, interprète du droit canonique musulman.

**mug** [mœg] n. m. anglic. Chope pour les boissons chaudes.

**muge** n. m. Poisson appelé aussi *mulet*.*

**mugir** v. intr. 2 **1** (bovidés) Beugler, meugler. **2** fig. *Vagues qui mugissent.* ► **mugissement** n. m.

**muguet** n. m. **I** Plante aux petites clochettes blanches en grappes. **II** méd. Inflammation des muqueuses.

**muid** n. m. **1** anciennt Mesure de capacité. **2** Futaille (d'un muid).

**mulâtre** n. et adj. (Personne) née de l'union d'un Blanc avec une Noire ou d'un Noir avec une Blanche. *Une mulâtre.*

**mulâtresse** n. f. vieilli Femme mulâtre.

① **mule** n. f. Pantoufle laissant le talon découvert. – *La mule du pape.*

② **mule** n. f. Hybride femelle de l'âne et de la jument (ou du cheval et de l'ânesse). – loc. fam. *Tête de mule* : personne entêtée.

① **mulet** n. m. Hybride mâle de l'âne et de la jument *(grand mulet)* ou du cheval et de l'ânesse *(petit mulet)*, toujours infécond.

② **mulet** n. m. Poisson de mer à chair blanche et délicate.

**muleta** [muleta] n. f. Pièce d'étoffe rouge tendue sur un bâton dont le matador se sert pour provoquer et diriger le taureau.

**muletier, ière** 1 n. m. Conducteur de mulets, de mules. 2 adj. *Chemin muletier*, étroit et escarpé.

**mulot** n. m. Petit mammifère rongeur, appelé aussi *rat des champs.*

**multicolore** adj. Qui présente des couleurs variées.

**multicoque** n. m. Bateau comportant plusieurs coques (ex. catamaran).

**multicritère** ou **multicritères** adj. techn. Qui utilise plusieurs critères. *Recherche multicritères.*

**multifonction** ou **multifonctions** adj. (choses) Qui remplit plusieurs fonctions.

**multiforme** adj. Qui se présente sous des formes variées, des aspects nombreux.

**multijoueur** ou **multijoueurs** adj. Qualifie la fonction qui permet de jouer à plusieurs, sur un jeu vidéo. *Mode multijoueurs.*

**multilatéral, ale, aux** adj. Qui concerne plusieurs parties contractantes.

**multimédia** I adj. Qui utilise plusieurs médias. II n. m. Technique de communication intégrant sur un même support des moyens audiovisuels et informatiques (→ **cyber-**). ♦ *Le multimédia* : l'ensemble des supports, activités et services multimédias.

**multimillionnaire** [-mil-] adj. et n. (Personne) qui a plusieurs millions.

**multinational, ale, aux** adj. 1 Qui concerne plusieurs pays. 2 Qui a des activités dans plusieurs pays. – n. f. *Une multinationale* : une firme multinationale.

**multipare** adj. et n. f. didact. 1 (Femelle) qui met bas plusieurs petits. 2 (Femme) qui a déjà enfanté plusieurs fois.

**multiple** adj. 1 (opposé à *simple*) Composé d'éléments de nature différente, ou qui se manifeste sous des formes différentes. 2 Constitué de plusieurs éléments analogues. *Prise* (électrique) *multiple.* 3 *Multiple de* : qui contient plusieurs fois exactement un nombre. – n. m. *Tout multiple de deux est pair.* 4 (avec un nom au plur.) (opposé à *unique*) Qui se présentent sous des formes variées. – *À de multiples reprises.* → **nombreux.**

**multiplex** [-ɛks] adj. techn. Qui permet d'établir plusieurs communications au moyen d'une seule transmission.

**multiplexe** n. m. Ensemble comprenant plusieurs salles de cinéma (dit *multisalle* ou *multisalles*).

**multiplicande** n. m. Premier facteur (d'une multiplication).

**multiplicateur, trice** adj. Qui multiplie, sert à multiplier. – n. m. Second facteur (d'une multiplication).

**multiplicatif, ive** adj. Qui multiplie, marque la multiplication.

**multiplication** n. f. 1 Augmentation en nombre. 2 biol. → **reproduction.** *Multiplication végétative, asexuée.* 3 Opération donnant à partir de deux nombres *a* et *b* un troisième nombre (le produit) égal à la somme de *b* termes égaux à *a* (signe : ×).

**multiplicité** n. f. Caractère multiple. – Grand nombre (de). → **abondance.**

**multiplier** v. tr. 7 1 Augmenter le nombre, la quantité de. 2 Faire la multiplication de. ▷ v. pron. se **multiplier** S'accroître, proliférer.

**multipoint** ou **multipoints** adj. techn. (serrure) Qui comporte plusieurs pênes actionnés simultanément.

**multiprise** n. f. Bloc regroupant plusieurs prises électriques femelles.

**multipropriété** n. f. Régime de propriété collective répartie par périodes.

**multirécidiviste** adj. et n. dr. (Personne) qui commet plusieurs récidives.

**multirisque** adj. (assurance) Qui couvre plusieurs risques.

**multitude** n. f. 1 Grande quantité (d'êtres, d'objets). *Une multitude de visiteurs entra* (ou entrèrent). 2 (sans compl.) Rassemblement en foule. – littér. Le commun des hommes.

**municipal, ale, aux** adj. 1 Relatif à l'administration d'une commune. *Élections municipales.* 2 Qui appartient à la commune. *Piscine municipale.*

**municipalité** n. f. 1 Corps municipal (en France, maire, adjoints, conseillers municipaux). 2 Circonscription ainsi administrée.

**munificent, ente** adj. littér. Généreux avec somptuosité. ► **munificence** n. f.

> Ne pas confondre *munificence* avec *magnificence* «beauté magnifique».

**munir** v. tr. 2 *Munir (qqn, qqch.) de* : pourvoir, garnir de (ce qu'il faut). ▷ v. pron. se **munir** (de) → **prendre.** – fig. *Se munir de patience.*

**munition** n. f. 1 vx ou plais. Moyen de subsistance. → **provision.** 2 au plur. Explosifs et projectiles nécessaires pour les armes à feu, les bombardiers...

**muqueuse** n. f. Membrane qui tapisse les cavités de l'organisme et qui est lubrifiée par la sécrétion de mucus.

**muqueux, euse** adj. 1 Qui a le caractère du mucus. 2 Qui sécrète du mucus. *Glandes muqueuses.*

**mur** n. m. 1 Ouvrage de maçonnerie qui sert à enclore, à séparer ou à supporter une poussée. *Murs et cloison. Un mur de briques.* ♦ loc. *Dans nos murs,* dans notre ville. *Raser les murs* (pour se cacher, se protéger). – *Sauter, faire le mur :* sortir sans permission. – *Mettre qqn au pied du mur,* l'acculer. 2 Face intérieure des murs, des cloisons. *Mettre un tableau au mur.* – loc. *Entre quatre murs,* en restant dans une maison. 3 fig. Ce qui sépare, forme obstacle. *Un mur d'incompréhension.* 4 *Le mur du son :* phénomènes, choc sonore lorsqu'un engin atteint la vitesse du son. 5 au football Ligne des joueurs placés entre le tireur et le but lors d'un coup franc*.

**mûr, mûre** adj. 1 (fruit, graine) Qui a atteint son plein développement. 2 (abcès, furoncle) Qui est près de percer. 3 fig. *Le projet est mûr,* prêt à être réalisé. – (personnes) Préparé, prêt à. 4 *L'âge mûr.* → **adulte.** – *Esprit mûr* (→ **maturité**). ♦ loc. *Après mûre réflexion.* 5 fam. → **ivre, soûl.**

**muraille** n. f. 1 Étendue de murs épais et assez élevés. ♦ Mur de fortification. → **rempart.** 2 fig. Surface verticale abrupte.

**mural, ale, aux** adj. 1 Appliqué sur un mur, comme ornement. *Peinture murale.* 2 Fixé au mur et ne repose pas par terre. *Pendule murale.*

**mûre** n. f. 1 Fruit du mûrier (pharmaceutique). 2 Fruit noir de la ronce des haies, comestible.

**mûrement** adv. Avec beaucoup de concentration et de temps.

**murène** n. f. Poisson long et mince, sans écailles, à fortes dents et très vorace.

**murer** v. tr. [1] 1 Entourer de murs. 2 Fermer, clore en maçonnerie. *Murer une porte.* 3 Enfermer (qqn) en bouchant les issues. → **emmurer.** ▷ v. pron. se **murer** S'enfermer, s'isoler. – fig. *Se murer dans son silence.*

**muret** n. m. Petit mur.

**murex** [-ɛks] n. m. zool. Mollusque gastéropode à coquille hérissée d'épines (on en tirait la pourpre).

**mûrier** n. m. Arbre dont le fruit est la mûre (1).

**mûrir** v. [2] I v. tr. 1 Rendre mûr. 2 fig. Mener (une chose) à point. 3 Donner de la maturité d'esprit à (qqn). *Les épreuves l'ont mûri.* II v. intr. 1 Devenir mûr. *Les blés mûrissent.* 2 fig. (sujet chose) Atteindre son plein développement. 3 Acquérir de la maturité. ► **mûrissant, ante** adj.

**murmure** n. m. I 1 Bruit sourd, léger et continu de voix humaines. 2 Commentaire, critique à mi-voix. – loc. *Accepter sans hésitation ni murmure,* sans protester. II Bruit continu léger, doux. → **bruissement.**

**murmurer** v. [1] I v. intr. (personnes) 1 Faire entendre un murmure. 2 Émettre une plainte, une protestation sourde. II v. tr. Dire, prononcer à mi-voix.

**musagète** adj. didact. (Antiq.) Surnom d'Apollon «conducteur des Muses».

**musaraigne** n. f. Petit mammifère insectivore, de la taille d'une souris.

**musarder** v. intr. [1] Perdre son temps à des riens. ► **musardise** n. f.

**musc** n. m. 1 Substance brune très odorante, sécrétée par les glandes abdominales de mammifères. 2 Parfum à base de musc (→ **musqué**).

**muscade** 1 adj. f. et n. f. *(Noix) muscade :* graine du fruit d'un arbre exotique (le *muscadier*), épice. 2 n. f. Boule utilisée dans les tours de passe-passe. – loc. *Passez muscade.*

**muscadet** n. m. Vin blanc sec de la région de Nantes.

**muscadin** n. m. vx Jeune fat d'une coquetterie ridicule.

**muscat, ate** adj. et n. m. 1 *(Raisin) muscat,* à odeur de musc. 2 *(Vin) muscat :* vin de liqueur, fait de raisins muscats.

**muscle** n. m. Structure organique formée de fibres contractiles assurant le mouvement (→ **my(o)-**). *Muscles striés, volontaires.*

**musclé, ée** adj. 1 Qui a des muscles bien visibles et puissants. 2 fig., fam. Qui utilise la force. *Une politique musclée.*

**muscler** v. tr. [1] Pourvoir de muscles développés, puissants.

**musculaire** adj. Relatif aux muscles.

**musculation** n. f. Développement des muscles par l'exercice.

**musculature** n. f. Ensemble et disposition des muscles.

**musculeux, euse** adj. (partie du corps) Aux muscles développés, forts.

**muse** n. f. 1 (avec maj.) Chacune des neuf déesses mythologiques des arts libéraux. 2 littér. L'inspiration poétique. – loc. *Taquiner la muse :* faire de la poésie. 3 Inspiratrice (d'un écrivain, d'un artiste).

**muséal, ale, aux** adj. didact. Du musée.

**museau** n. m. Partie antérieure de la face (mammifères, poissons).

**musée** n. m. 1 Établissement dans lequel sont rassemblées, classées et présentées des collections d'objets d'intérêt historique, technique, scientifique, artistique. – spécialt

Musée d'art. **2** Lieu rempli d'objets rares, précieux.

**museler** v. tr. [4] **1** Emprisonner le museau de (un animal). **2** fig. Empêcher de parler, de s'exprimer. → **bâillonner.**

**muselière** n. f. Appareil pour museler.

**muséographie** n. f. didact. Technique de la conception des musées. ► **muséographe** n. ► **muséographique** adj.

**muséologie** n. f. didact. Science des musées d'art. ► **muséologique** adj.

**muser** v. intr. [1] littér. Perdre son temps à des bagatelles. → **musarder.**

**musette** n. f. **I 1** Cornemuse à soufflet. **2** n. m. *Bal-musette* : bal populaire où l'on danse, sur une musique (d'accordéon) (appelée *musette* n. m.). **II** Sac de toile, qui se porte souvent en bandoulière.

**muséum** [-eɔm] n. m. Musée consacré aux sciences naturelles.

**musical, ale, aux** adj. **1** De la musique. ♦ Où il y a de la musique. *Comédie musicale,* en partie chantée (spécialt film). **2** Qui a les caractères de la musique. *Phrase musicale.* → **harmonieux.** ► **musicalement** adv.

**musicalité** n. f. Qualité de ce qui est musical, harmonieux.

**music-hall** [-ol] n. m. anglic. Spectacle de variétés ; théâtre où il se produit. *Des music-halls.*

**musicien, ienne** n. **1** Personne qui connaît l'art de la musique ou qui est capable d'apprécier la musique. - adj. *Elle est très musicienne.* **2** Professionnel qui compose, exécute, dirige de la musique (compositeur, interprète, chef d'orchestre...).

**musicologie** n. f. didact. Théorie, histoire de la musique. ► **musicologue** n. ► **musicologique** adj.

**musique** n. f. **I 1** Art de combiner des sons d'après des règles, d'organiser une durée avec des éléments sonores ; production de cet art (sons ou œuvres). - fam. *Grande musique,* musique classique. *Musique baroque, romantique, moderne.* - *Musique concrète,* à base de sons naturels et de bruits. *Musique de chambre,* écrite pour un petit nombre de musiciens. - loc. *Dîner, travailler en musique,* en écoutant de la musique. **2** Œuvre musicale écrite. *Jouer sans musique.* → **partition. 3** *La musique d'un régiment,* les musiciens. → **clique, fanfare.** *Marcher musique en tête.* **4** loc. fam. *Connaître la musique,* savoir comment s'y prendre. **II** Sons, harmonie rappelant la musique. *La musique du vent ; d'un poème.*

**musqué, ée** adj. **1** Parfumé au musc. **2** (animaux) À odeur de musc. *Rat musqué.*

**must** [mœst] n. m. anglic., fam. Ce qu'il faut savoir, faire, avoir... pour être à la mode. *Le must de la rentrée.*

**mustang** [-ɑ̃g] n. m. Cheval à demi sauvage des prairies d'Amérique.

**musulman, ane 1** adj. et n. Qui professe la religion de Mahomet, l'islam*. **2** adj. Propre à l'islam, à sa loi, à ses rites.

**mutant, ante** adj. biol. **1** Qui présente, qui a subi une mutation (II). **2** adj. et n. (Être) qui résulte d'une mutation.

**mutation** n. f. **I 1** Changement, évolution. **2** Affectation à un autre poste. **3** dr. Transmission d'un droit de propriété ou d'usufruit. **II** biol. Variation brusque d'un caractère héréditaire (propre à l'espèce ou à la lignée) par changement des gènes.

**mutationnisme** n. m. biol. Théorie d'après laquelle l'évolution* se fait de manière discontinue, par mutations.

**muter** v. [1] **1** v. tr. Affecter (qqn) à un autre poste, à un autre emploi (→ **mutation** (I, 2)). **2** v. intr. Subir une mutation (II).

**mutilant, ante** adj. méd. Qui peut produire une mutilation.

**mutilation** n. f. **1** Ablation ou détérioration (d'un membre, etc.). **2** Action de mutiler (2 et 3). *Mutilation de statues.*

**mutiler** v. tr. [1] **1** Altérer (un être vivant) dans son intégrité. **2** Détériorer, endommager. **3** Altérer (un texte, un ouvrage littéraire) en retranchant une partie importante. → **tronquer.** ▷ adj. **mutilé, ée** *Blessés mutilés.* ♦ n. *Un mutilé de guerre.*

**mutin, ine I** n. Personne qui se révolte avec violence. **II** adj. littér. D'humeur taquine.

se **mutiner** v. pron. [1] Se dresser contre une autorité, avec violence. ► **mutinerie** n. f. → **insurrection, révolte.**

**mutisme** n. m. Refus de parler.

**mutité** n. f. Impossibilité de parler.

**mutualisme** n. m. Doctrine basée sur la mutualité. ► **mutualiste** adj. et n.

**mutualité** n. f. Prévoyance volontaire par assurance réciproque.

**mutuel, elle** adj. **1** Qui implique un rapport double et simultané, un échange. → **réciproque.** ► **mutuellement** adv. ♦ spécialt *Société d'assurance mutuelle.* **2** n. f. *Une mutuelle,* société de mutualité.

**myalgie** n. f. méd. Douleur musculaire.

**mycélium** [-jɔm] n. m. bot. Filaments provenant des spores des champignons.

**mycénien, ienne** adj. et n. De Mycènes.

**mycologie** n. f. didact. Étude des champignons.

**mycose** n. f. méd. Affection cutanée due à des champignons.

**mye** [mi] n. f. zool. Mollusque bivalve à très long siphon (une espèce est la clovisse).

**mygale** n. f. Grande araignée velue.

**myocarde** n. m. Muscle qui constitue la moyenne partie de la paroi du cœur. *Infarctus du myocarde.*

**myopathie** n. f. méd. Maladie des muscles. – spécialt Atrophie progressive des muscles. ► **myopathe** n. et adj.

**myope** adj. **1** Qui ne voit distinctement que les objets rapprochés. – n. *Un(e) myope.* **2** fig. Qui manque de largeur de vue. ► **myopie** n. f.

**myosotis** [-is] n. m. Plante à petites fleurs bleues qui croît dans les lieux humides.

**myriade** n. f. Quantité immense.

**myriapode** n. m. zool. Arthropode à nombreuses pattes (→ **mille-pattes**).

**myrrhe** n. f. Gomme résine aromatique fournie par un arbuste (le balsamier).

**myrte** n. m. **1** Arbrisseau à petites fleurs blanches odorantes. **2** poét. Sa feuille.

**myrtille** n. f. Baie noire comestible. → **airelle.** ♦ Arbrisseau qui produit cette baie.

**mystagogue** n. m. didact. Initiateur aux mystères sacrés. ► **mystagogie** n. f.

① **mystère** n. m. **I 1** Antiq. Rite, culte religieux secret. *Les mystères d'Orphée.* **2** relig. chrét. Dogme révélé, inaccessible à la raison. *Le mystère de la Trinité.* **II 1** Ce qui est (ou est cru) inexplicable. *Le mystère de la vie.* **2** Ce qui est caché ou difficile à comprendre. → **énigme. 3** Précautions pour rendre incompréhensible, pour cacher. → **secret. III** (nom déposé) Dessert meringué et glacé.

② **mystère** n. m. littér. du Moyen Âge Pièce de théâtre religieux. – var. **mistère.**

**mystérieux, euse** adj. **1** Qui est incompréhensible ou évoque la présence de forces cachées. *Par un mystérieux hasard.* **2** Difficile à comprendre, à expliquer. **3** Caché, secret. **4** Qui cache, tient secret. *Un air mystérieux.* ► **mystérieusement** adv.

**mysticisme** n. m. **1** Croyances et pratiques mystiques (1). **2** Croyance spiritualiste intuitive et sentimentale.

**mystificateur, trice** adj. Qui mystifie. *Intentions mystificatrices.* – n. *Des mystificateurs.*

**mystification** n. f. **1** Acte ou propos destiné à mystifier. **2** Tromperie collective.

**mystifier** v. tr. [7] **1** Tromper (qqn) en abusant de sa crédulité et pour se moquer. → **abuser. 2** Tromper collectivement. ► **mystifiant, ante** adj.

> Ne pas confondre avec *mythifier* « instaurer comme mythe ».

**mystique I** adj. **1** Qui concerne l'union entre l'être humain et la divinité. *Extase mystique.* **2** (personnes) Prédisposé au mysticisme, à une foi intense et intuitive. ♦ n. *Les grands mystiques chrétiens, musulmans.* **3** Qui a un caractère exalté, intuitif. *Amour mystique.* **II** n. f. **1** Pratiques mystiques. **2** Croyance absolue (en une valeur suprême).

**mythe** n. m. **1** Récit imaginaire et symbolique qui met en scène des êtres (dieux, demi-dieux, héros, animaux, forces naturelles) représentant des énergies, des aspects de la condition humaine. *Les grands mythes grecs* (Orphée, Prométhée...). ♦ Représentation déformée ou amplifiée par la tradition. → **légende.** *Le mythe de Faust.* **2** Chose imaginaire. **3** Représentation idéalisée. *Le mythe du paradis perdu.* **4** Image symbolique. *Le mythe de la vitesse.*

**mythifier** v. tr. [7] didact. Instaurer en tant que mythe.

> Ne pas confondre avec *mystifier* « tromper ».

**mythique** adj. **1** Du mythe. *Un héros mythique.* → **fabuleux, légendaire. 2** Imaginaire. *Un héritage mythique.* **3** Très célèbre. *Film mythique.*

**mythologie** n. f. **1** Ensemble des mythes (1) et légendes (d'une civilisation, d'une religion) ; spécialt mythologie gréco-latine. **2** Science des mythes (1). ► **mythologique** adj.

**mythomanie** n. f. Tendance pathologique à la fabulation, à la simulation par le mensonge. ► **mythomane** adj. et n.

**mytiliculture** n. f. didact. Élevage des moules. ► **mytiliculteur, trice** n.

**myxœdème** [-e-] n. m. méd. Troubles de l'insuffisance thyroïdienne (œdème, goitre). ► **myxœdémateux, euse** adj. et n.

**myxomatose** n. f. didact. Grave maladie infectieuse et contagieuse du lapin.

# N

**n** [ɛn] n. m. Quatorzième lettre, onzième consonne de l'alphabet.

**na** interj. fam. Renforce une affirmation ou une négation. *C'est bien fait, na !*

**nabab** [-ab] n. m. **1** hist. (Inde musulmane) Grand dignitaire. **2** Personnage très riche.

**nabi** n. m. arts Nom adopté en 1888 par un groupe de peintres indépendants.

**nabot, ote** n. péj. Nain.

**nacelle** n. f. **1** poét. Petit bateau. **2** Panier fixé sous un aérostat, pour les passagers. **3** Dispositif suspendu permettant d'effectuer des travaux dans des lieux difficiles d'accès. **4** Partie d'un landau ou d'une poussette destinée à coucher ou asseoir le bébé.

**nacho** [natʃo] n. m. au plur. Chips (pétales) de maïs, de forme triangulaire.

**nacre** n. f. Substance irisée de l'intérieur de la coquille de certains mollusques.

**nacré, ée** adj. Qui a l'aspect de la nacre.

**nadir** n. m. didact. Point à la verticale de l'observateur, vers le bas (opposé à *zénith*).

**nævus** [nevys] n. m. Tache naturelle (brune ou rose) sur la peau. → **grain** de beauté. *Des nævus* ou *des nævi.*

**nage** n. f. **1** Action, manière de nager. → **natation. 2** *À la nage* **loc. adv.** : en nageant. ♦ fig., cuis. Cuit au court-bouillon (crustacés...). **3** *Être en nage,* en sueur.

**nageoire** n. f. Organe membraneux, appareil propulseur des poissons, etc.

**nager** v. intr. [3] **I** mar. Ramer. **II** cour. **1** (êtres vivants) Se mouvoir sur ou dans l'eau par des mouvements appropriés. ♦ **trans.** *Nager le crawl.* **2** Être immergé dans un liquide (trop) abondant. **3** fam. Être au large (dans ses vêtements). **4** fam. Être dans l'embarras. → **patauger.**

**nageur, euse** n. Personne qui nage.

**naguère** adv. littér. Il y a peu, récemment.

Ne pas confondre avec *jadis* « autrefois ».

**nahuatl** n. m. didact. Langue indienne d'Amérique centrale, qui était celle de l'Empire aztèque.

**naïade** n. f. mythol. Nymphe des sources.

**naïf, naïve** adj. **1** littér. Naturel, spontané. ♦ *Art naïf,* art populaire. **2** Confiant et simple par ignorance, par inexpérience. → **candide, ingénu. 3** D'une crédulité excessive, irraisonnée. – n. *C'est un naïf.*

**nain, naine** **I** n. **1** Personne d'une taille anormalement petite. ♦ Individu atteint de nanisme. **2** Personnage légendaire de taille minuscule (gnome, lutin). **II** adj. **1** (personnes) Qui est anormalement petit. ♦ Atteint de nanisme. **2** (plantes, animaux) *Rosier nain.* **3** *Étoile naine,* petite et de forte densité.

**naissance** n. f. **I 1** Commencement de la vie hors de l'organisme maternel. *Donner naissance à :* enfanter. – *De naissance :* congénital. **2** Mise au monde d'un enfant. **II** fig. **1** Commencement, apparition. *Prendre naissance :* commencer. *Donner naissance à :* créer, provoquer. **2** Endroit où commence qqch. *La naissance du cou.*

**naissant, ante** adj. Qui commence à apparaître, à se développer. *Jour naissant.*

**naître** v. intr. [59] **I 1** Venir au monde, sortir de l'organisme maternel. **2** littér. *Naître à :* s'éveiller à. *Naître à l'amour.* **II** fig. (choses) Commencer à exister. – *Faire naître :* susciter (→ donner naissance à).

**naïvement** adv. D'une manière naïve.

**naïveté** n. f. **1** vx Caractère naïf (1). **2** Simplicité, ingénuité. **3** Excès de crédulité.

**naja** n. m. zool. Cobra.

**nana** n. f. fam. Jeune fille, jeune femme.

**nandrolone** n. f. pharm. Stéroïde anabolisant (produit dopant).

**nanisme** n. m. Anomalie caractérisée par une taille très inférieure à la moyenne (→ **nain).**

**nantir** v. tr. [2] Mettre (qqn) en possession de qqch. ▷ adj. **nanti, ie** *Des gens bien nantis,* riches. – n. péj. *Les nantis.*

**nantissement** n. m. Garantie que le débiteur remet à un créancier. → **gage.**

**napalm** [-alm] n. m. Essence solidifiée. *Bombe au napalm.*

**naphtaline** n. f. Produit antimite fait d'un dérivé du goudron de houille.

**naphte** n. m. Produit distillé du pétrole, utilisé comme combustible, etc.

**napoléon** n. m. Ancienne pièce d'or à l'effigie de Napoléon.

**napoléonien, ienne** adj. Qui a rapport à Napoléon Ier ou à Napoléon III.

**nappe** n. f. **I** Linge pour couvrir la table du repas. **II** fig. Vaste couche (de fluide).

**napper** v. tr. [1] Recouvrir (un mets) d'une couche de sauce, etc. ► **nappage** n. m.

**napperon** n. m. Petit linge décoratif.

**narcisse** n. m. Plante bulbeuse à fleurs très odorantes. → **jonquille.**

**narcissisme** n. m. Admiration de soi-même. ► **narcissique** adj.

**narcose** n. f. méd. Sommeil artificiel.

**narcotique** 1 adj. Qui assoupit, engourdit la sensibilité. 2 n. m. Médicament qui endort.

**narcotrafiquant, ante** n. Gros trafiquant de drogue.

**narguer** v. tr. [1] Braver avec mépris.

**narguilé** ou **narghilé** n. m. Pipe orientale, à long tuyau souple communiquant avec un flacon d'eau aromatisée.

**narine** n. f. Chacun des deux orifices extérieurs du nez. ♦ → **naseau.**

**narquois, oise** adj. Moqueur et malicieux. → **ironique.** ► **narquoisement** adv.

**narrateur, trice** n. Personne qui raconte (certains événements). → **conteur.** ♦ Dans un récit, personnage qui s'exprime à la première personne.

**narratif, ive** adj. Composé de récits ; propre à la narration.

**narration** n. f. 1 Récit écrit et détaillé d'une suite de faits. 2 Rédaction scolaire.

**narrer** v. tr. [1] littér. Raconter. → **relater.**

**narthex** [-ɛks] n. m. archit. Vestibule d'une église.

**narval, als** n. m. Grand cétacé dont le mâle possède une longue défense.

**nasal, ale, aux** adj. 1 Du nez. *Fosses nasales.* 2 Dont la prononciation comporte une résonance de la cavité nasale.

**nase** ou **naze** adj. fam. Abîmé ; fatigué.

**naseau** n. m. Narine (de certains grands mammifères : cheval, etc.).

**nasillard, arde** adj. Qui nasille.

**nasiller** v. intr. [1] Parler du nez. ♦ Faire un bruit nasal. ► **nasillement** n. m.

**nasse** n. f. Panier de pêche à goulet.

**natal, ale, als** adj. 1 Où l'on est né. *Maison natale.* 2 Relatif à la naissance.

**natalité** n. f. Rapport entre le nombre des naissances et le chiffre de la population.

**natation** n. f. Exercice, sport de la nage.

**natatoire** adj. didact. Qui sert à la nage. – *Vessie* natatoire.*

**natel** n. m. (marque déposée) (Suisse) Téléphone portable. *Des natels.*

**natif, ive** adj. 1 *Natif de* (tel lieu) : qui est né à. – n. *Les natifs d'Alsace.* 2 Qu'on a de naissance. → **inné.** 3 *Métal natif,* qui se trouve naturellement à l'état pur.

**nation** n. f. 1 Groupe humain assez vaste, qui se caractérise par la conscience de son unité et la volonté de vivre en commun. → **peuple.** 2 Communauté politique établie sur un territoire. → **État, pays.**

**national, ale, aux** adj. 1 Qui appartient à une nation. 2 Qui intéresse la nation entière, l'État (opposé à *local, régional, privé*). – *Route nationale* (abrév. *R. N.*) ou n. f. *une nationale.* 3 Qui est issu de la nation, la représente. 4 n. m. Personne de telle nationalité.

**nationalisation** n. f. Transfert à la collectivité nationale de la propriété de moyens de production (s'oppose à *privatisation*). ► **nationaliser** v. tr. [1] → **étatiser.**

**nationalisme** n. m. Exaltation du sentiment national ; attachement à la nation (→ patriotisme). ► **nationaliste** adj. et n.

**nationalité** n. f. 1 Groupe humain uni par le territoire, la langue, les traditions, etc. et qui a ou revendique une existence en tant que nation. 2 Fait d'être membre d'une nation. *Être de nationalité belge.*

**national-socialisme** n. m. Doctrine de Hitler. → **nazisme.** ► adj. et n. (invar. en genre) **national-socialiste**

**nativité** n. f. relig. chrét. Naissance (Christ ; saints). – *La Nativité* (du Christ) : Noël.

**natte** n. f. 1 Pièce d'un tissu de brins végétaux entrelacés. 2 Tresse plate.

**natter** v. tr. [1] Entrelacer, tresser.

**naturalisation** n. f. **I** Action de conférer la nationalité d'un pays à qqn qui ne la possède pas. **II** Opération par laquelle on donne à un animal mort, etc. l'apparence de la nature vivante. → **empaillage, taxidermie.**

**naturaliser** v. tr. [1] **I** Donner une nationalité à (qqn) par naturalisation. **II** Conserver par naturalisation (II). ▷ adj. **naturalisé, ée**

**naturalisme** n. m. arts Représentation réaliste de la nature. → **réalisme.**

**naturaliste I** n. 1 Spécialiste des sciences naturelles. 2 Taxidermiste. **II** adj. Qui s'inspire du naturalisme.

**nature** n. f. **I** 1 Ce qui caractérise un être, une chose concrète ou abstraite. → **essence, propriété(s).** – *La nature humaine.* ♦ loc. *De nature à :* propre à. 2 Ensemble des caractères innés de l'espèce (spécialt de l'espèce humaine, d'un individu). → **caractère, naturel, tempérament.** – *De nature, par nature :* de manière innée. 3 par ext. *Une nature* (qualifié) : qqn de tel ou tel tempérament. *C'est une heureuse nature.* – absolt *C'est une nature,* une forte personnalité. **II** 1 Principe actif qui anime, organise l'ensemble de ce qui existe ; ce qui existe. *Les lois de la nature.* 2 Tout ce qui existe dans l'univers hors de l'être humain et de son action ; le milieu physique où vit l'humanité (→ **environnement, milieu ; Terre**). *Protection de la nature.* → **écologie.** – Les paysages, source d'émotion esthétique. *Aimer la nature.* **3** Modèle que l'art se propose de suivre. *Dessiner d'après nature. Grandeur* nature.* **4** loc. *En nature :* en objets réels et non en argent. *Don en nature.* **III** adj. invar. **1** Préparé simplement ; au naturel. *Des yaourts nature.* **2** fam. (personnes ; actes) Naturel, spontané.

**naturel, elle I** adj. **1** Qui appartient à la nature (I) d'un être, d'une chose. *Caractères naturels.* **2** Relatif à la nature (II). – vieilli *Sciences naturelles* (→ **naturaliste**). **3** Propre au monde physique, à l'exception de l'homme et de son action (opposé à *humain, artificiel*). **4** math. *Nombre entier naturel* (1, 2, 3, 4...). **5** Qui correspond à l'ordre habituel. *C'est (tout) naturel.* **6** *Enfant naturel,* né hors mariage. **II** adj. **1** Relatif aux fonctions de la vie. *Besoins naturels.* **2** Qui est inné en qqn (opposé à *acquis, appris*). **3** Qui appartient réellement à qqn, n'a pas été modifié. *C'est son teint naturel.* ♦ *Mort naturelle* (opposé à *accidentel, provoqué*). **4** Qui traduit la nature d'un individu. → **sincère, spontané.** *Savoir rester naturel.* **III** n. m. **1** Ensemble des caractères qu'un individu possède en naissant. → **nature** (I, 2). *Être d'un naturel sensible.* **2** Aisance du comportement. *Manquer de naturel.*

**naturellement** adv. **1** De par sa nature. **2** Par un enchaînement logique ou naturel. – fam. Bien sûr, forcément. **3** Avec naturel.

**nature morte** n. f. Peinture qui représente des objets ou des êtres inanimés.

**naturisme** n. m. Doctrine prônant le retour à la nature dans la manière de vivre (nudisme...). ► **naturiste** n. et adj.

**naturopathie** n. f. méd. Traitement par des moyens naturels. ► **naturopathe** n.

**naufrage** n. m. **1** Perte d'un navire par un accident de navigation. *Faire naufrage.* → **couler, sombrer.** **2** fig. Ruine totale.

**naufragé, ée** adj. Qui a fait naufrage. – n. *Sauvetage des naufragés.*

**nauséabond, onde** adj. (odeur...) Qui cause des nausées, écœure. → **fétide.** ♦ fig. *Une idéologie nauséabonde.*

**nausée** n. f. **1** Envie de vomir. → **haut-le-cœur.** **2** Sensation de dégoût.

**nauséeux, euse** adj. **1** Qui provoque des nausées. **2** Qui souffre de nausées.

**nautile** n. m. zool. Mollusque céphalopode à coquille cloisonnée.

**nautique** adj. **1** Relatif à la navigation. **2** Relatif aux sports de l'eau.

**naval, ale, als** adj. **1** Qui concerne les navires. **2** Relatif à la marine militaire.

**navarin** n. m. Mouton en ragoût.

**navet** n. m. **1** Plante cultivée pour ses racines comestibles ; cette racine. **2** fam. Œuvre sans valeur (spécialt, mauvais film).

**navette** n. f. **1** Instrument de tissage qui se déplace entre les fils de chaîne selon un mouvement alternatif. **2** *Faire la navette :* faire régulièrement un aller-retour. **3** Véhicule assurant des liaisons fréquentes entre deux lieux proches. ♦ *Navette spatiale :* vaisseau spatial récupérable.

**navigable** adj. Où l'on peut naviguer.

**navigant, ante** adj. mar., aviat. Qui navigue. *Personnel navigant* (opposé à *au sol, rampant*).

> Ne pas confondre avec *naviguant,* p. prés. de *naviguer.*

**navigateur, trice I** n. **1** Personne qui fait des voyages sur mer. **2** Personne qui règle la direction à suivre (navire, avion). **II** n. m. Logiciel conçu pour naviguer (4) sur Internet.

**navigation** n. f. **1** Fait de naviguer. *Navigation fluviale.* **2** Manœuvre des navires. **3** Trafic maritime. *Lignes de navigation.* **4** Circulation aérienne ou spatiale. **5** Fait de naviguer (4) sur Internet.

**naviguer** v. intr. [1] **1** (navires ; passagers) Se déplacer sur l'eau ; à bord d'un bateau. **2** Voyager comme marin sur un navire. **3** fig., fam. Voyager, se déplacer beaucoup. **4** Se déplacer dans un réseau, sur Internet, au moyen des liens hypertextes*. → **surfer**

**navire** n. m. Bateau de fort tonnage, ponté, destiné aux transports sur mer. → **bâtiment ; vaisseau.**

**navrer** v. tr. [1] **1** Affliger profondément. **2** passif *Être navré de,* désolé, contrarié par. ► **navrant, ante** adj. → **désolant.**

**naze** adj. → **nase**

**nazi, ie** n. Membre du parti national-socialiste de Hitler. – adj. Des nazis.

**nazisme** n. m. Mouvement, régime nazi.

**N. B.** → **nota bene**

**N. B. C.** adj. invar. (sigle) milit. Relatif aux armes nucléaires, biologiques ou chimiques. *Systèmes de défense N. B. C.*

**ne** (ou **n'** devant voyelle ou *h* muet) adv. de négation **I** exprimant une négation **1** *Ne... pas, ne... point* (vx), *ne... plus, ne... guère, ne... jamais, ne... que. Il ne va pas à..., il n'y va pas. Il n'en a pas, plus.* → aussi ② **goutte.** **2** avec un indéfini à sens négatif, avec *ni* répété, etc. *Je n'ai aucune nouvelle. Il ne veut voir personne. Je ne dis ni oui ni non.* **3** employé seul *Je n'ose l'affirmer.* **4** employé seul, dans quelques loc. *N'ayez crainte ! Il n'empêche* que...* **II** *ne* explétif. – après des verbes exprimant la crainte, l'impossibilité *Je crains qu'il ne se fâche. Pour éviter qu'il ne se blesse.* – après un compar. d'inégalité : *meilleur, mieux, moindre, moins, pire, pis, plus... que ne... Mieux que je ne ferais.*

**né, née** adj. **1** Venu au monde. ♦ *M^me Dupont née Durand,* dont le nom de jeune fille est Durand. ♦ *Né pour :* doué pour. **2** en appos. Par un don naturel. *Un orateur-né.*

**néanmoins** adv. et conj. Malgré ce qui vient d'être dit. → **cependant, toutefois.**

**néant** n. m. **I** Rien. *Réduire à néant.* → **anéantir. II 1** Valeur nulle. **2** Ce qui n'est pas encore ou n'existe plus. **3** philos. Absence d'être. *«L'Être et le Néant»* (de Sartre).

**nébuleuse** n. f. **1** Amas de gaz et de poussières interstellaires. **2** fig. Amas diffus.

**nébuleux, euse** adj. **1** Obscurci par les nuages ou le brouillard. → **brumeux, nuageux. 2** → **vaporeux. 3** fig. Vague, confus. → **flou.** ► **nébulosité** n. f.

**nébuliser** v. tr. [1] techn. Disperser (un liquide) en très fines gouttelettes. ► **nébulisation** n. f. ► **nébuliseur** n. m. → **aérosol, vaporisateur.**

**nécessaire I** adj. **1** Se dit d'une condition, d'un moyen dont la présence ou l'action rend seule possible un but ou un effet. *Condition nécessaire et suffisante.* **2** *Nécessaire à :* dont l'existence, la présence est obligatoire (pour...). → **indispensable. 3** Dont on ne peut se passer. → **essentiel. 4** Qui doit se produire. *Effet nécessaire.* → **inéluctable, inévitable. II** n. m. **1** Bien dont on ne peut se passer. *Le nécessaire et le superflu.* **2** Ce qu'il faut faire ou dire, et qui suffit. **III** n. m. Boîte, étui renfermant des ustensiles. *Nécessaire de toilette.*

**nécessairement** adv. **1** Par une obligation imposée. **2** Inévitablement.

**nécessité** n. f. **I 1** Caractère nécessaire (d'une chose, d'une action). → **obligation. 2** Besoin impérieux. *Dépenses de première nécessité.* **II** absolt Forces qui contraignent, entraînent (besoin, destin...). ♦ philos. Enchaînement des causes et des effets.

**nécessiter** v. tr. [1] (sujet chose) Rendre indispensable, nécessaire. → **exiger.**

**nécessiteux, euse** adj. et n. vieilli Qui manque du nécessaire. → **indigent, pauvre.**

**nec plus ultra** [nɛkplysyltʀa] n. m. invar. Ce qu'il y a de mieux. → **summum.**

**nécrologie** n. f. **1** Notice biographique consacrée à une personne morte récemment. **2** Liste ou avis de décès. ► **nécrologique** adj. *Rubrique nécrologique.*

**nécromancie** n. f. Divination par l'évocation des morts. → **spiritisme.** ► **nécromancien, ienne** n.

**nécropole** n. f. Antiq. Vaste cimetière.

**nécrose** n. f. Mort d'un tissu vivant.

**nécroser** v. tr. [1] Provoquer la nécrose de. ▷ v. pron. se **nécroser**

**nectaire** n. m. bot. Élément (des plantes) qui sécrète le nectar (2).

**nectar** n. m. **1** mythol. Breuvage des dieux antiques. **2** Liquide sucré que sécrètent les nectaires. *Abeilles butinant le nectar.*

**nectarine** n. f. Pêche à peau lisse.

**néerlandais, aise** adj. et n. Des Pays-Bas. → **hollandais.** - *Les Néerlandais.* ♦ n. m. *Le néerlandais :* langue germanique parlée aux Pays-Bas, en Belgique dite *néerlandophone* (→ **flamand**), en Afrique du Sud (→ **afrikaans**)...

**nef** n. f. **I** vx Navire à voiles. **II** Partie (d'une église) entre le portail et le chœur.

**néfaste** adj. Qui cause du mal. → **funeste, mauvais.** *Influence néfaste.* → **nuisible.**

**nèfle** n. f. Fruit du néflier, qui se mange blet.

**néflier** n. m. Arbre des régions tempérées, au tronc tordu, qui produit les nèfles.

**négatif, ive** adj. **I** (opposé à *affirmatif*) Qui exprime un refus. *Réponse négative.* ♦ n. f. *Répondre par la négative.* **II** (opposé à *positif*) **1** Qui se définit par le refus. *Esprit négatif.* → **critique. 2** Qui correspond à une absence. *Résultat négatif* (→ **nul**). - méd. *Examen négatif,* qui ne révèle pas d'éléments pathologiques. **3** anglic. Qui a des effets nuisibles, mauvais. → **néfaste, nocif. 4** *Nombre négatif :* nombre inférieur à zéro, affecté du signe moins (ex. –10). - *Température négative.* **5** Se dit d'une image photographique sur laquelle les parties lumineuses des objets correspondent à des taches sombres. - n. m. *Un négatif* (film, plaque).

**négation** n. f. **1** Acte de l'esprit qui consiste à nier, à rejeter. **2** Ce qui va à l'encontre (de qqch.). **3** Manière de nier, de refuser. *Adverbes de négation* (ne, non).

**négationnisme** n. m. Position idéologique consistant à nier l'existence des camps d'extermination nazis. → **révisionnisme.** ► **négationniste** n. et adj.

**négativement** adv. De façon négative.

**négativité** n. f. Caractère négatif (II, 1).

**négligé** n. m. **1** État d'une personne vêtue sans recherche. **2** → **déshabillé (n. m.).**

**négligeable** adj. Qui peut être négligé. → **dérisoire, insignifiant.**

**négligemment** [-amɑ̃] adv. **1** D'une manière négligente, sans soin. **2** Avec un air d'indifférence. *Répondre négligemment.*

**négligence** n. f. **1** Attitude de qqn dont l'esprit ne s'applique pas à ce qu'il fait. → **désinvolture. 2** Faute due au manque de soin. ► **négligent, ente** adj. → **inattentif.** - *Geste négligent.*

**négliger** v. tr. [3] **1** Ne pas accorder d'importance, de soin à. *Négliger ses intérêts.* - pronom. *Se négliger :* ne pas avoir soin de soi. ♦ *Il a négligé de nous prévenir.* → **omettre, oublier. 2** Porter peu d'attention à (qqn). **3** Ne pas tenir compte de (qqch.).

→ **dédaigner.** ▷ adj. **négligé, ée** Laissé sans soin.

**négoce** n. m. vieilli Commerce.

**négociable** adj. Qui peut être négocié.

**négociant, ante** n. Commerçant en gros.

**négociateur, trice** n. Personne chargée de négocier (une affaire ; un accord).

**négociation** n. f. **1** Achat, vente (d'un effet de commerce). **2** Discussions pour parvenir à un accord. → **pourparlers.**

**négocier** v. 7 **I** v. intr. Mener une négociation (2). → **traiter.** **II** v. tr. **1** Établir, régler (un accord). *Négocier un contrat.* **2** Transmettre à un tiers (un effet de commerce). **3** Bien prendre (un virage).

**nègre, négresse** **I** n. **1** vieilli et péj. Personne noire. → **noir.** – Terme devenu raciste, sauf quand il est employé par les Noirs (→ négritude). **2** n. m. Auteur payé par une personne pour écrire les ouvrages qu'elle signe de son nom. **3** *Petit-nègre :* français simplifié parlé en Afrique pendant la colonisation. **II** adj. (fém. *nègre*) vieilli et péj. Relatif aux Noirs. – mod. (sans péjoration) *Art nègre.*

**négrier, ière** hist. **1** adj. De la traite des Noirs. **2** n. m. Marchand d'esclaves noirs.

**négrillon, onne** n. vieilli et péj. Enfant noir.

**négritude** n. f. littér. Caractères culturels propres aux Noirs ; appartenance à la communauté noire.

**negro-spiritual** [negʀospiʀitɥɔl] n. m. Chant chrétien des Noirs des États-Unis. → **gospel.** *Des negro-spirituals.*

**négus** [-ys] n. m. Souverain éthiopien.

**neige** n. f. **1** Eau congelée dans les hautes régions de l'atmosphère, et qui tombe en flocons blancs et légers. ♦ La neige, répandue sur le sol. *Sports de neige.* **2** *Neige artificielle,* substance qui simule la neige. **3** argot Cocaïne. **4** *Blancs d'œufs en neige,* battus en mousse ferme. – *Œufs à la neige.*

**neiger** v. impers. 3 (neige) Tomber.

**neigeux, euse** adj. Couvert de neige.

**nem** [nɛm] n. m. Petite crêpe de riz fourrée et frite (→ pâté impérial).

**néné** n. m. fam. Sein de femme. → **nichon.**

① **nénette** n. f. fam. et vieilli Tête. *Se casser la nénette,* se fatiguer l'esprit.

② **nénette** n. f. fam. Jeune femme.

**nenni** adv. de négation vx Non.

**nénuphar** n. m. Plante aquatique à grandes feuilles rondes. – var. **nénufar.**

**néoclacissisme** n. m. Forme d'art qui imite l'art classique. ► **néoclassique** adj.

**néocolonialisme** n. m. Système de domination économique imposée à d'anciennes colonies. ► **néocolonialiste** adj. et n.

**néolibéralisme** n. m. Forme de libéralisme qui admet une intervention limitée de l'État. ► **néolibéral, ale, aux** adj. et n.

**néolithique** adj. Relatif à l'âge de la pierre polie. – n. m. *Le néolithique.*

**néologie** n. f. didact. Création de mots et d'expressions nouveaux. ► **néologique** adj.

**néologisme** n. m. Mot ou sens nouveau.

**néon** n. m. **1** Gaz de la série des gaz rares. **2** Éclairage par tube fluorescent ; le tube lui-même.

**néonatal, ale, als** adj. Du nouveau-né. ► **néonatologie** n. f. didact.

**néophyte** n. Adepte récent d'une doctrine, d'un parti... → **prosélyte.**

**néoplasme** n. m. méd. Tumeur (spécialt cancéreuse).

**néoréalisme** n. m. Théorie artistique renouvelant le réalisme (spécialt dans le cinéma italien). ► **néoréaliste** adj. et n.

**néorural, ale, aux** n. Personne qui quitte la ville pour vivre et travailler en milieu rural.

**néphrétique** adj. méd. Relatif au rein.

**néphrite** n. f. méd. Inflammation du rein.

**néphrologie** n. f. Étude de la physiologie et des pathologies du rein. ► **néphrologue** n.

**népotisme** n. m. didact. Abus qu'une personne en place fait de son influence en faveur de sa famille, de ses amis.

**néréide** n. f. **1** mythol. Nymphe de la mer. **2** zool. Ver marin des fonds vaseux.

**nerf** [nɛʀ] n. m. **I 1** vx Ligament, tendon des muscles. **2** fig. Force active, énergie. *Allons, du nerf !* **II 1** Filament qui relie un centre nerveux (moelle, cerveau) à un organe ou à une structure organique. **2** *Les nerfs :* ce qui supporte les excitations, les tensions. *Avoir les nerfs solides.* – *Taper sur les nerfs.* → **exaspérer.** – *Être à bout de nerfs,* surexcité et épuisé. – *Crise de nerfs :* cris, pleurs, gestes désordonnés (→ hystérie).

**nerveusement** adv. **1** Par l'action du système nerveux. **2** D'une manière nerveuse, excitée. *Rire nerveusement.*

**nerveux, euse** adj. **I 1** Qui a des tendons vigoureux, apparents. **2** Qui a du nerf, de l'énergie. → **vigoureux.** – *Voiture nerveuse,* qui a de bonnes reprises. – *Style nerveux,* vigoureux. **II 1** Relatif au nerf, aux nerfs (II). *Cellule nerveuse :* neurone. *Système nerveux,* qui commande les fonctions vitales (sensibilité, motricité, respiration, etc.) et (humains...) les facultés intellectuelles et affectives. **2** Qui concerne les nerfs, l'émotivité. *Rire nerveux.* – vieilli *Maladies nerveuses* (→ **névrose).** **3** Émotif et agité. → **énervé, fébrile.** – n. *C'est un grand nerveux.*

**nervi** n. m. Homme de main, tueur.

**nervosité** n. f. État d'excitation nerveuse passagère. → **énervement, irritation.**

**nervure** n. f. **1** Fine saillie (d'une feuille de plante). **2** (insectes) Filet corné soutenant la membrane de l'aile. **3** archit. Moulure arrondie, arête saillante (d'une voûte).

**n'est-ce pas** adv. interrog. Formule requérant l'adhésion. *Tu m'aimes, n'est-ce pas ?*

① **net, nette** [nɛt] **I** adj. **1** Que rien ne ternit ou ne salit. → **propre.** – fig. *Avoir la conscience nette.* **2** Débarrassé (de ce qui salit, encombre). *Faire place nette :* vider les lieux. – loc. *En avoir le cœur net,* en être assuré. **3** Dont on a déduit tout élément étranger (opposé à *brut*). *Bénéfice net. Poids net.* – *Net de :* exempt de. **4** Clair, précis. *Idées nettes.* – *Ma position est nette.* → **catégorique. 5** Clair et distinct. *L'image n'est pas nette* (→ **flou**). **II** adv. **1** Sur place ; tout d'un coup. *S'arrêter net.* **2** *Je le lui ai dit tout net,* franchement.

② **net** [nɛt] n. m. anglic., sports (tennis...) Fait, pour la balle, de toucher le haut du filet.

③ **net** [nɛt] n. m. anglic. *Le Net :* le réseau Internet. → **toile, web.**

**nettement** adv. Avec clarté, netteté.

**netteté** n. f. Caractère de ce qui est net.

**nettoyer** v. tr. [8] **1** Rendre net, propre. **2** fam. Vider (un lieu) de son contenu. **3** Débarrasser (un lieu) d'ennemis, etc. ► **nettoyant, ante** adj. et n. m. ► **nettoiement** (opérations) et **nettoyage** n. m. (action).

**nettoyeur, euse 1** n. Personne qui nettoie. **2** (Canada) Établissement où l'on nettoie et repasse les vêtements. → **teinturerie.**

① **neuf I** adj. numéral invar. **1** (cardinal) Huit plus un (9). – loc. *Neuf fois sur dix :* presque toujours. **2** (ordinal) Neuvième. *Charles IX.* **II** n. m. invar. Le chiffre, le nombre, le numéro neuf. ♦ Carte, dé, etc. marqué de neuf signes.

② **neuf, neuve I** adj. **1** Qui vient d'être fait et n'a pas encore servi. – *À l'état neuf ; tout neuf ;* loc. *flambant neuf :* en très bon état. **2** Nouveau, original. *Des idées neuves.* **3** fam. (Qqch.) *de neuf :* des faits récents pouvant amener un changement. *Alors, quoi de neuf ?* **II** n. m. sing. **1** Ce qui est neuf. – *Être vêtu de neuf.* **2** *À neuf :* de manière à rendre l'état ou l'apparence du neuf. *Remettre à neuf.* → **rénover.**

**neume** n. m. hist. de la mus. Signe (note carrée) servant à noter le plain-chant.

**neuneu** adj. fam. Niais, un peu bête. → **nigaud.**

**neurasthénie** n. f. État durable d'abattement accompagné de tristesse. ► **neurasthénique** adj. et n.

**neurobiologie** n. f. Étude du fonctionnement des cellules et des tissus nerveux. ► **neurobiologiste** n.

**neuroleptique** adj. et n. m. méd. (Médicament) qui exerce une action calmante sur le système nerveux.

**neurologie** n. f. Discipline médicale qui étudie le système nerveux et ses maladies. ► **neurologique** adj. ► **neurologue** n.

**neuromédiateur** n. m. physiol. Médiateur chimique assurant la transmission de l'influx nerveux. – syn. **neurotransmetteur** n. m.

**neurone** n. m. biol. Cellule nerveuse.

**neuropsychiatrie** n. f. didact. Discipline englobant la psychiatrie et la neurologie. ► **neuropsychiatre** n.

**neurovégétatif, ive** adj. physiol. *Système neurovégétatif,* qui contrôle les fonctions involontaires (vie végétative) : circulation, excrétion, etc.

**neutraliser** v. tr. [1] **1** Assurer la qualité de neutre à (un État...). **2** Empêcher d'agir, rendre inoffensif. ► **neutralisation** n. f.

**neutralisme** n. m. (pays, État) Indépendance vis-à-vis de puissances antagonistes.

**neutralité** n. f. Caractère, état d'une personne neutre, d'une nation neutre.

**neutre** adj. **1** Qui ne participe pas à un conflit. *État neutre.* **2** Qui s'abstient de prendre parti. → **impartial,** ① **objectif. 3** D'une catégorie grammaticale où ne se manifestent pas les formes du masculin et du féminin. – n. m. *Le neutre latin.* **4** chim. Qui n'est ni acide, ni basique. – phys. Qui n'a pas de charge électrique. **5** *Couleur neutre,* indécise (opposé à *vif*). **6** Dépourvu de passion. → **froid.** *Répondre d'un ton neutre.*

**neutrino** n. m. Particule élémentaire neutre, de masse infime.

**neutron** n. m. Particule élémentaire, neutre, constitutive du noyau atomique (sauf du noyau d'hydrogène normal).

**neuvaine** n. f. relig. cathol. Série de prières poursuivie pendant neuf jours.

**neuvième** adj. **1** Qui suit le huitième (9$^{e}$). – loc. *Le neuvième art :* la bande dessinée. ♦ n. *Le, la neuvième.* **2** adj. et n. m. Se dit d'une partie d'un tout divisé également en neuf. ► **neuvièmement** adv.

**névé** n. m. Amas de neige durcie.

**neveu** n. m. Fils du frère ou de la sœur (ou du beau-frère ou de la belle-sœur).

**névralgie** n. f. Douleur vive ressentie sur le trajet d'un nerf.

**névralgique** adj. **1** De la névralgie. **2** fig. *Point névralgique :* endroit le plus sensible.

**névrite** n. f. Inflammation d'un nerf.

**névropathe** adj. et n. vieilli Névrosé.

**névrose** n. f. Affection caractérisée par des troubles nerveux sans cause anatomique. *Névrose obsessionnelle, hystérique.* ► **névrotique** adj. *Troubles névrotiques.*

**névrosé, ée** adj. et n. (Personne) qui souffre d'une névrose.

**newton** [njutɔn] n. m. sc. Unité de mesure de force (symb. N), correspondant à une accélération de 1 m/s$^2$ communiquée à une masse de 1 kg.

**nez** n. m. **I 1** Partie saillante du visage, entre le front et la lèvre supérieure, et qui abrite l'organe de l'odorat (fosses nasales). - *Se boucher le nez* (pour ne pas sentir). - *Parler du nez.* → **nasiller. 2** loc. fig. *Mener qqn par le bout du nez,* le mener à sa guise. - *Ne pas voir plus loin que le bout de son nez :* manquer de clairvoyance. - *À vue de nez :* à première estimation. - *Cela lui pend au nez :* cela va lui arriver. ♦ fam. *Les doigts dans le nez :* sans difficulté. - *Avoir un verre dans le nez :* être éméché. **3** Face, figure, visage (dans des loc.). *Mettre le nez à la fenêtre.* - *Piquer du nez* (en s'endormant). ♦ fig. *Fourrer son nez partout :* être très indiscret. - *Se trouver nez à nez avec qqn,* le rencontrer brusquement. - *Au nez de qqn :* devant lui, sans se cacher. - (choses) *Passer sous le nez,* échapper (à qqn). **4** (Organe de l'odorat) loc. fam. *Avoir qqn dans le nez,* le détester. - loc. *Avoir du nez, le nez creux :* du flair ; fig. de la perspicacité. **5** (animaux) → **mufle, museau ; groin. II** Partie saillante située à l'avant (de qqch.). → ② **avant.**

**ni** conj. Conjonction niant *et* et *ou*. **I** Et, ou ne pas (dans une propos. négative). *Je n'ai pas de cigarettes ni de feu. Je n'ai ni cigarette ni feu.* ♦ littér. (joignant deux propos. négatives) *Il n'avance ni ne recule.* **II** (sans *ne*) *Ni ce soir ni demain. Du thé sans sucre ni lait.*

**niable** adj. (surtout négatif) Qui peut être nié (opposé à *indéniable*).

**niais, niaise** adj. Dont la simplicité, l'inexpérience va jusqu'à la bêtise. → **nigaud, simplet.** - n. *Quel niais !* ► **niaisement** adv.

**niaiser** v. intr. [1] (Canada) Perdre son temps à des niaiseries ; ne rien faire.

**niaiserie** n. f. **1** Caractère d'une personne ou d'une chose niaise. → **bêtise, crédulité. 2** Action, parole niaise. → **ânerie.**

**niaiseux, euse** adj. et n. (Canada) Niais, sot, stupide.

① **niche** n. f. **1** Abri pour un chien. **2** Enfoncement dans un mur, etc. **3** *Niche écologique :* milieu occupé par une espèce.

② **niche** n. f. vieilli Tour malicieux. → **farce.**

**nichée** n. f. Couvée (2) qui est au nid.

**nicher** v. intr. [1] (oiseau) Faire son nid. → **nidifier.** - Se tenir dans son nid, y couver. ▷ v. pron. **se nicher 1** (oiseau) Faire son nid. **2** Se blottir, se cacher.

**nichon** n. m. fam. Sein de femme.

**nickel** n. m. **1** Élément (symb. Ni), métal blanc argenté, ductile. **2** adj. invar. fam. Très propre. ♦ Parfait. *Une soirée nickel.* ► **nickeler** v. tr. [4] - au p. p. *Acier nickelé.*

**nicotine** n. f. Alcaloïde du tabac.

**nid** n. m. **1** Abri que les oiseaux se construisent pour y pondre, couver leurs œufs et élever leurs petits (→ **nicher**). - loc. fig. *Nid d'aigle :* construction en un lieu élevé, escarpé. - prov. *Petit à petit, l'oiseau fait son nid,* les choses se font progressivement. **2** (insectes) *Nid de guêpes* (guêpier). ♦ fig. *Nid-d'abeilles :* tissu, broderie en forme d'alvéoles de ruche. **3** fig. Logis intime. **4** fam. *Nid à :* lieu propice à l'accumulation de. *Un nid à poussière.*

**nidation** n. f. biol. Implantation de l'œuf fécondé des mammifères dans l'utérus.

**nid-de-poule** n. m. Petite dépression dans une chaussée. *Des nids-de-poule.*

**nidifier** v. intr. [7] didact. (oiseau) Faire son nid. → **nicher.** ► **nidification** n. f.

**nièce** n. f. Fille du frère ou de la sœur (ou du beau-frère ou de la belle-sœur).

① **nielle** n. m. techn. Incrustation décorative d'émail noir dans un métal.

② **nielle** n. f. Maladie des céréales.

**nième** → **énième**

**nier** v. tr. [7] Rejeter (une proposition) ; déclarer irréel, faux (→ **contester, démentir**). *Nier un fait, avoir fait qqch.* ♦ absolt *L'accusé nie.* ♦ *Nier que* (+ indic.). *Il nie qu'il est venu* (il est pourtant venu). - (+ subj.) *Je ne nie pas qu'il ait du talent.*

**nigaud, aude** adj. Qui se conduit d'une manière niaise. - n. *Gros nigaud !* → ② **bêta.**

**night-club** n. m. anglic. Boîte de nuit. *Des night-clubs.*

**nihilisme** n. m. Idéologie qui rejette toute croyance, qui refuse toute contrainte sociale. ► **nihiliste** adj. et n.

**nimbe** n. m. Zone lumineuse qui entoure la tête des représentations de Dieu, des anges, des saints. → **auréole.**

**nimber** v. tr. [1] Orner d'un nimbe. - fig. au p. p. *Visage nimbé de lumière.*

**nimbus** [-ys] n. m. Gros nuage gris.

**n'importe** (qui, quel...) → ② **importer**

**ninja** [nin-] n. m. Guerrier japonais du Moyen Âge.

**nipper** v. tr. [1] fam. et vieilli Habiller.

**nippes** n. f. pl. fam. et vieilli Vêtements usés ou laids.

**nippon, one** ou **onne** adj. et n. Japonais.

**nique** n. f. *Faire la nique à qqn,* mépriser, braver ; faire un signe de mépris.

**niquer** v. tr. [1] fam. et vulg. **1** Posséder sexuellement. → **baiser. 2** fig. Tromper (qqn). - Abîmer, détériorer ; détruire.

**nirvana** n. m. **1** (bouddhisme) Extinction du désir humain, entraînant la fin du cycle des réincarnations. **2** cour. État de sérénité complète.

**nitrate** n. m. Sel de l'acide nitrique. - *Nitrates utilisés comme engrais.*

**nitre** n. m. vx Salpêtre.

**nitré, ée** adj. chim. Qui contient le radical $NO_2$ (substitué à l'hydrogène).

**nitrique** adj. *Acide nitrique :* acide ($HNO_3$) dérivé de l'azote, très corrosif.

**nitroglycérine** n. f. Nitrate triple de glycérine, explosif puissant (→ dynamite).

**nival, ale, aux** adj. didact. De la neige.

**niveau** n. m. **I** Instrument qui sert à vérifier l'horizontalité. *Niveau à bulle* (d'air). **II 1** Degré d'élévation, par rapport à un plan horizontal. → **hauteur.** *Inégalité de niveau* (→ **dénivellation).** *Mettre de niveau* (→ **niveler).** ♦ *Au niveau de :* à la même hauteur que ; à côté de. **2** Étage d'un bâtiment. **3** fig. Degré comparatif (selon un jugement...). *Niveau intellectuel ; social.* ♦ *Au niveau de :* à l'échelon, au plan, sur le plan de. **4** *Niveau de vie :* façon de vivre selon le revenu moyen (dans un pays...).

**niveler** v. tr. [4] **1** Mettre de niveau, rendre plan, uni. → **aplanir, égaliser. 2** fig. Mettre au même niveau (3), rendre égal.

**niveleur, euse 1** n. Personne qui nivelle. **2** n. f. Engin de terrassement, pour niveler.

**nivellement** n. m. **1** techn. Mesure des hauteurs relatives. **2** Action de niveler (1 et 2).

**nô** n. m. Drame lyrique japonais de caractère traditionnel.

**nobiliaire** adj. Propre à la noblesse.

**noble I** adj. **1** littér. Dont les qualités morales sont grandes. → **généreux.** *Cœur noble. - De nobles causes.* **2** Qui commande le respect par sa distinction, son autorité naturelle. → **majestueux. 3** (dans des expr.) Considéré comme supérieur. *Matières nobles,* naturelles et appréciées : pierre, bois... **II 1** adj. (sociétés féodales, etc.) Qui appartient à une classe privilégiée (opposé à *roturier*). **2** n. → **aristocrate.**

**noblement** adv. Avec noblesse (I).

**noblesse** n. f. **I 1** Grandeur des qualités morales. *Noblesse d'âme.* **2** Caractère noble (comportement, aspect...). → **dignité, distinction. II 1** Condition du noble. - loc. prov. *Noblesse oblige,* la noblesse crée le devoir de faire honneur à son nom. **2** Classe sociale des nobles. → **aristocratie.**

**nobliau** n. m. péj. Noble de petite noblesse. *Des nobliaux.*

**noce** n. f. **1** (dans des loc.) *Les noces :* le mariage. *Épouser qqn en secondes noces.* **2** Fête pour un mariage. *Repas de noce.* - loc. *N'être pas à la noce :* être dans une mauvaise situation. **3** loc. fam. et vieilli *Faire la noce :* mener une vie de débauche.

**noceur, euse** n. et adj. fam. et vieilli (Personne) qui aime faire la noce (3). → **fêtard.**

**nocif, ive** adj. (choses) Qui peut nuire. → **dangereux, nuisible.** - *Théories nocives.* → **pernicieux.** ► **nocivité** n. f.

**noctambule** n. et adj. (Personne) qui se promène ou se divertit la nuit.

> Ne pas confondre avec *somnambule* «qui marche en dormant».

**noctuelle** n. f. Papillon de nuit.

**nocturne I** adj. (opposé à *diurne*) **1** Propre à la nuit. - Qui a lieu pendant la nuit. **2** (animaux) Qui veille, chasse, etc. pendant la nuit. **II** n. m. Morceau de piano mélancolique. **III 1** n. m. ou f. Compétition qui a lieu en soirée. **2** n. f. Ouverture en soirée de magasins, d'expositions.

**nodosité** n. f. **1** méd. Formation pathologique arrondie et dure. → **nodule. 2** État d'un végétal noueux.

**nodule** n. m. **1** anat. Nodosité (1). **2** géol. Concrétion.

**noël** [nɔɛl] n. m. **1** Fête commémorant la naissance du Christ (25 décembre). → **nativité.** - *Le père Noël,* personnage censé déposer des cadeaux (correspond à saint Nicolas). loc. *Croire au père Noël :* être très naïf. - *La fête de Noël* ou n. f. *la Noël.* **2** fam. *Le noël* (d'un enfant), cadeau de Noël.

**nœud** n. m. **I 1** Enlacement d'une chose flexible (fil, corde, cordage) ou entrelacement de deux choses flexibles (→ **nouer). 2** mar. Unité de vitesse correspondant à 1 mille marin à l'heure. **3** Ruban noué ; ornement en forme de nœud. **4** loc. *Nœud de vipères,* emmêlement de vipères dans le nid. **II** fig. **1** vx ou littér. Attachement très étroit entre des personnes. **2** Point essentiel (d'une difficulté). ♦ *Le nœud de l'action,* son point culminant. **3** (concret) Endroit où se croisent des grandes voies de communication. **III 1** Protubérance à la partie externe d'un arbre. → **nodosité ; noueux. 2** fam. Extrémité de la verge.

**noir, noire I** adj. **1** Se dit de l'aspect d'une surface ne réfléchissant aucune lumière. *Noir comme du charbon.* **2** Qui est plus sombre (dans son genre). *Café noir. - Rue noire de monde.* **3** Sali. *Ongles noirs.* **4** Privé de lumière. → **obscur, sombre. 5** fam. et vieilli (attribut) Ivre. **II** adj. (abstrait) **1** Assombri par la mélancolie. *Idées noires.* **2** (dans des expr.) Marqué par le mal. *Messe noire.* - Macabre. *Film noir.* **3** Non légal. → **clandestin.** *Marché noir.* **III** n. m. **1** Couleur noire. - loc. *C'est écrit noir sur blanc,* de façon visible. - *Film en noir et blanc* (opposé à *en couleurs*). **2** L'obscurité. *Avoir peur du noir.* **3** Matière colorante noire. - loc. *Broyer* du noir.* **4** loc. *Voir tout en noir,* être pessimiste. **IV** adj. Qui appartient à un groupe humain, caractérisé par une peau très pigmentée. - n. *Les Noirs.* → **nègre ;** anglic. **black.**

**noirâtre** adj. D'une couleur tirant sur le noir. → **sombre.**

**noiraud, aude** adj. et n. Noir de teint.

**noirceur** n. f. **1** littér. Couleur, caractère de ce qui est noir. **2** fig., littér. Méchanceté odieuse. **3** (Canada) Obscurité.

**noircir** v. [2] **I** v. intr. Devenir noir ou plus foncé. **II** v. tr. **1** Colorer de noir. **2** fig. Dépeindre d'une manière pessimiste. ► **noircissement** n. m. (concret)

**noire** n. f. **1** Femme noire (IV). **2** mus. Note à corps noir et à queue simple.

**noise** n. f. loc. *Chercher noise* (ou *des noises*) *à qqn*, lui chercher querelle.

**noisetier** n. m. Arbrisseau qui produit la noisette (syn. *coudrier*).

**noisette** n. f. **1** Fruit du noisetier, petite coque contenant une amande comestible. ♦ fig. *Une noisette de beurre.* **2** adj. invar. Brun clair. *Des yeux noisette.*

**noix** n. f. **1** Fruit du noyer, constitué d'une écale verte, d'une coque, et d'une amande comestible formée de quatre quartiers. ♦ fig. *Une noix de beurre.* **2** par analogie *Noix de coco. Noix muscade.* **3** *Noix de veau,* partie arrière du cuisseau. **4** fam. et vieilli Imbécile. ♦ loc. *À la noix :* sans valeur.

**noliser** v. tr. [1] Affréter (un bateau, un avion). – au p. p. *Avion nolisé.*

**nom** n. m. **I 1** Mot servant à désigner une personne (→ **s'appeler,** se **nommer**). – *Nom de famille* (→ **patronyme**). – *Agir au nom de qqn,* comme son représentant. **2** spécialt Nom de famille. **3** (dans des loc.) Notoriété. *Se faire un nom.* **4** (jurons) *Nom de Dieu !* – fam. *Nom d'un chien !* **5** Désignation individuelle (d'un animal, d'un lieu, d'un objet). **II 1** Forme du langage, mot ou expression correspondant à une notion, et servant à désigner les êtres, les choses d'une même catégorie. → **appellation, dénomination, désignation, terme.** *Donner un nom à qqch.* – loc. *Une terreur sans nom,* très intense. *Une attitude sans nom.* → **inqualifiable ; innommable. 2** *Au nom de... :* en invoquant... *Au nom de la loi.* **III** Mot (partie du discours) qui peut être le sujet d'un verbe, être précédé d'un déterminatif. → **substantif.** *Mot remplaçant un nom.* → **pronom.**

**nomade 1** adj. et n. (humains) Qui n'a pas d'habitation fixe (opposé à *sédentaire*). **2** adj. *Vie nomade.* → **errant, itinérant.**

**nomadiser** v. intr. [1] Vivre en nomade.

**nomadisme** n. m. Vie des nomades.

**no man's land** [nomanslɑ̃d] n. m. invar. anglic. Zone comprise entre les premières lignes de deux armées ennemies. ♦ fig. Terrain neutre.

**nombre** n. m. **1** Symbole caractérisant une unité ou une collection d'unités considérée comme une somme (→ **chiffre**). *Nombres entiers, décimaux.* ♦ math. Notion liée à celles de pluralité, d'ensemble, de correspondance. **2** Nombre concret. *Nombre d'habitants. Un petit nombre :* peu. – loc. prép. *Être au nombre de dix :* être dix. *Au* (ou du) *nombre de.* → **parmi.** – *Sans nombre.* → **innombrable. 3** *Le nombre,* grand nombre. → **quantité.** – *En nombre :* en grande quantité. **4** Catégorie grammaticale du singulier et du pluriel. *L'adjectif s'accorde en genre et en nombre.*

**nombreux, euse** adj. **1** Formé d'un grand nombre d'éléments. **2** En grand nombre. *Venez nombreux !*

**nombril** [-i(l)] n. m. Cicatrice arrondie sur le ventre des mammifères, à l'endroit où le cordon ombilical a été sectionné. – fig., fam. *Se prendre pour le nombril du monde* (→ nombrilisme).

**nombrilisme** n. m. fam. Égocentrisme. ► **nombriliste** adj. et n.

**nomenclature** n. f. **1** Termes méthodiquement classés. → **terminologie. 2** Ensemble des termes faisant l'objet d'un article distinct (dans un dictionnaire, etc.).

**nomenklatura** [nɔmɛnklatura] n. f. hist. Privilégiés du pouvoir, dans les pays de l'Est, du temps du régime soviétique.

**nominal, ale, aux** adj. **I** Relatif au nom (I). *Appel nominal.* **II 1** Qui existe seulement de nom et pas en réalité. *Autorité nominale.* **2** écon. *Valeur nominale :* valeur d'émission (d'une action...). **III** gramm. Qui a la fonction d'un nom. *Formes nominales du verbe* (infinitif...). ► **nominalement** adv.

① **nominatif** n. m. gramm. (langues à déclinaisons) Cas d'un substantif, adjectif ou pronom qui est sujet ou attribut.

② **nominatif, ive** adj. Qui contient le nom, les noms (I). *Liste nominative.* → **nominal.** ► **nominativement** adv.

**nomination** n. f. Action de nommer (qqn) à une fonction, etc. ; fait d'être nommé.

**nommément** adv. En nommant, en désignant (qqn) par son nom.

**nommer** v. tr. [1] **I 1** Distinguer (qqn) par un nom ; donner un nom à (qqn). → **appeler, dénommer. 2** Donner un nom à (qqch. ; une classe de choses, une notion). **3** Mentionner (qqn, qqch.) en disant ou en écrivant son nom. → **citer. II** Désigner, choisir (qqn) pour une fonction (s'oppose à *élire*). *On l'a nommé directeur.* ▷ v. pron. se **nommer 1** passif Avoir pour nom. **2** réfl. Dire son nom. ▷ adj. **nommé, ée I 1** (suivi du nom propre) *Un médecin nommé X.* **2** Désigné par un nom. **3** loc. *À point nommé :* au moment voulu. **II** Désigné par nomination.

**non** adv. de négation **I 1** Réponse négative, refus. *Non, n'insistez pas.* – fam. (interrogatif) N'est-ce pas ? *C'est triste, non ?* **2** compl. dir. *Il ne sait pas dire non.* **3** fam. Exclamatif, marquant l'étonnement, etc. *Non, pas possible !* **II** (en phrase coordonnée ou juxtaposée) *Et non ; mais non. C'est moi et non vous.* – *Ou non* (alternative). *Que vous le vouliez ou non.* – → ② **pas.** *Hier j'aurais pu ; ce soir, non.* – *Non plus. Toi non plus, tu ne sais pas ?* – *Non, non pas, non seulement... mais...* **III** Qui n'est pas. *Un risque non négligeable.* **IV** n. m. invar. *Un non catégorique.* → **refus.** – loc. *Pour un oui* ou pour un non.*

**nonagénaire** adj. et n. (Personne) qui a entre quatre-vingt-dix et quatre-vingt-dix-neuf ans.

**non-agression** [nɔn-] n. f. Fait de ne pas recourir à l'agression (contre un pays).

**non-alignement** [nɔn-] n. m. (pays, État) Fait de ne pas se conformer à une politique commune. ► **non-aligné, ée** adj. et n. *Pays non-alignés.*

**nonante** adj. numéral cardinal invar. (Belgique, Suisse) Quatre-vingt-dix. ► **nonantième** [-tjɛm] adj. et n.

**non-assistance** [nɔn-] n. f. dr. Délit qui consiste à ne pas secourir volontairement. *Non-assistance à personne en danger.*

**nonce** n. m. Ambassadeur du Vatican.

**nonchalance** n. f. **1** Caractère, manière d'agir nonchalante. **2** Lenteur, mollesse indifférente. *Répondre avec nonchalance.*

**nonchalant, ante** adj. Qui manque d'activité, d'ardeur, par indifférence. → **indolent.** ► **nonchalamment** adv.

**nonciature** n. f. Charge, logis de nonce.

**non-conformiste** n. et adj. (Personne) qui ne se conforme pas aux usages établis. ► **non-conformisme** n. m.

**non-dit** n. m. Ce qui n'est pas dit.

**non-droit** n. m. didact. État (social, de civilisation...) qui n'est pas organisé par le droit. ♦ cour. *Zone de non-droit,* où la légalité n'est pas respectée.

**non-euclidien, ienne** [nɔn-] adj. Qui n'obéit pas au postulat d'Euclide sur les parallèles. *Géométries non-euclidiennes.*

**non-figuratif, ive** adj. arts Qui ne représente pas le réel. → **abstrait.**

**non-lieu** n. m. dr. Décision par laquelle un juge déclare qu'il n'y a pas lieu de poursuivre en justice. *Des non-lieux.*

**nonne** n. f. vx ou plais. Religieuse.

**nonobstant** prép. et adv. vx ou dr. Sans être empêché par (→ **malgré**) ; cependant.

**non-recevoir** → ①**fin** (II, 3) de non-recevoir

**non-retour** n. m. loc. *Point de non-retour :* moment où il n'est plus possible de revenir en arrière (dans une série d'actes...).

**non-sens** [nɔ̃sɑ̃s] n. m. invar. Ce qui est dépourvu de sens. → **absurdité.**

**non-violence** n. f. Doctrine qui exclut toute action violente en politique. ► **non-violent, ente** adj. et n.

**non-voyant, ante** n. Aveugle (→ mal-voyant).

**nopal** n. m. Cactus (oponce) à fruits comestibles (figues de Barbarie).

**nord I** n. m. **1** Celui des quatre points cardinaux correspondant à la direction de l'Étoile polaire (à l'opposé du sud). - *Nord magnétique,* indiqué par l'aiguille aimantée. - loc. fig. *Perdre le nord :* s'affoler. **2** Partie (d'un ensemble géographique) la plus proche du nord. - *Le Grand Nord.* → **arctique.** ♦ Les pays industrialisés. *Dialogue Nord-Sud.* **II** adj. invar. Qui se trouve au nord. → **boréal, septentrional.**

> On écrit *il habite dans le Nord* mais *dans le nord de la France.*

**nord-est** [nɔʀɛst] n. m. invar. Point situé à égale distance entre le nord et l'est. - adj. invar. *La partie nord-est du pays.*

**nordique** adj. et n. Des pays du nord de l'Europe. *Langues nordiques* (anciennes : le *nordique* n. m.).

**nordiste** n. m. et adj. Partisan des États du Nord (→ yankee), lors de la guerre de Sécession aux États-Unis.

**nord-ouest** [nɔʀwɛst] n. m. invar. Point à égale distance entre le nord et l'ouest (→ **noroît**). - adj. invar. *Côte nord-ouest.*

**noria** n. f. Machine hydraulique à godets, qui sert à élever l'eau, à irriguer.

**normal, ale, aux** adj. **1** math. Perpendiculaire (à). **2** *École normale,* qui formait les instituteurs. - *L'École normale supérieure,* formant des professeurs, des chercheurs (→ **normalien**). **3** Conforme au type le plus fréquent (→ **norme**) ; qui se produit selon l'habitude (s'oppose à *anormal*). *Il n'est pas normal :* il est bizarre. *En temps normal.* → **ordinaire. 4** n. f. *La normale :* la moyenne. *Intelligence supérieure à la normale.*

**normalement** adv. **1** De manière normale. **2** En temps normal. → **habituellement.**

**normalien, ienne** n. Élève de l'École normale supérieure.

**normaliser** v. tr. [1] **1** Soumettre à des normes (3). **2** Faire devenir ou redevenir normal. ► **normalisation** n. f.

**normalité** n. f. Caractère normal.

**normand, ande** adj. et n. De Normandie. - (n.) loc. *Réponse de Normand,* ambiguë.

**normatif, ive** adj. didact. Qui constitue une norme (1), établit des règles.

**norme** n. f. **1** didact. Type concret ou formule abstraite de ce qui doit être. → **loi, modèle, principe, règle. 2** État habituel, conforme à la majorité des cas (→ **normal**). *Norme sociale.* **3** Critères définissant un produit, un procédé (→ ①**standard**).

**noroît** n. m. mar. Vent du nord-ouest.

**norvégien, ienne** adj. et n. De Norvège. ♦ n. m. *Le norvégien* (langue scandinave).

**nosocomial, ale, aux** adj. didact. *Infection nosocomiale,* contractée en milieu hospitalier.

**nosologie** n. f. Discipline qui classifie les maladies.

**nostalgie** n. f. Regret mélancolique (de ce qui est révolu ou qu'on n'a pas connu). → **mélancolie.** ► **nostalgique** adj.

**nota bene** [nɔtabene] ou **nota** n. m. invar. Note, remarque. - abrév. **N. B.**

**notabilité** n. f. Notable (2).

**notable 1** adj. Qui est digne d'être noté, remarqué. *De notables progrès.* → **appréciable. 2** n. Personne de rang social élevé et qui a du pouvoir. → **personnalité.**

> Ne pas confondre avec *notoire* «connu de tous».

**notablement** adv. D'une façon notable.

**notaire** n. Officier public (homme ou femme) chargé d'établir les actes et contrats à caractère authentique. ► **notarial, iale, iaux** adj.

**notamment** adv. En remarquant parmi d'autres. → **particulièrement.**

**notariat** n. m. **1** Fonction de notaire. **2** Corps des notaires.

**notarié, ée** adj. Fait par un notaire.

**notation** n. f. **1** Action, manière de noter ; système de symboles. **2** Ce qui est noté (par écrit). → **note. 3** Action de noter (3).

**note** n. f. **I 1** *Note (de musique) :* signe caractérisant un son. **2** Son figuré par une note. *Les notes de la gamme* (do, ré, mi, fa, sol, la, si). - loc. *Fausse note.* → fam. **canard, couac.** fig. Élément discordant. - *Être dans la note,* dans le style. **3** Touche d'un clavier. **II 1** Mot, phrase, information se rapportant à un texte et figurant à côté de ce texte. → **annotation. 2** Brève communication écrite. → **avis, communiqué, notice. 3** Indication recueillie par écrit (en étudiant, en observant...). *Prendre des notes.* - *Prendre note de qqch.* → **noter. 4** Détail d'un compte. → **facture ; addition. 5** Appréciation chiffrée donnée selon un barème.

**noter** v. tr. [1] **1** Marquer d'un signe ou écrire (ce dont on veut garder l'indication, se souvenir). → **consigner, inscrire. 2** Prêter attention à (qqch.). → **remarquer ; notable. 3** Apprécier par une note (II, 5) chiffrée.

**notice** n. f. Bref exposé écrit.

**notifier** v. tr. [7] **1** Faire connaître expressément. **2** dr. Porter à la connaissance de qqn, dans les formes légales (un acte juridique). → **signifier.** ► **notification** n. f.

**notion** n. f. **1** au plur. Connaissance élémentaire. → **élément, rudiment. 2** Connaissance intuitive, assez imprécise (de qqch.). **3** Objet général de connaissance. → **concept, idée.** ► **notionnel, elle** adj. (sens 3).

**notoire** adj. **1** Qui est connu par un grand nombre de personnes. → **public. 2** (personnes) Reconnu comme tel. *Un criminel notoire.* ► **notoirement** adv.

> Ne pas confondre avec *notable* «remarquable».

**notoriété** n. f. **1** Caractère de ce qui est notoire (1). **2** Célébrité, renom.

**notre,** plur. **nos** Adjectif possessif de la première personne du pluriel et des deux genres, correspondant au pronom personnel *nous.* **1** Qui est à nous, nous appartient. *Nos parents.* - *À notre époque.* **2** (sympathie...) *Notre héros parvint à s'échapper.*

**nôtre** Qui est à nous. **1** adj. poss. littér. À nous, de nous. *Nous avons fait nôtres ces idées.* **2** pron. poss. *Le nôtre, la nôtre, les nôtres :* l'être ou l'objet qui est en rapport de possession, de parenté, d'intérêt, etc., avec le groupe formé par celui qui parle *(je, moi)* et une ou plusieurs autres personnes *(nous).* **3** n. *Nous y mettons chacun du nôtre,* nous faisons un effort (→ **sien**). - *Les nôtres :* parents, amis, etc.

**notule** n. f. didact. Petite annotation.

**nouba** n. f. **1** anciennt Musique militaire française, au Maghreb. **2** fam. Fête. → **java. 3** mus. → **nuba.**

**nouer** v. tr. [1] **I 1** Arrêter, unir en faisant un nœud. → **attacher, lier.** *Nouer ses lacets.* **2** Serrer, entourer, réunir en faisant un ou des nœuds. *Nouer un bouquet.* **II** fig. **1** Serrer comme par un nœud. *L'émotion lui nouait la gorge.* **2** Établir (un lien moral). *Nouer une alliance.* ▷ adj. **noué, ée** (fig.) *Gorge nouée.* - (personnes) Contracté, angoissé.

**noueux, euse** adj. **1** (bois) Qui a beaucoup de nœuds, de nodosités. **2** Aux articulations saillantes. *Mains noueuses.*

**nougat** n. m. **1** Confiserie à base d'amandes (de noisettes...) et de sucre, de miel. **2** fam. *C'est du nougat !,* c'est facile.

**nougatine** n. f. Nougat brun et dur.

**nouille** n. f. **1** au plur. Pâtes* alimentaires plates. **2** fig., fam. Personne molle et niaise. - adj. *Ce qu'il est nouille !* **3** *Style nouille :* style décoratif 1900 (syn. *art nouveau*).

**nounou** n. f. lang. enfantin Nourrice.

**nounours** [-urs] n. m. lang. enfantin Ours en peluche.

**nourrice** n. f. **I 1** Femme qui allaite un enfant en bas âge. **2** Femme qui, par profession, garde et élève des enfants en bas âge. **II** Réservoir mobile. → **bidon, jerrycan.**

**nourricier, ière** adj. **I** *Père nourricier :* père adoptif. **II** Qui fournit, procure la nourriture. *La terre nourricière.*

**nourrir** v. tr. [2] **1** Élever, alimenter (un nouveau-né) en l'allaitant. **2** Entretenir, faire vivre (qqn, un animal) en lui donnant à manger. → **alimenter, sustenter.** ◆ Pourvoir (qqn) de moyens de subsistance. *Il a trois personnes à nourrir.* **3** sans compl. Constituer un aliment pour l'organisme. **4** littér. Entretenir (qqch.). *Nourrir le feu.* - *Nourrir un récit de détails.* **5** fig. Pourvoir (l'esprit) d'une nourriture spirituelle. → **former. 6** Entretenir en soi (un sentiment...). *Nourrir l'espoir de* (+ inf.). *Nourrir un soupçon.* ▷ v. pron. se **nourrir** Absorber (des aliments), manger. ▷ adj. **nourri, ie** 1 Alimenté. 2 fig. *Conversation nourrie.* → **dense.**

**nourrissant, ante** adj. Qui nourrit (plus ou moins). → **nutritif.**

**nourrisson** n. m. Enfant nourri au lait, qui n'a pas atteint l'âge du sevrage. → **bébé.**

**nourriture** n. f. 1 Ce qui entretient la vie d'un organisme en lui procurant des substances à assimiler (→ **alimentation, subsistance**) ; ces substances (→ **aliment**). ♦ Ce qu'on mange habituellement aux repas. 2 fig., littér. *Nourritures intellectuelles.*

**nous** pron. pers. 1 Pronom personnel de la première personne du pluriel (représente la personne qui parle et une ou plusieurs autres, ou un groupe auquel celui qui parle appartient → **on**). *C'est nous qui l'avons appelé.* – (compl.) *Il nous regarde.* – (compl. indir.) *Il nous a écrit. C'est à nous* (→ **nôtre**). – *Nous-mêmes. Nous l'ignorons nous-mêmes.* – *Nous autres* [-z-]. *Nous autres, citadins.* 2 Employé pour *je* (plur. de majesté ou de modestie). *Le roi dit : nous voulons.*

**nouveau** ou **nouvel** (devant voyelle ou *h* muet), **nouvelle** adj. I 1 (après le nom) Qui apparaît pour la première fois ; qui vient d'apparaître. → **neuf, récent.** *Pommes de terre nouvelles. Des idées nouvelles.* – n. m. *Il y a du nouveau.* 2 (devant le nom) Qui est depuis peu de temps ce qu'il est. *Des nouveaux venus.* 3 n. Personne qui vient d'arriver (dans une collectivité). 4 (après le nom) Qui tire de son caractère récent une valeur d'invention. → **hardi, insolite, original.** 5 *Nouveau pour* (qqn), qui était jusqu'ici inconnu de lui. → **inhabituel.** II (devant le nom, en épithète) 1 Qui apparaît après un autre qu'il remplace. *Le nouvel an. La nouvelle lune,* la phase durant laquelle elle grandit. *Le Nouveau Monde :* l'Amérique. ♦ (personnes) D'un type inédit. *Les nouveaux pères.* 2 Qui a succédé, s'est substitué à un(e) autre. *Sa nouvelle voiture.* III loc. adv. 1 *De nouveau :* pour la seconde fois. → **encore.** 2 *À nouveau :* une nouvelle fois ; d'une manière différente.

**nouveau-né, nouveau-née** 1 adj. Qui vient de naître. 2 n. m. → **bébé, nourrisson.**

**nouveauté** n. f. 1 Caractère de ce qui est nouveau. → **originalité.** 2 Ce qui est nouveau. *Le charme de la nouveauté.* 3 Chose nouvelle ; produit nouveau.

① **nouvelle** n. f. 1 Premier avis qu'on donne ou qu'on reçoit (d'un événement récent) ; cet événement porté pour la première fois à la connaissance. *Annoncer une nouvelle.* – *Bonne, mauvaise nouvelle.* 2 au plur. Ce que l'on apprend par la rumeur publique, les médias. → **information(s).** 3 au plur. Renseignements sur qqn qu'on n'a pas vu depuis quelque temps. – loc. prov. *Pas de nouvelles, bonnes nouvelles.* – loc. *Vous aurez de mes nouvelles !* (menace). *Vous m'en direz des nouvelles* (des compliments).

② **nouvelle** n. f. Court récit écrit présentant une unité d'action.

**nouvellement** adv. (seulement devant un p. p., un passif) Depuis peu de temps. → **récemment.** *Livre nouvellement paru.*

**nouvelliste** n. Auteur de nouvelles (②).

**nova,** plur. **novæ** [nɔve] n. f. astron. Étoile qui présente brusquement un éclat très vif (→ **supernova**).

**novateur, trice** n. Personne qui innove. → **innovateur.** – adj. *Esprit novateur.*

**novation** n. f. 1 didact. Apparition d'une chose nouvelle (en droit, en biologie). 2 Chose nouvelle. → **innovation.**

**novélisation** ou **novellisation** n. f. anglic. Transformation (d'un film, d'un scénario) en roman.

**novembre** n. m. Onzième mois de l'année.

**novice** n. 1 relig. Personne qui passe un temps d'épreuve (*noviciat* n. m.) dans un couvent, avant de prononcer des vœux définitifs. 2 Personne qui aborde une chose nouvelle pour elle. → **apprenti, débutant.** 3 adj. Inexpérimenté.

**noyade** n. f. Fait de (se) noyer.

**noyau** n. m. I Partie dure dans un fruit, renfermant l'amande (→ **graine**) ou les amandes de certains fruits (→ **drupe**). II Partie centrale, fondamentale (de qqch.). → **centre, cœur.** 1 géol. Partie centrale du globe terrestre. 2 biol. Partie centrale de la cellule, qui contient les chromosomes. 3 phys. Partie centrale de l'atome, constituée de protons et de neutrons. III 1 Groupe humain, considéré quant à sa permanence. 2 loc. *Noyau dur,* partie la plus solide d'un groupe.

**noyautage** n. m. Introduction, dans un milieu, de propagandistes isolés chargés de le désorganiser. ► **noyauter** v. tr. [1]

① **noyer** v. tr. [8] 1 Tuer par asphyxie en immergeant dans un liquide. – loc. fig. *Noyer le poisson :* embrouiller volontairement une affaire. 2 Recouvrir de liquide. ♦ fig. *Noyer une révolte dans le sang,* la réprimer de façon sanglante. *Noyer son chagrin dans l'alcool :* s'enivrer pour oublier. 3 Faire disparaître dans un ensemble vaste ou confus. ▷ v. pron. se **noyer** 1 Mourir asphyxié par noyade. 2 fig. Se perdre. *Se noyer dans des détails.* ▷ **noyé, ée** 1 adj. *Marins noyés en mer.* → **disparu.** – fig. *Être noyé,* dépassé par une difficulté. 2 n. Personne morte noyée, ou en train de se noyer.

② **noyer** n. m. 1 Arbre de grande taille, dont le fruit est la noix. 2 Son bois.

**nu, nue** I adj. 1 Qui n'est couvert d'aucun vêtement. *Être nu, tout nu.* – loc. *Nu comme un ver.* – *Être nu-pieds, nu-tête.* 2 fig. *Épée nue,* hors du fourreau. ♦ loc. *À l'œil nu :* sans instrument d'optique. – *Se battre à mains nues,* sans arme. 3 Dépourvu d'ornement, de parure. – fig. *La vérité toute nue.* → **pur.** 4 *À nu* loc. adv. : à découvert. *Mettre à nu.*

→ **dévoiler. II** n. m. Représentation du corps humain nu.

**nuage** n. m. **1** Amas de vapeur d'eau condensée en fines gouttelettes en suspension dans l'atmosphère. → **nue, nuée.** - loc. *Être dans les nuages,* distrait. → dans la **lune.** ♦ fig. Ce qui trouble la sérénité. *Bonheur sans nuage.* **2** par analogie *Un nuage de poussière.*

**nuageux, euse** adj. Partiellement couvert de nuages. → **nébuleux.** *Ciel nuageux.*

**nuance** n. f. **1** Chacun des degrés par lesquels peut passer une même couleur. → **tonalité. 2** État intermédiaire ; faible différence. *Nuances imperceptibles.*

**nuancer** v. tr. [3] Exprimer en tenant compte des nuances. ▷ adj. **nuancé, ée** *Jugement nuancé.*

**nuancier** n. m. Présentoir de coloris.

**nuba** ou **nouba** [nuba] n. f. mus. Suite de poèmes chantés et de pièces instrumentales, dans la musique classique du Maghreb.

**nubile** adj. En âge d'être marié ; apte à la reproduction. → **pubère.** ► **nubilité** n. f.

**nucléaire** adj. **1** biol. Relatif au noyau de la cellule. **2** phys. Relatif au noyau de l'atome. - *Énergie nucléaire* (fournie par une *réaction nucléaire*) ; n. m. *le nucléaire.* **3** Qui utilise l'énergie nucléaire. → **atomique.**

**nucléariser** v. tr. [1] Pourvoir de l'énergie nucléaire, d'un armement nucléaire. - au p. p. *Pays nucléarisés.* ► **nucléarisation** n. f.

**nucléique** adj. biol. *Acides nucléiques* : constituants fondamentaux du noyau de la cellule, porteurs de l'information génétique. → **A. D. N., A. R. N.**

**nucléole** n. m. biol. Petit corps sphérique qui se trouve dans les noyaux cellulaires.

**nudisme** n. m. Pratique de la vie au grand air dans un état de complète nudité. → **naturisme.** ► **nudiste** adj. et n.

**nudité** n. f. **1** État d'une personne nue. **2** État de ce qui n'est pas orné.

**nue** n. f. **1** littér. Nuage. **2** loc. *Porter qqn, qqch. aux nues* : louer avec enthousiasme. - *Tomber des nues* : être très surpris.

**nuée** n. f. **1** littér. Gros nuage. **2** fig. Multitude formant un groupe compact.

**nue-propriété** n. f. dr. Propriété d'un bien sur lequel une autre personne a un droit d'usufruit. *Des nues-propriétés.*

**nugget** [nœgɛt] n. m. anglic. Croquette panée et frite. *Des nuggets de poulet.*

**nuire** v. tr. ind. [38] *Nuire à* **1** Faire du tort, du mal à (qqn). → **léser.** - sans compl. *Mettre qqn hors d'état de nuire.* **2** (sujet chose) Constituer un danger pour ; causer du tort à. *Cette accusation lui a beaucoup nui.*

**nuisance** n. f. **1** vx Caractère nuisible. **2** Ensemble de facteurs d'origine technique (bruit, pollution, etc.) ou sociale (promiscuité...) qui nuisent à la qualité de la vie.

**nuisette** n. f. Chemise de nuit courte et légère.

**nuisible** adj. Qui nuit (à qqn, à qqch.). → **néfaste ; malsain.** - *Animaux nuisibles.*

**nuit** n. f. **I** Obscurité qui enveloppe quotidiennement une partie de la Terre du fait de sa rotation. *Le jour et la nuit. Nuit tombante.* → **crépuscule.** - loc. *La nuit des temps,* une époque très ancienne. **II** Espace de temps qui s'écoule depuis le coucher jusqu'au lever du soleil. *Les longues nuits polaires.* - *Nuit blanche,* sans sommeil. - *Bonne nuit !* → **bonsoir.** ♦ *De nuit* : qui a lieu, se passe, fait qqch., sert, fonctionne la nuit. → **nocturne.**

**nuitamment** adv. littér. Pendant la nuit.

**nul, nulle I 1** adj. indéf. (placé devant le nom) littér. Pas un. → **aucun.** *Nul homme n'en sera exempté.* → **personne.** *Je n'en ai nul besoin.* → **pas.** - *Nulle part*.* **2** pron. indéf. sing. (sujet) Pas une personne. *Nul n'est censé ignorer la loi.* **II** adj. qualificatif (après le nom) **1** Qui est sans existence ou sans effet. *Risque nul.* → **inexistant.** *Match nul.* **2** (travail, etc.) Qui ne vaut rien, pour la qualité. ♦ (personnes) Sans mérite, sans valeur. - n. *C'est un nul.* **3** fam. Déplaisant, sans intérêt.

**nullard, arde** adj. et n. fam. Tout à fait nul, qui n'y connaît rien.

**nullement** adv. Pas du tout, en aucune façon. → **aucunement.**

**nullité** n. f. **1** dr. Inefficacité (d'un acte juridique). *Nullité d'un contrat.* **2** Caractère de ce qui est nul, sans valeur. - (personnes) Défaut de talent, de connaissances, de compétence. **3** *Une nullité* : personne nulle.

**numéraire** n. m. Monnaie ayant cours légal. → **espèce(s).**

**numéral, ale, aux** adj. **1** Qui désigne, représente un nombre (arithmétique). **2** gramm. *Adjectifs numéraux,* indiquant le nombre **(→ cardinal),** le rang **(→ ordinal).**

**numérateur** n. m. Nombre supérieur d'une fraction (→ aussi dénominateur).

**numération** n. f. **1** Système permettant d'écrire et de nommer les divers nombres. **2** Action de compter. → **compte.**

**numérique** adj. **1** Représenté par un, des nombres. **2** Qui concerne les nombres. *Calcul numérique.* **3** Évalué en nombre. → **quantitatif.** *Supériorité numérique.* ► **numériquement** adv. **4** Se dit de la représentation de données sous forme de nombres (opposé à *analogique*). → anglic. ② **digital.** ♦ Qui est codé sous forme de nombres. *Images numériques.* ♦ n. m. *Le numérique* : l'ensemble des techniques utilisant des signaux numériques.

**numériser** v. tr. [1] techn. Coder sous forme numérique. *Numériser des images, des sons.* ► **numérisation** n. f.

**numériseur** n. m. techn. Appareil servant à numériser des documents. – recomm. off. pour *scanner.*

**numéro** n. m. **I 1** Nombre attribué à une chose pour la classer (abrév. *N°, n°*, devant un nombre). *Numéro d'immatriculation.* – *Tirer le bon, le mauvais numéro* (dans un tirage au sort). **2** *Numéro un* loc. adj. : principal. **3** Partie d'un périodique qui paraît en une seule fois et porte un numéro. – loc. *La suite au prochain numéro* (fig. *à une autre fois*). **II 1** Division du programme d'un spectacle. **2** fig., fam. Spectacle donné par qqn qui se fait remarquer. → **cinéma, cirque. III** fam. Personne bizarre, originale.

**numérologie** n. f. Étude divinatoire basée sur les nombres. ► **numérologue** n.

**numérotage** n. m. Action de numéroter.

**numérotation** n. f. **1** → **numérotage. 2** Ordre des numéros.

**numéroter** v. tr. [1] Marquer, affecter d'un numéro. – au p. p. *Siège numéroté.*

**numerus clausus** [nymerysklozys] n. m. Limitation du nombre de personnes admises à une fonction, un grade, etc. ; ce nombre.

**numismatique** n. f. didact. Connaissance des médailles et monnaies. – adj. *Recherches numismatiques.* ► **numismate** n.

**nunuche** adj. Un peu niais, simplet. – n. f. Jeune fille peu dégourdie.

**nuoc-mam** n. m. Sauce de poisson macéré dans la saumure (cuisine vietnamienne).

**nu-pieds** n. m. pl. Sandales légères.

**nuptial, ale, aux** adj. **1** Relatif aux noces, à la célébration du mariage. **2** zool. Relatif à l'accouplement. *Parade nuptiale.*

**nuptialité** n. f. didact. Nombre relatif des mariages dans une population.

**nuque** n. f. Partie postérieure du cou, au-dessous de l'occiput.

**nurse** [nœʀs] n. f. vieilli Domestique qui s'occupe des enfants.

**nursery** [nœʀsəʀi] n. f. anglic., vieilli Pièce réservée aux jeunes enfants.

**nutritif, ive** adj. **1** Qui nourrit. → **nourrissant. 2** didact. Relatif à la nutrition.

**nutrition** n. f. **1** Transformation et utilisation des aliments dans l'organisme (→ aussi malnutrition). **2** physiol. Ensemble des phénomènes d'échange (assimilation, excrétion, respiration) entre un organisme et le milieu. ► **nutritionnel, elle** adj.

**nutritionniste** n. Spécialiste des problèmes de nutrition. → **diététicien.**

**nyctalope** adj. didact. Qui voit la nuit.

**nylon** n. m. (nom déposé) Fibre synthétique (polyamide).

**nymphe** n. f. **I 1** mythol. Divinité féminine d'un rang inférieur. → **dryade, naïade, néréide, oréade. 2** plais. Jeune fille, jeune femme gracieuse. **II au plur.** anat. Petites lèvres de la vulve. **III** zool. Deuxième stade de la métamorphose des insectes, après la larve (→ **chrysalide**).

**nymphéa** n. m. Nénuphar blanc.

**nymphette** n. f. Très jeune fille au physique attrayant. → **lolita.**

**nymphomanie** n. f. Exagération des désirs sexuels chez la femme ou chez des femelles de mammifères. ► **nymphomane** n. f. et adj. f.

# O

**o** [o] n. m. Quinzième lettre, quatrième voyelle de l'alphabet.

**ô** [o] interj. Interjection pour invoquer.

**oasis** [-is] n. f. **1** Endroit d'un désert qui a un point d'eau. **2** fig. Lieu reposant.

**obédience** [-jɑ̃s] n. f. Obéissance, soumission (notamment en religion).

**obéir** v. tr. ind. [2] *Obéir à* **1** Se soumettre à (qqn) en se conformant à ce qu'il ordonne ou défend. **2** Se plier à. *Obéir à un ordre ; à une impulsion.* **3** (sujet chose) Être soumis à (une force, une loi naturelle).

**obéissance** n. f. Fait, action d'obéir.

**obéissant, ante** adj. Qui obéit (enfants).

**obélisque** n. m. **1** (art égyptien) Colonne en forme d'aiguille quadrangulaire, à pointe pyramidale. **2** Monument de cette forme.

> Mot masculin : *un obélisque.*

**obérer** v. tr. [6] littér. Accabler de dettes.

**obèse** adj. et n. (personnes) Anormalement gros. → **énorme.** ► **obésité** n. f.

**obi** n. f. Ceinture japonaise (de soie).

**objecter** v. tr. [1] **1** Opposer (une objection) pour réfuter une opinion, une affirmation. - *Objecter que* (+ indic.). **2** Opposer (un fait, un argument) à un projet, etc. pour repousser. *Objecter la fatigue.* → **prétexter.**

**objecteur** n. m. *Objecteur de conscience :* celui qui refuse d'accomplir ses obligations militaires, par refus de tuer.

① **objectif, ive** adj. contr. *subjectif* **1** philos. Qui existe hors de l'esprit. **2** Se dit d'une description de la réalité indépendante des préjugés, etc. de celui qui la fait. **3** (personnes) → **impartial.** ► **objectivement** adv.

② **objectif** n. m. **I** Système optique à lentilles, formant une image photographique des objets. **II 1** Point contre lequel est dirigée une opération militaire. **2** But précis d'une action.

**objection** n. f. Argument pour objecter.

**objectivité** n. f. Caractère objectif (①).

**objet** n. m. **I** concret Chose solide ayant unité et indépendance et répondant à une certaine destination. → **chose.** - *Objets d'art,* à valeur artistique (à l'exception des œuvres d'art et des meubles). **II** abstrait **1** Sujet, matière qui se présente à la pensée. *L'objet de ses réflexions.* **2** philos. Ce qui est donné par l'expérience, existe indépendamment de l'esprit. *Le sujet et l'objet.* **3** *Objet de :* être ou chose à quoi s'adresse (un sentiment). *Un objet de pitié.* **4** Ce vers quoi tendent les désirs, l'action, etc. → **but, fin.** *L'objet de nos vœux.* **5** loc. *Cette plainte est sans objet,* n'a pas de raison d'être. - *Faire, être l'objet de :* subir. **6** *Complément d'objet* (d'un verbe), désignant ce sur quoi porte l'action marquée par le verbe. *Complément d'objet direct* (ex. je prends *un crayon*) ; *indirect* (ex. j'obéis *à vos ordres*).

**objurgation** n. f. surtout au plur. littér. Prière pressante (surtout pour dissuader).

**oblat, ate** n. Personne qui s'est agrégée à un monastère, sans prononcer les vœux.

**obligataire** dr., fin. **1** n. Titulaire d'une obligation (1). **2** adj. Relatif aux obligations.

**obligation** n. f. **1** dr. Ce qui contraint qqn à faire ou ne pas faire qqch. ♦ fin. Titre négociable représentant un emprunt. **2** Lien, devoir moral ou social. **3** Fait d'être obligé (de). *Être dans l'obligation de* (+ inf.). - *Jeu sans obligation d'achat.* **4** Lien moral envers qqn pour qui on a de la reconnaissance.

**obligatoire** adj. **1** Qui a la force d'une obligation. *Instruction obligatoire.* **2** fam. Inévitable, nécessaire. ► **obligatoirement** adv.

**obligé, ée** adj. **I** (personnes) **1** Lié par une obligation. **2** Reconnaissant (d'un service reçu). → **redevable. II** Qui résulte d'une nécessité. *Conséquence obligée.*

**obligeant, ante** adj. Qui aime à obliger (II), à rendre service. ► **obligeamment** adv. ► **obligeance** n. f.

**obliger** v. tr. [3] **I 1** Contraindre ou lier (qqn) par une obligation (morale, légale). **2** Mettre (qqn) dans la nécessité de faire qqch. *Rien ne vous oblige à venir.* **II** Attacher (qqn) en rendant service. → **aider ; obligeant.**

**oblique** adj. **1** Qui n'est pas perpendiculaire (à une ligne, à un plan) et, notamment, qui n'est ni vertical ni horizontal. *Ligne* *oblique* et n. f. *une oblique.* ♦ fig. *Regard oblique,* peu franc. **2** *En oblique* loc. adv. : dans une direction oblique. ► **obliquement** adv. ► **obliquité** n. f. → **inclinaison.**

**obliquer** v. intr. [1] Prendre une direction oblique. *Obliquer vers la gauche.*

**oblitérer** v. tr. [6] **1** vieilli Effacer par une usure progressive. **2** méd. Obstruer, boucher (un canal...). **3** Annuler (un timbre) par un cachet qui le rend impropre à servir une seconde fois. ► **oblitération** n. f.

**oblong, oblongue** [ɔblɔ̃, -ɔ̃g] adj. Qui est plus long que large.

**obnubiler** v. tr. [1] Envahir l'esprit de (qqn), obséder. – *Être obnubilé par une idée.*

**obole** n. f. Modeste don en argent.

**obscène** adj. Qui blesse délibérément par des manifestations d'ordre sexuel.

**obscénité** n. f. **1** Caractère de ce qui est obscène. → **indécence. 2** Parole obscène. → **grossièreté.**

**obscur, ure** adj. **I 1** Privé (momentanément ou habituellement) de lumière. → **noir, sombre.** – loc. *Les salles* obscures.* **2** Foncé, peu lumineux. → **sombre. II** fig. **1** Difficile à comprendre, à expliquer. **2** Qui n'est pas net, est senti confusément. *Sentiment obscur.* **3** Qui n'a aucun renom. *Un poète obscur.*

**obscurantisme** n. m. Attitude de ceux qui s'opposent à la diffusion de l'instruction, de la culture. ► **obscurantiste** adj. et n.

**obscurcir** v. tr. [2] **I 1** Priver de lumière, de clarté ; rendre sombre. → **assombrir. 2** littér. Troubler, affaiblir (la vue). **II** fig. Rendre obscur (II), peu intelligible. ▷ v. pron. **s'obscurcir** ► **obscurcissement** n. m.

**obscurément** adv. D'une manière vague, insensible. → **confusément.**

**obscurité** n. f. **I** Absence de lumière, de clarté. **II** fig. **1** Défaut d'intelligibilité. **2** Passage, point obscur (II, 1).

**obsédé, ée** n. Personne qui est en proie à une obsession. *Un obsédé sexuel.*

**obséder** v. tr. [6] Tourmenter de manière incessante ; s'imposer sans répit à la conscience. → **hanter, poursuivre.** ► **obsédant, ante** adj.

**obsèques** n. f. pl. Cérémonie et convoi funèbres. → **enterrement, funérailles.**

**obséquieux, ieuse** adj. Excessivement poli, par servilité ou hypocrisie. ► **obséquieusement** adv. ► **obséquiosité** n. f.

**observable** adj. Qui peut être observé.

**observance** n. f. Action, manière de pratiquer (une règle religieuse).

**observateur, trice 1** n. Personne qui observe (II). **2** adj. Qui sait observer.

**observation** n. f. **I** Action d'observer (I) ce qui est prescrit. *L'observation d'un règlement.* **II 1** Action d'observer (II, 1) ; note, réflexion résultant de cet examen. **2** Parole, déclaration (spécialt reproche) par laquelle on fait remarquer qqch. à qqn. **3** Action d'examiner scientifiquement (un phénomène) ; compte rendu de cet examen. **4** Surveillance attentive.

**observatoire** n. m. **1** Établissement destiné aux observations (astronomiques...). **2** Lieu favorable à l'observation.

**observer** v. tr. [1] **I** Se conformer à (une prescription). ♦ *Observer le silence.* → **garder. II 1** Considérer avec attention, afin de connaître, d'étudier... → **examiner.** ♦ Soumettre à l'observation scientifique. **2** Examiner en surveillant. **3** Constater par l'observation. → **noter.** *Observer que...*

**obsession** n. f. **1** Idée, image, mot qui obsède, s'impose à l'esprit. **2** psych. Représentation, accompagnée d'états émotifs pénibles, qui tend à accaparer le champ de la conscience. ► **obsessionnel, elle** adj.

**obsidienne** n. f. Roche éruptive sombre.

**obsolescent, ente** adj. didact. (machine, procédé) Périmé. ► **obsolescence** n. f. *Obsolescence programmée* (par le fabricant).

**obsolète** adj. Dépassé, périmé.

**obstacle** n. m. **1** Ce qui gêne, s'oppose au passage. – Chacune des difficultés d'un parcours hippique. **2** fig. Ce qui s'oppose à l'action, à l'obtention d'un résultat. – *Faire obstacle à :* empêcher, gêner.

**obstétrique** n. f. Partie de la médecine relative à la grossesse et à l'accouchement. ► **obstétricien, ienne** n.

**obstination** n. f. Caractère, comportement d'une personne obstinée.

**obstiné, ée** adj. **1** Qui s'attache avec énergie et durablement à une manière d'agir, à une idée. → **opiniâtre, tenace ; têtu. 2** (choses) *Travail obstiné.* → **assidu.** ► **obstinément** adv.

**s'obstiner** v. pron. [1] Persister dans une idée, une décision sans vouloir changer.

**obstruction** n. f. **1** méd. Gêne ou obstacle à la circulation (dans un conduit de l'organisme). **2** Pratique qui consiste à entraver les débats (dans un groupe).

**obstruer** v. tr. [1] Boucher en faisant obstacle. → **barrer, encombrer.**

**obtempérer** v. tr. ind. [6] admin. *Obtempérer à :* obéir à (une injonction, un ordre). – sans compl. *Refus d'obtempérer.*

**obtenir** v. tr. [22] **1** Parvenir à se faire accorder ou donner (ce qu'on veut). *Obtenir une augmentation.* – *Obtenir qqch. à, pour* *qqn.* **2** Réussir à atteindre (un résultat), à produire (qqch.).

**obtention** n. f. didact. Fait d'obtenir.

**obturateur, trice** **1** adj. Qui sert à obturer. **2** n. m. Dispositif servant à obturer (spécialt dans un appareil photo).

**obturer** v. tr. [1] Boucher (une ouverture, un trou). ► **obturation** n. f.

**obtus, use** adj. **I** littér. Émoussé, arrondi. ♦ géom. *Angle obtus,* plus grand qu'un angle droit (opposé à *aigu*). **II** fig. Qui manque de finesse, de pénétration. → **borné.**

**obus** n. m. Projectile d'artillerie, le plus souvent creux et rempli d'explosif.

**obusier** n. m. Canon court.

**obvier** v. tr. ind. [7] littér. *Obvier à* : parer à.

**oc** particule affirmative *Langue d'oc* : dialectes du sud de la France, où l'on disait *oc* pour «oui» (et non *oïl**). → **occitan.**

**ocarina** n. m. Petite flûte ovoïde.

**occasion** n. f. **1** Circonstance qui vient à propos, qui convient. – prov. *L'occasion fait le larron* : les circonstances peuvent inciter à mal agir. – *À l'occasion* loc. adv. : quand, si l'occasion se présente (→ le cas échéant). – *À la première occasion* : dès que l'occasion se présente. **2** Marché avantageux pour l'acheteur ; objet de ce marché. ♦ *D'occasion* : qui n'est pas neuf. – *Une occasion,* objet acheté d'occasion. **3** *Occasion de* : circonstance qui provoque (qqch.). → **cause, raison.** *Occasion de dispute.* – loc. prép. *À l'occasion de.* → **pour.** **4** Circonstance. → ①**cas.** – *Par occasion* : par hasard. – *D'occasion* : occasionnel. ♦ loc. *Les grandes occasions* : les moments importants de la vie sociale.

**occasionnel, elle** adj. Qui résulte d'une occasion, se produit, se rencontre par hasard. ► **occasionnellement** adv.

**occasionner** v. tr. [1] Être l'occasion, la cause de (qqch. de fâcheux).

**occident** n. m. **1** poét. L'ouest, le couchant. **2** (avec maj.) Région située vers l'ouest, par rapport à un lieu donné (opposé à *Orient*). ♦ spécialt, polit. L'Europe de l'Ouest et l'Amérique du Nord (autrefois opposé à *Est*).

**occidental, ale, aux** adj. **1** Qui est à l'ouest. **2** Originaire de l'Occident ; qui se rapporte à l'Occident. – n. *Les Occidentaux.*

**occidentaliser** v. tr. [1] Modifier selon les habitudes de l'Occident. – pronom. *S'occidentaliser.* ► **occidentalisation** n. f.

**occiput** [-yt] n. m. Partie postérieure et inférieure de la tête. ► **occipital, ale, aux** adj.

**occire** v. tr. (seulement inf. et p. p. *occis, ise*) vx ou plais. Tuer.

**occitan, ane** adj. Relatif aux parlers romans de langue d'oc*. – n. *Les Occitans.* ♦ n. m. *L'occitan* : langue romane, ensemble de parlers du groupe gallo-roman, parlée essentiellement dans le sud de la France.

**occlure** v. tr. [35] sauf p. p. *occlus, use* chir. Pratiquer l'occlusion de.

**occlusif, ive** adj. **1** méd. Qui produit une occlusion. **2** phonét. *Consonne occlusive,* qui s'articule à l'aide d'une occlusion momentanée du canal buccal.

**occlusion** n. f. **1** chir. Opération pour rapprocher les bords d'une ouverture naturelle. **2** Fermeture (d'un conduit, d'un orifice). *Occlusion intestinale.*

**occulte** adj. **1** Caché et inconnu par nature. → **mystérieux.** **2** Qui se cache, garde le secret. → **clandestin.** **3** *Sciences occultes* : doctrines et pratiques secrètes faisant intervenir des forces non reconnues par la science, la religion (alchimie, magie...).

**occulter** v. tr. [1] **1** Cacher ou rendre peu visible (une source lumineuse). **2** fig. Dissimuler. *Occulter un fait ; un souvenir.* ► **occultation** n. f.

**occultisme** n. m. Ensemble des sciences occultes. → **ésotérisme, spiritisme.** ► **occultiste** n. et adj.

**occupant, ante** **1** n. Personne qui habite un lieu. ♦ Personne qui est dans un véhicule. **2** adj. Qui occupe (1) un pays, un territoire. – n. m. *L'occupant.* → **envahisseur.**

**occupation** n. f. **1** Ce à quoi on consacre son activité, son temps. **2** Action d'occuper (1). – spécialt (avec maj.) Période pendant laquelle la France fut occupée par les Allemands (1940-1944). **3** Fait d'habiter (un lieu).

**occuper** v. tr. [1] **1** Prendre possession de (un lieu). – spécialt *Occuper un pays* (militairement). **2** Remplir, couvrir (un certain espace). *Occuper de la place.* – (durée) *Occuper ses loisirs à peindre.* **3** Habiter (un lieu). ♦ Tenir (une place, un rang). *Occuper un poste.* **4** Intéresser, absorber (qqn). – *Occuper* (qqn) *à,* l'employer à. ▷ v. pron. **s'occuper** (de) Employer son temps, ses soins (pour). ▷ adj. **occupé, ée 1** Dont on a pris possession. – (au téléphone) *Ça sonne occupé.* **2** Qui a beaucoup à faire.

**occurrence** n. f. **1** littér. Cas, circonstance. – loc. cour. *En l'occurrence* : dans le cas présent. **2** ling. Apparition (d'une unité linguistique) dans le discours.

> S'écrit avec deux *c* et deux *r.*

**océan** n. m. **1** Vaste étendue d'eau salée qui couvre une grande partie de la surface du globe. **2** fig. Vaste étendue (de qqch.).

**océanique** adj. **1** De l'océan. **2** *Climat océanique,* qui subit l'influence de l'océan.

**océanographie** n. f. Étude scientifique des mers et océans. ► **océanographique** adj. ► **océanographe** n.

**océanologie** n. f. Activités scientifiques et techniques relatives au milieu marin. ► **océanologique** adj. ► **océanologue** n.

**ocelle** n. m. didact. **1** Tache arrondie bicolore sur un plumage, une aile d'insecte. **2** Œil simple de certains arthropodes.

**ocellé, ée** adj. didact. Parsemé d'ocelles.

**ocelot** n. m. Grand chat sauvage à pelage roux tacheté de brun. ♦ Sa fourrure.

**ocre 1** n. f. Colorant minéral naturel, jaune-brun ou rouge. **2** n. m. Couleur d'un brun jaune. – adj. invar. *Fards ocre.*

**ocré, ée** adj. Teint, coloré en ocre.

**octaèdre** n. m. Polyèdre à huit faces.

**octane** n. m. chim. Hydrocarbure saturé présent dans l'essence de pétrole.

**octant** n. m. mar. Ancien instrument de mesure, huitième de cercle gradué.

**octante** adj. numéral cardinal invar. vx ou région. Quatre-vingts.

**octave** n. f. mus. Intervalle parfait de huit degrés de l'échelle diatonique (par ex., de do à do).

**octet** n. m. inform. Base de huit bits.

**octobre** n. m. Dixième mois de l'année.

**octogénaire** adj. et n. (Personne) qui a de quatre-vingts à quatre-vingt-neuf ans.

**octogonal, ale, aux** adj. Qui a huit angles. – Dont la base est un octogone.

**octogone** n. m. Polygone à huit côtés.

**octopode** adj. zool. Qui a huit pieds ou huit tentacules. – n. m. pl. *Les Octopodes* (sous-ordre de mollusques ; ex. la pieuvre).

**octosyllabe** [-s-] adj. et n. m. (Vers) qui a huit syllabes.

**octroi** n. m. **1** littér. Action d'octroyer. **2** ancienn Contribution indirecte perçue par une municipalité (droits d'entrée de marchandises). – Administration chargée de cette taxe ; lieu où elle était perçue.

**octroyer** v. tr. [8] Accorder à titre de faveur. – pronom. *S'octroyer un répit.*

**octuor** n. m. **1** Morceau de musique à huit parties. **2** Ensemble de huit musiciens.

**oculaire I** adj. **1** De l'œil. **2** *Témoin oculaire,* qui a vu de ses propres yeux. **II** n. m. Dispositif optique devant lequel on met l'œil.

**oculiste** n. Médecin spécialiste des troubles de la vision. → **ophtalmologiste.**

**ocytocine** n. f. biol. Hormone hypophysaire qui provoque les contractions de l'utérus lors de l'accouchement.

**odalisque** n. f. hist. Esclave servant un harem. – abusivt Femme d'un harem.

**ode** n. f. didact. ou hist. Poème lyrique.

**odeur** n. f. Émanation volatile perçue par les organes de l'odorat. ♦ loc. fig. *Mourir en odeur de sainteté,* en état de perfection spirituelle. – *Ne pas être en odeur de sainteté auprès de qqn,* en être mal vu.

**odieux, euse** adj. **1** Qui excite le dégoût, l'indignation. *Un crime odieux.* **2** Très désagréable. ► **odieusement** adv.

**odontologie** n. f. didact. Étude des dents.

**odorant, ante** adj. Qui exhale une odeur (généralement bonne).

**odorat** n. m. Sens qui permet de percevoir les odeurs. → **olfaction ; flair ; nez.**

**odoriférant, ante** adj. Qui répand une odeur agréable.

**odyssée** n. f. Long voyage aventureux.

**œcuménique** [eky- ; øky-] adj. relig. **1** Universel. – *Concile œcuménique,* de tous les évêques. **2** Relatif à l'œcuménisme.

**œcuménisme** [eky- ; øky-] n. m. Mouvement favorable à la réunion de toutes les Églises chrétiennes en une seule.

**œdème** [edɛm ; ødɛm] n. m. Gonflement pathologique causé par une infiltration séreuse. ► **œdémateux, euse** adj.

**œdipe** [edip ; ødip] n. m. (nom mythol.) psych. Complexe* d'Œdipe. ► **œdipien, ienne** adj.

**œil** [œj], plur. **yeux** [jø] n. m. **I 1** Organe de la vue (globe oculaire et ses annexes). – Partie visible de l'œil. *Des yeux brillants.* – loc. *Pour les beaux yeux de qqn,* par amour pour lui. *Faire les gros yeux à qqn,* regarder d'un air sévère. *Ouvrir l'œil,* être vigilant. *Fermer les yeux sur qqch.,* faire (par tolérance, etc.) comme si on n'avait pas vu. *Les yeux fermés,* en toute confiance. ♦ (dans l'action de la vue) *Voir qqch. de ses (propres) yeux.* – loc. *À l'œil nu*.* – *Surveiller du coin de l'œil,* discrètement. – *Sortir par les yeux à qqn,* être écœurant par la répétition. **2** Regard. *Chercher des yeux.* – *Mauvais œil :* regard réputé porter malheur. ♦ *Coup d'œil :* regard rapide. – *Le coup d'œil :* le discernement. – Vue qu'on a sur un paysage. **3** (dans des expr.) Attention portée par le regard. *Cela attire l'œil.* – fam. *Avoir qqn à l'œil,* le surveiller. **4** abstrait Disposition, état d'esprit, jugement. *Voir qqch. d'un bon œil,* d'une manière favorable. *Un œil critique.* – *Aux yeux de qqn,* selon son appréciation. **5** loc. *Faire de l'œil à qqn,* des clins d'œil. – *Tourner de l'œil,* s'évanouir. – fam. *Je m'en bats l'œil,* je m'en moque. – *Entre quatre yeux* (fam. *entre quatre-z-yeux*), en tête à tête. – *Œil pour œil, dent pour dent,* expression de la loi du talion*. ♦ fam. *À l'œil :* gratuitement. **II** *Œil de verre,* œil artificiel (prothèse). **III 1** Ouverture, trou, espace rond. **2** Bourgeon naissant. **3** Centre d'un cyclone (zone de calme).

**œil-de-bœuf** n. m. Fenêtre, lucarne ronde ou ovale. *Des œils-de-bœuf.*

**œil-de-perdrix** n. m. Cor entre les doigts de pied. *Des œils-de-perdrix.*

**œillade** [œj-] n. f. Regard furtif.

**œillère** [œj-] n. f. **1** Plaque de cuir empêchant le cheval de voir sur le côté. **2** fig. loc. *Avoir des œillères :* être borné.

**œillet** [œj-] n. m. **I** Trou servant à passer un lacet, etc. ♦ Bordure rigide entourant un œillet. – Anneau de papier pour consolider des perforations. **II 1** Plante cultivée pour ses fleurs très odorantes ; ces fleurs. **2** *Œillet d'Inde,* plante ornementale.

**œilleton** [œj-] n. m. Viseur circulaire.

**œillette** [œj-] n. f. Pavot cultivé pour ses graines dont on extrait une huile.

**œnologie** n. f. Techniques de fabrication et de conservation des vins. ► **œnologique** adj. ► **œnologue** n.

**œsophage** [ez-] n. m. Partie du tube digestif qui va du pharynx à l'estomac.

**œstrogène** [ɛs-] n. m. physiol. Hormone qui provoque l'œstrus*. – var. **estrogène.**

**œstrus** [ɛstʀys] n. m. physiol. Phénomènes liés à l'ovulation. ► **œstral, ale, aux** adj.

**œuf** [œf], plur. **œufs** [ø] n. m. **I 1** Corps dur et arrondi que produisent les femelles des oiseaux, qui contient le germe de l'embryon et des substances nutritives. **2** spécialt Œuf de poule. ♦ loc. *Crâne d'œuf,* chauve. – *Marcher sur des œufs,* avec précaution. – *Mettre tous ses œufs dans le même panier,* tous ses moyens dans une seule entreprise. – *L'œuf de Colomb :* une idée simple mais ingénieuse. – *Dans l'œuf,* avant l'apparition de qqch. ♦ Objet, confiserie en forme d'œuf. **3** Produit des femelles ovipares (autres que les oiseaux : poissons, reptiles...). **II** biol. Première cellule d'un être vivant à reproduction sexuée, née de la fusion des noyaux de deux cellules reproductrices.

**œuvre I** n. f. **1** dans des loc. Travail. *Être à l'œuvre.* – *Maître d'œuvre,* personne qui dirige un travail. – *Mettre en œuvre :* employer de façon ordonnée. **2** (au plur.) Action humaine, jugée selon une norme (morale...). – *Bonnes œuvres,* actions charitables. ♦ *Œuvre de bienfaisance* (organisation). **3** Ensemble d'actions effectuées. – (sujet chose) *Faire son œuvre,* agir, opérer. **4** Création intellectuelle, littéraire, artistique (de qqn). – *Œuvre d'art,* manifestant une volonté esthétique. **II** n. m. **1** *Gros œuvre :* fondations, murs et toiture (d'un bâtiment). **2** littér. Ensemble des œuvres d'un artiste. *L'œuvre gravé de Dürer.*

**œuvrer** v. intr. [1] littér. Travailler, agir.

**off** adj. invar. anglic. **1** cin., télév. Qui n'est pas sur l'écran, qui est hors du champ. **2** (spectacle...) En marge d'un programme officiel.

**offensant, ante** adj. Qui offense.

**offense** n. f. **1** Parole ou action qui attaque l'honneur, la dignité. **2** relig. Péché. **3** dr. Outrage envers un chef d'État.

**offensé, ée** adj. Qui a subi, qui ressent une offense. – n. *L'offenseur et l'offensé.*

**offenser** v. tr. [1] **1** Blesser (qqn) dans sa dignité ou son honneur. → **froisser, outrager. 2** littér. Blesser (l'esprit...) ; manquer à (une règle...). ▷ v. pron. **s'offenser** Se froisser (d'une offense). → s'**offusquer.**

**offenseur** n. m. Personne qui offense.

**offensif, ive** adj. Qui attaque.

**offensive** n. f. Attaque, campagne.

**offertoire** n. m. Partie de la messe, rites et prières de bénédiction du pain et du vin.

**office** n. m. **I 1** (dans des loc.) Rôle, fonction. *Remplir son office :* jouer son rôle. *Faire office de :* tenir lieu de. **2** Fonction publique conférée à vie. → **charge.** *Office de notaire.* **3** loc. *D'office :* par le devoir de sa charge ; sans l'avoir demandé. **4** au plur. Livres envoyés par l'éditeur aux libraires. **5** Agence, bureau. ♦ Service public doté de l'autonomie financière. **II** Pièce où se prépare le service de la table. **III** *Bons offices :* démarches pour amener une négociation. **IV 1** Prières de l'Église réparties aux heures de la journée. **2** Cérémonie du culte.

**officialiser** v. tr. [1] Rendre officiel.

**officiant, ante** n. Personne qui célèbre l'office (IV). → **célébrant, prêtre.**

**officiel, elle** adj. **I** (choses) **1** Qui émane d'une autorité constituée (gouvernement...). – *Journal officiel,* contenant les textes officiels (lois, décrets...). **2** Reconnu, donné pour vrai par l'autorité. **3** Organisé par les autorités. *Fête officielle.* **4** Annoncé, déclaré à tous. **II** (personnes) **1** Qui a une fonction officielle. **2** n. m. Personnage officiel.

**officiellement** adv. De manière officielle, à titre officiel.

① **officier, ière** n. **1** Militaire ou marin d'un grade égal ou supérieur à celui de sous-lieutenant ou d'enseigne de vaisseau. **2** Titulaire d'un grade (plus élevé que chevalier) dans un ordre honorifique. **3** admin. *Officier public, ministériel* (huissier, notaire...). – *Officier de police judiciaire.*

② **officier** v. intr. [7] **1** Célébrer l'office divin, présider une cérémonie sacrée. **2** fig. Agir comme pour une cérémonie.

**officieux, euse** adj. **1** vx Serviable. **2** Communiqué sans garantie officielle par une source autorisée. ► **officieusement** adv.

**officine** n. f. Lieu où un pharmacien entrepose, prépare et vend les médicaments. ► **officinal, ale, aux** adj.

**offrande** n. f. Don (spécialt religieux).

**offrant** n. m. loc. *Le plus offrant :* l'acheteur qui offre le plus haut prix.

**offre** n. f. **1** Action d'offrir ; ce que l'on offre. **2** Quantité de produits, de services sur le marché. *L'offre et la demande.*

**offrir** v. tr. [18] **1** Donner en cadeau. **2** Proposer, présenter (qqch.) à qqn. *Offrir ses services.* **3** Mettre à la portée de qqn. → **procurer.** **4** Proposer (une somme) en contrepartie de qqch. **5** littér. Exposer à la vue, fig. à l'esprit. → **montrer, présenter.** **6** Exposer (à quelque chose de pénible, etc.). *Offrir une cible à la critique.*

**offset** [ɔfsɛt] n. m. invar. anglic., imprim. Impression par report.

**offshore I** adj. invar. Hors du territoire d'origine. *Sociétés offshore.* **II** n. m. **1** Installation de forage pétrolier sous-marin, sur plate-forme. **2** Sport nautique de bateaux à moteur de très grande puissance.

**offusquer** v. tr. [1] Indisposer, choquer. ▷ v. pron. s'**offusquer** Se froisser.

**ogive** n. f. **1** Arc diagonal sous une voûte gothique, qui en marque l'arête. ♦ par ext. Arc brisé. ► **ogival, ale, aux** adj. **2** Tête de projectiles, de fusées, en forme d'ogive.

**OGM** ou **O. G. M.** n. m. (sigle) «Organisme génétiquement modifié», dont le génome a été modifié pour lui conférer une nouvelle propriété (→ **transgénique**).

**ogre, ogresse** n. Géant des contes de fées, se nourrissant de chair humaine.

**oh** interj. Interjection de surprise, d'admiration, ou renforçant l'expression.

**ohé** interj. Interjection pour appeler.

**ohm** [om] n. m. Unité de mesure de résistance électrique (symb. Ω).

**oie** n. f. **1** Oiseau palmipède, au long cou, dont une espèce est domestiquée. – Femelle de cette espèce. **2** *Jeu de l'oie :* jeu où l'on avance des pions, selon les dés, sur un tableau de cases numérotées. **3** fig. Personne sotte. – *Oie blanche,* jeune fille niaise.

**oignon** [ɔɲɔ̃] n. m. **I 1** Plante potagère vivace, à bulbe ; ce bulbe (utilisé en cuisine). ♦ loc. *En rang d'oignons :* sur une ligne. – *Aux petits oignons :* très bien. **2** Bulbe (de plantes d'ornement). **II 1** anciennt Grosse montre bombée. **2** Durillon de l'orteil.

**oïl** [ɔjl] particule affirmative *Langue d'oïl :* dialectes des régions (Belgique, moitié nord de la France) où l'on disait *oïl* pour «oui» (et non *oc**).

**oindre** v. tr. [49] ne s'emploie plus qu'à l'inf. et au p. p. *oint, ointe* **1** vx ou littér. Frotter d'une substance grasse. **2** Toucher (le corps) avec les saintes huiles (→ **onction**).

**oiseau** n. m. **1** Animal (vertébré à sang chaud) au corps recouvert de plumes, dont les membres antérieurs sont des ailes et qui a un bec. ♦ loc. *Oiseau de malheur :* personne qui fait des prédictions funestes. – loc. adv. *À vol d'oiseau :* en ligne droite (distances). **2** fam., péj. Individu. *Un drôle d'oiseau.* ♦ *Oiseau rare,* qqn d'unique.

**oiseau-lyre** n. m. Oiseau d'Australie à queue en forme de lyre.

**oiseau-mouche** n. m. Colibri.

**oiseleur** n. m. anciennt Personne qui prenait des petits oiseaux.

**oiselier, ière** n. Personne qui élève et vend des oiseaux. ► **oisellerie** n. f.

**oiseux, euse** adj. Inutile et vain.

**oisif, ive 1** adj. Sans occupation ; qui n'exerce pas de profession. **2** n. Personne qui a beaucoup de loisir. ► **oisivement** adv. ► **oisiveté** n. f. → **désœuvrement, inaction.**

**oisillon** n. m. Jeune oiseau.

**oison** n. m. Petit de l'oie.

**O. K.** [ɔke ; ɔkɛ] adv. anglic., fam. D'accord. – adj. invar. *C'est O. K. :* ça va.

**okapi** n. m. Mammifère ruminant de la famille des girafes.

**okoumé** n. m. Arbre d'Afrique équatoriale ; bois de cet arbre, aux reflets rouges.

**ola** n. f. Manifestation d'enthousiasme du public, dans un stade, les bras levés puis baissés progressivement figurant la propagation d'une vague.

**olé** ou **ollé 1** interj. Exclamation espagnole pour encourager. **2** adj. invar. fam. *Olé olé* ou *ollé ollé :* libre dans ses manières.

**oléagineux, euse** adj. (végétal) Qui contient de l'huile. *Graines oléagineuses.* – n. m. *Le colza est un oléagineux.*

**oléoduc** n. m. Conduite de pétrole. → anglic. **pipeline.**

**olfactif, ive** adj. didact. Relatif à l'odorat.

**olfaction** n. f. didact. Odorat.

**olibrius** [-ys] n. m. fam. et péj. Homme qui se fait fâcheusement remarquer.

**olifant** n. m. anciennt Cor d'ivoire.

**oligarchie** n. f. Régime dans lequel la souveraineté appartient à une classe restreinte. – Ce groupe. ► **oligarchique** adj.

**oligoélément** n. m. physiol. Élément chimique présent en très faible quantité dans l'organisme, indispensable au métabolisme.

**olivâtre** adj. Qui tire sur le vert olive.

**olive** n. f. **1** Petit fruit comestible, oblong, verdâtre puis noirâtre à maturité, à peau lisse. **2** adj. invar. D'un vert brun.

**olivette** n. f. **I** Plantation d'oliviers (syn. *oliveraie* n. f.). **II** Petite tomate oblongue.

**olivier** n. m. **1** Arbre à feuilles vert pâle, dont le fruit est l'olive. **2** Son bois.

**olympiade** n. f. **1** Période de quatre ans entre deux célébrations des Jeux olympiques. **2** (au plur.) Jeux olympiques.

**olympien, ienne** adj. **1** Relatif à l'Olympe, à ses dieux. **2** Noble, majestueux.

**olympique** adj. *Jeux olympiques* : rencontres sportives internationales qui ont lieu tous les quatre ans. ♦ Conforme aux règles des Jeux olympiques.

**ombelle** n. f. Petites fleurs groupées.

**ombellifère** n. f. Plante à fleurs en ombelles (ex. carotte, cerfeuil, persil).

**ombilic** n. m. anat. Nombril. ► **ombilical, ale, aux** adj. *Cordon* ombilical.*

**omble** n. m. Poisson de rivière, de lac, voisin du saumon.

**ombrage** n. m. **I** littér. Ensemble de branches et de feuilles qui donnent de l'ombre ; cette ombre. **II** loc. *Prendre ombrage de qqch.*, en concevoir du dépit, de la jalousie. – *Porter ombrage à qqn*, l'éclipser.

**ombrager** v. tr. [3] (feuillage) Faire, donner de l'ombre à. – au p. p. *Jardin ombragé.*

**ombrageux, euse** adj. **1** (cheval) Qui s'effraie facilement. **2** (personnes) Susceptible, méfiant. – *Caractère ombrageux.*

**ombre** n. f. **I 1** Zone sombre créée par un corps opaque qui intercepte les rayons lumineux ; absence de lumière (surtout celle du Soleil) dans une telle zone. → **pénombre.** ♦ loc. *Faire de l'ombre à qqn*, l'éclipser. – fam. *Mettre qqn à l'ombre*, l'emprisonner. **2** peint. Représentation d'une zone sombre. – loc. *Il y a une ombre au tableau*, la situation comporte un élément inquiétant. ♦ *Ombre à paupières* : fard à paupières. **II 1** Zone sombre reproduisant le contour (d'un corps qui intercepte la lumière). **2** au plur. *Ombres chinoises* : projection sur un écran de silhouettes découpées. **3** littér. Apparence changeante, trompeuse ou fragile. – loc. *Laisser la proie pour l'ombre*, un avantage pour un espoir vain. – *(Pas) l'ombre de* : (pas) la plus petite quantité de. **4** dans certaines croyances Apparence d'une personne qui survit après sa mort. **5** Reflet affaibli (de ce qui a été).

**ombrelle** n. f. Petit parasol portatif.

**ombreux, euse** adj. **1** littér. Qui donne de l'ombre. **2** Où il y a de l'ombre.

**oméga** n. m. invar. Dernière lettre de l'alphabet grec (ω, Ω).

**omelette** n. f. **1** Œufs battus et cuits à la poêle. **2** *Omelette norvégienne* (entremets).

**omerta** n. f. Loi du silence (maffia, etc.).

**omettre** v. tr. [56] S'abstenir ou négliger de faire ou de mentionner. → **oublier.** ► **omission** n. f. → **lacune, négligence, oubli.**

**omnibus** [-bys] n. m. Train qui dessert toutes les stations.

**omnipotent, ente** adj. littér. Tout-puissant. ► **omnipotence** n. f.

**omnipraticien, ienne** n. didact. Médecin généraliste*.

**omniprésent, ente** adj. littér. Qui est partout, ou toujours. ► **omniprésence** n. f.

**omniscient, ente** [-jɑ̃, ɑ̃t] adj. littér. Qui sait tout. ► **omniscience** n. f.

**omnisports** adj. Où l'on peut pratiquer tous les sports. *Salle omnisports.*

**omnium** [-jɔm] n. m. Compétition cycliste sur piste combinant plusieurs courses.

**omnivore** adj. Qui se nourrit d'aliments d'origine animale et végétale.

**omoplate** n. f. Os plat de l'épaule.

**on** pron. indéf. Pronom personnel indéfini de la 3e personne, invariable, toujours sujet. **I** (marquant l'indétermination) **1** Les gens. *On dit que* : le bruit court que. **2** Une personne quelconque. *On m'a volé mon sac.* **II** (personnes déterminées) **1** Tu, vous. *Eh bien ! on ne se gêne pas !* **2** Je, nous. *Oui, oui ! on arrive.* – (dans un écrit) *On montrera que...* ♦ fam. Nous. *Nous, on y va.*

**onagre** n. m. Grand âne sauvage.

**onanisme** n. m. didact. Masturbation.

**once** n. f. **1** Mesure de poids anglo-saxonne, 1/16 de livre (symb. oz). **2** *Une once de* : une très petite quantité de.

**oncle** n. m. Frère du père ou de la mère ou mari de la tante.

**oncogène** adj. didact. Cancérigène.

**oncologie** n. f. didact. Cancérologie.

**onction** n. f. **1** Rite qui consiste à oindre (2). **2** littér. Douceur qui dénote la piété, la dévotion (parfois hypocrites).

**onctueux, euse** adj. **1** De consistance douce et moelleuse. → **huileux ; velouté.** **2** Qui a de l'onction (2). ► **onctuosité** n. f.

**onde** n. f. **I** littér. L'eau dans la nature (mer, lac, rivière...). **II 1** sc. Déformation, vibration qui se propage (fonction périodique des variables de temps et d'espace). *Ondes électromagnétiques.* – loc. fam. *Être sur la même longueur d'onde*, se comprendre. ♦ *Les ondes* : la radiodiffusion. **2** fig., littér. Sensation qui se propage comme une onde. *Une onde de plaisir.*

**ondée** n. f. Pluie soudaine et courte.

**ondine** n. f. Déesse des eaux nordique.

**on-dit** n. m. invar. Rumeur, racontar.

**ondoyer** v. intr. [8] littér. Se mouvoir en s'élevant et s'abaissant alternativement. ► **ondoyant, ante** adj. ► **ondoiement** n. m.

**ondulant, ante** adj. Qui ondule.

**ondulation** n. f. **1** Mouvement alternatif de ce qui s'élève et s'abaisse en donnant l'impression d'un déplacement. **2** Forme sinueuse. **3** Action de friser les cheveux.

**ondulatoire** adj. sc. **1** Qui a les caractères d'une onde (II, 1). **2** Relatif aux ondes.

**ondulé, ée** adj. Qui ondule (2).

**onduler** v. intr. [1] **1** Avoir un mouvement d'ondulation. **2** Présenter des ondulations (2). **3** trans. Friser (des cheveux).

**onduleux, euse** adj. littér. Qui ondule.

**onéreux, euse** adj. **1** Qui impose des dépenses. → **cher, coûteux.** **2** dr. *À titre onéreux :* sous la condition de payer.

**O. N. G.** [oɛnʒe] n. f. (sigle de *organisation non gouvernementale*) Organisme privé qui se consacre à l'action humanitaire.

**ongle** n. m. **1** Partie cornée à l'extrémité des doigts (mains, pieds). – loc. *Jusqu'au bout des ongles,* à fond. **2** Griffe.

**onglée** n. f. Engourdissement douloureux de l'extrémité des doigts, dû au froid.

**onglet** n. m. **I 1** Bande de papier permettant d'insérer une feuille dans un livre. **2** Entaille, échancrure (sur un instrument ; la tranche d'un livre). **II** Morceau de bœuf à griller (muscles du diaphragme).

**onguent** n. m. Médicament onctueux que l'on applique sur la peau.

**ongulé, ée** adj. (animaux) Dont les pieds sont terminés par des productions cornées (sabots). – n. m. pl. *L'ordre des Ongulés.*

**onirique** adj. Relatif aux rêves.

**onomastique** didact. **1** n. f. Étude des noms propres (spécialt de personnes et de lieux). **2** adj. Relatif aux noms propres.

**onomatopée** n. f. Mot qui évoque par le son la chose dénommée (ex. boum, snif).

**ontologie** n. f. Partie de la philosophie qui traite de l'être. ► **ontologique** adj.

**onychophagie** [-kɔ-] n. f. méd. Habitude de se ronger les ongles.

**onyx** [ɔniks] n. m. Agate à zones concentriques régulières de diverses couleurs.

**onze I** adj. numéral invar. **1** (cardinal) Nombre égal à dix plus un (11). *Onze cents* (syn. *mille cent*). **2** (ordinal) Onzième. *Louis XI.* **II** n. m. invar. Le nombre, le numéro 11. ♦ Équipe de onze joueurs (football). ► **onzième** adj. et n. ► **onzièmement** adv.

**O. P. A.** [opea] n. f. (sigle) fin. (Bourse) Offre publique d'achat de parts d'une société.

**opacifier** v. tr. [7] Rendre opaque.

**opacité** n. f. Caractère opaque.

**opale** n. f. Pierre fine à reflets irisés. ► **opalin, ine** adj.

**opaline** n. f. Substance vitreuse dont on fait des vases, etc. ♦ Objet en opaline.

**opaque** adj. **1** Qui s'oppose au passage de la lumière. – sc. Qui s'oppose au passage (de radiations). **2** Très sombre. ♦ fig. Obscur, difficile à comprendre.

**open** [ɔpɛn] adj. invar. anglic. **1** sports Se dit d'une compétition ouverte aux professionnels et aux amateurs. – n. m. *Un open de tennis.* **2** *Billet open,* non daté.

**opéra** n. m. **1** Ouvrage dramatique mis en musique, composé de récitatifs, d'airs, de chœurs avec accompagnement d'orchestre. *Le livret d'un opéra.* **2** Théâtre où l'on joue des opéras.

**opérable** adj. Qui peut être opéré (2).

**opéra-comique** n. m. Drame lyrique composé d'airs avec accompagnement orchestral, et parfois de dialogues parlés.

**opérateur, trice** n. **1** Personne qui exécute des opérations techniques déterminées. **2** *Opérateur (de prise de vues) :* cadreur. **3** n. m. fin. Actionnaire principal.

**opération** n. f. **1** Action (d'un pouvoir, d'une fonction, d'un organe) qui produit un effet. – loc. *Par l'opération du Saint-Esprit,* par un moyen mystérieux. **2** Acte ou série d'actes (matériels ou intellectuels) pour obtenir un résultat. *Opérations techniques.* **3** math. Processus qui, à partir d'éléments connus, permet d'en engendrer un nouveau. → **calcul.** *Opérations fondamentales* (addition, soustraction, etc.). **4** Acte chirurgical. → **intervention.** *Salle d'opération.* → **bloc.** **5** Manœuvres militaires, combats. ♦ Mesures coordonnées en vue d'un résultat. **6** Affaire commerciale ou financière.

**opérationnel, elle** adj. **1** Relatif aux opérations militaires. **2** *Recherche opérationnelle :* analyse des problèmes d'organisation. **3** Prêt à être mis en service.

**opératoire** adj. **1** Relatif aux opérations chirurgicales. **2** Qui concerne une opération (2).

**opercule** n. m. Ce qui forme couvercle.

**opérer** v. tr. [6] **1** Accomplir par une suite ordonnée d'actes. *Opérer une transformation.* **2** Soumettre à une opération chirurgicale.

**opérette** n. f. Opéra-comique léger.

**ophicléide** n. m. Gros instrument de musique à vent, en cuivre.

**ophidiens** n. m. pl. zool. Serpents.

**ophtalmie** n. f. Maladie des yeux.

**ophtalmologie** n. f. Étude et médecine de l'œil. ► **ophtalmologique** adj. ► **ophtalmologiste** ou **ophtalmologue** n. → **oculiste**

**opiacé, ée** adj. Qui contient de l'opium.

**opimes** adj. f. pl. Antiq. romaine *Dépouilles opimes* : dépouilles d'un général ennemi.

**opiner** v. [1] **1** v. tr. ind. littér. *Opiner à* : consentir à. → **approuver. 2** v. intr. (loc.) *Opiner du bonnet* : manifester son approbation.

**opiniâtre** adj. **1** littér. Tenace dans ses idées, ses résolutions. → **obstiné, persévérant. 2** (choses) Qui ne cède pas. *Opposition opiniâtre.* ► **opiniâtrement** adv. ► **opiniâtreté** n. f.

**opinion** n. f. **I 1** Manière de penser, de juger. → **avis, point de vue.** – *Opinions toutes faites.* → **préjugé.** – *Verbes d'opinion* (croire, juger, penser...). **2** Idée ou ensemble des idées que l'on a, dans un domaine. *Opinions politiques.* **II 1** Jugement collectif, ensemble de jugements de valeur. *L'opinion publique.* – absolt *Braver l'opinion.* **2** Attitudes d'esprit dominantes dans une société. *Sondage d'opinion.*

**opium** [ɔpjɔm] n. m. Suc du fruit d'un pavot, utilisé comme stupéfiant.

**oponce** n. m. Cactus à raquettes (→figuier de Barbarie). – syn. **opuntia** n. m.

**opossum** [-ɔm] n. m. Sarigue à pelage noir, blanc et gris. – Sa fourrure.

**oppidum** [-ɔm] n. m. didact. Ville fortifiée (d'époque romaine).

**opportun, une** adj. Qui vient à propos (→ **favorable, propice**). ► **opportunément** adv.

**opportunisme** n. m. Politique qui consiste à tirer parti des circonstances.

**opportuniste** adj. **1** Qui pratique l'opportunisme. **2** anglic., biol. (germe) Qui manifeste sa virulence sur un organisme affaibli.

**opportunité** n. f. **1** Caractère de ce qui est opportun. **2** Circonstance qui convient.

**opposable** adj. Qui peut être opposé.

**opposant, ante** adj. Qui s'oppose (à une autorité...). – n. *Les opposants au régime.*

**opposer** v. tr. [1] **1** Fournir (une raison contraire). *Il n'y a rien à opposer à cela.* → **objecter, répondre. 2** Mettre en face, face à face pour le combat. *Opposer deux équipes.* **3** Placer pour faire obstacle. – (abstrait) *Opposer un refus à qqn.* **4** Placer en face de ou tout près (ce qui s'oppose). *Opposer deux couleurs.* **5** Comparer ; présenter comme contraire. → **confronter.** *Opposer l'ordre à (et) la liberté.* ▷ v. pron. **s'opposer** (à) **1** Faire, mettre obstacle (à). → **empêcher. 2** Résister (à), lutter (contre). **3** Faire contraste ; être différent, être le contraire. *«Haut» s'oppose à «bas».* ▷ **opposé, ée I** adj. **1** Se dit de choses orientées dos à dos. – *En sens opposé.* → **contraire, inverse. 2** Aussi différent que possible. *Ils ont des goûts opposés.* **3** Qui s'oppose (à), se dresse (contre). *Je suis opposé à cette décision.* **II** n. m. **1** Côté, sens opposé. **2** abstrait Ce qui est opposé. → **contraire.** *C'est l'opposé de son frère.* **3** loc. *À l'opposé (de)* : du côté opposé (à) ; abstrait contrairement (à).

**à l'opposite** (de) loc. Dans un sens, du côté opposé (à). → en **face, vis-à-vis.**

**opposition** n. f. **I** Rapport de personnes ou de choses opposées, qui s'opposent. – *Par opposition (à)* : par contraste (avec), d'une manière opposée (à). **II 1** Action, fait de s'opposer en mettant obstacle, en résistant. **2** *Faire opposition à un chèque,* empêcher qu'il soit débité. **3** Personnes qui s'opposent (à un gouvernement, etc.).

**oppressant, ante** adj. Qui oppresse.

**oppresser** v. tr. [1] **1** Gêner (qqn) dans ses fonctions respiratoires. *La chaleur l'oppressait.* **2** fig. Gêner en angoissant.

> Ne pas confondre avec *opprimer* «persécuter».

**oppresseur** n. m. Personne, groupe qui opprime. – adj. m. *Régime oppresseur.*

**oppressif, ive** adj. Qui opprime.

**oppression** n. f. **1** Action, fait d'opprimer. **2** Gêne respiratoire (→ oppresser).

**opprimer** v. tr. [1] **1** Soumettre à une autorité excessive et injuste, persécuter. → **asservir, tyranniser. 2** Empêcher de s'exprimer, de se manifester. ▷ adj. et n. **opprimé, ée**

> Ne pas confondre avec *oppresser* «étouffer».

**opprobre** [-bʀ] n. m. littér. Honte publique.

**opter** v. intr. [1] Faire un choix (entre des choses qu'on ne peut avoir ensemble).

**opticien, ienne** n. Personne qui fabrique, vend des instruments d'optique.

**optimal, ale, aux** adj. Optimum (2).

**optimiser** v. tr. [1] anglic. Donner les meilleures conditions de fonctionnement à.

**optimisme** n. m. **1** Tournure d'esprit qui dispose à prendre les choses du bon côté. **2** Confiance dans l'issue d'une situation. ► **optimiste** adj. et n.

**optimum** [-ɔm] **1** n. m. État le plus favorable (pour atteindre un but...). *Des optimums* ou *des optima.* **2** adj. Qui est le plus favorable. *Température optimum* ou *optima.*

**option** n. f. **1** Possibilité, action de choisir ; son résultat. → **choix.** – *À option.* → **optionnel.** **2** Accessoire (d'un produit) qu'on peut choisir. **3** dr. Promesse de vente.

**optionnel, elle** adj. Qu'on peut choisir.

**optique I** adj. **1** Relatif à la vision. *Nerf optique.* **2** Relatif à l'optique (II). *Fibre* optique.* ♦ n. f. Partie optique (d'un appareil). **3** Qui fonctionne par l'optique (II) et l'électronique. *Crayon optique.* **II** n. f. **1** Science qui étudie la lumière et la vision. *Instruments d'optique* (lentille, microscope...). – loc. *Illusion* d'optique.* ♦ Commerce, fabrication, industrie des instruments d'optique. **2** Conditions de la vision (dans un cas particulier). → **perspective.** – fig. Manière de voir. *Changer d'optique.*

**optométrie** n. f. Étude de la vision oculaire et mesure de son acuité.

**opulence** n. f. **1** Grande abondance de biens. **2** fig. Caractère opulent (2).

**opulent, ente** adj. **1** Qui est très riche, qui est dans l'opulence. **2** fig. (formes) Qui a de l'ampleur. *Poitrine opulente.*

**opuntia** [ɔpɔ̃sja] n. m. → **oponce**

**opus** [-ys] n. m. Indication désignant un morceau de musique dans une œuvre.

**opuscule** n. m. Petit ouvrage, petit livre.

① **or** n. m. **I 1** Élément (symb. Au), métal précieux jaune, brillant, inaltérable et inoxydable. – *Or jaune, blanc ; rouge, gris* (alliages). ♦ (monnaie) *Étalon or.* **2** (Symbole de richesse). *La soif de l'or.* – loc. *À prix d'or,* très cher. – *Une affaire en or,* très avantageuse. – *Pour tout l'or du monde* (après une négation) : à aucun prix. **II** fig. **1** Chose précieuse, excellente (dans des loc.). *Un cœur d'or. Un mari en or.* ♦ *Âge d'or :* temps heureux (d'une civilisation, d'un art...). **2** (Source de richesse). *L'or noir :* le pétrole. – *L'or vert :* les ressources agricoles.

② **or** conj. Marque un moment d'une durée, d'un raisonnement. → **cependant.**

**oracle** n. m. **1** Antiq. Réponse qu'une divinité donnait à ceux qui la consultaient. – Cette divinité ou son interprète ; son sanctuaire. **2** fig., littér. Opinion ou personne qui jouit d'un grand crédit.

**orage** n. m. **1** Perturbation atmosphérique violente caractérisée par des phénomènes électriques (éclairs, tonnerre). **2** fig. Trouble qui éclate ou menace d'éclater.

**orageux, euse** adj. **1** Relatif à l'orage. **2** fig. Tumultueux. *Discussion orageuse.*

**oraison** n. f. **1** vx ou relig. Prière. **2** *Oraison funèbre :* discours prononcé lors des obsèques d'un personnage illustre.

**oral, ale, aux** adj. **1** (opposé à *écrit*) Qui se fait, se transmet par la parole. *Tradition orale.* ♦ n. m. Épreuve orale (d'un examen). **2** De la bouche. *Par voie orale.* ♦ psych. *Stade oral,* premier stade de la libido, selon Freud. ► **oralement** adv. ► **oralité** n. f.

**orange** n. f. **1** Fruit comestible de l'oranger, agrume d'un jaune rouge. **2** adj. invar. et n. m. Se dit de la couleur de l'orange.

L'adj. est invar. : *des chaussettes orange.*

**orangé, ée 1** adj. D'une couleur nuancée d'orange. **2** n. m. didact. Couleur du spectre solaire entre le jaune et le rouge.

**orangeade** n. f. Boisson à l'orange.

**oranger** n. m. Arbre fruitier qui produit les oranges.

**orangeraie** n. f. Plantation d'orangers.

**orangerie** n. f. Serre, bâtiment, jardin où l'on cultive des orangers.

**orang-outan** ou **orang-outang** [ɔʀɑ̃utɑ̃] n. m. Grand singe d'Asie, à poil roux, aux bras très longs. *Des orangs-outan(g)s.*

**orant, ante** n. arts Personnage représenté en prière, les bras étendus ou à genoux.

**orateur, trice** n. **1** Personne qui prononce des discours. **2** Personne éloquente.

① **oratoire** adj. Qui concerne l'éloquence. – loc. *Précautions oratoires :* moyens pour ménager l'auditeur ou le lecteur.

② **oratoire** n. m. **1** Petite chapelle. **2** Nom de congrégations religieuses.

**oratorio** n. m. Drame lyrique sur un sujet en général religieux.

① **orbe** adj. techn. *Mur orbe,* sans aucune ouverture. → **aveugle.**

② **orbe** n. m. vx ou littér. Cercle ; sphère.

**orbital, ale, aux** adj. De l'orbite (II). – *Station orbitale* (engin spatial).

**orbite** n. f. **I** Cavité osseuse dans laquelle se trouve l'œil. **II 1** Trajectoire courbe (d'un corps céleste) ayant pour foyer un autre corps céleste. **2** fig. Milieu où s'exerce l'influence de qqn.

**orchestral, ale, aux** [-k-] adj. Propre à l'orchestre symphonique.

**orchestration** [-k-] n. f. **1** Action, manière d'orchestrer (1). → **instrumentation ; arrangement.** **2** fig. *Orchestration commerciale.*

**orchestre** [ɔʀkɛstʀ] n. m. **I** (théâtre) Espace compris entre le public et la scène, en contrebas. ♦ Places, public du rez-de-chaussée. **II** Groupe d'instrumentistes exécutant de la musique polyphonique.

**orchestrer** [-k-] v. tr. 1 **1** Composer (une partition) en combinant les parties instrumentales. ♦ Adapter pour l'orchestre. **2** fig. Organiser en vue de donner le maximum d'ampleur, de retentissement.

**orchidée** [-k-] n. f. Plante des climats chauds, aux fleurs recherchées pour leur beauté et l'originalité de leur forme.

**orchite** [-k-] n. f. méd. Inflammation du testicule.

**ordalie** n. f. (au Moyen Âge) Jugement de Dieu sous forme d'épreuves (par le feu...).

**ordinaire** **I** adj. **1** Conforme à l'ordre normal, habituel des choses. → ① **courant, usuel, normal.** ♦ Coutumier (à qqn). *Avec sa gaieté ordinaire.* ► **ordinairement** adv. **2** Dont la qualité ne dépasse pas le niveau moyen courant. → **banal, commun. II** n. m. **1** Ce qui n'a rien d'exceptionnel. **2** Ce que l'on mange habituellement. *Améliorer l'ordinaire.* **3** Ensemble des pièces invariables (de la messe). **III** *D'ordinaire ; à l'ordinaire* loc. adv. : de façon habituelle, le plus souvent. → d'**habitude.** ♦ *Comme à son ordinaire :* comme il, elle le fait d'habitude.

**ordinal, ale, aux** adj. Qui marque l'ordre, le rang. *Nombre ordinal.* – gramm. *Adjectif numéral ordinal* (ex. centième).

**ordinateur** n. m. Machine électronique de traitement de l'information, exécutant des programmes (→ **informatique**).

**ordination** n. f. Acte administrant le sacrement de l'ordre (spécialt la prêtrise).

**ordonnance** n. f. **I** didact. Mise en ordre ; disposition selon un ordre. *L'ordonnance d'un repas.* **II 1** Texte législatif émanant de l'exécutif. ♦ Décision d'un juge. **2** Prescriptions d'un médecin. **3** milit. *Revolver d'ordonnance,* conforme au règlement. ♦ *Officier d'ordonnance* (aide de camp). **4** anciennt (souvent masc.) Soldat attaché au service d'un officier.

**ordonnancement** n. m. didact. Façon dont une chose est ordonnée.

**ordonnancier** n. m. **1** Registre où le pharmacien consigne les produits prescrits sur ordonnance. **2** Bloc spécial sur lequel un praticien rédige ses ordonnances.

**ordonnateur, trice** n. Personne qui dispose, met en ordre. → **organisateur.**

**ordonné, ée** adj. **1** En bon ordre. **2** Qui a de l'ordre. *Un enfant ordonné.*

**ordonnée** n. f. math. Coordonnée* verticale d'un point.

**ordonner** v. tr. 1 **I** Disposer, mettre dans un certain ordre. – pronom. *Le cortège s'ordonnait peu à peu.* **II** Élever (qqn) à l'un des ordres (II, 8) de l'Église (→ **ordination**). **III** Prescrire par un ordre. → **commander, enjoindre.**

**ordre** n. m. **I** (Relation organisée entre plusieurs termes) **1** Disposition, succession régulière. *Procédons par ordre. Ordre alphabétique.* – Disposition d'une troupe sur le terrain. – *Ordre du jour :* sujets dont une assemblée doit délibérer. *À l'ordre du jour :* d'actualité. **2** Disposition qui semble la meilleure possible ; aspect régulier, organisé. – *En ordre :* rangé, ordonné. **3** Qualité d'une personne qui a une bonne organisation, de la méthode ; spécialt qui range les choses. **4** Principe de causalité ou de finalité du monde. – loc. *C'est dans l'ordre des choses :* c'est normal, inévitable. **5** Organisation sociale. *L'ordre établi.* ♦ Stabilité sociale ; respect de la société établie. – *Les forces de l'ordre.* → **armée, police.** ♦ *L'ordre public :* la sécurité publique, le bon fonctionnement des services publics. **6** Norme, conformité à une règle. *Rappeler qqn à l'ordre.* → **réprimander. II** (Catégorie d'êtres ou de choses) **1** (choses abstraites) Espèce. → **genre, nature, sorte.** *Dans le même ordre d'idées.* **2** (dans des loc.) Qualité, valeur. *Un écrivain de premier ordre.* **3** Système architectural antique ayant une unité de style. *Ordre dorique, ionique, corinthien.* **4** bot., zool. Division intermédiaire entre la classe et la famille. **5** Division de la société française sous l'Ancien Régime. *Les trois ordres,* noblesse, clergé, tiers état. **6** Groupe de personnes soumises à des règles professionnelles, morales. *L'ordre des médecins.* **7** Communauté de religieux, de religieuses. **8** L'un des degrés de la hiérarchie cléricale catholique. – *Entrer dans les ordres :* se faire moine, prêtre ou religieuse. ♦ relig. Sacrement par lequel qqn est admis dans un ordre (spécialt la prêtrise). **III 1** Acte (déclaration) par lequel une autorité manifeste sa volonté. → **commandement, directive, injonction.** – *Être aux ordres de qqn.* → **obéir.** – *Jusqu'à nouvel ordre :* jusqu'à ce qu'un ordre, un fait nouveau intervienne. **2** Décision de faire une opération financière, commerciale. **3** *Mot d'ordre :* consigne, résolution commune aux membres d'un parti.

**ordure** n. f. **1** Matière qui souille et répugne. – spécialt Excrément. **2** au plur. Choses dont on se débarrasse (→ **décharge, dépotoir**). **3** Propos, écrit, action sale ou obscène. **4** Personne abjecte (injure).

**ordurier, ière** adj. Obscène, sale.

**oréade** n. f. mythol. grecque Nymphe des montagnes et des bois.

**orée** n. f. Bordure (d'un bois...). → **lisière.**

**oreillard** n. m. Petite chauve-souris.

**oreille** n. f. **I 1** Chacun des deux organes constituant l'appareil auditif. – par plais. *Les oreilles ont dû vous siffler* (tellement nous avons parlé de vous). ♦ (Dans l'audition). loc. *Prêter l'oreille :* écouter. *Faire la sourde oreille,* faire comme si on n'entendait pas. – prov. *Ventre affamé n'a pas d'oreilles :* celui qui a faim n'écoute rien. - *Avoir l'oreille de qqn,* en être écouté favorablement. **2** Ouïe. *Avoir l'oreille fine.* - *Avoir de l'oreille :* être apte à saisir les sons musicaux. **3** Pavillon de l'oreille. - *Tirer l'oreille à qqn* (pour le punir...). - fig. *Se faire tirer l'oreille :* se faire prier. - *Dormir sur ses deux oreilles :* ne pas s'inquiéter. ♦ (animaux) *Les longues oreilles du lièvre.* **II** Objet en forme d'oreille (et en paire).

**oreiller** n. m. Pièce de literie pour poser la tête, coussin (généralement carré).

**oreillette** n. f. **I** Objet qui protège les oreilles ou se met dans l'oreille. **II** Chacune des deux cavités supérieures du cœur, communiquant avec les ventricules.

**oreillons** n. m. pl. Maladie infectieuse contagieuse, inflammation dans l'oreille.

**ores** adv. *D'ores et déjà :* dès maintenant.

**orfèvre** n. Fabricant ou marchand d'objets en métaux précieux. ♦ loc. *Être orfèvre en la matière,* s'y connaître.

**orfèvrerie** n. f. **1** Art, métier, commerce de l'orfèvre. **2** Ouvrages de l'orfèvre.

**orfraie** n. f. Aigle à queue blanche. - loc. *Pousser des cris d'orfraie,* des cris perçants ; fig. protester vivement.

**organdi** n. m. Mousseline de coton, très légère et empesée.

**organe** n. m. **I 1** Voix (d'un chanteur...). **2** Voix autorisée d'un porte-parole. ♦ Publication périodique (d'un parti...). **II 1** Partie d'un être vivant (organisme) remplissant une fonction. *Organes génitaux.* - *L'œil, organe de la vue.* **2** Institution, organisme. *Organes gouvernementaux.* **3** Mécanisme. *Organes de commande.*

**organigramme** n. m. Schéma de la structure d'un ensemble complexe.

**organique** adj. **1** Relatif aux organes. *Trouble organique* (s'oppose à *fonctionnel*). **2** Propre aux êtres organisés. **3** Qui provient de tissus vivants. *Engrais organique.* ♦ *Chimie organique,* qui étudie les composés du carbone*. **4** *Loi organique,* sur la structure des organes de l'État. ► **organiquement** adv.

**organisateur, trice** n. Personne qui organise. - adj. *Esprit organisateur.*

**organisation** n. f. **1** Action, manière d'organiser ; son résultat. **2** Groupement ayant un but déterminé. *Organisation syndicale.*

**organisé, ée** adj. **1** biol. Qui est de la nature d'un organisme vivant, pourvu d'une structure correspondant aux fonctions vitales. *Les êtres organisés.* **2** Qui se fait suivant un ordre, une méthode déterminés. ♦ (personnes) Méthodique, ordonné. **3** Qui appartient à, a reçu une organisation. *Des bandes organisées.*

**organiser** v. tr. [1] **1** Doter d'une structure déterminée, d'un mode de fonctionnement. → **agencer, ordonner, structurer.** **2** Soumettre à une façon déterminée de fonctionner. *Organiser ses loisirs.* - pronom. *Savoir s'organiser.* **3** Préparer (une action) selon un plan. *Organiser une fête.*

**organiseur** n. m. **1** Agenda à accessoires variés. **2** Agenda électronique (ordinateur de poche).

**organisme** n. m. **I 1** Ensemble des organes qui constituent un être vivant. - spécialt Le corps humain. **2** Être vivant organisé. *Organisme microscopique.* **II** Ensemble (social) organisé ; organisation.

**organiste** n. Musicien, instrumentiste qui joue de l'orgue.

**organite** n. m. biol. Élément cellulaire différencié (ex. le noyau).

**organologie** n. f. didact. Étude des instruments de musique.

**organsin** n. m. techn. Fil de soie torse.

**orgasme** n. m. Apogée du plaisir sexuel. ► **orgasmique** adj.

**orge** n. f. **1** Plante à épis simples munis de longues barbes (céréale). **2** Grain de cette céréale, utilisé surtout en brasserie (→ **malt**). - n. m. *Orge perlé*.* **3** *Sucre* d'orge.*

**orgeat** n. m. *Sirop d'orgeat,* préparé avec une émulsion d'amandes douces.

**orgelet** n. m. Furoncle sur la paupière.

**orgie** n. f. **1** Partie de débauche. ♦ Repas long, copieux et arrosé. **2** *Orgie de :* usage excessif de. ► **orgiaque** adj. littér.

**orgue** n. m. (souvent fém. au plur.) **I 1** Grand instrument à vent composé de nombreux tuyaux que l'on fait résonner par l'intermédiaire de claviers, en y introduisant de l'air au moyen d'une soufflerie. ♦ *Orgue de Barbarie* (à manivelle). - *Orgue électrique. Orgue électronique.* **2** mus. *Point d'orgue :* temps d'arrêt qui suspend la mesure ; signe (𝄐) qui marque ce temps d'arrêt. **II** *Orgues basaltiques :* coulées de basalte en forme de tuyaux serrés les uns contre les autres.

**orgueil** [-gœj] n. m. **1** Opinion très avantageuse que qqn a de sa propre valeur, souvent aux dépens de la considération due à autrui. → **arrogance, suffisance ;** (sens positif) **amour-propre, fierté.** **2** *L'orgueil de :* la satisfaction d'amour-propre que donne (qqn, qqch.). - Ce qui motive cette fierté.

**orgueilleux, euse** [-gøj-] adj. Qui a de l'orgueil ; qui dénote de l'orgueil. - n. *Un orgueilleux.* ► **orgueilleusement** adv.

**orient** [-jɑ̃] n. m. **I 1** poét. L'est, le levant. **2** (avec maj.) Région située vers l'est, par rapport à un lieu donné (opposé à *Occident*). - hist. *L'empire d'Orient :* l'Empire byzantin. ♦ spécialt L'Asie, certains pays méditerranéens ou de l'Europe centrale. **II** *Grand Orient* : loge centrale de la franc-maçonnerie. **III** Reflet nacré des perles.

**orientable** [-jɑ̃-] adj. Qui peut être orienté.

**oriental, ale, aux** [-jɑ̃-] adj. **1** Qui est à l'est. **2** Originaire de l'Orient ; qui se rapporte à l'Orient. – n. *Les Orientaux.*

**orientaliste** [-jɑ̃-] n. Spécialiste ou amateur des civilisations de l'Orient.

**orientation** [-jɑ̃-] n. f. **1** Détermination des points cardinaux d'un lieu (pour se repérer...). *Avoir le sens de l'orientation.* **2** Fait d'orienter (3). **3** Fait d'être orienté d'une certaine façon. → **exposition.**

**orienter** [-jɑ̃-] v. tr. 1 **1** Disposer par rapport aux points cardinaux, à une direction, à un objet. **2** Indiquer à (qqn) la direction à prendre. **3** fig. Diriger, guider. *Orienter un élève.* ▷ v. pron. s'**orienter** **1** *S'orienter vers* : se tourner, se diriger vers (une direction). – fig. *S'orienter vers la recherche.* **2** Déterminer sa position. ▷ p. p. **orienté, ée** **1** *Maison orientée au sud.* **2** fig. Qui a une tendance doctrinale marquée, n'est pas objectif.

**orifice** n. m. **1** Ouverture qui fait communiquer une cavité avec l'extérieur. **2** anat. Ouverture de certains organes.

**oriflamme** n. f. Bannière d'apparat.

**origami** n. m. didact. Papier plié japonais.

**origan** n. m. Marjolaine (plante).

**originaire** adj. **1** *Originaire de* : qui vient de (tel lieu). **2** didact. → **originel.**

**originairement** adv. À l'origine.

① **original, aux** n. m. **1** Ouvrage humain dont il est fait des reproductions. – (œuvre d'art) *L'original est au Louvre.* **2** Personne réelle, objet naturel représentés par l'art.

② **original, ale, aux** adj. **1** littér. → **originel.** **2** Qui émane de l'auteur, est l'origine des reproductions. – *Édition originale* : première édition d'un texte inédit. – *Film en version originale* (non doublée). **3** Qui paraît ne dériver de rien d'antérieur, qui est unique. → **neuf, personnel.** **4** Qui paraît bizarre, peu normal. – n. *C'est un original.* ► **originalement** adv. (sens 3 et 4).

**originalité** n. f. **I 1** Caractère de ce qui est original, de qqn d'original (3). **2** Étrangeté, excentricité. **II** Élément original.

**origine** n. f. **I 1** Ancêtres ou milieu humain primitif auquel remonte la généalogie d'un individu, d'un groupe. → **ascendance.** ♦ Milieu social d'où est issu qqn. *Être d'origine modeste.* **2** Époque, milieu d'où vient qqch. – *L'origine d'un mot.* → **étymologie.** **3** Point de départ. → **provenance.** **II 1** Commencement, première apparition ou manifestation. – *À l'origine* loc. adv. : au début. – *D'origine* loc. adj. : qui date du début. **2** Ce qui explique l'apparition ou la formation (d'un fait). *Affection d'origine virale.*

**originel, elle** adj. Qui date ou vient de l'origine. ♦ relig. chrét. Du premier homme. ► **originellement** adv. → **originairement, primitivement**

**orignal, aux** n. m. Élan (②) du Canada.

**oripeaux** n. m. pl. Vêtements voyants.

**O. R. L.** → **oto-rhino-laryngologie**

**orléaniste** n. hist. Personne qui soutenait les droits de la famille d'Orléans au trône de France (s'oppose à *légitimiste*).

**orlon** n. m. (nom déposé) Fibre textile synthétique.

**orme** n. m. **1** Grand arbre à feuilles dentelées. **2** Bois de cet arbre.

① **ormeau** n. m. Petit orme, jeune orme.

② **ormeau** n. m. Mollusque marin comestible, à coquille plate.

**ornemaniste** n. arts Spécialiste du dessin ou de l'exécution de motifs décoratifs.

**ornement** n. m. **1** rare Action d'orner ; décoration. – cour. *Plantes d'ornement.* → **décoratif.** **2** Ce qui orne, s'ajoute pour embellir. **3** Motif accessoire (d'une composition artistique). *Ornements gothiques.* **4** mus. Groupe de notes qui s'ajoute à une mélodie sans en modifier la ligne (ex. le trille).

**ornemental, ale, aux** adj. **1** Qui utilise des ornements. **2** Qui orne. → **décoratif.**

**ornementer** v. tr. 1 Garnir d'ornements ; embellir par des ornements. → **décorer, orner.** ► **ornementation** n. f.

**orner** v. tr. 1 Mettre en valeur, embellir (une chose). → **agrémenter, décorer.**

**ornière** n. f. **1** Trace que les roues creusent dans les chemins. **2** fig. → **routine.**

**ornithologie** n. f. Étude des oiseaux. ► **ornithologique** adj. ► **ornithologue** n. – syn. **ornithologiste.**

**ornithomancie** n. f. Divination par le vol ou le chant des oiseaux.

**ornithorynque** n. m. Mammifère amphibie et ovipare, à bec corné, à queue plate, à pattes palmées (Australie, Tasmanie).

**orographie** n. f. Étude des montagnes.

**oronge** n. f. Amanite (champignon). *Fausse oronge* : amanite tue-mouche.

**orpailleur** n. m. Chercheur d'or.

**orphelin, ine** n. et adj. (Enfant) qui a perdu son père et sa mère, ou l'un des deux.

**orphelinat** n. m. Établissement qui élève des orphelins.

**orphéon** n. m. Fanfare.

**orphisme** n. m. Antiq. Doctrine religieuse s'inspirant de la pensée d'Orphée.

**orpiment** n. m. techn. Sulfure naturel d'arsenic, jaune vif ou orangé.

**orque** n. f. Épaulard (cétacé).

Mot féminin : *une orque blanche.*

**orteil** n. m. Doigt de pied.

**orthèse** n. f. didact. Appareillage destiné à corriger la déficience fonctionnelle d'un organe. *Orthèse articulaire.* → **prothèse.**

**orthodontie** [-ti ; -si] n. f. didact. Traitement des anomalies de position des dents. ► **orthodontiste** n.

**orthodoxe** adj. **1** Conforme au dogme d'une religion. **2** Conforme à une doctrine, aux usages établis. → **conformiste, traditionnel. 3** Se dit des Églises chrétiennes des rites d'Orient séparées de Rome au XI^e siècle. – n. *Les orthodoxes grecs.*

**orthodoxie** n. f. **1** Doctrines considérées comme vraies par la fraction dominante d'une Église et enseignées officiellement. → **dogme. 2** Caractère orthodoxe (2).

**orthogonal, ale, aux** adj. géom. Qui forme un angle droit, se fait à angle droit. → **perpendiculaire.**

**orthographe** n. f. **1** Manière d'écrire un mot qui est considérée comme la seule correcte. – Capacité d'écrire sans fautes. – Façon d'écrire, avec ou sans fautes. **2** Manière dont un mot est écrit. → **graphie.** ► **orthographique** adj.

**orthographier** v. tr. [7] Écrire du point de vue de l'orthographe.

**orthopédie** n. f. Médecine du squelette, des muscles et des tendons. ► **orthopédique** adj. ► **orthopédiste** n.

**orthophonie** n. f. Rééducation de la parole. ► **orthophoniste** n.

**orthoptère** n. m. zool. Insecte (ordre des *Orthoptères*) dont les ailes postérieures ont des plis droits (ex. le grillon, le criquet).

**orthoptie** n. f. Traitement des défauts de la vision binoculaire. – syn. **orthoptique.**

**ortie** [-ti] n. f. Plante velue dont le contact provoque une sensation de brûlure.

**ortolan** n. m. Petit oiseau à chair très estimée.

**orvet** n. m. Reptile saurien dépourvu de membres, ressemblant à un serpent.

**orviétan** n. m. littér. *Marchand, vendeur d'orviétan :* charlatan, imposteur.

**os** [ɔs] n. m. **1** Chacune des pièces rigides qui forment le squelette. ♦ loc. *Se rompre les os :* se blesser grièvement dans une chute. – *En chair* et en os.* – *Faire de vieux os :* vivre longtemps. – fam. *Tomber sur un os,* une difficulté. **2** *Les os :* restes d'un être vivant, après sa mort. **3** *Os de seiche :* lame calcaire constituant la coquille interne dorsale (de la seiche).

**O. S.** [oɛs] n. Ouvrier(ère) spécialisé(e).

**Oscar** n. m. (marque déposée) Récompense cinématographique décernée chaque année à Hollywood.

**osciller** [ɔsile] v. intr. [1] **1** Aller de part et d'autre d'une position moyenne par un mouvement de va-et-vient. **2** fig. Varier en passant par des alternatives. → **hésiter.** ► **oscillation** n. f. ► **oscillatoire** adj.

**osé, ée** adj. **1** Qui est fait avec audace. **2** Qui risque de choquer les bienséances.

**oseille** n. f. **1** Plante à feuilles comestibles au goût acide. **2** fam. Argent.

**oser** v. tr. [1] **1** littér. Tenter avec assurance (une chose difficile). **2** (+ inf.) Avoir l'audace de. **3** absolt Se montrer audacieux.

**oseraie** n. f. Terrain planté d'osiers.

**osier** n. m. **1** Petit saule aux rameaux flexibles. **2** Rameau d'osier (en vannerie).

**osmose** n. f. **1** sc. Phénomène de diffusion (entre deux liquides ou solutions) qui laisse passer le solvant mais non la substance dissoute. ► **osmotique** adj. **2** fig. Interpénétration, influence réciproque.

**ossature** n. f. **1** Ensemble des os, tels qu'ils sont disposés dans le corps. → **squelette. 2** fig. → **armature, charpente.**

**osselet** n. m. **1** rare Petit os. *Les osselets de l'oreille.* **2** au plur. Jeu d'adresse consistant à lancer et rattraper de petits objets.

**ossements** n. m. pl. Os desséchés de cadavres d'hommes ou d'animaux.

**osseux, euse** adj. **1** De l'os, des os. *Tissu osseux.* **2** Qui a des os. *Poissons osseux.* **3** Aux os saillants. → **maigre.**

**ossifier** v. tr. [7] Transformer en tissu osseux. ► **ossification** n. f.

**osso buco** [-buko] n. m. invar. Jarret de veau avec l'os à moelle (plat italien).

**ossuaire** n. m. Excavation, bâtiment où sont conservés des ossements humains.

**ostensible** adj. littér. Qui est fait sans se cacher ou avec l'intention d'être remarqué. ► **ostensiblement** adv.

**ostensoir** n. m. Pièce d'orfèvrerie destinée à exposer l'hostie.

**ostentation** n. f. Mise en valeur excessive et indiscrète d'un avantage. ► **ostentatoire** adj. littér.

**ostéodensitométrie** n. f. méd. Examen médical d'évaluation de la densité des os.

**ostéopathe** n. Personne (parfois médecin) qui soigne par manipulation des os.

**ostéopathie** n. f. méd. I Affection osseuse. II Thérapeutique de l'ostéopathe.

**ostéoporose** n. f. méd. Raréfaction pathologique du tissu osseux.

**ostraciser** v. tr. [1] Frapper d'ostracisme. → **exclure.** ► **ostracisation** n. f.

**ostracisme** n. m. Hostilité d'une collectivité qui rejette l'un de ses membres.

**ostréiculture** n. f. Élevage des huîtres. ► **ostréiculteur, trice** n.

**ostrogoth, othe** [-gɔ, ɔt] n. **1** hist. Habitant de la partie est des territoires des Goths. **2** vieilli Personne ignorante et bourrue. - var. **ostrogot, ote.**

**otage** n. m. Personne livrée ou reçue comme garantie, ou qu'on détient pour obtenir ce qu'on exige.

**otarie** n. f. Mammifère marin du Pacifique, voisin du phoque.

**ôter** v. tr. [1] Enlever, retirer.

**otite** n. f. Inflammation de l'oreille.

**oto-rhino-laryngologie** n. f. Médecine de l'oreille, du nez et de la gorge. - abrév. fam. **O. R. L.** ► **oto-rhino-laryngologiste** n. - abrév. fam. **otorhino** et **O. R. L.**

① **ottoman, ane** adj. et n. hist. Turc.

② **ottoman** n. m. Étoffe de soie à côtes.

**ou** conj. Conjonction qui joint des termes, membres de phrases ou propositions analogues, en séparant les idées exprimées. **1** Autrement dit. *La coccinelle, ou bête à bon Dieu.* **2** (indifférence) *Donnez-moi le rouge ou (bien) le noir.* **3** (approximation) *Ils étaient cinq ou six.* **4** (alternative) *C'est l'un ou l'autre* (si c'est l'un, ce n'est pas l'autre). ♦ (après un impér. ou un subj.) → **sans** ça, **sinon.** *Sortez ou je me fâche.* ♦ *Ou... ou... Ou c'est lui, ou c'est moi.*

> Ne pas confondre avec *où* (adv. de lieu).

**où** I pron. **1** Dans un lieu (indiqué ou suggéré par l'antécédent). *Le pays où il est né.* **2** (état, situation) *Dans l'état où il est.* **3** (temps) *Au moment où il arriva.* II adv. **1** Là où, à l'endroit où. *J'irai où je voudrai.* **2** (temporel) *Où j'ai été surpris, ce fut quand...* **3** *D'où* (conséquence). *D'où il résulte que* (+ indic.). - (sans verbe) *D'où mon étonnement...* III adv. interrog. **1** (interrogation directe) En quel endroit ? *Où est votre frère ?* **2** (interrogation indirecte) *Dis-moi où tu vas.*

> Ne pas confondre avec *ou* qui peut être remplacé par *ou bien.*

① **ouah** interj. Évoque les aboiements d'un chien.

② **ouah** interj. Exprime la joie, l'admiration.

**ouailles** n. f. pl. Les chrétiens, par rapport au prêtre.

**ouais** interj. fam. Oui.

**ouananiche** n. f. (Canada) Saumon d'eau douce.

**ouaouaron** n. m. (Canada) Grosse grenouille d'Amérique du Nord (jusqu'à 20 cm).

**ouate** n. f. **1** Laine, soie ou coton préparé pour doubler, pour rembourrer. *De l'ouate* ou *de la ouate.* **2** Coton (pour l'hygiène).

**ouater** v. tr. [1] Doubler, garnir d'ouate.

**ouatine** n. f. Étoffe molletonnée servant à doubler des vêtements (*ouatiner* v. tr. [1]).

**oubli** n. m. **1** Défaillance de la mémoire, portant soit sur des connaissances ou aptitudes acquises, soit sur les souvenirs ; fait d'oublier. ♦ Absence de souvenirs dans la mémoire collective. *Sauver une œuvre de l'oubli.* **2** *Un oubli.* → **distraction, étourderie.** *Réparer un oubli.* **3** Fait de ne pas prendre en considération. *Oubli de soi.*

**oublier** v. tr. [7] **1** Ne pas avoir, ne pas retrouver le souvenir de (qqch., un fait, qqn). ♦ Ne plus conserver dans la mémoire collective. - au p. p. *Mourir complètement oublié.* **2** Ne plus savoir pratiquer (des connaissances, une technique). **3** Cesser de penser à (ce qui tourmente). *Oubliez vos soucis.* **4** Ne pas avoir à l'esprit (ce qui devrait le tenir en éveil). → **négliger, omettre.** *Oublier l'heure et se mettre en retard.* ♦ Négliger de mettre, de prendre... *J'ai oublié mon parapluie.* **5** Négliger (qqn) en ne s'occupant pas de lui. → **délaisser. 6** Refuser de tenir compte de. *Vous oubliez votre promesse.* - *N'en parlons plus, c'est oublié.* → **pardonner.** ▷ v. pron. **s'oublier 1** (passif) Être oublié. *Tout peut s'oublier.* **2** Ne pas penser à soi, à son intérêt. **3** Manquer aux convenances. *Vous vous oubliez !* **4** Faire ses besoins dans un endroit qui ne convient pas.

**oubliette** n. f. ancienn Cachot pour les personnes condamnées à la prison perpétuelle, ou dont on voulait se débarrasser.

**oublieux, euse** adj. *Oublieux de* : qui oublie, néglige de se souvenir de. → **négligent.**

**oud** [ud] n. m. Instrument à cordes pincées voisin du luth, utilisé dans la musique arabe classique. *Un virtuose du oud* (ou *de l'oud*).

**oued** [wɛd] n. m. Rivière d'Afrique du Nord, du Proche-Orient.

**ouest** [wɛst] n. m. **1** Celui des quatre points cardinaux qui est au couchant. ♦ Lieu situé du côté de l'ouest (→ **occidental**). **2** Région située vers l'Ouest. *L'ouest de la France.* ♦ (avec maj.) polit. L'Europe de l'Ouest et l'Amérique du Nord. → **occident** (2).

> On écrit *il habite dans l'Ouest* mais *dans l'ouest de la France.*

**ouf** interj. Exclamation de soulagement.

**oui** particule d'affirmation invar. I Adverbe équivalant à une proposition affirmative qui répond à une interrogation non accompagnée de négation (s'il y a négation → **si**). **1** (réponse positive à une question) *As-tu faim ?* – *Oui.* **2** (interrogatif) *Ah oui ?*, vraiment ? **3** (compl. direct) *Il dit oui*, il est d'accord. **II** n. m. invar. (loc.) *Pour un oui (ou) pour un non*, à tout propos.

**ouï-dire** n. m. invar. Ce qu'on connaît pour l'avoir entendu dire. – *Par ouï-dire* : par la rumeur publique.

**ouïe** [wi] n. f. I Celui des cinq sens qui permet la perception des sons. → **audition.** – fam., plais. *Je suis tout ouïe* : j'écoute. **II** au plur. Orifices externes de l'appareil branchial des poissons, sur les côtés de la tête.

**ouille** interj. Exclamation de douleur.

**ouin** interj. (souvent répété) Évoque des pleurs, des sanglots.

**ouïr** v. tr. [10] seulement inf. et p. p. vx Entendre, écouter. – mod. *J'ai ouï dire que*... (→ **ouï-dire**). ♦ dr. *Ouïr un témoin.*

**ouistiti** n. m. Petit singe à longue queue.

**oukase** ou **ukase** n. m. **1** hist. (Russie) Édit du tsar. **2** Décision arbitraire. → **diktat.**

**ouléma** → **uléma**

**ouolof** → **wolof**

**ouragan** n. m. **1** Très forte tempête. → **cyclone, tornade, typhon. 2** Vent violent accompagné de pluie.

**ourdir** v. tr. [2] **1** techn. Réunir et tendre les fils de chaîne, avant le tissage. **2** fig., littér. Régler, combiner (une intrigue).

**ourler** v. tr. [1] Border d'un ourlet.

**ourlet** n. m. Repli d'étoffe cousu, terminant un bord.

**ours** [uʀs] n. m. **1** Grand mammifère carnivore au pelage épais, aux membres griffus, au museau allongé ; spécialt le mâle adulte. ♦ loc. *Vendre la peau de l'ours (avant de l'avoir tué)*, disposer d'une chose avant de la posséder. **2** *Ours en peluche* (jouet d'enfant). **3** fig. Homme insociable.

**ourse** n. f. **1** Femelle de l'ours. **2** *La Petite, la Grande Ourse* (syn. *Petit, Grand Chariot*), constellations.

**oursin** n. m. Animal marin (échinoderme), sphérique, muni de piquants.

**ourson, onne** n. Jeune ours(e).

***ouste** ou ***oust** [ust] interj. fam. Interjection pour chasser ou presser qqn.

**out** [aut] adv. anglic., tennis Hors des limites du court. – adj. invar. *Balle out.*

**outarde** n. f. **1** Échassier au corps massif. **2** (Canada) Bernache.

**outil** [uti] n. m. **1** Objet fabriqué qui sert à agir sur la matière, à faire un travail. → **engin, instrument, ustensile. 2** Ce qui permet de faire (un travail). **3** fam. Pénis.

**outiller** v. tr. [1] Munir des outils, des équipements nécessaires à un travail, une production. → **équiper.** ▷ v. pron. **s'outiller** ► **outillage** n. m.

**outing** [autiŋ] n. m. anglic. critiqué Révélation publique forcée de l'homosexualité de qqn.

**outrage** n. m. **1** Offense ou injure très grave (de parole ou de fait). → **affront. 2** dr. Délit par lequel on ne respecte pas un personnage officiel dans ses fonctions. **3** Acte gravement contraire (à un principe).

**outrager** v. tr. [3] **1** Offenser par un outrage (actes ou paroles). **2** Contrevenir gravement à (qqch.). ► **outrageant, ante** adj.

**outrageusement** adv. Excessivement.

**outrance** n. f. **1** Chose ou action outrée. **2** Caractère outré. ♦ *À outrance* loc. adv. : avec excès. ► **outrancier, ière** adj.

① **outre** n. f. Peau d'animal cousue en forme de sac et servant de récipient.

② **outre** prép. et adv. **1** (dans des expr. adv.) Au-delà de. *Outre-Manche.* **2** adv. *Passer outre* : aller au-delà, plus loin. – *Passer outre à qqch.* : ne pas tenir compte de (une objection...). **3** prép. En plus de. – *Outre que* (+ indic.) : sans parler du fait que. **4** *Outre mesure* loc. adv. : au-delà de la normale. **5** *En outre* loc. adv. : en plus.

**outré, ée** adj. Qui va au-delà de la mesure normale. → **exagéré, excessif ; outrance.**

**outrecuidance** n. f. littér. **1** Confiance excessive en soi. → **fatuité. 2** Désinvolture impertinente. ► **outrecuidant, ante** adj.

**outremer** [-mɛʀ] n. m. Couleur d'un bleu intense. – adj. invar. *Bleu outremer.*

**outre-mer** [-mɛʀ] adv. Au-delà des mers, par rapport à une métropole.

**outrepasser** v. tr. [1] Aller au-delà de (ce qui est permis...). *Outrepasser ses droits.*

**outrer** v. tr. [1] **1** littér. Exagérer, pousser (qqch.) au-delà des limites raisonnables. *Outrer une pensée, une attitude.* **2** (temps composés et p. p.) Indigner (qqn). → **révolter, scandaliser.**

**outsider** [autsajdœʀ] n. m. anglic. Concurrent qui n'est pas parmi les favoris.

**ouvert, erte** adj. I **1** Disposé de manière à laisser le passage. *Porte ouverte.* **2** (local) Où l'on peut entrer. *Magasin ouvert.* **3** Disposé de manière à communiquer avec l'extérieur. *Bouche ouverte.* **4** Dont les parties sont écartées. *Main ouverte.* **5** Percé, troué, incisé... *Plaie ouverte.* **6** Accessible, que l'on peut utiliser. *Canal ouvert à la navigation.* **7** Commencé. *La chasse est ouverte*, permise. **II** abstrait **1** Communicatif et franc. – loc. *Parler à cœur ouvert,* en toute franchise. **2** Qui se manifeste publiquement. *Conflit ouvert.* **3** Qui s'ouvre facilement aux idées nouvelles. *Esprit ouvert.*

**ouvertement** adv. D'une manière ouverte (II).

**ouverture** n. f. **I 1** Action d'ouvrir ; état de ce qui est ouvert. *Heures d'ouverture d'un magasin.* – Caractère de ce qui est plus ou moins ouvert. *Régler l'ouverture d'un objectif.* **2** Fait de rendre praticable, utilisable. **3** abstrait *Ouverture d'esprit,* qualité de l'esprit ouvert. ♦ *Politique d'ouverture.* **4** Fait d'être commencé. *Ouverture de la pêche.* **5** au plur. Premier essai de pourparlers. *Ouvertures de paix.* **II** Morceau de musique par lequel débute un opéra, un ouvrage lyrique (opposé à ② *finale*). **III 1** Espace libre par lequel s'établit la communication entre l'extérieur et l'intérieur. *Les ouvertures d'un bâtiment.* → **fenêtre, porte. 2** abstrait Voie d'accès ; moyen de comprendre.

**ouvrable** adj. m. Se dit des jours de la semaine qui ne sont pas fériés.

Ne pas confondre avec *jour ouvré* «jour où l'on travaille».

**ouvrage** n. m. **1** Actions coordonnées par lesquelles on met qqch. en œuvre, on effectue un travail. → **tâche, travail.** *Se mettre à l'ouvrage.* – *Boîte à ouvrage* (pour la couture). ♦ au fém. pop. ou plais. *De la belle ouvrage :* un travail soigné. **2** Objet produit par le travail d'un artisan, etc. – *Ouvrages d'art :* constructions (ponts...) pour l'établissement d'une voie. **3** Texte scientifique, technique ou littéraire. → **écrit, œuvre.**

**ouvragé, ée** adj. Finement travaillé.

**ouvrant, ante** adj. Qui s'ouvre.

**ouvré, ée** adj. **1** Qui résulte d'un ouvrage (1). – *Produits ouvrés,* manufacturés. **2** *Jour ouvré,* où l'on travaille.

Ne pas confondre avec *jour ouvrable* «jour de la semaine qui n'est pas férié».

**ouvre-boîte** n. m. Instrument coupant servant à ouvrir les boîtes de conserve. *Des ouvre-boîtes.*

**ouvre-bouteille** n. m. Instrument pour ouvrir les bouteilles capsulées. *Des ouvre-bouteilles.*

**ouvreur, euse** n. **1** Personne qui place les spectateurs, dans une salle de spectacle. **2** Skieur qui ouvre une piste de ski.

**ouvrier, ière I** n. **1** Personne qui exerce un métier manuel ou mécanique moyennant un salaire ; spécialt travailleur manuel de la grande industrie. **2** n. m. littér. Artisan, artiste. loc. prov. *À l'œuvre on reconnaît l'ouvrier.* **II** adj. **1** Des ouvriers, du prolétariat industriel. **2** loc. *Cheville* ouvrière.* **III** n. f. (insectes sociaux) Individu stérile qui assure la construction ou la défense.

**ouvrir** v. [18] **I** v. tr. **1** Écarter les éléments mobiles de (une ouverture) de manière à mettre en communication l'extérieur et l'intérieur (contr. *fermer*). *Ouvrir une fenêtre.* **2** Rendre accessible l'intérieur de. *Ouvrir une bouteille.* ♦ Rendre accessible (un local) au public. **3** Mettre dans une position qui assure la communication ou le contact avec l'extérieur. *Ouvrir la bouche.* ♦ *Ouvrir un sac.* – fam. *Ouvrir le gaz,* faire fonctionner. ♦ *Ouvrir l'appétit,* donner faim. **4** Écarter, séparer (des éléments mobiles) ; disposer en écartant les éléments. *Ouvrir les bras. Ouvrir un livre.* **5** Former (une ouverture) en creusant, en trouant. *Ouvrir une fenêtre dans un mur.* **6** Atteindre l'intérieur de (qqch. de vivant) en écartant, coupant, brisant. *Ouvrir des huîtres.* ♦ *Ouvrir un abcès.* → **inciser, percer.** – *S'ouvrir les veines* (pour se suicider). **7** Créer ou permettre d'utiliser (un moyen d'accès). *Ouvrir un chemin.* → **frayer. 8** Découvrir, présenter. *Cela ouvre des horizons.* **9** *Ouvrir l'esprit* (à qqn), lui rendre l'esprit ouvert. **10** Commencer, mettre en train. *Ouvrir les hostilités.* – Être le premier à exercer (une activité, etc.). *Ouvrir le bal.* **11** Créer, fonder (un établissement). *Ouvrir un restaurant.* **II** v. intr. **1** Être ouvert. **2** *Ouvrir sur,* donner accès sur (syn. *s'ouvrir sur*). ▷ v. pron. **s'ouvrir 1** Devenir ouvert. **2** *S'ouvrir sur :* donner accès sur (syn. *ouvrir sur*). **3** S'offrir comme une voie d'accès. **4** *S'ouvrir à,* se laisser pénétrer par (une idée...). ♦ *S'ouvrir à qqn.* → se **confier. 5** (sujet chose) Commencer.

**ouvroir** n. m. Lieu réservé aux ouvrages de couture, etc., dans une communauté religieuse.

**ovaire** n. m. **1** Glande génitale femelle qui produit l'ovule et des hormones. **2** bot. Partie du pistil qui contient les ovules destinés à devenir des graines. ► **ovarien, ienne** adj.

**ovale 1** adj. Qui a la forme d'une courbe fermée et allongée. **2** n. m. Forme ovale.

**ovation** n. f. Acclamations publiques rendant honneur à qqn. → **vivat.** ► **ovationner** v. tr. [1]

**overdose** [ɔvœʀ- ; ɔvɛʀ-] n. f. anglic. Dose excessive d'une drogue. → **surdose.**

**ovidé** n. m. zool. Mammifère ongulé ruminant du type du mouton.

**ovin, ine** adj. Relatif au mouton, au bélier, à la brebis. – n. m. pl. *Les ovins.*

**ovipare** adj. et n. m. Se dit des animaux qui pondent des œufs (I).

**ovni** n. m. (sigle) Objet volant non identifié. → **soucoupe** volante.

**ovoïde** adj. En forme d'œuf. → **ovale.**

**ovulation** n. f. Libération de l'ovule (mammifères). ► **ovulatoire** adj.

**ovule** n. m. **1** Gamète femelle élaboré par l'ovaire. ♦ bot. Gamète végétal femelle qui se transforme en graine après fécondation. ► **ovulaire** adj. **2** Préparation pharmaceutique ovoïde se plaçant dans le vagin.

**oxford** [-fɔʀ(d)] n. m. Tissu de coton à fils de deux couleurs.

**oxhydrique** adj. Se dit d'un mélange d'oxygène et d'hydrogène dont la combustion dégage une chaleur considérable. ♦ *Chalumeau oxhydrique.*

**oxydable** adj. Susceptible d'être oxydé.

**oxydation** n. f. Combinaison (d'un corps) avec l'oxygène ; réaction dans laquelle un atome ou un ion perd des électrons.

**oxyde** n. m. Composé résultant de la combinaison d'un corps avec l'oxygène.

**oxyder** v. tr. [1] **1** Faire passer à l'état d'oxyde. **2** Altérer (un métal) par l'action de l'air. – pronom. → **rouiller.**

**oxygène** n. m. **1** Élément (symb. O), gaz invisible, inodore, qui constitue environ 1/5 de l'air atmosphérique. **2** fam. Air pur ; fig. ce qui aère, vivifie.

**oxygéner** v. tr. [6] **1** Ajouter de l'oxygène à (une substance), par dissolution. *Oxygéner de l'eau.* – (au p. p.) *Eau oxygénée* : solution aqueuse de peroxyde d'hydrogène (antiseptique, décolorante). **2** fam. *S'oxygéner (les poumons)* : respirer de l'air pur. ► **oxygénation** n. f.

**oxymore** n. m. Figure de style qui consiste à allier deux mots de sens contradictoires (ex. «une douce violence»).

Mot masculin : *un oxymore.*

**oxyure** n. m. Ver parasite des intestins.

**oyat** [ɔja] n. m. Plante (graminée) utilisée pour fixer le sable des dunes.

**ozone** n. m. Gaz (symb. $O_3$) bleu et odorant. Couche d'ozone de l'atmosphère (*ozonosphère* n. f. ; entre 15 et 40 km d'altitude).

# P

**p** [pe] n. m. Seizième lettre, douzième consonne de l'alphabet.

**pacage** n. m. Terrain où l'on fait paître les bestiaux.

**pacemaker** [pɛsmɛkœʀ] n. m. anglic. Stimulateur* cardiaque.

**pacha** n. m. **1** hist. Gouverneur d'une province ottomane. **2** fam. *Une vie de pacha,* fastueuse.

**pachyderme** [-ʃi-] n. m. **1** Éléphant. **2** fig. Personne énorme. ► **pachydermique** adj.

**pacificateur, trice** n. Personne qui pacifie. – adj. *Mesures pacificatrices.*

**pacifier** v. tr. [7] **1** Ramener à l'état de paix (un pays, un peuple en rébellion), parfois en réprimant. **2** fig. Rendre calme. ► **pacification** n. f.

**pacifique** adj. **1** (personnes) Qui aspire à la paix. **2** (choses) Qui n'est pas militaire, n'a pas la guerre pour objectif. **3** Qui se passe dans le calme. ► **pacifiquement** adv.

**pacifiste** n. et adj. Partisan de la paix entre les nations ; adversaire de la guerre. – adj. *Un idéal pacifiste.* ► **pacifisme** n. m.

**pack** n. m. anglic. Emballage réunissant plusieurs produits identiques.

**packaging** [-dʒiŋ] n. m. anglic. Technique d'emballage qui soigne la présentation dans une perspective publicitaire. – L'emballage lui-même.

**pacotille** n. f. Marchandises de mauvaise qualité, de faible valeur. – *De pacotille :* sans valeur.

**pacs** n. m. (sigle) (en France) «Pacte civil de solidarité», conclu par deux personnes non mariées pour régler leur vie commune. *Signer, conclure un pacs.* ▷ v. pron. se **pacser** [1]

**pacte** n. m. **1** Accord formel. **2** Convention entre États.

**pactiser** v. intr. [1] **1** Conclure un pacte (avec qqn). **2** Agir de connivence (avec). – *Pactiser avec le crime.*

**pactole** n. m. **1** littér. Source de profit. **2** fam. Grosse somme d'argent.

**paddle** [padœl] n. m. anglic. Sport nautique consistant à se déplacer debout sur une planche à l'aide d'une pagaie.

**paddock** n. m. **1** Enceinte où les chevaux sont promenés avant une course. **2** fam. Lit.

**paddy** n. m. Riz non décortiqué.

**paella** [paela ; pae(l)ja] n. f. Plat espagnol à base de riz, viandes, fruits de mer.

① **paf** interj. Bruit de chute, de coup.

② **paf** adj. invar. fam. Ivre.

**pagaie** n. f. Aviron sans appui.

**pagaille** n. f. fam. **1** Grand désordre. **2** *En pagaille :* beaucoup.

**paganisme** n. m. Religion des païens.

**pagayer** v. intr. [8] Ramer à l'aide d'une pagaie. ► **pagayeur, euse** n.

① **page** n. f. **1** Chacun des deux côtés d'une feuille de papier. – *Mise en pages :* répartition du texte, des illustrations (avant impression). → **maquette.** – loc. *Être à la page :* à la dernière mode. **2** Texte d'une page. ♦ inform. *Page d'écran, page-écran :* informations affichées sur un écran, à un moment donné. – *Page web,* chacun des fichiers, constituants de base d'un site web*. **3** Feuille. – loc. fig. *Tourner la page :* passer à autre chose. **4** Passage d'une œuvre. **5** fig. Épisode d'une vie, de l'histoire.

② **page** n. m. ancienn*t* Jeune noble placé auprès d'un seigneur (pour apprendre le métier des armes), d'une dame.

**paginer** v. tr. [1] Disposer (un livre, une revue, etc.) en pages numérotées. ► **pagination** n. f.

**pagne** n. m. Vêtement attaché à la ceinture, couvrant le bas-ventre.

**pagode** n. f. **1** Temple des pays d'Extrême-Orient. **2** *Manches pagode,* évasées.

**paie** → **paye**

**paiement** ou **payement** n. m. Action de payer. *Facilités de paiement :* crédit.

**païen, ïenne** adj. **1** D'une religion ancienne (polythéiste) qui n'est pas fondée sur l'Ancien Testament. *Dieux païens.* – n. *Les païens.* **2** Sans religion.

**paillard, arde** adj. plais. D'un érotisme actif, gai et vulgaire. *Chansons paillardes.* ► **paillardise** n. f.

**paillasse** n. f. **I** Enveloppe (garnie de paille, etc.) qui sert de matelas. **II 1** Partie plane d'un évier. **2** Plan de travail.

**paillasson** n. m. **1** Natte de paille, destinée à protéger les cultures. **2** Natte rugueuse pour s'essuyer les pieds.

**paille** n. f. **1** Ensemble des tiges des céréales sans le grain. – loc. *Sur la paille,* dans la misère. **2** Fibres tressées. *Chapeau de paille.* **3** Petite tige pleine ou creuse. *Tirer à la courte paille* : tirer au sort au moyen de brins de longueur inégale. – fam. iron. *Une paille* : (c'est) peu de chose. ♦ loc. (Bible) *La paille et la poutre,* un petit défaut (chez autrui) dénoncé par une personne qui en a un beaucoup plus gros. **4** *Homme de paille* : prête-nom. **5** *Paille de fer* : fins copeaux de fer en paquet. **6** techn. Défaut (dans une pierre fine, une pièce de métal, de verre).

**pailler** v. tr. [1] **1** Garnir de paille tressée. **2** Couvrir de paille, de paillassons (1). ▷ adj. **paillé, ée** *Chaise paillée.*

**pailleter** v. tr. [4] Orner, parsemer de paillettes (1). ▷ adj. **pailleté, ée**

**paillette** n. f. **1** Lamelle brillante servant d'ornement. **2** Parcelle d'or (sables aurifères). **3** *Lessive en paillettes.*

**paillon** n. m. Enveloppe de paille pour les bouteilles.

**paillote** n. f. Cabane, hutte de paille.

**pain** n. m. **1** Aliment fait de farine, d'eau, de sel et de levain ou de levure, pétri, levé et cuit au four. *Un pain,* masse de cet aliment. → **baguette, bâtard, couronne, ficelle, flûte, miche.** ♦ loc. *Je ne mange pas de ce pain-là* : je refuse ces procédés. *Avoir du pain sur la planche,* beaucoup de travail. **2** (Pâtisserie) *Pain au chocolat.* **3** *Pain d'épice(s)* : gâteau de seigle, miel, épices (anis). **4** Masse (d'une substance). *En pain de sucre* : en forme de cône. **5** fam. Coup, gifle.

> Ne pas confondre avec *pin* « arbre ».

**paintball** [pɛntbol] n. m. anglic. Jeu opposant deux équipes qui s'affrontent avec des pistolets chargés de billes de gélatine colorée.

① **pair** n. m. **I 1** Personne qui a la même situation ou fonction (élevée). *Être rejeté par ses pairs.* **2** Au Royaume-Uni, Membre de la *Chambre des pairs,* des lords. **3** En France, jusqu'en 1831, Membre de la *Chambre des pairs* (fém. *pairesse*). **II** (dans des loc.) **1** *Hors pair* : sans égal. – *Aller de pair,* ensemble. **2** *Au pair* : en échangeant un travail contre logement et nourriture.

② **pair, paire** adj. Se dit d'un nombre entier naturel divisible par deux.

**paire** n. f. **1** Réunion (de deux choses, de deux personnes semblables). *Une paire de gants.* **2** Objet composé de deux parties semblables. *Une paire de ciseaux.* **3** loc. fam. *Se faire la paire* (de jambes) : s'enfuir.

**pairie** n. f. Titre de pair (I, 2 et 3).

**paisible** adj. **1** (personnes) Qui demeure en paix, ne s'agite pas. **2** (choses) Qui ne trouble pas la paix. ♦ Qui donne une impression de calme. *Fleuve paisible.* ► **paisiblement** adv.

**paître** v. intr. [57] pas de passé simple, de subj. imp., de p. p. **1** (animaux) Manger l'herbe sur pied. **2** loc. fam. *Envoyer paître qqn,* le rejeter. → **promener.**

**paix** n. f. **I 1** Rapports sans violence. *Faire la paix* : se réconcilier. **2** Rapports calmes entre citoyens ; absence de troubles. – *Gardien* de la paix.* **II 1** Absence de guerre. **2** Accord terminant l'état de guerre. *Traité de paix.* **III 1** État de qqn que rien ne trouble. *Laisser qqn en paix.* **2** État de l'âme sans inquiétude. *Avoir la conscience en paix.* **3** Absence d'agitation, de bruit. → **calme.**

**pal,** plur. **pals** n. m. Pieu aiguisé par un bout (→ **empaler**).

**palabre** n. f. ou m. **1** Discussion oiseuse. ► **palabrer** v. intr. [1] ► **palabreur** n. m. **2** En Afrique, Discussion (sérieuse).

**palace** n. m. Hôtel de grand luxe.

**paladin** n. m. Chevalier généreux.

① **palais** n. m. **1** Somptueuse résidence. – Grand édifice public. **2** *Palais de justice,* tribunal. **3** hist. Résidence des rois.

② **palais** n. m. **1** Partie supérieure interne de la bouche. **2** Organe du goût.

> Ne pas confondre avec *palet* « objet rond et plat ».

**palan** n. m. Appareil pour soulever et déplacer de très lourdes charges.

**palanquin** n. m. (dans certaines civilisations) Chaise ou lit porté.

**pale** n. f. **1** Partie d'un aviron, d'une roue à aubes qui pénètre dans l'eau. **2** Partie d'une hélice qui agit en tournant.

**pâle** adj. **1** (teint, peau, visage) Blanc, très peu coloré. – (personnes) Qui a le teint pâle. **2** Qui a peu d'éclat. ♦ Peu vif. *Bleu pâle.* **3** fig. Terne. *Une pâle imitation.*

> Invariable avec un adj. de couleur : *des yeux bleu pâle.*

**palefrenier, ière** n. Personne chargée du soin des chevaux.

**palefroi** n. m. (au Moyen Âge) Cheval de promenade, de parade.

**paléographie** n. f. Science des écritures anciennes. ► **paléographe** n. ► **paléographique** adj.

**paléolithique** adj. Relatif à l'âge de la pierre taillée. – n. m. *Le paléolithique.*

**paléontologie** n. f. Science des êtres vivants (→ **fossile**) ayant existé sur la Terre aux temps géologiques. ► **paléontologique** adj. ► **paléontologue** n.

**paleron** n. m. Morceau du bœuf, situé près de l'omoplate (→ **palette**).

**palestre** n. f. Antiq. Lieu où l'on s'entraînait à la lutte, à la gymnastique.

**palet** n. m. 1 Objet plat et rond à lancer (jeu). 2 Gâteau sec rond et plat.

Ne pas confondre avec *palais* «château» et «paroi de la bouche».

**paletot** n. m. 1 Vêtement de dessus, assez court, boutonné. - région. Veste, manteau. 2 fam. *Tomber sur le paletot à qqn*, se jeter sur lui.

**palette** n. f. I 1 Plaque mince sur laquelle un peintre étend et mélange ses couleurs. ♦ Couleurs propres à un peintre. *La palette de Rubens.* 2 fig. *Une palette de couleurs.* II Pièce de viande de mouton, de porc, près de l'omoplate. III Plateau de manutention ; son chargement.

**palétuvier** n. m. Grand arbre des régions tropicales, à racines aériennes.

**pâleur** n. f. Couleur, aspect pâle (1).

**pâlichon, onne** adj. fam. Un peu pâle.

**palier** n. m. 1 Plate-forme entre deux volées d'un escalier. 2 fig. Phase intermédiaire de stabilité.

**palière** adj. f. (porte) Qui ouvre sur le palier.

**palimpseste** n. m. didact. Écriture effacée recouverte d'une autre.

**palindrome** n. m. didact. Suite de lettres qui peut se lire dans les deux sens (ex. la mariée ira mal).

**palinodie** n. f. surtout au plur. littér. Changement d'opinions.

**pâlir** v. [2] I v. intr. Devenir pâle. ♦ (choses) Perdre son éclat. II v. tr. Rendre plus pâle.

**palissade** n. f. Clôture de planches.

**palissandre** n. m. Bois dur tropical, d'une couleur violacée, nuancée de noir.

**palladium** [-jɔm] n. m. Élément (symb. Pd), métal léger, blanc, dur, voisin du platine.

**palliatif, ive** 1 adj. Qui atténue les symptômes d'une maladie. *Soins palliatifs*, donnés à des personnes en fin de vie. 2 n. m. Mesure d'effet passager.

**pallier** v. tr. [7] Compenser (un manque).

S'emploie sans préposition : *pallier une insuffisance.*

**pallium** [-jɔm] n. m. 1 (en liturgie, dans l'Antiquité) Manteau. 2 sc. Manteau d'un mollusque. ♦ Partie du cerveau.

**palmarès** [-ɛs] n. m. Liste des lauréats. - Liste de récompenses.

**palme** n. f. I 1 Feuille de palmier. 2 *Vin, huile de palme*, de palmier. 3 *La palme*, symbole de la victoire. II Nageoire qui se fixe au pied (nage sous-marine).

**palmé, ée** adj. Dont les doigts sont réunis par une membrane. *Pieds palmés.*

**palmer** [-mɛʀ] n. m. Instrument de précision, mesurant les épaisseurs.

**palmeraie** n. f. Plantation de palmiers.

**palmier** n. m. 1 Grand arbre des régions chaudes, à tige simple, rugueuse, à grandes feuilles (palmes). ♦ *Cœur de palmier.* → **palmiste.** 2 Gâteau sec de pâte feuilletée.

**palmipède** adj. Dont les pieds sont palmés. - n. m. *Les palmipèdes* (oiseaux).

**palmiste** n. m. 1 Fruit du palmier à huile. 2 *(Chou) palmiste*, bourgeon terminal comestible (syn. *cœur de palmier*).

**palombe** n. f. région. Pigeon ramier.

**palonnier** n. m. Commande du gouvernail de direction d'un avion.

**pâlot, otte** adj. Un peu pâle.

**palourde** n. f. Mollusque comestible bivalve (appelé aussi *clam, clovisse*).

**palpable** adj. 1 Dont on peut s'assurer par le toucher. 2 (abstrait) Vérifiable.

**palper** v. tr. [1] 1 Examiner en tâtant avec la main. ► **palpation** n. f. 2 fam. Toucher, recevoir (de l'argent).

**palpeur** n. m. Dispositif opérant par contact pour mesurer.

**palpitant, ante** adj. 1 Qui palpite. 2 Qui excite l'émotion. 3 n. m. fam. Cœur.

**palpiter** v. intr. [1] 1 Être agité de frémissements. 2 (cœur) Battre très fort. ► **palpitation** n. f.

**paltoquet** n. m. vieilli Insolent.

**paluche** n. f. fam. Main.

**paludisme** n. m. Maladie infectieuse tropicale, due à un parasite transmis par les anophèles. ► **paludéen, éenne** adj. et n.

**palynologie** n. f. didact. Étude des pollens actuels et fossiles. ► **palynologue** n.

se **pâmer** v. pron. [1] 1 vieilli Perdre connaissance. 2 Ressentir une émotion très agréable. *Se pâmer d'aise.*

**pâmoison** n. f. littér. Fait de se pâmer.

**pampa** n. f. Plaine d'Amérique du Sud.

**pamphlet** n. m. Texte court et violent contre les institutions, un personnage.

**pamphlétaire** n. Auteur de pamphlets.

**pamplemousse** n. m. 1 bot. Arbre exotique épineux ; son fruit, consommé confit. 2 cour. Gros agrume jaune, ou rose (→ **pomélo**), légèrement amer.

**pamplemoussier** n. m. Arbre à pamplemousses (2).

**pampre** n. m. Branche de vigne avec ses feuilles et ses grappes.

① **pan** n. m. 1 Grand morceau d'étoffe ; partie flottante (d'un vêtement). 2 *Pan* (partie) *de mur.* - *Pan coupé* : surface oblique à la rencontre de deux murs.

② **pan !** interj. Bruit sec, coup de feu.

**panacée** n. f. Remède universel ; fig. formule pour résoudre tous les problèmes.

*Panacée universelle* est un pléonasme à éviter.

**panachage** n. m. **1** Action de panacher. **2** Choix de candidats sur différentes listes (élections).

**panache** n. m. **1** Faisceau de plumes flottantes. ♦ *La queue en panache d'un écureuil.* **2** fig. Brio, allure spectaculaire.

**panaché, ée** adj. **1** Qui présente des couleurs variées. **2** Composé d'éléments différents. **3** adj. et n. m. *Un (demi) panaché,* mélange de bière et de limonade.

**panacher** v. tr. [1] **1** Orner de couleurs variées. **2** Composer d'éléments divers.

**panade** n. f. **1** Soupe au pain. **2** fam. Misère. *Être dans la panade.*

**panard** n. m. fam. Pied.

**panaris** n. m. Infection aiguë d'un doigt.

**pancake** [pankɛk] n. m. anglic. Petite crêpe épaisse. *Des pancakes au sirop d'érable.*

**pancarte** n. f. Écriteau qui donne une information, présente une inscription.

**pancrace** n. m. Antiq. Lutte, pugilat.

**pancréas** [-ɑs] n. m. Glande de l'appareil digestif. ► **pancréatique** adj.

**panda** n. m. Mammifère d'Inde et de Chine, évoquant un petit ours noir et blanc.

**pandémie** n. f. méd. Épidémie qui atteint un grand nombre de personnes dans une zone très étendue. *Une pandémie de choléra.*

**pandémonium** [-jɔm] n. m. littér. Lieu où règne un désordre infernal.

**pandit** [pɑ̃di(t)] n. m. Sage brahmane (titre, en Inde).

**pandore** n. m. vx ou iron. Gendarme.

**panégyrique** n. m. Discours à la louange de qqn. ► **panégyriste** n.

**panel** n. m. anglic. Échantillon de personnes (pour enquête d'opinion).

**paner** v. tr. [1] Couvrir (un aliment à frire) de panure. ▷ adj. **pané, ée**

**panettone** n. m. Gâteau brioché italien, garni de raisins secs.

**pangolin** n. m. Mammifère édenté d'Asie et d'Afrique, au corps couvert d'écailles.

**panier** n. m. **1** Réceptacle de vannerie pour les marchandises. - loc. *Mettre* (plusieurs personnes) *dans le même panier,* porter sur elles le même jugement (négatif). - *Mettre au panier :* jeter. **2** *Panier à salade,* pour égoutter la salade ; fig., fam. voiture cellulaire*. **3** loc. *Panier percé :* personne très dépensière. **4** loc. *Le panier de la ménagère :* budget familial d'alimentation. **5** Armature qui servait à faire gonfler les jupes. ♦ fam. Derrière, fesses. **6** au basket-ball Filet ouvert fixé à un panneau de bois.

**panière** n. f. Grande corbeille à anses. - Malle en osier.

**panifier** v. tr. [7] Transformer en pain. ► **panifiable** adj. ► **panification** n. f.

**panini** n. m. Sandwich italien au pain blanc, qui se mange chaud.

**panique** **1** adj. Qui trouble violemment l'esprit. **2** n. f. Terreur collective extrême.

**paniquer** v. [1] **1** v. tr. fam. Affoler, angoisser. **2** v. intr. Être pris de panique.

**pannacotta** ou **panna cotta** n. f. Entremets italien à base de crème fraîche gélifiée et de sucre, servi avec un coulis de fruits.

① **panne** n. f. **1** mar. *En panne* (navire), à l'arrêt (vergues tournées). **2** Arrêt de fonctionnement accidentel. loc. *Panne d'essence* (ou *panne sèche*). **3** fig., fam. *Être en panne de qqch.*, en manquer.

② **panne** n. f. **1** Étoffe à poils couchés brillants. **2** Graisse du cochon.

**panneau** n. m. **I 1** Partie d'une construction, surface délimitée. *Panneaux préfabriqués.* **2** Surface plane, support d'inscriptions. *Panneaux de signalisation.* **3** cout. Élément (d'un vêtement). **II** loc. *Tomber dans le panneau,* dans le piège.

**panonceau** n. m. **1** Écusson, plaque métallique d'un officier ministériel. **2** Enseigne.

**panoplie** n. f. **1** Ensemble d'armes, trophée. **2** Jouet d'enfant, déguisement et accessoires. **3** fig. Équipement.

**panorama** n. m. **1** Vaste paysage à contempler de tous côtés. **2** fig. Vue d'ensemble.

**panoramique** **I** adj. Qui permet d'embrasser l'ensemble d'un paysage. **II** n. m. cin. Mouvement de balayage par la caméra (rotation).

**panse** n. f. **1** Premier compartiment de l'estomac des ruminants. **2** Partie renflée d'un récipient. **3** fam. Gros ventre.

**pansement** n. m. Linge, compresse servant à protéger une plaie.

**panser** v. tr. [1] **1** Donner à (un cheval) des soins de propreté. ► **pansage** n. m. **2** Soigner en appliquant un pansement.

**pansu, ue** adj. Renflé comme une panse.

**pantagruélique** adj. Digne d'un très gros mangeur.

**pantalon** n. m. Culotte longue descendant jusqu'aux chevilles.

**pantalonnade** n. f. **1** Farce. **2** Démonstration hypocrite.

**pantelant, ante** adj. **1** Qui respire avec peine, convulsivement. **2** fig. Suffoqué.

**panthéisme** n. m. Culte de la nature divinisée. ► **panthéiste** adj. et n.

**panthéon** n. m. **1** Les dieux d'une religion polythéiste. **2** Monument à la mémoire des grands hommes. ♦ Ces personnages.

**panthère** n. f. Grand mammifère carnassier d'Afrique et d'Asie, au pelage noir ou jaune moucheté. ♦ Sa fourrure.

**pantin** n. m. **1** Jouet d'enfant d'apparence humaine. **2** fig. Personne versatile.

**pantois, oise** adj. Dont le souffle est coupé par l'émotion, la surprise.

**pantomime** n. f. 1 Jeu, spectacle de mime. 2 Art de s'exprimer sans parole.

**pantouflard, arde** adj. et n. fam. Casanier.

**pantoufle** n. f. Chaussure d'intérieur, en matière souple. → **charentaise.**

**pantoute** adv. (Canada) fam. Pas du tout.

**panure** n. f. Mélange d'œuf battu et de chapelure enrobant un aliment pané.

**paon,** fém. rare **paonne** [pɑ̃, pan] n. 1 Oiseau dont le mâle porte une longue queue ocellée qu'il redresse et déploie. 2 loc. *Se parer des plumes du paon* : se prévaloir de mérites d'autrui.

**papa** n. m. 1 surtout lang. enfantin Père. – *Grand-papa, bon-papa* : grand-père. 2 loc. fam. *À la papa* : tranquillement. – péj. *Fils, fille à papa* : enfant de riche.

**papauté** n. f. Gouvernement ecclésiastique par un pape (catholicisme romain).

**papaye** [-aj] n. f. Fruit du *papayer* (n. m.), de forme allongée, à chair rouge orangé.

**pape** n. m. Chef suprême de l'Église catholique romaine (→ **pontife ; papauté).** ► **papal, ale, aux** adj.

① **papelard, arde** adj. littér. Faux, doucereux. ► **papelardise** n. f.

② **papelard** n. m. fam. Morceau de papier ; écrit (administratif).

**paperasse** n. f. plur. ou collectif Papiers écrits, inutiles ou encombrants. ► **paperasserie** n. f. ► **paperassier, ière** adj. et n.

**papeterie** [papɛtʀi] n. f. 1 Fabrication du papier. – Fabrique de papier. 2 Magasin de fournitures de bureau, d'école. *Librairie-papeterie.* ► **papetier, ière** n.

**papi** ou **papy** n. m. 1 lang. enfantin Grand-père. 2 fam. Homme âgé. → **pépé.**

**papier** n. m. I 1 Matière fabriquée avec des fibres (chiffon, puis bois) réduites en pâte, formant une feuille mince (pour écrire, essuyer...). ♦ *Papier-monnaie* : billets de banque. ♦ *Papier de verre**. *Papier peint,* pour tapisser. *Papier hygiénique,* utilisé aux toilettes pour s'essuyer. 2 *Papier mâché* : pâte de papier durcie. – loc. *Une mine de papier mâché,* blafarde. 3 Feuille très mince. *Papier d'aluminium.* II 1 Feuille, morceau de papier. 2 Écrit officiel, document. – au plur. *Papiers (d'identité).* 3 loc. *Être dans les petits papiers de qqn,* jouir de sa faveur.

**papille** n. f. Petite éminence de la peau ou d'une muqueuse (terminaison vasculaire ou nerveuse).

**papillomavirus** n. m. biol. Virus responsable d'affections de la peau, des muqueuses.

**papillome** n. m. méd. Tumeur bénigne de la peau ou d'une muqueuse, due à un papillomavirus (ex. la verrue).

**papillon** n. m. 1 Insecte à quatre ailes, après métamorphose de la chenille. → **lépidoptère.** – loc. fig. *Avoir des papillons dans le ventre* : ressentir une vive émotion (trac...). 2 *Nœud papillon* ; fam. *nœud pap* : nœud de cravate plat. 3 fam. Avis de contravention. 4 Écrou à ailettes. 5 *(Brasse) papillon,* nage.

**papillonner** v. intr. [1] 1 Aller d'une chose à l'autre sans s'arrêter. 2 fig. Passer d'un sujet à l'autre. ► **papillonnant, ante** adj. ► **papillonnement** n. m.

**papillote** n. f. 1 Bigoudi de papier. 2 Feuille enveloppant des aliments cuits au four *(en papillotes).*

**papilloter** v. intr. [1] 1 Scintiller comme des paillettes. 2 Être sans cesse en mouvement (yeux, paupières). ► **papillotant, ante** adj. ► **papillotement** n. m.

**papiste** n. hist., péj. Partisan inconditionnel de la papauté.

**papoter** v. intr. [1] Parler beaucoup en disant des choses insignifiantes. ► **papotage** n. m. ► **papoteur, euse** n.

**papouille** n. f. fam. Petite caresse.

**paprika** n. m. Piment en poudre.

**papy** → **papi**

**papy-boom** [-bum] n. m. fam. Forte augmentation de la proportion de personnes âgées, dans une population.

**papyrus** [-ys] n. m. 1 Plante des bords du Nil. 2 Feuille à écrire faite de sa tige.

**Pâque** n. f. Fête juive qui commémore le départ d'Égypte des Hébreux.

**paquebot** n. m. Grand navire de transport de passagers.

**pâquerette** n. f. Petite plante des prairies, à fleurs blanches ou rosées, au cœur jaune (comme la marguerite).

**Pâques** 1 n. f. pl. Fête chrétienne commémorant la résurrection du Christ. 2 n. m. Le jour, la fête de Pâques.

**paquet** n. m. 1 Assemblage de choses attachées ou enveloppées ensemble ; objet emballé. – fig. *Paquet fiscal* : ensemble de mesures d'allégement fiscal. 2 Masse. *Des paquets de neige.* 3 loc. fam. *Mettre le paquet* : employer les grands moyens.

**paquetage** n. m. Effets d'un soldat pliés de manière réglementaire.

**par** prép. I 1 (lieu) À travers. *Regarder par la fenêtre.* – En parcourant. *Voyager (de) par le monde.* ♦ Sur. *Être assis par terre.* 2 (temps) Durant, pendant. *Par un beau soir...* 3 (emploi distributif) *Plusieurs fois par jour.* II 1 (introduisant le compl. d'agent) Grâce à l'action de. ♦ Au moyen de. *Obtenir qqch. par la force.* 2 À cause de. *Fidèle par devoir.* III *De par la loi,* au nom de la loi. IV adv. *Par trop* : vraiment trop.

**parabellum** [-ɔm] n. m. invar. Pistolet automatique de guerre.

① **parabole** n. f. Récit allégorique des livres saints.

② **parabole** n. f. 1 Courbe dont chacun des points est situé à égale distance d'un point fixe (foyer) et d'une droite fixe (directrice). 2 Antenne (de télévision) en forme de parabole. ► **parabolique** adj.

**paracentèse** [-sɛ̃tɛz] n. f. chir. Ponction pour retirer du liquide en excédent.

Attention à l'orthographe de *-centèse* (sans rapport avec *synthèse*).

**paracétamol** n. m. Médicament antalgique et antipyrétique.

**parachever** v. tr. [5] Conduire au point le plus proche de la perfection. ► **parachèvement** n. m.

**parachute** n. m. Équipement capable de se déployer en l'air, et ralentissant la descente (saut d'un avion, etc.) ; sport du saut en parachute.

**parachuter** v. tr. [1] 1 Lâcher d'un avion avec un parachute. 2 fam. Nommer, envoyer (qqn) à l'improviste. ► **parachutage** n. m.

**parachutiste** n. Personne, militaire qui pratique le saut en parachute. – abrév. **para.** ► **parachutisme** n. m.

① **parade** n. f. 1 littér. Fait de montrer avec ostentation (→ **parader**). – loc. *Faire parade de qqch.* → **étaler, exhiber.** 2 Cérémonie militaire où les troupes défilent. *Tenue de parade.* 3 *Parade (de foire, de cirque)* : exhibition. 4 (animaux) Comportement préludant au rapprochement sexuel.

② **parade** n. f. Action de parer (②).

**parader** v. intr. [1] Se montrer en se donnant un air avantageux.

**paradis** n. m. 1 relig. Lieu où les élus jouissent de la béatitude éternelle. 2 fig. Lieu enchanteur. 3 *Le paradis terrestre,* jardin où, dans la Genèse, Dieu place Adam et Ève. 4 *Oiseau de paradis.* → **paradisier.**

**paradisiaque** adj. 1 Du paradis. 2 Digne du paradis. → **enchanteur.**

**paradisier** n. m. Oiseau de la Nouvelle-Guinée, aux jolies couleurs.

**paradoxal, ale, aux** adj. 1 Du paradoxe. ► **paradoxalement** adv. 2 Qui recherche le paradoxe. 3 *Sommeil paradoxal,* phase d'intense activité cérébrale (rêves).

**paradoxe** n. m. Opinion qui va à l'encontre de l'opinion commune.

**paraffine** n. f. Substance solide blanche, tirée du pétrole. ► **paraffiné, ée** adj.

**parages** n. m. pl. 1 Espace maritime proche (d'une terre). *Les parages du cap Horn.* 2 *Dans les parages (de)* : aux environs de ; dans les environs.

**paragraphe** n. m. 1 Division d'un écrit en prose, où l'on passe à la ligne. 2 Signe typographique (§) de cette division.

**paragrêle** adj. Qui protège les cultures en transformant la grêle en pluie.

**paraître** v. intr. [57] I Devenir visible. 1 Apparaître. 2 (imprimé) Rendre disponible pour le public. *Son livre est paru, vient de paraître.* II 1 Être visible, être vu. *Demain il n'y paraîtra plus.* 2 (personnes) Se faire remarquer. III (verbe d'état ; + attribut) 1 Sembler, avoir l'air. *Il paraît s'amuser. Cela m'a paru louche.* 2 (opposé à *être*) Passer pour. → **sembler.** 3 impers. *Il me paraît sûr que..., juste de dire...* – *Il paraît, il paraîtrait que* (+ indic.) : le bruit court que. IV n. m. didact. Apparence. *L'être et le paraître.*

**parallaxe** n. f. astron. Déplacement de position apparente (corps céleste) dû au changement de position de l'observateur ; sa mesure. – opt. Angle de deux axes optiques visant un même objet.

**parallèle** adj. I 1 géom. (euclidienne) Se dit de lignes, de surfaces qui ne se rencontrent jamais. *Droites parallèles ;* n. f. *des parallèles.* 2 n. m. Cercle imaginaire de la sphère terrestre, parallèle à l'équateur, mesurant la latitude. II 1 Qui affecte un même objet en même temps. *Marché parallèle* (au marché officiel). – *Police parallèle,* secrète. 2 au plur. (choses) Qui peuvent être comparés. 3 n. m. Comparaison suivie. – loc. *Mettre en parallèle* : comparer.

**parallèlement** adv. D'une manière parallèle (II, 1 et 2).

**parallélépipède** n. m. Hexaèdre dont les faces sont des parallélogrammes parallèles deux à deux.

**parallélisme** n. m. 1 État de lignes, de surfaces parallèles. 2 Progression semblable ou ressemblance suivie (entre choses).

**parallélogramme** n. m. Quadrilatère dont les côtés sont parallèles deux à deux.

**paralympique** adj. *Jeux paralympiques* : compétition similaire aux Jeux olympiques, pour des athlètes handicapés (→ **handisport**).

**paralyser** v. tr. [1] 1 Frapper de paralysie. ♦ Immobiliser. *Le froid paralyse les membres.* 2 fig. Rendre incapable d'agir, de s'exprimer ; de fonctionner. ▷ adj. et n. **paralysé, ée** ► **paralysant, ante** adj.

**paralysie** n. f. 1 Privation de la capacité de mouvement, de la sensibilité. 2 fig. Impossibilité d'agir, de s'extérioriser. ► **paralytique** adj. et n.

**paramécie** n. f. zool. Protozoaire porteur de cils vibratiles.

**paramédical, ale, aux** adj. Des activités annexes de la médecine.

**paramètre** n. m. 1 math. Variable dont dépendent les coefficients de certaines expressions. 2 fig. Élément variable pris en compte pour expliquer qqch. → **facteur.**

**paramétrer** v. tr. [1] Déterminer les paramètres de (qqch.). ♦ inform. Régler, adapter (un périphérique...).

**paramilitaire** adj. Organisé comme une armée.

**parangon** n. m. littér. Modèle, exemple.

**paranoïa** n. f. Troubles caractériels (délire de persécution, orgueil démesuré), pouvant déboucher sur la maladie mentale. ► **paranoïaque** adj. et n. – abrév. **parano.**

**paranormal, ale, aux** adj. Qui n'est pas explicable par les lois naturelles.

**parapente** n. m. Parachute rectangulaire pour s'élancer d'un sommet ; ce sport.

**parapet** n. m. Mur à hauteur d'appui.

**parapharmacie** n. f. Ensemble des produits à usage non thérapeutique vendus en pharmacie (shampooings, etc.). ► **parapharmaceutique** adj.

**paraphe** n. m. 1 Trait ajouté à une signature. 2 Signature abrégée. – var. **parafe.** ► **parapher** v. tr. [1] – var. **parafer.**

**parapheur** n. m. Classeur pour les documents présentés à la signature.

**paraphrase** n. f. Reprise (d'un texte) sous une forme plus développée. → **glose.** ► **paraphraser** v. tr. [1]

**paraplégie** n. f. Paralysie des membres, et particulièrement des membres inférieurs. ► **paraplégique** adj. et n.

**parapluie** n. m. 1 Étoffe tendue sur une armature pliante à manche, abri contre la pluie. 2 fig. *Parapluie nucléaire*, protection assurée par une puissance nucléaire.

**parapsychique** adj. didact. Se dit des phénomènes psychiques inexpliqués.

**parapsychologie** [-k-] n. f. Étude des phénomènes parapsychiques. ► **parapsychologique** adj.

**parascolaire** adj. En marge des activités strictement scolaires.

**parasismique** [-sis-] adj. Conçu pour résister aux secousses sismiques.

**parasite** I n. (péj.) Personne qui vit dans l'oisiveté, aux dépens des autres. II 1 n. m. Être vivant en association durable avec un autre dont il se nourrit. – adj. *Le gui est une plante parasite.* 2 adj. Superflu et gênant. ► **parasitaire** adj. III adj. et n. m. *(Bruits) parasites*, perturbations radioélectriques.

**parasiter** v. tr. [1] 1 Vivre en parasite (II) avec (un être vivant). 2 Perturber par des parasites (III).

**parasitisme** n. m. 1 Mode de vie du parasite (I). 2 État de parasite (II).

**parasol** [-sɔl] n. m. 1 Grande ombrelle. 2 *Pin parasol*, à branches en parasol.

**paratonnerre** n. m. Tiges métalliques reliées au sol, pour préserver les bâtiments des effets de la foudre.

**paravent** n. m. 1 Panneaux verticaux mobiles, pour isoler. 2 fig. Ce qui protège en cachant.

**parbleu** interj. vx Exclamation d'assentiment. → fam. **pardi.**

**parc** n. m. I 1 Étendue de terrain entretenu, entièrement clos. *Le parc d'un château.* 2 *Parc national, régional* : zone rurale étendue, pittoresque, soumise à des réglementations. II 1 Clôture légère. 2 Enclos à bétail. ♦ Bassin où sont engraissés ou affinés des coquillages. 3 *Parc de stationnement.* → anglic. **parking.** 4 Ensemble de véhicules. *Le parc automobile français.*

**parcelle** n. f. 1 Très petit morceau. 2 Portion de terrain de même culture. ► **parcellaire** adj.

**parce que** loc. conj. Exprime la cause. → **car, puisque.** *Nous partons parce qu'on nous attend.*

**parchemin** n. m. 1 Peau d'animal (mouton, chèvre, veau) préparée pour l'écriture. 2 Écrit sur parchemin. ♦ fam. Diplôme.

**parcheminé, ée** adj. Qui a la consistance ou l'aspect du parchemin.

**parcimonie** n. f. Épargne, économie extrême. ► **parcimonieux, euse** adj. ► **parcimonieusement** adv.

**par-ci par-là** → ① **ci**

**parcmètre** [paʀk-] n. m. Compteur de stationnement payant, pour les voitures.

**parcourir** v. tr. [11] 1 Aller dans toutes les parties de (un lieu, un espace). 2 Accomplir (un trajet). 3 Lire rapidement.

**parcours** n. m. 1 Chemin pour aller d'un point à un autre. – *Parcours du combattant* : parcours semé d'obstacles (exercice militaire) ; fig. série d'épreuves. 2 Distance déterminée à suivre.

**par-delà** → **delà**

**par-derrière** → **derrière**

**par-dessous** → **dessous**

**pardessus** n. m. Manteau d'homme.

**par-dessus** → **dessus**

**par-devant** → **devant**

**pardi** interj. fam. Exclamation renforçant une déclaration.

**pardon** n. m. I 1 Fait de pardonner. *Demander pardon.* 2 *(Je vous demande) pardon*, formule d'excuse. ♦ *Pardon ?*, pouvez-vous répéter ? II Fête religieuse. *Un pardon breton.* ♦ *Le grand Pardon*, fête juive de l'expiation.

**pardonner** v. tr. [1] 1 Renoncer à punir, à se venger. *Pardonner une injure.* – *Pardonner à qqn.* 2 Juger avec indulgence, en minimisant la faute de. → **excuser.** 3 loc. *Ça ne pardonne pas*, c'est très grave ou mortel. ► **pardonnable** adj.

**pare-balles** adj. invar. Qui protège des balles. *Un gilet pare-balles.*

**pare-brise** n. m. invar. Vitre avant (d'un véhicule).

**pare-chocs** n. m. invar. Garniture (d'un véhicule) pour amortir les chocs.

**pare-feu** n. m. Protection contre le feu.

**parégorique** adj. *Élixir parégorique*, contre les douleurs d'intestin.

**pareil, eille** I adj. 1 Semblable. - adv. fam. *Ils sont habillés pareil.* 2 De cette nature, de cette sorte. → **tel.** *En pareil cas.* II 1 n. Personne de même sorte. *Il n'a pas son pareil.* - *Sans pareil(le)* : sans égal. 2 n. f. *Rendre la pareille* : faire subir (à qqn) un traitement analogue à celui qu'on a reçu. 3 (n. m.) loc. fam. *C'est du pareil au même* : c'est la même chose. ► **pareillement** adv.

**parement** n. m. 1 techn. Face extérieure (d'un mur) revêtue de pierres de taille. 2 Revers (col, manches d'un vêtement).

**parenchyme** n. m. bot. Tissu cellulaire spongieux et mou des végétaux.

**parent, ente** I n. 1 au plur. *Les parents* : le père et la mère. 2 Personne de la famille. II adj. 1 Avec qui on a un lien de parenté. 2 fig. (choses) Proche, apparenté.

**parental, ale, aux** adj. Des parents.

**parentalité** n. f. didact. Qualité, statut de parent (du point de vue social, juridique...).

**parenté** n. f. 1 Rapport entre personnes descendant les unes des autres, ou d'un ancêtre commun. 2 Ensemble des parents (2). 3 fig. Rapport d'analogie.

**parenthèse** n. f. 1 Insertion, dans une phrase, d'un élément accessoire. 2 Signe placé avant, après la parenthèse : ( ). - fig. *Entre parenthèses.* → **incidemment.**

**paréo** n. m. 1 Pagne tahitien. 2 Vêtement de plage analogue.

① **parer** v. tr. [1] I 1 Préparer (qqch.) pour un usage. 2 mar. *Parez à virer !*, manœuvrez. II cour. 1 Vêtir (qqn) avec recherche. 2 fig. Attribuer (une qualité). *Parer qqn de toutes les vertus.* ▷ v. pron. se **parer**

② **parer** v. tr. [1] 1 *Parer un coup*, l'éviter. 2 v. tr. ind. *Parer à* : faire face à. *Parer à toute éventualité.* loc. *Parer au plus pressé*, s'occuper du plus urgent.

**pare-soleil** n. m. invar. Écran protégeant du soleil.

**paresse** n. f. 1 Goût pour l'oisiveté ; fait d'éviter l'effort. 2 Lenteur à fonctionner, à réagir. *Paresse intestinale.*

**paresser** v. intr. [1] (personnes) Se laisser aller à la paresse ; ne rien faire.

**paresseux, euse** I adj. 1 Qui montre de la paresse, évite l'effort. - n. *Quel paresseux !* 2 (organe) Qui fonctionne, réagit avec une lenteur anormale. II n. m. Mammifère à mouvements lents, qui vit dans les arbres (syn. *aï*). ► **paresseusement** adv.

**parfaire** v. tr. [60] seulement inf. et temps composés Conduire à la perfection.

**parfait, aite** I adj. 1 (choses) Qui est au plus haut, dans l'échelle des valeurs. loc. *Filer le parfait amour.* 2 (personnes) Sans défaut. 3 (avant le nom) Vrai, complet. *Un parfait idiot.* II n. m. ling. Le passé simple ou composé (opposé à *imparfait*). III n. m. Entremets glacé à la crème.

**parfaitement** adv. 1 D'une manière parfaite, très bien. → **admirablement.** 2 Absolument. → **très.** 3 Oui, certainement.

**parfois** adv. À certains moments, dans certains cas. → **quelquefois.**

**parfum** n. m. 1 Odeur agréable et pénétrante. 2 Goût (d'un arôme). *À quel parfum, votre glace ?* 3 Substance aromatique. 4 loc. fam. *Être au parfum*, informé.

**parfumer** v. tr. [1] 1 Imprégner de parfum. - pronom. *Se parfumer.* 2 Aromatiser.

**parfumerie** n. f. 1 Fabrication des parfums et des produits de beauté. ♦ Ces produits. 2 Usine, boutique de parfumerie.

**parfumeur, euse** n. Fabricant(e) ou marchand(e) de parfums.

**pari** n. m. 1 Convention par laquelle des personnes s'engagent à verser une somme à celle qui aura raison. *Tenir un pari*, l'accepter. 2 Jeu où le gain dépend du résultat de courses, d'épreuves, de compétitions ; action de parier.

**paria** n. m. 1 en Inde Personne hors caste. → **intouchable.** 2 fig. Personne exclue.

**parier** v. tr. [7] 1 Engager (un enjeu) dans un pari. - *Parier sur un cheval.* → **jouer.** 2 Affirmer ; être sûr. *Je parie que c'est lui.* - *Vous avez soif, je parie ?*, je suppose.

**pariétal, ale, aux** adj. didact. *Peintures pariétales*, faites sur une paroi de roche.

**parieur, euse** n. Personne qui parie (1).

**parigot, otte** adj. et n. fam. Parisien.

**parisien, ienne** adj. et n. De Paris.

**paritaire** adj. *Commission paritaire*, où les représentants des parties sont en nombre égal.

**parité** n. f. I 1 didact. Fait d'être pareil (de deux choses). 2 écon. Égalité de la valeur d'échange des monnaies. II Égalité de répartition (dans un ensemble). *La parité hommes-femmes.*

**parjure** littér. 1 n. m. Violation de serment. 2 n. et adj. Auteur de parjure. ► **se parjurer** v. pron. [1]

**parka** n. m. ou f. Court manteau imperméable à capuchon.

**parking** n. m. anglic. Parc de stationnement pour les automobiles.

**parkinson** [paʀkinsɔn] n. m. méd. Affection neurologique avec tremblements et raideur musculaire. ► **parkinsonien, ienne** adj. et n.

**parlant, ante** adj. 1 Qui enregistre et reproduit la parole. - *Cinéma parlant* (opposé à *muet*). 2 (choses) Éloquent, clair.

**parlé, ée** adj. Qui se réalise par la parole. → **oral.** - *Journal parlé* (radio).

**parlement** n. m. **1** hist. Cour de justice. **2** Assemblée ou chambres qui détiennent le pouvoir législatif (en France, Assemblée nationale et Sénat).

① **parlementaire** **1** adj. Du Parlement. **2** n. Membre du Parlement. → **député.**

② **parlementaire** n. Personne chargée de parlementer avec l'ennemi.

**parlementarisme** n. m. Régime parlementaire (①). ► **parlementariste** adj. et n.

**parlementer** v. intr. [1] **1** Entrer en pourparlers avec l'ennemi. **2** Discuter.

① **parler** v. [1] **I** v. intr. **1** Communiquer, s'exprimer par la parole. **2** Révéler ce qu'on tenait caché. *Son complice a parlé.* **3** (sujet chose) Être éloquent. *Les chiffres parlent d'eux-mêmes.* **II** v. tr. ind. **1** *Parlez-moi de vous, de vos projets.* – loc. *Sans parler de,* en plus de. **2** *Parler à qqn,* lui adresser la parole. – loc. *Trouver à qui parler,* avoir un adversaire difficile. **3** fam. *Tu parles !,* exclamation dubitative ou méprisante. **III** v. tr. dir. **1** Pouvoir s'exprimer au moyen de (telle langue). *Je ne parle pas anglais.* **2** Aborder (un sujet). *Parler politique.*

② **parler** n. m. Dialecte, patois.

**parleur** n. m. loc. péj. *Beau parleur :* celui qui aime à faire de belles phrases. → **phraseur.**

**parloir** n. m. Local d'une communauté, d'une prison où les visiteurs sont admis.

**parlote** ou **parlotte** n. f. Échange de paroles insignifiantes.

**parme** **1** adj. invar. Mauve (comme la violette de Parme). **2** n. m. Jambon de Parme.

**parmesan** n. m. Fromage à pâte dure (des environs de Parme), au goût piquant.

**parmi** prép. **1** Au milieu de. → **entre.** *Parmi nous.* → **avec, près** de. **2** Entre plusieurs. *C'est une solution parmi (tant) d'autres.* **3** Dans un ensemble d'êtres vivants. → **chez.**

Pas de *s*, contrairement à *hormis.*

**parodie** n. f. Imitation burlesque (d'une œuvre sérieuse). ♦ fig. Contrefaçon. → **caricature.** ► **parodique** adj.

**parodier** v. tr. [7] Imiter (une œuvre, un auteur) ; caricaturer.

**paroi** n. f. **1** Séparation intérieure dans une maison. → **cloison, mur. 2** Roc, terrain à pic. **3** Surface intérieure (d'un contenant).

**paroisse** n. f. Circonscription d'un curé, d'un pasteur. ► **paroissial, iale, iaux** adj.

**paroissien, ienne** n. **1** Personne qui dépend d'une paroisse. **2** n. m. Livre de messe. → **missel.**

**parole** n. f. **I 1** Élément du langage articulé. → **mot ; expression.** – loc. *De belles paroles :* des promesses creuses. **2** au plur. Texte (d'une chanson). **3** Pensée exprimée en quelques mots. → **mot. 4** *Parole (d'honneur),* promesse sur l'honneur. – *Sur parole :* sur promesse. **II 1** Faculté de communiquer la pensée par un système de sons articulés émis par la voix. **2** Fait de parler. *Prendre la parole.*

**parolier, ière** n. Auteur des paroles (I, 2) d'une chanson, d'un opéra.

**paronyme** adj. et n. m. didact. Presque homonymes (ex. *éminent-imminent*). ► **paronymie** n. f.

**paroxysme** n. m. Le plus haut degré (sensation, sentiment ; phénomène). ► **paroxysmal, ale, aux ; paroxysmique** et **paroxystique** adj.

**parpaillot, ote** n. vx et péj. Protestant.

**parpaing** [-pɛ̃] n. m. Bloc (pierre, béton, etc.) formant l'épaisseur d'une paroi.

**parquer** v. tr. [1] **1** Mettre (des animaux) dans un parc. **2** Enfermer (des personnes). **3** Ranger (une voiture) dans un parc de stationnement.

**parquet** n. m. **I** Magistrats chargés de requérir l'application de la loi. **II** Assemblage de bois garnissant le sol d'une pièce, d'une salle. ► **parqueter** v. tr. [4] *Parqueter une pièce.*

**parrain** n. m. **1** Celui qui tient (a tenu) un enfant sur les fonts baptismaux. **2** Responsable d'un nouveau membre (cercle, club). **3** Chef d'un groupe illégal (maffia).

**parrainage** n. m. **1** Fonction, qualité de parrain (1 et 2) ou de marraine. **2** Appui moral. **3** Soutien financier (→ **mécénat ; sponsor). 4** Soutien écrit à un candidat à une élection.

**parrainer** v. tr. [1] Accorder son parrainage (2 et 3) à.

**parricide** **1** n. m. Meurtre du père ou de la mère. **2** n. Auteur d'un parricide.

**parsemer** v. tr. [5] **1** Répartir par endroits. **2** Être répandu çà et là sur.

**part** n. f. **I 1** Ce qu'une personne possède ou acquiert en propre. – *Avoir part à :* participer à. ♦ *Prendre part à :* jouer un rôle dans. – S'associer (aux sentiments d'autrui). *Je prends part à votre douleur.* ♦ *Pour ma part :* en ce qui me concerne. **2** *Faire part de qqch. à qqn,* faire connaître. **3** Partie attribuée à qqn ou consacrée à qqch. → **lot, morceau, portion.** – Partie de capital. *Acheter des parts dans une entreprise.* ♦ Ce que chacun doit donner. → **écot, quote-part. 4** *Faire la part de :* tenir compte de. **II** Partie. loc. *Pour une large part :* en grande partie. **III** Côté, lieu (dans des loc.). **1** *De la part de (qqn) :* au nom de (qqn), pour (qqn). – *D'une part... d'autre part ; d'une part..., de l'autre,* en comparant. – *D'autre part* (en début de phrase). → d'**ailleurs.** – *De part et d'autre :* des deux côtés. – *De part en part.* → à **travers.** – *En bonne, en mauvaise part :* en bien, en mal. **2** (avec un adj. indéf.) *Nulle part :* en aucun lieu. – *Autre part :* dans un autre lieu. – *Quelque part :* en un lieu indéterminé. **3** *À part* loc. adv. : à l'écart. *Prendre qqn à part,* en particulier. – loc. prép. Excepté. *À part lui.*

– adjectivt Séparé d'un ensemble. *Une place à part.*

**partage** n. m. **I 1** Action de partager ; division en parts. *Le partage d'un domaine.* **2** Fait de partager (qqch. avec qqn). ♦ *Sans partage :* sans réserve. **II** Part qui revient à qqn. *Recevoir qqch. en partage.*

**partager** v. tr. [3] **1** Diviser (un ensemble) en éléments (distribution, répartition). **2** *Partager qqch. avec qqn,* lui en donner une partie. **3** Avoir, prendre en partie avec, en même temps que d'autres. *Partager le repas de qqn.* **4** (sujet chose) Diviser (un ensemble) de manière à former plusieurs parties. **5** (sujet personne) au passif Être divisé entre des sentiments contradictoires. – (sujet chose) *Les avis sont partagés.* ▷ v. pron. se **partager**

> *Partager qqch. à qqn* (ex. *Je vous partage ma vidéo*) est critiqué.

**partance** n. f. *En partance (pour) :* qui va partir (bateaux, etc.).

① **partant, ante 1** n. Personne qui part. **2** n. Personne, cheval au départ d'une course. **3** adj. D'accord (pour), disposé (à). *Je ne suis pas partant.*

② **partant** conj. littér. Ainsi, donc.

**partenaire** n. **1** Personne avec qui l'on est allié contre d'autres joueurs. ♦ Personne associée à une autre (danse, exercice sportif, etc.). **2** Personne avec qui on a des relations sexuelles. **3** Pays associé, communauté associée ; allié commercial.

**partenariat** n. m. Système associant des partenaires (3) économiques ou sociaux. ► **partenarial, ale, aux** adj.

**parterre** n. m. **I** Plantation décorative de fleurs. **II** Partie du rez-de-chaussée d'une salle de théâtre, derrière l'orchestre.

**parthénogenèse** n. f. biol. Reproduction sans fécondation, dans une espèce sexuée.

① **parti** n. m. **I 1** littér. Solution d'une situation. *Hésiter entre deux partis.* **2** *Prendre le parti de :* se décider à. – *Prendre parti :* prendre position. – *Prendre son parti :* se déterminer. – *Parti pris :* opinion préconçue. *Être de parti pris.* → **partial. II** loc. *Tirer parti de :* exploiter, utiliser. **III** Personne à marier. *Un beau parti.*

② **parti** n. m. **1** Groupe de personnes défendant la même opinion. **2** plus cour. Organisation politique.

**partial, ale, aux** adj. Qui prend parti sans souci de justice ni de vérité. ► **partialement** adv. ► **partialité** n. f.

**participant, ante** adj. et n. (Personne) qui participe à qqch.

**participatif, ive** adj. **1** Relatif à une participation financière. **2** Qui implique une participation. *Démocratie participative.*

**participation** n. f. **1** Action de participer ; action en commun. **2** Fait de participer à (un profit ; une dépense).

**participe** n. m. Forme dérivée du verbe, qui « participe » de l'adjectif et du verbe. *Participe présent ; passé.*

**participer** v. tr. ind. [1] **I** *Participer à* **1** Prendre part à (qqch.). – fig. *Participer au chagrin d'un ami,* s'y associer. **2** Avoir part à (qqch.). *Participer aux frais.* **II** littér. (sujet chose) *Participer de :* tenir à la fois de.

**particulariser** v. tr. [1] Différencier par des traits particuliers. ► **particularisation** n. f.

**particularisme** n. m. **1** Attitude d'une communauté, d'un groupe qui veut conserver ses usages particuliers, son autonomie. ► **particulariste** adj. et n. **2** Caractère particulier.

**particularité** n. f. Caractère particulier.

**particule** n. f. **1** Infime quantité (d'un corps). – *Particules fines,* en suspension dans l'air. ♦ sc. Constituant élémentaire (de la matière, de l'énergie). **2** *Particule (nobiliaire),* la préposition *de (du, de la)* précédant un nom de famille.

**particulier, ière I** adj. **1** Qui appartient en propre (à qqn, qqch. ou à une catégorie). → **personnel, propre. 2** Qui ne concerne qu'un individu. → **individuel.** – loc. *Je voudrais vous parler en particulier,* seul à seul. **3** Qui présente des caractères hors du commun. – *En particulier* loc. adv. : spécialement, surtout. **4** Qui concerne un cas précis (opposé à *général*). – n. m. *Aller du général au particulier.* – *En particulier* loc. adv. (opposé à *en général*). **II** n. Personne privée. *Vente aux particuliers.* ♦ fam. Individu.

**particulièrement** adv. D'une manière particulière (I, 3 et 4). → **surtout.**

**partie** n. f. **I 1** Élément (d'un tout), unité séparée ou abstraite (d'un ensemble). *Roman en deux parties.* – loc. *La majeure partie.* → **la plupart.** – loc. *En partie.* → **partiellement. 2** *Faire partie de :* compter parmi. → **appartenir. 3** Élément constitutif (d'un être vivant). *Les parties du corps.* – fam. *Les parties,* ellipt *parties sexuelles masculines.* **4** (avec un poss.) Domaine d'activités. *Elle est très forte dans sa partie.* **II 1** dr. Personne physique ou morale qui participe à un acte juridique, à un procès. – loc. *Être juge et partie,* avoir à juger une affaire où l'on est impliqué. **2** loc. *Prendre qqn à partie :* s'en prendre à lui. **3** loc. *Avoir affaire à forte partie,* à un adversaire redoutable. **III 1** Durée (d'un jeu) à l'issue de laquelle sont désignés gagnants et perdants. *Partie de cartes.* ♦ Combat. *J'abandonne la partie.* **2** Divertissement à plusieurs. *Partie de plaisir.* **3** *Ce n'est que partie remise,* ce sera pour une autre fois.

**partiel, elle** [-sjɛl] adj. Qui ne concerne qu'une partie. ► **partiellement** adv.

① **partir** v. intr. [16] **I 1** Se mettre en mouvement pour quitter un lieu. → s'en **aller,** s'**éloigner.** – (sujet chose) *Ma lettre est partie hier.* **2** Passer de l'immobilité à un mouvement rapide. **3** (sujet chose) Se mettre à progresser, à marcher. *L'affaire est bien, mal partie.* → **commencer.** **4** (projectiles) Être lancé. *Le coup n'est pas parti.* **5** (sujet chose) Disparaître. *La tache est partie.* ♦ *Tout son argent part en livres.* **6** Mourir. *Mon père est parti le premier.* **II** *Partir de.* **1** Venir, provenir de (une origine). **2** Avoir son principe dans. *Mot qui part du cœur.* **3** Commencer un raisonnement, une opération. *En partant de ce principe.* **4** *À partir de* loc. prép. : en prenant pour point de départ dans le temps.

② **partir** v. tr. (seulement inf.) vx Partager. *Avoir maille à partir.* → ② **maille.**

**partisan, ane** **I** **1** n. (rare au fém.) Personne qui prend parti pour une doctrine. - adj. *Être partisan de* (+ inf.), être d'avis de. **2** adj. Qui témoigne d'un parti pris. *Haines partisanes.* **II** n. m. Soldat de troupes irrégulières, combattant en territoire occupé.

**partitif, ive** adj. gramm. *Article partitif,* qui détermine une partie non mesurable (ex. *manger du pain, boire de l'eau*).

**partition** n. f. Notation d'une composition musicale.

**partout** adv. En tous lieux ; en de nombreux endroits.

**partouze** n. f. fam Relation sexuelle impliquant plus de deux personnes.

**parturition** n. f. méd. Accouchement.

**paru, ue** P. p. du verbe *paraître.*

**parure** n. f. **1** Vêtements, ornements d'une personne en grande toilette. **2** Ensemble assorti de bijoux, de pièces de linge.

**parution** n. f. Moment de la publication (d'un livre, d'un article).

**parvenir** v. tr. ind. [22] *Parvenir à* **1** Arriver, dans un déplacement. → **atteindre.** **2** (sujet chose) Arriver jusqu'à. *Le bruit de la rue lui parvenait.* **3** (personnes) Arriver à (un résultat). *Parvenir à ses fins.* - (+ inf.) *Je suis parvenu à le voir.* **4** Atteindre naturellement. *Parvenir à un âge avancé.*

**parvenu, ue** n. péj. Personne qui s'est élevée à une condition supérieure sans en acquérir les manières.

**parvis** n. m. **1** Place située devant (une église). **2** Espace dégagé réservé aux piétons, dans un ensemble urbain.

① **pas** n. m. **I** *Un, des pas* **1** Action de faire passer l'appui du corps d'un pied à l'autre, dans la marche. *Faire quelques pas.* - loc. *À chaque pas :* à chaque instant. *Pas à pas :* lentement. *Faire les cent pas :* marcher de long en large. *Revenir sur ses pas,* en arrière. **2** *Faux pas :* fait de trébucher ; fig. écart de conduite. **3** Trace laissée par un pied. *Des pas dans la neige.* **4** Longueur d'un pas. *C'est à deux pas (d'ici),* tout près. **5** fig. Chaque élément, chaque temps d'une progression. *Faire un pas en avant.* → **progresser.** - loc. *Faire les premiers pas :* prendre l'initiative. **II** **1** *Le pas :* la façon de marcher. - loc. *Au pas. Aller au pas* (sans courir). *Mettre qqn au pas,* le forcer à obéir. **2** Ensemble des pas d'une danse. - *Pas de deux :* partie d'un ballet dansée à deux. **3** Allure, marche (d'un animal). **III** (Passage) **1** loc. *Prendre le pas sur qqn,* le précéder. *Céder le pas à qqn,* le laisser passer devant. **2** Passage. → **col** (III). ♦ *Le pas de Calais* (détroit). **3** loc. *Se tirer d'un mauvais pas,* d'une situation périlleuse. **4** *Le pas de la porte :* le seuil. - loc. *Pas-de-porte :* bail commercial. **5** Tours d'une rainure en spirale. *Un pas de vis.*

② **pas** adv. de négation **I** *Ne...pas, ne pas* (négation du verbe). *Je ne parle pas.* - (+ inf.) *Il espère ne pas le rencontrer.* **II** **1** ellipt *Pas de chance ! Pourquoi pas ?* → **non.** **2** (devant un adj. ou un participe) *Un garçon pas bête.* **3** (avec adv.) *Pas du tout. Absolument pas.* **III** *Pas* (sans *ne*). fam. (parlé) *Pleure pas !*

① **pascal, ale, als** ou **aux** adj. Relatif à la Pâque juive ; à Pâques.

② **pascal** n. m. inform. Langage de programmation évolué.

③ **pascal, als** n. m. Unité de mesure de pression (symb. Pa), correspondant à une force de 1 newton exercée sur 1 $m^2$.

**pas-de-porte** → ① **pas** (III, 4)

**pashmina** n. m. Tissu très doux, de grande qualité, fait à partir de poils du cou de la chèvre dont on utilise les poils pour le cachemire. - Pièce (étole, etc.) de ce tissu.

**paso doble** [pasodɔbl] n. m. invar. Danse marchée.

**passable** adj. Qui peut passer, qui convient à peu près. ► **passablement** adv.

**passade** n. f. Liaison amoureuse de courte durée. - fig. Engouement passager.

**passage** n. m. **I** Action, fait de passer. **1** (En traversant, en passant) *Lieu de passage.* - *Au passage :* au moment où (qqn, qqch. passe). - *De passage :* qui ne reste pas longtemps. **2** Traversée (sur un navire). **3** *Examen de passage,* pour passer dans la classe supérieure. **4** Fait de passer d'un état à un autre. **II** **1** Endroit par où l'on passe. *Se frayer un passage.* **2** Petite voie pour les piétons qui unit deux artères. *Passage couvert.* **3** *Passage à niveau :* croisement d'une voie ferrée et d'une route. - *Passage souterrain.* - *Passage protégé.* **III** Fragment (d'une œuvre, d'un texte).

**passager, ère** **I** n. Personne transportée (navire, avion, voiture). **II** adj. Dont la durée est brève. ► **passagèrement** adv.

**passant, ante** **I** n. Personne qui passe (spécialt dans une rue). **II** n. m. Anneau, pièce cousue pour maintenir une courroie, une ceinture en place. **III** adj. Où passent beaucoup de personnes, de véhicules (rue...).

**passation** n. f. **1** dr. Action de passer (un acte). → **passer** (VI, 9). **2** *Passation de pouvoirs,* transmission de pouvoirs.

① **passe** n. f. **I** **1** escr. Action d'avancer sur l'adversaire. *Passe d'armes* (fig. échange d'arguments, de répliques). **2** loc. *Mot de* *passe* : formule convenue. **3** *Maison de passe,* de prostitution. **4** Mouvement de mains (d'un prestidigitateur, d'un magnétiseur...). **5** sports Action de passer la balle. **II** Passage étroit ouvert à la navigation. ♦ Passage, en montagne. **III** loc. **1** *Être en passe de,* en position, sur le point de. **2** *Dans une mauvaise passe,* dans une période d'ennuis.

② **passe** n. m. → **passe-partout**

① **passé** n. m. **I 1** Ce qui a été, ce qui s'est passé. *La connaissance du passé.* **2** Vie passée, ensemble de souvenirs. **3** loc. *(Comme) par le passé :* (comme) autrefois. **II** gramm. Temps révolu où se situe l'action verbale ; formes correspondantes du verbe. *Passé simple* (il fit) ; *passé composé* (il a fait). → aussi imparfait.

② **passé, ée** **I** adj. Qui n'est plus, est écoulé. *Huit heures passées.* **II** *Passé* prép. Après. *Passé l'église. Passé minuit.*

③ **passé, ée** adj. Éteint, fané.

**passe-droit** n. m. Faveur accordée contre le règlement. *Des passe-droits.*

**passéisme** n. m. didact. Goût excessif du passé. ► **passéiste** adj. et n.

**passe-lacet** n. m. Grosse aiguille servant à introduire un lacet dans un œillet.

**passementerie** n. f. Ouvrages de fil (franges, galons...) ; leur commerce.

**passe-montagne** n. m. Coiffure de tricot ne découvrant qu'une partie du visage. *Des passe-montagnes.*

**passe-partout** **1** n. m. invar. Clé servant à ouvrir plusieurs serrures. – abrév. **passe.** **2** adj. invar. Qui convient partout.

**passe-passe** n. m. invar. *Tour de passe-passe :* tour d'adresse.

**passe-plat** n. m. Guichet pour passer les plats, les assiettes. *Des passe-plats.*

**passepoil** n. m. Liseré, bordure de tissu entre deux pièces cousues.

**passeport** n. m. Pièce certifiant l'identité, la nationalité, pour se rendre à l'étranger.

**passer** v. [1] **I** v. intr. (auxiliaire *être ;* parfois *avoir*) **1** Se déplacer d'un mouvement continu. *Le train est passé.* – *Ne faire que passer,* rester peu de temps. – *En passant :* au passage. **2** Être projeté (film), diffusé (émission). **3** (avec certaines prép.) *Passer sur, sous, entre, par...* ♦ Ne pas s'attarder sur (un sujet). *Passer rapidement sur les détails.* absolt *Passons !* – *Passer outre**. – *Passer devant, derrière ; avant, après :* précéder, suivre (dans l'espace). fig. *Passer avant,* être plus important. **4** absolt Franchir un endroit difficile, dangereux, interdit. *On ne passe pas !* ♦ (sujet chose) Traverser un filtre (liquide). – (aliments) Être digéré. **5** absolt Être accepté, admis. – *Passe, passe encore :* cela peut être admis. **6** *Passer par :* traverser (un lieu, une situation) à un moment. ♦ fam. *Y passer :* subir nécessairement (une peine...) ; spécialt mourir. **7** *Passer inaperçu,* être inaperçu. **II** v. intr. (Aller) **1** *Passer de... à, dans, en... :* quitter (un lieu) pour aller dans (un autre). **2** (sans *de*) *Passer à, dans, en, chez ; quelque part,* aller. *Passons à table.* ♦ Accéder. *Passer dans la classe supérieure.* **3** *Passer* (+ inf.) : aller (faire qqch.). *Je passerai vous prendre demain.* **4** (choses) *Y passer :* être consacré à. *Tout son argent y passe.* **5** *Passer à :* en venir à. *Passer à l'action.* **6** (suivi d'un attribut) Devenir. *Il est passé maître dans cet art.* **III** v. intr. (sans compl.) **1** S'écouler (temps). *Les jours passaient.* **2** Cesser d'être ; avoir une durée limitée. → **disparaître.** *La douleur va passer.* **3** (couleur) Perdre son intensité, son éclat. → **pâlir.** **IV** verbe d'état (auxiliaire *avoir*) *Passer pour :* être considéré comme, avoir la réputation de. *Il a longtemps passé pour un génie.* ♦ (sujet chose) *Cela peut passer pour vrai.* **V** v. tr. **1** Traverser (un lieu, un obstacle). → **franchir.** *Passer la frontière.* ♦ littér. *Passez votre chemin ! :* partez ! **2** *Passer un examen,* en subir les épreuves. **3** Employer (un temps). *Passer la soirée chez qqn.* – *Passer le temps** *à* (+ inf.). **4** Abandonner (un élément d'une suite). → **oublier, sauter.** *Passer une ligne.* **5** *Passer* (qqch.) *à qqn.* → **permettre.** *Ses parents lui passent tout.* **6** Dépasser (dans l'espace). – loc. *Passer le cap** *de.* **VI** v. tr. (Faire passer) **1** Faire traverser (qqch.). *Passer des marchandises.* ♦ Faire mouvoir, aller. *Passer l'aspirateur.* **2** *Passer* (qqch.) *sur,* étendre. **3** Faire traverser un filtre (un liquide). *Passer le café.* **4** Projeter, diffuser. *Passer un film.* **5** Mettre rapidement (un vêtement). → **enfiler.** *Passer une veste.* **6** Enclencher (les commandes de vitesse d'un véhicule). *Passer la troisième.* **7** *Passer qqch. à qqn,* remettre. → **donner.** – *Passez-moi M. le Directeur,* mettez-moi en communication avec lui. ♦ *Passer une maladie à qqn,* la lui donner par contagion. **8** Faire, établir. *Passer un contrat.* ▷ v. pron. se **passer** **I 1** S'écouler. – Prendre fin. **2** Se produire, être (dans la durée). – impers. *Qu'est-ce qui se passe ?,* qu'est-ce qu'il y a ? **II** *Se passer de :* vivre sans (en s'accommodant de cette absence). *Se passer d'argent.*

**passereau** n. m. Oiseau d'un ordre comprenant l'hirondelle, le moineau, etc.

**passerelle** n. f. **1** Pont étroit, pour piétons. **2** Plan incliné mobile par lequel on accède à un navire, un avion. **3** Superstructure la plus élevée d'un navire.

**passe-rose** n. f. région. Rose trémière.

**passe-temps** [-tɑ̃] n. m. invar. Ce qui fait passer agréablement le temps.

**passeur, euse** n. Personne qui fait passer une rivière, une frontière.

**passible** adj. *Passible de :* qui doit subir (une peine).

**passif, ive** **I** adj. **1** Qui subit, n'agit pas. – *Résistance** *passive. Défense** *passive.* **2** Se dit des formes verbales présentant l'action comme subie par le sujet. – n. m. *Un verbe au passif.* **II** n. m. Ensemble des dettes.

**passiflore** n. f. Plante à larges fleurs étoilées (→ **passion** (II, 2)).

**passim** [-im] adv. Çà et là (dans un ouvrage), en différents endroits.

**passion** n. f. **I 1** surtout plur. État affectif et intellectuel puissant qui domine la vie mentale. **2** Amour intense. **3** Vive inclination vers un objet. *La passion du jeu.* **4** Affectivité violente, qui nuit au jugement. *Discuter sans passion.* **5** *La passion,* le signe de la sensibilité, de l'enthousiasme (d'un artiste). **II 1** relig. *La Passion,* souffrance et supplice du Christ. **2** *Arbre de la passion,* la passiflore*. *Fleur, fruit de la passion,* sa fleur, son fruit.

**passionnant, ante** adj. Qui passionne. → **émouvant, palpitant.**

**passionné, ée** adj. Animé, rempli de passion. *Un amoureux passionné.* – n. *C'est un passionné.* ► **passionnément** adv.

**passionnel, elle** adj. **1** Relatif aux passions (I, 1). **2** Inspiré par la passion (2).

**passionner** v. tr. [1] **1** Éveiller un très vif intérêt. **2** Empreindre de passion (I, 4). ▷ v. pron. se **passionner**

**passivement** adv. De manière passive.

**passivité** n. f. État, caractère passif.

**passoire** n. f. Récipient percé de trous, pour égoutter, filtrer.

**pastel** n. m. **1** Pâte colorée en bâtonnets. **2** appos. (invar.) *Des tons pastel,* doux et clairs. **3** Œuvre au pastel.

**pastelliste** n. Peintre de pastels.

**pastèque** n. f. Gros fruit à peau verte, à chair rouge, juteuse (syn. *melon d'eau*).

**pasteur** n. **I** n. m. **1** littér. Berger. **2** relig. *Le Bon Pasteur :* le Christ. **II** Ministre du culte protestant.

**pasteurisation** n. f. Opération qui consiste à chauffer un liquide et à le refroidir brusquement, pour détruire les germes. ► **pasteuriser** v. tr. [1]

**pastiche** n. m. Imitation ou évocation d'un style, de la manière. ► **pasticher** v. tr. [1] ► **pasticheur, euse** n.

**pastilla** n. f. Plat marocain, très fine pâte feuilletée chaude fourrée de viande, raisins et amandes. *Pastilla au pigeon.*

**pastille** n. f. **1** Petit morceau d'une pâte pharmaceutique ou d'une préparation de confiserie. **2** Petit disque dessiné.

**pastis** [-is] n. m. **1** Boisson alcoolisée à l'anis. **2** fam. Situation embrouillée.

**pastoral, ale, aux** littér. **1** adj. Relatif aux bergers, aux mœurs champêtres. **2** n. f. Ouvrage évoquant des bergers.

**patachon** n. m. *Mener une vie de patachon,* agitée, consacrée aux plaisirs.

**pataphysique** n. f. Science fictive «des solutions imaginaires» (Alfred Jarry).

**patapouf** n. m. fam. Gros enfant.

**pataquès** [-ɛs] n. m. **1** Faute grossière de langage. → **cuir. 2** Situation embrouillée.

**patate** n. f. **I** fam. **1** Pomme de terre. **2** Personne stupide. **3** loc. fam. *Avoir la patate :* être en forme. – *En avoir gros sur la patate,* sur le cœur. **II** *Patate douce :* plante tropicale ; son tubercule comestible.

**patati patata** fam. Évoque un long bavardage.

**patatras** interj. Bruit de chute.

**pataud, aude** adj. Lent et lourd dans son comportement. – n. *Un gros pataud.*

**pataugas** [-as] n. m. (marque déposée) Chaussure de marche montante en toile.

**pataugeoire** n. f. Bassin de piscine peu profond pour les enfants.

**patauger** v. intr. [3] **1** Marcher sur un sol détrempé, dans la boue. **2** fig. Se perdre dans des difficultés.

**patch** n. m. anglic. Pastille adhésive imprégnée d'un médicament, d'une substance qui se diffuse à travers la peau. → **timbre.** *Patch à la nicotine.*

**patchouli** n. m. Parfum extrait d'une plante tropicale.

**patchwork** [patʃwœʀk] n. m. anglic. **1** Ouvrage de couture rassemblant des carrés de couleurs et de matières différentes. **2** fig. Ensemble d'éléments disparates.

**pâte** n. f. **I 1** Préparation molle, à base de farine délayée, consommée après cuisson. *Pâte à pain.* **2** *Pâtes (alimentaires) :* préparation à base de blé dur (nouilles ; macaroni, spaghetti...). *Pâtes fraîches.* **3** loc. *Mettre la main à la pâte :* travailler soi-même à qqch. **II 1** Préparation, mélange mou. *Pâte de fruits.* ♦ *Pâte à modeler.* **2** en peinture Matière formée par les couleurs travaillées. **3** loc. *Une bonne pâte,* personne très bonne.

Ne pas confondre avec *patte* «jambe».

**pâté** n. m. **I 1** *Pâté (en croûte) :* préparation (de viande, etc.) cuite dans une pâte. – *Pâté impérial :* crêpe de riz fourrée et frite. **2** Hachis de viandes épicées cuit. **II 1** Grosse tache d'encre. **2** *Pâté de maisons :* ensemble de maisons formant bloc. **3** *Pâté (de sable),* sable moulé.

Ne pas confondre avec *pâtée* «nourriture pour animaux».

**pâtée** n. f. Mélange pâteux d'aliments pour animaux domestiques.

Ne pas confondre avec *pâté* «charcuterie».

① **patelin, ine** adj. littér. Doucereux.

② **patelin** n. m. fam. Village, campagne.

**patelle** n. f. Mollusque à forme conique qui vit fixé aux rochers (syn. *bernicle*).

**patène** n. f. Petite assiette servant à présenter l'hostie avant de la consacrer.

**patenôtre** n. f. iron. Prière.

**patent, ente** adj. littér. Évident, manifeste. → **flagrant.**

**patente** n. f. **1** hist. Écrit public émanant du roi qui établissait un droit ou un privilège. **2** ancient Impôt direct annuel (commerçants, artisans). **3** (Canada) Objet quelconque. → **machin, truc.**

**patenté, ée** adj. **1** dr. Soumis à la patente. **2** fam. Connu (comme tel).

**Pater** [-ɛʀ] n. m. invar. Prière du Notre Père *(Pater noster).*

**patère** n. f. Pièce de bois ou de métal fixée à un mur, pour suspendre les vêtements. → **porte-manteau.**

**paternalisme** n. m. Tendance à imposer un contrôle, une domination sous couvert de protection. ► **paternaliste** adj.

**paterne** adj. littér. D'une bonté affectée.

**paternel, elle** adj. **1** Du père. **2** Qui semble venir d'un père. *Une attitude paternelle.* **3** Du côté du père (opposé à *maternel*). *Oncle paternel.* ► **paternellement** adv.

**paternité** n. f. **1** État, qualité de père ; sentiment paternel. **2** dr. Lien qui unit le père à son enfant. **3** Fait d'être l'auteur (de qqch.).

**pâteux, euse** adj. **1** Qui a la consistance de la pâte. ♦ fig. *Style pâteux.* **2** loc. *Avoir la bouche, la langue pâteuse,* embarrassée.

**pathétique 1** adj. Qui suscite une émotion intense (douleur, pitié, horreur...). **2** n. m. littér. Caractère pathétique. ► **pathétiquement** adv.

**pathologie** n. f. Étude des causes et des symptômes des maladies.

**pathologique** adj. **1** De la maladie. **2** fam. (comportement) Anormal.

**pathos** [-os] n. m. péj. Ton pathétique.

**patibulaire** adj. **1** Antiq. *Fourches patibulaires,* gibet. **2** Qui semble appartenir à un criminel (visage, apparence).

**patiemment** [-sjamɑ̃] adv. Avec patience, d'une manière patiente.

**patience** [-sjɑ̃s] n. f. **I 1** littér. Aptitude à persévérer sans se décourager. **2** Qualité d'une personne qui sait attendre calmement. **3** *Jeu de patience :* exercice de réorganisation que l'on fait seul (ex. puzzle). **II** *Une patience* (jeu de cartes). → **réussite.**

**patient, ente** [-sjɑ̃, ɑ̃t] **I** adj. Qui a, manifeste de la patience. **II** n. Malade, opéré (par rapport au médecin).

**patientèle** n. f. Ensemble des patients. *La patientèle d'un médecin.*

**patienter** [-sjɑ̃-] v. intr. [1] Attendre (avec patience).

**patin** n. m. **1** Tissu de protection sur lequel on pose le pied. **2** *Patin à glace* ou *patin :* lame fixée à la chaussure, pour glisser sur la glace. – *Patin (à roulettes) :* dispositif sur roulettes fixé à la chaussure. ♦ *Le patin :* le patinage. **3** *Patin de frein,* organe mobile qui se serre contre la jante d'une roue.

**patinage** n. m. Sport du patin (2).

**patine** n. f. Dépôt, couleur dus au temps.

① **patiner** v. intr. [1] **1** Glisser avec des patins (2). ► **patineur, euse** n. **2** (roue) Glisser sans tourner.

② **patiner** v. tr. [1] Couvrir de patine. – au p. p. *Meubles patinés.*

**patinette** n. f. Véhicule, plate-forme sur deux roues munie d'un guidon, que l'on fait avancer en se poussant d'un pied. → **trottinette.**

**patinoire** n. f. **1** Piste de patin (2). **2** fig. Espace très glissant.

**patio** [patjo] n. m. Cour intérieure d'une maison de style espagnol.

**pâtir** v. intr. [2] *Pâtir de :* souffrir de.

**pâtisserie** n. f. **1** Préparation de la pâte pour gâteaux ; des gâteaux. **2** *Une pâtisserie.* → **gâteau. 3** Fabrication, vente de gâteaux frais. ♦ Magasin de pâtisserie.

**pâtissier, ière 1** n. Personne qui fait, vend de la pâtisserie. **2** adj. *Crème pâtissière,* pour pâtisseries (choux, éclairs).

**patois** n. m. Dialecte* rural.

**patoisant, ante** adj. et n. (Personne) qui parle patois.

**patraque** adj. fam. Un peu malade.

**pâtre** n. m. Celui qui fait paître le bétail. → **berger, pasteur** (1).

**patriarcal, ale, aux** adj. **1** Relatif aux patriarches. **2** sociol. Du patriarcat (1).

**patriarcat** n. m. **1** sociol. Forme de famille, organisation sociale fondée sur la parenté par les mâles et sur la puissance paternelle. **2** Dignité, circonscription de patriarche (2).

**patriarche** n. m. **1** Vieillard qui mène une vie simple et paisible, entouré d'une nombreuse famille. ♦ Ancêtre biblique (Adam, Noé, Abraham...). **2** Chef d'une Église séparée de l'Église romaine. – Archevêque des Églises orientales.

**patricien, ienne 1** n. et adj. Antiq. (Personne) de la classe supérieure des citoyens romains. **2** adj. littér. Aristocrate.

**patrie** n. f. **1** Communauté sociale et politique à laquelle qqn appartient ou a le sentiment d'appartenir ; pays habité par cette communauté. *La patrie et la nation*.* **2** Lieu (ville, région) où qqn est né.

**patrimoine** n. m. **1** Biens de famille, hérités des parents. ► **patrimonial, iale, iaux** adj. **2** Ce qui est transmis par les ancêtres. *Le patrimoine culturel d'un pays.* **3** biol. Ensemble des caractères hérités. → **génotype.**

**patriote** n. et adj. (Personne) qui aime sa patrie et la sert.

**patriotique** adj. Du patriotisme. ► **patriotiquement** adv.

**patriotisme** n. m. Amour de la patrie ; volonté de se dévouer pour la défendre.

① **patron, onne** n. I Saint, sainte dont on porte le nom, qu'un groupe a pour protecteur, à qui est dédiée une église, etc. II 1 Personne qui commande à des employés, des domestiques. 2 n. m. Chef d'une entreprise (→ **patronat**). ♦ Employeur. ♦ fam. Supérieur. → **chef.** 3 Professeur de médecine. 4 Personne qui dirige des travaux intellectuels, artistiques.

② **patron** n. m. Modèle de papier ou de toile préparé pour tailler un vêtement.

**patronage** n. m. 1 Appui donné par un personnage puissant, un organisme. → **parrainage.** 2 Organisme de formation morale, religieuse pour la jeunesse.

**patronal, ale, aux** adj. 1 D'un saint patron. 2 Du patronat.

**patronat** n. m. Ensemble des chefs d'entreprise.

**patronner** v. tr. [1] 1 Donner sa protection à. 2 Appuyer, soutenir.

**patronnesse** adj. f. iron. *Dame patronnesse,* qui fait des œuvres de bienfaisance.

**patronyme** n. m. littér. Nom de famille (nom du père). ► **patronymique** adj.

**patrouille** n. f. 1 Ronde de surveillance. 2 Groupe de soldats chargé de remplir une mission.

**patrouiller** v. intr. [1] Aller en patrouille, faire une patrouille.

**patrouilleur, euse** n. 1 Soldat d'une patrouille. 2 n. m. Avion, navire de guerre de surveillance.

**patte** n. f. I 1 (tétrapodes) Membre qui supporte le corps, sert à la marche. – loc. (personnes) *Marcher à quatre pattes,* les mains et les pieds (ou les genoux) par terre. ♦ Appendice servant à la marche (chez les insectes, arthropodes, crustacés). 2 fam. Jambe. 3 fam. Main. *Bas les pattes ! :* ne touchez pas. 4 loc. *Montrer patte blanche,* présenter des garanties pour être admis. II 1 au plur. Poils qui poussent devant l'oreille. → **favori(s).** 2 Languette d'étoffe, de cuir.

> Ne pas confondre avec *pâte* «nouille».

**patte-d'oie** n. f. 1 Carrefour. 2 Rides au coin externe de l'œil. *Des pattes-d'oie.*

**pattemouille** n. f. Linge humide dont on se sert pour repasser les vêtements.

**pâturage** n. m. Lieu couvert d'herbe pour le bétail.

**pâture** n. f. 1 Ce qui sert à la nourriture des animaux. 2 fig. Ce qui nourrit (un besoin...). – loc. *Livrer (qqn, qqch.) en pâture à.*

**paturon** n. m. Partie du bas de la jambe du cheval.

**paulownia** [polɔnja] n. m. Grand arbre à fleurs bleues ou mauves.

**paume** n. f. I Intérieur de la main. II Sport de balle. – *Jeu de paume,* salle de ce jeu.

**paumé, ée** adj. fam. Perdu, égaré.

**paumelle** n. f. techn. Charnière de métal fixant le gond (d'une fenêtre, d'une porte).

**paumer** v. tr. [1] fam. Perdre. ▷ v. pron. **se paumer**

**paupérisation** n. f. écon. Abaissement du niveau de vie ; appauvrissement.

**paupière** n. f. Chacune des deux parties mobiles qui recouvrent et protègent l'œil.

**paupiette** n. f. Tranche de viande roulée et farcie.

**pause** n. f. 1 Interruption momentanée (d'une activité). 2 Temps d'arrêt. 3 mus. Silence de la durée d'une ronde.

> Ne pas confondre avec *pose* «mise en place».

**pauvre** I adj. 1 épithète (après le nom) ou attribut Qui n'a pas (assez) d'argent. – *Les pays pauvres.* → **sous-développé.** 2 (choses) Qui a l'apparence de la pauvreté. 3 *Pauvre de* (littér.) ; *pauvre en :* qui n'a guère de. 4 Qui fournit ou produit trop peu. *Terre pauvre.* 5 épithète, avant le nom Qui inspire de la pitié. – (en s'adressant à qqn) *Mon pauvre ami !* (affectueux ou méprisant). – n. *Le pauvre, la pauvre !* 6 Lamentable. *C'est un pauvre type.* II n. 1 vieilli *Un pauvre, une pauvresse :* personne qui vit de la charité publique. → **mendiant.** 2 *Les pauvres :* les personnes sans ressources. *Les nouveaux pauvres :* les victimes de crises, du chômage.

**pauvrement** adv. D'une manière pauvre. → **misérablement.**

**pauvret, ette** n. et adj. (dimin. de commisération) Pauvre petit(e).

**pauvreté** n. f. 1 État d'une personne, d'un groupe qui manque de moyens matériels, d'argent ; insuffisance de ressources. – *Seuil de (la) pauvreté :* estimation de la somme minimale nécessaire à qqn pour survivre. 2 (choses) Aspect pauvre, misérable. 3 Insuffisance matérielle ou morale.

**pavage** n. m. 1 Fait de paver. 2 Revêtement d'un sol.

**pavane** n. f. Ancienne danse (XVIe et XVIIe siècles), solennelle ; sa musique.

se **pavaner** v. pron. [1] Marcher avec orgueil, avoir une attitude pleine de vanité.

**pavé** n. m. I 1 *Le pavé :* blocs (pierre...) formant le revêtement du sol. 2 La partie d'une voie publique ainsi revêtue, la rue. – loc. *Le haut du pavé,* le premier rang. – *Être sur le pavé,* sans domicile, sans emploi. *Battre le pavé,* marcher au hasard (dans une ville). – *Le pavé de l'ours,* une aide qui dégénère en catastrophe. 3 *Un pavé :* bloc pour revêtir un sol. II 1 Pièce de viande rouge, épaisse. 2 fam. Gros livre. 3 Publicité, article de presse encadré.

**pavement** n. m. 1 Sol pavé. 2 Pavage artistique.

**paver** v. tr. [1] Revêtir (un sol) d'éléments, de blocs assemblés (pavés, pierres, mosaïque). ► **paveur** n. m.

**pavillon** n. m. **I** Petit bâtiment isolé ; petite maison. - *Pavillon de banlieue.* **II 1** Extrémité évasée (instruments à vent). **2** Partie visible de l'oreille. **III** Pièce d'étoffe que l'on hisse sur un navire. ♦ Drapeau.

**pavillonnaire** adj. Formé de pavillons (I). *Banlieue pavillonnaire.*

**pavois** n. m. **1** hist. Grand bouclier des Francs. - loc. *Hisser qqn sur le pavois,* lui donner le pouvoir, le glorifier. **2** mar. *Grand pavois :* ensemble des pavillons d'un navire (signal de réjouissance).

**pavoiser** v. tr. [1] Orner de drapeaux (une rue, etc.), pour une fête. ♦ v. intr. fig., fam. *Il n'y a pas de quoi pavoiser,* être fier.

**pavot** n. m. Plante cultivée pour ses fleurs, ses graines fournissant l'opium.

**payable** adj. Qui doit être payé.

**payant, ante** adj. **1** Qui paie (aussi nom). **2** Qu'il faut payer. *Entrée payante.* **3** fam. Qui profite, rapporte.

**paye** [pɛj] ou **paie** n. f. **1** Rémunération. **2** fam. Temps entre deux payes. - loc. *Ça fait une paye,* il y a longtemps. **3** Solde.

**payement** → **paiement**

**payer** v. tr. [8] **I avec compl. dir. 1** *Payer qqn,* lui remettre ce qui lui est dû. ♦ fig. *Être payé pour :* avoir appris à ses dépens que. - loc. *Payer qqn de retour,* rendre la pareille. **2** *Payer qqch. :* s'acquitter par un versement de (ce que l'on doit). → **régler.** *Payer ses dettes.* **3** Verser de l'argent en contrepartie de (qqch. : objet, travail). - au p. p. *Congés* payés.* **4** fam. Offrir. *Je te paie un verre ?* **5** fig. *Il me le paiera !,* je l'en punirai. **II sans compl. dir. 1** Verser de l'argent. ♦ *Payer de :* payer avec. - loc. fig. *Payer de sa personne,* contribuer. ♦ *Payer pour qqn,* subir à sa place des désagréments. **2** Expier. *Il faudra payer un jour ou l'autre.* **3** (sujet chose) Rapporter. *Le crime ne paie pas.* ▷ v. pron. se **payer**

**payeur, euse** n. **1** Personne qui paie ce qu'elle doit. *Mauvais payeur.* **2** Personne chargée de payer. *Trésorier-payeur.*

① **pays** [pei] n. m. **1** Territoire d'une nation. → **État. 2** Région ; partie d'une province. *Produits du pays.* → **terroir. 3** Les habitants du pays (1 et 2). → **région.** *Tout le pays en parle.* **4** Zone géographique. **5** Petite ville ; village. **6** loc. *Voir du pays :* voyager.

② **pays, payse** [pei, peiz] n. région. ou plais. Personne du même pays (2 et 5).

**paysage** [pei-] n. m. **1** Partie de la nature présentée à un observateur. ♦ par ext. *Paysage urbain.* **2** Tableau représentant la nature. **3** fig. Aspect général. → **situation.** *Le paysage audiovisuel français* (P. A. F.).

**paysagiste** [pei-] n. **1** Peintre de paysages. **2** Personne qui élabore des plans de jardins, des espaces verts urbains.

**paysan, anne** [pei-] **1** n. Homme, femme vivant à la campagne du travail de la terre. → **agriculteur, cultivateur, fermier. 2** adj. Des paysans. ► **paysannat** n. m., **paysannerie** n. f.

① **P. C.** n. m. (sigle) Poste de commandement.

② **P. C.** n. m. (sigle angl.) anglic. Ordinateur personnel. → **micro-ordinateur.**

**P. D. F.** n. m. invar. anglic., inform. Fichier informatique créé dans un format qui conserve la mise en forme des documents.

**P.-D. G.** n. m. (sigle) fam. Président-directeur général. - var. **pédégé.**

**péage** n. m. Droit que l'on paye pour emprunter une voie de communication. - L'endroit où se perçoit le péage.

**peau** n. f. **I 1** Enveloppe extérieure du corps des vertébrés, derme et épiderme. **2** L'épiderme humain. - loc. fig. *Avoir qqn dans la peau,* l'aimer passionnément. - *Faire peau neuve,* changer complètement. - *Risquer, sauver sa peau,* sa vie. **3** Morceau de peau. *Les peaux des ongles.* **4** Dépouille d'animal (fourrure, cuir). *Peau de mouton.* - **absolt** Cuir fin et souple. *Des gants de peau.* **II** Enveloppe extérieure (des fruits). *Enlever la peau.* → **peler.** - *Une peau de saucisson.*

**peaufiner** v. tr. [1] **1** Nettoyer avec une peau de chamois. **2** fig. Soigner (un travail). ► **peaufinage** n. m.

**Peau-Rouge** n. vieilli Indien d'Amérique du Nord.

**peausserie** n. f. **1** Commerce, métier, travail des peaux, des cuirs. **2** Peau travaillée.

**pécan** [pekɑ̃] n. m. *Noix de pécan :* fruit (à noix comestible) du *pacanier.*

**pécari** n. m. Cochon sauvage d'Amérique ; son cuir.

**peccadille** n. f. littér. Faute bénigne.

**pechblende** [pɛʃblɛ̃d] n. f. Minerai d'uranium.

① **pêche** n. f. **1** Fruit du pêcher, à noyau très dur et à chair fine. **2** fam. *Se fendre la pêche,* rire. **3** loc. fam. *Avoir la pêche,* être en forme.

② **pêche** n. f. **1** Action, manière de pêcher (②). **2** Poissons, fruits de mer pêchés.

**péché** n. m. **1** relig. Acte conscient qui enfreint la loi divine. *Les sept péchés capitaux.* - *Péché mignon :* petit travers. **2** État de pécheur. *Vivre dans le péché.*

**pécher** v. intr. [6] **1** Commettre un péché. **2** (choses) *Pécher par,* avoir pour défaut.

Ne pas confondre avec *pêcher* « prendre du poisson ».

① **pêcher** n. m. Arbre cultivé pour ses fruits, les pêches.

② **pêcher** v. tr. 1 **1** Prendre ou chercher à prendre dans l'eau (du poisson, etc.). – loc. *Pêcher en eau trouble,* profiter de la confusion. **2** fam. Chercher ; prendre.

Ne pas confondre avec *pécher* «fauter».

**pêcherie** n. f. Lieu, entreprise de pêche.

**pécheur, pécheresse** n. Personne dans l'état de péché.

Ne pas confondre avec *pêcheur, pêcheuse* «marin».

**pêcheur, pêcheuse** n. Personne qui pratique la pêche.

Ne pas confondre avec *pécheur, pécheresse* «personne qui faute».

**pécore** n. f. vieilli Sotte prétentieuse.

**pecorino** n. m. Fromage italien, voisin du parmesan.

**pectine** n. f. Substance végétale mucilagineuse.

**pectoral, ale, aux** adj. **1** De la poitrine. *Muscles pectoraux ;* n. m. pl. *les pectoraux.* **2** De la face ventrale des animaux. **3** Qui soigne la poitrine.

**pécule** n. m. **1** Somme d'argent économisée. **2** Argent acquis dont on ne dispose pas librement. *Le pécule d'un détenu.*

**pécuniaire** adj. **1** Relatif à l'argent. → **financier. 2** En argent. *Aide pécuniaire.* ► **pécuniairement** adv.

**pédagogie** n. f. **1** Science, pratique de l'éducation (des enfants et des adultes). **2** Qualité du bon pédagogue (1). ► **pédagogique** adj. ► **pédagogiquement** adv.

**pédagogue** n. **1** Personne qui a le sens de l'enseignement. **2** Spécialiste de la pédagogie.

**pédale** n. f. **I 1** Dispositif de commande ou de transmission qui s'actionne avec le pied. – spécialt *Les pédales d'une bicyclette.* – loc. fam. *Perdre les pédales,* perdre ses moyens, s'embrouiller. **2** mus. Touche actionnée au pied. **II** fam. et injurieux Homosexuel.

**pédaler** v. intr. 1 **1** Actionner les pédales, rouler à bicyclette. **2** fam. Aller vite. ♦ loc. fam. *Pédaler dans la choucroute (la semoule...),* s'efforcer en vain.

**pédalier** n. m. **1** Système de propulsion par pédales (bicyclette). **2** Clavier inférieur de l'orgue, actionné au pied.

**pédalo** n. m. (marque déposée) Petite embarcation actionnée par pédales.

**pédant, ante 1** n. Personne qui fait étalage d'une érudition livresque. → **cuistre. 2** adj. Qui étale son érudition. ► **pédanterie** n. f. et **pédantisme** n. m.

**pédégé** n. m. → **P.-D. G.**

**pédégère** n. f. fam. Femme qui exerce la fonction de P.-D. G.

**pédéraste** n. m. vieilli Homosexuel (spécialt par pédérastie (1)). – abrév. fam. **pédé.**

**pédérastie** n. f. vieilli **1** Pratique homosexuelle entre un homme et un jeune garçon. → **pédophilie. 2** Homosexualité masculine.

**pédestre** adj. Qui se fait à pied. ► **pédestrement** adv.

**pédiatrie** n. f. Médecine des enfants. ► **pédiatre** n. ► **pédiatrique** adj.

**pédicule** n. m. bot. Support allongé et grêle (d'un végétal). → **tige ; pied.**

**pédicure** n. Spécialiste des soins des pieds. ► **pédicurie** n. f.

**pedigree** [pedigʀe] n. m. Généalogie (d'un animal de race pure).

**pédologie** n. f. Science des sols (géologie). ► **pédologue** n.

**pédoncule** n. m. **1** anat. Cordon de substance nerveuse liant deux organes. **2** bot. Axe portant les fleurs. ► **pédonculé, ée** adj.

**pédophile** adj. et n. **1** (adulte) Qui ressent une attirance sexuelle pour les enfants. **2** Qui recherche et pratique des relations sexuelles avec des enfants. ► **pédophilie** n. f.

**pègre** n. f. Monde de voleurs, d'escrocs.

**peignage** n. m. Action de peigner (2).

**peigne** n. m. **I 1** Instrument à dents fines et serrées pour démêler la chevelure. – loc. *Passer qqch. au peigne fin,* examiner minutieusement. ♦ Instrument analogue pour retenir les cheveux. **2** Instrument pour peigner (2) des fibres textiles. **II** Mollusque bivalve à dentelures.

**peigne-cul** [-ky] n. m. vulg. Personne mesquine ; ou grossière, inculte.

**peigner** v. tr. 1 **1** Démêler, lisser (les cheveux) avec un peigne. – *Peigner qqn,* ses cheveux. **2** Démêler (des fibres textiles). – au p. p. *Laine peignée.* ▷ v. pron. se **peigner**

**peignoir** n. m. **1** Vêtement en tissu éponge que l'on met en sortant du bain. **2** Vêtement féminin d'intérieur.

**peinard, arde** adj. fam. Paisible. – *Un boulot peinard.* ► **peinardement** adv.

**peindre** v. tr. 52 **I** Couvrir, colorer avec de la peinture. *Peindre un mur en blanc.* **II** Figurer au moyen de peinture. ♦ Représenter par l'art pictural. *Peindre des paysages.* **III** fig. **1** Représenter par le discours. → **décrire. 2** *Se peindre* v. pron. Revêtir une forme sensible. *La consternation se peignit sur les visages.*

**peine** n. f. **I 1** Sanction appliquée à titre de punition* ou de réparation. **2** dr. Sanction prévue par la loi. → droit **pénal.** *Peine de prison ; pécuniaire.* **3** *Sous peine de* loc. prép. : en encourant la peine de. **II 1** Souffrance morale. *Peine de cœur,* chagrin d'amour. **2** *La peine :* sentiment de tristesse.

*Avoir de la peine.* **3** loc. *Âme en peine,* triste. **III 1** Activité qui coûte, qui fatigue. → **effort.** *Se donner de la peine.* **2** loc. *N'être pas au bout de ses peines,* avoir encore des difficultés à surmonter. *Pour votre peine, pour la peine,* en compensation. *Homme de peine,* qui effectue des travaux de force. – *Valoir* la peine. Ce n'est pas la peine :* ça ne sert à rien. *C'est peine perdue,* c'est inutile. **3** Difficulté qui gêne (pour faire qqch.). *Avoir de la peine à parler.* ♦ loc. *Avec peine. À grand-peine :* difficilement. – *Sans peine :* facilement. **IV** *À peine* loc. adv. **1** Presque pas, très peu. – (avec un numéral) Tout au plus. *À peine huit jours.* **2** Depuis peu de temps.

**peiner** v. [1] **1** v. intr. Se donner du mal. **2** v. tr. Donner de la peine à (qqn). → **attrister.**

**peintre** n. **1** Professionnel(le) qui applique de la peinture. *Peintre en bâtiment.* **2** Artiste qui fait de la peinture.

**peinture** n. f. **I 1** Opération qui consiste à peindre, à couvrir de couleur une surface. **2** *En peinture :* en effigie. – loc. *Ne pas pouvoir voir* qqn en peinture.* **3** fig. Description évocatrice d'images. **II 1** Représentation, suggestion du monde sur une surface plane au moyen de couleurs ; organisation d'une surface par la couleur. **2** *Une peinture.* → **tableau ; fresque. III 1** Couche de couleur sur qqch. *Raccord de peinture.* **2** Couleur préparée pour peindre.

**peinturlurer** v. tr. [1] fam. Peindre sans soin, avec des couleurs criardes.

**péjoratif, ive** adj. (mot...) Qui déprécie (ce qui est désigné). ► **péjorativement** adv.

**pékin** n. m. fam. et péj. Individu.

**pékinois** n. m. Petit chien à face aplatie.

**PEL** [peøɛl ; pɛl] n. m. (sigle) Plan épargne logement.

**pelade** n. f. Maladie qui fait tomber par places les poils et les cheveux.

**pelage** n. m. Ensemble des poils (d'un mammifère).

**pélagique** adj. didact. De la haute mer.

**pélargonium** [-jɔm] n. m. Plante ornementale improprement appelée *géranium.*

**pelé, ée** adj. **1** Qui a perdu ses poils, ses cheveux. – loc. fam. *Quatre pelés et un tondu :* un très petit nombre de personnes. **2** Dépourvu de végétation.

**pêle-mêle** adv. Dans le désordre.

**peler** v. [5] **1** v. tr. Dépouiller (un fruit) de sa peau. **2** v. intr. Perdre des lambeaux d'épiderme.

**pèlerin** n. m. Personne qui fait, a fait un pèlerinage.

**pèlerinage** n. m. **1** Voyage à un lieu saint dans un esprit de dévotion. **2** Voyage fait pour rendre hommage.

**pèlerine** n. f. Manteau sans manches, ample (→ **cape**), souvent à capuchon.

**pélican** n. m. Oiseau palmipède au bec crochu muni d'une poche où il emmagasine la nourriture de ses petits.

**pelisse** n. f. Manteau doublé d'une peau garnie de ses poils. → **fourrure.**

**pelle** n. f. **I 1** Outil composé d'une plaque mince ajustée à un manche. **2** *Pelle mécanique* (machine). **3** loc. fig. *À la pelle :* en abondance. **II** fam. **1** Baiser profond. **2** *Ramasser une pelle,* tomber ; fig. échouer.

**pelletée** n. f. Quantité de matière qu'on peut prendre d'un seul coup de pelle.

**pelleter** v. tr. [4] Déplacer, remuer avec une pelle (I). ► **pelletage** n. m.

**pelleterie** [pɛltʀi ; pelɛtʀi] n. f. **1** Préparation des peaux pour fourrures. **2** Commerce des fourrures. ► **pelletier, ière** n.

**pelleteuse** n. f. Pelle mécanique.

**pelliculaire** adj. Qui forme des pellicules (I) ou une pellicule (II, 1).

**pellicule** n. f. **I** Petite écaille qui se détache du cuir chevelu. **II 1** Couche fine à la surface d'un liquide, d'un solide. **2** Feuille mince, support d'une couche sensible (photo argentique, cinéma). → **film.**

**pellucide** adj. didact. Translucide.

**pelote** n. f. **I 1** Boule formée de fil enroulé. – loc. *Avoir les nerfs en pelote :* être très énervé. **2** Coussinet à épingles. **3** Balle (jeu de paume, pelote basque). **II** *Pelote (basque) :* sport où les joueurs *(pelotaris)* envoient la balle rebondir contre un fronton, à main nue ou à la chistera.

**peloter** v. tr. [1] fam. Caresser, palper, toucher sensuellement. ► **pelotage** n. m. ► **peloteur, euse** n.

**peloton** n. m. **I** Petite pelote de fils roulés. **II 1** Groupe de soldats. – *Peloton (d'exécution),* chargé de fusiller un condamné. **2** Groupe compact (de coureurs).

**se pelotonner** v. pron. [1] Se ramasser en boule, en tas. → se **blottir,** se **recroqueviller.**

**pelouse** n. f. **1** Terrain couvert d'une herbe serrée. **2** Partie d'un champ de courses ouverte au public.

**peluche** n. f. **1** Tissu à poils plus longs que le velours. **2** *Une peluche :* animal en peluche (jouet d'enfant). **3** Petit amas de fibres.

**pelucher** v. intr. [1] Former des peluches (3).

**pelucheux, euse** adj. Qui donne la sensation de la peluche ; qui peluche.

**pelure** n. f. **1** Peau (d'un fruit, d'un légume pelé). **2** fig., fam. Habit, vêtement.

**pelvis** [-is] n. m. anat. Bassin. ► **pelvien, enne** adj.

**pemmican** n. m. Viande séchée.

**pénal, ale, aux** adj. Relatif aux peines*, aux délits. *Code pénal.* ► **pénalement** adv.

**pénalisation** n. f. Désavantage infligé au joueur d'un match qui a fait une faute.

**pénaliser** v. tr. [1] **1** Infliger une pénalisation à. **2** Infliger une peine à. **3** (sujet chose) Désavantager. ► **pénalisant, ante** adj.

**pénaliste** n. Spécialiste du droit pénal.

**pénalité** n. f. **1** Peine ; sanctions applicables à un délit fiscal. **2** Pénalisation.

**penalty** [penalti] n. m. anglic. (football) Sanction d'une faute dans la surface de réparation ; coup de pied (de pénalité) tiré en face du seul gardien. *Des penaltys* ou *des penalties.*

**pénard** → **peinard**

**pénates** n. m. pl. **1** Dieux domestiques des anciens Romains. **2** fam. Demeure.

**penaud, aude** adj. Honteux à la suite d'une maladresse ; déconcerté.

**penchant** n. m. **1** Inclination naturelle. *Mauvais penchants.* → **défaut, vice. 2** littér. Inclinaison (vers qqn).

**pencher** v. [1] **I** v. intr. **1** Être ou devenir oblique. – au p. p. *Écriture penchée.* **2** (par rapport à l'horizontale) S'abaisser. **3** (personne) *Pencher pour :* être porté à choisir (qqch., qqn). *Il penche pour la deuxième hypothèse.* **II** v. tr. Faire aller vers le bas. → **incliner.** *Pencher la tête.* ▷ v. pron. se **pencher** **1** S'incliner. **2** fig. *Se pencher sur :* s'occuper de (qqch.).

**pendable** adj. loc. *Jouer un tour pendable à qqn,* un mauvais tour.

**pendaison** n. f. **1** Action de pendre qqn. – Ce supplice. **2** Fait de suspendre qqch.

① **pendant, ante** adj. **1** Qui pend. **2** *Affaire, question pendante,* sans solution.

② **pendant** n. m. **1** *Pendants d'oreilles,* bijoux suspendus aux oreilles. **2** Chacun des objets d'art formant une paire. **3** *Faire pendant à :* être symétrique.

③ **pendant** prép. **I 1** Dans le temps de. **2** Tout le temps qu'a duré (le complément). → **durant. II** *Pendant que* loc. conj. *Pendant que j'y pense,* puisque j'y pense. – Tandis que.

**pendeloque** n. f. **1** Bijou suspendu à une boucle d'oreille. **2** Ornement suspendu.

**pendentif** n. m. Bijou suspendu.

**penderie** n. f. Petite pièce, placard où l'on suspend des vêtements.

**pendiller** v. intr. [1] Être suspendu en se balançant, en s'agitant en l'air.

**pendouiller** v. intr. [1] fam. Pendre mollement ou d'une manière ridicule.

**pendre** v. [41] **I** v. intr. (choses) **1** Être fixé par le haut, la partie inférieure restant libre. **2** Descendre plus bas qu'il ne faudrait. **3** loc. fam. *Ça lui pend au nez,* un désagrément le menace (par sa faute). **II** v. tr. **1** Fixer (qqch.) par le haut. → **suspendre. 2** Mettre à mort (qqn) en suspendant par le cou au moyen d'une corde (→ **pendaison** (1)). ♦ loc. *Dire pis que pendre de qqn.* → **médire.** ▷ v. pron. se **pendre** **1** Se tuer, se suicider par pendaison. **2** Se tenir en laissant pendre (I) son corps. → se **suspendre.** ♦ fig. au p. p. *Être pendu, ue à :* ne pas quitter, ne pas laisser.

**pendu, ue** n. Personne qui s'est pendue, a été pendue.

① **pendule** n. m. **1** Masse oscillante suspendue à un point fixe par un fil tendu. ► **pendulaire** adj. **2** *Pendule de radiesthésiste,* servant à déceler les « ondes ».

> Ne pas confondre *un pendule* avec *une pendule* « horloge ».

② **pendule** n. f. Petite horloge. – loc. *Remettre les pendules à l'heure :* mettre les choses au point.

> Ne pas confondre *une pendule* avec *un pendule* « balancier ».

**pendulette** n. f. Petite pendule portative.

**pêne** n. m. Pièce mobile d'une serrure, qui s'engage dans une cavité (gâche).

**pénéplaine** n. f. Région à très faible relief.

**pénétrable** adj. **1** Où il est possible de pénétrer. **2** Que l'on peut comprendre.

**pénétrant, ante** adj. **1** Qui transperce les vêtements. *Froid pénétrant.* **2** Qui procure une sensation puissante. *Odeur pénétrante.* **3** (personne, esprit) Qui comprend les choses. → **clairvoyant, perspicace.**

**pénétrante** n. f. Grande voie (autoroute) allant vers un centre.

**pénétration** n. f. **1** Mouvement de ce qui pénètre. – absolt *La pénétration* (du pénis dans le vagin). → **coït. 2** Facilité à comprendre. → **clairvoyance, perspicacité.**

**pénétré, ée** adj. Rempli (d'un sentiment, d'une conviction).

**pénétrer** v. [6] **I** v. intr. **1** (sujet chose) Entrer profondément, en passant à travers ce qui fait obstacle. **2** Entrer. *Pénétrer dans une maison.* ♦ fig. *Une habitude qui pénètre dans les mœurs.* **II** v. tr. **1** (sujet chose) Entrer profondément dans. **2** Comprendre à fond. *Pénétrer les intentions de qqn.*

**pénible** adj. **1** Qui se fait avec fatigue. *Respiration pénible.* **2** Qui cause de la douleur ou de l'ennui. *Vivre des moments pénibles.* **3** (personnes) fam. Difficile à supporter.

**péniblement** adv. **1** Avec peine, fatigue ou souffrance. **2** À peine, tout juste.

**péniche** n. f. Bateau fluvial, à fond plat.

**pénicilline** [-ilin] n. f. Antibiotique utilisé dans le traitement d'infections.

**pénil** [-il] n. m. anat. Saillie au-dessus du sexe de la femme (syn. *mont de Vénus*).

**péninsule** n. f. Grande presqu'île. ► **péninsulaire** adj.

**pénis** [-is] n. m. Organe sexuel de l'homme, érectile. → **verge.**

**pénitence** n. f. **1** Remords d'avoir offensé Dieu, avec intention de réparer ses fautes. → **contrition, repentir. 2** Peine que le confesseur impose au pénitent. – Mortification. **3** (hors du contexte religieux) Châtiment, punition.

**pénitencier** n. m. Prison ; bagne.

**pénitent, ente** n. **1** Personne qui confesse ses péchés. **2** Membre d'une confrérie imposant des pratiques de pénitence (2).

**pénitentiaire** adj. Qui concerne les prisons, les détenus.

① **penne** n. f. Grande plume (d'oiseaux).

② **penne** [pene ; pɛnne] n. f. pl. Pâtes d'origine italienne, coupées en biseau et striées.

**penné, ée** adj. bot. *Feuille pennée :* feuille composée à folioles symétriques.

**penny** [peni], plur. **pence** [pɛns] n. m. Monnaie anglaise, centième de la livre.

**pénombre** n. f. Lumière faible, tamisée.

**pensable** adj. (surtout en tournure négative) Que l'on peut admettre, imaginer.

**pensant, ante** adj. **1** Qui a la faculté de penser. **2** → **bien-pensant.**

**pense-bête** n. m. Marque, note rappelant ce que l'on doit faire. *Des pense-bêtes.*

① **pensée** n. f. **I** *La pensée* **1** Ce que qqn pense, sent, veut. – L'esprit. *Chasser qqch. de sa pensée. Voyager par la pensée.* **2** Activité psychique, faculté ayant pour objet la connaissance. **3** *La pensée de qqn,* sa réflexion. *La pensée d'un savant* (→ **théorie**). ♦ Opinion. **4** Manière de penser. *La pensée contemporaine.* **II** *Une, des pensées* **1** Représentations, images, dans la conscience. – (affectif) *Avoir une pensée émue pour qqn.* ♦ au plur. Réflexions. *Être absorbé dans ses pensées.* **2** Expression brève d'une idée. → **maxime, sentence. III** *La pensée de (qqn, qqch.) :* le fait de penser à.

② **pensée** n. f. Plante aux fleurs veloutées et très colorées. *Pensées sauvages.*

① **penser** v. [1] **I** v. intr. **1** Appliquer son esprit à concevoir, à juger qqch. → **juger, raisonner, réfléchir.** – loc. *Laisser, donner à penser :* faire réfléchir. **2** Exercer une activité cérébrale. *Les animaux pensent-ils ?* **II** v. tr. ind. *Penser à* **1** Appliquer sa réflexion, son attention à. → **réfléchir.** *À quoi pensez-vous ?* **2** Évoquer par la mémoire ou l'imagination. → **songer** à. **3** S'intéresser à. *Penser à l'avenir.* **4** Avoir présent à l'esprit. **5** Prévoir. *J'ai pensé à tout.* **III** v. tr. **1** Avoir pour opinion, pour conviction. **2** (sens affaibli) Avoir l'idée de. → **croire, imaginer, supposer.** *Il n'est pas si naïf qu'on le pense.* – exclam. *Penses-tu !, pensez-vous ! :* mais non, pas du tout. – *Penser que :* croire, avoir la conviction que. – (+ inf.) *Il ne pensait pas le rencontrer ici.* → **espérer, imaginer. 3** Avoir dans l'esprit (comme idée, sentiment, volonté, etc.). *Il ne dit pas ce qu'il pense.* **4** (+ inf.) Avoir l'intention de. → **compter.** *Que pensez-vous faire à présent ?* **5** littér. Considérer clairement, organiser par la pensée. → **concevoir.** *Penser une œuvre.* – au p. p. *Un dispositif (bien) pensé.*

② **penser** n. m. vx ou littér. Pensée.

**penseur** n. m. Personne qui a des pensées neuves et personnelles. ♦ → aussi **libre penseur.**

**pensif, ive** adj. Absorbé dans ses pensées.

**pension** n. f. **I** Allocation périodique. *Pension d'invalidité, de retraite.* **II 1** loc. *Prendre pension, être en pension :* être nourri et logé. **2** *Pension de famille :* hôtel simple. **3** Établissement scolaire assurant hébergement et nourriture.

**pensionnaire** n. **1** Personne qui prend pension chez qqn, dans un hôtel. **2** Interne (dans une école). **3** Acteur faisant partie d'une compagnie.

**pensionnat** n. m. Pension (II, 3) privée.

**pensionner** v. tr. [1] Pourvoir (qqn) d'une pension. ▷ adj. et n. **pensionné, ée**

**pensivement** adv. D'une manière pensive, d'un air pensif.

**pensum** [pɛ̃sɔm] n. m. vieilli Travail ennuyeux.

**pentagone** [pɛ̃-] n. m. **1** géom. Polygone qui a cinq côtés. **2** *Le Pentagone :* l'état-major des armées des États-Unis (bâtiment pentagonal). ► **pentagonal, ale, aux** adj.

**pentathlon** [pɛ̃tatlɔ̃] n. m. Ensemble de cinq épreuves sportives. ► **pentathlonien, ienne** n.

**pente** n. f. **I 1** Inclinaison (d'une surface) par rapport à l'horizontale. **2** Penchant, inclination. – loc. fig. *Suivre sa pente,* son goût. **3** *En pente :* qui n'est pas horizontal. **II 1** Surface inclinée. *Gravir, dévaler une pente.* → **côte, descente. 2** fig. Ce qui incline vers la facilité, le mal. loc. *Être sur une (ou la) mauvaise pente. Remonter la pente.*

**Pentecôte** n. f. **1** Fête chrétienne, le septième dimanche après Pâques pour commémorer la descente du Saint-Esprit sur les apôtres. **2** Fête juive, sept semaines après la pâque (2$^{e}$ jour).

**penthotal** [pɛ̃-] n. m. Barbiturique appelé *sérum* de vérité.*

**pentu, ue** adj. En pente.

**penture** n. f. Ferrure décorative.

**pénultième** [-tjɛm] didact. **1** adj. Avant-dernier. **2** n. f. Avant-dernière syllabe.

**pénurie** n. f. Manque de ce qui est nécessaire. → **carence.**

**people** [pipœl] anglic. **1** adj. invar. Qui concerne les vedettes. *Presse people (à sensation).* **2** n. invar. (au plur.) Ces vedettes.

**pépé** n. m. **1** lang. enfantin Grand-père. **2** fam. Homme âgé. → **papi.**

**pépée** n. f. fam. Femme, jeune fille.

**pépère** fam. **I** n. m. **1** lang. enfantin Grand-père. **2** Gros homme, gros enfant paisible. **II** adj. Tranquille. → **peinard.**

**pépètes** n. f. pl. fam. et vieilli Argent.

**pépette** n. f. fam. Jeune fille, petite fille (terme d'affection). → ② **nénette.**

**pépie** n. f. fam. Grande soif.

**pépier** v. intr. [7] (oiseaux) Pousser de petits cris brefs et aigus. ► **pépiement** n. m.

① **pépin** n. m. **1** Graine de certains fruits (raisins, baies, agrumes, pommes...). **2** fig., fam. Ennui, difficulté.

② **pépin** n. m. fam. Parapluie.

**pépinière** n. f. **1** Terrain où l'on fait pousser de jeunes arbres. ► **pépiniériste** n. **2** fig. *Une pépinière de talents.*

**pépite** n. f. Morceau d'or natif.

**péplum** [-ɔm] n. m. **1** Antiq. grecque Vêtement de femme, sans manches. **2** Film à grand spectacle sur l'Antiquité.

**pepperoni** [pepe-] n. m. Saucisse de porc et de bœuf pimentée.

**pepsine** n. f. Enzyme du suc gastrique qui décompose les protéines en peptides.

**peptide** n. m. biochim. Protide formé par un nombre restreint d'acides aminés.

**péquenaud, aude** n. fam. et péj. Paysan. – var. **péquenot** n. m.

**percale** n. f. Tissu de coton, fin et serré.

**perçant, ante** adj. **1** Qui voit au loin. – *Des yeux perçants.* **2** (son) Aigu et fort.

**perce** n. f. loc. *Mettre en perce :* percer (un tonneau) pour tirer du vin.

**percée** n. f. **1** Ouverture qui ménage un passage, une perspective. **2** fig. Progrès.

**percement** n. m. Action de percer, de pratiquer (une ouverture, un passage).

**perce-neige** n. m. ou f. Plante à fleurs blanches de fin d'hiver. *Des perce-neige(s).*

**perce-oreille** n. m. Insecte inoffensif dont l'abdomen porte une sorte de pince. *Des perce-oreilles.*

**percepteur, trice** n. Comptable public chargé de la perception des impôts.

**perceptible** adj. **1** Qui peut être perçu par les sens. → **visible ; audible ; sensible. 2** Qui peut être compris.

**perception** n. f. **I 1** Réunion de sensations en images mentales. *Perception visuelle.* ► **perceptif, ive** adj. **2** littér. Sensation, intuition. **II 1** Recouvrement des impôts directs. **2** Fonction, bureau de percepteur.

**percer** v. [3] **I** v. tr. **1** Faire un trou dans (un objet). *Percer un mur.* – Traverser, trouer. **2** Pratiquer dans (qqch.) une ouverture pouvant servir de passage, d'accès. **3** Traverser (une protection, un milieu). → **transpercer.** *Le soleil perce les nuages.* **4** fig., littér. Parvenir à découvrir (un secret...). – loc. *Percer à jour,* découvrir (ce qui était caché). **5** Pratiquer, faire (une ouverture). *Percer un trou, un tunnel.* **II** v. intr. **1** Se frayer un passage. **2** fig. Se montrer. *Rien n'a percé de leur entretien.* **3** (personnes) Acquérir la notoriété. ▷ adj. **percé, ée** loc. *Panier* percé.* – *Chaise* percée.*

**perceur, euse** n. **1** Personne qui perce à l'aide d'un outil. **2** n. f. Machine-outil (foreuse, fraiseuse) perçant des trous.

**percevable** adj. didact. Qui peut être perçu (argent).

**percevoir** v. tr. [28] **I 1** Comprendre, parvenir à connaître. → **discerner, sentir ; perception** (I). *Percevoir une nuance.* **2** Avoir conscience de (une sensation). – *Les chiens perçoivent les ultrasons.* **II** Recevoir (une somme d'argent due). – spécialt Recueillir (le montant d'un impôt, d'une taxe).

① **perche** n. f. Poisson d'eau douce, à chair estimée.

② **perche** n. f. **1** Grande tige de bois, de métal. ♦ *Saut à la perche* (en hauteur). **2** loc. *Tendre la perche à qqn,* le tirer d'embarras. **3** fam. Personne grande et maigre.

**percher** v. [1] **I** v. intr. **1** (oiseaux) Se mettre, se tenir sur une branche, un perchoir. **2** fam. (personnes) Loger, habiter. **II** v. tr. fam. Placer à un endroit élevé. ▷ v. pron. se **percher** ▷ p. p. **perché, ée**

**percheron, onne** n. m. Grand et fort cheval de trait. – adj. *Jument percheronne.*

**perchiste** n. **1** Sauteur à la perche. **2** Personne qui tend les perches d'un téléski.

**perchoir** n. m. **1** Endroit où viennent se percher les oiseaux. **2** fig. Endroit élevé.

**perclus, use** adj. Qui a de la peine à se mouvoir. *Être perclus de douleurs.*

**percolateur** n. m. Appareil à vapeur sous pression qui sert à faire du café.

**percolation** n. f. didact. Passage d'une substance par une matière absorbante.

**perçu, ue** Participe passé de *percevoir.*

**percussion** n. f. **1** Action de frapper. **2** mus. *Instrument à* (ou *de*) *percussion,* dont on joue en le frappant. ► **percussionniste** n.

**percutané, ée** adj. méd. Qui se fait par absorption à travers la peau.

**percutant, ante** adj. **1** Qui donne un choc. **2** fig. Qui frappe par sa netteté.

**percuter** v. [1] **I** v. tr. Frapper, heurter (qqch.). **II** v. intr. Heurter (en explosant).

**percuteur** n. m. Dans une arme à feu, Pièce métallique qui frappe l'amorce.

**perdant, ante 1** n. Personne qui perd au jeu, dans une affaire, une compétition. – loc. *Être bon, mauvais perdant :* accepter bien, mal sa défaite. **2** adj. Qui perd.

**perdition** n. f. **1** relig. Éloignement de l'Église et du salut par le péché. – loc. iron. *Lieu de perdition,* de débauche. **2** *Navire en perdition,* en danger de naufrage.

**perdre** v. tr. [41] **I** (sens passif) **1** Être privé de ; ne plus avoir (un bien). *Perdre son emploi.* **2** Être séparé de (qqn) par la mort. *Perdre ses parents.* – Ne plus avoir (un compagnon, un ami, etc.). **3** Cesser d'avoir (une partie de soi ; une qualité). *Perdre ses cheveux. Perdre la mémoire.* – *Perdre connaissance :* s'évanouir. **4** Égarer. *Perdre ses clés.* **5** Laisser s'échapper. *Le blessé perd son sang.* ♦ loc. *Perdre de vue :* ne plus voir ; fig. ne plus fréquenter (qqn). **6** Ne plus pouvoir suivre, contrôler. *Perdre son chemin.* – loc. *Perdre pied*. Perdre le nord*.* **7** Ne pas profiter de (qqch.). *Perdre son temps.* **8** (opposé à *gagner*) Ne pas obtenir ou ne pas garder (un avantage). **II** (sens actif) **1** Priver de sa réputation, de sa situation. *Son ambition le perdra.* ♦ spécialt Faire condamner. **2** vx ou littér. Corrompre, pervertir. **3** Mettre hors du bon chemin (concret). → **égarer.** ▷ v. pron. **se perdre 1** Cesser d'être. *Les traditions se perdent.* **2** Être mal utilisé. *Laisser se perdre ;* ellipt *laisser perdre une occasion.* **3** S'égarer. – fig. *Se perdre dans les détails.* – *Se perdre dans ses pensées.*

**perdreau** n. m. Jeune perdrix de l'année.

**perdrix** n. f. Oiseau au plumage roux ou gris cendré, gibier apprécié.

**perdu, ue** adj. **I** (→ perdre, I) **1** Dont on n'a plus la possession, la jouissance. *Regagner l'argent perdu.* – *Tout est perdu.* ♦ *Occasion perdue.* – *À ses moments perdus.* **2** Égaré. *Objets perdus.* – (lieu) Écarté ; éloigné. *Un coin perdu.* **3** Mal contrôlé. *Balle perdue.* **II** (→ perdre, II) **1** Atteint dans sa santé. *Le malade est perdu.* → **condamné.** – Atteint dans sa fortune, sa situation. – vieilli *Fille perdue :* prostituée. **2** Abîmé, endommagé. **III** Qui se perd, qui s'est perdu. ♦ Désemparé.

**perdurer** v. intr. [1] littér. Se perpétuer.

**père** n. m. **1** Homme qui a engendré, donné naissance à des enfants. **2** *Père de famille,* qui élève des enfants. **3** (animaux) Parent mâle. **4** au plur. littér. Les ancêtres, les aïeux. *L'héritage de nos pères.* **5** fig. *Le père de qqch.* → **créateur, fondateur, inventeur.** **6** dr. *Père adoptif.* **7** (titre) Religieux. – *Le Saint-Père,* le pape. – *Les Pères de l'Église,* les docteurs de l'Église (du Iᵉʳ au VIᵉ siècle). ♦ fam. avant le nom *Le père* X (homme mûr, à la campagne). *Un père tranquille :* un homme paisible.

**pérégrinations** n. f. pl. Déplacements incessants en de nombreux endroits.

**péremption** [-psjɔ̃] n. f. **1** dr. Anéantissement après un délai. **2** cour. *Date de péremption,* où un produit est périmé.

**péremptoire** [-pt-] adj. Qui refuse toute objection. ► **péremptoirement** adv.

**pérenne** adj. didact. ou littér. Qui dure longtemps. → **perpétuel.** ► **pérenniser** v. tr. [1] ► **pérennisation** n. f.

**pérennité** n. f. didact. ou littér. État, caractère de ce qui dure toujours.

**péréquation** [-kwa-] n. f. Répartition égalitaire de charges ou de moyens.

**perestroïka** [peʀɛs-] n. f. Politique libérale, dans l'ex-U. R. S. S. (1986-1991).

**perfectible** adj. Susceptible d'être amélioré. ► **perfectibilité** n. f.

**perfectif, ive** adj. gramm. *Verbe perfectif,* qui suppose un aboutissement, un terme (opposé à *imperfectif*).

**perfection** n. f. **1** État, qualité de ce qui est parfait. **2** *À la perfection* loc. adv. : parfaitement. **3** *Une perfection :* personne ou chose parfaite.

**perfectionner** v. tr. [1] Rendre meilleur. → **améliorer.** ▷ v. pron. se **perfectionner** ▷ adj. **perfectionné, ée** (choses) *Dispositif très perfectionné.* ► **perfectionnement** n. m.

**perfectionniste** n. et adj. (Personne) qui cherche la perfection, qui fignole (à l'excès). ► **perfectionnisme** n. m.

**perfecto** n. m. anglic. (n. de marque) Blouson court en cuir, ceinturé, pour les motocyclistes.

**perfide** adj. littér. **1** Qui trahit la confiance. **2** Secrètement nuisible. *Une insinuation perfide.* ► **perfidement** adv.

**perfidie** n. f. **1** Action, parole perfide. **2** Caractère perfide. → **déloyauté, fourberie.**

**perforateur, trice 1** adj. Qui perfore. **2** n. f. Machine servant à perforer. **3** n. Personne qui utilise une perforatrice.

**perforation** n. f. **1** Action de perforer. **2** Endroit perforé. – méd. Ouverture anormale dans un organe.

**perforé, ée** adj. **1** Percé. **2** techn. Qui présente des petits trous réguliers, en vue d'un usage mécanique.

**perforer** v. tr. [1] Traverser en faisant un ou plusieurs petits trous. → **percer, trouer.**

**performance** n. f. **1** Résultat obtenu dans une compétition. *Performance homologuée.* **2** Rendement, résultat le meilleur. **3** fig. Exploit, prouesse. **4** (de l'anglais) Œuvre artistique conçue comme un événement, une action en train de se faire.

**performant, ante** adj. anglic. Capable de hautes performances. → **compétitif.**

**performeur, euse** n. **1** Sportif qui réalise une performance. **2** Artiste auteur de performance (4). – syn. (anglic.) **performer** n.

**perfusion** n. f. méd. Injection lente et continue (de sérum). *Être sous perfusion.* – *Perfusion sanguine.* ► **perfuser** v. tr. [1]

**pergola** n. f. Petite construction de jardin, support de plantes grimpantes.

**péricarde** n. m. anat. Membrane qui enveloppe le cœur.

**péricarpe** n. m. bot. Enveloppe des graines.

**péricliter** v. intr. [1] Aller à sa ruine.

**péridural, ale, aux** adj. et n. f. méd. *(Anesthésie) péridurale* : anesthésie locorégionale.

**périgée** n. m. astron. Point d'une orbite le plus proche de la Terre.

**périhélie** n. m. astron. Point de l'orbite d'une planète le plus proche du Soleil.

**péri-informatique** n. f. Activités et matériels liés aux périphériques d'ordinateurs.

**péril** [-il] n. m. littér. Situation où l'on court de grands risques. → **danger.** – *Navire en péril.* – loc. *Au péril de sa vie.* – *Faire qqch. à ses risques et périls,* en acceptant toutes les conséquences.

**périlleux, euse** adj. **1** littér. Où il y a des risques, du danger. **2** loc. *Saut périlleux,* où le corps fait un tour complet sur lui-même.

**périmé, ée** adj. **1** (opposé à *actuel*) Qui n'a plus cours. **2** (opposé à *valide*) *Passeport périmé.* **3** Qui n'est plus consommable (→ **péremption**). *Yaourt périmé.*

se **périmer** v. pron. [1] Être annulé après l'expiration d'un délai. – (sans *se*) *Laisser périmer un billet.*

**périmètre** n. m. **1** Ligne qui délimite le contour d'une figure plane. **2** Zone délimitée.

**périnatal, ale, als** adj. méd. Qui précède et suit immédiatement la naissance.

**périnée** n. m. Ensemble des tissus qui forment le plancher du petit bassin.

**période** n. f. **I 1** Espace de temps. *La période des fêtes.* ♦ Division historique du temps. *La période révolutionnaire.* **2** didact. Durée déterminée. *La période d'incubation d'une maladie.* **II** sc. Temps qui s'écoule entre deux états semblables d'un phénomène. – astron. Temps de révolution. **III** didact. Phrase harmonieuse. *Période oratoire.*

**périodicité** n. f. Caractère de ce qui est périodique (I).

**périodique** adj. **I 1** Qui se reproduit à des intervalles réguliers. **2** Qui paraît régulièrement. – n. m. *Un périodique.* → **magazine, revue. II** sc. *Mouvement, fonction périodique,* qui reprend la même valeur à intervalles réguliers. ► **périodiquement** adv.

**périoste** n. m. anat. Membrane qui enveloppe les os.

**péripatéticienne** n. f. littér. Prostituée.

**péripétie** n. f. **1** didact. Changement subit de situation. **2** cour. Événement imprévu.

**périphérie** n. f. **1** Pourtour. **2** Partie extérieure. **3** Quartiers éloignés du centre.

**périphérique 1** adj. Situé à la périphérie. *Système nerveux périphérique* (opposé à *central*). **2** adj. et n. m. *Le (boulevard) périphérique, à Paris.* **3** n. m. inform. Élément de matériel distinct de l'unité centrale.

**périphrase** n. f. Expression développée d'une notion.

**périple** n. m. **1** didact. Grand voyage par mer. **2** (critiqué) Voyage, randonnée.

**périr** v. intr. [2] littér. **1** Mourir. – *S'ennuyer à périr.* **2** Disparaître. – Faire naufrage.

**périscolaire** adj. Complémentaire de l'enseignement scolaire.

**périscope** n. m. Instrument d'optique permettant de voir par-dessus un obstacle.

**périssable** adj. **1** littér. Qui n'est pas durable. **2** *Denrée périssable,* qui se conserve peu.

**périssoire** n. f. Embarcation plate, longue et étroite.

**péristyle** n. m. didact. Colonnade autour d'un édifice, d'une cour.

**péritel** adj. invar. (marque déposée) *Prise péritel,* permettant de brancher certains appareils sur un téléviseur.

**péritoine** n. m. Membrane qui tapisse les parois intérieures de l'abdomen.

**péritonite** n. f. Inflammation du péritoine.

**perle** n. f. **1** Petite concrétion de nacre sécrétée par certains mollusques (huîtres), utilisée en joaillerie. *Collier de perles.* – *Perles de culture,* obtenues en plaçant un grain de nacre dans une huître d'élevage. **2** Petite boule percée d'un trou. **3** Personne de grand mérite. *Ce cuisinier est une perle.* **4** Erreur grossière, absurdité.

**perlé, ée** adj. **1** En forme de perle ronde. *Orge perlé.* **2** Qui a des reflets nacrés. **3** Exécuté avec soin. *Ouvrage perlé.*

**perler** v. intr. [1] Former de petites gouttes arrondies.

**perlier, ière** adj. Qui a rapport aux perles (1), forme une perle *(huître perlière).*

**perlingual, ale, aux** [-gwal, o] adj. pharm. Placé sous la langue.

**perm** ou **perme** n. f. → **permission**

**permaculture** n. f. Mode d'aménagement du territoire visant à produire de la nourriture en renforçant l'écosystème.

**permanence** n. f. **1** Caractère de ce qui est durable ; longue durée (de qqch.). **2** Service assurant un fonctionnement ininterrompu ; son local. **3** *En permanence* loc. adv. : sans interruption. – Très souvent.

**permanent, ente** adj. **1** Qui dure, demeure sans discontinuer ni changer. → **constant, continu. 2** n. f. Traitement des cheveux pour les onduler durablement. **3** Qui exerce une activité permanente. – n. *Les permanents d'un syndicat, d'un parti.*

**permanganate** n. m. Sel dérivé du manganèse. – *Permanganate (de potassium),* antiseptique violet.

**perméable** adj. **1** Qui se laisse traverser ou pénétrer par un fluide. *Roche perméable.* **2** fig. Qui se laisse atteindre, toucher par (qqch.). ► **perméabilité** n. f.

**permettre** v. tr. [56] **1** Laisser faire (qqch.), ne pas empêcher. → **autoriser, tolérer.** – *Permettre qqch. à qqn.* → **accorder.** – au passif *Il se croit tout permis.* **2** (sujet chose) Rendre possible. *Sa santé ne lui permet aucun excès.* **3** *Permettez ! Vous permettez ?*, formules pour contredire, protester ou agir. ▷ v. pron. se **permettre** S'accorder (qqch.). – *Se permettre de* (+ inf.).

Le participe passé ne s'accorde pas en genre : *il/elle s'est permis de* + inf.

**permis** n. m. Autorisation officielle écrite. *Permis de construire.* – *Permis (de conduire). Passer son permis,* l'examen.

**permissif, ive** adj. didact. Qui permet, tolère trop facilement. ► **permissivité** n. f.

**permission** n. f. **1** Action de permettre ; son résultat. → **autorisation. 2** Congé accordé à un militaire. – abrév. fam. **perm** ou **perme.**

**permissionnaire** n. Soldat en permission.

**permutation** n. f. **1** Échange d'un emploi, d'un poste contre un autre. ♦ (choses) Changement de place réciproque. **2** math. Chacun des arrangements (disposition dans une série) que peut prendre un nombre défini d'objets. *Le nombre de permutations d'un nombre* n *d'objets est égal à factorielle* n.

**permuter** v. [1] **1** v. tr. Mettre une chose à la place d'une autre (et réciproquement). **2** v. intr. Échanger sa place.

**pernicieux, euse** adj. **1** méd. Dont l'évolution est grave. **2** littér. Nuisible. ► **pernicieusement** adv.

**péroné** n. m. Os long de la jambe. → **fibula.**

**péronnelle** n. f. fam. et vieilli Jeune femme, jeune fille sotte et bavarde.

**péroraison** n. f. didact. Conclusion d'un discours.

**pérorer** v. intr. [1] Discourir, parler d'une manière prétentieuse, avec emphase.

**peroxyde** [pɛʀ-] n. m. chim. Oxyde contenant le maximum d'oxygène.

**peroxydé, ée** adj. (cheveux) Décoloré à l'eau oxygénée. – par ext. *Une blonde peroxydée.*

**perpendiculaire** adj. *Perpendiculaire à* : qui fait un angle droit avec. – n. f. *Une perpendiculaire.* ► **perpendiculairement** adv.

à **perpète** loc. adv. fam. **1** À perpétuité. **2** Très loin (dans l'espace).

**perpétrer** v. tr. [6] dr. ou littér. Commettre (un acte criminel). ► **perpétration** n. f.

Ne pas confondre avec *perpétuer* «faire durer».

**perpétuel, elle** adj. **1** Qui dure toujours. – *Mouvement perpétuel,* qui, une fois déclenché, continuerait éternellement. **2** Qui dure, doit durer toute la vie. – *Secrétaire perpétuel,* à vie. **3** Qui ne s'arrête, ne s'interrompt pas. *Une angoisse perpétuelle.* ► **perpétuellement** adv.

**perpétuer** v. tr. [1] Faire durer toujours ou très longtemps. ▷ v. pron. se **perpétuer** → **durer.** ► **perpétuation** n. f.

Ne pas confondre avec *perpétrer* «commettre (un acte criminel)».

**perpétuité** n. f. **1** littér. Durée infinie ou très longue. **2** loc. adv. *À perpétuité :* à vie.

**perplexe** adj. Qui hésite, ne sait que penser, que faire. ► **perplexité** n. f.

**perquisition** n. f. Fouille policière d'un domicile. ► **perquisitionner** v. intr. [1]

**perron** n. m. Petit escalier extérieur et plate-forme devant la porte d'une maison.

**perroquet** n. m. **I** Oiseau grimpeur au plumage coloré, à gros bec, capable d'imiter la parole humaine. **II** mar. Mât gréé sur une hune. ♦ Voile carrée.

**perruche** n. f. **1** Petit oiseau grimpeur, au plumage coloré, à longue queue. **2** fig. Femme bavarde.

**perruque** n. f. Coiffure de faux cheveux.

**perruquier, ière** n. Personne qui fabrique des perruques et des postiches.

**pers** adj. m. D'une couleur où le bleu domine (yeux).

**persan, ane** adj. et n. De Perse (aujourd'hui, Iran). – *Chat persan,* à longs poils soyeux. ♦ n. m. *Le persan* (langue). → **farsi.**

**persécuter** v. tr. [1] **1** Tourmenter par des traitements injustes et cruels. **2** Poursuivre en importunant. → **harceler.** ► **persécuteur, trice** n.

**persécution** n. f. **1** Traitement injuste et cruel. ♦ Mauvais traitement. **2** psych. loc. *Manie, délire de persécution* (paranoïa).

**persévérer** v. intr. [6] Continuer de faire ce qu'on a résolu, par un acte de volonté renouvelé. → s'**obstiner.** ► **persévérance** n. f. ► **persévérant, ante** adj.

**persienne** n. f. Volet extérieur, muni de vantaux à claire-voie.

**persifler** v. tr. [1] littér. Tourner (qqn) en ridicule. ► **persiflage** n. m. ► **persifleur, euse** adj. et n.

Un seul *f,* contrairement à *siffler.*

**persil** [-si] n. m. Plante potagère aromatique, utilisée comme condiment.

**persillade** n. f. Assaisonnement à base de persil haché.

**persillé, ée** adj. **1** Accompagné de persil haché, de persillade. **2** *Fromage persillé,* à moisissures. → **bleu. 3** *Viande persillée,* parsemée d'infiltrations de graisse.

**persistance** n. f. **1** Fait de ne pas changer. → **constance. 2** Caractère durable.

**persistant, ante** adj. **1** Qui persiste. **2** bot. *Feuilles persistantes* (opposé à *caduque*), qui ne tombent pas en hiver.

**persister** v. intr. [1] **1** Continuer sans céder. → s'**obstiner, persévérer.** – loc. *Je persiste et signe :* je maintiens ce que j'ai dit, fait. **2** Durer malgré tout. *La fièvre persiste.*

**perso** adj. invar. fam. Personnel ; très, trop personnel.

**persona grata** n. f. invar. (attribut) Représentant d'un État agréé par un autre État (opposé à *persona non grata* [-nɔn-], indésirable).

**personnage** n. m. **1** Personne qui joue un rôle social important. → **notable, personnalité** (II). **2** Personne qui figure dans une œuvre. *Les personnages d'un film, d'un roman.* ♦ Être humain figuré, représenté. **3** Personne, dans son comportement. – *Composer son personnage.*

**personnaliser** v. tr. [1] Donner un caractère personnel à (qqch.). – au p. p. *Crédit personnalisé.*

**personnalité** n. f. **I 1** Ce qui différencie une personne. *Avoir une forte personnalité.* – Force de caractère. **2** Unité du moi. *Dédoublement* de la personnalité.* **3** dr. *Personnalité juridique :* aptitude à être sujet de droit. → ① **personne** (II). *Personnalité morale.* **II** Personne en vue, remarquable.

① **personne** n. f. **I 1** Individu de l'espèce humaine. → **homme** (I). *Une personne.* → **quelqu'un ; on.** *De nombreuses personnes.* → **gens.** ♦ loc. *Grande personne :* adulte. **2** *La personne de qqn,* la personnalité, le moi. ♦ loc. *En personne :* soi-même, lui-même. **3** Être humain qui a une conscience claire de lui-même. → **moi, sujet. II** dr. Être auquel est reconnue la capacité d'être sujet de droit. – *Personne morale :* association ou entreprise. **III** gramm. Indication du rôle que tient la personne qui est en cause dans l'énoncé. *Verbe à la première personne* (celle qui s'exprime : je), *à la deuxième personne* (à qui l'on s'adresse : tu, vous), *à la troisième personne* (dont on parle : il(s), elle(s)).

② **personne** pron. indéf. **1** vx Quelqu'un. – littér. *Il n'est pas question que personne sorte.* – *Mieux que personne.* → **quiconque. 2** (avec *ne*) Aucun être humain. *Il n'y avait personne.* ♦ (ellipse de *ne*) *Y avait-il qqn ? – Personne.*

**personnel, elle I** adj. **1** Qui concerne une personne, lui appartient. *Opinions personnelles.* **2** Qui s'adresse à qqn en particulier. *Lettre personnelle.* **II** adj. gramm. **1** Se dit des formes du verbe exprimant la personne (opposé à *impersonnel*). **2** *Pronom personnel,* qui marque la personne grammaticale (ex. je, il). **III** n. m. Personnes employées dans une maison, une entreprise.

**personnellement** adv. **1** En personne, soi-même. **2** Pour sa part, quant à soi.

**personnification** n. f. **1** Action de personnifier (1). **2** Incarnation de (qqch.). *La personnification de l'ambition.*

**personnifier** v. tr. [7] **1** Évoquer, représenter (une chose abstraite) sous les traits d'une personne. **2** Réaliser dans sa personne (un caractère). ▷ adj. **personnifié, iée 1** *Le vice et la vertu personnifiés.* **2** *Cette personne est la bonté personnifiée.*

**perspective** n. f. **I 1** peint., dessin Technique de représentation de et dans l'espace en fonction de lignes de fuite. – *Perspective cavalière,* à lignes de fuite parallèles. **2** Aspect esthétique de ce qui est vu à distance. **II** abstrait **1** Événements probables ou possibles. *La perspective de ce voyage l'enchantait.* **2** Manière de considérer qqch. → **optique, point de vue.**

**perspicace** adj. Doué d'un esprit pénétrant, subtil. ► **perspicacité** n. f.

**persuader** v. tr. [1] *Persuader qqn de qqch.,* amener (qqn) à croire, à penser, à vouloir, à faire. → **convaincre.**

**persuasion** n. f. Action de persuader ; fait d'être persuadé. ► **persuasif, ive** adj.

**perte** n. f. **I 1** Fait de perdre (qqn), d'en être séparé par la mort. – au plur. Personnes tuées (guerre). **2** Fait d'être privé de ce qu'on avait. *Pertes financières.* ♦ loc. *Passer par pertes et profits,* considérer comme perdu. – *Perte sèche,* qui n'est compensée par aucun bénéfice. **3** Fait d'égarer, de perdre qqch. **4** *À perte de vue* loc. adv. : aussi loin que la vue peut atteindre. **5** *En pure perte* loc. adv. : inutilement. **6** Déperdition (d'énergie...). **7** Fait de perdre, d'être vaincu. **II** Fait de se perdre. *Courir à sa perte.*

**pertinemment** [-amɑ̃] adv. **1** littér. De manière pertinente. **2** cour. *Savoir pertinemment,* être informé exactement.

**pertinent, ente** adj. **1** Qui convient exactement, dénote du bon sens. → **judicieux. 2** sc. Doué d'une fonction distinctive dans un système. ► **pertinence** n. f.

**pertuis** n. m. vx ou littér. Trou ; passage.

**pertuisane** n. f. Ancienne arme, lance à long fer triangulaire.

**perturbateur, trice** n. **1** Personne qui perturbe. – adj. *Éléments perturbateurs.* **2** n. m. *Perturbateur endocrinien :* substance étrangère susceptible d'interférer avec le fonctionnement du système hormonal.

**perturbation** n. f. **1** Irrégularité provoquée dans un fonctionnement. – *Perturbation atmosphérique.* **2** Bouleversement dans la vie sociale ou individuelle.

**perturber** v. tr. [1] **1** Empêcher (qqch.) de fonctionner normalement. **2** Bouleverser, troubler (qqn).

**pervenche** n. f. Plante à fleurs bleu-mauve, des lieux ombragés.

**pervers, erse** adj. **1** littér. Qui se plaît à faire le mal ou à l'encourager. **2** adj. et n. (Personne) qui témoigne de perversion. **3** loc. *Effet pervers* : conséquence pernicieuse.

**perversion** n. f. **1** littér. Action de pervertir (1). → **dépravation.** **2** Déviation des tendances, des instincts. *Perversion sexuelle.*

**perversité** n. f. **1** littér. Goût pour le mal. **2** Goût de l'ambiguïté morale. ♦ Perversion (2).

**pervertir** v. tr. [2] **1** Faire changer (qqn) en mal. **2** Détourner (qqch.) de son sens ou de ses buts. *L'argent pervertit le sport.* ► **pervertissement** n. m.

**pesage** n. m. **1** Détermination, mesure des poids. **2** Action de peser les jockeys. – Endroit où s'effectue ce pesage.

**pesant, ante** adj. **1** Qui pèse lourd. **2** fig. Pénible à supporter. **3** Qui donne une impression de lourdeur. ► **pesamment** adv.

**pesanteur** n. f. **1** phys. Caractère de ce qui a un poids. – *La pesanteur* : la force qui entraîne les corps vers le centre de la Terre. → **gravité.** **2** Caractère pesant (3). → **lourdeur.** – Manque de vivacité. **3** Force qui retarde une évolution.

**pèse-bébé** n. m. Balance pour nourrisson. *Des pèse-bébés.*

**pesée** n. f. **1** Quantité pesée en une fois. **2** Détermination du poids (de qqch.). **3** Pression sur qqch. ou qqn.

**pèse-lettre** n. m. Balance pour les messages postaux. *Des pèse-lettres.*

**pèse-personne** n. m. Balance plate.

**peser** v. [5] **I** v. tr. **1** Déterminer le poids de (qqch.), en le comparant à un poids connu. **2** Apprécier, examiner avec attention. *Peser ses mots.* – au p. p. *Tout bien pesé* : après mûre réflexion. **II** v. intr. (concret) **1** Avoir comme poids. *Elle pèse soixante kilos. Les cent kilos qu'il a pesé* (sans accord). **2** *Peser sur, contre.* → **appuyer.** **III** v. intr. (abstrait) **1** *Peser à qqn,* être pénible. **2** *Peser sur* : accabler.

**peseta** [pezeta ; peseta] n. f. Ancienne unité monétaire de l'Espagne (avant l'euro).

**peshmerga** n. Combattant(e) kurde d'Irak.

**peso** [pezo ; peso] n. m. Unité monétaire de plusieurs pays d'Amérique latine.

**pessimisme** n. m. Disposition d'esprit qui porte à prendre les choses du mauvais côté. ► **pessimiste** adj. et n.

**peste** n. f. **I 1** Très grave maladie infectieuse, épidémique et contagieuse (bacille de Yersin). **2** Maladie virale des animaux d'élevage. **3** fig. Personne, chose nuisible. **II** interj. (étonnement, admiration) *Peste !*

**pester** v. intr. [1] Manifester son mécontentement, sa colère, par des paroles.

**pesticide** adj. et n. m. anglic. Produit destiné à la protection des cultures contre les parasites (herbicides, insecticides...).

**pestiféré, ée** adj. Infecté ou atteint de la peste (1). – n. *On le fuit comme un pestiféré.*

**pestilence** n. f. littér. Odeur infecte. ► **pestilentiel, ielle** adj.

**pesto** n. m. cuis. Sauce d'origine italienne à base de basilic et d'huile d'olive, avec ail, parmesan et pignons pilés. → **pistou.**

**pet** n. m. fam. Gaz intestinal qui s'échappe de l'anus avec bruit. ♦ loc. fam. *Ça ne vaut pas un pet (de lapin)* : ça ne vaut rien.

**pétale** n. m. Chacune des pièces florales composant la corolle d'une fleur.

Mot masculin : *un pétale blanc.*

**pétanque** n. f. Jeu de boules.

**pétant, ante** adj. fam. Exact (heure).

**pétarade** n. f. **1** Suite de pets (d'un cheval, etc.). **2** Suite de détonations.

**pétarader** v. intr. [1] Faire entendre une pétarade. ► **pétaradant, ante** adj.

**pétard** n. m. **1** Petite charge d'explosif dans une enveloppe. – loc. fig. *Pétard mouillé* : révélation sans effet. **2** fam. Bruit, tapage. – loc. *En pétard,* en colère. **3** fam. Revolver. **4** fam. Cigarette de haschisch. **5** fam. Derrière, fesses.

**pétaudière** n. f. Lieu de confusion.

**pet-de-nonne** n. m. Beignet soufflé. *Des pets-de-nonne.*

**péter** v. [6] fam. **I** v. intr. **1** Faire un pet, lâcher des vents. – loc. *Péter plus haut que son cul,* être prétentieux. **2** (sujet chose) Éclater avec bruit. → **exploser.** – Se rompre brusquement, se casser. **II** v. tr. **1** *Péter le feu* : déborder de vitalité. **2** Casser. ▷ adj. **pété, ée** fam. **1** Cassé. **2** (personnes) Fou. ♦ Ivre.

**pète-sec** n. et adj. invar. fam. (Personne) autoritaire au ton cassant.

**péteux, euse** n. fam. **1** Peureux. – adj. Honteux. **2** Personne insignifiante et prétentieuse.

**pétiller** v. intr. [1] **1** Éclater avec de petits bruits secs et répétés. *Le feu pétille.* → **crépiter.** **2** (liquide) Produire des bulles en bruissant. **3** littér. Briller. *Regard qui pétille.* ► **pétillant, ante** adj. ► **pétillement** n. m.

**pétiole** [-sjɔl] n. m. Partie rétrécie de certaines feuilles vers la tige.

**petiot, ote** [-tjo, ɔt] adj. fam. Petit, tout petit. – n. Petit enfant.

**petit, ite I** adj. **1** (êtres vivants) Dont la taille est inférieure à la moyenne. **2** Qui n'a pas atteint la taille adulte. *Quand j'étais petit.* → **enfant.** **3** (choses) Dont les dimensions sont faibles. *Une petite maison.* – *Le petit doigt.* **4** Dont la grandeur, l'importance, l'intensité est faible. *Une petite somme.* – *De petite taille* : petit (I, 1) ; nain. **5** (familiarité) *Un petit coin sympathique.* → **charmant.** *De bons* *petits plats.* **6** (personnes) *Ma petite dame* (condescendance). – *Petit crétin !* **II** n. **1** Être humain jeune, pas encore adulte. → **bébé, enfant.** *Les petits et les grands. Un tout-petit.* **2** Rejeton (d'un animal) ; jeune animal. – loc. fig. *Faire des petits,* se multiplier. **III** adj. **1** De peu d'importance. → **minime.** – loc. *Petit nom.* → **prénom. 2** (personnes) Qui a une condition, une situation peu importante (aussi n.). **3** Qui a peu de valeur, de qualités. *Un petit esprit.* → **borné, mesquin.** *C'est petit, ce qu'il a fait là.* **IV** adv. **1** *Petit à petit :* peu à peu. → **progressivement. 2** *En petit :* sur une petite échelle.

**petit-beurre** n. m. Gâteau sec rectangulaire, au beurre. *Des petits-beurre.*

**petit-bourgeois, petite-bourgeoise** n. et adj. (Personne) de la partie la moins aisée de la bourgeoisie *(petite bourgeoisie),* réputée conformiste et mesquine.

① **petit(-)déjeuner** n. m. Premier repas de la journée, pris le matin (au Canada, en Belgique, on dit *déjeuner*). – abrév. fam. **petit-déj'.** ► ② **petit-déjeuner** v. intr. [1]

**petitement** adv. **1** *Être logé petitement,* à l'étroit. **2** fig. Pauvrement. – Mesquinement.

**petitesse** n. f. **I** Caractère de ce qui est de petite dimension. **II** fig. **1** Caractère mesquin. **2** Action mesquine.

**petit-fils** [-fis], **petite-fille** n. Fils, fille d'un fils ou d'une fille.

**petit(-)four** n. m. Petit gâteau.

**petit-gris** n. m. **1** Fourrure grise d'un écureuil de Russie. **2** Petit escargot brun.

**pétition** n. f. Demande, plainte collective que l'on fait parvenir à qqn. ► **pétitionnaire** n. ► **pétitionner** v. intr. [1]

**petit-neveu, petite-nièce** n. Fils, fille d'un neveu ou d'une nièce.

**petit pois** n. m. → **pois**

**petits-enfants** [p(ə)tiz-] n. m. pl. Les enfants d'un fils ou d'une fille.

**petit-suisse** n. m. Fromage frais à la crème, en forme de petit cylindre.

**pétoche** n. f. fam. Peur. ► **pétochard, arde** adj. et n.

**pétoire** n. f. fam. Mauvais fusil.

**peton** n. m. fam. Petit pied.

**pétoncle** n. m. Coquillage comestible, brun et strié.

**pétrel** n. m. Oiseau marin très vorace.

**pétrifier** v. tr. [7] **1** Changer en pierre. – Rendre minérale (une matière organique). ► **pétrifiant, ante** adj. ► **pétrification** n. f. **2** fig. Immobiliser (qqn) par une émotion violente. – passif *Pétrifié de terreur.*

**pétrin** n. m. **1** Coffre, dispositif où on pétrit le pain. **2** fam. Situation embarrassante.

**pétrir** v. tr. [2] **1** Presser, remuer fortement et en tous sens (une pâte). ► **pétrissage** n. m. **2** Palper fortement. **3** fig., littér. Donner une forme à, façonner. **4** passif et p. p. *Être pétri, ie de :* formé(e), fait(e) avec.

**pétrochimie** n. f. Industrie des dérivés du pétrole. ► **pétrochimique** adj. ► **pétrochimiste** n.

**pétrodollars** n. m. pl. fin. Devises en dollars provenant de la vente du pétrole.

**pétrographie** n. f. Science des roches. ► **pétrographe** n.

**pétrole** n. m. **1** Huile minérale naturelle combustible (hydrocarbure) utilisée comme source d'énergie après raffinage. **2** Pétrole distillé. *Lampe à pétrole.* **3** appos. (invar.) *Bleu pétrole.*

**pétrolette** n. f. Petite moto, vélomoteur.

**pétrolier, ière I** n. m. **1** Navire-citerne pour le pétrole. **2** Industriel, financier du pétrole. **II** adj. Relatif au pétrole.

**pétrolifère** adj. Qui fournit du pétrole.

**pétulant, ante** adj. Qui manifeste une ardeur exubérante, désordonnée. → **fougueux, impétueux, vif.** ► **pétulance** n. f.

**pétunia** n. m. Plante ornementale des jardins, à fleurs violettes, roses, blanches.

**peu** adv. **I** (nominal) Faible quantité. **1** *Le peu que, de... Le peu (d'argent) qui lui reste.* **2** *Un peu de. Un peu de sel.* – *Un petit peu.* – *Pour un peu* (+ cond.) loc. adv. : il aurait suffi d'une faible différence. **3** (employé seul) loc. *Ce n'est pas peu dire,* sans exagération. *Éviter un ennui de peu.* → de **justesse.** *À peu près**. – *Peu à peu :* par petites étapes (→ petit à petit). **4** *Peu de. En peu de temps.* – *Peu de chose :* une chose insignifiante. **5** ellipt Peu de temps. *Depuis peu, il y a peu.* ♦ Un petit nombre (des personnes, des choses). *Bien peu l'ont su.* **II 1** (avec un verbe) En petite quantité, dans une faible mesure. → **modérément,** à **peine.** – loc. *Peu importe.* – (avec un adj.) Pas très. *Ils sont peu nombreux.* – (avec un adv.) *Peu souvent.* – *Si peu que* (+ subj.). *Si peu que ce soit,* en quelque petite quantité que ce soit. – *Pour peu que* (+ subj.) loc. conj. : si peu que ce soit, pourvu que. – *Peu ou prou**. **2** *Un peu :* dans une mesure faible, mais non négligeable. *Il va un (petit) peu mieux.* – littér. *Quelque peu :* assez. – poli ou iron. *Un peu :* bien trop. *C'est un peu fort !*

> Ne pas confondre avec *peut,* forme de *pouvoir.*

**peuchère** interj. région. (sud-est) Exclamation de commisération.

**peuh** interj. Exprime le mépris, le dédain.

**peuplade** n. f. Petit groupement humain. → **tribu.**

**peuple** n. m. **I** Ensemble d'êtres humains vivant en société, formant une communauté culturelle, et se réclamant d'une origine. → **nation, pays, société.** *Le droit des peuples à disposer d'eux-mêmes.* **II 1** Ensemble des personnes d'une nation. **2** *Le peuple :* le plus grand nombre. **III 1** Foule, multitude. – fam.

*Il y a du peuple,* du monde. **2** littér. *Un peuple de,* un grand nombre de.

**peuplement** n. m. **1** Action de peupler. **2** État d'un territoire peuplé.

**peupler** v. tr. [1] **I** Pourvoir (un lieu) d'habitants. *Peupler une région de colons.* – *Peupler un étang.* **II 1** Habiter, occuper (un pays...). **2** Être présent en grand nombre dans. ▷ v. pron. se **peupler** ▷ adj. **peuplé, ée**

**peupleraie** n. f. Plantation de peupliers.

**peuplier** n. m. **1** Arbre élancé, de haute taille, à petites feuilles. **2** Bois de peuplier.

**peur** n. f. **1** Émotion qui accompagne la prise de conscience d'un danger, d'une menace. → **crainte ; effroi, épouvante, frayeur, terreur.** loc. *Plus de peur que de mal.* – *La peur du gibier devant le chasseur.* – *La peur de la mort ; de mourir.* **2** Émotion de peur. loc. *Une peur bleue.* → **panique. 3** loc. (sans article) *Prendre peur.* – *Avoir peur.* → **craindre.** – *Faire peur.* → **effrayer. 4** *Par peur de, de peur de* loc. prép. : par crainte de. – *De peur que, par peur que* loc. conj. (+ subj.).

**peureux, euse** adj. **1** Qui a facilement peur. → **couard, poltron.** – n. *C'est un peureux.* **2** Apeuré. ► **peureusement** adv.

**peut-être** [pøtɛtʀ] adv. **1** Éventuellement (possibilité). *Ils ne viendront peut-être pas.* – (en réponse) *Peut-être ; peut-être bien.* → sans **doute.** – (en tête d'énoncé) *Peut-être viendra-t-elle.* **2** *Peut-être que. Peut-être bien que oui. Peut-être que je ne pourrai pas venir.* – (+ cond.) *Peut-être qu'il viendrait si...*

**peyotl** [pɛjɔtl] n. m. Cactus du Mexique dont on extrait la mescaline.

**pèze** n. m. sing. fam. Argent.

**pfennig** [pfenig] n. m. Le centième du mark*. *50 pfennigs.*

**pff(t)** interj. Exprime l'indifférence, le mépris. – var. **pfut.**

**pH** [peaʃ] n. m. invar. Potentiel d'hydrogène, unité de mesure d'acidité (de 1 à 14).

**phacochère** n. m. Mammifère ongulé d'Afrique, voisin du sanglier.

**phagocyte** n. m. biol. Cellule capable de détruire les microbes en les digérant (*phagocytose* n. f.).

**phagocyter** v. tr. [1] **1** Détruire par phagocytose. **2** fig. Absorber et détruire.

① **phalange** n. f. **1** Antiq. Formation de combat dans l'armée grecque. **2** littér. Armée.

② **phalange** n. f. Chacun des os longs qui soutiennent les doigts et les orteils. ♦ Segment (d'un doigt).

**phalanstère** n. m. didact. Groupe qui vit en communauté.

**phalène** n. f. ou m. Grand papillon nocturne ou crépusculaire.

**phallocrate** n. Personne qui considère les femmes comme inférieures. → **machiste.** – adj. *Un comportement phallocrate.* ► **phallocratie** n. f.

**phallus** [-ys] n. m. **1** Pénis en érection ; son image symbolique. ► **phallique** adj. **2** bot. *Phallus impudicus,* variété de champignon.

**phanérogame** adj. (plante) Qui a des organes sexuels (fleurs) apparents.

**phantasme** → **fantasme**

**pharaon** [-aɔ̃] n. m. Ancien souverain égyptien. ► **pharaonien, ienne** adj.

**pharaonique** adj. **1** Des pharaons. **2** vx Colossal. **3** Somptueux.

**phare** n. m. **1** Tour munie à son sommet d'un puissant éclairage qui guide les navires. **2** Projecteur placé à l'avant d'un véhicule. – Position où le phare éclaire le plus (opposé à *code,* à *lanterne*). **3 appos.** fig. *Un secteur phare.*

**pharisien, ienne** n. **1** Antiq. Membre d'une secte puritaine d'Israël (hypocrites, selon les Évangiles). **2** littér., péj. Hypocrite.

**pharmacie** n. f. **1** Science des remèdes et des médicaments. **2** Magasin où l'on vend des médicaments, des produits d'hygiène, etc. **3** Assortiment de produits pharmaceutiques. ♦ Meuble, local où l'on conserve ces produits. ► **pharmaceutique** adj.

**pharmacien, enne** n. Personne (diplômée) qui exerce la pharmacie. – Responsable d'une pharmacie (2).

**pharmacologie** n. f. Étude des médicaments, de leur action et de leur emploi.

**pharmacopée** n. f. Ensemble ou liste de médicaments.

**pharyngite** n. f. Inflammation du pharynx. → **angine.**

**pharynx** [-ɛ̃ks] n. m. Cavité où aboutissent les conduits digestifs et respiratoires (→ **larynx, rhinopharynx**). ► **pharyngien, ienne** adj.

**phase** n. f. **1** Chacun des états successifs (d'une chose en évolution). → **période ; stade. 2** Aspect de la Lune et des planètes selon leur éclairement par le Soleil. **3** loc. *En phase :* en accord, en harmonie. **4** chim. État d'un élément. *Phase solide, liquide et gazeuse.*

**phasme** n. m. Insecte mimétique, allongé et grêle.

**phénicien, enne** adj. et n. hist. De la Phénicie.

**phéniqué, ée** adj. Qui contient du phénol.

**phénix** [-iks] n. m. mythol. Oiseau unique, qui était censé renaître de ses cendres.

**phénol** n. m. **1** Solide cristallisé blanc, corrosif et toxique, à odeur forte. **2** chim. (au plur.) Série de composés organiques dérivés du benzène.

**phénoménal, ale, aux** adj. **1** philos. Du phénomène. **2** Qui sort de l'ordinaire.

**phénomène** n. m. **1** philos. Fait naturel complexe (observable, étudiable). **2** cour. Fait observé, événement anormal ou surprenant. **3** fam. Individu original.

**phénoménologie** n. f. didact. Philosophie (du phénomène (1)), qui écarte toute interprétation abstraite. ► **phénoménologique** adj.

**phénotype** n. m. biol. Caractères individuels correspondant à une réalisation du génotype* (d'un individu), en fonction du milieu (→ **hérédité**). ► **phénotypique** adj.

**phéromone** n. f. physiol. Substance chimique sécrétée par un organisme, qui provoque chez un congénère une réaction spécifique.

**philanthrope** n. **1** Personne qui aime l'humanité (opposé à *misanthrope*). **2** Personne généreuse et désintéressée. ► **philanthropie** n. f. ► **philanthropique** adj.

**philatélie** n. f. Connaissance des timbres-poste ; art de les collectionner. ► **philatélique** adj. ► **philatéliste** n.

**philharmonique** adj. Se dit de certains orchestres classiques.

**philistin** n. m. littér. Personne de goût vulgaire, fermée aux arts et aux lettres.

**philo** n. f. fam. Philosophie.

**philodendron** [-dɛ̃dʀɔ̃] n. m. Plante grimpante tropicale, à feuilles très découpées.

**philologie** n. f. Étude historique des langues et civilisations par l'analyse critique des textes. ► **philologique** adj. ► **philologue** n.

**philosophale** adj. f. alchim. *Pierre philosophale :* substance capable de transmuer les métaux en or.

**philosophe** I n. **1** Auteur, penseur qui élabore une doctrine philosophique. - Spécialiste de philosophie. **2** (au XVIIIe siècle) Partisan de la liberté de pensée. **II** adj. Qui montre de la sagesse, du détachement.

**philosopher** v. intr. [1] Penser, raisonner (sur des problèmes abstraits).

**philosophie** n. f. **I 1** Vision systématique et générale (mais non scientifique) du monde ; son exposé. **2** Système des fondements d'une science. *La philosophie de l'histoire.* **3** Ensemble de conceptions (ou d'attitudes) philosophiques. → **doctrine, système, théorie.** *La philosophie critique de Kant. - La philosophie orientale.* ♦ Vision du monde. *La philosophie de Hugo.* **II** absolt Élévation d'esprit, détachement. → **sagesse.**

**philosophique** adj. **I** Relatif à la philosophie (1), à des problèmes de philosophie. **II** Sage. ► **philosophiquement** adv.

**philtre** n. m Breuvage magique censé inspirer l'amour.

Ne pas confondre avec *filtre* «tamis».

**phimosis** [-is] n. m. méd. Étroitesse pathologique du prépuce.

**phlébite** n. f. Inflammation d'une veine.

**phlébologie** n. f. didact. Discipline médicale qui étudie les veines et leurs maladies. ► **phlébologue** n.

**phlegmon** n. m. méd. Inflammation purulente du tissu conjonctif. → **abcès.**

**phlox** [flɔks] n. m. Plante herbacée à fleurs de couleurs variées.

**phobie** n. f. **1** méd. Peur morbide, angoisse devant certains objets, actes, situations ou idées. **2** cour. Peur, aversion instinctive. ► **phobique** adj. et n.

**phœnix** → ② **phénix**

**phonème** n. m. didact. Élément sonore du langage parlé, en tant qu'unité distinctive.

**phonétique 1** adj. Qui a rapport aux sons du langage. **2** n. f. Étude des sons de la parole. → **phonologie.** ► **phonétiquement** adv. ► **phonéticien, ienne** n.

**phonographe** ou (abrév.) **phono** n. m. ancienn<sup></sup>t Appareil reproduisant mécaniquement les sons enregistrés.

**phonologie** n. f. didact. Science qui étudie les phonèmes (d'une langue). ► **phonologue** n.

**phonologique** adj. didact. Qui concerne les oppositions de phonèmes.

**phoque** n. m. **1** Mammifère marin des eaux froides, aux membres antérieurs courts et palmés, au pelage ras. **2** Fourrure de phoque ou d'otarie.

**phosphate** n. m. chim. Sel des acides phosphoriques. - *Phosphate (de calcium),* engrais naturel ou enrichi.

**phosphore** n. m. Élément (symb. P), très toxique et inflammable, luminescent *(phosphore blanc).* ► **phosphorique** adj.

**phosphorescent, ente** adj. Qui émet de la lumière après en avoir reçu. ► **phosphorescence** n. f.

**photo** n. f. → **photographie.**

**photocomposer** v. tr. [1] imprim. Composer (un texte à imprimer) par procédé photographique des caractères. ► **photocomposition** n. f.

**photocopier** v. tr. [7] Reproduire (un document) par photographie. ► **photocopie** n. f.

**photocopieur** n. m. et **photocopieuse** n. f. Machine à photocopier.

**photoélectrique** adj. **1** phys. *Effet photoélectrique,* émission d'électrons sous l'influence de la lumière. **2** *Cellule photoélectrique,* déclenchant un signal (alarme, etc.) par effet photoélectrique.

**photogénique** adj. Dont l'image photographique est agréable. *Visage photogénique.*

**photographe** n. **1** Personne qui prend des photographies. **2** Professionnel qui développe, tire les clichés, vend du matériel photographique.

**photographie** ou (abrév.) **photo** n. f. **1** Procédé, technique donnant l'image durable des objets, par l'action de la lumière sur une surface sensible. **2** (surtout *photo*) Technique, art des images photographiques. **3** Image, cliché photographique.

**photographier** v. tr. [7] Obtenir l'image de (qqn, qqch.) par la photographie.

**photographique** adj. **1** De la photographie. - abrév. **photo.** **2** Aussi fidèle, aussi exact que la photographie. ► **photographiquement** adv.

**photogravure** n. f. Impression par procédés photographique et chimique (à l'acide). ► **photograveur, euse** n.

**photomaton** n. m. (nom déposé) Cabine équipée d'un appareil qui tire automatiquement des photos d'identité.

**photométrie** n. f. didact. Mesure de l'intensité des rayonnements. ► **photométrique** adj. ► **photomètre** n. m.

**photomontage** n. m. Montage de photographies.

**photon** n. m. sc. Corpuscule de la lumière, quantum du champ électromagnétique.

**photophore** n. m. **1** Lampe portative à réflecteur. **2** Coupe décorative lumineuse.

**photopile** n. f. Dispositif convertissant l'énergie lumineuse en courant électrique.

**photoreportage** n. m. Reportage photographique. ► **photoreporteur, trice** n. ou **photoreporter** [-ɛʀ ; -œʀ] n. m.

**photosensible** adj. Sensible aux rayonnements lumineux.

**photosynthèse** [-s-] n. f. bot. Élaboration des matières organiques sous l'action de la lumière, grâce à la chlorophylle.

**phototropisme** n. m. didact. Tropisme déterminé par l'action de la lumière.

**photovoltaïque** adj. électron. Qui produit du courant électrique par transformation de l'énergie lumineuse. *Cellule photovoltaïque.* → **photopile.**

**phrase** n. f. **1** Assemblage d'éléments du langage, oral ou écrit, capable de représenter un énoncé. *Phrase simple ; complexe* (plusieurs propositions*). → **syntaxe.** **2** au plur. Façons de parler recherchées ou prétentieuses. *Faire des phrases.* **3** Succession ordonnée de périodes musicales.

**phrasé** n. m. mus. Manière de phraser.

**phraséologie** n. f. didact. Ensemble des locutions, termes et expressions figés (d'une langue...).

**phraser** v. tr. [1] Délimiter ou ponctuer (les périodes musicales) par l'exécution.

**phraseur, euse** n. Faiseur de phrases (2), bavard prétentieux.

**phréatique** adj. *Nappe phréatique :* nappe d'eau souterraine qui alimente les sources, des puits.

**phrygien, enne** adj. et n. De Phrygie. ♦ hist. *Bonnet phrygien,* porté par les révolutionnaires de 1789.

**phtisie** n. f. vx Tuberculose pulmonaire. ► **phtisique** adj. et n. vx

**phtisiologie** n. f. Médecine de la tuberculose pulmonaire. ► **phtisiologue** n.

**phylloxéra** n. m. **1** Puceron parasite des racines de la vigne. **2** Maladie de la vigne.

**physicien, ienne** n. Spécialiste de la physique.

**physicochimique** adj. didact. À la fois physique et chimique.

**physiognomonie** n. f. anciennt (hist. des sc.) Étude du caractère d'une personne d'après les traits de son visage. → **morphopsychologie.**

**physiologie** n. f. Science qui étudie les fonctions et les propriétés des organes et des tissus des êtres vivants ; ces fonctions. ► **physiologiste** n.

**physiologique** adj. **1** De la physiologie. **2** (opposé à *psychique*) → **physique, somatique.** ► **physiologiquement** adv.

**physionomie** n. f. **1** Ensemble des traits, aspect expressif du visage. **2** Aspect particulier (d'une chose).

**physionomiste** **1** adj. Qui reconnaît les personnes déjà rencontrées. **2** n. Personne chargée de filtrer l'accès à un lieu public.

**physiothérapie** n. f. méd. Méthode thérapeutique qui utilise les agents naturels. ► **physiothérapeute** n.

① **physique** **I** adj. **1** Qui se rapporte à la nature. *Le monde physique :* matériel. **2** Qui concerne le corps humain (opposé à *moral, psychique*). → **physiologique.** **3** Charnel, sexuel. *Amour physique.* **4** Qui se rapporte à la nature (en excluant la vie : sciences naturelles). **5** Qui concerne la physique (②). **II** n. m. **1** Ce qui est physique dans l'être humain. *Au physique comme au moral.* **2** Aspect général (de qqn). - loc. *Avoir le physique de l'emploi :* l'apparence qui correspond à la situation. ► **physiquement** adv.

② **physique** n. f. **1** Science des propriétés générales de la matière, des lois des phénomènes matériels. **2** Étude physique. *La physique du globe.*

**phytothérapie** n. f. Traitement des maladies par les plantes ou leurs extraits.

**pi** n. m. Symbole (π) qui représente le rapport de la circonférence d'un cercle à son diamètre (3,1415926...).

**piaf** n. m. fam. Moineau ; petit oiseau.

**piaffer** v. intr. [1] **1** Se dit d'un cheval qui, sans avancer, frappe la terre des pieds de devant. **2** (personnes) Frapper du pied. ► **piaffement** n. m.

**piailler** v. intr. [1] fam. **1** (oiseaux) Pousser de petits cris aigus. **2** (enfant) Pleurer. ► **piaillement** n. m. ► **piailleur, euse** n. et adj.

**pian** n. m. Grave maladie tropicale, contagieuse et endémique.

**pianissimo** adv. mus. Très doucement.

**pianiste** n. Personne qui joue du piano.

① **piano** n. m. **1** Instrument de musique à clavier, dont les cordes sont frappées par des marteaux. - *Piano droit* (à table d'harmonie verticale), *à queue* (horizontale). - *Piano mécanique,* à mécanisme (bande perforée, etc.). - fam. *Piano à bretelles.* → **accordéon. 2** Technique, art du piano.

② **piano** adv. **1** mus. Doucement, faiblement (opposé à *forte*). **2** fam. → **doucement.**

**piano-forte** [-fɔʀte] n. m. Piano du XVIIIe et du début du XIXe siècle.

**pianoter** v. intr. [1] **1** Jouer un peu du piano. **2** Tapoter (sur qqch.) avec les doigts. ► **pianotage** n. m.

**piastre** n. f. **1** Monnaie de Syrie, Égypte, Liban... **2** (au Canada) fam. Dollar (canadien).

**piaule** n. f. fam. Chambre, logement.

**piauler** v. intr. [1] Piailler.

**P. I. B.** [peibe] n. m. Produit* intérieur brut.

① **pic** n. m. Oiseau grimpeur qui frappe de son bec l'écorce des arbres.

② **pic** n. m. Pioche à fer(s) pointu(s).

③ **pic 1** n. m. Montagne à pointe aiguë ; cette cime. **2** loc. adv. *À pic :* verticalement. - adj. *Montagne à pic.* ♦ *Bateau qui coule à pic,* droit. ♦ fig. À point nommé. **3** Intensité maximale. *Pic de pollution.*

**picador** n. m. Cavalier qui pique le taureau (corridas).

**picaresque** adj. *Roman picaresque,* d'aventuriers (Espagne, XVIIe et XVIIIe s.).

**piccolo** n. m. Petite flûte.

**pichenette** n. f. Chiquenaude*.

**pichet** n. m. Petite cruche à bec.

**pickles** [pikœls] n. m. pl. anglic. Petits légumes macérés dans du vinaigre.

**pickpocket** [-ɛt] n. m. anglic. Voleur à la tire.

**pick-up** [-œp] n. m. invar. anglic. **I** vieilli Tourne-disque. **II** Camionnette à plateau.

**picodon** n. m. Petit fromage de chèvre de l'Ardèche.

**picoler** v. intr. [1] fam. Boire du vin, de l'alcool avec excès. ► **picoleur, euse** n.

**picorer** v. intr. [1] **1** (oiseaux) Chercher sa nourriture avec le bec. - trans. *Picorer des graines.* → **becqueter. 2** (personnes) Manger peu.

**picot** n. m. **1** techn. Pièce mécanique en relief qui s'emboîte dans une perforation. **2** Petite dent bordant une dentelle.

**picoter** v. tr. [1] **1** Piquer légèrement et à petits coups répétés. - (oiseaux) → **picorer. 2** Irriter. ► **picotement** n. m.

**picotin** n. m. Avoine d'un cheval.

**picrate** n. m. **1** chim. Sel de l'acide picrique. **2** fam. Mauvais vin rouge.

**picrique** adj. *Acide picrique :* dérivé nitré du phénol, solide cristallisé jaune, toxique.

**pictogramme** n. m. didact. Dessin figuratif schématique (symbole).

**pictographique** adj. didact. *Écriture pictographique,* utilisant des pictogrammes.

**pictural, ale, aux** adj. Qui a rapport ou appartient à la peinture.

① **pie I** n. f. **1** Oiseau au plumage noir et blanc, à longue queue. **2** Personne bavarde. **II** adj. invar. *Cheval pie,* à robe noire (ou fauve) et blanche.

② **pie** adj. f. loc. *Œuvre pie,* de piété.

**pièce** n. f. **I** Partie détachée (d'un tout). → **fragment, morceau.** - loc. *Mettre en pièces :* casser, déchirer. **II 1** Chaque objet, chaque élément ou unité (d'un ensemble). *Dix euros (la) pièce.* → **chacun.** - *Travail aux pièces,* rémunéré selon les pièces exécutées. fam. *On a le temps, on n'est pas aux pièces.* - loc. *C'est une pièce de musée,* un objet de grande valeur. - *Costume trois-pièces* (veston, pantalon, gilet). **2** Quantité déterminée. *Une pièce de soie.* **3** *Une pièce de bétail.* → **tête. III 1** *Pièce (de terre) :* espace de terre cultivable. - *Pièce d'eau :* grand bassin ou petit étang. ♦ *Pièce de vin :* barrique. **2** *Pièce montée :* grand ouvrage de pâtisserie. **3** Chaque unité d'habitation. *Un (appartement de) trois pièces.* **4** *Pièce (de monnaie) :* petit disque de métal servant de valeur d'échange. → **piécette. 5** Écrit servant à établir un droit. *Pièces d'identité.* → **papier(s).** - *Pièce à conviction,* permettant d'établir une preuve. - loc. *Juger, décider sur pièces.* **6** Ouvrage littéraire ou musical. *Une pièce de vers.* ♦ *Pièce (de théâtre) :* ouvrage dramatique. **IV 1** Chacun des éléments assemblés. *Les pièces d'une machine.* **2** Élément destiné à réparer (→ **rapiécer**). **3** loc. *D'une seule pièce, tout d'une pièce,* d'un seul tenant. - (personnes) *Être tout d'une pièce,* franc et direct. → **entier.** - *Créer, inventer de toutes pièces,* entièrement.

**piécette** n. f. Petite pièce de monnaie.

**pied** n. m. **I 1** Extrémité inférieure du corps humain articulée à la jambe. *Doigt de pied :* orteil. *La plante du pied.* - loc. *Avoir mis les pieds* (quelque part), y être allé. *De pied en cap :* de la tête aux pieds. - *Coup de pied,* donné avec le pied. - fam. *Faire qqch. comme un pied,* très mal. **2** loc. fig. *Casser les pieds (de, à qqn),* l'ennuyer. - *Ça lui fera les pieds,* ça lui donnera une leçon. - *Mettre les pieds dans le plat,* aborder une question brutalement ; faire une gaffe. - *S'être levé du pied gauche,* être de mauvaise humeur. - *Pieds et poings liés,* réduit à l'impuissance. - *Faire des pieds et des mains pour* (+ inf.), se démener pour. - *Attendre qqn de pied ferme,* avec détermination. - *Au pied levé,* sans préparation. **3** loc. (avec *sur, à, en*) *Sur pied. Dès cinq heures, il est sur pied,* debout, levé. - *Mettre sur pied :* créer. ♦ *À pied :* en marchant. - *Il a été mis à pied,* licencié. - *Sauter à pieds joints.* ♦ *En pied :* représenté debout. *Portrait en pied.* **4** loc. (v. + *pied*) *Mettre pied à terre :* descendre de cheval, de voiture. *Avoir pied,* pouvoir se tenir debout en ayant la tête hors de l'eau. *Perdre pied,* ne plus avoir pied ; fig. se troubler. - *Lâcher pied,* céder, reculer. ♦ *Avoir bon pied, bon œil,* être solide, agile, et avoir bonne vue. **5** Emplacement des pieds. *Le pied et la tête d'un lit.* **6** (chez l'animal) Extrémité inférieure de la jambe (chevaux), de la patte (mammifères, oiseaux). **II 1** Partie (d'un objet) qui touche le sol. → **bas, base.** – loc. *Être au pied du mur,* dans l'obligation d'agir. *Être à pied d'œuvre,* en situation d'agir. – (végétaux) *Fruits vendus sur pied,* avant la récolte. **2** Plant (d'un végétal cultivé). *Pied de vigne.* **3** Partie (d'un objet) servant de support. *Un verre à pied.* **III 1** Ancienne unité de mesure de longueur (0,324 m). **2** Unité internationale d'altitude en aéronautique (0,3048 m). **IV** (Proportion) **1** *Au pied de la lettre*.* **2** loc. *Prendre son pied :* sa part de butin ; fam. jouir. – *Quel pied !,* quel plaisir ! **3** *Sur (le, un) pied (de). Sur un pied d'égalité.* **4** *Pied à coulisse :* instrument pour mesurer les épaisseurs et les diamètres. **5** poésie (sauf en français : syllabe). Unité rythmique, groupe de syllabes accentué.

**pied-à-terre** [pjeta-] n. m. invar. Logement occupé occasionnellement.

**pied-de-biche** n. m. techn. Levier, pièce à tête fendue. *Des pieds-de-biche.*

**pied-de-mouton** n. m. Champignon comestible appelé *hydne sinué.*

**pied de nez** n. m. Geste de dérision (les doigts écartés, le pouce sur son nez). – fig. Affront, bravade. *Des pieds de nez.*

**pied-de-poule** n. m. Tissu dont le dessin forme un damier. *Des pieds-de-poule.* – adj. invar. *Des vestes pied-de-poule.*

**piédestal, aux** n. m. **1** Support élevé. **2** fig. *Mettre qqn sur un piédestal,* l'admirer.

**pied-noir** n. Français d'Algérie. *Les pieds-noirs.*

**piège** n. m. **1** Engin pour prendre les animaux, les oiseaux. **2** fig. Danger caché.

**piéger** v. tr. [3] et [6] **1** Chasser, prendre (un animal) au piège. **2** fig. *Piéger qqn.* ▷ adj. **piégé, ée** *Voiture piégée,* dans laquelle on a placé un explosif.

**pie-grièche** n. f. **1** Passereau à bec crochu, voisin de la pie. **2** Femme acariâtre.

**piercing** [pɛʀ-] n. m. anglic. Fait de percer une partie mince du corps (aile du nez...) pour y placer un ornement ; cet ornement.

**pierraille** n. f. collectif **1** Petites pierres ; éclats de pierre. **2** Étendue de pierres.

**pierre** n. f. **I 1** Matière minérale solide, dure. → **roche.** – loc. *Un cœur de pierre,* dur et impitoyable. – *L'âge de la pierre.* → **néolithique, paléolithique.** ♦ Variété de cette matière. → **minéral. 2** *Une pierre,* fragment rocheux. → **caillou.** ♦ loc. *Jeter la pierre à qqn,* l'accuser, le blâmer. – *Faire d'une pierre deux coups,* obtenir deux résultats par une action. **3** Fragment minéral. *Pierre à aiguiser.* – *Pierre de touche,* pour éprouver l'or ; fig. ce qui sert à mesurer la valeur. **4** Bloc employé dans la construction. *Pierre de taille*.* **5** Bloc constituant un monument. → **mégalithe, monolithe. II** *Pierre (précieuse) :* minéral ou cristal précieux. → **gemme.** *Pierres fines, semi-précieuses.*

**pierreries** n. f. pl. Pierres précieuses taillées. → **joyau.**

**pierreux, euse** adj. **1** Couvert de pierres (I, 2). **2** Qui ressemble à de la pierre.

**pierrot** n. m. **I** Moineau. **II** Personnage de pantomime à face ronde et blanche.

**pietà** [pjeta] n. f. invar. Représentation de la Vierge avec le corps du Christ mort.

**piétaille** n. f. plais. *La piétaille :* l'infanterie ; les subalternes.

**piété** n. f. **1** Attachement fervent à la religion. → **dévotion. 2** littér. Attachement respectueux. *Piété filiale.*

**piétiner** v. [1] **I** v. intr. **1** S'agiter sur place en frappant les pieds contre le sol. – Marcher sur place. **2** fig. Ne faire aucun progrès. *L'enquête piétine.* **3** (foule, troupeau) Marcher en martelant le sol avec un bruit sourd. **II** v. tr. **1** Fouler aux pieds. **2** fig. Ne pas respecter. ► **piétinement** n. m.

**piéton, onne 1** n. Personne qui circule à pied. **2** adj. Pour les piétons. *Rue piétonne.*

**piétonnier, ière** adj. (passage, voie...) Réservé aux piétons.

**piètre** adj. (devant le nom) Très médiocre. → **dérisoire.** ► **piètrement** adv.

① **pieu** n. m. Pièce de bois fichée en terre.

② **pieu** n. m. fam. Lit (dans ses fonctions). *Se mettre au pieu (se pieuter* v. pron. [1]).

**pieuvre** n. f. **1** Poulpe (de grande taille). **2** fig. Personne, entreprise tentaculaire.

**pieux, pieuse** adj. **1** Animé ou inspiré par des sentiments de piété. **2** littér. Plein d'une respectueuse affection. ► **pieusement** adv.

**piézoélectrique** adj. De l'électricité produite par déformation. ► **piézoélectricité** n. f.

① **pif** interj. Onomatopée, bruit sec. *Pif paf !*

② **pif** n. m. fam. Nez.

**pifer** ou **piffer** v. tr. [1] (à l'infinitif négatif) fam. Supporter.

au **pifomètre** loc. adv. fam. Au flair.

① **pige** n. f. **I** techn. Longueur conventionnelle prise pour étalon. **II** Rémunération à la quantité de texte. – *Travailler à la pige.* **III** argot fam. Année (dans un compte).

② **pige** n. f. loc. fam. *Faire la pige à qqn,* faire mieux que lui, le surpasser.

**pigeon** n. m. **I** Oiseau au bec grêle, aux ailes courtes. – *Pigeon voyageur,* élevé pour porter des messages. **II** fam. Dupe.

**pigeonnant, ante** adj. Se dit d'une poitrine haute et ronde. – par ext. *Décolleté pigeonnant.*

**pigeonne** n. f. Femelle du pigeon.

**pigeonneau** n. m. Jeune pigeon.

**pigeonner** v. tr. [1] fam. Duper, rouler.

**pigeonnier** n. m. Petit bâtiment où l'on peut élever des pigeons.

**piger** v. tr. [3] fam. Saisir, comprendre.

**pigiste** n. Personne payée à la pige (①, II).

**pigment** n. m. **1** Substance chimique donnant aux tissus organiques leur coloration. ► **pigmenté, ée** adj. **2** Substance colorante superficielle.

**pigmentation** n. f. Couleur due à un pigment (1). *La pigmentation de la peau.*

① **pignon** n. m. Partie haute et triangulaire d'un mur. - loc. *Avoir pignon sur rue :* être honorablement connu.

② **pignon** n. m. Roue dentée.

③ **pignon** n. m. **1** Graine comestible du pin pignon. - syn. (région.) **pigne** n. f. **2** appos. *Pin pignon,* pin parasol.

**pignouf, e** n. fam. et péj. Personne mal élevée.

**pilaf** n. m. Riz au gras, servi épicé.

**pilage** n. m. Action de piler (①).

**pilaire** adj. méd. Relatif aux cheveux, aux poils.

**pilastre** n. m. Pilier engagé dans un mur, un support ; colonne plate.

**pilates** [-at] n. m. (marque déposée) Ensemble d'exercices de renforcement musculaire.

① **pile** n. f. **I 1** Pilier soutenant les arches d'un pont. **2** Amas d'objets entassés. **II** Appareil transformant de l'énergie chimique en énergie électrique.

② **pile** n. f. fam. Volée de coups. ♦ Défaite.

③ **pile I** n. f. (loc.) *Pile ou face :* revers ou face (d'une monnaie jetée en l'air). **II** adv. *S'arrêter pile,* net. *Ça tombe pile,* exactement.

① **piler** v. tr. [1] **1** Réduire en fragments, en poudre... par des coups répétés. → **broyer, écraser.** **2** fig., fam. Vaincre, battre.

② **piler** v. intr. [1] fam. Freiner brutalement.

**pileux, euse** adj. Qui a rapport aux poils. *Le système pileux* (poils et cheveux).

**pilier** n. m. **1** Support vertical, dans une construction. **2** fig. Personne ou chose qui assure la stabilité. *Les piliers du régime.* **3** plais. Habitué (d'un lieu). *Un pilier de bar.* **4** au rugby Avant de première ligne.

**pili-pili** n. m. invar. Piment rouge.

**pillage** n. m. Action de piller.

**pillard, arde 1** n. Personne qui pille (1). **2** adj. Qui pille, a l'habitude de piller.

**piller** v. tr. [1] **1** Dépouiller violemment (une ville, un lieu) des biens qu'on trouve. **2** Voler (un bien). **3** fig. Emprunter par plagiat. ► **pilleur, euse** n.

**pilon** n. m. **1** Instrument cylindrique servant à piler. - loc. *Mettre un livre au pilon,* le détruire. **2** Extrémité d'une jambe de bois. **3** Partie inférieure de la cuisse (d'une volaille).

**pilonner** v. tr. [1] **1** Écraser avec un pilon (1). **2** Bombarder. ► **pilonnage** n. m.

**pilori** n. m. **1** Peine d'exposition publique (d'un condamné) ; poteau où on l'attachait. **2** loc. fig. *Mettre, clouer qqn au pilori,* le signaler au mépris public.

**pilosité** n. f. Ensemble des poils (du corps).

**pilotage** n. m. **1** Manœuvre, science du pilote (1). **2** Fait de piloter (1).

**pilote** n. **1** Marin autorisé à guider les navires (ports, parages difficiles). **2** Personne qui conduit (un appareil volant). **3** Conducteur (d'une voiture de course). **4** Personne qui en guide une autre. **5** fig. appos. Expérimental. *École pilote.*

**piloter** v. tr. [1] **1** Conduire en qualité de pilote. **2** Servir de guide à (qqn).

**pilotis** n. m. Ensemble de pieux enfoncés en terre (constructions sur l'eau, etc.).

**pilou** n. m. Tissu de coton pelucheux.

**pilule** n. f. **1** Médicament à avaler. - loc. *Avaler la pilule,* supporter (qqch.) sans protester. **2** *Pilule contraceptive ;* cour. *la pilule :* contraceptif oral féminin composé de produits hormonaux de synthèse (le plus souvent, association d'œstrogènes et de progestatifs). - *La pilule du lendemain* (contraception d'urgence).

**pilulier** n. m. Boîte à pilules.

**pilum** [-ɔm] n. m. Antiq. romaine Javelot.

**pimbêche** n. f. Femme prétentieuse. - adj. *Elle est pimbêche.*

**piment** n. m. **1** Plante dont les fruits servent de légume ou de condiment ; son fruit. *Piment doux.* → **poivron.** **2** fig. Ce qui donne du piquant. ► **pimenter** v. tr. [1]

**pimpant, ante** adj. Qui a un air de fraîcheur et d'élégance.

**pin** n. m. Arbre résineux (conifère) à aiguilles persistantes. *Pin parasol.*

Ne pas confondre avec *pain* «aliment».

**pinacle** n. m. **1** littér. Sommet d'un édifice. **2** fig. loc. *Porter qqn au pinacle,* louanger.

**pinacothèque** n. f. Musée de peinture.

**pinailler** v. intr. [1] fam. Ergoter. ► **pinaillage** n. m. ► **pinailleur, euse** n.

**pinard** n. m. fam. Vin. → **picrate** (2).

**pinasse** n. f. région. Bateau à fond plat.

**pince** n. f. **1** Instrument composé de deux leviers articulés, pour saisir, serrer. **2** Levier, pied-de-biche. **3** Partie antérieure des grosses pattes (de crustacés). **4** fam. *Serrer la pince à qqn,* la main. - *À pinces,* à pied. **5** Pli cousu sur l'envers de l'étoffe.

**pincé, ée** adj. **I** → **pincer.** - mus. *Cordes pincées* (guitare, luth, mandoline...). - *Lèvres pincées.* **II** fig. Contraint, prétentieux.

**pinceau** n. m. **1** Faisceau de poils ou de fibres fixé à un manche, pour peindre, vernir, encoller, etc. **2** *Pinceau lumineux,* faisceau, rayon. **3** fam. vieilli Jambe ; pied.

**pincée** n. f. Quantité (de poudre, grains) que l'on peut prendre entre les doigts.

**pincement** n. m. **1** Action de pincer. **2** Brève douleur. *Pincement au cœur.*

**pince-monseigneur** n. f. Levier pour forcer une porte. *Des pinces-monseigneur.*

**pince-nez** n. m. invar. Lorgnon.

**pincer** v. tr. [3] **1** Serrer entre les extrémités des doigts, entre les branches d'un instrument (→ **pince**). **2** Faire mal. → **mordre.** – sans compl. *Ça pince.* **3** Serrer fortement. *Pincer les lèvres.* **4** fam. Arrêter (un malfaiteur) ; prendre en faute. **5** fam. *En pincer pour qqn,* en être amoureux.

**pince-sans-rire** n. et adj. invar. (Personne) qui pratique l'ironie à froid.

**pincette** n. f. **1** Petite pince. **2** plur. Longue pince pour attiser le feu. – loc. *Ne pas être à prendre avec des pincettes,* être très sale ; fig. de mauvaise humeur.

**pinçon** n. m. Marque sur la peau pincée.

Ne pas confondre avec *pinson* «oiseau».

**pineau** n. m. Vin de liqueur des Charentes.

Ne pas confondre avec *pinot* «cépage».

**pinède** n. f. Plantation, forêt de pins.

**pingouin** n. m. Gros palmipède des régions arctiques, blanc et noir.

**ping-pong** [piŋpɔ̃g] n. m. Tennis de table (→ **pongiste**). *Raquette de ping-pong.*

**pingre** n. et adj. littér. Avare mesquin. ► **pingrerie** n. f.

**pinot** n. m. Cépage (Champagne, Bourgogne...).

Ne pas confondre avec *pineau* «apéritif».

**pin-pon** interj. Bruit des avertisseurs à deux tons des pompiers (en France).

**pin's** [pins] n. m. anglic. Petit insigne décoratif.

**pinson** n. m. Passereau à plumage bleu verdâtre et noir, bon chanteur.

Ne pas confondre avec *pinçon* «marque de pincement».

**pintade** n. f. Oiseau gallinacé, au plumage sombre semé de taches claires.

**pintadeau** n. m. Petit de la pintade.

**pinte** n. f. **1** Ancienne mesure de capacité pour les liquides (0,93 l). **2** Mesure de capacité anglo-saxonne (0,568 l).

**pinter** v. [1] **1** v. intr. fam. Boire beaucoup. **2** *Se pinter* v. pron. S'enivrer.

**pin-up** [pinœp] n. f. invar. anglic. **1** Photo de jolie fille peu vêtue. **2** Jolie fille attirante.

**pinyin** [pinjin] n. m. Transcription du chinois en alphabet romain.

**pioche** n. f. **1** Outil, fer emmanché à deux pointes opposées. **2** fam. *Tête de pioche :* personne entêtée.

**piocher** v. [1] **I** v. tr. Creuser, remuer (la terre, etc.) avec une pioche. **II** v. intr. **1** Fouiller (dans un tas) pour saisir qqch. **2** jeux Prendre une carte, un domino... dans la réserve (*pioche* n. f.).

**piolet** n. m. Bâton d'alpiniste à bout ferré et petit fer de pioche.

① **pion** n. m. **1** échecs Chacune des huit pièces autres que les figures. – Pièce du jeu de dames, etc. **2** loc. *N'être qu'un pion (sur l'échiquier),* être manœuvré. – *Damer* le pion.*

② **pion, pionne** n. fam. Surveillant(e).

**pioncer** v. intr. [3] fam. Dormir.

**pionnier, ière** n. **I** Colon défricheur. **II** fig. Personne qui est la première à se lancer dans une entreprise.

**pipe** n. f. **1** Tuyau pour fumer, terminé par un petit fourneau qu'on bourre de tabac. **2** loc. fam. *Par tête de pipe :* par personne. – *Casser sa pipe,* mourir. – *Se fendre la pipe,* rire. **3** fam. Cigarette. **4** fam. Fellation.

**pipeau** n. m. **1** Petite flûte à bec. **2** fam. *C'est du pipeau :* c'est un mensonge.

**pipelet, ette** n. fam. **1** péj. vieilli Concierge. **2** n. f. Personne bavarde.

**pipeline** [piplin ; pajplajn] n. m. anglic. Tuyau transportant pétrole, gaz naturel... → gazoduc, oléoduc.

**piper** v. [1] **1** v. intr. *Ne pas piper,* ne pas réagir (en paroles). **2** v. tr. *Piper des dés,* les truquer. – au p. p. *Les dés sont pipés.*

**piperade** [pipeʀad] n. f. Œufs battus aux tomates et poivrons (plat basque).

**pipette** n. f. Petit tube (gradué) pour prélever un échantillon de liquide.

**pipi** n. m. fam. Urine.

**pipistrelle** n. f. Petite chauve-souris commune, à oreilles courtes.

**piquage** n. m. Action de piquer (I, 7).

① **piquant, ante** adj. **1** Qui présente des pointes acérées. → **pointu.** **2** Qui pique (II, 1). **3** Qui stimule l'intérêt. – n. m. *Le piquant de l'aventure.* → **sel.**

② **piquant** n. m. Excroissance dure et acérée (des végétaux et animaux).

① **pique** **1** n. f. Arme formée d'un long manche et d'un fer. **2** n. m. (aux cartes) Une des couleurs, avec un fer de pique noir.

② **pique** n. f. Parole, allusion qui blesse.

① **piqué** n. m. Tissu à piqûres.

② **piqué** n. m. Descente quasi verticale d'un avion. – *Bombardement en piqué.*

③ **piqué, ée** adj. fam. Un peu fou.

**pique-assiette** n. invar. Personne qui se fait inviter pour manger.

**pique-bœuf** [-bœf] n. m. Oiseau qui mange les parasites des bovins. *Des pique-bœufs* [-bø].

**pique-nique** n. m. Repas en plein air, dans la nature. *Des pique-niques.* ▶ **pique-niquer** v. intr. [1] ▶ **pique-niqueur, euse** n.

**piquer** v. [1] **I** v. tr. **1** Entamer, percer avec une pointe (un corps vivant). ◆ loc. *Piquer des deux* (éperons) : partir au galop. **2** Faire une piqûre à (qqn). **3** (insectes, serpents) Enfoncer un aiguillon, un crochet à venin dans la peau de. **4** Percer (qqch.) avec un objet pointu, pour attraper. **5** Fixer en piquant. *Piquer une photo au mur.* **6** Enfoncer par la pointe. – fig. *Piquer une tête :* se jeter, plonger la tête la première. **7** Coudre. *Piquer à la machine.* **8** Parsemer de petits trous. *Les vers ont piqué ce livre.* ◆ au p. p. loc. fam. *Ce n'est pas piqué des hannetons* (ou *des vers*), c'est remarquable. **II** par ext. **1** Donner la sensation d'une pointe. *La fumée pique les yeux* (→ **piquant**). **2** Faire une vive impression sur. *Son attitude a piqué ma curiosité.* – *Piquer* (qqn) *au vif :* irriter son amour-propre. **III** v. tr. fig. **1** fam. Attraper, prendre (qqn). – Voler. **2** fam. Déclencher subitement (une action). *Piquer un cent mètres,* se mettre à courir vite. – *Piquer une crise.* **IV** v. intr. Tomber, descendre brusquement. – *Piquer du nez,* tomber le nez en avant. ▷ v. pron. **se piquer** **1** (personnes) Se blesser avec une pointe. – Se faire une piqûre (spécialt, médicale ou toxique). **2** *Se piquer de.* Prétendre avoir. *Il se pique de poésie, d'être poète.*

**piquet** n. m. **1** Petit pieu. **2** loc. *Mettre un élève au piquet,* le faire rester debout et immobile. **3** *Piquet de grève :* grévistes en surveillance.

**piqueter** v. tr. [4] Parsemer de taches.

① **piquette** n. f. Vin ou cidre acide.

② **piquette** n. f. fam. Raclée.

**piqueur, euse** **I** n. **1** n. m. (chasse à courre) Valet qui poursuit la bête à cheval (syn. *piqueux* n. m.). **2** Personne qui pique à la machine. **3** n. m. Ouvrier travaillant au marteau pneumatique. **II** adj. *Insectes piqueurs.*

**piqûre** [-yʀ] n. f. **1** Petite blessure faite par ce qui pique. *Piqûre de moustique.* – *Piqûre d'ortie.* **2** Petit trou. ◆ Petite tache. **3** Introduction d'une aiguille creuse dans une partie du corps (ponction ; injection).

**piranha** [-na] n. m. Petit poisson carnassier de rivière (Amérique du Sud).

**pirate** n. m. **I** **1** Aventurier pilleur de navires. → **boucanier, flibustier, forban.** – appos. *Bateau pirate.* **2** fig. Individu qui s'enrichit aux dépens d'autrui. **3** *Pirate de l'air,* personne qui détourne un avion ou menace les passagers pour un chantage. **4** Personne qui s'introduit illégalement dans un système informatique. → anglic. ② **cracker, hackeur.** ▶ **piraterie** n. f. **II** adj. Clandestin, illicite. *Radio pirate.*

**pirater** v. tr. [1] **1** Reproduire (une œuvre) illégalement. – au p. p. *Un logiciel piraté.* **2** S'introduire illégalement dans (un système informatique). ▶ **piratage** n. m.

**pire** adj. **I** comparatif Plus mauvais. *Le remède est pire que le mal.* **II** superlatif *Le pire, la pire, les pires* **1** adj. Le plus mauvais. *De la pire espèce.* **2** n. m. Ce qu'il y a de plus mauvais. – absolt *La politique du pire.*

**piriforme** adj. En forme de poire.

**pirogue** n. f. Longue barque étroite et plate (Afrique, Océanie). ▶ **piroguier** n. m.

**pirojki** [piʀɔʃki] n. m. Friand (russe).

**pirouette** n. f. **1** Tour ou demi-tour qu'on fait sur soi-même. ▶ **pirouetter** v. intr. [1] **2** fig., fam. Brusque changement d'opinion.

① **pis** n. m. Mamelle (d'une bête laitière).

② **pis** **I** comparatif **1** adv. Plus mal. *Tant pis :* cela ne fait rien. loc. *Aller de mal en pis,* empirer. **2** adj. (neutre) littér. Plus mauvais, plus fâcheux. → cour. **pire.** – loc. *Qui pis est* [kipizɛ] : ce qui est plus grave. **3** n. m. Une chose pire. loc. *Dire pis que pendre de qqn,* répandre sur lui les pires médisances. **II** superlatif *Au pis aller* loc. adv. : au pire.

**pis-aller** [piz-] n. m. invar. Ce à quoi on a recours faute de mieux. → **palliatif.**

**pisciculture** n. f. Production, élevage des poissons. ▶ **pisciculteur, trice** n.

**piscine** n. f. **1** Bassin de natation, installations qui l'entourent. **2** relig. Bassin de purification. **3** phys. Modérateur liquide dans lequel la matière fissile est immergée.

**piscivore** adj. didact. Qui se nourrit de poissons.

**pisé** n. m. Maçonnerie en terre argileuse mélangée de paille hachée. → **torchis ;** ② **banco.**

**pissaladière** n. f. Tarte provençale aux oignons, anchois, olives.

**pisse** n. f. vulg. Urine. → **pipi.**

**pisse-froid** n. invar. fam. Personne morose, sinistre.

**pissenlit** n. m. Plante à feuilles longues et dentées, à fleurs jaunes. – loc. fam. *Manger les pissenlits par la racine,* être mort.

**pisser** v. [1] fam. **1** v. intr. Uriner. – loc. *C'est comme si on pissait dans un violon,* c'est inutile. **2** v. tr. Évacuer avec l'urine. *Pisser du sang.* – (sujet chose) Laisser s'écouler (un liquide). ▶ **pissement** n. m

**pisseur, euse** n. et adj. fam. (Personne, animal) qui pisse. ◆ n. f. (sexiste) Fille.

**pisseux, euse** adj. fam. **1** Imprégné d'urine. **2** D'une couleur passée, jaunie.

**pisse-vinaigre** n. invar. Personne morose et aigre, désagréable. → **pisse-froid.**

**pissotière** n. f. fam. Urinoir public.

**pistache** **1** n. f. Fruit du pistachier ; sa graine. **2** adj. invar. *Vert pistache,* clair.

**pistachier** n. m. Arbre résineux des régions chaudes. → **lentisque.**

**piste** n. f. **1** Trace que laisse un animal sur le sol. – fig. Ce qui guide. **2** Terrain aménagé pour les courses, les épreuves d'athlétisme. **3** Emplacement circulaire (de spectacles...). *Piste de cirque.* **4** Route non revêtue. – *Piste cyclable.* **5** Parcours aménagé. *Piste de ski.* **6** Voie aménagée pour le décollage et l'atterrissage des avions. **7** Surface magnétique pour enregistrement.

**pister** v. tr. [1] Suivre la piste de ; épier.

**pistil** n. m. Organe femelle des plantes à fleurs, renfermant l'ovaire.

**pistole** n. f. ancienn† Monnaie d'or d'Espagne, d'Italie (6,75 g).

**pistolet** n. m. **1** Arme à feu courte et portative. – *Pistolet à eau* (jouet). **2** Pulvérisateur. *Peinture au pistolet.*

**pistolet-mitrailleur** n. m. Arme automatique individuelle. → **mitraillette.**

**piston** n. m. **I 1** Pièce qui se déplace dans un tube et transmet une pression. *Le piston d'une seringue.* **2** mus. Pièce mobile (trompettes, etc.). **II** fig., fam. Appui, recommandation (► **pistonner** v. tr. [1]).

**pistou** n. m. **1** Préparation à base de basilic pilé à l'ail (recette provençale). → **pesto.** **2** Légumes au pistou.

**pita** n. f. ou m. Pain sans levain en forme de galette. – appos. *Pain pita.*

**pitance** n. f. péj. Nourriture.

**pitbull** n. m. anglic. Chien d'attaque, croisement de bouledogue et de terrier, qui peut être dangereusement agressif.

**pitchoun, oune** n. (Provence) Petit enfant.

**pitchpin** n. m. Bois de pins d'Amérique du Nord, utilisé en menuiserie.

**piteux, euse** adj. **1** Qui suscite une pitié mêlée de mépris. → **pitoyable.** **2** Médiocre, nul. – *En piteux état.* ► **piteusement** adv.

**pithécanthrope** n. m. Mammifère primate fossile (hominien : homo erectus).

**pithiviers** n. m. Gâteau à la frangipane.

**pitié** [-tje] n. f. Sympathie née des souffrances d'autrui. → **commisération, compassion.** – *Par pitié,* je vous en supplie. *Sans pitié.* → **impitoyable.**

**piton** n. m. **I 1** Clou, vis dont la tête forme un anneau ou un crochet. **2** (Canada) Bouton (d'un mécanisme), touche. *Piton de sonnette.* **II** Éminence isolée en forme de pointe. → ③ **pic.**

**pitonner** v. intr. [1] **1** alpin. Enfoncer des pitons. **2** (Canada) fam. Tapoter sur des boutons, des touches. → **pianoter.** – spécialt → **zapper.** ► **pitonnage** n. m.

**pitoyable** adj. **1** littér. Digne de pitié. **2** Qui inspire, mérite une pitié méprisante. → **piteux ; lamentable.** ► **pitoyablement** adv.

**pitre** n. m. Personne qui fait rire par des plaisanteries forcées. ► **pitrerie** n. f.

**pittoresque** adj. **1** Qui charme ou amuse par un aspect original. **2** Qui dépeint d'une manière imagée. *Détails pittoresques.* **3** n. m. Caractère pittoresque.

**pivert** n. m. Oiseau grimpeur qui frappe sur les troncs avec son bec.

**pivoine** n. f. Plante à bulbe à larges fleurs rouges, roses, blanches.

**pivot** n. m. **1** Cône ou pointe terminant un axe vertical fixe. *Le pivot d'une boussole.* **2** fig. Ce sur quoi repose et tourne qqch. **3** Support d'une dent artificielle.

**pivoter** v. intr. [1] **1** Tourner sur un pivot, comme sur un pivot. **2** (racine) S'enfoncer verticalement en terre. ► **pivotant, ante** adj.

**pixel** n. m. Chaque point d'une image numérique.

**pizza** [pidza] n. f. Préparation de pâte à pain en tarte très fine garnie de tomates, fromage, anchois, olives, etc.

**pizzeria** n. f. Restaurant de pizzas.

**pizzicato** [pidzi-] n. m. Pincement des cordes (d'un instrument à archet). *Des pizzicati* ou *pizzicatos.*

**P. J.** n. f. (sigle) Police judiciaire.

**placage** n. m. Application sur une matière d'une matière plus précieuse (→ **plaquer** (III).)

> Avec un *c*, contrairement à *plaquer*. – Ne pas confondre avec *plaquage* (au rugby).

**placard** n. m. **I 1** Écrit affiché pour avis au public. **2** imprim. Épreuve avant mise en pages. **3** Grande annonce publicitaire, sur un périodique. **II** Enfoncement ou meuble fermé constituant une armoire fixe. ♦ fig. *Mettre au placard,* se débarrasser de.

**placarder** v. tr. [1] Afficher par placard.

**place** n. f. **I 1** Espace découvert, entouré de constructions. *Place publique.* **2** *Place forte* ou ellipt *place.* → **forteresse.** **3** Ville où se font des opérations de banque, de commerce. **II 1** loc. *Ne pas tenir en place,* bouger. ♦ *Rester sur place,* immobile. *Faire une enquête sur place,* sur les lieux. **2** Endroit, position qu'une personne occupe. – loc. *Faire place à qqn,* laisser passer. ellipt *Place ! place !* **3** spécialt Siège qu'occupe ou peut occuper une personne (salle de spectacle, véhicule). *Place réservée.* **4** Espace libre ; endroit qu'une chose occupe. *Tenir trop de place.* **5** loc. *En place, à sa place :* à la place qui convient. – *Mise en place :* arrangement, installation. **III** fig. **1** Fait d'être admis (dans une catégorie) ; situation. loc. *Place au soleil,* situation dans la société. – loc. *Se mettre à la place de qqn. À votre place :* si j'étais vous. **2** Position, rang dans une hiérarchie. *Être reçu dans les premières places.* **3** Emploi (généralement modeste). *Perdre sa place.* **4** loc. (idée de remplacement) *Prendre la place de qqn,* se substituer à lui. – loc. *Faire place à qqn, qqch.* (sujet chose), être remplacé par. **5** *La place de qqn,* celle qui lui convient. *Être à sa place.* – loc. *Remettre qqn à sa place,* le rappeler à l'ordre.

**placé, ée** adj. **1** Mis à une place. **2** avec un adv. Qui est dans telle situation. *Personnage haut placé.* **3** *Cheval placé,* dans les deux ou trois premiers (dans une course).

**placebo** [plasebo] n. m. Remède qui rassure, indépendamment de ses effets.

**placement** n. m. **1** Action, fait de placer de l'argent ; cet argent. → **investissement.** **2** *Agence, bureau de placement,* qui traite les offres et les demandes d'emploi.

**placenta** [-sɛ̃-] n. m. Organe servant aux échanges sanguins de l'embryon avec l'organisme maternel. ► **placentaire** adj.

① **placer** v. tr. [3] **I 1** Mettre (qqn) à une place, en un lieu ; conduire à sa place. → **installer.** **2** Mettre (qqch.) à une place. → **disposer, mettre.** **II 1** Mettre (qqn) dans une situation déterminée. **2** Procurer un emploi à (qqn). **3** fig. Mettre (qqch. d'abstrait, ou en imagination) dans une situation, une époque. → **localiser, situer.** **4** Dire, dans un récit, une conversation. *Il n'a pas pu placer un mot.* **5** S'occuper de vendre (→ **placier**). ♦ Employer (un capital) afin d'en tirer un revenu. → **investir ; placement.** ▷ v. pron. **se placer** **1** Se mettre, être à une place. **2** Prendre une place, un emploi.

② **placer** [-ɛʀ] n. m. anglic. Gisement d'or, de pierres précieuses.

**placet** n. m. hist. Écrit sollicitant une faveur (à un roi, un ministre).

**placeur, euse** n. Personne qui place (des spectateurs ; des employés).

**placide** adj. Doux et calme. ► **placidement** adv. ► **placidité** n. f. → **flegme.**

**placier, ière** n. Représentant qui place des marchandises. → **courtier, V. R. P.**

**plafond** n. m. **I** Surface horizontale en haut d'une pièce d'habitation. *Hauteur de plafond.* **II 1** fig. Limite supérieure d'altitude (d'un avion). **2** Maximum ; limite supérieure (opposé à *plancher*).

**plafonner** v. [1] **I** v. tr. Garnir d'un plafond. ► **plafonnage** n. m. **II** v. intr. Atteindre un plafond (II, 2). ► **plafonnement** n. m.

**plafonnier** n. m. Appareil d'éclairage fixé au plafond sans être suspendu.

**plage** n. f. **I** Endroit plat et bas d'un rivage. – spécialt *Vacances à la plage.* – Rive sableuse (lac, rivière). **II 1** *Plage lumineuse,* surface éclairée également. **2** Espace plat derrière le pare-brise *(plage avant)* ou devant la vitre arrière *(plage arrière)* d'une voiture. **3** Laps de temps, durée limitée.

**plagiaire** n. Personne qui plagie.

**plagier** v. tr. [7] Copier (un auteur) en s'attribuant indûment une partie de l'œuvre. ► **plagiat** n. m.

**plagiste** n. Personne qui exploite une plage (I) payante.

① **plaid** [plɛd] n. m. Couverture de voyage en lainage écossais.

② **plaid** [plɛ] n. m. Tribunal féodal.

**plaider** v. [1] **I** v. intr. **1** Soutenir ou contester qqch. en justice. *Plaider contre qqn,* lui intenter un procès*. **2** Défendre une cause devant les juges. ♦ fig. *Plaider pour, en faveur de :* défendre. – (sujet chose) *Sa sincérité plaide en sa faveur.* **II** v. tr. **1** Défendre (une cause) en justice. – fig. *Plaider la cause de qqn :* parler en sa faveur. **2** Faire valoir (qqch.) dans une plaidoirie. ellipt *Plaider coupable.* – loc. *Plaider le faux pour savoir le vrai* (en déguisant sa pensée).

**plaideur, euse** n. Personne qui plaide en justice.

**plaidoirie** n. f. Exposition des faits d'un procès (par l'avocat d'une partie).

**plaidoyer** n. m. Défense passionnée.

**plaie** n. f. **1** Ouverture dans les chairs. – loc. *Retourner le couteau* dans la plaie.* **2** *Les dix* (ou *sept*) *plaies d'Égypte,* fléaux dévastateurs. **3** fam. (personnes, choses) *Quelle plaie !* → **calamité, peste.**

**plaignant, ante** adj. et n. (Personne) qui dépose une plainte en justice.

**plain, plaine** adj. vx Plan, plat.

**plain-chant** n. m. Musique vocale à une voix de la liturgie romaine. → **grégorien.**

**plaindre** v. tr. [52] **1** Considérer (qqn) avec un sentiment de pitié ; témoigner de la compassion à. *Être à plaindre :* mériter d'être plaint. **2** loc. *Ne pas plaindre sa peine,* ne pas se ménager. ▷ v. pron. **se plaindre** **1** Exprimer sa peine ou sa souffrance (→ **plainte**). **2** Exprimer son mécontentement. *Se plaindre de qqn. Se plaindre de son sort.* – *Se plaindre à qqn,* auprès de lui.

**plaine** n. f. Vaste étendue de pays plat.

de **plain-pied** loc. adv. Au même niveau. – loc. fig. *Être de plain-pied avec qqn.*

Avec un *a* (famille de *plaine*).

**plainte** n. f. **I 1** Expression vocale de la douleur. → **cri, lamentation, pleur.** ♦ fig. *La plainte du vent.* **2** Expression d'un mécontentement. **II** Dénonciation en justice d'une infraction par la victime. *Déposer une plainte.* – loc. *Porter plainte contre qqn.*

**plaintif, ive** adj. Qui exprime une plainte douce. ► **plaintivement** adv.

**plaire** v. tr. ind. [54] **I 1** (personnes) *Plaire à :* procurer une satisfaction. ♦ spécialt Éveiller l'amour, le désir de qqn. **2** (sujet chose) Être agréable à. *Ce film m'a beaucoup plu.* **II** impers. **1** *Faites ce qui vous plaît,* ce que vous voudrez (distinct de *faites ce qu'il vous plaît,* ce que vous aimez). **2** *S'il te plaît, s'il vous plaît :* formule de politesse (abrév. S. V. P.). ♦ vieilli *Plaît-il ?* → **comment, pardon.** **3** littér. au subj. *Plaise, plût au ciel que... :* je voudrais que... – *À Dieu ne plaise que... :* pourvu que cela n'arrive pas. ▷ v. pron. se

**plaire** (p. p. invar.) **1** (réfl.) Plaire à soi-même, être content de soi. **2** (récipr.) Se plaire l'un à l'autre. **3** *Se plaire à :* prendre plaisir à.

**plaisamment** adv. De façon plaisante.

de **plaisance** loc. adj. invar. (navigation, bateau) Pour l'agrément ou le sport.

**plaisancier, ière** n. Personne qui pratique la navigation de plaisance.

**plaisant, ante I** adj. Qui plaît, procure du plaisir. → **agréable, attrayant. II** n. m. *Mauvais plaisant :* personne qui fait des plaisanteries de mauvais goût.

**plaisanter** v. [1] **I** v. intr. **1** Faire ou (plus souvent) dire des choses destinées à faire rire, à amuser. → **blaguer. 2** Dire ou faire qqch. sans penser être pris au sérieux. **II** v. tr. littér. Taquiner (qqn), railler.

**plaisanterie** n. f. **1** Propos destinés à faire rire, à amuser. **2** Propos ou actes visant à se moquer. *Une mauvaise plaisanterie.* **3** Chose peu sérieuse. ♦ Chose très facile.

**plaisantin** n. m. Personne qui aime plaisanter. ♦ péj. Personne peu sérieuse.

**plaisir** n. m. **I 1** Sensation ou émotion agréable. → **bien-être, contentement.** ♦ *Faire plaisir :* être agréable (à qqn) en rendant service, etc. ♦ *Le plaisir de qqch.* → **satisfaction. 2** *Le plaisir,* les sensations érotiques agréables. → **jouissance, volupté. 3** loc. *Prendre plaisir à* (+ inf.), aimer. – *Avoir du plaisir à* (+ inf.), être ravi de. – *Au plaisir de vous revoir,* formule d'adieu. ♦ *Pour le plaisir, par plaisir :* sans autre raison que le plaisir. ♦ *Avec plaisir,* volontiers. **II** *(Un, les plaisirs)* **1** Émotion, sensation agréable ; ce qui donne cette émotion. *Les plaisirs de la table. Un plaisir coûteux.* **2** spécialt Les plaisirs sensuels. *Fréquenter les lieux de plaisir.* **III** loc. **1** *Le bon plaisir de qqn,* sa volonté absolue. **2** *À plaisir :* selon les impulsions.

① **plan, plane** adj. **1** Sans inégalité, ni courbure (surface). → **plat.** *Surface plane.* **2** *Géométrie plane,* qui étudie les figures planes (opposé à *dans l'espace*).

② **plan** n. m. **1** Surface plane. *Plan incliné.* – *Plan d'eau :* surface d'eau calme. **2** géom. Surface contenant entièrement toute droite joignant deux de ses points. **3** Chacune des surfaces perpendiculaires à la direction du regard (dessin, photo). *Au premier plan,* à peu de distance ; fig. considéré comme essentiel. – *Sur le même plan,* au même niveau. – *Sur le plan de* (+ nom), *sur le plan* (+ adj. abstrait) : au point de vue (de). **4** Image (photo), succession d'images (cinéma) définie par l'éloignement de l'objectif et la dimension de l'objet. *Gros plan de visage. Plan américain,* à mi-corps. – Prise de vue sans interruption. *Plan séquence.*

③ **plan** n. m. **I 1** Représentation (d'une construction, d'un jardin, etc.) en projection horizontale. *Tracer le plan d'un bâtiment.* **2** Carte à grande échelle. **3** Reproduction en projection orthogonale (d'une machine). *Les plans d'un avion.* **II 1** Projet élaboré. **2** Disposition des parties (d'une œuvre, d'une rédaction). **3** Détail de l'exécution d'un projet. **III** fam. *En plan :* sans s'en occuper. *Tous les projets sont restés en plan.* → en **suspens.**

**planant, ante** adj. fam. Qui fait planer (I, 3).

**planche** n. f. **I 1** Pièce de bois plane, plus longue que large. – *Planche à dessin. Planche à repasser.* – loc. *Entre quatre planches,* dans le cercueil. – fig. *Planche de salut,* ultime ressource. – *Faire la planche,* flotter sur le dos. **2** *Les planches :* le plancher de la scène ; fig. le théâtre. **3** Pièce de bois ou plaque destinée à la gravure. ♦ Estampe tirée sur une planche gravée. – Feuille ornée d'une gravure. *Planches en couleurs d'un livre.* **4** sports *Planche de surf.* – *Planche à roulettes* (jeu, sport). – *Planche à voile,* munie d'un mât et d'une voile (► **planchiste** n.). **II** Bande de terre cultivée dans un jardin. *Planches d'un potager.*

**planchéier** v. tr. [7] Garnir d'un plancher.

① **plancher** n. m. **1** Plate-forme horizontale au rez-de-chaussée, ou séparation entre deux étages. **2** Sol de bois (plus grossier que le *parquet*). ♦ Sol (d'un véhicule, etc.). loc. *Le pied au plancher,* en appuyant sur l'accélérateur. ♦ loc. fam. *Débarrasser le plancher :* sortir. – *Le plancher des vaches,* la terre ferme. **3** fig. Limite inférieure (opposé à *plafond*). – appos. *Prix plancher.*

② **plancher** v. intr. [1] fam. *Plancher sur un sujet,* travailler sur ce sujet.

**plancton** [-ktɔ̃] n. m. (collectif) Organismes microscopiques, animaux *(zooplancton)* et végétaux *(phytoplancton)* vivant en suspension dans l'eau de mer.

**planer** v. intr. [1] **I 1** (oiseaux) Se soutenir en l'air sans remuer les ailes. – (avions) Voler, le moteur coupé. – p. p. adj. *Vol plané.* ♦ (planeurs) Voler en utilisant les courants atmosphériques. **2** fig. Dominer par la pensée. **3** fam. Être dans un état de rêverie agréable. **II** (choses) **1** Flotter en l'air. **2** Constituer une présence menaçante. *Un danger plane.*

**planétaire** adj. **1** Relatif aux planètes. **2** Relatif à toute la planète Terre. → **mondial.**

**planétarium** [-jɔm] n. m. Représentation des corps célestes sur une voûte.

**planète** n. f. Corps céleste qui tourne autour du Soleil (ou d'une étoile).

**planeur** n. m. Aéronef sans moteur.

**planeuse** n. f. techn. Machine à aplanir.

**planèze** n. f. région. Plateau volcanique (basalte) entre des vallées rayonnantes.

**planifier** v. tr. [7] Organiser suivant un plan (③). – *Économie planifiée.* ► **planificateur, trice** adj. et n. ► **planification** n. f.

**planisphère** n. m. Carte de l'ensemble du globe terrestre (projection plane).

Mot masculin : *un planisphère.*

**planning** n. m. anglic. **1** Plan d'activité. **2** *Planning familial :* contrôle des naissances.

**planque** n. f. fam. **1** Lieu où l'on cache qqch. ou qqn. **2** fig. Situation peu exposée ; place où le travail est facile.

**planquer** v. tr. [1] fam. Cacher, mettre à l'abri. ▷ v. pron. se **planquer** Se mettre à l'abri du danger. ▷ adj. et n. **planqué, ée**

**plant** n. m. **1** Végétaux de même espèce ; terrain où ils poussent. **2** Végétal au début de sa croissance. *Repiquer des plants.*

① **plantain** n. m. Herbe dont la semence sert à nourrir les oiseaux.

② **plantain** n. m. Bananier dont le fruit se mange cuit. – appos. *Banane plantain.*

**plantaire** adj. De la plante des pieds.

**plantation** n. f. **I** Action, manière de planter. **II 1** Ensemble de végétaux plantés (surtout plur.). **2** Terrain, champ planté. **3** Exploitation agricole de produits tropicaux.

① **plante** n. f. Végétal ; spécialt végétal à racine, tige, feuilles de petite taille (opposé à *arbre*). *Plantes grasses,* les cactus. *Plantes d'appartement, plantes vertes.*

② **plante** n. f. Face inférieure (du pied).

**planter** v. [1] **I** v. tr. **1** Mettre, fixer (un plant, une plante) en terre. *Planter un arbre.* **2** Mettre en terre (des graines, bulbes, tubercules). *Planter des haricots.* **3** *Planter un lieu,* le garnir de végétaux. – au p. p. *Avenue plantée d'arbres.* **4** Enfoncer, faire entrer (un objet) en terre. *Planter un pieu.* ♦ *Planter des clous.* – au p. p. *Dents mal plantées.* **5** Mettre, placer debout, droit. *Planter sa tente.* **6** *Planter là qqn, qqch.,* l'abandonner brusquement. **II** v. intr. fam. Cesser de fonctionner. *L'ordinateur a planté.* ▷ v. pron. se **planter 1** (passif) Être planté. **2** fam. (véhicule ; conducteur) Avoir un accident. ♦ fig. Échouer.

**planteur, euse I** n. Agriculteur qui exploite une plantation (II, 3). **II** n. m. Punch aux jus de fruits.

**plantigrade** adj. zool. Qui marche sur la plante des pieds (opposé à *digitigrade*).

**plantoir** n. m. Outil de jardinage taillé en pointe (pour planter, repiquer).

**planton** n. m. Garde, sentinelle sans armes. – loc. fam. *Faire le planton :* attendre debout longtemps.

**plantureux, euse** adj. **1** Très abondant. → **copieux. 2** *Femme plantureuse,* bien en chair. ► **plantureusement** adv.

**plaquage** n. m. **1** sports Action de plaquer (I, 4) un adversaire. **2** fam. Abandon.

> Ne pas confondre avec *placage* «revêtement».

**plaque** n. f. **I 1** Feuille rigide, plate et peu épaisse. – *Plaque d'immatriculation.* **2** Couche peu épaisse. *Plaque de verglas.* **3** *Plaque tournante :* plate-forme tournante ; fig. carrefour, lieu d'échanges. **4** (en photogr. argentique) Support rigide. **5** géol. Fraction de l'écorce terrestre. *La tectonique des plaques.* **II** Tache étendue.

**plaqué** n. m. Métal recouvert d'un autre.

**plaquer** v. tr. [1] **I 1** Appliquer (une plaque) sur qqch. **2** Mettre (qqch.) à plat. **3** *Plaquer un accord,* en produire les notes ensemble. **4** Appuyer fort. *Plaquer qqn, qqch. contre, sur qqch.* – sports Faire tomber (le porteur du ballon) en le saisissant par les jambes. **II** fam. Abandonner (qqn, qqch.). **III** Couvrir (qqch.) d'une couche plate (de métal, de bois...). → **placage.**

**plaquette** n. f. **1** Petite plaque. **2** Petit livre mince. **3** anat. Cellule du sang, sans noyau.

**plasma** n. m. **I** *Plasma (sanguin),* partie liquide du sang. → **sérum. II** phys. Fluide constitué de particules ionisées, globalement neutre, et correspondant à un quatrième état de la nature (avec les états solide, liquide et gazeux). *Le plasma solaire.* – *Plasma gazeux scellé sous verre. Écran à plasma.*

**plastic** n. m. Masse d'explosif malléable.

> Ne pas confondre avec *plastique* «matière».

**plastifier** v. tr [7] **1** Donner les propriétés d'une matière plastique à (une substance). **2** Couvrir de matière plastique.

**plastique I** adj. et n. f. **1** Qui donne une forme. *Chirurgie plastique.* → **esthétique. 2** Relatif aux arts qui élaborent des formes : sculpture, architecture, dessin, peinture. **3** Beau de forme (► **plastiquement** adv.). ♦ n. f. Beauté des formes du corps. **II** adj. **1** Flexible, malléable (► **plasticité** n. f.). **2** *Matière plastique* ou n. m. *du plastique :* mélange contenant une matière de base susceptible d'être moulée. *Sac en plastique.*

> Ne pas confondre avec *plastic* «explosif».

**plastiquer** v. tr. [1] Faire exploser au plastic. ► **plastiquage** n. m. ► **plastiqueur, euse** n.

**plastron** n. m. Partie (d'un vêtement) qui recouvre la poitrine.

**plastronner** v. intr. [1] Parader, poser.

① **plat, plate** adj. et n. m. **I** adj. **1** Qui présente une surface plane ; horizontal. **2** Dont le fond est plat ou peu profond. *Assiette plate.* **3** De peu d'épaisseur. **4** Qui n'est pas haut. *Chaussures plates, à talons plats.* **5** *À plat* loc. adv. : horizontalement ; dégonflé. ♦ fig., fam. *Être à plat,* déprimé, épuisé. **6** fig. Sans caractère saillant remarquable. *Style plat.* → **fade. 7** (personnes) Obséquieux. – *De plates excuses.* **II** n. m. **1** La partie plate (de qqch.). *Le plat de la main.* **2** fam. et vieilli *Faire du plat à qqn,* chercher à le séduire.

② **plat** n. m. **I** Pièce de vaisselle plus grande que l'assiette. – *Des œufs au plat, sur le plat,* cuits sans les brouiller. ♦ loc. *Mettre les* *petits plats dans les grands*, se mettre en frais. **II** Mets d'un repas. *Plat du jour* (au restaurant). ♦ fig., fam. *Faire tout un plat de qqch.* : accorder à qqch. trop d'importance.

**platane** n. m. **1** Arbre élevé, à large frondaison, à écorce lisse. **2** *Faux platane* : érable sycomore.

**plate** n. f. Embarcation à fond plat.

**plateau** n. m. **I 1** Support plat servant à poser et à transporter. **2** spécialt *Les plateaux d'une balance.* **II** Étendue de pays assez plate et surélevée. *Plateau continental* : fond marin proche des côtes. **III** Plate-forme où est présenté un spectacle, etc. *Le plateau d'un théâtre.* – Installations, personnel de prise de vues en studio.

**plate-bande** n. f. Bande de terre cultivée, dans un jardin. – loc. fam. *Marcher sur les plates-bandes de qqn*, empiéter sur son domaine. – var. **platebande.**

**platée** n. f. Contenu d'un plat.

**plate-forme** n. f. **I 1** Surface plane, horizontale, surélevée. *Des plates-formes.* **2** Plateau (II). **3** *Plate-forme de forage* : installation sur les gisements pétroliers en mer. **4** inform. Système destiné au stockage et au partage de contenus numériques (textes, vidéos...). **II** fig. Ensemble d'idées d'une politique commune. → **base.** – var. **plateforme.**

**platement** adv. D'une manière plate, banalement.

① **platine** n. f. Support plat. ♦ Lecteur d'une chaîne de reproduction sonore.

② **platine** n. m. **1** Élément (symb. Pt), métal précieux, d'un blanc grisâtre. **2** adj. invar. De la couleur du platine. → ① **platiné.**

① **platiné, ée** adj. D'un blond presque blanc.

② **platiné, ée** adj. autom. *Vis platinées* : pièces de contact pour l'allumage.

**platitude** n. f. **1** Caractère de ce qui est plat, sans originalité. **2** Banalité. **3** vieilli Acte servile.

**platonicien, ienne** adj. De la philosophie de Platon (*platonisme* n. m.).

**platonique** adj. **1** Purement idéal. *Amour platonique.* **2** Théorique, de pure forme. ► **platoniquement** adv.

**plâtras** n. m. Débris de plâtres.

**plâtre** n. m. **1** Poudre blanche obtenue par cuisson et broyage du gypse. – Pâte de plâtre gâché. ♦ loc. *Battre qqn comme plâtre*, avec violence. **2** *Les plâtres* : revêtements, ouvrages de plâtre. – loc. *Essuyer* les plâtres.* **3** *Un plâtre* : objet moulé en plâtre. **4** Appareil pour maintenir un organe immobile. *Une jambe dans le plâtre.*

**plâtrer** v. tr. [1] **1** Couvrir de plâtre ; sceller avec du plâtre. **2** Mettre (un membre fracturé) dans un plâtre. ► **plâtrage** n. m.

**plâtrerie** n. f. **1** Entreprise, usine où l'on fabrique le plâtre. **2** Travail du plâtrier.

**plâtreux, euse** adj. **1** Couvert de plâtre. **2** D'une blancheur de plâtre.

**plâtrier, ière** n. Ouvrier, ouvrière qui utilise le plâtre gâché.

**plâtrière** n. f. **1** Carrière de gypse. **2** Four à plâtre ; usine de plâtre.

**plausible** adj. Qui semble devoir être admis. → **admissible, vraisemblable.**

**play-back** n. m. invar. anglic. Interprétation sur un enregistrement antérieur.

**play-boy** [plɛbɔj] n. m. anglic. Jeune homme élégant et riche. *Des play-boys.*

**plèbe** n. f. **1** hist. Ordre du peuple romain. → **plébéien. 2** péj. Le bas peuple.

**plébéien, ienne 1** n. Antiq. Romain(e) de la plèbe (opposé à *patricien*). **2** adj. littér. Du peuple (opposé à *aristocratique*). → **populaire.**

**plébiscite** n. m. Vote direct du corps électoral sur un projet présenté par le pouvoir. ► **plébiscitaire** adj.

**plébisciter** v. tr. [1] **1** Voter (qqch.), désigner (qqn) par plébiscite. **2** Choisir à une majorité écrasante.

**plectre** n. m. mus. Instrument pour gratter les cordes. → **médiator.**

**pléiade** n. f. Groupe de personnes remarquables.

**plein, pleine** adj. **I 1** (sens fort) Qui contient toute la quantité possible. → **rempli.** *Un verre plein.* ♦ loc. (idée d'entier, complet) *Saisir qqch. à pleines mains*, fermement. **2** (femelle d'animal) En gestation. **3** Qui contient autant de personnes qu'il est possible. → **bondé. 4** (temps) Complet, occupé. *Travailler à temps plein* (opposé à *partiel*). **5** fig. (personnes) *Plein de* : pénétré de. *Être plein de son sujet.* **6** loc. fam. *Plein aux as*.* **II 1** Dont la matière occupe tout le volume. *Une sphère pleine.* ♦ (formes humaines) Rond. *Des joues pleines.* **2** (avant le nom) Qui est entier, à son maximum. *Reliure pleine peau.* – loc. *Plein air. Pleine mer* : le large. ♦ Intégral. *Plein succès. Les pleins pouvoirs.* **3** loc. adv. *À plein, en plein.* → **pleinement.** ♦ *En plein(e)* : au milieu de. *Se réveiller en pleine nuit.* ♦ fam. Exactement. *En plein milieu. En plein dans le mille.* **III** *Plein de* : qui contient, qui a beaucoup de. *Yeux pleins de larmes.* – (personnes) *Être plein de santé.* ▷ n. m. **plein 1** *Le plein (de)* État de ce qui est plein. – Plénitude, maximum. ♦ loc. *Battre son plein* (plur. *leur plein*) : être à son maximum. ♦ *Faire le plein de*, emplir un réservoir. – *Un plein d'essence.* **2** *Un plein* Endroit plein (d'une chose). *Les pleins et les vides.* ♦ Trait épais, dans l'écriture (opposé à *délié*). ▷ prép. **plein 1** En grande quantité dans. *Avoir de l'argent plein les poches*, beaucoup. **2** fam. *Plein de* loc. prép. → **beaucoup.** ♦ *Tout plein.* → **très.** *C'est mignon tout plein.*

> *Plein de* «beaucoup» est invar. : *il y a plein d'obstacles.*

**pleinement** adv. Entièrement.

**plein-emploi** ou **plein emploi** [plɛn-] n. m. sing. Emploi de la totalité des travailleurs (opposé à *chômage*, à *sous-emploi*).

**pléistocène** n. m. géol. Période de l'apparition de l'homme (après le pliocène).

**plénière** adj. f. *Assemblée plénière*, où siègent tous les membres.

**plénipotentiaire** n. Agent diplomatique qui a pleins pouvoirs. – adj. *Ministre plénipotentiaire.*

**plénitude** n. f. littér. 1 Ampleur, épanouissement. 2 Force intégrale.

**pléonasme** n. m. Terme ou expression qui répète ce qui vient d'être énoncé. → **redondance.** ► **pléonastique** adj.

**plésiosaure** n. m. paléont. Grand reptile saurien fossile de l'ère secondaire.

**pléthore** n. f. littér. Abondance, excès. ► **pléthorique** adj.

**pleur** n. m. 1 Larme. *Verser un pleur.* 2 au plur. Fait de pleurer ; larmes, plaintes. *Elle était tout en pleurs.*

**pleural, ale, aux** adj. anat. De la plèvre.

**pleurard, arde** adj. Qui pleure, geint à tout propos. – *Air, ton pleurard.*

**pleurer** v. intr. [1] I 1 Répandre des larmes, spécialt sous l'effet d'une émotion pénible. 2 *À pleurer* : au point de faire pleurer. *Bête à pleurer*, extrêmement bête. 3 (autres émotions) *Pleurer de rire.* II 1 fig. *Pleurer sur* : s'affliger. → **gémir**, se **lamenter.** 2 Demander de manière plaintive. *Pleurer pour obtenir une augmentation.* III trans. littér. 1 Regretter, se lamenter sur. *Pleurer sa jeunesse enfuie.* 2 Laisser couler (des larmes, des pleurs).

**pleurésie** n. f. Inflammation de la plèvre. ► **pleurétique** adj. et n.

**pleureur** adj. m. *Saule pleureur*, dont les branches retombent vers le sol.

**pleureuse** n. f. Femme payée pour pleurer aux funérailles (Méditerranée).

**pleurnicher** v. intr. [1] fam. Pleurer de manière affectée ; se plaindre, geindre. ► **pleurnicherie** n. f. ► **pleurnicheur, euse** ou **pleurnichard, arde** n. et adj.

**pleurote** n. m. Champignon dont le pied s'insère sur le côté du chapeau.

**pleutre** adj. et n. littér. Peureux.

**pleuviner** v. impers. [1] Bruiner.

**pleuvoir** v. [23] I v. impers. 1 *Il pleut* : la pluie tombe. 2 Tomber. – loc. *Il pleut des cordes, des hallebardes.* – fam. *Comme s'il en pleuvait.* → **beaucoup.** II v. intr. (surtout 3e pers. du plur.) 1 S'abattre comme une pluie. *Les coups pleuvaient.* 2 Affluer.

**pleuvoter** v. impers. [1] Pleuvoir légèrement. – syn. **pleuvasser.**

**plèvre** n. f. Membrane enveloppant le poumon (→ pleurésie).

**plexiglas** [-glas] n. m. (nom déposé) Plastique transparent imitant le verre.

**plexus** [-ys] n. m. Réseau de nerfs ou de vaisseaux. *Plexus solaire* (à l'estomac).

**pli** n. m. I 1 Partie d'une matière souple rabattue sur elle-même. *Jupe à plis.* → **plissé.** 2 Ondulation (d'un tissu flottant). ♦ Mouvement (de terrain). → **plissement.** 3 Marque qui reste à ce qui a été plié. – *Faux pli.* – loc. fam. *Cela ne fait pas un pli* : pas de difficulté. 4 *Mise en plis* : mise en forme des cheveux. 5 loc. *Prendre un (le) pli* : acquérir une habitude. II 1 Papier replié ; par ext. lettre. 2 Levée, aux cartes.

**pliable** adj. Qui plie sans casser.

**pliage** n. m. 1 Action, manière de plier. 2 Fait de plier et replier du papier pour obtenir une forme.

**pliant, ante** 1 adj. Articulé de manière à pouvoir se plier. *Lit pliant.* 2 n. m. Siège de toile à pieds articulés en X.

**plie** n. f. Carrelet (poisson).

**plier** v. [7] I v. tr. 1 Rabattre (une chose souple) sur elle-même. – loc. *Plier bagage**. 2 Courber (une chose flexible). *Plier une branche.* – (articulation) *Plier le genou, la jambe.* 3 Replier (des parties articulées). 4 (compl. personne) Forcer à s'adapter. – *Se plier (à)* v. pron. *Se plier aux circonstances.* II v. intr. 1 Se courber, fléchir. 2 (personnes) Céder, faiblir.

**plinthe** n. f. Bande plate de menuiserie au bas d'une cloison, d'un lambris.

**pliocène** n. m. géol. Période (tertiaire) succédant au miocène.

**plissage** n. m. Action de former des plis.

**plissé, ée** 1 adj. Qui forme des plis. 2 n. m. Ensemble, aspect des plis.

**plissement** n. m. 1 Action de (se) plisser (2). 2 Plis des couches géologiques.

**plisser** v. tr. [1] Couvrir de plis. 1 Modifier (une surface souple) en y faisant un arrangement de plis. 2 Contracter les muscles de. → **froncer.** – *Plisser les yeux.*

**pliure** n. f. 1 Endroit où une partie se replie. 2 Marque d'un pli.

**ploc** interj. Bruit de chute dans l'eau.

**ploiement** n. m. littér. Action de ployer ; fait d'être ployé.

**plomb** [plɔ̃] n. m. I 1 Élément (symb. Pb), métal lourd d'un gris bleuâtre, mou, facile à travailler. 2 (symbole de pesanteur) loc. *Avoir du plomb dans l'estomac. N'avoir pas de plomb dans la tête*, être étourdi. – *De plomb* : lourd. *Sommeil de plomb. Un soleil de plomb.* 3 Alliage au plomb. – Typographie traditionnelle (utilisant cet alliage). II *Un plomb* 1 Masse de plomb (pour sonder ; lester). – Sceau de plomb. → **plomber** (3). 2 Grain sphérique garnissant une cartouche. 3 Baguette de plomb qui maintient les verres d'un vitrail. 4 Fusible. *Les plombs ont sauté.* III techn. *À plomb* loc. adv. : verticalement. – *Fil* à plomb.*

**plombage** n. m. Obturation (d'une dent). – fam. Amalgame pour obturation.

**plombant, ante** adj. fam. Qui a un effet négatif sur le moral. *Des nouvelles plombantes.*

**plomber** v. tr. [1] **1** Garnir de plomb. **2** pronom. Devenir livide (teint...). – au p. p. *Teint plombé.* **3** Sceller avec un sceau de plomb. – au p. p. *Wagon plombé.* **4** Obturer (une dent). – au p. p. *Dent plombée.*

**plomberie** n. f. **1** Pose des conduites et des appareils de distribution d'eau, de gaz. **2** Ces conduites et installations.

**plombier, ière** n. Professionnel(le) qui exécute des travaux de plomberie.

**plombières** n. f. Glace à la vanille garnie de fruits confits.

**plonge** n. f. fam. Vaisselle (restaurants).

**plongeant, ante** adj. Dirigé vers le bas. *Vue plongeante.*

**plongée** n. f. **1** Action de plonger et de séjourner sous l'eau (plongeur, sous-marin). **2** photogr., cin. Vue plongeante.

**plongeoir** n. m. Dispositif au-dessus de l'eau pour plonger (II, 2).

① **plongeon** n. m. Oiseau palmipède, de la taille du canard, nichant près de la mer.

② **plongeon** n. m. Fait, manière de plonger (II, 2) ; ce sport.

**plonger** v. [3] **I** v. tr. **1** Faire entrer dans un liquide. *Plonger sa tête dans une cuvette.* – pronom. *Se plonger dans l'eau.* **2** Enfoncer (une arme). **3** Mettre, enfoncer (le corps, une partie du corps) dans une chose creuse, molle... **4** loc. *Plonger son regard dans,* regarder au fond de. **5** Placer brusquement (dans une situation). – pronom. *Se plonger dans un livre.* → **s'absorber.** **II** v. intr. **1** S'enfoncer, descendre au fond de l'eau. *Le sous-marin va plonger.* **2** Se jeter dans l'eau la tête et les bras en avant. **3** Se jeter ou s'enfoncer (dans, sur, vers...). **4** Voir (d'un lieu plus élevé).

**plongeur, euse** n. **I 1** Personne qui plonge sous l'eau. **2** Personne, sportif qui plonge (II, 2). **II** Personne chargée de la plonge.

**plot** n. m. **1** Pièce métallique permettant d'établir un contact électrique. **2** *Plot de départ :* élévation au bord d'une piscine, d'où plongent les nageurs.

**plouc** n. péj. (injurieux) Personne qui a des manières grossières. – adj. *Il, elle est un peu plouc.*

**plouf** interj. Bruit de chute dans l'eau.

**ploutocrate** n. m. Personne très riche et politiquement influente. ► **ploutocratie** n. f.

**ployer** v. [8] **I** v. tr. littér. Plier, tordre en abaissant. → **courber ; fléchir.** **II** v. intr. Plier. *Ses jambes ployèrent sous lui.* → **céder.**

① **plu** → **plaire ;** ② **plu** → **pleuvoir**

**pluie** n. f. **1** Eau qui tombe en gouttes des nuages sur la terre. *Pluie fine.* → **bruine, crachin.** *Le temps est à la pluie,* il va pleuvoir*. **2** loc. *Faire la pluie et le beau temps,* être très influent. *Parler de la pluie et du beau temps,* dire des banalités. **3** Chute de pluie. → **averse, grain, ondée.** **4** *En pluie :* en gouttes dispersées. **5** Grande quantité (qui tombe). *Pluie de coups.*

**plumage** n. m. L'ensemble des plumes recouvrant le corps d'un oiseau. → **livrée.**

**plumard** n. m. fam. Lit.

**plume** n. f. **I 1** Appendice formé d'un axe (tube) et de barbes latérales, sur la peau des oiseaux. **2** loc. fam. *Voler dans les plumes à qqn,* l'attaquer. – *Y laisser des plumes,* essuyer une perte. ♦ (symbole de légèreté) appos. (invar.) *Poids plume,* catégorie de boxeurs légers. **3** Plume d'oiseau utilisée comme ornement, garniture. **II 1** Plume dont le tube taillé servait à écrire. *Plume d'oie.* **2** Petite lame pointue de métal, adaptée à un *porte-plume* ou à un stylo, et qui, enduite d'encre, sert à écrire. **3** fig. Instrument de l'écriture, de l'écrivain.

**plumeau** n. m. Touffe de plumes sur un manche, pour épousseter.

**plumer** v. tr. [1] **1** Dépouiller (un oiseau) de ses plumes. **2** fig. Dépouiller (qqn).

**plumet** n. m. Touffe de plumes.

**plumetis** n. m. Étoffe légère brodée.

**plumier** n. m. Boîte oblongue pour ranger les plumes, porte-plumes...

**plumitif** n. m. péj. Mauvais écrivain.

la **plupart** n. f. **1** *La plupart de* (avec un sing.) : la plus grande part de. *La plupart du temps.* – (avec un plur.) Le plus grand nombre de. → **majorité.** *Dans la plupart des cas.* **2** pron. indéf. *La plupart :* le plus grand nombre. *La plupart s'en vont ;* littér. *s'en va.*

**plural, ale, aux** adj. didact. Qui contient plusieurs unités. *Vote plural,* où certains votants ont plusieurs voix.

**pluralisme** n. m. Reconnaissance de plusieurs opinions, partis. ► **pluraliste** adj.

**pluralité** n. f. Le fait d'exister en grand nombre. → **multiplicité.**

**pluridisciplinaire** adj. Qui concerne plusieurs disciplines.

**pluriel, ielle** n. **1** n. m. Catégorie grammaticale (→ **nombre**) des mots variables accordés, quand ils concernent plusieurs êtres ou notions. *Pluriels irréguliers* (noms). – *Pluriel verbal* (nous, vous, ils, elles). **2** adj. Formé d'éléments multiples.

① **plus** [plys] **I** adv. Comparatif de supériorité. **1** ([ply] devant consonne, [plyz] devant voyelle, [plys] à la finale) Modifie un verbe, un adjectif, un adverbe. *Je t'aime plus.* → **davantage.** **2** *Plus... que. Il est plus bête que méchant.* → **plutôt.** *Il est plus tard que tu ne penses.* **3** (avec *plus* ou *moins*) loc. *Plus ou moins,* à des degrés variables. – *Ni plus ni* *moins :* exactement. ♦ *De plus en plus :* toujours davantage. **II** nominal **1** Une chose plus grande, plus importante. *Demander plus* (de...). – *Il était plus de minuit.* **2** *Plus de* (compl. partitif) : davantage. *Avoir plus de charme que de beauté.* **3** loc. *De plus* ([s] prononcé) : encore. *Une fois de plus.* ♦ *En plus.* → **aussi, avec.** – *En plus de* loc. prép. → **outre.** – *Sans plus :* sans rien de plus. **4** n. m. [plys] prov. *Qui peut le plus peut le moins.* **III 1** conj. de coordination [plys] En ajoutant. → **et.** *Deux plus trois font cinq* (2 + 3 = 5). **2** *Le signe plus* (+) *des quantités positives.* **IV** *Le, la, les plus* **1** adverbial *Ce qui frappe le plus.* – *Un avenir des plus incertains.* **2** nominal *Le plus de :* la plus grande quantité de. – *Au plus, tout au plus* [tutoplys]. → au **maximum. V** n. m. anglic. [plys] Avantage. *Apporter un plus.*

② **plus** [ply] (devant voyelle, liaison en [z]) adv. de négation **1** *Pas plus que. Pas plus haut que...* **2** *Non plus* (remplace *aussi*, en proposition négative). *Tu n'attends pas ? Moi non plus.* **3** *Ne... plus :* désormais... ne pas. *Il n'y en a plus.* – *Je ne le ferai jamais plus, plus jamais.* – *Sans plus... Sans plus se soucier de rien.* ♦ (sans *ne* ni verbe) *Plus un mot !*

**plusieurs 1** adj. Plus d'un (en général, plus de deux). → **quelque(s). 2** pron. indéf. pl. Un certain nombre.

**plus-que-parfait** [plys-] n. m. Temps composé du passé (auxiliaire à l'imparfait).

**plus-value** [ply-] n. f. Augmentation de valeur sans transformation matérielle.

**plutonium** [-jɔm] n. m. Élément radioactif produit à partir de l'uranium.

**plutôt** adv. **1** Plus tôt. *Elle n'était pas plutôt partie que...* **2** De préférence. *Choisis plutôt celui-ci. Plutôt mourir !* **3** Passablement, assez. *La vie est plutôt monotone.*

> Ne pas confondre avec *plus tôt* (opposé à *plus tard*).

**pluvial, ale, aux** adj. De la pluie.

**pluvier** n. m. Oiseau échassier migrateur, vivant au bord de l'eau.

**pluvieux, euse** adj. Où il pleut.

**pluviomètre** n. m. Instrument qui sert à mesurer la quantité de pluie tombée.

**pluviométrie** n. f. Mesure de la quantité d'eau tombée. ► **pluviométrique** adj.

**pluviosité** n. f. **1** Caractère pluvieux. **2** Régime des pluies.

**P. L. V.** n. f. (sigle) Publicité sur les lieux de vente. *Matériel de P. L. V.*

① **P. M. A.** n. m. pl. (sigle) Pays les moins avancés (les plus pauvres).

② **P. M. A.** n. f. (sigle) Procréation médicalement assistée.

**P. M. E.** n. f. (sigle) Petite ou moyenne entreprise.

**P. M. I.** n. f. (sigle) Petite ou moyenne entreprise industrielle.

**P. M. U.** n. m. (sigle ; marque déposée) (en France) Pari mutuel urbain (courses de chevaux).

**P. N. B.** n. m. (sigle) Produit* national brut.

**pneu** n. m. **I** Bandage en caoutchouc (d'une roue), tube circulaire contenant de l'air. **II** vx Pneumatique (II).

**pneumatique I** adj. **1** Qui fonctionne à l'air comprimé. *Marteau pneumatique.* **2** Qui se gonfle à l'air comprimé. *Canot pneumatique.* **II** n. m. vx Message circulant par tubes à air comprimé (à Paris).

**pneumoconiose** n. f. méd. Maladie pulmonaire causée par l'inhalation de poussières dangereuses.

**pneumocoque** n. m. Bactérie responsable d'infections respiratoires.

**pneumocystose** n. f. méd. Infection pulmonaire grave, complication possible du sida.

**pneumologie** n. f. Étude du poumon et de ses maladies. ► **pneumologue** n.

**pneumonie** n. f. Inflammation aiguë du poumon due au pneumocoque.

**pneumopathie** n. f. méd. Affection pulmonaire. *Pneumopathie bactérienne* (tuberculose...).

**pneumothorax** [-aks] n. m. méd. Présence d'air dans le thorax.

**pochade** n. f. Œuvre écrite rapidement. ♦ Croquis rapide.

**pochard, arde** n. fam. Ivrogne misérable.

**poche** n. f. **I 1** Petit sac, pièce cousu(e) dans ou sur un vêtement pour les objets qu'on porte sur soi. – *Les mains dans les poches* (fig. sans effort). ♦ *De poche :* de dimensions restreintes. *Livre de poche ;* n. m. *un poche.* – *Argent de poche,* destiné aux petites dépenses. ♦ loc. *Payer de sa poche,* avec son argent. – *Connaître comme sa poche,* à fond. – fam. *C'est dans la poche,* c'est une affaire faite. **2** Déformation de ce qui est détendu, mal tendu, relâché. *Poches sous les yeux.* **3** Petit sac. → **pochette, pochon. 4** Partie (d'un sac). **5** Organe creux, cavité de l'organisme. **II** fig. **1** Cavité remplie (d'une substance). *Une poche de pétrole.* **2** milit. Enfoncement dans une ligne de défense.

**pocher** v. tr. [1] **1** *Pocher un œil à qqn,* meurtrir. **2** Plonger dans un liquide très chaud. – au p. p. *Des œufs pochés.*

**pochetron, onne** ou **pochtron, onne** n. argot, fam. Ivrogne.

**pochette** n. f. **1** Petite enveloppe (d'étoffe, de papier...). – *Pochette-surprise :* cornet de papier dont on ignore le contenu. **2** Petit mouchoir d'ornement (dans une poche). **3** Petit sac à main sans poignée.

**pochoir** n. m. Feuille à motif découpé formant des réserves à colorier.

**pochon** n. m. région. Sac, sachet.

**podagre** adj. Goutteux des pieds.

**podcast** n. m. anglic., inform. Émission de radio ou de télévision que l'on peut télécharger. ► **podcaster** v. tr. [1]

**podium** [-jɔm] n. m. **1** Plate-forme pour les vainqueurs (sports). **2** Plancher surélevé.

**podologie** n. f. Étude, soins du pied. ► **podologue** n.

**podzol** n. m. géogr. Sol acide des climats froids.

① **poêle** [pwal] n. m. **1** vx Pièce chauffée. **2** Appareil de chauffage clos.

② **poêle** [pwal] n. f. Ustensile de cuisine en métal, plat, à bords bas. *Poêle à frire* (fig., fam. détecteur). – loc. *Tenir la queue de la poêle,* avoir la direction d'une affaire.

③ **poêle** [pwal] n. m. Étoffe noire sur le cercueil. *Les cordons du poêle.*

**poêlée** n. f. Contenu d'une poêle.

**poêler** [pwale] v. tr. [1] Cuire dans une casserole fermée, avec un corps gras.

**poêlon** [pwalɔ̃] n. m. Casserole épaisse à manche creux.

**poème** n. m. **1** Ouvrage de poésie. – loc. fam. *C'est tout un poème,* c'est extraordinaire. **2** mus. *Poème symphonique**.

**poésie** n. f. **1** Art du langage, agissant par le rythme (vers ou prose), l'harmonie et l'image. *Le vers, la rime, le rythme en poésie.* ♦ *La poésie symboliste.* **2** Poème. **3** Caractère poétique. **4** Aptitude d'une personne à éprouver l'émotion poétique.

**poète** n. **1** Créateur en langage (aujourd'hui écrivain) qui fait de la poésie. – adj. *Il, elle est poète.* **2** Personne douée de poésie (4).

**poétesse** n. f. Femme poète.

① **poétique** adj. **1** Relatif, propre à la poésie. **2** Empreint d'une émotion, d'une sensibilité lyrique. **3** Qui émeut par la beauté, le charme. ► **poétiquement** adv.

② **poétique** n. f. **1** Traité de poésie. **2** Théorie de la création littéraire. ► **poéticien, ienne** n.

**poétiser** v. tr. [1] Rendre poétique (2 et 3).

**pognon** n. m. fam. Argent.

**pogrom** [-ɔm] n. m. hist. Massacre et pillage des juifs par une population différente.

**poids** n. m. **I 1** sc. Force exercée par un corps matériel, proportionnelle à la masse* de ce corps et à l'intensité de la pesanteur ; cour. masse. *D'un poids faible* (→ **léger**), *d'un grand poids* (→ **lourd, pesant**). – *Poids spécifique,* poids de l'unité de volume. → **densité. 2** Caractère, effet de ce qui pèse. → **lourdeur. 3** Mesure du poids (de la masse). – (d'une personne) *Surveiller son poids.* **4** Catégorie d'athlètes, de boxeurs, d'après leur poids. *Poids plume, poids légers.* – loc. fig. *Faire le poids,* avoir les capacités requises. **II 1** Corps matériel pesant. *Soulever des poids énormes.* **2** Masse déterminée servant à peser. *Les poids d'une balance.* – loc. *Faire deux poids, deux mesures,* juger de façon inégalitaire. **3** sports Masse de métal à soulever, lancer. **4** Sensation de pesanteur. *Avoir un poids sur l'estomac.* **III** fig. **1** Charge pénible. *Le poids des ans.* – Souci, remords. ♦ *Poids mort :* chose, personne inutile, qui gêne. **2** Force, influence (de qqch.). *Le poids d'un argument.*

**poids lourd** n. m. Véhicule automobile de fort tonnage. → **camion.**

**poignant, ante** adj. Qui cause une impression vive et pénible.

**poignard** n. m. Couteau à lame aiguë. ► **poignarder** v. tr. [1]

**poigne** n. f. **1** La force du poing, de la main. *Avoir de la poigne.* **2** fig. Énergie, fermeté.

**poignée** n. f. **1** Quantité (d'une chose) que peut contenir une main fermée. **2** Petit nombre (de personnes). **3** Partie (d'un objet : arme, ustensile) disposée pour être tenue. *Une poignée de porte.* **4** *Poignée de main :* geste par lequel on serre* la main.

**poignet** n. m. **1** Articulation qui réunit l'avant-bras à la main. – loc. *À la force du poignet* (fig. par ses seuls moyens). **2** Extrémité de la manche, couvrant le poignet.

**poil** n. m. **I 1** Production filiforme sur la peau de certains animaux (surtout mammifères). – Ces poils utilisés. *Les poils d'un pinceau.* ♦ *Le poil.* → **pelage. 2** Cette production chez l'être humain lorsqu'elle n'est ni un cheveu, ni un cil. ♦ loc. fam. *Avoir un poil dans la main,* être très paresseux. *Tomber sur le poil à qqn,* se jeter sur lui. – *Reprendre du poil de la bête,* se ressaisir. – fam. *À poil :* tout nu. – fam. *De bon, de mauvais poil :* de bonne, de mauvaise humeur. **3** *Poil à gratter :* matière qui gratte (bourre du rosier...). **II** fig. **1** fam. *Un poil de,* une très petite quantité de. – *À un poil près.* **2** fam. *Au poil :* très bien.

se **poiler** v. tr. [1] fam. Rire aux éclats. ► **poilant, ante** adj.

**poilu, ue** adj. **1** Qui a des poils très apparents. → **velu. 2** vx Courageux. ♦ n. m. Combattant de la guerre de 1914.

**poinçon** n. m. **1** Instrument métallique terminé en pointe, pour percer. **2** Tige terminée par une face gravée ; sa marque.

**poinçonner** v. tr. [1] **1** Marquer d'un poinçon (2) (un poids, une pièce d'orfèvrerie...). **2** Perforer avec une pince (un billet, un ticket). **3** techn. Perforer à la machine-outil dite *poinçonneuse* n. f. ► **poinçonnage** n. m. ► **poinçonneur, euse** n.

**poindre** v. [49] littér. **I** v. tr. **1** vx Piquer. **2** Blesser, faire souffrir (→ **poignant**). **II** v. intr. Apparaître. *L'aube point.*

**poing** [pwɛ̃] n. m. Main fermée. *Coup de poing.* – *Dormir** *à poings fermés.*

① **point** n. m. **I** dans l'espace **1** Endroit, lieu. *Point de départ.* – *Point d'eau* (source, puits). – *Point chaud,* endroit de combats ; lieu dangereux. ♦ *Point de vente* : lieu de vente ; succursale. – *C'est son point faible,* sa faiblesse. **2** géom. Intersection de deux droites, n'ayant aucune surface propre. **3** Position d'un navire en mer. – loc. fig. *Faire le point* : préciser sa situation. **4** *Mettre au point* : régler (un mécanisme), élaborer (un procédé). – loc. *Mise au point* (spécialt, en photo, au cinéma). – *Être au point* : bien réglé. **II** (Moment précis.) **1** *À point, à point nommé* : au moment opportun. → à **propos.** **2** *Sur le point de* : au moment de. **3** *Le point du jour* : le moment où le jour commence à poindre (II). **III 1** Tache, image aux contours imperceptibles. *Un point lumineux.* **2** Unité attribuée (aux jeux, en sports). *Marquer des points.* **3** Chaque unité d'une note. – *Bon point* : récompense. fig. *C'est un bon point pour lui,* il a bien agi. **IV 1** Signe (.) servant à marquer la fin d'un énoncé. *Points de suspension* (...). *Les deux-points* (:). *Point-virgule* (;). *Point d'exclamation* (!) ; *d'interrogation* (?). – loc. fig. *Point à la ligne* : ça suffit, plus de discussion. *Point barre* : ça suffit, c'est terminé. **2** Signe qui surmonte les lettres i et j minuscules. – loc. *Mettre les points sur les i,* préciser. **3** typogr. Unité de dimension des caractères d'imprimerie. **V** (exprimant un état) **1** loc. *À point, au point* : dans l'état, la situation. *Au point où nous en sommes. Au point que, à tel point que* loc. conj. : tellement que. – *À point* : dans l'état convenable. *Un steak à point,* entre saignant et bien cuit. – *Mal en point* : en mauvais état. **2** phys. État mesurable. *Point d'ébullition.* **VI 1** Partie (d'un texte...). **2** Question, élément. – *C'est un point commun entre eux,* un caractère commun. – *En tout point,* absolument.

② **point** n. m. Action de piquer, de poindre. **1** Longueur de fil entre deux piqûres. **2** Manière d'exécuter une suite de points. **3** *Point de côté,* douleur au côté.

③ **point** adv. littér. ou région. → **pas.** *Ne... point...* : ne... pas... *Point du tout.*

**pointage** n. m. **1** Action de pointer (①, I). **2** Fait de pointer, de diriger. → **tir.**

**point de vue** n. m. **1** Endroit où l'on doit se placer pour bien voir. **2** Endroit d'où l'on a une vue pittoresque. **3** Manière dont une question peut être considérée. → **optique, perspective.** ♦ Opinion particulière. – *Au (du) point de vue de* loc. prép. : quant à.

**pointe** n. f. **I 1** Extrémité allongée et fine (d'un objet servant à piquer, percer). *La pointe d'une épée.* **2** Extrémité plus fine. *Pointes d'asperges.* **3** Partie extrême. *La pointe du Raz.* ♦ fig. *Être à la pointe du progrès. Techniques de pointe.* → **avant-garde.** **4** *La pointe des pieds* : l'extrémité. – fig. *Sur la pointe des pieds* : très discrètement. ♦ (danse) *Faire des pointes.* – *Des pointes* : chaussons de danse. **II 1** Objet en forme d'aiguille, de lame. **2** Clou petit et court. **3** Outil servant à gratter, percer, tracer, etc. → **poinçon.** – *Pointe sèche,* pour graver sur cuivre. **4** *Pointes de feu* : brûlures au cautère. **III** fig. **1** Avance en territoire ennemi. – *Pousser une pointe,* prolonger son chemin. **2** Allusion ironique. → **pique.** **IV** Petite quantité (d'une chose piquante ou forte). *Une pointe d'ail.* – *Une pointe d'ironie.* **V** Maximum. *Vitesse de pointe.* – *Heures de pointe* (énergie, transports).

**pointé, ée** adj. **1** mus. *Note pointée,* dont la valeur est augmentée de moitié. **2** *Zéro pointé,* éliminatoire.

① **pointer** v. tr. [1] **I 1** Marquer (qqch.) d'un point, d'un signe. → **cocher.** **2** Contrôler les entrées et les sorties (de travailleurs). **3** intrans. Enregistrer ses heures de présence (travail). – *Pointer au chômage.* **II 1** Diriger. *Pointer son index vers qqn.* **2** Braquer (une arme). **3** À la pétanque, lancer la boule le plus près du cochonnet. **4** Attirer l'attention sur. *Pointer un risque.* **5** inform. Placer le curseur de (la souris) sur un élément.

② **pointer** v. tr. [1] **I 1** Dresser en pointe. *Cheval qui pointe les oreilles.* **2** intrans. S'élever en pointe. **II** Sortir. *Pointer son nez dehors.* ▷ v. pron. se **pointer** fam. Arriver.

③ **pointer** [-œʀ] n. m. Chien d'arrêt à poil ras.

**pointeur, euse** n. **I 1** n. Personne qui fait un pointage. **2** n. f. Machine à pointer (①, I, 2). – *Horloge pointeuse.* **3** n. m. inform. Dispositif servant à repérer la position d'un élément dans une liste. **II** n. **1** Artilleur qui pointe une bouche à feu. **2** aux boules Joueur chargé de pointer (II, 3).

**pointeuse** n. f. Machine à pointer (①, I, 2).

**pointillé** n. m. **1** Dessin, gravure au moyen de points. **2** Trait formé de petits points. – fig. *En pointillé,* par allusions. **3** Trait formé de petites perforations.

**pointilleux, euse** adj. Qui est d'une exigence minutieuse et excessive. → **tatillon.**

**pointillisme** n. m. Peinture par petites touches de couleurs pures (succède à l'impressionnisme). ▶ **pointilliste** n. et adj.

**point mort** n. m. Position d'un embrayage lorsqu'aucune vitesse n'est enclenchée. – loc. fig. *L'affaire est au point mort,* elle n'évolue plus.

**pointu, ue** adj. **1** Qui se termine en pointe(s). **2** (son, voix) Qui a un timbre aigu, désagréable. **3** À la pointe du progrès.

**pointure** n. f. Dimension (des chaussures, des chapeaux, des gants).

**poire** n. f. **1** Fruit du poirier, charnu, à pépins, allongé et ventru. – loc. *Garder une poire pour la soif,* économiser. – *Couper la poire en deux,* faire un compromis. ♦ Alcool de poire. **2** Objet de forme analogue. *Poire électrique.* **3** fam. Face, figure. **4** fam. (aussi adj.) Personne qui se laisse tromper.

**poiré** n. m. Cidre de poire.

**poireau** n. m. **1** Variété d'ail à bulbe peu développé ; son pied comestible. **2** loc. fam. *Faire le poireau,* attendre.

**poireauter** v. intr. [1] fam. Attendre.

**poirier** n. m. **1** Arbre cultivé pour ses fruits, les poires. **2** Bois de cet arbre. **3** loc. *Faire le poirier,* se tenir en équilibre sur les mains et la tête.

**pois** n. m. **I 1** Plante potagère cultivée pour ses graines. **2** Fruit de cette plante (gousse, cosse) ; chacune des graines rondes qu'il renferme. *Pois verts ; petits pois.* – *Pois cassés,* pois secs divisés en deux. **3** *Pois chiche :* plante à gousses contenant chacune deux graines ; cette graine jaunâtre. **4** *Pois de senteur :* plante à fleurs odorantes. **II** Petit disque, pastille (motif sur une étoffe).

**poison** n. m. **1** Substance capable d'incommoder ou de tuer. **2** fig., littér. Ce qui est pernicieux, dangereux. **3** n. fam. Personne acariâtre, insupportable.

**poissard, arde** adj. littér. Qui emploie des mots vulgaires, orduriers.

**poisse** n. f. fam. Malchance.

**poisser** v. tr. [1] **1** Salir avec une matière gluante. **2** fam. Arrêter, prendre (qqn).

**poisseux, euse** adj. Gluant, collant.

**poisson** n. m. **1** Animal aquatique vertébré, muni de nageoires et de branchies. *Jeunes poissons.* → **alevin.** ♦ collectif *Prendre du poisson.* ♦ *Poisson-chat.* → **silure.** *Poisson volant :* poisson des mers chaudes, qui saute hors de l'eau. *Poisson rouge :* cyprin doré. **2** loc. *Être comme un poisson dans l'eau,* se trouver dans son élément. **3** astrol. au plur. Douzième signe du zodiaque (19 février-20 mars). *Elle est Poissons.* **4** loc. *Poisson d'avril**.

**poissonnerie** n. f. Commerce ; magasin de poissonnier.

**poissonneux, euse** adj. Qui contient de nombreux poissons.

**poissonnier, ière** n. Personne qui fait le commerce des poissons et fruits de mer.

**poitrail, ails** n. m. Devant du corps, entre l'encolure et les pattes de devant (surtout du cheval).

**poitrinaire** adj. et n. vx Tuberculeux.

**poitrine** n. f. **1** Partie du corps humain qui s'étend des épaules à l'abdomen. **2** Partie antérieure du thorax. *Bomber la poitrine.* → **torse. 3** Seins (de femme). → **gorge.**

**poivrade** n. f. Préparation au poivre.

**poivre** n. m. **1** Épice à saveur piquante, fruits séchés du poivrier. **2** loc. *Cheveux poivre et sel,* bruns mêlés de blancs.

**poivrer** v. tr. [1] **1** Assaisonner de poivre. **2** pronom. fam. S'enivrer (→ **poivrot**).

**poivrier** n. m. **1** Arbrisseau grimpant des régions tropicales, produisant le poivre. **2** Moulin, flacon à poivre.

**poivrière** n. f. Guérite de forme conique, à l'angle d'un bastion.

**poivron** n. m. Fruit du piment* doux.

**poivrot, ote** n. fam. Ivrogne.

**poix** n. f. Matière visqueuse à base de résine ou de goudron de bois. *Poix fondue.*

**poker** [-ɛʀ] n. m. **I** Jeu de cartes et d'argent basé sur des combinaisons (cinq cartes par joueur). **II** *Poker d'as :* jeu de dés.

**polaire** adj. **I 1** Des pôles (terrestres, célestes). – *Étoile* Polaire.* **2** Des régions arctiques et antarctiques, froides et désertes. **II** Relatif à un pôle (4 à 6).

**polar** n. m. fam. Roman ou film policier.

**polarisation** n. f. didact. **1** sc. Réorganisation simplifiée (d'un corps, d'une lumière) sous l'effet d'un champ électromagnétique ou d'un filtre. **2** fig. Concentration.

**polariser** v. tr. [1] **1** Soumettre à la polarisation (1). **2** fig. Attirer, concentrer en un point. – pronom. *Se polariser* (sur un objectif...).

**polarité** n. f. Qualité d'un système qui présente deux pôles.

**polaroïd** [-ɔid] n. m. (nom déposé) Procédé permettant le tirage de photos dans l'appareil de prise de vues. – L'appareil.

**polder** [-ɛʀ] n. m. Marais littoral endigué et asséché (d'abord, aux Pays-Bas).

**pôle** n. m. **1** Extrémité de l'axe de rotation de la Terre. *Pôle Nord,* arctique. *Pôle Sud,* antarctique, austral. **2** Région géographique près d'un pôle. **3** *Pôle céleste* (de la sphère céleste). **4** Point de l'aimant correspondant au pôle Nord ou Sud. **5** Chacune des deux extrémités d'un circuit électrique (→ **électrode**). **6** fig. L'un de deux points principaux et opposés.

**polémique 1** adj. Critique et agressif. *Un style polémique.* **2** n. f. Débat vif ou agressif. ► **polémiquer** v. intr. [1]

**polémiste** n. Personne qui polémique.

**polenta** [pɔlɛnta] n. f. Galette de farine de maïs, de châtaignes.

① **poli, ie** adj. **1** Conforme aux règles de la politesse. – loc. prov. *Trop poli pour être honnête* **2** (choses) Exprimé avec politesse.

② **poli, ie 1** adj. Lisse et brillant. **2** n. m. Aspect lisse et brillant.

① **police** n. f. **1** Institution assurant le maintien de l'ordre public et la répression des infractions. **2** Discipline, ordre.

② **police** n. f. **I** Contrat signé avec une compagnie d'assurances. **II** typogr. Assortiment des signes d'un même type.

**policer** v. tr. [3] littér. Civiliser, adoucir les mœurs. ▷ p. p. **policé, ée**

**polichinelle** n. m. Personnage à double bosse de la comédie italienne. – loc. *Secret de polichinelle,* connu de tous.

**policier, ière I** adj. **1** De la police. – *Régime policier.* **2** (littérature, cinéma) Qui concerne les activités criminelles et leur découverte. *Un roman policier.* **II** n. Membre d'un service de police.

**policlinique** n. f. Établissement de soins sans hospitalisation.

Ne pas confondre avec *polyclinique* «clinique avec plusieurs spécialités».

**poliment** adv. D'une manière polie.

**poliomyélite** ou (abrév.) **polio** n. f. Maladie par lésion de la moelle épinière. ► **poliomyélitique** adj. et n.

**polir** v. tr. [2] **1** Rendre lisse par frottement (un corps dur, une substance dure). **2** Travailler pour améliorer. ► **polissage** n. m.

**polissoir** n. m. Instrument pour polir.

**polisson, onne 1** n. Enfant espiègle, désobéissant. **2** adj. (choses) Un peu grivois. ► **polissonnerie** n. f.

**politesse** n. f. **1** Règles du comportement, du langage appréciés en société. → **civilité, courtoisie, savoir-vivre.** – loc. *Brûler la politesse à qqn,* partir brusquement. **2** Action, parole exigée par les bons usages.

**politicien, ienne 1** n. Personne qui exerce une action politique. → ① **politique** (II). **2** adj. péj. Des aspects techniques de la politique. *La politique politicienne.*

① **politique I** adj. **1** Relatif à l'organisation, à l'exercice du pouvoir dans une société organisée. **2** Relatif à la théorie du pouvoir, du gouvernement. *Institut d'études politiques.* **3** Relatif à la lutte autour du pouvoir. **4** littér. Habile. → **diplomatique. II** n. m. **1** littér. Homme ou femme de gouvernement. **2** Ce qui est politique. *Le politique et le social.*

② **politique** n. f. **1** Manière de gouverner un État *(politique intérieure),* de mener les relations avec les autres États *(politique extérieure).* **2** Ensemble des affaires publiques. – La carrière politique. **3** Manière de conduire une affaire. → **tactique.**

**politiquement** adv. **1** En ce qui concerne le pouvoir politique. **2** littér. Avec habileté. **3** anglic. *Politiquement correct* loc. adj. : qui respecte une idée de société moralisée, établissant euphémismes et tabous.

**politiser** v. tr. [1] Donner un caractère politique à. ► **politisation** n. f.

**politologue** n. Spécialiste de la vie politique. ► **politologie** n. f.

**polka** n. f. Danse à l'allure vive et très rythmée ; sa musique.

**pollen** [-ɛn] n. m. Poussière produite par les étamines, qui féconde les fleurs femelles. ► **pollinique** adj. bot.

**polliniser** v. tr. [1] Féconder (le pistil de fleurs) par du pollen. ► **pollinisation** n. f.

**polluer** v. tr. [1] **I** vx Profaner, souiller. **II** Salir en rendant malsain, dangereux. ▷ adj. **pollué, ée** ► **pollueur, euse** n.

**pollution** n. f. **I** vx Action de souiller. **II** Action de polluer (II) ; fait d'être pollué.

① **polo** n. m. Sport où des cavaliers poussent une boule de bois avec un maillet.

② **polo** n. m. Chemise de sport en tricot.

**polochon** n. m. fam. Traversin.

**polonais, aise** adj. et n. De Pologne. – *Les Polonais.* ♦ n. m. *Le polonais,* langue slave parlée en Pologne, et en Lituanie, en République tchèque...

**polonaise** n. f. **1** Danse marchée, qui était la danse nationale de la Pologne. – Sa musique. **2** Gâteau meringué.

**poltron, onne** adj. et n. Peureux. ► **poltronnerie** n. f.

**polyacide** n. m. chim. Corps possédant plusieurs fois la fonction acide.

**polyamide** n. m. Constituant de matières plastiques.

**polyamine** n. f. chim. Corps possédant plusieurs fois la fonction amine.

**polyandre** adj. didact. Qui a plusieurs maris (→ polygame). ► **polyandrie** n. f.

**polyarthrite** n. f. méd. Inflammation simultanée de plusieurs articulations.

**polychrome** [-kʀom] adj. De plusieurs couleurs. ► **polychromie** n. f.

**polyclinique** n. f. Clinique où se donnent toutes sortes de soins.

Ne pas confondre avec *policlinique* «clinique sans hospitalisation».

**polycopie** n. f. Reproduction graphique par report, encrage et tirage. ► **polycopier** v. tr. [7] ► **polycopié, ée** adj. et n. m.

**polyculture** n. f. Culture simultanée de différents produits sur une même terre.

**polyèdre** n. m. géom. Solide limité par des polygones plans. ► **polyédrique** adj.

**polyester** [-ɛstɛʀ] n. m. Ester à poids moléculaire élevé.

**polyéthylène** n. m. Polymère de l'éthylène.

**polygame** n. Homme marié à plusieurs femmes, femme mariée à plusieurs hommes à la fois. – adj. *Un mormon polygame.* ► **polygamie** n. f.

**polyglotte** adj. Qui parle plusieurs langues. – n. *Un(e) polyglotte.*

**polygonal, ale, aux** adj. Qui a plusieurs angles et plusieurs côtés.

**polygone** n. m. Figure plane fermée par des segments de droite.

**polymère** n. m. Grosse molécule formée par l'enchaînement de monomères*. ► **polymériser** v. tr. [1]

**polymérisation** n. f. Union de plusieurs molécules d'un composé. *Résines de polymérisation* (matières plastiques).

**polymorphe** adj. didact. Qui peut se présenter sous des formes différentes.

**polynévrite** n. f. Névrite qui atteint plusieurs nerfs.

**polynôme** n. m. Expression algébrique, somme algébrique de monômes.

**polynucléaire** adj. biol. (cellule) Qui possède plusieurs noyaux. – n. m. *Un polynucléaire* (à noyau segmenté).

**polype** n. m. **I** Animal *(Cœlentérés)* formé d'un tube dont une extrémité porte une bouche entourée de tentacules. **II** pathol. Tumeur fibreuse ou muqueuse.

**polyphonie** n. f. mus. Combinaison de plusieurs voix ou parties mélodiques. ► **polyphonique** adj.

**polypier** n. m. Squelette calcaire des polypes (ex. le corail).

**polysémie** n. f. ling. Fait d'avoir plusieurs sens. ► **polysémique** adj.

**polystyrène** n. m. Matière plastique obtenue par polymérisation du styrène.

**polytechnicien, ienne** [-tɛk-] n. Élève, ancien(ne) élève de Polytechnique.

**polytechnique** [-tɛk-] adj. et n. f. **1** vx Qui concerne plusieurs techniques. **2** *École polytechnique* ou n. f. *Polytechnique* (syn. fam. *l'X*) : grande école scientifique française.

**polythéisme** n. m. Religion à plusieurs dieux. ► **polythéiste** n. et adj.

**polytransfusé, ée** adj. et n. méd. Qui a subi plusieurs transfusions sanguines.

**polyuréthane** n. m. Résine de condensation de polyesters.

**polyvalent, ente** adj. Qui a plusieurs fonctions, plusieurs activités différentes. ► **polyvalence** n. f.

**pomélo** n. m. Gros agrume à chair rosée. → **pamplemousse.**

**pommade** n. f. Substance grasse à mettre sur la peau (médicament, etc.). – loc. *Passer de la pommade à qqn,* le flatter.

**pommader** v. tr. [1] Enduire de pommade (surtout au p. p.).

① **pomme** n. f. **I 1** Fruit du pommier, rond, à pulpe ferme et juteuse. **2** appos. invar. *Vert pomme,* assez vif et clair. **3** loc. fam. *Tomber dans les pommes,* s'évanouir. ♦ fam. *Ma, sa pomme,* moi, lui. ♦ fam. Idiot, naïf. **4** *Pomme d'Adam :* saillie à la partie antérieure du cou (des hommes). **5** *Pomme de pin :* organe reproducteur du pin, à écailles dures. **II** *Pomme d'arrosoir, de douche,* partie arrondie percée de petits trous.

② **pomme** n. f. Pomme de terre. *Pommes vapeur. Pommes frites.*

**pommé, ée** adj. (plantes) Arrondi.

**pommeau** n. m. **1** Tête arrondie de la poignée (sabre, épée ; canne). **2** *Pommeau de douche.* → ① **pomme** (II).

**pomme de terre** n. f. **1** Tubercule comestible. → ② **pomme ;** fam. **patate. 2** La plante. *Champ de pommes de terre.*

**pommelé, ée** adj. **1** Couvert ou formé de petits nuages ronds. *Un ciel pommelé.* **2** (robe du cheval) Couvert de taches rondes.

**pommette** n. f. Partie haute de la joue.

**pommier** n. m. Arbre à frondaison arrondie dont le fruit est la pomme.

**pompage** n. m. Action de pomper.

① **pompe** n. f. **1** littér. Déploiement de faste. – loc. *En grande pompe,* avec faste. **2** *Pompes funèbres :* entreprise spécialisée dans l'organisation des obsèques.

② **pompe** n. f. **I 1** Appareil destiné à déplacer un fluide (surtout à l'élever), en l'aspirant ou en le refoulant. – *Pompe à essence :* distributeur d'essence. – *Pompe à vélo,* déplaçant de l'air. **2** fam. Traction des bras. **II** fig., fam. **1** *Coup de pompe,* brusque accès de fatigue. **2** *Partir à toute pompe,* à toute vitesse. **3** Chaussure. – loc. *Être à côté de ses pompes :* ne pas avoir les idées claires.

**pomper** v. tr. [1] **1** Déplacer, aspirer (un liquide, un gaz) à l'aide d'une pompe*. *Pomper de l'eau.* ♦ loc. fam. *Pomper l'air à qqn,* prendre toute la place ; agacer. **2** Aspirer (un liquide). *Les moustiques pompent le sang.* **3** Absorber (un liquide). **4** fam. Copier (aussi intrans.). **5** fam. Épuiser.

**pompette** adj. fam. Un peu ivre, éméché.

**pompeux, euse** adj. Solennel (souvent iron.). ► **pompeusement** adv.

① **pompier** n. m. Sapeur-pompier chargé de combattre incendies et sinistres. – loc. *Fumer comme un pompier,* beaucoup.

② **pompier, ière** adj. Emphatique et prétentieux. ♦ n. m. Peintre académique (XIX^e s.).

**pompiste** n. Personne qui distribue de l'essence (dans une station-service).

**pompon** n. m. **1** Touffe de laine servant d'ornement. **2** appos. (invar.) *Rose pompon,* à petite fleur. **3** *C'est le pompon !,* le comble.

**pomponner** v. tr. [1] Parer, orner avec soin. ▷ v. pron. se **pomponner**

**ponant** n. m. région. ou littér. Couchant (opposé au *levant*). → **occident, ouest.**

**ponçage** n. m. Action de poncer.

**ponce** n. f. **1** *Pierre ponce :* roche volcanique poreuse, légère et très dure. **2** Sachet de poudre colorante, utilisé pour le dessin.

**ponceau** adj. invar. Rouge foncé.

**poncer** v. tr. [3] **1** Décaper, polir (une surface) au moyen d'une matière abrasive (pierre ponce, papier de verre...). ► **ponceuse** n. f. (machine). **2** arts Reproduire un dessin piqué en frottant avec une ponce (2).

**poncho** [pɔ̃(t)ʃo] n. m. Pièce d'étoffe percée d'un trou pour la tête (Amérique du Sud).

**poncif** n. m. **1** arts Dessin poncé (2). **2** Expression littéraire ou artistique sans originalité. → **banalité, cliché, lieu** commun.

**ponction** n. f. **1** chir. Percement d'une cavité pour en retirer le liquide. **2** fig. Prélèvement (d'argent, etc.). ► **ponctionner** v. tr. [1]

**ponctualité** n. f. Qualité d'une personne ponctuelle (I).

**ponctuation** n. f. Système de signes servant à indiquer les divisions d'un texte, à noter certains rapports syntaxiques. *Signes de ponctuation* (parenthèse, point, virgule...). – Manière d'utiliser ces signes.

**ponctuel, elle** adj. **I** Qui respecte les horaires, est toujours à l'heure. **II 1** sc. Qui peut être assimilé à un point. *Source lumineuse ponctuelle.* **2** fig. Qui ne concerne qu'un élément. *Remarque ponctuelle.* ► **ponctuellement** adv.

**ponctuer** v. tr. [1] **1** Diviser (un texte) au moyen de la ponctuation. **2** Marquer par (un cri, un geste répétés...).

**pondaison** n. f. zool. (oiseaux) Saison de la ponte.

**pondérable** adj. Qui peut être pesé.

**pondéral, ale, aux** adj. didact. Relatif au poids.

**pondération** n. f. **1** Fait de pondérer. **2** Calme, mesure dans les jugements.

**pondéré, ée** adj. Calme, équilibré.

**pondérer** v. tr. [6] littér. Équilibrer (les forces ; les pouvoirs politiques).

**pondeur, euse** adj. Qui pond des œufs. *Poule pondeuse.* – n. f. *Une bonne pondeuse.*

**pondre** v. tr. [41] **1** (femelle ovipare) Déposer, faire (ses œufs). **2** fam. et péj. Écrire, produire (une œuvre, un texte...).

**poney** n. m. Cheval d'une race petite.

**pongiste** n. Joueur(euse) de ping-pong.

**pont** n. m. **I 1** Construction, ouvrage reliant deux points séparés par un cours d'eau, un obstacle... *Pont suspendu.* – loc. *Il coulera (passera) de l'eau sous les ponts,* il se passera un long temps. – *Couper les ponts,* s'interdire tout retour en arrière. **2** *Ponts et Chaussées :* en France, service chargé des voies publiques. **3** *Pont aux ânes :* démonstration du théorème de Pythagore. – par ext. Banalité connue de tous. **4** loc. fig. *Faire un pont d'or à qqn,* lui offrir une forte somme. **5** Ensemble des organes (d'une automobile) qui transmettent le mouvement aux roues. *Pont arrière.* **6** Pièce d'étoffe qui se rabat. *Pantalon à pont.* **7** Jour(s) où l'on ne travaille pas entre deux jours fériés. **8** *Pont aérien :* liaison aérienne continue. **9** *Tête de pont :* point où une armée prend possession d'un territoire. **II** Ensemble des bordages recouvrant entièrement la coque d'un navire. – absolt Pont supérieur. *Tout le monde sur le pont !*

**pontage** n. m. chir. Dérivation de veines (ou artères).

① **ponte** n. f. **1** Action de pondre. **2** Les œufs pondus en une fois.

② **ponte** n. m. **I** baccara, roulette Personne qui joue contre le banquier. **II** fam. Grand personnage. *Un gros ponte.*

① **ponter** v. tr. [1] Munir d'un pont (un navire). – au p. p. *Une barque non pontée.*

② **ponter** v. [1] **1** v. intr. Être ponte (②, I). **2** v. tr. Miser.

**pontife** n. m. **1** didact. Grand prêtre, à Rome dans l'Antiquité. **2** Haut dignitaire catholique. *Le souverain pontife :* le pape.

**pontifical, ale, aux** adj. Relatif au souverain pontife, au pape. → **papal.**

**pontificat** n. m. Dignité de souverain pontife ; règne (d'un pape). → **papauté.**

**pontifier** v. intr. [7] Manifester prétention et emphase. ► **pontifiant, ante** adj.

**pont-l'évêque** n. m. invar. Fromage de vache fermenté à pâte molle.

**pont-levis** n. m. Pont mobile basculant au-dessus du fossé d'un château fort.

**ponton** n. m. **1** Plate-forme flottante. **2** Chaland ponté pour les gros travaux.

**pontonnier** n. m. Soldat du génie chargé des ponts militaires mobiles.

**pool** [pul] n. m. anglic. Groupe d'associés ou de travailleurs.

**pop** [pɔp] adj. invar. anglic. **I** *Musique pop* ou n. f. *la pop :* musique populaire issue du rock. **II** Du pop art.

**pop art** [pɔpaʀt] n. m. École de peinture inspirée par la culture de masse.

**pop-corn** [pɔpkɔʀn] n. m. invar. anglic. Grains de maïs soufflés, sucrés ou salés.

**pope** n. m. Prêtre de l'Église orthodoxe.

**popeline** n. f. Tissu de coton serré, ou de laine et soie. *Chemise en popeline.*

**poplité, ée** adj. anat. De la partie postérieure du genou. *Creux poplité.*

**popote** fam. **I** n. f. **1** Table d'officiers. → **mess. 2** Soupe ; cuisine. **II** adj. invar. Trop occupé par les travaux du foyer.

**popotin** n. m. fam. Fesses, derrière.

**populace** n. f. péj. Bas peuple. ► **populacier, ière** adj.

**populaire** adj. **1** Qui émane du peuple, fait partie du peuple. – hist. *Front populaire,* union des forces de gauche (en France, en 1936). **2** Propre au peuple. *Mot populaire.* **3** À l'usage du peuple, du très grand public. *Art populaire.* → **folklore. 4** Qui plaît au plus grand nombre. ► **populairement** adv.

**populariser** v. tr. [1] Faire connaître parmi le peuple, le grand nombre. ► **popularisation** n. f.

**popularité** n. f. Fait d'être connu et aimé du plus grand nombre. → **célébrité, gloire.**

**population** n. f. **1** Personnes qui habitent un espace, une terre (→ **habitant ; démographie**). **2** Ensemble des personnes d'une catégorie. *La population active.* **3** (animaux) *La population d'une ruche.* **4** sc. Ensemble statistique.

**populeux, euse** adj. Très peuplé.

**populisme** n. m. École littéraire qui dépeint avec réalisme la vie des gens du peuple. ► **populiste** n. et adj.

**populo** n. m. fam. Peuple ; foule. ♦ adj. *Un quartier populo.*

**porc** [pɔʀ] n. m. **1** Mammifère domestique au corps épais dont la tête est terminée par un groin ; spécialt le mâle adulte (par oppos. à *truie,* à *porcelet*). → **cochon. 2** Viande de cet animal. **3** Peau tannée de cet animal.

**porcelaine** n. f. **1** Mollusque, coquillage univalve luisant et poli. **2** Substance translucide, imperméable (kaolin). *Vase en* (ou *de*) *porcelaine.* **3** Objet en porcelaine.

**porcelainier, ière 1** n. Marchand(e), fabricant(e) de porcelaine. **2** adj. *L'industrie porcelainière.*

**porcelet** n. m. Jeune porc.

**porc-épic** [pɔʀk-] n. m. Mammifère rongeur au corps recouvert de piquants.

**porche** n. m. **1** Construction en saillie devant une porte d'entrée. **2** Hall d'entrée (d'un immeuble).

**porcher, ère** n. **1** Ouvrier, ouvrière agricole qui s'occupe des porcs. **2** Éleveur de porcs.

**porcherie** n. f. **1** Bâtiment où l'on élève les porcs. **2** fig. Local très sale.

**porcin, ine** adj. **1** Relatif au porc. – n. m. *Les porcins.* **2** péj. *Des yeux porcins.*

**pore** n. m. **1** Minuscule orifice de la peau par où sortent la sueur, le sébum. **2** bot. Interstice par où se font les échanges gazeux (d'une plante). **3** Interstice, trou d'une matière poreuse.

**poreux, euse** adj. Qui présente de nombreux pores, petits trous.

**porno** (abrév.) **1** adj. Pornographique. *Des films pornos.* **2** n. m. Pornographie.

**pornographie** n. f. Représentation publique de choses obscènes. ► **pornographique** adj.

**porphyre** n. m Roche volcanique rouge foncé à grands cristaux de feldspath.

**porridge** n. m. anglic. Bouillie de flocons d'avoine.

① **port** n. m. **I 1** Abri naturel ou artificiel aménagé pour recevoir les navires. *Port d'attache,* où un bateau est immatriculé. – fig. *Arriver à bon port,* au but sans dommage. **2** littér. Abri. → **havre, refuge. 3** Ville qui possède un port. **II** Col (Pyrénées).

② **port** n. m. **I 1** Fait de porter sur soi. *Autorisation de port d'armes.* **2** mus. *Port de voix :* passage de la voix d'un son à un autre. **II** Prix du transport (d'une lettre...). **III** Manière naturelle de se tenir.

**portable** adj. **1** (vêtement) Qu'on peut porter. → **mettable. 2** Transportable. → **portatif.** – *Téléphone portable,* sans fil et sans support (→ **cellulaire).** ♦ n. m. Ordinateur, téléphone portable. **3** inform. (programme) Qui s'adapte à des ordinateurs de types différents.

**portage** n. m. **1** Transport à dos d'homme. **2** Distribution des journaux à domicile.

**portail, ails** n. m. **1** Grande porte, parfois de caractère monumental. **2** inform. Page (écran) d'accueil d'un site* Internet, regroupant de nombreux services (actualité, sélection de sites...).

**portant, ante I** adj. **1** Dont la fonction est de porter, de soutenir. *Murs portants.* **2** *Être bien, mal portant,* en bonne, en mauvaise santé. – n. *Les bien portants.* **II** n. m. **1** Montant de soutien, au théâtre. **2** Présentoir pour suspendre des vêtements.

**portatif, ive** adj. Qui peut être transporté facilement.

① **porte** n. f. **I** Ouverture aménagée dans l'enceinte d'une ville. ♦ Lieu où se trouvait une porte d'enceinte. **II 1** Ouverture aménagée pour permettre le passage ; son encadrement. *Porte d'entrée ; de secours.* → **issue.** ♦ loc. *Faire du porte-à-porte* (pour vendre, quêter...). – *Recevoir qqn entre deux portes,* lui parler rapidement. – *Mettre qqn à la porte,* le renvoyer. – *Être à la porte,* ne pas pouvoir entrer. – *Prendre la porte :* sortir. **2** Panneau mobile permettant d'obturer l'ouverture, la porte (II, 1). *Ouvrir ; enfoncer la porte.* – loc. *Écouter aux portes,* derrière les portes. *La porte ouverte aux abus,* l'accès libre. – *Journée porte ouverte,* de visite libre. **3** Portière (d'un véhicule). ♦ (meuble) *La porte d'une armoire.* **III 1** Passage étroit en montagne. → **défilé, gorge. 2** Espace compris entre deux piquets de slalom.

② **porte** adj. f. *Veine porte,* qui ramène au foie le sang des organes digestifs.

**porte-à-faux** n. m. invar. **1** Construction hors d'aplomb. **2** loc. *En porte-à-faux :* qui n'est pas d'aplomb ; fig. en déséquilibre.

**porte-à-porte** → ① **porte** (II, 1)

**porte-avions** n. m. invar. Navire de guerre sur lequel les avions peuvent atterrir.

**porte-bagages** n. m. invar. **1** Dispositif pour recevoir les bagages. **2** Filet, galerie à bagages (dans un train, un car).

**porte-bébé** n. m. Sac muni d'un harnais, pour transporter un bébé. *Des porte-bébés.*

**porte-billets** n. m. invar. Petit portefeuille pour les billets de banque.

**porte-bonheur** n. m. invar. Objet que l'on considère comme porteur de chance.

**porte-bouteilles** n. m. invar. Casier ou panier à bouteilles.

**porte-cartes** n. m. invar. Portefeuille pour les papiers d'identité, etc.

**porte-cigarettes** n. m. invar. Étui à cigarettes.

**porte-clés** n. m. invar. Anneau ou étui pour porter des clés.

**porte-conteneurs** n. m. invar. Navire destiné à transporter des conteneurs.

**porte-couteau** n. m. Ustensile de table pour poser le couteau. *Des porte-couteaux.*

**porte-documents** n. m. invar. Serviette plate.

**porte-drapeau** n. **1** n. m. Porteur du drapeau. *Des porte-drapeaux.* **2** fig. Chef de file reconnu.

**portée** n. f. **I 1** Ensemble des petits qu'une femelle de mammifère met bas en une seule fois. *Une portée de chatons.* **2** techn. Charge, poids. **3** mus. Les cinq lignes horizontales et parallèles qui portent la notation musicale. **II 1** Distance à laquelle peut être lancé un projectile. – *Portée d'un radar.* **2** loc. *À (la) portée (de)* : à la distance accessible (par). – *À portée de la main,* accessible sans se déplacer. – *Hors de (la) portée de* : hors d'atteinte. **3** fig. *À (la) portée, hors de (la) portée de* : accessible ou non. *À la portée de toutes les bourses.* – *C'est à sa portée.* **4** (idée, pensée) Capacité à convaincre, à toucher. → **impact. 5** Effet, importance. *La portée d'une découverte.*

**portefaix** n. m. anciennt Porteur de fardeaux.

**porte-fenêtre** n. f. Fenêtre qui descend jusqu'au sol et fait office de porte. *Des portes-fenêtres.*

**portefeuille** n. m. **I 1** vx Cartable, serviette. ♦ mod. Titre, fonction de ministre. **2** Ensemble des valeurs détenues par qqn. **II** Étui pliant, muni de poches où l'on range billets de banque, papiers, etc. – **appos.** *Jupe portefeuille* (à deux pans).

**porte-greffe** n. m. techn. Plante sur laquelle on fixe le greffon. *Des porte-greffes.*

**porte-hélicoptères** n. m. invar. Navire à pont d'envol pour les hélicoptères.

**porte-jarretelles** n. m. invar. Sous-vêtement féminin à quatre jarretelles.

**portemanteau** n. m. Support pour suspendre les vêtements. → **patère.** – loc. fam. *Épaules en portemanteau,* carrées.

**portement** n. m. *Portement de croix* : scène où le Christ porte sa croix.

**portemine** n. m. Instrument dans lequel on place des mines de crayon.

**porte-monnaie** n. m. invar. Petit sac souple où l'on met de la monnaie.

**porte-parapluies** n. m. invar. Ustensile pour recevoir les parapluies, les cannes.

**porte-parole** n. Personne qui s'exprime au nom de qqn, d'un groupe.

**porte-plume** n. m. Tige au bout de laquelle on insère une plume à écrire.

**porter** v. tr. [1] **I 1** Soutenir, tenir (ce qui pèse). *Porter un enfant dans ses bras.* **2** fig. Supporter. *Porter le poids d'une faute.* **3** (sujet chose) Soutenir. **4** Produire en soi (un petit, des petits, un rejeton). **5** Avoir en soi, dans l'esprit, le cœur. – loc. *Je ne le porte pas dans mon cœur* : je lui en veux. **6** Avoir sur soi. *Porter la barbe.* ♦ *Porter la marque d'un coup.* **II 1** Prendre pour déplacer, emporter. *Porter un malade sur un lit. Va lui porter ce paquet.* → **apporter. 2** (gestes, attitudes) Orienter, diriger. – fig. *Faire porter son effort sur...* **3** loc. fig. *Porter atteinte* à. Porter plainte* contre qqn.* **4** Mettre par écrit. → **inscrire. 5** *Porter à* : amener, faire arriver à (un état élevé, extrême). – loc. *Porter qqn aux nues*.* ♦ *Porter un roman à l'écran.* → **adapter. 6** Donner, apporter (un sentiment, une aide... à qqn). – loc. *Porter ombrage. Porter chance.* ♦ *Porter un jugement sur qqn, qqch.,* l'émettre. **7** *Porter qqn à* : pousser, inciter, entraîner à. – *Être porté à* (+ inf.) : être naturellement poussé à. → **enclin.** – *Être porté sur qqch.,* avoir un goût marqué pour. **III** v. tr. ind. **1** *Porter sur* : peser, appuyer sur (qqch.). *L'édifice porte sur ces colonnes.* ♦ Avoir pour objet. *Le débat portait sur les salaires.* **2** absolt (tir) Avoir une portée. *Un canon qui porte loin.* **3** Toucher le but. *Une voix qui porte,* qui s'entend loin. ▷ v. pron. **se porter 1** *Se porter bien, mal* : être en bonne, en mauvaise santé. **2** littér. Aller. – fig. *Les soupçons se portent sur lui.* **3** (dans des loc.) Se présenter (à, comme). *Se porter acquéreur ; garant. Se porter partie civile.*

**porte-savon** n. m. Support, emplacement pour un savon. *Des porte-savons.*

**porte-serviettes** n. m. invar. Support pour les serviettes de toilette.

**porteur, euse** n. et adj. **1** Personne chargée de remettre des lettres, des messages à leurs destinataires. → ② **coursier. 2** Personne dont le métier est de porter des fardeaux, les bagages. **3** Personne qui porte effectivement (un objet). *Le porteur du ballon.* **4** Personne qui détient (des papiers, titres). → **détenteur.** ♦ dr. comm. *Les petits porteurs* : les petits actionnaires. – *Chèque (payable) au porteur.* **5** *Porteur sain* : sujet cliniquement sain qui porte des germes pathogènes. **6** adj. Qui porte. *Mur porteur.* ♦ Qui entraîne par son développement. **7** adj. *Mère porteuse,* qui, ayant reçu un embryon, mène la grossesse à terme pour le compte de la mère légale.

**porte-voix** n. m. invar. Tube pour amplifier la voix.

**portfolio** [pɔʀtfɔljo] n. m. Série de photographies (dans un coffret...).

**portier, ière** n. **1** Personne qui garde une porte. → **concierge ; gardien. 2** n. m. *Portier électronique* (digicode, interphone).

**portière** n. f. **1** Tenture qui ferme ou couvre une porte. **2** Porte de voiture.

**portillon** n. m. Porte à battant plus ou moins bas. – loc. fam. *Ça se bouscule au portillon* : il y a foule.

**portion** n. f. **1** Part (de nourriture) de qqn. **2** (argent...) *Portion d'héritage.*

**portique** n. m. **1** Galerie ouverte à une ou deux rangées de colonnes. **2** Barre horizontale soutenue par deux poteaux verticaux, où on accroche des agrès. **3** techn. Dispositif en forme de pont. – *Portique de détection,* placé à l'entrée d'un lieu public.

**porto** n. m. Vin de liqueur portugais.

**portrait** n. m. **I 1** Représentation graphique, photographique (d'une personne, spécialt de son visage). **2** fig. Image, réplique fidèle. *C'est (tout) le portrait de son père.* **3** loc. fam. Figure. *Se faire abîmer le portrait.* **II** Description orale ou écrite (de qqn).

**portraitiste** n. Peintre, etc. de portraits.

**portrait-robot** n. m. Portrait d'un individu recherché par la police, par combinaison d'éléments choisis. *Des portraits-robots.*

**portraiturer** v. tr. [1] Faire le portrait de.

**portuaire** adj. D'un port.

**portugais, aise 1** adj. et n. Du Portugal. – n. *Les Portugais.* ♦ n. m. *Le portugais* (langue romane). **2** n. f. Huître commune. ♦ fig., fam. Oreille.

**portulan** n. m. anciennt Carte marine des premiers navigateurs (XIII^e^-XVI^e^ siècles).

**pose** n. f. **I** Action de poser, mise en place. *La pose d'une prothèse.* **II 1** Attitude que prend le modèle qui pose. *Garder la pose.* – Attitude du corps. *Prendre une pose.* **2** Affectation. **III** (photogr. argentique) Exposition de la surface sensible à l'action de la lumière. *Temps de pose.*

Ne pas confondre avec *pause* «arrêt».

**posé, ée** adj. **1** Calme, pondéré. **2** *Voix bien posée,* capable d'émettre des sons fermes dans toute son étendue.

**posément** adv. Calmement.

**poser** v. [1] **I** v. tr. **1** Mettre (une chose) en un endroit qui peut la recevoir, la porter. *Poser sa tête sur l'oreiller.* – fig. *Poser son regard sur qqn.* **2** Mettre en place à l'endroit approprié. → **installer.** *Poser des rideaux.* ♦ Écrire (un chiffre) dans une opération. **3** fig. Établir, énoncer. *Posons le principe que...* – au p. p. *Ceci posé :* ceci étant admis. **4** Formuler (une question, un problème). – *Cela pose un problème.* → **soulever. 5** (sujet chose) Donner de l'importance, de la notoriété à (qqn). *Son succès le pose.* **II** v. intr. **1** (d'un modèle) Se tenir immobile dans une attitude. **2** Prendre des attitudes pour se faire remarquer. ♦ *Poser à :* tenter de se faire passer pour. → **jouer.** *Poser au justicier.* ▷ v. pron. se **poser 1** Se placer, s'arrêter doucement (quelque part). **2** *Se poser comme, en tant que... – Se poser en :* prétendre jouer le rôle de. **3** loc. fam. *Se poser (un peu) là :* dépasser la norme.

**poseur, euse I** n. Personne chargée de la pose (d'un objet). **II** n. et adj. (Personne) qui prend une attitude affectée.

**positif, ive** adj. et n. m. **I** philos. Imposé à l'esprit par les faits, l'expérience. *Connaissance positive.* – Fondé sur cette connaissance. *Sciences positives.* **II 1** Qui a un caractère de certitude. *Un fait positif,* attesté. **2** Concret, effectif. **3** (personnes) Qui donne la préférence aux faits, à la réalité concrète. **III** (opposé à *négatif*) **1** Qui affirme qqch. *Réponse positive.* – Qui affirme du bien de qqn, de qqch. *Une critique positive.* **2** méd. *Réaction positive,* effective, qui se produit. *Examen positif.* **3** *Nombre positif,* plus grand que zéro (signe +). **4** photogr. *Épreuve positive :* image dont les valeurs correspondent à celles du sujet.

**position** n. f. **1** Manière dont une chose, une personne est placée, située. – Lieu. *Déterminer sa position.* → s'**orienter.** – *Feu de position* (navire...). ♦ sports Place (dans une course...). **2** Emplacement militaire. *Position stratégique.* **3** Attitude corporelle. **4** fig. Ensemble des circonstances où l'on se trouve. *Une position délicate.* – loc. *Être en position de force.* **5** Situation dans la société. → **condition. 6** Idées que qqn soutient. *Position politique.* – loc. *Rester sur ses positions :* refuser toute concession. **7** Montant du solde d'un compte en banque.

**positionner** v. tr. [1] anglic. **1** techn. Mettre, placer (une pièce, un engin) dans une position déterminée. **2** comm. Situer quant au marché. ► **positionnement** n. m.

**positivement** adv. **1** D'une manière certaine, sûre. – Réellement, vraiment. **2** phys. *Particules chargées positivement.* **3** D'une manière positive (III, 1).

**positivisme** n. m. Doctrine selon laquelle les sciences positives (I) fondent la philosophie. ► **positiviste** adj. et n.

**positon** n. m. phys. Particule de même masse et de charge électrique opposée à celle de l'électron.

**posologie** n. f. Indication du dosage, de la fréquence de prise (d'un médicament).

**possédant, ante** adj. et n. Qui possède des biens, des richesses, des capitaux.

**possédé, ée** adj. Dominé par une puissance occulte. ♦ n. *Exorciser un possédé.*

**posséder** v. tr. [6] **1** Avoir (qqch.) à sa disposition ; avoir parmi ses biens. **2** fig. Avoir en propre (une chose abstraite). *Posséder une excellente mémoire.* **3** Avoir une connaissance sûre de (qqch.). → **connaître.** *Posséder à fond son sujet.* **4** Jouir des faveurs de (qqn) ; s'unir sexuellement à (qqn). **5** fam. Tromper, duper. **6** (sujet chose) Dominer moralement.

**possesseur** n. m. **1** Personne qui possède (un bien). **2** Personne qui peut jouir (de qqch.). *Le possesseur d'un secret.*

**possessif, ive** adj. **1** gramm. Qui marque une relation d'appartenance, un rapport. *Adjectifs, pronoms possessifs* (mon, ton, son... ; mien, tien, sien...). **2** psych. D'appropriation. *Sentiments possessifs.* → **exclusif.** ► **possessivité** n. f.

**possession** n. f. **I 1** Fait, action de posséder. ♦ *En (la...) possession de* (sens actif). ♦ *Prendre possession de* (un lieu), s'y installer. **2** Fait de posséder (3) par l'esprit. → **connaissance, maîtrise. 3** Fait de posséder sexuellement. **4** Fait d'être possédé. ♦ psych. Forme de délire dans lequel le malade se croit habité par un démon (→ **possédé**). **II 1** Chose possédée par qqn. → ② **avoir, bien. 2** hist. Dépendance coloniale. → **colonie, territoire.**

**possibilité** n. f. **1** Caractère de ce qui peut se réaliser. **2** Chose possible. *Envisager toutes les possibilités.* → **cas. 3** Capacité (de faire). → **faculté, moyen, occasion.** *J'irai si j'en ai la possibilité.* **4** au plur. Moyens.

**possible I** adj. **1** Qui peut être réalisé, qu'on peut faire. → **faisable, réalisable.** *C'est tout à fait possible.* – impers. *Il est possible d'y parvenir, qu'on y parvienne.* – (pour marquer l'étonnement) *Ce n'est pas possible !* → **croyable. 2** Qui constitue une limite extrême. *Toutes les erreurs possibles et imaginables. – Dès que possible. – Le plus, le moins possible.* **3** Qui peut se réaliser, être vrai ; qui peut être. – impers. *Il est possible que* (+ subj.) : il se peut que. **4** Éventuel. *C'est un concurrent possible.* **5** fam. Acceptable, convenable ; supportable. **II** n. m. **1** Ce qui est possible. loc. *Dans la mesure du possible :* autant qu'on le peut. *Faire tout son possible (pour...). – Au possible* loc. adv. → **extrêmement. 2** Ce qui est réalisable. *Les limites du possible.* **3** au plur. Choses qui peuvent arriver. → **possibilité.**

**possiblement** adv. cour. au Canada Peut-être ; vraisemblablement.

**post** n. m. anglic. Message sur un forum, un blog.

**postage** n. m. Action de poster (①).

**postal, ale, aux** adj. Qui concerne la poste. *Carte* postale.*

**postcure** n. f. Période qui suit une cure, un traitement, avec surveillance médicale.

**postdater** v. tr. [1] Dater postérieurement à la date réelle (contr. *antidater*).

**post-doctoral, ale, aux** adj. Qui concerne la période suivant l'admission au grade de docteur. – abrév. fam. **postdoc.**

① **poste** n. f. **1** anciennt Relais de chevaux, étape. ♦ Distance entre deux relais. **2** Administration chargée du service de la correspondance et d'opérations bancaires. **3** Bureau de poste. *Mettre une lettre à la poste. – Poste restante :* adressé à la poste (et non au domicile).

② **poste** n. m. **I 1** Lieu où un soldat, une troupe est disposée par ordre. ♦ loc. *Être, rester à son poste.* **2** Groupe de soldats placé en ce lieu. **3** *Poste (de police) :* corps de garde d'un commissariat de police. **4** *Poste-frontière :* point de passage gardé. **II 1** Emploi auquel on est nommé. *Être en poste.* – Lieu où on l'exerce. **2** techn. Durée de travail d'une équipe (→ **posté**). **III** Emplacement affecté à un usage. *Poste de pilotage. – Poste d'essence ; d'incendie.* **IV** Appareil récepteur (radio, télévision).

**posté, ée** adj. *Travail posté,* par équipes qui se relaient sur un poste de travail.

① **poster** v. tr. [1] **1** Mettre à la poste. **2** (de l'anglais) Envoyer (un message → **post**) sur Internet.

② **poster** v. tr. [1] Placer (des soldats ; qqn) à un poste. ▷ v. pron. se **poster**

③ **poster** [-ɛʀ] n. m. anglic. Affiche décorative.

**postérieur, eure I** adj. (opposé à *antérieur*) **1** Qui vient après, dans le temps. *À une date postérieure.* → **futur, ultérieur.** ► **postérieurement** adv. **2** didact. Qui est derrière, dans l'espace. *Les membres postérieurs du cheval.* **II** n. m. fam. Derrière, fesses.

**postériorité** n. f. Caractère de ce qui est postérieur à qqch. (dans le temps).

**postérité** n. f. **1** littér. Suite de personnes d'une même origine. → **descendant ; lignée.** ♦ Ceux qui s'inspirent de qqn. **2** Générations à venir. *Travailler pour la postérité.*

**postface** n. f. Commentaire à la fin d'un livre (opposé à *préface*).

**posthume** adj. **1** Né après la mort de son père. *Enfant posthume.* **2** (œuvre...) Qui a vu le jour après la mort de son auteur.

**postiche** adj. **1** Artificiel (cheveux...). ♦ n. m. Mèche que l'on adapte à volonté à sa coiffure. **2** fig. Faux, inventé.

**postier, ière** n. Employé(e) de la poste.

**postillon** n. m. **I** anciennt Conducteur d'une voiture de poste. **II** Gouttelette de salive projetée en parlant.

**postillonner** v. intr. [1] Envoyer des postillons (II).

**post-it** n. m. invar. (marque déposée) Petit rectangle de papier à la marge autocollante, sur lequel on peut écrire, et que l'on peut déplacer une fois posé.

**postmoderne** adj. (arts plastiques) Qui rejette la rigueur du style dit «moderne» et se caractérise par l'éclectisme.

**postnatal, ale, als** adj. didact. Qui suit immédiatement la naissance.

**postopératoire** adj. méd. Qui se produit ou se fait après une opération.

**postpartum** [-ɔm] n. m. invar. didact. Période qui suit l'accouchement.

**postposer** v. tr. [1] didact. Placer après un autre mot. ► **postposition** n. f.

**postproduction** n. f. cin. Phase de la production (d'un film) postérieure à la fin du tournage (montage, etc.).

**post-scriptum** [pɔstskʀiptɔm] n. m. invar. Complément au bas d'une lettre, après la signature (abrév. **P.-S.**).

**postsynchroniser** [-kʀ-] v. tr. [1] Remplacer la bande son ou ajouter une bande son à (un film). ► **postsynchronisation** n. f.

**post-traumatique** adj. méd. Qui fait suite à un traumatisme. *Syndrome anxieux post-traumatique.*

**postulant, ante** n. Candidat.

**postulat** n. m. math., philos. Proposition nécessaire qui ne peut être démontrée. → aussi **axiome.**

**postuler** v. tr. [1] **1** Demander (un emploi, une place). ♦ trans. indir. *Postuler à, pour un emploi.* **2** didact. Poser (une proposition) comme postulat.

**posture** n. f. **1** Attitude particulière du corps. **2** fig. Situation. *En bonne, en mauvaise posture.*

**pot** n. m. **I 1** Récipient pour les liquides et les aliments. loc. *Le pot de terre contre le pot de fer,* le faible contre le fort. – *Pot à,* destiné à contenir. *Pot à eau.* – *Pot de,* contenant effectivement. *Un pot de yaourt.* ♦ loc. fig. *Découvrir le pot aux roses,* le secret d'une affaire. – *Payer les pots cassés :* réparer les dommages. **2** vx Marmite. – mod. *Poule au pot,* bouillie. ♦ loc. *Tourner autour du pot :* parler avec des circonlocutions. **3** *Pot (de chambre),* où l'on fait ses besoins. **4** Contenu d'un pot (1). – fam. *Boire, prendre un pot,* une consommation. → **verre. 5** *Pot d'échappement :* tuyau pour les gaz brûlés (voiture, moto). – loc. fam. *Plein pot :* à toute vitesse ; plein tarif. **6** L'enjeu, dans certains jeux d'argent. **II 1** vulg. Postérieur, derrière. **2** fam. Chance, veine. *Manque de pot !*

**potable** adj. **1** Qui peut être bu sans danger. *Eau non potable.* **2** fam. Acceptable.

**potache** n. m. fam. Collégien, lycéen.

**potage** n. m. Bouillon où l'on a fait cuire des aliments solides. → **soupe.**

**potager, ère** adj. **1** Plantes potagères, dont certaines parties peuvent être utilisées dans l'alimentation humaine. **2** Où l'on cultive des plantes potagères. *Jardin potager* et n. m. *un potager.*

**potamochère** n. m. Mammifère ongulé des marécages d'Afrique, voisin du sanglier.

**potasse** n. f. **1** Hydroxyde de potassium, solide blanc très caustique. **2** *Potasse d'Alsace,* engrais au chlorure de potassium.

**potasser** v. tr. [1] fam. Étudier.

**potassium** [-jɔm] n. m. Corps simple (symb. K), métal alcalin (→ **potasse**).

**pot-au-feu** [pɔt-] **1** n. m. invar. Plat de viande de bœuf bouillie avec des légumes. ♦ Morceau de bœuf qui sert à faire ce plat. **2** adj. invar. fam., vieilli *Être pot-au-feu :* aimer le calme du foyer. → **popote** (II).

**pot-de-vin** n. m. Cadeau caché pour obtenir un avantage. *Des pots-de-vin.*

**pote** n. fam. Camarade, ami. → **poteau** (II).

**poteau** n. m. **I 1** Pièce de charpente verticale servant de support. → **pilier. 2** Pièce de bois, de métal, verticale. *Poteau indicateur.* – *Poteau électrique.* – sports *Coiffer* un concurrent sur le poteau* (d'arrivée). **3** *Poteau (d'exécution),* où l'on attache ceux que l'on va fusiller. **II** fam. Ami fidèle (sur lequel on peut s'appuyer). → **pote.**

**potée** n. f. Plat de viande bouillie et de légumes variés (→ pot-au-feu).

**potelé, ée** adj. De formes rondes et pleines.

**potence** n. f. **1** techn. Pièce de charpente faite d'un poteau et d'une traverse en équerre. **2** Instrument de supplice (pour l'estrapade, la pendaison). → **gibet.**

**potentat** n. m. **1** Souverain absolu d'un grand État. **2** Homme qui possède un pouvoir excessif.

**potentiel, elle I** adj. **1** didact. Qui existe en puissance (opposé à *actuel*). → **virtuel.** – cour. *Client, marché potentiel.* → **éventuel, possible. 2** gramm. Qui exprime une possibilité. **3** sc. *Énergie potentielle,* celle d'un corps capable de fournir un travail (ex. ressort comprimé). **II** n. m. **1** phys. Grandeur caractérisant l'état électrique d'un circuit. *Différence de potentiel* (unité : le volt). → **tension. 2** Capacité d'action, de production. → **puissance.** *Le potentiel économique d'un pays.* ► **potentialité** n. f. ► **potentiellement** adv.

**potentille** n. f. Herbe à fleurs jaunes ou blanches.

**potentiomètre** n. m. électr. Rhéostat.

**poterie** n. f. **1** Fabrication des objets utilitaires en terre cuite. → **céramique, faïence, porcelaine. 2** Objet ainsi fabriqué ; sa matière. **3** Atelier de poterie.

**poterne** n. f. Porte dérobée dans une muraille d'enceinte.

**potiche** n. f. **1** Grand vase de porcelaine d'Extrême-Orient. **2** fig. Personne réduite à un rôle décoratif.

**potier, ière** [-tje, jɛʀ] n. Personne qui fabrique et vend des poteries.

**potimarron** n. m. Courge orange dont le goût évoque le potiron et la châtaigne.

**potin** n. m. **1** surtout au plur. Bavardage, commérage. → **cancan. 2** Bruit, tapage.

**potion** n. f. Médicament liquide.

**potiron** n. m. Courge plus grosse que la citrouille. *Soupe au potiron.*

**pot-pourri** n. m. **1** vx Mélange hétéroclite. **2** mus. Pièce faite de thèmes empruntés. **3** Mélange odorant de pétales séchés. *Des pots-pourris.*

**potron-minet** n. m. littér. Le point du jour, l'aube. *Dès potron-minet.*

**pou** n. m. **1** Insecte parasite de l'homme. *Œuf de pou.* → **lente.** ♦ loc. fam. *Chercher des poux dans la tête de qqn, à qqn,* le chicaner. **2** Insecte parasite des animaux.

**pouah** interj. fam. Exclamation de dégoût.

**poubelle** n. f. Récipient destiné aux ordures ménagères.

**pouce** n. m. **1** Le premier doigt de la main, opposable aux autres doigts. ♦ loc. *Mettre les pouces :* s'avouer vaincu. – fam. *Manger un morceau sur le pouce,* rapidement. – *Se tourner les pouces :* rester sans rien faire.

– *Coup de pouce :* travail ultime. ♦ *Pouce !*, interjection enfantine servant à se mettre hors du jeu. **2** Le gros orteil. **3** Douzième partie du pied, valant 2,54 cm.

**poudre** n. f. **1** vx Poussière. **2** Substance formée de très petites particules. – loc. *Jeter de la poudre aux yeux,* chercher à éblouir. **3** Substance pulvérulente utilisée comme fard. **4** Mélange explosif pulvérulent. – loc. fig. *Mettre le feu aux poudres :* déclencher un événement violent. – *Ne pas avoir inventé la poudre,* être sot.

**poudrer** v. tr. [1] **1** Couvrir de poudre. **2** Couvrir (ses cheveux, sa peau) d'une couche de poudre (3). ▷ v. pron. **se poudrer** ► **poudrage** n. m.

① **poudrerie** n. f. Fabrique de poudre (4).

② **poudrerie** n. f. (Canada) Neige fine chassée par le vent.

**poudreux, euse** adj. **1** vx Poussiéreux. **2** *Neige poudreuse* ou n. f. *de la poudreuse :* neige fraîche et molle.

**poudrier** n. m. Récipient à poudre (3).

**poudrière** n. f. **1** Magasin à poudre (4), à explosifs. **2** fig. Situation explosive.

**poudroyer** v. intr. [8] littér. **1** Produire de la poussière. **2** Avoir une apparence de poudre brillante. ♦ Faire briller les grains de poussière en suspension. ► **poudroiement** n. m.

**pouf** I interj. Bruit sourd de chute. II n. m. Siège bas, gros coussin capitonné.

**pouffer** v. intr. [1] *Pouffer (de rire) :* éclater de rire malgré soi. → s'**esclaffer.**

**pouffiasse** ou **poufiasse** n. f. vulg. (injure) Femme, fille vulgaire. – abrév. **pouffe.**

**pouilleux, euse** adj. **1** Couvert de poux, de vermine. **2** Miséreux. ♦ (choses) Misérable et sale. → **sordide.** **3** *La Champagne pouilleuse,* la moins fertile.

**poulailler** n. m. I Abri où on élève des volailles. ♦ Ces volailles. II fam. Galerie supérieure d'un théâtre.

**poulain** n. m. **1** Petit du cheval (jusqu'à trente mois). **2** Débutant prometteur.

à la **poulaine** loc. adj. (chaussures) À l'extrémité en pointe (fin du Moyen Âge).

**poularde** n. f. Jeune poule engraissée.

**poulbot** n. m. Enfant pauvre de Montmartre.

① **poule** n. f. I **1** Femelle du coq, oiseau de basse-cour. **2** loc. *Quand les poules auront des dents,* jamais. *Tuer la poule aux œufs d'or,* détruire la source d'un profit important. – *Mère poule :* mère qui «couve» ses enfants. – *Poule mouillée :* personne poltronne. **3** Femelle de gallinacés. *Poule faisane.* ♦ (autres espèces) *Poule d'eau :* petit échassier. II fam. *Ma poule :* terme d'affection. III fam. Fille de mœurs légères.

② **poule** n. f. **1** (aux cartes) Enjeu de la partie ; mises revenant au gagnant. **2** sports Groupe d'équipes destinées à se rencontrer.

**poulet** n. m. I **1** Petit de la poule, plus âgé que le poussin (de trois à dix mois). **2** Jeune poule ou jeune coq destiné à l'alimentation. II Billet doux. III fam. Policier.

**poulette** n. f. I Jeune poule. II fam. Jeune fille, jeune femme.

**pouliche** n. f. Jeune jument.

**poulie** n. f. Roue qui porte sur sa jante une corde (transmettant un mouvement).

**pouliner** v. intr. [1] (jument) Mettre bas.

**poulinière** adj. f. et n. f. *(Jument) poulinière,* destinée à la reproduction.

**poulpe** n. m. Mollusque à longs tentacules. → **pieuvre.**

**pouls** [pu] n. m. Battement des artères produit par le sang projeté du cœur. *Prendre le pouls,* en compter les pulsations ; fig. sonder un état d'esprit.

**poumon** n. m. **1** Chacun des deux viscères placés dans la cage thoracique, organes de la respiration. – *Aspirer à pleins poumons,* profondément. *Chanter, crier à pleins poumons.* → s'**époumoner.** **2** *Poumon artificiel :* appareil d'assistance respiratoire.

**poupe** n. f. Arrière (d'un navire). → **gaillard** d'arrière. – loc. fig. *Avoir le vent en poupe,* être poussé vers le succès.

**poupée** n. f. **1** Figurine humaine servant de jouet, d'ornement. **2** fam. Jeune femme. **3** Doigt entouré d'un pansement.

**poupin, ine** adj. Qui a les traits d'une poupée.

**poupon** n. m. **1** Bébé, très jeune enfant. **2** Poupée représentant un bébé. → **baigneur.**

**pouponner** v. intr. [1] Dorloter des bébés. ► **pouponnage** n. m.

**pouponnière** n. f. Établissement où l'on garde les bébés jusqu'à trois ans. → **crèche.**

**pour** prép. I **1** En échange de ; à la place de. *Vendre qqch. pour telle somme.* – *Dix pour cent (%).* → **pourcentage.** – *Dans un an, jour pour jour,* exactement. **2** (avec un terme redoublé) *Mourir pour mourir...,* s'il faut mourir... **3** (équivalence) → **comme.** *Avoir la liberté pour principe.* – *Pour le moins,* au moins. – loc. fam. *Pour de bon,* d'une façon authentique. **4** En prenant la place de. *Payer pour qqn,* à sa place. **5** En ce qui concerne (qqch.) ; par rapport à. *Il fait froid pour la saison.* **6** (mise en valeur) *Pour moi, je pense que...* → **quant** à. **7** En ce qui concerne (qqn). *Elle est tout pour moi.* II **1** Dans la direction de, en allant vers. *Partir pour le Japon.* **2** Dans (tel temps). *C'est pour ce soir.* – *Il y en a pour un an,* cela durera un an. **3** Destiné à (qqn, qqch.). *Film pour adultes.* – ellipt fam. *C'est fait pour.* → **exprès.** ♦ Destiné à combattre. → **contre.** *Médicament pour la grippe.* ♦ En faveur de, pour l'intérêt, le bien de... *Chacun pour soi.* **4** En faveur de (opposé à *contre*). *Être pour qqn, qqch.*, en être partisan. ♦ n. m. (loc.) *Le pour et le contre.* **5** *Pour* (+ inf.) : afin de pouvoir. *Pour quoi faire ? C'est pour rire.* **6** *Pour que* loc. conj. (+ subj.) : afin que. **III 1** En ayant pour résultat (qqch.). *Pour son malheur, il a cédé.* ♦ (+ inf.) Afin de. – *Ce projet n'est pas pour me déplaire,* me plaît. **2** *Pour que* (avec une subordonnée de conséquence). *Assez, trop... pour que...* **IV** À cause de. *Il a été puni pour ses mensonges ; pour avoir menti.* **V** (opposition, concession) littér. **1** *Pour... que. Pour intelligent qu'il soit...* → **aussi.** **2** *Pour être riches, ils n'en sont pas plus heureux,* bien qu'ils soient riches.

**pourboire** n. m. Gratification en argent, remise à titre de supplément.

**pourceau** n. m. vx ou littér. Cochon, porc.

**pourcentage** n. m. **1** Taux calculé sur un capital de cent. **2** Proportion pour cent.

**pourchasser** v. tr. [1] Poursuivre, rechercher (qqn ; par ext. qqch.) avec obstination. – passif *Être pourchassé par la malchance.*

**pourfendre** v. tr. [41] littér. ou plais. Attaquer violemment. ► **pourfendeur, euse** n. iron. *Un pourfendeur des abus.*

se **pourlécher** v. pron. [6] Se passer la langue sur les lèvres.

**pourparlers** n. m. plur. Conversations pour arriver à un accord.

**pourpoint** n. m. anciennt Partie du vêtement d'homme qui couvrait le torse.

**pourpre I** n. f. **1** Matière colorante d'un rouge vif (d'abord extraite d'un mollusque, *le pourpre,* n. m.). **2** littér. Étoffe teinte de pourpre, symbole de dignité. **3** littér. Couleur rouge vif. **II** n. m. Couleur rouge foncé, tirant sur le violet. ♦ adj. → **purpurin.**

**pourpré, ée** adj. littér. Coloré de pourpre.

**pourquoi I** adv. et conj. **1** *Pourquoi ? :* pour quelle raison, dans quelle intention ? (réponse : *parce que...*). **2** Pour quelle cause, dans quelle intention. *Explique-moi pourquoi.* **3** *C'est pourquoi...,* c'est pour cela que. **II** n. m. invar. **1** Cause, motif, raison. **2** Question par laquelle on demande la raison d'une chose. *Des pourquoi.*

**pourri, ie I** adj. **1** Corrompu ou altéré par la décomposition. **2** Humide. *Un climat pourri.* → **malsain.** *Un été pourri,* très pluvieux. **3** fig. (personnes) Moralement corrompu. ♦ fam. Très mauvais. → **ignoble.** **4** fam. *Pourri de :* rempli de, qui a beaucoup de. **II** n. m. Ce qui est pourri. *Une odeur de pourri.*

**pourrir** v. [2] **I** v. intr. **1** (matière organique) Se décomposer. → se **putréfier.** **2** fig. Se dégrader. – *Laisser pourrir une situation.* **II** v. tr. **1** Corrompre en faisant pourrir. **2** Gâter extrêmement (un enfant). ► **pourrissant, ante** adj. ► **pourrissement** n. m.

**pourriture** n. f. **1** Décomposition des tissus organiques (→ **putréfaction**) ; état de ce qui est pourri. **2** Ce qui est pourri. **3** abstrait État de grande corruption morale. **4** (injure) Personne ignoble.

**poursuite** n. f. **I** (→ **poursuivre** (I)). **1** Action de suivre (qqn, un animal) pour s'en saisir. **2** fig. Effort pour atteindre (qqch.). *La poursuite de la vérité.* **3** Acte juridique dirigé contre qqn. → **accusation. II** *La poursuite de qqch. :* action de poursuivre (II).

**poursuivant, ante** n. Personne qui poursuit (I, 1) qqn.

**poursuivre** v. tr. [40] **I 1** Suivre pour atteindre (ce qui fuit). *Poursuivre des fugitifs.* **2** Tenter d'atteindre (qqn qui se dérobe). ♦ Tenter d'obtenir les faveurs amoureuses de (qqn). **3** *Poursuivre qqn de,* s'acharner contre lui par... → **harceler.** **4** Chercher à obtenir (qqch.). → **rechercher.** **5** (sujet chose) Hanter, obséder. *Cette idée le poursuit.* **6** Agir en justice contre (qqn). → **accuser.** *Poursuivre qqn devant les tribunaux.* **II** Continuer sans relâche. *Poursuivre ses études.* – pronom. *La réunion se poursuivit jusqu'à l'aube.*

**pourtant** adv. (opposant deux notions pour mieux les relier) → **cependant, mais, néanmoins, toutefois.** *C'est pourtant simple.*

**pourtour** n. m. **1** Ligne formant le tour. **2** Partie qui forme les bords (d'un lieu).

**pourvoi** n. m. dr. *Pourvoi en cassation,* demande de révision par un tribunal de cassation. – *Pourvoi en grâce.* → **recours.**

**pourvoir** v. tr. [25] **I** v. tr. ind. *Pourvoir à qqch. :* faire ou fournir le nécessaire pour. **II** v. tr. dir. **1** Mettre (qqn) en possession (de ce qui est nécessaire). → **munir, nantir.** *Pourvoir qqn d'un emploi.* **2** Munir (une chose). **3** (sujet chose) littér. *La nature l'a pourvu de grandes qualités.* → **doter, douer.** **4** passif et p. p. *Être pourvu, ue :* avoir, posséder. ▷ v. pron. se **pourvoir 1** *Se pourvoir de qqch. :* se munir. **2** dr. Recourir à une juridiction supérieure. → **pourvoi.**

**pourvoirie** n. f. (Canada) Établissement offrant des services aux chasseurs et aux pêcheurs.

**pourvoyeur, euse** n. *Pourvoyeur de... :* personne qui fournit, procure (qqch.).

① **pourvu, ue** → **pourvoir**

② **pourvu que** loc. conj. (+ subj.) Du moment que, à condition de, si. ♦ (souhait) *Pourvu qu'on y arrive !*

**poussah** n. m. **1** Buste de magot* lesté par une boule. **2** Gros homme petit et ventru.

**pousse** n. f. **I** Développement de ce qui pousse. **II** Bourgeon naissant, germe.

**pousse-café** n. m. invar. Verre d'alcool (pris après le café).

**poussée** n. f. **1** Action d'une force. → **pression.** **2** Force exercée par un élément pesant (voûte, etc.) sur ses supports. **3** fig. Manifestation subite. *Poussée de fièvre.*

**pousse-pousse** n. m. invar. Voiture à deux roues tirée à bras d'homme, pour un passager (Asie).

**pousser** v. [1] **I** v. tr. **1** Soumettre (qqch., qqn) à une pression de manière à mouvoir dans une direction (s'oppose à *tirer*). *Poussez la porte.* **2** Faire aller (un être vivant) devant soi, dans une direction. **3** *Pousser qqn à* : inciter à. *Pousser à la consommation.* – *Pousser (qqn) à bout,* l'acculer, l'exaspérer. **4** Faire avancer (qqch.). **5** fig. Faire aller jusqu'à un certain degré, une limite. **6** sans compl. indir. Faire aller plus loin, plus fort. ♦ au p. p. *Faire des études poussées.* → **approfondi.** – *Moteur poussé.* **7** Produire avec force ou laisser échapper avec effort par la bouche (un son). *Pousser un cri ; un soupir.* **II** v. intr. **1** Faire un effort en poussant. *Ne poussez pas !* **2** Faire un effort pour expulser de son organisme. **3** *Pousser jusqu'à... :* aller plus loin. **4** (végétation) Croître, se développer (→ ① **pousse**). ♦ *Ses premières dents ont toutes poussé.* **5** (villes, constructions) S'accroître, se développer. **6** (enfants) Grandir. *Il pousse, ce petit.* **7** fam. Exagérer. *Faut pas pousser !* ▷ v. pron. **se pousser** **1** Se mettre en avant. **2** S'écarter pour laisser passer.

**poussette** n. f. Petite voiture d'enfant. ♦ Châssis à roulettes pour les provisions.

**poussier** n. m. Poussière de charbon.

**poussière** n. f. **I** **1** Terre desséchée réduite en particules très fines. → vx **poudre.** **2** Fins débris en suspension dans l'air et qui se déposent. **3** Matière réduite en fines particules. → **poudre.** – *Réduire en poussière* : pulvériser ; fig. anéantir, détruire. **II** **1** littér. Restes de l'être humain, après sa mort. → **cendre(s), débris.** **2** loc. fam. *Cela m'a coûté cent euros et des poussières,* et un peu plus. **3** *Une poussière de,* une multiplicité.

**poussiéreux, euse** adj. **1** Couvert, rempli de poussière (I, 2). **2** Qui semble couvert de poussière. ♦ fig. Vieux, délaissé.

**poussif, ive** adj. **1** Qui respire difficilement. **2** *Une voiture poussive,* qui n'avance pas. ► **poussivement** adv.

**poussin** n. m. **1** Petit de la poule, nouvellement sorti de l'œuf. **2** fam. *Mon poussin* (terme d'affection).

**poussoir** n. m. Bouton qui déclenche, règle un mécanisme.

**poutine** n. f. (Canada) Plat populaire, mélange de frites et de fromage en grains nappé d'une sauce brune.

**poutrage** n. m. Assemblage de poutres. – syn. **poutraison** n. f.

**poutre** n. f. **1** Grosse pièce de bois équarrie servant de support (construction, charpente). ♦ Élément de construction allongé. *Poutre métallique.* **2** sports Longue pièce de bois surélevée, en gymnastique.

**poutrelle** n. f. **1** Petite poutre. **2** Barre de fer allongée (charpente métallique).

① **pouvoir** v. tr. [33] p. p. invar. : *pu* **I** (devant un inf.) **1** Avoir la possibilité de (faire qqch.). *Il peut le faire. Dès que vous pourrez.* – loc. adv. et adj. *On ne peut mieux,* le mieux possible. *On ne peut plus,* le plus possible. → **très.** – (chose) *Ça peut toujours servir.* **2** Avoir le droit, la permission de (faire qqch.). *Les élèves peuvent sortir.* **3** (sujet chose) Risquer de se produire. **4** au subj. littér. Exprime un souhait. *Puisse le ciel nous être favorable !* **5** impers. *Il peut, il pourra...* → **peut-être.** – pronom. loc. *Autant que faire se peut. Il, cela* (fam. *ça*) *se peut,* c'est possible. *Il se peut que* (+ subj.). **II** intrans. Être capable, être en mesure de faire (qqch.). *Il a fait ce qu'il pouvait (pour...).* ♦ loc. *N'en pouvoir plus :* ne plus supporter.

② **pouvoir** n. m. **1** Fait de pouvoir (I, 1 et 2), de disposer de moyens qui permettent une action. → **faculté, possibilité.** – loc. *Pouvoir d'achat :* valeur réelle (d'un salaire) mesurée par ce qu'il est possible d'acheter. **2** Capacité légale (de faire une chose). loc. *Avoir les pleins pouvoirs.* ♦ Procuration. **3** Propriété physique (d'une substance). *Pouvoir calorifique.* **4** Possibilité d'agir sur qqn, qqch. → **autorité, puissance.** *Tomber au pouvoir de qqn,* dans son pouvoir. **5** Situation d'un dirigeant ; puissance politique. – *Pouvoir législatif,* chargé d'élaborer la loi (parlement). *Pouvoir exécutif,* chargé du gouvernement et de l'administration. *Pouvoir judiciaire :* justice. **6** Organes, hommes qui exercent le pouvoir. – au plur. *Les pouvoirs publics,* les autorités.

**pouzzolane** [pudzɔlan] n. f. Roche volcanique légère et poreuse.

**P. Q.** n. m. fam. Papier hygiénique.

**practice** n. m. anglic. Terrain d'entraînement, au golf.

**præsidium** [pʀezidjɔm] n. m. hist. Organe directeur du Soviet suprême de l'U. R. S. S.

**pragmatique** adj. **1** Adapté à l'action concrète, qui concerne la pratique. → **pratique.** **2** Du pragmatisme (1).

**pragmatisme** n. m. **1** philos. Doctrine selon laquelle n'est vrai que ce qui fonctionne réellement. **2** Souci de l'efficacité pratique. ► **pragmatiste** adj. et n.

**praire** n. f. Mollusque comestible apprécié, coquillage vivant dans le sable.

**prairie** n. f. **1** Terrain couvert d'herbe pour le bétail. **2** géogr. Steppe à herbages (notamment États-Unis, Canada).

**prâkrit** n. m. didact. Ensemble des langues de l'Inde issues du sanskrit.

**praline** n. f. **1** Amande rissolée dans du sucre. **2** (Belgique) Bonbon au chocolat.

**praliné, ée** adj. **1** Rissolé dans du sucre. **2** Mélangé de pralines pilées. ♦ Parfumé à la praline.

**praticable** **I** adj. **1** Où l'on peut passer sans danger, sans difficulté (opposé à *impraticable*). **2** Que l'on peut mettre à exécution. → **réa-**

**lisable.** *Projet praticable.* **II** n. m. théâtre Décor où l'on peut se mouvoir.

**praticien, ienne** n. **1** Personne qui connaît la pratique d'un art, d'une technique. **2** Médecin qui exerce. → **clinicien.**

**pratiquant, ante** adj. et n. (Personne) qui observe les pratiques d'une religion.

① **pratique** n. f. **1** Activités volontaires visant des résultats concrets (opposé à *théorie*). *Dans la pratique.* **2** Manière concrète d'exercer une activité (opposé à *règle, principe*). *La pratique d'un art.* – *En pratique :* en fait. *Mettre en pratique :* appliquer, exécuter. **3** Manière habituelle d'agir (propre à qqn, un groupe). → **usage. 4** vx Clientèle ; client.

② **pratique** adj. **1** (épithète) Qui s'applique aux réalités, aux situations concrètes. *Manquer de sens pratique.* – (personnes) Qui a le sens du réel. **2** Qui concerne l'action. – *Travaux pratiques,* exercices d'application. **3** Qui concerne la réalité matérielle, utilitaire. *Des considérations pratiques.* **4** (choses, actions) Ingénieux et efficace.

**pratiquement** adv. **1** Dans la pratique. **2** En fait. **3** Quasiment, pour ainsi dire.

**pratiquer** v. tr. [1] **1** Mettre en application (une prescription, une règle). → **observer.** – sans compl. d'objet Observer les pratiques religieuses. **2** Mettre en action, appliquer (une théorie, une méthode). – Exercer (un métier, une activité...). **3** Employer (un moyen, un procédé) d'une manière habituelle. **4** Exécuter (une opération manuelle) selon les règles. → **opérer. 5** Ménager (une ouverture, un abri). – au p. p. *Fenêtres pratiquées dans les murs.* **6** vx Fréquenter. – littér. *Pratiquer un livre, un auteur.*

**praxis** [-is] n. f. didact. Activité concrète en vue d'un résultat.

**pré** n. m. **1** Terrain produisant de l'herbe pour la nourriture du bétail. → **prairie ; pâturage.** – Étendue d'herbe. **2** loc. *Le pré carré* (de qqn), domaine réservé.

**préadolescent, ente** n. Jeune garçon, jeune fille qui a l'âge situé entre l'enfance et l'adolescence (la *préadolescence* n. f.). – abrév. fam. **préado** n.

**préalable** adj. et n. m. **1** Qui a lieu, se fait ou se dit avant. **2** Qui doit précéder (qqch.). *Question préalable.* **3** n. m. Conditions d'une négociation. **4** *Au préalable* loc. adv. → d'**abord, auparavant.** ► **préalablement** adv.

**préambule** n. m. **1** dr. Introduction, exposé des motifs et des buts (d'un texte officiel). **2** Avant-propos, préface. **3** Entrée en matière. *Sans préambule.*

**préau** n. m. Partie couverte d'une cour d'école.

**préavis** n. m. Avertissement préalable imposé par la loi.

**prébende** n. f. Revenu fixe accordé à un ecclésiastique. ► **prébendier** n. m.

**précaire** adj. **1** Dont l'avenir, la durée, la stabilité ne sont pas assurés. → **éphémère, incertain. 2** dr. Révocable selon la loi.

**précambrien, enne** adj. géol. Se dit des terrains les plus anciens, sans fossiles. – n. m. *Le précambrien.*

**précariser** v. tr. [1] Rendre précaire. ▷ v. pron. se **précariser** ► **précarisation** n. f.

**précarité** n. f. littér. Caractère ou état de ce qui est précaire (surtout 1).

**précaution** n. f. Disposition prise pour éviter un mal ou en atténuer l'effet. *Prendre des précautions.* – *Agir avec précaution.*

se **précautionner** v. pron. [1] littér. Prendre ses précautions (contre).

**précautionneux, euse** adj. Qui prend des précautions. → **prudent.** ► **précautionneusement** adv.

**précédemment** [-amɑ̃] adv. Antérieurement, auparavant.

**précédent, ente I** adj. Qui précède (dans le temps ou l'espace). **II** n. m. **1** Fait antérieur qui permet de comprendre un fait analogue ou qui sert de modèle. **2** *Sans précédent :* inouï, jamais vu.

> Ne pas confondre avec *précédant,* p. prés. de *précéder.*

**précéder** v. tr. [6] **I** (sujet chose) **1** Exister, se produire avant. ♦ Être avant, selon l'ordre logique ou spatial. **2** Être connu ou perçu avant. *Sa mauvaise réputation l'avait précédé.* **II** (personnes) **1** Exister avant. *Ceux qui nous ont précédés.* → **prédécesseur. 2** Aller devant ; arriver, se produire avant. **3** abstrait Devancer (qqn).

**précepte** n. m. Formule qui exprime un enseignement, une règle.

**précepteur, trice** n. Personne chargée de l'éducation d'un enfant à domicile. ► **préceptorat** n. m.

**précession** n. f. phys. Mouvement de rotation d'un axe autour d'un axe fixe (gyroscope). ♦ astron. *Précession des équinoxes :* mouvement rétrograde des points équinoxiaux.

**préchauffer** v. tr. [1] Chauffer préalablement.

**prêche** n. m. **1** Discours religieux. → **sermon. 2** fam. Discours moralisateur.

**prêcher** v. [1] **I** v. tr. **1** Enseigner (la révélation religieuse). **2** Conseiller, vanter (qqch.). → **prôner.** *Prêcher l'indulgence.* **II** v. intr. Prononcer un sermon (→ **prédicateur**). **III** v. tr. *Prêcher qqn,* lui enseigner la parole de Dieu. ♦ fam. Essayer de convaincre. *Vous prêchez un converti*.*

**prêcheur, euse** n. **1** vx → **prédicateur. 2** péj. Personne qui aime à faire la morale.

**prêchi-prêcha** n. m. invar. fam. Radotage moralisateur.

**précieusement** adv. Comme il convient pour un objet précieux.

**précieux, euse** adj. **I 1** De grand prix, d'une grande valeur. *Pierres* précieuses.* **2** Auquel on attache une grande valeur. - Particulièrement utile (à qqn). *Un temps précieux.* **II** n. (au XVII^e siècle) Personne défendant un idéal moral et esthétique raffiné, un langage recherché. - adj. *La littérature précieuse.* → **préciosité** (2).

**préciosité** n. f. **1** littér. Doctrine du mouvement des précieux (II) du XVII^e siècle et de tendances analogues. **2** Caractère recherché du langage, du style.

**précipice** n. m. Vallée, anfractuosité profonde, aux flancs abrupts. → **gouffre.**

**précipitamment** adv. Avec précipitation ; en grande hâte.

① **précipitation** n. f. **1** Hâte excessive. **2** Caractère hâtif.

② **précipitation** n. f. **1** Phénomène à la suite duquel un corps solide (→ ② **précipité**) se forme dans un liquide sous l'effet d'un réactif. **2** *Précipitations (atmosphériques)* : chute de l'eau (pluie, neige, grêle...).

① **précipité, ée** adj. **1** Très rapide dans son allure. *À pas précipités.* **2** Hâtif.

② **précipité** n. m. Dépôt obtenu quand se produit la précipitation (②).

① **précipiter** v. tr. [1] **1** littér. Jeter ou faire tomber dans un lieu bas ou profond. - passif *Il a été précipité dans le vide.* - fig. Faire tomber d'une situation élevée. **2** Pousser, entraîner avec violence. **3** Faire aller plus vite. → **accélérer, hâter.** ▷ v. pron. **se précipiter 1** Se jeter de haut. **2** (personnes) S'élancer brusquement. → se **dépêcher,** se **presser. 3** (sujet chose) Prendre un rythme accéléré.

② **précipiter** v. [1] **I** v. tr. Faire tomber, faire se déposer (un corps en solution). **II** v. intr. Tomber par précipitation (②).

① **précis, ise** adj. **1** Qui ne laisse pas place à l'indécision. *Règles précises.* **2** Perçu nettement. *Des contours précis.* - Déterminé avec exactitude. *Un point précis sur la carte.* **3** Effectué de façon sûre. *Un geste précis.* **4** Qui agit avec précision. *Un homme précis.* **5** (grandeurs, mesures) Exactement calculé ou mesuré. → **juste.**

② **précis** n. m. **1** Exposé précis et succinct. → **abrégé. 2** Petit manuel.

**précisément** adv. **1** D'une façon précise. *Répondre précisément.* **2** ellipt (dans une réponse) Oui, c'est cela même. - *Pas précisément,* guère. **3** Juste, justement. *C'est précisément pour cela que je viens vous voir.*

**préciser** v. tr. [1] **1** Exprimer, présenter de façon plus précise. *Précisez votre idée.* **2** pronom. Devenir plus net.

**précision** n. f. **I 1** Caractère précis. **2** Façon précise d'agir. *La précision d'un tir.* **3** (→ ① précis (5)). *La précision d'un calcul.* **II** au plur. Ce qui permet une information sûre, sans ambiguïté.

**précoce** adj. **1** (végétaux) Mûr avant le temps normal. → **hâtif. 2** Qui survient plus tôt que d'habitude. *Sénilité précoce.* **3** Qui se fait plus tôt que d'usage. *Mariage précoce.* **4** (personnes) En avance dans son développement. ► **précocement** adv. ► **précocité** n. f.

**précolombien, ienne** adj. Relatif à l'Amérique avant la venue des Européens.

**préconçu, ue** adj. Élaboré sans jugement critique ni expérience. → **préjugé.**

**préconiser** v. tr. [1] Recommander vivement. ► **préconisation** n. f.

**précontraint, ainte** adj. *Béton précontraint,* soumis à une compression préalable afin d'en augmenter la résistance.

**précurseur 1** n. Personne dont la doctrine, les œuvres en préparent une autre. *Les précurseurs du surréalisme.* **2** adj. m. Annonciateur. → **avant-coureur.**

**prédateur, trice** adj. et n. m. (Animal) qui se nourrit de proies, détruit (d'autres animaux).

**prédécesseur** n. **1** Personne qui a précédé (qqn) dans une fonction, une charge. **2** au plur. Précurseurs.

**prédestination** n. f. **1** Doctrine selon laquelle Dieu destine certaines créatures au salut et voue les autres à la damnation. **2** littér. Détermination préalable d'événements.

**prédestiné, ée** adj. **1** relig. Soumis à la prédestination divine. **2** *Prédestiné à* : voué à (un destin). ► **prédestiner** v. tr. [1]

**prédéterminer** v. tr. [1] didact. Déterminer d'avance. ► **prédétermination** n. f.

**prédicat** n. m. didact. Ce qui, dans un énoncé, est affirmé à propos d'un autre terme, le thème. *Le prédicat correspond en général au verbe.*

**prédicateur, trice** n. Personne qui prêche.

**prédication** n. f. Action de prêcher.

**prédiction** n. f. **1** Action de prédire. **2** Ce qui est prédit.

**prédilection** n. f. Préférence marquée. - loc. adj. *De prédilection* : préféré.

**prédire** v. tr. [37] sauf *prédisez* **1** Annoncer (un événement) comme devant se produire, sans indices rationnels. *Prédire l'avenir.* **2** Annoncer (une chose probable) comme devant se produire.

**prédisposer** v. tr. [1] Mettre dans une disposition favorable.

**prédisposition** n. f. Tendance naturelle (de qqn) à (un type d'activité). → **aptitude.**

**prédominer** v. intr. [1] (choses) Être le plus important. → **prévaloir.** ► **prédominance** n. f. ► **prédominant, ante** adj.

**préemballé, ée** adj. Se dit d'un produit alimentaire frais vendu sous emballage.

**prééminence** n. f. Supériorité absolue. → **primauté.** ► **prééminent, ente** adj.

**préemption** [-ɑ̃psjɔ̃] n. f. dr. Action, droit d'acheter avant un autre.

**préétabli, ie** adj. Établi à l'avance.

**préexister** v. intr. [1] Exister antérieurement (à qqch.). ► **préexistant, ante** adj. ► **préexistence** n. f.

**préfabriqué, ée** adj. **1** Se dit d'éléments de constructions fabriqués en série et assemblés ultérieurement. - n. m. *Du préfabriqué.* **2** fig. Composé, préparé à l'avance. ► **préfabrication** n. f.

**préface** n. f. Texte placé en tête d'un livre et qui sert à le présenter au lecteur. ► **préfacer** v. tr. [3] ► **préfacier, ière** n.

**préfecture** n. f. **I 1** Charge de préfet. - Services du préfet ; local où ils sont installés. **2** Ville où siège cette administration. → **chef-lieu.** - Circonscription administrée par le préfet (→ **département**). **3** *Préfecture de police :* à Paris, services de direction de la police. **II** Division administrative et territoriale du Japon. ► **préfectoral, ale, aux** adj.

**préférable** adj. Qui mérite d'être préféré, choisi. - impers. *Il est préférable que...* (+ subj.), *de* (+ inf.). ► **préférablement** adv.

**préféré, ée** adj. Le plus aimé, jugé le meilleur. - n. → **favori.**

**préférence** n. f. **1** Jugement, sentiment par lequel on place une personne, une chose au-dessus des autres. - loc. adv. *De préférence :* → **plutôt.** - loc. prép. *De préférence à, par préférence à qqch.* → **plutôt** que. **2** Fait d'être préféré.

**préférentiel, ielle** adj. **1** Qui établit une préférence. *Tarif préférentiel.* ► **préférentiellement** adv. **2** *Vote préférentiel,* qui permet de changer l'ordre des candidats.

**préférer** v. tr. [6] Considérer comme meilleur, supérieur (parmi plusieurs) ; choisir. - (+ inf.) Aimer mieux.

**préfet** n. m. **1** Antiq. Haut magistrat romain. **2** (en France) Fonctionnaire représentant le pouvoir exécutif central à la tête d'une préfecture. - *Préfet de région.* ♦ *Préfet de police.* **3** Prêtre chargé de la discipline (collèges religieux). **4** en Belgique Directeur d'athénée (de lycée).

**préfète** n. f. **1** Femme préfet (2). **2** vieilli Femme d'un préfet (2).

**préfigurer** v. tr. [1] (sujet chose) Présenter par avance tous les caractères de (qqch. à venir). → **annoncer.** ► **préfiguration** n. f.

**préfixe** n. m. Élément de formation de mots, placé devant un radical.

**préfixer** v. tr. [1] Joindre (un élément) comme préfixe ; former avec un préfixe. ► **préfixation** n. f.

**prégnant, ante** [-gn-] adj. psych. Qui s'impose à l'esprit, à la perception.

**préhensile** adj. didact. Qui peut servir à prendre, à saisir. *Trompe préhensile.*

**préhension** n. f. didact. Faculté de saisir avec un organe dit *préhenseur* (adj. m.).

**préhistoire** n. f. **1** Événements concernant l'humanité avant l'apparition de l'écriture. - Leur étude. **2** fig. *La préhistoire de l'aviation.* ► **préhistorien, ienne** n.

**préhistorique** adj. **1** Qui appartient à la préhistoire. **2** Très ancien, suranné.

**préjudice** n. m. **1** Perte d'un bien, d'un avantage par le fait d'autrui ; acte ou événement nuisible. → **tort.** *Porter préjudice.* **2** Ce qui est nuisible pour (qqch.). - littér. *Sans préjudice de :* sans renoncer à.

**préjudiciable** adj. Qui porte, peut porter préjudice (à qqn, à qqch.). → **nuisible.**

**préjugé** n. m. **1** Croyance, opinion préconçue ; parti pris. **2** didact. Indice qui permet de se faire une opinion.

**préjuger** v. tr. ind. [3] littér. ou dr. *Préjuger de :* porter un jugement prématuré sur.

se **prélasser** v. pron. [1] Se détendre, se reposer nonchalamment.

**prélat** n. m. Haut dignitaire catholique (cardinal, archevêque, etc.).

**prélatin, ine** adj. didact. Antérieur à la civilisation latine, au latin (langue).

**prélavage** n. m. Lavage préliminaire.

**prèle** ou **prêle** n. f. Plante à tige creuse et à épis, des lieux humides.

**prélèvement** n. m. **1** Action de prélever ; quantité qu'on prélève. **2** absolt méd. *Faire un prélèvement* (d'organe, de tissu, etc.).

**prélever** v. tr. [5] Prendre (une partie d'un ensemble).

**préliminaire I** adj. Qui précède, prépare (une autre chose considérée comme plus importante). **II** *Préliminaires* n. m. plur. **1** Négociations préalables. **2** Ce qui prépare un acte, un événement. → **prélude.**

**prélude** n. m. **1** Pièce musicale de forme libre (qui sert d'introduction). *Prélude et fugue.* **2** fig. Ce qui précède (qqch.).

**préluder** v. [1] **I** v. intr. mus. Jouer, chanter un prélude. **II** v. tr. ind. (sujet chose) *Préluder à :* se produire avant (une autre chose) en la laissant prévoir. → **annoncer.**

**prématuré, ée** adj. **1** Qu'on ne pourra entreprendre que plus tard. **2** Entrepris, fait trop tôt. **3** Qui arrive avant le temps normal. → **précoce.** *Une mort prématurée.* **4** *Un enfant prématuré,* né avant terme. - n. *Un prématuré.*

**prématurément** adv. Avant le temps habituel ou convenable.

**préméditation** n. f. Dessein réfléchi d'accomplir une action (un délit).

**préméditer** v. tr. [1] Décider, préparer avec calcul. - au p. p. *Un crime prémédité.*

**prémices** n. f. pl. **1** hist. Premiers fruits de la terre, jeunes animaux offerts à la divinité. **2** littér. Commencement, début.

**premier, ière** I adj. et n. (épithète ; souvent avant le nom) Qui vient avant les autres, dans un ordre (*premier*, second, troisième..., dernier). **1** Qui s'est produit, apparaît avant ; le plus ancien. *Le premier jour du mois.* – n. m. Premier jour. *Le premier de l'an (1er janvier).* – loc. *À première vue*, au premier abord*.* ♦ (attribut) *Arriver premier.* **2** Le premier à venir (dans le futur). *À la première occasion.* **3** Qui se présente avant (dans une série, un ordre). *Première partie.* **4** (après le nom) littér. Qui est dans l'état de son origine. → **originel, primitif.** – *Matières* premières.* **5** Qui se présente d'abord (dans l'espace). *La première (rue) à droite.* **6** Qui vient en tête pour l'importance, la valeur. → **meilleur, principal.** *Première qualité.* ♦ (personnes) *Le Premier ministre.* – (attribut) Qui vient avant les autres, dans un classement. *Sortir premier d'une école.* – n. *Le premier de la classe.* **7** didact. (après le nom) Qui n'est pas défini au moyen d'autre chose. *Vérités premières.* – *Nombre premier*, divisible uniquement par 1 et par lui-même (ex. 3, 7, 11, 13...). ♦ philos. Qui contient en soi la raison d'être des autres réalités. *Les causes premières.* **II** n. spécialt **1** *Jeune premier, jeune première* : comédien, comédienne qui joue les premiers rôles d'amoureux. **2** n. m. anglic. Premier ministre (pays anglo-saxons). **III** *En premier* loc. adv. : d'abord.

**première** n. f. **1** Première représentation, projection. ♦ Première fois qu'un événement important se produit. *C'est une grande première.* **2** loc. fam. *De première !*, remarquable, exceptionnel. **3** Classe qui précède les classes terminales. **4** Première vitesse d'une automobile.

**premièrement** adv. D'abord, en premier lieu (dans une énumération). → **primo.**

**premier-né, première-née** adj. et n. Se dit du premier enfant. → **aîné.**

**prémisse** n. f. **1** log. Chacune des deux propositions initiales d'un syllogisme. **2** Commencement d'une démonstration.

**prémolaire** n. f. Dent située entre la canine et les grosses molaires.

**prémonition** n. f. Pressentiment d'un événement futur. ► **prémonitoire** adj.

**prémunir** v. tr. [2] littér. Protéger (qqn), mettre en garde (qqn contre qqch.). – pronom. *Se prémunir contre le froid.*

**prenant, ante** adj. **1** dr. *Partie prenante*, partie qui reçoit de l'argent ou une fourniture. ♦ plus cour. Protagoniste. *Les parties prenantes d'un conflit.* **2** Qui captive en émouvant. **3** Qui accapare.

**prénatal, ale, als** adj. Qui précède la naissance.

**prendre** v. [58] **I** v. tr. **1** Mettre dans sa main (pour avoir avec soi, faire passer d'un lieu dans un autre, utiliser...). *Prendre un objet à pleine main.* → **attraper, empoigner, saisir.** – *Prendre qqch. des mains de qqn.* **2** Mettre avec soi, amener à soi. *Prends ton parapluie.* → **emporter.** – (compl. personne) *Je passerai vous prendre chez vous.* → **chercher. 3** fig. *Prendre qqch. sur soi, sous sa responsabilité*, en accepter la responsabilité. → **assumer.** – *Prendre sur soi de* : s'imposer de. **4** fig. Aborder, se mettre à considérer (qqch., qqn). *Prendre la vie du bon côté.* – *Prenons cet exemple.* – loc. adv. *À tout prendre* : somme toute. – *Prendre bien, mal qqch.*, l'accepter ou en souffrir. – *Prendre en...* : avoir en. *Prendre qqn en grippe*.* **5** Faire sien (une chose abstraite). *Il a pris un surnom. Prendre rendez-vous.* **6** Évaluer, définir (pour connaître). *Prendre sa température.* **7** Inscrire ou reproduire. *Prendre des notes, une photo.* **8** S'adjoindre (une personne). → **embaucher, engager.** – *Prendre pour, comme, à, en,* en tant que... *Elle l'a prise comme assistante.* **9** *Prendre pour* : croire qu'une personne, une chose est (autre ou autrement). *Prendre ses désirs pour des réalités.* – pronom. *Se prendre pour un génie.* → se **croire. 10** Absorber, manger ou boire. *Prendre un verre.* – fig. *Prendre le frais*.* **II** v. tr. **1** Agir de façon à avoir, à posséder (qqch., qqn). → s'**approprier.** – loc. *C'est à prendre ou à laisser*.* **2** Posséder sexuellement. **3** Demander, exiger. *Combien prend-il ?*, quel est son prix ? – *Ce travail me prendra une heure.* **4** Conquérir. *Prendre le pouvoir.* **5** *Prendre qqch. à qqn* : s'emparer de. **6** Se saisir de (ce qui fuit, se dérobe). → **attraper, capturer. 7** Amener (qqn) à ses vues, à faire ce qu'on veut. *Prendre qqn par la douceur*, en le traitant doucement. – *Savoir prendre qqn*, obtenir de lui ce qu'on veut. **8** *Prendre qqn* (et compl. de manière). → **surprendre.** *On l'a pris en flagrant délit.* – *Prendre qqn à* (qqch., faire qqch.). *Je vous y prends !* **9** (sensation, sentiment) Saisir (qqn), faire sentir à (qqn). – passif *Être pris de vertiges.* ♦ fam. *Qu'est-ce qui vous prend ?* (se dit d'une attitude inattendue ou déplacée). – impers. *Il me prend l'envie d'aller le voir.* **10** *Bien, mal lui, vous... prend de* : cela a de bonnes, de fâcheuses conséquences. **III** v. tr. **1** Se mettre à utiliser, à avoir (sans appropriation). *Prendre le deuil. Prendre la plume*, écrire. *Prendre le lit*, s'aliter. ♦ Faire usage de (un véhicule). *Prendre l'avion.* ♦ S'engager dans. *Prendre un virage.* ♦ Emprunter (une voie de communication). *Prendre un raccourci.* **2** User à son gré de. *Prendre son temps.* **3** Se mettre à avoir, se donner. *Prendre une décision. Prendre l'avantage sur qqn.* – loc. *Prendre position. Prendre soin de...* **4** Commencer à avoir (une façon d'être). *Ça prend une mauvaise tournure.* – (sujet personne) loc. *Prendre de l'âge*, vieillir. *Prendre peur.* **5** Subir l'effet de. *Prendre feu*, s'enflammer. *Prendre froid.* **IV** v. intr. **1** (substances) Durcir, épaissir. *La mayonnaise a pris.* **2** (végétaux) Continuer sa croissance. *La bouture a pris.* **3** *Le feu va prendre*, se mettre à brûler. **4** Produire son effet. *Vaccin qui prend.* **5** Être cru, accepté. *À d'autres, ça ne prend pas !* ▷ v. pron. **se prendre 1** Se laisser attraper. – fig. *Se prendre au jeu*.* **2** *S'en prendre à. Il ne* *pourra s'en prendre qu'à lui-même.* **3** *Se prendre de :* se mettre à avoir. *Se prendre d'amitié pour qqn.* **4** *S'y prendre :* agir d'une certaine manière. *Il s'y est mal pris.*

**preneur, euse** n. **1** dr. Personne qui prend à bail, à ferme ; qui achète qqch. **2** loc. *Preneur de son* (→ **prise** de son).

**prénom** n. m. Nom personnel qui précède le nom de famille.

**prénommer** v. tr. [1] Appeler d'un prénom. ▷ v. pron. se **prénommer**

**prénuptial, ale, aux** adj. Qui précède le mariage.

**préoccupant, ante** adj. Qui préoccupe.

**préoccupation** n. f. Souci, inquiétude qui occupe l'esprit.

**préoccuper** v. tr. [1] **1** Inquiéter fortement. → **tourmenter.** **2** Occuper exclusivement (l'esprit, l'attention). ▷ v. pron. se **préoccuper** S'occuper (de qqch.) avec inquiétude. ▷ adj. **préoccupé, ée**

**préopératoire** adj. Qui précède une intervention chirurgicale.

**prépa** → **préparatoire**

**préparateur, trice** n. **1** Assistant d'un chercheur. **2** *Préparateur en pharmacie,* qui assiste un pharmacien.

**préparatifs** n. m. pl. Dispositions prises pour préparer qqch. *Préparatifs de départ.*

**préparation** n. f. **I 1** Action de préparer (qqch.). *La préparation du repas.* – *Roman en préparation.* ♦ Chose préparée. *Préparation pharmaceutique.* **2** littér. Manière de préparer (I, 4). **II** Action de préparer (qqn) ou de se préparer.

**préparatoire** adj. Qui prépare (qqch., qqn). – *Cours préparatoire,* premier cours de l'enseignement primaire élémentaire. *Classes préparatoires aux grandes écoles* (n. f. fam. *prépa*).

**préparer** v. tr. [1] **I 1** Mettre en état de fonctionner ou de servir. *Préparer la table.* → **mettre.** *Préparer le terrain.* **2** Faire tout ce qu'il faut pour (une opération, une œuvre, etc.). → **organiser.** *Préparer son départ.* – *Préparer un examen.* **3** Rendre possible, par son action. *On lui a préparé une surprise.* → **réserver.** **4** Rendre possible ou probable. *Cela ne nous prépare rien de bon.* **II** Rendre (qqn) capable de, prêt à, par une action concertée. *Préparer un élève à l'examen.* – Mettre dans les dispositions d'esprit requises. *Préparer qqn à une mauvaise nouvelle.* ▷ v. pron. se **préparer** **1** (réfl.) Se mettre en état, en mesure de faire (qqch.). **2** (passif) Être préparé. **3** Être près de se produire. *Un orage se prépare.*

**prépondérant, ante** adj. Qui a plus de poids, qui l'emporte en autorité, en influence. *Jouer un rôle prépondérant.* ► **prépondérance** n. f.

**préposé, ée** n. **1** Personne qui accomplit une fonction déterminée (subalterne). **2** admin. Facteur des postes.

**préposer** v. tr. [1] *Préposer qqn à...,* le charger d'assurer (un service, une fonction). – au passif *Il est préposé au nettoyage.*

**prépositif, ive** adj. ling. À rôle de préposition. *Locution prépositive.*

**préposition** n. f. Mot grammatical invariable, servant à introduire un complément (ex. à, de).

**prépotence** n. f. vx Toute-puissance.

**prépresse** n. m. techn. Activités éditoriales précédant le traitement par l'imprimerie.

**prépuce** n. m. Repli de peau qui entoure le gland de la verge.

**préquel** n. m. ou f. ou **préquelle** n. f. Épisode d'un film dont l'action se situe avant celle des épisodes précédents.

**préraphaélite** n. et adj. arts Se dit de peintres anglais (fin XIXe s.) qui s'inspiraient de la peinture italienne d'avant Raphaël. ► **préraphaélisme** n. m.

**prérégler** v. tr. [6] techn. Régler à l'avance. – au p. p. *Récepteur préréglé.*

**prérequis** n. m. anglic., admin. Conditions à remplir (pour une formation, etc.).

**préretraite** n. f. Retraite anticipée. ► **préretraité, ée** n. et adj.

**prérogative** n. f. Avantage ou droit attaché à une fonction, un état, etc.

**préroman, ane** adj. didact. **1** D'avant l'art roman (art médiéval). **2** Antérieur aux langues romanes.

**préromantique** adj. Qui annonce le romantisme. ► **préromantisme** n. m.

**près** adv. **I 1** À une distance considérée comme petite (opposé à *loin*). *Il habite tout près.* **2** loc. adv. *De près.* (dans l'espace) *Regarder de trop près.* ♦ (dans le temps) *Deux événements qui se suivent de près.* **3** loc. prép. *Près de.* → **proche.** *Près d'ici.* ♦ Un peu moins de. *Il en manque près de la moitié.* ♦ Sur le point de. *Il était près d'arriver.* **II** loc. **1** *À peu près,* presque, environ. *Il y a à peu près vingt minutes.* **2** *À peu de chose(s) près.* → **presque.** – *À beaucoup près :* avec de grandes différences. – *À cela près :* cela étant mis à part. → **excepté, sauf.** **3** *À (quelque chose) près* (degré de précision d'une évaluation). *Mesure au millimètre près.* – *Il n'en est pas à dix euros près.*

> Ne pas confondre *être près de* «être sur le point de» avec *être prêt à* «être d'accord pour».

**présage** n. m. **1** Signe d'après lequel on pense pouvoir prévoir l'avenir. **2** Ce qui annonce (un événement à venir).

**présager** v. tr. [3] **1** littér. Être le présage de. → **annoncer.** ♦ cour. Faire présumer, supposer. *Cela ne présage rien de bon.* **2** littér. (sujet personne) Prévoir.

**pré-salé** n. m. Mouton, agneau engraissé dans des pâturages côtiers.

**presbyte** adj. et n. Atteint de presbytie.

**presbytère** n. m. Habitation du curé, du pasteur dans une paroisse. → **cure.**

**presbytérien, ienne** n. et adj. Adepte d'une secte protestante calviniste.

**presbytie** n. f. Vision trouble des objets rapprochés (→ **hypermétropie**).

**prescience** [-sjɑ̃s] n. f. littér. Faculté ou action de prévoir. → **prémonition.**

**préscolaire** adj. Relatif à la période qui précède celle de la scolarité obligatoire.

**prescripteur, trice** [-pt-] n. **1** Personne qui prescrit. **2** Personne qui influe sur le choix de produits, de services.

**prescription** [-psjɔ̃] n. f. **1** dr. Délai prévu par la loi, passé lequel la justice ne peut plus être saisie. ♦ dr. Acquisition par possession ininterrompue ; perte par non exercice. **2** Ordre expressément formulé.

**prescrire** v. tr. [39] **1** Ordonner ou recommander expressément ; indiquer (ce qu'on exige). – Recommander, conseiller formellement. **2** (sujet chose) Exiger, réclamer. ▷ adj. **prescrit, ite**

Ne pas confondre avec *proscrire* «bannir».

**préséance** [-s-] n. f. Droit de précéder (qqn) dans une hiérarchie protocolaire.

**présélection** [-s-] n. f. Réglage préalable et sélection automatique. ► **présélectionner** v. tr. [1]

**présence** n. f. **I 1** (personnes) Fait d'être physiquement quelque part, auprès de qqn. – loc. *Faire acte de présence.* – (nation) Fait de manifester son influence. *La présence française en Océanie.* **2** (choses) Fait qu'une chose soit dans le lieu où l'on est ou dont on parle. ♦ *Présence d'esprit,* faculté d'être prêt à répondre et réagir avec à-propos. **3** (acteurs) Manifestation de sa personnalité. ♦ Caractère actuel, influent (de qqn, de qqch.) dans le monde culturel. **II 1** loc. prép. *En présence de qqn, de qqch. :* en face de ; devant. **2** loc. adv. ou loc. adj. *En présence :* dans le même lieu, face à face.

① **présent, ente** adj. **I 1** Qui est dans le lieu, le groupe où se trouve la personne qui parle, ou dont on parle (opposé à *absent*). *Les personnes ici présentes* ou n. *les présents.* **2** (choses) *Métal présent dans un minerai.* **3** fig. *Présent à l'esprit, à la mémoire.* **II** (opposé à *futur* ou à *passé*) **1** Qui existe, se produit au moment où l'on parle ou dont on parle. → **actuel. 2** (avant le nom) Dont il est actuellement question. **3** Qui est au présent (②, I, 2).

② **présent** n. m. **I 1** Partie du temps qui correspond à l'expérience immédiate. – Ce qui existe ou se produit alors. *Jouir du présent.* **2** gramm. Temps du verbe qui correspond à l'expression du temps de la communication, du temps qui coïncide avec le moment dont on parle (ex. je le vois demain), ou exprime un fait intemporel (ex. l'homme est mortel). **II** loc. adv. *À présent.* → **maintenant.** – loc. conj. *À présent que :* maintenant que. – loc. adj. littér. *D'à présent :* actuel.

③ **présent** n. m. littér. Cadeau.

**présentable** adj. Qui est digne d'être présenté, donné, montré.

**présentateur, trice** n. **1** Personne qui présente qqch. au public. **2** Personne qui présente un spectacle. → **animateur.**

**présentation** n. f. **1** Action de présenter une personne à une autre. *Faire les présentations.* **2** Apparence d'une personne. *Avoir une bonne présentation.* **3** Action de présenter (qqch.) à qqn. – spécialt *Présentation d'une collection de mode.* **4** Manière dont une chose est présentée. **5** méd. Manière dont le fœtus se présente pour l'accouchement.

**présentement** adv. vieilli ou région. Au moment, à l'époque où l'on est.

**présenter** v. [1] **I** v. tr. **1** Amener (une personne) en présence de qqn et la faire connaître. **2** Faire inscrire (à un examen, un concours, une élection). **3** Mettre (qqch.) à la portée, sous les yeux de qqn. → **montrer. 4** Faire connaître au public par une manifestation. *Présenter une émission, un spectacle.* **5** Disposer (ce qu'on expose à la vue du public). **6** Remettre (qqch.) à qqn en vue d'une vérification, d'un jugement. *Présenter un devis ; sa candidature.* **7** Exprimer, faire l'exposé de... *Présenter ses condoléances.* **8** Montrer, définir comme... *Présenter les choses telles qu'elles sont.* **9** Manifester, avoir. *Présenter un symptôme.* **II** v. intr. fam. (personnes) *Présenter bien (mal) :* faire bonne (mauvaise) impression. ▷ v. pron. **se présenter 1** Arriver en un lieu ; paraître (devant qqn). **2** Se faire connaître à qqn. **3** Venir se proposer au choix, à l'appréciation de qqn. – Subir les épreuves (d'un examen, d'un concours). → **passer. 4** (sujet chose) Apparaître, venir. *L'occasion ne s'est pas présentée.* **5** Apparaître sous un certain aspect ; être disposé d'une certaine manière.

**présentoir** n. m. Dispositif pour présenter des marchandises.

**préservatif** n. m. Enveloppe protectrice souple dont on recouvre la verge (contraceptif, etc.).

**préserver** v. tr. [1] Garantir, mettre à l'abri ou sauver (d'un danger, d'un mal). – pronom. *Comment se préserver de la contagion ?* ► **préservation** n. f.

**présidence** n. f. **1** Fonction de président ; sa durée. **2** Action de présider. ♦ Locaux, services d'un président.

**président, ente** n. **1** Personne qui dirige (une assemblée, une réunion, un groupement organisé). – *Président-directeur général d'une société* (P.-D. G.). **2** Le chef de l'État (dans une république). – hist. *Président du Conseil* (des ministres).

**présidentiel, ielle** adj. Relatif à un président ; spécialt au président (2). *L'élection présidentielle* ou n. f. *la présidentielle*.

**présider** v. tr. [1] **1** Diriger à titre de président. **2** Occuper la place d'honneur dans (une manifestation).

**présocratique** adj. et n. m. didact. Se dit des philosophes grecs antérieurs à Socrate.

**présomptif, ive** [-pt-] adj. dr. *Héritier présomptif*, vraisemblable.

**présomption** [-psjɔ̃] n. f. **1** Fait de présumer ; opinion fondée sur la vraisemblance. **2** littér. Opinion trop avantageuse de soi-même.

**présomptueux, euse** [-pt-] adj. Qui fait preuve de présomption. → **prétentieux.** ► **présomptueusement** adv.

**presque** adv. **1** À peu près ; pas tout à fait. *Presque pas*, à peine. **2** littér. (modifiant un nom) → **quasi.**

**presqu'île** n. f. Partie saillante d'une côte, rattachée à la terre par un isthme.

**pressage** n. m. Opération par laquelle on presse, on fabrique en pressant.

**pressant, ante** adj. **1** Qui sollicite avec insistance. **2** Qui oblige ou incite à agir sans délai. *Un besoin pressant.*

**press-book** [prɛsbuk] n. m. anglic. Gros cahier de photos et documents (de presse ou pour la presse). *Des press-books.*

**presse** n. f. **I** littér. Foule très dense. **II 1** Mécanisme destiné à exercer une pression sur un solide pour comprimer ou laisser une impression. **2** spécialt Machine destinée à l'impression typographique. – loc. *Mettre sous presse* : imprimer. **III 1** Fait d'imprimer ; impression de textes. **2** *La presse* : publications périodiques (journaux, hebdomadaires) ; organismes qui s'y rattachent. – loc. *Avoir bonne, mauvaise presse* : avoir des commentaires flatteurs ou défavorables. → **réputation. 3** Ensemble des moyens de diffusion de l'information journalistique. → **média.** – loc. *Agence de presse.* **IV** Activité la plus intense dans certaines périodes (→ **presser** (II, 4)).

**pressé, ée** adj. **1** Qui montre de la hâte, se presse. **2** Urgent, pressant. – n. m. *Aller, parer au plus pressé.*

**presse-citron** n. m. Ustensile servant à presser certains fruits pour en extraire le jus. *Des presse-citrons.*

**pressentiment** n. m. Connaissance intuitive d'un événement qui ne peut être connu par le raisonnement. → **prémonition.**

**pressentir** v. tr. [16] **1** Prévoir vaguement. *Il pressentait un malheur.* – Entrevoir (une intention cachée, une intrigue). **2** Proposer à (qqn) des responsabilités.

**presse-papiers** n. m. invar. Objet lourd qu'on pose sur les papiers pour les maintenir.

**presse-purée** n. m. invar. Ustensile qui réduit les légumes en purée.

**presser** v. tr. [1] **I 1** Serrer (qqch.) de manière à extraire un liquide. – au p. p. *Orange pressée*, le jus. **2** Serrer pour comprimer, marquer une empreinte. *Presser un CD, un vinyle*, l'éditer à partir d'une matrice. **3** Serrer ou appuyer fortement. ♦ Exercer une poussée sur. → **appuyer.** *Pressez le bouton.* **II** fig. **1** (sujet personne) Pousser vivement (qqn) à faire qqch. *Il presse ses amis d'agir.* **2** Faire que (qqn) se dépêche, se hâte. *Rien ne vous presse.* – (compl. chose) → **accélérer, activer.** *Presser le pas.* **3** *Presser qqn de...* : harceler. *On le presse de questions.* **4** intrans. Être urgent ; ne laisser aucun délai. *Le temps presse.* ▷ v. pron. se **presser 1** S'appuyer fortement. **2** Être ou se disposer en foule compacte. *Les gens se pressaient à l'entrée.* **3** Se hâter. → se **dépêcher ; pressé.**

**pressing** n. m. anglic. Repassage à la vapeur ; établissement de pressing.

**pression** n. f. **I 1** Force qui agit sur une surface précise ; mesure de cette force. – *Sous pression*, dont la vapeur est à une pression suffisante pour la marche. ♦ *Pression atmosphérique. Hautes* (→ **anticyclone),** *basses pressions* (→ **cyclone, dépression). 2** Action de presser ; force (de ce qui presse). **3** *Bière (à la) pression*, mise sous pression et tirée directement. **4** fig. Influence, action persistante qui tend à contraindre. loc. *Groupe de pression.* → anglic. **lobby. II** Petit bouton métallique en deux parties qui se referme par pression (syn. *bouton-pression*).

**pressoir** n. m. Machine servant à presser (certains fruits ou graines). *Pressoir à huile.* – spécialt Pressoir à vin.

**pressurer** v. tr. [1] **1** Presser (des fruits, des graines) pour en extraire un liquide. **2** fig. Tirer de (qqn, qqch.) tout ce qu'on peut. ► **pressurage** n. m.

**pressuriser** v. tr. [1] Maintenir à une pression d'air normale (un avion, un véhicule spatial). ▷ adj. **pressurisé, ée** ► **pressurisation** n. f.

**prestance** n. f. Aspect imposant (d'une personne).

**prestataire** n. m. **1** Personne qui bénéficie d'une prestation. **2** *Prestataire de services* : vendeur, fournisseur de services.

**prestation** n. f. **I 1** dr. Ce qui doit être fourni ou accompli en vertu d'une obligation. **2** Allocation versée au titre d'une législation sociale. **3** (emploi critiqué) Performance publique (d'un athlète, d'un artiste, d'un homme politique). **II** *Prestation de serment* : action de prêter (serment).

**preste** adj. littér. Prompt et agile. ► **prestement** adv. ► **prestesse** n. f.

**prestidigitateur, trice** n. Personne qui, par manipulations, truquages, produit des illusions de magie.

**prestidigitation** n. f. Technique, art du prestidigitateur.

**prestige** n. m. Attrait de ce qui frappe l'imagination, impose l'admiration. → **ascendant, séduction.** ► **prestigieux, euse** adj.

**prestissimo** adv. mus. Très vite.

**presto** adv. **1** mus. Vite. **2** fam. Rapidement. – *Subito* presto.*

**présumer** v. tr. [1] **1** v. tr. Donner comme probable. → **conjecturer, supposer ; présomption.** – (au passif + attribut) *Tout homme est présumé innocent...* **2** v. tr. ind. *Présumer de.* Avoir trop bonne opinion de, compter trop sur (→ **présomptueux**).

**présupposer** [-sy-] v. tr. [1] littér. (sujet chose) Supposer préalablement. → **impliquer.** – au p. p. subst. *Un présupposé,* ce qui est supposé et non exprimé.

**présupposition** [-sy-] n. f. littér. Supposition préalable, non formulée.

**présure** n. f. Substance qui fait cailler le lait.

① **prêt, prête** adj. **1** Qui est en état, est devenu capable (de faire qqch.) grâce à une préparation matérielle ou morale. ♦ *Prêt(e) à* (+ inf.) : disposé(e) à, préparé(e) pour. – *Prêt à tout.* ♦ *Prêt pour* (qqch.). **2** (choses) Mis en état (pour une utilisation). *Tout est prêt pour les recevoir.* ♦ Préparé. *Le café, le repas est prêt.*

Ne pas confondre *être prêt à* «être d'accord pour» avec *être près de* «être sur le point de».

② **prêt** n. m. **1** Action de prêter qqch. ; ce qui est prêté. – spécialt (somme d'argent) *Demander un prêt.* → **emprunt. 2** Solde du militaire qui fait son service.

**prêt-à-porter** [pʀɛt-] n. m. collectif Vêtements de confection (opposé à *sur mesure*).

**prêté** n. m. loc. *Un prêté pour un rendu,* un échange de bons ou de mauvais procédés.

**prétendant, ante** n. **1** Personne qui prétend au trône. **2** n. m. Homme qui souhaite épouser une femme. ♦ Personne qui cherche à en séduire une autre.

**prétendre** v. tr. [41] **1** Avoir la ferme intention, le droit, le pouvoir de. *Je prétends être obéi.* **2** v. tr. ind. littér. *Prétendre à :* aspirer ouvertement à, revendiquer. **3** Affirmer ; oser donner pour certain (sans convaincre). – pronom. *Il se prétend persécuté :* il prétend qu'il est persécuté.

**prétendu, ue** adj. (placé avant le nom) Qui passe à tort pour ce qu'il n'est pas. → **soi-disant.**

**prétendument** adv. Faussement.

**prête-nom** n. m. Personne qui assume des responsabilités à la place de qqn. *Des prête-noms.*

**prétentaine** n. f. loc. vx ou plais. *Courir la prétentaine :* avoir des aventures galantes.

**prétentieux, euse** adj. Qui est trop satisfait de ses mérites. – n. *Un prétentieux.* ♦ Qui dénote de la prétention. ► **prétentieusement** adv.

**prétention** n. f. **1** souvent au plur. Revendication, exigence fondée sur un droit ou un privilège. *Quelles sont vos prétentions ?* (en matière de rémunération). **2** Haute idée que l'on se fait de ses propres capacités. **3** (sans compl.) Présomption, vanité. – *Sans prétention,* simple.

**prêter** v. [1] **I** v. tr. **1** Mettre (qqch.) à la disposition de qqn pour un temps déterminé (→ ② **prêt**). – loc. *Prêter attention, prêter l'oreille à qqch.* – v. pron. *Se prêter à :* consentir à, supporter ; (sujet chose) pouvoir s'adapter à. **2** Fournir (une chose) à la condition qu'elle sera rendue (s'oppose à *donner*). *Prêter de l'argent à qqn.* **3** Attribuer ou proposer d'attribuer (un caractère, un acte) à qqn. *On lui prête des propos...* – prov. *On ne prête qu'aux riches.* **4** v. tr. ind. *Prêter à :* donner matière à. *Sa prétention prête à rire.* **II** v. intr. (matière non élastique) Pouvoir s'étirer, s'étendre.

**prétérit** [-it] n. m. Forme temporelle du passé dans certaines langues (allemand, anglais).

**préteur** n. m. Antiq. Juge romain ; gouverneur de province.

**prêteur, euse** n. **1** Personne qui prête de l'argent. **2** Personne qui fait métier de prêter à intérêt. *Un prêteur sur gages.*

**prétexte** n. m. **1** Raison donnée pour dissimuler le véritable motif d'une action. – loc. *Sous... prétexte,* pour (telle) raison. *Sous aucun prétexte,* en aucun cas. **2** Ce qui permet de faire qqch. ; occasion.

**prétoire** n. m. **I** Antiq. Tribunal où le préteur rendait la justice. **II** littér. Salle d'audience d'un tribunal.

**prétorien, ienne** adj. Antiq. Du préteur. ♦ *Garde prétorienne :* garde personnelle.

**prêtre** n. m. **1** Membre du clergé catholique. → **abbé, curé, ecclésiastique. 2** Ministre d'une religion (sauf quand il existe un mot spécial : *pasteur, rabbin...*).

**prêtresse** n. f. **1** Antiq. Femme ou jeune fille attachée à un culte. **2** fig. *Grande prêtresse :* femme chef de file. *La grande prêtresse de la mode.*

**prêtrise** n. f. Dignité de prêtre (1).

**preuve** n. f. **1** Ce qui sert à établir qu'une chose est vraie. – loc. *(Croire) jusqu'à preuve du contraire. Preuve par l'absurde*.* ♦ Acte, réalité qui atteste un sentiment, une intention. *Une preuve d'amour.* → **marque.** – *Faire preuve de.* → **montrer.** – *Faire ses preuves,* montrer ses capacités. **2** Exemple probant (personne ou chose). **3** dr. Démonstration de l'existence d'un fait matériel ou d'un acte juridique. **4** Opération qui sert de vérification. – *Preuve par neuf* (fig. preuve irréfutable).

**preux** adj. m. vx Brave, vaillant.

**prévaloir** v. intr. [29] sauf subj. prés. : *que je prévale* **1** littér. (sujet chose) L'emporter. **2** v. pron. *Se prévaloir de qqch.*, le faire valoir pour en tirer avantage. - Tirer vanité (de qqch.). → s'**enorgueillir.**

**prévarication** n. f. dr. Grave manquement d'un fonctionnaire, d'un homme d'État, aux devoirs de sa charge (abus d'autorité, concussion...). ► **prévaricateur, trice** adj. et n.

**prévenance** n. f. **1** Disposition prévenante. **2** (souvent au plur.) Action, parole qui en témoigne.

**prévenant, ante** adj. Qui prévient les désirs d'autrui, est plein d'attentions délicates. → **attentionné.**

**prévenir** v. tr. [22] auxiliaire *avoir* **I** (Précéder, devancer) **1** Aller au-devant de (un besoin, un désir) pour le satisfaire (→ **prévenance).** **2** Empêcher par la prévention (I, 2). **3** Éviter (une chose gênante) en prenant les devants. *Prévenir une objection.* **II** Avertir, mettre au courant (qqn) d'une chose à venir, spécialt pour y remédier. *Il faut prévenir le médecin.*

**préventif, ive** adj. **I** Qui tend à empêcher (une chose fâcheuse) de se produire. - *Médecine préventive.* ► **préventivement** adv. **II** dr. Appliqué aux prévenus (①).

**prévention** n. f. **I 1** Préjugé, sentiment irraisonné d'attirance ou de répulsion. **2** Ensemble de mesures préventives contre des risques. *La prévention routière.* **II** dr. **1** Situation d'un prévenu (①). **2** anciennt Détention préventive.

**préventorium** [-ɔm] n. m. anciennt Clinique pour prévenir la tuberculose.

① **prévenu, ue** adj. et n. (Personne) citée devant un tribunal pour répondre d'un délit.

② **prévenu, ue** adj. Qui a de la prévention (I, 1), des préventions (contre ou pour).

**prévisible** adj. Qui peut être prévu.

**prévision** n. f. **1** Action de prévoir. - loc. prép. *En prévision de :* en pensant que telle chose arrivera. **2** (rare au sing.) Opinion quant aux choses futures. - *Prévisions météorologiques.* ► **prévisionnel, elle** adj.

**prévoir** v. tr. [24] **1** Imaginer à l'avance comme probable (un événement futur). **2** Envisager (des possibilités). - au p. p. *Les cas prévus par la loi.* **3** Organiser d'avance, décider pour l'avenir. *Prévoir des réparations.* ♦ au p. p. *Tout s'est déroulé comme prévu.*

**prévôt** n. m. **1** hist. Officier, magistrat, sous l'Ancien Régime. **2** Officier de gendarmerie aux armées. ► **prévôté** n. f. **3** anciennt Détenu faisant office de surveillant.

**prévoyant, ante** adj. Qui prévoit avec perspicacité ; qui prend des dispositions en vue de ce qui doit ou peut arriver. ► **prévoyance** n. f.

**priape** n. m. didact. Membre viril en érection. → **phallus.** ► **priapique** adj.

**prie-Dieu** n. m. invar. Siège bas sur lequel on s'agenouille pour prier.

**prier** v. [7] **I 1** v. intr. Faire des prières*. **2** v. tr. S'adresser à (Dieu, un être surnaturel) par la prière. **II** v. tr. **1** Demander (à qqn) avec humilité ou déférence. - *Se faire prier :* n'accorder qu'après des refus. *Sans se faire prier,* volontiers. **2** (sens faible) Demander. *Je te prie, je vous prie* (→ s'il vous plaît). ♦ vieilli Inviter. *Être prié à déjeuner.* **3** Demander avec fermeté à (qqn). *Prier qqn de se taire.*

**prière** n. f. **1** Mouvement intérieur tendant à une communication avec Dieu. ♦ Formule à cet effet, consacrée par une religion. **2** Action de prier (II) qqn ; demande instante. - ellipt *Prière de* (+ inf.), vous êtes priés de.

**prieur, eure** n. Supérieur(e) de couvent.

**prieuré** n. m. Couvent dirigé par un(e) prieur(e) ; église de ce couvent.

**prima donna** n. f. invar. Première chanteuse d'un opéra. → **diva.**

**primaire** adj. **I 1** Du premier degré, en commençant. - *Enseignement primaire* et n. m. *le primaire,* du premier degré (opposé à *secondaire*). - *Élection primaire* et n. f. *une primaire :* élection pour désigner les candidats. **2** péj. (esprit, idées...) Simpliste et borné. **II 1** Qui est, qui vient en premier dans le temps, dans une série. *Couleurs primaires,* non mélangées (bleu, jaune, rouge). - *Ère primaire* et n. m. *le Primaire,* période de formation des terrains (dits *primaires*) succédant au précambrien, où se rencontrent les plus anciens fossiles. **2** écon. *Secteur primaire ;* n. m. *le primaire :* domaine des activités productrices de matières non transformées. - *Énergie primaire,* non transformée.

**primal, ale, aux** adj. anglic., psych. *Thérapie primale,* qui se propose de faire revivre au patient ce qui est à l'origine de sa névrose.

① **primat** n. m. Prélat ayant la prééminence sur plusieurs évêchés. ► **primatial, ale, aux** adj.

② **primat** n. m. didact. Primauté.

**primate** n. m. didact. Animal (mammifère : grands singes, homme) à cerveau développé, dentition complète, main préhensile.

**primauté** n. f. Caractère de ce qu'on met au premier rang. → **prééminence.**

① **prime** adj. **1** dans des loc. Premier. *De prime abord*. Dans sa prime jeunesse.* **2** math. (symbole, lettre) Affecté d'un seul accent. *Le point A prime (A').*

② **prime** n. f. **1** Somme que l'assuré doit payer à l'assureur. **2** Argent alloué à titre d'encouragement, d'aide ou de récompense. **3** Objet remis à titre gratuit à un acheteur. → **cadeau.** - *En prime :* en plus ; par-dessus le marché.

① **primer** v. intr. [1] (sujet chose) L'emporter. - trans. *La force prime le droit.*

② **primer** v. tr. [1] Récompenser par un prix. ▷ p. p. **primé, ée**

**primerose** n. f. Rose trémière.

**primesautier, ière** [-sotje, -jɛʀ] adj. littér. Qui agit, parle spontanément.

**prime time** [prajmtajm] n. m. anglic., audiovisuel Partie des programmes de télévision correspondant au début de la soirée, heure de la plus grande écoute.

**primeur** n. f. **I** littér. Caractère de ce qui est tout nouveau. *Avoir la primeur de qqch.*, être le premier à l'avoir. **II** au plur. Premiers fruits, premiers légumes récoltés avant ou dans leur saison.

**primevère** n. f. Plante herbacée à fleurs colorées qui fleurit au début du printemps.

**primitif, ive** adj. et n. **I** adj. **1** Qui est à son origine ou près de son origine. **2** Qui est le plus ancien ou à l'origine. → **initial, originel.** **3** n. f. math. *Primitive d'une fonction*, qui admet cette fonction pour dérivée. **4** Se dit (à tort) des groupes humains à tradition orale, dont les formes sociales et les techniques sont différentes de celles des sociétés industrielles. – *L'art primitif.* **5** (personnes) Simple et grossier. ♦ (choses) *Un procédé primitif.* **II** n. m. **1** Personne d'un groupe social pré-industriel. **2** Artiste (peintre) antérieur à la Renaissance, en Europe occidentale.

**primitivement** adv. À l'origine.

**primo** adv. D'abord, en premier lieu.

**primodélinquant, ante** n. dr. Personne qui commet un premier délit.

**primo-infection** n. f. Première infection (surtout tuberculeuse). *Des primo-infections.*

**primordial, ale, aux** adj. De première importance. → **capital, fondamental.**

**prince** n. m. **1** didact. ou littér. Celui qui possède une souveraineté (à titre personnel et héréditaire) et qui règne. ♦ loc. *Le fait du prince* : acte arbitraire et contraignant du gouvernement. ♦ cour. Souverain régnant sur une principauté. **2** Celui qui appartient à une famille souveraine ; titre des membres de la famille royale, en France. *Les princes du sang* : les proches parents du souverain. **3** (en France) Titulaire du plus haut titre de noblesse. **4** loc. *Être bon prince* : faire preuve de générosité, de tolérance.

**prince de Galles** n. m. invar. Tissu de laine, à lignes fines croisées.

**princeps** [pʀɛ̃sɛps] adj. didact. *Édition princeps* : première édition (d'un ouvrage ancien et rare).

**princesse** n. f. **1** Fille ou femme d'un prince, fille d'un souverain. ♦ loc. fig. *Aux frais de la princesse*, de l'État, d'une collectivité. **2** *Haricots princesse(s)*, à longue cosse.

**princier, ière** adj. **1** De prince, de princesse. **2** fig. Somptueux. ► **princièrement** adv.

**principal, ale, aux** adj. et n. **I 1** Qui est le plus important (parmi plusieurs). → **capital, essentiel.** **2** gramm. adj. et n. f. *(Proposition) principale*, la proposition dont les autres (subordonnées) dépendent. **3** (personnes) Qui a le plus d'importance. *Le principal intéressé.* **II 1** n. m. Ce qu'il y a de plus important. *Il va mieux, c'est le principal.* **2** n. Directeur (d'un collège d'enseignement secondaire).

**principalement** adv. Avant les autres choses, par-dessus tout. → **surtout.**

**principauté** n. f. Petit État indépendant dont le souverain est prince ou princesse.

**principe** n. m. **I 1** didact. Cause première active. → **fondement, origine, source.** **2** *Le principe actif* (d'un médicament, d'une plante). **II 1** didact. Proposition première, posée et non déduite. → **axiome, postulat, prémisse.** **2** Proposition fondamentale ; énoncé d'une loi générale. *Le principe d'Archimède.* **3** au plur. Connaissances de base. → **rudiment.** **III 1** Règle d'action constituant un modèle ou un but. *Partons du principe que...* ♦ *Pour le principe* : pour une raison théorique. **2** au plur. Les règles morales (d'une personne, d'un groupe). **IV** loc. *Par principe* : par une décision a priori. – *De principe.* – *En principe* : théoriquement.

**printanier, ière** adj. Du printemps. ♦ *Tenue printanière*, légère, claire, fleurie.

**printemps** [-tɑ̃] n. m. **1** La saison qui va du 20 ou 21 mars *(équinoxe de printemps)* au 21 ou 22 juin (solstice d'été) dans l'hémisphère nord. **2** fig., littér. *Le printemps de la vie*, la jeunesse. ♦ Période de libéralisation. *Le printemps de Prague. Le printemps arabe.* **3** vieilli ou littér. (d'une personne jeune) Année.

**prion** n. m. Protéine infectieuse (forme altérée d'une protéine naturelle).

**prioriser** v. tr. [1] **1** Donner la priorité à. **2** Définir les priorités de. *Prioriser les besoins d'un foyer.* – absolt *Savoir prioriser.* ► **priorisation** n. f.

**prioritaire** adj. Qui a la priorité. *Véhicules prioritaires.* ► **prioritairement** adv.

**priorité** n. f. **1** Caractère de ce qui vient, passe en premier, dans le temps. *En priorité* : d'abord. **2** Droit de passer le premier. *Priorité à droite.* – *Carte de priorité.*

**pris, prise** adj. **1** (opposé à *libre*) Occupé. *Cette place est-elle prise ?* – *Je suis très pris ce mois-ci.* **2** *Pris de* : subitement affecté de. *Être pris de fièvre. Pris de boisson* : ivre. **3** (organe) Atteint d'une affection. **4** loc. *Taille bien prise*, bien faite. **5** Durci, coagulé. – *L'étang est pris*, gelé.

**prise** n. f. **I 1** Manière de saisir et d'immobiliser l'adversaire. *Prise de judo.* ♦ loc. fig. *Prise de bec**. ♦ loc. *Être aux prises avec* : être en lutte contre. – *Lâcher prise* ; fig. abandonner. **2** Endroit, moyen par lequel une chose peut être tenue. – spécialt Endroit d'un rocher, d'une paroi où l'on peut s'agripper. ♦ loc. fig. *Donner prise à* : s'exposer à. – *Avoir* *prise sur* (qqn, qqch.) : avoir un moyen d'agir sur. **3** Action de s'emparer. *La prise de la Bastille. Prise d'otages.* **4** Ce qui est pris (chasse, pêche, vol...). *Une belle prise.* **II** (dans des loc.) **1** *Prise d'armes* : parade militaire. **2** *Prise de vue(s)* : tournage d'un plan. ♦ *Prise de son* : enregistrement. **3** *Prise de sang* : prélèvement de sang pour une analyse, une transfusion. **4** *Prise directe* : position du changement de vitesse assurant la transmission du mouvement moteur. – fig. *En prise (directe) sur*, en contact direct et actif. **5** (Dispositif qui prend). *Prise d'eau* : robinet, vanne où l'on peut prendre de l'eau. ♦ *Prise de courant ; prise (électrique)* : dispositif de contact électrique. **6** Quantité (de médicaments, drogue, tabac) absorbée en une fois. **III** fig. Action, fait de se mettre à avoir (correspond à *prendre* + n.). *Prise de contact. Prise de conscience ; prise de position.* ♦ *Prise en charge ; en considération.* **IV** Fait de prendre, de durcir. *Ciment à prise rapide.*

① **priser** v. tr. [1] littér. Donner du prix à. → **apprécier, estimer.**

② **priser** v. tr. [1] Aspirer (du tabac) par le nez.

**prismatique** adj. **1** Du prisme. – Qui a la forme d'un prisme. **2** Muni d'un prisme (2) optique.

**prisme** n. m. **1** Polyèdre à deux bases parallèles et dont les faces sont des parallélogrammes. **2** Prisme en matière transparente qui a la propriété de dévier et de décomposer la lumière (→ **spectre**).

**prison** n. f. **I 1** Établissement clos aménagé pour recevoir des délinquants ou des prévenus privés de liberté. **2** fig., littér. Ce qui enferme, emprisonne. **II** Peine privative de liberté. → **détention, emprisonnement, réclusion.** *Deux ans de prison.*

**prisonnier, ière I** n. **1** Personne tombée aux mains de l'ennemi et retenue. *Prisonnier de guerre.* **2** Personne détenue dans une prison. **II** adj. Enfermé ou maintenu sans liberté d'action. *Bateau prisonnier des glaces.* – fig. (personnes) *Prisonnier de* : esclave de.

**privatif, ive** adj. **1** Dont on a la jouissance exclusive mais non la propriété. *Jardin privatif.* **2** gramm. Qui marque l'absence d'un caractère donné. **3** dr. Qui entraîne la privation de. *Peine privative de liberté.*

**privation** n. f. **1** Action de priver (d'une chose dont l'absence entraîne un dommage) ; fait d'être privé. – dr. *Privation des droits civils.* **2** surtout plur. Fait d'être privé de choses nécessaires.

**privatiser** v. tr. [1] **1** Transférer au secteur privé (une entreprise publique). **2** Réserver (un espace public) pour un usage privé. ▷ adj. **privatisé, ée** ► **privatisation** n. f.

**privauté** n. f. littér. Familiarité excessive.

**privé, ée** adj. **1** Où le public n'est pas admis. *Club privé.* – *En privé* loc. adv. **2** Individuel, particulier (opposé à *collectif, commun, public*). *Des intérêts privés. École privée.* **3** Personnel. → **intime.** *Vie privée.* – n. m. *Ils se tutoient dans le privé.* **4** Qui n'a aucune part aux affaires publiques. – (opposé à *officiel*) *À titre privé.* **5** (opposé à *public, national*) Qui n'est pas d'État, ne dépend pas de l'État. *Le secteur privé* ou n. m. fam. *le privé.* **6** *Détective* privé.* – n. m. fam. *Un privé.*

**priver** v. tr. [1] Empêcher (qqn) de jouir d'un bien, d'un avantage ; lui refuser ce qu'il espère. *Priver un héritier de ses droits.* ▷ v. pron. **se priver** (de) Renoncer volontairement (à).

**privilège** n. m. **1** Droit, avantage particulier accordé en dehors de la loi commune. *Les anciens privilèges de la noblesse.* **2** Avantage, faveur que donne qqch. **3** Apanage naturel. *Le privilège de* (→ le propre de).

**privilégié, ée** adj. **1** Qui bénéficie de privilèges. ♦ spécialt Qui jouit d'avantages matériels considérables. – n. *Les privilégiés.* **2** (choses) littér. Exceptionnel ; qui convient mieux que tout autre.

**privilégier** v. tr. [7] Doter d'un privilège ; accorder une importance particulière à (qqn, qqch.). → **avantager, favoriser.**

**prix** n. m. **I 1** Rapport d'échange entre un bien ou un service et la monnaie. → **coût, valeur.** – *Y mettre le prix* : payer ce qu'il faut. – *Au prix fort* : sans remise. *Un prix fou*, excessif. – *Prix d'ami*, consenti par faveur (plus bas). *Je vous fais un prix*, une réduction. – *Prix toutes taxes comprises (prix T. T. C.).* ♦ *Prix de revient* : somme des coûts d'achat, de production et de distribution. ♦ loc. *De prix* : qui coûte cher. – *Hors de prix* : extrêmement coûteux. ♦ *Mettre à prix* : proposer en vente. *Mise à prix.* – fig. *Sa tête est mise à prix*, une récompense est promise à qui le capturera. **2** Étiquette, marque indiquant le prix. **3** hist. *Le prix du sang* : la peine à subir pour avoir causé la mort d'une personne. **4** fig. Ce qu'il en coûte pour obtenir qqch. *Le prix de la gloire.* → **rançon.** – (dans des loc.) Valeur. *Donner du prix à qqch.* – *Je ne céderai à aucun prix*, jamais. – *À tout prix* : quoi qu'il puisse en coûter. **II 1** Récompense honorifique décernée. *Le prix Nobel de physique.* ♦ Le lauréat ; l'œuvre primée. **2** Épreuve à l'issue de laquelle est décerné un prix.

**pro** adj. et n. fam. **1** Professionnel (en sports). **2** Personne qualifiée dans son métier. **3** adj. (dans l'enseignement) Professionnel. *Bac pro.*

**probabilité** n. f. **1** Caractère de ce qui est probable. **2** Grandeur évaluant le nombre de chances qu'a un phénomène de se produire. – *Calcul des probabilités.* **3** surtout au plur. Indice qui laisse à penser qu'une chose est probable.

**probable** adj. **1** Qui peut être ; plutôt vrai que faux. *Une hypothèse probable.* **2** Qui peut être prévu raisonnablement. → **vraisemblable.** ► **probablement** adv.

**probant, ante** adj. (choses) Qui prouve.

**probation** n. f. didact. Temps de mise à l'épreuve.

**probatoire** adj. didact. Qui permet de vérifier le niveau d'un candidat.

**probe** adj. littér. Honnête, intègre. ► **probité** n. f.

**problématique** **I** adj. **1** Dont l'existence, la vérité, la réussite est douteuse. **2** Qui pose un problème ; difficile. **II** n. f. didact. Ensemble des problèmes qui se posent sur un sujet.

**problème** n. m. **1** Question à résoudre qui prête à discussion, en science. – *Faux problème.* ♦ (contexte scolaire) Question à résoudre par des éléments fournis. **2** Difficulté qu'il faut résoudre pour obtenir un résultat ; situation instable ou dangereuse exigeant une décision. → **question.** ♦ *Avoir des problèmes de santé, d'argent.* → **ennui.** *Problèmes (psychologiques).* **3** loc. fam. *Pas de problème :* c'est simple, facile. *Sans problème :* facilement.

**proboscidien** n. m. zool. Mammifère ongulé de très grande taille, à trompe préhensile (ex. l'éléphant).

**procaryote** adj. et n. m. biol. Se dit d'un organisme dont le noyau cellulaire est mêlé au cytoplasme (s'oppose à *eucaryote*).

**procédé** n. m. **I** **1** surtout au plur. Façon d'agir à l'égard d'autrui. – loc. *Échange de bons procédés :* services (iron. malveillances) réciproques. **2** Méthode pour parvenir à un résultat. *Procédé de fabrication.* **II** Rondelle de cuir au petit bout d'une queue de billard.

**procéder** v. [6] **I** v. intr. **1** littér. *Procéder de :* tenir de, tirer son origine de. → **découler, émaner.** **2** Agir (de telle manière). *Procéder avec méthode.* **II** v. tr. ind. *Procéder à.* dr. Exécuter (un acte juridique). *Procéder à une enquête.* ♦ Faire, exécuter.

**procédure** n. f. **1** Manière de procéder juridiquement ; série de formalités. *Procédure de divorce.* **2** Branche du droit qui détermine ou étudie les règles d'organisation judiciaire. **3** techn. Succession de procédés (I, 2).

**procédurier, ière** adj. et n. péj. Enclin à la procédure. → **chicanier.**

**procès** n. m. **I** didact. → **processus.** ♦ ling. Action, état qu'exprime un verbe. **II** **1** Litige soumis à une juridiction. *Intenter un procès à qqn.* **2** loc. fig. Critique. *Faire le procès de qqn, qqch.* **3** loc. *Sans autre forme de procès :* sans formalité.

**processeur** n. m. inform. Système qui interprète et exécute les instructions.

**procession** n. f. **1** Défilé religieux qui s'effectue en chantant et en priant. **2** Succession, file. *Une procession de fourmis.*

**processionnaire** adj. zool. *Chenilles processionnaires,* qui se déplacent en file.

**processus** [-ys] n. m. **1** didact. Ensemble actif de phénomènes, organisé dans le temps. → **évolution.** *Processus biologique.* **2** Façon de procéder. ♦ Suite ordonnée d'opérations.

**procès-verbal, aux** n. m. **1** Acte d'une autorité compétente qui constate un fait à conséquences juridiques. – spécialt Contravention (abrév. fam. P.-V.). **2** Relation officielle de ce qui a été dit ou fait. → **compte rendu.**

**prochain, aine** **I** adj. Très rapproché. → **proche.** **1** (dans l'espace) *Le prochain arrêt.* → **suivant.** – ellipt n. f. *Vous descendez à la prochaine* (station) ? **2** (dans le temps) Près de se produire. – *La semaine prochaine.* ♦ (avant le nom) *La prochaine fois.* fam. *À la prochaine !* (formule de départ, de séparation). **II** n. m. Personne, être humain considéré comme un semblable.

**prochainement** adv. Dans un proche avenir. → **bientôt.**

**proche** **I** adv. *De proche en proche :* en avançant par degrés, peu à peu. **II** adj. **1** (dans l'espace) Voisin. *La ville est toute proche. Le Proche-Orient.* **2** littér. (dans le temps) Qui va bientôt arriver. → **imminent.** ♦ Récent. *Des événements tout proches de nous.* **3** fig. Peu différent. → **approchant, semblable.** **4** Dont les liens sont étroits. *Proches parents. Un ami très proche.* – n. *Les proches :* les parents (au sens large).

**proclamer** v. tr. [1] **1** Publier ou reconnaître par un acte officiel. **2** Annoncer ou déclarer auprès d'un vaste public. *Proclamer son innocence.* ► **proclamation** n. f.

**proconsul** n. m. Antiq. Ex-consul nommé gouverneur d'une province romaine.

**procrastination** n. f. littér. ou plais. Tendance à remettre au lendemain, à ajourner. ► **procrastiner** v. intr. [1]

**procréation** n. f. littér. Action de procréer. – didact. (méd.) *Procréation naturelle, assistée* (→ **P. M. A.**). ► **procréatif, ive** adj.

**procréer** v. tr. [1] littér. (espèce humaine) Engendrer. → **enfanter.** ► **procréateur, trice** adj. et n.

**procurateur** n. m. Antiq. Intendant des domaines impériaux (provinces romaines).

**procuration** n. f. Document par lequel on autorise autrui à agir à sa place.

**procure** n. f. **1** relig. Office de procureur (3). **2** Magasin d'articles religieux.

**procurer** v. tr. [1] **1** Obtenir pour qqn (qqch. d'utile ou d'agréable). – pronom. *Se procurer.* **2** (sujet chose) Être la cause ou l'occasion de.

**procureur** n. **1** dr. Titulaire d'une procuration juridique. **2** *Procureur de la République :* représentant du ministère public près du tribunal de grande instance. *Procureur général* (près la Cour de cassation, la Cour des comptes et les cours d'appel).

**3** n. m. Religieux chargé des intérêts temporels de la communauté (→ **procure**).

**prodigalité** n. f. littér. **1** Caractère prodigue ; générosité. **2** Dépense excessive.

**prodige** n. m. **1** Événement extraordinaire, magique ou surnaturel. **2** Acte extraordinaire. **3** Personne extraordinaire. – appos. *Enfant prodige.*

> Ne pas confondre avec *prodigue* «qui dépense trop».

**prodigieux, ieuse** adj. Extraordinaire. → **étonnant, stupéfiant.** – *Une quantité prodigieuse.* → **considérable.** ► **prodigieusement** adv.

**prodigue** adj. **1** Qui fait des dépenses excessives. – *L'enfant prodigue,* accueilli avec joie au foyer après une longue absence (allusion à l'Évangile). **2** fig. *Prodigue de :* qui prodigue.

> Ne pas confondre avec *prodige* «extraordinaire».

**prodiguer** v. tr. [1] Accorder, distribuer généreusement, employer sans compter. ▷ v. pron. se **prodiguer** Se dépenser.

**pro domo** loc. adj. *Plaidoyer pro domo :* pour sa propre cause.

**prodrome** n. m. **1** littér. Ce qui annonce un événement. **2** méd. Symptôme avant-coureur d'une maladie.

**producteur, trice** **1** adj. Qui produit qqch. **2** n. (opposé à *consommateur*) Personne qui produit des biens ou assure des services. **3** n. Personne, société qui assure le financement d'un film, d'un spectacle... ♦ Personne qui conçoit une émission (radio, télévision).

**productif, ive** adj. Qui produit, crée. – Qui est d'un bon rapport.

**production** n. f. **I 1** Action de provoquer (un phénomène) ; manière de se produire. **2** Ouvrage produit par qqn ; ensemble des œuvres. **3** (opposé à *consommation*) Fait de créer ou de transformer des biens, d'assurer des services. *Moyens de production* (sol, instruments, machines...). *Facteurs de production* (énergie, travail, capital). – Ce qui est produit. **4** Fait de produire (un film, un spectacle, une émission...). – Le film produit. **II** Fait de produire (II) un document.

**productivité** n. f. **1** Caractère productif. **2** Rapport du produit aux facteurs de production. → **rendement.**

**produire** v. tr. [38] **I** Faire exister (ce qui n'existe pas encore). → **créer. 1** Causer, provoquer (un phénomène). *Produire une forte impression sur qqn.* **2** (écrivain, artiste) Composer (une œuvre). **3** Former naturellement. *Cet arbre produit de beaux fruits.* **4** Faire exister, par une activité économique. **5** Assurer la réalisation matérielle de (un film, une émission, un spectacle). → **production. II** dr. Présenter (un document). – par ext. *Produire des témoins.* ▷ v. pron. se **produire** **1** Jouer, paraître en public au cours d'une représentation. **2** Survenir, avoir lieu. – impers. *Il se produisit un incident.*

**produit** n. m. **I 1** Nombre, résultat d'une multiplication. **2** Rapport (d'une propriété, d'une activité). → **bénéfice, profit.** – *Produit intérieur brut (P. I. B.) :* valeurs réalisées en un an par un pays, à l'intérieur de ses frontières. *Produit national brut (P. N. B.) :* somme du P. I. B. et des valeurs créées à l'étranger. **II 1** Ce qui résulte d'un processus naturel, d'une opération humaine. *Les produits de la terre.* **2** Substance chimique complexe. *Produit de synthèse.* ♦ *Produits organiques.* **3** Production de l'agriculture ou de l'industrie. *Produits finis.* – *Produits alimentaires.* ♦ (produit commercialisé) *Un produit pour laver la vaisselle.*

**proéminent, ente** adj. Qui dépasse en relief ce qui l'entoure, forme une avancée. ► **proéminence** n. f.

**prof** n. fam. Professeur.

**profanateur, trice** n. et adj. littér. (Personne) qui profane.

**profane** adj. et n. **1** littér. Étranger à la religion (opposé à *religieux, sacré*). – n. m. *Le sacré et le profane.* **2** (Personne) qui n'est pas initiée à une religion, un art, un domaine. ♦ n. m. (collectif) Les gens non initiés.

**profaner** v. tr. [1] **1** Traiter sans respect (un objet, un lieu), en violant le caractère sacré. **2** fig. Avilir, souiller. ► **profanation** n. f.

**proférer** v. tr. [6] Articuler à voix haute.

**professer** v. tr. [1] **1** littér. Déclarer hautement avoir (un sentiment, une croyance). **2** Enseigner comme professeur.

**professeur** n. Personne (diplômée) qui enseigne une discipline. → **enseignant.** – *Professeur des écoles.* → **instituteur.**

**profession** n. f. **I** littér. loc. *Faire profession de* (une opinion, une croyance), professer. ♦ *Profession de foi :* manifeste. **II 1** Occupation dont on peut tirer ses moyens d'existence. → **métier. 2** Métier qui a un certain prestige. *Les professions libérales.* **3** loc. *De profession :* professionnel.

**professionnaliser** v. tr. [1] **1** Donner à (une activité) le caractère d'une profession. **2** Rendre (qqn) professionnel. **3** Adapter (une formation) à une activité professionnelle. ▷ v. pron. se **professionnaliser** ► **professionnalisation** n. f.

**professionnalisme** n. m. Caractère professionnel (opposé à *amateurisme*).

**professionnel, elle** adj. et n. **I 1** Relatif à la profession. – *Enseignement professionnel,* enseignement du second degré qui prépare et conduit à la vie active. *Lycée professionnel.* **2** De profession. *Sportif professionnel* (opposé à *amateur*) ; n. *passer professionnel.* **II** n. **1** Personne de métier (opposé à *amateur*). *Du travail de professionnel.* → **pro** (fam.). **2** n. f. fam. Prostituée.

**professionnellement** adv. **1** De façon professionnelle. **2** Du point de vue de la profession.

**professoral, ale, aux** adj. Propre aux professeurs.

**professorat** n. m. Situation de professeur.

**profil** [-il] n. m. **1** Aspect du visage vu par un de ses côtés. – arts *Profil perdu :* tête vue de côté par l'arrière. ♦ loc. fig. *Profil bas :* réserve (par calcul). **2** (visage, corps) *De profil :* en étant vu par le côté. **3** Représentation dont le contour se détache. → **silhouette.** ♦ didact. Coupe perpendiculaire. *Le profil d'une corniche ; d'une rivière.* **4** fig. Ensemble d'aptitudes, de caractéristiques psychologiques personnelles. *Il n'a pas le profil pour ce poste.*

**profilé, ée** adj. techn. Auquel on a donné un contour déterminé. – n. m. *Profilés métalliques* (cornières, poutres, rails, etc.).

**profiler** v. tr. [1] **1** (sujet chose) Présenter les contours de (qqch.) avec netteté. **2** techn. Établir le profil de. ▷ v. pron. **se profiler** Se montrer en silhouette, avec des contours précis. – fig. *Des ennuis se profilent à l'horizon.* ► **profilage** n. m.

① **profileur** n. m. techn. Instrument qui sert à profiler (une voie...).

② **profileur, euse** n. anglic., didact. Professionnel qui dresse le profil psychologique d'un criminel, pour chercher à l'identifier.

**profit** n. m. **1** Augmentation des biens, amélioration de situation qui résulte d'une activité. *Il ne cherche que son profit.* ♦ loc. *Mettre à profit :* utiliser. ♦ *Au profit de qqn, qqch.*, au bénéfice de. ♦ (sujet chose) *Faire du profit :* être d'un usage économique. **2** Gain, avantage financier. **3** *Le profit :* ce que rapporte une activité économique, en plus du salaire du travail. → **plus-value.**

**profitable** adj. Qui apporte un profit, un avantage. → **fructueux, utile.**

**profiter** v. tr. ind. [1] **1** *Profiter de :* tirer avantage de. *Profiter d'une occasion.* → **saisir.** – *Profiter de qqch. pour :* prendre prétexte de. – *Profiter de qqn,* l'exploiter. **2** intrans. fam. ou région. Se développer, se fortifier. **3** *Profiter à qqn, qqch.*, apporter du profit ; être utile à.

**profiterole** n. f. Petit chou fourré de glace et nappé de chocolat chaud.

**profiteur, euse** n. péj. Personne qui tire des profits immoraux de qqch., de qqn.

**profond, onde** adj. **I** concret **1** Dont le fond est très bas (par rapport à l'orifice, aux bords). *Un trou profond.* – (eaux) Dont le fond est loin de la surface. **2** Qui est loin au-dessous d'une surface. *Racines profondes.* **3** Dont le fond est loin de l'orifice, des bords. *Un placard profond. – Forêt profonde.* **4** (trace, empreinte...) Très marqué. *Des rides profondes.* **II** fig. **1** Qui évoque la profondeur. → **intense.** *Un regard profond. – Un sommeil profond.* **2** (mouvement, opération) Qui descend très bas ou pénètre très avant. **III** abstrait **1** Qui va au fond des choses. *Un esprit profond.* → **pénétrant.** – *De profondes réflexions.* **2** Intérieur. *Nos tendances profondes. – La France profonde.* **3** Très grand, extrême. → **intense.** *Un ennui profond.* **IV** adv. En profondeur. → **bas.** *Creuser très profond.* ► **profondément** adv. *Creuser profondément. – Dormir profondément. – Profondément convaincu.* → **intimement.**

**profondeur** n. f. **I** concret **1** Caractère de ce qui est profond (I). **2** Dimension verticale (vers le bas) ; distance au-dessous de la surface (du sol, de l'eau). *À deux mètres de profondeur.* **3** *La profondeur d'un tiroir.* ♦ *Profondeur de champ (d'un objectif).* **II** **1** Suggestion d'un espace à trois dimensions sur une surface. **2** fig. *La profondeur d'un regard.* **III** fig. **1** Qualité de ce qui va au fond des choses, au-delà des apparences. **2** (vie affective) Caractère de ce qui est durable, intense. *La profondeur d'un sentiment.* **3** Partie la plus intérieure, difficile à pénétrer. *La psychologie des profondeurs :* la psychanalyse.

**pro forma** loc. adj. invar. *Facture pro forma :* facture anticipée.

**profus, use** adj. littér. ou didact. Qui se répand en abondance. → **abondant.** ► **profusément** adv.

**profusion** n. f. Grande abondance. – loc. *À profusion.* → **abondamment.**

**progéniture** n. f. littér. Descendance (d'un être humain, d'un animal).

**progestatif, ive** adj. biol. Qui favorise les processus de la grossesse. – n. m. Substance progestative. *Progestatifs de synthèse.*

**progestérone** n. f. biol. Hormone sexuelle femelle sécrétée après l'ovulation.

**progiciel** n. m. inform. Ensemble de programmes informatiques commercialisés en vue d'un type d'utilisation.

**prognathe** [-gnat] adj. didact. Qui a le maxillaire inférieur proéminent. ► **prognathisme** n. m.

**programmable** adj. Que l'on peut programmer, régler à l'avance.

**programmateur, trice** **1** n. Personne chargée de la programmation (1). **2** n. m. Système qui commande le déroulement d'une série d'opérations.

**programmation** n. f. **1** Organisation des programmes (cinéma, radio, télévision). **2** Élaboration d'un programme (4).

**programme** n. m. **1** Description des parties d'une cérémonie, d'un spectacle. *Changement de programme.* **2** Matières enseignées dans un cycle d'études ou sujet d'un examen. **3** Suite d'actions à accomplir pour arriver à un résultat. → **plan, projet.** ♦ *Programme électoral.* **4** Suite ordonnée d'opérations. ♦ inform. Suite d'instructions destinées à être exécutées par un ordinateur.

**programmer** v. tr. [1] **1** Inclure dans un programme (cinéma, radio, télévision). **2** Élaborer un programme (4). **3** fam. Prévoir et organiser. → **planifier.**

**programmeur, euse** n. Spécialiste qui établit le programme d'un ordinateur.

**progrès** n. m. **1** surtout au plur. Avance d'une troupe, d'une armée. → **progression.** ♦ Fait de se répandre. → **propagation.** **2** Changement d'état, passage à un degré supérieur. → **développement.** *La criminalité est en progrès.* **3** Amélioration. ♦ *Le progrès :* l'évolution de l'humanité, de la civilisation vers un terme idéal.

**progresser** v. intr. [1] **1** Se développer, être en progrès. *Le mal progresse.* ♦ Faire des progrès (3). **2** Avancer, gagner du terrain. *L'ennemi progresse.*

**progressif, ive** adj. Qui s'effectue d'une manière régulière et continue. → **graduel ; progression** (3). ► **progressivement** adv. ► **progressivité** n. f.

**progression** n. f. **1** Suite de nombres dans laquelle chaque terme est déduit du précédent par une loi constante. *Progression arithmétique*, géométrique*.* **2** Avance élaborée, organisée. **3** Développement par degrés, régulier et continu.

**progressiste** adj. et n. Partisan du progrès politique, social. ► **progressisme** n. m.

**prohiber** v. tr. [1] Défendre, interdire par une mesure légale. ▷ adj. **prohibé, ée** *Armes prohibées.*

**prohibitif, ive** adj. **1** dr. Qui défend, interdit légalement. *Des mesures prohibitives.* **2** *Droits, tarifs douaniers prohibitifs,* si élevés qu'ils équivalent à une prohibition. ♦ cour. (prix) Trop élevé, excessif.

**prohibition** n. f. **1** Interdiction légale. **2** Interdiction portant sur certaines marchandises. - absolt *La prohibition* (de l'alcool, de 1919 à 1933, aux États-Unis).

**proie** n. f. **1** Être vivant dont un animal s'empare pour le dévorer. *Oiseau de proie.* → **rapace.** - loc. fig. *Lâcher la proie pour l'ombre*.* **2** Bien dont on s'empare par la force. **3** *Être la proie de :* être absorbé, pris par (un sentiment, une force hostile). *Être la proie des remords.* **4** *En proie à :* tourmenté par (un mal, un sentiment).

**projecteur** n. m. **1** Appareil qui projette des rayons lumineux. **2** Appareil projetant des images sur un écran.

**projectif, ive** adj. didact. De la projection (2 et 4).

**projectile** n. m. Objet lancé avec force contre qqn, qqch. ♦ spécialt Balle, obus.

**projection** n. f. **1** Action de projeter, de lancer en avant. - Lancement (de projectiles). ♦ au plur. *Les projections d'un volcan.* **2** géom. Opération par laquelle on fait correspondre, à un ou plusieurs points de l'espace, un point ou un ensemble de points sur une droite ou sur une surface. *Projection orthogonale.* **3** Action de projeter (une image, un film) sur un écran. **4** psych. Mécanisme de défense par lequel le sujet voit chez autrui ses idées, ses affects.

**projectionniste** n. Technicien(ne) chargé(e) de la projection des films.

**projet** n. m. **1** Image d'une situation, d'un état que l'on souhaite atteindre. → **dessein, intention, plan.** **2** Brouillon, ébauche. *Laisser qqch. à l'état de projet.* - *En projet :* à l'étude. ♦ Dessin, modèle (avant réalisation).

**projeter** v. tr. [4] **I 1** Jeter en avant et avec force. **2** sc. Figurer, tracer en projection (2). *Projeter un volume sur un plan.* **3** Envoyer sur une surface (des rayons lumineux, une image). *Projeter un film.* **4** psych. *Projeter un sentiment sur qqn* (→ **projection** (4)). **II** (→ projet) Former l'idée de (ce que l'on veut faire et les moyens pour y parvenir). ► **projeteur, euse** n.

**prolapsus** [-ys] n. m. méd. Descente (d'un organe ou d'une partie d'organe).

**prolégomènes** n. m. pl. didact. **1** Ample préface. **2** Principes préliminaires.

**prolepse** n. f. didact. Figure de rhétorique par laquelle on va au-devant des objections.

**prolétaire** n. **1** Antiq. rom. Citoyen de la dernière classe du peuple, exempt d'impôt. **2** mod. Ouvrier, paysan, employé qui ne vit que de son salaire. - spécialt Travailleur manuel de la grande industrie. - abrév. fam. **prolo.** ► **prolétarien, ienne** adj.

**prolétariat** n. m. Classe sociale des prolétaires (1 et 2).

**prolétariser** v. tr. [1] Réduire à la condition de prolétaire. ► **prolétarisation** n. f.

**proliférer** v. intr. [6] **1** (cellules vivantes) Se multiplier en se reproduisant. **2** (plantes, animaux) Se multiplier en abondance, rapidement. ♦ fig. → **foisonner.** ► **prolifération** n. f.

**prolifique** adj. **1** Qui se multiplie rapidement. **2** fig. Qui produit beaucoup. *Un romancier prolifique.* ► **prolificité** n. f.

**prolixe** adj. Qui est trop long (écrivain ; texte). ► **prolixité** n. f.

**prologue** n. m. **1** Texte introductif (spécialt au théâtre). **2** fig. Préliminaire, prélude (2).

**prolongateur** n. m. Cordon électrique, rallonge.

**prolongation** n. f. **1** Action de prolonger dans le temps ; temps prolongé. **2** sports Chacune des deux périodes supplémentaires qui prolongent un match pour départager deux équipes à égalité. *Jouer les prolongations.*

**prolongement** n. m. **1** Action de prolonger dans l'espace. ♦ loc. *Dans le prolongement (de...).* **2** Ce qui prolonge la partie principale (d'une chose). *Les prolongements de la cellule nerveuse.* **3** Ce par quoi un événement, une situation se prolonge. → **conséquence, suite.**

**prolonger** v. tr. [3] **1** (temporel) Faire durer plus longtemps. *Prolonger un débat.* **- pronom.** Durer plus longtemps que prévu. **2** (spatial) Faire aller plus loin dans le sens de la longueur. **3** (sujet chose) Être le prolongement de. ▷ **adj. prolongé, ée**

**promenade** n. f. **1** Action de se promener ; trajet fait en se promenant. → **balade, marche. 2** Lieu aménagé pour les promeneurs. → **avenue, cours.**

**promener** v. tr. [5] **1** Faire aller dans plusieurs endroits, pour le plaisir. **2** Déplacer, faire aller et venir (qqch.). *Promener son regard sur...* **3** Faire aller avec soi. *Promener son ennui.* ▷ v. pron. se **promener** Aller, marcher pour le plaisir. → fam. se **balader.** fam. (sans pron.) *Envoyer promener qqn, qqch. :* repousser, rejeter.

**promeneur, euse** n. Personne qui se promène à pied.

**promenoir** n. m. **1** Lieu destiné à la promenade (couvent, prison...). **2** Partie d'une salle de spectacle où les spectateurs étaient debout (et pouvaient circuler).

**promesse** n. f. **1** Ce que l'on s'engage à faire. *Tenir sa promesse.* **2** Engagement. *Promesse de vente.* **3** Ce qui donne à espérer d'heureuses suites.

**prometteur, euse** adj. Plein de promesses (3). *Des débuts prometteurs.*

**promettre** v. tr. [56] **1** S'engager envers qqn à faire qqch. *Il lui a promis son aide.* **2** Affirmer, assurer. *Je vous promets qu'il s'en repentira.* **3** S'engager envers qqn à donner (qqch.). - loc. *Promettre la lune, monts et merveilles,* des choses impossibles. **4** (sujet chose) Annoncer. ♦ Faire espérer. *Ce nuage ne promet rien de bon.* **5** sans compl. Donner de grandes espérances (→ **prometteur**). - fam. *Ça promet !,* ça va être pire. ▷ v. pron. se **promettre** Espérer, compter sur. - *Se promettre de* (+ inf.) : faire le projet de.

**promis, ise I** adj. **1** Qui a été promis. loc. *Chose promise, chose due.* - *La terre promise* (au peuple hébreu, dans la Bible) ; fig. pays, milieu dont on rêve. **2** *Promis à :* destiné à, voué à. **II** n. région. Fiancé(e). *Sa promise.*

**promiscuité** n. f. Situation qui oblige des personnes à vivre côte à côte, trop près.

**promontoire** n. m. Pointe de terre, de relief élevé, en saillie dans la mer.

**promoteur, trice** n. **1** littér. Personne qui donne la première impulsion (à qqch.). → **instigateur. 2** *Promoteur (immobilier),* qui assure la construction d'immeubles.

**promotion** n. f. **1** Fait de parvenir à un grade, un emploi supérieur. → **avancement.** - *Promotion sociale.* **2** Ensemble des candidats admis la même année (à certaines grandes écoles). **3** Action de promouvoir (2). ♦ *Promotion des ventes :* développement des ventes ; techniques, services qui s'en chargent. - *En promotion,* vendu moins cher que la normale. **4** *Promotion immobilière :* activité du promoteur (2).

**promotionnel, elle** adj. Qui favorise l'expansion des ventes. *Vente promotionnelle,* à prix réduit.

**promouvoir** v. tr. [27] rare, sauf à l'inf. et au p. p. **1** Élever à une dignité, un grade supérieur. - passif et p. p. *Être promu directeur.* **2** Encourager, provoquer la création, l'essor de (qqch.). *Promouvoir la recherche scientifique.*

**prompt, prompte** [pʀɔ̃, pʀɔ̃t ; pʀɔ̃pt] adj. **I 1** littér. Qui agit sans tarder. - *Prompt à... Être prompt à la colère.* **2** (choses) Qui ne tarde pas à se produire. **II 1** littér. (personnes) Rapide. **2** (choses) Qui se produit en peu de temps. *Une prompte riposte.* ► **promptement** adv. ► **promptitude** n. f.

**prompteur** [-pt-] n. m. anglic. Appareil qui fait défiler au-dessus d'une caméra de télévision un texte à lire.

**promulguer** v. tr. [1] Décréter (une loi) valable et exécutoire. ► **promulgation** n. f.

**pronation** n. f. didact. (opposé à *supination*) Mouvement de rotation interne de la main et de l'avant-bras (muscles *pronateurs*).

**prône** n. m. relig. Sermon du dimanche.

**prôner** v. tr. [1] Vanter et recommander sans réserve et avec insistance.

**pronom** n. m. gramm. Mot qui a les fonctions du nom et qui représente ou remplace un nom. *Pronoms démonstratifs* (ceci, cela...), *indéfinis* (on, certains...), *interrogatifs* (qui, quoi...), *personnels* (je, tu...), *possessifs* (le mien, le tien...), *relatifs* (que, qui, auquel...).

**pronominal, ale, aux** adj. **1** Relatif au pronom. **2** *Verbe pronominal,* précédé d'un pronom personnel réfléchi. ► **pronominalement** adv.

**prononcé, ée** adj. **I** Déclaré, dit. **II** Très perceptible. *Un goût prononcé pour la musique.*

**prononcer** v. [3] **I** v. tr. **1** Rendre, lire (un jugement) ; faire connaître (une décision). *Prononcer un arrêt.* **2** Dire (un mot, une phrase). **3** Articuler d'une certaine manière (les sons du langage). - pronom. (passif) *Ce mot s'écrit comme il se prononce.* **4** Faire entendre, dire ou lire publiquement (un texte). *Prononcer un discours.* **II** v. intr. dr. Rendre un arrêt, un jugement. *La cour a prononcé.* ▷ v. pron. se **prononcer** Se décider, se déterminer. *Se prononcer en faveur de qqn.* ► **prononçable** adj.

**prononciation** n. f. Manière dont les sons du langage sont articulés (→ **phonétique**), dont un mot est prononcé.

**pronostic** n. m. **1** Jugement que porte un médecin (après le diagnostic) sur la durée et l'issue d'une maladie. **2** Conjecture, hypothèse. - spécialt *Le pronostic des courses* (de chevaux).

**pronostiquer** v. tr. 1 **1** méd. Émettre le pronostic de. **2** Donner un pronostic sur (ce qui doit arriver). → **annoncer, prévoir.**

**pronostiqueur, euse** n. Personne qui fait des pronostics (spécialt qui établit les pronostics sportifs).

**propagande** n. f. Action exercée sur l'opinion pour l'amener à avoir, à soutenir certaines idées (surtout politiques). *Propagande et publicité.* → **persuasion.** ► **propagandiste** n.

**propagateur, trice** n. Personne qui propage (une religion, une opinion).

**propager** v. tr. 3 Répandre, diffuser (des idées, des paroles, etc.). *Propager une nouvelle.* ▷ v. pron. se **propager** **1** Se multiplier par reproduction ; proliférer. **2** Se répandre. *L'incendie se propage.* **3** (phénomène vibratoire) S'étendre en s'éloignant de sa source. ► **propagation** n. f.

**propane** n. m. Gaz naturel ou raffiné, hydrocarbure vendu en bouteilles comme combustible.

**propédeutique** adj. didact. Qui prépare (à des études, etc.).

**propension** n. f. *Propension à,* tendance naturelle à.

**propergol** n. m. chim. Substance productrice d'énergie utilisée pour la propulsion des fusées.

**prophète, prophétesse** n. **1** Personne inspirée par la divinité, qui prédit l'avenir, révèle des vérités cachées. *Les prophètes de la Bible.* – *Le Prophète,* Mahomet. – loc. *Faux prophète :* imposteur. **2** fig. Personne qui prédit ou annonce l'avenir. – prov. (Évangile) *Nul n'est prophète en son pays :* il est difficile d'être reconnu par ses compatriotes.

**prophétie** n. f. **1** Ce qui est prédit par un prophète (1 et 2). **2** Prédiction.

**prophétique** adj. Qui a rapport à un prophète, à la prophétie. – (passé) *Des paroles prophétiques,* confirmées plus tard.

**prophétiser** v. tr. 1 **1** Prédire, en se proclamant inspiré par la divinité. **2** Prédire, annoncer (ce qui va arriver).

**prophylaxie** n. f. Ensemble des mesures à prendre pour prévenir les maladies. → **hygiène, prévention.** ► **prophylactique** adj.

**propice** adj. **1** littér. (divinité) Bien disposé, favorable. **2** (choses) *Propice à...,* qui se prête tout particulièrement à. → **bon** pour. ♦ cour. Opportun, favorable. *Choisir le moment propice.*

**propitiatoire** adj. littér. Qui a pour but de rendre la divinité propice.

**proportion** n. f. **1** (qualité) Rapport entre les éléments d'un ensemble ; équilibre des surfaces, des masses, des dimensions. – au plur. *Une statue aux proportions harmonieuses.* **2** (quantité) Rapport. → **pourcentage, taux.** ♦ loc. *À proportion de... :* suivant la grandeur relative de. – *À proportion que* (+ indic.) : à mesure que. – *En proportion de.* → en **comparaison** de, **relativement** à. – *À, en proportion :* suivant la même proportion. – *Hors de proportion,* sans commune mesure avec... → **disproportionné. 3** au plur. Dimensions (par référence implicite à une échelle, une mesure).

**proportionné, ée** adj. **1** *Proportionné à,* qui a un rapport normal avec (s'oppose à *disproportionné*). **2** *Bien proportionné :* qui a de belles proportions (1), bien fait.

**proportionnel, elle** adj. **1** Qui a une proportion (bonne, égale, constante). ♦ math. *Suite proportionnelle,* chacune des fractions donnée pour égale à une autre. – *Moyenne, grandeur proportionnelle.* **2** Qui est en rapport avec (qqch.), varie dans le même sens. *Salaire proportionnel au travail fourni.* – *Impôt proportionnel,* à taux invariable (opposé à *progressif*). ► **proportionnalité** n. f. ► **proportionnellement** adv. **3** *Représentation proportionnelle* ou n. f. *la proportionnelle,* où les élus de chaque liste sont en nombre proportionnel à celui des votes.

**proportionner** v. tr. 1 Rendre (une chose) proportionnelle (à une autre).

**propos** n. m. **I** au sing. **1** littér. Ce qu'on se fixe pour but. → **dessein, intention. 2** loc. *À propos de :* au sujet de. – *À tout propos.* – *À propos, à ce propos* (→ au fait). – *Mal à propos,* de manière intempestive. ♦ *À propos* loc. adv. : quand, où il faut ; avec discernement. *Cela tombe à propos.* ♦ *Hors de propos* loc. adv. : mal à propos ; loc. adj. inopportun. **II** *Un, des propos :* paroles dites au sujet de qqn, qqch., mots échangés. *Des propos en l'air.*

**proposer** v. tr. 1 **I** *Proposer qqch. à qqn.* **1** Faire connaître, soumettre à qqn. *On leur proposa un nouveau projet.* **2** *Proposer à qqn de* (+ inf.) : demander de prendre part à. **3** Demander à qqn d'accepter. *On lui a proposé de l'argent.* → **offrir. 4** Donner (un sujet, un thème). **II** *Proposer qqn :* désigner (qqn) comme candidat. ▷ v. pron. se **proposer** **1** Se fixer (un but) ; former le projet (de faire). **2** Poser sa candidature.

**proposition** n. f. **1** Action de proposer (I) ; ce qui est proposé. → **offre.** – spécialt Demande de relations sexuelles. **2** log. Assertion considérée dans son contenu. *Démontrer qu'une proposition est vraie.* **3** gramm. Énoncé, phrase simple ou élément d'une phrase complexe. *Proposition principale, subordonnée.*

**propre** adj. **I** (→ propriété) **1** (subst. + *propre*). Qui appartient d'une manière exclusive ou particulière à qqn, qqch. – *En mains propres.* → **main** (I, 4). – *Nom propre* (opposé à *nom commun*) : nom qui s'applique à une chose unique (personne, lieu...). – *Sens propre* (opposé à *sens figuré*). → **littéral.** ♦ *Propre à...,* particulier à. **2** (possessif + *propre* + subst. : renforce le possessif). *Ce sont ses propres mots,* exactement ceux qu'il a employés. → **même.** **3** (après le nom) Qui convient particulièrement (opposé à *impropre*). *Le mot propre.* → **exact, juste.** *Une atmosphère propre au travail.* → **propice.** – (personnes) *Propre à.* → **apte.** – loc. (adj. et n.) *Propre à rien* : personne qui ne sait ou ne veut rien faire. **4** n. m. *Avoir un bien en propre,* à soi. → **propriété.** ♦ *Le propre de* : la qualité distinctive. **II** (→ propreté) **1** vx Bien tenu, soigné. ♦ mod. n. m. *Mettre au propre* (opposé à *brouillon*). **2** (choses) Non sali (opposé à *sale, malpropre*). ♦ (personnes) Qui se lave souvent. ♦ Qui ne se souille pas. *Cet enfant était propre à deux ans.* **3** Qui salit, pollue peu. *Industries propres.* **4** fig. (personnes) Honnête, dont la réputation est sans tache. – (choses) *Une affaire pas très propre.* → **correct.** ♦ n. m. iron. *C'est du propre !,* c'est indécent, immoral.

**proprement** adv. **I 1** D'une manière particulière à qqn ou à qqch. ; en propre. → **spécifiquement.** **2** littér. Au sens propre du mot. – *À proprement parler* : exactement. – *Proprement dit(e)* : au sens propre. **II 1** D'une manière propre, soigneuse ou sans souillure. **2** Correctement.

**propret, ette** adj. Bien propre (II, 2).

**propreté** n. f. État, qualité d'une personne, d'une chose propre (II, 2, 3 et 4).

**propriétaire** n. **1** Personne qui possède (qqch.) en propriété. – loc. *Faire le tour du propriétaire,* visiter son domaine. **2** Personne qui possède des biens immeubles. **3** Personne qui loue un logement à qqn. – abrév. fam. **proprio.**

**propriété** n. f. **I 1** Fait de posséder en propre ; droit de jouir et de disposer de biens. ♦ Monopole temporaire d'exploitation. *Propriété littéraire.* **2** Ce qu'on possède en vertu de ce droit. ♦ Terre, construction ainsi possédée. **3** Riche maison d'habitation avec un jardin, un parc. **II 1** Qualité propre. *Propriétés physiques, chimiques.* **2** Adéquation de l'expression.

**propulser** v. tr. [1] **1** Faire avancer par une poussée. **2** Projeter au loin, avec violence. ▷ v. pron. se **propulser** fam. Se déplacer.

**propulseur** n. m. **1** ethnol., préhist. Bâton à encoche servant à lancer une arme de jet. **2** Engin de propulsion.

**propulsion** n. f. **1** didact. Fait de mettre en mouvement. **2** cour. Production d'une énergie qui assure le déplacement d'un mobile, le fonctionnement d'un moteur.

au **prorata** (de) loc. prép. En proportion de, proportionnellement à.

**proroger** v. tr. [3] **1** Renvoyer à une date ultérieure. **2** Prolonger. *Proroger un bail.* ► **prorogation** n. f.

**prosaïque** adj. Qui manque d'idéal, de noblesse ; sans poésie. ► **prosaïquement** adv. ► **prosaïsme** n. m.

**prosateur, trice** n. Auteur qui écrit en prose (s'oppose à *poète*).

**proscription** [-psjɔ̃] n. f. **1** hist. Mesure de bannissement. **2** littér. Action de proscrire (2) qqch.

**proscrire** v. tr. [39] **1** hist. Bannir, exiler. **2** littér. Interdire formellement (qqch.). *Proscrire l'alcool.*

> Ne pas confondre avec *prescrire* «ordonner».

**proscrit, ite 1** adj. et n. Frappé de proscription (1). → **banni, exilé.** **2** adj. Interdit.

**prose** n. f. **1** Forme ordinaire du discours oral ou écrit ; manière de s'exprimer qui n'est pas soumise aux règles de la versification. ♦ Textes en prose. **2** fam. souvent iron. Manière d'écrire (d'une personne, d'un milieu). → **style.** *La prose administrative.*

**prosélyte** n. **1** Nouveau converti à une religion, qui cherche à la propager. **2** fig. *Les prosélytes d'une idée, d'une théorie, d'un parti.*

**prosélytisme** n. m. Zèle déployé pour recruter des adeptes.

**prosodie** n. f. didact. **1** Durée, mélodie et rythme des sons d'un poème ; règles les concernant. → **métrique, versification.** **2** mus. Règles fixant les rapports entre paroles et musique. **3** Intonation et débit propres à une langue. ► **prosodique** adj.

**prospecter** v. tr. [1] **1** Examiner, étudier (un terrain) pour rechercher les richesses naturelles. **2** Parcourir (une région), étudier les possibilités de (un marché, une clientèle). ► **prospecteur, trice** n.

**prospectif, ive** adj. Qui concerne l'avenir, sa connaissance, la prévision. ► **prospective** n. f.

**prospection** n. f. Recherche d'une personne qui prospecte (1 et 2).

**prospectus** [-ys] n. m. Imprimé publicitaire.

**prospère** adj. Qui est dans un état heureux, de prospérité, santé, richesse.

**prospérer** v. intr. [6] **1** Être, devenir prospère. – Croître en abondance. **2** (affaire, entreprise...) Être en train de réussir.

**prospérité** n. f. **1** Bonne santé, situation favorable (de qqn). **2** État d'abondance ; heureux développement (d'une production, d'une entreprise).

**prostate** n. f. Glande de l'appareil génital masculin, située sous la vessie. *Ablation de la prostate.* ► **prostatique** adj.

**prostatite** n. f. méd. Inflammation de la prostate.

se **prosterner** v. pron. [1] S'incliner en avant et très bas dans une attitude d'extrême respect. fig. *Se prosterner devant qqn.* ► **prosternation** n. f. ► **prosternement** n. m.

**prostitué, ée** n. Personne qui se livre à la prostitution.

**prostituer** v. tr. [1] **1** Inciter, livrer (qqn) à la prostitution*. **2** littér. Déshonorer, avilir. ▷ v. pron. se **prostituer**

**prostitution** n. f. **1** Fait de livrer son corps aux plaisirs sexuels d'autrui pour de l'argent et d'en faire métier ; ce métier, le phénomène social qu'il représente. **2** littér. Action d'avilir, de s'avilir.

**prostration** n. f. État d'extrême abattement physique et psychologique.

**prostré, ée** adj. Qui est dans un état de prostration.

**protagoniste** n. Personne qui joue le premier rôle dans une affaire. → **héros.**

**protéagineux, euse** adj. (végétal) Qui contient une grande proportion de protéines. – n. m. *Protéagineux et oléagineux*.*

**protecteur, trice I** n. **1** Personne qui protège, défend (les faibles, les pauvres, etc.). → **défenseur. 2** Personne qui protège, qui patronne (qqn). **II** adj. **1** Qui remplit un rôle de protection (à l'égard de qqn, qqch.). **2** Qui exprime une intention condescendante. → **hautain.** *Un ton protecteur.*

**protection** n. f. **1** Action de protéger, de défendre qqn ou qqch. ; le fait d'être protégé. *Protection de la nature.* **2** Personne ou chose (matière, dispositif) qui protège. – *Protections périodiques,* que les femmes utilisent pendant les règles. **3** Action d'aider, de patronner qqn. **4** Action de favoriser la naissance, le développement (de qqch.).

**protectionnisme** n. m. Politique douanière qui vise à protéger l'économie nationale contre la concurrence étrangère (opposé à *libre-échange*). ► **protectionniste** adj. et n.

**protectorat** n. m. hist. Régime établi par traité, dans lequel un État contrôlait un État «protégé» qui gardait une autonomie politique intérieure.

**protégé, ée 1** adj. Mis à l'abri, préservé. **2** n. Personne protégée (par qqn).

**protège-cahier** n. m. Couverture de cahier en matière souple.

**protège-dents** n. m. invar. Appareil placé dans la bouche pour protéger les dents (boxeurs).

**protéger** v. tr. [6] et [3] **1** Aider (qqn) de manière à mettre à l'abri d'une attaque, des mauvais traitements, du danger. **2** Défendre contre toute atteinte. → **garantir, sauvegarder.** *La loi doit protéger les libertés individuelles.* **3** (sujet chose) Couvrir de manière à arrêter ce qui peut nuire, à mettre à l'abri. **4** Aider (qqn) en facilitant sa carrière, sa réussite. **5** Favoriser la naissance ou le développement de (une activité). **6** Favoriser (une production économique) par le protectionnisme.

**protège-slip** [-slip] n. m. Protection féminine qui se fixe au fond du slip.

**protéiforme** adj. Qui peut prendre de multiples formes.

**protéine** n. f. Grosse molécule complexe d'acides aminés, constituant essentiel des matières organiques et des êtres vivants. – syn. **protéide** n. f.

**protestant, ante** n. et adj. Chrétien appartenant à la religion réformée. → **anglican, calviniste, luthérien.**

**protestantisme** n. m. La religion chrétienne réformée qui s'est détachée du catholicisme au XVI^e siècle (→ **Réforme**) ; Églises et communautés protestantes.

**protestataire** adj. littér. Qui proteste. – n. *Des protestataires.*

**protestation** n. f. **1** littér. Déclaration (de bons sentiments, etc.). *Des protestations d'amitié.* **2** Déclaration par laquelle on s'élève contre ce qu'on déclare illégitime, injuste. **3** Témoignage d'opposition.

**protester** v. [1] **I 1** v. tr. ind. littér. *Protester de* : donner l'assurance formelle de. *Protester de son innocence.* **2** v. intr. Déclarer formellement son opposition, son refus. **II** v. tr. dr. *Protester un chèque* (→ **protêt**).

**protêt** n. m. dr. Acte par lequel le bénéficiaire d'un chèque, d'une lettre de change, fait constater qu'il n'a pas été payé.

**prothèse** n. f. **1** Remplacement d'organes, de membres par des appareils artificiels. **2** Appareil de prothèse. ► **prothétique** adj.

**prothésiste** n. Fabricant de prothèses.

**protide** n. m. biochim. vieilli Acide aminé ; corps qui libère cet acide.

**protiste** n. m. biol. Organisme vivant unicellulaire. → **protozoaire.**

**protocolaire** adj. **1** Relatif au protocole, à l'étiquette. **2** Conforme au protocole. **3** Attaché au protocole. → **cérémonieux.**

**protocole** n. m. **1** Document portant les résolutions d'une assemblée, le texte d'un engagement. *Un protocole d'accord sur les salaires.* **2** Recueil de règles à observer en matière d'étiquette, dans les relations officielles. – Service chargé des questions d'étiquette. **3** sc. Description précise des conditions et du déroulement d'une expérience, d'un test, d'une opération chirurgicale. – *Protocole opératoire* (en chirurgie). *Protocole thérapeutique.* – *Protocole de communication* (entre ordinateurs, en informatique).

**protohistoire** n. f. didact. Période de transition entre la préhistoire et l'histoire (du III^e au I^er millénaire avant J.-C.) ; fin du néolithique. ► **protohistorique** adj.

**proton** n. m. Particule élémentaire (lourde) de charge positive, qui, avec le neutron, constitue le noyau des atomes.

**protoplasme** n. m. biol. Substance qui constitue l'essentiel de la cellule vivante. ► **protoplasmique** adj.

**prototype** n. m. 1 littér. Type, modèle original. 2 Premier exemplaire d'un modèle de série. ► **prototypique** adj.

**protozoaire** n. m. Protiste* sans chlorophylle (amibe, infusoire...).

**protubérance** n. f. 1 Saillie en forme de bosse. 2 *Protubérances (solaires)* : immenses jets de gaz enflammés à la surface du Soleil.

**protubérant, ante** adj. Qui forme une saillie.

**prou** loc. adv. littér. *Peu ou prou*, plus ou moins.

**proue** n. f. Avant d'un navire (opposé à *poupe*).

**prouesse** n. f. littér. Acte de courage, d'héroïsme ; action d'éclat. → **exploit.**

**prout** [pʀut] interj. fam. Onomatopée, bruit de pet. – n. m. *Un prout sonore.*

**prouver** v. tr. [1] 1 Faire apparaître ou reconnaître (qqch.) comme vrai, par des preuves. → **démontrer, établir.** 2 Exprimer (une chose) par une attitude, des gestes, des paroles. → **montrer.** 3 (sujet chose) Servir de preuve, être (le) signe de.

**provenance** n. f. Endroit d'où vient ou provient une chose. → **origine.**

**provençal, ale, aux** 1 adj. et n. De la Provence. 2 n. m. *Le provençal* (dialectes d'oc). 3 loc. adv. *(À la) provençale* : cuisiné avec de l'huile d'olive, de l'ail, du persil.

**provenir** v. intr. [22] (sujet chose) Venir (de) ; avoir son origine dans.

**proverbe** n. m. Formule exprimant une vérité d'expérience ou un conseil de sagesse pratique. → **adage, aphorisme.**

**proverbial, ale, aux** adj. 1 Qui tient du proverbe. 2 Connu et frappant (comme un proverbe). *Sa bonté est proverbiale.* ► **proverbialement** adv.

**providence** n. f. 1 relig. Sage gouvernement de Dieu ; (avec maj.) Dieu gouvernant la création. 2 fig. Heureux hasard.

**providentiel, elle** adj. Qui arrive grâce à la providence, à un heureux hasard (pour sauver, secourir). ► **providentiellement** adv.

**province** n. f. I 1 Région avec ses coutumes et ses traditions particulières. – hist. (en France) Subdivision administrative du royaume. ♦ Division administrative de certains pays. *Les provinces de Belgique.* 2 *La province* : en France, l'ensemble du pays, à l'exclusion de la capitale. II anglic. État fédéré (du Canada).

**provincial, ale, aux** I adj. 1 De la province. 2 adj. et n. (Personne) qui vit en province. II au Canada D'une province (II) (opposé à *fédéral*).

**proviseur** n. Directeur, directrice de lycée. → **principal.**

**provision** n. f. I 1 Réunion de choses utiles ou nécessaires. → **réserve, stock.** *Faire provision de qqch.* 2 au plur. Achat de choses nécessaires à la vie courante (nourriture, produits d'entretien). → **courses.** II 1 Somme versée à titre d'acompte. 2 Somme déposée chez un banquier pour assurer le paiement d'un titre. – *Chèque sans provision.*

**provisionnel, elle** adj. Qui constitue une provision (II, 1). *Acompte provisionnel.*

**provisoire** adj. 1 Qui existe, se fait en attendant autre chose. → **momentané, transitoire.** ► **provisoirement** adv. 2 dr. Prononcé ou décidé avant le jugement définitif. *Liberté provisoire.*

**provocant, ante** adj. 1 Qui provoque, qui pousse à des sentiments ou à des actes violents. 2 Qui incite au désir, au trouble des sens.

> Ne pas confondre avec *provoquant*, p. prés. de *provoquer.*

**provocateur, trice** n. Personne qui provoque, incite à la violence, spécialt dans l'intérêt d'un groupe caché. – adj. *Agent provocateur.*

**provocation** n. f. 1 Incitation. *Provocation à la débauche.* ♦ absolt Défi. *C'est de la provocation !* 2 Action, parole qui provoque.

**provolone** n. m. Fromage italien salé, séché, fumé, en forme de cylindre ou de poire.

**provoquer** v. tr. [1] I 1 Inciter, pousser (qqn) à une action, à la violence. → **défier.** 2 Exciter le désir de (qqn) par son attitude (→ **provocant** (2)). II *Provoquer qqch.* (sujet personne) Être volontairement ou non la cause de (qqch.). ♦ (sujet chose) Causer, occasionner.

**proxénète** n. Personne qui tire des revenus de la prostitution d'autrui. → **souteneur.** ► **proxénétisme** n. m.

**proximité** n. f. 1 littér. Situation d'une chose proche (dans l'espace). 2 *À proximité* loc. adv. : tout près. – *À proximité de* loc. prép. : près de. ♦ *De proximité* : près de son domaine d'action. 3 Caractère de ce qui est proche dans le temps (passé ou futur).

**proxy** n. m. inform. Serveur relais qui, sur Internet, accélère l'accès aux données. *Des proxys.*

**pruche** n. f. (Canada) Conifère voisin du sapin, du genre *Tsuga.*

**prude** adj. D'une pudeur affectée, outrée. → **pudibond.**

**prudemment** [-amɑ̃] adv. Avec prudence.

**prudence** n. f. Attitude d'esprit d'une personne qui s'applique à éviter des erreurs, des malheurs possibles. → **circonspection ; précaution.**

**prudent, ente** adj. 1 Qui a de la prudence, agit avec prudence. 2 (choses) *Une réaction prudente,* de prudence. – impers. *Il (ce) serait plus prudent de...*

**pruderie** n. f. littér. Affectation prude.

**prud'homme** n. Membre élu d'un *conseil des prud'hommes,* chargé de juger les litiges entre salariés et employeurs. ► **prud'homal, ale, aux** adj.

**pruine** n. f. Fine pellicule cireuse, naturelle, à la surface de certains fruits.

**prune I** n. f. **1** Fruit du prunier, de forme ronde ou allongée, à peau fine, jaune, verte (reines-claudes) ou bleutée (quetsches). *Eau-de-vie de prune,* ou ellipt *de la prune.* **2** loc. fam. *Pour des prunes :* pour rien. **II** adj. invar. Violet foncé.

**pruneau** n. m. **1** Prune séchée. **2** fam. Projectile, balle de fusil.

① **prunelle** n. f. Fruit du prunellier, petite prune bleu ardoise, âcre. *Eau-de-vie de prunelle,* ou ellipt *de la prunelle.*

② **prunelle** n. f. Pupille de l'œil. ♦ loc. *Tenir à qqch. comme à la prunelle de ses yeux,* plus qu'à tout.

**prunellier** [-əlje] n. m. Arbrisseau épineux, prunier sauvage qui produit les prunelles.

**prunier** n. m. Arbre fruitier qui produit les prunes, prunelles. ♦ *Prunier du Japon,* espèce ornementale.

**prunus** [-ys] n. m. Prunier ornemental à feuilles pourpres.

**prurigineux, euse** adj. didact. Qui cause un prurit (1).

**prurit** [-it] n. m. **1** Démangeaison liée à une affection cutanée ou générale. **2** fig., littér. Désir irrépressible.

**prytanée** n. m. Lycée militaire.

**P.-S.** n. m. (abrév.) Post-scriptum.

**psalmiste** n. m. didact. Auteur de psaumes.

**psalmodier** v. [7] **1** v. intr. Dire ou chanter les psaumes. – trans. *Psalmodier les offices.* **2** v. tr. Réciter ou dire d'une façon monotone.

**psaume** n. m. **1** Poème religieux constituant un livre de la Bible et servant de prière ou de chant liturgique. **2** Œuvre vocale sur le texte d'un psaume.

**psautier** n. m. didact. Recueil de psaumes.

**pseudonyme** n. m. Nom choisi par une personne pour remplacer le sien. – abrév. fam. **pseudo.**

**pseudopode** n. m. Prolongement rétractile de certains protozoaires, servant à la locomotion, à la nutrition.

**psitt** interj. fam. Interjection servant à appeler, à attirer l'attention. – var. **pst.**

**psittacidés** n. m. pl. zool. Famille d'oiseaux grimpeurs (perroquets).

**psittacisme** n. m. didact. Répétition mécanique (comme par un perroquet) de phrases.

**psoriasis** [-is] n. m. méd. Maladie de peau, plaques rouges à croûtes blanchâtres.

**psy** n. (abrév.) Psychanalyste, psychologue, etc.

**psychanalyse** [psik-] n. f. **1** Méthode de psychologie clinique, investigation des processus psychiques profonds, de l'inconscient (syn. *analyse*). – Théorie freudienne et analogues. **2** Traitement de troubles psychiques (surtout névroses) et psychosomatiques par cette méthode. ► **psychanalyste** n. → **analyste.** ► **psychanalytique** adj.

**psychanalyser** [psik-] v. tr. [1] Traiter, analyser par la psychanalyse.

**psyché** [psiʃe] n. f. Grande glace mobile.

**psychédélique** [psik-] adj. psych. De l'état provoqué par l'absorption d'hallucinogènes. – cour. Qui évoque cet état. ► **psychédélisme** n. m.

**psychiatrie** [psik-] n. f. Partie de la médecine qui étudie et traite les maladies mentales, les psychoses. ► **psychiatre** n. ► **psychiatrique** adj.

**psychique** [psiʃik] adj. Qui concerne l'esprit, la pensée. → **mental.**

**psychisme** [psiʃism] n. m. **1** La vie psychique. **2** Ensemble de faits psychiques. *Le psychisme animal.*

**psychoactif, ive** adj. didact. Qui agit sur le système nerveux central, sur le psychisme. *Substances psychoactives.*

**psychodrame** n. m. Psychothérapie de groupe, mise en scène de situations conflictuelles ; cette situation. ♦ Situation qui évoque ce genre de mise en scène.

**psychologie** n. f. **1** Étude scientifique des phénomènes de l'esprit (au sens le plus large). **2** Connaissance spontanée des sentiments d'autrui ; aptitude à comprendre les comportements. → **intuition. 3** Analyse des états de conscience, des sentiments, dans une œuvre. **4** Ensemble d'idées, d'états d'esprit caractéristiques d'une collectivité.

**psychologique** adj. **1** De la psychologie. *Test psychologique.* **2** Étudié par la psychologie ; qui concerne la pensée, les sentiments. → **mental, psychique. 3** Qui agit ou vise à agir sur le psychisme (de qqn, d'un groupe). *Guerre psychologique.* ► **psychologiquement** adv.

**psychologue 1** n. Spécialiste de la psychologie ; de la psychologie appliquée. **2** adj. Qui a de la psychologie (2).

**psychomoteur, trice** adj. didact. Qui concerne les fonctions motrices et psychiques.

**psychomotricien, ienne** n. didact. Personne qui soigne les troubles psychomoteurs.

**psychomotricité** n. f. didact. Intégration des fonctions motrices et psychiques par le système nerveux.

**psychopathe** n. Personne présentant un trouble de la personnalité menant à des conduites antisociales. ► **psychopathie** n. f.

**psychopathologie** n. f. didact. Étude des troubles mentaux. ► **psychopathologique** adj.

**psychorigide** adj. Se dit de qqn qui est d'une grande raideur psychologique, et se montre incapable de s'adapter aux changements. ► **psychorigidité** n. f.

**psychose** [psikoz] n. f. **1** Maladie mentale ignorée du patient (à la différence des névroses*) et qui provoque des troubles de la personnalité (ex. paranoïa, schizophrénie...). **2** Obsession, idée fixe. *Psychose collective.*

**psychosociologie** n. f. didact. Psychologie sociale.

**psychosomatique** adj. Qui concerne les maladies physiques liées à des causes psychiques.

**psychotechnique** [-tɛk-] n. f. Discipline qui mesure les aptitudes physiques et mentales. – adj. *Examens psychotechniques.* → **test.** ► **psychotechnicien, ienne** n.

**psychoter** v. intr. [1] fam. Avoir peur, paniquer.

**psychothérapie** n. f. didact. Thérapeutique des troubles psychiques ou somatiques par des procédés psychiques (psychanalyse* et pratiques dérivées). ► **psychothérapeute** n. ► **psychothérapeutique** ou **psychothérapique** adj. didact.

**psychotique** adj. et n. didact. (Personne) atteinte d'une psychose.

**psychotrope** adj. et n. m. didact. (substance) Qui agit chimiquement sur le psychisme.

**ptérodactyle** **1** adj. Qui a les doigts reliés par une membrane. **2** n. m. Fossile, reptile volant du jurassique.

**ptose** n. f. méd. Descente (d'un organe) par relâchement des soutiens. → **prolapsus.**

**pu** Participe passé du verbe *pouvoir.*

**puant, ante** adj. **1** Qui pue. **2** fig. (personnes) Odieux de prétention.

**puanteur** n. f. Odeur infecte (→ **puer**).

① **pub** [pœb] n. m. (pays anglo-saxons) Établissement public où l'on sert des boissons alcoolisées. – (en France) Bar de luxe imitant un pub.

② **pub** [pyb] n. f. fam. Publicité.

**pubalgie** n. f. méd. Inflammation des tendons au niveau de la symphyse pubienne.

**pubère** adj. Qui a atteint l'âge de la puberté.

**puberté** n. f. Passage de l'enfance à l'adolescence ; modifications physiologiques et psychologiques à cette époque.

**pubis** [-is] n. m. Renflement triangulaire à la partie inférieure du bas-ventre. ► **pubien, ienne** adj. *Symphyse pubienne.*

**public, ique** adj. **I** adj. **1** Qui concerne le peuple, la nation, l'État. *Les affaires publiques.* → **politique.** ♦ Relatif aux activités sociales, à l'État. *Les pouvoirs publics.* **2** Accessible, ouvert à tous. *La voie publique. Lieu public.* **3** Qui a lieu en présence de témoins. **4** Qui concerne la fonction qu'on remplit dans la société. *La vie publique et la vie privée.* – *Un homme public,* investi d'une fonction officielle. **5** Connu de tous. *Le scandale est devenu public.* **II** n. m. **1** Les gens, la masse de la population. **2** Ensemble des personnes que touche une œuvre, un spectacle. ♦ Ensemble de personnes qui assistent effectivement (à un spectacle, une réunion...). → **assistance, auditoire.** – loc. *Être bon public,* bienveillant. **3** *En public* loc. adv. : en présence d'un certain nombre de personnes.

**publication** n. f. **1** Action de publier (un ouvrage, un écrit) ; son résultat. ♦ Écrit publié. *Publications scientifiques.* **2** Action de publier (2).

**publiciste** n. **1** vieilli Journaliste. **2** abusivt Publicitaire.

**publicitaire** adj. **1** Qui sert à la publicité, a un caractère de publicité. **2** Qui s'occupe de publicité. ♦ n. Agent de publicité.

**publicité** n. f. **I 1** Fait d'exercer une action psychologique sur le public à des fins commerciales. → fam. ② **pub.** **2** Message publicitaire. **II** littér. Caractère de ce qui est public, connu de tous.

**publier** v. tr. [7] **1** Faire paraître (un texte). *Publier un article dans une revue.* → **éditer.** **2** Faire connaître au public. *On a publié les bans à la mairie.*

**publipostage** n. m. Prospection, vente par correspondance (→ anglic. mailing).

**publiquement** adv. En public.

**puce** n. f. **I 1** Insecte sauteur, de couleur brune, parasite de l'homme et d'animaux. **2** loc. fam. *Mettre la puce à l'oreille à qqn,* éveiller ses soupçons. – *Le marché aux puces* et ellipt *les puces,* marché d'occasion, brocante. **3** fam. terme d'affection *Ça va, ma puce ?* **4** en appos. invar. D'un brun-rouge. **II** Petite pastille d'un matériau semi-conducteur sur laquelle se trouve un microprocesseur. *Carte à puce.*

**puceau** n. m. fam. Garçon, homme vierge.

**pucelage** n. m. fam. Virginité.

**pucelle** n. f. **1** vx ou plais. Jeune fille. *La pucelle d'Orléans :* Jeanne d'Arc. **2** fam. Fille vierge.

**puceron** n. m. Petit insecte parasite des plantes.

**pudding** [pudiŋ] n. m. Gâteau à base de farine, d'œufs, de raisins secs.

**pudeur** n. f. **1** Sentiment de honte, de gêne vis-à-vis de la sexualité. **2** Sentiment de gêne à se montrer nu. **3** Retenue dans l'expression des sentiments. *Cacher son chagrin par pudeur.*

**pudibond, onde** adj. Qui a une pudeur exagérée, ridicule. → **prude.** ► **pudibonderie** n. f.

**pudique** adj. **1** Qui a, montre de la pudeur. **2** Plein de discrétion, de réserve. ► **pudicité** n. f. littér.

**pudiquement** adv. **1** D'une manière pudique. **2** Par euphémisme.

**puer** v. [1] **1** v. intr. Sentir très mauvais. → **empester. 2** v. tr. Répandre une très mauvaise odeur de. *Puer la sueur.* – fig. *Ça pue la magouille.*

**puériculture** n. f. Méthodes propres à assurer la croissance et l'épanouissement du nouveau-né et de l'enfant (jusque vers trois-quatre ans). ► **puériculteur, trice** n.

**puéril, ile** adj. péj. Indigne d'un adulte quant au sérieux. → **infantile.** ► **puérilement** adv.

**puérilité** n. f. **1** Caractère puéril, peu sérieux. **2** littér. Action, parole, idée puérile.

**puerpéral, ale, aux** adj. méd. Relatif à la période qui suit l'accouchement.

**pugilat** n. m. Bagarre à coups de poing. → **rixe.**

**pugiliste** n. m. littér. Boxeur ; lutteur.

**pugnace** [-gn-] adj. littér. Qui aime le combat ; fig. la polémique. ► **pugnacité** n. f.

**puîné, ée** adj. et n. vieilli Qui est né après un frère ou une sœur (s'oppose à *aîné*).

**puis** adv. **1** littér. Après cela, dans le temps qui suit. → **ensuite. 2** littér. Plus loin, dans l'espace. **3** *Et puis...* (dernier terme d'une énumération). → **et.** *Il y avait ses amis, son frère et puis sa sœur.* – *Je n'ai pas le temps, et puis ça m'ennuie !,* d'ailleurs.

**puisard** n. m. Puits en pierres sèches pour absorber les résidus liquides.

**puisatier, ière** n. Personne, entreprise qui creuse des puits.

**puiser** v. tr. [1] **1** Prendre dans une masse liquide. *Puiser de l'eau à une source.* ► **puisage** n. m. **2** absolt *Puiser dans ses économies,* y prélever de l'argent. **3** fig. Emprunter, prendre.

**puisque** conj. Conjonction de subordination. **1** (introduisant une cause) Dès l'instant où, du moment que... ; étant donné que... **2** *Puisque je vous le dis* (sous-entendu : c'est vrai).

**puissamment** adv. **1** Avec des moyens puissants, efficaces. **2** Avec force, intensité.

**puissance** n. f. **I 1** Situation, état d'une personne, d'un groupe qui a une grande action. – spécialt Pouvoir social, politique. ♦ Grand pouvoir (social, politique) de fait. *La puissance d'un groupe d'intérêt.* **2** Caractère de ce qui produit de grands effets. → **efficacité, force. 3** sc. Quantité d'énergie fournie par unité de temps. *Unités de puissance.* → **erg, watt. 4** Pouvoir d'action (d'un appareil) ; intensité (d'un phénomène). *La puissance d'un microscope. Puissance (sonore).* **5** math. Produit de plusieurs facteurs égaux, le nombre de facteurs étant indiqué par l'exposant. *Dix puissance cinq* ($10^5$). *Puissance deux, trois.* → **carré, cube. II 1** littér. Chose qui produit de grands effets. **2** Catégorie, groupe qui a un grand pouvoir de fait dans la société. *Les puissances d'argent.* **3** État souverain. *Les grandes puissances* (→ superpuissance). **III 1** loc. adj. *En puissance :* qui existe sans produire d'effet. → **potentiel, virtuel. 2** *Montée en puissance* (moteur ; aussi fig.) : augmentation de régime.

**puissant, ante** adj. **1** Qui a un grand pouvoir, de la puissance. – n. *Les puissants.* ♦ Qui a de grands moyens militaires, techniques, économiques. **2** Qui est très actif. *Un remède puissant. Un sentiment puissant.* ♦ (personnes) Qui s'impose par sa force, son action. *Une puissante personnalité.* **3** Qui a de la force physique. **4** (moteur, machine) Qui a de la puissance, de l'énergie.

**puits** n. m. **1** Cavité circulaire, profonde et étroite, à parois maçonnées, pratiquée dans le sol pour atteindre une nappe d'eau. – *Puits artésien.* **2** Excavation pour l'exploitation d'un gisement. *Puits de pétrole.* **3** loc. fig. *Un puits de science :* une personne qui a de vastes connaissances.

**pullman** [pulman] n. m. vieilli **1** Voiture de luxe, dans un train. **2** appos. *Autocar pullman,* de grand confort.

**pull-over** [pylɔvɛʀ ; pulɔvœʀ] ou (abrév.) **pull** [pyl] n. m. Tricot à manches, qu'on enfile par la tête. *Des pull-overs ; des pulls.*

**pulluler** v. intr. [1] **1** Se reproduire en grand nombre et très vite. **2** (êtres vivants) Se manifester en très grand nombre. → **fourmiller, grouiller.** – (choses) Abonder, foisonner. ► **pullulation** n. f. ► **pullulement** n. m.

**pulmonaire** adj. **1** Qui affecte, atteint le poumon. **2** Du poumon.

**pulpe** n. f. **1** Partie charnue. *La pulpe des doigts.* **2** *Pulpe dentaire,* le tissu conjonctif interne. **3** Partie juteuse (de fruits). → **chair.** – Partie charnue et comestible (de légumes). **4** Résidu pâteux de végétaux écrasés.

**pulpeux, euse** adj. Fait de pulpe ; qui a le moelleux de la pulpe. ♦ fig. Qui a des formes attirantes (d'une femme).

**pulsation** n. f. **1** Battement (du cœur, des artères). → **pouls. 2** Battement régulier.

**pulsé** adj. m. *Air pulsé,* soufflé.

**pulsion** n. f. psych. Force psychique qui fait tendre vers un but. *Pulsions sexuelles.* → **libido.** ► **pulsionnel, elle** adj.

**pulvérisateur** n. m. Appareil servant à projeter une poudre, un liquide pulvérisé.

**pulvérisation** n. f. **1** Action de pulvériser. **2** Prise de médicament en aérosol.

**pulvériser** v. tr. [1] **1** Réduire (un solide) en poudre, en très petites parcelles. **2** Projeter (un liquide sous pression) en fines gouttelettes. **3** Faire éclater en petits morceaux. – passif *Le pare-brise a été pulvérisé.* **4** fig., fam. *Le record a été pulvérisé,* battu de beaucoup.

**pulvérulent, ente** adj. Qui a la consistance de la poudre.

**puma** n. m. Félin d'Amérique, à pelage fauve et sans crinière. → **couguar.**

**punaise** n. f. I Petit insecte à corps aplati et d'odeur infecte. *Punaise (des lits),* parasite de l'homme. – interj. *Punaise !* II Petit clou à large tête ronde, à pointe courte.

**punaiser** v. tr. [1] Fixer à l'aide de punaises.

① **punch** [pɔ̃ʃ] n. m. Boisson alcoolisée à base de rhum, de sirop de canne.

② **punch** [pœnʃ] n. m. 1 Aptitude d'un boxeur à porter des coups secs et décisifs. ► **puncheur, euse** n. 2 Efficacité, dynamisme.

**punching-ball** [pœnʃiŋbol] n. m. anglic. Ballon pour l'entraînement des boxeurs.

**punique** adj. Antiq. De Carthage ; carthaginois. *Les guerres puniques.*

**punir** v. tr. [2] 1 Frapper (qqn) d'une peine, pour un délit ou un crime. → **condamner.** ♦ Frapper (qqn) d'une sanction pour une faute. 2 Sanctionner (une faute) par une peine, une punition. *Punir une infraction.* ► **punissable** adj. ► **punisseur, euse** adj. et n.

**punitif, ive** adj. Destiné à punir.

**punition** n. f. 1 littér. Action de punir. 2 Ce que l'on fait subir à l'auteur d'une faute ; spécialt à un enfant. 3 Conséquence pénible (d'une faute, d'un défaut).

**punk** [pœ̃k ; pœnk] n. anglic. Adepte d'un mouvement de contestation regroupant des jeunes qui affichent des signes provocateurs. – adj. *La musique punk.*

① **pupille** [-ij ; -il] n. 1 Orphelin(e) mineur(e) en tutelle. 2 *Pupille de la Nation,* orphelin de guerre pris en tutelle par l'État.

② **pupille** [-ij ; -il] n. f. Zone centrale de l'iris de l'œil. → **prunelle.**

**pupitre** n. m. 1 Petit meuble à tableau incliné sur pieds, où l'on pose un livre, du papier. → **lutrin.** 2 Casier à couvercle incliné pour écrire. 3 Tableau de commandes (d'un système électronique). → **console.**

**pupitreur, euse** n. Technicien chargé du pupitre (3) d'un ordinateur.

**pur, pure** adj. I concret 1 Qui n'est pas mêlé avec autre chose ; sans élément étranger. *Du vin pur,* sans eau. – *Confiture pur fruit, pur sucre.* – *Couleur pure,* franche. 2 Qui ne renferme aucun élément mauvais ou défectueux. *Air pur,* salubre. *Ciel pur,* sans nuages ni fumées. II abstrait 1 Sans mélange. → **absolu, parfait.** ♦ *Science pure,* théorique (opposé à *appliqué*). *Recherche pure,* fondamentale. 2 (devant le nom) Complètement tel. *C'est de la pure méchanceté. Ouvrage de pure fiction. Un pur hasard.* loc. *En pure perte*.* – (après le nom) *Pur et simple :* sans restriction. ♦ loc. *Pur et dur :* qui applique des principes avec rigueur. 3 Sans défaut d'ordre moral, sans corruption. *Un cœur pur. Ses intentions étaient pures,* désintéressées. ♦ n. m. Pureté morale. *Le pur et l'impur.* 4 Chaste. 5 Sans défaut esthétique. → **parfait.** *Un profil pur.* ♦ (langue, style) D'une correction élégante. → **châtié, épuré.**

**purée** n. f. 1 Légumes cuits et écrasés. *Purée de carottes.* – absolt Purée de pommes de terre. – appos. (invar.) *Pommes purée.* ♦ loc. fig. *Purée de pois :* brouillard très épais. 2 fam. Misère. *Être dans la purée.* ♦ exclam. *Purée !*

**purement** adv. Intégralement, exclusivement. – loc. *Purement et simplement :* sans aucun doute possible.

**pureté** n. f. I (concret) 1 État d'une substance pure (I). 2 État de ce qui est sans défaut, sans altération. → **netteté.** II (abstrait) 1 littér. Absence de souillure morale. ♦ Chasteté. 2 État de ce qui se conforme à un type de perfection, à un idéal. *La pureté d'un style.*

**purgatif, ive** adj. Qui purge. → **dépuratif, laxatif.** – n. m. *Un purgatif.*

**purgation** n. f. Action de purger ; purge.

**purgatoire** n. m. 1 théol. cathol. Lieu où les âmes des justes se purifient avant d'accéder au paradis. 2 fig. Lieu ou temps d'épreuve.

**purge** n. f. 1 Action de purger ; remède purgatif. 2 Évacuation d'un liquide, d'un gaz d'une conduite. → **vidange.** 3 fig. Élimination autoritaire, violente. → **épuration.**

**purger** v. tr. [3] 1 Débarrasser (le système digestif). 2 Débarrasser (d'une chose gênante, mauvaise, d'êtres dangereux). – pronom. *Se purger.* 3 Subir (une condamnation, une peine). *Purger une peine de prison.*

**purgeur** n. m. Robinet ou dispositif automatique de purge (2).

**purificateur, trice** 1 adj. Qui purifie. 2 n. m. *Purificateur d'air* (appareil).

**purification** n. f. 1 Action de (se) purifier. 2 fig. Élimination d'éléments hétérogènes. ♦ *Purification ethnique :* élimination ou déplacement de populations par violence raciste.

**purificatoire** adj. littér. Propre à la purification (1).

**purifier** v. tr. [7] 1 Débarrasser (une substance) de ses impuretés. 2 littér. Rendre pur, débarrasser de la corruption morale, religieuse. – pronom. *Se purifier* (relig.).

**purin** n. m. Fumier liquide, urines et parties solides décomposées. → **lisier.**

**purine** n. f. biochim. Substance azotée à deux chaînes fermées. ► **purique** adj.

**purisme** n. m. 1 Souci de la pureté du langage par rapport à un modèle idéal. 2 Souci de pureté, de conformité à un type idéal (art, idées, etc.). ► **puriste** adj. et n.

**puritain, aine** n. 1 hist. Membre d'une secte protestante anglaise et hollandaise. 2 Personne d'une pureté morale scrupuleuse, exigeante. → **rigoriste.** – adj. *Éducation puritaine.* → **austère.** ► **puritanisme** n. m.

**purpura** n. m. méd. Affection caractérisée par des taches cutanées.

**purpurin, ine** adj. littér. ou plais. Pourpre.

**pur-sang** [-sɑ̃] n. m. invar. Cheval de course, de race pure.

**purulent, ente** adj. Qui contient ou produit du pus. ► **purulence** n. f.

**pus** n. m. Production pathologique infectée, liquide blanchâtre ou jaunâtre.

**pusillanime** [-i(l)l-] adj. littér. Qui manque d'audace, craint le risque. → **timoré.** ► **pusillanimité** n. f.

**pustule** n. f. **1** Petite tumeur purulente sur la peau. → **bouton.** **2** Vésicule du dos du crapaud, de certaines plantes. ► **pustuleux, euse** adj.

**putain** n. f. **I 1** péj., vulg. Prostituée (syn. *pute*). ♦ injurieux, vieilli Femme qui a une vie sexuelle très libre. **2** fam. Personne qui s'abaisse pour plaire. **II** fam. **1** *Putain de* (+ nom). *Putain de temps !* → **saleté.** **2** *Putain !*, exclamation de désagrément ou d'admiration.

**putatif, ive** adj. dr. *Enfant, père putatif*, personne supposée être l'enfant, le père.

**pute** n. f. fam. et péj. **1** Prostituée. **2** *Faire la pute* ; adj. *être pute.* → **putain** (I, 2).

**putois** n. m. **1** Petit mammifère carnivore, à odeur nauséabonde. **2** Sa fourrure.

**putréfaction** n. f. Décomposition bactérienne des matières organiques. → **pourriture.**

**putréfier** v. tr. [7] Faire tomber en putréfaction. – pronom. Pourrir.

**putrescible** adj. Qui peut se putréfier.

**putride** adj. **1** En putréfaction. **2** De pourri. *Odeur putride.*

**putsch** [putʃ] n. m. Soulèvement d'un groupe politique armé, pour prendre le pouvoir. → coup d'**État.** ► **putschiste** n. et adj.

**puy** [pɥi] n. m. Montagne, en Auvergne.

**puzzle** [pœzl ; pœzœl] n. m. **1** Jeu de patience, éléments à assembler pour reconstituer une image. **2** fig. Éléments épars permettant de reconstituer la réalité.

**P.-V.** n. m. (abrév.) Procès-verbal. ♦ fam. Contravention.

**pygmalion** n. m. littér. Homme qui instruit sa maîtresse. ♦ par ext. → **mentor.**

**pygmée** n. Individu appartenant à certaines ethnies d'Afrique et d'Insulinde.

**pyjama** n. m. Vêtement de nuit.

**pylône** n. m. **1** archéol. Portail égyptien monumental. **2** Structure élevée, métallique ou en béton armé, servant de support à des câbles, des antennes, etc.

**pylore** n. m. anat. Orifice faisant communiquer l'estomac avec le duodénum.

**pyorrhée** n. f. pathol. Écoulement de pus.

**pyramidal, ale, aux** adj. **1** En forme de pyramide. **2** vx Immense, énorme.

**pyramide** n. f. **1** Grand monument à base carrée et à faces triangulaires (tombeau des pharaons d'Égypte, base de temples précolombiens). – Monument analogue. *La pyramide du Louvre.* **2** Polyèdre qui a pour base un polygone et pour faces des triangles possédant un sommet commun. **3** Représentation graphique d'une statistique, où les éléments se raréfient vers le haut. *La pyramide des âges.*

**pyrex** [-ɛks] n. m. (nom déposé) Verre très résistant pouvant aller au feu.

**pyrite** n. f. Sulfure naturel de fer.

**pyrogravure** n. f. Décoration du bois par gravure à l'aide d'une pointe métallique incandescente. – Cette gravure. ► **pyrograveur, euse** n.

**pyrolyse** n. f. sc. Décomposition chimique sous l'action de la chaleur.

**pyromane** n. Incendiaire obéissant à une impulsion obsédante. ► **pyromanie** n. f.

**pyrotechnie** [-tɛk-] n. f. Technique de la fabrication et de l'utilisation des feux d'artifice. ► **pyrotechnicien, ienne** n. ► **pyrotechnique** adj.

**pyrrhonien, ienne** adj. et n. didact. Sceptique. ► **pyrrhonisme** n. m.

**pythie** n. f. didact. Prêtresse de l'oracle d'Apollon à Delphes. → **pythonisse.**

**python** n. m. Serpent des forêts tropicales, de très grande taille, qui broie sa proie entre ses anneaux.

**pythonisse** n. f. littér. ou plais. Prophétesse, voyante. → **pythie.**

**pyxide** n. f. didact. **1** relig. Petite boîte à couvercle. **2** bot. Capsule qui s'ouvre par en haut.

# Q

**q** [ky] n. m. Dix-septième lettre, treizième consonne de l'alphabet.

**qat** ou **khat** [kat] n. m. Arbuste d'Éthiopie et du Yémen dont les feuilles, mastiquées, sont utilisées comme drogue hallucinatoire.

**QCM** n. m. invar. (sigle) Questionnaire à choix multiple.

**Q. G.** n. m. invar. (sigle) fam. Quartier* général.

**Q. I.** [kyi] n. m. invar. (sigle) fam. Quotient* intellectuel.

**quad** [kwad] n. m. anglic. Véhicule tout-terrain découvert (comme une moto), à quatre roues.

**quadragénaire** adj. et n. (Personne) qui a entre quarante et quarante-neuf ans.

**quadrangulaire** adj. Qui a quatre angles. - Dont la base est un quadrilatère.

**quadrant** n. m. math. Quart de cercle. - Région du plan limitée par deux demi-droites perpendiculaires.

**quadrature** n. f. Construction d'un carré d'une aire donnée. *La quadrature du cercle est impossible.*

**quadriennal, ale, aux** adj. **1** De quatre ans. **2** Qui revient tous les quatre ans.

**quadrige** n. m. Char à quatre chevaux.

**quadrilatère** n. m. Polygone à quatre côtés (ex. le carré, le losange).

**quadrille** [ka-] n. m. Contredanse (I) à la mode au XIXe siècle.

**quadriller** [ka-] v. tr. [1] **1** Couvrir de lignes perpendiculaires entrecroisées. **2** Diviser (un territoire) pour occuper, surveiller. ► **quadrillage** n. m.

**quadrimoteur** n. m. et adj. m. (Avion) muni de quatre moteurs.

**quadriréacteur** n. m. et adj. m. (Avion) muni de quatre réacteurs.

**quadrumane** adj. et n. (Animal) à quatre membres terminés par des mains (ex. le singe).

**quadrupède** adj. et n. (Mammifère) à quatre pattes (excluant le quadrumane).

**quadruple** adj. et n. m. Répété quatre fois, qui vaut quatre fois (une quantité). ► **quadrupler** v. intr. et v. tr. [1]

**quadruplés, ées** n. pl. Les quatre enfants issus d'une même grossesse.

**quai** n. m. **1** Mur, chaussée où accostent les bateaux. *Navire à quai.* **2** Plate-forme longeant la voie, dans une gare.

**quaker, quakeresse** [kwɛkœʀ, kwɛkʀɛs] n. Membre d'un mouvement religieux protestant du XVIIe siècle, pacifiste et philanthropique.

**qualifiable** adj. Qui peut être qualifié.

**qualifiant, ante** adj. Qui qualifie (3), donne une qualification professionnelle. *Stage qualifiant.*

**qualificatif, ive** **1** adj. Qui exprime une qualité. **2** n. m. Mot (adjectif) qui qualifie. → **épithète.**

**qualification** n. f. **1** Action de qualifier (1). → **appellation.** **2** Fait de qualifier (2). **3** *Qualification professionnelle :* formation, savoir-faire qui qualifie (3) pour un emploi.

**qualifié, ée** adj. **1** *Ouvrier qualifié,* ayant une qualification (3). **2** dr. *Vol qualifié,* criminel.

**qualifier** v. tr. [7] **1** Caractériser par un mot, une expression. → **appeler, désigner, nommer.** *Une conduite qu'on ne peut qualifier.* - *Qualifier de* (+ attribut). → **traiter** de. **2** Faire que (qqn, un concurrent) soit admis à des épreuves. - pronom. *Se qualifier pour la finale.* **3** Rendre apte à.

**qualitatif, ive** adj. Relatif à la qualité, qui est du domaine de la qualité (s'oppose à *quantitatif*). ► **qualitativement** adv.

**qualité** n. f. **I** **1** (choses) Manière d'être caractéristique. → **caractère, propriété.** ♦ Ce qui donne une certaine valeur (s'oppose à *quantité*). *Produit de bonne qualité.* - *De qualité,* excellent. **2** Caractère moral positif (s'oppose à *défaut*). **II** Condition, situation sociale, civile... (d'une personne). - loc. *En (sa) qualité de... :* en tant que...

**quand** **I** conj. **1** Au moment où. → **lorsque.** *Quand il est arrivé.* **2** Chaque fois que, toutes les fois que. *Quand l'un dit oui, l'autre dit non.* **3** *Quand (bien) même*

(+ cond.) : en admettant que. **4** *Quand même* loc. adv. : cependant. – fam. Tout de même. **II** adv. À quel moment ?

**quanta** → **quantum**

**quant à** [kɑ̃ta] loc. prép. Pour ce qui est de, relativement à. *Quant à lui...*

**quant-à-soi** [kɑ̃ta-] n. m. sing. Réserve, retenue un peu fière.

**quantième** [-tjɛm] n. m. didact. Chiffre du jour du mois.

**quantifier** v. tr. 7 Attribuer une grandeur mesurable à (qqch.). ► **quantifiable** adj.

**quantile** n. m. statist. Nombre qui divise une suite ordonnée de valeurs en parties d'égale étendue.

**quantique** [k(w)ɑ̃-] adj. phys. Des quanta (→ **quantum**). *Mécanique quantique.*

**quantitatif, ive** adj. Qui appartient au domaine de la quantité (s'oppose à *qualitatif*). ► **quantitativement** adv.

**quantité** n. f. **1** Nombre (de choses, de personnes) ; mesure qui sert à évaluer. *En grande, en petite quantité.* → **beaucoup, peu.** **2** Grand nombre. – *En quantité* : en abondance. **3** Caractère de ce qui peut être mesuré. – loc. *Quantité négligeable.* **4** L'ensemble des valeurs mesurables (s'oppose à *qualité*).

**quantum** [k(w)ɑ̃tɔm], plur. **quanta** [k(w)ɑ̃ta] n. m. phys. *Quantum d'énergie, d'action,* la plus petite quantité. *Théorie des quanta* (l'énergie se manifeste par petites quantités discontinues : particules).

**quarantaine** n. f. **I 1** Nombre d'environ quarante. **2** Âge d'environ quarante ans. **II** Isolement (de quarante jours à l'origine) imposé en cas de risques contagieux. – loc. *Mettre qqn en quarantaine* (fig. à l'écart).

**quarante I** adj. numéral invar. **1** (cardinal) Quatre fois dix (40). **2** (ordinal) Quarantième. *Page quarante.* **II** n. m. invar. Le nombre, le numéro quarante. ► **quarantième** adj. et n.

**quark** [kwaʀk] n. m. phys. Particule fondamentale électrisée (dans les particules lourdes).

① **quart, quarte** adj. vx Quatrième. «*Le Quart Livre*» (de Rabelais).

② **quart** n. m. **I** Fraction, division en quatre parties égales. – vieilli Quart d'une livre (125 g). *Un quart de beurre.* – loc. *Au quart de tour* (d'un moteur) : fig. immédiatement. ♦ *Quart d'heure* : quinze minutes. **II 1** Service de quatre heures (d'un équipage). *Prendre le quart.* **2** loc. *Les trois quarts* : la plus grande partie. – *Portrait de trois quarts,* entre face et profil.

**quarte** n. f. mus. Intervalle de quatre degrés dans la gamme diatonique.

**quarté** [k(w)aʀte] n. m. Pari mutuel sur quatre chevaux (courses).

① **quarteron** n. m. péj. Petit groupe.

② **quarteron, onne** n. Fils, fille de blanc (blanche) et de mulâtre.

**quartette** [k(w)a-] n. m. Ensemble de quatre musiciens de jazz.

**quartier** n. m. **I 1** Portion d'environ un quart. *Un quartier de bœuf.* **2** Phase de la Lune où une partie du disque est éclairée. **II 1** Partie d'une ville. **2** (dans des loc.) Cantonnement. *Quartiers d'hiver. Quartier général (Q. G.)* : bureaux du commandant. ♦ *Quartier libre* : liberté pour sortir. **3** loc. *Ne pas faire de quartier* : ne pas épargner.

**quartier-maître** n. m. Marin du premier grade au-dessus de celui du matelot.

**quart-monde** n. m. **1** Partie la plus défavorisée de la population, dans les pays développés. **2** (d'après l'anglais) Les pays les plus pauvres du tiers-monde.

**quartz** [kwaʀts] n. m. Silice naturelle cristallisée. *Montre à quartz.*

**quasar** n. m. Source céleste d'ondes hertziennes *(radiosource).*

① **quasi** adv. région. ou littér. Presque. *Le raisin est quasi mûr.* → **quasiment.** – *Quasi-certitude, quasi-totalité.*

② **quasi** n. m. Haut de la cuisse (veau).

**quasiment** adv. vieilli ou région. Quasi, à peu près, en quelque sorte.

**quaternaire** [kwa-] adj. **1** Formé de quatre éléments. **2** *Ère quaternaire* ou n. m. *le quaternaire* : ère géologique la plus récente (environ un million d'années).

**quatorze I** adj. numér. invar. **1** (cardinal) Dix plus quatre (14). **2** (ordinal) Quatorzième. *Louis XIV.* – loc. *Comme en quatorze* (en l'an 1914), avec l'enthousiasme des débuts. **II** n. m. invar. Le nombre, le numéro quatorze. ► **quatorzième** adj. et n. ► **quatorzièmement** adv.

**quatrain** n. m. Strophe de quatre vers.

**quatre I** adj. numéral invar. **1** (cardinal) Trois plus un (4). ♦ loc. *Se mettre en quatre* : se donner beaucoup de mal. – *Descendre quatre à quatre,* très vite. **2** (ordinal) Quatrième. *Henri IV.* **II** n. m. invar. Le chiffre, le nombre, le numéro quatre.

**quatre-cent-vingt-et-un** [kat(ʀə)sɑ̃vɛ̃teœ̃] n. m. invar. Jeu de dés où quatre-deux-un est la combinaison la plus forte.

**quatre-heures** n. m. invar. fam. Goûter.

**quatre-quarts** n. m. invar. Gâteau où entrent à poids égal du beurre, de la farine, du sucre et des œufs.

**quatre-quatre** n. f. ou m. invar. Automobile à quatre roues motrices.

**quatre-vingt** (prend un *s* final lorsqu'il n'est pas suivi d'un autre adj. numéral) **I** adj. numéral **1** (cardinal) Huit fois dix (80). → **octante.** - *Quatre-vingt-dix* : neuf fois dix (90). → **nonante. 2** (ordinal) Quatre-vingtième. *Page quatre-vingt.* **II** n. m. Le nombre, le numéro quatre-vingt. ► **quatre-vingtième** adj. et n.

**quatrième 1** adj. numéral ordinal Qui suit le troisième (4e). ♦ n. *Le, la quatrième.* **2** adj. Se dit d'une partie d'un tout également divisé en quatre. → ②**quart.** ► **quatrièmement** adv.

**quatuor** [kwatɥɔʀ] n. m. **1** Œuvre musicale écrite pour quatre instruments ou quatre voix. *Quatuor à cordes*, pour deux violons, alto et violoncelle. **2** Groupe de quatre musiciens ou chanteurs (→ **quartette**).

① **que** conj. **1** avant une subordonnée complétive (à l'indic. ou au subj.) *Je crois qu'il est là. C'est dommage qu'il soit absent.* **2** avant une proposition circonstancielle *Il avait à peine fini qu'il s'en allait. Il reste au lit, non qu'il soit malade...* ♦ *Ne... que... ne...* : sans que, avant que. *Il ne se passe pas une semaine qu'il ne vienne.* **3** substitut d'un autre mot *(quand, si, comme...) Quand il arriva et qu'elle le vit.* **4** introduit le second terme d'une compar. *Autant, plus, moins que...* **5** *Ne... que...* → **seulement.** *Je n'aime que toi.* **6** (ordre, souhait... ; + subj.) *Qu'il entre !*

② **que** adv. interrog. ou exclam. *Que m'importe ? Que c'est beau !* → **comme.**

③ **que** pron. **I** Pronom relatif désignant une personne ou une chose. (objet direct) *Celle que j'aime.* ♦ (compl. indir. ou circonstanciel) *Depuis dix ans que nous habitons ici.* ♦ (attribut) *L'ami que vous êtes.* **II** Pronom interrogatif désignant une chose. **1** (objet direct) Quelle chose ? *Que faire ? Qu'y a-t-il ?* ♦ (interrog. indir.) → **quoi.** *Il ne savait plus que dire.* **2** (attribut) *Que deviens-tu ?* ♦ *Qu'est-ce que..., qui... ?*

**québécisme** n. m. ling. Fait de langue propre au français du Québec.

**québécois, oise** adj. et n. Du Québec.

**quechua** [ketʃwa] n. m. Langue amérindienne (Argentine, Pérou, Bolivie) qui fut celle des Incas. - var. **quichua.**

**queer** [kwiʀ] n. et adj. anglic. Personne dont l'orientation ou l'identité sexuelle ne correspond pas aux modèles dominants. *Les queers.* - adj. *La communauté queer.*

**quel, quelle** adj. **I** Adjectif interrogatif portant sur la nature, l'identité (de qqch., qqn). **1** interrog. dir. (attribut) *Quelle est donc cette jeune fille ?* → **qui.** - (épithète) *Quelle jeune fille ?* **2** interrog. indir. *Il ne savait pas quelle route prendre.* **3** exclam. *Quelle idée !* **II** pron. interrog. Lequel, qui. *Des deux, quel est le meilleur ?* **III** adjectif relatif ; avec le verbe *être* au subj. *Quel, quelle qu'il, elle soit...* (correspond à : dans tous les cas).

**quelconque** adj. **1** adj. indéf. N'importe lequel. *Un quelconque individu.* - sc. Qui n'a pas de propriété particulière. *Triangle quelconque.* **2** adj. qualificatif Sans qualité ou valeur particulière. → **ordinaire.**

**quelque I** adj. et adv. littér. *Quelque... que* (concessif) → **aussi, pour, si.** *Quelque difficile que ce soit.* **II** adj. indéf. **1** littér. Un, certain. *Il sera allé voir quelque ami.* - *Quelque part*.* ♦ Un peu de. *Depuis quelque temps.* **2** *Quelques* : un certain nombre de. → **plusieurs. 3** adv. Environ. *Un livre de quelque vingt euros.*

**quelque chose ; quelque part** → **chose ; part**

**quelquefois** adv. **1** Un certain nombre de fois. **2** Parfois.

**quelqu'un, une,** plur. **quelques-uns, unes** pron. indéf. **I** au sing. **1** Une personne (indéterminée). *Il y a quelqu'un ? - Il faut trouver quelqu'un de sérieux.* **2** Personne remarquable. *C'est quelqu'un !* **II** au plur. *Quelques-uns de* (ou *des*), un petit nombre indéterminé.

**quémander** v. tr. [1] Demander humblement et avec insistance. ► **quémandeur, euse** n.

**qu'en-dira-t-on** n. m. sing. Commentaires malveillants. *Se moquer du qu'en-dira-t-on.*

**quenelle** n. f. Rouleau de pâte légère où est incorporé un fin hachis.

**quenotte** n. f. fam. Petite dent (d'enfant).

**quenouille** n. f. Petit bâton garni en haut d'une matière textile, que les femmes filaient en la dévidant (→ rouet).

**querelle** n. f. Vif désaccord. → **dispute.** - loc. *Chercher querelle à qqn*, le provoquer. → **noise.**

**quereller** v. tr. [1] **1** littér. Adresser des reproches à (qqn). **2** *Se quereller* v. pron. Avoir une querelle. ► **querelleur, euse** adj.

**quérir** v. tr. seulement inf. vx Chercher.

**questeur** n. m. **1** Antiq. romaine Magistrat qui assistait les consuls. **2** mod. Membre du bureau (*questure* n. f.) chargé des dépenses, de la sécurité, dans une assemblée politique.

**question** n. f. **1** Demande pour apprendre qqch. → **interrogation.** *Poser une question à qqn.* **2** Sujet qui implique des difficultés. → **affaire, problème.** - *Ce n'est pas la question* : il ne s'agit* pas de cela. ♦ impers. *Il est question de...*, il s'agit de... - (éventualité) *Il est question de lui comme directeur. Il n'en est pas question.* ♦ *En question*, dont il s'agit. - *Mettre, remettre qqch. en question*, en cause. **3** anciennt Torture pour arracher des aveux. *Mettre qqn à la question.*

**questionnaire** n. m. Liste de questions d'une enquête, d'un jeu.

**questionner** v. tr. [1] Poser des questions à (qqn). ► **questionnement** n. m.

**quétaine** adj. (Canada) De mauvais goût, sans style, sans allure.

**quête** n. f. **I** vx Recherche. *La quête du Graal.* ♦ loc. mod. *En quête de.* **II** Action de recueillir de l'argent pour des œuvres. → **collecte.**

**quêter** v. [1] **I** v. tr. Demander, chercher comme un don, une faveur. → **mendier, solliciter. II** v. intr. Faire la quête (II). ► **quêteur, euse** n.

**quetsche** [kwɛtʃ] n. f. **1** Prune oblongue, violette. **2** Son eau-de-vie.

**quetzal** n. m. **1** Oiseau des forêts d'Amérique centrale, au plumage vert doré et rouge (oiseau sacré, dans l'Empire aztèque). **2** Unité monétaire du Guatemala. *Des quetzals.*

**queue** n. f. **I 1** Appendice poilu qui prolonge la colonne vertébrale de mammifères (→ **caudal**). – loc. fig. *La queue basse, entre les jambes* (chiens), piteusement. – loc. adv. *À la queue leu leu* : l'un derrière l'autre (*leu* : « loup »). **2** Extrémité postérieure allongée du corps (poissons, reptiles, etc.). **3** Plumes du croupion (d'un oiseau). **4** loc. *Queue-de-morue, queue-de-pie* : basques. – *Queue de cheval* : mèche de cheveux attachée à l'arrière de la tête. ♦ fam. *Pas la queue d'un, d'une* : pas un(e) seul(e). **5** Tige (d'une fleur, d'une feuille) ; attache (d'un fruit). **6** vulg. Membre viril. **II 1** Partie terminale, prolongement. – *Piano* à queue.* **2** Manche. *La queue d'une poêle.* ♦ *Queue de billard* : long bâton arrondi qui sert à pousser les billes. **III 1** Derniers rangs, dernières personnes (d'un groupe). *La queue d'un cortège.* **2** File de personnes qui attendent leur tour. *Faire la queue.* **3** Arrière (d'un train...). *Monter en queue.* **4** Fin. – loc. *Commencer par la queue. Sans queue ni tête,* incohérent.

**queux** n. m. vx *Maître queux* : cuisinier.

**qui** pron. **I** Pronom relatif. **1** (sujet ; avec antécédent) *La rue qui monte. Toi qui es malin.* ♦ (sans antécédent exprimé) Celui qui. *Qui va lentement va sûrement.* – Ce qui. *Voilà qui doit être agréable.* **2** (compl.) Celui, celle que. *Qui vous savez,* la personne qu'on ne veut pas nommer. – (compl. indir.) *L'homme à qui j'ai parlé, de qui je parle* (→ **dont**), *pour qui je vote.* **II** Pronom interrogatif. **1** (interrog. dir.) Quelle personne. *Qui te l'a dit ? Qui sont-ils ? Qui demandez-vous ?* – (interrog. indir.) *Dis-moi qui tu fréquentes, et je te dirai qui tu es.* **2** *Qui que* (+ subj.). *Qui que tu sois,* que tu sois tel ou tel. *Qui que ce soit,* n'importe qui.

> Ne pas confondre *la femme qui l'aime* (la femme est amoureuse) et *la femme qu'il aime* (il est amoureux).

à **quia** [akɥija] loc. adv. vieilli *Réduire qqn à quia,* au silence.

**quiche** n. f. Tarte salée garnie d'une préparation de crème, œufs et lard.

**quiconque 1** pron. rel. Toute personne qui. *Quiconque a voyagé sait que...* **2** pron. indéf. N'importe qui.

**quidam** [k(ɥ)idam] n. m. plais. Un certain individu. *Qui est ce quidam ?*

**quiet, quiète** adj. vx Paisible, tranquille.

**quiétude** n. f. littér. Tranquillité, sérénité. – loc. *En toute quiétude.*

**quignon** n. m. Gros croûton (de pain).

① **quille** n. f. **I 1** Jeu où on renverse des rouleaux de bois dressés avec une boule (→ bowling) ; ce rouleau. **2** fam. Jambe. **II** argot milit. Fin du service militaire.

② **quille** n. f. Pièce en longueur, sous un bateau, pour l'équilibrer.

**quincaillerie** n. f. **1** Ustensiles en métal. **2** Industrie, commerce de ces objets. ► **quincaillier, ière** n.

> *Quincaillier* se termine par *-ier,* ne pas oublier le *i.*

**quinconce** n. m. *En quinconce,* quatre aux quatre angles, le cinquième au centre.

**quinine** n. f. Alcaloïde extrait de l'écorce de quinquina, remède contre le paludisme.

**quinoa** n. m. Plante originaire d'Amérique du Sud, cultivée pour ses graines très nutritives.

**quinolone** n. f. méd. Médicament voisin des antibiotiques, produit par synthèse.

**quinquagénaire** [kɛ̃ka- ; kɥɛ̃kwa-] adj. et n. (Personne) qui a entre cinquante et cinquante-neuf ans.

**quinquennal, ale, aux** adj. De cinq ans. *Plan quinquennal.* ► **quinquennat** n. m.

**quinquet** n. m. anciennt Lampe à huile.

**quinquina** n. m. **1** Écorce amère aux propriétés toniques et fébrifuges (→ **quinine**). **2** Apéritif au quinquina.

**quintal, aux** n. m. Unité de mesure de masse valant cent kilogrammes (symb. q).

① **quinte** n. f. **1** mus. Intervalle de cinq degrés dans la gamme diatonique. **2** Suite de cinq cartes d'une couleur.

② **quinte** n. f. Accès de toux.

**quinté** n. m. Pari mutuel sur cinq chevaux (courses).

**quintessence** n. f. L'essentiel et le plus pur de qqch.

**quintette** [k(ɥ)ɛ̃-] n. m. **1** Œuvre musicale pour cinq instruments ou cinq voix. **2** Orchestre de jazz de cinq musiciens.

**quintuple** adj. **1** Répété cinq fois, qui vaut cinq fois plus. – n. m. *Le quintuple.* **2** Constitué de cinq éléments. ► **quintupler** v. tr. et intr. [1]

**quintuplés, ées** n. pl. Les cinq enfants issus d'une même grossesse.

**quinzaine** n. f. **1** Nombre de quinze ou environ. **2** Deux semaines.

**quinze** I adj. numéral invar. **1** (cardinal) Quatorze plus un (15). *Jeu à quinze* (rugby). *Quinze cents* (mille cinq cents). **2** (ordinal) Quinzième. *Page quinze.* II n. m. invar. Le nombre, le numéro quinze. ► **quinzième** adj. et n. ► **quinzièmement** adv.

**quipou** ou **quipu** [kipu] n. m. Faisceau de cordelettes dont les nœuds équivalaient à l'écriture, chez les Incas.

**quiproquo** n. m. Erreur, malentendu où l'on prend une personne, une chose pour une autre.

**quittance** n. f. Attestation écrite de remboursement. → **récépissé.**

**quitte** adj. **1** Libéré d'une obligation, d'une dette. *Nous sommes quittes* (l'un envers l'autre). **2** (avec *tenir, considérer, estimer,* etc.) Libéré d'une obligation morale. **3** Débarrassé (d'une situation désagréable, d'obligations). ♦ loc. *En être quitte pour la peur* : n'avoir que la peur (et pas de mal). – *Quitte à* (+ inf.) : au risque de. **4** loc. *Jouer à quitte ou double,* de manière à annuler ou doubler les résultats.

**quitter** v. tr. [1] I *(Quitter qqn)* **1** Laisser (qqn). *Je te quitte, à bientôt.* → s'en **aller.** **2** Laisser (qqn) pour très longtemps. – pronom. → **rompre,** se **séparer.** **3** loc. *Ne pas quitter qqn des yeux,* le regarder longuement. ♦ *Ne quittez pas !* (au téléphone). **4** (sujet chose) Ne plus être avec, ne plus concerner ou affecter (qqn). II *(Quitter qqch.)* **1** Laisser (un lieu) en s'éloignant. **2** (surtout négatif) → **enlever, ôter.** *Il ne quitte jamais son chapeau.* **3** Abandonner (une activité, un genre de vie).

**quitus** [kitys] n. m. dr. Reconnaissance d'une gestion conforme aux obligations.

**qui-vive** n. m. invar. loc. *Être sur le qui-vive,* sur ses gardes.

**quiz** [kwiz] n. m. anglic. Jeu par questions et réponses.

**quoi** pron. I Pronom relatif désignant une chose (précédé d'une préposition). **1** *Voilà de quoi il s'agit.* – *Sans quoi ; faute de quoi.* → **autrement, sinon.** *Comme quoi...* : ce qui montre que... **2** *De quoi vivre, de quoi manger,* ce qu'il faut pour. – *Je vous remercie.* – *Il n'y a pas de quoi.* II Pronom interrogatif. **1** Quelle chose. (interrog. indir.) *Je saurai à quoi m'en tenir.* – (interrog. dir.) *À quoi penses-tu ?* **2** interj. → **comment.** *Quoi ? Qu'est-ce que c'est ?* **3** *Quoi que* (loc. concessive). *Quoi qu'il arrive. Quoi que ce soit* : n'importe quoi. *Quoi qu'il en soit* : de toute façon.

**quoique** conj. (+ subj.) Bien que (et opposition, concession).

> Ne pas confondre *quoique* avec *quoi que : je le trouve beau quoique tu penses le contraire* « bien que tu penses le contraire » ; *quoi que tu penses, sois sincère* « peu importe ce que tu penses ».

**quolibet** n. m. littér. Propos moqueur.

**quorum** [k(w)ɔʀɔm] n. m. dr. Nombre minimum de membres présents pour délibérer (assemblée).

**quota** [k(w)ɔta] n. m. admin. Contingent ou pourcentage déterminé. *Quotas d'importation.*

**quote-part** n. f. Part qui revient à chacun. → **quotité.** *Des quotes-parts.*

**quotidien, enne** I adj. De chaque jour. II n. m. Journal qui paraît chaque jour. ► **quotidiennement** adv.

**quotient** [-sjɑ̃] n. m. **1** math. Résultat d'une division. **2** *Quotient intellectuel* : mesure par des tests du rapport de l'âge mental à l'âge réel (Q. I.).

**quotité** n. f. dr. Montant d'une quote-part.

**QWERTY** [kwɛʀti] adj. invar. *Clavier QWERTY.* → **clavier.**

# R

**r** [ɛʀ] n. m. Dix-huitième lettre, quatorzième consonne de l'alphabet.

**rab** [ʀab] n. m. (abrév.) fam. Rabiot.

**rabâcher** v. [1] v. intr. Répéter continuellement, d'une manière fastidieuse. → **radoter, ressasser.** – trans. *Rabâcher une histoire.* ► **rabâchage** n. m. ► **rabâcheur, euse** n.

**rabais** n. m. Diminution sur un prix. – loc. adj. fig. *Au rabais :* médiocre.

**rabaisser** v. tr. [1] **1** Ramener à un état ou à un degré inférieur. → **rabattre. 2** Estimer ou mettre au-dessous de sa valeur réelle. → **déprécier.**

**rabane** n. f. Tissu de raphia.

**rabat** n. m. **1** Pièce d'étoffe formant plastron. **2** Partie qui peut se replier.

**rabat-joie** n. et adj. invar. (Personne) qui trouble la joie des autres.

**rabattage** n. m. Action de rabattre (le gibier).

**rabatteur, euse** n. **1** Personne chargée de rabattre le gibier. **2** péj. Personne qui fournit des clients, etc. à qqn.

**rabattre** v. tr. [41] **I 1** Diminuer en retranchant (une partie d'une somme). → **déduire, défalquer.** – (intrans.) *En rabattre :* abandonner de ses prétentions. **2** Amener à un niveau plus bas, faire retomber (sur). **3** Mettre à plat, appliquer contre qqch. *Rabattre le capot d'une voiture.* **II** Ramener par force dans une certaine direction. *Rabattre le gibier* (vers les chasseurs). ▷ v. pron. se **rabattre 1** Aller brusquement sur le côté. **2** *Se rabattre sur* (qqn, qqch.), accepter, faute de mieux.

**rabbin** n. m. Chef religieux d'une communauté juive. – var. **rabbi.** ► **rabbinique** adj.

**rabelaisien, ienne** adj. Qui rappelle la verve truculente de Rabelais.

**rabibocher** v. tr. [1] fam. **1** vieilli Rafistoler. **2** Réconcilier. – pronom. *Ils se sont rabibochés.* ► **rabibochage** n. m.

**rabiot** n. m. fam. Supplément. → **rab.**

**rabioter** v. intr. et tr. [1] fam. Faire de petits profits supplémentaires.

**rabique** adj. didact. Relatif à la rage (②).

**râble** n. m. **1** Partie charnue du dos (quadrupèdes). *Râble de lapin.* **2** loc. fam. *Tomber sur le râble à qqn,* l'agresser.

**râblé, ée** adj. **1** Qui a le râble épais. **2** (personnes) Trapu et vigoureux.

**rabot** n. m. Outil servant à enlever les inégalités du bois. → **varlope.**

**raboter** v. tr. [1] Aplanir au rabot. ► **rabotage** n. m.

**raboteux, euse** adj. Dont la surface présente des inégalités. → **rugueux.**

se **rabougrir** v. pron. [2] Être arrêté dans son développement. → **s'étioler.** ♦ Se ratatiner. ▷ adj. **rabougri, ie** ► **rabougrissement** n. m.

**rabrouer** v. tr. [1] Traiter (qqn) avec rudesse. → **rembarrer.** ► **rabrouement** n. m.

**racaille** n. f. péj. Ensemble d'individus louches (craints ou méprisés). → **canaille.** ♦ *Une racaille :* un individu peu recommandable.

**raccommodage** n. m. Action, manière de raccommoder.

**raccommodement** n. m. fam. Réconciliation.

**raccommoder** v. tr. [1] **1** vieilli Remettre en état. **2** Réparer à l'aiguille (du linge, un vêtement). → **rapiécer, ravauder, repriser. 3** fam. Réconcilier. – pronom. → se **réconcilier.** ► **raccommodeur, euse** n.

**raccompagner** v. tr. [1] Accompagner (qqn qui s'en va). → **reconduire.**

**raccord** n. m. **1** Liaison entre deux choses, deux parties. *Un raccord de peinture.* ♦ Pièce qui raccorde. **2** cin. Manière dont deux plans s'enchaînent.

**raccordement** n. m. Action, manière de raccorder ; raccord.

**raccorder** v. tr. [1] **1** Relier par un raccord. **2** (sujet chose) Former un raccord.

**raccourci** n. m. **1** Ce qui est exprimé de façon ramassée, résumée. ♦ *En raccourci,* en résumé. **2** arts Réduction d'une figure vue en perspective. **3** Chemin plus court que le chemin ordinaire. **4** inform. *Raccourci clavier :* combinaison de touches permettant d'activer une commande sans passer par un menu.

**raccourcir** v. [2] **1** v. tr. Rendre plus court. **2** v. intr. Devenir plus court. → **rétrécir ; diminuer.** ► **raccourcissement** n. m.

**raccroc** [-o] n. m. loc. *Par raccroc :* par un hasard heureux. – *De raccroc :* dû au hasard.

**raccrocher** v. tr. [1] **1** Remettre en accrochant (ce qui était décroché). – *Raccrocher* (au téléphone), interrompre la communication. **2** Arrêter pour retenir (qqn qui passe). ▷ v. pron. se **raccrocher** Se retenir (à). ► **raccrochage** n. m.

**race** n. f. **I 1** Famille d'origine célèbre. – loc. *Fin de race.* **2** Catégorie de personnes. → **espèce.** *La race des héros.* **II** Dans une espèce animale, ensemble d'individus réunissant les mêmes caractères héréditaires. **III** Ensemble d'êtres humains qui ont en commun la couleur naturelle de leur peau.

**racé, ée** adj. (personnes) Qui a une distinction, une élégance naturelles.

**rachat** n. m. Action de (se) racheter.

**racheter** v. tr. [5] **I** Acheter de nouveau. ♦ Acheter (à qqn qui a acheté). *Racheter une entreprise.* **II 1** Sauver par la rédemption. **2** (compl. chose) Faire oublier ou pardonner. ▷ v. pron. se **racheter** Retrouver dignité, estime.

**rachidien, ienne** adj. anat. De la colonne vertébrale. → **spinal.** *Canal rachidien.*

**rachis** [-is] n. m. anat. Colonne vertébrale ; épine dorsale.

**rachitisme** n. m. Maladie de la croissance qui se manifeste par des déformations du squelette. ♦ Développement incomplet. ► **rachitique** adj. et n.

**racial, iale, iaux** adj. Relatif aux races (III). *Discrimination raciale.*

**racine** n. f. **I 1** Partie des végétaux par laquelle ils se fixent au sol et se nourrissent. ♦ loc. fig. *Prendre racine :* rester debout et immobile. **2** fig., littér. Source, origine. *Attaquer le mal à la racine.* **II** Partie par laquelle un organe est implanté. *La racine d'une dent.* **III 1** math. *Racine carrée, cubique d'un nombre,* nombre dont le carré, le cube est égal à ce nombre. **2** ling. Élément irréductible d'un mot. → **radical.**

**racisme** n. m. **1** Idéologie postulant une hiérarchie des races (III). **2** Discrimination, hostilité envers un groupe humain. ► **raciste** adj. et n.

**racket** [-ɛt] n. m. anglic. Extorsion d'argent ou d'objets, par chantage, intimidation ou terreur. ► **racketter** v. tr. [1] ► **racketteur, euse** n.

**raclée** n. f. fam. **1** Volée de coups. **2** fig. Défaite complète.

**racler** v. tr. [1] **1** Frotter rudement (une surface), notamment pour égaliser ou détacher ce qui adhère. – *Se racler la gorge* (par une expiration brutale, pour s'éclaircir la voix). **2** Enlever (qqch.) en frottant. ► **raclement** n. m. *Raclement de gorge.*

**raclette** n. f. **1** Petit racloir. **2** Plat de fromage chauffé dont on racle la partie molle.

**racloir** n. m. Outil servant à racler.

**raclure** n. f. Déchet de ce qui a été raclé. → **rognure.**

**racoler** v. tr. [1] péj. **1** Attirer, recruter. *Racoler des électeurs.* **2** (prostitué[e]) Accoster (qqn). ► **racolage** n. m.

**racoleur, euse** adj. péj. Qui cherche à retenir l'intérêt.

**racontar** n. m. (surtout au plur.) Propos médisant ou sans fondement.

**raconter** v. tr. [1] **1** Exposer par un récit (des faits vrais ou présentés comme tels). → **conter, narrer, relater.** *Raconter une histoire.* **2** Décrire, dépeindre. **3** Dire à la légère ou de mauvaise foi. *Qu'est-ce que tu me racontes là ?* → **chanter.**

**racornir** v. tr. [2] Rendre dur comme de la corne ; dessécher. ▷ adj. **racorni, ie**

**radar** n. m. Système de détection qui émet des ondes radioélectriques et en reçoit l'écho (pour déterminer des positions).

**rade** n. f. **1** Grand bassin ayant une issue vers la mer et où les navires peuvent mouiller. **2** loc. fam. *En rade :* à l'abandon.

**radeau** n. m. Plate-forme de bois allant sur l'eau.

**radial, ale, aux** adj. **I** Du radius (os). **II** Relatif au rayon ; disposé selon un rayon.

**radian** n. m. Unité de mesure d'angle (symb. rad). *180° valent π radians.*

**radiant, ante** adj. Qui se propage par radiation ; qui émet des radiations.

**radiateur** n. m. **1** Appareil de chauffage à grande surface de rayonnement. **2** Organe de refroidissement des moteurs à explosion.

① **radiation** n. f. Action de radier.

② **radiation** n. f. Énergie émise et propagée sous forme d'ondes*.

**radical, ale, aux I** adj. Qui tient à l'essence, au principe (d'une chose, d'un être) ou qui agit sur eux. *Changement radical.* → **total.** *Moyen radical.* **II** adj. Partisan de réformes politiques. – n. *Les radicaux.* **III** n. m. **1** Forme prise par la racine* d'un mot. **2** chim. Groupement d'atomes qui conserve son identité. **3** math. Symbole ($\sqrt{\ }$) qui représente la racine de degré *n* (d'un nombre).

**radicalement** adv. Dans son principe ; d'une manière radicale (I). → **totalement.**

**radicaliser** v. tr. [1] Rendre radical, plus intransigeant. ♦ pronom. Adopter un mode de vie, des opinions radicales. ► **radicalisation** n. f.

**radicelle** n. f. bot. Racine secondaire.

**radier** v. tr. [7] Faire disparaître (d'une liste...). → **effacer, rayer ;** ① **radiation.**

**radiesthésie** n. f. Détection grâce à des « radiations » qu'émettraient certains corps. ► **radiesthésiste** n. → **sourcier.**

**radieux, euse** adj. **1** Qui rayonne, brille d'un grand éclat. *Soleil radieux.* – *Journée radieuse.* **2** fig. Rayonnant de bonheur.

**radin, ine** adj. fam. Avare. ► **radinisme** n. f. **radinerie** et n. m.

**radiner** v. intr. [1] fam. Arriver, venir. – pronom. *Se radiner* (même sens).

① **radio** n. f. (abrév.) **I 1** Radiodiffusion*. **2** Station émettrice d'émissions radiophoniques. **3** Poste récepteur de radio. **II** Radiotélégraphie. **III** Radioscopie, radiographie.

② **radio** n. (abrév.) Spécialiste de radiotélégraphie (bateaux, avions...).

**radioactivité** n. f. Propriété qu'ont certains noyaux atomiques (→ **radioélément**) de se transformer en émettant des rayonnements. ► **radioactif, ive** adj.

**radiobalise** n. f. techn. Dispositif, appareil émetteur de signaux radioélectriques, pour le guidage ou la localisation.

**radiocassette** n. f. Récepteur de radio avec lecteur de cassettes.

**radiodiffusion** n. f. Émission et transmission, par ondes hertziennes, de programmes variés (→ **radiophonique**). ► **radiodiffuser** v. tr. [1]

**radioélectrique** adj. *Ondes radioélectriques.* → **hertzien.** *Signal radioélectrique.*

**radioélément** n. m. sc. Élément radioactif naturel ou artificiel.

**radiofréquence** n. f. Fréquence d'une onde électromagnétique, d'un signal électrique.

**radiographie** n. f. Enregistrement photographique de la structure d'un corps traversé par des rayons X. → ① **radio** (III). ► **radiographier** v. tr. [7] ► **radiographique** adj.

**radioguidage** n. m. Guidage à l'aide d'ondes radioélectriques.

**radiologie** n. f. Utilisation (surtout médicale) des rayonnements, rayons X, etc. → **radioscopie.** ► **radiologue** n.

**radiophonique** adj. De la radiodiffusion.

**radioscopie** n. f. Examen de l'image que forme un corps traversé par des rayons X. → ① **radio** (III).

**radiotélégraphie** n. f. Télégraphie sans fil, par ondes hertziennes.

**radiotéléphone** n. m. Téléphone utilisant les ondes radioélectriques.

**radiotélescope** n. m. Instrument qui analyse les ondes émises par les corps célestes.

**radiotélévisé, ée** adj. Qui est à la fois radiodiffusé et télévisé.

**radiothérapie** n. f. méd. Application thérapeutique des rayonnements.

**radiotoxique** adj. didact. Qui émet des rayonnements radioactifs toxiques pour les organismes vivants. *Déchets nucléaires radiotoxiques.* ► **radiotoxicité** n. f.

**radis** n. m. **1** Plante potagère à racine comestible (souvent rose). **2** loc. fam. *N'avoir plus un radis,* plus un sou.

**radium** [-jɔm] n. m. Élément chimique (symb. Ra), très radioactif.

**radius** [-ys] n. m. anat. Os long, situé à la partie externe de l'avant-bras.

**radoter** v. intr. [1] **1** Tenir des propos décousus et peu sensés. **2** Rabâcher, se répéter. ► **radotage** n. m. ► **radoteur, euse** n.

**radoub** [ʀadu] n. m. Entretien, réparation de la coque d'un navire. *Bassin de radoub.* ► **radouber** v. tr. [1] → **calfater.**

**radoucir** v. tr. [2] Rendre plus doux. ▷ v. pron. se **radoucir** ► **radoucissement** n. m. *Radoucissement (du temps).* → **redoux.**

**rafale** n. f. **1** Coup de vent soudain et brutal. → **bourrasque.** – *Une rafale de neige.* **2** Succession rapide de coups.

**raffermir** v. tr. [2] **1** Rendre plus ferme. → **affermir, durcir. 2** fig., littér. Remettre dans un état plus stable. → **fortifier.** ► **raffermissement** n. m.

**raffinage** n. m. Opérations pour obtenir un corps pur ou un mélange défini. *Le raffinage du sucre ; du pétrole* (→ **raffinerie**).

**raffinement** n. m. **1** Caractère de ce qui est raffiné (2). **2** Acte, chose qui dénote ou exige une grande recherche.

**raffiner** v. tr. [1] **I** Procéder au raffinage de. **II 1** littér. Rendre plus subtil. → **affiner. 2** intrans. Rechercher la délicatesse ou la subtilité. ▷ adj. **raffiné, ée 1** Traité par raffinage. **2** Très délicat, subtil.

**raffinerie** n. f. Usine où s'effectue le raffinage (du sucre, du pétrole...).

**raffoler** v. tr. ind. [1] *Raffoler de :* avoir un goût très vif pour (qqn, qqch.).

**raffut** n. m. fam. Tapage, vacarme.

**rafiot** n. m. Mauvais bateau.

**rafistoler** v. tr. [1] Réparer grossièrement. ► **rafistolage** n. m.

① **rafle** n. f. Arrestation massive, à l'improviste. → **descente** de police.

② **rafle** n. f. Ensemble des pédoncules (d'une grappe de fruits : raisins, etc.).

**rafler** v. tr. [1] fam. Prendre et emporter.

**rafraîchir** v. [2] **I** v. tr. **1** Rendre frais, refroidir modérément. **2** Donner une sensation de fraîcheur à (qqn). ♦ pronom. *Se rafraîchir,* boire un rafraîchissement. **3** Ranimer, raviver. – loc. *Rafraîchir la mémoire à qqn,* lui rappeler un souvenir oublié. **II** v. intr. Devenir plus frais. ▷ adj. **rafraîchi, ie** Rendu frais.

**rafraîchissant, ante** adj. Qui rafraîchit.

**rafraîchissement** n. m. **1** Action, fait de rafraîchir. **2** Boisson fraîche.

**raft** [ʀaft] n. m. anglic. Embarcation gonflable pour la descente des rapides (sport du *rafting* n. m.)

**raga** n. m. ou f. didact. Structure mélodique, base des improvisations de la musique savante indienne ; œuvre ainsi créée.

**ragaillardir** v. tr. [2] Rendre de la vitalité, de l'entrain à (qqn). → **revigorer.**

① **rage** n. f. **1** État, mouvement de colère ou de dépit qui rend agressif. → **fureur.** **2** Envie violente et passionnée (de...). → **fureur.** **3** (sujet chose) *Faire rage :* se déchaîner. **4** *Rage de dents :* mal de dents violent.

② **rage** n. f. Maladie mortelle d'origine virale transmise à l'homme par la morsure de certains animaux (→ **enragé**).

**rager** v. intr. [3] fam. Enrager. ► **rageant, ante** adj. → **exaspérant.**

**rageur, euse** adj. **1** Sujet à la colère. **2** Qui dénote la colère. ► **rageusement** adv.

**raglan** n. m. Pardessus ample, à emmanchures en biais. – adj. invar. *Manches raglan.*

**ragnagnas** n. f. pl. fam. Les règles (d'une femme). *Elle a ses ragnagnas.*

**ragondin** n. m. Mammifère rongeur originaire d'Amérique du Sud.

**ragot** n. m. fam. Bavardage malveillant.

**ragoût** n. m. Plat de morceaux de viande et de légumes en sauce.

**ragoûtant, ante** adj. (avec une négation...) Appétissant. *Peu ragoûtant* (→ **dégoûtant**).

**ragtime** [ʀagtajm] n. m. Musique de danse syncopée des Noirs américains.

**rai** n. m. littér. Rayon (de lumière).

**raï** n. m. Musique populaire arabe d'origine maghrébine, improvisation chantée.

**raid** [ʀɛd] n. m. **1** Opération militaire très rapide en territoire ennemi. – *Raid aérien.* **2** Épreuve sportive d'endurance.

**raide** adj. **I 1** Qui ne se laisse pas plier, manque de souplesse. *Cheveux raides.* ♦ fam. (personnes) Sans argent. – Ivre ; drogué. **2** Tendu au maximum. – loc. *Être sur la corde* raide.* **3** Très incliné par rapport au plan horizontal. *Pente raide.* → **abrupt.** **II** abstrait **1** littér. Qui manque de spontanéité. → **guindé, sévère. 2** fam. Difficile à accepter, à croire. *C'est un peu raide.* **III** adv. **1** Violemment ; avec intensité. **2** *Raide mort* (emploi adj.) : mort soudainement. ► **raideur** n. f. → **rigidité.**

**raider** [ʀɛdœʀ] n. m. anglic. Acheteur de titres en Bourse pour prendre le contrôle de sociétés.

**raidillon** n. m. Chemin en pente raide.

**raidir** v. tr. [2] Faire devenir raide ; priver de souplesse. *Raidir ses muscles.* → **contracter.** ▷ v. pron. se **raidir** Devenir raide. – Tendre ses forces. ► **raidissement** n. m.

① **raie** n. f. **1** Ligne droite, bande mince et longue. → **rayure, trait. 2** Ligne de séparation entre les cheveux.

② **raie** n. f. Poisson cartilagineux au corps aplati en losange, à la chair délicate.

**raifort** n. m. **1** Condiment extrait d'une racine au goût piquant. **2** Radis noir d'hiver.

**rail** n. m. **1** Chacune des deux barres d'acier parallèles constituant une voie ferrée. – loc. *Remettre* (qqn, qqch.) *sur les rails,* sur la bonne voie. **2** *Le rail :* le transport par voie ferrée. → **chemin de fer.**

**railler** v. tr. [1] littér. Ridiculiser, se moquer de. ► **railleur, euse** adj.

**raillerie** n. f. Moquerie pour railler. → **quolibet, sarcasme.**

**rainette** n. f. Petite grenouille arboricole.

> Ne pas confondre avec *reinette* «pomme».

**rainure** n. f. Entaille faite en long.

**raisin** n. m. *Le raisin* (collectif), *les raisins :* fruit de la vigne, ensemble de baies (grains) réunies en grappes sur la rafle*.

**raisiné** n. m. Confiture de jus de raisin.

**raison** n. f. **I** (pensée, jugement) **1** La faculté qui permet à l'être humain de connaître, juger et agir conformément à des principes (→ **compréhension, entendement, esprit, intelligence**), et spécialt de bien juger et d'appliquer ce jugement à l'action (→ **discernement,** bon **sens ; rationnel**). – loc. *L'âge de raison* (7 ans). – *Mariage de raison* (réglé par les convenances). **2** Fonctionnement mental normal. → **lucidité.** *Perdre la raison,* devenir fou. **3** (dans des loc.) Ce qui est raisonnable. – *Plus que de raison.* → à l'**excès.** – littér. *Comme de raison :* comme la raison le suggère. **4** (dans des loc. ; opposé à *tort*) *Avoir raison :* être dans le vrai, ne pas se tromper. – *Donner raison à qqn,* juger qu'il a raison. **II** (principe, cause) **1** Ce qui permet d'expliquer (l'apparition d'un fait ; un acte...). → **cause, motif.** ♦ loc. *Pour la raison que.* → **parce que.** *En raison de.* → à **cause** de. – *Se faire une raison :* se résigner. **2** Motif légitime qui justifie (qqch.) en expliquant. *Avoir une (bonne) raison d'espérer.* ♦ loc. *Avec (juste) raison.* → à juste **titre.** – *À plus forte raison :* avec des raisons encore meilleures. → **a fortiori. 3** au plur. Arguments destinés à prouver. *Donner ses raisons.* **4** *Avoir raison de* (qqn, qqch.) : vaincre la résistance de. **III** *Raison sociale :* nom, désignation (d'une société). **IV** sc. Proportion, rapport. – loc. *Augmenter, changer en raison directe, inverse de.* – *À raison de :* en comptant, sur la base de.

**raisonnable** adj. **1** Doué de raison (I), de jugement. → **intelligent, pensant. 2** Qui pense et agit selon la raison (I, 2). → **réfléchi, sensé.** – (choses) Conforme à la raison. → **judicieux, sage. 3** Qui consent des conditions modérées. ♦ Qui correspond à la mesure normale. *Prix raisonnable.* ► **raisonnablement** adv.

**raisonnant, ante** adj. Qui raisonne.

**raisonné, ée** adj. **1** Soutenu par des raisons (II). **2** didact. Qui explique par des raisonnements. → **rationnel.**

**raisonnement** n. m. **1** Activité de la raison (I), manière dont elle s'exerce. **2** Fait de raisonner en vue de parvenir à une conclusion. *Raisonnement inductif, déductif.*

**raisonner** v. [1] **I** v. intr. **1** Faire usage de sa raison. → **penser ; philosopher. 2** Employer des arguments (pour convaincre, discuter). **3** Enchaîner les parties d'un raisonnement. *Raisonner par analogie.* **II** v. tr. Chercher à amener (qqn) à une attitude raisonnable.

Ne pas confondre avec *résonner* «retentir».

**raisonneur, euse** n. Personne qui discute, raisonne, réplique.

**rajah** [ʀa(d)ʒa] n. m. Prince hindou. → **maharajah.** - var. **radjah.**

**rajeunir** v. [2] **I** v. tr. **1** Rendre une certaine jeunesse à (qqn). **2** Attribuer un âge moins avancé à (qqn). **3** (sujet chose) Faire paraître (qqn) plus jeune. **4** Moderniser. *Rajeunir un équipement.* **5** Abaisser l'âge de (un groupe) en incluant des personnes plus jeunes. **II** v. intr. Reprendre les apparences de la jeunesse. ► **rajeunissement** n. m.

**rajouter** v. tr. [1] **1** Ajouter de nouveau ; en plus. **2** fam. *En rajouter.* → **exagérer.** ► **rajout** n. m. → **ajout.**

**rajuster** v. tr. [1] **1** Remettre (qqch.) en bonne place. *Rajuster sa tenue ;* pronom. *se rajuster.* **2** *Rajuster les salaires.* → **réajuster.** ► **rajustement** n. m.

**raki** n. m. Eau-de-vie parfumée à l'anis.

① **râle** n. m. méd. Altération du bruit respiratoire, qui signale une affection pulmonaire.

② **râle** n. m. Petit échassier migrateur.

**ralenti** n. m. **1** Régime le plus bas d'un moteur. ♦ loc. *Au ralenti,* en ralentissant (le rythme...). **2** Procédé cinématographique qui fait paraître les mouvements plus lents.

**ralentir** v. [2] **I** v. tr. Rendre plus lent (un mouvement ; un processus...). **II** v. intr. Aller moins vite ; spécialt réduire la vitesse de son véhicule. ► **ralentissement** n. m.

**ralentisseur** n. m. Dispositif qui sert à ralentir. ♦ Petit dos d'âne.

**râler** v. intr. [1] **I** Faire entendre un râle en respirant. **II** fam. Manifester sa mauvaise humeur. → **protester.** ► **râleur, euse** n. et adj.

**ralliement** n. m. **1** Fait de rallier (une troupe), de se rallier. ♦ loc. *Point de ralliement,* lieu convenu pour se retrouver. - *Signe de ralliement* (pour se reconnaître). **2** Fait de se rallier. → **adhésion.**

**rallier** v. tr. [7] **1** Regrouper (des personnes dispersées). → **rassembler. 2** fig. Unir pour une cause commune. **3** Rejoindre (un parti, etc.). *Rallier la majorité.* - pronom. *Se rallier à,* adhérer à.

**rallonge** n. f. **1** Ce qui est ajouté pour rallonger. *La rallonge d'une table.* ♦ loc. fam. *Nom à rallonge,* à particule. **2** Prolongateur électrique. **3** fam. Supplément de prix.

**rallonger** v. tr. [3] Rendre plus long (en ajoutant un élément). ► **rallongement** n. m.

**rallumer** v. tr. [1] **1** Allumer de nouveau. - sans compl. Redonner de la lumière. **2** fig. → **ranimer** (2). ► **rallumage** n. m.

**rallye** [ʀali] n. m. Course automobile où les concurrents doivent rallier un lieu.

**RAM** n. f. invar. (sigle angl.) inform. Mémoire* vive.

**ramadan** n. m. Mois pendant lequel les musulmans doivent s'astreindre à l'abstinence entre le lever et le coucher du soleil. → aussi **carême.**

**ramage** n. m. **I** *Tissu à ramages,* décoré de rameaux fleuris. **II** Chant des oiseaux.

**ramassage** n. m. **1** Action de ramasser. **2** *Ramassage scolaire :* transport quotidien des écoliers par un service routier spécial.

**ramassé, ée** adj. Resserré en une masse. - fig. *Style ramassé,* concis et dense.

**ramasse-miettes** n. m. invar. Ustensile pour ramasser les miettes sur la table.

**ramasser** v. tr. [1] **I 1** Resserrer en une masse ; tenir serré. - pronom. Se mettre en masse, en boule. **2** Réunir (des choses éparses). → **rassembler. 3** fam. *Ramasser qqn,* l'arrêter (police, etc.). **II 1** Prendre par terre (ce qui s'y trouve). *Ramasser du bois mort, un caillou.* **2** pronom. fam. *Se ramasser :* tomber ; fig. échouer.

**ramasseur, euse** n. **1** Personne qui ramasse. **2** Personne qui va chercher chez les producteurs (des denrées).

**ramassis** n. m. péj. Réunion (de choses ou de gens de peu de valeur). → **tas.**

**rambarde** n. f. Dispositif pour empêcher de tomber (d'un navire, d'un pont, etc.). → **garde-fou.**

**ramdam** [ʀamdam] n. m. fam. Tapage.

① **rame** n. f. Pièce de bois aplatie à une extrémité, pour propulser et diriger une embarcation. → **aviron.**

② **rame** n. f. Branche fichée en terre pour guider une plante grimpante.

③ **rame** n. f. **1** Ensemble de cinq cents feuilles (de papier). **2** File de wagons attelés. *Rame de métro.*

**rameau** n. m. **1** Petite branche d'arbre. **2** Subdivision d'un vaisseau, d'un nerf...

① **ramée** n. f. littér. Les branches à feuilles d'un arbre. → **ramure.**

② **ramée** n. f. loc. fam. *Ne pas en fiche une ramée* (ou *une rame*) : ne rien faire.

**ramener** v. tr. [5] **1** Amener de nouveau (qqn). **2** Faire revenir. *Ramenez la voiture chez moi.* **3** Faire revenir (à un état, à un sujet). *On l'a ramené à lui.* → **ranimer.** - *Ceci* *nous ramène à notre sujet.* **4** fig. Faire renaître, faire revenir. *Ramener la paix.* → **rétablir.** **5** Amener (qqn), apporter (qqch.) avec soi, en revenant. → **rapporter.** **6** fam. *Ramener sa fraise :* arriver, venir ; fig. manifester de la prétention. – ellipt *La ramener.* → **crâner.** – pronom. *Se ramener :* venir. **7** Conduire à un état plus simple. → **réduire.** – pronom. *Se ramener à :* se réduire à, consister seulement en.

S'emploie pour des êtres animés, contrairement à *rapporter* qui s'emploie pour des choses.

**ramequin** n. m. **1** Petit gâteau au fromage. **2** Récipient individuel pour la cuisine.

① **ramer** v. intr. [1] **1** Manœuvrer les rames. **2** fam. Faire des efforts.

② **ramer** v. tr. [1] Soutenir (une plante) avec une rame (②).

**ramette** n. f. Petite rame de papier.

**rameur, euse** n. Personne qui rame, qui est chargée de ramer. *Un banc de rameurs.*

**rameuter** v. tr. [1] péj. Regrouper. *Rameuter ses partisans.*

**rameux, euse** adj. bot. Qui a de nombreux rameaux. *Branche rameuse.*

**rami** n. m. Jeu de cartes où l'on réunit des combinaisons de cartes qu'on étale.

**ramier** n. m. Gros pigeon sauvage.

**ramification** n. f. **1** Division en plusieurs rameaux ; chacune des divisions. **2** fig. Groupement secondaire. *Société qui a des ramifications à l'étranger.*

se **ramifier** v. pron. [7] Se diviser en plusieurs branches ; avoir des ramifications.

**ramille** n. f. Très petite branche.

**ramolli, ie** adj. Devenu mou. ♦ fam. *Cerveau ramolli,* faible, sans idées.

**ramollir** v. tr. [2] Rendre mou ou moins dur. ▷ v. pron. se **ramollir**

**ramollissement** n. m. Fait de se ramollir. – *Ramollissement cérébral* (lésion).

**ramollo** adj. fam. Ramolli ; faible.

**ramoner** v. tr. [1] Nettoyer en raclant pour débarrasser de la suie (les cheminées, les tuyaux). ► **ramonage** n. m. ► **ramoneur, euse** n.

**rampant, ante** adj. **1** Qui rampe (1 et 2). **2** fam. Qui reste à terre (aviation). – n. *Les rampants.* **3** fig. Obséquieux, servile. **4** péj. Qui progresse sournoisement.

**rampe** n. f. **I 1** Plan incliné. – spécialt *Rampe de lancement.* **2** Partie en pente. → **montée.** **II 1** Balustrade à hauteur d'appui. *Rampe d'escalier.* **2** Rangée de lumières au bord d'une scène de théâtre. – loc. *Passer la rampe :* produire de l'effet sur un public.

**ramper** v. intr. [1] **1** (reptiles, etc.) Progresser sur le ventre (→ **reptation**). **2** (plantes) Se développer au sol, ou s'accrocher. **3** fig. et péj. Être soumis.

**ramure** n. f. **1** littér. Branches, rameaux (d'un arbre). **2** Bois des cervidés. → **andouiller.**

**rancard** ou **rencard** n. m. fam. Rendez-vous.

**rancarder** ou **rencarder** v. tr. [1] argot Renseigner.

**rancart** n. m. loc. fam. *Mettre au rancart :* jeter, se débarrasser de. → **rebut.**

**rance** adj. (corps gras : beurre...) Qui a pris une odeur forte et un goût âcre.

**ranch** [ʀɑ̃tʃ] n. m. Ferme de la prairie, aux États-Unis. *Des ranchs* ou *ranches.*

**rancir** v. intr. [2] Devenir rance. ► **rancissement** n. m.

**rancœur** n. f. littér. Ressentiment tenace. → **aigreur, rancune.**

**rançon** n. f. **1** Prix que l'on exige pour délivrer qqn qu'on tient captif. **2** fig. *La rançon de* (un avantage, un plaisir). → **contrepartie.**

**rançonner** v. tr. [1] Exiger de (qqn) une somme d'argent sous la contrainte.

**rancune** n. f. Souvenir hostile, tenace et avec un désir de vengeance. → **rancœur, ressentiment.** ► **rancunier, ière** adj.

**randomisation** n. f. anglic., statist. Méthode pour supprimer les variables non étudiées. ► **randomiser** v. tr. [1]

**randonnée** n. f. Longue promenade. – *Sentier de grande randonnée* (abrév. **G. R.**), pour les marcheurs. ► **randonneur, euse** n.

**rang** [ʀɑ̃] n. m. **I 1** Suite (de personnes, de choses) disposées sur une même ligne, en largeur (opposé à *file*). → **rangée.** ♦ spécialt (soldats...) *Serrer les rangs. Rompre* les rangs.* **2** loc. *Être, se mettre sur les rangs :* entrer en concurrence avec d'autres. ♦ fig. *Grossir les rangs des mécontents.* **3** *Le rang :* l'ensemble des hommes de troupe. – fig. *Rentrer dans le rang :* se soumettre à une discipline. **4** (Canada) Ensemble d'exploitations agricoles s'étendant sur la longueur en bandes parallèles, et perpendiculairement à une route, une rivière. **II 1** Situation dans une série. *Par rang de taille.* → **ordre.** **2** Place, position dans une hiérarchie. *Un écrivain de second rang.* **3** Place (de qqn) dans la société. → **classe, condition, niveau.** *Le rang social de qqn.* ♦ loc. (personnes ; choses) *Du même rang,* de même valeur. **4** loc. *Mettre au rang de :* compter parmi. → ① **ranger** (2).

**rangée** n. f. Rang (I, 1).

**rangement** n. m. Action de ranger.

① **ranger** v. tr. [3] **1** Disposer à sa place, avec ordre. → **classer, ordonner.** *Ranger ses affaires.* ♦ Mettre de l'ordre dans (un lieu). **2** Mettre au nombre, au rang de. *Un auteur à ranger parmi les classiques.* **3** Mettre de côté pour laisser le passage. *Ranger sa voiture.* ▷ v. pron. se **ranger** **1** Se mettre de côté. **2** *Se ranger du côté de qqn,* prendre son parti. - *Se ranger à l'avis de qqn* (→ **adopter**). **3** Adopter un genre de vie plus régulier, une conduite plus raisonnable. → s'**assagir.** ▷ adj. **rangé, ée 1** loc. *Bataille* rangée.* **2** Qui s'est rangé (3). → **sérieux.**

② **ranger** [Rɑ̃dʒɛR ; Rɑ̃dʒœR] n. m. **I** Garde dans un parc national (États-Unis). **II** Brodequin à tige montante.

**ranimer** v. tr. [1] **1** Rendre la conscience, le mouvement à. → **réanimer. 2** Redonner de l'énergie, de la force à.

**rantanplan** interj. Onomatopée, roulement du tambour. - var. **rataplan.**

**rap** [Rap] n. m. anglic. Musique rythmée sur des paroles scandées, genre issu de la récitation des poètes noirs américains.

**rapace I** adj. Qui cherche à s'enrichir rapidement et brutalement. → **avide, cupide. II** n. m. Oiseau carnivore, aux doigts armés de serres, au bec puissant.

**rapacité** n. f. Avidité brutale.

**rapatrié, ée** adj. et n. Qu'on a rapatrié (1).

**rapatrier** v. tr. [7] **1** Assurer le retour de (qqn) sur le territoire du pays auquel il appartient par sa nationalité. **2** écon. *Rapatrier des capitaux.* ► **rapatriement** n. m.

**râpe** n. f. **1** Lime à grosses entailles. **2** Ustensile de cuisine qui sert à râper.

① **râpé, ée** adj. **1** Qu'on a râpé (1). *Gruyère râpé.* **2** (tissu) Usé par le frottement. → **élimé.**

② **râpé** adj. fam. *C'est râpé,* se dit à l'occasion d'un contretemps, d'un espoir déçu.

**râper** v. tr. [1] **1** Réduire en poudre grossière, en filaments. **2** Travailler à la râpe (1). ♦ fig. Irriter. *Vin qui râpe la gorge.*

**rapetasser** v. tr. [1] fam. Réparer sommairement, grossièrement (un vêtement, etc.). → **raccommoder.** ► **rapetassage** n. m.

**rapetisser** v. [1] **I** v. tr. **1** Rendre plus petit. **2** Faire paraître plus petit. **3** fig. Diminuer la valeur, le mérite de. **II** v. intr. Devenir plus petit, plus court. ► **rapetissement** n. m.

**rapeur, euse** n. Chanteur, chanteuse de rap. - var. **rappeur, euse.**

**râpeux, euse** adj. **1** Hérissé d'aspérités. → **rugueux. 2** Qui râpe la gorge. → **âpre.**

**raphia** n. m. Palmier à très longues feuilles. - Fibre de ces feuilles (→ **rabane**).

**rapiat** adj. et n. fam. Avare.

**rapide I** adj. (opposé à *lent*) **1** (cours d'eau) Qui coule avec une grande vitesse. ♦ *Pente rapide.* → **abrupt, raide. 2** Qui peut se mouvoir à une vitesse élevée. **3** (sans idée de déplacement) Qui exécute vite. → **expéditif, prompt.** - Qui comprend vite. ♦ *Poison rapide,* qui agit vite. **4** Qui s'accomplit à une vitesse élevée, en peu de temps. *Guérison rapide.* - *Pellicule rapide,* très sensible. **5** *Voie* (de circulation) *rapide.* **II** n. m. **1** Partie d'un cours d'eau où le courant est rapide et tourbillonnant. **2** vieilli Train qui va plus vite que l'express (ne se dit pas du T. G. V.).

**rapidement** adv. À une grande vitesse, en un temps bref. → **vite.** - syn. fam. **rapido.**

**rapidité** n. f. Caractère rapide.

**rapiécer** v. tr. [3] et [6] Réparer ou raccommoder en mettant une pièce. → **repriser.** ► **rapiéçage** n. m.

**rapière** n. f. ancienn<sup></sup>t Épée longue et effilée, à garde hémisphérique.

**rapin** n. m. vieilli Artiste peintre.

**rapine** n. f. littér. Vol, pillage.

**raplapla** adj. invar. fam. **1** Fatigué ; sans force. **2** Aplati.

**rappel** n. m. **1** Action d'appeler pour faire revenir. - loc. fig. *Battre le rappel* (pour réunir). ♦ Applaudissements pour faire revenir un artiste sur scène. **2** *Rappel à :* action de faire revenir qqn à. *Rappel à la raison.* **3** Fait de rappeler (II, 2). *Le rappel des titres de l'actualité* (d'un journal parlé). ♦ Avertissement d'avoir à payer. **4** Répétition qui renvoie à une même chose. - *Injection de rappel* (consolidant l'immunité). **5** alpin. Descente au moyen d'une corde qui peut être rappelée.

**rappeler** v. tr. [4] **I 1** Appeler pour faire revenir. **2** fig. *Rappeler qqn à,* le faire revenir à. *Rappeler qqn à la raison.* **3** Appeler (qqn) de nouveau (au téléphone, etc.). **II 1** Faire revenir (qqch.) vers soi. **2** Faire revenir à la mémoire. *Rappelez-moi votre nom.* ♦ Faire venir à l'esprit par association d'idées. → **évoquer.** *Cela ne te rappelle rien ?* ▷ v. pron. se **rappeler 1** Rappeler (un souvenir) à sa mémoire ; avoir présent à l'esprit. → se **souvenir,** se **remémorer. 2** *Se rappeler à,* faire souvenir de soi. *Je me rappelle à votre bon souvenir.*

On dit *je me souviens de mon enfance* mais *je me rappelle mon enfance,* sans préposition.

**rappeur, euse** → **rapeur, euse**

**rappliquer** v. intr. [1] fam. Arriver.

**rapport** n. m. **I** (Action, fait de rapporter) **1** Action de rapporter (ce qu'on a vu, entendu) ; récit, témoignage. **2** Compte rendu. *Rapport confidentiel.* **3** Fait de procurer un profit. → **produit, rendement.** - jeux Gain calculé en fonction de la mise. **II 1** Lien entre plusieurs objets. → **relation.** *Je ne vois pas le rapport.* **2** Relation de ressemblance ; traits, éléments communs. → **affinité, analogie.** - *En rapport avec :* qui correspond à. **3** sc. Quotient de deux grandeurs de même espèce. **4** loc. *Par rapport à :* en ce qui concerne. → **relativement** à. - Par comparaison avec. ♦ pop. *Rapport à :* à propos de. ♦ *Sous le rapport de :* du point de vue de. - *Sous tous (les) rapports :* à tous égards. **III** surtout au plur. **1** Relation* entre personnes. *Rapports de force.* - absolt Relations sexuelles. ♦ *Se mettre en rapport avec qqn.*

→ **contacter.** **2** Façon d'appréhender qqch. *Son rapport à l'argent.*

**rapporter** v. tr. 1 **I 1** Apporter (une chose qui avait été déplacée) à l'endroit initial (→ **remettre** (I, 1)), ou à une personne (→ **rendre**). **2** Apporter (qqch.) en revenant. *Tu rapporteras du pain.* **3** Ajouter (une chose) pour compléter ; spécialt coudre sur qqch. – au p. p. *Poches rapportées.* **4** Produire comme gain, bénéfice. *Investissement qui rapporte.* → **rentable.** **5** Venir dire, répéter (ce qu'on a appris, entendu). **II** *Rapporter* (qqch.) *à :* rattacher par une relation. **III** dr. → **abroger, annuler.** ▷ v. pron. **se rapporter** **1** Avoir rapport (à), être en relation (avec). **2** *S'en rapporter à qqn,* lui faire confiance. → s'en **remettre** à ; se **fier** à.

**rapporteur, euse** **1** n. et adj. (Personne) qui rapporte (I, 5) ce qu'il faudrait taire. **2** n. Personne qui rend compte, qui rédige un rapport. **3** n. m. Instrument (demi-cercle gradué) pour mesurer ou tracer les angles.

**rapprendre** v. tr. → **réapprendre**

**rapproché, ée** adj. **1** Proche (de qqch.). **2** Proche dans le temps.

**rapprochement** n. m. Action de (se) rapprocher. ♦ spécialt Réconciliation. – *Faire un rapprochement entre deux événements.* → **lien, rapport.**

**rapprocher** v. tr. 1 **1** Mettre plus près de (qqn, qqch.) ; rendre plus proche. – fig. pronom. *Se rapprocher de son rêve.* **2** Faire approcher (d'un moment, d'un état à venir). **3** fig. Disposer (des personnes) à des rapports amicaux ; réconcilier. **4** abstrait Rattacher, associer. **5** pronom. Présenter une analogie avec, ressembler à.

**rapsode ; rapsodie** → **rhapsode ; rhapsodie**

**rapt** [ʀapt] n. m. Kidnappage.

**raquer** v. 1 fam. Payer.

**raquette** n. f. **1** Instrument ovale adapté à un manche, et permettant de lancer une balle, un volant. **2** Large semelle ovale pour marcher sur la neige.

**rare** adj. **1** (après le nom) Qui ne se rencontre pas souvent, dont il existe peu d'exemplaires. *Objet rare.* – loc. *Oiseau* rare.* – au plur. (avant le nom) *De rares exceptions.* **2** Peu fréquent. → **exceptionnel.** – *Tu te fais rare,* on te voit peu. – impers. *Il est rare de* (+ inf.) ; *que* (+ subj.). **3** Qui sort de l'ordinaire. → **remarquable.** – *Un peintre d'un rare talent.* **4** Peu abondant, peu fourni. *Herbe rare.* ► **rarement** adv.

**raréfier** v. tr. 7 Rendre rare, moins dense, moins fréquent. ▷ adj. **raréfié, ée** *Gaz raréfié,* sous une très faible pression. ► **raréfaction** n. f.

**rareté** n. f. Qualité de ce qui est rare, peu commun ou peu fréquent.

**rarissime** adj. Extrêmement rare.

① **ras, rase** adj. **1** Coupé tout contre la peau. *Cheveux ras.* – *Chien à poil ras* (très court). ♦ adv. *Herbe tondue ras.* **2** loc. *En rase campagne :* en terrain découvert. – *Faire table* rase.* **3** Rempli jusqu'au bord sans dépasser. – loc. *À ras bord(s).* ♦ (adv.) loc. fam. *En avoir ras le bol,* vulg. *ras le cul,* en avoir assez. **4** *À ras de, au ras de* loc. prép. : au plus près de la surface de, et au même niveau. ♦ *À ras* loc. adv. *Coupé à ras.*

② **ras** [ʀɑs] n. m. Chef éthiopien.

**R. A. S.** [ɛʀaɛs] interj. (sigle de *rien à signaler*) fam. Tout est normal, tout va bien. *Ça va, R. A. S.*

**rasade** n. f. Quantité de boisson servie à ras bords.

**rasage** n. m. Action de (se) raser.

**rasant, ante** adj. **1** Qui rase, passe tout près. **2** fam. Qui ennuie. → **barbant, rasoir.**

**rascasse** n. f. Poisson comestible à grosse tête hérissée d'épines.

**rase-mottes** n. m. *Vol en rase-mottes,* très près du sol.

**raser** v. tr. 1 **I 1** Couper (le poil) au ras de la peau. *Raser la barbe.* – *Se raser les jambes.* ♦ *Raser qqn* (sa barbe). – pronom. *Se raser.* **2** fam. Ennuyer. → **barber.** **II** Abattre à ras de terre. *Tout le quartier a été rasé.* **III** Passer très près de (qqch.). → **frôler.**

**raseur, euse** n. et adj. fam. Qui ennuie.

**rasoir** **I** n. m. Instrument servant à raser les poils. **II** adj. invar. fam. Ennuyeux.

**rassasier** v. tr. 7 **1** Satisfaire entièrement la faim de (qqn). **2** fig. Satisfaire pleinement les aspirations, les désirs de (qqn). ► **rassasiement** n. m.

**rassemblement** n. m. **1** Action de rassembler (des choses, des personnes dispersées). **2** Fait de se rassembler ; groupe ainsi formé. **3** Parti politique qui groupe diverses tendances.

**rassembler** v. tr. 1 **1** Faire venir au même endroit (des personnes). – pronom. *Se rassembler.* ♦ fig. Réunir pour une action commune. **2** Mettre ensemble (des choses). → **réunir.** **3** *Rassembler ses esprits :* reprendre son sang-froid. ► **rassembleur, euse** n.

**rasseoir** [-swaʀ] v. tr. 26 **1** Asseoir de nouveau. **2** Replacer (sur une base...).

**rasséréner** v. tr. 6 Ramener au calme, à la sérénité. → **apaiser, rassurer.**

**rassir** v. intr. 2 Devenir rassis. *Ce pain commence à rassir ;* et pronom. *à se rassir.*

**rassis, ise** adj. **1** Qui n'est plus frais sans être encore dur. *Une brioche rassise* ou fam. *rassie.* **2** littér. Pondéré, réfléchi.

**rassortiment ; rassortir** → **réassortiment ; réassortir**

**rassurer** v. tr. 1 Rendre la confiance, la tranquillité d'esprit à (qqn). → **apaiser, tranquilliser.** – au p. p. *Je n'étais pas rassuré,* j'avais peur. ► **rassurant, ante** adj.

**rasta** ou **rastafari** n. Adepte du retour culturel à l'Afrique et de la musique reggae.

**rastaquouère** [-kwɛʀ] n. m. péj. et vieilli Étranger aux allures voyantes.

**rat** n. m. **1** Petit mammifère rongeur, à museau pointu et à très longue queue (→ ① **rate, raton**). – loc. *Être fait comme un rat :* être pris au piège. ♦ *Rat d'Amérique,* ragondin. **2** fig. *Rat de bibliothèque,* personne qui passe son temps dans les livres. ♦ *Petit rat (de l'Opéra) :* jeune élève de la classe de danse de l'Opéra.

**ratafia** n. m. Liqueur à base d'eau-de-vie et de sucre.

**ratage** n. m. Échec (→ **rater**).

**rataplan** interj. → **rantanplan**

**ratatiner** v. tr. [1] Rapetisser, réduire la taille en déformant. – pronom. *Se ratatiner.* ▷ adj. **ratatiné, ée 1** Rapetissé et déformé. **2** fig., fam. Démoli, hors d'usage.

**ratatouille** n. f. Plat de légumes (aubergines, courgettes, tomates...) cuits à l'huile.

① **rate** n. f. Rat femelle.

② **rate** n. f. Organe lymphoïde situé sous la partie gauche du diaphragme. ♦ loc. fam. *Se fouler la rate :* faire des efforts.

**raté, ée I** n. m. Bruit anormal, dans un moteur à explosion. **II** n. Personne qui a raté sa vie, sa carrière.

**râteau** n. m. **1** Outil fait d'une traverse munie de dents et d'un long manche. **2** Raclette de croupier.

**râteler** v. tr. [4] Ramasser avec un râteau. → **ratisser.**

**râtelier** n. m. **1** Barreaux parallèles inclinés contre un mur recevant le fourrage du bétail. ♦ loc. fig. *Manger à tous les râteliers :* tirer profit de toutes les situations. **2** fam. et vieilli Dentier.

**rater** v. [1] **I** v. intr. **1** (coup d'arme à feu) Ne pas partir. **2** Échouer. – fam. *Ça n'a pas raté,* c'était prévisible. **II** v. tr. **1** Ne pas atteindre (ce qu'on visait). – *Rater son train.* **2** fig. Ne pas profiter de. → **manquer.** *Rater une occasion.* – iron. *Il n'en rate pas une :* il les fait toutes (les bêtises). **3** Ne pas réussir. *Rater son effet.* – au p. p. *C'est raté !* → **râpé.**

**ratiboiser** v. tr. [1] fam. **1** Prendre, voler. **2** Ruiner (qqn). **3** Couper très court les cheveux de (qqn).

**ratier** [-tje] n. m. Chien qui chasse les rats. – appos. *Chien ratier.*

**ratière** [-tjɛʀ] n. f. Piège à rats. → souricière.

**ratifier** v. tr. [7] **1** Approuver ou confirmer par un acte authentique. **2** littér. Confirmer. *Ratifier une promesse.* ► **ratification** n. f.

**ratine** n. f. Tissu de laine épais, cardé, dont le poil est tiré en dehors et frisé.

**ratio** [ʀasjo] n. m. écon. Rapport de deux grandeurs variables.

**ratiociner** [ʀasjɔ-] v. intr. [1] littér. Se perdre en raisonnements subtils et interminables. → **ergoter.** ► **ratiocination** n. f.

**ration** n. f. **1** Quantité (d'aliments) qui revient à qqn, un animal pendant une journée. **2** *Ration alimentaire :* aliments nécessaires à un organisme pour vingt-quatre heures. **3** *Ration de :* quantité de (souvent iron.). *J'ai ma ration de soucis.*

**rationaliser** v. tr. [1] **1** Rendre rationnel, conforme à la raison. **2** Organiser avec méthode, bon sens. **3** psych. Justifier une conduite par des motifs rationnels. ► **rationalisation** n. f.

**rationalisme** n. m. **1** philos. Doctrine selon laquelle toute connaissance certaine vient de la raison (opposé à *empirisme*). *Le rationalisme de Descartes.* **2** Croyance et confiance dans la raison (opposée à la religion, etc.). ► **rationaliste** adj. et n.

**rationalité** n. f. philos. Caractère de ce qui est rationnel.

**rationnel, elle** adj. **I 1** De la raison. *L'activité rationnelle,* le raisonnement. **2** Conforme à la raison, au bon sens. – Organisé avec méthode. *Installation rationnelle.* **II** math. *Nombre rationnel,* qui peut être mis sous la forme d'un rapport entre deux entiers. ► **rationnellement** adv.

**rationner** v. tr. [1] **1** Distribuer des rations limitées de (qqch.). **2** Imposer une ration à (qqn), restreindre sa consommation. – pronom. *Se rationner.* ► **rationnement** n. m.

**ratisser** v. tr. [1] **1** Nettoyer (le sol...) à l'aide d'un râteau. – *Ratisser des feuilles mortes.* → **râteler.** – loc. fig. *Ratisser large,* réunir le plus d'éléments possible. **2** (armée...) Fouiller méthodiquement. ► **ratissage** n. m.

**raton** n. m. **1** Jeune rat. **2** *Raton laveur :* mammifère carnivore qui lave ses aliments avant de les absorber.

**ratonnade** n. f. hist. Expédition punitive organisée contre des Maghrébins.

**ratoureux, euse** adj. (Canada) fam. Rusé, malin.

**rattacher** v. tr. [1] **1** Attacher de nouveau ou ensemble. **2** fig. Faire dépendre (de qqch.), relier (à qqch.). – pronom. *Tout ce qui se rattache à la question.* ► **rattachement** n. m.

**ratte** n. f. Pomme de terre oblongue, petite, très estimée. – var. **rate.**

**rattrapable** adj. Que l'on peut rattraper.

**rattrapage** n. m. *Classe de rattrapage,* pour des élèves retardés dans leurs études.

**rattraper** v. tr. [1] **1** Attraper de nouveau. → **reprendre. 2** Attraper (ce qui allait tomber, s'en aller). **3** fig. Réparer (une erreur...). **4** S'activer pour compenser (une perte de temps). *Rattraper un retard.* **5** Rejoindre (qqn ou qqch. qui a de l'avance). ▷ v. pron. se **rattraper 1** Se raccrocher (à). **2** Agir pour pallier une insuffisance, réparer une maladresse.

**rature** n. f. Trait tiré pour annuler ou remplacer ce qui est écrit. ► **raturer** v. tr. [1] ► **raturage** n. m.

**rauque** adj. (voix) Qui produit des sons voilés ou gutturaux. ► **raucité** n. f. littér.

**ravage** n. m. surtout au plur. **1** Dégâts importants. **2** Effet néfaste (de qqch.). – littér. *Les ravages du temps* : les signes de vieillesse.

**ravager** v. tr. [3] **1** Faire des ravages dans. → **dévaster, saccager. 2** fig. Apporter de graves perturbations physiques ou morales à. ▷ adj. **ravagé, ée 1** Endommagé ; marqué, flétri (par le temps, etc.). **2** fam. Fou, cinglé. ► **ravageur, euse** adj.

**ravaler** v. tr. [1] **I 1** Nettoyer, refaire le parement de (un mur, etc.). ► **ravalement** n. m. **2** fig., littér. Abaisser, déprécier. **II 1** Avaler (ce qu'on a dans la bouche). **2** fig. Retenir (ce qu'on allait dire) ; empêcher de se manifester.

**ravauder** v. tr. [1] vieilli Raccommoder à l'aiguille. ► **ravaudage** n. m.

① **rave** n. f. (désigne plusieurs espèces) Plante potagère à racine comestible.

② **rave** [ʀɛv] n. f. Fête de grande ampleur, dédiée à la danse et à la musique techno. ► **raveur, euse** n. → **teufeur.**

**ravi, ie** adj. Très content, heureux. → **comblé, enchanté.** – *Être ravi que* (+ subj.).

**ravier** n. m. Petit plat creux et oblong.

**ravigote** n. f. Vinaigrette très relevée.

**ravigoter** v. tr. [1] fam. Rendre plus vigoureux, redonner de la force à (qqn). → **revigorer.** ► **ravigotant, ante** adj.

**ravin** n. m. Vallée étroite et escarpée.

**ravine** n. f. Lit creusé par un torrent.

**raviner** v. tr. [1] **1** (eaux de ruissellement) Creuser (le sol) de sillons. **2** fig. Marquer de rides profondes. ► **ravinement** n. m.

**raviole** n. f. Petit carré de pâte renfermant une farce.

**ravioli** n. m. Petit carré de pâte farci.

**ravir** v. tr. [2] **1** littér. Prendre, enlever de force. **2** Plaire beaucoup à. → **enchanter, enthousiasmer ; ravissant.** – *À ravir* loc. adv. : à merveille.

se **raviser** v. pron. [1] Changer d'avis.

**ravissant, ante** adj. Qui plaît beaucoup, touche par la beauté, le charme.

**ravissement** n. m. **1** vx Action de ravir (1). **2** → **enchantement** (2).

**ravisseur, euse** n. Personne qui a commis un rapt.

**ravitaillement** n. m. Action de (se) ravitailler. ♦ Ce qui ravitaille. → **vivres.**

**ravitailler** v. tr. [1] **1** Fournir (une communauté, une armée, qqn) en vivres. → **approvisionner. 2** *Ravitailler un avion en vol* (en carburant). ▷ v. pron. se **ravitailler**

**ravitailleur** n. m. Personne ou engin (navire, avion...) qui ravitaille.

**raviver** v. tr. [1] **1** Rendre plus vif. *Raviver le feu ; des couleurs.* **2** fig. Ranimer.

**ravoir** v. tr. (seulement inf.) **1** Avoir de nouveau (qqch.). → **récupérer. 2** fam. Remettre en bon état de propreté.

**rayé, ée** adj. **1** Qui porte des rayures. **2** Qui porte des éraflures. **3** Supprimé (d'une liste).

**rayer** v. tr. [8] **1** Marquer de raies, en entamant la surface. *Le diamant raye le verre.* **2** Tracer un trait sur (un mot...) pour l'annuler. → **barrer, raturer.** – *Rayer qqn d'une liste.* → **exclure, radier.**

① **rayon** n. m. **I 1** Trace de lumière en ligne ou en bande. – *Les rayons du soleil,* sa lumière. **2** opt. Trajet d'une radiation. *Rayons convergents ; divergents.* **3** au plur. Radiations (→ **radio-**). *Rayons X,* rayonnement électromagnétique de faible longueur d'onde (→ radiographie, radioscopie). **II 1** Pièce reliant le moyeu (d'une roue) à la jante. **2** Segment joignant un point (d'un cercle, d'une sphère) à son centre. ♦ loc. *Dans un rayon de :* dans un espace circulaire de (distances). – *Rayon d'action* (d'un navire, d'un avion) : fig. zone d'activité.

② **rayon** n. m. **1** Gâteau de cire fait par les abeilles. **2** Planche, tablette de rangement. → **rayonnage. 3** Partie d'un magasin affectée à un type de marchandises. ♦ loc. fam. *En connaître un rayon :* être compétent.

**rayonnage** n. m. Rayons assemblés (meuble de rangement). → **étagère.**

**rayonnant, ante** adj. **1** Disposé en rayons (II). **2** Qui émet des rayons lumineux. **3** Qui rayonne (I, 3). → **radieux.**

**rayonne** n. f. Fibre textile artificielle.

**rayonnement** n. m. **1** Fait de rayonner. ♦ Ensemble de radiations. *Rayonnement infrarouge.* **2** fig. (→ **rayonner** (I, 3)).

**rayonner** v. intr. [1] **I 1** Émettre des rayons lumineux. → **irradier. 2** Se propager par rayonnement. *La chaleur rayonne.* **3** fig. Émettre un éclat, une influence heureuse. *Rayonner de bonheur.* **II 1** Être disposé en rayons. **2** Se manifester dans toutes les directions. *La douleur rayonne.* **3** (sujet personne) Se déplacer dans un certain rayon (à partir d'un lieu).

**rayure** n. f. **1** Bande, ligne qui se détache (quand il y en a plusieurs). **2** Éraflure ou rainure.

**raz** n. m. **1** mar. Courant marin violent, dans un passage étroit. **2** *Raz de marée :* vague isolée et très haute, d'origine sismique ou volcanique. – fig. Bouleversement social ou politique irrésistible.

**razzia** [ʀa(d)zja] n. f. Brusque attaque pour emporter un butin. ► **razzier** v. tr. [7] → **rafler.**

**ré** n. m. invar. Deuxième note de la gamme d'ut.

**réa** n. m. Roue, poulie à gorge.

**réabonner** v. tr. [1] Abonner de nouveau. ► **réabonnement** n. m.

**réac** adj. et n. fam. Réactionnaire.

**réaccoutumer** v. tr. [1] littér. Réhabituer.

**réacteur** n. m. **1** Moteur à réaction. **2** *Réacteur nucléaire,* où se produisent des réactions nucléaires.

**réactif** n. m. chim. Substance qui prend part à une réaction chimique.

**réaction** n. f. **I** sc. **1** Force qu'un corps agissant sur un autre détermine en retour chez celui-ci. - *Avion à réaction* (par éjection de gaz). → **réacteur. 2** chim. Action réciproque de substances, avec des transformations chimiques. - *Réaction en chaîne**. **II 1** Réponse à une action par une action contraire. *Réaction de défense. - Agir en, par réaction contre...* **2** Comportement (de qqn) face à une action extérieure. *Avoir une réaction de peur.* **III** Politique qui s'oppose aux changements, retourne au passé.

**réactionnaire** adj. De la réaction (III). - n. *Un, une réactionnaire.* → **réac.**

**réactionnel, elle** adj. didact. Relatif à une réaction (I et II).

**réactiver** v. tr. [1] Rendre à nouveau actif.

**réadapter** v. tr. [1] Adapter de nouveau (qqn, qqch.). ► **réadaptation** n. f.

**réaffirmer** v. tr. [1] Affirmer de nouveau.

**réagir** v. intr. [2] **I** Avoir une réaction, des réactions. **II 1** *Réagir sur :* agir en retour ou réciproquement sur. → se **répercuter. 2** *Réagir contre,* s'opposer par une action contraire. - *Essayez de réagir.* **3** tr. ind. *Réagir (à).* → **répondre** à.

**réajuster** v. tr. [1] Adapter à de nouvelles conditions. *Réajuster les salaires* (au coût de la vie). → **rajuster.** ► **réajustement** n. m.

**réal** n. m. Unité monétaire du Brésil.

**réalisable** adj. **1** Possible, faisable. **2** Transformable en argent.

**réalisateur, trice** n. Personne qui dirige une réalisation (2). → **metteur** en scène.

**réalisation** n. f. **1** Action, fait de rendre réel, effectif. → **création.** ♦ Chose réalisée. **2** Ensemble des opérations nécessaires à la création (d'un film...).

**réaliser** v. tr. [1] **1** Faire passer à l'état de réalité (ce qui n'existait que dans l'esprit). → **accomplir, concrétiser, exécuter.** *Réaliser un projet.* - pronom. *Son rêve s'est réalisé.* **2** dr. Faire. *Réaliser une vente.* **3** Être le réalisateur de (un film...). **4** Transformer en argent. *Réaliser son capital.* **5** (critiqué) Se faire une idée nette de. → **comprendre, saisir.**

**réalisme** n. m. **1** Conception selon laquelle l'art doit évoquer la réalité telle qu'elle est, en évitant de l'idéaliser. → **naturalisme. 2** Attitude d'une personne qui tient compte de la réalité. ► **réaliste** adj.

**réalité** n. f. **1** Caractère de ce qui est réel, de ce qui existe effectivement. *La réalité d'un fait.* **2** *La réalité :* ce qui existe ; l'existence réelle. *Le rêve, les illusions et la réalité.* - *En réalité.* → **réellement. 3** Chose réelle. *Avoir le sens des réalités* (→ **réaliste**). - loc. *Prendre ses désirs pour des réalités,* se faire des illusions.

**reality show** [ʀealiti ʃo] n. m. anglic. Émission de télévision qui présente des faits vécus, en faisant appel à des personnes du public ou à des comédiens.

**réanimer** v. tr. [1] Rétablir les fonctions vitales de (qqn). → **ranimer.** ► **réanimation** n. f.

**réapparaître** v. intr. [57] Apparaître, paraître de nouveau. *La lune a réapparu, est réapparue.* ► **réapparition** n. f.

**réapprendre** v. tr. [58] Apprendre de nouveau. - var. (moins cour.) **rapprendre.**

**réarmer** v. tr. [1] Armer de nouveau. ♦ sans compl. (État) Recommencer à s'équiper pour la guerre. ► **réarmement** n. m.

**réassortir** v. tr. [2] Reconstituer un assortiment, un stock de (qqch.). - var. (vieilli) **rassortir.** ► **réassortiment** (var. [vieilli] **rassortiment**) et **réassort** n. m.

**rébarbatif, ive** adj. **1** Qui rebute. **2** Difficile et ennuyeux.

**rebâtir** v. tr. [2] Bâtir de nouveau.

**rebattre** v. tr. [41] **1** rare Battre de nouveau. **2** *Rebattre les oreilles à qqn de qqch.,* lui en parler continuellement. ▷ adj. **rebattu, ue** *Thème rebattu.* → **éculé.**

> On dit *il nous rebat les oreilles de/avec ses histoires* (et non *il nous rabat*).

**rebelle** adj. **1** Qui rejette l'autorité légitime. - n. → **insurgé.** ♦ littér. Indocile. **2** *Rebelle à :* réfractaire à (qqch.). **3** (choses) Qui résiste ; irrégulier. *Cheveux rebelles.* ▷ v. pron. se **rebeller** [1] → s'**insurger.**

**rébellion** n. f. **1** Action de se rebeller ; acte de rebelle (1). → **révolte. 2** Insubordination.

se **rebiffer** v. pron. [1] fam. Réagir en protestant. → se **rebeller,** se **révolter.**

**rebiquer** v. intr. [1] fam. Se retrousser en faisant un angle (mèche de cheveux, etc.).

**reblochon** n. m. Fromage de vache, doux, à pâte grasse, fabriqué en Savoie.

**reboiser** v. tr. [1] Planter d'arbres (un lieu déboisé). ► **reboisement** n. m.

**rebond** n. m. Mouvement de ce qui rebondit (1).

**rebondi, ie** adj. De forme arrondie. - (formes humaines) → **rond.** *Joues rebondies.*

**rebondir** v. intr. [2] **1** Faire des bonds après avoir heurté un obstacle. **2** fig. Reprendre après un temps d'arrêt. *Le débat rebondit.* ► **rebondissement** n. m.

**rebord** n. m. Bord en saillie.

**reboucher** v. tr. [1] Boucher de nouveau.

**rebours** n. m. I *À rebours* 1 loc. adv. Dans le sens contraire au sens habituel ; à l'envers. 2 (adj.) *Compte à rebours* : vérification successive de toutes les opérations de lancement (fusée, etc.). II *À rebours de, au rebours de* loc. prép. : contrairement à, à l'inverse de.

**rebouteux, euse** n. fam. Guérisseur.

**reboutonner** v. tr. [1] Boutonner de nouveau (un vêtement).

à **rebrousse-poil** loc. adv. *Prendre qqn à rebrousse-poil,* de telle sorte qu'il se rebiffe.

**rebrousser** v. tr. [1] 1 Relever (les cheveux, le poil) dans un sens contraire à la direction naturelle. 2 loc. *Rebrousser chemin* : s'en retourner en sens opposé.

**rebuffade** n. f. littér. Refus brutal.

**rébus** [-ys] n. m. Suite de dessins, de chiffres, de lettres évoquant par le son une phrase.

**rebut** n. m. 1 Ce qu'on a rejeté. – loc. *Mettre qqch. au rebut.* 2 Ce qu'il y a de plus mauvais (dans un ensemble). – *Objet de rebut,* sans valeur.

**rebuter** v. tr. [1] 1 Dégoûter (qqn) par les difficultés. → **décourager.** 2 Inspirer de la répugnance à. ► **rebutant, ante** adj.

**recadrer** v. tr. [1] 1 Modifier le cadrage de (une photo). 2 Redéfinir le cadre, l'orientation de (une action, une politique, un projet). 3 Rappeler les règles à (qqn). ► **recadrage** n. m.

**récalcitrant, ante** adj. Qui résiste avec entêtement. → **indocile, rebelle, rétif.** – n. *Les récalcitrants.*

**recaler** v. tr. [1] fam. Refuser (qqn) à un examen. *Se faire recaler au bac.* ► **recalé, ée** adj. et n.

**récapituler** v. tr. [1] Reprendre en énumérant les points principaux. → **résumer.** – (En se rappelant ou en redisant). *Récapituler sa journée.* ► **récapitulation** n. f. ► **récapitulatif, ive** adj.

**recaser** v. tr. [1] fam. Caser de nouveau.

**recel** n. m. Fait de détenir sciemment des choses volées par un autre.

**receler** [ʀ(ə)səle ; ʀ(ə)sele] v. tr. [5] 1 (sujet chose) Contenir en soi (une chose cachée, secrète). → **renfermer.** 2 Détenir, garder par un recel*. – var. **recéler** [6] ► **receleur, euse** n. – var. **recéleur, euse.**

**récemment** [-amɑ̃] adv. À une époque récente. → **dernièrement.**

**recenser** v. tr. [1] Dénombrer en détail (notamment, une population). ► **recensement** n. m.

**recension** n. f. didact. Examen critique (d'un texte).

**récent, ente** adj. Qui s'est produit ou qui existe depuis peu de temps.

**récépissé** n. m. Écrit par lequel on reconnaît avoir reçu des objets, etc. → **reçu.**

**réceptacle** n. m. Contenant qui reçoit son contenu de diverses provenances.

**récepteur, trice** I n. m. Appareil qui reçoit des signaux véhiculés par des ondes. *Récepteur de radio.* → **poste.** II adj. Qui reçoit (des ondes).

**réceptif, ive** adj. 1 Susceptible de recevoir des impressions. → **sensible.** 2 méd. Sensible (à l'action d'agents pathogènes). ► **réceptivité** n. f.

**réception** n. f. I 1 Action de recevoir (une marchandise ; le ballon ; des ondes). 2 Manière dont le corps se reçoit, après un saut. II 1 Action, manière de recevoir, d'accueillir (qqn). → **accueil.** 2 Local où sont reçus des clients, des usagers. *La réception d'un hôtel.* 3 Réunion mondaine (chez qqn). 4 Fait de recevoir ou d'être reçu dans une assemblée.

**réceptionner** v. tr. [1] Recevoir, vérifier et enregistrer (une livraison).

**réceptionniste** n. Personne chargée de l'accueil, de la réception (de clients...).

**récessif, ive** adj. biol. *Gène récessif,* qui ne produit son effet que s'il existe sur les deux chromosomes de la paire (opposé à *dominant*).

**récession** n. f. Fort ralentissement de l'activité économique. → **crise.**

**recette** n. f. I 1 Total des sommes d'argent reçues. – au plur. Rentrées d'argent. *Recettes et dépenses.* 2 Bureau d'un receveur des impôts. → **perception.** II 1 Procédé pour cuisiner (un plat) ; sa description détaillée. 2 fig. Moyen, procédé.

**recevable** adj. Qui peut être reçu, accepté.

**receveur, euse** n. 1 Comptable public qui effectue les recettes publiques. *Receveur des contributions.* → **percepteur.** 2 Employé préposé à la recette (transports). 3 méd. Personne qui reçoit du sang (transfusion), une greffe.

**recevoir** v. tr. [28] I (sens passif) *Recevoir qqch.* 1 Être mis en possession de (qqch.) par un envoi, un don, un paiement, etc. *Recevoir une lettre.* 2 Être atteint par (ce que l'on subit, éprouve). *Recevoir des coups ; un affront.* ♦ (sujet chose) Être l'objet de. *Le projet a reçu des modifications.* II (sens actif) 1 Faire entrer (qqn qui se présente). → **accueillir.** – au p. p. *Être bien, mal reçu.* ♦ absolt Accueillir habituellement des invités ; des clients. 2 Laisser entrer (qqn) à certaines conditions (surtout au passif). *Être reçu à un examen,* admis. 3 littér. Admettre (qqch.) en esprit. → **accepter.** – au p. p. *Initiative mal reçue.* – *Idée* reçue.* ▷ v. pron. réfl. se **recevoir** sports Retomber d'une certaine façon, après un saut.

de **rechange** loc. adj. 1 Destiné à remplacer (un élément identique). 2 fig. De remplacement.

**réchapper** v. tr. ind. [1] Échapper (à ce qui menace). *Réchapper à un danger ;* plus cour. *en réchapper.*

**recharge** n. f. **1** Action de recharger (un appareil). **2** Ce qui permet de recharger.

**recharger** v. tr. [3] **1** Charger de nouveau. **2** Remettre une charge dans (une arme) ; approvisionner de nouveau. ► **rechargeable** adj.

**réchaud** n. m. Ustensile de cuisine portatif, pour chauffer, faire cuire.

**réchauffement** n. m. Action de se réchauffer. *Le réchauffement climatique.*

**réchauffer** v. tr. [1] **1** Chauffer (ce qui s'est refroidi). **2** fig. Ranimer (un sentiment...). *Cela réchauffe le cœur.* → **réconforter.** ▷ v. pron. se **réchauffer** **1** Redonner de la chaleur à son corps. **2** Devenir plus chaud. ▷ adj. **réchauffé, ée** **1** Qu'on a réchauffé. – Qui est réchauffé. **2** fig., péj. *Une plaisanterie réchauffée,* servie trop souvent.

**rêche** adj. Râpeux au toucher.

**recherche** n. f. **I** **1** Effort pour trouver (qqch. ; qqn). **2** Effort de l'esprit vers (la connaissance). *La recherche de la vérité.* – Travaux faits pour trouver des connaissances nouvelles. **3** *La recherche :* le travail scientifique. **4** Action de chercher à obtenir. *La recherche du bonheur.* ♦ loc. *À la recherche de. «À la recherche du temps perdu»* (de Proust). **II** Raffinement. *S'habiller avec recherche.*

**recherché, ée** adj. **1** Que l'on cherche à avoir, à fréquenter. **2** Qui témoigne de recherche (II). → **raffiné.**

**rechercher** v. tr. [1] **1** Chercher à découvrir, à retrouver (qqch. ; qqn). **2** Chercher à connaître, à découvrir. *Rechercher si...* **3** Tenter d'obtenir, d'avoir.

**rechigner** v. tr. ind. [1] *Rechigner à :* témoigner de la mauvaise volonté pour.

**rechute** n. f. Nouvel accès (d'une maladie qui était en voie de guérison). ► **rechuter** v. intr. [1]

**récidive** n. f. **1** Réapparition (d'une maladie qui était guérie). **2** Fait de commettre la même faute ou infraction.

**récidiver** v. intr. [1] **1** (maladie) Réapparaître, recommencer. **2** Se rendre coupable de récidive (2). ► **récidiviste** n.

**récif** n. m. Rochers à fleur d'eau, dans la mer. → **écueil.** – *Récif de corail.*

**récipiendaire** [-pjɑ̃-] n. littér. Personne qui vient de recevoir (un diplôme, une décoration...), d'être reçue (dans une assemblée...). → **impétrant.**

**récipient** [-pjɑ̃] n. m. Ustensile creux qui sert à recueillir, à contenir des substances.

**réciproque** **1** adj. Qui implique un échange de même nature (entre deux). → **mutuel.** ♦ gramm. *Verbe pronominal réciproque* (ex. ils se battent). **2** n. f. *Il aime Lise, mais la réciproque n'est pas vraie.* ► **réciprocité** n. f.

**réciproquement** adv. De façon réciproque. → **mutuellement.** – *Et réciproquement.* → **vice versa.**

**récit** n. m. Relation orale ou écrite (de faits). → **exposé, narration ; raconter.**

**récital** n. m. Séance musicale, artistique consacrée à un seul artiste.

**récitant, ante** n. Personne qui récite, déclame (musique → **récitatif,** théâtre).

**récitatif** n. m. mus. Chant qui se rapproche des inflexions de la parole.

**réciter** v. tr. [1] Dire à haute voix (ce qu'on sait par cœur ; un texte). ► **récitation** n. f.

**réclamation** n. f. Action de réclamer, de demander la reconnaissance d'un droit.

**réclame** n. f. **1** vieilli Publicité. ♦ *Articles en réclame,* en vente à prix réduit. **2** fig. Ce qui fait valoir, ce qui assure le succès.

**réclamer** v. tr. [1] **I** **1** Demander (comme une chose indispensable) en insistant. → **exiger.** *Réclamer le silence.* – *Réclamer qqn,* sa présence. **2** Demander comme dû, comme juste. → **revendiquer.** *Réclamer sa part.* **II** intrans. Faire une réclamation. → **protester.** ▷ v. pron. se **réclamer** de Invoquer en sa faveur.

**reclasser** v. tr. [1] **1** Classer de nouveau. **2** Procéder au reclassement de (qqn). ► **reclassement** n. m.

**reclus, use** n. littér. Personne qui vit retirée du monde. – adj. *Existence recluse.*

**réclusion** n. f. **1** État d'une personne recluse. **2** Privation de liberté.

**recoiffer** v. tr. [1] Coiffer de nouveau.

**recoin** n. m. **1** Endroit caché, retiré. **2** fig. Partie secrète. *Les recoins de la conscience.*

**récoler** v. tr. [1] dr. Procéder à la vérification de (un inventaire...). ► **récolement** n. m.

**recoller** v. tr. [1] Coller de nouveau ; réparer en collant.

**récolte** n. f. **1** Action de recueillir (les produits de la terre) ; les produits recueillis. → **cueillette, ramassage ; moisson, vendange.** **2** fig. Ce qu'on recueille à la suite d'une recherche.

**récolter** v. tr. [1] **1** Faire la récolte de. → **cueillir, recueillir.** **2** fig. Gagner, recueillir. *Récolter des renseignements.* → **glaner.**

**recommandable** adj. Digne d'être recommandé, estimé.

**recommandation** n. f. **1** Action de recommander (qqn). *Lettre de recommandation.* **2** Action de conseiller (qqch.) avec insistance. *Faire des recommandations à qqn.*

**recommander** v. tr. [1] **1** Demander pour (qqn) la protection, l'aide de qqn. *Recommander un ami à, auprès de qqn.* **2** Vanter les avantages de. *Recommander un livre à qqn.* **3** Demander avec insistance (qqch.) à qqn. *Je te recommande la visite ; d'y aller.* **4** Soumettre (un envoi postal) à une taxe spéciale qui garantit sa remise en mains propres. – au p. p. *Lettre recommandée.*

▷ v. pron. se **recommander** *Se recommander de qqn*, invoquer son appui.

**recommencer** v. [3] **I** v. tr. **1** Commencer de nouveau (ce qu'on avait interrompu, abandonné). → **reprendre.** – *Recommencer à* (+ inf.). → se **remettre** à. **2** Faire de nouveau depuis le début. → **refaire. II** v. intr. Se produire de nouveau (après une interruption). ► **recommencement** n. m.

**récompense** n. f. Bien matériel ou moral donné ou reçu pour une bonne action, des mérites.

**récompenser** v. tr. [1] Gratifier (qqn) d'une récompense. *Récompenser qqn de, pour ses efforts.* – *Récompenser le travail de qqn.*

**recomposé, ée** adj. *Famille recomposée*, dans laquelle des enfants sont issus d'une union antérieure de l'un des parents.

**recompter** [ʀ(ə)kɔ̃te] v. tr. [1] Compter de nouveau.

**réconcilier** v. tr. [7] **1** Remettre en accord, en harmonie (des personnes brouillées). ♦ pronom. *Se réconcilier avec qqn.* **2** Concilier (ce qui est opposé). *Réconcilier la politique et la morale.* ► **réconciliation** n. f.

**reconduction** n. f. Acte par lequel on reconduit (un bail...). *Tacite reconduction.*

**reconduire** v. tr. [38] **1** Accompagner (qqn qui s'en va) à son domicile. → **raccompagner, ramener. 2** dr., admin. Renouveler ou proroger (un contrat, etc.) (→ **reconduction**). ► **reconduite** n. f.

**réconfort** n. m. Ce qui redonne du courage, de l'espoir.

**réconforter** v. tr. [1] Donner, redonner du courage, de l'énergie, des forces à (qqn). → **remonter** (II, 5). ► **réconfortant, ante** adj.

**reconnaissable** adj. Qui peut être facilement reconnu, distingué.

**reconnaissance** n. f. **I 1** Fait de reconnaître (I). – *Reconnaissance de la parole* (par un ordinateur). **2** Fait de se reconnaître. – *Signe de reconnaissance.* **II 1** littér. Aveu, confession (d'une faute). **2** Examen (d'un lieu). → **exploration.** – *Envoyer un détachement en reconnaissance.* **3** Action de reconnaître juridiquement. *Reconnaissance d'enfant.* – *Reconnaissance de dette.* **III** Fait de reconnaître (un bienfait reçu). → **gratitude.** – loc. *La reconnaissance du ventre* (pour avoir été nourri).

**reconnaissant, ante** adj. Qui ressent, témoigne de la reconnaissance (III).

**reconnaître** v. tr. [57] **I** (Saisir par la pensée) **1** Identifier (qqn, qqch.) par la mémoire. *Je reconnais cet endroit.* **2** Identifier (qqch., qqn) au moyen d'un caractère ou en tant qu'appartenant à une catégorie. *Reconnaître une fleur.* – *Reconnaître qqn, qqch. à*, l'identifier grâce à (tel caractère...). *Reconnaître qqn à sa démarche.* **II 1** Admettre (un acte). *Reconnaître ses torts.* → **avouer. 2** Admettre (qqch.). → **convenir** de. *Je lui reconnais cette qualité.* **3** Constater. **4** Chercher à connaître. *Reconnaître le terrain.* → **reconnaissance** (II, 2). **5** Admettre officiellement l'existence juridique de (→ **reconnaissance** (II, 3)). ▷ v. pron. se **reconnaître 1** réfl. Retrouver son image, s'identifier. ♦ Identifier les lieux où l'on se trouve. → se **retrouver.** – fig. *Ne plus s'y reconnaître*, se perdre. **2** récipr. *Ils se sont reconnus tout de suite.* **3** passif Être reconnu ou reconnaissable. *Le rossignol se reconnaît à son chant.* ▷ adj. **reconnu, ue** Admis pour vrai ou important.

**reconquérir** v. tr. [21] Reprendre par une conquête. – fig. *Reconquérir sa liberté.*

**reconquête** n. f. Action de reconquérir.

**reconsidérer** v. tr. [6] Considérer de nouveau (une question...).

**reconstituant, ante** adj. Propre à redonner des forces à (l'organisme).

**reconstituer** v. tr. [1] **1** Constituer, former de nouveau. **2** Rétablir dans sa forme, dans son état d'origine (une chose disparue). **3** Rétablir dans son état antérieur (et normal). ► **reconstitution** n. f. *Une reconstitution historique.*

**reconstruire** v. tr. [38] **1** Construire de nouveau (ce qui était démoli). → **rebâtir. 2** Refaire ; reconstituer (2). ► **reconstruction** n. f.

**reconversion** n. f. **1** Adaptation à des conditions nouvelles. *Reconversion économique, technique.* **2** Affectation, adaptation (de qqn) à un nouvel emploi.

**reconvertir** v. tr. [2] Procéder à la reconversion de. – pronom. *Se reconvertir.*

**recopier** v. tr. [7] Copier (un texte déjà écrit). – Mettre au propre. *Recopier un devoir.* ► **recopiage** n. m.

**record** n. m. **1** Exploit sportif supérieur dans une spécialité. *Détenteur, détentrice d'un record* (par anglic. *recordman, recordwoman*). **2** Résultat supérieur dans le même domaine. *Record de productivité.* **3** adj. Jamais atteint. *Production record.* – *En un temps record* : très vite.

**recors** n. m. ancienn Adjoint d'huissier.

**recoucher** v. tr. [1] Coucher de nouveau. – pronom. *Se recoucher.*

**recoudre** v. tr. [48] Coudre (ce qui est décousu).

**recoupement** n. m. Rencontre de renseignements de sources différentes, pour établir un fait, vérifier.

**recouper** v. tr. [1] **1** Couper de nouveau. **2** Coïncider avec, en confirmant. – pronom. *Leurs déclarations se recoupent.*

**recourber** v. tr. [1] Rendre courbe.

**recourir** v. [11] **I** v. intr. et tr. Courir à nouveau. **II** *Recourir à* v. tr. ind. **1** Demander une aide à (qqn). *Recourir à un ami.* **2** Mettre en œuvre (un moyen). *Recourir au mensonge.*

**recours** n. m. **I 1** Action de recourir (à qqn, qqch.). *Le recours à la force.* – *Avoir recours à* (qqn, qqch.), faire appel à. → **recourir** (II). **2** Ce à quoi on recourt, dernier moyen efficace. **II** dr. Procédure destinée à obtenir (d'une juridiction) le nouvel examen d'une question. → **pourvoi.** – *Recours en grâce.*

**recouvrer** v. tr. [1] **1** littér. Rentrer en possession de. *Recouvrer son argent ; la santé.* **2** Recevoir le paiement de (une somme due). → **encaisser.** ► ① **recouvrement** n. m.

**recouvrir** v. tr. [18] **I 1** Couvrir de nouveau. **2** Mettre un nouveau revêtement à (un siège...). **II 1** Couvrir entièrement. **2** (sujet chose) Cacher, masquer. *Sa désinvolture recouvre une grande timidité.* **3** abstrait S'appliquer à, correspondre à. *Notion qui recouvre plusieurs idées.* → **embrasser.** ► ② **recouvrement** n. m.

**recracher** v. tr. [1] Rejeter de la bouche.

**récréatif, ive** adj. Qui récrée, distrait.

**récréation** n. f. **1** littér. Divertissement. **2** Temps de délassement accordé aux élèves.

**recréer** v. tr. [1] **1** Créer de nouveau. **2** Reconstituer. *Recréer l'atmosphère d'une époque.* **3** Réinventer. ► **recréation** n. f.

**récréer** v. tr. [1] littér. Délasser (qqn) par une occupation agréable. → **distraire.**

se **récrier** v. pron. [7] littér. S'exclamer sous l'effet d'une vive émotion (indignation...).

**récriminer** v. intr. [1] Manifester son mécontentement avec amertume et âpreté. – *Récriminer contre qqn,* se plaindre de lui. ► **récrimination** n. f. (surtout au plur.).

**récrire** ou **réécrire** v. tr. [39] Écrire, rédiger de nouveau (→ **réécriture**).

se **recroqueviller** v. pron. [1] **1** Se rétracter, se recourber en se desséchant. **2** (personnes) Se ramasser sur soi-même.

**recru, ue** adj. littér. *Recru (de fatigue).* → **éreinté, fourbu.**

**recrudescence** n. f. **1** Aggravation (d'une maladie) après une amélioration. *Recrudescence d'une épidémie.* **2** Réapparition sous une forme plus intense. *Recrudescence de la criminalité.* ► **recrudescent, ente** adj.

**recrue** n. f. **1** Soldat qui vient d'être recruté. → **conscrit.** **2** *Nouvelle recrue* : personne qui vient s'ajouter (à un groupe).

**recruter** v. tr. [1] **1** Engager (des hommes) pour former une troupe (→ **recrue**). **2** Amener (qqn) à faire partie d'un groupe. *Recruter des collaborateurs.* ► **recrutement** n. m.

**recruteur, euse** n. Personne chargée de recruter. – appos. *Agent recruteur.*

**recta** adv. fam. Exactement. *Payer recta.*

**rectal, ale, aux** adj. didact. Du rectum. → **anal.** *Température rectale.*

**rectangle** **1** adj. Dont un angle au moins est droit. *Triangle rectangle.* **2** n. m. Quadrilatère dont les quatre angles sont droits.

**rectangulaire** adj. Qui a la forme d'un rectangle.

**recteur, trice** n. **1** Universitaire qui est à la tête d'une académie. ♦ (Belgique, Canada) Chef d'une université. **2** n. m. région. (Bretagne) Curé.

**rectificatif, ive** adj. et n. m. (Texte) destiné à rectifier (une chose inexacte).

**rectifier** v. tr. [7] **1** Rendre droit. *Rectifier un alignement.* **2** Modifier (qqch.) pour rendre conforme ou plus exact. – loc. *Rectifier le tir*.* **3** Faire disparaître (une erreur...) en corrigeant. ► **rectifiable** adj. ► **rectification** n. f.

**rectiligne** adj. **1** math. Limité par des droites. **2** En ligne droite.

**rectitude** n. f. littér. Qualité de ce qui est juste, exact. → **droiture ; rigueur.**

**recto** n. m. Première page d'un feuillet (s'oppose à *verso*).

**rectorat** n. m. Charge, bureaux d'un recteur (1).

**rectum** [-ɔm] n. m. anat. Portion terminale du gros intestin, qui aboutit à l'anus (→ **rectal**).

① **reçu, ue** adj. → **recevoir**

② **reçu** n. m. Écrit par lequel on reconnaît avoir reçu une somme, un objet. → **quittance, récépissé.**

**recueil** [ʀəkœj] n. m. Ouvrage réunissant des écrits, des documents. *Recueil de morceaux choisis.* → **anthologie, florilège.**

**recueillir** [-kœj-] v. tr. [12] **I 1** littér. Cueillir, ramasser pour utiliser ultérieurement. *Les abeilles recueillent le pollen.* – fig. *Recueillir des fonds.* → **collecter, réunir.** – *Recueillir des témoignages.* **2** Faire entrer et séjourner dans un récipient. *Recueillir l'eau de pluie.* **3** Recevoir (par héritage, etc.). **4** Rassembler, réunir (des éléments dispersés). **II** Prendre avec, chez soi pour protéger (un animal, qqn). ▷ v. pron. se **recueillir** **1** Concentrer sa pensée sur la vie spirituelle. **2** S'isoler du monde extérieur. ► **recueillement** n. m.

**recuire** v. tr. [38] Cuire de nouveau.

**recuit** n. m. techn. Opération thermique destinée à améliorer (un métal, etc.).

**recul** [-yl] n. m. **1** Action de reculer, mouvement ou pas en arrière. – spécialt *Le recul d'une arme à feu.* ♦ fig. Régression. **2** Position éloignée permettant une appréciation meilleure. ♦ fig. *Prendre du recul* (pour apprécier une situation).

**reculade** n. f. littér. et péj. Fait de reculer, de céder. → **dérobade.**

**reculé, ée** adj. **1** Lointain et difficile d'accès. **2** Ancien.

**reculer** v. [1] **I** v. intr. **1** Aller, faire mouvement en arrière. ♦ loc. fig. *Reculer pour mieux sauter,* attendre pour avoir plus de chances de réussir. **2** fig. (sujet chose) Perdre du terrain. **3** fig. Se dérober (devant une difficulté). *Reculer devant le danger.* **II** v. tr. **1** Porter en arrière. *Reculer son siège.* - pronom. *Se reculer pour mieux voir.* **2** Reporter à plus tard. → **ajourner, différer.**

à **reculons** loc. adv. En reculant, en allant en arrière. ♦ fig. En sens inverse du progrès.

**récupérateur, trice** n. **1** Personne qui récupère des matériaux usagés pour les réutiliser. **2** n. m. Appareil destiné à récupérer de la chaleur ou de l'énergie.

**récupérer** v. tr. [6] **1** Rentrer en possession de (ce qu'on avait perdu, dépensé). → **recouvrer.** - *Avoir besoin de récupérer (ses forces).* ♦ fam. Retrouver, reprendre. **2** Recueillir (ce qui serait perdu ou inutilisé). → **recycler.** *Récupérer de la ferraille.* ♦ fig. (polit.) Détourner pour utiliser. *Récupérer les mécontents.* **3** Intégrer (qqn) en le reclassant. *Récupérer des délinquants.* **4** Fournir (un temps de travail) ou bénéficier de (un temps de repos) en remplacement. ► **récupérable** adj. ► **récupération** n. f.

**récurer** v. tr. [1] Nettoyer en frottant. ► **récurage** n. m.

**récurrence** n. f. didact. **1** Retour, répétition. **2** *Raisonnement par récurrence,* qui étend à une série de termes une propriété vraie pour deux d'entre eux. ► **récurrent, ente** adj.

**récuser** v. tr. [1] **1** dr. Refuser d'accepter (qqn) comme juge, arbitre, témoin... **2** Refuser, rejeter. **3** *Se récuser* v. pron. Affirmer son incompétence (sur une question). ► **récusable** adj. (contr. *irrécusable*) ► **récusation** n. f.

**recyclage** n. m. **1** Changement de l'orientation scolaire (d'un élève). **2** Formation professionnelle complémentaire. **3** Fait de traiter et réintroduire des déchets récupérés dans le cycle de production.

**recycler** v. tr. [1] **1** Effectuer le recyclage de (qqn). - pronom. *Se recycler en vue d'une reconversion.* **2** Soumettre à un recyclage (3). - au p. p. *Papier recyclé.* ► **recyclable** adj.

**recyclerie** n. f. Centre communautaire de vente d'objets d'occasion à prix modique. → **ressourcerie.**

**rédacteur, trice** n. Personne qui assure la rédaction d'un texte. - *Rédacteur en chef* (d'un journal).

**rédaction** n. f. **1** Action ou manière de rédiger (un texte). **2** Ensemble des rédacteurs (d'un journal, d'une œuvre collective) ; locaux où ils travaillent. **3** Devoir de français. → **narration.**

**rédactionnel, elle** adj. Relatif à la rédaction (d'un texte).

**reddition** n. f. Fait de se rendre, de capituler. → **capitulation.**

**redemander** v. tr. [1] **1** Demander de nouveau. **2** Demander de rendre.

**rédempteur, trice** [-dɑ̃pt-] **1** n. m. relig. chrét. *Le Rédempteur,* le Christ (qui a racheté le genre humain par sa mort). **2** adj. Qui rachète (moralement).

**rédemption** [-dɑ̃psjɔ̃] n. f. **1** relig. Rachat du genre humain par le Christ. **2** Fait de (se) racheter (au sens moral).

**redéploiement** n. m. Réorganisation (militaire, économique).

**redescendre** v. [41] **I** v. intr. Descendre de nouveau ; descendre après être monté. **II** v. tr. *Redescendre un escalier ; un meuble.*

**redevable** adj. **1** Qui est ou demeure débiteur envers qqn. **2** *Être redevable de qqch. à qqn,* bénéficier de qqch. grâce à lui.

**redevance** n. f. **1** Somme qui doit être payée à échéances déterminées (rente, dette, etc.). **2** Taxe.

**redevenir** v. intr. [22] Devenir de nouveau, recommencer à être (ce qu'on était).

**redevoir** v. tr. [28] dr. Devoir encore.

**rédhibitoire** adj. littér. Qui constitue un défaut, un empêchement absolu, radical. ♦ dr. *Vice rédhibitoire* (dans une vente, qu'on peut annuler).

**rediffuser** v. tr. [1] (radio...) Diffuser de nouveau (une émission). ► **rediffusion** n. f.

**rédiger** v. tr. [3] Écrire (un texte) sous une certaine forme (→ **rédaction).**

**rédimer** v. tr. [1] relig. Racheter ; sauver (→ **rédemption).**

**redingote** n. f. Manteau ajusté à la taille.

**redire** v. tr. [37] **I 1** Dire (qqch.) de nouveau. **2** Dire (qqch.) plusieurs fois. → **répéter.** **3** Dire (ce qu'un autre a déjà dit). **II** (tr. ind.) *Avoir, trouver à redire à qqch.,* à critiquer. *Il n'y a rien à redire.*

**redistribuer** v. tr. [1] Distribuer, répartir une nouvelle fois et autrement. ► **redistribution** n. f.

**redite** n. f. Chose répétée inutilement.

**redondance** n. f. **1** Abondance excessive dans le discours (développements, redites). **2** didact. Ce qui apporte une information déjà donnée sous une autre forme. ► **redondant, ante** adj. → **verbeux ; superflu.**

**redonner** v. tr. [1] Donner de nouveau ; rendre. → **restituer.**

**redoublant, ante** n. Élève qui redouble.

**redoublé, ée** adj. Répété. - loc. *À coups redoublés,* violents et précipités.

**redoublement** n. m. Fait de redoubler.

**redoubler** v. [1] **I** v. tr. **1** Rendre double (→ **doubler)** ou plus fort. **2** Recommencer une année d'études dans (une classe). → **redoublant.** **II** v. tr. ind. *Redoubler de :* apporter, montrer encore plus de. *Redoubler d'efforts.* **III** v. intr. (sujet chose) Recommencer en augmentant. *La pluie redouble (de force).*

**redouter** v. tr. [1] **1** Craindre comme menaçant. **2** Craindre, appréhender. *Redouter l'avenir.* – *Redouter de* (+ inf.), *que* (+ subj.). ► **redoutable** adj. *Adversaire redoutable.*

**redoux** n. m. Radoucissement de la température (lorsqu'il fait froid).

à la **redresse** loc. adj. fam. Qui se fait respecter par la force. *Un gars à la redresse.*

**redressement** n. m. Action de (se) redresser.

**redresser** v. tr. [1] **1** Remettre dans une position droite ou verticale. *Redresser la tête.* **2** Hausser l'avant de (un avion). ♦ Remettre droit les roues de (un véhicule). **3** Rendre droit, plan. *Redresser une tôle tordue.* ♦ fig. Rectifier ou corriger. – *Redresser la situation.* ▷ v. pron. **se redresser 1** Se remettre droit, debout. – fig. → se **relever. 2** Se tenir plus droit.

**redresseur, euse 1** n. *Redresseur, euse de torts* : justicier(ière). **2** adj. techn. Qui redresse.

**réducteur, trice** adj. Qui réduit, limite, simplifie.

**réductible** adj. Qui peut être réduit.

**réduction** n. f. **I** Opération consistant à réduire (un os...), à réduire (I) à... (→ **résolution**). ♦ chim. Réaction dans laquelle un corps perd une partie de son oxygène, ou dans laquelle un atome ou un ion gagne des électrons. **II 1** Action de réduire en quantité. → **diminution.** – absolt *Réduction de 10%.* → **rabais, remise. 2** *En réduction* loc. adv. : en plus petit, en miniature.

**réduire** v. tr. [38] **I 1** méd. Remettre en place (un os, un organe déplacé). – *Réduire une fracture.* **2** *Réduire qqch. à*, ramener à ses éléments, à un état plus simple. → **résoudre. 3** *Réduire qqch. en* : mettre (en petites parties). *Réduire un objet en miettes.* – pronom. *Se réduire en poudre.* **4** Soumettre. *Réduire un peuple (en esclavage).* **5** Faire épaissir, concentrer. *Réduire une sauce.* **II** Diminuer en quantité. → **limiter, restreindre.** *Réduire le personnel.* ♦ Reproduire à un format inférieur. ♦ Abréger. *Réduire un texte.*

① **réduit, ite** adj. **1** Rendu plus petit. – Reproduit à petite échelle. *Modèle* réduit.* **2** Diminué de prix. *Tarif réduit.* **3** Restreint (en nombre, en importance).

② **réduit** n. m. **1** Local exigu, sombre et pauvre. **2** Recoin.

**réécrire** → **récrire**

**réécriture** n. f. Action de réécrire (un texte) pour l'améliorer ou l'adapter.

**rééditer** v. tr. [1] **1** Donner une nouvelle édition de. **2** fig., fam. Répéter, refaire. ► **réédition** n. f.

**rééduquer** v. tr. [1] **1** Refaire l'éducation de (une fonction, un organe). – *Rééduquer un dyslexique.* **2** Éduquer une nouvelle fois et différemment. ► **rééducation** n. f.

**réel, elle I** adj. **1** Qui existe en fait. *Personnage réel* (opposé à *imaginaire, fictif*). **2** Qui est bien conforme à sa définition. → **véritable, vrai.** *La signification réelle d'un mot.* ♦ (avant le nom) Sensible, notable. *Un réel plaisir.* **3** math. *Nombre réel*, d'un ensemble comprenant les nombres entiers, rationnels et irrationnels. **4** opt. *Image réelle* (opposé à *virtuel*), formée à l'intersection de rayons convergents. **II** n. m. La réalité.

**réélire** v. tr. [43] Élire de nouveau (qqn) à la même fonction. ► **réélection** n. f.

**réellement** adv. En fait, en réalité. → **effectivement, véritablement, vraiment.**

**réemployer** ou **remployer** v. tr. [8] Employer de nouveau. ► **réemploi** ou **remploi** n. m.

**réemprunter** → **remprunter**

**réengager** → **rengager**

**réentendre** v. tr. [41] Entendre de nouveau.

**rééquilibrer** v. tr. [1] Redonner un équilibre à (ce qui l'avait perdu). ► **rééquilibrage** n. m.

**réessayer** v. tr. [8] **1** Essayer de nouveau (un vêtement). **2** Faire un nouvel essai.

**réévaluation** n. f. **1** Nouvelle évaluation. **2** Augmentation de la parité de (une monnaie).

**réévaluer** v. tr. [1] **1** Évaluer de nouveau. **2** Procéder à la réévaluation (2) de.

**réexaminer** v. tr. [1] Procéder à un nouvel examen de. → **reconsidérer.** ► **réexamen** n. m.

**réexpédier** v. tr. [7] Expédier à une nouvelle destination. – Renvoyer (une chose) d'où elle vient. ► **réexpédition** n. f.

**refaire** v. tr. [60] **1** Faire de nouveau (ce qu'on a déjà fait ou ce qui a déjà été fait). → **recommencer. 2** Changer complètement. *Refaire sa vie.* **3** Remettre en état. → **réparer, restaurer ; réfection.** – *Se refaire une santé.* **4** fam. Tromper (qqn). → **rouler.** ▷ v. pron. **se refaire 1** Rétablir sa situation financière. **2** *On ne se refait pas !*, on ne peut se faire autre qu'on est.

**réfection** n. f. Action de refaire (3).

**réfectoire** n. m. Salle à manger (d'une communauté).

**référé** n. m. dr. Procédure d'urgence pour régler provisoirement un litige.

**référence** n. f. **1** Action ou moyen de se référer, de situer par rapport à. – géom. Détermination de coordonnées par rapport à des axes. **2** Fait de se référer (à un texte, une autorité, etc.). *Ouvrages de référence*, à consulter. ♦ Information consultée. *Référence bibliographique.* **3** au plur. Attestation servant de garantie. *Avoir de sérieuses références.*

**référencement** n. m. **1** Fait de référencer (un article). **2** Enregistrement (d'un site web) dans les moteurs de recherche.

**référencer** v. tr. [3] **1** Attribuer une référence à. **2** comm. Introduire (un article) dans la liste des produits vendus.

**référendum** [-ʀɛ̃dɔm ; -ʀɑ̃-] n. m. Vote par lequel les citoyens peuvent approuver ou rejeter une mesure proposée. ► **référendaire** adj.

① **référent** n. m. didact. Ce à quoi renvoie un signe linguistique. *Référent imaginaire* (par ex. pour le mot *licorne*).

② **référent** n. m. admin. Personne qui sert d'interlocuteur (auprès d'un organisme). *Référent social.* – appos. *Médecin référent* (en France), choisi par un patient pour coordonner ses soins de santé.

**référer** v. [6] **1** v. pron. *Se référer à :* recourir, se reporter à, comme à une autorité. *Se référer à un texte* (→ référence). – (sujet chose) Se rapporter à. **2** v. tr. ind. *En référer à qqn,* lui soumettre un cas.

**refermer** v. tr. [1] Fermer (ce qu'on avait ouvert ou ce qui s'était ouvert).

**refiler** v. tr. [1] fam. Remettre, donner (qqch. dont on veut se débarrasser).

**réfléchir** v. [2] **I** v. tr. Renvoyer (les ondes) par réflexion. *Miroir qui réfléchit une image.* – pronom. → se **refléter. II 1** v. intr. Faire usage de la réflexion. → **penser** ; se **concentrer.** *Cela donne à réfléchir.* **2** v. tr. ind. *Réfléchir sur un problème.* – *Réfléchir à qqch.* → **examiner, penser** à. ♦ trans. *Réfléchir que :* juger après réflexion que. ▷ adj. **réfléchi, ie I** gramm. *Verbe pronominal réfléchi,* qui indique que l'action du sujet fait retour à lui-même (ex. je me lave). – *Pronom (personnel) réfléchi* (ex. je *me* suis trouvé un appartement). **II** Caractérisé par la réflexion (II). → **posé, prudent, raisonnable.** – loc. *Tout bien réfléchi. C'est tout réfléchi* (ma décision est prise).

**réfléchissant, ante** adj. Qui réfléchit (la lumière, une onde).

**réflecteur** n. m. Dispositif destiné à réfléchir (la lumière, les ondes...).

**reflet** n. m. **1** Lumière réfléchie. *Reflets métalliques.* **2** Image réfléchie. **3** fig. Image, écho. *L'écriture, reflet de la personnalité.*

**refléter** v. tr. [6] **1** Réfléchir (la lumière) en produisant des reflets. *Miroir qui reflète les objets.* – pronom. *Se refléter dans..., sur...* **2** fig. Être, présenter un reflet de. → **traduire.** *Ses paroles reflètent sa pensée.*

**refleurir** v. intr. [2] Fleurir de nouveau.

**reflex** [ʀeflɛks] adj. et n. m. photogr. (Appareil) qui montre l'image par un miroir.

**réflexe** n. m. **1** Réaction automatique, involontaire et immédiate (d'un organisme vivant) à une stimulation. – adj. *Mouvement réflexe.* **2** Réaction spontanée à une situation nouvelle.

**réflexion** n. f. **I** Changement de direction des ondes (lumineuses, sonores, etc.) qui rencontrent un corps (→ **réfléchir** (I)). *Réflexion et réfraction*.* **II 1** Retour de la pensée sur elle-même (→ **réfléchir** (II)). – loc. *Réflexion faite :* après y avoir réfléchi. *À la réflexion :* quand on y réfléchit bien. ♦ Qualité d'un esprit qui sait réfléchir. → **discernement, intelligence. 2** Pensée exprimée. ♦ Remarque adressée à qqn (spécialt, désobligeante).

**refluer** v. intr. [1] Se mettre à couler, à aller en sens contraire. → se **retirer.**

**reflux** [-fly] n. m. **1** Mouvement des eaux marines qui refluent. **2** Mouvement en arrière (de gens, etc.).

**refonder** v. tr. [1] Fonder une nouvelle fois, sur de nouvelles bases (un parti...). ► **refondation** n. f.

**refondre** v. tr. [41] Remanier pour améliorer (un ouvrage). ► **refonte** n. f.

**reforestation** n. f. Reboisement.

**réformateur, trice 1** n. Personne qui veut réformer. – hist. Fondateur d'une Église réformée*. **2** adj. Qui réforme.

**réforme** n. f. **I 1** Changement qu'on apporte (dans les mœurs, les lois, les institutions) afin d'en obtenir de meilleurs résultats. *Réformes sociales.* – Changement progressif (opposé à *révolution*). **2** hist. *La Réforme :* mouvement religieux du XVIe siècle, qui fonda le protestantisme. **II** Situation du militaire réformé.

**réformé, ée** adj. **I** hist. Issu de la Réforme (I, 2). → **protestant. II** Reconnu inapte au service. *Soldat réformé ;* n. m. *un réformé.*

**reformer** v. tr. [1] Former de nouveau, refaire (ce qui était défait). → **reconstituer.**

**réformer** v. tr. [1] **I 1** Rétablir dans sa forme primitive (une règle...). **2** vieilli Corriger. *Réformer son caractère.* **3** Changer en mieux (une institution...). → **améliorer ; réforme.** *Réformer la Constitution.* **II** milit. Retirer du service, classer comme inapte au service.

**réformisme** n. m. Politique qui préconise des réformes plutôt qu'une transformation des structures. ► **réformiste** n. et adj.

**refoulé, ée** adj. **1** psych. Qui a fait l'objet du refoulement (2). **2** fam. Qui a refoulé ses instincts (notamment sexuels). → **inhibé.** – n. *Un refoulé.*

**refoulement** n. m. **1** Action de refouler (2) (des personnes). **2** psych. Mécanisme inconscient par lequel la conscience rejette un désir que le moi, le surmoi ne supportent pas. – cour. Refus des pulsions sexuelles.

**refouler** v. tr. [1] **1** Faire refluer (un liquide). **2** Repousser (des personnes). *Refouler des immigrés.* **3** Faire rentrer en soi (ce qui veut s'extérioriser). → **réprimer, retenir.** *Refouler ses larmes, un désir.*

**réfractaire** adj. **I** (personnes) **1** *Réfractaire à :* qui résiste à, refuse de se soumettre à. → **rebelle.** – n. *Un réfractaire.* ♦ fig. *Être réfractaire à l'algèbre.* **2** hist. *Prêtre réfractaire,* qui avait refusé de prêter serment à la constitution civile du clergé (en 1790).

**II** (choses) Qui résiste à de très hautes températures.

**réfracter** v. tr. [1] Faire dévier (une onde) par réfraction.

**réfraction** n. f. Déviation d'une onde (lumineuse, etc.) qui traverse deux milieux où la vitesse de propagation est différente (→ **réfringent**). *Réfraction et réflexion**.

**refrain** n. m. **1** Suite de mots répétée à la fin de chaque couplet d'une chanson. **2** fig. Paroles, idées répétées. → **rengaine.**

**refréner** [Re-] v. tr. [6] Réprimer par une contrainte. → **contenir.** – var. **réfréner.**

**réfrigérant, ante** adj. **1** Qui produit du froid. **2** fig. *Un accueil réfrigérant.*

**réfrigérateur** n. m. Appareil qui produit du froid pour conserver les aliments.

**réfrigéré, ée** adj. Qui est réfrigéré. ♦ fam. (personnes) Qui a très froid. → **gelé.**

**réfrigérer** v. tr. [6] **1** Refroidir artificiellement. ► **réfrigération** n. f. **2** fig., fam. Mettre (qqn) mal à l'aise par un comportement froid.

**réfringent, ente** adj. Qui produit la réfraction. *La cornée est un milieu réfringent.*

**refroidir** v. [2] **I** v. tr. **1** Rendre plus froid ou moins chaud. → **rafraîchir ; congeler, geler, réfrigérer.** **2** fig. Diminuer l'ardeur de. *Son accueil nous a refroidis.* → **glacer.** **II** v. intr. Devenir plus froid, moins chaud.

**refroidissement** n. m. **1** Abaissement de la température. **2** Malaise (grippe, rhume...) dû au froid. **3** fig. Diminution (d'un sentiment).

**refuge** n. m. **1** Lieu où l'on se réfugie. → **abri, asile.** ♦ fig. *Un refuge contre le désespoir.* – (adj.) *Une valeur refuge,* sûre. **2** Abri de haute montagne.

**réfugié, ée** adj. et n. (Personne) qui a dû fuir son pays. *Des réfugiés politiques.* ♦ dr. Personne ayant obtenu l'asile politique.

se **réfugier** v. pron. [7] Se retirer (en un lieu) pour s'y mettre à l'abri (→ **refuge**). ♦ fig. *Se réfugier dans le sommeil.*

**refus** n. m. Action, fait de refuser. – fam. *Ce n'est pas de refus :* j'accepte.

**refuser** v. tr. [1] **1** Ne pas accorder (ce qui est demandé). **2** Ne pas vouloir reconnaître (une qualité) à qqn. → **dénier.** **3** Ne pas accepter. *Refuser une invitation.* ♦ *Refuser de* (+ inf.). **4** (compl. personne) Ne pas laisser entrer. – Ne pas recevoir à un examen. ▷ v. pron. se **refuser** **1** (passif) *Une telle offre ne se refuse pas.* **2** *Se refuser à :* ne pas consentir à (faire qqch.).

**réfuter** v. tr. [1] Repousser (un raisonnement) en prouvant sa fausseté. ► **réfutation** n. f.

**regagner** v. tr. [1] **1** Retrouver (ce qu'on avait perdu). **2** Retourner à. *Regagner sa place.*

① **regain** n. m. Herbe qui repousse dans une prairie après la première coupe.

② **regain** n. m. Retour, reprise. *Un regain d'activité.*

**régal** n. m. Nourriture délicieuse. → **délice.** ♦ fig. *Un régal pour l'esprit.*

à la **régalade** loc. adv. *Boire à la régalade,* en versant dans la bouche sans que le récipient touche les lèvres.

**régaler** v. tr. [1] Offrir un bon repas, un bon plat à (qqn). ▷ v. pron. se **régaler** Manger avec plaisir.

**regard** n. m. **1** Action de regarder ; expression des yeux. **2** *Au regard de* loc. prép. : en ce qui concerne. ♦ *En regard* loc. adv. : en face, vis-à-vis. **3** Ouverture (dans un conduit, une cave...).

**regardable** adj. Supportable à regarder.

**regardant, ante** adj. Très économe.

**regarder** v. tr. [1] **I** **1** Faire en sorte de voir, s'appliquer à voir (qqn, qqch.). → **examiner, observer.** ♦ fam. *Regardez-moi ce travail !,* constatez vous-même. ♦ (+ inf.) *Regarder la pluie tomber, tomber la pluie.* **2** absolt Observer. *Regardez bien.* **3** Envisager, considérer (de telle ou telle façon). → **voir.** *Regarder la réalité en face.* **4** (sujet chose) Avoir rapport à. → **concerner.** *Ça ne vous regarde pas.* **II** v. tr. ind. *Regarder à* (qqch.) : considérer attentivement, tenir compte de. *Regarder à la dépense* (→ **regardant**). – *Y regarder à deux fois* (avant de se décider, etc.).

**régate** n. f. Course de bateaux sur un parcours (sur mer, rivière...). ► **régatier, ière** n. ► **régater** v. intr. [1]

**régence** n. f. Gouvernement d'une monarchie par un régent*. ♦ *La Régence,* celle du duc d'Orléans (1715-1723). – *Style Régence,* de cette époque.

**régénérer** v. tr. [6] **1** Reconstituer (un tissu vivant). **2** Renouveler en redonnant les qualités perdues. ► **régénération** n. f. ► **régénérateur, trice** adj.

**régent, ente** n. **1** Personne qui exerce le pouvoir politique (régence) pendant la minorité ou l'absence d'un souverain. – adj. *Prince régent.* **2** Personne qui régit, administre.

**régenter** v. tr. [1] Diriger avec une autorité excessive ou injustifiée.

**reggae** [Rege] n. m. Musique des Noirs de la Jamaïque, au rythme marqué.

**régicide** **1** n. Assassin d'un roi. **2** n. m. Meurtre d'un roi.

**régie** n. f. **1** Entreprise confiée par l'État à un établissement qui le représente. **2** Organisation matérielle (d'un spectacle, d'une émission).

**regimber** v. intr. [1] Résister en refusant.

① **régime** n. m. **1** Organisation politique, économique, sociale (d'un État). *Régime parlementaire.* – *L'Ancien Régime,* la monarchie française avant 1789. **2** Dispositions qui organisent une institution. *Régime fiscal.* **3** Conduite à suivre en matière d'hygiène. – Alimentation raisonnée. *Suivre un régime.* **4** Manière dont se produisent certains phénomènes physiques (mouvements...). – *Le régime d'un moteur* (nombre de tours ; allure). loc. *À plein régime* (fig. avec le maximum d'intensité). ♦ géogr. Conditions d'un phénomène (météorologique, hydrographique). **5** gramm. Complément d'objet.

② **régime** n. m. Ensemble de fruits en grappe (bananiers, dattiers).

**régiment** n. m. **1** Corps de troupe placé sous la direction d'un colonel. ♦ *Le régiment :* l'armée. **2** fam. Grand nombre.

**région** n. f. **1** Territoire possédant des caractères particuliers. → **contrée, pays.** ♦ Unité territoriale administrative (→ **province**). **2** Étendue de pays (autour d'une ville). *La région de Pau.* **3** Zone d'un organe. *La région lombaire.*

**régional, ale, aux** adj. **1** Relatif à une région (1). **2** Qui regroupe des nations voisines. *Accords régionaux.* ► **régionalement** adv.

**régionaliser** v. tr. [1] Décentraliser par région. ► **régionalisation** n. f.

**régionalisme** n. m. **1** Tendance à favoriser les caractères régionaux, à l'autonomie des régions. **2** ling. Fait de langue propre à une région.

**régionaliste** **1** adj. et n. Partisan du régionalisme. **2** adj. Qui illustre une région. *Écrivain régionaliste.*

**régir** v. tr. [2] **1** vieilli Administrer (→ **régisseur**). **2** (lois, règles) Déterminer, régler.

**régisseur, euse** n. **1** Personne qui administre, gère (une propriété). → **intendant.** **2** théâtre Personne qui organise des représentations.

**registre** n. m. **I 1** Cahier. – *Registre du commerce,* où doivent s'inscrire les commerçants. **2** inform. Petite mémoire. **II 1** Étendue de l'échelle musicale (d'une voix, d'un instrument). → **tessiture.** **2** fig. Tonalité propre (d'une œuvre, du discours).

**réglable** adj. Qu'on peut régler.

**réglage** n. m. Fait, manière de régler (un dispositif, un mécanisme...).

**règle** n. f. **I** Instrument allongé qui sert à tirer des traits, à mesurer une longueur. **II 1** Indication, prescription de ce qui doit être fait. → **loi, norme, principe.** – *Règle de grammaire.* **2** loc. *Selon les règles, dans les règles,* comme il se doit. – *En règle générale.* → **généralement.** ♦ *En règle* loc. adj. : conforme aux usages ; aux prescriptions légales. *Papiers en règle.* **3** Discipline religieuse (d'un ordre). **4** Procédé arithmétique. *Règle de trois**. **III** au plur. Écoulement sanguin périodique chez la femme. → **menstrues.** *Avoir ses règles.*

**réglé, ée** adj. **I 1** Soumis à des règles. **2** (jeune fille) Qui a eu ses premières règles (→ **nubile, pubère**). **II** → **régler.**

**règlement** n. m. **I 1** Action, fait de régler (une affaire, un différend). **2** Action de régler (un compte ; une note). *Règlement par chèque.* **II 1** Décision administrative. → **arrêté, décret.** **2** Ensemble de règles de fonctionnement.

**réglementaire** adj. Conforme à, fixé par un règlement. ► **réglementairement** adv.

**réglementer** v. tr. [1] Assujettir à un règlement ; organiser selon un règlement. ► **réglementation** n. f.

**régler** v. tr. [6] **I** Couvrir (du papier...) de lignes droites parallèles. **II 1** *Régler son pas, sa conduite sur qqn, qqch.,* prendre pour modèle. **2** Fixer, définitivement ou exactement. *Régler les termes d'un accord.* **3** Mettre au point le fonctionnement de (un dispositif, un mécanisme...). – au p. p. *Carburateur mal réglé.* **III 1** Résoudre, terminer. – au p. p. *C'est une affaire réglée.* **2** Payer. *Régler une facture ; un fournisseur.* – absolt *Régler en espèces.*

**règles** n. f. pl. → **règle** (III)

**réglisse** n. f. Plante à racine brune, comestible. – *Sucer de la réglisse.*

**réglo** adj. invar. fam. Régulier, honnête.

**régnant, ante** adj. **1** Qui règne. **2** fig., littér. Qui domine, qui a cours. → **dominant.**

**règne** n. m. **I 1** Exercice du pouvoir souverain. **2** fig. Pouvoir absolu ; influence prédominante. **II** anciennt *Règne minéral, végétal, animal,* les trois grandes divisions de la nature.

**régner** v. intr. [6] **1** Exercer le pouvoir monarchique (→ **règne**). **2** Exercer un pouvoir absolu. *Il règne en maître.* ♦ (sujet chose) Avoir une influence prédominante. **3** (sujet chose) Exister, s'être établi (quelque part). *Faire régner l'ordre.*

**regonfler** v. tr. [1] Gonfler (qqch.) de nouveau. ♦ fam. Redonner du courage à (qqn).

**regorger** v. tr. ind. [3] Abonder (de).

**régresser** v. intr. [1] Subir une régression.

**régression** n. f. Évolution qui ramène à un degré moindre (→ **recul ; diminution**), à un stade antérieur. ► **régressif, ive** adj.

**regret** n. m. **I** Peine causée par la perte d'un bien. *Le regret du pays natal ; du passé.* → **nostalgie.** **II 1** Mécontentement ou chagrin (d'une situation passée). → **remords, repentir.** **2** Déplaisir. – *À regret* loc. adv. : contre son désir. – (politesse) *Nous sommes au regret de...*

**regretter** v. tr. [1] **I** Éprouver le désir douloureux de (ce qu'on n'a plus). *Regretter sa jeunesse.* ♦ Ressentir péniblement l'absence ou la mort de (qqn). – au p. p. *Notre regretté confrère* (→ défunt). **II 1** Être mécontent de (une action, une situation passée). → se **repentir.** ♦ *Regretter de* (+ inf.). → s'**excuser.**

2 Être mécontent de (ce qui contrarie un désir). → **déplorer.** – *Regretter que* (+ subj.). ► **regrettable** adj. → **fâcheux.**

**regrouper** v. tr. [1] **1** Grouper de nouveau (ce qui s'était dispersé). **2** Réunir (des éléments dispersés). ► **regroupement** n. m.

**régulariser** v. tr. [1] **1** Rendre conforme aux lois ; à la règle. → **normaliser.** *Régulariser sa situation* (administrative...). **2** Rendre régulier (ce qui est inégal, intermittent). ► **régularisation** n. f.

**régularité** n. f. **1** Caractère régulier. **2** Conformité aux règles, aux lois. **3** Fait de présenter des proportions régulières (I, 2).

**régulateur, trice I** adj. Qui règle, qui régularise. **II** n. m. Système maintenant la régularité d'un fonctionnement.

**régulation** n. f. Fait d'assurer le fonctionnement correct, régulier. *La régulation du trafic. Régulation des naissances.* → **contrôle.** – *Régulation thermique* (mammifères, oiseaux).

**régulier, ière** adj. **I** (choses) **1** Qui est conforme aux règles. → **normal.** *Verbes réguliers,* qui suivent les règles de la conjugaison. – Conforme aux lois, aux règlements. → **réglementaire. 2** Qui présente un caractère de symétrie, d'ordre, d'harmonie. *Une écriture régulière.* – *Rythme régulier,* uniforme. **3** Qui se renouvelle à intervalles égaux. ♦ Qui n'est pas occasionnel, mais habituel. *Un service régulier de cars.* ♦ Qui ne change pas. **II** (personnes) **1** Qui appartient à un ordre religieux (→ **règle** (II, 3)). *Clergé régulier et clergé séculier.* **2** *Armée régulière,* contrôlée par le pouvoir central. **3** Qui agit sans changer de rythme, de niveau. *Être régulier dans son travail.* **4** fam. Qui respecte les règles. *Régulier en affaires.* → **correct** ; fam. **réglo.**

**régulièrement** adv. **1** D'une manière régulière (I, 1), légale. **2** Avec régularité.

**régurgiter** v. tr. [1] didact. Faire revenir de l'estomac. → **rendre.** ► **régurgitation** n. f.

**réhabiliter** v. tr. [1] **1** Rétablir dans l'estime, dans la considération (notamment, en reconnaissant l'innocence). **2** Remettre en bon état pour l'habitation. → **rénover.** ► **réhabilitation** n. f.

**réhabituer** v. tr. [1] Faire reprendre une habitude perdue à (qqn). → **réaccoutumer.**

**rehausser** v. tr. [1] **1** Hausser davantage. → **élever, surélever. 2** fig. Faire valoir davantage. – au p. p. *Rehaussé de :* orné de. **3** peint. Donner plus de relief à.

**rehaut** n. m. peint. Touche claire qui accuse les lumières, rehausse (3).

**réhydrater** v. tr. [1] Hydrater de nouveau. ► **réhydratation** n. f.

**réimprimer** v. tr. [1] Imprimer de nouveau (sous la même forme). ► **réimpression** n. f.

**rein** n. m. **1** au plur. Partie inférieure du dos. → **lombes.** – vieilli *Tour de reins :* lumbago. ♦ loc. fig. *Avoir les reins solides :* être de taille à résister. **2** Chacun des deux organes qui élaborent l'urine. – *Rein artificiel* (appareil de dialyse).

**se réincarner** v. pron. [1] relig. S'incarner dans un nouveau corps. ► **réincarnation** n. f. → **métempsychose.**

**reine** n. f. **1** Épouse d'un roi. ♦ *Reine mère :* mère du souverain. **2** Femme qui détient l'autorité souveraine dans un royaume. ♦ fig. *Reine de beauté.* **3** jeux Pièce du jeu d'échecs, à l'action la plus étendue. – (aux cartes) → **dame. 4** Femelle féconde (d'abeille...), unique dans la colonie.

Ne pas confondre avec *rêne* « bride » ni avec *renne* « animal ».

**reine-claude** n. f. Prune verte parfumée.

**reine-marguerite** n. f. Plante aux fleurs blanches, roses ou mauves ; ces fleurs.

**reinette** n. f. Pomme très parfumée.

Ne pas confondre avec *rainette* « grenouille ».

**réinitialiser** v. tr. [1] inform. Redémarrer (un ordinateur, un système) après un blocage. ♦ Remettre (une application, un système) dans son état initial. ► **réinitialisation** n. f.

**réinscriptible** adj. techn. Sur lequel de nouvelles données peuvent être enregistrées.

**réinsérer** v. tr. [6] Réadapter à la vie sociale. – pronom. *Se réinsérer.* ► **réinsertion** n. f.

**réinstaller** v. tr. [1] Installer de nouveau. ► **réinstallation** n. f.

**réintégrer** v. tr. [6] **1** Revenir dans (un lieu). **2** Rétablir. *On l'a réintégré dans ses fonctions.* ► **réintégration** n. f.

**réintroduire** v. tr. [38] Introduire de nouveau. ► **réintroduction** n. f.

**réinventer** v. tr. [1] Inventer de nouveau.

**réitérer** v. tr. [6] Faire de nouveau ou plusieurs fois. → **répéter.** ► **réitération** n. f.

**rejaillir** v. intr. [2] **1** (liquide) Jaillir en étant renvoyé. **2** fig. *Rejaillir sur qqn :* retomber, se reporter sur. *Son succès a rejailli sur nous.* ► **rejaillissement** n. m.

**rejet** n. m. **I** Nouvelle pousse (d'une plante). → **rejeton** (1). **II** Action de rejeter, d'évacuer ; de renvoyer après. **III 1** Action de rejeter (II). *Le rejet d'un recours en grâce.* ♦ Attitude de refus. **2** Intolérance de l'organisme (à une greffe).

**rejeter** v. tr. [4] **I 1** Jeter en sens inverse (ce qu'on a reçu ou pris). ♦ Évacuer, expulser. **2** fig. Faire retomber (sur un autre). *Rejeter une responsabilité sur qqn.* **3** Porter ou mettre ailleurs avec force. *Rejeter la tête en arrière.* **II 1** Écarter, refuser (qqch.). *Rejeter une proposition.* → **décliner ; repousser. 2** Écarter (qqn) en repoussant. *Être rejeté par ses proches.*

**rejeton** n. m. **1** Rejet (I). **2** fam. Enfant ; fils.

**rejoindre** v. tr. [49] **1** Aller retrouver (qqn ; un groupe). ♦ Regagner (un lieu). **2** (sujet chose) Venir en contact avec. *La rue rejoint un boulevard.* **3** Rattraper (qqn qui a de l'avance).

**réjouir** v. tr. [2] Rendre joyeux, faire plaisir à. → **amuser, égayer.** ▷ v. pron. **se réjouir** *Se réjouir de qqch., à la pensée de...* → se **féliciter** de. ► **réjouissant, ante** adj.

**réjouissance** n. f. Joie collective. ♦ **au plur.** → **fête.**

**relâche I** n. m. ou f. (Arrêt) **1** loc. adv. *Sans relâche :* sans répit. **2** Fermeture momentanée (d'une salle de spectacle). **II** n. f. mar. Action de relâcher (II).

**relâcher** v. [1] **I** v. tr. **1** Rendre moins tendu ou moins serré. → **desserrer, détendre.** *Relâcher son étreinte.* **2** fig. Faire ou laisser perdre sa force ; détendre. *Relâcher son attention.* **3** Remettre (qqn) en liberté. → **libérer, relaxer. II** v. intr. mar. Faire escale. ▷ v. pron. **se relâcher** Devenir plus lâche, moins serré ; fig. moins rigoureux. ▷ adj. **relâché, ée** ► **relâchement** n. m.

**relais** n. m. **1** anciennt Lieu où des chevaux étaient postés pour remplacer les chevaux fatigués. **2** loc. *Prendre le relais de.* → **relayer ; relève. 3** *(Course de) relais :* épreuve disputée entre équipes qui se relaient. **4** Travail par roulement. **5** Intermédiaire (entre personnes ou choses). **6** sc., techn. Dispositif pour retransmettre un signal radioélectrique.

**relancer** v. [3] **I** v. tr. **1** Lancer à son tour (une chose reçue). → **renvoyer. 2** Remettre en marche. *Relancer un moteur ; l'économie.* **3** Poursuivre (qqn) avec insistance, pour obtenir qqch. de lui. **II** v. intr. jeux Augmenter l'enjeu. ► **relance** n. f.

**relaps, apse** [-aps] adj. relig. Retombé dans une hérésie, après l'avoir abjurée. *Jeanne d'Arc fut brûlée comme relapse.*

**relater** v. tr. [1] littér. Raconter d'une manière précise et détaillée.

**relatif, ive** adj. **I 1** Qui présente une relation avec ; **au plur.** qui ont une relation mutuelle. ♦ math. *Entier relatif* (affecté du signe + ou du signe –). **2** Qui n'est ni absolu, ni indépendant. **3** Incomplet, imparfait. *Un confort relatif.* **4** *Relatif à :* se rapportant à, concernant. **II** gramm. Qui établit une relation entre un nom ou un pronom (→ **antécédent**) et une subordonnée. *Pronoms* (qui, que, dont...), *adjectifs relatifs* (lequel, quel). – *Proposition relative* et n. f. *une relative,* introduite par un pronom relatif.

**relation** n. f. **I** didact. Fait de relater ; récit (spécialt, d'un voyageur). **II** (Lien, rapport) **1** Rapport de dépendance. *Relation de cause à effet.* **2** Lien de dépendance ou d'influence réciproque (entre personnes ; groupes, États) ; **au plur.** fait de se fréquenter. → **commerce, contact, rapport.** – *Être, se mettre, rester en relation(s).* ♦ *Avoir des relations :* connaître des gens influents. **3** Personne avec qui on a des relations. → **connaissance. 4** *Relations publiques :* techniques d'information et de promotion. → **communication.** ► **relationnel, elle** adj.

**relativement** adv. **1** Par une relation. – *Relativement à...* → **quant** à. **2** D'une manière relative. → **plutôt.**

**relativiser** v. tr. [1] Faire perdre son caractère absolu à (qqch.), en le mettant en relation avec qqch. d'autre.

**relativité** n. f. **I** Caractère de ce qui est relatif (I). *La relativité du jugement humain.* **II** *Théorie de la relativité,* exprimant le rapport des lois physiques avec le mouvement.

**relax** ou **relax, axe** [ʀəlaks] adj. fam. **1** Qui favorise la détente. **2** À l'aise, détendu. ♦ adv. *Conduire relax.*

**relaxation** n. f. **I** didact. Diminution ou suppression d'une tension. **II** anglic. Détente par des procédés psychologiques actifs. – cour. Repos, détente.

**relaxe** n. f. dr. Décision de relaxer (①).

① **relaxer** v. tr. [1] dr. Déclarer (un prévenu) non coupable (tribunal).

② **relaxer** v. [1] **1** *Se relaxer* v. pron. Se détendre, se décontracter. **2** v. tr. Détendre (qqn...). *Ce bain m'a relaxé.*

**relayer** v. tr. [8] Remplacer (qqn) dans une activité en prenant sa suite. ▷ v. pron. **se relayer** (→ **relais** (2, 3 et 4)).

**relecture** n. f. Action de relire.

**reléguer** v. tr. [6] **1** dr. (anciennt) Exiler pénalement. **2** Envoyer, placer (qqn, qqch.) en un lieu écarté ou médiocre. *Reléguer un objet au grenier.* ♦ fig. *Reléguer qqn dans une fonction subalterne.* ► **relégation** n. f.

**relent** n. m. (souvent au plur.) **1** Mauvaise odeur qui persiste. **2** fig. Trace, soupçon.

**relève** n. f. **1** Remplacement (de qqn, d'une équipe), dans un travail continu, une action collective. *Prendre la relève.* → **relayer. 2** Personnes qui assurent ce remplacement.

**relevé** n. m. Action de relever, de noter ; ce qu'on a noté.

**relèvement** n. m. **1** Redressement. **2** Action de relever (II), de hausser.

**relever** v. tr. [5] **I 1** Remettre debout. *Relever des ruines.* **2** fig. Remettre en bon état. *Relever l'économie.* **3** Ramasser, collecter. *Relever les copies.* **4** Faire remarquer. → **noter, souligner.** ♦ Noter par écrit ou par un croquis (→ **relevé**). **II 1** Diriger, orienter vers le haut (une partie du corps, d'un vêtement). *Relever la tête ; son col.* **2** Donner plus de hauteur à (→ **élever**) ; fig. élever le chiffre de (→ **hausser, majorer**). **3** fig. Augmenter la valeur de. → **rehausser.** *Relever le niveau.* **4** Donner plus de goût, de relief, de l'attrait à. → **agrémenter, pimenter. III 1** Assurer la relève de (qqn). *Relever une sentinelle.* **2** *Relever qqn de,* le libérer de (une obligation). – *Relever qqn de ses fonctions.* → **destituer. IV** v. tr. ind. *Relever de* **1** Dépendre de (une autorité). **2** (sujet chose) Être du ressort, du domaine de. **V** v. intr. *Relever de :* se rétablir, se remettre de. *Relever de maladie.* ▷ v. pron. se **relever 1** Reprendre la position verticale. ♦ fig. *Se relever d'un échec.* **2** Se diriger vers le haut. **3** (récipr.) Se remplacer (dans une tâche). → se **relayer.** ▷ adj. **relevé, ée 1** Dirigé, ramené vers le haut. – *Virage relevé,* à courbe extérieure plus haute. **2** Épicé, piquant. *Sauce relevée.* ► **releveur, euse** adj. et n.

**relief** n. m. **I** au plur. Restes (d'un repas). **II 1** *Un relief :* ce qui fait saillie. ♦ arts Ouvrage comportant des éléments qui se détachent sur un fond plan (→ bas-relief, haut-relief). **2** Caractère (d'une image) donnant l'impression d'une profondeur, de plans différents. **3** Forme de la surface terrestre. *Étude du relief* (→ **géomorphologie, orographie, topographie**). **4** *En relief,* qui fait saillie. **5** fig. Apparence plus nette, du fait des oppositions. – *Mettre en relief,* en évidence.

**relier** v. tr. [7] **I 1** Lier ensemble. **2** Mettre en communication avec. → **joindre, raccorder. 3** fig. Mettre en rapport. *Relier des indices.* **II** Attacher ensemble (des feuillets) avec une couverture rigide. – au p. p. *Livre relié et livre broché.* ► **relieur, euse** n.

**religieusement** adv. **1** Avec religion. **2** Avec attention. → **scrupuleusement.**

**religieux, euse I** adj. **1** Qui concerne la religion. *Doctrines religieuses.* → **dogme, théologie.** – *Art religieux.* → **sacré. 2** Qui croit en une religion. → **croyant. 3** fig. Qui présente les caractères du sentiment ou du comportement religieux. *Un silence religieux.* **4** *Mante* religieuse.* **II** n. Personne qui a prononcé des vœux dans un ordre. → **moine, nonne, sœur. III** n. f. Pâtisserie faite de deux choux superposés.

**religion** n. f. **1** Croyance en un principe supérieur dont dépend la destinée humaine. **2** Croyance, conviction religieuse (de qqn). → **foi.** ♦ *Être sans religion* (→ **agnostique, areligieux, athée**). **3** Système de croyances et de pratiques propre à un groupe social. → **culte.** *Religion animiste, polythéiste. Religions monothéistes.* → **christianisme ; islamisme ; judaïsme.** *Les religions orientales.* → **bouddhisme, hindouisme. 4** loc. *Entrer en religion :* prononcer ses vœux de religieux (II). **5** fig. Culte, attachement à des valeurs.

**religiosité** n. f. Inclination sentimentale vers la religion.

**reliquaire** n. m. Coffret précieux renfermant des reliques (→ **châsse**).

**reliquat** n. m. Ce qui reste (d'une somme).

**relique** n. f. **1** Reste d'un saint, objet auquel on rend un culte. **2** Objet du passé auquel on attache du prix.

**relire** v. tr. [43] **1** Lire de nouveau (ce qu'on a déjà lu). **2** Lire en vue de corriger.

**reliure** n. f. **1** Action ou art de relier (un livre). **2** Couverture d'un livre relié.

**reloger** v. tr. [3] Procurer un nouveau logement à (qqn). ► **relogement** n. m.

**relooker** v. tr. [1] anglic., fam. Donner une nouvelle apparence, un nouveau look à. *Relooker une gamme de produits.*

**relouer** v. tr. [1] Louer (②) de nouveau.

**reluire** v. intr. [38] Luire en réfléchissant la lumière, en produisant des reflets. → **briller.**

**reluisant, ante** adj. **1** Qui reluit. **2** fig. *Un avenir peu reluisant,* peu brillant.

**reluquer** v. tr. [1] fam. Regarder du coin de l'œil, avec convoitise. → **guigner, lorgner.**

**remâcher** v. tr. [1] Revenir sans cesse en esprit sur. → **ressasser, ruminer.**

**remailler** → **remmailler**

**remake** [rimɛk] n. m. anglic. Nouvelle version (d'un film, d'une œuvre littéraire).

**rémanence** n. f. sc. Persistance d'un phénomène après disparition de sa cause. ► **rémanent, ente** adj.

**remanier** v. tr. [7] **1** Modifier (un texte). → **refondre. 2** Modifier la composition de (un ensemble). *Remanier le gouvernement.* ► **remaniement** n. m.

se **remarier** v. pron. [7] Se marier à nouveau. ► **remariage** n. m.

**remarquable** adj. Digne d'être remarqué (→ **marquant, notable**) ; spécialt par son mérite, sa qualité. ► **remarquablement** adv. → **très ; admirablement, étonnamment.**

**remarque** n. f. **1** Action de remarquer (qqch.). *Il en a déjà fait la remarque.* **2** Observation (spécialt critique).

**remarquer** v. tr. [1] **1** Avoir la vue, l'attention frappée par (qqch.). → **apercevoir, découvrir.** *Remarquer qqch. du premier coup d'œil.* – pronom. (passif) *Cela ne se remarque pas.* → se **voir.** – *Remarquer que* (+ indic.). **2** Distinguer particulièrement (qqn, qqch. parmi d'autres). ♦ (plutôt péj.) *Se faire remarquer :* attirer sur soi l'attention. ▷ adj. **remarqué, ée** *Une absence remarquée.*

**remastériser** v. tr. [1] anglic. Refaire en studio un enregistrement original (→ ① **master**) de (une œuvre). – au p. p. *Un disque remastérisé.*

**remballer** v. tr. [1] **1** Emballer de nouveau. ► **remballage** n. m. **2** fig., fam. *Il peut remballer ses compliments,* ne pas les dire.

**rembarquer** v. [1] **1** v. tr. Embarquer (ce qu'on avait débarqué). **2** *Se rembarquer* v. pron. ; *rembarquer* v. intr. : s'embarquer de nouveau. ► **rembarquement** n. m.

**rembarrer** v. tr. [1] Repousser brutalement (qqn) par un refus.

**remblai** n. m. Fait de rapporter des terres (pour combler, faire une levée) ; ces terres.

**remblayer** v. tr. [8] Faire des travaux de remblai sur. ► **remblayage** n. m.

**rembobiner** v. tr. [1] Bobiner, enrouler de nouveau. ► **rembobinage** n. m.

**remboîter** v. tr. [1] Remettre en place (ce qui était déboîté). ► **remboîtement** n. m.

**rembourrer** v. tr. [1] Garnir de bourre. → **bourrer, capitonner, matelasser.** ▷ adj. **rembourré, ée** *Siège rembourré.* – fam. (personnes) Grassouillet. ► **rembourrage** n. m.

**rembourreur, euse** n. (Canada) Personne qui rembourre, recouvre les meubles. → **tapissier.**

**rembourser** v. tr. [1] **1** Rendre à qqn (ce qu'il a déboursé). **2** Rendre à (qqn) ce qu'il a déboursé. ► **remboursable** adj. *Prêt remboursable sur, en dix ans.* ► **remboursement** n. m.

se **rembrunir** v. pron. [2] Prendre un air sombre, chagrin. – au p. p. *Mine rembrunie.*

**remède** n. m. **1** Substance employée au traitement d'une maladie. → **médicament.** – loc. *Remède de bonne femme,* empirique et traditionnel. *Remède de cheval,* brutal. **2** fig. Ce qui peut diminuer, guérir une souffrance morale. – loc. prov. *Aux grands maux, les grands remèdes.*

**remédier** v. tr. ind. [7] *Remédier à :* apporter un remède (2) à.

**remembrance** n. f. vx ou littér. Souvenir.

**remembrer** v. tr. [1] Rassembler (des parcelles de terre). ► **remembrement** n. m.

**remémorer** v. tr. [1] littér. Remettre en mémoire. → **rappeler.** ▷ v. pron. se **remémorer**

**remercier** v. tr. [7] **1** Dire merci, témoigner de la reconnaissance à (qqn). ► **remerciement** n. m. **2** Renvoyer, licencier (qqn).

**réméré** n. m. dr. Rachat possible de son bien par le vendeur. *Clause de réméré.*

**remettre** v. tr. [56] **I 1** Mettre à sa place antérieure. – fig. *Remettre qqn à sa place,* le rabrouer. **2** fig. *Remettre en esprit, en mémoire :* rappeler (une chose oubliée). – *Remettre qqn.* → **reconnaître. 3** Mettre de nouveau sur soi. **4** Rétablir. *Remettre le courant.* – *Remettre de l'ordre.* ♦ Réconforter (qqn). **5** Mettre plus de. → **ajouter.** *J'ai remis du sel.* – fam. *En remettre :* exagérer. **6** Replacer (dans la position antérieure). – loc. *Remettre qqn sur pied.* → **guérir. 7** *Remettre à, en* (→ mettre à, en). *Remettre à neuf ; en état.* – *Remettre en cause.* **II 1** Mettre en la possession ou au pouvoir de qqn. *Remettre un paquet à son destinataire.* **2** Faire grâce de (une obligation). *Remettre une dette.* – *Remettre les péchés.* → **pardonner ; rémission. III** Renvoyer (qqch.) à plus tard. → **ajourner, différer.** – (au p. p.) loc. *Ce n'est que partie remise :* ce sera pour une autre fois. **IV** fam. *Remettre ça :* recommencer ; spécialt resservir ou reprendre à boire. ▷ v. pron. se **remettre I 1** *Se remettre debout.* – *Le temps s'est remis au beau.* **2** *Se remettre à* (+ n. ou inf.). → **recommencer** à. **3** *Se remettre (de) :* revenir à un état meilleur. → se **rétablir.** – *Se remettre de sa frayeur.* **4** *Se remettre avec qqn, se remettre ensemble :* vivre de nouveau ensemble. **II 1** *Se remettre entre les mains de qqn.* **2** *S'en remettre à qqn,* lui faire confiance. → se **fier.**

**rémige** n. f. Grande plume rigide de l'aile (des oiseaux). → **penne.**

**remilitariser** v. tr. [1] Militariser de nouveau. → **réarmer.**

**réminiscence** n. f. littér. Souvenir imprécis, où domine la tonalité affective.

**remis, ise** Participe passé de *remettre.*

**remise** n. f. **I** Action de remettre. **1** loc. *Remise en, à* (correspond à : *mise* en, à*). *Remise en marche ; à neuf.* – *Remise en question.* **2** Action de mettre en la possession de (qqn). **3** Renonciation (à une créance). *Remise de dette.* **4** Réduction, diminution. – *Remise de peine :* réduction de la peine (d'un condamné). – spécialt Réduction de prix. → **rabais. 5** Renvoi à plus tard. → **ajournement. II** Local où l'on range des voitures, des objets.

**remiser** v. tr. [1] **1** Ranger (un véhicule). → **garer. 2** Ranger à l'écart.

**rémission** n. f. **1** Action de remettre (II, 2) (les péchés). → **absolution.** ♦ loc. *Sans rémission :* sans indulgence. **2** Diminution momentanée (d'un mal). → **répit.**

**rémittent, ente** adj. méd. (maladie...) Qui présente des périodes d'accalmie.

**remix** n. m. anglic. Nouveau mixage (d'une chanson...).

**remmailler** [ʀɑ̃m-] v. tr. [1] Réparer en remontant les mailles. ► **remmaillage** n. m. ► **remmailleuse** n. f.

**remmener** [ʀɑ̃m-] v. tr. [5] Emmener (qqn) au lieu d'où on l'a amené. → **ramener.**

**remodeler** v. tr. [5] **1** Transformer en améliorant la forme de (qqch.). **2** Remanier, réorganiser. ► **remodelage** n. m.

**remontage** n. m. Action de remonter.

**remontant, ante** adj. Qui remonte (II, 5). – n. m. *Un remontant.* → **cordial, tonique.**

**remontée** n. f. **1** Action de remonter. – Fait de remonter (une pente, une rivière). **2** Dispositif servant à remonter les skieurs. *Remontée mécanique* (→ **remonte-pente**).

**remonte-pente** n. m. Câble pour hisser les skieurs en haut d'une pente. → **téléski ;** fam. **tire-fesses.** *Des remonte-pentes.*

**remonter** v. [1] **I** v. intr. **1** Monter de nouveau ; regagner l'endroit d'où l'on est descendu. **2** Aller vers le haut (route), en amont (fleuve). – fig. Aller vers l'origine. **3** *Remonter à :* avoir son origine à (une époque passée). → **dater. II** v. tr. **1** Parcourir de nouveau vers le haut. – *Remonter le peloton,* s'en rapprocher. **2** Parcourir vers l'amont (un cours d'eau). **3** Monter (qqch.) de nouveau. **4** Tendre le ressort de (un mécanisme). *Remonter un réveil* (→ **remontoir**). **5** fig. Raffermir. *Remonter le moral de qqn* (→ **réconforter**). – par ext. Redonner de la force à (qqn). → **ragaillardir, revigorer.** **6** Monter (ce qui était démonté). **7** Regarnir. *Remonter sa garde-robe.*

**remontoir** n. m. Dispositif pour remonter un mécanisme.

**remontrance** n. f. surtout au plur. Critique motivée et raisonnée. → **réprimande.**

**remontrer** v. tr. [1] **I** *En remontrer à* (qqn), se montrer supérieur à lui ; lui donner des leçons. **II** Montrer de nouveau.

**rémora** n. m. Poisson qui se fixe à de gros poissons.

**remords** n. m. Sentiment pénible, honteux, par conscience d'avoir mal agi.

Avec un *s*, même au singulier.

**remorque** n. f. **1** (dans des loc.) Action de remorquer. *Prendre un bateau en remorque.* **2** loc. fig. *Être à la remorque* : rester en arrière. *Être à la remorque de qqn*, se laisser mener. **3** Câble de remorque. **4** Véhicule sans moteur, destiné à être tiré par un autre (→ **semi-remorque**).

**remorquer** v. tr. [1] **1** Tirer (un navire) au moyen d'un câble. → **haler, touer.** **2** Tirer (un véhicule ; fig. qqn). ► **remorquage** n. m.

**remorqueur** n. m. Navire muni de dispositifs de remorquage.

**rémoulade** n. f. Mayonnaise à la moutarde, à l'ail. – appos. *Céleri rémoulade.*

**rémouleur, euse** n. Artisan qui aiguise les instruments tranchants.

**remous** n. m. **1** Tourbillon dans l'eau, un fluide. **2** Mouvement confus (d'une foule). **3** fig. Agitation.

**rempailler** v. tr. [1] Regarnir (un siège) de paille. ► **rempaillage** n. m. ► **rempailleur, euse** n.

**rempart** n. m. **1** Forte muraille d'une enceinte. ♦ au plur. Zone des remparts (dans une ville). **2** littér. Ce qui sert de défense, de protection.

**rempiler** v. [1] **1** v. tr. Empiler de nouveau. **2** v. intr. fam. Se rengager (dans l'armée).

**remplaçable** adj. Qui peut être remplacé.

**remplaçant, ante** n. Personne qui en remplace momentanément une autre.

**remplacement** n. m. Action, fait de remplacer qqn, qqch. – *Faire un remplacement* (→ **remplaçant**).

**remplacer** v. tr. [3] **1** Mettre (qqn, qqch.) à la place de (qqn, qqch.), pour continuer, améliorer. → **changer.** **2** Être mis, se mettre à la place de (qqch., qqn). **3** Tenir lieu de. → **suppléer.** **4** Exercer temporairement les fonctions de (qqn).

**rempli, ie** adj. **1** Plein. *Un bol rempli de lait.* – *Salle remplie.* → **bondé,** ② **comble.** – Occupé dans sa durée. *Vie bien remplie.* **2** *Rempli de*, qui contient en grande quantité.

**remplir** v. tr. [2] **I 1** (Remplir de). Rendre plein, utiliser entièrement (un espace disponible). – fig. *Ce succès l'a rempli d'orgueil.* – pronom. *La salle s'est remplie.* ♦ Couvrir entièrement. *Remplir une feuille de dessins.* **2** Compléter (les espaces en blanc). *Remplir un formulaire.* **II** Rendre plein par sa présence. ♦ fig. Occuper entièrement. *Les occupations qui remplissent sa vie.* **III 1** Exercer, accomplir (une fonction...). – *Remplir ses engagements.* → **tenir.** **2** *Remplir des conditions.* → **satisfaire** à.

**remplissage** n. m. **1** Fait de (se) remplir. **2** péj. Ce qui allonge un texte inutilement. → **délayage.**

**remploi ; remployer** → **réemploi ; réemployer**

se **remplumer** v. pron. [1] **1** (oiseaux) Se couvrir de nouvelles plumes. **2** fam. Reprendre du poids.

**rempocher** v. tr. [1] Remettre dans sa poche.

**rempoissonner** v. tr. [1] Repeupler de poissons. ► **rempoissonnement** n. m.

**remporter** v. tr. [1] **I** Emporter (ce qu'on avait apporté). → **reprendre.** **II** Gagner. *Remporter un prix ; un grand succès.*

**rempoter** v. tr. [1] Changer (une plante) de pot. ► **rempotage** n. m.

**remprunter** ou **réemprunter** v. tr. [1] Emprunter de nouveau.

**remuant, ante** adj. **1** Qui remue beaucoup. **2** Qui a des activités multiples.

**remue-ménage** n. m. invar. Mouvements, déplacements bruyants et désordonnés.

**remue-méninges** n. m. invar. – recomm. off. pour *brainstorming.*

**remuer** v. [1] **I** v. tr. **1** Faire changer de position. → **bouger, déplacer.** **2** Déplacer dans ses parties, ses éléments. *Remuer la salade.* – loc. *Remuer ciel et terre* : faire appel à tous les moyens. **3** fig. → **agiter.** *Remuer des souvenirs.* ♦ Bouleverser, émouvoir (qqn). – au p. p. *Il semble très remué.* **II** v. intr. **1** Bouger, changer de position. **2** fig. Commencer à agir. ▷ v. pron. se **remuer** Se mouvoir, faire des mouvements. – fig. Se dépenser. ► **remuement** n. m.

**remugle** n. m. littér. Odeur désagréable de renfermé.

**rémunérateur, trice** adj. Qui paie bien, procure des bénéfices. → **lucratif.**

**rémunérer** v. tr. [6] Payer (un service, un travail ; qqn). → **rétribuer.** ► **rémunération** n. f. → **rétribution, salaire.**

**renâcler** v. intr. [1] **1** (animaux) Renifler en signe de mécontentement. **2** fig. Témoigner de la répugnance (devant une contrainte).

**renaissance** n. f. **I 1** relig. Nouvelle naissance. **2** fig. Nouvel essor. → **renouveau.** **II** (avec maj.) Essor intellectuel provoqué, aux XVe et XVIe siècles, par le retour aux idées et à l'art antiques ; période et style artistique qui y correspondent.

> La période historique s'écrit avec une majuscule : *la Renaissance.*

**renaissant, ante** adj. **1** Qui renaît. **2** didact. De la Renaissance.

**renaître** v. intr. [59] (p. p. très rare, à cause du prénom *René*) **1** Naître de nouveau. **2** littér. *Renaître à* : revenir dans (tel ou tel état). **3** Reprendre des forces. → **revivre. 4** Recommencer à vivre, à croître.

**rénal, ale, aux** adj. Relatif au rein ou à sa région. → **néphrétique.**

**renard** n. m. **1** Mammifère carnivore à la tête triangulaire et effilée. **2** Fourrure de cet animal. **3** fig. Personne rusée, subtile.

**renarde** n. f. Renard femelle.

**renardeau** n. m. Petit du renard.

**renardière** n. f. Terrier du renard.

**rencard ; rencarder** → **rancard ; rancarder**

**renchérir** v. intr. [2] **1** Devenir plus cher. **2** fig. *Renchérir sur qqn, qqch.*, aller encore plus loin, en action ou en paroles. ► **renchérissement** n. m.

se **rencogner** v. pron. [1] → se **blottir.**

**rencontre** n. f. **I** littér. Circonstance fortuite, hasard. – *De rencontre* loc. adj. : fortuit. **II 1** Fait, pour deux personnes, de se trouver en contact. *Une rencontre agréable.* – *Aller à la rencontre de* : au-devant de. **2** Engagement, combat, match. *Rencontre de boxe.* – Discussion. *Rencontre au sommet.* **3** (choses) Fait de se trouver en contact.

**rencontrer** v. tr. [1] **1** Se trouver en présence de (qqn). *Rencontrer qqn par hasard.* – Être opposé en compétition à (un adversaire). ♦ Faire la connaissance de. ♦ Trouver (parmi d'autres). *Un homme comme on en rencontre peu.* **2** Se trouver près de, en présence de (qqch.). – (sujet chose) *Son regard rencontra le mien.* ▷ v. pron. se **rencontrer** **1** Se trouver en même temps au même endroit. ♦ fig. Partager, exprimer les mêmes idées ou sentiments. **2** (sujet chose) Entrer en contact. **3** (passif) Se trouver, exister.

**rendement** n. m. **1** Produit de la terre, par rapport à la surface. ♦ Production relative (par rapport au matériel, au capital, au travail, etc.). → **productivité. 2** Produit, gain. – Efficacité.

**rendez-vous** n. m. **1** Rencontre convenue entre des personnes. **2** Lieu de rencontre.

**rendormir** v. [16] Endormir de nouveau. – pronom. *Se rendormir.*

**rendre** v. tr. [41] **I 1** Donner en retour (ce qui est dû). *Je vous rends votre argent* (→ **rembourser**). ♦ Donner (sans idée de restitution). *Rendre service à qqn.* **2** Donner en retour, restituer. ♦ Rapporter au vendeur (ce qu'on a acheté). **3** Redonner. *Ce traitement m'a rendu des forces.* **4** Donner en retour (en échange de ce qu'on a reçu). *Rendre un baiser.* **5** intrans. Produire, rapporter. **II 1** Laisser échapper (ce qu'on ne peut garder, retenir). – spécialt Vomir. ♦ fig. *Rendre l'âme, l'esprit, le dernier soupir* : mourir. **2** Faire entendre (un son). **3** Céder, livrer. loc. *Rendre les armes.* **III** Faire devenir. *Il me rendra fou.* – au passif *Le jugement a été rendu public.* **IV** Exprimer (par le langage, en traduisant ; par un moyen plastique ou graphique). – au p. p. *Détail bien rendu* (→ **rendu**). ▷ v. pron. se **rendre** **1** *Se rendre à* : céder à. *Se rendre aux prières de qqn.* ♦ absolt Se soumettre, se livrer (→ **reddition**). **2** Se transporter, aller. *Se rendre à son travail.* **3** (suivi d'un attribut) Devenir par son propre fait. *Vous allez vous rendre malade.* ▷ adj. ① **rendu, ue** **1** Parvenir à sa destination. *Nous voilà rendus.* **2** Être extrêmement fatigué. → **fourbu.**

② **rendu** n. m. **1** loc. *C'est un prêté* pour un rendu.* **2** arts Exécution restituant l'impression donnée par la réalité.

**rêne** n. f. Chacune des courroies fixées aux harnais, et servant à diriger l'animal. ♦ loc. *Prendre les rênes*, diriger.

> Ne pas confondre avec *reine* « souveraine » ni avec *renne* « animal ».

**renégat, ate** n. Personne qui a renié sa religion. → **apostat.** ♦ Personne qui a trahi.

**renfermé, ée** **1** adj. Qui ne montre pas ses sentiments. → **dissimulé. 2** n. m. Mauvaise odeur d'un lieu mal aéré. → **remugle.**

**renfermer** v. tr. [1] **1** Tenir caché (un sentiment). → **dissimuler. 2** (sujet chose) Tenir contenu. – Comprendre, contenir (qqch. d'abstrait).

**renfler** v. tr. [1] rare Rendre convexe, bombé. ▷ v. pron. se **renfler** ▷ adj. **renflé, ée** ► **renflement** n. m.

**renflouer** v. tr. [1] **1** Remettre (un navire) à flot. **2** fig. Sauver (qqn, une entreprise) de difficultés financières. ► **renflouage** et **renflouement** n. m.

**renfoncement** n. m. **1** Ce qui forme un creux. **2** Recoin, partie en retrait.

**renfoncer** v. tr. [3] Enfoncer plus avant, plus fort.

**renforcer** v. tr. [3] **1** Rendre plus fort, plus solide. → **consolider. 2** Rendre plus intense. **3** fig. Rendre plus ferme, plus certain. → **fortifier ; confirmer.** ► **renforcement** n. m.

**renfort** n. m. **1** Effectifs et matériel destinés à renforcer une armée. ♦ fig. Supplément (de personnes). **2** loc. *À grand renfort de* : par une grande quantité de.

se **renfrogner** v. pron. [1] Témoigner son mécontentement par une expression contractée du visage. ▷ adj. **renfrogné, ée**

1 *Visage renfrogné.* 2 (personnes) Maussade, revêche.

**rengager** v. tr. [3] Engager de nouveau. ♦ *Se rengager* v. pron. ou *rengager* v. intr. : reprendre du service (dans l'armée).

**rengaine** n. f. 1 Formule répétée à tout propos. 2 Chanson ressassée.

**rengainer** v. tr. [1] 1 Remettre dans la gaine, l'étui. 2 fig., fam. Retenir (ce qu'on allait manifester, exprimer).

**se rengorger** v. pron. [3] 1 (oiseaux) Gonfler la gorge. 2 (personnes) Prendre une attitude avantageuse, vaniteuse.

**renier** v. tr. [7] 1 Déclarer faussement qu'on ne connaît pas (qqn). *Renier sa famille.* 2 Renoncer à (ce qui inspire la fidélité). *Renier ses engagements,* s'y dérober. ► **reniement** n. m.

**renifler** v. [1] 1 v. intr. Aspirer bruyamment par le nez. 2 v. tr. Aspirer par le nez, sentir (qqch.). – fig. → **flairer.** ► **reniflement** n. m.

**renne** n. m. Mammifère ruminant de grande taille, aux bois aplatis, qui vit dans les régions froides du Nord. → **caribou.**

Ne pas confondre avec *reine* «souveraine» ni avec *rêne* «bride».

**renom** n. m. Opinion favorable et largement répandue. → **renommée, réputation.** – loc. adj. *En renom, de renom* : renommé.

**renommé, ée** adj. Qui a du renom, de la renommée. → **célèbre, réputé.**

**renommée** n. f. Fait (pour qqn, qqch.) d'être largement connu et, spécialt, favorablement connu. → **célébrité, gloire, notoriété, renom.**

**renoncement** n. m. Fait de renoncer (à qqch.) au profit d'une valeur morale.

**renoncer** v. tr. ind. [3] *Renoncer à* 1 Abandonner un droit sur (qqch.). *Renoncer à un héritage.* ♦ Abandonner l'idée de. *Renoncer à un projet ; à comprendre.* 2 Abandonner volontairement (un bien, une habitude...). 3 *Renoncer à qqn,* cesser de rechercher sa compagnie. ► **renonciation** n. f.

**renoncule** n. f. Plante herbacée, à fleurs jaunes (→ **bouton-d'or**), blanches ou rouges.

**renouer** v. [1] I v. tr. 1 Refaire un nœud à ; nouer (ce qui est dénoué). 2 fig. Rétablir après une interruption. *Renouer la conversation.* II v. intr. *Renouer avec* : reprendre des relations avec.

**renouveau** n. m. 1 littér. Retour du printemps. 2 fig. Nouvel épanouissement.

**renouvelable** adj. Qui peut être renouvelé. *Énergies renouvelables.*

**renouveler** v. tr. [4] 1 Remplacer par une chose nouvelle et semblable (ce qui a servi, est altéré...). ♦ Remplacer une partie des membres de (un groupe). 2 Changer (qqch.) en donnant une forme nouvelle. → **rénover.** 3 Donner une validité nouvelle à (ce qui expire). *Renouveler un bail.* → **reconduire.** 4 Faire de nouveau. → **réitérer.** *Renouveler une demande.* ▷ v. pron. **se renouveler** 1 Être remplacé. – Prendre une forme nouvelle. 2 (personnes) Changer son activité, se montrer inventif. 3 Se reproduire. ► **renouvellement** n. m.

**rénover** v. tr. [1] 1 Améliorer en donnant une forme nouvelle. → **moderniser, renouveler.** 2 Remettre à neuf. → **réhabiliter.** ► **rénovateur, trice** adj. et n. ► **rénovation** n. f.

**renseignement** n. m. 1 Ce par quoi on renseigne (qqn), on se renseigne. → **indication, information.** 2 *Les renseignements,* service de renseignements.

**renseigner** v. tr. [1] Éclairer, informer sur un point précis. – pronom. *Se renseigner.*

**rentabiliser** v. tr. [1] Rendre rentable.

**rentable** adj. 1 Qui produit une rente, un bénéfice. 2 fam. Qui donne des résultats. ► **rentabilité** n. f.

**rente** n. f. 1 Revenu périodique d'un bien, d'un capital. – loc. *Vivre de ses rentes* (sans travailler). 2 Somme d'argent qu'une personne doit donner périodiquement à une autre. *Rente viagère.* 3 Emprunt de l'État.

**rentier, ière** [-tje, jɛʀ] n. Personne qui a des rentes, qui vit de ses rentes.

**rentrant, ante** adj. 1 Qui peut être rentré. 2 *Angle rentrant,* de plus de 180° (opposé à *saillant*).

**rentrée** n. f. I 1 Fait de rentrer (I, 1 et 2). 2 Reprise des activités après une interruption. *La rentrée parlementaire.* – *La rentrée des classes ;* absolt *la rentrée.* 3 Retour (d'un artiste) à la scène. – *Préparer sa rentrée politique.* II (choses) 1 Mise à l'abri. 2 *Rentrée (d'argent).* → **recette.**

**rentrer** v. [1] I v. intr. (auxiliaire *être*) 1 Entrer de nouveau (dans un lieu ; une situation). ♦ loc. *Rentrer dans ses droits, dans ses frais*.* 2 Revenir (chez soi). 3 Reprendre ses activités, ses fonctions (→ **rentrée**). 4 littér. *Rentrer en soi-même.* → se **recueillir.** 5 (sans idée de répétition ni de retour) Entrer. – (argent) Être perçu. II v. tr. (auxiliaire *avoir*) 1 Mettre ou remettre à l'intérieur, dedans. *Rentrer les foins.* – *Rentrer le ventre,* le faire plat. 2 Dissimuler, faire disparaître (sous, dans). – fig. *Rentrer ses larmes.* → **refouler.** – au p. p. *Colère rentrée.*

**renversant, ante** adj. Qui renverse, étonne beaucoup. → **stupéfiant.**

**renverse** n. f. 1 mar. (courant, marée) Changement de sens. 2 loc. adv. *À la renverse* : sur le dos. *Tomber à la renverse.*

**renversé, ée** adj. 1 Mis à l'envers. – *Crème renversée,* qu'on retourne pour la servir. 2 Stupéfait. 3 Que l'on a renversé (4, 5 et 6).

**renversement** n. m. Fait de renverser. – spécialt *Renversement de situation.* → **retournement.**

**renverser** v. tr. [1] **1** Mettre de façon que la partie supérieure devienne inférieure. *Renverser un seau.* **2** Disposer ou faire mouvoir en sens inverse (→ **inverser**). ♦ intrans. mar. *La marée renverse,* s'inverse. **3** Troubler, étonner beaucoup (qqn). **4** Faire tomber à la renverse (qqn), faire tomber (qqch.). – Répandre (un liquide). **5** fig. Faire tomber. → **abattre.** **6** Incliner en arrière. *Renverser la tête.* ▷ v. pron. se **renverser**

**renvoi** n. m. **I 1** Action, fait de renvoyer. **2** Fait d'envoyer à une autorité. **3** Indication invitant le lecteur à se reporter (à un passage). **4** Ajournement, remise à plus tard. **II** Éructation. → fam. **rot.**

**renvoyer** v. tr. [8] sauf futur *je renverrai* et cond. *je renverrais* **1** Faire retourner (qqn) là où il était. – Faire repartir (qqn dont on ne souhaite plus la présence). **2** Faire partir. → **congédier ; licencier.** **3** Faire reporter (qqch.) à qqn. → **rendre.** **4** Relancer. *Renvoyer le ballon.* ♦ (sujet chose) Réfléchir, répercuter (la lumière, le son...). **5** Adresser (qqn) à une autorité plus compétente. ♦ Faire se reporter (→ **renvoi** (3)). **6** Ajourner.

**réoccuper** v. tr. [1] Occuper de nouveau. ► **réoccupation** n. f.

**réorganiser** v. tr. [1] Organiser de nouveau, autrement. ► **réorganisation** n. f.

**réouverture** n. f. Fait de rouvrir.

**repaire** n. m. Refuge (de bêtes sauvages ; d'individus dangereux).

Ne pas confondre avec *repère* «marque».

**repaître** v. tr. [57] littér. Nourrir, rassasier. ▷ v. pron. se **repaître** (→ **repu**). – fig., littér. *Se repaître d'illusions.*

**répandre** v. tr. [41] **I 1** Faire tomber (un liquide) ; disperser, étaler (des objets). **2** (sujet chose) Produire et envoyer autour de soi (de la lumière, etc.). → **diffuser, émettre.** *Répandre une odeur.* **II 1** littér. Donner avec profusion. → **prodiguer.** **2** Faire régner (un sentiment). *Répandre la terreur.* → **jeter, semer.** ♦ Diffuser, propager. **3** Rendre public. *Répandre une rumeur.* → **colporter.** ▷ v. pron. se **répandre** **1** Couler ; s'étaler. **2** Se propager. *Le bruit s'est répandu que...* **3** (personnes) *Se répandre en :* exprimer ses sentiments par une abondance de. *Se répandre en compliments.*

**répandu, ue** adj. (opinions...) Commun à un grand nombre de personnes.

**réparable** adj. Qu'on peut réparer.

**reparaître** v. intr. [57] **1** Paraître de nouveau. → **réapparaître.** **2** Se manifester de nouveau.

**réparateur, trice** **1** n. Artisan qui répare des objets. **2** adj. Qui reconstitue. – *Chirurgie réparatrice.*

**réparation** n. f. **1** Opération, travail qui consiste à réparer. *L'ascenseur est en réparation.* **2** Action de réparer (une faute, etc.). – loc. *Demander réparation* (d'une offense). – sports *Surface de réparation :* partie du terrain où une faute donne lieu à une pénalité. ♦ Dédommagement.

**réparer** v. tr. [1] **1** Remettre en bon état (ce qui a été endommagé, ce qui s'est détérioré). *Réparer une bicyclette.* – *Réparer un accroc.* **2** Corriger (une faute, etc.). *Réparer un oubli.* → **remédier** à.

**reparler** v. tr. ind. [1] Parler de nouveau (de qqch., de qqn ; à qqn).

① **repartir** [ʀe- ; ʀ(ə)-] v. intr. [16] littér. Répliquer, répondre. ► **repartie** [ʀepaʀti] n. f. → **réplique, riposte.**

② **repartir** v. intr. [16] **1** Partir de nouveau (après un temps d'arrêt). **2** fig. Recommencer. *Repartir à, de zéro.* – (sujet chose) Reprendre. **3** Revenir.

**répartir** v. tr. [2] **1** Partager selon des conventions précises. *Répartir qqch. entre plusieurs personnes.* **2** Disposer dans un espace. – au p. p. *Chargement mal réparti.* **3** Étaler dans le temps. **4** Classer. ► **répartition** n. f. → **distribution ; disposition ; classement.**

**repas** n. m. Action de se nourrir, répétée quotidiennement à heures réglées (→ **petit-déjeuner ; déjeuner ; dîner, souper**).

**repasser** v. [1] **I** v. intr. Passer de nouveau. *Je repasserai (vous voir).* → **revenir.** **II** v. tr. **1** Passer, franchir de nouveau ou en retournant. **2** Passer de nouveau (qqch.) à qqn. *Repasser les plats.* **3** Faire passer à nouveau (dans son esprit). *Repasser les événements de sa vie.* **4** Apprendre en revenant sur le même sujet. *Repasser ses leçons.* **III 1** Affiler, aiguiser (une lame). **2** Rendre lisse et net (du linge, du tissu, etc.). *Fer à repasser.* ► **repassage** n. m. ► **repasseuse** n. f.

**repêcher** v. tr. [1] **1** Retirer de l'eau (ce qui y est tombé). *Repêcher un noyé.* **2** fam. Recevoir (un candidat...) après une épreuve supplémentaire. ► **repêchage** n. m.

**repeindre** v. tr. [52] Peindre de nouveau.

**repeint** n. m. arts Partie (d'un tableau) qui a été repeinte.

**repenser** v. tr. [1] **1** (tr. ind.) *Repenser à :* penser de nouveau à, réfléchir encore à (qqch.). **2** Reconsidérer.

**repentant, ante** adj. Qui se repent.

① se **repentir** v. pron. [16] **1** Ressentir le regret (d'une faute), avec le désir de réparer. **2** Regretter vivement d'avoir fait ou dit (qqch.). ▷ adj. **repenti, ie**

② **repentir** n. m. **1** Vif regret (d'une faute ; d'un acte). → **remords ; contrition.** **2** arts Changement apporté à une œuvre.

**repérage** n. m. Opération par laquelle on repère (qqch.). – (cinéma...) Recherche des lieux de tournage.

**répercussion** n. f. **1** Fait d'être répercuté. **2** fig. Conséquence indirecte. → **incidence.**

**répercuter** v. tr. [1] **1** Renvoyer (un son, une onde). → **réfléchir. 2** fam. (critiqué) Transmettre. *Répercuter un ordre.* ▷ v. pron. se **répercuter**

**repère** n. m. **1** Marque qui sert à retrouver. **2** *Point de repère, repère :* objet ou endroit choisi pour s'orienter, se retrouver. **3** math. Éléments définissant un système de coordonnées.

Ne pas confondre avec *repaire* «refuge».

**repérer** v. tr. [6] **1** Marquer, situer grâce à des repères. *Repérer un emplacement.* **2** fam. Remarquer (qqch. ; qqn). – *Se faire repérer.* ▷ v. pron. se **repérer** Reconnaître où l'on est.

**répertoire** n. m. **1** Inventaire (liste, recueil...) où les matières sont classées. – Carnet permettant de classer (des adresses, etc.). **2** Liste des pièces qui forment le fonds d'un théâtre. – *Le répertoire d'un artiste.*

**répertorier** v. tr. [7] **1** Inscrire dans un répertoire. **2** Faire le répertoire de.

**répéter** v. tr. [6] **1** Dire de nouveau. → **redire. 2** Exprimer, dire (ce qu'un autre a dit). *C'est un secret, ne le répétez pas.* **3** Recommencer (une action...). *Répéter une expérience.* – pronom. Se reproduire. **4** Redire ou refaire pour apprendre. *Répéter un rôle* (→ **répétition**). ▷ v. pron. se **répéter** (personnes) Redire les mêmes choses. ▷ p. p. adj. **répété, ée**

**répétiteur, trice** n. Personne qui fait travailler un élève.

**répétitif, ive** adj. Qui se répète d'une manière monotone. ► **répétitivité** n. f.

**répétition** n. f. **1** Fait d'être répété (1). **2** Fait de répéter (3). – *Armes à répétition* (à chargement automatique). **3** Séance de travail pour mettre au point (spectacle, musique). **4** Leçon particulière (→ **répétiteur**).

**repeupler** v. tr. [1] **1** (êtres humains) Peupler de nouveau. **2** Regarnir (un lieu) d'espèces animales ou végétales. ► **repeuplement** n. m.

**repiquer** v. tr. [1] **1** Mettre en terre (de jeunes plants). → **replanter. 2** journal. Reprendre (un texte). ♦ Copier par un nouvel enregistrement. *Repiquer un D. V. D.* **3** v. tr. ind. fam. *Repiquer à :* revenir à, recommencer. ► **repiquage** n. m.

**répit** n. m. Arrêt d'une chose pénible. – *Sans répit :* sans arrêt, sans cesse.

**replacer** v. tr. [3] Remettre en place.

**replanter** v. tr. [1] **1** Planter de nouveau. → **repiquer. 2** Repeupler (de végétaux).

**replâtrer** v. tr. [1] **1** Plâtrer de nouveau ; reboucher avec du plâtre. **2** fig. Réparer, remanier sommairement. ► **replâtrage** n. m.

**replay** [ʀiplɛ] n. m. anglic. audiovis. Service qui permet de voir ou d'écouter un programme télévisé ou radiophonique après sa diffusion. – recomm. off. *télévision de rattrapage.* ♦ Programme ainsi diffusé. *Des replays.*

**replet, ète** adj. Qui a de l'embonpoint. → **dodu, grassouillet.**

**réplétion** n. f. didact. État d'un organe (humain) rempli, surchargé.

**repli** n. m. **I 1** Pli qui se répète (d'une étoffe...). – Pli profond. *Les replis de l'intestin.* **2** fig. Partie dissimulée, secrète. **II** Action, fait de se replier.

**réplication** n. f. biol. Reproduction par copie du matériel génétique.

**replier** v. tr. [7] **1** Plier de nouveau. **2** Ramener en pliant (ce qui a été déployé). *L'oiseau replie ses ailes.* ♦ pronom. *Se replier sur soi-même,* rentrer en soi-même, s'isoler. **3** Faire reculer en bon ordre (une troupe). – pronom. *Se replier.*

**réplique** n. f. **I 1** Riposte. – Objection. *Argument sans réplique.* **2** Élément d'un dialogue, qu'un acteur doit dire. ♦ loc. *Donner la réplique à* (un acteur). – *Se donner la réplique,* se répondre, discuter. **II 1** arts Œuvre semblable à un original. → **copie. 2** Exemplaire identique. → **double.**

**répliquer** v. tr. [1] **1** (v. tr. ind.) *Répliquer à,* répondre vivement en s'opposant. **2** *Répliquer* (qqch.) *à qqn,* répondre par une réplique.

**replonger** v. [3] Plonger de nouveau. – pronom. (fig.) *Se replonger dans sa lecture.*

**répondant, ante** n. Garant (pour qqn). ♦ fam. *Avoir du répondant,* de l'argent ; de la repartie.

**répondeur** n. m. Appareil relié à un poste téléphonique et qui délivre un message enregistré.

**répondre** v. tr. ind. [41] **I 1** *Répondre à qqn :* faire connaître sa pensée en retour. *Répondez-moi franchement.* – (En s'opposant) → **répliquer, riposter.** – *Répondre à une question ; à des attaques.* **2** Réagir (à un appel). – *Répondre au nom de Jean* (avoir pour nom). **3** *Répondre* (qqch.) *à qqn, à qqch. :* dire, écrire en réponse. *Elle a répondu oui, que...* **II 1** *Répondre à.* (sujet chose) Être en accord avec. → **correspondre** à. ♦ Réagir (par...). *Répondre à la force par la force.* – (sujet chose) *L'organisme répond aux excitations extérieures.* **2** (personnes) *Répondre de :* s'engager en faveur de ; se porter garant de (qqn). ♦ S'engager en affirmant (qqch.). → **assurer, garantir.** *Je réponds du succès ; j'en réponds.*

**répons** n. m. mus. Chant liturgique d'un soliste, répété par le chœur.

**réponse** n. f. **1** Action de répondre. – loc. *Avoir réponse à tout :* faire face à toutes les situations. **2** Solution apportée (à une question) par le raisonnement. **3** Réfutation. – *Droit de réponse :* droit de faire insérer une réponse dans un journal. ♦ Riposte. **4** Réaction à un appel. **5** Réaction à une stimulation. *Réponse musculaire* (→ **réflexe**).

**report** n. m. **1** Fait de renvoyer à plus tard. **2** Fait de reporter ailleurs ; de reporter un total. **3** *Report des voix* (sur un candidat, lors d'une élection).

**reportage** n. m. **1** Article, émission où un, une journaliste relate une enquête. **2** Métier de reporter (②) ; genre journalistique qui s'y rapporte.

① **reporter** v. tr. [1] **I** Porter (une chose) à l'endroit où elle se trouvait. → **rapporter.** **II 1** Renvoyer à plus tard. → **ajourner, remettre. 2** Écrire ailleurs (notamment, un total). **3** *Reporter sur* : appliquer à (un autre objet). *Reporter sa voix sur un autre candidat.* **4** anglic. *Reporter à qqn,* lui rendre compte. ▷ v. pron. se **reporter** (à) Revenir en esprit, se référer à.

② **reporter** [R(ə)pɔRtɛR ; -œR] n. m. ou **reporteur, trice** n. Journaliste qui fait des reportages.

**repos** n. m. **1** Fait de se reposer ; temps pendant lequel on se repose. ♦ Position militaire détendue (opposé à *garde-à-vous*). **2** Arrêt du mouvement, de l'activité (d'un organisme). → **immobilité, inaction.** *Au repos.* **3** Paix, tranquillité. – loc. *De tout repos* : sûr, assuré. ♦ Moment de calme (dans les événements...). → **détente, répit. 4** relig. *Le repos éternel* (des âmes, au ciel).

**reposant, ante** adj. Qui repose. → **délassant.**

**reposé, ée** adj. Qui s'est reposé. ♦ *À tête reposée* loc. adv. : en prenant le temps de réfléchir.

① **reposer** v. [1] **I** v. intr. **1** littér. Rester immobile ou allongé de manière à se délasser. – (sujet chose) Être calme, immobile. **2** (d'un mort) Être étendu ; enterré. *Ici repose...* (→ ci-gît). **3** *Reposer sur* : être établi sur (un support) ; être fondé sur. **4** Rester immobile. ♦ *Laisser reposer la terre,* la laisser en jachère. **II** v. tr. **1** Mettre dans une position qui délasse. **2** Délasser. *Cette pénombre repose la vue.* – sans compl. *Ça repose.* ▷ v. pron. se **reposer 1** Se délasser. **2** *Se reposer sur qqn,* lui faire confiance. → **compter** sur.

② **reposer** v. tr. [1] Poser de nouveau. – pronom. *Le problème se repose.*

**reposoir** n. m. Support en forme d'autel sur lequel on dépose le saint sacrement.

**repoussant, ante** adj. Qui inspire de la répulsion. → **répulsif ; dégoûtant.**

① **repousser** v. tr. [1] **1** Pousser (qqn) en arrière, faire reculer. → **écarter, éloigner.** ♦ Accueillir mal. → **éconduire, rabrouer. 2** Pousser (qqch.) en arrière ou en sens contraire. ♦ techn. Travailler (du cuir, du métal) pour y faire apparaître des reliefs. – au p. p. *Cuir repoussé.* **3** Refuser d'accepter, de céder à. *Repousser les offres de qqn.*

② **repousser** v. intr. [1] Pousser de nouveau. *L'herbe repousse.*

**repoussoir** n. m. Chose ou personne qui en fait valoir une autre par contraste. – fam. *C'est un vrai repoussoir* : il, elle est laid(e).

**répréhensible** adj. (actions) Qui mérite d'être blâmé, repris (II). → **blâmable, condamnable.** *Acte, conduite répréhensible.*

**reprendre** v. [58] **I** v. tr. **1** Prendre de nouveau (ce qu'on n'a plus). – loc. *Reprendre ses esprits.* → **revenir** à soi. **2** Prendre à nouveau (ce qu'on avait donné). – Prendre (ce qu'on a vendu) en remboursant. **3** *Reprendre de* (qqch.), en prendre une seconde fois. **4** Prendre de nouveau (qqn). ♦ loc. *On ne m'y reprendra plus,* je ne me laisserai plus tromper. **5** Recommencer après une interruption (→ **reprise**). *Reprendre ses études.* – *La vie reprend son cours.* ♦ Prendre de nouveau la parole pour dire (qqch.). **6** Retravailler pour améliorer. *Reprendre un texte.* → **remanier. 7** *Reprendre une pièce de théâtre* : la rejouer. **8** *Reprendre une entreprise,* la racheter pour en continuer l'activité (→ **repreneur**). **9** Redire, répéter. *Reprendre un refrain en chœur.* **II** v. tr. littér. Critiquer (qqn), blâmer, condamner (qqch.) par des remarques (→ **répréhensible**). **III** v. intr. **1** Retrouver de la vigueur. *Les affaires reprennent.* **2** Recommencer. *La pluie reprit de plus belle.* ▷ v. pron. se **reprendre** Se ressaisir. – Corriger ses propos. ♦ *S'y reprendre à plusieurs fois (pour faire qqch.).* – *Se reprendre à* (+ inf.) : se remettre à, recommencer à.

**repreneur, euse** n. Personne qui reprend (I, 8), rachète une entreprise.

**représailles** n. f. pl. Riposte à un mauvais procédé, à un acte illicite (États).

**représentant, ante** n. **I 1** Personne qui représente qqn, un groupe, agit en son nom. → **agent, mandataire.** *Représentant syndical.* **2** Personne désignée pour représenter un État, un gouvernement (→ **diplomate**). **3** Personne qui visite la clientèle pour une entreprise. **II** Individu (personne, animal, chose) que l'on considère comme type (d'une classe, d'une catégorie).

**représentatif, ive** adj. **1** Qui représente (I, 1), rend sensible (quelque chose d'autre). **2** Relatif à la représentation (II) (d'un groupe). **3** Qui représente (I, 5) bien. → **typique.** ▶ **représentativité** n. f.

**représentation** n. f. **I 1** Fait de représenter (I, 1) ; image, signe qui représente. **2** Fait de représenter (une pièce...). → **spectacle. 3** didact. Processus par lequel une image est présentée aux sens. → **perception. II 1** Fait de représenter (qqn ; un groupe). → **délégation.** – Ceux qui représentent le peuple. **2** Métier de représentant (de commerce). **III** Vie sociale exigée par une situation. *Frais de représentation.*

**représenter** v. tr. [1] **I 1** Présenter à l'esprit, rendre sensible (un objet, une chose abstraite) par autre chose, par un signe. → **évoquer, exprimer ; symboliser.** ♦ Évoquer par un procédé graphique, plastique. – (de l'œuvre) *Qu'est-ce que ça représente ?* **2** Évoquer à l'esprit, par le langage. → **décrire, dépeindre.** **3** Montrer (un spectacle) à un public. **4** Rendre présent à l'esprit, à la conscience (ce qui n'est pas perçu). – *Se représenter (qqch.).* → **concevoir, imaginer.** *Se représenter l'avenir.* **5** Être un exemple de. → **symboliser.** *Il représente le talent.* – (choses équivalentes) *Cela représente beaucoup pour lui.* **6** littér. Faire observer à qqn. *Il lui représenta la nécessité de...* **II 1** Agir pour (qqn ; un groupe). **2** Être le représentant de (une entreprise). **III** Présenter de nouveau. ♦ pronom. *Se représenter à un examen.* – *Si l'occasion se représente.*

**répressif, ive** adj. Qui réprime.

**répression** n. f. **1** Action de réprimer (2). → **châtiment, punition.** *La répression du crime, des fraudes.* **2** Fait d'arrêter (une révolte) par la violence.

**réprimande** n. f. Blâme adressé avec sévérité (à un inférieur). → **remontrance.** ► **réprimander** v. tr. [1] → **blâmer.**

**réprimer** v. tr. [1] **1** Empêcher (un sentiment, une tendance) de se développer, de s'exprimer. → **contenir, refréner.** **2** Empêcher (une chose jugée dangereuse pour la société) de se manifester.

**reprint** [ʀəpʀint] n. m. anglic. Réédition photographique (d'un ouvrage).

**repris, ise** → **reprendre**

**repris de justice** n. m. Personne qui a déjà été condamnée (au pénal). → **récidiviste.**

**reprise** n. f. **I 1** Action de reprendre (I, 5) après une interruption. *La reprise des hostilités.* ♦ Partie d'une action. loc. *À deux, trois ; plusieurs, maintes reprises* (→ **fois**). ♦ spécialt *Combat* (de boxe) *en trois reprises* (→ **round**). **2** (moteur...) Passage rapide à un régime supérieur. **3** Fait de reprendre pour remanier, adapter ou répéter. ♦ spécialt Raccommodage d'un tissu (→ **repriser**). **4** Somme versée pour succéder au locataire d'un appartement. **II** Fait de prendre un nouvel essor. *Reprise économique.*

**repriser** v. tr. [1] Raccommoder.

**réprobation** n. f. Fait de réprouver* ; désapprobation. ► **réprobateur, trice** adj.

**reproche** n. m. Blâme formulé pour inspirer la honte ou le regret. → **remontrance, réprimande.** ♦ loc. *Sans reproche(s).* → **irréprochable.**

**reprocher** v. tr. [1] *Reprocher* (qqch.) *à qqn,* lui faire observer avec reproche. *On lui reproche sa désinvolture.* – pronom. *Se reprocher qqch.* ♦ Critiquer, trouver à redire à (qqch.).

**reproducteur, trice** adj. Qui sert à la reproduction (animale, végétale).

**reproduction** n. f. **I** Fonction par laquelle les êtres vivants se reproduisent. **II 1** Action de reproduire, de copier. *Reproduction interdite.* – Image obtenue à partir d'un original. **2** sociol. Fait de perpétuer.

**reproduire** v. tr. [38] **1** Répéter, rendre fidèlement (qqch.). → **imiter, représenter.** **2** Copier (un modèle). *Reproduire un texte.* ♦ (sujet chose) Constituer une image, une réplique de. **3** Perpétuer, répéter. ▷ v. pron. se **reproduire** **1** Produire des êtres vivants de son espèce. **2** Se produire de nouveau. → **recommencer,** se **répéter.**

**réprouver** v. tr. [1] **1** Rejeter en condamnant (qqch., qqn). → **blâmer ; réprobation.** **2** relig. Damner. ► **réprouvé, ée** n. → **paria ; damné.**

**reps** [ʀɛps] n. m. Tissu d'ameublement en grosse toile.

**reptation** n. f. (reptiles...) Locomotion dans laquelle le corps progresse sur sa face ventrale (→ **ramper**).

**reptile** n. m. Animal qui rampe (vx) ; vertébré, généralement ovipare, à peau couverte d'écailles (serpents, lézards, tortues, crocodiles). *Reptiles fossiles* (dinosaure, ptérodactyle).

**repu, ue** adj. **1** Qui a mangé à satiété. → **rassasié.** **2** fig. Assouvi.

**républicain, aine** **1** adj. et n. Partisan de la république. **2** adj. De la république.

**république** n. f. **1** Forme de gouvernement où le chef de l'État (→ **président**) n'est pas seul à détenir le pouvoir qui n'est pas héréditaire. **2** État ainsi gouverné.

**répudier** v. tr. [7] **1** (dans certaines civilisations) Renvoyer (son épouse) en rompant légalement le mariage. **2** littér. Rejeter, renier (un sentiment, une idée). ► **répudiation** n. f.

**répugnance** n. f. **1** Sensation de dégoût. → **répulsion.** **2** Vif sentiment de mépris, de dégoût qui fait qu'on évite (qqn, qqch.). → **horreur.** **3** Manque d'enthousiasme.

**répugnant, ante** adj. **1** Qui inspire de la répugnance (physique). → **dégoûtant, écœurant, repoussant.** **2** Ignoble (moralement).

**répugner** v. tr. ind. [1] **1** littér. Éprouver de la répugnance pour (qqch.). *Il répugne au mensonge ; à mentir.* **2** Inspirer de la répugnance à (qqn) ; faire horreur. *Le mensonge lui répugne.*

**répulsif, ive** **1** adj. Qui repousse (①). **2** n. m. Produit qui repousse (des animaux indésirables).

**répulsion** n. f. Répugnance (physique ou morale). → **dégoût, écœurement.**

**réputation** n. f. **1** Fait d'être honorablement connu du point de vue moral. **2** Fait d'être connu (honorablement ou non). *Avoir* *bonne, mauvaise réputation.* ♦ *Avoir la réputation de,* être considéré comme.

**réputé, ée** adj. **1** Qui a la réputation de. *Des terres réputées incultes.* **2** Qui a une grande réputation. *Un vin réputé.*

**réputer** v. tr. [1] littér. (+ attribut) Tenir pour, considérer comme. ♦ passif *(Être) réputé, ée* (+ adj. ; + inf.) : avoir la réputation de, passer pour. ▷ adj. **réputé, ée** → **célèbre, connu, fameux.**

**requérir** v. tr. [21] **1** littér. Demander, solliciter. *Requérir de l'aide.* **2** dr. Réclamer au nom de la loi (→ **requête**). **3** littér. (sujet chose) Demander, réclamer. *Cela requiert de la patience.* ▷ adj. **requis, ise** Exigé. *Avoir l'âge requis.*

**requête** n. f. **1** littér. Demande instante. **2** dr. Demande écrite présentée devant une juridiction.

**requiem** [ʀekɥijɛm] n. m. invar. **1** Prière catholique pour les morts. **2** Partie de la messe des morts mise en musique.

**requin** n. m. **1** Poisson au corps fuselé, très puissant et très vorace. → **squale. 2** fig. Personne impitoyable en affaires.

**requinquer** v. tr. [1] fam. Redonner des forces, de l'entrain à.

**requis, ise** → **requérir**

**réquisition** n. f. Opération par laquelle l'Administration exige qqch. (bien, service). *Réquisition de véhicules.*

**réquisitionner** v. tr. [1] **1** Prendre, utiliser par réquisition. **2** fam. Utiliser (qqn) d'autorité.

**réquisitoire** n. m. **1** dr. Discours de l'accusation. **2** Attaque verbale.

**R. E. R.** [ɛʀøɛʀ] n. m. Sigle de *réseau express régional* (région parisienne).

**rescapé, ée** n. Personne réchappée d'un accident.

à la **rescousse** loc. adv. Au secours, à l'aide. *Appeler ; venir à la rescousse.*

**réseau** n. m. **1** Ensemble de lignes, de bandes, etc., entrelacées. **2** Ensemble de voies, de moyens de communication. *Réseau routier ; téléphonique.* **3** Répartition des éléments d'une organisation. – Organisation clandestine. *Réseau d'espionnage.* ♦ *Réseau social :* groupe de personnes liées par des goûts, des intérêts communs. – Plate-forme d'échange et de partage d'informations, sur Internet. **4** Ensemble d'ordinateurs connectés, susceptibles d'échanger des informations. *Réseau local. Le réseau des réseaux :* Internet.

**résection** [-s-] n. f. chir. Opération chirurgicale qui consiste à couper, à retrancher (*réséquer* v. tr. [6]).

**réséda** n. m. Plante aux fleurs odorantes disposées en grappe.

**réservation** n. f. Fait de réserver (3).

**réserve** n. f. **I** Ce qu'on réserve (2) ; élément qu'on n'accepte pas (au moment). *Faire, émettre des réserves sur* (une opinion, etc.). ♦ loc. *Sous toutes réserves :* sans garantie. – *Sous réserve (de) :* sous condition ; à condition (de). *Sous réserve de vérification.* ♦ *Sans réserve* loc. adv. et adj. : sans restriction, sans réticence. **II** Qualité qui consiste à se garder de tout excès. → **circonspection, retenue.** – *Se tenir sur la réserve,* garder une attitude réservée. **III 1** Quantité accumulée pour en disposer plus tard. → **provision.** – Quantité non encore exploitée (d'un minéral). **2** loc. *Avoir, mettre qqch. en réserve :* garder. → de **côté. 3** milit. *Les réserves :* troupe gardée disponible. – *La réserve* (s'oppose à *armée active*). *Officier de réserve* (→ **réserviste**). **IV 1** Territoire où la nature est protégée. **2** (Amérique du Nord) Territoire réservé aux Indiens. **3** Local où l'on garde à part (des objets).

**réservé, ée** adj. **I** Qui a été réservé. *Chasse réservée. – Place réservée.* **II** Qui fait preuve de réserve (II).

**réserver** v. tr. [1] **1** Destiner exclusivement ou spécialement (à qqn, un groupe). **2** S'abstenir d'utiliser immédiatement (qqch.), en vue d'une occasion plus favorable. → **garder.** – *Réserver son jugement* (→ **réserve** (I)). **3** Mettre de côté, faire mettre à part (ce qu'on veut trouver disponible) (→ **retenir ; réservation**). **4** Destiner (qqch. à qqn). *Le sort qui nous est réservé.* ▷ v. pron. se **réserver 1** S'abstenir d'agir (pour conserver une possibilité). ♦ spécialt Manger peu afin de garder de l'appétit. **2** Réserver pour soi-même. *Je me réserve le droit d'intervenir. – Se réserver de* (+ inf.) : conserver pour l'avenir la possibilité de (faire qqch.).

**réserviste** n. Membre d'une armée de réserve.

**réservoir** n. m. Bassin, récipient où un liquide peut s'accumuler.

**résidence** n. f. **1** Fait de résider en un lieu ; ce lieu. – dr. Lieu où une personne habite ou travaille, sans y avoir nécessairement son domicile. **2** Habitation (confortable) où l'on réside. – *Résidence secondaire,* maison de vacances.

**résident, ente** n. Personne qui réside (en un lieu, spécialt dans un autre pays que son pays d'origine).

**résidentiel, elle** adj. De la résidence (surtout des beaux quartiers).

**résider** v. intr. [1] **1** (personnes) Être établi d'une manière habituelle (dans un lieu). → **demeurer. 2** (sujet chose) Avoir son siège, son principe (en, dans).

**résidu** n. m. **1** péj. Reste sans valeur. → **déchet. 2** Ce qui reste après une opération physique ou chimique.

**résiduel, elle** adj. didact. Qui constitue un reste, un résidu. – fig. *Chômage résiduel.*

**résigner** v. tr. [1] **1** littér. Abandonner (une fonction). *Résigner sa charge.* **2** pronom. *Se résigner à :* accepter sans protester (une chose pénible). – absolt Se soumettre. ▷ adj. **résigné, ée** ► **résignation** n. f.

**résilience** n. f. psychol. (emplois antérieurs en sc.) Capacité à vivre et se développer, en surmontant les chocs, les traumatismes.

**résilier** v. tr. [7] Dissoudre (un contrat). *Résilier un bail.* ► **résiliation** n. f.

**résille** n. f. Tissu de larges mailles (spécialt, pour les cheveux). – appos. *Bas résille.*

**résine** n. f. **1** Substance visqueuse qui suinte de certains végétaux. **2** Composé constituant des matières plastiques.

**résineux, euse** adj. **1** Qui produit de la résine (1). – n. m. *Les principaux résineux sont des conifères.* **2** Propre à la résine (1).

**résistance** n. f. **I 1** Fait de résister, d'opposer une force (à une autre) ; cette force. *La résistance de l'air.* ♦ sc. Capacité d'annuler ou de diminuer l'effet d'une force. – *Résistance des matériaux,* étude de leur comportement quand ils sont soumis à des forces, des contraintes. **2** électr. *Résistance (électrique),* rapport entre la tension et l'intensité du courant. – cour. Conducteur qui dégage de la chaleur. **3** Endurance physique. **4** loc. *Plat de résistance,* plat principal d'un repas. **II 1** Fait de résister (II). *Résistance passive,* refus d'obéir. ♦ Ce qui s'oppose à la volonté. *Rencontrer de la résistance.* **2** Action de s'opposer à une attaque. ♦ hist. (avec maj.) *La Résistance* (à l'occupant allemand pendant la Seconde Guerre mondiale).

**résistant, ante** adj. **1** Qui résiste à une force contraire ; à l'effort, à l'usure. **2** (êtres vivants) Endurant, robuste. **3** adj. et n. (Personne) qui appartenait à la Résistance (II, 2).

**résister** v. tr. ind. [1] *Résister à* **I** (valeur passive) **1** (sujet chose) Ne pas céder, ne pas s'altérer sous l'effet de. **2** (êtres vivants) Ne pas être altéré par (ce qui menace l'organisme). *Résister à la fatigue.* – Supporter sans faiblir (ce qui est pénible). **3** (choses) Se maintenir, survivre. **II** (valeur active) **1** Faire effort contre l'usage de la force. se **défendre.** **2** S'opposer à (qqch., qqn qui contrarie les désirs, menace la liberté). → **lutter contre.** **3** (contexte amoureux) Repousser (qqn). **4** S'opposer à (ce qui plaît, tente). *Résister à une tentation.*

**résistivité** n. f. électr. Résistance spécifique d'une substance.

**résolu, ue** adj. Décidé, déterminé. ► **résolument** adv.

**résolution** n. f. **I 1** didact. Transformation (d'une substance qui se résout). *La résolution de l'eau en vapeur.* **2** Opération par laquelle l'esprit résout (une difficulté). **II 1** Décision volontaire arrêtée après délibération. **2** Comportement, caractère d'une personne résolue. → **détermination, énergie, fermeté.**

**résonance** n. f. **1** Augmentation de la durée ou de l'intensité des vibrations. *Caisse de résonance.* **2** fig., littér. Effet de ce qui se répercute (dans l'esprit...). → **écho.** **3** sc. Augmentation de l'amplitude d'une oscillation. ♦ *Résonance magnétique nucléaire (R. M. N.),* utilisée en imagerie médicale (→ **I. R. M.**).

Un seul *n,* contrairement à *résonner.*

**résonateur** n. m. Appareil, milieu où peut se produire un phénomène de résonance.

**résonner** v. intr. [1] **1** Produire un son accompagné de résonances. **2** (sons) Retentir avec des résonances. **3** (lieux) S'emplir d'échos.

Ne pas confondre avec *raisonner* «réfléchir».

**résorber** v. tr. [1] méd. Faire disparaître par résorption. – pronom. *Hématome qui se résorbe.* ♦ fig. *Résorber un déficit.*

**résorption** n. f. méd. Disparition (d'un produit pathologique repris par la circulation sanguine ou lymphatique). ♦ fig. *La résorption du chômage.*

**résoudre** v. tr. [51] **I 1** (p. p. *résous, oute*) Transformer en ses éléments. → **dissoudre, décomposer.** **2** (p. p. *résolu, ue*) Découvrir la solution de. **II** (p. p. *résolu, ue*) **1** Déterminer (qqn) à prendre une résolution. – passif *Il est résolu à partir.* – pronom. *Se résoudre (à).* → se **décider.** **2** Décider. *Ils ont résolu sa perte, de le perdre.*

**respect** [-pɛ] n. m. **1** Sentiment qui porte à accorder à qqn de la considération en raison de la valeur qu'on lui reconnaît. → **déférence.** – loc. *Sauf votre respect,* en s'excusant d'une parole trop libre. ♦ Vénération. **2** au plur. Témoignage de respect. *Mes respects.* **3** Fait de respecter (2). *Le respect des convenances.* **4** *Tenir qqn en respect,* dans une soumission forcée.

**respectable** adj. **1** Digne de respect. → **estimable, honorable.** **2** Assez important (quantité). ► **respectabilité** n. f.

**respecter** v. tr. [1] **1** Considérer avec respect (1). → **honorer ; vénérer.** **2** Ne pas porter atteinte à. → **observer.** *Respecter la loi ; les convenances.* ▷ v. pron. se **respecter** – loc. adj. fam. *Qui se respecte :* digne de son nom, de sa réputation. *C'est indigne d'un homme qui se respecte.*

**respectif, ive** adj. Qui concerne chaque chose, chaque personne (parmi plusieurs). ► **respectivement** adv.

**respectueux, euse** adj. **1** Qui éprouve ou témoigne du respect. **2** Qui marque du respect. – loc. *Rester à (une) distance respectueuse,* assez grande. **3** *Respectueux de :*

soucieux de ne pas porter atteinte à. ► **respectueusement** adv.

**respirable** adj. Que l'on peut respirer.

**respiration** n. f. **1** Fait de respirer ; manière de respirer. *Retenir sa respiration.* → **souffle.** ♦ *Respiration artificielle.* **2** didact. Absorption de l'oxygène et rejet du gaz carbonique.

**respiratoire** adj. **1** Qui permet la respiration. **2** De la respiration.

**respirer** v. [1] **I** v. intr. **1** Absorber l'air dans la cage thoracique, puis l'en rejeter. → **inspirer, expirer. 2** Avoir un moment de calme, de répit. → **souffler. II** v. tr. Aspirer (respiration). *Respirer le bon air.* **III** v. tr. Dégager une impression de. *Il respire la santé.*

**resplendir** v. intr. [2] littér. Briller d'un vif éclat. – fig. *Son visage resplendit de joie.* → **rayonner.** ► **resplendissant, ante** adj.

**responsabiliser** v. tr. [1] Donner à (qqn) le sens des responsabilités.

**responsabilité** n. f. **I** Fait d'être responsable (I). **II** dr. **1** Obligation, pour un gouvernement, de quitter le pouvoir lorsque le corps législatif lui retire sa confiance. **2** Obligation de réparer le dommage que l'on a causé par sa faute.

**responsable** adj. **I 1** Qui doit répondre de ses actes ou de ceux d'autrui. ♦ Qui est la cause volontaire (de qqch.). – n. fam. *Qui est le responsable de cette farce ?* **2** Chargé de. *Le ministre responsable de la justice.* – n. → **dirigeant.** *Responsable syndical.* **3** Raisonnable, réfléchi. *Une attitude responsable.* **II** dr. Qui a la responsabilité (II).

**resquiller** v. [1] **1** v. intr. Entrer sans payer (spectacles, transports). **2** v. tr. Obtenir (qqch.) sans y avoir droit. ► **resquille** n. f. ► **resquilleur, euse** n.

**ressac** [ʀə-] n. m. Retour brutal des vagues sur elles-mêmes.

se **ressaisir** [ʀ(ə)-] v. pron. [2] Redevenir calme et maître de soi.

**ressasser** [ʀ(ə)-] v. tr. [1] Revenir sur, répéter de façon lassante.

**ressaut** [ʀə-] n. m. Saillie.

**ressemblance** [ʀ(ə)-] n. f. **1** Rapport entre des objets, des personnes présentant des éléments identiques apparents. – au plur. Traits communs. *Ressemblances et différences.* **2** Rapport entre la chose et son modèle, tel que la chose donne l'image du modèle. ► **ressemblant, ante** [ʀ(ə)-] adj.

**ressembler** [ʀ(ə)-] v. tr. ind. [1] *Ressembler à* **1** Avoir de la ressemblance, des traits physiques ou moraux communs. *Il ressemble à son père, en plus calme.* – pronom. *Ils se ressemblent.* – loc. *Cela ne ressemble à rien,* c'est très original ; péj. c'est informe. **2** Avoir de la ressemblance (2) avec (un modèle). **3** Être digne de (qqn). *Cela lui ressemble tout à fait.*

**ressemeler** [ʀ(ə)səm(ə)le] v. tr. [4] Garnir (des chaussures) de semelles neuves. ► **ressemelage** n. m.

**ressenti** [ʀ(ə)-] n. m. Impression, sensation physique ou mentale.

**ressentiment** [ʀ(ə)-] n. m. Fait de se souvenir avec rancune. → **rancœur.**

**ressentir** [ʀ(ə)-] v. tr. [16] **1** littér. Sentir l'effet moral de. *Ressentir une injure.* **2** Être pleinement conscient de (un état affectif). → **éprouver.** *Ressentir de la sympathie pour qqn.* **3** Éprouver (une sensation physique). ▷ v. pron. se **ressentir** de Continuer à éprouver les effets de (une maladie, un mal). *Se ressentir d'une chute.*

**resserre** [ʀəsɛʀ] n. f. Local où l'on range des objets. → **remise.**

**resserrer** [ʀ(ə)-] v. tr. [1] **1** Réduire (qqch.) en contractant, en rapprochant les éléments. **2** Rapprocher de nouveau ou davantage en serrant. ▷ v. pron. se **resserrer** ► **resserrement** n. m.

**resservir** [ʀ(ə)-] v. [14] **1** v. tr. Servir de nouveau (qqch. ; qqn). **2** v. intr. Être encore utilisable. *Cela peut resservir.*

① **ressort** [ʀ(ə)-] n. m. **1** Pièce qui produit un mouvement en utilisant ses propriétés élastiques. **2** fig., littér. Énergie, force cachée. ♦ loc. *Avoir du ressort.*

② **ressort** [ʀ(ə)-] n. m. **1** loc. *En dernier ressort :* sans possibilité de recours ; finalement. **2** Compétence. – loc. *Du ressort de...*

① **ressortir** [ʀ(ə)-] v. [16] **I** v. intr. (auxiliaire *être*) **1** Sortir (d'un lieu) peu après être entré. **2** Paraître avec plus de relief, être saillant. → se **détacher.** – *Le motif ressort mieux sur ce fond.* **3** impers. Apparaître comme conséquence. → **résulter.** *Il ressort de notre conversation que...* **II** v. tr. (auxiliaire *avoir*) Sortir (qqch.) de nouveau.

② **ressortir** [ʀ(ə)-] v. tr. ind. [2] *Ressortir à* **1** dr. Être du ressort, de la compétence de (une juridiction). → **relever** de. **2** littér. Dépendre de, concerner.

**ressortissant, ante** [ʀ(ə)-] n. Personne qui relève de l'autorité d'un autre pays que celui dans lequel elle vit.

**ressource** [ʀ(ə)-] n. f. **I** Ce qui peut améliorer une situation. → **recours. II** au plur. **1** Moyens (en argent, personnes, réserves...) dont dispose qqn, une collectivité. *De maigres ressources.* – *Les ressources humaines* (d'une entreprise) : le personnel. **2** Moyens intellectuels et possibilités d'action. – loc. *Un homme de ressources.* – au sing. *Il a de la ressource.* ♦ Moyens, possibilités (d'un art, etc.).

se **ressourcer** [ʀ(ə)-] v. pron. [3] Trouver des forces en revenant à ses racines.

**ressourcerie** [ʀ(ə)-] n. f. (marque déposée) Recyclerie.

se **ressouvenir** [ʀ(ə)-] v. pron. [22] littér. Se souvenir (d'une chose ancienne, oubliée).

**ressusciter** v. [1] **I** v. intr. **1** Être de nouveau vivant. → **résurrection. 2** Revenir à la santé, à la vie. **II** v. tr. **1** Ramener de la mort à la vie. **2** Guérir (qqn) d'une grave maladie. **3** fig. Faire revivre en esprit. – Faire renaître. *Ressusciter un art.*

① **restant, ante** adj. **1** Qui reste (d'un ensemble). **2** loc. *Poste* restante.*

② **restant** n. m. Ce qui reste. → **reste.**

**restaurant** n. m. Établissement où l'on sert des repas moyennant paiement. – *Café-restaurant.* → **bistrot, brasserie.**

① **restaurateur, trice** n. Spécialiste de la restauration des œuvres d'art.

② **restaurateur, trice** n. Personne qui tient un restaurant.

① **restauration** n. f. **1** Action de restaurer (1). ♦ Rétablissement au pouvoir de (un régime). – *La Restauration,* celle des Bourbons (1814-1830). **2** Action de restaurer (2).

> La période historique s'écrit avec une majuscule : *la Restauration.*

② **restauration** n. f. Activité de restaurateur. *Restauration rapide.* → anglic. **fast-food.**

① **restaurer** v. tr. [1] **1** littér. Rétablir en son état ancien ou en sa forme première (qqch. d'abstrait). **2** Redonner son aspect premier à (une œuvre d'art, un monument).

② **restaurer** v. tr. [1] littér. Nourrir (qqn). ▷ v. pron. se **restaurer** → se **sustenter.**

**reste** n. m. **I 1** Ce qui subsiste de (un tout dont une partie a été supprimée). → **restant ; rester** (II). *Le reste d'une somme d'argent.* – loc. *Partir sans demander son reste,* sans insister. ♦ *Le reste de sa vie.* – loc. *Le reste du temps.* ♦ *Le reste de mes amis est venu* ou (littér.) *sont venus.* ♦ absolt *Ne t'occupe pas du reste.* **2** loc. adv. *De reste :* plus qu'il n'en faut. ♦ *Être, demeurer en reste,* être le débiteur, l'obligé (de qqn). ♦ *Au reste* (littér.) ; *du reste :* d'ailleurs, au surplus. **II** Élément restant d'un tout. **1** *Les restes d'une cité antique. Un reste d'amour.* ♦ loc. *Avoir de beaux restes,* des restes de beauté (femme). **2** littér. *Les restes de qqn,* son cadavre. **3** (dans un calcul) Élément restant d'une quantité, après soustraction ou division. **4** péj. *Les restes,* ce qu'on a laissé, négligé (spécialt, de nourriture).

**rester** v. intr. [1] **I 1** Continuer d'être dans un lieu. → **demeurer.** *Rester chez soi, à tel endroit.* ♦ sans compl. de lieu (s'oppose à *partir, s'en aller*) *Je ne peux pas rester.* **2** Continuer d'être (dans une position, une situation, un état). *Rester debout.* – *Rester à* (+ inf.). *Rester à travailler.* – (+ attribut) *Rester immobile.* **3** Subsister à travers le temps. *C'est une œuvre qui restera.* → **durer. 4** *Rester à qqn :* continuer d'être, d'appartenir à qqn. *Ce surnom lui est resté.* **5** *En rester à :* s'arrêter, être arrêté à. *Où en es-tu resté de ta lecture ?* – *En rester là :* ne pas continuer. *Restons-en là.* **II** (éléments d'un tout) **1** Être encore présent (après élimination des autres éléments). → **subsister ; reste.** – impers. *Il reste du pain.* **2** *Rester à* (+ inf.). *Le plus dur reste à faire.* – impers. *Le temps qu'il me reste à vivre.* **3** impers. (+ indic.) *Il n'en reste pas moins que...,* il n'en est pas moins vrai que... – littér. *Reste que* (+ indic.) : toujours est-il que.

**restituer** v. tr. [1] **1** Rendre. *Restituer un objet volé.* **2** Reconstituer à l'aide de fragments, de documents, etc. ♦ Reproduire. ► **restitution** n. f.

**resto** n. m. → **restaurant**

**restoroute** n. m. Restaurant situé au bord d'une autoroute.

**restreindre** v. tr. [52] Ramener dans des limites plus étroites. → **diminuer, limiter, réduire.** ▷ v. pron. se **restreindre 1** *Le champ de nos recherches se restreint.* **2** (personnes) Restreindre ses dépenses. ▷ adj. **restreint, einte** Limité.

**restrictif, ive** adj. Qui restreint. → **limitatif ;** opposé à *extensif.*

**restriction** n. f. **1** Ce qui restreint le développement, la portée de qqch. – *Faire des restrictions,* des réserves. – loc. adv. *Sans restriction :* entièrement. **2** Fait de rendre, de devenir moindre. **3** au plur. Mesures pour réduire la consommation ; privations.

**restructurer** [ʀ(ə)-] v. tr. [1] Donner une nouvelle structure à. → **réorganiser.** ► **restructuration** n. f.

**resucée** [ʀ(ə)s-] n. f. fam. **1** Nouvelle quantité (bue). **2** fig. Répétition.

**résultante** n. f. Conséquence, résultat de l'action de plusieurs facteurs.

**résultat** n. m. **1** Ce qui arrive et est produit par une cause. → **conséquence, effet. 2** Ce que produit une activité consciente, un moyen. → **fin.** *Le résultat d'une expérience.* **3** sc. Dernière phase d'une opération ; solution. **4** Admission ou échec (à un examen...) ; issue (d'une compétition...). *Le résultat des courses* (fig. la conséquence).

**résulter** v. intr. [1] seulement inf., p. prés. et 3e pers. *Résulter de* **1** Être le résultat de. → **découler. 2** impers. (avec *que* + indic.) *Il en a, il en est résulté que...* → ① **ressortir.**

**résumé** n. m. **1** Abrégé, condensé. **2** *En résumé* loc. adv. : en peu de mots ; à tout prendre, somme toute.

**résumer** v. tr. [1] **1** Abréger. – Présenter brièvement. *Résumer la situation.* – pronom. *Résumons-nous.* **2** *Se résumer à :* aboutir.

**résurgence** n. f. **1** didact. Eaux souterraines qui ressortent à la surface. → **source. 2** fig. Fait de réapparaître, de resurgir.

**resurgir** [ʀ(ə)s-] v. intr. [2] Surgir, apparaître brusquement de nouveau.

**résurrection** n. f. **1** Retour de la mort à la vie. → **ressusciter. 2** Fait de ressusciter (le passé). **3** Retour à l'activité ; nouvel essor.

**retable** n. m. Partie postérieure décorée (peinte, sculptée) d'un autel ; l'œuvre.

**rétablir** v. tr. [2] **I 1** Établir de nouveau (ce qui a été oublié, altéré). *Rétablir la vérité.* **2** Remettre (qqn dans une situation, un état). **3** Faire exister ou fonctionner de nouveau. *Rétablir l'ordre.* **II** Remettre (qqn) en bonne santé. – pronom. *Elle s'est rétablie.*

**rétablissement** n. m. **1** Action de rétablir (I et II). **2** Mouvement de gymnastique, traction des bras. – fig. Effort pour retrouver l'équilibre.

**rétamer** v. tr. [1] **1** Étamer de nouveau (un ustensile). *Faire rétamer des casseroles.* **2** fig., fam. Démolir, esquinter. ▷ adj. **rétamé, ée** ► **rétamage** n. m.

**rétameur, euse** n. Personne qui rétame des ustensiles.

**retape** n. f. fam. Racolage.

**retaper** v. tr. [1] **1** Réparer, arranger sommairement. *Retaper une vieille maison.* **2** Remettre en bonne santé, en forme. – pronom. *Il a besoin de se retaper.*

**retard** n. m. **1** Fait d'arriver après le moment fixé, attendu ; temps de retard. *Avoir du, un retard. Arriver, être, se mettre en retard. Avoir une heure de retard.* **2** Fait d'agir trop tard, de n'avoir pas encore fait ce que l'on aurait dû faire. *Avoir du courrier en retard.* **3** Différence en moins entre l'heure marquée et l'heure réelle. **4** Action de retarder (I, 2). → **ajournement, atermoiement.** – *Sans retard :* sans délai. ♦ appos. pharm. Se dit d'un médicament conçu pour une diffusion progressive dans l'organisme. **5** Fait d'être moins avancé dans un développement. *Retard économique.*

**retardataire** adj. **1** Qui arrive, est en retard. – n. *Un, une retardataire.* **2** Qui est en retard sur son époque.

**retardé, ée** adj. Qui a du retard (5). *Un enfant retardé.* → **arriéré, attardé.**

à **retardement** loc. adj. *Engin, bombe à retardement,* muni d'un dispositif qui diffère la déflagration.

**retarder** v. [1] **I** v. tr. **1** Faire arriver en retard. ♦ Faire aller plus lentement (dans une activité). **2** Faire se produire plus tard. → **ajourner, différer, remettre. II** v. intr. **1** (montre, etc.) Marquer une heure moins avancée que l'heure réelle. **2** Avoir des idées, des goûts du passé. ♦ Découvrir qqch. longtemps après les autres.

**retenir** v. tr. [22] **I 1** Garder pour soi, en vue d'un usage futur. – spécialt Garder (une somme). → **déduire, prélever. 2** Réserver (ce qu'on veut trouver disponible). *Retenir une chambre dans un hôtel.* **3** Conserver dans sa mémoire. → se **souvenir.** – iron. *Je vous retiens !* **4** Prendre en considération pour en tirer parti. *Je retiens votre proposition.* **5** Faire une retenue (arithmétique). **II 1** Faire rester (qqn). → **garder, immobiliser.** – *Je ne vous retiens pas* (formule pour congédier). **2** Susciter l'intérêt de. *Votre offre a retenu notre attention.* **3** Maintenir (qqch.) en place. **4** (sujet chose) Ne pas laisser passer. *Barrage qui retient l'eau.* **5** (sujet personne) S'empêcher d'émettre. *Retenir un cri.* **6** Maintenir, tirer en arrière. → **arrêter.** *Retenir qqn par le bras.* **7** Empêcher (qqn) d'agir. *Retenez-moi ou je fais un malheur !* ▷ v. pron. se **retenir 1** Faire effort pour ne pas tomber. **2** Attendre pour céder (à un désir, un besoin ; spécialt ses besoins naturels).

**rétention** n. f. **1** Fait de retenir pour soi. *Rétention d'informations.* **2** *Centre de rétention,* où sont retenus des étrangers en situation irrégulière. **3** Fait de ne pas évacuer de l'organisme. *Rétention d'urine.*

**retentir** v. intr. [2] **1** littér. Être rempli par un bruit. – *La salle retentissait d'acclamations.* **2** (son) Se faire entendre avec force. *Un coup de tonnerre retentit.* **3** didact. *Retentir sur :* avoir des répercussions sur.

**retentissant, ante** adj. **1** Qui retentit (2). **2** Qui a un retentissement (2).

**retentissement** n. m. **1** Effet indirect ou effet en retour. → **répercussion. 2** Fait de susciter les réactions du public.

**retenue** n. f. **I 1** Prélèvement sur une rémunération. **2** Chiffre qu'on réserve pour l'ajouter à la colonne suivante, dans une opération. **II 1** Fait de retenir en dehors des heures de cours. → **consigne. 2** Fait de retenir (l'eau) ; barrage. **III** littér. Fait de se contenir. → **pondération, réserve.**

**rétiaire** [ʀetjɛʀ ; ʀesjɛʀ] n. m. Gladiateur romain armé d'un filet, d'un trident et d'un poignard.

**réticence** n. f. **1** Omission volontaire d'une chose qu'on devrait dire. → **sous-entendu. 2** par ext. Témoignage de réserve. → **hésitation.**

**réticent, ente** adj. **1** Qui n'exprime pas ce qu'il pourrait. **2** par ext. Qui manifeste de la réserve.

**réticule** n. m. **1** sc. Système de fils croisés d'un instrument d'optique. **2** Petit sac à main (de femme).

**réticulé, ée** adj. sc. En forme de réseau.

**rétif, ive** adj. **1** Qui s'arrête, refuse d'avancer. *Cheval rétif.* **2** Difficile à persuader. → **récalcitrant.**

**rétine** n. f. Membrane interne de l'œil, qui reçoit les impressions et les transmet au nerf optique. ► **rétinien, ienne** adj.

**retirage** n. m. Nouveau tirage (d'un livre, etc.).

**retiré, ée** adj. **1** (personnes) Qui s'est retiré (du monde, des affaires...). **2** (choses) Éloigné, situé dans un lieu isolé.

**retirer** v. tr. [1] **I 1** *Retirer de :* faire sortir (qqn, qqch.) de. **2** Faire sortir (qqch.) à son profit. *Retirer de l'argent à la banque.* – Obtenir. *Retirer un bénéfice.* **3** Reculer. *Retire ta main !* **4** Enlever (ce qui couvre). *Retirer ses vêtements.* **5** *Retirer* (qqch.) à (qqn) : enlever, priver de. **6** Cesser de présenter. → **retrait.** *Retirer une plainte.* **II** Tirer de nouveau. *Retirer une photo.* ▷ v. pron. se **retirer** **1** Partir, s'éloigner. – S'abriter. **2** (fluides) Refluer. *La mer se retire.*

**retombée** n. f. **1** Mouvement de ce qui retombe. **2** Choses qui retombent. *Retombées radioactives.* **3** (souvent au plur.) Conséquence. → **répercussion.**

**retomber** v. intr. [1] **I** (êtres vivants) **1** Tomber de nouveau. – Toucher terre après s'être élevé. – loc. *Retomber sur ses pieds,* se tirer d'une situation difficile. **2** Tomber de nouveau (dans une situation mauvaise). **II** (sujet chose) **1** Tomber, s'abaisser (après avoir été plus haut). → **redescendre. 2** Pendre librement. *Ses cheveux retombent sur ses épaules.* **3** Revenir (dans un état négatif). *Retomber dans l'oubli.* **4** Cesser d'agir. *Sa colère est retombée.* **5** (sujet chose abstraite) Être rejeté (sur). *La responsabilité est retombée sur lui.*

**retoquer** v. tr. [1] (d'abord dans le contexte scolaire) Refuser, repousser, faire échouer (une initiative...). ► **retoquage** n. m. *Retoquage du budget.*

**retordre** v. tr. [41] Assembler (des fils) en tordant. – loc. fig. *Donner du fil* à retordre à qqn.*

**rétorquer** v. tr. [1] littér. Retourner contre qqn (un argument). – cour. *Rétorquer que.*

**retors, orse** adj. **1** Retordu. **2** fig. Plein de ruse, d'une habileté tortueuse.

**rétorsion** n. f. Fait d'agir par représailles. *Mesures de rétorsion.*

**retouche** n. f. **1** Action de retoucher (un travail...). **2** Adaptation d'un vêtement de confection.

**retoucher** v. tr. [1] **1** Reprendre (un travail, une œuvre) en corrigeant. *Retoucher une photo.* **2** Faire des retouches (2) à (un vêtement). ► **retoucheur, euse** n.

**retour** n. m. **I 1** Fait de repartir pour l'endroit d'où l'on est venu. **2** Parcours, temps pour revenir au point de départ (opposé à *aller*). **3** Moment où l'on revient. *Je ne l'ai pas vu depuis son retour.* – loc. *À mon (ton...) retour (de) ; au retour de.* **4** Mouvement de ce qui retourne. – loc. *Par retour (du courrier).* **5** Action de retourner (I, 6). → **renvoi. II** (Mouvement inverse d'un précédent ; dans des loc.). *Retour de bâton,* réaction imprévue en sens opposé. – *Retour de flamme* (mouvement accidentel de gaz enflammés), *retour de manivelle* (mouvement brutal de la manivelle en sens inverse) : fig. contrecoup ; changement brutal. ♦ *Match retour,* opposant deux équipes qui se sont déjà rencontrées (dans un match aller). ♦ *Effet, action, choc en retour,* qui s'exerce en sens inverse de la première fois. → **contrecoup, rétroaction. III** abstrait Fait de revenir. **1** *Retour à* (un état antérieur). *Le retour au calme.* **2** *Être sur le retour,* commencer à prendre de l'âge, vieillir. – *Retour d'âge :* la ménopause. **3** *Retour en arrière,* fait de remonter à un point antérieur d'une narration. **4** loc. *Par un juste retour des choses,* par un juste retournement de la situation. **5** Fait de revenir, de réapparaître. – loc. *L'éternel retour :* le retour cyclique des événements. **6** loc. *Sans retour :* de façon irréversible. ♦ *En retour :* en échange, en compensation.

**retournement** n. m. **1** Action de retourner (qqch.). **2** fig. Changement brusque et complet d'attitude, d'opinion. → **revirement. 3** Transformation soudaine et complète (de situation). → **renversement.**

**retourner** v. [1] **I** v. tr. **1** Tourner à l'envers. – *Retourner une carte* (pour voir la figure). – loc. *Savoir de quoi il retourne,* de quoi il s'agit. **2** Mettre la face intérieure à l'extérieur. – fig. *Retourner sa veste*.* – Changer complètement. *Retourner la situation.* **3** Bouleverser (qqn). – au p. p. *J'en suis toute retournée !* **4** Modifier par la permutation des éléments. *Retourner un mot* (→ **verlan**). **5** Diriger dans le sens opposé. *On peut retourner l'argument contre vous.* **6** Renvoyer. *Retourner une marchandise.* **7** Tourner de nouveau. ♦ (souvent avec *tourner**) Examiner longuement (une idée, etc.). **II** v. intr. **1** Aller au lieu d'où l'on est venu. → **rentrer ; revenir. 2** Aller de nouveau. **3** *Retourner à :* retrouver (un état initial, un stade antérieur). **4** (sujet chose) Être restitué (à son possesseur). ▷ v. pron. se **retourner** **1** *S'en retourner :* repartir pour le lieu d'où l'on est venu. → **revenir. 2** Changer de position en se tournant. **3** Tourner la tête en arrière (pour regarder). *On se retournait sur son passage.* **4** *Se retourner contre :* combattre (qqn, qqch. dont on avait pris le parti). – (sujet chose) Devenir nuisible. **5** fam. S'adapter aux circonstances. *Laissez-moi le temps de me retourner.*

**retracer** v. tr. [3] Raconter de manière à faire revivre.

① **rétracter** v. tr. [1] littér. Nier, retirer (ce qu'on avait dit). – pronom. *Se rétracter.* ► **rétractation** n. f.

② **rétracter** v. tr. [1] Contracter (un organe...) en rétrécissant.

**rétraction** n. f. Réaction par laquelle certains animaux, certains organes se rétractent. ♦ Contraction. *Rétraction musculaire.* ► **rétractile** adj. *Griffes rétractiles.*

**retrait** n. m. **I** Fait de se retirer. ♦ loc. *En retrait :* en arrière de l'alignement. – fig. *Être, rester en retrait.* **II** Action de retirer. *Retrait du permis de conduire.*

**retraite** n. f. **I 1** vx Fait de se retirer. – loc. *Retraite aux flambeaux :* défilé avec flambeaux, lampions. **2** Recul délibéré et méthodique (d'une armée). – loc. *Battre en retraite :* reculer ; fig. céder. **II 1** Période passée dans la prière et le recueillement. **2** Cessation du travail, d'un emploi (du fait de l'âge). loc. *Être à la retraite.* ♦ Pension de retraité. **3** littér. Lieu où l'on se retire.

**retraité, ée** adj. et n. (Personne) qui est à la retraite (II, 2).

**retraiter** v. tr. [1] techn. Traiter pour une nouvelle utilisation. ► **retraitement** n. m.

**retranchement** n. m. Position fortifiée pour protéger les défenseurs. – loc. fig. *Forcer, pousser qqn dans ses derniers retranchements,* l'attaquer violemment.

**retrancher** v. tr. [1] **1** Enlever d'un tout (une partie, un élément). → **enlever, prélever, soustraire. 2** *Se retrancher* v. pron. Se protéger par des retranchements. – fig. *Se retrancher derrière un prétexte.*

**retransmettre** v. tr. [56] **1** Transmettre de nouveau, à d'autres (un message). **2** Diffuser (dans une émission). ► **retransmission** n. f.

**rétrécir** v. [2] **I** v. tr. Rendre plus étroit, diminuer la largeur de (qqch.). **II** v. intr. Devenir plus étroit, plus court. ▷ v. pron. se **rétrécir** ▷ adj. **rétréci, ie** ► **rétrécissement** n. m.

se **retremper** v. pron. [1] *Se retremper dans,* se replonger dans (un milieu).

**rétribuer** v. tr. [1] **1** Donner de l'argent en contrepartie de (un service, un travail). → **payer, rémunérer. 2** Payer (qqn). ► **rétribution** n. f.

① **rétro** adj. invar. Qui imite un style démodé assez récent.

② **rétro** n. m. → **rétroviseur**

**rétroactif, ive** adj. Qui exerce une action sur le passé. ► **rétroactivement** adv. ► **rétroactivité** n. f.

**rétroaction** n. f. **1** didact. Effet rétroactif. **2** littér. Action en retour.

**rétrocéder** v. tr. [6] **1** Céder à qqn (ce qu'on avait reçu de lui). → **rendre. 2** Vendre à un tiers (ce qui vient d'être acheté). ► **rétrocession** n. f.

**rétrocommission** n. f. Somme d'argent dont une partie est reversée de manière occulte par l'intermédiaire, après la conclusion d'un marché.

**rétrofusée** n. f. Fusée servant au freinage ou au recul (d'un engin spatial).

**rétrogradation** n. f. **1** didact. Mouvement rétrograde. **2** Sanction, mesure qui fait reculer dans la hiérarchie, dans un classement (sportif).

**rétrograde** adj. **1** didact. Qui va vers l'arrière. **2** cour. Qui s'oppose à l'évolution, au progrès. → **réactionnaire.**

**rétrograder** v. [1] **I** v. intr. **1** littér. Aller, marcher vers l'arrière. → **reculer. 2** Aller contre le progrès. → **régresser. 3** Passer à la vitesse inférieure, en conduisant un véhicule. **II** v. tr. Faire reculer (qqn) dans une hiérarchie, un classement.

**rétroprojecteur** n. m. Projecteur de démonstration (qui projette vers l'arrière).

**rétrospectif, ive** adj. **1** Qui concerne le passé. **2** (sentiment) Qui s'applique à des faits passés. *Peur rétrospective.* ► **rétrospectivement** adv.

**rétrospective** n. f. Exposition qui présente l'évolution d'un artiste.

**retroussé, ée** adj. Qui est remonté, relevé. – spécialt *Nez retroussé.*

**retrousser** v. tr. [1] Replier vers le haut et vers l'extérieur. → **relever.** *Retrousser ses manches.*

**retrouvailles** n. f. pl. Fait, pour des personnes séparées, de se retrouver.

**retrouver** v. tr. [1] **I 1** Voir se présenter de nouveau. *C'est une occasion que vous ne retrouverez pas.* **2** Découvrir de nouveau (ce qui a été oublié). *Retrouver un secret.* **3** Trouver (qqn) de nouveau (quelque part). **4** Trouver quelque part (ce qui existe déjà ailleurs). *On retrouve chez le fils le sourire de la mère.* **II** Trouver (une personne disparue), avoir de nouveau (un état perdu). *Retrouver le sommeil.* **III** Être de nouveau en présence de (qqn, qqch. dont on était séparé). ▷ v. pron. se **retrouver 1** récipr. Être de nouveau ensemble. **2** réfl. Retrouver son chemin. – fig. *Se retrouver dans ; s'y retrouver,* s'y reconnaître. ♦ fam. *S'y retrouver,* tirer profit, avantage. **3** réfl. Se trouver soudainement (dans une situation). *Se retrouver seul ; au chômage.*

**rétrovirus** [-ys] n. m. Virus dont la famille comprend celui du sida. ► **rétroviral, ale, aux** adj.

**rétroviseur** n. m. Miroir qui permet au conducteur d'un véhicule de voir derrière lui. – abrév. **rétro.**

**rets** n. m. vx Filet (pour la chasse).

**réunifier** v. tr. [7] Rétablir l'unité de (un pays). ► **réunification** n. f.

**réunion** n. f. **I** (choses) **1** Fait de réunir (une province à un État). → **annexion, rattachement. 2** Fait de réunir, de rassembler (des choses éparses). → **assemblage. II** (personnes) **1** Fait de se retrouver ensemble. → **rassemblement ; rencontre. 2** Fait de réunir des personnes (pour le plaisir ou le travail) ; ces personnes. → **assemblée.**

**réunir** v. tr. [2] **I 1** Mettre ensemble ; joindre (des choses). → **assembler, grouper, rassembler. 2** Avoir en soi (des éléments d'origines diverses). **II** Mettre ensemble (des personnes). – pronom. Former une réunion (II, 2).

**réussir** v. [2] **I** v. intr. **1** (sujet chose) Avoir une heureuse issue, un bon résultat. – *Réussir à qqn,* avoir (pour lui) d'heureux résultats. **2** (personnes) Obtenir de bons résultats, le succès. ♦ (tr. ind.) *Réussir à. Réussir à un examen, à faire qqch.* → **arriver, parvenir. II** v. tr. *Réussir qqch.* : exécuter, faire avec succès. ▷ adj. **réussi, ie**

**réussite** n. f. **I 1** Succès (de qqch.). **2** Fait d'avoir réussi. **II** Jeu de cartes auquel on joue seul. → **patience.**

**réutiliser** v. tr. [1] Utiliser de nouveau. ► **réutilisable** adj. ► **réutilisation** n. f.

**revaloir** v. tr. [29] rare sauf à l'inf., au futur et au cond. Rendre la pareille à qqn ; se venger. *Je vous revaudrai ça.*

**revaloriser** v. tr. [1] **1** Rendre sa valeur à. **2** Donner une plus grande importance à. ► **revalorisation** n. f.

**revanchard, arde** adj. et n. péj. Qui veut prendre une revanche (militaire).

**revanche** n. f. **1** Fait de reprendre l'avantage (sur qqn). ♦ jeux, sports Partie, match qui donne une nouvelle chance de gagner. **2** loc. *À charge de revanche* : à condition qu'on rendra la pareille. **3** loc. adv. *En revanche* : inversement.

**rêvasser** v. intr. [1] S'abandonner à une rêverie. ► **rêvasserie** n. f.

**rêve** n. m. **1** Suite de phénomènes psychiques (images, affects...), pendant le sommeil. → **songe ; onirique.** – *S'évanouir, disparaître comme un rêve,* sans laisser de trace. **2** Construction de l'imagination à l'état de veille. *Un beau rêve.* – *De rêve,* idéal. ♦ *Le rêve* : l'imagination créatrice. *Le rêve et la réalité.* **3** fam. Objet d'un désir.

**rêvé, ée** adj. **1** Qui existe en rêve, dans un rêve. **2** Qui convient tout à fait. → **idéal.**

**revêche** adj. Acariâtre, hargneux.

① **réveil** n. m. **1** Passage du sommeil à l'état de veille. **2** fig. Fait de reprendre une activité. *Le réveil de la nature.*

② **réveil** n. m. Réveille-matin.

**réveille-matin** n. m. invar. Pendule à sonnerie réglable (syn. ② *réveil*).

**réveiller** v. tr. [1] **1** Tirer (qqn, un animal) du sommeil. **2** Ramener à l'activité (une personne). *Réveiller qqn de sa torpeur.* – (compl. chose) → **ranimer.** ▷ v. pron. se **réveiller** **1** Sortir du sommeil. **2** (sujet chose) Reprendre de la vigueur.

**réveillon** n. m. Repas de fête de la nuit de Noël ou de la nuit du 31 décembre. ► **réveillonner** v. intr. [1]

**révélateur, trice** **I** n. m. Solution qui rend visible l'image, en photo. **II** adj. Qui révèle (qqch.). → **significatif.**

**révélation** n. f. **1** Fait de révéler (ce qui était secret). ♦ Information qui apporte des éléments nouveaux. **2** Phénomène par lequel des vérités cachées sont révélées d'une manière surnaturelle. **3** Ce qui apparaît brusquement comme une connaissance nouvelle. **4** Personne qui se fait connaître brusquement.

**révéler** v. tr. [6] **1** Faire connaître (ce qui était inconnu, secret). → **dévoiler ; révélation** (1 et 2). **2** Faire connaître (par un signe). → **indiquer, montrer.** ▷ v. pron. se **révéler** Se manifester. *Cette hypothèse s'est révélée exacte.* ▷ adj. **révélé, ée** *Religion révélée,* fondée sur une révélation (2).

**revenant, ante** n. **1** Âme d'un mort supposée revenir de l'autre monde. → **fantôme.** **2** Personne qui revient (après une longue absence).

**revendeur, euse** n. Personne qui vend après avoir acheté.

**revendication** n. f. Fait de revendiquer (un bien ; un droit, un dû) ; ce qu'on revendique. ► **revendicatif, ive** adj.

**revendiquer** v. tr. [1] **1** Réclamer (ce à quoi on a droit). **2** Demander avec force. → **exiger, réclamer.** *Revendiquer un droit.* **3** Assumer la responsabilité de (spécialt, d'un acte criminel). *Revendiquer un attentat.*

**revendre** v. tr. [41] **1** Vendre ce qu'on a acheté. **2** loc. *Avoir qqch. à revendre,* beaucoup.

**revenez-y** [ʀ(ə)vənezi] n. m. invar. fam. *Un goût de revenez-y,* très agréable.

**revenir** v. intr. [22] **I 1** Venir de nouveau (là où on était déjà venu). → **repasser.** ♦ (chose) Apparaître ou se manifester de nouveau. **2** Reprendre (ce qu'on avait laissé). – *Nous y reviendrons,* nous en parlerons plus tard. **3** (chose abstraite) Se présenter de nouveau (après être sorti de l'esprit). *Ça me revient !* **4** *Revenir à soi* : reprendre conscience. **5** (chose) Devoir être donné ; appartenir. *Cet argent me revient.* **6** *Sa tête ne me revient pas,* ne me plaît pas. **7** loc. Équivaloir. *Cela revient au même,* c'est la même chose. **8** Coûter au total (à qqn). **II** *Revenir sur* Examiner à nouveau. – Annuler. **III 1** Partir, venir (d'un lieu où l'on était allé). → **rentrer, retourner.** *Revenir dans son pays.* **2** *S'en revenir.* v. pron. littér. S'en retourner. **IV** *Faire revenir* (un aliment) : passer dans un corps gras chaud. → **rissoler.**

**revenu** n. m. Ce qui revient (I, 5) à qqn. *Impôt sur le revenu.* – *Revenu national,* valeur des biens produits par une nation.

**rêver** v. [1] **I** v. intr. **1** Laisser aller son imagination. → **rêvasser ; rêverie.** – tr. ind. *Rêver à* : penser vaguement à, imaginer. **2** Faire des rêves (1). – tr. ind. *Rêver de* : voir, entendre en rêve (qqn, qqch.). **3** S'absorber dans ses désirs ; souhaiter (de). **II** v. tr. **1** littér. Imaginer, désirer idéalement. *Ce n'est pas la vie que j'avais rêvée.* **2** Former en dormant (une image...). *Rêver que* (+ indic.).

**réverbère** n. m. Appareil destiné à l'éclairage de la voie publique.

**réverbérer** v. tr. [6] Renvoyer (la lumière, la chaleur, le son). → **réfléchir.** ► **réverbération** n. f.

**reverdir** v. intr. [2] Retrouver sa verdure.

**révérence** n. f. **I** littér. Grand respect. → **déférence, vénération.** **II** Salut cérémonieux, inclination du buste en pliant les genoux. – loc. *Tirer sa révérence (à qqn),* s'en aller.

**révérencieux, ieuse** adj. littér. Respectueux.

**révérend, ende** **1** adj. Épithète honorifique devant *père* et *mère* (en parlant de religieux). – n. *Mon révérend.* **2** n. m. Pasteur anglican.

**révérer** v. tr. [6] littér. Traiter avec un grand respect. → **honorer, vénérer.**

**rêverie** n. f. **1** Activité d'imagination qui n'est pas dirigée par l'attention, mais par l'affectivité. **2** péj. Idée chimérique.

**revers** n. m. **I 1** Côté opposé à l'endroit. → **envers, verso. 2** Côté (d'une médaille, d'une monnaie) opposé à la face principale. → **pile.** – loc. fig. *Le revers de la médaille* : les inconvénients (de ce qui a des avantages). **3** Partie repliée d'un vêtement. **4** *Prendre à revers,* par-derrière. **5** Geste par lequel on écarte, on frappe, etc., avec le dos de la main en avant (spécialt avec une raquette). **II** fig. Événement inattendu, qui change une situation en mal. → **échec.**

**reverser** v. tr. [1] **1** Verser de nouveau. **2** Reporter.

**réversible** adj. **1** Qui peut se reproduire en sens inverse. **2** Qui peut se porter à l'envers comme à l'endroit (vêtement).

**revêtement** n. m. Élément qui recouvre une surface, pour la protéger, la consolider.

**revêtir** v. tr. [20] **I 1** Couvrir (qqn) d'un vêtement. **2** Investir. *Revêtir qqn d'une dignité.* **3** Couvrir d'une apparence, d'un aspect. **4** Orner ou protéger par un revêtement. **II 1** Mettre sur soi (un habillement spécial). → **endosser. 2** fig. Avoir, prendre (un aspect).

**rêveur, euse** adj. Qui se laisse aller à la rêverie. – n. *C'est un rêveur.* ♦ loc. *Cela laisse rêveur,* perplexe. ► **rêveusement** adv.

prix de **revient** → **prix**

**revigorer** v. tr. [1] Redonner de la vigueur à (qqn). → **ragaillardir.** ► **revigorant, ante** adj.

**revirement** n. m. Changement brusque et complet dans les dispositions, les opinions. → **retournement, volte-face.**

**réviser** v. tr. [1] **1** Modifier par une révision de. **2** Vérifier le bon état de (qqch.). **3** Revoir (ce qu'on a appris).

**réviseur, euse** n. Personne qui révise, revoit.

**révision** n. f. **1** Action d'examiner de nouveau en vue de corriger ou de modifier (spécialt, dr., une décision juridique). – Mise à jour. *Révision des listes électorales.* **2** Examen (de qqch.) pour réviser (2). **3** Action de réviser (3), de revoir.

**révisionnisme** n. m. **1** Position qui remet en question une doctrine politique. **2** «Révision» de l'histoire par négation (du génocide des Juifs, etc.). → **négationnisme.** ► **révisionniste** n. et adj.

**revisiter** v. tr. [1] **1** Visiter de nouveau. **2** Interpréter d'une manière nouvelle.

**revivre** v. [46] **I** v. intr. **1** → **ressusciter. 2** Retrouver ses forces, son énergie. **3** (choses) Renaître. **II** v. tr. Vivre ou ressentir de nouveau (qqch.).

**révocable** adj. Qui peut être révoqué.

**révocation** n. f. Action de révoquer.

**revoici** prép. fam. Voici de nouveau.

**revoilà** prép. fam. Voilà de nouveau.

**revoir** v. tr. [30] **I 1** Être de nouveau en présence de (qqn). ♦ *Au revoir,* se dit lorsque l'on se sépare. – n. m. invar. *Des au revoir.* **2** Retourner dans (un lieu qu'on avait quitté). **3** Regarder de nouveau ; assister de nouveau à (un spectacle). **II 1** Examiner de nouveau pour corriger. – au p. p. *Édition revue et corrigée.* **2** Apprendre de nouveau pour se remettre en mémoire.

**révoltant, ante** adj. Qui révolte, indigne.

**révolte** n. f. **1** Action violente par laquelle un groupe tente de détruire l'autorité politique, la règle sociale. → **insurrection, rébellion, soulèvement. 2** Attitude de refus et d'hostilité.

**révolté, ée** adj. **1** Qui est en révolte. → **insurgé, rebelle. 2** Qui a une attitude d'opposition. **3** Rempli d'indignation. → **outré.**

**révolter** v. tr. [1] **1** rare Porter à la révolte. → **soulever.** – pronom. *Se révolter* (plus cour.). **2** Soulever (qqn) d'indignation, remplir de réprobation. → **indigner.**

**révolu, ue** adj. (espace de temps) Écoulé, terminé. *Une époque révolue.*

**révolution** n. f. **I** sc. **1** Retour périodique d'un astre à un point de son orbite. **2** Rotation complète d'un corps mobile autour de son axe *(axe de révolution).* **II 1** Changement très important dans la société. *La révolution industrielle.* **2** Renversement du régime constitutionnel accompagné de grands changements sociaux. – spécialt *La Révolution,* celle de 1789, en France. **3** Les forces révolutionnaires.

> Le mouvement historique s'écrit avec une majuscule : *la Révolution française.*

**révolutionnaire** adj. **1** Qui a le caractère d'une révolution (II, 2). ♦ Propre à une révolution (II, 2). **2** adj. et n. Partisan de la révolution. **3** Qui apporte des changements radicaux. *Une voiture révolutionnaire.*

**révolutionner** v. tr. [1] **1** Agiter violemment. **2** Transformer radicalement. → **bouleverser.**

**revolver** [ʀevɔlvɛʀ] n. m. Arme à feu courte et portative, à barillet.

**révoquer** v. tr. [1] **1** Destituer (un fonctionnaire, un magistrat...). → **casser. 2** Annuler (un acte juridique).

à la **revoyure** loc. interj. fam. Au revoir.

**revue** n. f. **I 1** Examen détaillé. → **inventaire.** – *Revue de presse.* **2** Cérémonie militaire de présentation des troupes. → **défilé, parade. 3** loc. *Passer en revue* : examiner successivement et en détail. **II** Spectacle de variétés ou de music-hall. **III** Publication périodique. → **magazine, périodique.**

**révulsé, ée** adj. (visage...) Qui a une expression bouleversée. – *Yeux révulsés,* tournés de sorte qu'on ne voit presque plus la pupille.

**révulser** v. tr. [1] **1** rare Bouleverser (le visage, les yeux). **2** Bouleverser (qqn), indigner. *Ça me révulse !*

**révulsion** n. f. Procédé thérapeutique consistant à provoquer un afflux de sang afin de dégager un organe atteint de congestion ou d'inflammation. ► **révulsif, ive** adj.

**rez-de-chaussée** [ʀe-] n. m. invar. Partie inférieure d'un édifice dont le plancher est au niveau du sol (→ aussi étage).

**rez-de-jardin** [ʀe-] n. m. invar. Partie de plain-pied avec un jardin.

**RFID** n. f. (sigle angl.) techn. Méthode d'identification à distance par radiofréquences. - appos. *Puces RFID.*

**rhabdomancie** n. f. Radiesthésie* pratiquée avec une baguette. ► **rhabdomancien, ienne** n.

**rhabiller** v. tr. [1] Habiller de nouveau. ♦ pronom. *Les baigneurs se rhabillaient.*

**rhapsode** n. m. Chanteur-poète de la Grèce antique qui allait de ville en ville.

**rhapsodie** n. f. **1** Antiq. grecque Poème épique. **2** mus. Pièce instrumentale de composition très libre.

**rhénan, ane** adj. Du Rhin.

**rhéostat** n. m. Résistance variable réglant l'intensité d'un courant électrique.

**rhésus** [-ys] n. m. **I** zool. Singe du genre macaque. **II** méd. Facteur d'un système de groupes sanguins (symb. Rh) (d'abord étudié chez les singes rhésus).

**rhéteur** n. m. Orateur, écrivain qui use de rhétorique.

**rhétorique I** n. f. **1** Technique de la mise en œuvre des moyens d'expression (par la composition, les figures) pour persuader. **2** péj. Éloquence purement formelle. **II** adj. De la rhétorique. ► **rhétoricien, ienne** n.

**rhinocéros** [-ɔs] n. m. Mammifère de grande taille, à la peau épaisse et rugueuse, qui porte une ou deux cornes sur le nez.

**rhinopharyngite** n. f. Affection du rhinopharynx.

**rhinopharynx** [-ɛ̃ks] n. m. Partie supérieure du pharynx.

**rhizome** n. m. Tige souterraine, qui porte des racines et des tiges aériennes.

**rhodanien, ienne** adj. Du Rhône.

**rhododendron** [-dɛ̃dʀɔ̃] n. m. Arbuste à feuilles persistantes, aux fleurs colorées.

**rhodoïd** [-ɔid] n. m. Matière plastique translucide à base d'acétate de cellulose.

**rhubarbe** n. f. Plante à larges feuilles portées par de gros pétioles comestibles.

**rhum** [ʀɔm] n. m. Eau-de-vie de canne à sucre.

**rhumatisant, ante** adj. Atteint de rhumatisme. - n. *Un rhumatisant.*

**rhumatisme** n. m. Affection douloureuse, aiguë ou chronique des articulations, des muscles. → **arthrite.** ► **rhumatismal, ale, aux** adj.

**rhumatologie** n. f. méd. Médecine des affections rhumatismales. ► **rhumatologue** n.

**rhume** [ʀym] n. m. Inflammation des muqueuses respiratoires. - *Rhume de cerveau.* → **coryza.**

**rhumerie** [ʀɔmʀi] n. f. Distillerie de rhum.

**rhythm and blues** [ʀitmɛnbluz] n. m. invar. anglic. Musique populaire des États-Unis inspirée du blues, du gospel et du rock.

**ria** n. f. géogr. Vallée fluviale envahie par la mer. → **aber.** *Rias et fjords*.*

**riant, ante** adj. **1** Qui exprime la gaieté. **2** Gai, agréable. *Paysage riant.*

**R. I. B.** n. m. (sigle) Relevé d'identité bancaire.

**ribambelle** n. f. Longue suite (de personnes ou de choses en grand nombre).

**ribonucléique** adj. biol. *Acide ribonucléique.* → **A. R. N.**

**ribose** n. m. chim. Sucre (ose*), constituant des acides nucléiques.

**ribosome** n. m. biol. Organite du cytoplasme de la cellule, actif dans la synthèse des protéines.

**ricaner** v. intr. [1] **1** Rire à demi de façon méprisante ou sarcastique. **2** Rire de façon stupide, sans motif ou par gêne. ► **ricanement** n. m. ► **ricaneur, euse** n. et adj.

**richard, arde** n. fam. et péj. Riche.

**riche** adj. **I** Qui a de la fortune, possède des richesses. ♦ n. m. péj. *Nouveau riche* : personne récemment enrichie. → **parvenu. II** (choses) **1** Qui suppose la richesse, semble coûteux. → **somptueux. 2** *Riche en* : qui possède beaucoup de. - *Riche de. Un livre riche d'enseignements.* **3** Qui peut beaucoup produire. *Un sol riche.* → **fertile.** - fam. *Une riche idée,* excellente. ► **richement** adv.

**richelieu** n. m. Chaussure basse lacée.

**richesse** n. f. **I 1** Possession de grands biens. → **argent, fortune, opulence. 2** Qualité de ce qui est coûteux. **3** Qualité de ce qui a en abondance les éléments requis. *La richesse de sa documentation.* **II** *Les richesses* **1** Les possessions matérielles. **2** Ressources (d'un pays, d'une collectivité). **3** Objets de valeur. ♦ Biens d'ordre intellectuel, esthétique. → **trésor.**

**richissime** adj. Extrêmement riche.

**ricin** n. m. Plante à graines oléagineuses. - *Huile de ricin* (purgatif, lubrifiant).

**ricocher** v. intr. [1] Rebondir.

**ricochet** n. m. **1** Rebond d'une pierre lancée obliquement sur la surface de l'eau. ♦ *Faire ricochet* (projectile) : rebondir. **2** fig.

*Par ricochet* : par contrecoup, indirectement.

**ricotta** n. f. Fromage frais italien, fait à partir du petit-lait d'autres fromages.

**ric-rac** adv. fam. Exactement ; tout juste.

**rictus** [-ys] n. m. Contraction de la bouche, en sourire grimaçant.

**ride** n. f. **1** Petit pli de la peau (dû notamment à l'âge.) → **ridule. 2** Légère ondulation ; pli, sillon.

**ridé, ée** adj. Marqué de rides.

**rideau** n. m. **1** Pièce d'étoffe mobile (pour tamiser la lumière, etc.). **2** Grande draperie (ou toile peinte) qui sépare la scène de la salle, au théâtre. **3** *Rideau de fer*, isolant une scène, protégeant une devanture. ♦ hist. Ligne qui isolait en Europe les pays communistes. **4** *Rideau de* : chose capable d'arrêter la vue, de faire écran.

**ridelle** n. f. Châssis latéral (charrette, camion).

**rider** v. tr. [1] **1** Marquer, sillonner de rides. **2** Marquer d'ondulations, de plis.

**ridicule I** adj. **1** Qui fait rire, se moquer ; laid, bête. ♦ → **absurde, déraisonnable. 2** Insignifiant. *Une somme ridicule.* **II** n. m. **1** loc. *Tourner qqn en ridicule*, le rendre ridicule. **2** Ce qui rend ridicule, excite le rire, la moquerie. *Craindre le ridicule.* – prov. *Le ridicule tue (ne tue pas).* ► **ridiculement** adv.

**ridiculiser** v. tr. [1] Rendre ridicule.

**ridule** n. f. Ride très fine.

**rien** pron. indéf., n. m. et adv. **I** nominal indéfini **1** Quelque chose (en contexte négatif). *Rester sans rien faire.* **2** (avec *ne*) Aucune chose, nulle chose. *Je n'ai rien vu. Vous n'aurez rien du tout*, absolument rien. *Il ne comprend rien à rien. Cela ne fait rien*, cela n'a pas d'importance. – *Rien de* (+ adj. ou adv.). *Il n'y a rien de mieux, de tel.* – *Rien qui, que* (le plus souvent + subj.). – *N'avoir rien de* (+ nom ; + adj.), n'être pas du tout. ♦ (sujet) *Rien ne va plus* (spécialt, au jeu, il est trop tard pour miser). ♦ (attribut) *Ce n'est rien.* – loc. *Comme si de rien n'était* : comme si rien ne s'était passé. **3** loc. adv. *En rien* (positif) : en quoi que ce soit. *Sans gêner en rien son action.* – *Ne... en rien* : d'aucune manière, pas du tout. **4** Nulle chose. *Rien à faire* : la chose est impossible. «*Je vous remercie.* – *De rien*», je vous en prie. ♦ (comparaison) loc. *En moins de rien*, en très peu de temps. ♦ *Deux, trois fois rien* : une chose insignifiante. ♦ *Rien que.* → **seulement ; uniquement. 5** (après une prép.) *Pour rien* : inutilement ou sans raison. – Sans payer ou à bas prix. *Je l'ai eu pour rien.* ♦ (après un nom) *De rien du tout* : sans valeur, sans importance. **II** n. m. **1** *Un rien* : peu de chose. *Un rien l'amuse.* – *Perdre son temps à des riens.* → **bagatelle.** ♦ *Un rien de* : un peu de. – *En un rien de temps.* → **promptement. 2** *Un rien* loc. adv. : un peu, légèrement. *C'est un rien trop grand.* **III** adv. fam. (par antiphrase) Très. *Il est rien bête !*

**rieur, rieuse 1** n. Personne en train de rire. – loc. *Mettre les rieurs de son côté* : faire rire aux dépens de son adversaire. **2** adj. Qui s'amuse, exprime la gaieté.

**rififi** n. m. fam. vieilli Bagarre.

**rigide** adj. **1** concret Qui ne se déforme pas. → **raide. 2** Qui se refuse aux concessions. → **inflexible, rigoureux.** ♦ Sans souplesse. *Éducation rigide.* ► **rigidité** n. f. → **raideur ; austérité, rigorisme.**

**rigolade** n. f. fam. **1** Amusement. **2** Chose ridicule ou sans importance.

**rigolard, arde** adj. fam. Gai.

**rigole** n. f. Petit conduit pour l'écoulement des eaux.

**rigoler** v. intr. [1] fam. **1** Rire, s'amuser. **2** Plaisanter. *Là, on ne rigole plus.*

**rigolo, ote** fam. **I** adj. **1** Qui amuse, fait rire. – n. *Un petit rigolo.* **2** Curieux, étrange. **II** n. Personne à qui l'on ne peut pas faire confiance.

**rigorisme** n. m. Respect strict des principes. → **rigidité.** ► **rigoriste** n. et adj.

**rigoureusement** adv. **1** D'une manière rigoureuse (1 ou 3). **2** Absolument, totalement. *C'est rigoureusement exact.*

**rigoureux, euse** adj. **1** Qui fait preuve de rigueur (1). – *Une morale rigoureuse.* → **rigide. 2** Dur à supporter. *Un hiver rigoureux.* **3** D'une exactitude inflexible. ♦ Mené avec précision.

**rigueur** n. f. **1** Sévérité, dureté extrême. – loc. *Tenir rigueur à qqn (de...)*, lui garder rancune (de...). **2** au plur. littér. *Les rigueurs de l'hiver.* **3** Exactitude, logique inflexible. **4** *De rigueur* loc. adj. : imposé. → **obligatoire. 5** loc. adv. *À la rigueur* : en cas de nécessité. – *En toute rigueur* : absolument.

**rikiki** adj. invar. → **riquiqui**

**rillettes** n. f. pl. Viande (porc, etc.) hachée et cuite dans la graisse.

**rimailler** v. intr. [1] péj. Faire de mauvais vers. ► **rimailleur, euse** n.

**rime** n. f. **1** Disposition de sons identiques à la finale de mots placés à la fin de deux ou plusieurs vers. → aussi **assonance.** *Rime riche* (ex. image-hommage). **2** loc. *Sans rime ni raison* : d'une manière incompréhensible, absurde.

**rimer** v. intr. [1] **1** Faire des vers. **2** Constituer une rime. **3** loc. *Cela ne rime à rien* : cela n'a aucun sens. ▷ adj. **rimé, ée** *Poésie rimée.*

**rimeur, euse** n. Poète médiocre.

**rimmel** n. m. (nom déposé) Fard pour les cils. → **mascara.**

**rinçage** n. m. **1** Action de rincer. **2** Teinture légère (des cheveux).

**rinceau** n. m. Ornement architectural en forme d'arabesque végétale.

**rince-doigts** [-dwa] n. m. invar. Petit récipient pour se laver les doigts à table.

**rincer** v. tr. [3] **1** Nettoyer à l'eau (un récipient). **2** Passer à l'eau (ce qui a été lavé). **3** fam. *Se rincer l'œil :* regarder avec plaisir.

**rinçure** n. f. Eau qui a servi à rincer.

**ring** [ʀiŋ] n. m. Estrade de boxe, de lutte entourée de cordes.

① **ringard** n. m. Barre de fer servant à attiser le feu.

② **ringard, arde** fam. **I** n. Personne (d'abord comédien) démodée ou incapable. **II** adj. Démodé ; médiocre.

**ripaille** n. f. fam. Repas où l'on mange beaucoup et bien. → **bombance.** ► **ripailler** v. intr. [1]

**riper** v. intr. [1] Glisser de côté, déraper.

**ripolin** n. m. Peinture laquée brillante. ► **ripoliner** v. tr. [1]

**riposte** n. f. **1** Réponse vive, instantanée. **2** Vive réaction de défense. → **contre-attaque.**

**riposter** v. intr. [1] **1** Adresser une riposte. - trans. *Riposter que.* → **répliquer, rétorquer. 2** Répondre par une attaque (à une attaque).

**ripou** adj. fam. Corrompu. - n. m. Policier vénal.

**riquiqui** adj. invar. fam. Petit ; mesquin.

① **rire** v. intr. [36] **1** Exprimer la gaieté par un mouvement de la bouche, accompagné d'expirations saccadées. - loc. *Le mot pour rire,* la plaisanterie. - loc. prov. *Rira bien qui rira le dernier,* annonce une revanche. **2** S'amuser. → se **divertir. 3** Plaisanter. *Vous voulez rire ?* **4** *Rire de :* se moquer de (qqn, qqch.).

② **rire** n. m. Fait de rire. - *Avoir le, un fou rire :* ne plus pouvoir s'arrêter de rire.

① **ris** n. m. mar. Partie d'une voile qu'on peut replier pour diminuer sa surface.

② **ris** n. m. Thymus comestible (veau, agneau).

① **risée** n. f. *Être un objet de risée,* de moquerie. - *Être la risée de tous,* un objet de risée.

② **risée** n. f. mar. Rafale de vent.

**risette** n. f. Sourire (surtout des enfants).

**risible** adj. Un peu ridicule.

**risotto** n. m. Riz préparé à l'italienne.

**risque** n. m. **1** Danger prévisible. - loc. *À vos risques et périls*.* - *Courir le risque de,* s'y exposer. - *Au risque de* (+ inf.), en risquant. ♦ *À risque(s)* loc. adj. : qui présente un risque. **2** dr. Éventualité d'un dommage. *Assurance tous risques* (→ **multirisque**). **3** Fait de s'exposer à un danger (pour obtenir un avantage). *Prendre des risques.*

**risqué, ée** adj. Qui comporte des risques. → **dangereux.** *Une entreprise risquée.*

**risquer** v. tr. [1] **1** Exposer. *Risquer sa vie.* - loc. *Risquer le tout* pour le tout.* - loc. *Risquer un œil à la fenêtre.* **2** Tenter (ce qui comporte des risques). *Risquer une démarche.* - *Risquer une remarque, une question.* **3** S'exposer à (un danger, un inconvénient). *Risquer la mort.* - *Vos bagages ne risquent rien ici.* **4** *Risquer de* (+ inf.). S'exposer à (qqch. de fâcheux). ♦ *Risquer que* (+ subj.). ▷ v. pron. se **risquer 1** S'exposer, avec la conscience du risque. **2** *Se risquer à* (+ inf.), se hasarder à.

**risque-tout** n. invar. et adj. invar. (Personne) qui pousse l'audace jusqu'à l'imprudence.

**rissole** n. f. Petit pâté frit.

**rissoler** v. tr. [1] Exposer à une température élevée (une viande, des légumes, etc.) de manière à dorer.

**ristourne** n. f. **1** Remise accordée à un client. **2** Commission versée à un intermédiaire. ► **ristourner** v. tr. [1]

**rite** n. m. **1** Cérémonies d'une religion. → **culte, rituel. 2** fig. Pratique réglée, invariable.

**ritournelle** n. f. Air à couplets répétés.

**rituel, elle I** adj. **1** D'un rite. **2** fig. Réglé comme par un rite. **II** n. m. **1** Recueil, ensemble des rites catholiques. **2** fig. Ensemble d'habitudes, de règles. ► **rituellement** adv.

**rivage** n. m. **1** Terre qui borde une mer. → **côte, littoral. 2** Zone soumise à l'action des marées. → **grève, estran.**

**rival, ale, aux I** n. **1** Personne qui dispute à autrui ce qu'un seul peut obtenir. → **adversaire, concurrent.** ♦ spécialt *Des rivaux amoureux.* **2** loc. *Sans rival,* inégalable. **II** adj. Opposé (à qqn ou à qqch.) pour disputer un avantage (sans violence).

**rivaliser** v. intr. [1] Être en concurrence, chercher à égaler.

**rivalité** n. f. Situation de rival. - *Une, des rivalités.* → **opposition.**

**rive** n. f. **1** Bande de terre qui borde un cours d'eau, un lac. *La rive droite et la rive gauche d'un fleuve* (dans le sens du courant). - par ext. *Habiter rive gauche, à Paris.* **2** Rivage (1).

**river** v. tr. [1] **I 1** Attacher solidement au moyen de pièces de métal. **2** fig. Attacher fermement, fixer (surtout passif et p. p.). **II 1** Rabattre l'extrémité de (un clou, une pointe...) sur la pièce traversée. - loc. fig. *River son clou à qqn,* le réduire au silence. **2** Fixer par des rivets. → **riveter.**

**riverain, aine** n. **1** Personne qui habite le long d'un cours d'eau, d'un lac. **2** fig. *Les riverains d'une rue, d'une route.*

**rivet** n. m. Tige munie d'une tête et dont l'autre extrémité est aplatie au moment de l'assemblage. ► **riveter** v. tr. [4]

**rivière** n. f. **1** Cours d'eau naturel de moyenne importance ou qui se jette dans un autre cours d'eau (s'oppose à *fleuve*). **2** sports Fossé rempli d'eau. **3** fig. *Rivière de diamants :* collier de diamants.

**rixe** n. f. Querelle violente.

**riz** n. m. **1** Céréale *(Graminées)* riche en amidon. **2** Grain de cette plante, préparé pour la consommation.

**rizière** n. f. Terrain (souvent inondé) où l'on cultive le riz ; plantation de riz.

**R. M. I.** [ɛʀɛmi] n. m. (sigle de *revenu minimum d'insertion*) anciennt (en France) Revenu garanti aux personnes démunies (remplacé par le R. S. A.). ► **RMIste** ou **RMiste** n. – var. **érémiste.**

**RNIS** ou **R. N. I. S.** (sigle) techn. «Réseau numérique à intégration de services», réseau de télécommunications intégrant voix, image et données sur une même liaison.

**road movie** [ʀod muvi] n. m. anglic. Film dont la narration implique un long trajet, un voyage par la route. *Des road movies.*

**robe** n. f. **I 1** Vêtement féminin de dessus, d'un seul tenant. **2** Vêtement ancien d'un seul tenant (hommes). ♦ *Robe de juge.* – loc. *Les gens de robe,* autrefois, les hommes de loi. **3** *Robe de chambre :* long vêtement d'intérieur. **II** Pelage (cheval, fauves...).

**robinet** n. m. Appareil servant à régler le passage d'un fluide dans un tuyau.

**robinetterie** n. f. **1** Industrie, commerce des robinets. **2** Ensemble de robinets.

**robinier** n. m. Arbre épineux à fleurs blanches en grappes (syn. *faux acacia*).

**roboratif, ive** adj. littér. Qui revigore.

**robot** n. m. **1** Machine à l'aspect humain. – fig. Être humain réduit à l'état d'automate. **2** Mécanisme automatique complexe. – Appareil ménager à usages variés.

**robotique** n. f. Technique des robots (2).

**robotiser** v. tr. [1] **1** Équiper de robots (2). **2** Transformer (qqn) en robot (1). ► **robotisation** n. f.

**robuste** adj. **1** Fort et résistant. → **vigoureux. 2** fig. Ferme, inébranlable. ► **robustesse** n. f.

**roc** n. m. **1** littér. Rocher. **2** *Le roc :* matière rocheuse et dure. **3** fig. *Solide comme un roc, le roc.*

**rocade** n. f. Route de dérivation.

**rocaille** n. f. **1** Pierres qui jonchent le sol ; terrain plein de pierres. **2** Décoration de cailloux, coquillages, etc. (jardins). **3** Style ornemental (période Louis XV-Régence) baroque. → **rococo.**

**rocailleux, euse** adj. **1** Plein de pierres. **2** fig. Dur et heurté. – *Une voix rocailleuse,* rauque.

**rocambolesque** adj. Plein de péripéties extraordinaires. – Extravagant.

**roche** n. f. **1** Rocher. – sc. Assemblage de minéraux. **2** *La roche :* la pierre (surtout dure). – *Eau de roche :* eau de source très limpide.

**rocher** n. m. **1** Grande masse de roche. ♦ Paroi rocheuse. **2** anat. Partie massive de l'os temporal. **3** Gâteau, confiserie en forme de rocher.

**rocheux, euse** adj. **1** Couvert, formé de rochers. **2** Formé de roche.

**rock** ou **rock and roll** [ʀɔkɛnʀɔl] n. m. anglic. Musique populaire à rythme marqué, issue du blues, du jazz. – Danse sur cette musique. ♦ adj. *Des groupes rocks* ou *rock* (invar.).

**rockeur, euse** n. Chanteur, musicien de rock and roll.

**rocking-chair** [-(t)ʃɛʀ] n. m. Fauteuil à bascule. *Des rocking-chairs.*

**rococo 1** n. m. Style décoratif baroque du XVIIIe siècle. – adj. invar. *L'art rococo.* → **rocaille** (3). **2** adj. invar. Démodé, vieillot.

**rodéo** n. m. **1** (en Amérique du Nord) Fête comportant des épreuves où un cavalier doit maîtriser la bête (cheval, taureau) qu'il monte, capturer un veau au lasso. **2** fam. Course bruyante et agitée (voitures, motos).

**roder** v. tr. [1] **1** Faire fonctionner (un moteur neuf, une voiture neuve) avec précaution. **2** fig., fam. Mettre au point (une chose nouvelle) par des essais. ▷ p. p. **rodé, ée** (choses ; personnes). ► **rodage** n. m.

Ne pas confondre avec *rôder* «errer».

**rôder** v. intr. [1] **1** Errer avec des intentions suspectes. **2** Errer au hasard. → **vagabonder.** ► **rôdeur, euse** n.

Ne pas confondre avec *roder* (un moteur).

**rodomont** n. m. littér. Fanfaron.

**rodomontade** n. f. Fanfaronnade.

**rogations** n. f. pl. cathol. Cérémonies pour bénir les travaux des champs.

**rogatoire** adj. dr. Relatif à une demande. – *Commission rogatoire* (pour faire agir un tribunal).

**rogaton** n. m. fam. (surtout au plur.) Bribe de nourriture ; reste d'un repas.

**rogne** n. f. fam. Colère, mauvaise humeur.

**rogner** v. tr. [1] **1** Couper, rectifier les contours ou prélever. – loc. fig. *Rogner les ailes à qqn,* lui enlever ses moyens d'action. **2** fig. Diminuer d'une petite quantité.

**rognon** n. m. Rein (d'un animal), destiné à la cuisine.

**rognure** n. f. **1** surtout au plur. Ce que l'on enlève quand on rogne qqch. **2** Déchet.

**rogomme** n. m. loc. *Voix de rogomme,* enrouée, éraillée.

**rogue** adj. littér. Arrogant. – *Un ton rogue.*

**roi** n. m. **1** Chef souverain (homme) de certains États **(→ royaume),** accédant au pouvoir par voie héréditaire. – *Le Roi-Soleil,* Louis XIV. – *La fête des Rois (mages).* **→ Épiphanie.** ◆ **appos. invar.** *Bleu roi :* bleu très vif. **2** fig. Personne qui domine (dans un domaine). **3** Chef, représentant éminent. *Le roi des animaux,* le lion. – fam. *C'est le roi des imbéciles.* **4** Pièce la plus importante du jeu d'échecs. – Carte à jouer figurant un roi.

**roitelet** n. m. **I** Roi d'un petit pays. **II** Petit oiseau passereau.

**rôle** n. m. **I** dr. admin. Registre, liste. *Rôle d'équipage* (d'un navire). – Liste des contribuables. ◆ *À tour de rôle* loc. adv. : chacun à son tour. **II 1** Partie d'un texte que doit dire sur scène un acteur. – Personnage qu'il représente. **2** Conduite sociale. – loc. *Avoir le beau rôle :* apparaître à son avantage. – *Jeu de rôles,* dans lequel les joueurs incarnent des personnages. **3** Influence, fonction (dans un ensemble).

**roller** n. m. anglic. Patin à roulettes en ligne fixées sur une chaussure rigide. – Sport pratiqué avec ces patins.

**rollmops** [-ɔps] n. m. Filet de hareng mariné dans du vinaigre.

① **rom** [ʀɔm] n. et adj. Membre d'un peuple nomade originaire de l'Inde, apparu en Europe centrale au XIVe siècle. **→ bohémien, gitan, tsigane.** ◆ n. m. Langue de ce peuple, ensemble de parlers indo-européens influencé par des emprunts aux langues des pays parcourus (hongrois, roumain, langues slaves...). – syn. **romani** n. m.

② **ROM** n. f. invar. (sigle angl.) inform. Mémoire non modifiable.

**romain, aine** adj. **1** De l'ancienne Rome et son empire. **→ latin.** ◆ n. *Les Romains.* – loc. *Un travail de Romain :* une œuvre longue et difficile. **2** typogr. *Caractère romain,* à hampes verticales (s'oppose à *italique*). **3** De Rome (ville ; siège de la papauté).

① **romaine** n. f. Laitue à feuilles allongées et croquantes.

② **romaine** adj. f. et n. f. *(Balance) romaine,* formée d'un fléau à bras inégaux.

① **roman** n. m. **I** ling. Langue issue du latin oral, qui a abouti au français. **II 1** hist. littér. Récit en cette langue, contant des aventures merveilleuses. **2** cour. Œuvre d'imagination en prose qui présente des personnages donnés comme réels. *Romans et nouvelles*.* – *Le nouveau roman,* qui refuse les conventions du roman traditionnel.

② **roman, ane** adj. **I 1** *La langue romane :* le roman (①, I) de Gaule. **2** *Les langues romanes,* issues du latin populaire (français, italien, espagnol, catalan, portugais, roumain, etc.). **II** Relatif à l'art médiéval d'Europe occidentale, avant le gothique. *Église ; sculpture romane.* – n. m. Art, style roman.

**romance** n. f. **1** Chanson sentimentale. **2** Histoire d'amour. **→ idylle.**

**romancer** v. tr. [3] Présenter en donnant les caractères du roman (→ romanesque).

**romanche** n. m. Langue romane des Grisons (Suisse).

**romancier, ière** n. Auteur de romans.

**romand, ande** adj. Où l'on parle le français (en Suisse).

**romanesque** adj. **1** Qui offre les caractères traditionnels du roman (aventures, sentiments, etc.). **2** Imaginatif et sentimental. **3** Propre au roman.

**romani → rom**

**romanichel, elle** n. péj. Tsigane nomade.

**romaniste** n. didact. Spécialiste des langues romanes, de leur comparaison.

**roman-photo** n. m. Récit sous forme d'une série de photos (analogue à la bande dessinée).

**romantique** adj. **1** Du romantisme (1). – n. *Les classiques et les romantiques.* **2** D'une sensibilité idéaliste, rêveuse (comme dans le romantisme). – *Ambiance romantique.*

**romantisme** n. m. **1** Mouvement littéraire et artistique en réaction contre le classicisme et le rationalisme (début XIXe s.). **2** Caractère, esprit romantique (2).

**romarin** n. m. Arbuste aromatique à feuilles persistantes et à fleurs bleues.

**rombière** n. f. péj. Femme d'âge mûr, ennuyeuse, prétentieuse, ridicule.

**rompre** v. [41] **I** v. tr. **1** littér. Casser. – *Applaudir à tout rompre,* très fort. – loc. *Rompre la glace*.* **2** Briser (une chose souple). **3** Défaire (un arrangement, un ordre). – loc. *Rompre les rangs,* les quitter. **4** Cesser, interrompre. *Rompre le silence* (en parlant). ◆ Interrompre (des relations) ; cesser de respecter (une promesse) **(→ rupture). II** v. intr. **1** littér. Casser. **2** sports Reculer. **3** Renoncer soudain à des relations d'amitié, d'amour (avec qqn). **→ se brouiller.** – *Rompre avec qqch.,* cesser de pratiquer.

**rompu, ue** adj. **1** Cassé. – loc. *À bâtons* rompus.* **2** Très fatigué. **→ fourbu. 3** littér. *Rompu à :* très exercé à (une discipline...).

**romsteck** [ʀɔmstɛk] n. m. Partie de l'aloyau, qui se mange rôtie ou grillée.

**ronce** n. f. **1** Arbuste épineux aux fruits comestibles **(→ mûre). 2** Nœuds, veines de certains bois.

**ronceraie** n. f. Terrain où croissent des ronces.

**ronchon, onne** n. fam. Personne qui ronchonne. – adj. *Elle est ronchonne* (ou invar. *ronchon*).

**ronchonner** v. intr. [1] fam. Manifester son mécontentement en protestant. **→ bougonner, grogner, râler.** ► **ronchonnement** n. m. ► **ronchonneur, euse** n.

**roncier** n. m. Buisson de ronces.

**rond, ronde** I adj. 1 En forme de cercle ou de sphère. 2 En arc de cercle. *Tuiles rondes.* - Arrondi, voûté. ♦ (parties du corps) Charnu, rebondi. - (personnes) Gros et court. 3 (quantité ; nombre) Entier ; spécialt qui se termine par un zéro. 4 (personnes) Qui agit sans détours. *Un homme rond en affaires.* 5 fam. Ivre. 6 adv. (dans des loc.) *Tourner rond* (moteur...), d'une manière régulière. II n. m. 1 Figure circulaire. → **cercle, circonférence.** ♦ *En rond* loc. adv. : en cercle. 2 Objet matériel de forme ronde. *Rond de serviette* (anneau). ♦ Tranche ronde. → **rondelle.** *Un rond de saucisson.* ♦ fam. Sou. *Ils ont des ronds,* de l'argent. 3 loc. *Faire des ronds de jambe,* des politesses exagérées.

**rond-de-cuir** n. m. 1 Coussin en forme d'anneau. 2 péj. Employé de bureau.

**ronde** n. f. 1 *À la ronde :* alentour ; tour à tour (personnes installées en rond). 2 Visite de surveillance. 3 Danse où plusieurs personnes forment un cercle et tournent. 4 Écriture à jambages courbes. 5 Note de musique évidée et sans queue.

**rondeau** n. m. Poème à forme fixe, sur deux rimes avec des vers répétés.

**ronde-bosse** n. f. Sculpture en relief, détachée du fond.

**rondelet, ette** adj. 1 Qui a des formes arrondies. → **dodu, potelé.** 2 *Une somme rondelette,* assez importante. → **coquet.**

**rondelle** n. f. 1 Pièce ronde, peu épaisse, généralement évidée. 2 Tranche ronde.

**rondement** adv. 1 Avec efficacité. 2 D'une manière franche et directe.

**rondeur** n. f. 1 Forme ronde (d'une partie du corps). 2 Caractère rond (I, 4).

**rondin** n. m. Morceau de bois cylindrique (chauffage ; construction).

**rondo** n. m. mus. Pièce brillante à couplets et refrain, finale de la sonate.

**rondouillard, arde** adj. fam. Grassouillet. → **rondelet.**

**rond-point** n. m. Place circulaire d'où rayonnent plusieurs avenues. → **carrefour.**

**ronéo** n. f. (nom déposé) anciennt Machine qui servait à reproduire des textes au moyen de stencils. ► **ronéotyper** v. tr. [1]

**ronflant, ante** adj. péj. Grandiloquent, plein d'emphase. → **pompeux.**

**ronfler** v. intr. [1] 1 Faire, en respirant pendant le sommeil, un fort bruit du nez. 2 (sujet chose) → **ronronner, vrombir.** ► **ronflement** n. m. ► **ronfleur, euse** n.

**ronger** v. tr. [3] 1 User en coupant avec les dents (incisives) par petits morceaux. - (vers, insectes) Attaquer, détruire. - loc. fig. *Ronger son frein*.* 2 (sujet chose) Attaquer, détruire peu à peu (qqch.). → **corroder.** 3 fig. → **torturer, tourmenter.** - fam. *Se ronger les sangs,* se faire du souci.

**rongeur, euse** 1 adj. Qui ronge. 2 n. m. Mammifère à incisives tranchantes.

**ronron** n. m. 1 fam. Ronflement sourd et continu. ♦ fig. Routine. 2 Petit grondement régulier du chat.

**ronronner** v. intr. [1] (chat) Faire entendre des ronrons. ► **ronronnement** n. m.

**roquefort** n. m. Fromage de lait de brebis, à moisissures.

**roquer** v. intr. [1] échecs Intervertir le roi et une tour.

**roquet** n. m. 1 Petit chien hargneux. 2 fig. Personne hargneuse.

**roquette** n. f. Fusée militaire.

**rorqual** [-k(w)al] n. m. Mammifère marin voisin de la baleine.

**rosace** n. f. 1 Figure faite de courbes inscrites dans un cercle (ornement). 2 Grand vitrail d'église, circulaire. → **rose.**

**rosacée** n. f. bot. Plante à feuilles dentées, à étamines nombreuses (famille des *Rosacées :* ex. l'aubépine, le rosier).

**rosaire** n. m. Grand chapelet de quinze dizaines d'Ave ; ses prières.

**rosâtre** adj. Qui est d'un rose peu franc.

**rosbif** [ʀɔsbif] n. m. Morceau de bœuf à rôtir (généralement aloyau).

① **rose** n. f. I 1 Fleur du rosier, décorative et odorante. *Rose sauvage.* → **églantine.** - *Eau de rose :* essence de roses. fig. *Un roman à l'eau de rose,* mièvre. ♦ loc. fam. *Envoyer qqn sur les roses,* le rembarrer. 2 *Bois de rose :* bois de couleur rosée. 3 (autres fleurs) *Rose trémière*. Laurier*-rose.* II 1 Grand vitrail circulaire. → **rosace.** 2 *Rose des vents :* étoile à 32 divisions (aires), sur le cadran d'une boussole, etc. 3 *Rose de sable, des sables :* cristallisation de gypse.

② **rose** adj. et n. m. 1 adj. D'un rouge très pâle. - loc. *Ce n'est pas rose :* ce n'est pas gai. 2 n. m. Couleur rose. *Rose bonbon,* vif. - *Voir la vie, l'avenir... en rose,* avec optimisme (s'oppose à *en noir*).

**rosé, ée** adj. Légèrement teinté de rose. - *Vin rosé* et n. m. *du rosé.*

**roseau** n. m. Plante aquatique à tige droite et lisse. ♦ La tige.

**rosée** n. f. Vapeur d'eau qui se condense et se dépose en fines gouttelettes.

**roséole** n. f. Éruption de taches rosées (maladies ou intoxications).

**roseraie** n. f. Plantation de rosiers.

**rosette** n. f. 1 Nœud à boucles d'un ruban. 2 Insigne du grade d'officier, dans certains ordres. 3 Saucisson d'origine lyonnaise.

**roseval** n. f. Pomme de terre à la peau rose et à la pulpe rosée. *Des rosevals.*

**rosier** n. m. Arbrisseau épineux portant les roses. ► **rosiériste** n. → **horticulteur.**

**rosière** n. f. anciennt Jeune fille vertueuse qui recevait une couronne de roses.

**rosir** v. [2] Devenir, rendre rose.

**rosse** n. f. I Mauvais cheval. II fig. Personne méchante (aussi adj.).

**rosser** v. tr. [1] Battre violemment. ► **rossée** n. f.

**rosserie** n. f. **1** Parole ou action rosse. → **méchanceté.** **2** Caractère rosse.

**rossignol** n. m. **I** Oiseau passereau, au chant varié et harmonieux. **II** Instrument pour crocheter les portes.

**röstis** [røsti] n. m. pl. (Suisse) Galettes de pommes de terre râpées et rissolées. – var. **rœstis.**

**rostre** n. m. **1** Antiq. romaine Éperon de navire. **2** zool. Prolongement pointu, vers l'avant du corps (crustacés ; insectes...).

**rot** n. m. fam. Renvoi de gaz de l'estomac par la bouche.

**rôt** n. m. littér. Rôti. *La fumée du rôt.*

**rotatif, ive** adj. Qui agit par rotation.

**rotation** n. f. **1** didact. Mouvement d'un corps autour d'un axe (matériel ou non). – Mouvement circulaire. → **tour.** **2** Fait d'alterner ; fréquence de mouvements. *La rotation des avions d'une ligne.*

**rotative** n. f. Presse à imprimer continue, agissant au moyen de cylindres.

**rotatoire** adj. Caractérisé par une rotation. → **circulaire, giratoire.**

**roter** v. intr. [1] fam. Faire des rots.

**rôti** n. m. Morceau de viande de boucherie, cuit à feu vif.

**rôtie** n. f. Tranche de pain grillé. → **toast.**

**rotin** n. m. Tige d'un palmier. *Meuble en rotin.*

**rôtir** v. [2] **1** v. tr. Faire cuire (de la viande) à feu vif. – au p. p. *Poulet rôti.* ♦ fig. pronom. *Se rôtir au soleil.* **2** v. intr. Cuire à feu vif.

**rôtisserie** n. f. **1** Boutique de rôtisseur. **2** Restaurant de viandes rôties.

**rôtisseur, euse** n. Personne qui prépare et vend des viandes rôties.

**rôtissoire** n. f. Four à rôtir.

**rotonde** n. f. Édifice circulaire.

**rotondité** n. f. Caractère de ce qui est rond, sphérique.

**rotor** n. m. Partie mobile d'un mécanisme rotatif (hélicoptère, etc.).

**rottweiler** n. m. Chien de taille moyenne, très puissant, trapu, à poil ras, noir et fauve.

**rotule** n. f. Os plat, à la partie antérieure du genou. ♦ loc. fam. *Être sur les rotules,* très fatigué. ► **rotulien, ienne** adj.

**roture** n. f. littér. Condition, classe des roturiers (opposé à *noblesse*).

**roturier, ière** adj. et n. (Personne) non noble.

**rouage** n. m. **1** Chacune des pièces (petites roues) d'un mécanisme (d'horlogerie, etc.). **2** fig. Partie essentielle (d'un ensemble qui fonctionne).

**roublard, arde** adj. et n. fam. (Personne) qui fait preuve d'astuce et de ruse. ► **roublardise** n. f.

**rouble** n. m. Unité monétaire de la Russie.

**roucouler** v. intr. [1] **1** (pigeon, tourterelle) Faire entendre son cri. **2** Tenir des propos tendres. ► **roucoulement** n. m.

**roudoudou** n. m. Pâte sucrée moulée dans une coquille.

**roue** n. f. **1** Disque tournant sur un axe, utilisé comme organe de déplacement. – *Roue de secours,* de rechange. – *Roue libre :* dispositif permettant de rouler sans apport d'énergie. – loc. *Pousser à la roue,* aider qqn à réussir. *La cinquième roue du carrosse,* un élément inutile. **2** Disque rotatif, organe de transmission. → **poulie, rouage.** *Roue dentée.* **3** Supplice qui consistait à attacher le condamné sur une roue et à lui rompre les membres. **4** *Grande roue :* attraction foraine, manège en forme de roue dressée. **5** *Faire la roue :* tourner latéralement sur soi-même, sur les mains et sur les pieds. – (oiseaux) Déployer en rond les plumes de la queue. – fig., péj. → se **pavaner.** **6** Disque, cylindre. *Une roue de gruyère.*

**roué, ée** n. littér. **1** Supplicié par la roue (3). **2** Personne rusée et sans scrupules. – adj. → **rusé.** ► **rouerie** n. f.

**rouelle** n. f. Partie de la cuisse de veau au-dessus du jarret, coupée en rond.

**roue-pelle** n. f. Excavatrice comportant une roue à godets, utilisée pour les grands travaux. *Des roues-pelles.*

**rouer** v. tr. [1] **1** Supplicier sur la roue (3). **2** loc. *Rouer qqn de coups,* battre.

**rouet** n. m. ancienn Machine à roue servant à filer (chanvre, laine, lin, etc.).

**rouf** n. m. mar. Petite construction élevée sur le pont d'un navire.

**rouflaquettes** n. f. pl. fam. Favoris courts.

**rouge** adj. et n. **I** adj. **1** Qui est de la couleur du sang, du rubis, etc. (extrémité du spectre solaire). → **carmin, écarlate, pourpre.** *Le drapeau rouge* (révolutionnaire). ♦ *Vin rouge,* fait avec des raisins ayant leur peau. – n. m. *Un coup de rouge.* **2** D'extrême gauche (drapeau rouge). → **révolutionnaire.** – hist. Soviétique. *L'armée rouge.* **3** Porté à l'incandescence. *Fer rouge.* **4** (personnes) Dont la peau est ou devient rouge, par l'afflux du sang (peau claire). *Être rouge de colère.* ♦ adv. *Se fâcher tout rouge. Voir rouge,* avoir un accès de colère. **II** n. m. **1** Couleur rouge. **2** Colorant ; pigment rouge. ♦ Fard rouge. *Rouge à lèvres.* **3** Couleur, aspect, état du métal incandescent. **4** Teinte rouge que prend la peau du visage. **5** (Couleur des signaux d'interdiction) loc. fig. *Être dans le rouge,* dans une situation critique.

**rougeâtre** adj. Légèrement rouge.

**rougeaud, aude** adj. Qui a le teint rouge.

**rouge-gorge** n. m. Oiseau passereau à gorge et poitrine d'un roux vif.

**rougeole** [-ʒɔl] n. f. Maladie infectieuse caractérisée par une éruption de taches rouges sur la peau. → aussi **rubéole.** ► **rougeoleux, euse** adj. et n.

**rougeoyer** [-ʒwaj-] v. intr. [8] Prendre une teinte rougeâtre. ► **rougeoiement** n. m. ► **rougeoyant, ante** adj.

**rouget** n. m. Poisson de mer de couleur rouge, très estimé. *Rouget barbet.*

**rougeur** n. f. **1** littér. Couleur rouge. **2** Coloration rouge du visage. **3** Tache rouge sur la peau.

**rougir** v. [2] **I** v. intr. **1** Devenir rouge. – (personnes) → s'**empourprer.** **2** Éprouver de la confusion. **II** v. tr. **1** Rendre rouge. **2** Chauffer (un métal) au rouge. ► **rougissant, ante** adj. ► **rougissement** n. m.

**rouille** n. f. **1** Produit rougeâtre de la corrosion du fer (oxygénation). ♦ adj. invar. D'un rouge brun. **2** Nom de maladies des végétaux. **3** Ailloli relevé de piment rouge.

**rouiller** v. [1] **I** v. intr. Se couvrir de rouille. **II** v. tr. **1** Couvrir de rouille. – pronom. *La grille se rouille.* **2** fig. Rendre moins alerte (le corps, l'esprit) par manque d'exercice.

**rouir** v. tr. [2] techn. Isoler les fibres textiles (lin, chanvre) par macération.

**roulade** n. f. **1** Mouvement qui consiste à s'enrouler sur soi-même. → **galipette.** **2** Tranche (de viande, de poisson) roulée et garnie.

**roulant, ante** adj. **1** Qui roule. ♦ *Personnel roulant* (dans les transports). **2** Qui glisse sur des rouleaux pour transporter, déplacer. *Tapis roulant.* **3** *Feu roulant,* tir continu. – fig. *Un feu roulant de questions.*

**roulé, ée** adj. **1** Enroulé. **2** *R roulé* (→ **rouler** (I, 5)). **3** fam. (personnes) *Bien roulé :* bien fait.

**rouleau** n. m. **I 1** Bande enroulée de forme cylindrique. – loc. *Être au bout du rouleau,* à bout de ressources, de forces. **2** Chose enroulée, objets roulés. ♦ *Rouleau de printemps :* crêpe de riz fourrée (cuisine d'Extrême-Orient). **3** Grosse vague qui se brise. **4** Saut en hauteur où le corps roule au-dessus de la barre. **II 1** Cylindre que l'on fait rouler. – *Rouleau compresseur,* pour aplanir le macadam. **2** Objet cylindrique destiné à recevoir ce qui s'enroule.

**roulé-boulé** n. m. Culbute par laquelle on tombe en se roulant en boule.

**roulement** n. m. **1** Action, fait de rouler (II). – Mécanisme destiné à diminuer les frottements. *Roulement à billes.* **2** Bruit de ce qui roule. *Un roulement de tambour.* **3** Mouvement de ce qui tourne. **4** (argent) Fait de circuler. **5** Alternance de personnes qui se relaient.

**rouler** v. [1] **I** v. tr. **1** Déplacer (un corps arrondi) en le faisant tourner sur lui-même. – loc. *Rouler sa bosse,* voyager beaucoup. **2** Déplacer (un objet muni de roues, de roulettes). **3** Mettre en rouleau. *Rouler un tapis.* → **enrouler.** **4** Imprimer un balancement à. *Rouler les hanches en marchant.* – fam. *Rouler les mécaniques*.* **5** *Rouler les r,* les faire vibrer. **6** fam. Tromper. **II** v. intr. **1** Avancer en tournant sur soi-même. *Faire rouler un tonneau.* **2** Tomber et tourner sur soi-même. **3** Avancer au moyen de roues, de roulettes. – (personnes) Avancer dans un véhicule à roues. **4** (bateau) Être agité de roulis. **5** (bruit) Se prolonger en vibrant. **6** (conversation...) *Rouler sur :* avoir pour sujet. → **porter** sur. ▷ v. pron. **se rouler 1** Rouler son corps allongé. – loc. *C'est à se rouler par terre (de rire).* **2** S'envelopper (dans). → s'**enrouler.**

**roulette** n. f. **1** Petite roue. – loc. *Marcher, aller comme sur des roulettes,* très bien. **2** Instrument à roue dentée. – Fraise (de dentiste). **3** Jeu de hasard où une boule dans une cuvette tournante détermine un numéro gagnant.

**roulier** n. m. anciennt Voiturier.

**roulis** n. m. Oscillation transversale d'un bateau. *Roulis et tangage*.*

**roulotte** n. f. **1** Voiture aménagée où vivent des nomades. **2** (Canada) Remorque aménagée pour servir de logement. → **caravane.**

**roumain, aine** adj. et n. De Roumanie.

**round** [ʀaund ; ʀund] n. m. Reprise (d'un combat de boxe ; fig. d'une lutte).

① **roupie** n. f. loc. fam. *De la roupie de sansonnet :* une chose insignifiante.

② **roupie** n. f. Unité monétaire de l'Inde, du Pakistan, du Népal, etc.

**roupiller** v. intr. [1] fam. Dormir.

**roupillon** n. m. fam. Petit somme.

**rouquin, ine** adj. et n. fam. (Personne) qui a les cheveux roux.

**rouscailler** v. intr. [1] fam. Rouspéter.

**rouspéter** v. intr. [6] fam. Protester, réclamer (contre qqch.). → **râler.** ► **rouspétance** n. f. ► **rouspéteur, euse** n.

**roussâtre** adj. Qui tire sur le roux.

**roussette** n. f. **1** Squale de petite taille (syn. *chien de mer*). **2** Grande chauve-souris.

**rousseur** n. f. **1** Couleur rousse. – *Tache de rousseur :* tache rousse de la peau. → **éphélides.** **2** Tache roussâtre sur le papier.

**roussi** n. m. Odeur d'une chose qui a légèrement brûlé. – loc. *Sentir le roussi,* mal tourner, se gâter (affaire, situation).

**roussir** v. [2] Devenir ; rendre roux, roussâtre (spécialt en brûlant légèrement).

**routage** n. m. techn. Action de router.

**routard, arde** n. Personne qui voyage librement et à peu de frais.

**route** n. f. **1** Voie de communication terrestre importante. – *La grande route, la grand-route,* la route principale. ♦ *La route,* les communications automobiles. – *Tenir la route* (fig. agir de manière fiable et durable). **2** Chemin suivi ou à suivre dans une direction déterminée. → **itinéraire.** ♦ Itinéraire (ligne) que suit un navire, un avion. – fig. *Faire fausse route :* se tromper. **3** loc. *Mettre en route,* en marche (un moteur, une machine). – fig. *Mise en route* (d'une affaire). **4** fig. Chemin. *Vous êtes sur la bonne route.* → **voie.**

**router** v. tr. [1] **1** techn. Grouper (des imprimés) selon leur destination. **2** mar. Fixer la route, l'itinéraire de (un navire). **3** inform. Acheminer des données au sein d'un réseau.

① **routier, ière** **1** adj. Relatif aux routes. *Réseau routier.* **2** n. Conducteur, conductrice de poids lourds. ♦ n. m. Restaurant fréquenté par les routiers.

② **routier** n. m. *Vieux routier,* anciennt vieux soldat ; fig. homme expérimenté.

**routine** n. f. **1** Habitudes, préjugés répétitifs, empêchant le progrès. **2** anglic. (non péj.) *De routine :* courant, habituel. ► **routinier, ière** adj.

**rouvrir** v. [18] **I** v. tr. Ouvrir de nouveau (ce qui a été fermé). – *Rouvrir un débat.* **II** v. intr. Être de nouveau ouvert.

**roux, rousse** adj. **1** D'une couleur entre l'orangé et le rouge. → **fauve.** *Cheveux roux.* ♦ n. m. Couleur rousse. **2** adj. et n. (Personne) dont les cheveux sont roux. → **rouquin.** **3** *Beurre roux,* qu'on a fait roussir. – n. m. Sauce de farine roussie dans du beurre. **4** *Lune rousse :* lune d'avril (censée roussir, geler la végétation).

**royal, ale, aux** adj. **1** Du roi ; qui concerne un roi. – *La Marine royale* et n. f. *la Royale* (mod. la marine militaire). **2** Digne d'un roi. *Un cadeau royal.* ► **royalement** adv.

**royaliste** n. et adj. Partisan du roi, du régime monarchique. → **monarchiste.** – loc. *Être plus royaliste que le roi :* défendre les intérêts de qqn, etc., avec plus d'ardeur qu'il ne le fait lui-même. ► **royalisme** n. m.

**royalties** [ʀwajalti] n. f. pl. anglic. Redevance* versée au propriétaire d'un brevet, à un auteur ; à un pays producteur de pétrole.

**royaume** n. m. **1** État, territoire gouverné par un roi, une reine. **2** relig. *Le royaume de Dieu, des cieux,* le règne de Dieu dans les âmes.

**royauté** n. f. Dignité, pouvoir de roi.

**R. S. A.** [ɛʀɛsɑ] n. m. (sigle de *revenu de solidarité active*) (en France) Revenu garanti aux chômeurs qui retrouvent un travail, allocation constituant un complément de revenu.

**R. T. T.** n. f. (sigle) (en France) Réduction (légale) du temps de travail. – Congé pris à ce titre. *Jours de R. T. T.*

**ru** n. m. région. Petit ruisseau.

**ruade** n. f. Mouvement des chevaux, ânes..., qui lancent en arrière leurs membres postérieurs. → **ruer** (II).

**ruban** n. m. **1** Étroite bande de tissu. **2** Bande de tissu, insigne de décorations. **3** Bande d'une matière flexible. *Ruban adhésif.*

**rubéole** n. f. Maladie éruptive contagieuse voisine de la rougeole.

**rubicond, onde** adj. (visage) Très rouge.

**rubis** n. m. **1** Pierre précieuse d'un beau rouge. **2** Monture de pivot en pierre dure (horlogerie). **3** loc. *Payer rubis sur l'ongle :* payer comptant et en totalité.

**rubrique** n. f. **1** Titre indiquant la matière d'un article de presse. **2** Article sur un sujet. → **chronique.**

**ruche** n. f. **1** Abri aménagé pour un essaim d'abeilles. **2** Colonie d'abeilles d'une ruche. ♦ fig. Lieu où règne une activité incessante.

**ruché** n. m. Bande d'étoffe plissée servant d'ornement.

**rucher** n. m. Emplacement de ruches ; ensemble de ruches.

**rude** adj. **1** (personnes, manières...) Simple et grossier. **2** (personnes) littér. Dur, sévère. – Redoutable. **3** (choses) Pénible. – loc. *À rude épreuve*.* **4** Dur au toucher (→ **rugueux**), à l'ouïe. *Une voix rude.* **5** fam. (avant le nom) Remarquable en son genre. → **fameux, sacré.**

**rudement** adv. **1** De façon brutale. **2** Avec dureté. **3** fam. Beaucoup.

**rudesse** n. f. Caractère rude (1 à 4).

**rudiment** n. m. **1** au plur. Notions élémentaires ; ébauche (d'un système). **2** Ébauche ou reste (d'un organe). *Un rudiment d'aile.* ► **rudimentaire** adj.

**rudologie** n. f. didact. Étude des déchets, de leur élimination.

**rudoyer** v. tr. [8] Traiter rudement.

**rue** n. f. **1** Voie d'importance moyenne, bordée de maisons, dans une agglomération. → **artère.** *Les rues et les avenues.* – loc. *À tous les coins de rue :* partout. **2** *L'homme de la rue,* l'homme moyen, le premier venu. – loc. *Être à la rue,* sans domicile. ♦ (Siège des manifestations populaires). *Descendre dans la rue.*

**ruée** n. f. Mouvement rapide de personnes dans une direction.

**ruelle** n. f. **I** Petite rue étroite. → **venelle.** **II** Espace libre entre un lit et le mur. – (au XVII^e siècle) Chambre, alcôve.

**ruer** v. [1] **I** *Se ruer* v. pron. S'élancer avec violence. → se **précipiter.** *La foule se rua vers la sortie.* **II** v. intr. Lancer des ruades. – loc. fig. *Ruer dans les brancards :* regimber, résister.

**ruffian** ou **rufian** n. m. vx ou littér. Souteneur. – mod. Aventurier.

**rugby** n. m. Sport d'équipe dans lequel il faut poser un ballon ovale derrière la ligne de but de l'adversaire (→ **essai**), ou le faire passer entre les poteaux de but. ► **rugbyman** [-man] n. m.

**rugir** v. intr. [2] **1** (lion, fauves) Pousser des rugissements. **2** (personnes) Pousser des cris. → **hurler.** **3** Produire un bruit sourd et puissant.

**rugissement** n. m. **1** Cri du lion et de certains fauves (tigres, panthères, etc.). **2** Cri rauque. **3** (choses) Grondement sourd et puissant.

**rugueux, euse** adj. Dont la surface présente de petites aspérités, et qui est rude au toucher. ► **rugosité** n. f.

**ruine** n. f. **I 1** (surtout plur.) Débris d'un édifice ancien ou écroulé. → **décombres, vestige.** – *Une ruine.* **2** Personne dégradée par l'âge, la maladie... **II 1** Écroulement d'un édifice. – *Menacer ruine.* – *Tomber en ruine.* **2** Destruction, perte. *C'est la ruine de ses espérances.* **3** Perte de la fortune. *Être au bord de la ruine.*

**ruiner** v. tr. [1] **1** Endommager gravement. – *Ruiner sa santé.* **2** Causer la ruine, la perte de. → **détruire.** **3** Faire perdre la fortune à ; faire trop dépenser. – pronom. *Se ruiner en médicaments.* ▷ p. p. **ruiné, ée**

**ruineux, euse** adj. Qui amène la ruine, des dépenses excessives.

**ruisseau** n. m. **1** Petit cours d'eau. → **ru, torrent.** – par exagér. *Des ruisseaux de larmes.* **2** Caniveau. – loc. *Dans le ruisseau,* dans une situation dégradante.

**ruisseler** v. intr. [4] **1** Couler sans arrêt en formant un courant d'eau. *La pluie ruisselle.* **2** Se répandre à profusion (soleil, etc.). **3** *Ruisseler de :* être couvert de (un liquide qui ruisselle). ► **ruisselant, ante** adj.

**ruisselet** n. m. Petit ruisseau.

**ruissellement** n. m. Fait de ruisseler. – géol. *Ruissellement pluvial :* écoulement des eaux de pluie.

**rumba** [ʀumba] n. f. Danse d'origine cubaine ; musique de cette danse.

**rumeur** n. f. **1** Bruit, nouvelle de source incontrôlée qui se répand. **2** Bruit confus (de voix, etc.).

**ruminant** n. m. Mammifère ongulé qui peut ruminer (ex. bovidés, cervidés).

**ruminer** v. tr. [1] **1** (ruminants) Mâcher de nouveau (des aliments revenus de l'estomac), avant de les avaler. → **ruminant.** **2** (personnes) Tourner et retourner lentement dans son esprit. *Ruminer son chagrin.* ► **rumination** n. f.

**rumsteck** n. m. → **romsteck**

**rune** n. f. didact. Caractère de l'ancien alphabet des langues germaniques. ► **runique** adj.

**running** [ʀœniŋ] n. m. anglic. Pratique intensive de la course à pied. → **footing, jogging.**

**rupestre** adj. didact. **1** Qui vit dans les rochers. *Flore rupestre.* **2** *Art rupestre,* exécuté sur une paroi rocheuse.

**rupin, ine** adj. et n. fam. Riche.

**rupteur** n. m. techn. Dispositif qui interrompt un courant électrique.

**rupture** n. f. **1** Fait de se casser, de se rompre. **2** Cessation brusque. *Rupture des relations diplomatiques.* – *Rupture de contrat.* – *Rupture de stock* (quand le stock est insuffisant). ♦ *Être en rupture avec,* en opposition affirmée à. **3** Brouille.

**rural, ale, aux** adj. **1** Qui concerne la vie dans les campagnes. *Exploitation rurale.* → **agricole.** **2** n. m. pl. *Les ruraux.* → **campagnard ; paysan.**

**ruse** n. f. **1** Procédé habile pour tromper. → **artifice, feinte, manœuvre, stratagème, subterfuge.** **2** *La ruse :* art de dissimuler, de tromper. ► **rusé, ée** adj. → **malin, roublard.**

**ruser** v. intr. [1] Agir avec ruse.

**rush** [ʀœʃ] n. m. anglic. **1** Afflux brusque d'un grand nombre de personnes. → **ruée.** **2** au plur. (cinéma) Épreuves de tournage (avant montage).

**russe** adj. et n. De Russie. – n. *Les Russes.* ♦ n. m. Langue slave parlée en Russie, et dans d'autres pays d'Europe et d'Asie.

**russule** n. f. Champignon à lamelles, dont plusieurs variétés sont comestibles.

**rustaud, aude** adj. Qui a des manières grossières et maladroites. – n. → **rustre.**

**rustine** n. f. Rondelle de caoutchouc qui sert à réparer une chambre à air.

**rustique** adj. **1** littér. De la campagne. → **agreste, champêtre, rural.** **2** (mobilier) Dans un style traditionnel régional. **3** péj. Très simple et peu raffiné. ► **rusticité** n. f.

**rustre** n. m. Homme grossier. → **goujat, malotru, rustaud.**

**rut** [ʀyt] n. m. Période d'activité sexuelle des mammifères. – *En rut* (→ en chaleur).

**rutabaga** n. m. Plante à tige renflée, à chair jaune, comestible.

**rutilant, ante** adj. **1** littér. D'un rouge ardent. **2** Qui brille d'un vif éclat. ► **rutiler** v. intr. [1]

**rythme** n. m. **1** Mouvement du discours poétique, de la phrase, qui résulte de son agencement, de la répartition des accents. **2** Répartition des sons musicaux dans le temps (intensité et durée). → **mesure, mouvement, tempo.** **3** arts Distribution des masses, des lignes. **4** Mouvement périodique, régulier. – *Rythme biologique :* variation périodique des phénomènes biologiques, dans le monde vivant. → **biorythme ; horloge** interne. **5** Allure à laquelle se déroule un processus. → **cadence, vitesse.**

**rythmer** v. tr. [1] **1** Soumettre à un rythme. *Rythmer sa marche.* **2** Souligner le rythme de (une phrase, un morceau de musique...). → **scander.** ▷ adj. **rythmé, ée**

**rythmique** adj. **1** Soumis à un rythme régulier. **2** Relatif au rythme. *Accent rythmique.* ♦ n. f. Étude des rythmes dans la langue. ► **rythmiquement** adv.

# S

**s** [ɛs] n. m. **1** Dix-neuvième lettre, quinzième consonne de l'alphabet. *L's* ou *le s.* **2** Forme sinueuse du s.

**sa** → ① **son** (adj. poss.)

**sabayon** [-aj-] n. m. Crème mousseuse aromatisée de vin doux ou de champagne.

**sabbat** n. m. **1** Repos que les juifs pratiquants doivent observer le samedi. – var. **shabbat** [ʃabat] n. m. **2** Assemblée de sorciers.

**sabbatique** adj. **1** Du sabbat (1). **2** *Année sabbatique*, congé d'un an.

**sabir** n. m. **1** ancienn Mélange d'arabe, de français, d'espagnol, d'italien parlé dans les ports de Méditerranée. **2** péj. Jargon.

**sable** n. m. **1** Ensemble de petits grains minéraux (quartz) séparés, recouvrant le sol. – *Sables mouvants.* **2** adj. invar. Beige très clair.

**sablé, ée 1** n. m. Petit gâteau sec à pâte friable. **2** adj. Friable.

**sabler** v. tr. [1] **1** Couvrir de sable. **2** techn. Couler dans un moule de sable. **3** loc. *Sabler le champagne*, le boire. **4** techn. Décaper à la sableuse. ► **sablage** n. m.

**sableur, euse I** n. Ouvrier, ouvrière qui sable (2 et 4). **II** n. f. Machine qui projette un jet de sable.

**sableux, euse** adj. Qui contient du sable.

**sablier** n. m. Instrument pour mesurer le temps par écoulement de sable.

**sablière** n. f. Carrière de sable.

**sablonneux, euse** adj. Naturellement couvert ou constitué de sable.

**sabord** n. m. Ouverture pour les canons (vaisseaux de guerre).

**saborder** v. tr. [1] **1** Couler volontairement (un navire). **2** fig. Sacrifier (une activité, une entreprise). ▷ v. pron. se **saborder** ► **sabordage** n. m.

**sabot** n. m. **1** Chaussure paysanne faite d'une pièce de bois évidée. – loc. ... *avec ses gros sabots*, ses intentions trop claires. **2** Enveloppe cornée qui entoure l'extrémité des doigts chez les ongulés (cheval, etc.). **3** *Sabot (de frein)*, pièce mobile qui frotte sur la jante. **4** appos. *Baignoire sabot*, courte.

**saboter** v. tr. [1] **1** Faire vite et mal. → **bâcler.** **2** Détériorer ou détruire. – fig. *Saboter un projet.* ► **sabotage** n. m. ► **saboteur, euse** n.

**sabotier, ière** [-tje, jɛʀ] n. Personne qui fabrique, qui vend des sabots.

**sabre** n. m. **1** Arme blanche, à lame courbe à simple tranchant. ♦ loc. *Traîneur de sabre* : militaire belliqueux. **2** Escrime au sabre.

**sabrer** v. tr. [1] **I** Frapper à coups de sabre. ► **sabreur, euse** n. **II** fig. **1** Couper dans (un texte). **2** Éliminer (qqch., qqn). – fam. *Sabrer un candidat.*

① **sac** n. m. **I 1** Contenant souple, ouvert par le haut. ♦ *Sac de couchage* (fait de duvet). **2** loc. *Mettre dans le même sac* : considérer aussi mal. *Prendre qqn la main dans le sac*, sur le fait. – *Avoir plus d'un tour dans son sac* : être très malin. ♦ fam. *Sac à vin* : ivrogne. – *L'affaire est dans le sac* : le succès est assuré. – *Vider son sac* : avouer. **3** Objet souple où l'on peut ranger, transporter qqch. *Sac à dos.* ♦ *Sac (à main)* (pour les femmes). **II** didact. Cavité de l'organisme. *Sac lacrymal.*

② **sac** n. m. Pillage (d'une ville, d'une région). – *Mettre à sac* : piller. → **saccager.**

**saccade** n. f. Mouvement brusque et irrégulier. ► **saccadé, ée** adj.

**saccager** v. tr. [3] **1** Mettre à sac (→ ② **sac**), en détruisant et en volant. → **piller, ravager.** **2** Mettre en désordre. ► **saccage** n. m. ► **saccageur, euse** n. et adj.

**saccharine** [-ka-] n. f. (n. déposé) Substance blanche, succédané du sucre.

**saccharose** [-ka-]n. m. didact. Sucre alimentaire.

**sacerdoce** n. m. **1** Dignité ou fonction de prêtre. **2** fig. Fonction qui exige du dévouement. ► **sacerdotal, ale, aux** adj.

**sachem** [saʃɛm] n. m. Chef, conseiller (Amérindiens).

**sachet** n. m. Petit sac ; poche.

**sacoche** n. f. Sac de cuir ou de toile forte. - Cartable.

**sacquer** ou **saquer** v. tr. [1] fam. **1** Renvoyer, congédier ; noter sévèrement. **2** *Ne pas pouvoir sacquer qqn*, le détester.

**sacral, ale, aux** adj. didact. Du sacré.

**sacraliser** v. tr. [1] didact. Attribuer un caractère sacré à. ► **sacralisation** n. f.

**sacramentel, elle** adj. didact. Des sacrements.

① **sacre** n. m. **1** Cérémonie par laquelle l'Église consacre un souverain, un évêque. **2** fig. Consécration solennelle.

② **sacre** n. m. (Canada) Juron.

① **sacré, ée** adj. **I 1** Qui appartient à un domaine interdit et inviolable et fait l'objet d'une vénération religieuse. → **saint, tabou.** – n. m. *Le sacré et le profane.* **2** Digne d'un respect absolu. *Un droit sacré.* **II** fam. (avant le n. ; valeur intensive) *C'est un sacré menteur.* → **fichu.** ► **sacrément** adv. fam. → **très.**

② **sacré, ée** adj. anat. Du sacrum.

**Sacré-Cœur** n. m. Cœur de Jésus-Christ.

**sacrement** n. m. Rite sacré institué par Jésus-Christ, pour produire ou augmenter la grâce dans les âmes. *Le saint(-)sacrement :* l'eucharistie.

**sacrer** v. tr. [1] Consacrer (qqn) par un sacre (①).

**sacrificateur, trice** n. Prêtre, prêtresse préposé(e) aux sacrifices.

**sacrifice** n. m. **1** Offrande rituelle à la divinité, destruction ou abandon de ce qui est offert. *Sacrifices humains,* d'êtres humains. – cathol. *Le saint sacrifice :* la messe. **2** Renoncement ou privation volontaire. ♦ *Le goût du sacrifice.* → **dévouement.** ► **sacrificiel, ielle** adj.

**sacrifier** v. tr. [7] **1** Offrir en sacrifice (1). → **immoler.** ♦ intrans. *Sacrifier à.* – fig. *Sacrifier à la mode,* s'y conformer. **2** Abandonner ou négliger (qqch., qqn). *Il a sacrifié ses proches à sa carrière.* **3** Donner. – au p. p. *Marchandises sacrifiées,* soldées à bas prix. ▷ v. pron. se **sacrifier** → se **dévouer.**

**sacrilège I** n. m. Profanation de ce qui est sacré. **II** n. Personne qui a commis un sacrilège. → **profanateur.** – adj. *Un attentat sacrilège.*

**sacripant** n. m. fam. Chenapan.

**sacristain, aine** n. Préposé(e) à la sacristie, à l'entretien de l'église. → **bedeau.**

**sacristie** n. f. Annexe d'une église où sont déposés les objets du culte.

**sacro-saint, sacro-sainte** adj. **1** vx Saint et sacré. **2** mod. Trop respecté. *Ses sacro-saints principes.*

**sacrum** [-ɔm] n. m. Os formé par la réunion de cinq vertèbres (→ ② **sacré**), à la partie inférieure de la colonne vertébrale.

**sadisme** n. m. **1** psych. Comportement sexuel dans lequel le plaisir ne peut être obtenu qu'en faisant souffrir. **2** cour. Goût de faire souffrir. ► **sadique** adj. et n. ► **sadiquement** adv.

**sadomasochisme** n. m. psych. Comportement sexuel qui associe sadisme et masochisme. ► **sadomasochiste** adj. et n.

**safari** n. m. Expédition de chasse, en Afrique. – *Safari-photo :* excursion pour voir, photographier des animaux sauvages.

① **safran** n. m. **1** Plante (crocus) à stigmates orangés. **2** Condiment en poudre provenant de ces stigmates. **3** Couleur jaune orangé.

② **safran** n. m. Pièce principale d'un gouvernail de navire.

**saga** n. f. **1** littér. Récit scandinave ancien, historique ou mythologique. **2** Histoire légendaire. – par ext. Longue histoire mouvementée.

**sagacité** n. f. Pénétration faite d'intuition, de finesse. → **perspicacité.** ► **sagace** adj.

**sagaie** n. f. Lance, javelot.

**sage** adj. **1** littér. Qui a du savoir, est juste, peut être imité. – n. m. *Agir en sage.* **2** Réfléchi et modéré. ♦ (choses) Mesuré. **3** Calme et docile (enfants).

**sage-femme** [-fam] n. f. Femme qui veille à la grossesse et à l'accouchement des femmes.

**sagement** adv. D'une manière sage (2).

**sagesse** n. f. **1** Philosophie, conduite du sage (1). **2** Modération et prudence dans la conduite. *La voix de la sagesse.* → **raison.** ♦ (choses) Mesure. **3** Docilité (enfants).

**Sagittaire** n. m. astrol. Neuvième signe du zodiaque (22 novembre-20 décembre). – *Être Sagittaire.*

**sagittal, ale, aux** adj. didact. **1** En forme de flèche. **2** *Plan sagittal :* plan vertical perpendiculaire au plan vu de face.

**sagouin, ouine** n. Personne, enfant malpropre.

**saharien, ienne** adj. et n. Du Sahara.

**saharienne** n. f. Veste de toile.

**sahraoui, ie** [saʀawi] adj. et n. Du Sahara occidental.

**saï** [sai ; saj] n. m. Sapajou.

**saïga** [sajga] n. m. Petite antilope.

**saignant, ante** adj. **1** Qui dégoutte de sang. **2** (viande) Peu cuit.

**saignée** n. f. **I 1** Évacuation provoquée de sang. **2** fig. Perte humaine (par la guerre, etc.). **II 1** Pli entre le bras et l'avant-bras. **2** Entaille.

**saignement** n. m. Écoulement de sang.

**saigner** v. [1] **I** v. intr. **1** (corps, organe) Perdre du sang. **2** fam. impers. *Ça va saigner :* il va y avoir des coups. **II** v. tr. **1** Faire une saignée à (qqn). **2** Égorger (un animal). **3** fig. Épuiser (qqn) en lui retirant ses ressources. – pronom. loc. *Se saigner aux quatre veines :* donner tout ce qu'on a.

**saillant, ante** adj. **1** Qui avance, dépasse. – *Angle saillant* (opposé à *rentrant*). **2** fig. Qu'on remarque. → **frappant.**

**saillie** n. f. **I 1** littér. Trait d'esprit brillant. **2** Accouplement des animaux domestiques. **II** Partie qui dépasse l'alignement.

**saillir** v. [2] **I** v. tr. (animaux mâles) Couvrir (la femelle). **II** v. intr. [13] ou littér. [2] Avancer en formant une saillie (II).

**sain, saine** adj. 1 Qui est en bonne santé. ♦ loc. *Sain et sauf :* en bon état, après un danger. – *Être sain de corps et d'esprit.* 2 Considéré comme bon et normal (opposé à *malsain*). *De saines lectures.* ♦ *Une vie saine.* 3 fig. Qui ne présente aucune anomalie. ► **sainement** adv.

**saindoux** n. m. Graisse de porc fondue.

**sainfoin** n. m. Plante à fleurs rouges (fourrage).

**saint, sainte** I n. 1 cathol. Personne qui est après sa mort l'objet d'un culte public, en raison de sa perfection. ♦ loc. *Un petit saint,* un personnage vertueux. 2 (autres religions) *Les saints de l'islam.* 3 Personne d'une vertu, d'une patience exemplaires. 4 n. m. *Le Saint des Saints,* la partie du Temple la plus sacrée (→ **sanctuaire**). – fig. L'endroit le plus secret et le plus important (d'une organisation...). II adj. 1 (devant le nom du saint, de la sainte) *Saint Paul.* – *La sainte Famille :* Jésus, Joseph et Marie. 2 Qui mène une vie religieuse irréprochable. 3 Qui a un caractère sacré, religieux (judéo-chrétien). *L'histoire sainte.* ♦ loc. *Toute la sainte journée :* toute la journée. 4 Inspiré par la piété. *Une sainte indignation.*

**saint-bernard** n. m. Grand chien de montagne dressé à porter secours aux voyageurs égarés. *Des saint-bernard(s).*

**saint-cyrien** n. m. Élève de l'École militaire de Saint-Cyr.

**saintement** adv. D'une manière sainte.

**sainte nitouche** n. f. (de *n'y touche [pas]*) Personne qui affecte l'innocence.

**sainteté** n. f. 1 Caractère d'une personne ou d'une chose sainte. 2 *Sa, Votre Sainteté,* titre du pape.

**saint-frusquin** n. m. fam. Ce qu'on a d'argent, d'effets... – (en fin d'énumération) ...*et tout le saint-frusquin :* et tout le reste.

à la **saint-glinglin** loc. adv. fam. À une date indéfiniment reportée. → **jamais**.

**saint-honoré** [sɛ̃t-] n. m. Gâteau à la crème Chantilly garni de petits choux.

**Saint-Siège** n. m. Papauté.

**saisi, ie** adj. dr. (personnes, choses) Qui fait l'objet d'une saisie (1).

**saisie** n. f. 1 Procédure par laquelle des biens sont remis à la justice, à l'autorité dans l'intérêt d'un créancier. 2 Prise de possession (d'objets interdits). *La saisie d'un journal.* 3 Enregistrement de données (informatique).

**saisine** n. f. dr. 1 Prérogative de saisir (I, 7). 2 Droit à la possession d'un héritage.

**saisir** v. tr. [2] I 1 Prendre dans sa main (qqch.) avec force ou rapidité. → **attraper**. 2 *Saisir qqn, un animal,* le retenir. 3 Se mettre promptement en mesure d'utiliser. *Une occasion à saisir.* 4 Parvenir à percevoir. *Je saisissais des bribes de conversation.* 5 (sensations, émotions, etc.) S'emparer brusquement des sens, de l'esprit de (qqn). *Un frisson de peur la saisit.* – Faire une impression vive et forte sur (qqn). 6 Exposer à un feu vif (ce qu'on fait cuire). 7 Procéder à la saisie (1) de, pour faire respecter un droit. – *Saisir qqn,* saisir ses biens. ♦ (→ saisie (2)) *Saisir un numéro d'un journal.* 8 Effectuer la saisie (3) de. *Saisir dix pages.* II dr. Porter devant (une juridiction). *Saisir un tribunal d'une affaire.* ▷ v. pron. se **saisir** (de) Mettre en sa possession. → s'**emparer** de.

**saisissant, ante** adj. I Qui surprend. → **étonnant, frappant**. *Une ressemblance saisissante.* II dr. Qui pratique une saisie (1).

**saisissement** n. m. Effet soudain d'une sensation ou d'une émotion.

**saison** n. f. 1 Époque de l'année caractérisée par son climat et par l'état de la végétation. – *Marchand(e) de(s) quatre saisons :* marchand(e) ambulant(e) de légumes et de fruits. 2 Chacune des quatre (printemps, été, automne et hiver) ou deux *(saison sèche ; des pluies)* divisions de l'année. 3 Époque de l'année. *Saison théâtrale.* ♦ absolt Époque où les vacanciers affluent.

**saisonnalité** n. f. Caractère saisonnier (d'un phénomène).

**saisonnier, ière** adj. 1 Propre à une saison. 2 Qui ne dure qu'une saison. *Travail saisonnier.*

**saké** n. m. Alcool de riz japonais.

**salace** adj. littér. (hommes) Porté à l'acte sexuel. → **lubrique**. – *Propos salaces.* ► **salacité** n. f.

**salade** n. f. 1 Feuilles d'herbes potagères crues, assaisonnées. 2 Plante cultivée dont on fait la salade (laitues, chicorées...). 3 Plat froid assaisonné d'une vinaigrette. *Salade niçoise* (olives, tomates, anchois, etc.). – *Homard, poireaux en salade.* – loc. *En salade.* 4 *Salade de fruits :* fruits coupés et mélangés. 5 fig., fam. Mélange confus. 6 fig., fam. *Vendre sa salade :* chercher à convaincre. – au plur. Histoires, mensonges. *Pas de salades !*

**saladier** n. m. Récipient à salade.

**salafisme** n. m. relig. Doctrine prônant le retour aux valeurs fondamentales de l'islam. ► **salafiste** adj. et n.

**salaire** n. m. 1 Somme d'argent payable régulièrement par l'employeur à la personne qu'il emploie (s'oppose à *émoluments, honoraires, indemnités*). 2 fig. Ce par quoi on est payé (récompensé ou puni). prov. *Toute peine mérite salaire.*

**salaison** n. f. 1 Fait de saler (un produit alimentaire) pour conserver. 2 Ce produit.

**salamalecs** n. m. pl. fam. Politesses exagérées.

**salamandre** n. f. 1 Petit batracien noir taché de jaune. 2 (nom déposé) Poêle.

**salami** n. m. Gros saucisson sec.

**salangane** n. f. zool. Oiseau d'Asie dont le nid est comestible (nid d'hirondelle*).

**salant** adj. m. Qui produit du sel. *Marais* salant.*

**salarial, ale, aux** adj. Du salaire (1).

**salariat** n. m. **1** Condition de salarié. **2** Ensemble des salariés.

**salarier** v. tr. [7] Rétribuer par un salaire (1). ▷ adj. et n. **salarié, ée**

**salaud** n. m. fam. Homme méprisable, moralement répugnant. ♦ adj. m. *Il est vraiment salaud.*

**sale** adj. **I** concret (après le nom) **1** Qui n'est pas propre. → **dégoûtant, malpropre.** **2** *Couleur sale,* indécise, ternie. **3** (n. m.) loc. fam. *Mettre* (du linge) *au sale,* à laver. **II** fig. **1** *Argent sale,* issu d'activités condamnées par la loi. **2** fam. *Histoires sales.* → **cochon, grivois.** **3** (avant le nom) Très désagréable. *Une sale histoire. Une sale gueule.* ♦ Méprisable. *Un sale type.* → **salaud.**

① **salé, ée** adj. **I 1** Qui contient naturellement du sel. **2** Assaisonné ou conservé avec du sel. **II 1** fig. Licencieux, grivois. **2** fam. Exagéré, excessif. *La note est salée !*

② **salé** n. m. Porc salé. – *Petit salé :* poitrine de porc (peu salée).

**salement** adv. **1** D'une manière sale, en salissant. **2** péj. Très.

**saler** v. tr. [1] **1** Assaisonner avec du sel. **2** Imprégner de sel ou plonger dans la saumure (→ **salaison**). **3** Recouvrir de sel. *Saler une route.*

**saleté** n. f. **1** Caractère de ce qui est sale. → **malpropreté.** **2** Ce qui est sale, mal tenu ; ce qui salit. → **crasse, ordure.** **3** fig. Chose immorale. **4** fam. Chose sans valeur.

**salicaire** n. f. Plante à grands épis de fleurs rouges, qui pousse près de l'eau.

**salicorne** n. f. Plante des terrains salés.

**salicylique** adj. *Acide salicylique :* antiseptique dont dérive l'aspirine.

**salière** n. f. **1** Récipient pour saler. **2** fam. Creux derrière la clavicule.

**saligaud** n. m. fam. Salaud.

**salin, ine** adj. **1** Qui contient du sel, est formé de sel. **2** chim. Relatif à un sel.

**saline** n. f. **1** Entreprise de production du sel. **2** Marais* salant.

**salinité** n. f. Teneur en sel (d'un milieu).

**salique** adj. hist. *Loi salique* (des Francs *Saliens*), qui excluait les femmes de la succession (à la terre, à la couronne).

**salir** v. tr. [2] **1** Rendre sale. → **souiller, tacher.** **2** fig. Avilir. ▷ v. pron. se **salir** ► **salissant, ante** adj.

**salissure** n. f. Ce qui salit.

**salive** n. f. Liquide produit par les glandes salivaires dans la bouche. – loc. *Perdre sa salive :* parler en vain. ► **salivaire** adj.

**saliver** v. intr. [1] Sécréter de la salive. ► **salivation** n. f.

**salle** n. f. **1** (dans des loc.) Pièce d'habitation. *Salle à manger,* pour les repas. *Salle de bain,* pour le bain et la toilette. *Salle d'eau,* pour la toilette. *Salle de séjour*.* **2** Vaste local, dans un édifice public. *Salle polyvalente.* – Local pour recevoir des spectateurs. loc. *Les salles obscures :* les cinémas. **3** Le public (d'une salle).

**salmigondis** n. m. Mélange disparate.

**salmis** n. m. Gibier rôti en sauce.

**salmonellose** n. f. Maladie infectieuse due à des bactéries.

**salmonidé** n. m. Poisson osseux à deux nageoires dorsales (ex. le saumon, la truite).

**saloir** n. m. Récipient, local destiné aux salaisons.

**salon** n. m. **I 1** Pièce de réception (dans un logement privé). – Mobilier de salon. *Un salon Louis XV.* **2** Lieu de réunion, dans une maison où l'on reçoit. – loc. *Le dernier salon où l'on cause,* endroit où l'on bavarde. **3** Salle (d'un établissement ouvert au public). *Salon de coiffure.* – *Salon de thé.* **II 1** Exposition périodique d'œuvres d'artistes vivants. *Le Salon d'automne.* **2** Manifestation commerciale, exposition.

**salonnard, arde** n. péj. Habitué(e) des salons mondains.

**saloon** [salun] n. m. anglic. Bar (au Far West).

**salopard** n. m. fam. Salaud.

**salope** n. f. fam. Femme méprisable.

**saloper** v. tr. [1] fam. **1** Faire très mal (un travail). **2** Salir énormément.

**saloperie** n. f. fam. Saleté (2 à 4).

**salopette** n. f. **1** Vêtement de travail à plastron. → **bleu, combinaison.** **2** Pantalon à bretelles et à plastron.

**salpêtre** n. m. Couche de nitrates pulvérulente, sur les vieux murs humides.

**salpingite** n. f. méd. Inflammation d'une trompe de l'utérus.

**salsa** n. f. Musique afro-cubaine au rythme marqué.

**salsepareille** n. f. Arbuste épineux à racine dépurative.

**salsifis** n. m. Plante potagère à longue racine comestible ; cette racine.

**saltimbanque** n. Personne qui fait des tours d'adresse en public. → **bateleur.**

**salubre** adj. (air, climat, milieu) Qui a une action favorable sur l'organisme. → **sain.**

**salubrité** n. f. **1** Caractère salubre. **2** Hygiène préservant des maladies. *Salubrité publique.*

**saluer** v. tr. [1] **1** Adresser un salut (II, 2). **2** Manifester du respect à (qqch.) par des pratiques réglées. *Saluer le drapeau.* **3** Accueillir par des manifestations extérieures. **4** *Saluer qqn comme..., saluer en lui...,* l'honorer, le reconnaître comme.

**salure** n. f. didact. Teneur en sel.

**salut** n. m. **I 1** Fait d'être sauvé, de garder ou de recouvrer un état heureux, prospère. – *Le salut public* : la protection de la nation. **2** relig. Félicité éternelle. ♦ *L'Armée du Salut,* association religieuse philanthropique (► **salutiste** n.). **II 1** littér. Formule par laquelle on souhaite à qqn. santé, prospérité. **2** Formule d'accueil ou d'adieu. *Salut tout le monde !* **3** Démonstration de civilité qu'on fait en rencontrant qqn. ♦ Geste de salut. *Salut militaire.* **4** Cérémonie d'hommage.

**salutaire** adj. Qui a une action favorable. → **bienfaisant, bon, utile.**

**salutation** n. f. **1** Manière de saluer exagérée. **2** au plur. *Veuillez agréer mes respectueuses salutations.*

**salvateur, trice** adj. littér. Qui sauve.

**salve** n. f. **1** Décharge d'armes à feu ; coups de canon. **2** fig. *Une salve d'applaudissements.*

**samare** n. f. bot. Fruit sec à péricarpe prolongé en aile membraneuse.

**samba** [sɑ̃(m)ba] n. f. Danse brésilienne à deux temps ; sa musique.

**samedi** n. m. Sixième jour de la semaine, qui succède au vendredi.

**samizdat** [samizdat] n. m. hist. (en U. R. S. S.) Diffusion clandestine d'ouvrages interdits.

**samouraï** [-ʀaj] n. m. Guerrier japonais de la société féodale.

**samoussa** ou **samosa** n. m. Petit pâté garni de hachis (de viande, de légumes) et frit (cuisine indienne, créole...).

**samovar** n. m. Bouilloire à thé russe.

**sampan** n. m. Petite embarcation (Chine).

**sample** n. m. anglic. Échantillon d'un morceau de musique existant, retravaillé sur ordinateur pour être réutilisé.

**SAMU** n. m. invar. (sigle de *service d'aide médicale d'urgence*) (en France) Service hospitalier disposant d'unités mobiles, pour les premiers secours et le transport vers les hôpitaux.

**sanatorium** [-jɔm] n. m. Maison de soins des tuberculeux pulmonaires. – abrév. **sana.**

**sanctificateur, trice** n. et adj. relig. (Personne) qui sanctifie.

**sanctifier** v. tr. [7] **1** Rendre saint. → **consacrer. 2** Révérer comme saint. ► **sanctifiant, ante** adj. ► **sanctification** n. f.

**sanction** n. f. **I** Approbation, confirmation. ♦ dr. Approbation (d'une loi). **II** Peine établie par une autorité pour réprimer un acte. ♦ *Sanctions économiques prises contre un pays.*

**sanctionner** v. tr. [1] **1** Confirmer, entériner. – au p. p. *Études sanctionnées par un diplôme.* **2** Punir par une sanction (II).

**sanctuaire** n. m. **1** Lieu le plus saint d'un temple. → **saint** (I, 4). **2** Édifice, lieu saint. **3** fig. Territoire inviolable.

**sandale** n. f. Chaussure légère à cordons ou à lanières. → **nu-pieds.** ► **sandalette** n. f.

**sandow** [sɑ̃do] n. m. (nom déposé) Câble élastique. → **tendeur.**

**sandre** n. m. Poisson de rivière voisin de la perche.

**sandwich** [sɑ̃dwi(t)ʃ] n. m. **1** Aliments froids entre deux tranches de pain. *Des sandwichs* ou *des sandwiches.* **2** loc. fam. *Être pris en sandwich,* coincé.

**sang** [sɑ̃] n. m. **1** Liquide rouge qui circule dans les vaisseaux, à travers l'organisme. – loc. *Mon sang n'a fait qu'un tour,* j'ai été bouleversé. – *Coup de sang* : congestion ; fig. violente colère. *Jusqu'au sang* : jusqu'à faire saigner. ♦ (Sang versé) *Avoir du sang sur les mains,* avoir commis un crime. – *En sang* (→ **ensanglanté ; saigner, sanglant). 2** (dans des loc.) Principe de vie. *Avoir le sang chaud* : être irascible, ou impétueux. – fam. *Avoir du sang de poulet, de navet* : être sans vigueur, être lâche. – *Se faire du mauvais sang,* du souci. – *Il, elle a ça dans le sang* : c'est une tendance profonde. **3** *Bon sang !,* juron familier. **4** (Idée d'hérédité, de parenté) *Les liens du sang. La voix du sang* : l'instinct familial.

**sang-froid** n. m. invar. Maîtrise de soi. – *Faire qqch. de sang-froid,* délibérément et consciemment.

**sanglant, ante** adj. **1** En sang, couvert de sang. **2** Qui fait couler le sang. → **meurtrier.**

**sangle** n. f. Bande large et plate qu'on tend pour maintenir ou serrer qqch.

**sangler** v. tr. [1] Serrer (une sangle, etc.).

**sanglier** n. m. Porc sauvage à peau garnie de soies dures. → **laie, marcassin.**

**sanglot** n. m. Respiration saccadée et bruyante, dans les crises de larmes. ► **sangloter** v. intr. [1]

**sang-mêlé** n. invar. vieilli Métis.

**sangria** n. f. Vin à l'orange.

**sangsue** [sɑ̃sy] n. f. Ver annélide muni de deux ventouses, qui suce le sang. ♦ fig. Personne avide, qui s'accroche.

**sanguin, ine** adj. **1** Du sang, de sa circulation. **2** Couleur de sang. **3** méd. anc. *Tempérament sanguin* (corpulence, face rouge, caractère irascible). – n. m. *C'est un sanguin.*

**sanguinaire** adj. Qui aime tuer.

**sanguine** n. f. **1** Hématite rouge (mine de crayon). ♦ Dessin à la sanguine. **2** Orange à la pulpe rouge sang.

**sanguinolent, ente** adj. **1** Couvert, teinté de sang. **2** D'un rouge sang.

**sanhédrin** [sanedʀɛ̃] n. m. hist. Tribunal religieux et civil de la Palestine antique.

**sanie** n. f. vx ou littér. Pus mêlé de sang.

**sanitaire** adj. **1** Relatif à la santé publique et à l'hygiène. **2** Se dit des appareils et installations qui distribuent et évacuent l'eau dans les habitations (lavabos, W.-C., etc.). – n. m. pl. *Les sanitaires.*

**sans** prép. **1** Qui n'a pas (de) (exprime l'absence, le manque, la privation). *Un film sans intérêt.* ♦ *Sans toi, j'étais mort !*, si tu n'avais pas été là. – *Sans quoi, sans cela...* → **autrement, sinon. 2** loc. conj. *Sans que* (+ subj.). **3** adv. fam. *Comment faire sans ?*

**sans-abri** [sɑ̃z-] n. invar. Personne qui n'a pas de logement. → **sans-logis.**

**sans-cœur** n. invar. fam. Personne insensible à la souffrance d'autrui.

**sanscrit, ite** → **sanskrit, ite**

**sans-culotte** n. m. hist. Révolutionnaire (les aristocrates portaient la culotte).

**sans-faute** n. m. invar. Prestation parfaite.

**sans-gêne 1** adj. invar. D'une familiarité excessive. – n. invar. *Un, une sans-gêne.* **2** n. m. invar. Attitude d'une personne qui ne se gêne pas pour les autres.

**sans-grade** n. m. Simple soldat. ♦ fig. Subalterne.

**sanskrit, ite** ou **sanscrit, ite** n. m. Langue indo-européenne, langue classique de la civilisation brahmanique de l'Inde.

**sans-le-sou** n. invar. fam. Personne sans argent.

**sans-logis** n. → **sans-abri.**

**sansonnet** n. m. Étourneau.

**sans-papiers** n. Personne qui ne possède pas les documents d'identité requis dans le pays dans lequel elle se trouve, et qui est de ce fait en situation irrégulière.

**sans-souci** adj. invar. Insouciant.

**santal, als** n. m. Arbre exotique qui fournit une essence balsamique. – Ce parfum.

**santé** n. f. **1** Bon état physiologique d'un être vivant, fonctionnement régulier et harmonieux de l'organisme. – *Boire à la santé de qqn*, en son honneur. **2** Fonctionnement de l'organisme. *Être en mauvaise santé.* **3** Équilibre psychique. *Santé mentale.* **4** État sanitaire d'une société. *La santé publique.* → **hygiène ; sanitaire.**

**santiag** [sɑ̃tjag] n. f. Botte de cuir à piqûres décoratives, à bout effilé.

**santon** n. m. Figurine des crèches provençales.

**saoul, saoule ; saouler** → **soûl ; soûler**

**sapajou** n. m. Petit singe d'Amérique, à longue queue préhensile.

① **saper** v. tr. [1] **1** Détruire les assises de (une construction) pour faire écrouler. **2** fig. → **ébranler, miner.** – fam. *Il m'a sapé le moral.* ► ① **sape** n. f.

② se **saper** v. pron. [1] fam. S'habiller. ▷ p. p. **sapé, ée** ► ② **sape** n. f. fam. → **fringues.**

**saperlipopette** interj. vx Juron familier exprimant le dépit. – var. **saperlotte.**

① **sapeur** n. m. Soldat du génie employé à la sape et à d'autres travaux.

② **sapeur** n. m. (Afrique) Homme qui s'habille avec élégance et souci de paraître.

**sapeur-pompier** n. m. admin. Pompier.

**saphique** adj. littér. De l'homosexualité féminine. ► **saphisme** n. m.

**saphir** n. m. Pierre précieuse très dure, transparente et bleue.

**sapide** adj. didact. Qui a de la saveur (contr. *insipide*). ► **sapidité** n. f.

**sapin** n. m. **1** Conifère à tronc droit, à feuilles (aiguilles) persistantes. – *Sapin de Noël* (en réalité épicéa), décoré. **2** Bois de cet arbre. – loc. fam. *Ça sent le sapin* (le cercueil) : la mort. ► **sapinière** n. f.

**saponaire** n. f. Plante à fleurs roses et odorantes, qui contient une substance moussante.

**saponifier** v. tr. [7] chim. Transformer en savon. ► **saponification** n. f.

**sapotille** n. f. Grosse baie, fruit d'un arbre d'Amérique centrale.

**sapristi** interj. vieilli Juron familier exprimant l'étonnement ou l'exaspération.

**saquer** v. tr. → **sacquer**

**sarabande** n. f. **I 1** Danse d'origine espagnole, au rythme vif. **2** loc. *Danser, faire la sarabande :* faire du tapage, du vacarme. **3** fig. Succession rapide d'éléments disparates. **II** mus. Ancienne danse grave et lente ; sa musique.

**sarbacane** n. f. Tube creux servant à lancer de petits projectiles, par le souffle.

**sarcasme** n. m. Dérision ; raillerie.

**sarcastique** adj. Moqueur et méchant. ► **sarcastiquement** adv.

**sarcelle** n. f. Oiseau palmipède, plus petit que le canard.

**sarcler** v. tr. [1] **1** Arracher en extirpant les racines. **2** Débarrasser des herbes nuisibles. ► **sarclage** n. m. ► **sarcloir** n. m.

**sarcome** n. m. méd. Tumeur maligne. ► **sarcomateux, euse** adj.

**sarcophage** n. m. Cercueil de pierre.

**sarcopte** n. m. Acarien de la gale (1).

**sardane** n. f. Danse catalane (ronde).

**sardine** n. f. **1** Petit poisson de mer. – *Sardines à l'huile. Boîte de sardines.* **2** Piquet de tente de camping.

**sardinerie** n. f. Conserverie de sardines.

**sardinier, ière I** adj. Relatif à la pêche, à la conserve des sardines. – n. m. *Un sardinier* (bateau). **II** n. Pêcheur, conserveur de sardines.

**sardonique** adj. D'une moquerie amère, méchante. → **sarcastique.** ► **sardoniquement** adv.

**sargasse** n. f. Algue brune, très répandue au nord-est des Antilles *(mer des Sargasses).*

**sari** n. m. en Inde Vêtement traditionnel féminin fait d'une longue étoffe drapée.

**sarigue** n. f. Petit mammifère (marsupial), à longue queue préhensile.

**sarin** n. m. chim. Gaz de combat (arme chimique), extrêmement toxique.

**S. A. R. L.** [ɛsaɛʀɛl] n. f. (sigle) Société à responsabilité (des associés) limitée (au montant de leurs apports).

**sarment** n. m. **1** Rameau de vigne devenu ligneux. **2** Tige de plante grimpante.

**sarouel** n. m. Pantalon flottant à large fond. – var. **saroual.**

① **sarrasin, ine** n. au Moyen Âge Musulman d'Orient, d'Afrique ou d'Espagne. → **maure.** – adj. *Les invasions sarrasines.*

② **sarrasin** n. m. Céréale *(blé noir).*

**sarrau** n. m. Blouse de travail en toile. *Des sarraus.*

**sarriette** ou **sariette** n. f. Plante à feuilles aromatiques.

**sas** [sas] n. m. **1** Tamis cerclé de bois. **2** Bassin entre les deux portes d'une écluse. **3** Pièce étanche qui permet le passage. *Le sas d'un engin spatial.*

**sashimi** n. m. Plat japonais de poisson cru en tranches. → aussi **sushi.**

**sassafras** n. m. Arbre aromatique voisin du laurier.

**sasser** v. tr. [1] Passer au sas. → **cribler, tamiser.**

**satan** n. m. vx Diable, démon. ♦ *Le grand Satan* : l'esprit du mal (islam chiite).

**satané, ée** adj. (épithète ; avant le nom) Maudit (au sens faible). *Une satanée pluie.*

**satanique** adj. **1** De Satan. **2** Diabolique, infernal.

**satelliser** v. tr. [1] Transformer en satellite (I ou III). – au p. p. *Fusée satellisée.*

**satellite** n. m. **I 1** Corps céleste gravitant autour d'une planète. *La Lune est le satellite (naturel) de la Terre.* **2** *Satellite (artificiel)* : engin placé en orbite autour d'un astre. **II** Bâtiment annexe relié à un centre. **III** fig. Personne ou nation sous la dépendance d'une autre.

**satiété** [-sje-] n. f. littér. État d'indifférence après satisfaction des besoins, des désirs. ♦ loc. adv. *À satiété* : jusqu'à la satiété. – *Répéter qqch. à satiété,* trop.

**satin** n. m. Étoffe (de soie, de coton...) lisse et lustrée sur l'endroit.

**satiné, ée** adj. Qui a la douceur du satin. *Une peau satinée.*

**satiner** v. tr. [1] Lustrer (une étoffe, un papier...) pour donner l'apparence du satin.

**satinette** n. f. Étoffe satinée.

**satire** n. f. **1** Poème où l'auteur attaque les vices, les ridicules de ses contemporains. **2** Écrit, discours pamphlétaire, critique. ► **satirique** adj. ► **satiriste** n.

> Ne pas confondre avec *satyre* «pervers».

**satisfaction** n. f. **1** Fait de satisfaire, d'accorder à (qqn). *Obtenir satisfaction.* → **gain** de cause. **2** Sentiment de bien-être, plaisir qui résulte d'un accomplissement. → **contentement.** – loc. *Donner (toute) satisfaction,* convenir parfaitement. **3** *(Une, des satisfactions)* Plaisir, occasion de plaisir. **4** Action de satisfaire (un besoin, un désir). → **assouvissement.**

**satisfaire** v. tr. [60] **I 1** Donner à (qqn) ce qu'il demande, en étant tel qu'on est, en faisant qqch. ♦ (sujet chose) → **convenir, plaire.** ♦ pronom. *Il se satisfait de peu.* → **se contenter. 2** Contenter (un besoin, un désir). → **assouvir. II** v. tr. ind. *Satisfaire à* : remplir (une exigence).

**satisfaisant, ante** [-fə-] adj. Qui correspond à ce qu'on peut attendre. *Un résultat satisfaisant.*

**satisfait, aite** adj. **1** Qui a ce qu'il veut. → **comblé, content. 2** *Satisfait de* : content de. ♦ *Un air satisfait.* → **suffisant. 3** *Besoin satisfait* : assouvi, réalisé.

**satisfecit** [-fesit] n. m. invar. littér. Approbation. *Donner un satisfecit.*

**satrape** n. m. **1** hist. Gouverneur d'une province (dite *satrapie* n. f.), dans l'ancien Empire perse. **2** fig., littér. Homme puissant, qui dépense beaucoup.

**saturateur** n. m. Dispositif qui humidifie l'air par évaporation. → **humidificateur.**

**saturé, ée** adj. **1** sc. (solution) Qui renferme la quantité maximale d'une substance dissoute. ♦ (composé chimique) Qui ne peut fixer de nouveaux éléments. *Hydrocarbures saturés.* **2** Qui ne peut contenir plus. – *Marché saturé* (d'un produit). **3** fig. *Être saturé de qqch.,* avoir assez.

**saturer** v. tr. [1] Remplir complètement ; rendre saturé. ► **saturation** n. f.

**saturnales** n. f. pl. Antiq. rom. Fêtes célébrées en l'honneur de Saturne.

**saturnien, ienne** adj. **1** didact. De Saturne. **2** littér. Triste, mélancolique.

**saturnisme** n. m. méd. Intoxication par les sels de plomb. ► **saturnin, ine** adj.

**satyre** n. m. **1** mythol. grecque Divinité à corps humain, à cornes et à pieds de bouc. → ① **faune. 2** fig. Homme lubrique.

> Ne pas confondre avec *satire* «critique moqueuse».

**satyriasis** [-is] n. m. didact. Désirs sexuels excessifs (homme).

**sauce** n. f. **1** Préparation liquide ou onctueuse pour accommoder un mets. **2** loc. *Mettre à toutes les sauces,* employer de toutes les façons. **3** fam. Averse, forte pluie (syn. **saucée** n. f.).

**saucer** v. tr. [3] **1** Essuyer en enlevant la sauce (pour la manger). **2** fam. *Se faire saucer, être saucé* : recevoir la pluie.

**saucier** n. m. Cuisinier spécialisé dans la préparation des sauces.

**saucière** n. f. Récipient à sauces.

**saucisse** n. f. **1** Préparation, cuite ou chauffée, de viande maigre hachée et de gras de porc *(chair à saucisse)*, assaisonnée et entourée d'un boyau. **2** Ballon captif de forme allongée. **3** fam. Imbécile. → **andouille.**

**saucisson** n. m. Préparation de charcuterie cuite dans un boyau. – loc. *Être ficelé comme un saucisson,* mal habillé. ► **saucissonné, ée** adj. → **boudiné.**

**saucissonner** v. 1 fam. **1** v. intr. Manger un repas froid sur le pouce. **2** v. tr. Diviser, répartir en tranches.

① **sauf** prép. **1** À l'exclusion de. → **excepté, hormis.** *Tous, sauf lui.* ♦ À moins de. *Sauf erreur.* – littér. *Sauf à* (+ inf.). → **quitte** à. **2** *Sauf que* (+ indic.) : avec cette réserve que. **3** loc. *Sauf votre respect**.

② **sauf, sauve** adj. Indemne, sauvé (dans des loc.). *Sain* et sauf. Laisser la vie sauve à qqn,* l'épargner.

**sauf-conduit** n. m. Document qui permet d'aller quelque part. → **laissez-passer.** *Des sauf-conduits.*

**sauge** n. f. Plante aromatique.

**saugrenu, ue** adj. Bizarre et ridicule.

**saule** n. m. Arbre ou arbrisseau qui croît dans les lieux humides. *Saule pleureur**. ► **saulaie** n. f.

**saumâtre** adj. **1** De goût amer et salé. *Eau saumâtre.* **2** fig. Amer, désagréable. – loc. fam. *La trouver saumâtre* (la situation).

**saumon** n. m. **1** Gros poisson de mer migrateur à chair rose, qui remonte les fleuves au moment du frai. **2** adj. invar. D'un rose tendre orangé.

**saumoné, ée** adj. *Truite saumonée,* qui a la chair rose.

**saumure** n. f. Préparation liquide salée (pour la conservation des aliments).

**sauna** n. m. Bain de vapeur sèche, d'origine finlandaise.

**saunier** n. m. **1** Exploitant, ouvrier des salines. **2** hist. *Faux saunier :* contrebandier du sel.

**saupiquet** n. m. Sauce vinaigrée.

**saupoudrer** v. tr. 1 **1** Éparpiller une substance pulvérulente sur. *Saupoudrer un gâteau de farine.* **2** fig. Parsemer. **3** Distribuer peu à beaucoup. ► **saupoudrage** n. m.

**saur** adj. m. *Hareng saur,* fumé.

**saurien** n. m. Reptile à pattes (ex. le lézard, le caméléon), à espèces vivantes ou fossiles.

**saut** n. m. **1** Mouvement par lequel un homme, un animal s'élève au-dessus du sol ou se projette à distance. → **bond.** – *Saut périlleux**. – *Saut de l'ange,* plongeon les bras écartés. ♦ Discipline sportive (hauteur ; longueur). **2** Mouvement, déplacement brusque (pour changer de position). – loc. *Au saut du lit :* au lever. **3** *Faire un saut* (quelque part), y passer rapidement. **4** (choses) Bond. ♦ Chute (d'eau). **5** fig. Changement brusque.

**saute** n. f. (dans des expr.) Brusque changement. *Saute de vent ; d'humeur.*

**sauté, ée** **1** adj. Cuit à feu vif et en remuant. **2** n. m. Aliment sauté dans un corps gras. *Un sauté de veau.*

**saute-mouton** n. m. Jeu où l'on saute par-dessus un autre joueur courbé.

**sauter** v. 1 **I** v. intr. **1** Faire un saut. – loc. fam. *Sauter au plafond, en l'air* (par colère, indignation, surprise...). – *Reculer* pour mieux sauter.* **2** Monter, descendre, se lever... vivement. *Sauter dans un taxi.* ♦ Se jeter, se précipiter. – fam. *Sauter au cou**. **3** (sujet chose) loc. fig. *Sauter aux yeux :* être évident. **4** fig. Aller, passer rapidement (d'une chose à une autre). **5** (sujet chose) Être déplacé, projeté brusquement. *La chaîne du vélo a sauté.* **6** Exploser. ♦ *Les plombs ont sauté,* ont fondu. ♦ fam. (personnes) Être renvoyé soudain. **7** *Faire sauter* (un aliment). → **sauté. II** v. tr. **1** Franchir par un saut. – loc. *Sauter le pas :* se décider. **2** Passer sans s'y arrêter. *Sauter une ligne* (en lisant). – *Sauter un repas.* **3** fam. Avoir des relations sexuelles avec (qqn).

**sauterelle** n. f. **1** Insecte sauteur à grandes pattes postérieures repliées. **2** fig. Personne maigre et sèche.

**sauterie** n. f. vieilli ou plais. Réunion dansante.

**sauteur, euse** **I** n. **1** Athlète spécialiste du saut. ♦ n. m. Cheval dressé pour le saut. **2** Personne sans sérieux. **II** adj. (animaux) Qui avance en sautant.

**sauteuse** n. f. Casserole pour sautés* (2).

**sautiller** v. intr. 1 Faire de petits sauts successifs. ► **sautillant, ante** adj. ► **sautillement** n. m.

**sautoir** n. m. **I** Chaîne ou long collier. – *Porter un bijou en sautoir.* **II** Emplacement pour les sauts des athlètes.

**sauvage** adj. et n. **I** **1** (animaux) Qui vit en liberté dans la nature. *Animaux sauvages.* – Non domestiqué. *Chat ; canard sauvage.* **2** péj. adj. et n. (êtres humains) Primitif (s'oppose à *civilisé*). **3** (végétaux) Qui pousse et se développe naturellement sans être cultivé. **4** (lieux) Que la présence humaine n'a pas marqué ; peu hospitalier. **5** Spontané, ni contrôlé ni organisé. *Une grève sauvage.* – *Camping sauvage.* **II** **1** Qui fuit toute relation avec les hommes. → **insociable, misanthrope.** – n. *C'est un, une sauvage.* → **ours.** **2** D'une nature rude, brutale. **3** Inhumain, barbare. *Des cris sauvages.*

**sauvagement** adv. D'une manière brutale, barbare, féroce.

**sauvageon, onne** **1** n. m. Arbre non greffé. **2** n. Enfant farouche.

**sauvagerie** n. f. Caractère d'une personne sauvage (II, 1 et 3). → **misanthropie ; barbarie, cruauté.**

**sauvagine** n. f. chasse Oiseaux sauvages des zones aquatiques (gibier).

**sauvegarde** n. f. **1** Protection et garantie (de la personne, des droits) assurées par une institution. *La sauvegarde de la justice.* **2** Protection, défense. *La sauvegarde du patrimoine culturel.* **3** inform. Copie de sécurité. *Faire une copie de sauvegarde, une sauvegarde.* ► **sauvegarder** v. tr. [1]

**sauve-qui-peut** n. m. invar. Fuite générale et désordonnée. → **débandade, déroute.**

**sauver** v. tr. [1] **1** Faire échapper à un grave danger. ♦ *Sauver de :* soustraire à, tirer de. *Sauver qqn de la misère.* ♦ relig. Assurer le salut (I, 2) de. **2** Empêcher la perte de (qqch.). *Il m'a sauvé la vie.* – loc. fam. *Sauver les meubles :* sauver l'indispensable. **3** Faire accepter, rendre passable (qqch. de médiocre). *Les acteurs arrivent à sauver le film.* ▷ v. pron. **se sauver 1** S'enfuir. **2** fam. *Le lait se sauve.* → **déborder.**

**sauvetage** n. m. **1** Action de sauver (un navire en détresse, qqn qui se noie). **2** Action de sauver d'un sinistre (incendie, etc.). *Équipes de sauvetage.*

**sauveteur, euse** n. Personne qui sauve qqn ; opère un sauvetage.

à la **sauvette** loc. adv. **1** *Vendre à la sauvette,* vendre en fraude sur la voie publique. **2** péj. À la hâte, secrètement.

**sauveur, euse** n. Personne qui sauve (qqn, une collectivité). ♦ n. m. *Le Sauveur :* Jésus-Christ.

**sauvignon** n. m. Cépage blanc. ♦ Vin de ce cépage.

**savamment** adv. **1** D'une manière savante. **2** Avec une grande habileté.

**savane** n. f. Vaste prairie des régions tropicales, pauvre en arbres.

**savant, ante I** adj. **1** Qui sait beaucoup, en matière d'érudition ou de science. → **docte, érudit, instruit.** – *Être savant en...* → **compétent, expert.** – *Conversation savante.* **2** Qui n'est pas facilement accessible. → **compliqué, recherché.** *Musique savante.* **3** Qui est très habile (dans un art, une spécialité). ♦ (animal) Dressé à faire des tours d'adresse. **4** Où il y a une grande habileté. *De savantes précautions.* **II 1** n. vx Personne très cultivée. **2** n. m. Chercheur scientifique important. *Marie Curie fut un grand savant.*

**savarin** n. m. Gâteau, baba en forme de couronne, imbibé de sirop alcoolisé.

**savate** n. f. **1** Vieille chaussure ou pantoufle. – loc. *Traîner la savate :* vivre misérablement. **2** Sport de combat où l'on porte des coups de pied à l'adversaire.

**savetier** n. m. vx Cordonnier.

**saveur** n. f. **1** Qualité perçue par le sens du goût. → **goût ; sapidité. 2** fig. Qualité de ce qui est agréable, plaisant.

① **savoir** v. tr. [32] p. p. *su, sue* **I 1** Avoir présent à l'esprit (qqch. que l'on identifie) ; connaître. *Je ne sais pas son nom.* – *Avez-vous su la nouvelle ?* → **apprendre.** – *Faire savoir :* annoncer. **2** Être conscient* de. – *Être poète sans le savoir.* – pronom. (suivi d'un attribut) *Il se sait aimé.* **3** Avoir dans l'esprit (des connaissances rationnelles). *Savoir qqch., savoir que* (+ ind.). – *Que sais-je ?* (devise de Montaigne). **4** Être en mesure d'utiliser, de pratiquer. *Il sait son métier.* **5** Avoir présent à l'esprit, de manière à pouvoir répéter. *Savoir son rôle.* **II** loc. *N'être pas sans savoir :* savoir. ♦ (souligne une affirmation) *Il est gentil, tu sais.* ♦ *À savoir* loc. conj. : c'est-à-dire. ♦ *Que je sache :* autant que je puisse savoir. **III** (+ inf.) **1** Être capable de, par un apprentissage. *Savoir lire et écrire ; s'exprimer.* **2** Avoir la possibilité de. *Savoir écouter.* **3** (au cond. et en tour négatif avec *ne* seul) Pouvoir.

② **savoir** n. m. Connaissances. → **culture, instruction, science.**

**savoir-faire** n. m. invar. Habileté à résoudre les problèmes pratiques.

**savoir-vivre** n. m. invar. Qualité de politesse et de tact.

**savon** n. m. **1** Produit de dégraissage et de lavage, obtenu par l'action d'un alcali sur un corps gras. *Du savon ; un savon.* **2** loc. fam. *Passer un savon à qqn,* le réprimander.

**savonner** v. tr. [1] Laver avec du savon. ► **savonnage** n. m.

**savonnerie** n. f. Usine de savon.

**savonnette** n. f. Petit savon de toilette.

**savonneux, euse** adj. Qui contient du savon. fig. *Pente savonneuse* (où l'on glisse).

**savourer** v. tr. [1] **1** Manger, boire avec lenteur et attention, pour apprécier. → **déguster. 2** fig. Se délecter de.

**savoureux, euse** adj. **1** Qui a une saveur agréable, délicate. → **délectable, succulent. 2** fig. Plaisant. ► **savoureusement** adv.

**saxifrage** n. f. Plante herbacée qui pousse dans les fissures des murs et des rochers.

**saxon, onne** adj. et n. De la Saxe.

**saxophone** n. m. Instrument à vent à anche simple et à clefs. – abrév. **saxo.** *Saxo alto, ténor.* ► **saxophoniste** n.

**saynète** [sɛ-] n. f. Courte pièce comique avec peu de personnages. → **sketch.**

**sbire** n. m. péj. Homme de main.

**scabieuse** n. f. Plante herbacée à fleurs mauves, dépurative.

**scabreux, euse** adj. De nature à choquer la décence.

**scalaire** adj. math. *Grandeur scalaire,* définie par sa mesure (s'oppose à *vectoriel*).

**scalène** adj. géom. *Triangle scalène,* dont les trois côtés sont de longueurs inégales.

**scalp** [skalp] n. m. **1** Action de scalper. hist. *Danse du scalp.* **2** Trophée constitué par la peau du crâne avec sa chevelure.

**scalpel** n. m. Petit couteau à manche plat pour inciser et disséquer (chirurgie).

**scalper** v. tr. [1] Dépouiller (qqn) du cuir chevelu par incision de la peau. → **scalp.**

**scampi** n. m. pl. Langoustines ou grosses crevettes frites, en beignets.

**scan** [skan] n. m. anglic. **1** Numériseur. → ①**scanner. 2** Numérisation. **3** Document numérisé.

**scandale** n. m. **1** Effet fâcheux produit dans le public par des actes ou des propos condamnables. *Faire scandale.* **2** Désordre, esclandre. *Faire du scandale.* **3** Affaire publique où des personnalités sont compromises. **4** Fait immoral, révoltant. → **honte.** *C'est un scandale !*

**scandaleux, euse** adj. **1** Qui cause du scandale (1). **2** Qui constitue un scandale (4). → **honteux, révoltant.** ► **scandaleusement** adv.

**scandaliser** v. tr. [1] Apparaître comme un scandale à. → **choquer, indigner.**

**scander** v. tr. [1] **1** Analyser (un vers) en ses éléments métriques. **2** Prononcer en rythmant. *Scander un slogan.*

**scandinave** adj. et n. De Scandinavie.

① **scanner** [-nɛʀ] n. m. anglic. **1** méd. Appareil d'examen radiographique destiné à numériser des textes, des images, composé d'un système de tomographie et d'un ordinateur. ♦ Examen réalisé à l'aide de cet appareil. ♦ Image ainsi obtenue. → **scan. 2** techn. → **numériseur.** ► ②**scanner** v. tr. [1]

**scanographie** n. f. méd. Technique du scanner. – Image obtenue par scanner.

**scansion** n. f. didact. Action, manière de scander (un vers).

**scaphandre** n. m. Équipement de plongée individuel à casque étanche. – par analogie *Scaphandre de cosmonaute.*

**scaphandrier, ière** n. Plongeur, plongeuse muni(e) d'un scaphandre.

① **scapulaire** n. m. relig. cathol. Objet de dévotion composé de deux petits morceaux d'étoffe bénits tenus par des cordons.

② **scapulaire** adj. anat. De l'épaule.

**scarabée** n. m. Insecte coléoptère.

**scarifier** v. tr. [7] méd. Inciser superficiellement (la peau, les muqueuses). ► **scarification** n. f.

**scarlatine** n. f. Maladie contagieuse avec éruption de plaques rouges.

**scarole** n. f. Salade de chicorée.

**scatologie** n. f. Écrit ou propos grossier, où il est question d'excréments. ► **scatologique** adj.

**sceau** n. m. **1** Cachet officiel. ♦ loc. *Le, la garde* des Sceaux.* **2** Empreinte du cachet (→ sceller) ; cire, plomb portant cette empreinte. **3** fig., littér. Ce qui authentifie ; marque distinctive. – loc. *Sous le sceau du secret.*

**scélérat, ate** n. littér. Criminel. – adj. littér. (choses) Infâme. ► **scélératesse** n. f.

**scellé** n. m. (surtout au plur.) Bande portant des cachets revêtus d'un sceau officiel.

**sceller** v. tr. [1] **I 1** Marquer ; fermer au moyen d'un sceau. **2** fig. Confirmer solennellement. *Sceller un pacte.* **II 1** Fermer hermétiquement. **2** Fixer (avec du ciment, etc.). – au p. p. *Barreaux scellés.* ► **scellement** n. m.

> Ne pas confondre avec *seller* «munir d'une selle».

**scénario** n. m. **1** Description de l'action d'un film, d'une émission, avec indications techniques et dialogues. ♦ Texte (d'une bande dessinée). **2** fig. Déroulement (d'un processus) selon un plan.

**scénariste** n. Auteur de scénarios de films. *Elle est scénariste et dialoguiste.*

**scène** n. f. **I 1** Emplacement d'un théâtre où les acteurs paraissent. → **planche** (les planches), **plateau.** – *Mettre en scène :* représenter au théâtre, au cinéma, à la télévision. *Metteur* en scène ; mise* en scène.* ♦ loc. fig. *Occuper le devant de la scène,* une position en vue. **2** *La scène :* le théâtre, l'art dramatique. *La scène et l'écran.* **3** L'action*. *La scène se passe à Londres.* **II 1** Partie, division d'un acte, dans une pièce de théâtre. **2** Action partielle ayant une unité, dans une œuvre (livre, film...). *Scène d'amour.* **3** Action représentée en peinture. *Scène d'intérieur.* **4** Action, événement dont on se trouve témoin. **5** Explosion de colère, dispute bruyante. *Scène de ménage* (dans un couple).

**scénique** adj. De la scène, du théâtre.

**scénographie** n. f. didact. Art et technique de l'espace théâtral. ► **scénographe** n.

**scepticisme** n. m. **1** Doctrine selon laquelle l'esprit humain ne peut atteindre aucune vérité générale (philosophie, religion). **2** Refus d'admettre une chose sans examen critique. **3** Attitude critique faite de défiance à l'égard des idées reçues.

**sceptique I** n. Personne, philosophe qui adopte le scepticisme. **II** adj. *Philosophe sceptique.* ♦ *Une moue sceptique.*

> Ne pas confondre avec *septique* «porteur de germes».

**sceptre** n. m. **1** Bâton de commandement, signe d'autorité du souverain. **2** fig., littér. La royauté.

**schah** ou **shah** n. m. Souverain de la Perse, puis de l'Iran.

**scheik** n. m. → **cheik**

**schelem** n. m. → **chelem**

**schéma** n. m. **1** Représentation simplifiée et fonctionnelle. *Le schéma d'un moteur.* **2** Description, représentation mentale réduite aux traits essentiels.

**schématique** adj. **1** D'un schéma. **2** Simplifié ; sans nuances. ► **schématiquement** adv.

**schématiser** v. tr. [1] Présenter de façon schématique. ► **schématisation** n. f.

**scherzo** [skɛRdzo] n. m. Morceau musical vif et gai.

**schilling** n. m. Ancienne unité monétaire de l'Autriche (avant l'euro).

Ne pas confondre avec *shilling* «monnaie britannique».

**schisme** n. m. **1** Séparation des fidèles d'une religion, sous des autorités différentes. *Le schisme d'Orient* (entre les Églises d'Occident et d'Orient). **2** Scission (d'un parti...). ► **schismatique** adj. et n.

**schiste** n. m. Roche à structure feuilletée. - *Gaz de schiste* : hydrocarbure contenu dans des roches sédimentaires argileuses. ► **schisteux, euse** adj.

**schizophrénie** [ski-] n. f. Psychose caractérisée par une grave division de la personnalité et la perte du contact avec la réalité. ► **schizophrène** adj. et n. - abrév. **schizo.**

**schlass** [ʃlɑs] adj. fam. Ivre.

**schlinguer** v. intr. [1] fam. Sentir mauvais.

**schlitte** n. f. région. Traîneau qui sert à descendre le bois abattu (Vosges...).

**schmilblick** n. m. loc. fam. *Faire avancer le schmilblick* : faire progresser les choses.

**schnaps** [ʃnaps] n. m. Eau-de-vie de pomme de terre ou de grain.

**schnock** n. fam. Imbécile. - var. **schnoque, chnoque.**

**schtroumpf** n. m. (onomatopée ; aussi utilisé comme nom dans la bande dessinée des *Schtroumpfs*) fam. Truc, machin. - Personne quelconque.

**schuss** [ʃus] n. m. Descente à skis en suivant la plus grande pente. - adv. *Descendre (tout) schuss.*

**sciage** n. m. Action, manière de scier.

**sciatique** **1** adj. anat. Du bassin, de la hanche. *Nerf sciatique.* **2** n. f. Douleur le long du nerf sciatique.

**scie** n. f. **1** Outil ou machine à lame servant à couper des matières dures. **2** *Poisson-scie* ou *scie* : poisson (squale) dont le museau s'allonge en une lame portant deux rangées de dents. **3** *Scie musicale,* lame d'acier qu'on fait vibrer. **4** Rengaine.

**sciemment** [sjamɑ̃] adv. En connaissance de cause, volontairement.

**science** [sjɑ̃s] n. f. **I** vieilli Connaissances générales (de qqn). → ②**savoir.** «*Science sans conscience n'est que ruine de l'âme*» (Rabelais). - loc. *Un puits* de science.* **II 1** Ensemble de connaissances d'une valeur universelle, portant sur les faits et relations vérifiables, selon des méthodes déterminées (observation, expérience ; hypothèses et déduction). *Sciences exactes ; pures ; appliquées ; expérimentales. Sciences naturelles ; sciences de la vie. Sciences humaines* (psychologie, sociologie, linguistique, etc.). *Étude critique des sciences.* → **épistémologie.** ♦ absolt *Les sciences,* celles où le calcul, la déduction, l'observation ont une grande part (mathématiques, astronomie, physique, chimie, biologie, etc.). **2** *La science* : ensemble des travaux et des résultats des sciences.

**science-fiction** n. f. Genre littéraire et artistique qui évoque un état futur du monde (→ **anticipation**). - abrév. **S.-F.**

**scientifique** [sjɑ̃-] **I** adj. **1** De la, des sciences. **2** Conforme aux exigences d'objectivité, de méthode, de précision de la science. **II** n. Spécialiste d'une science. → **chercheur, savant.** *Les littéraires et les scientifiques.*

**scientifiquement** [sjɑ̃-] adv. **1** D'une manière scientifique. **2** Du point de vue de la science.

**scientisme** [sjɑ̃-] n. m. Attitude philosophique consistant à considérer que la connaissance ne peut être atteinte que par la science. ► **scientiste** adj. et n.

**scier** v. tr. [7] **1** Couper avec une scie, une tronçonneuse. **2** fam., vieilli Ennuyer, fatiguer (qqn). **3** fam. Stupéfier. ► **scieur** n. m.

**scierie** n. f. Usine où on débite du bois à la scie.

**scinder** v. tr. [1] Diviser (qqch. ; un groupe) (→ **scission**). ▷ v. pron. se **scinder**

**scintigraphie** n. f. méd. Méthode d'exploration (d'un organe) par injection d'une substance radioactive.

**scintillation** n. f. **1** Modification rapide et répétée de la lumière des étoiles. **2** Lumière qui scintille.

**scintiller** v. intr. [1] **1** (astres) Briller d'un éclat caractérisé par la scintillation. **2** Briller d'un éclat intermittent. ► **scintillant, ante** adj. ► **scintillement** n. m.

**scion** n. m. Jeune branche (d'arbre) droite et flexible.

**scission** n. f. Action de (se) scinder. → **division, séparation.**

**scissiparité** n. f. biol. Reproduction par division de l'organisme. ► **scissipare** adj.

**scissure** n. f. anat. Sillon à la surface d'organes (cerveau, poumon...).

**sciure** n. f. Déchets en poussière d'une matière qu'on scie (notamment le bois).

**sclérose** n. f. **1** méd. Durcissement pathologique (d'un organe, d'un tissu). - *Sclérose en plaques,* grave maladie du système nerveux central. **2** fig. Paralysie.

se **scléroser** v. pron. [1] **1** méd. (organes, tissus) Être atteint de sclérose. **2** fig. Se figer, ne plus évoluer. ▷ adj. **sclérosé, ée**

**sclérotique** n. f. anat. Membrane fibreuse (blanc de l'œil) entourant le globe oculaire.

**scolaire** adj. **1** Des écoles, de l'enseignement. *Âge scolaire* : âge légal de l'*obligation scolaire* (en France, loi Jules Ferry du 28 mars 1882). **2** péj. Livresque, peu original.

**scolariser** v. tr. [1] **1** Pourvoir (un lieu) d'établissements scolaires. **2** Soumettre à un enseignement scolaire régulier. – au p. p. *Enfants scolarisés.* ► **scolarisation** n. f.

**scolarité** n. f. Études scolaires régulières ; leur durée.

**scolastique** didact. **I** n. f. Philosophie et théologie enseignées au Moyen Âge par l'Université. **II** adj. De la scolastique. ♦ Dialectique et formaliste.

**scoliose** n. f. Déviation latérale de la colonne vertébrale.

① **scolopendre** n. f. Fougère à feuilles entières qui croît dans les lieux humides.

② **scolopendre** n. f. Mille-pattes.

**scone** n. m. anglic. Petit cake rond.

**sconse** n. m. Fourrure de la mouffette, noire à bandes blanches. – var. **skunks.**

**scoop** [skup] n. m. anglic. Nouvelle importante en exclusivité.

**scooter** [skutœʀ ; skutɛʀ] n. m. Motocycle léger, caréné, à plancher.

**scopie** n. f. fam. Radioscopie.

**scorbut** [-yt] n. m. Maladie due à l'insuffisance de vitamine C. ► **scorbutique** adj. et n.

**score** n. m. **1** Décompte des points au cours d'une partie, d'un match. *Score final.* **2** Résultat chiffré (élection, compétition).

**scorie** n. f. rare au sing. **1** Résidu solide (fusion de minerais ; combustion de houille...). **2** Lave refroidie, légère et fragmentée. **3** fig. Partie médiocre, mauvaise.

**scorpion** n. m. **1** Petit animal (arachnide) dont la queue porte un aiguillon crochu et venimeux. **2** astrol. Huitième signe du zodiaque (23 octobre-21 novembre). – *Elle est Scorpion.*

① **scotch** n. m. Whisky écossais.

② **scotch** n. m. (nom déposé) Ruban adhésif transparent (de cette marque).

**scotcher** v. tr. [1] Coller avec du scotch.

**scotch-terrier** n. m. Chien terrier de taille moyenne, à poils durs.

**scout, scoute** [skut] **1** n. m. Jeune qui fait partie d'une organisation de scoutisme. ♦ adj. Du scoutisme. **2** n. fig. Idéaliste naïf. → **boy-scout.**

**scoutisme** n. m. Mouvement éducatif complétant la formation de l'enfant par des activités collectives et de plein air.

**scrabble** [skʀabl] n. m. (marque déposée) anglic. Jeu de société combinant des lettres (jetons) en mots.

**scrapbooking** [-bukiŋ] n. m. faux anglic. Loisir créatif qui consiste à personnaliser un album de photos, de souvenirs (collages...).

① **scratch** n. m. anglic. Effet produit en faisant patiner un disque vinyle sur une platine à l'aide des doigts. *Des scratchs.*

② **scratch** n. m. Fermeture velcro.

**scribe** n. m. **1** anciennt Copiste. ♦ Antiq. Fonctionnaire sachant écrire. *Les scribes égyptiens.* **2** Antiq. juive Docteur de la Loi.

**scribouillard, arde** n. péj. Employé(e) aux écritures.

**script** [skʀipt] n. m. **I** Écriture à la main proche des caractères d'imprimerie. **II** Découpage technique et dialogues (d'un film, etc.). → **scénario.**

**scripte** n. Personne chargée de noter les détails de chaque prise de vues (d'un film, etc.) pour en assurer la continuité.

**scriptural, ale, aux** adj. *Monnaie scripturale,* qui circule par simple jeu d'écriture.

**scrofule** n. f. **1** Lésion de tuberculose cutanée, ganglionnaire ou osseuse. **2** vx Écrouelles. ► **scrofuleux, euse** adj. et n.

**scrotum** [-ɔm] n. m. anat. Enveloppe des testicules. → **bourse(s).**

**scrupule** n. m. **1** Incertitude, inquiétude de conscience sur un point de morale. – littér. *Avoir scrupule à ; se faire (un) scrupule de* (+ inf.), hésiter (par scrupule). **2** Exigence, rigueur en morale (→ **scrupuleux).**

**scrupuleux, euse** adj. **1** Qui a beaucoup de scrupules ; qui est exigeant sur le plan moral. – (choses) *Une honnêteté scrupuleuse.* **2** Qui respecte strictement les règles, les prescriptions. ► **scrupuleusement** adv.

**scrutateur, trice I** adj. littér. Qui scrute. **II** n. Personne qui participe au dépouillement d'un scrutin.

**scruter** v. tr. [1] Examiner avec soin pour découvrir. *Scruter l'horizon.* ♦ *Scruter les intentions de qqn.*

**scrutin** n. m. **1** Vote au moyen de bulletins. **2** Opérations électorales ; type d'élections.

**sculpter** [-lte] v. tr. [1] **1** Produire (une œuvre d'art) par la sculpture. **2** Façonner (une matière dure) par la sculpture. *Sculpter le bois.* ► **sculpteur, trice** [-lt-] n.

**sculptural, ale, aux** [-lt-] adj. **1** didact. Relatif à la sculpture. **2** Qui a la beauté formelle des sculptures classiques.

**sculpture** [-lt-] n. f. **1** Représentation, production d'un objet dans l'espace, au moyen d'une matière à laquelle on impose une forme. – Œuvres d'art qui en résultent. **2** *Une sculpture* (→ **statue).**

**S. D. F.** n. (sigle) Personne « sans domicile fixe », sans ressources, qui mène une vie misérable. → **sans-abri.**

**se** pron. pers. (*s'* devant voyelle ou *h* muet) Soi, à soi (3e personne). *Il se soigne. Elle s'est lavé les mains. Ils se sont revus.* – impers. *Cela ne se fait pas.*

**séance** n. f. **1** Réunion de membres siégeant (assemblée). *Les séances du Parlement.* → **session.** - loc. *Séance tenante* (fig. immédiatement). **2** Durée déterminée consacrée à une occupation. *Séance de rééducation.* **3** Temps d'un spectacle. *Séance de cinéma.*

① **séant** n. m. loc. *Se dresser, se mettre sur son séant* : s'asseoir, se dresser.

② **séant, ante** adj. littér. Qui sied (→ **seoir**). → **bienséant, convenable.**

**seau** n. m. Récipient cylindrique muni d'une anse (pour les liquides, etc.). - loc. fam. *Il pleut à seaux,* abondamment.

**sébacé, ée** adj. didact. Relatif au sébum. - *Glandes sébacées,* qui sécrètent le sébum.

**sébile** n. f. Petite coupe de bois (pour mendier).

**séborrhée** n. f. Sécrétion excessive de sébum. ► **séborrhéique** adj.

**sébum** [-ɔm] n. m. Sécrétion grasse des glandes sébacées.

**sec, sèche** adj. **I 1** Qui n'est pas ou est peu imprégné de liquide. *Du bois sec.* - Sans pluie. *Un temps sec.* - *Avoir la gorge sèche* : avoir soif. **2** Déshydraté, séché. *Légumes secs* (s'oppose à *frais*). **3** Sans accompagnement. *Mur de pierres sèches,* sans ciment. **4** (parties du corps) Qui a peu de sécrétions. *Peau sèche.* **5** (personnes) Maigre. **6** Qui manque de moelleux ou de douceur. *Voix sèche. Coup sec,* rapide et bref. **II 1** Qui manque de sensibilité, de gentillesse. → **dur.** **2** (style...) Sans ornements ; sans charme. → **austère.** **3** fam. *Rester sec,* ne savoir que répondre. **III** n. m. **1** Sécheresse ; endroit sec. *Mettre qqch. au sec.* **2** *À sec* loc. adj. : sans eau. *Rivière à sec.* - fam. Sans argent. *Ils sont à sec.* **IV** adv. **1** *Il boit sec,* beaucoup. **2** Rudement et rapidement. *Frapper sec.* **3** fam. *Aussi sec* loc. adv. : sans hésiter.

**sécable** adj. didact. Qui peut être coupé.

**sécant, ante** adj. géom. Qui coupe (une ligne, un plan, etc.). - n. f. Droite sécante.

**sécateur** n. m. Gros ciseaux à ressort.

**sécession** n. f. Séparation d'une partie de la population d'un État pour former un État distinct ou se réunir à un autre. *Faire sécession.* - hist. *La guerre de Sécession,* entre le Nord et le Sud des États-Unis (1861-1865). ► **sécessionniste** adj. et n.

**séchage** n. m. Action de (faire) sécher.

**séchant, ante** adj. Qui effectue un séchage. *Lave-linge séchant.*

**sèche** n. f. fam. Cigarette.

**sèche-cheveux** n. m. invar. Petit séchoir à cheveux électrique.

**sèche-linge** n. m. invar. Appareil, machine qui sert à sécher le linge.

**sèchement** adv. D'une manière sèche, sans douceur.

**sécher** v. [6] **I** v. tr. **1** Rendre sec. *Se sécher les cheveux.* - pronom. → s'**essuyer.** **2** Absorber ou faire s'évaporer (un liquide). *Sécher ses larmes.* **3** fam. Manquer volontairement et sans être excusé. *Sécher la classe.* **II** v. intr. **1** Devenir sec. - *Sécher sur pied* (plantes) ; fig. (personnes) : se consumer d'ennui. **2** S'évaporer. **3** fam. Rester sec (II, 3).

**sécheresse** n. f. **1** État de ce qui est sec. → **aridité.** **2** Temps sec, insuffisance des pluies. **3** fig. Caractère sec (II), dur.

**sécheuse** n. f. (Canada) Machine à sécher le linge. → **sèche-linge.**

**séchoir** n. m. **1** Lieu, dispositif aménagé pour le séchage. **2** Appareil servant à faire sécher des matières humides. *Séchoir à cheveux.*

**second, onde** [s(ə)gɔ̃, ɔ̃d] **I** adj. **1** Qui vient après une chose de même nature ; qui suit le premier. → **deuxième.** *En second lieu.* **2** Qui vient après le plus important ou le meilleur. *Billet de seconde (classe).* ♦ n. *Le second d'une course.* ♦ loc. *En second.* **3** Qui constitue une nouvelle forme de qqch. d'unique. → **autre.** *Il a été un second père pour moi.* **4** (après le n.) Qui dérive d'une chose primitive. *Causes secondes.* ♦ *État second,* état pathologique où l'on est comme dédoublé ; état anormal, bizarre. **II 1** n. Personne qui aide qqn. → **adjoint, assistant.** - n. m. Officier de marine qui vient après le commandant. **2** n. f. Classe qui précède la première.

**secondaire** [s(ə)g-] adj. **1** Qui vient au second rang, est de moindre importance. *Rôle secondaire.* **2** Qui constitue un second ordre (s'oppose à *primaire*). *L'enseignement secondaire* ou n. m. *le secondaire,* de la sixième à la terminale (en France). - *Ère secondaire* ou n. m. *le secondaire,* ère géologique (de la sédimentation) (syn. *mésozoïque*). **3** → **second** (I, 4). *Effets secondaires d'un médicament.* - écon. *Secteur secondaire* : activités productrices de matières transformées.

**secondairement** adv. D'une manière secondaire, accessoire.

**seconde** [s(ə)gɔ̃d] n. f. **1** Soixantième partie de la minute (symb. s). ♦ Temps très bref. → **instant.** **2** Unité d'angle égale au 1/60 de la minute (symb. ″).

**secondement** [s(ə)g-] adv. En second lieu. → **deuxièmement, secundo.**

**seconder** [s(ə)g-] v. tr. [1] Aider (qqn) en tant que second. → **assister.**

**secouer** v. tr. [1] **1** Remuer avec force, dans un sens puis dans l'autre. *Secouer un tapis.* **2** Remuer à plusieurs reprises (une partie du corps). *Secouer la tête.* → **hocher.** **3** Se débarrasser de (qqch.) par des secousses. *Secouer la poussière d'un tapis.* **4** Ébranler. *Le choc l'a bien secoué.* **5** fam. *Secouer qqn, lui secouer les puces,* le forcer à agir. - pronom. *Allons, secoue-toi !*

**secourable** adj. littér. Qui secourt. – loc. *Prêter, tendre une main secourable à qqn.*

**secourir** v. tr. [11] Aider (qqn) à se tirer d'un danger ; assister (qqn) dans le besoin.

**secourisme** n. m. Méthode de sauvetage et d'aide aux victimes d'accidents. ► **secouriste** n.

**secours** n. m. **1** Concours extérieur qui aide à sortir d'une situation difficile. → **appui, assistance, soutien.** – *Au secours !*, appel à l'aide. **2** Aide matérielle ou financière. *Secours aux sans-abri.* **3** Moyens pour porter assistance. ♦ au plur. Services de secours. *Appelez les secours !* **4** Soins que l'on donne à un malade, à un blessé dans un état critique. *Premiers secours.* **5** Utilité. *N'être d'aucun secours.* **6** (choses) *De secours* : destiné à servir en cas de nécessité. *Sortie de secours.*

**secousse** n. f. **1** Mouvement brusque (de ce qui est secoué). – *Secousse sismique.* **2** fig. Choc psychologique. **3** loc. fam. *Il n'en fiche pas une secousse,* il ne fait rien.

① **secret, ète** adj. **1** Qui n'est connu que de peu de personnes ; qui est ou doit être caché au public. *Renseignements secrets.* → **confidentiel** ; cf. anglic. *top secret* adj. – *Police secrète.* ♦ spécialt Ésotérique, occulte. **2** Difficile à trouver. *Code secret.* **3** Qui ne se manifeste pas. → **intérieur, intime.** *Pensées secrètes.* **4** (personnes) Qui ne se confie pas. → **réservé.**

② **secret** n. m. **1** Ensemble de connaissances, d'informations qui doivent être réservées à quelques-uns (tenues secrètes) et qu'on ne doit pas révéler. – *Secret d'État.* **2** *Être dans le secret,* dans la connaissance réservée à quelques-uns. **3** Explication, raison cachée. *Le secret de l'affaire.* → **clé.** **4** Moyen connu seulement de quelques personnes. *Secret de fabrication.* **5** *En secret,* sans que personne ne le sache. **6** *Mettre qqn au secret,* l'emprisonner dans un lieu caché. **7** Discrétion, silence sur une chose secrète. *Secret professionnel.* **8** Mécanisme dont le fonctionnement est secret.

**secrétaire** I n. **1** n. m. ancienn Personnage relevant directement d'une autorité politique. – n. mod. *Secrétaire d'État,* membre du gouvernement sous l'autorité d'un ministre ; (aux États-Unis) ministre des Affaires étrangères. – *Secrétaire d'ambassade.* **2** Personne qui s'occupe de l'organisation et du fonctionnement (d'un organisme). – *Secrétaire de rédaction* (d'un journal). **3** Personne dont le métier est d'assurer la rédaction du courrier, de préparer des dossiers (pour qqn). **II** n. m. Meuble à tiroirs et à tablette mobile destiné à ranger des papiers.

**secrétariat** n. m. **1** Fonction de secrétaire. **2** Service dirigé par un(e) secrétaire. **3** Métier de secrétaire (I, 3).

**secrètement** adv. D'une manière secrète (→ en secret), non apparente.

**sécréter** v. tr. [6] **1** Produire par sécrétion. **2** fig. *Ce film sécrète l'ennui.* → **distiller.**

**sécrétion** n. f. **1** Production d'une substance organique par un tissu. *Glandes à sécrétion interne* (endocrines), *externe* (exocrines). **2** Substance ainsi produite.

**sectaire** n. Personne intolérante, d'esprit étroit (en politique, religion, etc.). – adj. *Esprit sectaire.* ► **sectarisme** n. m.

**sectateur, trice** n. vx Adepte, partisan.

**secte** n. f. **1** Groupe religieux organisé (à l'intérieur d'une foi). **2** Communauté mystique sous l'influence de maîtres, de gourous. **3** péj. Coterie, clan.

**secteur** n. m. **1** géom. Partie (d'un plan) limitée par deux demi-droites. *Secteur angulaire.* **2** Terrain d'opérations d'une unité militaire. **3** fam. Endroit, lieu. → **coin.** *Il va falloir changer de secteur.* **4** Division artificielle d'un territoire, d'un réseau. → **zone.** ♦ (Réseau électrique) *Panne de secteur.* **5** écon. Ensemble d'activités et d'entreprises de la même catégorie. *Secteur privé ; public.* **6** Domaine ; partie.

**section** n. f. **I 1** géom. Figure qui résulte de l'intersection de deux autres. **2** Forme d'une chose coupée transversalement. *Section circulaire d'un tube.* **3** Dessin en coupe. **II** didact. Action de couper. *La section d'un tendon.* **III 1** Élément, partie, division (d'un groupe). *Section syndicale.* – *Section électorale.* **2** Partie (d'un ensemble).

**sectionner** v. tr. [1] **1** Diviser (un ensemble) en sections (III). → **fractionner. 2** Couper net. ► **sectionnement** n. m.

**sectoriel, ielle** adj. D'un secteur (5).

**sectoriser** v. tr. [1] Répartir par secteurs. ► **sectorisation** n. f.

**séculaire** adj. Qui existe depuis un siècle (→ **centenaire**), plusieurs siècles.

> Ne pas confondre avec *séculier* «de la vie laïque».

**séculier, ière** adj. **1** Qui appartient au siècle* (II), à la vie laïque. **2** (religieux) Qui vit dans le siècle (par oppos. à *régulier*). *Le clergé séculier.* ► **séculariser** v. tr. [1]

> Ne pas confondre avec *séculaire* «centenaire».

**secundo** [səgɔ̃do] adv. En second lieu. *Primo..., secundo...*

**sécuriser** v. tr. [1] Apporter, donner une impression de sécurité à (qqn). → **rassurer.** ► **sécurisant, ante** adj.

**sécuritaire** adj. De la sécurité publique. ♦ Qui favorise la recherche de sécurité.

**sécurité** n. f. **1** État d'esprit confiant et tranquille. **2** Absence réelle de danger. *Être en sécurité.* → en **sûreté.** – (collectif) *La sécurité publique* (→ **ordre**). *Forces de sécurité* (police, armée). **3** *Sécurité sociale,* (en France) organisation qui garantit les individus contre certains risques (risques sociaux). **4** Protection contre les accidents. *Sécurité routière.* – *De sécurité* (dispositifs). *Ceinture de sécurité* (pour automobilistes).

**sédatif, ive** adj. et n. m. (Remède) calmant.

**sédentaire** adj. **1** Qui se passe, s'exerce dans un même lieu. *Une vie sédentaire.* **2** Dont l'habitat est fixe (opposé à *nomade*). ► **sédentariser** v. tr. [1]

**sédiment** n. m. **1** méd. Dépôt de matières dans un liquide organique. **2** Dépôt naturel, terrain dû à l'action d'agents externes (eau, vent, etc.).

**sédimentaire** adj. Produit ou constitué par un sédiment (2). *Roches sédimentaires.*

**sédimentation** n. f. **1** méd. Formation de sédiment (1). – *Vitesse de sédimentation* (des hématies). **2** Formation des sédiments (2).

**séditieux, euse** adj. littér. **1** Qui prend part à une sédition. → **factieux.** **2** Qui provoque une sédition. *Écrits séditieux.*

**sédition** n. f. littér. Révolte concertée contre l'autorité publique. → **insurrection.**

**séducteur, trice** n. Personne qui séduit, qui fait habituellement des conquêtes. – adj. *Sourire séducteur.*

**séduction** n. f. **1** Action de séduire, d'entraîner. **2** Moyen de séduire ; charme.

**séduire** v. tr. [38] **1** Amener (qqn) à des relations sexuelles. **2** Convaincre, conquérir (qqn), en employant tous les moyens de plaire. **3** (sujet chose) Attirer de façon irrésistible. → **captiver, fasciner.** ► **séduisant, ante** adj.

**séfarade** n. et adj. Juif des pays méditerranéens (hors Israël) (s'oppose à *ashkénaze*).

**segment** n. m. **1** math. Portion (d'une figure géométrique). *Segment de droite.* **2** Partie distincte (d'un organe). **3** Pièce mécanique subdivisée. *Segment de piston.*

**segmentation** n. f. **1** Division en segments. → **fractionnement.** **2** biol. Premières divisions de l'œuf fécondé.

**segmenter** v. tr. [1] Diviser, partager en segments.

**ségrégation** n. f. Séparation imposée d'un groupe social d'avec les autres. → **discrimination.** *Ségrégation raciale.* ► **ségrégationniste** adj. et n.

**seiche** n. f. Mollusque marin (céphalopode) à coquille interne *(os de seiche)* (→ sépia).

**séide** n. m. littér. Homme de main fanatique.

**seigle** n. m. Céréale dont les grains produisent une farine brune ; cette farine.

**seigneur** n. m. **1** hist. Maître féodal (→ **suzerain**). – prov. *À tout seigneur tout honneur,* à chacun selon son mérite. **2** Titre honorifique donné aux grands personnages (hommes). → **gentilhomme, noble.** – *Grand seigneur* (fig. noble par sa conduite). **3** relig. *Le Seigneur :* Dieu. – *Notre-Seigneur Jésus-Christ.*

**seigneurial, ale, aux** adj. **1** hist. Du seigneur. **2** littér. Digne d'un seigneur. → **magnifique, noble, princier.**

**seigneurie** n. f. **1** hist. Pouvoir, droits, terre d'un seigneur. **2** *Votre, Sa Seigneurie* (titre).

**sein** n. m. **I 1** littér. Devant de la poitrine. – fig. *Le sein de Dieu,* le paradis. **2** littér. Partie du corps féminin où l'enfant est conçu, porté. → **entrailles, flanc.** **3** littér. Partie intérieure (d'une chose). *Le sein de la terre.* – cour. *Au sein de :* dans, parmi. **II 1** vx Poitrine de femme. **2** Mamelle féminine. *Les seins. Cancer du sein.*

Ne pas confondre avec *seing* «signature».

**seine** ou **senne** n. f. Filet de pêche en demi-cercle.

**seing** [sɛ̃] n. m. loc. dr. *Seing privé :* signature d'un acte non notarié.

Ne pas confondre avec *sein* «poitrine».

**séisme** n. m. Tremblement* de terre.

**seitan** [seitan ; setɑ̃] n. m. Préparation alimentaire à base de farine de blé complète, dont on ne conserve que le gluten. *Le seitan est riche en protéines.*

**seize I** adj. numéral invar. **1** (cardinal) Dix plus six (16). *Elle a seize ans.* **2** (ordinal) Seizième. *La page seize.* **II** n. m. invar. Le nombre, le numéro seize. ► **seizième** adj. et n. ► **seizièmement** adv.

**séjour** n. m. **1** Fait de séjourner, de demeurer en un lieu. – *Carte de séjour* (résidents étrangers). **2** Temps de séjour. *Un bref séjour à la mer.* **3** *(Salle de) séjour :* pièce principale. **4** littér. Lieu où l'on séjourne.

**séjourner** v. tr. [1] **1** Habiter (dans un lieu) sans y être fixé. **2** (sujet chose) Rester longtemps à la même place.

**sel** n. m. **1** Substance (chlorure de sodium) blanche, soluble dans l'eau, qui sert à l'assaisonnement et à la conservation des aliments. ◆ *Sel de céleri* (assaisonnement). **2** fig. Ce qui donne du piquant, de l'intérêt. **3** hist. des sc. Solide ressemblant au sel (obtenu par évaporation). – *Sels (anglais),* que l'on faisait respirer aux personnes évanouies. **4** chim. Composé résultant de l'action d'un acide sur une base.

**sélecteur** n. m. Appareil ou dispositif permettant une sélection. – Pédale de changement de vitesse (moto).

**sélection** n. f. **1** Choix (de ce qui convient le mieux ; des meilleurs éléments). – *Sélection de données* (informatiques). **2** Choix d'animaux reproducteurs. **3** *Sélection naturelle,* théorie de Darwin selon laquelle l'élimination naturelle des individus les moins aptes dans la «lutte pour la vie» perfectionne l'espèce. **4** Ce qui est choisi. *Une sélection de films.* ► **sélectif, ive** adj. *Épreuve sélective. Tri sélectif des déchets.*

**sélectionner** v. tr. 1 Choisir par une sélection. ► **sélectionneur, euse** n.

**sélectivité** n. f. radio Qualité d'un récepteur qui sépare bien les ondes de fréquences voisines.

**sélénium** [-jɔm] n. m. Corps simple (symb. Se), utilisé dans les cellules photoélectriques.

**self** n. m. → **self-service**

**selfie** [sɛlfi] n. m. anglic. Autoportrait numérique, généralement pris avec un smartphone et publié sur les réseaux sociaux.

**self-made-man** [sɛlfmɛdman] n. m. anglic. Homme qui ne doit sa réussite qu'à lui-même. *Des self-made-men* (ou *-mans*). – REM. Le fém. est *self-made-woman* [-wuman].

**self-service** n. m. anglic. Libre-service. – abrév. fam. **self.**

① **selle** n. f. 1 Siège du cavalier placé sur le dos du cheval. – *En selle,* à cheval. – fig. *Mettre qqn en selle,* l'aider dans ses débuts. 2 Petit siège de cuir adapté à un cycle. 3 Partie de la croupe (du mouton, etc.).

② **selle** n. f. 1 vx Chaise percée. – mod. *Aller à la selle :* expulser les matières fécales. 2 *Les selles,* les matières fécales.

**seller** v. tr. 1 Munir (un cheval) d'une selle.

> Ne pas confondre avec *sceller* «fermer hermétiquement».

**sellerie** n. f. 1 Ensemble de selles, de harnais. 2 Métier de sellier.

**sellette** n. f. vx Petit siège sur lequel on faisait asseoir les accusés. – mod. loc. *Être sur la sellette :* être interrogé ou jugé.

**sellier, ière** n. Fabricant, marchand de selles, de harnais. → **bourrelier.**

**selon** prép. 1 En se conformant à. → **conformément** à, **suivant.** *Faire qqch. selon les règles.* 2 Si l'on se rapporte à ; d'après. *Selon moi... – Selon toute vraisemblance.* 3 *Selon que* (+ indic.). «*Selon que vous serez puissant ou misérable [...]*» (La Fontaine).

**semailles** n. f. pl. 1 Action de semer (→ **semis**). 2 Grain que l'on sème.

**semaine** n. f. 1 Cycle de sept jours (lundi, mardi, mercredi, jeudi, vendredi, samedi, dimanche). *Une fois par semaine* (→ **hebdomadaire**). – L'ensemble des jours ouvrables. 2 Période de sept jours (quel que soit le jour initial). – loc. fam. *À la petite semaine :* à court terme.

**semainier** n. m. Agenda divisé selon les jours de la semaine.

**sémantique** didact. 1 n. f. Étude du sens, de la signification dans le langage. 2 adj. Qui concerne le sens. *Analyse sémantique.* ► **sémantiquement** adv.

**sémaphore** n. m. Système de signaux optiques (navires ; chemin de fer).

**semblable** I adj. 1 Qui ressemble (à). → **analogue.** *Une maison semblable à beaucoup d'autres.* ♦ Pareil. *En semblable occasion.* 2 au plur. Qui se ressemblent entre eux. *Triangles semblables,* dont les angles sont égaux deux à deux. 3 littér. (souvent avant le nom) De cette nature. → **tel.** II n. Être, personne de même espèce. *Fuir ses semblables.*

**semblant** n. m. 1 littér. *Un semblant de,* quelque chose qui n'a que l'apparence de. → **simulacre.** 2 loc. *Faire semblant de* (+ inf.) : se donner l'apparence de, faire comme si. → **feindre.** – absolt Simuler.

**sembler** v. intr. 1 1 (+ attribut) Paraître (tel) pour qqn. *Les heures m'ont semblé longues.* – (+ inf.) *Vous semblez le regretter.* 2 impers. (+ attribut) *Il (me) semble inutile de discuter. – Quand bon lui semble,* quand cela lui plaît. ♦ *Il semble que :* on dirait. *Il semble que* (+ indic.) (c'est certain) ; (+ subj.) (ce n'est pas certain). ♦ (+ inf.) *Il me semble la connaître.*

**semelle** n. f. 1 Pièce constituant la partie inférieure de la chaussure. – loc. *Ne pas quitter qqn d'une semelle :* rester constamment avec lui. 2 Pièce découpée que l'on place à l'intérieur d'une chaussure. 3 techn. Pièce plate servant d'appui.

**semence** n. f. 1 Graines qu'on sème. 2 Sperme. 3 Clou court à tête plate.

**semer** v. tr. 5 1 Répandre en surface ou mettre en terre (des semences). *Semer du blé.* – loc. *Récolter ce qu'on a semé,* avoir les résultats qu'on mérite. 2 Répandre. → **disséminer, parsemer.** ♦ fig. *Semer la discorde, la ruine, la zizanie.* 3 fam. *Semer qqn,* le laisser sur place, le devancer.

**semestre** n. m. 1 Moitié d'une année (six mois). 2 Somme payée tous les six mois. ► **semestriel, ielle** adj.

**semeur, euse** n. 1 Personne qui sème (1). 2 Propagateur. *Un semeur de discorde.*

**semi-automatique** adj. En partie automatique.

**semi-circulaire** adj. En demi-cercle.

**semi-conducteur** n. m. Corps non métallique qui conduit imparfaitement l'électricité.

**semi-conserve** n. f. techn. Conserve partiellement stérilisée.

**semi-consonne** n. f. Voyelle en fonction de consonne (ex. [j] dans *pied*).

**semi-fini, ie** adj. (produit) Qui a subi une transformation et doit en subir d'autres avant d'être commercialisé.

**sémillant, ante** adj. littér. D'une vivacité, d'un entrain plaisants. → **fringant.**

**séminaire** n. m. 1 Établissement religieux où étudient les jeunes clercs. 2 Groupe de travail. ♦ Réunion d'étude.

**séminal, ale, aux** adj. Relatif au sperme.

**séminariste** n. m. Élève de séminaire (1).

**sémiologie** n. f. didact. **1** méd. Étude des signes des maladies. → **symptomatologie.** **2** Science qui étudie les systèmes de signes. → **sémiotique.** ► **sémiologique** adj.

**sémiotique** didact. **1** n. f. Théorie générale des systèmes de signes. → **sémiologie** (2). **2** adj. De la sémiotique.

**semi-remorque** **1** n. f. Remorque d'un camion, dont le train avant n'a pas de roues. **2** n. m. Camion à semi-remorque.

**semis** n. m. **1** Action, manière de semer. **2** Terrain ensemencé. **3** fig. Petit motif ornemental répété.

**sémite** n. **1** Personne d'un groupe ethnique originaire d'Asie occidentale. **2** abusivt Juif.

**sémitique** adj. D'un groupe de langues possédant des racines de trois lettres (hébreu, arabe).

**semoir** n. m. Machine agricole, dispositif qui sert à semer le grain.

**semonce** n. f. **1** Ordre donné à un navire de montrer ses couleurs, de s'arrêter. - *Coup de semonce* (d'un canon). **2** Avertissement sous forme de reproches.

**semoule** n. f. Farine granulée (blé dur...). *La semoule du couscous.* ♦ appos. *Sucre semoule :* sucre en poudre.

**sempiternel, elle** [sɑ̃- ; sɛ̃-] adj. Continuel et lassant. ► **sempiternellement** adv.

**sénat** n. m. **1** hist. Conseil souverain de la Rome antique. **2** mod. Assemblée législative élue au suffrage indirect ou représentant des collectivités.

**sénateur, trice** n. Membre d'un sénat (2). ► **sénatorial, ale, aux** adj.

**sénatus-consulte** [-tys-] n. m. hist. Décret d'un sénat.

**sénéchal, aux** n. m. hist. Officier du roi.

**séneçon** n. m. Plante herbacée ou arborescente.

**sénescence** n. f. didact. Vieillissement de l'organisme. → **sénilité.**

**sénestre** ou **senestre** [sənɛstʀ] adj. vx Gauche.

**sénevé** n. m. Moutarde sauvage.

**sénile** adj. De vieillard.

**sénilité** n. f. État pathologique caractéristique de la vieillesse avancée.

**sénior** ou **senior** adj. et n. **1** anglic. Sportif de la catégorie adulte. **2** Personne âgée de plus de 45 ans.

**senne** n. f. → **seine**

① **sens** [sɑ̃s] n. m. **I 1** Faculté d'éprouver les impressions (→ **sensation),** correspondant à un organe récepteur spécifique. *Les cinq sens traditionnels* (vue, ouïe, odorat, goût, toucher). - *Le sixième sens,* l'intuition. - loc. *Tomber sous le sens :* être évident. **2** au plur. littér. *Les sens* (chez l'être humain) : instinct sexuel (→ **sensualité).** **3** *Le sens de... :* faculté de connaître intuitivement. *Avoir le sens de l'humour.* **II 1** *Bon sens :* capacité de bien juger, sans passion. **2** *Sens commun :* manière de juger commune et raisonnable. **3** (dans des loc.) Manière de juger ou de voir. *À mon sens,* à mon avis. *En un sens,* d'un certain point de vue. **III 1** Idée que représente un signe. → **signification.** *Le sens d'un mot, d'un mythe.* **2** Idée générale (concept) à laquelle correspond un mot, une expression. *Sens propre, figuré.* **3** Explication, justification. *Ce qui donne un sens à la vie.*

② **sens** [sɑ̃s] n. m. **1** Direction ; position dans l'espace (plan, volume). *Tourner qqch. dans tous les sens.* ♦ loc. adv. *Sens dessus dessous :* (choses) à l'envers ; dans un grand désordre ou trouble. **2** Mouvement orienté. *Sens d'une rotation : sens des aiguilles d'une montre* (à droite), *sens trigonométrique* (à gauche). **3** fig. Direction que prend une activité. ♦ Direction générale (irréversible). *Le sens de l'histoire.*

**sensation** n. f. **1** Impression perçue directement par les organes des sens. *Sensations auditives, olfactives.* **2** État qui résulte d'impressions reçues. *Aimer les sensations fortes.* → **émotion.** **3** *Faire sensation,* faire une forte impression. - *À sensation* loc. adj. *La presse à sensation.*

**sensationnel, elle** adj. **1** Qui fait sensation. **2** Exceptionnel.

**sensé, ée** adj. Qui a du bon sens. → **raisonnable, sage.**

> Ne pas confondre avec *censé* «supposé».

**sensibiliser** v. tr. [1] **1** Rendre sensible à l'action de la lumière (une émulsion photographique). **2** Rendre sensible (l'organisme) à une agression (par allergie, etc.). **3** Rendre (qqn ; un groupe) sensible à (surtout au p. p.). ► **sensibilisation** n. f.

**sensibilité** n. f. **1** physiol. Propriété (d'un être vivant, d'un organe) de réagir d'une façon adéquate aux modifications du milieu. → **excitabilité.** **2** Propriété de l'être humain sensible (I, 3). *Artiste plein de sensibilité.* **3** (choses) Caractère sensible (I, 4).

**sensible** adj. **I** (sens actif) **1** Capable de sensation et de perception. *Une ouïe sensible* (→ **fin).** - *Être sensible au froid.* - *Être sensible du foie,* fragile. **2** Susceptible de douleur. *Endroit sensible.* **3** Apte à ressentir fortement les impressions. → **émotif, hypersensible, impressionnable.** - *Sensible à... :* qui ressent vivement. **4** (objets) Qui réagit à de faibles variations. *Balance sensible.* **II** (sens passif) **1** Qui peut être perçu par les sens. → **tangible.** *La réalité sensible.* **2** Assez important pour être perçu. *Un progrès sensible.* **3** anglic. Que l'on doit traiter avec précaution.

**sensiblement** adv. **1** À peu près. *Ils sont sensiblement de la même taille.* **2** Notablement.

**sensiblerie** n. f. Sensibilité (2) exagérée.

**sensitif, ive** adj. **1** physiol. Qui transmet les sensations. *Nerfs sensitifs.* **2** littér. Qui est particulièrement sensible (3).

**sensitive** n. f. Mimosa dont les feuilles se rétractent au contact.

**sensoriel, elle** adj. Qui concerne les organes des sens.

**sensualisme** n. m. philos. Doctrine d'après laquelle les connaissances viennent des sensations. ► **sensualiste** adj. et n.

**sensualité** n. f. **1** Tempérament d'une personne sensuelle (2). **2** Caractère sensuel.

**sensuel, elle** adj. **1** Propre aux sens. **2** (personnes) Porté à rechercher et à goûter tout ce qui flatte les sens (spécialt en amour). **3** Qui annonce la sensualité. *Une bouche sensuelle.* ► **sensuellement** adv.

**sent-bon** [sɑ̃bɔ̃] n. m. sing. fam. Parfum.

**sente** n. f. région. Sentier.

**sentence** n. f. **1** Décision d'un juge, d'un arbitre. → **jugement, verdict. 2** Maxime.

**sentencieux, euse** adj. Solennel et affecté. ► **sentencieusement** adv.

**senteur** n. f. littér. Odeur (agréable).

**senti, ie** adj. littér. Empreint de sincérité, de sensibilité. *Une description sentie.* – *Bien senti :* exprimé avec force et conviction.

**sentier** [-tje] n. m. Chemin étroit pour les piétons et les bêtes. – loc. fig. *Les sentiers battus :* les usages communs.

**sentiment** n. m. **I 1** Connaissance comportant des éléments affectifs et intuitifs. → **impression.** *Un sentiment d'abandon.* **2** littér. Capacité d'apprécier. → ① **sens** (I, 3). **3** littér. Avis, opinion. *J'ai le sentiment que...* **II 1** État affectif complexe, stable et durable. → **émotion, passion.** – spécialt Amour. ♦ *Les (bons) sentiments,* les inclinations généreuses, altruistes. – (formules de politesse) *Sentiments distingués.* **2** *Le sentiment :* la vie affective. – péj. Sensiblerie.

**sentimental, ale, aux** adj. **1** Qui concerne la vie affective et, spécialt, l'amour. «*L'Éducation sentimentale*» (roman de Flaubert). **2** Qui provient de causes subjectives et affectives. *La valeur sentimentale d'un objet.* **3** (personnes) Qui donne de l'importance aux sentiments et les manifeste. – n. *C'est un sentimental.* ♦ (choses) *Romance sentimentale.* ► **sentimentalement** adv.

**sentimentalité** n. f. Caractère sentimental (3).

**sentine** n. f. **1** mar. Fond de cale où s'amassent les eaux. **2** littér. Lieu sale.

**sentinelle** n. f. **1** Soldat qui a la charge de faire le guet, de protéger un lieu, etc. **2** appos. Qui permet de témoigner d'un processus. *Organisme sentinelle.*

**sentir** v. tr. [16] **I 1** Connaître, pouvoir réagir à (un fait, une qualité...) par des sensations. → **percevoir.** *Je sens un courant d'air.* **2** Avoir la sensation* de (une odeur). *Sentir un parfum ; une fleur.* – fam. *Ne pas pouvoir sentir qqn,* le détester. **3** Avoir conscience de ; avoir l'intuition de. → **pressentir.** *Il sentait le danger ; que c'était grave.* **4** Apprécier. *Sentir la beauté de qqch.* **5** Éprouver. → **ressentir.** *Sentir de l'admiration, de la crainte.* **6** *Faire sentir,* faire éprouver. – (sujet chose) *Se faire sentir.* **II 1** Dégager, répandre une odeur de. → **senteur.** *Ça sent le renfermé.* – absolt Sentir mauvais. *Il sent des pieds.* **2** fig. Évoquer. ▷ v. pron. **se sentir** **1** Éprouver une sensation, une impression. *Elle se sent heureuse. Se sentir mieux.* – (+ inf.) Avoir conscience de. *Elle s'est sentie tomber.* **2** loc. *Ne plus se sentir de (joie, etc.) :* être transporté de. **3** fam. *Ils ne peuvent pas se sentir,* ils se détestent.

**seoir** [swaʀ] v. intr. [26] seulement 3e pers. prés., imp., futur, cond. et p. prés. littér. Convenir. *Cette robe vous sied à merveille.* → **seyant.** – impers. *Comme il sied.*

**sépale** n. m. Foliole du calice (d'une fleur).

**séparable** adj. Qui peut être séparé.

**séparation** n. f. **1** (choses) Action de (se) séparer ; fait d'être séparé. **2** (personnes) Fait de se quitter. **3** Ce qui sépare (mur, cloison, haie...).

**séparatiste** n. Personne qui réclame une séparation politique. → **autonomiste.** – adj. *Mouvement séparatiste.* ► **séparatisme** n. m.

**séparer** v. tr. [1] **1** Faire cesser d'être avec autre chose, d'être ensemble. → **dissocier, isoler. 2** Faire que (des personnes) ne soient plus ensemble. *Séparer des amoureux.* – *On a séparé les combattants.* ♦ (sujet chose) *Leurs goûts les séparent.* **3** Distinguer, traiter à part. → **différencier.** *Séparer théorie et pratique.* ▷ v. pron. **se séparer 1** *Se séparer de :* cesser d'être avec. → **quitter.** – (récipr.) *Ils se sont séparés à l'amiable.* ♦ Ne plus garder avec soi. *Il ne se sépare jamais de sa canne.* **2** Se diviser. *Le chemin se sépare en deux.* ▷ adj. **séparé, ée** ► **séparément** adv.

**sépia** n. f. **1** zool. Liquide noirâtre sécrété par la seiche. **2** Colorant brun foncé. ♦ Dessin, lavis à la sépia.

**sept** [sɛt] **I** adj. numéral invar. **1** (cardinal) Six plus un (7). **2** (ordinal) Septième. **II** n. m. invar. Le chiffre, le nombre, le numéro sept.

**septante** [-pt-] adj. numéral cardinal (Belgique, Suisse) Soixante-dix.

**septembre** [-pt-] n. m. Neuvième mois.

**septennat** [-pt-] n. m. Durée de sept ans (d'une fonction).

**septentrion** [-pt-] n. m. vx Le nord. ► **septentrional, ale, aux** adj.

**septicémie** n. f. Maladie (infection générale grave) due à des germes dans le sang.

**septième** [sɛt-] **1** adj. numéral ordinal Qui suit le sixième (7e). – loc. *Le septième art :* le cinéma. ♦ n. *Le, la septième.* **2** adj. et n. m. Se dit d'une partie d'un tout également divisé en sept. ► **septièmement** [sɛt-] adv.

**septique** adj. **1** méd. Qui produit l'infection ou l'accompagne. **2** *Fosse septique,* fosse d'aisances où les excréments sont transformés en composés minéraux.

> Ne pas confondre avec *sceptique* «qui doute».

**septuagénaire** [-pt-] adj. De soixante-dix à soixante-dix-neuf ans. – n. *Un, une septuagénaire.*

**septuple** [-pt-] adj. Qui vaut sept fois (une quantité). – n. m. *Le septuple.*

**sépulcral, ale, aux** adj. Funèbre.

**sépulcre** n. m. littér. Tombeau. – *Le Saint-Sépulcre :* le tombeau du Christ.

**sépulture** n. f. **1** littér. Inhumation. **2** Lieu où est déposé le corps d'un défunt (tombe...).

**séquelle** n. f. surtout au plur. **1** Lésion ou trouble qui persiste. **2** Suite (néfaste). fig. *Les séquelles d'une guerre.*

**séquence** n. f. **1** jeux Série de cinq cartes qui se suivent. **2** cin. Succession de plans formant une scène. **3** didact. Suite ordonnée. ► **séquentiel, ielle** adj.

> *Séquentiel* s'écrit avec un *t,* contrairement à *séquence.*

**séquestre** n. m. dr. Dépôt (d'une chose litigieuse) entre les mains d'un tiers. *Mettre des biens sous séquestre.*

**séquestrer** v. tr. [1] Enfermer et isoler (qqn) (délit). *Ils séquestrent leur fille. Séquestrer des otages.* ► **séquestration** n. f.

**sequin** n. m. hist. Monnaie d'or de Venise.

**séquoia** [sekɔja] n. m Très grand conifère de Californie.

**sérac** n. m. Bloc de glace entouré de crevasses, dans un glacier.

**sérail** n. m. **1** hist. Palais du sultan turc. *Des sérails.* – fig. Milieu fermé, influent. **2** vx Harem.

**séraphin** n. m. relig. chrét. Ange supérieur. ► **séraphique** adj.

① **serein, eine** adj. **1** littér. (ciel, temps) Pur et calme. **2** fig. Moralement calme, paisible. ♦ *Un jugement serein.* → **impartial.** ► **sereinement** adv.

② **serein** n. m. littér. ou région. Humidité ou fraîcheur du soir.

**sérénade** n. f. **1** Concert nocturne sous les fenêtres d'une femme courtisée. **2** mus. Composition pour instruments. **3** fam. Tapage.

**sérendipité** n. f. anglic., didact. Capacité, aptitude à faire par hasard une découverte inattendue et à en saisir l'utilité (scientifique, pratique).

**sérénissime** adj. vx Titre honorifique.

**sérénité** n. f. État, caractère serein.

**séreux, euse** adj. Du sérum ; qui produit ou renferme du sérum. *Membrane séreuse* et n. f. *séreuse.*

**serf, serve** [sɛʀ(f), sɛʀv] n. hist. (féodalité) Paysan sans liberté personnelle, attaché à une terre. – adj. *Condition serve* (→ **servage**).

> Ne pas confondre avec *cerf* «animal».

**serge** n. f. Étoffe à côtes obliques.

**sergent, ente** n. **1** n. m. ancienn t Officier de justice. **2** Sous-officier inférieur.

**sériciculture** n. f. Élevage des vers à soie. ► **sériciculteur, trice** n.

**série** n. f. **1** sc. Suite de nombres, d'expressions, de composés chimiques, etc. qui répondent à une loi. **2** Suite déterminée et limitée. *Une série de timbres.* – loc. *Série noire :* succession de catastrophes. ♦ spécialt *Fins de séries* (de vêtements). ♦ (dans le temps) → **séquence.** – mus. Suite de douze demi-tons de la gamme (→ **sériel**). – *Série (télévisée) :* cycle de téléfilms ayant une unité narrative. **3** Petit groupe (d'un classement). → **catégorie.** *Ranger par séries.* – *Film de série B,* à petit budget. **4** Ensemble d'objets fabriqués identiques. *Voiture de série.* – fig. *Hors série :* exceptionnel.

**sériel, elle** adj. didact. Qui forme une série. ♦ *Musique sérielle,* fondée sur la série. → **dodécaphonique.**

**sérier** v. tr. [7] Disposer par séries (2 et 3).

**sérieusement** adv. **1** Avec réflexion et application. ♦ Sans plaisanter. **2** Réellement. *Il songe sérieusement à émigrer.* **3** Fortement.

**sérieux, euse** **I** adj. **1** Qui considère les choses importantes. → **posé, raisonnable.** – *Un travail sérieux.* **2** Sans gaieté. **3** Sur qui (ou sur quoi) l'on peut compter. → **sûr. 4** Qui ne prend pas de libertés avec la morale sexuelle. → **rangé, sage. 5** Qui mérite considération. → **important.** *Revenons aux choses sérieuses.* – *Un sérieux effort.* ♦ Qui inspire de l'inquiétude. *La situation est sérieuse.* → **préoccupant. II** n. m. **1** État d'une personne qui ne plaisante pas. *Garder son sérieux.* **2** Qualité d'une personne sérieuse, appliquée. **3** *Prendre* (qqch., qqn) *au sérieux,* en considération.

**sérigraphie** n. f. techn. Impression à l'aide d'un écran de tissu.

**serin** n. m. **1** Petit passereau chanteur au plumage jaune. → **canari. 2** fam. Niais.

**seriner** v. tr. [1] Répéter inlassablement (qqch. à qqn) en ennuyant.

**seringat** n. m. Arbrisseau à fleurs blanches odorantes. – var. **seringa.**

**seringue** n. f. Petite pompe munie d'une aiguille pour injecter ou prélever des liquides dans l'organisme (→ **piqûre**).

**sérique** adj. Relatif à un sérum.

**serment** n. m. **1** Affirmation ou promesse solennelle faite en invoquant la morale, un être sacré. *Prêter serment. Témoigner sous serment.* – Engagement solennel prononcé en public. *Serment d'Hippocrate* (déontologie médicale). **2** Promesse d'amour durable, de fidélité.

**sermon** n. m. **1** Discours prononcé en chaire par un prédicateur. **2** péj. Discours moralisateur.

**sermonner** v. tr. [1] Adresser des conseils ou des remontrances à (qqn). ► **sermonneur, euse** n. et adj.

**séroconversion** n. f. méd. Changement d'état, de séronégatif à séropositif (ou, plus rarement, l'inverse).

**sérodiagnostic** [-gn-] n. m. méd. Diagnostic de maladies infectieuses par recherche d'anticorps spécifiques dans le sérum.

**sérologie** n. f. sc. Étude des sérums (immunologie). ► **sérologique** adj.

**séronégatif, ive** adj. et n. (Personne) qui présente un sérodiagnostic négatif (spécialt, pour le virus du sida). ► **séronégativité** n. f.

**séropositif, ive** adj. et n. (Personne) qui présente un sérodiagnostic positif (spécialt pour le virus du sida). – abrév. fam. **séropo.** ► **séropositivité** n. f.

**sérosité** n. f. Liquide sécrété par les membranes séreuses*.

**serpe** n. f. Outil formé d'une large lame tranchante en croissant, emmanchée, pour tailler le bois. → **faucille.** – loc. *Visage taillé à la serpe,* anguleux.

**serpent** n. m. **1** Reptile à corps cylindrique très allongé, sans membres apparents (→ **ophidiens**). – *Serpent à lunettes :* naja. *Serpent à sonnettes :* crotale. **2** *Serpent de mer :* monstre marin mythique ; fig. thème rebattu. **3** loc. *Une prudence, une ruse de serpent,* extrême.

**serpenter** v. intr. [1] Aller ou être disposé suivant une ligne sinueuse. → **onduler.**

**serpentin** n. m. **1** Tuyau en spirale ou à plusieurs coudes (dans un appareil). **2** Petit rouleau de papier coloré qui se déroule.

**serpette** n. f. Petite serpe.

**serpillière** n. f. Pièce de toile pour laver les sols. → région. **wassingue.**

> Ne pas oublier le deuxième *i*.

**serpolet** n. m. Plante odoriférante. → **thym.**

**serrage** n. m. Action de serrer.

① **serre** n. f. surtout plur. Griffe ou ongle des rapaces. *Les serres de l'aigle.*

② **serre** n. f. Construction vitrée où l'on met des plantes à l'abri. – *Effet de serre* (réchauffement de l'atmosphère terrestre).

**serré, ée** adj. **1** Comprimé, contracté. *Avoir la gorge serrée ; le cœur serré* (→ serrer, 1, 3). **2** Ajusté. **3** au plur. Placés l'un tout contre l'autre. *Serrés comme des sardines,* très serrés. **4** Dont les éléments sont très rapprochés. → **compact, dense.** **5** fig. *Une discussion serrée,* difficile, acharnée.

**serre-livres** n. m. invar. Objet servant à maintenir des livres debout.

**serrement** n. m. **1** Action de serrer. *Serrement de main.* **2** Fait d'être serré (4).

**serrer** v. tr. [1] **1** Saisir ou maintenir vigoureusement, de manière à comprimer. – *Serrer la main à qqn* (pour le saluer). – Prendre (qqn) entre ses bras. → **embrasser.** **2** région. Ranger, mettre à l'abri. **3** (sensation) Faire peser une sorte de pression sur (la gorge, le cœur) (→ serré, 1). **4** Rapprocher (des choses, des personnes). **5** Contracter (le poing ; les mâchoires...). **6** Rendre plus étroit (un lien). *Serrer une ceinture.* – (choses) Comprimer en entourant. **7** Faire mouvoir de manière à rapprocher, à fermer. *Serrer un frein.* – loc. *Serrer la vis* à qqn.* **8** Rester, passer tout près de. *Serrer qqn de près.* ♦ intrans. *Serrez à droite* (en conduisant). ▷ v. pron. se **serrer**

> Ne pas confondre *je serre* avec *je sers* (verbe *servir*).

**serre-tête** n. m. Bandeau, demi-cercle qui maintient les cheveux. *Des serre-tête(s).*

**serrure** n. f. Dispositif fixe de fermeture (d'une porte...) comportant un mécanisme (→ **gâche, pêne**) manœuvré par une clé, etc.

**serrurerie** n. f. **1** Métier de serrurier. **2** Ferronnerie.

**serrurier, ière** n. **1** Artisan qui fait, vend des serrures, des clés. **2** Entrepreneur, ouvrier en serrurerie (2).

**sertir** v. tr. [2] **1** Enchâsser (une pierre précieuse). – au p. p. *Serti de :* incrusté de. **2** techn. Assujettir sans soudure. ► **sertissage** n. m. ► **sertisseur, euse** n.

**sérum** [seʀɔm] n. m. **1** *Sérum sanguin,* partie liquide du plasma. → **sérique.** **2** Préparation à base d'un sérum sanguin contenant un anticorps spécifique, utilisée comme vaccin. *Sérum antitétanique.* – *Sérum de vérité,* penthotal. – *Sérum physiologique,* solution saline analogue au plasma sanguin.

**servage** n. m. Condition du serf*.

**servant** I adj. m. *Chevalier* servant.* II n. m. **1** Clerc ou laïque qui aide le prêtre pendant la messe. **2** Soldat chargé d'approvisionner une pièce d'artillerie.

**servante** n. f. vieilli Fille, femme employée comme domestique.

**serveur, euse** n. **1** Personne qui sert les clients (café, restaurant). **2** Personne qui met la balle en jeu (tennis, etc.), qui distribue les cartes... **3** n. m. inform. Système chargé de fournir des informations à d'autres systèmes. **4** n. m. *Serveur vocal,* qui délivre des messages enregistrés.

**serviable** adj. Prêt à rendre service. → **complaisant, obligeant.** ► **serviabilité** n. f.

**service** n. m. I (Obligation et action de servir) **1** Ensemble des devoirs envers l'État, la société. – admin. *Service national ;* cour.

*service (militaire) :* temps qu'un citoyen doit passer dans l'armée (dans certains pays). – *États de service :* carrière d'un militaire. **2** Travail particulier que l'on doit accomplir. → **fonction.** *Être de service.* **3** Fonction de domestique. ♦ Travail de la personne chargée de servir des clients. ♦ *Escalier de service* (affecté aux fournisseurs, etc.). **4** Action, manière de servir des convives, de servir les plats à table. ♦ Ensemble de repas servis à la fois (restaurant, cantine...). ♦ Assortiment de vaisselle ou de linge pour la table. **II 1** (dans des expr.) *Au service :* à la disposition de (qqn). *(Je suis) à votre service.* **2** *Un, des services :* ce que l'on fait pour qqn. → **aide, faveur.** – loc. *Rendre service à qqn,* lui être utile. **3** au plur. Ce qu'on fait pour qqn contre rémunération. *Offrir ses services* (à un employeur). **4** écon. Activité qui présente une valeur économique (sans être ni produire un bien). *Société de services.* **III 1** Ensemble d'opérations par lesquelles on fait fonctionner (qqch.). *Le service d'un canon.* → **servant** (2). **2** Coup par lequel on sert la balle (au tennis, etc.). **3** Expédition, distribution. – loc. *Service de presse* (d'un livre aux journalistes). **4** loc. *Mettre qqch. en service :* en usage. – *Hors service* (voir ce mot). **IV 1** Fonction d'utilité commune, publique *(service public)* ; activité organisée qui la remplit. **2** Travail dans ces activités. loc. *Être à cheval sur le service,* très pointilleux. **3** Organisation, organe chargé d'une fonction précise.

**serviette** n. f. **1** Pièce de linge. *Serviette de table ; de toilette.* – *Serviette en papier.* **2** *Serviette hygiénique :* bande absorbante (portée pendant les règles). **3** Sac rectangulaire à compartiments.

**servile** adj. **1** didact. Propre aux esclaves et aux serfs. **2** littér. Bassement soumis. → **obséquieux. 3** Étroitement soumis à un modèle. *Une servile imitation.* ► **servilement** adv. ► **servilité** n. f.

**servir** v. tr. [14] **I** *Servir qqn.* **1** S'acquitter d'obligations, de tâches envers (une personne, une entité à laquelle on obéit). *Il a bien servi son pays.* ♦ *Servir qqn à table.* – (commerce) *Servir un client,* lui fournir ce qu'il demande. **2** Aider, appuyer (qqn). *Servir qqn ; les intérêts de qqn.* – (sujet chose) *Sa discrétion l'a servi.* → **aider. II** *Servir qqch.* **1** Mettre à la disposition de qqn. – Mettre (la balle) en jeu (tennis, etc.) ; distribuer (les cartes). **2** Mettre (une chose) en état de se dérouler ou de fonctionner. – spécialt *Servir la messe.* **III** v. tr. ind. **1** *Servir à.* Être utile à (qqn). ♦ Être utilisé pour (qqch.). *À quoi sert cet outil ?* **2** *Servir de.* Être utilisé comme, tenir lieu de. *Cela te servira de leçon.* ▷ v. pron. se **servir 1** Prendre ce dont on a besoin. **2** *Se servir de qqch.,* l'utiliser. – *Se servir de qqn,* l'exploiter.

> Ne pas confondre *je sers* avec *je serre* (verbe *serrer*).

**serviteur** n. m. **1** littér. Celui qui sert (qqn, une institution). *Un serviteur de l'État.* **2** plais. *Votre serviteur :* moi-même.

**servitude** n. f. **1** Dépendance totale d'une personne ou d'une nation soumise à une autre. → **asservissement, sujétion. 2** Ce qui crée ou peut créer un état de dépendance. → **contrainte.** *Les servitudes d'un métier.* **3** dr. Charge liée à un immeuble, un terrain. *Servitude de passage.*

**servocommande** n. f. techn. Mécanisme automatique, qui fonctionne par amplification d'une force.

**servofrein** n. m. techn. Servocommande de freinage.

**servomécanisme** n. m. techn. Mécanisme automatique capable d'accomplir une tâche complexe.

**ses** adj. poss. → ① **son**

**sésame** n. m. **I** Plante oléagineuse ; sa graine. **II** (de la formule *«Sésame, ouvre-toi»* ouvrant la caverne aux trésors) Mot, formule qui fait accéder à qqch., obtenir qqch.

**session** n. f. Période pendant laquelle une assemblée, un jury peut siéger.

> Ne pas confondre avec *cession* «action de céder».

**sesterce** n. m. Ancienne monnaie romaine, division du denier.

**set** [sɛt] n. m. anglic. **I** Manche d'un match (tennis, etc.). **II** *Set de table,* napperons d'un service de table ; abusivt un de ces napperons.

**setier** [sətje] n. m. anciennt Mesure pour les grains (entre 150 et 300 litres).

**setter** [setɛʀ] n. m. Chien de chasse à poils longs. *Setter irlandais.*

**seuil** n. m. **1** Partie inférieure de l'ouverture d'une porte ; entrée d'une maison. **2** fig. *Au seuil de :* au commencement de. **3** didact. Limite. *Seuil critique.*

**seul, seule** adj. **I** (attribut) **1** Qui se trouve sans compagnie, séparé des autres. → **isolé, solitaire.** – *Être seul avec qqn.* – *Seul à seul,* en particulier. **2** Qui a peu de relations avec d'autres personnes. → **solitaire. 3** Unique. *Seul de son espèce.* **II** (épithète) **1** après le nom Qui n'est pas accompagné. *Un homme seul.* – loc. *Faire cavalier* seul.* **2** avant le nom Un (et pas plus). → **unique.** *C'est ma seule consolation.* **III** valeur d'adv. **1** Seulement. *Seuls comptent les faits.* – *Lui seul en est capable.* **2** Sans aide. *Je vais le faire (tout) seul.* **IV** n. *Un, une seul(e) :* une seule personne, une seule chose. – *Le, la seul(e) :* la seule personne.

**seulement** adv. **1** Sans rien d'autre. *Il y avait seulement trois personnes.* **2** loc. (souhait) *Si seulement :* si encore, si au moins. **3** (en tête de proposition) Mais. *C'est une belle voiture, seulement elle coûte cher.*

**seulet, ette** adj. vx Seul.

**sève** n. f. Liquide nutritif qui circule dans les plantes vasculaires.

**sévère** adj. **1** (personnes) Exigeant, critique ; qui punit. *Être sévère avec, envers qqn.* – *Un visage sévère.* **2** (choses) *Sentence sévère.* – Très rigoureux. *Des mesures sévères.* **3** littér. Qui ne cherche pas à plaire. **4** Très grave, très difficile. *Une sévère défaite.* ► **sévèrement** adv.

**sévérité** n. f. **1** Caractère sévère (1 et 2). **2** littér. Caractère austère, sérieux.

**sévices** n. m. pl. Mauvais traitements corporels par qui exerce une autorité sur la victime (enfants, malades...).

**sévir** v. intr. [2] Exercer la répression avec rigueur.

**sevrer** v. tr. [5] **1** Cesser progressivement d'alimenter en lait (un enfant ; un jeune animal), pour donner une nourriture plus solide. ♦ Priver progressivement d'alcool, de drogue en désintoxiquant. *Sevrer un toxicomane.* **2** littér. *Sevrer qqn de,* le priver de (qqch. d'agréable). ► **sevrage** n. m.

**sexagénaire** adj. et n. (Personne) qui a entre soixante et soixante-neuf ans.

**sex-appeal** [sɛksapil] n. m. anglic. vieilli Charme, attrait sensuel (d'une personne).

**sexe** n. m. **I** (chez les humains) **1** Conformation qui distingue l'homme de la femme. *Enfant de sexe masculin, féminin.* **2** Qualité d'homme ou de femme. *L'égalité des sexes.* **3** loc. iron. *Le sexe fort,* les hommes. *Le sexe faible, le deuxième sexe, le beau sexe,* les femmes. **4** *Le sexe :* la sexualité (2). **5** Parties sexuelles. *Le sexe de l'homme.* → **pénis ; testicule.** *Le sexe de la femme.* → **vulve ; clitoris, vagin.** **II** biol. Caractères et fonctions qui distinguent le mâle de la femelle en leur assignant un rôle dans la reproduction dite sexuée.

**sexisme** n. m. Discrimination fondée sur le sexe (à l'égard des femmes). ► **sexiste** n. et adj.

**sexologie** n. f. didact. Étude de la sexualité des êtres humains. ► **sexologue** n.

**sex-shop** [sɛksʃɔp] n. m. anglic. Magasin d'articles érotiques ou pornographiques. *Des sex-shops.*

**sex-symbol** [sɛks-] n. m. anglic. vieilli Vedette symbolisant un idéal de charme sensuel. *Des sex-symbols.*

**sextant** n. m. Instrument qui permet, au moyen d'un sixième de cercle gradué, de mesurer la hauteur des astres.

**sex-toy** [sekstɔj] n. m. anglic. Objet, instrument destiné à procurer du plaisir sexuel. *Des sex-toys.*

**sextuor** n. m. **1** Composition musicale à six parties. **2** Orchestre de six instruments.

**sextuple** adj. Qui vaut six fois (une quantité donnée). – n. m. *Le sextuple.*

**sexualité** n. f. **1** biol. Caractère de ce qui est sexué, caractères propres à chaque sexe. *La sexualité des plantes.* **2** Comportements liés à l'instinct sexuel. → **libido.**

**sexué, ée** adj. biol. **1** Qui a un sexe ; mâle ou femelle. **2** Qui se fait par la conjonction des sexes. *La reproduction sexuée.*

**sexuel, elle** adj. **1** Relatif au sexe (II ou I, 1). *Organes sexuels.* → **génital.** **2** De la sexualité. *L'acte sexuel.* ► **sexuellement** adv.

**sexy** adj. invar. anglic. **1** Sexuellement attirant, qui excite le désir. **2** fam. (hors du contexte sexuel) Agréable, attirant.

**seyant, ante** adj. Qui va bien, flatte la personne qui le porte. *Une coiffure seyante.*

**S.-F.** n. f. → **science-fiction**

**sfumato** [sfumato] n. m. peint. Modelé vaporeux. *Le sfumato de Vinci.*

**shabbat** → **sabbat**

**shah** n. m. → **schah**

**shaker** [ʃɛkœʀ] n. m. anglic. Double timbale qu'on secoue pour la préparation des cocktails.

**shako** n. m. Coiffure militaire d'apparat, rigide, à visière. – var. **schako.**

**shampooing** ou **shampoing** [ʃɑ̃pwɛ̃] n. m. **1** Lavage des cheveux et du cuir chevelu. ♦ Produit pour ce lavage. **2** *Shampooing à moquette.* ► **shampouiner** v. tr. [1] ► **shampouineur, euse** n.

**shantung** [ʃɑ̃tuŋ] n. m. Tissu de soie voisin du pongé. – var. **chantoung.**

**sharia** n. f. → **charia**

**shérif** n. m. **1** (en Angleterre) Magistrat d'un comté qui applique la loi. **2** (aux États-Unis) Officier de police élu, à la tête d'un comté.

**sherpa** n. m. Guide de haute montagne (Népal).

**sherry** n. m. anglic. Xérès.

> Ne pas confondre avec *cherry* «liqueur de cerise».

**shetland** [ʃɛtlɑ̃d] n. m. Tissu de laine d'Écosse.

**shiatsu** [ʃiatsy] n. m. Massage de relaxation par pression des doigts sur des points du corps.

**shiite** → **chiite**

**shilling** [ʃiliŋ] n. m. Ancienne monnaie britannique (1/20 de livre).

> Ne pas confondre avec *schilling* «monnaie autrichienne».

**shintoïsme** [ʃintɔism] n. m. didact. Religion japonaise, polythéisme animiste.

**shit** [ʃit] n. m. anglic., fam. Haschisch.

**shoah** n. f. hist. Massacre des Juifs (génocide) par les nazis (1939-1945). → **holocauste.**

**shogun** [ʃɔgun] n. m. hist. Général en chef des armées, au Japon (XII^e au XIX^e siècle).

**shooter** [ʃute] v. 1 anglic. **I** v. intr. Tirer au but, dégager au pied. **II** v. tr. fam. Injecter un stupéfiant à (qqn). ▷ v. pron. se **shooter**

**shopping** n. m. anglic. Visite aux magasins pour regarder (→ **lèche-vitrine**), faire des achats. – Au Canada, on dit *magasinage**.

**short** [ʃɔʀt] n. m. anglic. Culotte courte (pour le sport, les vacances).

**shot** [ʃɔt] n. m. (fém. au Canada) anglic. Petit verre d'alcool fort. *Des shots de vodka.*

**show** [ʃo] n. m. anglic. Spectacle centré sur une vedette.

**show-business** [ʃobiznɛs] n. m. anglic. Industrie, métier du spectacle. – abrév. fam. **show-biz** [ʃobiz].

**shunt** [ʃœt] n. m. anglic. **1** électr. Résistance en dérivation. **2** méd. Déviation de la circulation sanguine. ► **shunter** v. tr. 1

① **si** conj. *s'* devant *il, ils* **I 1** Introduit soit une condition, soit une supposition. *Si j'avais su, je ne serais pas venu.* – *Et si ça tourne mal ?* – (souhait, regret) *Si seulement, si au moins...* **2** (dans des loc.) *Si ce n'est...* → **sinon.** *Si ce n'est que... :* sauf que... **3** n. m. invar. Hypothèse, supposition. *Avec des si...* **II** (non hypothétique) **1** Marque un lien logique. *S'il revient, c'est qu'il t'aime.* → **puisque. 2** (introduisant une complétive, une interrogative indirecte) *Tu me diras si c'est lui.* **3** (exclamatif) *Regarde si c'est beau !* → **combien.**

② **si** adv. S'emploie pour « oui », en réponse à une phrase négative. *Tu n'iras pas. – Si !*

③ **si** adv. **1** À un tel degré. → **tellement.** *Ce n'est pas si facile.* **2** *Si bien que* loc. conj. : de sorte que. **3** adv. de compar. (avec *que*) Au même degré (que) ; aussi (que).

④ **si** n. m. invar. Septième note de la gamme d'ut.

**siamois, oise** adj. **I** vx Thaïlandais. – *Chat siamois* et n. m. *un siamois :* chat à poil ras et aux yeux bleus. **II** *Frères siamois, sœurs siamoises,* jumeaux, jumelles rattaché(e)s l'un(e) à l'autre par une partie de leur corps.

**sibérien, enne** adj. De Sibérie. – fig. *Un froid sibérien,* extrême.

**sibylle** n. f. Antiq. Devineresse (→ pythie).

**sibyllin, ine** adj. littér. Dont le sens est caché. *Des propos sibyllins.*

**sic** adv. (entre parenthèses après un mot, une expression) En citant textuellement.

**sicav** [sikav] n. f. invar. (sigle de *société d'investissement à capital variable*) Portefeuille de valeurs mobilières détenu collectivement. – Une de ces valeurs ; action.

**siccatif, ive** adj. Qui fait sécher. – n. m. Produit siccatif.

**sida** n. m. (sigle de *syndrome d'immunodéficience acquise* [ou *immunodéficitaire acquis*]) Maladie très grave d'origine virale, caractérisée par une chute brutale des défenses immunitaires de l'organisme. *Virus du sida.* → **V. I. H. ; séropositif** ► **sidéen, enne** adj. et n.

**side-car** [sidkaʀ ; sajdkaʀ] n. m. anglic. Habitacle à une roue et pour un passager, monté sur le côté d'une moto.

**sidéral, ale, aux** adj. didact. Qui a rapport aux astres, aux étoiles.

**sidérer** v. tr. 6 Frapper de stupeur. → **abasourdir, stupéfier.** ► **sidérant, ante** adj.

**sidérurgie** n. f. Métallurgie du fer, de la fonte, de l'acier. ► **sidérurgique** adj. ► **sidérurgiste** n.

**sidologue** n. didact. Médecin ou biologiste spécialiste du sida.

**siècle** n. m. **I 1** Période de cent ans dont le début est déterminé par rapport à une ère. *Le Vᵉ siècle après Jésus-Christ* (de 401 à 500), *avant J.-C.* (de 499 à 400). **2** Période de cent années environ. *Le siècle des Lumières*.* ♦ Époque où l'on vit. **3** Durée de cent années (→ **centenaire ; séculaire**). **4** au plur. Très longue période. **II** relig. *Le siècle,* le monde temporel (→ **monde ; séculier**).

**siège** n. m. **I 1** Lieu où se trouve la résidence principale (d'une autorité, d'une société...). – *Siège social :* domicile légal (d'une société). **2** Lieu où se produit (un phénomène). *Le siège d'une douleur.* **II** Opérations militaires pour prendre une ville, une place forte (→ **assiéger**). – *État de siège.* **III 1** Objet fabriqué pour qu'on puisse s'y asseoir. **2** Place, fonction d'un membre d'une assemblée. *Siège de député.* **3** Dignité d'évêque, de pontife. **IV** (dans des loc.) Partie du corps humain sur laquelle on s'assied. *Bain de siège. Enfant qui se présente par le siège* (lors d'un accouchement).

**siéger** v. intr. 3 et 6 **1** Tenir séance, être en séance. **2** Occuper une fonction. **3** Avoir son siège (I) à tel endroit.

**sien, sienne** adj. et pron. poss. de la 3ᵉ pers. du sing. (Qui appartient à soi) **I** adj. littér. *Les idées qu'il a faites siennes.* **II** pron. *Je préfère mon vélo au sien.* **III** n. **1** *Y mettre du sien,* de la bonne volonté. ♦ fam. *Faire des siennes,* des sottises. **2** *Les siens,* sa famille, ses amis ; ses partisans.

**sierra** n. f. Montagne à relief allongé.

**sieste** n. f. Repos d'après midi.

**sieur** n. m. dr. ou péj. Monsieur.

**sifflant, ante** adj. Qui s'accompagne d'un sifflement. *Respiration sifflante.*

**sifflement** n. m. Son émis en sifflant.

**siffler** v. 1 **I** v. intr. **1** Émettre un son aigu en faisant échapper l'air par une ouverture étroite (bouche, sifflet...). **2** Produire un son analogue. *Le vent sifflait dans la cheminée.* **3** *Avoir les oreilles qui sifflent :* éprouver une sensation de sifflement. **II** v. tr. **1** Moduler (un air) en sifflant. **2** Appeler ou signaler en sifflant. *Siffler son chien.* **3** Désapprouver bruyamment (→ **sifflet** (2)). **4** fam. Boire d'un trait.

**sifflet** n. m. **1** Petit instrument formé d'un tuyau court à ouverture en biseau *(en sifflet),* servant à émettre un son aigu. – *Coup* *de sifflet.* **2** Sifflement. – Fait de siffler pour désapprouver. **3** loc. fam. *Couper le sifflet à qqn,* lui couper la parole.

**siffleur, euse** adj. Qui siffle. *Merle siffleur.*

**siffleux** n. m. (Canada) Marmotte.

**siffloter** v. intr. [1] Siffler négligemment en modulant un air. – trans. *Siffloter un air.* ► **sifflotement** n. m.

**sigillaire** [-il-] adj. didact. Muni d'un sceau. ♦ Relatif aux sceaux.

**sigisbée** n. m. vx ou iron. Chevalier* servant (d'une femme).

**sigle** n. m. Suite d'initiales servant d'abréviation (ex. H. L. M.). → **acronyme.**

**signal, aux** n. m. **1** Signe convenu (geste, son...) pour indiquer un moment, déclencher qqch. *Donner le signal du départ.* **2** Signe transmettant une information. *Signal d'alarme.* – *Signaux routiers.*

**signalé, ée** adj. (devant le nom) Remarquable. *Un signalé service.* → **insigne.**

**signalement** n. m. Description physique (d'une personne recherchée).

**signaler** v. tr. [1] **1** Annoncer par un signal. – au p. p. *Virage signalé.* **2** Faire remarquer ou connaître (qqch.). *On a signalé leur présence à Paris.* ♦ Appeler l'attention sur (qqn). ▷ v. pron. se **signaler** Se faire remarquer (en bien ou en mal).

**signalétique** adj. et n. f. Qui donne un signalement.

**signaliser** v. tr. [1] Munir d'un ensemble de signaux coordonnés. ► **signalisation** n. f.

**signataire** n. Personne, autorité qui a signé un acte, etc.

**signature** n. f. **1** Inscription qu'une personne fait de son nom pour certifier, engager sa responsabilité. **2** Action de signer (un écrit, un acte).

**signe** n. m. **I 1** Chose perçue qui permet de conclure à l'existence ou à la vérité (d'une autre chose). → **indice, marque, signal, symbole, symptôme.** *Signes cliniques d'une maladie.* → **symptôme.** *Donner des signes de fatigue.* – loc. *Ne pas donner signe de vie :* ne donner aucune nouvelle. *C'est bon signe, c'est mauvais signe.* **2** Élément ou caractère qui permet de distinguer, de reconnaître. **II 1** Mouvement ou geste destiné à communiquer. → **signal.** – *Faire signe à qqn.* – *En signe de,* pour manifester, exprimer. – *Langue des signes :* langage codé (gestes...) utilisé par les sourds. **2** Représentation matérielle simple, conventionnelle (de qqch.). → **symbole.** *Le noir, signe de deuil.* ♦ Emblème. *Le signe de la croix* (→ se **signer**). **3** didact. Objet perceptible qui renvoie à une chose qu'il évoque. *Étude des signes.* → **sémiologie, sémiotique ; sémantique.** **4** astrol. Figure de l'une des douze constellations du zodiaque.

① **signer** v. [1] **I** v. tr. Revêtir de sa signature (une lettre, une œuvre d'art...). **II** v. intr. S'exprimer en langage des signes*.

② se **signer** v. pron. [1] Faire le signe de croix.

**signet** n. m. **1** Ruban, bande pour marquer un endroit d'un livre. **2** inform. Favori (II, 5).

**signifiant, ante 1** adj. Qui signifie. **2** n. m. ling. Partie matérielle du signe, opposée et liée au signifié*.

**significatif, ive** adj. Qui signifie, exprime ou renseigne clairement. → **expressif.**

**signification** n. f. **1** Ce que signifie (une chose, un fait). ♦ Sens (d'un signe, d'un mot). **2** dr. Action de signifier.

**signifié** n. m. ling. Contenu du signe, opposé et lié au signifiant*. → ① **sens.**

**signifier** v. tr. [7] **1** (sujet chose) Avoir pour sens, être le signe de. → **désigner, vouloir dire.** **2** (sujet personne) Faire connaître par des signes clairs. *Il nous a signifié ses intentions.* ♦ dr. Faire savoir. → **notifier.**

**sikh, sikhe** n. et adj. Membre d'une communauté religieuse de l'Inde.

**silence** n. m. **I 1** Fait de ne pas parler ; absence de parole. *Garder le silence,* se taire. – *Minute de silence* (en hommage aux morts). ♦ *Un silence :* un moment pendant lequel on ne dit rien. **2** Fait de ne pas exprimer, de ne pas divulguer. *Promettre le silence.* → **secret.** – *Passer qqch. sous silence,* le taire. **II 1** Absence de bruit. **2** mus. Interruption du son ; signe qui l'indique. → **pause, soupir.**

**silencieux, euse** adj. **I 1** Qui garde le silence. → **muet.** ♦ Qui ne s'accompagne pas de paroles. *Un bonheur silencieux.* **2** Qui se fait, fonctionne sans bruit. ♦ Où le silence et le calme règnent. **II** n. m. Dispositif qui étouffe le bruit (arme, moteur). ► **silencieusement** adv.

**silex** [-ɛks] n. m. **1** Roche siliceuse. **2** Outil préhistorique en silex.

**silhouette** n. f. **1** Forme qui se profile sur un fond plus clair. – Dessin aux contours schématiques. **2** Allure ou ligne générale (d'une personne). *Une silhouette jeune.*

**silhouetter** v. tr. [1] Représenter en silhouette.

**silicate** n. m. Minéral, combinaison de silice avec un oxyde métallique.

**silice** n. f. Oxyde de silicium, très dur. → **quartz.** ► **siliceux, euse** adj.

**silicium** [-jɔm] n. m. Corps simple (symb. Si), métalloïde du groupe du carbone.

**silicone** n. f. Dérivé du silicium (résines, matières plastiques).

**silicose** n. f. Maladie pulmonaire (des mineurs...) due à la silice.

**sillage** n. m. Trace qu'un bateau laisse derrière lui à la surface de l'eau. – loc. (abstrait) *Dans le sillage de... :* derrière.

**sillon** n. m. **1** Tranchée ouverte dans la terre par la charrue. – au plur. poét. Les champs cultivés. **2** Fente, ride. – anat. *Les sillons du cerveau.*

**sillonner** v. tr. [1] **1** Creuser en faisant des sillons, des fentes. – au p. p. *Un front sillonné de rides.* **2** Traverser d'un bout à l'autre ; parcourir en tous sens. *Les éclairs sillonnaient le ciel.*

**silo** n. m. Réservoir où l'on entrepose les produits agricoles (→ **ensiler**).

**silure** n. m. Poisson à longs barbillons, aussi appelé *poisson-chat.*

**silvaner** ou **sylvaner** [-ɛR] n. m. Cépage blanc cultivé en Alsace, en Allemagne... ; vin de ce cépage.

**SIM** [sim] n. f. (sigle angl.) *(Carte) SIM :* carte à puce d'un téléphone portable.

**simagrée** n. f. (surtout au plur.) Comportement affecté, pour attirer l'attention. → **manière.**

**simien** n. m. Primate du sous-ordre comprenant les singes (et anthropoïdes).

**simiesque** adj. littér. Qui tient du singe.

**similaire** adj. À peu près semblable. → **analogue, équivalent.** ► **similarité** n. f.

**similicuir** n. m. Matière plastique imitant le cuir. → **skaï.**

**similigravure** n. f. Photogravure en demi-teinte au moyen de trames.

**similitude** n. f. Relation entre choses semblables. → **analogie, ressemblance.**

**simoun** [-un] n. m. Vent chaud et sec du désert (Arabie, etc.). → **khamsin, sirocco.**

**simple** adj. **I** (personnes) **1** Qui agit selon ses sentiments, sans affectation, sans calcul. **2** Sans prétention. *Il a su rester simple.* **3** De condition modeste. **4** Qui a peu de finesse, se laisse facilement tromper. → **crédule, simplet.** ♦ adj. et n. *Simple d'esprit,* arriéré mental. **II** (choses) **1** Qui n'est pas composé de parties, est indécomposable. *Corps (chimiques) simples* (→ **élément**). – n. m. *Varier du simple au double.* **2** (avant le nom) Qui est uniquement (ce que le substantif implique). *Une simple formalité.* → **pur. 3** Qui est formé d'un petit nombre de parties, d'éléments (opposé à *complexe*). **4** Facile à comprendre, à utiliser (opposé à *compliqué, difficile*). – loc. *Simple comme bonjour*.* **5** Qui comporte peu d'ornements (opposé à *recherché*). **III** n. m. **1** (au plur.) Plante médicinale. *Cueillir des simples.* **2** Partie de tennis, de tennis de table entre deux adversaires (opposé à *double*).

**simplement** adv. **1** Avec simplicité. **2** Seulement. *Je voulais simplement te dire...*

**simplet, ette** adj. Trop simple ; naïf.

**simplicité** n. f. **I 1** Comportement naturel et spontané. → **naturel. 2** Caractère d'une personne simple (I, 2). – loc. *En toute simplicité :* sans cérémonie. **II** (choses) Caractère de ce qui est simple (II, 1, 4 et 5).

**simplifier** v. tr. [7] Rendre plus simple (II). ► **simplification** n. f.

**simpliste** adj. Qui simplifie outre mesure. → **réducteur.**

**simulacre** n. m. littér. Ce qui n'a que l'apparence (de ce qu'il prétend être). *Un simulacre de procès.*

**simulateur, trice 1** n. Personne qui simule (1). **2** n. m. Appareil qui simule (3) un fonctionnement. *Simulateur de vol.*

**simulation** n. f. **1** Action de simuler (un sentiment ; une maladie). **2** techn. Représentation simulée (par simulateur).

**simuler** v. tr. [1] **1** Imiter l'apparence de. → **feindre.** *Simuler un malaise.* **2** (sujet chose) Avoir l'apparence de. **3** techn. Représenter artificiellement (un fonctionnement ; un processus).

**simultané, ée** adj. **1** Qui a lieu au même moment. → **concomitant, synchrone. 2** *Interprétation, traduction simultanée,* en même temps que parle l'orateur. ► **simultanéité** n. f. ► **simultanément** adv.

**sinanthrope** n. m. Grand primate fossile (hominien), découvert en Chine.

**sinapisme** n. m. anciennt Traitement révulsif par cataplasme à la farine de moutarde.

**sincère** adj. **1** Disposé à reconnaître la vérité et à faire connaître ce qu'il pense. → **franc, loyal.** – (épithète) Véritable, authentique. *Ami sincère.* **2** Réellement pensé ou senti. *Repentir sincère.* ► **sincèrement** adv. ► **sincérité** n. f.

**sinécure** n. f. Charge ou emploi où l'on est rétribué sans avoir rien à faire. – loc. *Ce n'est pas une sinécure.*

**sine die** [sinedje] loc. adv. Sans fixer de date pour une autre séance. *Ajourner un débat sine die.*

**sine qua non** [sinekwanɔn] loc. adj. invar. *Condition sine qua non,* indispensable.

**singe** n. m. **I 1** Mammifère (primate) à face nue, au cerveau développé, aux membres préhensiles. → **simien.** – *Un singe* (mâle) *et une guenon.* **2** loc. *Payer en monnaie de singe,* par de belles paroles. – *Faire le singe :* faire des singeries. **3** fig. Personne laide. **II** fam. Corned-beef.

**singer** v. tr. [3] **1** Imiter maladroitement ou en caricature. → **contrefaire. 2** Simuler.

**singerie** n. f. **I 1** au plur. Grimace, attitude comique. **2** fig. Imitation maladroite ou caricaturale. **II** Ménagerie de singes.

**single** [siŋgœl] anglic. **1** adj. Occupé par une seule personne (chambre, cabine, wagon-lit). – recomm. off. *individuel, elle.* **2** n. m. Disque comportant moins de quatre titres. ♦ Morceau principal de ce disque.

**singulariser** v. tr. [1] Distinguer des autres par qqch. de peu courant. ▷ v. pron. **se singulariser**

**singularité** n. f. **1** littér. Caractère exceptionnel de ce qui se distingue. → **étrangeté, originalité. 2** Particularité.

**singulier, ière** I adj. 1 loc. *Combat singulier,* entre une personne et un seul adversaire. 2 littér. Différent des autres. ♦ cour. Digne d'être remarqué ; rare et remarquable. *Un charme très singulier.* II n. m. Catégorie grammaticale qui exprime l'unité (opposé à *pluriel*).

**singulièrement** adv. 1 Particulièrement. 2 Beaucoup, très. 3 littér. Étrangement.

**siniser** v. tr. [1] didact. Répandre la civilisation chinoise dans (un pays).

① **sinistre** adj. 1 Qui fait craindre un malheur, une catastrophe. ♦ Menaçant, inquiétant ; effrayant. 2 (sens affaibli) Triste et ennuyeux. *Une soirée sinistre.* 3 avant le nom (intensif) *Un sinistre crétin.*

② **sinistre** n. m. 1 Événement catastrophique naturel (incendie, inondation, etc.) qui occasionne des pertes, des dommages. 2 Dommages ou pertes subis par un assuré. ► **sinistré, ée** adj. et n.

**sinologie** n. f. didact. Études sur la Chine. ► **sinologue** n.

**sinon** conj. 1 En dehors de ; si ce n'est. *Que faire sinon accepter ?* 2 (concession) À défaut de. *Sinon..., du moins...* ♦ Peut-être même. *Un air hautain sinon agressif.* → **voire.** 3 Si la supposition (énoncée) ne se réalise pas. → **autrement, sans** quoi. *Si tu es là, tant mieux ; sinon, on avisera.*

**sinoque** adj. fam. Fou.

**sinueux, euse** adj. Qui présente des courbes irrégulières. ► **sinuosité** n. f.

① **sinus** [-ys] n. m. 1 Cavité de certains os de la face (frontal, maxillaire supérieur). 2 Renflement de vaisseaux sanguins.

② **sinus** [-ys] n. m. *Sinus d'un angle :* rapport entre la longueur d'une perpendiculaire menée d'un côté de l'angle sur l'autre côté, et celle de l'hypoténuse du triangle rectangle ainsi formé (→ **trigonométrie**).

**sinusite** n. f. Inflammation des sinus de la face.

**sinusoïde** n. f. math. Courbe des variations du sinus (ou du cosinus) d'un angle. ► **sinusoïdal, ale, aux** adj.

**sionisme** n. m. Mouvement favorable à un État juif en Palestine. ► **sioniste** adj. et n.

**sioux** n. et adj. Membre d'une ethnie amérindienne de guerriers (Dakota, etc.). – loc. *Une ruse de Sioux,* très habile.

**siphon** n. m. 1 Tube courbé ou appareil permettant de faire communiquer deux liquides. 2 Bouteille remplie d'une boisson gazeuse sous pression et munie d'un bouchon à levier.

**siphonné, ée** adj. fam. Fou.

**siphonner** v. tr. [1] Transvaser, vider à l'aide d'un siphon.

**sire** n. m. 1 vx Sieur, monsieur. ♦ loc. *Un triste sire :* un individu peu recommandable. 2 (appellatif) Titre donné à un souverain. → votre **majesté.**

**sirène** n. f. I mythol. Être fabuleux, femme à corps d'oiseau ou queue de poisson, qui passait pour attirer, par la douceur de son chant, les navigateurs sur les écueils. II Puissant appareil sonore (alarme, signal).

**sirocco** n. m. Vent de sud-est chaud et sec. → **simoun.**

**sirop** n. m. Solution de sucre dans de l'eau, du jus de fruit... *Sirop d'orgeat.*

**siroter** v. tr. [1] fam. Boire à petits coups.

**sirupeux, euse** adj. 1 De la consistance du sirop. 2 fig., péj. *Musique sirupeuse.*

**sis, sise** adj. dr. ou littér. Situé.

**sisal, als** n. m. Fibre de feuille d'agave.

**sismique** adj. Relatif aux séismes. *Secousse sismique.* → **tellurique.**

**sismographe** n. m. Appareil qui enregistre les mesures des séismes.

**sistre** n. m. Instrument de musique à percussion comportant des objets qui s'entrechoquent quand on le secoue.

**sitar** n. m. Instrument de musique à cordes pincées (en Inde).

> Ne pas confondre avec *la cithare,* instrument en forme de table.

**sitcom** [sitkɔm] n. f. anglic., télév. Comédie de situation tournée en studio, en brefs épisodes.

**site** n. m. I 1 Paysage (du point de vue de l'esthétique, du pittoresque). 2 Configuration d'un lieu (en rapport avec son utilisation). *Site archéologique.* II anglic. Serveur de données accessible par Internet. *Site web, site Internet,* affichant des documents hypertextes (pages).

**sit-in** [sitin] n. m. invar. anglic. Manifestation non-violente consistant à s'asseoir en groupes sur la voie publique.

**sitôt** adv. 1 adv. de temps Aussitôt. *Sitôt dit, sitôt fait.* – loc. adv. *Pas de sitôt* (→ pas de si tôt*). *Il ne reviendra pas de sitôt.* 2 *Sitôt que* loc. conj. (+ indic.) : aussitôt que, dès que.

> Ne pas confondre avec *si tôt* (opposé à *si tard*).

**situation** n. f. 1 Fait d'être dans un lieu ; place occupée dans un espace. → **emplacement.** 2 Circonstances dans lesquelles une personne se trouve. *Être maître de la situation.* – *Situation de famille* (célibataire, marié...). – loc. *Être en situation de* (+ inf.), bien placé pour. ♦ (pays, collectivité) *La situation est grave.* 3 Emploi, poste rémunérateur stable. *Il a une belle situation.* 4 Ensemble des relations qui unissent une personne, un groupe à son milieu.

**situationnisme** n. m. Mouvement de contestation radical des années 60. ► **situationniste** adj. et n.

**situer** v. tr. [1] 1 Placer en un lieu. *L'auteur a situé l'action à Londres.* 2 Mettre à une certaine place. – fam. *On ne le situe pas bien,* on ne voit pas quelle sorte d'homme c'est. ▷ v. pron. se **situer** 1 passif Se trouver. - Avoir lieu. 2 réfl. (personnes) Préciser sa position (sens propre et figuré).

**six** [sis] I adj. numéral 1 (cardinal) Cinq plus un (6). 2 (ordinal) Sixième. *Page six.* II n. m. Le chiffre, le nombre, le numéro six.

**sixième** [siz-] 1 adj. numéral ordinal Qui suit le cinquième (6e). - n. f. Classe qui commence l'enseignement secondaire (en France). ♦ n. *Le, la sixième.* 2 adj. et n. m. Se dit d'une partie d'un tout divisé également en six. ► **sixièmement** adv.

à la **six-quatre-deux** [alasiskatdø] loc. adv. fam. À la hâte ; sans soin.

**sixte** n. f. mus. Sixième degré de la gamme diatonique. - Intervalle de six degrés.

**skaï** [skaj] n. m. (nom déposé) Tissu enduit de matière synthétique, imitant le cuir.

**skate-board** [skɛtbɔʀd] n. m. anglic. Planche* à roulettes. - abrév. fam. **skate.**

**sketch** n. m. anglic. Courte scène, comique et enlevée, pour un petit nombre d'acteurs. → **saynète.** *Des sketch(e)s.*

**ski** n. m. 1 Longue lame relevée à l'avant, placée sous le pied pour glisser sur la neige. 2 *Le ski* : la locomotion, le sport en skis (descente, slalom, saut...). - *Ski de fond. Ski de randonnée,* hors des pistes balisées. 3 *Ski nautique* : sport où l'on glisse sur l'eau.

**skier** v. intr. [7] Aller en skis, faire du ski. ► **skiable** adj. (piste) ► **skieur, euse** n.

**skiff** n. m. Bateau de sport très long, effilé, pour un seul rameur.

**skinhead** [skinɛd] n. anglic. Jeune au crâne rasé qui prône parfois la violence. - abrév. fam. **skin.**

**skippeur, euse** n. anglic. 1 Chef de bord d'un yacht de croisière. 2 Barreur d'un voilier de régates.

**skunks** n. m. → **sconse**

**slalom** [slalɔm] n. m. Descente sinueuse à skis où l'on passe entre des piquets (→ **porte**). *Slalom géant* (portes plus espacées). ♦ fig. *Faire du slalom entre les voitures* (moto, vélo...). ► **slalomer** v. intr. [1] ► **slalomeur, euse** n.

**slam** n. m. anglic. Poésie, narration scandée librement, de manière rythmée. ► **slamer** v. intr. [1] ► **slameur, euse** n.

**slash** n. m. anglic., inform. Barre oblique (/), qui marque une séparation.

**slave** adj. et n. Se dit des peuples d'Europe centrale et orientale dont les langues sont apparentées (*langues slaves* : bulgare, polonais, russe, etc. ; plusieurs sont écrites en alphabet cyrillique).

**slim** n. m. anglic. Pantalon très moulant. - appos. *Un jean slim.*

**slip** [slip] n. m. Culotte échancrée sur les cuisses (sous-vêtement ou maillot de bain).

**slogan** n. m. Formule concise et frappante (publicité, propagande).

**sloop** [slup] n. m. Voilier à un seul mât.

**slovaque** adj. et n. De la Slovaquie. - n. *Les Slovaques.* ♦ n. m. Langue slave parlée en Slovaquie.

**slovène** adj. et n. De la Slovénie. - n. *Les Slovènes.* ♦ n. m. Langue slave parlée en Slovénie.

**slow** [slo] n. m. anglic. Danse lente à pas glissés ; sa musique.

**smala** n. f. 1 Réunion de tentes abritant la famille, le personnel d'un chef arabe. 2 fam. Famille ou suite nombreuse.

**smartphone** [smaʀtfɔn] n. m. (marque déposée) anglic. Téléphone mobile possédant des fonctions d'assistant personnel (Internet, jeux...).

**smash** [sma(t)ʃ] n. m. anglic. (tennis, volley-ball...) Coup qui rabat violemment une balle haute. *Des smash(e)s.*

**S. M. I. C.** [smik] n. m. (sigle) Salaire minimum interprofessionnel «de croissance» (remplace en 1970 le *smig,* «interprofessionnel garanti»). ► **smicard, arde** n.

**smiley** [smajlɛ] n. m. anglic., inform. Suite de caractères alphanumériques qui, avec une orientation à 90°, évoque un visage, et traduit l'état émotionnel du rédacteur d'un message électronique. → **émoticône.**

**smocks** [smɔk] n. m. pl. anglic. Fronces décoratives, brodées.

**smoking** n. m. Tenue de soirée pour hommes.

**SMS** ou **S. M. S.** n. m. (sigle angl.) anglic. Message écrit échangé entre téléphones mobiles. *Recevoir, envoyer des SMS.*

**snack-bar** ou **snack** n. m. anglic. Café-restaurant où l'on sert rapidement des plats simples. *Des snack-bars ; des snacks.*

**snif** ou **sniff** interj. Onomatopée, bruit de reniflement.

**sniffer** v. tr. [1] anglic. Priser (un stupéfiant).

**snob** [snɔb] n. Personne qui admire et imite sans discernement les manières, les goûts, les modes des milieux dits distingués. - adj. *Des manières snob(s).* ► **snobisme** n. m.

**snober** v. tr. [1] 1 Traiter (qqn) de haut. 2 Impressionner.

**snow-board** [snobɔʀd] n. m. anglic. Sport de glisse qui se pratique sur la neige, debout sur une planche. → **monoski.**

**soap-opéra** [sopɔpeʀa] n. m. anglic. Série télévisée populaire. - abrév. fam. **soap** [sop] n. m.

**sobre** adj. 1 Qui mange, boit (spécialt, de l'alcool) avec modération. → **tempérant.** - loc. fam. *Sobre comme un chameau.* 2 littér. (personnes) Mesuré, modéré. 3 cour. (choses) → **classique, simple.** ► **sobrement** adv.

**sobriété** n. f. 1 Comportement d'une personne sobre (1). 2 Modération, réserve. 3 (choses) Simplicité.

**sobriquet** n. m. Surnom familier.

**soc** n. m. Lame de la charrue.

**sociable** adj. **1** didact. Capable de vivre en société. **2** Capable de relations humaines faciles. ► **sociabilité** n. f.

**social, ale, aux** adj. **1** Relatif à un groupe d'humains (→ **société**), et aux rapports de ses membres. ♦ *Animaux sociaux,* qui vivent en société. **2** Propre à la société constituée. *Milieu social.* → **condition. 3** Relatif aux rapports entre les classes de la société. *Conflits sociaux.* **4** Qui se rapporte à l'amélioration de la condition des moins favorisés. *Politique sociale.* – n. m. *Le social.* **5** Relatif à une société civile ou commerciale. *Siège social.*

**social-démocrate** adj. et n. Socialiste réformiste. ► **social-démocratie** n. f.

**socialement** adv. Quant aux rapports sociaux, spécialt entre classes sociales.

**socialiser** v. tr. [1] **1** didact. Susciter les rapports sociaux chez (qqn), entre (des individus). **2** Gérer ou diriger au nom de la société entière (par la propriété collective). ► **socialisation** n. f.

**socialisme** n. m. **1** Attitude politique et sociale qui entend faire prévaloir l'intérêt général sur les intérêts particuliers, par une organisation concertée (opposé à *libéralisme*). *Socialisme d'État.* **2** (vocabulaire marxiste) Phase transitoire avant le communisme. ► **socialiste** adj. et n.

**sociétaire** adj. et n. (Personne) qui fait partie d'une société (d'acteurs).

**société** n. f. **I 1** vx Vie en compagnie, en groupe. *Aimer la société.* – loc. *Jeux de société,* qui se jouent à plusieurs. **2** Compagnie habituelle. *Se plaire dans la société des femmes.* **II 1** État des êtres vivants qui vivent en groupes organisés. *Les abeilles vivent en société.* **2** Ensemble des personnes entre lesquelles existent des rapports durables et organisés (avec des institutions, etc.) ; milieu humain. – Groupe social. *Les sociétés primitives. La société de consommation.* **3** Ensemble de personnes réunies (à un moment ou habituellement). *La (haute) société,* les personnes aisées qui ont une vie mondaine. **III 1** Compagnie ou association religieuse. → **congrégation. 2** Organisation fondée pour un travail commun ou une action commune. *Société secrète.* **3** Groupement contractuel constitué par les apports d'associés. – *Société civile,* non commerciale. ♦ spécialt *Société (commerciale),* qui réalise des opérations commerciales à but lucratif. *Société anonyme*.*

**socioculturel, elle** adj. Qui concerne les structures sociales et leurs cultures.

**sociologie** n. f. **1** Étude scientifique des faits sociaux humains. **2** Étude des sociétés. *Sociologie animale.* ► **sociologue** n.

**sociologique** adj. **1** De la sociologie. **2** (abusivt) Relatif aux faits étudiés par la sociologie. → **social.**

**socioprofessionnel, elle** adj. didact. Se dit des catégories classant une population selon l'activité professionnelle.

**socle** n. m. Base (d'une construction, d'un objet).

**socque** n. m. **1** Antiq. romaine Chaussure basse portée par les acteurs de comédie. **2** Chaussure à semelle de bois. → **sabot.**

**socquette** n. f. Chaussette basse.

**socratique** adj. didact. De Socrate.

**soda** n. m. Boisson gazeuse aromatisée. ♦ Eau gazéifiée.

**sodé, ée** adj. chim. Qui contient de la soude ou du sodium.

**sodium** [-jɔm] n. m. Corps simple (symb. Na), métal alcalin mou d'un blanc argenté, qui brûle à l'air et réagit violemment avec l'eau, en produisant de la soude et de l'hydrogène. *Chlorure de sodium* (sel). ► **sodique** adj. chim.

**sodomie** n. f. Pratique du coït anal. ► **sodomite** n. m. vieilli

**sodomiser** v. tr. [1] Pratiquer la sodomie sur (qqn).

**sœur** n. f. **1** Personne de sexe féminin, considérée par rapport aux autres enfants des mêmes parents. *Sœur aînée, sœur cadette.* **2** Nom d'affection donné à une femme. ♦ appos. *Âme sœur.* **3** fig. Se dit de choses apparentées (mots féminins). **4** Titre de religieuses. *Ma sœur.* – loc. fam. *Bonne sœur :* religieuse. ► **sœurette** n. f. (terme d'affection).

**sofa** n. m. Lit de repos. → **canapé.**

**software** [sɔftwaʀ ; sɔftwɛʀ] n. m. anglic. (opposé à *hardware*) Logiciel.

**soi** pron. pers. réfl. (de la 3e pers.) **I** (personnes) **1** (sujet indéterminé) *Avoir confiance en soi.* – *Chez soi* (→ **chez-soi**). **2** vx (sujet déterminé) → **lui, elle, eux.** *Il regardait droit devant soi.* **II** (choses) loc. *Cela va de soi :* c'est naturel, évident. – *En soi :* de par sa nature propre. **III** *Soi-même. Être soi-même.* **IV** n. m. invar. **1** La personnalité de chacun. → **moi. 2** psych. Ensemble des pulsions inconscientes. → **ça.**

**soi-disant 1** adj. invar. Qui se dit, qui prétend être (tel). *De soi-disant amis.* ♦ (emploi critiqué) *Une soi-disant démocratie.* **2** adv. Prétendument. *Il est là soi-disant pour affaires.*

**soie** n. f. **I 1** Substance filiforme sécrétée par des larves (*vers à soie* → **bombyx**), utilisée comme textile (→ **sériciculture**). – Tissu de soie. ♦ *Soie sauvage,* produite par d'autres chenilles. **2** *Papier de soie :* papier fin, translucide et brillant. **II** Poil long et rude (porc, sanglier).

**soierie** n. f. **1** Tissu de soie. **2** Industrie et commerce de la soie.

**soif** n. f. **1** Sensation correspondant à un besoin de l'organisme en eau. – loc. fig. *Jusqu'à plus soif :* à satiété. *Rester sur sa soif :* n'être pas satisfait. **2** fig. *Soif de :* désir.

**soiffard, arde** adj. fam. Toujours prêt à boire (de l'alcool). – n. *Des soiffards.*

**soignant, ante** adj. *Personnel soignant* (d'un hôpital), chargé des soins.

**soigner** v. tr. [1] **1** S'occuper du bien-être et du contentement de (qqn), du bon état de (qqch.). *Soigner sa clientèle ; ses outils.* **2** Apporter du soin à (ce que l'on fait). *Soigner les détails.* **3** S'occuper de rétablir la santé de (qqn). *Le médecin qui me soigne* (→ médecin **traitant**). ♦ S'occuper de guérir (un mal). *Soigner son rhume.* ▷ adj. **soigné, ée** *Des mains soignées.* ♦ *Cuisine soignée.* ▷ v. pron. se **soigner** **1** S'occuper de son bien-être, de son apparence physique. **2** Faire ce qu'il faut pour guérir. **3** passif (maladie) Pouvoir être soigné. *Ça se soigne !*, il est fou.

**soigneur, euse** n. Personne qui prend soin de (un sportif, un boxeur).

**soigneux, euse** adj. **1** *Soigneux de* (qqch.) : qui prend soin de. **2** Qui apporte du soin à ce qu'il fait. **3** Fait avec soin, avec méthode. ► **soigneusement** adv.

**soin** n. m. **1** littér. Pensée qui occupe l'esprit, préoccupation. – *Avoir, prendre soin de* (+ inf.) : s'occuper de. → **veiller** à. **2** *Avoir, prendre soin de* (qqn, qqch.) : soigner (1). **3** Travail confié. – *Les soins.* Actes par lesquels on soigne (1). → **attention, prévenance.** *Aux bons soins de M. X* (lettre). – loc. *Être aux petits soins pour qqn* : être très attentionné. **4** spécialt Actions par lesquelles on conserve ou rétablit la santé (→ **soigner** (3)). *Premiers soins.* **5** Manière appliquée, exacte, scrupuleuse (de faire qqch.). → **sérieux.** **6** Ordre et propreté ; aspect soigné.

**soir** n. m. **1** Fin du jour (→ **vespéral**). ♦ Temps après midi. *Cinq heures du soir* (s'oppose à *matin*). **2** Les dernières heures du jour et les premières de la nuit (s'oppose à *après-midi*). → **soirée.** – loc. *Le Grand Soir* : le jour de la révolution sociale.

**soirée** n. f. **1** Temps compris entre le déclin du jour et le moment où l'on s'endort. → **soir ; veillée.** **2** Réunion après le repas du soir. – *Tenue de soirée,* habillée. **3** Spectacle, le soir (opposé à *matinée*).

**soit I** conj. **1** *Soit... soit...* (alternative). → **ou.** – *Soit que... soit que...* (+ subj.). **2** *Soit* : étant donné. *Soit un triangle rectangle.* – À savoir, c'est-à-dire. *Soixante secondes, soit une minute.* **II** *Soit* adv. d'affirmation. Bon ; admettons.

**soixantaine** n. f. **1** Nombre de soixante ou environ. **2** Âge de soixante ans.

**soixante** [swasɑ̃t] **I** adj. numéral invar. **1** (cardinal) Six fois dix (60). – *Soixante-dix* (70). → **septante.** **2** (ordinal) Soixantième. *Page soixante.* **II** n. m. invar. Le nombre, le numéro soixante. ► **soixantième** adj. et n.

**soixante-huitard, arde** adj. et n. fam. Des événements de Mai* 1968.

**soja** n. m. Plante légumineuse d'Extrême-Orient, aux graines comestibles.

① **sol** n. m. **1** Partie superficielle de l'écorce terrestre. → **terre.** – par ext. *Le sol lunaire.* **2** Territoire. – *Le droit du sol,* qui vient du lieu de naissance. **3** Terrain. *Science des sols.* → **pédologie.** **4** Surface plane constituant la limite inférieure d'une construction, d'un local. *Un sol en terre battue.*

② **sol** n. m. invar. Cinquième degré de la gamme de do ; signe qui le représente.

**solaire** adj. **1** Du Soleil (position, mouvement). *Heure solaire.* **2** Du Soleil (astre). – *Système solaire.* **3** Qui fonctionne grâce au soleil. *Cadran solaire.* **4** Qui protège du soleil. *Crème solaire.* ♦ n. f. pl. Lunettes de soleil. *Une paire de solaires.* **5** fig., littér. Radieux, rayonnant. **6** De forme rayonnante. *Plexus* solaire.*

**solanacée** n. f. bot. Plante dicotylédone (ex. : aubergine, pomme de terre).

**solarium** [-jɔm] n. m. Lieu aménagé pour les bains de soleil.

**soldat** n. m. **1** Homme qui sert dans une armée. → **militaire.** **2** *(Simple) soldat* : militaire non gradé des armées de terre et de l'air. *Soldats et marins.* – appos. *Une femme soldat* (fam. *soldate,* n. f.). **3** fig. *Soldat de,* combattant, défenseur au service de (une cause). **4** *Soldats de plomb, petits soldats* : figurines (jouets).

**soldatesque** adj. Propre aux soldats.

① **solde** n. f. **1** Rémunération des militaires. – par ext. *Congé sans solde.* **2** loc. péj. *À la solde de* (qqn), payé, acheté par qqn.

② **solde** n. m. **1** Différence entre le crédit et le débit, dans un compte. *Solde créditeur.* – absolt *Le solde* : ce qui reste à payer. **2** *En solde* : vendu au rabais. ♦ au plur. *Soldes* : articles vendus en solde.

**solder** v. tr. [1] **1** Arrêter, clore (un compte). – Acquitter (une dette...). **2** pronom. (compte, budget) *Se solder par* : faire apparaître à la clôture un solde de. – fig. Aboutir en définitive à. **3** Mettre, vendre (qqch.) en solde. ▷ adj. **soldé, ée** ► **soldeur, euse** n.

① **sole** n. f. zool. Partie cornée formant le dessous du sabot (cheval, âne...).

② **sole** n. f. Poisson de mer plat et ovale.

**solécisme** n. m. Emploi syntaxique fautif (ex. *je suis été*).

**soleil** n. m. **1** Astre qui donne lumière et chaleur à la Terre, et rythme la vie à sa surface. *Sous le soleil,* sur la terre. ♦ sc. (avec maj.) Cet astre, en tant qu'étoile de la Galaxie. → **solaire.** **2** Lumière de cet astre ; temps ensoleillé. *Il fait soleil.* ♦ Rayons du soleil. – *Coup de soleil* : insolation ou brûlure causée par le soleil. ♦ Endroit exposé aux rayons du soleil. *En plein soleil.* – *Au soleil. Avoir des biens au soleil,* des propriétés immobilières. **3** Image de cet astre, cercle entouré de rayons. **4** Pièce d'artifice, cercle tournant. **5** Tour acrobatique autour d'un axe horizontal. **6** Fleur de tournesol.

**solennel, elle** [-anɛl] adj. **1** Célébré par des cérémonies publiques. **2** Accompagné de formalités qui donnent de l'importance. *Un serment solennel.* **3** (souvent péj.) Qui a une gravité propre aux grandes occasions. ► **solennellement** [-an-] adv.

**solennité** [-an-] n. f. **1** Fête solennelle. **2** Caractère solennel.

**solénoïde** n. m. Fil conducteur enroulé qui crée un champ magnétique sur son axe quand il est parcouru par un courant.

**solfatare** n. f. Terrain qui dégage des fumerolles.

**solfège** n. m. Étude des principes élémentaires de la musique et de sa notation.

**solfier** v. tr. [7] Chanter (un morceau de musique) en nommant les notes.

**solidaire** adj. **1** (personnes) Lié par une responsabilité et des intérêts communs. **2** (choses) En dépendance réciproque. ► **solidairement** adv.

**solidariser** v. tr. [1] Rendre solidaire. ▷ v. pron. se **solidariser**

**solidarité** n. f. Fait d'être solidaire ; obligation d'assistance mutuelle. ◆ Sentiment humanitaire qui pousse à assister autrui.

**solide** adj. **I 1** Qui a de la consistance, qui n'est pas liquide. ◆ (en physique) *L'état solide* (opposé à *gazeux* et à *liquide*). – n. m. *Les solides :* les corps solides. **2** n. m. géom. Figure à trois dimensions, limitée par une surface fermée, à volume mesurable. **II 1** Qui résiste aux efforts, à l'usure. → **résistant, robuste. 2** fig. Sur quoi l'on peut s'appuyer, compter. *Une amitié solide.* **3** (personnes) Qui a une santé à toute épreuve. – Équilibré, sérieux. **4** fam. Important, intense. *Un solide appétit.* ► **solidement** adv.

**solidifier** v. tr. [7] Donner une consistance solide à (une substance). → **durcir.** ► **solidification** n. f.

**solidité** n. f. Caractère de ce qui est solide (II, 1 et 2).

**soliloque** n. m. Monologue. ► **soliloquer** v. intr. [1]

**soliste** n. Musicien qui joue en solo.

**solitaire I** adj. **1** Qui vit seul, dans la solitude. **2** *Fleur solitaire* (ex. la tulipe). *Ver solitaire.* → **ténia. 3** Qui se passe, s'accomplit dans la solitude. – loc. *Plaisir solitaire :* masturbation. **4** (lieu) Où l'on est seul. **II** n. Personne qui vit seule ; agit, travaille seule. **III** n. m. **1** Sanglier mâle sans compagnie. **2** Diamant monté seul.

**solitairement** adv. Dans la solitude.

**solitude** n. f. **1** Situation d'une personne qui est seule. *Vivre dans la solitude.* → **isolement. 2** littér. Lieu solitaire. – Atmosphère, aspect solitaire. *La solitude des forêts.*

**solive** n. f. Pièce de charpente qui soutient le plancher.

**solliciter** v. tr. [1] **I 1** Chercher à éveiller (l'attention, la curiosité). **2** Agir sur (qqn) en attirant l'attention. *Être sollicité par la publicité.* **3** Faire appel à, prier (qqn) de façon pressante en vue d'obtenir qqch. **II 1** *Solliciter qqch. (de qqn),* le lui demander dans les formes. *Solliciter une audience.* **2** Forcer l'interprétation de (un texte). ► **sollicitation** n. f.

**solliciteur, euse** n. Personne qui sollicite qqch. → **quémandeur.**

**sollicitude** n. f. Attention soutenue et affectueuse.

**solo** n. m. **1** Morceau joué ou chanté par un seul interprète. *Des solos* ou *des soli.* ◆ *En solo :* sans accompagnement. **2** *(Spectacle) solo :* recomm. off. pour l'anglic. *one man show.* **3** *En solo :* seul(e), en solitaire. *Vacances en solo.*

**solstice** n. m. Chacune des deux époques où le Soleil atteint son plus grand éloignement de l'équateur. *Solstice d'hiver* (21 ou 22 décembre), *d'été* (21 ou 22 juin).

**soluble** adj. contr. *insoluble* **1** Qui peut se dissoudre (dans un liquide). **2** Qui peut être résolu. ► **solubiliser** v. tr. [1] ► **solubilité** n. f.

**soluté** n. m. Remède liquide contenant une substance en solution.

**solution** n. f. **I 1** Opération mentale par laquelle on surmonte une difficulté, on résout un problème. **2** Actes qui peuvent résoudre une difficulté. *Une solution de facilité,* qui exige un faible effort. ◆ hist. *La solution finale :* le projet d'extermination totale des Juifs par les nazis. **3** Manière dont une situation compliquée se dénoue. → **dénouement, issue. II 1** loc. *Solution de continuité :* interruption. → **coupure, rupture. 2** Action de (se) dissoudre dans un liquide. → **dissolution. 3** Mélange homogène ; liquide contenant un solide dissous.

**solutionner** v. tr. [1] (mot critiqué) Résoudre (un problème).

**solvable** adj. Qui a les moyens de payer. ► **solvabilité** n. f.

**solvant** n. m. Substance qui peut dissoudre d'autres substances.

**somatique** adj. **1** Qui concerne le corps (opposé à *psychique*). **2** Qui provient de causes physiques. → **physiologique.**

**somatiser** v. tr. [1] Rendre somatique, physiologique (un trouble psychique). ► **somatisation** n. f.

**sombre** adj. **I 1** Peu éclairé, qui reçoit peu de lumière. → **obscur.** – *Il fait sombre.* **2** Foncé. *Un manteau sombre.* **II** fig. **1** Morose, triste. **2** (choses) D'une tristesse tragique ou menaçante. → **sinistre.** *L'avenir est sombre.* **3** fam. (avant le nom) Déplorable, lamentable. *Un sombre idiot.*

**sombrer** v. intr. [1] **1** (bateau) Cesser de flotter, s'enfoncer dans l'eau. → **couler,** faire **naufrage. 2** fig. Disparaître, s'anéantir. *Sombrer dans le désespoir.*

**sombrero** [sɔ̃bʀeʀo] n. m. Chapeau à larges bords (Amérique latine).

**sommaire** adj. **I 1** Résumé brièvement. **2** Qui est fait promptement, sans formalité. → **expéditif.** *Exécution sommaire.* **3** Réduit à sa forme la plus simple. → **élémentaire, rudimentaire.** ► **sommairement** adv. **II** n. m. Bref résumé des chapitres (livre), des articles (revue).

**sommation** n. f. Mise en demeure (spécialt de se rendre, de se disperser, etc.).

① **somme** n. f. **1** math. Quantité formée de quantités additionnées ; résultat d'une addition. **2** fig. Total. – Masse, quantité. *Une somme de travail considérable.* ♦ *En somme* loc. adv. : tout bien considéré. – *Somme toute.* → **finalement.** **3** *Somme (d'argent)* : quantité déterminée d'argent. **4** didact. Synthèse de connaissances (œuvre). *Une somme philosophique.*

② **somme** n. f. loc. *Bête de somme* : bête qui porte les fardeaux.

③ **somme** n. m. Court sommeil.

**sommeil** n. m. **1** État (d'une personne, d'un animal) qui dort, avec suspension de la vigilance. – *Le premier sommeil.* ♦ Envie de dormir. *Tomber de sommeil.* **2** Hibernation. **3** littér. *Le sommeil éternel, le dernier sommeil* : la mort. **4** fig. Inactivité. – *Être en sommeil.*

**sommeiller** v. intr. [1] Dormir d'un sommeil léger et bref.

**sommelier, ière** n. Personne chargée de la cave, des vins, dans un restaurant.

**sommer** v. tr. [1] dr. Mettre (qqn) en demeure (de faire qqch.) dans les formes ; avertir par une sommation. *Sommer qqn à comparaître.* → **assigner.** – *Je vous somme de répondre.* → **ordonner.**

**sommet** n. m. **1** Point ou endroit le plus élevé. → **faîte, haut.** ♦ Point culminant. **2** fig. Degré le plus élevé. *Être au sommet de la gloire.* ♦ *Conférence au sommet,* ou ellipt *sommet,* entre des dirigeants suprêmes. **3** Intersection de deux côtés (d'un angle, d'un polygone).

**sommier** n. m. **I** Partie d'un lit qui supporte le matelas. **II** admin. Gros registre.

**sommité** n. f. **I** didact. Extrémité (d'une tige, d'une plante). **II** Personnage éminent. → **personnalité.**

**somnambule** [-ɔmn-] n. et adj. **1** (Personne) qui marche, agit pendant son sommeil. **2** (Personne) qui agit dans un sommeil hypnotique. ► **somnambulique** adj. ► **somnambulisme** n. m.

> Ne pas confondre avec *noctambule* « (personne) qui vit la nuit ».

**somnifère** [-ɔmn-] adj. et n. m. (Médicament) qui provoque le sommeil.

**somnolence** [-ɔmn-] n. f. **1** Demi-sommeil. → **torpeur.** **2** Tendance à s'assoupir. ► **somnolent, ente** adj.

**somnoler** [-ɔmn-] v. intr. [1] Être dans un état de somnolence, dormir à demi.

**somptuaire** adj. **1** Antiq. *Loi somptuaire,* qui, à Rome, restreignait les dépenses de luxe. **2** *Dépenses somptuaires,* de luxe.

**somptueux, euse** adj. D'une beauté coûteuse, d'un luxe visible. → **fastueux.** ► **somptueusement** adv. ► **somptuosité** n. f.

① **son, sa, ses** adj. poss. (3^e^ pers. du sing.) Relatif à la personne ou la chose dont il est question. *Son parapluie. Sa voiture. Son amie.*

② **son** n. m. Sensation auditive créée par une vibration dans l'air. → aussi **bruit.** – *Vitesse du son* (→ Mach). ♦ *Sons musicaux.*

③ **son** n. m. **1** Résidu de la mouture provenant de l'enveloppe des grains. **2** Sciure servant à bourrer. *Poupée de son.* **3** loc. *Tache de son* : tache de rousseur.

**sonar** n. m. Appareil de détection sous-marine par réflexion des ondes sonores.

**sonate** n. f. **1** Composition musicale pour un ou deux instruments. **2** Forme de la sonate (et symphonie, concerto, quatuor...).

**sonatine** n. f. Petite sonate.

**sondage** n. m. **1** Exploration à la sonde (1). **2** Introduction d'une sonde (2) dans l'organisme. **3** *Sondage (d'opinion)* : enquête auprès d'un échantillon de population.

**sonde** n. f. **1** Instrument qui sert à déterminer la profondeur de l'eau et la nature du fond. – Appareil de mesure des altitudes. **2** Instrument pour explorer les canaux de l'organisme ; pour l'alimentation artificielle. **3** Appareil servant aux forages et aux sondages du sol (→ **trépan**). **4** *Sonde spatiale* : engin non habité.

**sonder** v. tr. [1] **1** Reconnaître au moyen d'une sonde. **2** fig. Chercher à entrer dans le secret de (la conscience, le cœur...). ♦ *Sonder l'opinion* (→ **sondage** (3)). ► **sondeur, euse** n.

**songe** n. m. littér. Rêve.

**songer** v. [3] **1** v. tr. ind. *Songer à* : penser à ; réfléchir à. – Envisager. *Il songe à se marier.* **2** v. tr. *Songer que* : prendre en considération.

**songeur, euse** adj. Pensif et un peu inquiet ou troublé.

**sonnaille** n. f. Cloche, clochette attachée au cou d'un animal domestique.

**sonnant, ante** adj. **1** (heure) Qui est en train de sonner. → **tapant.** *À cinq heures sonnantes.* **2** loc. *Espèces sonnantes (et trébuchantes)* : pièces de monnaie.

**sonné, ée** adj. **1** Annoncé par une sonnerie. *Il est midi sonné.* → ③ **passé.** **2** Assommé par un coup. **3** fam. Fou.

**sonner** v. [1] **I** v. intr. **1** Retentir sous un choc. *Les cloches sonnent.* **2** Produire une sonnerie. *Le téléphone a sonné.* **3** *Sonner bien, mal,* être harmonieux ou non (mot, phrase...).

4 Faire fonctionner une sonnerie. *Entrez sans sonner.* **II** v. tr. ind. *Sonner du cor :* jouer. *Sonner du biniou, de l'accordéon.* **III** v. tr. **1** Faire résonner. **2** Faire entendre (une sonnerie). *Sonner le glas.* **3** Appeler (qqn) par une sonnerie. **4** Assommer, étourdir d'un coup de poing.

**sonnerie** n. f. **1** Son de ce qui sonne ou d'un instrument dont on sonne. *La sonnerie du téléphone.* **2** Appareil, mécanisme avertisseur. → **sonnette.**

**sonnet** n. m. Petit poème à forme fixe (deux quatrains, deux tercets).

**sonnette** n. f. Petit instrument métallique (clochette) qui sonne pour avertir. - Timbre ; sonnerie.

**sonneur, euse** n. **1** Personne qui sonne les cloches. - loc. *Dormir comme un sonneur* (que les cloches ne réveillent pas). **2** Musicien, personne qui sonne d'un instrument. *Sonneur de cornemuse.*

**sonore** adj. **1** Qui résonne fort. *Une voix sonore.* - n. f. *Une sonore* (opposé à *sourde*), consonne dont l'émission s'accompagne de vibrations du larynx (ex. [b]). **2** (lieu) Qui renvoie ou propage le son. **3** Relatif au son. *Ondes sonores. - Effets sonores.*

**sonorisation** n. f. **1** Action de sonoriser. **2** Matériel d'amplification. - abrév. **sono.**

**sonoriser** v. tr. [1] **1** Rendre sonore. **2** Adjoindre du son à (un film, un spectacle). **3** Munir (une salle) d'une sonorisation (2).

**sonorité** n. f. **1** Qualité d'un son (d'une voix). **2** Qualité acoustique (d'un local).

**sophisme** n. m. Argument, raisonnement faux malgré une apparence de vérité.

**sophiste** **1** n. m. Antiq. grecque Maître de rhétorique et de philosophie. **2** n. Personne qui fait des sophismes.

**sophistication** n. f. anglic. **1** Caractère sophistiqué. **2** Complexité technique.

**sophistiqué, ée** adj. **1** Alambiqué, affecté. **2** anglic. Complexe, perfectionné. *Du matériel très sophistiqué.*

**sophrologie** n. f. didact. Maîtrise de la douleur, de l'angoisse (→ relaxation).

**soporifique** adj. **1** Qui provoque le sommeil. - n. m. *Un soporifique.* → **somnifère.** **2** fig., fam. Endormant, ennuyeux.

**sopraniste** n. m. mus. Soprano homme.

**soprano** **1** n. m. La plus élevée des voix (enfants, femmes). **2** n. Personne qui a cette voix. *Un, une soprano.*

**sorbe** n. f. Fruit du sorbier, baie orangée.

**sorbet** n. m. Glace légère, sans crème, généralement à base de jus de fruit.

**sorbetière** [-ətjɛʀ] n. f. Appareil pour préparer les glaces et les sorbets.

**sorbier** n. m. Arbre produisant des baies *(sorbes)* comestibles. → **alisier.**

**sorbonnard, arde** n. péj. Étudiant ou professeur de la Sorbonne.

**sorcellerie** n. f. Pratique des sorciers. - *C'est de la sorcellerie.* → **magie.**

**sorcier, ière** **I** **1** n. Personne qui pratique une magie secrète, illicite ou dangereuse. → **magicien.** ♦ loc. *Chasse aux sorcières :* persécution organisée. **2** n. f. fig. *(Vieille) sorcière :* vieille femme laide et méchante. **II** (adj. m.) loc. fam. *Ce n'est pas sorcier :* ce n'est pas difficile.

**sordide** adj. **1** Sale et misérable. **2** fig. Intéressé et mesquin. ► **sordidement** adv. ► **sordidité** n. f.

**sorgho** n. m. Graminée des pays chauds, utilisée comme céréale.

**sornette** n. f. surtout au plur. Baliverne.

**sororal, ale, aux** adj. didact. D'une sœur, de sœurs (correspond à *fraternel*).

**sort** n. m. **1** Ce qui arrive (à qqn) du fait du hasard ou du destin. → **destinée.** *Abandonner qqn à son (triste) sort. - Faire un sort à qqch.,* littér. le mettre en valeur ; fam. s'en débarrasser. **2** Puissance fixant le cours des choses. - *Le mauvais sort :* la malchance. **3** Désignation par le hasard. *Le sort décidera.* - loc. *Tirer au sort. - Le sort en est jeté.* **4** Effet magique néfaste (surtout dans : *jeter un sort*). → **envoûtement, sortilège.**

**sortable** adj. Présentable.

**sortant, ante** adj. **1** Qui sort (I, 5). *Les numéros sortants.* → **gagnant.** **2** Qui cesse de faire partie d'une assemblée. *Député sortant.*

**sorte** n. f. **1** Ensemble (de gens ou d'objets caractérisés). → **espèce, genre.** *Cette sorte de gens. Des fruits de toutes sortes.* **2** *Une sorte de :* ce qui se rapproche de. → une **espèce** de. **3** loc. littér. *De la sorte :* de cette façon, ainsi. - *En quelque sorte :* d'une certaine manière ; pour ainsi dire. - *De sorte à* (+ inf.) : de manière à. - *De telle sorte que :* de telle manière que. - *De sorte que :* si bien que. - *Faire en sorte que* (+ subj.), *de* (+ inf.) : s'arranger pour (que).

**sortie** [-ti] n. f. **I** **1** Action de quitter un lieu ; moment où (qqn) sort. *À la sortie de l'école.* **2** Action militaire pour sortir d'un lieu. ♦ fig. Attaque verbale. **3** Fait de sortir (I, 2). - fam. *Être de sortie.* **4** (capitaux...) Fait de sortir d'un pays. **5** Fait d'être produit, livré au public. *La sortie d'un livre.* → **parution.** **6** Somme dépensée. *Les rentrées et les sorties.* **7** inform. Émission vers l'extérieur (par oppos. à *entrée*). **II** Endroit par où les personnes, les choses sortent. → **issue.** *Sortie de secours.* → **porte.** **III** *Sortie de bain :* peignoir que l'on porte après le bain.

**sortilège** n. m. **1** Artifice de sorcier. **2** Influence magique. → **charme ; sort** (4).

① **sortir** v. [16] v. intr. (avec l'auxiliaire *être*) contr. *entrer* **I** **1** Aller hors (d'un lieu). *Sortir de chez soi.* - absolt Quitter une maison, une pièce. *Il est sorti discrètement.* **2** Aller dehors. - Aller hors de chez soi pour se distraire (→ **sortie** (3)). *Ils sortent beaucoup.* ♦ *Sortir avec qqn, ensemble* (relations amoureuses). **3** (objet en mouvement, fluide) Aller hors (de). *Eau qui sort d'une source. La voiture est sortie de la route.* **4** Apparaître à l'extérieur. → **pousser ; percer.** *Les bourgeons sortent.* ♦ (film, livre...) Paraître. **5** Se produire (au jeu, au tirage au sort). **II** (personnes) **1** Quitter (le lieu d'une occupation). *Sortir de table* : avoir fini de manger. – **absolt** *Les élèves sortent à cinq heures.* **2** Quitter (une occupation). – fam. (+ inf.) *Je sors d'en prendre !* **3** Quitter (un état), faire ou voir cesser (une situation). **4** Ne pas se tenir (à une chose fixée). → s'**écarter.** *Vous sortez du sujet.* ♦ Être en dehors (de). *Sortir de l'ordinaire.* **III** Avoir son origine (dans). → **venir** de. – *Il sort d'une bonne famille.* ♦ Avoir été formé (quelque part). *Sortir d'une grande école.* **IV** v. tr. (avec l'auxiliaire *avoir*) **1** Mener dehors (un animal). *Je vais sortir le chien.* – fam. Mener (qqn) au spectacle, etc. **2** Placer dehors (qqch.). **3** fam. Expulser, jeter dehors (qqn). – Éliminer (un concurrent...). **4** Tirer (d'un état, d'une situation). *Il faut le sortir de là.* ♦ pronom. *S'en sortir* : se dégager d'une mauvaise situation. → s'en **tirer.** **5** Produire pour le public, mettre en vente. **6** fam. Dire, débiter.

② **sortir** n. m. littér. *Au sortir de* : en sortant de (un lieu ; un état, une occupation).

**S. O. S.** [ɛsoɛs] n. m. Appel au secours (d'un bateau, d'un avion...).

**sosie** n. m. Personne qui a une ressemblance parfaite avec une autre.

**sot, sotte** adj. littér. **1** Sans intelligence ni jugement. → **bête, idiot, stupide.** ♦ n. *Un pauvre sot.* **2** Qui dénote un manque d'intelligence et de jugement. *Une sotte vanité.*

**sotie** [-ti] n. f. hist. littér. Farce satirique et allégorique du Moyen Âge.

**sot-l'y-laisse** n. m. invar. Morceau délicat et caché d'une volaille.

**sottement** adv. D'une manière sotte.

**sottise** n. f. **1** littér. Manque d'intelligence et de jugement. → **bêtise, stupidité.** **2** Parole ou action sotte. **3** Maladresse, acte de désobéissance (d'enfant).

**sottisier** n. m. Recueil de sottises (2) ou de platitudes de personnes connues.

**sou** n. m. **1** anciennt Le vingtième du franc, cinq centimes. ♦ mod. Pièce de monnaie. *Machine à sous.* **2** loc. Petite somme. *Amasser sou à sou, sou par sou. Être sans le sou,* sans argent. *Il n'a pas un sou de bon sens,* pas du tout. **3** au plur. Argent. *Des sous !* – loc. *Une question de gros sous,* d'intérêt.

**soubassement** n. m. Partie inférieure (d'une construction...). → **base.**

**soubresaut** [-so] n. m. **1** Secousse imprévue. **2** Mouvement convulsif.

**soubrette** n. f. littér. Servante.

**souche** n. f. **1** Base du tronc et racines (d'un arbre coupé). – loc. *Dormir comme une souche,* profondément. **2** fig. (dans des loc.) Origine d'une lignée. *De vieille souche.* ♦ Origine. *Mot de souche germanique.* **3** Partie d'un document qui reste, quand on en a détaché l'autre partie. → **talon.**

① **souci** n. m. **1** Préoccupation inquiète (à propos de qqn ou de qqch.). → **tracas.** *Se faire du souci.* **2** Objet de cette préoccupation. *Un, des soucis.* **3** Intérêt soutenu. *Le souci de la perfection.*

② **souci** n. m. Petite plante de jardin, à fleurs jaunes ou orangées. – Sa fleur.

**se soucier** v. pron. [7] (surtout négatif) Se préoccuper de. *Je ne m'en soucie guère.*

**soucieux, euse** adj. **1** Absorbé par le souci. → **inquiet, préoccupé.** **2** *Soucieux de* : qui se soucie de.

**soucoupe** n. f. **1** Petite assiette qui se place sous une tasse. **2** *Soucoupe volante* : objet volant d'origine extraterrestre. → **ovni.**

**soudage** n. m. Action de souder (1).

**soudain, aine** **I** adj. Qui se produit en très peu de temps, sans avoir été prévu. → **brusque, rapide, subit.** **II** adv. Dans l'instant même. ► **soudainement** adv.

**soudaineté** n. f. Caractère soudain.

**soudard** n. m. littér. Soldat brutal.

**soude** n. f. **1** Carbonate de sodium. **2** *Soude caustique* : hydroxyde de sodium. **3** pharm. *Bicarbonate de soude,* de sodium.

**souder** v. tr. [1] **1** Joindre (des pièces métalliques) par fusion. – **absolt** *Lampe à souder* (→ **chalumeau**). **2** Unir étroitement. – au p. p. *Une équipe très soudée.*

**soudeur, euse** **1** n. Spécialiste de la soudure. **2** n. f. Machine à souder.

**soudoyer** v. tr. [8] Acheter de manière immorale le concours de (qqn).

**soudure** n. f. **1** Alliage fusible servant à souder les métaux. **2** Ce qui est soudé. – Soudage. **3** fig. *Faire la soudure* : assurer la continuité.

**soufflage** n. m. Opération par laquelle on façonne un verre en le soufflant.

**soufflant, ante** adj. **1** Qui sert à souffler. **2** fig., fam. Qui coupe le souffle.

**souffle** n. m. **I** **1** Mouvement de l'air produit en soufflant. **2** Expiration. → **haleine.** ♦ La respiration. *Couper le souffle à qqn* (fig., stupéfier). – *À bout de souffle,* épuisé. **3** *Le souffle* : la capacité à ne pas s'essouffler. *Avoir du souffle.* – fig. *Second souffle,* regain d'énergie. **4** fig. Force qui anime, crée. *Souffle créateur.* → **inspiration.** **II** **1** Mouvement de l'air dans l'atmosphère. → **vent ; courant.** **2** Air, fluide déplacé (par une différence de pression). → **poussée.** *Le souffle d'un réacteur.* **3** Bruit anormal (cœur, poumons). **4** Bruit de fond (radio).

**soufflé, ée** **I** adj. **1** Gonflé. *Beignet soufflé.* **2** Bouffi, boursouflé. **3** fam. Stupéfait. **II** n. m. Préparation de pâte légère qui se gonfle à la cuisson.

**souffler** v. tr. 1 **I** v. intr. **1** Expulser de l'air par la bouche ou par le nez. *Souffler sur le feu.* **2** Respirer avec peine. → **haleter.** ♦ Reprendre haleine. *Prendre le temps de souffler.* **3** (vent) Produire un mouvement de l'air. **II** v. tr. **1** Éteindre en soufflant. **2** fam. *Souffler qqch. à qqn,* le lui enlever. **3** Détruire par un souffle violent. – au p. p. *Maison soufflée par une explosion.* **4** Envoyer de l'air, du gaz dans (qqch.). *Souffler le verre* (pour le façonner). **5** Faire sortir en soufflant. *Souffler la fumée par le nez.* **6** loc. *Ne pas souffler mot :* ne rien dire. ♦ Dire discrètement (qqch.) pour aider qqn. *Souffler une réplique à un acteur* (→ **souffleur**). **7** fam. Stupéfier (→ **soufflant**).

**soufflerie** n. f. **1** Machine qui souffle de l'air. *La soufflerie d'une forge.* **2** Installation étudiant les mouvements d'un fluide, de l'air (avions, etc.).

**soufflet** n. m. **I 1** Instrument qui sert à souffler de l'air. **2** Partie pliante ou souple entre deux parties rigides. *Sac à soufflets.* **II** littér. Gifle (► **souffleter** v. tr. 4). – fig. Insulte grave.

**souffleur, euse I** n. **1** Personne qui façonne le verre par soufflage. **2** (au théâtre) Personne qui souffle leur rôle aux acteurs. **II** n. f. (Canada) Chasse-neige qui projette la neige à distance.

**soufflure** n. f. techn. Bulle de gaz.

**souffrance** n. f. **1** Fait de souffrir* ; douleur. **2** *En souffrance :* (marchandises) en attente ; en suspens.

**souffrant, ante** adj. **1** littér. Qui souffre. **2** Légèrement malade. → **indisposé.**

**souffre-douleur** n. m. invar. Personne qui est en butte aux mauvais traitements.

**souffreteux, euse** adj. De santé fragile. → **maladif, malingre.**

**souffrir** v. 18 **I** v. tr. littér. **1** Supporter (qqch. de pénible). → **endurer.** – loc. *Ne pas souffrir* (qqn). **2** Permettre, tolérer. *Souffrez que...* (+ subj.). – (sujet chose) *Une loi qui ne souffre aucune exception.* → **admettre. II** v. intr. **1** Éprouver des douleurs physiques ou morales ; avoir mal. *Où souffrez-vous ?* – *Souffrir de* (origine, cause). *Souffrir du froid ; de la solitude.* **2** (sujet chose) Éprouver un dommage. → **pâtir. 3** trans. loc. *Souffrir le martyre, mille morts,* souffrir beaucoup.

**soufisme** n. m. Courant mystique de l'islam, qui vise au pur amour de Dieu. ► **soufi, ie** adj. et n.

**soufre** n. m. Corps simple (symb. S), solide, jaune citron. ♦ loc. *Sentir le soufre,* paraître diabolique.

**soufrer** v. tr. 1 **1** Imprégner, enduire de soufre. – au p. p. *Allumettes soufrées.* **2** Traiter (la vigne) à l'anhydride sulfureux.

**soufrière** n. f. Lieu d'où l'on extrait le soufre.

**souhait** n. m. **1** Désir d'obtenir qqch., de voir un événement se produire. → **vœu. 2** loc. adv. *À souhait :* autant que possible.

**souhaiter** v. tr. 1 Désirer (qqch.) pour soi ou pour autrui. → **espérer.** *Je souhaite qu'il réussisse.* – *Je vous souhaite bonne chance.* ► **souhaitable** adj.

**souille** n. f. Bourbier où le sanglier aime à se vautrer.

**souiller** v. tr. 1 littér. Salir. ♦ fig. *On tente de souiller sa mémoire.*

**souillon** n. f. littér. Femme malpropre.

**souillure** n. f. littér. **1** Saleté, tache. **2** fig. Tache morale, flétrissure.

**souk** n. m. **1** Marché couvert des pays arabes. **2** fam. Lieu de désordre.

**soul** n. f. anglic. Musique vocale des États-Unis issue du rhythm and blues.

**soûl, soûle** [su, sul] adj. **I 1** littér. *Être soûl de qqch.,* en être rassasié. **2** (n. m.) *Tout mon (ton, son...) soûl* loc. adv. : à satiété. **II** fam. Ivre. – var. **saoul, saoule.**

**soulagement** n. m. **1** Action ou manière de soulager ; ce qui soulage. **2** État d'une personne soulagée. *Soupir de soulagement.*

**soulager** v. tr. 3 **1** Débarrasser (qqn, un animal, qqch.) de (une partie d'un fardeau), dispenser de. **2** Débarrasser partiellement (qqn) de ce qui pèse sur lui (douleur, inquiétude, etc.). **3** Rendre (un mal) moins pénible à supporter. ▷ v. pron. **se soulager 1** Se libérer de ce qui pèse. **2** fam. Satisfaire un besoin naturel.

**soûlard, arde** adj. fam. Ivrogne. – syn. **soûlaud, aude** et **soûlot, ote.**

**soûler** v. tr. 1 **1** Enivrer. – pronom. *Se soûler au whisky.* **2** fig. Griser. **3** fam. Ennuyer, fatiguer (► **soûlant, ante** adj.).

**soûlerie** n. f. fam. Fait de se soûler.

**soulèvement** n. m. **1** Fait de soulever, d'être soulevé. **2** fig. Révolte massive.

**soulever** v. tr. 5 **1** Lever à une faible hauteur ; relever. **2** Faire s'élever. *Soulever de la poussière.* – loc. *Soulever le cœur*.* **3** fig. Transporter, exalter (qqn). **4** Entraîner à la révolte. *Soulever le peuple contre un dictateur.* **5** Exciter puissamment (une réaction...). *Soulever l'enthousiasme.* **6** Faire que se pose (une question, un problème). → **poser. 7** fam. Enlever, prendre.

**soulier** n. m. Chaussure épaisse, qui couvre bien le pied. – loc. *Être dans ses petits souliers,* mal à l'aise.

**souligner** v. tr. 1 **1** Tirer une ligne, un trait sous (des mots qu'on veut signaler). ♦ Border d'un trait qui met en valeur. **2** fig. Accentuer ; mettre en valeur. ► **soulignage** et **soulignement** n. m.

**soûlographie** n. f. fam. → **soûlerie.**

**soûlot, ote** → **soûlard**

**soulte** n. f. dr. Somme d'argent qui compense une inégalité (partage, etc.).

**soumettre** v. tr. 56 **1** Mettre dans un état de dépendance ; ramener à l'obéissance. *Soumettre des rebelles.* **2** Mettre dans l'obligation d'obéir, de faire. → **assujettir.** - au p. p. *Revenus soumis à l'impôt.* **3** Présenter, proposer. *Soumettre un manuscrit à un éditeur.* ▷ v. pron. se **soumettre** ▷ adj. **soumis, ise** Docile, obéissant.

**soumission** n. f. **1** Fait de se soumettre ; attitude soumise. → **obéissance. 2** dr. Devis établi en réponse à un appel d'offres.

**soumissionner** v. tr. [1] dr. Proposer par une soumission (2).

**soupape** n. f. Pièce mobile qui s'ouvre et se ferme. → **clapet, valve.**

**soupçon** n. m. **1** Fait d'attribuer à qqn des actes, des intentions blâmables. → **suspicion.** - *Être au-dessus, à l'abri de tout soupçon.* **2** Fait de soupçonner (qqch.). **3** Ce qui laisse supposer la présence (de qqch.) ; très petite quantité. *Un soupçon de gin.*

**soupçonner** v. tr. [1] **1** Faire peser des soupçons sur (qqn). → **suspecter. 2** Pressentir (qqch.). *Soupçonner un danger.* ► **soupçonnable** adj.

**soupçonneux, euse** adj. Enclin aux soupçons. → **méfiant ; suspicieux.**

**soupe** n. f. **I 1** vx Tranche de pain arrosée de bouillon. **2** loc. *Être trempé comme une soupe,* complètement trempé (par la pluie). **II 1** Potage ou bouillon épaissi. ♦ loc. fam. *Un gros plein de soupe,* un homme très gros. - *Être soupe au lait,* irascible. **2** loc. *Soupe populaire,* repas gratuit servi aux défavorisés. **3** loc. fam. *Aller à la soupe :* chercher les avantages. - *Cracher* dans la soupe.*

**soupente** n. f. Réduit aménagé dans la hauteur d'une pièce ou sous un escalier.

① **souper** v. intr. [1] **1** vx ou région. Prendre le repas du soir. → ① **dîner. 2** fam. *J'en ai soupé :* j'en ai assez.

② **souper** n. m. **1** vx ou région. Dîner. **2** Repas que l'on prend tard dans la nuit.

**soupeser** v. tr. [5] **1** Soulever et soutenir un moment. **2** fig. Peser, évaluer.

**soupière** n. f. Récipient où l'on sert la soupe ou le potage ; son contenu.

**soupir** n. m. **1** Inspiration ou respiration bruyante, exprimant l'émotion. - loc. *Le dernier soupir* (de la mort). → **souffle. 2** mus. Silence correspondant à une noire.

**soupirail, aux** n. m. Ouverture donnant de l'air, du jour à un sous-sol.

**soupirant** n. m. plais. Celui qui fait la cour à une femme.

**soupirer** v. [1] **1** v. intr. Pousser des soupirs. ♦ *Soupirer après, pour* (qqn, qqch.) : désirer. **2** v. tr. Dire en soupirant.

**souple** adj. **1** Que l'on peut plier et replier facilement, sans casser. → **flexible.** ♦ (corps, personnes) Qui se plie avec aisance. **2** fig. Capable de s'adapter ; accommodant. ► **souplesse** n. f. → **flexibilité.**

**souquer** v. [1] mar. Tirer fortement (sur les avirons).

**sourate** n. f. Chapitre du Coran. - var. **surate** [suRat] n. f.

**source** n. f. **1** Eau qui sort de terre ; son emplacement. - loc. fig. *Cela coule* de source.* ♦ spécialt *La source d'un cours d'eau.* **2** fig. Origine, principe. *Une source de profit.* **3** Origine (d'une information). *Savoir de source sûre.* **4** Point d'où rayonne (une énergie). *Une source de chaleur.*

**sourcier, ière** n. Personne censée pouvoir découvrir les sources (par radiesthésie).

**sourcil** [-si] n. m. (êtres humains) Arc garni de poils qui surplombe les yeux.

**sourcilier, ière** adj. *Arcade sourcilière,* des sourcils.

**sourciller** v. intr. [1] (négatif) Manifester son trouble, son mécontentement. *Il a répondu sans sourciller.*

**sourcilleux, euse** adj. littér. Sévère.

**sourd, sourde I** adj. et n. **1** Qui entend mal (→ **malentendant**) ou n'entend pas (→ **surdité**). - loc. *Sourd comme un pot :* complètement sourd. ♦ n. *Un sourd, une sourde.* - loc. *Crier ; cogner comme un sourd,* de toutes ses forces. - *Dialogue de sourds,* où les interlocuteurs ne se comprennent pas. **2** fig., littér. *Sourd à* (qqch.) : insensible à. **II** adj. (choses) **1** Peu sonore. - n. f. *Une sourde* (opposé à *sonore*), consonne émise sans vibration des cordes vocales (ex. [p]). **2** Qui se manifeste peu. *Une douleur sourde.*

**sourdement** adv. **1** Avec un bruit sourd. **2** D'une manière cachée.

**sourdine** n. f. **1** Dispositif pour amortir le son (cordes, cuivres...). **2** loc. *En sourdine :* sans éclat. → **discrètement.**

**sourdingue** adj. fam. et péj. Sourd.

**sourd-muet, sourde-muette** adj. et n. Que sa surdité a rendu muet. - *Les sourds-muets.*

**sourdre** v. intr. seulement inf. et 3e pers. de l'indic. : *il sourd, ils sourdent ; il sourdait, ils sourdaient* littér. Naître, surgir.

**souriant, ante** adj. **1** Qui sourit, est aimable et gai. **2** Plaisant, agréable.

**souriceau** n. m. Jeune souris.

**souricière** n. f. **1** Piège à souris. **2** fig. Piège tendu par la police.

① **sourire** v. intr. [36] **1** Prendre une expression rieuse ou ironique. **2** (sujet chose) Être agréable ; favorable. *La chance lui a souri.*

② **sourire** n. m. Expression d'un visage qui sourit. - *Avoir le sourire :* être content.

**souris** n. f. **1** Petit mammifère rongeur. **2** fam. Jeune fille, jeune femme. **3** Muscle à l'extrémité du gigot. **4** Boîtier au moyen duquel on transmet des instructions à un ordinateur.

**sournois, oise** adj. **1** Qui dissimule dans une intention malveillante. **2** Qui ne se déclare pas franchement. *Une douleur sournoise.* ► **sournoisement** adv.

**sournoiserie** n. f. Caractère sournois. ♦ Action sournoise.

**sous** prép. **I 1** Marque la position en bas, ou en dedans (contr. *sur*). → **dessous. 2** En étant exposé à. *Sous le feu de l'ennemi.* **II** fig. **1** (subordination ou dépendance) *Sous condition*.* – *Malade sous perfusion.* **2** (temporel) Pendant le règne de. *Sous Louis XIV.* – loc. *Sous peu :* bientôt. **3** (causal) Par l'effet de. *Sous la pression des événements.* **4** En considérant (par un aspect). *Vu sous cet angle.*

**sous-alimenté, ée** [suz-] adj. Victime d'insuffisance alimentaire (*sous-alimentation* n. f.).

**sous-bois** n. m. Végétation qui pousse sous les arbres (forêt).

**sous-chef** n. Personne qui vient immédiatement après un chef.

**sous-commission** n. f. Commission secondaire.

**sous-consommation** n. f. Consommation inférieure à la normale.

**sous-continent** n. m. Partie importante et différenciée d'un continent.

**souscrire** v. [39] **1** v. tr. vieilli Revêtir (un acte) de sa signature. ♦ S'engager à payer. *Souscrire un abonnement.* **2** v. tr. ind. littér. *Souscrire à :* donner son adhésion à. → **acquiescer, consentir** à. ♦ S'engager à fournir une somme pour. *Souscrire à un emprunt.* ► **souscription** n. f. ► **souscripteur, trice** n.

**sous-cutané, ée** adj. Qui est situé ou se fait sous la peau. → **hypodermique.**

**sous-développé, ée** adj. Dont le développement économique est insuffisant. *Pays sous-développés* (ou *en voie de développement*). ► **sous-développement** n. m.

**sous-directeur, trice** n. Directeur, directrice en second.

**sous-emploi** [suz-] n. m. Emploi insuffisant des travailleurs disponibles (→ chômage).

**sous-employer** [suz-] v. tr. [8] Utiliser insuffisamment les possibilités, les capacités de (qqn, qqch.). ▷ p. p. **sous-employé, ée**

**sous-ensemble** [suz-] n. m. math. Ensemble inclus dans un autre.

**sous-entendre** [suz-] v. tr. [41] Avoir dans l'esprit sans dire expressément. – impers. *Il est sous-entendu que...*

**sous-entendu** [suz-] n. m. **1** Action de sous-entendre. **2** Allusion.

**sous-estimer** [suz-] v. tr. [1] Estimer au-dessous de sa valeur. – syn. **sous-évaluer.** ► **sous-estimation** n. f.

**sous-exposer** [suz-] v. tr. [1] Exposer insuffisamment (une pellicule, un film) à la lumière. ▷ p. p. **sous-exposé, ée** ► **sous-exposition** n. f.

**sous-fifre** n. m. fam. Subalterne.

**sous-jacent, ente** adj. **1** Qui s'étend au-dessous. **2** fig. Caché, implicite.

**sous-lieutenant, ante** n. Officier du premier grade des officiers, au-dessous du lieutenant.

**sous-louer** v. tr. [1] **1** Donner à loyer (ce dont on est locataire principal). **2** Prendre à loyer du locataire principal. ► **sous-locataire** n. ► **sous-location** n. f.

① en **sous-main** loc. adv. littér. En secret ; clandestinement.

② **sous-main** n. m. invar. Support sur lequel on place le papier pour écrire.

**sous-marin, ine I** adj. Qui est dans, sous la mer. **II** n. m. **1** Navire capable de naviguer en plongée. **2** fam. Personne qui espionne, agit secrètement. **3** (Canada) Sandwich de forme allongée.

**sous-marque** n. f. Marque secondaire d'un fabricant.

**sous-ministre** n. (Canada) Haut fonctionnaire qui seconde un ministre.

**sous-multiple** n. m. Grandeur contenue un nombre entier de fois dans une autre.

**sous-munition** n. f. Chacune des armes renfermées dans un conteneur (bombe, missile) destiné à s'ouvrir et à les éjecter. *Bombes à sous-munitions.*

**sous-officier, ière** [suz-] n. Militaire auxiliaire de l'officier (de sergent à adjudant). – abrév. fam. **sous-off** [suzɔf].

**sous-ordre** [suz-] n. m. biol. Division d'un ordre.

**sous-payer** v. tr. [8] Payer insuffisamment.

**sous-préfecture** n. f. (en France) Ville ; lieu où réside le sous-préfet.

**sous-préfet** n. m. (en France) Fonctionnaire représentant le pouvoir central dans un arrondissement.

**sous-production** n. f. Production insuffisante.

**sous-produit** n. m. **1** Produit secondaire. **2** Mauvaise imitation.

**sous-prolétariat** n. m. Classe sociale la plus misérable.

**sous-pull** n. m. Pull à col haut, à mailles très fines, qui se porte sous un autre vêtement.

**soussigné, ée** adj. dr. Qui a signé plus bas. – n. *Les soussignés.*

**sous-sol** n. m. **1** Terrain au-dessous du sol. **2** Construction au-dessous du rez-de-chaussée.

**sous-tasse** n. f. région. Soucoupe.

**sous-tendre** v. tr. [41] **1** Constituer ou joindre les extrémités de (un arc ; une voûte). **2** fig. Servir de base à.

**sous-titre** n. m. **1** Titre secondaire. **2** Traduction du dialogue d'un film, en bas de l'image. ► **sous-titrer** v. tr. [1]

**soustraction** n. f. **1** dr. Vol (→ **soustraire** (1)). **2** Opération inverse de l'addition, par laquelle on retranche.

**soustraire** v. tr. [50] **1** Enlever (qqch.), par ruse, fraude. → **voler.** **2** Faire échapper (à qqch. à quoi on est exposé). *Soustraire qqn aux questions.* **3** Retrancher par soustraction (un nombre d'un autre).

**sous-traitant, ante** n. Personne chargée d'un travail pour le compte d'un entrepreneur principal. ► **sous-traitance** n. f.

**sous-traiter** v. tr. [1] Confier à un sous-traitant.

**sous-verre** n. m. invar. Image, photo placée entre une plaque de verre et un fond rigide.

**sous-vêtement** n. m. Vêtement de dessous (slip, culotte, soutien-gorge...).

**soutache** n. f. Galon cousu servant d'ornement (→ **ganse).**

**soutane** n. f. Longue robe d'ecclésiastique.

**soute** n. f. Magasin, dans la cale (navire ; avion). *Soute à charbon* (anciens cargos).

**soutenance** n. f. Action de soutenir (un mémoire, une thèse de doctorat).

**soutènement** n. m. loc. *Mur de soutènement,* qui soutient (une pression).

**souteneur** n. m. Proxénète.

**soutenir** v. tr. [22] **I 1** Tenir (qqch.) en place, en servant de support ou d'appui. **2** Maintenir debout (qqn). **3** Fortifier. **4** Apporter secours, réconfort à. *Son amitié m'a soutenu.* **5** Appuyer en défendant (qqn, qqch.). *Soutenir un candidat, un parti.* **6** Affirmer, faire valoir. *Soutenir une opinion* (► **soutenable** adj.). – spécialt Présenter et défendre devant un jury (une thèse). ♦ *Soutenir que...,* affirmer, assurer que. **II** Subir sans fléchir (une force, une action qui s'exerce). – *Soutenir le regard de qqn,* le regarder sans baisser les yeux.

**soutenu, ue** adj. **1** Constant, régulier. *Attention soutenue.* **2** Accentué, prononcé. *Un bleu soutenu.* **3** (style) Qui évite la familiarité, respecte la norme écrite.

**souterrain, aine I** adj. **1** Qui est ou se fait sous terre. **2** fig., littér. Caché, obscur. **II** n. m. Passage souterrain.

**soutien** [-tjɛ̃] n. m. **1** Action ou moyen de soutenir (I, 4 et 5). → **aide, appui.** **2** Personne qui soutient (une cause, un parti...). – *Soutien de famille,* qui assure la subsistance de sa famille.

**soutien-gorge** n. m. Sous-vêtement féminin destiné à soutenir les seins.

**soutier** [-tje] n. m. Matelot chargé du service de la soute à charbon.

**soutif** n. m. fam. Soutien-gorge.

**soutirer** v. tr. [1] **I** Transvaser doucement (le vin, le cidre...) pour éliminer les dépôts. ► **soutirage** n. m. **II** *Soutirer (qqch.) à qqn,* obtenir de lui par ruse, malgré lui.

**souvenance** n. f. littér. Souvenir.

① **souvenir** v. [22] **I** v. pron. *Se souvenir (de)* **1** Avoir de nouveau présent à l'esprit (le passé). → se **rappeler.** *Je me souviens de cette rencontre, je m'en souviens.* **2** à l'impératif Penser à. *Souvenez-vous de vos promesses.* **II** v. intr. impers. littér. Revenir à la mémoire. *T'en souvient-il ?*

② **souvenir** n. m. **I 1** Fait de se souvenir. *Avoir le souvenir de...* **2** Ce qui revient du passé à l'esprit. *Souvenir d'enfance.* – *Meilleurs souvenirs* (formule). **II** (objets concrets) **1** Ce qui fait souvenir, témoignage (du passé). **2** Objet, cadeau (qui fait qu'on pense à qqn). – *Boutique de souvenirs.*

**souvent** adv. Plusieurs fois, à plusieurs reprises (dans un temps limité). – *Le plus souvent,* dans la plupart des cas.

**souventes fois** adv. région. Souvent.

① **souverain, aine I** adj. **1** Suprême. – *Un remède souverain contre...* → **sûr.** **2** Dont le pouvoir n'est pas limité. – *Le souverain pontife*.* ♦ Qui possède la souveraineté (2). **3** Qui exprime un sentiment de supériorité. *Un souverain mépris.* **II** n. Chef d'État monarchique. → **empereur, roi.**

② **souverain** n. m. Ancienne monnaie d'or anglaise, valant une livre sterling.

**souverainement** adv. **1** littér. Supérieurement. **2** En souverain.

**souveraineté** n. f. **1** Autorité suprême (d'un souverain, d'une nation...). *La souveraineté du peuple, fondement de la démocratie.* **2** Indépendance (pour un État).

**souverainiste** adj. et n. polit. **1** (au Canada) Partisan de la souveraineté du Québec. **2** (en Europe) Partisan d'un respect absolu de la souveraineté des États (dans l'Union, par ex.). ► **souverainisme** n. m.

**soviet** [sɔvjɛt] n. m. hist. (Russie...) Conseil de délégués ouvriers et soldats (1917). – *Soviet suprême :* parlement de l'U. R. S. S.

**soviétique** adj. et n. hist. Relatif à l'État fédéral socialiste (1917-1991) dit *Union soviétique* (U. R. S. S.). – n. *Les Soviétiques.*

**soyeux, euse 1** adj. Doux et brillant. **2** n. m. Industriel de la soierie.

**spa** n. m. Centre de beauté, de remise en forme (dans un hôtel de luxe...).

**spacieux, euse** adj. Où l'on a beaucoup d'espace.

**spadassin** n. m. anciennt Assassin à gages.

**spaghetti** [spageti] n. m. pl. Pâtes alimentaires fines et longues.

**spahi** n. m. anciennt Cavalier maghrébin de l'armée française.

**spam** n. m. anglic. Envoi massif de messages électroniques non désirés ; ce type de messages.

**sparadrap** n. m. Bande adhésive utilisée pour protéger les plaies.

**sparterie** n. f. Fabrication en fibres végétales vannées ou tissées.

**spartiate** [-sjat] **I 1** n. Habitant de l'ancienne Sparte (Lacédémone). **2** adj. Qui évoque l'austérité de Sparte. **II** n. f. Sandale montante en lanières croisées.

**spasme** n. m. Contraction brusque et involontaire d'un ou de plusieurs muscles. ► **spasmodique** adj. → **convulsif.**

**spasmophilie** n. f. méd. Tendance aux spasmes musculaires et viscéraux. ► **spasmophile** adj. et n.

**spath** n. m. minér., vx Cristal lamellaire.

**spatial, ale, aux** adj. **1** Qui se rapporte à l'espace (s'oppose à *temporel*). **2** Relatif à l'espace cosmique.

**spationaute** n. Membre d'équipage d'un engin spatial. → **astronaute, cosmonaute, taïkonaute.**

**spatiotemporel, elle** adj. didact. Qui appartient à l'espace et au temps.

**spatule** n. f. **1** Instrument à lame plate et large. **2** Extrémité d'un ski.

**speaker** [spikœʀ] n. m. anglic., vieilli Présentateur (de radio...). – **fém. speakerine.**

**spécial, ale, aux** adj. **1** Qui concerne une espèce de choses (opposé à *général*). **2** Particulier (à qqn, un groupe ; une chose). *Un régime spécial.* ♦ Employé dans des circonstances extraordinaires. *L'envoyé spécial d'un journal.* **3** fam. Qui n'est pas ordinaire.

**spécialement** adv. **1** Notamment. – Dans un sens restreint (mot). **2** D'une manière caractéristique. – fam. *Pas spécialement,* pas tellement.

**spécialiser** v. tr. [1] Employer dans une spécialité. ▷ v. pron. se **spécialiser** ► **spécialisation** n. f.

**spécialiste** n. **1** Personne qui a des connaissances approfondies dans un domaine déterminé (science, technique...). – spécialt Médecin qui s'est spécialisé (opposé à *généraliste*). **2** fam. Personne qui est coutumière (de qqch.).

**spécialité** n. f. **1** didact. Caractère de ce qui est spécial. **2** Ensemble de connaissances sur un objet d'étude limité. → **branche, discipline, domaine, partie.** – *Langages de spécialité.* **3** Activité déterminée. *Spécialités régionales* (culinaires). **4** fam. Comportement particulier et personnel.

**spécieux, euse** adj. littér. Qui n'a qu'une belle apparence. *Idée spécieuse.*

**spécificité** n. f. didact. Caractère de ce qui est spécifique.

**spécifier** v. tr. [7] Caractériser ou mentionner de façon précise. → **préciser.** ► **spécification** n. f.

**spécifique** adj. **1** didact. Propre à une espèce* et à elle seule. *Terme spécifique* (opposé à *générique*). **2** Propre à une chose. → **caractéristique.** ► **spécifiquement** adv.

**spécimen** [-ɛn] n. m. **1** Individu, unité qui donne une idée de l'espèce. → **échantillon, exemple, représentant. 2** Exemplaire publicitaire.

**spectacle** n. m. **1** Ensemble de choses, de faits qui s'offre au regard. *Le spectacle de la nature.* – loc. péj. *Se donner en spectacle.* **2** Représentation (théâtre, cinéma...) ; ce qu'on présente au public (→ **séance**). ♦ Activités de théâtre, cinéma, music-hall, télévision, etc. **3** loc. *Pièce, revue à grand spectacle,* à mise en scène somptueuse.

**spectaculaire** adj. Qui frappe l'imagination. *Un exploit spectaculaire.*

**spectateur, trice** n. Personne qui regarde un spectacle (1 et 2).

**spectral, ale, aux** adj. **I** De spectre (I). **II** sc. Relatif aux spectres (II).

**spectre** n. m. **I 1** Apparition effrayante d'un mort. → **fantôme, revenant. 2** fig., littér. Perspective menaçante. *Le spectre de la guerre.* **II 1** sc. Image analytique résultant de la décomposition d'un phénomène vibratoire (rayonnement, son...). *Le spectre solaire.* **2** Champ d'action (d'un antibiotique).

**spectroscope** n. m. sc. Instrument pour produire ou examiner des spectres (II, 1). ► **spectroscopie** n. f.

**spéculaire** adj. didact. **1** Qui réfléchit la lumière comme un miroir. **2** D'un miroir. *Image spéculaire.*

**spéculateur, trice** n. Personne qui fait des spéculations (II).

**spéculation** n. f. **I** didact. Théorie, recherche abstraite. **II** Opération financière fondée sur les fluctuations du marché. ► **spéculatif, ive** adj.

**spéculer** v. intr. [1] **I** didact. Se livrer à la spéculation (I). **II** Faire des spéculations (II). ♦ fig. *Spéculer sur qqch.* → **compter** sur.

**spéculoos** [-os] n. m. Biscuit belge au sucre candi. – var. **spéculos.**

**spéculum** [-ɔm] n. m. méd. Instrument pour explorer des cavités de l'organisme.

**speech** [spitʃ] n. m. Petite allocution de circonstance. *Des speechs* ou *des speeches.*

**spéléologie** n. f. Exploration et étude des cavités du sous-sol. – abrév. fam. **spéléo.** ► **spéléologique** adj. ► **spéléologue** n.

**spermatophyte** n. m. bot. Plante à graines (embranchement) : angiospermes et gymnospermes.

**spermatozoïde** n. m. Cellule reproductrice (gamète) mâle des animaux sexués (elle féconde l'ovule).

**sperme** n. m. Liquide séminal.

**sphère** n. f. **1** Surface fermée dont tous les points sont à égale distance (rayon) du centre ; solide limité par cette surface. – *Sphère céleste.* **2** fig. Domaine, milieu. *Les hautes sphères de la politique.*

**sphérique** adj. **1** En forme de sphère. → **rond. 2** géom. De la sphère.

**sphincter** [-ɛʀ] n. m. Muscle annulaire autour d'un orifice naturel qu'il ferme en se contractant.

**sphinx** [sfɛ̃ks] n. m. **I 1** Lion ailé à tête et buste de femme, qui tuait les voyageurs incapables de résoudre une énigme. *Œdipe résolut l'énigme du Sphinx.* ♦ Statue de sphinx (art égyptien). **2** fig. Personne énigmatique. **II** Grand papillon du crépuscule, au vol puissant.

**spi** n. m. → **spinnaker**

**spin** [spin] n. m. sc. Moment cinétique (d'une particule). *Le spin de l'électron.*

**spinal, ale, aux** adj. anat. De la colonne vertébrale, ou de la moelle épinière.

**spinnaker** [spinakɛʀ ; spinɛkœʀ] n. m. anglic. Grande voile triangulaire.

**spirale** n. f. **1** géom. Courbe plane qui décrit des révolutions autour d'un point en s'en écartant. **2** cour. (abusif en sc.) Hélice.

**spire** n. f. didact. Tour complet (d'une spirale ; d'une hélice).

**spirite** n. Personne qui évoque les esprits, qui s'occupe de spiritisme.

**spiritisme** n. m. Science occulte fondée sur les manifestations des esprits.

**spiritual** n. m. → **negro-spiritual**

**spiritualisme** n. m. Philosophie de l'esprit (opposé à *matérialisme*). *Spiritualisme athée ; religieux.* ► **spiritualiste** adj. et n.

**spiritualité** n. f. **1** philos. Caractère de ce qui est spirituel, indépendant de la matière. **2** relig. Croyances et pratiques de la vie spirituelle. **3** Aspiration morale.

**spirituel, elle** adj. **I 1** philos. Qui est de l'ordre de l'esprit. → **immatériel. 2** relig. De l'âme, émanation d'un principe supérieur. *La vie spirituelle.* **3** De l'esprit, moral. *Les valeurs spirituelles d'une civilisation.* **II** Qui est plein d'esprit, de drôlerie fine.

**spirituellement** adv. Avec esprit, de manière spirituelle (II).

**spiritueux, euse** adj. et n. m. (Boisson) qui contient une forte proportion d'alcool.

**spiromètre** n. m. méd. Instrument mesurant la capacité pulmonaire.

**spleen** [splin] n. m. littér. Mélancolie, dégoût de toute chose. → **cafard.**

**splendeur** n. f. **1** littér. Grand éclat de lumière. **2** Beauté pleine de luxe, de magnificence. **3** Chose splendide.

**splendide** adj. **1** Plein d'éclat. *Il fait un temps splendide.* **2** Riche et beau. → **magnifique.** *Une fête splendide.* **3** D'une beauté éclatante. → **superbe.** ► **splendidement** adv.

**spoiler** [spɔjle] v. tr. [1] anglic. **1** Gâcher l'effet de surprise en dévoilant un élément clé de (un film...). **2** Révéler à (qqn) un élément important d'une intrigue. – recomm. off. *divulgâcher.*

**spolier** v. tr. [7] Dépouiller (qqn) par violence, fraude ou abus de pouvoir. ► **spoliateur, trice** adj. et n. ► **spoliation** n. f.

**spondée** n. m. didact. Pied de deux syllabes longues (grec, latin).

**spongieux, euse** adj. **1** Qui rappelle l'éponge, par sa structure et sa consistance. **2** Qui s'imbibe. *Un sol spongieux.*

**spongiforme** adj. didact. Qui a la forme d'une éponge. – (maladie) Qui donne aux tissus une apparence d'éponge. *Encéphalopathie spongiforme.*

**sponsor** [spɔ̃sɔʀ] n. m. anglic. Personne, entreprise qui finance une initiative sportive, culturelle. → **mécène.** ► **sponsoriser** v. tr. [1]

**spontané, ée** adj. **1** Que l'on fait de soi-même, sans être incité ni contraint. *Des aveux spontanés.* **2** Non provoqué. → **naturel. 3** (actions, paroles) Direct, instinctif. ♦ (personnes) Qui obéit au premier mouvement. ► **spontanéité** n. f. ► **spontanément** adv.

**sporadique** adj. Qui se produit çà et là et d'une manière irrégulière. ► **sporadiquement** adv.

**sporange** n. m. bot. Organe qui renferme ou produit les spores.

**spore** n. f. biol. Corpuscule reproducteur de végétaux et protistes.

**sport** n. m. **1** Activité physique de jeu et d'effort, dans le respect de règles. → **éducation physique ; athlétisme, gymnastique.** ♦ loc. fam. *Il va y avoir du sport !,* de la bagarre. **2** Forme particulière de cette activité. *Pratiquer plusieurs sports.*

**sportif, ive** adj. **1** De sport. *Épreuves sportives.* **2** Qui pratique, qui aime le sport. – n. *Des sportifs.* ♦ Qui atteste la pratique du sport. *Une allure sportive.* **3** Qui respecte l'esprit du sport : franc jeu, loyauté... ► **sportivement** adv. ► **sportivité** n. f.

**sportswear** [spɔʀtswɛʀ] n. m. anglic. Habillement de sport.

**spot** [spɔt] n. m. anglic. **1** Point lumineux (sur un écran...). **2** Petit projecteur. **3** Bref message publicitaire. **4** fam. Lieu prisé. *Spot de surf.*

**sprat** [spʀat] n. m. Petit poisson, voisin du hareng.

**spray** n. m. anglic. Liquide pulvérisé.

**springbok** [spʀiŋbɔk] n. m. Antilope du sud de l'Afrique.

**sprint** [spʀint] n. m. Allure de course la plus rapide possible d'un coureur en fin de parcours. – Course de vitesse sur petite distance (athlétisme, cyclisme). ► ① **sprinter** v. intr. [1]

**sprinteur, euse** [spʀintœʀ, øz] n. ou (vieilli) ② **sprinter** n. m. Sportif spécialiste des courses de vitesse, des sprints.

**squale** [skwal] n. m. Requin.

**squame** [skwam] n. f. **1** didact. Écaille (de poisson, de serpent...). **2** Lamelle qui se détache de l'épiderme (→ **desquamation).**

**squameux, euse** [skwamø, øz] adj. didact. Écailleux.

**square** [skwaʀ] n. m. Petit jardin public.

**squash** [skwaʃ] n. m. anglic. Sport où deux joueurs se renvoient une balle en la frappant à la raquette contre un mur.

**squat** [skwat] n. m. anglic. **1** Occupation (d'un lieu) par des squatteurs. **2** Local ainsi occupé. ► **squatter** v. tr. [1] ► **squatteur, euse** n.

**squaw** [skwo] n. f. Femme amérindienne.

**squelette** n. m. **I 1** Charpente osseuse (des vertébrés). **2** Restes osseux d'un humain ou d'un animal mort. **II 1** Structure, charpente (d'un immeuble...). **2** Grandes lignes (d'un ensemble, d'une œuvre). → **plan.**

**squelettique** adj. **1** Qui évoque un squelette (par sa maigreur). ♦ fig. Très réduit. **2** anat. Du squelette (I, 1).

**S. R. A. S.** n. m. (sigle) «Syndrome respiratoire aigu sévère», pneumopathie épidémique, d'origine virale.

**S. S.** n. m. (sigle allemand) hist. Membre de la police militarisée nazie.

**stabilisateur, trice** **1** adj. Propre à stabiliser. **2** n. m. Dispositif destiné à stabiliser (un véhicule), à équilibrer.

**stabiliser** v. tr. [1] **1** Rendre stable (1 et 2). **2** Amener (un système, une substance) à la stabilité. ► **stabilisation** n. f.

**stabilité** n. f. **1** Caractère de ce qui tend à demeurer stable. **2** Équilibre permanent. ♦ Propriété (d'un véhicule...) de revenir à sa position d'équilibre. **3** Tendance (d'un composé chimique, d'un système physique) à rester dans un état défini.

**stable** adj. **1** Qui n'est pas sujet à changer, à disparaître ; qui demeure dans le même état. → **durable.** *Équilibre stable.* **2** Qui est en équilibre stable. *Cette échelle n'est pas stable.* **3** Doué de stabilité (3).

**stabulation** n. f. agric. Élevage en étable.

**staccato** adv. mus. En jouant les notes détachées (s'oppose à *legato*).

**stade** n. m. **I 1** Distance (180 m environ) sur laquelle on disputait les courses (Grèce antique). **2** Terrain aménagé pour la pratique des sports, souvent entouré de gradins, de tribunes. *Stade olympique.* **II** Chacune des étapes, des formes successives (d'une évolution).

① **staff** n. m. Matériau fait de plâtre et de fibres végétales. → **stuc.**

② **staff** n. m. anglic. Groupe de travail.

**stage** n. m. **1** Période d'études pratiques. **2** Période de formation professionnelle.

**stagiaire** adj. et n. Qui fait un stage.

**stagner** [-gn-] v. intr. [1] **1** (fluides) Rester immobile sans couler, sans se renouveler. **2** fig. Être inerte, ne pas évoluer. *Les affaires stagnent.* ► **stagnant, ante** [-gn-] adj. ► **stagnation** [-gn-] n. f.

**stakhanovisme** n. m. hist. Encouragement à la production, en U. R. S. S. ► **stakhanoviste** adj. et n.

**stalactite** n. f. Concrétion calcaire qui descend de la voûte vers le sol d'une grotte.

**stalag** [-ag] n. m. Camp allemand de prisonniers de guerre non officiers (1940-1945).

**stalagmite** n. f. Concrétion calcaire qui monte du sol vers la voûte d'une grotte.

**stalinien, ienne** **1** adj. Relatif à Staline. **2** adj. et n. Partisan du stalinisme.

**stalinisme** n. m. Doctrine et politique totalitaire de Staline.

**stalle** n. f. **1** Siège de bois à dossier élevé (dans le chœur d'une église). **2** Compartiment cloisonné réservé à un animal (étable, écurie). → **box.**

**stance** n. f. au plur. Poème, suite de strophes lyriques d'inspiration grave.

**stand** [stɑ̃d] n. m. **I 1** Emplacement réservé, dans une exposition, une foire. **2** Emplacement pour le ravitaillement, les réparations (courses automobiles...). **II** *Stand (de tir) :* emplacement pour le tir à la cible.

① **standard** anglic. **I** n. m. **1** Type, norme de fabrication. **2** Morceau de musique célèbre. **II** adj. invar. Conforme à un type, à une norme. – loc. comm. *Échange standard,* d'une pièce usée contre une autre du même type.

② **standard** n. m. Dispositif de connexion dans un réseau téléphonique.

**standardiser** v. tr. [1] anglic. Rendre conforme à un standard. → **normaliser.** ► **standardisation** n. f.

**standardiste** n. Personne chargée du service d'un standard téléphonique.

**standing** n. m. anglic. **1** Niveau de vie et rang social. **2** (choses) Grand confort. *Grand standing :* luxe.

**stand-up** [stɛ̃dœp] n. m. invar. anglic. Spectacle solo d'un humoriste, de style spontané et sans personnages.

**stannifère** adj. minér. Qui contient de l'étain.

**staphylocoque** n. m. Bactérie, agent d'infections (anthrax, furoncle).

**star** n. f. anglic. Vedette du spectacle (femme ou homme). → **étoile.**

**starlette** n. f. Jeune actrice qui rêve d'une carrière de star.

**starter** [startɛʀ] n. m. anglic. **I** sports Personne qui donne le départ d'une course. **II** cour. Dispositif de démarrage à froid d'un moteur à explosion.

**starting-block** n. m. anglic. Dispositif sur lequel les coureurs prennent appui au départ. *Des starting-blocks.*

**start-up** [startœp] n. f. invar. anglic., écon. Jeune entreprise à fort potentiel, dans les techniques de l'informatique, du multimédia.

**statère** n. m. Antiq. grecque Monnaie valant de deux à quatre drachmes.

**station** n. f. **I** Fait de s'arrêter. → **arrêt, halte.** – spécialt *Les stations du chemin de croix.* **II 1** Endroit où l'on effectue des observations. *Station météorologique.* ♦ *Station d'épuration. Station d'essence.* → **station-service.** ♦ *Station* (d'émission) *de radio, de télévision.* **2** Endroit aménagé pour l'arrêt momentané de véhicules (autobus, taxis...). **3** *Station thermale, de ski,* etc. : lieu de séjour. **III** Fait de se tenir (de telle façon) ; spécialt fait de se tenir debout. *Station verticale.*

**stationnaire** adj. **1** didact. Qui s'arrête, reste un certain temps à la même place. **2** Qui n'évolue pas.

**stationnement** n. m. **1** Fait de stationner, pour un véhicule. **2** (Canada) Espace aménagé pour le stationnement des véhicules.

**stationner** v. intr. [1] Faire une station (I). – (véhicule) Être rangé sur la voie publique ; être garé. *Parc pour stationner.* → **parking**(anglic.) ; **stationnement** (2).

**station-service** n. f. Poste de distribution d'essence et d'entretien des véhicules. *Des stations-service.*

**statique** adj. **1** Relatif aux états d'équilibre. ♦ n. f. Étude des corps en équilibre (s'oppose à *dynamique*). **2** Qui est fixé, n'évolue pas.

**statisticien, ienne** n. Spécialiste de la statistique.

**statistique I** n. f. Interprétation mathématique de données complexes et nombreuses. – Données numériques ainsi traitées. **II** adj. De la statistique ; des phénomènes quantitatifs complexes. ► **statistiquement** adv.

**stator** n. m. techn. Partie fixe d'un moteur électrique (opposé à *rotor*).

**statuaire** n. f. Art de représenter en sculpture la figure humaine ou animale.

**statue** n. f. Sculpture* représentant en entier un être vivant.

> Ne pas confondre avec *statut* «situation».

**statuer** v. intr. [1] *Statuer sur qqch.*, prendre une décision à propos de.

**statuette** n. f. Statue de petite taille.

**statufier** v. tr. [7] plais. Représenter (qqn) par une statue. – fig. Aduler.

**statu quo** [-kwo] n. m. invar. État actuel des choses. *Maintenir le statu quo.*

**stature** n. f. **1** Taille, importance (du corps humain debout). *Une haute stature.* **2** fig. Importance (de qqn). → **envergure.**

**statut** n. m. **1** Textes qui règlent la situation (d'une personne, d'un groupe). *Le statut des fonctionnaires.* **2** Situation dans la société, position. *Le statut de la femme.* **3** au plur. Suite d'articles définissant une association, une société, et réglant son fonctionnement.

> Ne pas confondre avec *statue* «sculpture».

**statutaire** adj. Conforme aux statuts. ► **statutairement** adv.

**steak** [stɛk] n. m. Tranche de bœuf grillée. → **bifteck.** *Un steak frites.*

**steamer** [stimœʀ] n. m. vieilli Bateau à vapeur. → **vapeur** (II).

**stéarine** n. f. Corps obtenu à partir des graisses naturelles. *Bougie en stéarine.*

**steeple** [stipl] n. m. anglic. Course à pied avec obstacles.

**steeple-chase** [stipœlʃɛz] n. m. anglic. Course d'obstacles pour les chevaux.

**stèle** n. f. Pierre portant une inscription, des ornements sculptés. *Stèle funéraire.*

**stellaire** adj. Des étoiles.

**stencil** [stɛnsil] n. m. anglic. Papier paraffiné servant à la polycopie.

**sténodactylographie** ou (abrév.) **sténodactylo** n. f. Emploi combiné de la sténographie et de la dactylographie. ► **sténodactylo(graphe)** n.

**sténographie** ou (abrév.) **sténo** n. f. **1** Écriture abrégée et simplifiée, permettant de noter la parole à la vitesse de prononciation. **2** Métier de sténographe. ► **sténo(graphe)** n. ► **sténographique** adj.

**sténographier** v. tr. [7] Noter par la sténographie.

**sténose** n. f. pathol. Rétrécissement d'un vaisseau, d'un orifice. ► **sténosé, ée** adj. *Artère sténosée.*

**sténotypie** n. f. Sténographie mécanique. ► **sténotypiste** n.

**stent** [stɛnt] n. m. anglic., chir. Petite prothèse interne en forme de tube, destinée à maintenir ouvert un vaisseau sténosé.

**stentor** n. m. (n. d'un personnage de l'Iliade) *Voix de stentor :* voix forte, retentissante.

**steppe** n. f. Grande plaine inculte, couverte d'herbe rase. – arts *Art des steppes,* des peuples nomades (Russie méridionale...), à l'âge du bronze. ► **steppique** adj.

**stercoraire I** n. m. Oiseau palmipède des mers arctiques, qui se nourrit de poisson dérobé à d'autres oiseaux. **II** adj. didact. Relatif aux excréments.

**stère** n. m. Volume (de bois) de 1 $m^3$.

**stéréophonie** ou (abrév.) **stéréo** n. f. Son reproduit par plusieurs sources dans l'espace. ► **stéréo(phonique)** adj.

**stéréoscopie** n. f. didact. Reproduction avec impression de relief, au moyen de deux images d'un objet.

**stéréotype** n. m. **1** Opinion toute faite réduisant les particularités. → **cliché.** **2** didact. Association stable de signes. ► **stéréotypé, ée** adj. *Formules stéréotypées.*

**stérile** adj. **I 1** (êtres vivants) Inapte à la reproduction. **2** (sol) Qui ne produit pas de végétaux utiles. **3** Exempt de germe microbien. **II** fig. Qui ne donne aucun résultat positif. *Des discussions stériles.*

**stérilet** n. m. Dispositif anticonceptionnel placé dans l'utérus.

**stérilisation** n. f. **1** Suppression de la capacité de procréer. **2** Opération qui consiste à détruire les germes microbiens (avec un *stérilisateur* n. m.).

**stériliser** v. tr. [1] **1** Rendre stérile, infécond (sens propre et fig.). **2** Opérer la stérilisation (2) de (qqch.) → **aseptiser, désinfecter, pasteuriser.** – au p. p. *Lait stérilisé.*

**stérilité** n. f. État, caractère de ce qui est stérile (I et II).

**sterling** adj. invar. *Livre sterling.* → ② **livre.**

**sterne** n. f. Petit oiseau marin voisin de la mouette, aussi appelé *hirondelle de mer.*

**sternum** [-ɔm] n. m. Os du thorax (qui reçoit les côtes).

**sternutation** n. f. didact. Fait d'éternuer.

**sternutatoire** adj. didact. Qui provoque des éternuements.

**stéroïde** n. m. Hormone d'une famille comprenant le cholestérol, les hormones sexuelles, etc.

**stéthoscope** n. m. Instrument destiné à l'auscultation.

**stetson** [stɛtsɔn] n. m. anglic. Chapeau à larges bords relevés.

**stévia** n. m. ou f. Plante d'Amérique du Sud dont les feuilles ont un fort pouvoir sucrant. – Produit extrait de cette plante, utilisé comme édulcorant.

**steward** [stiwaʀt] n. m. anglic. **1** Maître d'hôtel, sur un paquebot. **2** Membre (homme) du personnel de cabine d'un avion.

**stick** n. m. anglic. **1** Cravache. **2** Produit en bâtonnet.

**stigmate** n. m. **I 1** au plur. relig. Marques miraculeuses disposées sur le corps comme les cinq blessures du Christ (► **stigmatisé, ée** adj.). **2** Cicatrice, marque. **3** fig. Marque, signe laid ou honteux. **II 1** zool. Orifice respiratoire des trachées des insectes. **2** bot. Orifice du pistil.

**stigmatiser** v. tr. [1] **1** littér. Dénoncer comme infâme, condamner avec force. **2** Déconsidérer en raison de clichés. ► **stigmatisation** n. f.

**stimulant, ante** adj. **1** Qui augmente l'activité physique ou psychique. – n. m. → **fortifiant, tonique. 2** Qui stimule.

**stimulateur, trice 1** adj. littér. Qui stimule. → **stimulant. 2** n. m. *Stimulateur cardiaque :* appareil implanté dans l'organisme, pour assurer le rythme cardiaque (cf. anglic. *pacemaker*).

**stimuler** v. tr. [1] **1** Augmenter l'énergie, l'activité de (qqn). **2** Augmenter l'activité de (une fonction organique). ► **stimulation** n. f.

**stimulus** [-ys] n. m. didact. Cause capable de provoquer la réaction d'un organisme vivant. *Les stimuli* (ou *les stimulus*) *sensoriels.*

**stipe** n. m. bot. Tige ligneuse (fougères...).

**stipendier** v. tr. [7] littér. Corrompre, payer pour une basse besogne. → **soudoyer.**

**stipuler** v. tr. [1] **1** dr. Énoncer comme condition (dans un contrat, un acte). **2** Faire savoir expressément. → **préciser.** ► **stipulation** n. f.

**stochastique** [stɔk-] didact. **1** adj. Qui se produit par l'effet du hasard. **2** n. f. Calcul de probabilités statistiques.

**stock** n. m. **1** Quantité (de marchandises en réserve). *Être en rupture* de stock.* **2** fam. Choses en réserve ; provisions.

**stock-car** n. m. anglic. Course où de vieilles voitures font des carambolages.

**stocker** v. tr. [1] Mettre, garder (qqch.) en stock, en réserve. ► **stockage** n. m.

**stock-option** n. f. anglic., écon. Option sur l'achat d'actions, au sein d'une entreprise ; titre ainsi attribué.

**stœchiométrie** [stek-] n. f. chim. Étude des proportions suivant lesquelles les corps réagissent ou se combinent entre eux. ► **stœchiométrique** adj.

**stoïcisme** n. m. **1** philos. Doctrine des philosophes antiques (appelés *stoïciens*), selon laquelle le bonheur est dans la vertu, la fermeté d'âme. **2** Courage pour supporter la douleur, le malheur.

**stoïque** adj. et n. (Personne) qui fait preuve de stoïcisme (2). ► **stoïquement** adv.

**stolon** n. m. bot. Tige rampante qui s'enracine en produisant de nouveaux pieds.

**stomacal, ale, aux** adj. méd. De l'estomac. → **gastrique.**

**stomatologie** n. f. didact. Médecine de la bouche et des dents. ► **stomatologiste** ou **stomatologue** n.

**stop** [stɔp] **I** interj. Commandement ou cri d'arrêt. ♦ Mot séparant les phrases des télégrammes. **II** n. m. **1** Feu arrière d'une automobile, qui s'allume quand on freine. **2** Panneau routier imposant l'arrêt complet. – Au Québec, on emploie *arrêt.* **3** fam. Auto-stop. *Elle est venue en stop.*

① **stopper** v. [1] **I** v. tr. Arrêter. **II** v. intr. (véhicule...) S'arrêter.

② **stopper** v. tr. [1] Réparer (une déchirure ; un vêtement déchiré) en refaisant la trame et la chaîne. ► **stoppage** n. m.

**store** n. m. Rideau ou assemblage souple qui s'enroule ou se replie vers le haut.

**stoupa** n. m. → **stûpa**

**stout** [staut] n. f. Bière brune, amère.

**strabisme** n. m. didact. Défaut de parallélisme des deux axes visuels (→ **loucher**).

**stradivarius** [-ys] n. m. Violon, alto ou violoncelle fabriqué par Stradivari.

**strangulation** n. f. didact. Fait d'étrangler (qqn).

**strapontin** n. m. Siège d'appoint fixe à abattant.

**strass** [-s] n. m. Verre coloré ornemental.

**stratagème** n. m. Ruse habile.

**strate** n. f. Couche constitutive (d'un terrain → **stratifié,** d'un ensemble), niveau.

**stratège** n. **1** n. m. Antiq. grecque Magistrat chargé des questions militaires. **2** Spécialiste en stratégie (opposé à *tacticien*). **3** fig. Personne habile à élaborer des plans, à manœuvrer.

**stratégie** n. f. **1** Art de faire évoluer une armée en campagne jusqu'au moment du contact avec l'ennemi (opposé à *tactique*). – Conduite générale de la guerre. **2** fig. *La stratégie d'un parti politique.*

**stratégique** adj. **1** (opposé à *tactique*) De la stratégie (1). **2** Relatif à la guerre ; qui présente un intérêt militaire. **3** fig. Qui donne un avantage (contre un adversaire).

**stratifié, ée 1** adj. Disposé en strates. **2** adj. et n. m. (Matériau) constitué de couches (lamelles, fibre...). ► **stratification** n. f.

**stratigraphie** n. f. **1** géol. Étude de la stratification des roches sédimentaires et de l'âge des terrains. **2** méd. Tomographie à source fixe.

**stratocumulus** [-ys] n. m. didact. Couche de nuages minces.

**stratosphère** n. f. Couche de l'atmosphère entre 12 et 50 km d'altitude. ► **stratosphérique** adj.

**stratus** [-ys] n. m. didact. Nuage bas formant un voile continu.

**streaming** [stʀimiŋ] n. m. anglic. Diffusion en ligne et en continu de données multimédias. *Regarder un film en streaming.*

**streptocoque** n. m. Bactérie en chaînette, cause d'infections.

**streptomycine** n. f. Antibiotique utilisé contre la tuberculose.

**stress** n. m. anglic. **1** didact. Réaction de l'organisme à une agression (syn. *réaction d'alarme*). **2** Le choc. ♦ cour. Situation de tension.

**stresser** v. tr. [1] anglic. Causer un stress, une tension à (qqn). ▷ p. p. adj. **stressé, ée** ► **stressant, ante** adj.

**stretch** n. m. (nom déposé) anglic. Tissu rendu élastique dans sa largeur.

**stretching** n. m. anglic. Gymnastique douce basée sur des étirements musculaires.

**strict, stricte** [-ikt] adj. **1** Qui laisse très peu de liberté d'action ou d'interprétation. → **étroit.** *Des principes stricts.* → **sévère. 2** (personnes) Qui ne tolère aucun relâchement. **3** Qui constitue un minimum. *C'est son droit le plus strict.* ♦ *Au sens strict du mot.* → **étroit ; stricto sensu. 4** (choses) Très correct et sans ornements. *Vêtements stricts.* ► **strictement** adv.

**stricto sensu** [-sɛ̃sy] loc. adv. didact. Au sens le plus précis, strict (mot, terme).

**strident, ente** adj. (bruit, son) Qui est à la fois aigu et intense. ► **stridence** n. f.

**stridulation** n. f. Bruit modulé de certains insectes (cigales, criquets...).

**strie** n. f. Petit sillon, rayure ou ligne (parmi plusieurs parallèles).

**strié, ée** adj. Couvert, marqué de stries. ♦ anat. *Muscles striés,* qui se contractent volontairement (s'oppose à *muscles lisses*).

**strier** v. tr. [7] Marquer de stries.

**string** n. m. anglic. Cache-sexe tenu par des liens.

**strip-tease** [stʀiptiz] n. m. anglic. Spectacle au cours duquel une femme, un homme se déshabille de manière suggestive. ► **strip-teaseur, euse** n.

**striure** n. f. Disposition par stries ; manière dont qqch. est strié. → **rayure.**

**stroboscope** n. m. didact. Instrument faisant apparaître immobile ou lent ce qui est animé d'un mouvement périodique rapide.

**strontium** [-sjɔm] n. m. chim. Élément (symb. Sr), métal parfois radioactif.

**strophe** n. f. Ensemble structuré de plusieurs vers.

**structural, ale, aux** adj. didact. **1** De la structure. **2** Qui étudie les structures.

**structuralisme** n. m. didact. Théorie qui privilégie la structure sur les éléments. ► **structuraliste** adj. et n.

**structure** n. f. **1** Disposition visible des parties (d'un bâtiment ; d'une œuvre). **2** Agencement des parties (d'un ensemble). → **constitution.** *La structure de l'atome.* **3** sc. Système complexe formé de phénomènes solidaires, conçu en fonction des relations entre ses parties. *Structures logiques.*

**structurel, elle** adj. Des structures (2) (opposé à *conjoncturel*).

**structurer** v. tr. [1] Donner une structure à. ▷ v. pron. se **structurer** Acquérir une structure. ▷ adj. **structuré, ée**

**strychnine** [stʀik-] n. f. Poison violent, alcaloïde extrait de la noix vomique.

**stuc** n. m. Matériau de plâtre et de colle, qui imite le marbre.

**studieux, euse** adj. **1** Qui aime l'étude. **2** (choses) Favorable ou consacré à l'étude.

**studio** n. m. **I 1** Atelier de photographe. **2** Locaux de prises de vues (cinéma, télévision), de son (radio). **3** Petite salle de spectacle (cinéma...). **II** Appartement d'une seule pièce principale.

**stûpa** [stupa] n. m. Monument bouddhique commémoratif. – var. **stoupa.**

**stupéfaction** n. f. État d'une personne stupéfaite.

**stupéfait, aite** adj. Frappé de stupeur (2) ; étonné au point d'être sans réactions.

**stupéfiant, ante** I adj. 1 littér. Qui stupéfie (1). 2 Qui frappe de stupeur (2). II n. m. Substance toxique (narcotique, euphorisant...). → **drogue.**

**stupéfier** v. tr. [7] 1 littér. Engourdir en inhibant les centres nerveux. 2 Frapper de stupéfaction.

**stupeur** n. f. 1 littér. État d'inertie, d'insensibilité profondes. 2 Étonnement profond. → **stupéfaction.**

**stupide** adj. 1 littér. Frappé de stupeur. → **hébété.** 2 Dénué d'intelligence. 3 Absurde. *Une obstination stupide.* ► **stupidement** adv.

**stupidité** n. f. 1 Caractère d'une personne, d'une chose stupide. → **bêtise, idiotie.** 2 Action ou parole stupide. → **ânerie.**

**stupre** n. m. littér. Débauche. → **luxure.**

① **style** n. m. I 1 Part de l'expression qui n'est pas imposée par la grammaire, la logique ni la norme de la langue. → **écriture, expression.** *«Le style est l'homme même»* (Buffon). – *Un style original. Style familier, soutenu.* → **registre.** 2 Manière esthétique d'écrire. *Auteur qui manque de style.* II Manière de traiter la matière et les formes dans une œuvre d'art. *Le style d'un peintre. Le style Empire.* ♦ (objets) *De style* loc. adj. : qui appartient à un style ancien défini. III Manière personnelle d'agir, de se comporter, etc. *Style de vie.*

② **style** n. m. didact. 1 Antiq. Poinçon pour écrire. 2 Tige d'un cadran solaire. 3 bot. Partie allongée du pistil entre l'ovaire et les stigmates.

**stylé, ée** adj. 1 (personnel hôtelier...) Qui accomplit son service dans les formes. 2 Qui a du style, de l'allure.

**stylet** n. m. 1 Poignard effilé. 2 zool. Pointe qui arme la bouche (insectes).

**styliser** v. tr. [1] Représenter (un objet) en simplifiant les formes. – au p. p. *Fleurs stylisées.* ► **stylisation** n. f.

**styliste** n. 1 Artiste remarquable par son style. 2 Spécialiste de la création de modèles (mode, ameublement). → **modéliste.**

**stylistique** didact. I n. f. Étude du style (I), de ses procédés (→ **rhétorique**). II adj. Relatif au style.

**stylo** n. m. Porte-plume à réservoir d'encre. – *Stylo à bille* (ou *stylo-bille*).

**styrène** n. m. chim. Hydrocarbure benzénique (→ **polystyrène**).

**su, sue** Participe passé du verbe *savoir.*

au **su** de loc. prép. littér. La chose étant connue de. → au **vu** et au su de.

**suaire** n. m. littér. Linceul.

**suant, ante** adj. 1 Qui transpire. 2 fam. Qui fait suer (I, 3) ; très ennuyeux.

**suave** adj. littér. D'une douceur délicieuse. ► **suavité** n. f.

**subalterne** 1 adj. Qui occupe un rang inférieur. ♦ *Un rôle subalterne,* secondaire. 2 n. Subordonné.

**subconscient, ente** [-jɑ̃, -ɑ̃t] 1 adj. Qui n'est pas clairement conscient. 2 n. m. Conscience vague.

**subdiviser** v. tr. [1] Diviser (un tout déjà divisé ; une partie d'un tout divisé). ▷ v. pron. se **subdiviser** ▷ p. p. **subdivisé, ée**

**subdivision** n. f. 1 Fait d'être subdivisé. 2 Partie obtenue en subdivisant.

**subir** v. tr. [2] I (sujet personne) 1 Être l'objet sur lequel s'exerce (une action, un pouvoir). *Subir un interrogatoire.* 2 Se soumettre volontairement à (un traitement, un examen). *Subir une opération.* 3 Supporter. *Il va falloir subir ce raseur.* II (sujet chose) Être l'objet de (une action, une modification).

**subit, ite** adj. Qui arrive, se produit de façon soudaine. → **brusque, inopiné.** *Mort subite.* ► **subitement** adv.

**subito** adv. fam. Subitement.

**subjectif, ive** adj. 1 philos. Qui concerne le sujet (②, IV, 3) en tant que personne consciente (opposé à *objectif*). *La pensée, phénomène subjectif.* 2 Propre à une personne en particulier. → **personnel.** 3 Partial. *Critique subjective.* ► **subjectivement** adv.

**subjectivisme** n. m. 1 philos. Théorie qui ramène l'existence à celle du sujet, de la pensée. 2 Attitude subjective (2 et 3).

**subjectivité** n. f. 1 philos. Caractère de ce qui appartient au sujet, à l'individu seul. 2 Attitude subjective (2).

**subjonctif** n. m. Mode personnel du verbe, exprimant un écart par rapport au réel et caractérisant des subordonnées.

**subjuguer** v. tr. [1] 1 vx Soumettre. 2 Séduire fortement. → **envoûter.**

**sublimation** n. f. I chim. Passage direct de l'état solide à l'état gazeux. II psych. Fait de sublimer (II).

**sublime** littér. I adj. 1 Qui est très haut, moralement, esthétiquement. *Un dévouement ; une musique sublime.* 2 (personnes) D'un génie ou d'une vertu exceptionnels. II n. m. Ce qu'il y a de plus élevé, dans l'ordre moral, esthétique... ► **sublimement** adv.

**sublimé** n. m. chim. Produit d'une sublimation (I).

**sublimer** v. tr. [1] I chim. Opérer la sublimation (I) de (une substance). II psych. Transposer (des pulsions) sur un plan supérieur de réalisation (art, action...).

**subliminal, ale, aux** adj. psych. Inférieur au seuil de la conscience.

**sublingual, ale, aux** [-gwal, o] adj. Sous la langue. *Par voie sublinguale.*

**submerger** v. tr. [3] 1 (liquide...) Recouvrir complètement. → **inonder, noyer.** 2 fig. Envahir complètement. *La panique le submergea.* – *Être submergé de travail.*

**submersible** 1 adj. Qui peut être recouvert d'eau. 2 n. m. Sous-marin.

**submersion** n. f. didact. Fait de submerger, d'être submergé.

**subodorer** v. tr. [1] Deviner, pressentir.

**subordination** n. f. 1 Fait d'être soumis (à une autorité). → **dépendance.** 2 Fait de subordonner (2) une chose à une autre. 3 (opposé à *coordination*) Construction des propositions subordonnées.

**subordonné, ée** adj. 1 Soumis à une autorité. ♦ n. Personne placée sous l'autorité d'une autre. → **subalterne.** 2 *Proposition subordonnée* et n. f. *subordonnée* : proposition qui est dans une relation de dépendance par rapport à la principale.

**subordonner** v. tr. [1] 1 Placer (une personne, un groupe) sous l'autorité de qqn, dans une hiérarchie (surtout passif et p. p.). 2 Soumettre à une condition.

**suborner** v. tr. [1] 1 vieilli Détourner du droit chemin. 2 dr. Corrompre (un témoin). ► **subornation** n. f. ► **suborneur, euse** n.

**subreptice** adj. Fait par surprise, à l'insu de qqn. ► **subrepticement** adv.

**subrogé, ée** adj. loc. dr. *Subrogé tuteur, subrogée tutrice* : personne chargée de défendre les intérêts du pupille en cas de conflit avec le tuteur.

**subroger** v. tr. [3] dr. Substituer une personne ou une chose à une autre. ► **subrogation** n. f.

**subséquemment** [sypsekamɑ̃] adv. didact. ou plais. En conséquence de quoi.

**subséquent, ente** [-ps-] adj. didact. Qui vient immédiatement après.

**subside** [-bz- ; -ps-] n. m. Somme versée à titre d'aide, de subvention, etc.

**subsidiaire** [-bz- ; -ps-] adj. Secondaire, accessoire. – *Question subsidiaire*, destinée à départager les gagnants d'un concours. ► **subsidiairement** adv.

**subsidiarité** n. f. Qualité, statut de ce qui est subsidiaire. – polit. *Principe de subsidiarité*, selon lequel une autorité centrale ne peut effectuer que les tâches qui ne peuvent pas être réalisées à l'échelon inférieur.

**subsistance** [-bz-] n. f. Fait de subsister ; ce qui sert à pourvoir aux besoins matériels essentiels. *Moyens de subsistance.*

**subsister** [-bz-] v. intr. [1] 1 (sujet chose) Continuer d'exister (malgré les difficultés). 2 (sujet personne) Pourvoir à ses besoins essentiels. → **survivre.**

**subsonique** [-ps-] adj. Moins rapide que le son (opposé à *supersonique*).

**substance** n. f. I 1 philos. Ce qui est permanent (opposé à ce qui change). 2 Ce qu'il y a d'essentiel (dans une pensée, un écrit...). – loc. *En substance* : pour l'essentiel. II 1 philos. Ce qui existe par soi-même. → ② **être.** 2 Ce dont qqch. est fait (opposé à *forme, accident(s)...*). 3 Matière caractérisée par ses propriétés. *Substances médicamenteuses.*

**substantiel, elle** adj. 1 didact. Qui appartient à la chose en soi. 2 Important ; considérable. *Des avantages substantiels.* 3 spécialt Nourrissant.

> Attention à l'orthographe de *-tiel.*

**substantif, ive** 1 n. m. Mot désignant en principe une substance (II) et qui peut être le sujet d'un verbe. → **nom.** 2 adj. gramm. Du nom. → **nominal.**

**substantifique** adj. loc. *La substantifique moelle* (Rabelais) : la valeur profonde, l'intérêt essentiel (d'une œuvre ; de qqch.).

**substantivement** adv. Avec valeur de substantif. *Un adjectif pris substantivement.*

**substantiver** v. tr. [1] Transformer en substantif.

**substituer** v. tr. [1] Remplacer par (qqch. du même genre, qqn) pour faire jouer le même rôle. – pronom. *Se substituer à qqn.* ► **substitution** n. f.

**substitut, ute** n. 1 dr. Magistrat du ministère public (qui en remplace un autre). *Une substitut(e).* 2 n. m. didact. Ce qui tient lieu d'autre chose.

**substrat** n. m. didact. 1 Ce qui sert de support (à une réalité). → **essence,** ② **être, substance.** 2 Langue supplantée par une autre mais dont l'influence reste sensible. *Le substrat gaulois en français.*

**subterfuge** n. m. Moyen habile pour se tirer d'embarras. → **stratagème.**

**subtil, ile** adj. I 1 Habile et fin. ♦ (actions, paroles) *Une remarque subtile.* 2 *Odeur subtile*, pénétrante. II Difficile à percevoir, à définir. *Nuance subtile.* ► **subtilement** adv.

**subtiliser** v. [1] I v. tr. Dérober avec adresse (qqch.). II v. intr. Raffiner à l'extrême. ► **subtilisation** n. f.

**subtilité** n. f. 1 Caractère d'une personne, d'une chose subtile. → **finesse.** 2 Pensée, parole, nuance subtile.

**subtropical, ale, aux** adj. didact. Situé entre les tropiques. → **intertropical.**

**suburbain, aine** adj. Qui entoure une grande ville. *Zone suburbaine.* → **banlieue.**

**subvenir** v. tr. ind. [22] auxiliaire *avoir* *Subvenir à*, fournir en nature, en argent, ce qui est nécessaire. → **pourvoir** à.

**subvention** n. f. Aide financière accordée par l'État. ► **subventionner** v. tr. [1]

**subversif, ive** adj. Qui renverse ou menace l'ordre établi. *Menées subversives.*

**subversion** n. f. 1 Action subversive. 2 Idéologie subversive.

**subvertir** v. tr. [2] didact. Bouleverser, renverser (un ordre...) (→ **subversion**).

**suc** n. m. 1 Liquide extrait des tissus animaux ou végétaux. 2 Liquide de sécrétion. *Le suc gastrique.*

**succédané** n. m. 1 Médicament, produit qui peut en remplacer un autre. → **ersatz.** 2 abstrait Ce qui peut remplacer.

**succéder** v. [6] I *Succéder à* v. tr. ind. 1 Venir après (qqn) de manière à prendre sa charge, sa place (→ **successeur**). 2 (sujet chose) Se produire, venir après. II *Se succéder* v. pron. Venir l'un après l'autre.

> Le participe reste invar. : *elles se sont succédé.*

**succès** n. m. 1 Heureux résultat. – *Sans succès* : en vain. 2 Fait, pour qqn, de parvenir à un résultat souhaité. → **réussite.** – Événement heureux. 3 Fait d'obtenir une audience nombreuse et favorable, d'être connu du public. *La pièce a du succès.* ♦ *Un succès* : ce qui a du succès. 4 Fait de plaire.

**successeur** n. 1 Personne qui succède ou doit succéder (à qqn). 2 dr. Héritier (→ **succession**).

**successif, ive** adj. au plur. Qui se succèdent. ► **successivement** adv.

**succession** n. f. I 1 Transmission du patrimoine d'une personne décédée (à des vivants). → **héritage.** 2 Fait de succéder (I, 1) à qqn. II Ensemble de faits, de choses qui se succèdent selon un ordre ; cet ordre. → **enchaînement, série, suite.**

**successoral, ale, aux** adj. dr. Relatif aux successions (I).

**succinct, incte** [-ɛ̃, -ɛ̃t] adj. 1 Exprimé en peu de mots. → **concis.** – (personnes) *Soyez succinct.* → **bref.** 2 plais. Peu abondant. *Un repas succinct.* ► **succinctement** [-sɛ̃t-] adv.

**succion** [sy(k)sjɔ̃] n. f. didact. Action de sucer, d'aspirer. *Bruit de succion.*

**succomber** v. intr. [1] I 1 Être vaincu dans une lutte. 2 Mourir. II *Succomber à* : ne pas résister à. *Succomber à la tentation.*

**succube** n. m. relig. chrét. Démon femelle.

**succulent, ente** adj. Qui a une saveur délicieuse. → **savoureux.** ► **succulence** n. f.

**succursale** n. f. Établissement qui dépend d'un siège central. → **annexe, filiale.** – *Magasin à succursales multiples.*

**sucer** v. tr. [3] 1 Aspirer, faire fondre (qqch.) avec les lèvres, la langue. *Sucer des pastilles.* 2 Porter à la bouche et aspirer. *Sucer son pouce.* ♦ (érotique) *Sucer qqn* (→ **cunnilinctus, fellation**). 3 (animaux) Aspirer (un liquide nutritif) (→ **suçoir**).

**sucette** n. f. 1 Bonbon fixé à un bâtonnet. 2 Petite tétine. 3 région. Suçon.

**suceur, euse** adj. (insectes) Qui aspire sa nourriture avec une trompe.

**suçoir** n. m. Trompe d'un insecte suceur.

**suçon** n. m. Trace sur la peau sucée.

**suçoter** v. tr. [1] Sucer longuement et délicatement. ► **suçotement** n. m.

**sucrage** n. m. Action de sucrer.

**sucrant, ante** adj. (substance) Qui sucre. – *Pouvoir sucrant.*

**sucre** n. m. 1 Substance alimentaire (saccharose) de saveur douce, soluble dans l'eau. – loc. *Être tout sucre tout miel* : se faire très doux. *Casser du sucre sur le dos de qqn,* en médire. ♦ *Un sucre* : un morceau de sucre. 2 *Sucre d'orge* : bonbon en bâton. 3 chim. Glucide. *Sucres rapides ; lents.*

**sucré, ée** adj. 1 Qui a le goût du sucre. – Additionné de sucre. *Café trop sucré.* 2 fig. et péj. Doucereux, mielleux.

**sucrer** v. tr. [1] 1 Additionner de sucre (ou d'une matière sucrante) ; rendre sucré. – loc. fam. *Sucrer les fraises* : être agité d'un tremblement. 2 fam. Supprimer, confisquer, prendre. ▷ v. pron. se **sucrer** fam. 1 Se servir en sucre. 2 Faire de gros bénéfices (au détriment des autres).

**sucrerie** n. f. 1 Usine où l'on fabrique le sucre. → **raffinerie.** 2 Friandise à base de sucre. → **bonbon, confiserie.**

**sucrette** n. f. Pastille édulcorante.

**sucrier, ière** 1 adj. Qui produit le sucre. 2 n. m. Récipient pour le sucre.

**sucrine** n. f. Laitue à feuilles épaisses, à la saveur sucrée.

**sud** [syd] n. m. 1 Direction, point cardinal à l'opposé du nord. ♦ adj. invar. *Le pôle Sud.* → **antarctique.** 2 Régions de l'hémisphère Sud. – Région sud (d'un pays...). → **Midi.** ♦ *Le Sud* : les pays moins développés. 3 dans des adjectifs et noms composés : *sud-africain, sud-américain.*

> On écrit *elle vit dans le Sud* mais *dans le sud de la France.*

**sudation** n. f. Transpiration (→ **suer**).

**sud-est** [sydɛst] n. m. Direction, espace entre le sud et l'est. – adj. invar. *La région sud-est.*

**sudiste** n. et adj. hist. Partisan de l'indépendance des États du Sud et de l'esclavagisme, aux États-Unis (guerre de Sécession).

**sudoku** [sudoku] n. m. Jeu de chiffres d'origine japonaise, consistant à compléter une grille de neuf fois neuf cases avec les chiffres de 1 à 9.

**sudorifique** adj. méd. Qui provoque la sudation.

**sudoripare** adj. anat. Qui sécrète la sueur. *Glandes sudoripares.*

**sud-ouest** [sydwɛst] n. m. 1 Direction, espace entre le sud et l'ouest. 2 adj. invar. *La région sud-ouest.*

**suède** n. m. Peau utilisée avec le côté chair à l'extérieur. ► **suédé, ée** adj. *Cuir suédé.*

**suédois, oise** adj. et n. De Suède. *Allumettes suédoises* (de sûreté). – n. *Les Suédois.* ♦ n. m. *Le suédois* : langue germanique nordique parlée en Suède (et aussi en Finlande).

**suée** n. f. fam. Transpiration abondante.

**suer** v. [1] **I** v. intr. **1** Produire de la sueur. → **transpirer. 2** fig. Se donner du mal. **3** fam. *Faire suer (qqn) :* fatiguer, embêter (qqn). **4** techn. Dégager de l'humidité. **II** v. tr. **1** Rendre par les pores de la peau. – loc. *Suer sang et eau :* se donner beaucoup de peine. **2** Exhaler. *Ce type sue l'ennui.* → **respirer.**

**sueur** n. f. **1** Liquide (eau, sels, acides gras), qui suinte des pores de la peau. → **sudation, transpiration. 2** Fait de suer. ♦ loc. *Sueur froide* (avec frissons) ; fig. peur intense (surtout plur.). **3** fig. Le travail, l'effort.

**suffire** v. tr. ind. [37] **I** (sujet chose) **1** *Suffire à, pour :* avoir juste la quantité, la qualité, la force nécessaire à, pour (qqch.). *Cela suffit à mon bonheur.* **2** *Suffire à,* être de nature à contenter (qqn). *Votre parole me suffit.* ♦ absolt *Ça suffit (comme ça) ! :* je suis, nous sommes excédé(s). **3** impers. *Il suffit à* (qqn) *de* (+ inf.). – *Il suffisait d'y penser.* ♦ avec *que* (+ subj.) *Il suffit que tu viennes.* **II** (sujet personne) *Suffire à* **1** Être capable de satisfaire à (qqch.). *Suffire à ses besoins.* **2** Être pour (qqn) tel qu'il n'ait pas besoin d'un autre. ▷ v. pron. se **suffire** *Se suffire à soi-même.*

**suffisamment** adv. En quantité, d'une manière suffisante (I). → **assez.**

**suffisance** n. f. **I** vx ou région. Quantité suffisante (à qqn). *Avoir du vin en, à sa suffisance.* **II** littér. Caractère d'une personne suffisante (II).

**suffisant, ante** adj. **I** (choses) Qui suffit. – *Je n'ai pas la place suffisante* (→ assez de). **II** (personnes) littér. Prétentieux, vaniteux. – *Un air suffisant.*

**suffixe** n. m. didact. Élément de formation (affixe) placé après un radical pour former un dérivé. *« -able » est un suffixe.*

**suffixer** v. tr. [1] didact. Pourvoir d'un suffixe. – au p. p. *Mot suffixé.* ► **suffixation** n. f.

**suffocant, ante** adj. **1** Qui fait suffoquer (II, 1). → **étouffant. 2** fig. Qui indigne.

**suffoquer** v. [1] **I** v. tr. **1** (sujet chose) Empêcher (qqn) de respirer. → **étouffer, oppresser. 2** fig. *La colère le suffoquait.* **3** Stupéfier. **II** v. intr. **1** Respirer avec difficulté, perdre le souffle. → **étouffer.** ► **suffocation** n. f. **2** fig. *Suffoquer de. Suffoquer d'indignation.*

**suffrage** n. m. **1** Acte par lequel on déclare sa volonté, dans une délibération. → **vote.** *Suffrage universel*.* ♦ → **voix.** *Unanimité des suffrages.* **2** littér. Opinion, avis favorable.

**suffragette** n. f. hist. Militante du droit de vote féminin (accordé en 1928 en Grande-Bretagne).

**suggérer** v. tr. [6] **1** (sujet personne) Faire penser (qqch.) sans exprimer ni formuler. → **insinuer, sous-entendre.** – *Suggérer à qqn de* (+ inf.). → **conseiller. 2** (sujet chose) Faire naître (une idée...) dans l'esprit. → **évoquer.**

**suggestif, ive** adj. **1** Qui peut suggérer (2) des idées, des sentiments. **2** Qui suggère des idées érotiques.

**suggestion** n. f. **1** Action de suggérer. ♦ Idée, projet proposé. → **conseil, proposition. 2** Fait d'inspirer à qqn une idée, une croyance, etc., sans qu'il en ait conscience (par hypnose...). ► **suggestionner** v. tr. [1]

> Ne pas confondre avec *sujétion* «soumission».

**suicidaire** adj. **1** Du suicide ; qui mène au suicide. **2** Qui a des idées de suicide. – n. *Un, une suicidaire.* **3** fig. Qui mène à l'échec. *Un projet suicidaire.*

**suicide** n. m. **1** Fait de se donner volontairement la mort (ou de le tenter). **2** Fait de risquer sa vie. **3** appos. *Attentat suicide.* – *Avion-suicide.* → **kamikaze.**

se **suicider** v. pron. [1] Se tuer par suicide. → se **supprimer.** ▷ adj. et n. **suicidé, ée**

**suie** n. f. Noir de fumée mêlé d'impuretés que produisent les combustibles.

**suif** n. m. Graisse animale fondue.

**suiffer** v. tr. [1] Enduire de suif. – var. **suifer.**

**sui generis** [sɥiʒeneʀis] loc. adj. invar. Propre à une espèce, à une chose. → **spécifique.**

**suint** n. m. Graisse que sécrète la peau du mouton, et qui se mêle à la laine.

**suinter** v. intr. [1] **1** S'écouler très lentement, sortir goutte à goutte. **2** Produire un liquide qui s'écoule goutte à goutte. ► **suintant, ante** adj. ► **suintement** n. m.

**suisse** adj. et n. **I 1** De la Suisse. → **helvétique.** ♦ n. *Un Suisse ; une Suisse* ou *une Suissesse.* **2** loc. *Manger, boire en Suisse,* tout seul ou en cachette. **II** n. m. Employé chargé de la garde d'une église. → **bedeau. III** n. m. (Canada) Petit écureuil rayé.

**suite** n. f. **I** (dans des loc.) **1** Situation de ce qui suit. *Prendre la suite de qqn,* lui succéder. – *Faire suite à :* venir après, suivre. ♦ *À la suite de,* derrière, après ; à cause de. – *À la suite.* → **successivement. 2** Ordre de ce qui se suit en formant un sens. – *Des mots sans suite,* incohérents. – *Esprit de suite :* constance dans les idées. – loc. *Avoir de la suite dans les idées :* être entêté. **3** *Et ainsi de suite :* en continuant de la même façon. **4** *Tout de suite :* sans délai, immédiatement après (ou, critiqué : *de suite*). **II** (Ce qui suit, vient après) **1** Personnes qui se déplacent avec un supérieur. *La suite présidentielle.* **2** Ce qui suit qqch. ; ce qui vient après. **3** Temps qui vient après. – *Dans, par la suite.* → **depuis, ensuite. 4** Ce qui résulte (de qqch.). → **effet, résultat.** *Un projet sans suite.* – au plur. *Les suites d'une maladie.* → **séquelle.** ♦ *Donner suite à :* poursuivre, continuer à s'occuper de. – admin. *Suite à votre lettre du tant,* en réponse à. – *Par suite (de) :* à cause, en conséquence (de). **5** Ensemble de choses, de personnes qui se suivent. **6** Composition musicale faite de plusieurs pièces de même tonalité. **7** anglic. Appartement dans un hôtel de luxe. **8** *Suite parentale :* grande chambre intégrant une salle de bains, un dressing.

① **suivant, ante** adj. **1** Qui suit, qui vient immédiatement après. ♦ n. *Au suivant !* **2** Qui va être énoncé après. – n. *Mon idée est la suivante :...*

② **suivant** prép. **1** Conformément à ; en suivant. → **selon** ; d'**après.** **2** *Suivant que* loc. conj. (+ indic.) : dans la mesure où, selon que.

**suivante** n. f. anciennt Dame de compagnie.

**suiveur, euse** n. **1** Personne qui suit (qqn, une course). **2** fig. Personne qui ne fait que suivre (III). → **imitateur.**

**suivi, ie** I adj. **1** Qui se fait d'une manière continue. **2** Dont les éléments s'enchaînent. *Un raisonnement suivi.* **II** n. m. Surveillance continue.

**suivre** v. tr. [40] **I 1** Aller derrière (qqn qui marche, avance). *Suivre qqn de près.* ♦ (sujet chose) Être transporté après (qqn). *Faire suivre son courrier.* **2** Aller derrière pour rattraper, surveiller. → **poursuivre.** **3** Aller avec (qqn qui a l'initiative). → **accompagner.** ♦ loc. *Suivre le mouvement* : aller avec les autres. **4** *Suivre des yeux, du regard* (ce qui se déplace). ♦ loc. fig. *Suivez mon regard* : vous voyez tous à qui je fais allusion. **5** Être placé ou considéré après, dans un ordre. – impers. *Comme suit* : comme il est dit dans ce qui suit. **6** Venir, se produire après, dans le temps. → **succéder** à. **II 1** Aller dans (une direction, une voie). *Suivre un chemin.* – (sujet chose) *Suivre son cours* : évoluer normalement. **2** Aller le long de. → **longer.** **3** fig. Garder (une idée, etc.) avec constance. ♦ S'occuper régulièrement à (qqch.). *Suivre un traitement ; des cours ; un régime.* **III** Se conformer à. *Suivre son penchant.* → s'**abandonner** à. – *Un exemple à suivre.* → **imiter.** – absolt *Il ne fait que suivre* (→ **suiveur**). ♦ *Suivre la règle.* → **obéir** à. *Suivre une méthode.* **IV 1** Rester attentif à. *Suivre la conversation.* **2** Observer dans son cours. *Suivre un match.* ♦ *Suivre qqn,* surveiller, diriger. *Médecin qui suit un malade.* **3** Comprendre dans son déroulement (un raisonnement...). – par ext. *Vous me suivez ?* ▷ v. pron. se **suivre**

① **sujet, ette** I adj. Exposé à. *Être sujet au vertige.* ♦ *Sujet à caution**. **II** n. m. **1** Personne soumise à une autorité souveraine. *Le roi et ses sujets.* **2** Ressortissant d'un État.

② **sujet** n. m. **I 1** Ce sur quoi s'exerce (la réflexion). *Des sujets de méditation.* – Ce dont il s'agit. – *Au sujet de* : à propos de. **2** Thème, domaine traité, étudié. *Un bon sujet de roman. Devoir hors (du) sujet.* **3** Ce qui est représenté, dans une œuvre plastique. **II** *Sujet de* : ce qui fournit matière, occasion à (un sentiment, une action). → **motif, occasion, raison.** *Un sujet de dispute.* **III** gramm. Terme considéré comme le point de départ de l'énoncé, qui régit le verbe. *Sujet, verbe et complément.* **IV 1** Personne (dans des expr.). – *Mauvais sujet* : personne qui se conduit mal. **2** Être vivant soumis à l'observation. *Sujet d'expérience.* **3** philos. Être pensant, considéré comme le siège de la connaissance (s'oppose à *objet*). → **subjectif.**

**sujétion** n. f. **1** Situation de sujet (①, II) d'un souverain. **2** littér. Obligation pénible, contrainte.

> Ne pas confondre avec *suggestion* « proposition ».

**sulfamide** n. m. pharm. Produit de synthèse, médicament des maladies infectieuses.

**sulfate** n. m. Sel de l'acide sulfurique.

**sulfater** v. tr. [1] Traiter (un végétal) par le sulfate de cuivre ou de fer. ► **sulfatage** n. m.

**sulfateuse** n. f. **1** Appareil servant à sulfater. **2** argot Mitraillette.

**sulfite** n. m. chim. Sel de l'acide sulfureux.

**sulfone** n. m. chim. Composé renfermant le groupement $SO_2$ (nom générique).

**sulfure** n. m. Composé du soufre avec un élément (métal, etc.).

**sulfuré, ée** adj. Combiné avec le soufre.

**sulfurer** v. tr. [1] Traiter (un végétal) au sulfure de carbone. ► **sulfurage** n. m.

**sulfureux, euse** adj. **1** Qui contient du soufre. *Anhydride sulfureux* ou *gaz sulfureux,* gaz incolore, suffocant. – *Acide sulfureux* : composé du soufre ($H_2SO_3$), existant en solution. **2** fig., littér. Qui évoque le démon, l'enfer (→ sentir le soufre*).

**sulfurique** adj. *Acide sulfurique* : acide dérivé du soufre, corrosif. → **vitriol.**

**sulfurisé, ée** adj. Traité à l'acide sulfurique. *Papier sulfurisé.*

**sulky** n. m. anglic. Voiture légère à deux roues, sans caisse. *Des sulkys* ou *sulkies.*

**sultan** n. m. Souverain de l'Empire ottoman, de pays musulmans. ► **sultanat** n. m.

**sultane** n. f. Épouse d'un sultan.

**sumac** n. m. bot. Arbre apparenté au pistachier, au manguier, riche en tanin.

**summum** [sɔ(m)mɔm] n. m. Le plus haut point, le plus haut degré. → **comble, sommet.**

**sumo** n. m. **1** Lutte japonaise, pratiquée par des professionnels exceptionnellement grands et corpulents. **2** Lutteur de sumo (syn. **sumotori** n. m.).

**sunlight** [sœnlajt] n. m. anglic. Projecteur puissant.

**sunna** n. f. didact. Tradition orthodoxe de la religion islamique. ► **sunnite** adj. et n. (s'oppose à *chiite*).

① **super** [-ɛʀ] n. m. Supercarburant.

② **super** [-ɛʀ] adj. invar. fam. Supérieur dans son genre ; formidable. → **extra.**

① **superbe** n. f. littér. Assurance, attitude orgueilleuse.

② **superbe** adj. **1** vx ou littér. Orgueilleux ; majestueux. **2** D'une beauté, d'une qualité extrême. → **magnifique, splendide.** ► **superbement** adv.

**supercarburant** n. m. Carburant (essence) de qualité supérieure.

**supercherie** n. f. Tromperie par substitution du faux à l'authentique. → **fraude.**

**supérette** n. f. comm. Petit supermarché.

**superfétatoire** adj. littér. Qui s'ajoute inutilement (à une chose utile). → **superflu.**

**superficie** n. f. **1** Surface ; sa mesure. **2** fig., littér. Aspect superficiel.

**superficiel, elle** adj. **1** Propre à la surface. *Plaie superficielle.* **2** fig. Qui n'est ni profond ni essentiel. *Esprit superficiel.* → **futile, léger.** ► **superficiellement** adv.

**superflu, ue** adj. **1** Qui n'est pas strictement nécessaire. - n. m. «*Le superflu, chose très nécessaire*» (Voltaire). **2** Qui est en trop. - *Il est superflu d'insister.* ► **superfluité** n. f. littér.

**super-huit** [sypɛʀɥit] adj. invar. et n. m. invar. Format de film d'amateur, plus large que le huit millimètres.

**supérieur, eure** adj. (opposé à *inférieur*) **I** Qui est plus haut, en haut. *La lèvre supérieure.* **II 1** *Supérieur à :* qui a une valeur plus grande que. ♦ absolt *Qualité supérieure.* **2** *Supérieur à :* plus grand que. *Un nombre supérieur à 10.* **3** Plus avancé dans une évolution. *Les animaux supérieurs :* les vertébrés. **4** Plus élevé dans une hiérarchie. *Cadres supérieurs.* ♦ n. m. Personne placée au-dessus dans la hiérarchie. *En référer à son supérieur.* ♦ n. Religieux, religieuse qui dirige une communauté. **III** Qui témoigne d'un sentiment de supériorité. → **arrogant, dédaigneux.**

**supérieurement** adv. D'une manière supérieure (II). - fam. Très.

**supériorité** n. f. **1** Fait d'être supérieur (II). → **avantage.** **2** Qualité d'une personne supérieure.

**superlatif** n. m. **1** Terme qui exprime le degré supérieur d'une qualité. ♦ par ext. Terme exagéré, hyperbolique. *Abuser des superlatifs.* **2** gramm. *Le superlatif :* l'ensemble des procédés grammaticaux qui expriment la qualité au degré le plus élevé. *Superlatif relatif* (ex. le plus, le moindre) ; *absolu* (ex. très).

**supermarché** n. m. Magasin à grande surface (de 400 à 2 500 m$^2$).

**supernova,** plur. **supernovæ** [-nɔve] n. f. astron. Explosion très lumineuse d'une étoile ; cette étoile.

**superphosphate** n. m. Engrais artificiel à base de phosphate de calcium.

**superposer** v. tr. [1] Mettre, poser au-dessus, par-dessus ; disposer l'un au-dessus de l'autre. - au p. p. *Lits superposés.* ♦ fig. Mettre en plus ; accumuler. ▷ v. pron. se **superposer** ► **superposable** adj.

**superposition** n. f. **1** Action, fait de superposer. **2** Ensemble de choses superposées.

**superproduction** n. f. Film, spectacle réalisé à grands frais.

**superpuissance** n. f. État qui dépasse en importance les autres puissances mondiales.

**supersonique** adj. Dont la vitesse est supérieure à celle du son (opposé à *subsonique*).

**superstitieux, euse** adj. Qui a de la superstition. - *Pratiques superstitieuses.* ► **superstitieusement** adv.

**superstition** n. f. **1** (en religion) Comportement irrationnel vis-à-vis du sacré. **2** cour. Croyance aux présages, aux signes (d'événements bons ou mauvais).

**superstructure** n. f. (opposé à *infrastructure*) **1** Partie (d'une construction) au-dessus du sol. **2** (marxisme) Système d'institutions, d'idéologies, dépendant d'une structure économique.

**superviser** v. tr. [1] Contrôler (un travail) sans entrer dans les détails. ► **superviseur, euse** n. ► **supervision** n. f.

**supin** n. m. gramm. Forme du verbe latin (substantif verbal).

**supination** n. f. didact. (opposé à *pronation*) Rotation externe de la main et de l'avant-bras (sous l'action des muscles *supinateurs*).

**supion** n. m. région. Petite seiche. *Supions à l'ail.*

**supplanter** v. tr. [1] **1** Prendre la place de (qqn) en l'évinçant. **2** (sujet chose) Éliminer (une chose) en la remplaçant.

**suppléant, ante** adj. Qui supplée qqn dans ses fonctions. - n. → **remplaçant.** ► **suppléance** n. f.

**suppléer** v. [1] **I** v. tr. dir. littér. **1** Mettre à la place de (ce qui manque) ; combler en remplaçant. *Suppléer une lacune.* **2** *Suppléer qqn,* remplir ses fonctions (→ **suppléant**). **II** v. tr. ind. *Suppléer à.* Remédier à en remplaçant, en compensant.

**supplément** n. m. **1** Ce qui est ajouté à une chose déjà complète, spécialt à une publication. **2** Somme payée en plus du tarif ordinaire. *Train à supplément.* **3** *En supplément :* en plus.

**supplémentaire** adj. Qui constitue un supplément. *Heures* (de travail) *supplémentaires,* en plus de l'horaire normal. ► **supplémentairement** adv.

**supplétif, ive** adj. (troupes...) Recruté temporairement. - n. m. *Des supplétifs.*

**suppliant, ante** **1** adj. Qui supplie. **2** n. Personne qui supplie.

**supplication** n. f. Prière instante faite avec soumission.

**supplice** n. m. **1** Peine corporelle grave, très douloureuse, mortelle ou non, infligée par la justice (→ **torture**). – *Le dernier supplice* : la peine de mort. ♦ loc. *Le supplice de Tantale* : situation où l'on est proche de l'objet de ses désirs, sans pouvoir l'atteindre. **2** Souffrance très vive (physique ou morale). – *Être, mettre au supplice,* dans une situation très pénible.

**supplicier** v. tr. [7] **1** Livrer au supplice. **2** fig., littér. Torturer moralement.

**supplier** v. tr. [7] Prier (qqn) avec insistance et humilité, en demandant qqch. comme une grâce. → **implorer ; supplication.**

**supplique** n. f. Humble demande. → **requête.**

**support** n. m. **1** Ce sur quoi repose ou s'appuie une chose. – Assemblage destiné à recevoir, à supporter un instrument (chevalet, trépied...). **2** Ce qui sert de base (à une image : papier, toile...). – *Support publicitaire.*

**supportable** adj. **1** Que l'on peut supporter (s'oppose à *insupportable*). **2** Que l'on peut admettre, accepter.

**supporter** v. tr. [1] **I 1** (sujet chose) Recevoir le poids, la poussée de (qqch.) sur soi. → **soutenir. 2** Avoir (qqch.) à subir. *Supporter les conséquences de ses actes.* **II 1** Subir les effets pénibles de (qqch.) sans faiblir. → **endurer. 2** Subir de la part d'autrui, sans résistance ni réaction. **3** Admettre (qqn). *Je ne peux pas le supporter.* – (compl. de chose) Admettre. *Il ne supporte pas l'hypocrisie.* **4** Subir sans dommage (une action physique). → **résister** à. *Bien supporter le froid.* **III** anglic. Encourager, soutenir (un sportif, une équipe).

**supporteur, trice** [sypɔʀtœʀ, tʀis] n. anglic. Partisan (d'un sportif, d'une équipe) qui manifeste son soutien.

**supposer** v. tr. [1] **I 1** Poser à titre d'hypothèse. *Supposons le problème résolu.* – (avec *que* et le subj.) *Supposez que ce soit vrai.* → **imaginer. 2** Croire, considérer comme probable. → **présumer.** *Je suppose que vous étiez là.* **II** (sujet chose) Comporter comme condition nécessaire. → **impliquer.**

**supposition** n. f. **I** Action de supposer (I) ; ce que l'on suppose. → **hypothèse. II** dr. Substitution frauduleuse.

**suppositoire** n. m. Préparation pharmaceutique de forme conique, que l'on introduit dans l'anus. – abrév. fam. **suppo.** *Des suppos.*

> Ne pas confondre *suppo* avec *suppôt* « partisan ».

**suppôt** n. m. littér. Partisan (d'une personne, d'une chose nuisible). – loc. *Suppôt de Satan* : démon.

> Ne pas confondre avec *suppo* « suppositoire ».

**suppression** n. f. Action de supprimer. – *Suppressions d'emplois.*

**supprimer** v. tr. [1] **1** Faire disparaître, faire cesser d'être en défaisant (qqch. qui gêne). ♦ Réduire considérablement. *L'avion supprime les distances.* **2** Faire cesser d'être dans un ensemble. → **ôter, retrancher. 3** Faire disparaître (qqn) en tuant. → **éliminer.** – pronom. Se suicider.

**suppurer** v. intr. [1] Laisser écouler du pus. *La plaie suppure* (→ purulent). ► **suppuration** n. f.

**supputer** v. tr. [1] **1** Évaluer indirectement par un calcul. **2** Apprécier (les chances, la probabilité). *Supputer ses chances de réussite.* ► **supputation** n. f.

**supra** adv. Sert à renvoyer à un passage qui se trouve avant (→ ci-dessus, plus haut).

**suprématie** n. f. **1** Situation politique dominante. → **hégémonie, prééminence. 2** Domination, supériorité intellectuelle, morale. → **ascendant.**

**suprématisme** n. m. arts École artistique russe (abstraction géométrique dépouillée).

**suprême I** adj. **1** Qui est au-dessus de tous, dans son genre. – relig. *L'Être suprême* : Dieu. ♦ Le plus élevé en valeur. **2** Qui est le dernier (avec une idée de solennité ou de tragique). *L'instant, l'heure suprême,* de la mort. **II** n. m. Filets (de poisson, de volaille) servis avec un velouté à la crème *(sauce suprême).*

**suprêmement** adv. Au suprême degré ; extrêmement.

① **sur** prép. **I** (Position « en haut » ou « en dehors ») contr. *sous* **1** (surface, chose qui en porte une autre) *Poser un objet sur une table.* – (accumulation) *Les uns sur les autres.* **2** (surface ou chose atteinte) *Appuyer sur un bouton. Tirer sur qqn.* ♦ (en enlevant) *Impôt sur le revenu.* – (proportion) *Un jour sur deux.* **3** (sans contact) Au-dessus de ; plus haut que. **4** (direction) *Sur votre droite.* **II** D'après. **1** *Juger les gens sur la mine.* ♦ Relativement à. *Apprendre qqch. sur qqn.* → **à propos** de. **2** (temporel) Immédiatement après. loc. *Sur le coup.* – *Sur ce**. ♦ *Être sur le départ,* près de partir. **3** (supériorité) *Prendre l'avantage sur qqn.*

② **sur, sure** adj. Qui a un goût acide. → **aigrelet.** *Pommes sures.*

**sûr, sûre** adj. **I** (personnes) *Sûr de* **1** Qui tient pour assuré (un événement). → **certain, convaincu.** *Être sûr du résultat ; de réussir.* – *Être sûr de qqn,* avoir confiance en lui. **2** Qui sait avec certitude. *J'en suis sûr.* **II 1** (choses) Qui ne présente pas de danger (→ **sécurité, sûreté**). *En lieu sûr,* à l'abri. **2** En qui, en quoi l'on peut avoir confiance. *Un ami sûr.* – loc. *À coup sûr* : sans risque d'échec. **3** Qui fonctionne, agit avec efficacité et exactitude. **4** Considéré comme vrai ou inéluctable. → **assuré, certain, évident. 5** loc. adv. *Bien sûr* : c'est évident. – vx ou pop. *Pour sûr* : certainement.

**surabondance** n. f. Abondance extrême ou excessive. → **pléthore, profusion.**

**surabondant, ante** adj. Très ou trop abondant ou nombreux. ► **surabondamment** adv.

**surabonder** v. intr. [1] littér. Exister en quantité plus grande qu'il n'est nécessaire.

**suraigu, uë** [-gy] adj. (son...) Très aigu.

**surajouter** v. tr. [1] Ajouter (qqch. à ce qui est déjà complet), ajouter après coup.

**suralimenter** v. tr. [1] **1** Alimenter au-delà de la normale. **2** Fournir à (un moteur) plus de combustible que la normale. ▷ **p. p. suralimenté, ée** ► **suralimentation** n. f.

**suranné, ée** adj. littér. Qui évoque une époque révolue. → **démodé, obsolète.**

**surate** n. f. → **sourate**

**surbooké, ée** adj. anglic., fam. Surchargé (de rendez-vous...).

**surbooking** n. m. anglic. techn. → **surréservation.**

**surbrillance** n. f. inform. Marque (contraste lumineux...) appliquée à une zone de l'écran d'un ordinateur.

**surcharge** n. f. **I 1** Charge ajoutée ou en excès. **2** Fait de surcharger, d'être surchargé. **3** fig. Excès, surabondance. **II** Mot, inscription qui en recouvre un(e) autre.

**surchargé, ée** adj. **1** Qui est trop chargé. ♦ Trop orné. **2** Qui a trop d'occupations, de travail. **3** Qui porte une surcharge (II).

**surcharger** v. tr. [3] **I 1** Charger d'un poids qui excède la charge ordinaire ou permise. **2** fig. → **encombrer. 3** Imposer une charge excessive à (qqn). **II** Marquer d'une surcharge (II).

**surchauffe** n. f. **1** Fait de chauffer au-delà de la normale. **2** écon. Tension excessive dans l'activité économique.

**surchauffer** v. tr. [1] Chauffer à l'excès. ▷ adj. **surchauffé, ée** (fig.) Surexcité, exalté.

**surclasser** v. tr. [1] Avoir une supériorité sur.

**surcomposé, ée** adj. gramm. Temps composé d'un verbe dont l'auxiliaire est à un temps composé (ex. quand *j'ai eu terminé*).

**surcot** n. m. hist. Vêtement porté pardessus la cotte, au Moyen Âge.

**surcouper** v. intr. [1] (aux cartes) Couper avec un atout supérieur (après une coupe).

**surcoût** n. m. Coût supplémentaire.

**surcroît** n. m. Ce qui vient s'ajouter à ce qu'on a déjà. – littér. *De surcroît, par surcroît* loc. adv. : en plus.

**surdimensionné, ée** adj. Dont les dimensions sont excessives. → **démesuré.**

**surdi-mutité** n. f. État de sourd-muet.

**surdité** n. f. Abolition de l'ouïe.

**surdose** n. f. Dose excessive, parfois mortelle (d'un stupéfiant, d'un médicament) (→ anglic. overdose).

**surdoué, ée** adj. Dont l'intelligence évaluée est très supérieure à la moyenne. – n. *Une surdouée.*

**sureau** n. m. Arbrisseau à baies rouges ou noires, dont la tige peut s'évider.

**sureffectif** n. m. Effectif trop important.

**surélever** v. tr. [5] Donner plus de hauteur à. ► **surélévation** n. f.

**suremballage** n. m. Emballage de protection ou de renfort. ♦ Abus d'emballages. *Le suremballage des jouets.*

**sûrement** adv. **1** En sûreté. **2** De manière sûre, certaine (→ à coup sûr). **3** adv. de phrase → **certainement.** *On va sûrement le condamner.* **4** De façon très probable.

**surenchère** n. f. **1** Enchère supérieure à la précédente. **2** Fait de surenchérir (2).

**surenchérir** v. intr. [2] **1** Faire une surenchère (1). **2** fig. *Surenchérir sur* : proposer, promettre plus que (qqn).

**surendettement** n. m. Endettement excessif (par rapport aux ressources). ► **surendetté, ée** adj. *Ménage surendetté.*

**surestimer** v. tr. [1] **1** Estimer au-delà de son prix. **2** Apprécier au-delà de sa valeur. – pronom. *Il se surestime.* ► **surestimation** n. f.

**suret, ette** adj. Légèrement sur, acide.

**sûreté** n. f. **I 1** (vieilli, sauf en loc.) Absence de risque, de danger. → **sécurité.** prov. *Prudence est mère de sûreté.* – *En sûreté* : à l'abri du danger. **2** Garantie de sécurité. *Atteinte à la sûreté de l'État.* ♦ ancient *Sûreté nationale, la Sûreté,* direction de la police. **II** Caractère de ce qui est sûr, sans danger ou sans risque d'erreur. **III** dr. Garantie.

**surévaluer** v. tr. [1] Évaluer au-dessus de sa valeur réelle. ► **surévaluation** n. f.

**surexciter** v. tr. [1] Exciter à l'extrême ; mettre dans un état d'exaltation, de nervosité extrême. ▷ adj. **surexcité, ée** ► **surexcitation** n. f.

**surexposer** v. tr. [1] Exposer à la lumière (une pellicule, un film) plus longtemps que la normale. ► **surexposition** n. f.

**surf** [sœʀf] n. m. anglic. Sport qui consiste à se laisser porter, sur une planche, par une vague déferlante ; cette planche. ♦ *Surf des neiges* (pratiqué sur la neige). → **monoski, snow-board.**

**surface** n. f. **1** Partie extérieure (d'un corps), qui le limite en tous sens ; face apparente. *La surface de l'eau.* – *Faire surface.* → **émerger.** fig. *Faire, refaire surface* : se manifester (de nouveau). ♦ fig. Les apparences (opposé à *fond*). **2** Aire, superficie. – *(Magasin à) grande surface* : hypermarché. **3** Figure géométrique à deux dimensions. **4** phys. Limite entre deux milieux physiques différents.

**surfait, aite** adj. Trop apprécié, inférieur à sa réputation.

**surfer** [sœʀfe] v. intr. [1] **1** Faire du surf. **2** fig. Passer d'un site Internet à un autre, en cliquant sur les liens hypertextes. → **naviguer.** ► **surfeur, euse** n.

**surfiler** v. tr. [1] Passer un fil sur le bord de (un tissu).

**surgeler** v. tr. [5] Congeler rapidement et à très basse température (un produit alimentaire). ▷ adj. et n. m. **surgelé, ée** ► **surgélation** n. f.

**surgénérateur, trice** adj. et n. m. techn. (Réacteur) qui produit plus de matière fissile qu'il n'en consomme.

**surgeon** n. m. arbor. Rejet qui pousse au pied d'un arbre.

**surgir** v. intr. [2] **1** Apparaître brusquement en s'élevant, en sortant (de). **2** abstrait Se manifester brusquement. ► **surgissement** n. m.

**surhomme** n. m. Être humain doté de capacités exceptionnelles.

**surhumain, aine** adj. Qui apparaît au-dessus des forces humaines normales.

**surimi** n. m. Préparation alimentaire (japonaise) à base de chair de poisson.

**surimpression** n. f. Impression de plusieurs images sur une surface sensible.

**surin** n. m. argot Couteau, poignard. ► **suriner** v. tr. [1] ► **surineur, euse** n.

**surinfection** n. f. Infection supplémentaire, au cours d'une maladie infectieuse.

**surintendant** n. m. Titre de ministres, sous l'Ancien Régime.

**surir** v. intr. [2] Devenir sur, un peu aigre.

**surjection** n. f. math. Application telle que tout élément de l'ensemble d'arrivée soit l'image d'au moins un élément de l'ensemble de départ (syn. *application surjective*).

**surjet** n. m. Point de couture serré servant à assembler bord à bord.

**surlendemain** n. m. Jour qui suit le lendemain (→ **après-demain**).

**surligner** v. tr. [1] Marquer (du texte) à l'encre transparente. ► **surlignage** n. m. ► **surligneur** n. m. (→ **marqueur**).

**surlonge** n. f. Morceau du bœuf, autour des premières vertèbres dorsales.

**surmenage** n. m. Fait de (se) surmener ; troubles qui en résultent.

**surmener** v. tr. [5] Fatiguer à l'excès. ▷ v. pron. se **surmener** ▷ adj. **surmené, ée**

**surmoi** n. m. psych. L'une des trois instances de la personnalité (selon Freud), agissant sur le moi par interdits.

**surmonter** v. tr. [1] **1** Être placé, situé au-dessus de. **2** Venir à bout de, vaincre. *Surmonter sa peur.* ► **surmontable** adj.

**surmulet** n. m. Rouget (poisson).

**surmulot** n. m. Gros rat commun.

**surnager** v. intr. [3] **1** Se soutenir, rester à la surface d'un liquide. → aussi **flotter.** **2** fig. Subsister, se maintenir.

**surnaturel, elle** adj. **1** relig. D'origine divine. **2** Qui ne s'explique pas par les lois naturelles. → **magique, merveilleux.** – n. m. *Admettre le surnaturel.*

**surnom** n. m. Nom ajouté ou substitué (→ **sobriquet**).

**surnombre** n. m. *En surnombre :* en plus de la normale (→ **surnuméraire**).

**surnommer** v. tr. [1] Désigner par un surnom.

**surnuméraire** adj. Qui est en surnombre.

**suroît** n. m. **I** mar. Vent du sud-ouest. **II** Chapeau imperméable (de marin).

**surpasser** v. tr. [1] **1** vieilli Dépasser, excéder. **2** Être supérieur à (qqn) sous certains rapports. *Surpasser qqn en habileté.* ▷ v. pron. se **surpasser**

**surpeuplé, ée** adj. Où la population est trop nombreuse.

**surpeuplement** n. m. **1** État d'un lieu surpeuplé. **2** Surpopulation.

**surplace** n. m. *Faire du surplace :* ne pas avancer. – var. **sur-place.**

**surplis** n. m. Vêtement liturgique, souvent plissé, porté par-dessus la soutane.

**surplomb** [-plɔ̃] n. m. Partie (d'un bâtiment...) qui est en saillie. – *En surplomb :* qui présente un surplomb.

**surplomber** v. [1] **1** v. intr. Dépasser par le sommet la ligne de l'aplomb. **2** v. tr. Dominer, faire saillie au-dessus de. ► **surplombant, ante** adj.

**surplus** n. m. **1** Ce qui excède la quantité, la somme voulue. → **excédent.** – Stock vendu à bas prix. **2** loc. littér. *Au surplus :* au reste ; en outre.

**surpopulation** n. f. Population excessive (par rapport aux ressources).

**surprenant, ante** adj. **1** Qui surprend, étonne. **2** Remarquable.

**surprendre** v. tr. [58] **1** Prendre sur le fait. *Surprendre un voleur.* **2** Découvrir (ce que qqn cache). **3** Se présenter inopinément à (qqn). *Surprendre qqn chez lui.* **4** (sujet chose) Arriver sans être attendu, prévu. *L'orage nous a surpris.* **5** Étonner, déconcerter ; être inattendu (→ **surprenant**). ▷ v. pron. se **surprendre** *Se surprendre à* (+ inf.) : s'apercevoir soudain en train de.

**surpression** n. f. techn. Pression supérieure à la normale.

**surprise** n. f. **1** Action ou attaque inopinée (surtout dans *par surprise*). **2** État d'une personne surprise ; étonnement dû à ce qui surprend (4 et 5). **3** Ce qui surprend ; chose inattendue. *Bonne, mauvaise surprise.* – appos. *Grève surprise.* **4** Plaisir ou cadeau qui surprend agréablement. *Préparer une surprise à qqn.*

**surprise-partie** n. f. vieilli Soirée ou après-midi dansante. *Des surprises-parties.*

**surproduction** n. f. Production excessive.

**surréalisme** [-RR-] n. m. Forme d'art utilisant des forces psychiques (automatisme, rêve, inconscient) libérées du contrôle de la raison. ♦ Mouvement littéraire et artistique qui y correspond.

**surréaliste** [-RR-] adj. **1** Du surréalisme. - *Peintre surréaliste.* - n. *Les surréalistes.* **2** fam. Étrange, extravagant.

**surrégénérateur, trice** [-RR-] adj. techn. → **surgénérateur.**

**surrégime** [-RR-] n. m. techn. Régime (d'un moteur) supérieur au régime normal.

**surrénal, ale, aux** [-(R)R-] adj. Placé au-dessus du rein. - *Glande surrénale* et n. f. *surrénale,* produisant l'adrénaline.

**surréservation** n. f. Réservation de places (transports, spectacles...) en surnombre, par erreur ou calcul.

**sursaut** n. m. **1** Mouvement involontaire qui fait qu'on se dresse brusquement. ♦ loc. *En sursaut.* **2** *Sursaut de :* regain subit (d'un sentiment).

**sursauter** v. intr. [1] Avoir un sursaut. → **tressaillir, tressauter.**

**surseoir** [-swaR] v. tr. ind. [26] (forme en *-oi*) *Surseoir à :* attendre l'expiration d'un délai pour procéder à (un acte juridique...). → **différer, remettre.**

**sursis** n. m. **1** Remise à une date postérieure. - *Sursis (à l'exécution des peines).* **2** Période de répit. → **délai.** - *En sursis.*

**sursitaire** adj. et n. (Personne) qui bénéficie d'un sursis.

**surtaxe** n. f. Majoration d'une taxe.

① **surtout** adv. **1** Avant tout, plus que toute autre chose. - (ordre...) *Surtout ne dites rien !* **2** Plus particulièrement. **3** fam. (critiqué) *Surtout que :* d'autant plus que.

② **surtout** n. m. Pièce de vaisselle ou d'orfèvrerie décorative.

**surveillance** n. f. Fait de surveiller ; actes de contrôle suivi.

**surveillant, ante** n. **1** Personne qui surveille. → **garde, gardien.** **2** Personne chargée de la discipline (école, communauté).

**surveiller** v. tr. [1] **1** Observer avec une attention soutenue, en limitant la liberté. - au p. p. *Liberté surveillée* (de délinquants non incarcérés). **2** Suivre avec attention pour contrôler (un processus). → **inspecter.** **3** Être attentif à (ce que l'on fait...). *Surveiller sa ligne.*

**survenir** v. intr. [22] Arriver, venir à l'improviste, brusquement.

**surveste** n. f. Veste large et ample, qui se porte sur une autre.

**survêtement** n. m. Vêtement de sport. → **jogging.**

**survie** n. f. **1** Vie après la mort (dans les croyances religieuses). **2** Fait de survivre.

**survitaminé, ée** adj. Auquel on a incorporé une quantité importante de vitamines. *Boisson survitaminée.* ♦ fig. et fam. Très énergique.

**survivance** n. f. Ce qui survit, ce qui subsiste (d'une chose disparue). *Une survivance du passé.*

**survivant, ante** adj. **1** Qui survit à qqn, à d'autres. **2** Qui survit à une époque, à une société. ♦ (choses) Qui subsiste. **3** Qui a échappé à la mort (là où d'autres sont morts). → **rescapé.** - n. *Il n'y a aucun survivant.*

**survivre** v. tr. ind. [46] *Survivre à* **1** Demeurer en vie après la mort de (qqn). *Elle a survécu à ses enfants.* - Vivre encore après (un temps révolu, une chose passée). **2** (sujet chose) Durer plus longtemps que. **3** Échapper à (une mort violente et collective). → **survivant.** **4** sans compl. Continuer à vivre, rester en vie. ♦ (sujet chose) → **subsister.** ▷ v. pron. se **survivre** Vivre encore (dans qqn, qqch. ; ou après un événement comparé à une mort). → se **perpétuer.**

**survoler** v. tr. [1] **1** (oiseau, avion...) Voler au-dessus de. **2** fig. Examiner rapidement. ► **survol** n. m.

**survolter** v. tr. [1] **1** Augmenter la tension électrique de (qqch.) au-delà de la valeur normale. **2** Surexciter. ▷ adj. **survolté, ée**

**sus** [sy(s)] adv. **1** vx *Courir sus à l'ennemi,* l'attaquer. **2** *En sus (de),* en plus (de).

**susceptible** adj. **I** *Susceptible de* **1** Qui peut présenter (un caractère), recevoir (une impression), subir (une modification). *Texte susceptible de deux interprétations.* **2** (choses, personnes) (+ inf.) Capable de (à l'occasion). **II** Particulièrement sensible dans son amour-propre ; qui se vexe. → **ombrageux.** ► **susceptibilité** n. f.

**susciter** v. tr. [1] **1** littér. Faire exister, agir (qqch. ; qqn) pour aider ou pour contrecarrer (qqn). *On lui a suscité des ennuis.* **2** Faire naître (un sentiment, une idée...). → **éveiller, provoquer.**

**suscription** n. f. admin. Adresse d'une lettre.

**susdit, dite** [sysdi, dit] adj. et n. didact. Dit, mentionné ci-dessus.

**sushi** [suʃi] n. m. Plat japonais, riz assaisonné accompagné de poisson cru (→ aussi **sashimi**).

**suspect, ecte** [-ɛ(kt), ɛkt] adj. **1** adj. et n. (Personne) qui est soupçonné ou éveille les soupçons. ♦ *Suspect de :* que l'on peut soupçonner de (→ **suspicion**). **2** (choses) Qui éveille les soupçons, le doute. ► **suspecter** v. tr. [1] → **soupçonner.**

**suspendre** v. tr. [41] **I 1** Interrompre (une action) pour quelque temps. *On a suspendu la séance.* **2** Mettre un terme aux activités de, aux effets de. *Suspendre un journal.*

**3** Remettre à plus tard, réserver. *Suspendre son jugement.* **II 1** Tenir ou faire tenir de manière à faire pendre. *Suspendre un tableau au mur.* **2** (passif) *Être suspendu à*, très attentif à. *Suspendu aux lèvres de qqn.* ▷ adj. **suspendu, ue 1** *Pont suspendu*, dont le tablier est maintenu par des câbles. ♦ *Véhicule bien, mal suspendu* (→ **suspension**). **2** En hauteur. *Jardins suspendus*, en terrasses.

**suspens** n. m. **1** loc. adv. *En suspens* : dans l'indécision ; sans achèvement. *La question reste en suspens.* **2** littér. Incertitude, appréhension (→ **suspense**).

**suspense** [syspɛns] n. m. anglic. Moment (film, récit...) qui fait naître un sentiment d'attente angoissée.

**suspension** n. f. **I** (→ suspendre, I) **1** Interruption ou remise à plus tard. **2** Fait de retirer ses fonctions (à un magistrat, etc.). **3** *Points de suspension* : signe de ponctuation (...) qui marque l'interruption. **II** (→ suspendre, II) **1** Manière dont un objet suspendu est maintenu en équilibre stable. **2** Appui élastique (d'un véhicule) sur ses roues ; pièces (amortisseurs, ressorts...) assurant cette élasticité. **3** chim. (surtout dans *en suspension*) État d'un solide en fines particules divisées dans un liquide ou un gaz. **4** Appareil d'éclairage destiné à être suspendu. → **lustre.**

**suspicieux, euse** adj. littér. Plein de suspicion. → **soupçonneux.**

**suspicion** n. f. littér. Fait de considérer comme suspect. → **défiance, méfiance.**

**sustentation** n. f. didact. Fait de (se) soutenir en équilibre.

**sustenter** v. tr. [1] didact. Soutenir les forces de (qqn) par la nourriture. ▷ v. pron. **se sustenter** plais. Se nourrir.

**susurrer** [sys-] v. [1] **1** v. intr. Murmurer doucement. **2** v. tr. Dire en susurrant.

**suture** n. f. Réunion, à l'aide de fils, de parties de chair coupées. *Points de suture.*

**SUV** [ɛsyve] n. m. invar. anglic. Véhicule de loisir, haut et spacieux, parfois équipé de quatre roues motrices. – recomm. off. *tout-terrain de loisir.*

**suzerain, aine** n. hist. Seigneur qui avait concédé un fief à un vassal (système féodal). ► **suzeraineté** n. f.

**svastika** ou **swastika** [svastika] n. m. Symbole religieux hindou, croix aux branches coudées (→ croix gammée).

**svelte** adj. Qui produit par sa forme élancée une impression de légèreté. ► **sveltesse** n. f.

**S. V. P.** [silvuplɛ ; ɛsvepe] Abréviation de *s'il vous plaît.*

**swahili, ie** [swaili] n. m. et adj. Langue bantoue parlée dans l'est de l'Afrique. – var. **souahéli, ie.**

**sweater** [switœʀ ; swɛtœʀ] n. m. anglic. Gilet en maille, à manches longues.

**sweat-shirt** [switʃœʀt ; swɛtʃœʀt] n. m. anglic. Pull-over en tissu moelleux, serré à la taille. *Des sweat-shirts.*

**sweepstake** [swipstɛk] n. m. anglic. Loterie basée sur une course de chevaux.

① **swing** [swiŋ] n. m. anglic. **1** boxe Large coup de poing donné vers l'intérieur. **2** golf Mouvement du joueur qui frappe la balle.

② **swing** [swiŋ] n. m. anglic. **1** Qualité rythmique (fluidité, pulsation...) propre au jazz. **2** Jazz classique (1930-1960). ► **swinguer** v. intr. [1]

**sybarite** n. littér. Personne qui recherche les plaisirs de la vie. ► **sybaritisme** n. m.

**sycomore** n. m. **1** Figuier originaire d'Égypte. **2** Érable *(faux platane).*

**sycophante** n. m. littér. Délateur ; espion.

**syllabaire** n. m. **1** Manuel, livre élémentaire de lecture. **2** didact. Signe d'une écriture, correspondant à une syllabe.

**syllabe** n. f. Voyelle, consonne ou groupe se prononçant d'une seule émission de voix. ► **syllabique** adj.

**syllepse** n. f. gramm. Accord des mots selon le sens (ex. « minuit sonnèrent »).

**syllogisme** n. m. Raisonnement déductif rigoureux qui lie des prémisses* à une conclusion. ► **syllogistique** adj.

**sylphe** n. m. Génie aérien des mythologies gauloise, celtique et germanique.

**sylphide** n. f. littér. Génie aérien féminin plein de grâce. – *Une taille de sylphide.*

**sylvain** n. m. didact. Divinité latine des forêts.

**sylvaner** n. m. → **silvaner**

**sylvestre** adj. littér. Relatif, propre aux forêts, aux bois. – *Pin sylvestre.*

**sylviculture** n. f. Exploitation des arbres forestiers.

**symbiose** n. f. **1** sc. Association biologique, durable et réciproque, entre deux organismes. *Algue et champignon vivant en symbiose* (lichen). **2** littér. Étroite union. → **fusion.** ► **symbiotique** adj.

**symbiote** adj. et n. m. sc. (Organisme) qui vit en symbiose.

**symbole** n. m. **1** Être, objet ou fait perceptible, qui évoque spontanément (dans une culture) quelque chose d'abstrait ou d'absent. *La colombe, symbole de la paix.* ♦ littér. → **allégorie, image, métaphore. 2** Signe arbitraire. *Symbole algébrique.* **3** Personne qui incarne, représente, évoque (qqch.) de façon exemplaire. → **personnification.**

**symbolique I** adj. **1** Qui constitue un symbole, repose sur des symboles. **2** Qui est le signe d'autre chose. *L'euro symbolique de dommages et intérêts.* ► **symboliquement** adv. **II** n. f. **1** Système de symboles. **2** Étude, théorie des symboles.

**symboliser** v. tr. [1] **1** Représenter par un symbole. **2** (sujet personne ou chose) Être le symbole de (une abstraction).

**symbolisme** n. m. **1** Système de symboles. **2** Mouvement littéraire et artistique (fin du XIXe s.) qui s'efforça de fonder l'art sur une vision symbolique et spirituelle du monde. ► **symboliste** adj. et n.

**symétrie** n. f. **1** littér. Régularité et harmonie. **2** Distribution régulière de parties, d'objets semblables de part et d'autre d'un axe ou autour d'un centre. ► **symétrique** adj. ► **symétriquement** adv.

**sympa** adj. fam. Sympathique.

**sympathie** n. f. **I 1** Relations entre personnes qui, ayant des affinités, se conviennent, se plaisent. → **entente. 2** Sentiment chaleureux et spontané qu'une personne éprouve (pour une autre). ♦ *Accueillir un projet avec sympathie.* **3** littér. Fait de ressentir ce qui touche autrui. → **compassion. II** vx Affinité.

**sympathique** adj. **I 1** Qui inspire la sympathie. → **agréable, aimable.** ♦ (choses) *Un geste sympathique.* **2** fam. Très agréable. *Une soirée sympathique.* **3** Relatif à la sympathie (I, 3). ► **sympathiquement** adv. **II 1** vx Qui est en affinité avec (autre chose). - mod. loc. *Encre* sympathique.* **2** n. m. physiol. *Le sympathique :* le système nerveux périphérique qui commande les mouvements inconscients.

**sympathisant, ante** n. Personne qui, sans appartenir à un parti, à un groupe, approuve son action.

**sympathiser** v. intr. [1] **1** S'entendre bien dès la première rencontre. *Ils ont tout de suite sympathisé.* **2** Être en affinité (avec qqn).

**symphonie** n. f. **1** Composition musicale à plusieurs mouvements (forme sonate), exécutée par un orchestre. **2** fig., littér. *Symphonie de :* ensemble harmonieux de.

**symphonique** adj. **1** *Poème symphonique :* composition musicale pour orchestre, illustrant un thème. **2** De la symphonie ; de la musique classique pour grand orchestre. *Orchestre symphonique.*

**symphyse** n. f. anat. Articulation peu mobile. *La symphyse pubienne.*

**symposium** [-jɔm] n. m. Congrès scientifique.

**symptomatique** adj. **1** méd. Qui constitue un symptôme. **2** Qui révèle ou fait prévoir. → **révélateur.**

**symptomatologie** n. f. méd. Étude des symptômes des maladies. → **sémiologie** (1).

**symptôme** n. m. **1** Phénomène, caractère perceptible ou observable lié à un état, une maladie dont il est le signe*. → aussi **syndrome ; prodrome. 2** fig. Signe (d'un état, d'une évolution).

**synagogue** n. f. **1** Temple israélite. **2** didact. La religion juive.

**synapse** n. f. didact. Région de contact entre deux neurones.

**synchrone** [-kʀ-] adj. Qui se produit dans le même temps. → **simultané.**

**synchronie** [-kʀ-] n. f. **1** ling. Ensemble des faits linguistiques considérés à un moment donné (opposé à *diachronie*). **2** Caractère synchrone. ► **synchronique** adj.

**synchroniser** [-kʀ-] v. tr. [1] **1** techn. Rendre synchrones (des phénomènes, des mouvements, des mécanismes) ; spécialt la piste sonore et les images de (un film). → **postsynchroniser. 2** cour. Faire s'accomplir simultanément (des actions). ▷ adj. **synchronisé, ée** ► **synchronisation** n. f.

**synchronisme** [-kʀ-] n. m. **1** Caractère de ce qui est synchrone ou synchronisé. **2** (événements) Coïncidence de dates, identité d'époques.

**synchrotron** [-kʀ-] n. m. phys. Cyclotron dans lequel le champ magnétique varie avec la vitesse des particules.

**synclinal** n. m. géol. Pli concave vers le haut (opposé à *anticlinal*).

**syncope** n. f. **I** Perte de connaissance brutale. → **évanouissement. II** mus. Prolongation sur un temps fort d'un élément accentué d'un temps faible.

**syncopé, ée** adj. mus. Caractérisé par des syncopes (II). *Rythme syncopé.*

**syncrétisme** n. m. didact. Combinaison de doctrines (religieuses, philosophiques). ► **syncrétique** adj.

**syndic** n. m. **1** Mandataire choisi par les copropriétaires d'un immeuble, et chargé de l'administrer. **2** dr. Administrateur provisoire d'une entreprise en faillite.

**syndical, ale, aux** adj. **1** Relatif à un syndicat (2). **2** Relatif à un syndicat (2) de salariés, au syndicalisme.

**syndicalisme** n. m. Fait social et politique que représentent l'existence et l'action des syndicats de travailleurs salariés. ► **syndicaliste** n. et adj.

**syndicat** n. m. **1** Association qui a pour objet la défense d'intérêts communs. - *Syndicat d'initiative :* organisme de développement du tourisme dans une localité. **2** Association de défense d'intérêts professionnels. *Syndicat patronal.* ♦ spécialt Syndicat ouvrier ou de salariés.

**syndiqué, ée** adj. et n. (Personne) qui est membre d'un syndicat.

**syndiquer** v. tr. [1] Grouper (des personnes), organiser (une profession) en syndicat. ▷ v. pron. se **syndiquer**

**syndrome** n. m. méd. Ensemble de symptômes caractérisant un état pathologique.

**synecdoque** n. f. didact. Figure de rhétorique qui consiste à prendre le plus pour le moins, la partie pour le tout, etc., ou inversement. → aussi **métonymie.**

**synergie** n. f. didact. **1** Action coordonnée d'organes. *Synergie musculaire.* **2** Aide réciproque de plusieurs éléments. ► **synergique** adj.

**synode** n. m. relig. Assemblée d'ecclésiastiques. ► **synodique** adj.

**synonyme** 1 adj. Se dit de mots ou d'expressions qui ont un sens très voisin. 2 n. m. Mot, expression synonyme (d'un[e] autre). ► **synonymie** n. f. ► **synonymique** adj.

**synopsis** [-is] n. m. cin. Récit bref qui constitue un schéma de scénario.

**synoptique** adj. 1 Qui donne une vue générale. *Tableau synoptique.* 2 relig. *Les Évangiles synoptiques* (Matthieu, Marc, Luc dont les plans sont analogues).

**synovie** n. f. Liquide qui lubrifie les articulations mobiles. *Épanchement de synovie* (notamment au genou). ► **synovial, ale, aux** adj.

**syntagme** n. m. ling. Groupe de morphèmes ou de mots formant une unité dans la phrase. *Syntagme nominal, verbal.*

**syntaxe** n. f. didact. 1 Étude des règles grammaticales d'une langue ; ces règles. → **grammaire.** 2 Relations entre les unités linguistiques. ► **syntaxique** ou **syntactique** adj.

**synthèse** n. f. I 1 Activité mentale permettant d'aller des notions simples aux notions composées (opposé à *analyse*). 2 Vue d'ensemble. 3 Formation d'un tout matériel au moyen d'éléments. – Préparation (d'un composé chimique) à partir d'éléments. *Produit de synthèse.* → **synthétique** (2). – *Images de synthèse,* produites par des moyens informatiques, électroniques... II 1 Ensemble complexe d'objets de pensée. 2 Notion philosophique qui réalise l'accord de la thèse et de l'antithèse (→ **dialectique).**

**synthétique** adj. 1 De synthèse. 2 Produit par synthèse chimique (artificielle). 3 (esprit) Apte à la synthèse. ► **synthétiquement** adv.

**synthétiser** v. tr. [1] Associer, combiner par une synthèse.

**synthétiseur** n. m. Instrument de musique électronique à clavier dont le son est produit par une synthèse acoustique.

**syntoniseur** n. m. Tuner.

**syphilis** [-is] n. f. Grave maladie vénérienne causée par un tréponème. ► **syphilitique** adj. et n.

**syrah** n. m. ou f. Cépage noir, à petits grains, de saveur caractéristique, surtout utilisé dans les vins de la vallée du Rhône ; vin de ce cépage.

**systématique** I adj. 1 D'un système intellectuel. 2 Qui procède, est organisé avec méthode. – *Un refus systématique,* entêté. 3 Qui pense ou agit selon un système. II n. f. didact. 1 Science des classifications des êtres vivants. → **taxinomie.** 2 Ensemble (de données, de méthodes) relevant d'un système de pensée. ► **systématiquement** adv.

**systématiser** v. tr. [1] Réunir en système. ► **systématisation** n. f.

**système** n. m. I 1 Ensemble abstrait dont les éléments sont coordonnés par une loi, une théorie. *Le système astronomique de Copernic.* ♦ *Le système décimal.* 2 Ensemble de pratiques organisées en fonction d'un but. → **méthode.** *Le système de défense d'un accusé.* – fam. Moyen habile. *Le système D*.* 3 Ensemble de pratiques et d'institutions. → **régime.** ♦ péj. La société sentie comme contraignante. *Il refuse le système.* 4 péj. *Esprit de système :* tendance à faire prévaloir la conformité à un système sur une juste appréciation du réel. II 1 Ensemble complexe d'éléments de même nature ou fonction. *Le système solaire. Le système nerveux.* ♦ fam. *Le système :* les nerfs. *Il me tape sur le système.* 2 Dispositif ou appareil complexe. *Système d'alarme.*

**systémique** adj. didact. Relatif à un système (I, 1 ou II, 1) dans son ensemble.

**systole** n. f. physiol. Contraction du cœur.

**syzygie** n. f. astron. Position de la Lune, d'une planète en conjonction ou en opposition avec le Soleil.

# T

**t** [te] n. m. invar. **1** Vingtième lettre, seizième consonne de l'alphabet. **2** (ajouté entre le verbe et le pronom sujet) *Arrive-t-il, puisse-t-on* (comme *arrivent-ils*, etc.). **3** Forme du T majuscule. *Antenne en T.* → aussi **té.**

**ta** → ① **ton**

① **tabac** [-ba] n. m. **1** Plante à larges feuilles, qui contient un alcaloïde, la nicotine. **2** Feuilles de tabac séchées et préparées. ♦ Consommation, habitude du tabac (→ **fumer**). **3** *Bureau de tabac ; tabac :* magasin pour fumeurs.

② **tabac** [-ba] n. m. **1** loc. *Passer qqn à tabac :* tabasser. **2** loc. fam. *Faire un tabac,* avoir un grand succès.

**tabacologie** n. f. méd. Discipline médicale qui étudie le tabac et les effets du tabagisme. ► **tabacologue** n.

**tabagie** n. f. **1** Endroit mal aéré où il y a beaucoup de fumée de tabac. **2** (Canada) Magasin qui vend du tabac, des boissons, des journaux...

**tabagisme** n. m. méd. Habitude de fumer ; intoxication, troubles provoqués par l'usage du tabac.

**tabasco** n. m. (marque déposée) Condiment liquide à base de piment rouge, de vinaigre et d'épices.

**tabasser** v. tr. [1] fam. Rouer de coups.

**tabatière** [-tjɛʀ] n. f. **1** Petite boîte pour le tabac à priser. **2** Lucarne à charnière.

**tabernacle** n. m. relig. Petite armoire d'autel qui contient le ciboire.

**tabla** n. m. Instrument indien à percussion, petites timbales.

**tablature** n. f. Figuration graphique des sons musicaux propres à un instrument.

**table** n. f. **I** Meuble sur pied(s) à partie supérieure plane. **1** spécialt Meuble sur lequel on mange. – *De table :* qui sert au repas. – loc. *Se mettre à table* (fig., fam. avouer). ♦ La nourriture. *Les plaisirs de la table.* ♦ Personnes à table. → **tablée. 2** (Autres usages). *Table à dessin.* – *Table à repasser.* – *Table de jeu.* loc. *Jouer cartes sur table,* ne rien dissimuler. **3** *Table ronde,* autour de laquelle peuvent s'asseoir plusieurs personnes (sans hiérarchie). – Réunion pour discuter d'un problème. ♦ *Tour de table :* prise de parole successive. **4** Table à tiroirs, tablettes, etc. *Table de chevet.* **5** *Table d'orientation :* surface plane sur laquelle sont figurées les directions, la topographie. **6** loc. *La sainte table,* l'autel. **II 1** *Table (d'harmonie),* partie d'un instrument de musique, sur laquelle les cordes sont tendues. **2** Tableau. *Table d'écoute*.* **3** Tableau, support d'écriture. – loc. *Faire table rase :* écarter, rejeter ce qui était admis. ♦ *Les tables de la Loi* (remises par Dieu à Moïse) : les commandements de Dieu. ♦ Présentation méthodique. *Table des matières :* dans un livre, énumération des chapitres. ♦ Recueil d'informations, de données. → **tableau** (III). *Tables de multiplication.*

**tableau** n. m. **I 1** Peinture sur un support rigide autonome. **2** *Tableau vivant :* groupe de personnages immobiles. **3** Image, scène réelle. *Un tableau touchant.* **4** *Tableau de chasse :* ensemble des animaux abattus ; fig. ensemble de succès. **5** Description ou évocation imagée, par le langage. → **récit. 6** Subdivision d'un acte, au théâtre. **II 1** Panneau destiné à recevoir une inscription, une annonce. *Tableau d'affichage.* **2** *Tableau (noir) :* panneau sur lequel on écrit à la craie, dans une classe. *Tableau blanc interactif (TBI) :* écran relié à un ordinateur. – *Au tableau :* en interrogation. **3** Support plat de présentation. ♦ *Tableau de bord* (d'un avion, d'une voiture) : panneau des instruments de bord. **III** (Ce qui est écrit sur un tableau) **1** Liste par ordre (de personnes). – *Tableau d'honneur :* liste des plus méritants. **2** Série ordonnée de données, de renseignements. → **table ; tableur.**

**tableautin** n. m. Petit tableau (I, 1).

**tablée** n. f. Personnes qui prennent ensemble un repas. → **table** (I, 1).

**tabler** v. intr. [1] *Tabler sur* (qqch., qqn) : baser une estimation sur. → **compter** sur.

**tabletier, ière** [-tje, jɛʀ] n. Personne qui fabrique ou vend de la tabletterie.

**tablette** n. f. **1** anciennt Petite surface plane à inscriptions. – loc. *Noter qqch. sur ses tablettes,* en prendre note. **2** Petite planche horizontale. ♦ Plaque servant de support, d'ornement. *Tablette de lavabo.* **3** Produit alimentaire présenté en petites plaques. *Tablette de chocolat.* **4** Ordinateur sans fil à écran tactile, adapté au livre* électronique.

**tabletterie** n. f. **1** Fabrication, commerce d'objets plats en bois précieux, ivoire, os (échiquiers, damiers, tablettes). **2** Ces objets.

**tableur** n. m. Logiciel pour la création de tableaux (III, 2).

**tablier** n. m. **I 1** Plate-forme horizontale (d'un pont). **2** Plaque de protection. *Le tablier d'une cheminée.* **II** Pièce d'étoffe qui protège le devant du corps. – loc. fig. *Rendre son tablier,* démissionner.

**tabloïd** n. m. anglic. Quotidien ou périodique de petit format.

**tabou, e** n. m. et adj. **1** didact. Interdiction religieuse appliquée à ce qui est considéré comme impur ou interdit (sacré). – adj. Exclu de l'usage commun. **2** Ce sur quoi on fait silence, par crainte, pudeur. *Les tabous sexuels.* – adj. *Sujets tabous.*

**taboulé** n. m. Plat (libanais) de semoule de blé crue, menthe, persil, assaisonné.

**tabouret** n. m. Siège sans bras ni dossier, à pied(s). *Tabouret pliant.* → **pliant.**

**tabulaire** adj. didact. **1** Disposé en tables, en tableaux (III, 2). **2** En forme de table.

**tabulateur** n. m. Dispositif pour aligner des signes en colonnes, en tableaux.

**tabulatrice** n. f. Machine à trier des informations, utilisant les cartes perforées.

**tabun** [tabun] n. m. chim. Gaz de combat (arme chimique), très dangereux.

**tac** n. m. loc. *Répondre, riposter du tac au tac,* riposter immédiatement.

**tache** n. f. **I 1** Petite étendue de couleur, d'aspect différent (d'un fond). **2** *Taches solaires,* zones sombres à la surface du Soleil. **II 1** Surface salie ; la substance qui salit. *Tache d'encre.* **2** loc. *Faire tache* : rompre une harmonie. **3** fig. Souillure morale. *Une réputation sans tache.*

Ne pas confondre avec *tâche* «travail».

**tâche** n. f. **1** Travail qu'on doit exécuter. – loc. *À la tâche,* payé selon l'ouvrage. **2** Conduite commandée. → **mission, rôle.**

Ne pas confondre avec *tache* «salissure».

**tacher** v. tr. [1] Salir en faisant des taches (II). ▷ v. pron. **se tacher 1** Faire des taches sur ses vêtements. **2** (sujet chose) Se salir. ▷ p. p. **taché, ée**

Ne pas confondre avec *tâcher* «essayer».

**tâcher** v. [1] **1** v. tr. ind. *Tâcher de* (+ inf.) : faire des efforts pour. → s'**efforcer, essayer.** **2** v. tr. dir. *Tâcher que* (+ subj.) : faire en sorte que.

Ne pas confondre avec *tacher* «salir».

**tâcheron, onne** n. Personne qui travaille beaucoup, mais sans initiative.

**tacheter** v. tr. [4] Couvrir de petites taches (I). ▷ adj. **tacheté, ée** *Animal tacheté.*

**tachisme** n. m. Peinture par taches de couleur juxtaposées. ► **tachiste** adj. et n.

**tachycardie** n. f. Accélération du rythme des battements du cœur.

**tacite** adj. Non exprimé entre plusieurs personnes. → **implicite.** ► **tacitement** adv.

**taciturne** adj. Qui parle peu, reste silencieux. ► **taciturnité** n. f. littér.

**tacle** n. m. anglic. (football) Action de prendre le contrôle du ballon, dans les pieds de l'adversaire. ♦ fig. Prise de contrôle subite, aux dépens de qqn. ► **tacler** v. tr. [1]

**taco** n. m. Crêpe (tortilla) de maïs farcie, roulée et frite.

**tacot** n. m. fam. Vieille voiture (bruyante).

**tact** [takt] n. m. **1** physiol. Sens du toucher. **2** fig. Réserve, respect d'autrui dans les relations humaines. → **délicatesse, doigté.**

**tactile** adj. **1** Qui concerne les sensations du tact, du toucher. → didact. **haptique.** – (animaux) *Poils tactiles,* qui servent au toucher. **2** *Écran tactile,* fonctionnant par contact du doigt.

**tactique I** n. f. **1** Art de combiner tous les moyens militaires au combat ; exécution des plans de la stratégie*. **2** Moyens coordonnés. *Tactique parlementaire.* **II** adj. Relatif à la tactique. *Armes tactiques* (opposé à *stratégique*), à moyenne portée. – *Habileté tactique.* ► **tacticien, ienne** n. et adj.

**tadelakt** n. m. Enduit coloré imperméable, fait de chaux polie avec un galet de rivière et traitée au savon noir, d'usage traditionnel dans le Sud marocain.

**tadorne** n. m. Grand canard sauvage, migrateur, à bec rouge.

**taekwondo** n. m. Sport de combat d'origine coréenne, sans arme.

**taffetas** n. m. Tissu de soie uni.

**tag** [tag] n. m. anglic. Graffiti formant une signature d'intention décorative. ► **taguer** v. tr. [1] ► **tagueur, euse** n.

**tagine** → **tajine**

**tagliatelle** [taljatɛl] n. f. souvent plur. Pâte alimentaire en forme de mince lanière.

**taïaut** [tajo] interj. (chasse à courre) Cri pour signaler la bête.

**taie** n. f. **1** Enveloppe de tissu (d'un oreiller). **2** anat. Tache opaque de la cornée.

**taïga** n. f. Forêt de conifères qui borde la toundra (Russie septentrionale).

**taïkonaute** n. Occupant d'un vaisseau spatial chinois. → **spationaute.**

**taillable** adj. hist. Soumis à l'impôt de la taille. *Taillable et corvéable à merci* (fig. exploitable à volonté).

**taillader** v. tr. [1] Couper en plusieurs endroits. → **entailler.**

① **taille** n. f. **1** Opération qui consiste à tailler qqch. ; forme qu'on donne à une chose en la taillant. – loc. *Pierre de taille.*

**2** Tranchant de l'épée, du sabre. *Frapper d'estoc* et de taille.*

② **taille** n. f. hist. Redevance payée au seigneur féodal (→ **taillable**).

③ **taille** n. f. **I 1** Hauteur du corps, debout et droit. → **stature. 2** loc. *À la taille de, de la taille de :* en rapport avec. – *Être de taille à* (+ inf.) : avoir les qualités nécessaires pour. → **capable** de. **3** Conformation (du corps) par rapport aux vêtements. **4** Grosseur ou grandeur. → **dimension, format.** – fam. *De taille :* très important. **II** Partie resserrée du tronc entre les côtes et les hanches. *Avoir la taille fine. – S'enfoncer jusqu'à la taille.* ♦ Partie correspondante du vêtement.

**taillé, ée** adj. **1** Fait, bâti (corps humain). *Ce garçon est taillé en athlète.* **2** fig. *Être taillé pour :* être fait pour, apte à. **3** Coupé. *Haie taillée. – Cheveux taillés en brosse.*

**taille-crayon** n. m. Instrument pour tailler les crayons. *Des taille-crayons.*

**taille-douce** n. f. **1** Gravure en creux. **2** Gravure sur cuivre. *Des tailles-douces.*

**tailler** v. [1] **I** v. tr. **1** Couper, travailler (une matière, un objet) avec un instrument tranchant, de manière à donner une forme. *Tailler un arbre,* ses branches. **2** Confectionner, obtenir (une chose) en découpant. – *Tailler un vêtement* (→ **tailleur**). ♦ fig. *Se tailler un beau succès,* l'obtenir. **II** *Se tailler* v. pron. fam. Partir en hâte, s'enfuir.

**tailleur, euse** n. **I 1** Personne qui fait des vêtements sur mesure pour hommes. ♦ loc. *S'asseoir en tailleur,* les jambes repliées et croisées, genoux écartés. **2** n. m. Costume de femme (veste et jupe ou pantalon de même tissu). **II** Personne qui taille, qui façonne (qqch.) par la taille. *Tailleur de pierre.*

**taillis** n. m. Partie d'un bois où il n'y a que des arbres de faible dimension.

**tain** n. m. Amalgame métallique (étain, mercure) appliqué derrière un miroir.

**taire** v. tr. [54] sauf *il tait* et p. p. fém. *tue* **I** Ne pas dire ; ne pas exprimer (qqch.). → **cacher, celer.** *Taire ses raisons.* **II** *Se taire* v. pron. **1** Rester sans parler, s'abstenir de s'exprimer. – *Savoir se taire,* être discret. **2** Cesser de parler (ou de crier, de pleurer). ♦ (ellipse de *se*) *Faire taire qqn :* forcer à se taire. – fig. *Faire taire l'opposition.* **3** (sujet chose) Ne plus se faire entendre.

**tajine** n. m. Ragoût (de mouton...) cuit à l'étouffée (cuisine marocaine). *Tajine d'agneau.* – Plat en terre au couvercle conique, pour cuire ce ragoût. – var. **tagine.**

**talc** n. m. Silicate naturel de magnésium. – Poudre de cette substance.

**talé, ée** adj. (fruit) Meurtri.

① **talent** n. m. Antiq. **1** Poids de 20 à 27 kg, dans la Grèce antique. **2** Monnaie de compte (un talent d'argent).

② **talent** n. m. **1** Aptitude particulière, dans une activité. → **capacité, don. 2** *Le talent :* aptitude remarquable dans le domaine intellectuel ou artistique. **3** Personne qui a du talent. *Jeunes talents.*

**talentueux, euse** adj. Qui a du talent. ► **talentueusement** adv.

**taliban, ane** n. Membre d'un mouvement islamiste armé extrémiste, en Afghanistan.

**talion** n. m. hist. Châtiment qui inflige au coupable le mal qu'il a fait subir. – *La loi du talion* (œil pour œil, dent pour dent).

**talisman** n. m. Objet portant des signes, et auquel on attribue des pouvoirs magiques. → **amulette.** ► **talismanique** adj.

**talkie-walkie** [tokiwoki] n. m. anglic. Petit poste émetteur-récepteur de radio, portatif. *Des talkies-walkies.*

**talk-show** [tokʃo] n. m. anglic. Émission de télévision présentant des conversations entre un animateur et des invités.

**Talmud** [-yd] n. m. Enseignements des grands rabbins. ► **talmudique** adj.

**taloche** n. f. fam. Gifle. ► **talocher** v. [1]

**talon** n. m. **I 1** Partie postérieure du pied humain, qui touche le sol pendant la marche. – *Talon d'Achille,* point vulnérable. ♦ *Marcher, être sur les talons de qqn,* le suivre de tout près. → **talonner.** – *Tourner les talons,* partir. **2** Partie (d'un bas, d'une chaussette, etc.) qui enveloppe le talon. **3** Pièce qui rehausse l'arrière d'une chaussure. *Talons hauts ; plats.* **II 1** Reste, dernier morceau (d'un jambon...). **2** Ce qui reste d'un jeu de cartes après distribution. **3** Partie non détachable d'un carnet à souches.

**talonner** v. tr. [1] **1** Suivre ou poursuivre de très près. ♦ fig. Harceler. – (sujet chose) *La peur le talonnait.* **2** Frapper du talon. **3** rugby *Talonner (la balle),* lors d'une mêlée, repousser le ballon vers son camp d'un coup de talon. ► **talonnage** n. m. ► **talonneur, euse** n.

**talonnette** n. f. **1** Lame de liège placée sous le talon à l'intérieur de la chaussure. **2** Ruban cousu au bas des jambes d'un pantalon pour en éviter l'usure.

**talquer** v. tr. [1] Enduire, saupoudrer de talc. ▷ p. p. **talqué, ée**

**talus** n. m. Terrain en pente très inclinée, aménagé par des travaux de terrassement. ♦ Ouvrage de fortifications.

**talweg** [talvɛg] n. m. géogr. Ligne de plus grande pente d'une vallée. – var. **thalweg.**

**tamanoir** n. m. Mammifère édenté, appelé aussi *grand fourmilier,* à la langue effilée et visqueuse qui lui sert à capturer les fourmis.

**tamarin** n. m. Fruit du tamarinier, utilisé notamment comme laxatif.

**tamarinier** n. m. Grand arbre exotique à fleurs en grappes, qui donne le tamarin.

**tamaris** [-is] ou **tamarix** [-iks] n. m. Arbrisseau décoratif, à petites feuilles, à fleurs roses en épi.

**tambouille** n. f. fam. Cuisine (généralement médiocre). – *Faire la tambouille.*

**tambour** n. m. **I 1** Instrument à percussion, formé de deux peaux tendues sur un cadre cylindrique (→ **caisse**). – Bruit du tambour. ♦ loc. *Sans tambour ni trompette,* sans attirer l'attention. **2** Personne qui bat le tambour. **3** par ext. Instrument à percussion à membrane tendue. → **tambourin, tam-tam ; caisse.** – *Tambour de basque.* → **tambourin. II 1** Petite entrée à double porte, servant à isoler l'intérieur d'un édifice. ♦ Tourniquet formé de quatre portes vitrées, en croix. **2** Métier circulaire pour broder. **3** Cylindre (d'un treuil, d'une machine). **4** *Tambour de frein,* cylindre dans lequel frottent les segments.

**tambourin** n. m. **1** Tambour* (I, 3) de basque. **2** Tambour haut et étroit, à une seule baguette (joué par le *tambourinaire*).

**tambouriner** v. [1] **I** v. intr. Faire un bruit de roulement, de batterie. – par analogie *La grêle tambourine contre le toit.* **II** v. tr. Jouer (un rythme) sur un tambour. ► **tambourinage** et **tambourinement** n. m.

**tambour-major** n. Sous-officier qui dirige une formation musicale militaire.

**tamis** n. m. **1** Instrument qui sert à passer et à séparer les éléments d'un mélange. → **crible, sas ; chinois, passoire. 2** Partie cordée d'une raquette de tennis.

**tamiser** v. tr. [1] **1** Trier, passer au tamis. **2** Laisser passer (la lumière) en partie. – au p. p. *Lumière tamisée.* ► **tamisage** n. m.

**tamoul, e** adj. et n. Des Tamouls (peuple de l'Inde...). – n. m. *Le tamoul* (langue).

**tampon** n. m. **I 1** Petite masse dure ou pressée, pour boucher un trou, empêcher l'écoulement d'un liquide. → **bouchon. 2** Cheville plantée pour y fixer un clou, une vis. **3** Masse de matière souple, servant à étendre un liquide. – *Tampon à récurer,* formé d'une masse de fils. **4** Petite masse de gaze, d'ouate..., pour étancher le sang, nettoyer la peau, etc. – *Tampon hygiénique, périodique,* porté dans le vagin pendant les règles. **5** *En tampon :* froissé en boule (papier, tissu). **II** Timbre encré pour oblitérer. ♦ Cachet, oblitération. **III 1** Ce qui amortit les chocs, empêche les heurts. – fig. *Servir de tampon entre deux personnes.* – appos. *État, zone tampon.* **2** appos. inform. *Mémoire tampon* (d'un ordinateur), collectant temporairement les données. **3** appos. chim. *Solution tampon,* permettant de maintenir le pH.

**tamponner** v. tr. [1] **I 1** Enfoncer des chevilles dans (un mur). **2** Frotter avec un tampon. – loc. fam. *Il s'en tamponne :* il s'en moque. **II** Timbrer, apposer un tampon (II) sur. **III 1** Heurter avec les tampons (III, 1). ♦ (véhicules) Heurter violemment. **2** chim. Ajouter une solution tampon (III, 3) à. – au p. p. *Aspirine tamponnée.* ► **tamponnement** n. m.

**tamponneur, euse** adj. Qui tamponne. ♦ *Autos tamponneuses :* attraction foraine, petites voitures électriques qui se heurtent.

**tam-tam** [tamtam] n. m. invar. **1** Tambour en usage en Afrique noire pour la musique, la transmission de messages. **2** fig. Bruit, publicité tapageuse.

**tan** n. m. techn. Tanin* d'écorce de chêne (→ **tanner**).

**tanagra** n. m. ou f. Figurine grecque antique en terre cuite, simple et gracieuse.

**tancer** v. tr. [3] littér. Réprimander.

**tanche** n. f. Poisson d'eau douce, à peau sombre et gluante, à chair délicate.

**tandem** [-ɛm] n. m. **1** Bicyclette à deux sièges placés l'un derrière l'autre. **2** fig., fam. Deux personnes associées. – loc. *En tandem.*

**tandis que** loc. conj. **1** Dans le même moment que. **2** (opposition) → **alors** que.

**tangage** n. m. Mouvement alternatif d'un navire dont l'avant et l'arrière plongent. – par analogie *Le tangage d'un avion.*

**tangent, ente** adj. **1** géom. Qui touche en un seul point, sans couper (une ligne, une surface). ► **tangence** n. f. **2** Qui se fait de justesse. *C'était tangent.*

**tangente** n. f. **1** *Tangente à une courbe, à une surface,* droite qui la touche en un seul point. – math. Rapport du sinus au cosinus. **2** loc. fig. *Prendre la tangente :* s'esquiver. ► **tangentiel, ielle** adj.

**tangible** adj. **1** Que l'on peut connaître en touchant. → **matériel, palpable. 2** Dont la réalité est évidente. *Des preuves tangibles.*

**tango** n. m. Musique et danse originaires d'Argentine, sur un rythme à deux temps.

**tanguer** v. intr. [1] Remuer par tangage. – fig. Osciller.

**tanière** n. f. **1** Retraite (d'une bête sauvage). **2** péj. ou plais. Lieu où l'on s'isole.

**tanin** ou **tannin** n. m. **1** Substance végétale rendant les peaux imputrescibles (par ex. le *tan*). **2** Cette substance provenant du raisin (vins rouges).

**tank** [tɑ̃k] n. m. **I** Citerne d'un navire pétrolier. ♦ Réservoir de stockage. **II** vieilli Char d'assaut. ► **tankiste** n. m. (soldat).

**tanker** [tɑ̃kœʀ] n. m. Bateau-citerne transportant du pétrole. → **pétrolier.**

**tannant, ante** adj. fam. Qui tanne (II).

**tanné, ée** adj. **1** Qui a subi le tannage. *Peaux tannées.* **2** (personnes) Dont la peau est brunie par le soleil, les intempéries.

**tannée** n. f. fam. Volée de coups.

**tanner** v. tr. [1] **I** Préparer (les peaux) pour les rendre imputrescibles et en faire du cuir (→ **tan, tanin ; mégisserie**). ► **tannage** n. m. **II** fam. Agacer, importuner.

**tannerie** n. f. Établissement où l'on tanne les peaux.

**tanneur, euse** n. **1** Personne qui tanne les peaux. **2** Fabricant, vendeur de cuirs.

**tansad** [tɑ̃sad] n. m. anglic. Selle pour passager, sur une moto.

**tant** adv. et nominal **I** adv. de quantité, d'intensité **1** *Tant que*, l'action étant telle (force, longueur...) qu'elle devient la cause d'un effet. → **tellement.** *Elle a tant couru qu'elle est essoufflée.* **2** *Tant de... que... :* une si grande quantité, un si grand nombre de... que... – (renforcé) *Tant et si bien que...* **3** (sans *que*) Tellement. *Il vous aimait tant.* **4** *Tant de :* une si grande quantité de. *Ne faites pas tant d'histoires.* – *Tant soit peu :* si peu que ce soit. subst. *Un tant soit peu* (et adj.). – *Tant s'en faut :* il s'en faut de beaucoup. **5** littér. (introduisant la cause) *Il s'en alla, tant il était déçu.* → **tellement.** **II** nominal Une quantité (non exprimée). *Toucher tant,* telle somme. – *Tant et plus :* beaucoup. **III** (comparaison) **1** *Tant... que* (+ proposition négative, interrogative). → **autant.** *Il ne craint pas tant l'isolement que le silence.* – *Tant que,* en phrase affirmative. → **autant.** *Tant qu'il vous plaira.* – *Tous tant que vous êtes :* sans exception. **2** *En tant que* (avec un verbe), dans la mesure où. – (avec un nom) *En tant que responsable...* **3** *Tant... que... :* aussi bien... que... – *Tant bien que mal* (+ verbe d'action) : ni bien ni mal et avec peine. **4** *Tant qu'à* (+ inf.) : puisqu'il faut. – *Tant qu'à faire.* **5** *Tant mieux, tant pis,* exprimant la joie, le dépit. – *Tant pis pour lui,* c'est dommage, mais c'est sa faute. **IV** *Tant que :* aussi longtemps que. – *Tant que vous y êtes :* en continuant de la même façon (→ pendant).

**tante** n. f. **I 1** Sœur du père ou de la mère ; femme de l'oncle. → **tantine, tata.** **2** fam. *Ma tante :* le Crédit municipal, le mont-de-piété. **II** injurieux Homosexuel.

**tantième** [-tjɛm] n. m. Pourcentage (d'un tout). *Le tantième du chiffre de vente.*

**tantine** n. f. (enfantin) (Ma) tante.

**tantinet** **1** n. m. *Un tantinet de,* un petit peu de. **2** *Un tantinet* loc. adv. : un peu.

**tantôt** adv. **1** Cet après-midi. **2** région. Peu de temps avant, après. **3** *Tantôt..., tantôt... :* à un moment, puis à un autre.

**tantrisme** n. m. relig. Hindouisme inspiré des *tantras,* livres sacrés ésotériques.

**taoïsme** n. m. Doctrine de Lao Tseu, enseignant la solidarité totale entre la nature et l'homme.

**taon** [tɑ̃] n. m. Insecte piqueur et suceur.

**tapage** n. m. Bruit violent, esclandre produit par un groupe. → **vacarme.** – dr. *Tapage nocturne.*

**tapageur, euse** adj. **1** vieilli Qui fait du tapage. **2** Outrancier. → **tape-à-l'œil.**

**tapant, ante** adj. À l'instant même où sonne (une heure). *À neuf heures tapantes.*

**tapas** n. f. pl. Assortiment de petites entrées variées, à l'espagnole.

**tape** n. f. Coup du plat de la main.

**tapé, ée** adj. **1** Trop mûr, pourri par endroits. → **talé.** ♦ fig., fam. Marqué par l'âge, la fatigue. **2** vieilli, fam. *Bien tapé :* réussi.

**tape-à-l'œil** [-œj] adj. invar. Qui attire l'attention par des couleurs voyantes, un luxe tapageur. → **clinquant.** ♦ n. m. invar. *Du tape-à-l'œil.*

**tapecul** ou **tape-cul** [-ky] n. m. **1** Voiture mal suspendue. **2** Exercice de trot sans étriers, à cheval.

**tapée** n. f. fam. Grande quantité.

**tapement** n. m. **1** Action de taper. **2** Bruit ainsi produit.

**taper** v. [1] **I** v. tr. **1** Frapper du plat de la main. ♦ Donner des coups sur (qqch.). → **cogner, frapper.** **2** Produire (un bruit) en tapant. *Taper trois coups.* **3** Écrire (un texte) à la machine à écrire (→ **dactylographier ; frappe**), à l'ordinateur (→ **saisir**). **4** fam. Emprunter de l'argent à (qqn). → **tapeur.** **II** v. intr. **1** Donner des coups. → **cogner.** *Taper des mains, dans ses mains.* → **applaudir.** **2** loc. fig. *Taper sur qqn,* dire du mal de lui. – *Taper sur les nerfs à, de qqn,* l'agacer. – *Taper dans l'œil,* plaire vivement. **3** *Le soleil tape, tape dur,* chauffe très fort. **4** fam. *Taper dans,* cogner. *Taper dans le tas.* – Prendre dans, se servir de. *Taper dans les provisions.* **III** *Se taper* + compl. (faux pronom.) fam. **1** Manger, boire (qqch.). **2** Avoir des relations sexuelles avec (qqn). **3** Faire (une corvée). ♦ Supporter. → se **farcir.** **4** *S'en taper :* s'en moquer.

**tapette** n. f. **I 1** Instrument (raquette) pour taper (sur qqch.). **2** Piège à ressort pour les souris. **II** injurieux Homosexuel.

**tapeur, euse** n. Personne qui emprunte souvent de l'argent.

en **tapinois** loc. adv. En se cachant, à la dérobée. → en **catimini.**

**tapioca** n. m. Fécule de la racine de manioc. – Potage au tapioca.

se **tapir** v. pron. [2] Se cacher, se dissimuler en se blottissant. ▷ p. p. **tapi, ie**

**tapir** n. m. Mammifère ongulé, herbivore, bas sur pattes, à nez en trompe.

**tapis** n. m. **1** Ouvrage textile, le plus souvent à étendre sur le sol. – *Marchand de tapis,* marchand ambulant de tapis ; fig. et péj. personne qui marchande âprement. – loc. *Le tapis rouge,* les honneurs. **2** Revêtement souple de sol (tissu, natte, etc.). – *Tapis-brosse :* paillasson. – (boxe) *Envoyer son adversaire au tapis,* au sol. **3** *Tapis rou-*

*lant* : surface plane mobile pour le transport des personnes, des marchandises. **4** Couche, surface. *Un tapis de neige.* **5** Pièce de tissu sur un meuble. – loc. *Mettre une question sur le tapis,* la discuter.

**tapisser** v. tr. [1] **1** Couvrir de tapisseries (2), pour orner. **2** (sujet chose) Recouvrir (un mur, une paroi) en l'ornant. ♦ Recouvrir complètement. *Le lierre tapissait le mur.*

**tapisserie** n. f. **1** Ouvrage d'art tissé à la main, dont le dessin résulte de l'armure même. ♦ loc. *Faire tapisserie* : n'être pas invité(e) à danser ; rester seul(e). **2** Papier peint ou tissu tendu sur les murs. **3** Ouvrage à l'aiguille, sur canevas.

**tapissier, ière** n. **1** Personne qui fabrique et vend des tissus d'ameublement, de décoration. **2** Personne qui tapisse (1).

**tapoter** v. tr. [1] Frapper légèrement à petits coups répétés. ► **tapotement** n. m.

**tapuscrit** n. m. Texte original (manuscrit) tapé à la machine, à l'ordinateur.

**taquet** n. m. **1** Pièce de bois qui maintient en place qqch. → **loquet. 2** mar. Pièce servant à enrouler des cordages.

**taquin, ine** adj. et n. (Personne) qui prend plaisir à irriter, pour plaisanter.

**taquiner** v. tr. [1] **1** S'amuser à irriter, à contrarier (qqn) dans de petites choses. → **asticoter. 2** (sujet chose) Être la cause d'une douleur légère. ► **taquinerie** n. f.

**tarabiscoté, ée** adj. **1** Surchargé d'ornements. **2** Inutilement compliqué.

**tarabuster** v. tr. [1] **1** Importuner (qqn) de manière insistante. **2** (sujet chose) Causer de la contrariété, de l'inquiétude à (qqn).

**tarama** n. m. Préparation d'œufs de cabillaud fumés, à la crème et au citron.

**tarasque** n. f. Animal fabuleux, dragon.

**taratata** interj. Exprime la défiance.

**tarauder** v. tr. [1] **1** techn. Percer (une matière dure) pour pratiquer un pas de vis. **2** fig. (surtout passif et p. p.) Tourmenter.

**tard** adv. **1** Après le moment habituel ; après un long temps (opposé à *tôt*). – *Tôt ou tard* : inévitablement. – *Au plus tard.* – *Plus tard* : dans l'avenir. → **ultérieurement ; après. 2** À la fin d'une période ; à une heure avancée. – adj. *Il est, il se fait tard.* **3** n. m. *Sur le tard* : à un âge avancé.

**tarder** v. intr. [1] **1** Se faire attendre ; être lent à venir. **2** Rester longtemps avant de commencer à agir. *Sans tarder,* tout de suite. – *Tarder à* (+ inf.). **3** impers. *Il me (te, lui...) tarde de* (+ inf.) ; *que* (+ subj.), je suis (tu es...) impatient de, que...

**tardif, ive** adj. **1** Qui apparaît, qui a lieu tard, vers la fin. **2** Qui a lieu tard dans la journée. *Heure tardive.* → **avancé.** ♦ Qui vient trop tard. *Des remords tardifs.* **3** (opposé à *précoce*) Qui se forme, se développe plus lentement, plus tard que la moyenne.

**tardivement** adv. Tard.

**tare** n. f. **I** techn. Poids de l'emballage, du récipient pesé avec une marchandise. ♦ Poids équivalent, qu'on ne compte pas dans le poids total. **II 1** Grave défaut. **2** Anomalie héréditaire.

**taré, ée** adj. **1** Affecté d'une tare (II). **2** fam. (personnes) adj. et n. → **débile, idiot.**

**tarentelle** n. f. Danse du sud de l'Italie, sur un rythme très rapide.

**tarentule** n. f. Grosse araignée venimeuse des pays chauds.

**tarer** v. tr. [1] Peser (un emballage, un récipient) pour déterminer la tare (I).

**targette** n. f. Petit verrou.

se **targuer** v. pron. [1] littér. Se prévaloir (de qqch., de faire qqch.) avec ostentation.

**targui, ie** n. et adj. → **touareg**

**tari, ie** adj. Sans eau. *Une rivière tarie.*

**tarière** n. f. **1** Grande vrille à bois. **2** Prolongement de l'abdomen (d'insectes) capable de creuser des trous.

**tarif** n. m. **1** Tableau ou liste de droits à acquitter, de prix ; ces prix. **2** Prix tarifé ou usuel. ► **tarifaire** adj.

**tarifer** v. tr. [1] Fixer à un montant déterminé. ▷ p. p. **tarifé, ée** ► **tarification** n. f.

**tarin** n. m. fam. Nez.

**tarir** v. [2] **I** v. intr. **1** Cesser de couler ; s'épuiser. *La source a tari.* **2** fig. *La conversation tarit.* – (personnes) *Ne pas tarir sur, de,* ne pas cesser de parler de. **II** v. tr. Faire cesser de couler ; mettre à sec. → **assécher.** ▷ v. pron. se **tarir** ► **tarissement** n. m.

**tarlatane** n. f. Étoffe de coton très peu serrée et très apprêtée.

**tarmac** n. m. Voie de circulation, de stationnement des avions, dans un aéroport.

**tarot** n. m. Carte à jouer portant des figures spéciales (cartomancie ; jeu).

**tarse** n. m. anat. Partie postérieure du squelette du pied. ► **tarsien, ienne** adj.

① **tartan** n. m. Étoffe de laine écossaise propre à un clan. ♦ Tissu à décor quadrillé.

② **tartan** n. m. (nom déposé) Revêtement de pistes d'athlétisme.

**tartare** adj. **1** hist. Des populations d'Asie centrale (Turcs et Mongols). **2** *Sauce tartare,* mayonnaise épicée. ♦ *Steak tartare* et n. m. *un tartare,* viande crue, hachée, assaisonnée (syn. *filet américain* [Belgique]).

**tarte** n. f. **I 1** Fond de pâte entouré d'un rebord et garni. ♦ loc. fig. *Tarte à la crème* : argument, thème banal. ♦ fam. *C'est pas de la tarte !,* c'est difficile. **2** fam. Coup, gifle. **II** adj. fam. (avec ou sans accord) Laid ; sot et ridicule. → **cloche.** – (choses) Démodé. – syn. fam. **tartignolle** (sens II).

**tartelette** n. f. Petite tarte individuelle.

**tartine** n. f. **1** Tranche de pain recouverte d'un produit alimentaire étalé. ► **tartiner** v. tr. [1] **2** fam. Discours interminable.

**tartre** n. m. **1** Dépôt qui se forme dans les récipients contenant du vin. **2** Dépôt (phosphate de calcium) au collet des dents. **3** Croûte calcaire laissée par l'eau.

**tartufe** ou **tartuffe** n. m. Personne hypocrite. ► **tartuferie** ou **tartufferie** n. f.

**tas** n. m. **1** Amas (de matériaux, de morceaux, d'objets). **2** fig. Grande quantité, grand nombre (de choses). ♦ fam. *Un tas de gens.* – *Tirer, taper dans le tas,* sans viser précisément qqn. **3** loc. *Sur le tas. Grève sur le tas,* sur le lieu du travail. fam. *Être formé sur le tas,* par le travail même.

**taser** [-zɛʀ] n. m. (marque déposée) Pistolet à impulsion électrique à effet paralysant.

**tasse** n. f. **1** Petit récipient à anse ou à oreilles, servant à boire. ♦ Son contenu. **2** loc. fam. *Boire une tasse, la tasse,* avaler de l'eau en se baignant. *Ce n'est pas ma tasse de thé :* cela n'est pas dans mes goûts.

**tassé, ée** adj. **1** Affaissé. → **recroquevillé.** **2** fam. *Bien tassé :* qui remplit bien le verre. – *Un café bien tassé,* très fort.

**tasseau** n. m. Petit support de tablette.

**tasser** v. tr. [1] **1** Comprimer le plus possible, en tapant, poussant, serrant. *Tasser ses affaires dans un sac.* **2** (compl. personne) Entasser. ▷ v. pron. se **tasser** **1** S'affaisser sur soi-même. **2** (sujet chose) fam. S'arranger (après un incident). ► **tassement** n. m.

**taste-vin** [tastəvɛ̃] ou **tâte-vin** n. m. invar. Petite tasse plate des dégustateurs de vin.

**tata** n. f. fam. **1** Tante. **2** Homosexuel.

**tatami** n. m. Tapis de sol, pour les sports de combat (judo, karaté, etc.).

**tatane** n. f. fam. Chaussure.

**tâter** v. tr. [1] **1** Toucher avec la main, pour explorer, éprouver, reconnaître. – loc. *Tâter le terrain**. **2** fig. Chercher à connaître les forces ou les dispositions de (qqn). → **sonder.** ♦ pronom. *Se tâter :* hésiter. **3** intrans. fig. *Tâter de :* essayer.

**tatie** [-ti] n. f. fam., enfantin Tante.

**tatillon, onne** adj. Exagérément minutieux, exigeant. → **pointilleux.**

**tatin** n. f. Tarte faite de pommes caramélisées et recouvertes d'une pâte mince, servie «renversée». *Une tatin, une tarte tatin.*

**tâtonner** v. intr. [1] **1** Tâter plusieurs fois le sol, les objets autour de soi, pour se diriger ou trouver qqch. dans l'obscurité. **2** fig. Hésiter, faute de compréhension. ♦ Faire des essais pour découvrir une solution. ► **tâtonnant, ante** adj. ► **tâtonnement** n. m.

à **tâtons** loc. adv. **1** En tâtonnant (1). **2** fig. En hésitant, sans méthode.

**tatou** n. m. Mammifère édenté d'Amérique du Sud, à carapace.

**tatouer** v. tr. [1] **1** Marquer, orner (une partie du corps) de dessins indélébiles par piqûres de matières colorantes sous l'épiderme. **2** Exécuter (un dessin) de cette manière. ► **tatouage** n. m. ► **tatoueur, euse** n.

**taudis** n. m. **1** Logement misérable, sans confort ni hygiène. **2** Logement mal tenu.

**taule** ou **tôle** n. f. fam. **1** Chambre. **2** Prison. ► **taulard, arde** n. → **prisonnier.**

> Ne pas confondre *taule* avec *tôle* «feuille d'acier».

**taulier, ière** ou **tôlier, ière** n. fam. et péj. Propriétaire, gérant d'un hôtel.

① **taupe** n. f. **1** Petit mammifère insectivore qui vit sous terre en creusant des galeries. – loc. *Myope comme une taupe,* très myope. **2** Fourrure de la taupe. **3** fam. Espion infiltré dans un milieu.

② **taupe** n. f. argot scol. Classe de mathématiques* spéciales.

**taupinière** n. f. Monticule de terre formé par la taupe qui creuse des galeries.

**taureau** n. m. **1** Mâle de la vache, apte à la reproduction. – loc. *Prendre le taureau par les cornes :* affronter les difficultés. **2** Deuxième signe du zodiaque (21 avril-20 mai). – *Être Taureau.*

**taurillon** n. m. Jeune taureau.

**taurin, ine** adj. Relatif au taureau, spécialt au taureau de combat, aux corridas.

**taurine** n. f. biochim. Acide aminé, substance azotée qui intervient notamment dans la fonction musculaire.

**tauromachie** n. f. Art de la corrida. ► **tauromachique** adj.

**tautologie** n. f. **1** log. Proposition toujours vraie. **2** péj. Répétition inutile. → **pléonasme, truisme.** ► **tautologique** adj.

**taux** n. m. **1** Montant d'une imposition, d'un prix fixé par l'État, l'usage. *Taux de change, d'intérêt.* **2** Proportion d'un élément variable. *Taux d'urée sanguin.* – Pourcentage. *Taux de mortalité.*

**tavelé, ée** adj. Marqué de petites taches. → **tacheté.** ► **tavelure** n. f.

**taverne** n. f. **1** anciennt Établissement où l'on mangeait et l'on buvait en payant. → **auberge.** **2** Cabaret, débit de boissons, de bière (en Angleterre ; au Canada). **3** Café-restaurant de genre ancien et rustique. ► **tavernier, ière** n. vx.

**taxe** n. f. **1** Prélèvement fiscal, impôt perçu par l'État. *Taxe à la valeur ajoutée.* → **T. V. A.** **2** Somme que doit payer le bénéficiaire d'une prestation des établissements publics, de l'administration.

**taxer** v. tr. [1] **I 1** (État, tribunal) Fixer à une somme déterminée. **2** Soumettre à une imposition, à une taxe. ♦ Percevoir une taxe sur. → **imposer.** ► **taxation** n. f. **3** fam. Dépouiller (qqn) ; prendre. **II** fig. *Taxer qqn de,* accuser de. ♦ Qualifier de.

**taxi** n. m. Automobile conduite, munie d'un compteur (→ taximètre), qu'on loue pour un trajet. *Chauffeur de taxi.*

**taxidermie** n. f. didact. Art de préparer, d'empailler les animaux morts. ► **taxidermique** adj. ► **taxidermiste** n.

**taximètre** n. m. Compteur de taxi qui détermine le prix de la course.

**taxinomie** n. f. didact. Science des classifications. ► **taxinomique** adj.

**taxiphone** n. m. vieilli Téléphone public à pièces.

**taylorisme** [tɛl-] n. m. Méthode d'organisation rationnelle du travail industriel, basée sur des améliorations techniques.

**tchador** n. m. Voile noir porté par les musulmanes chiites.

**tchao** [tʃao] interj. → **ciao**

**tchat** → ② **chat**

**tchatcher** v. intr. [1] fam. Bavarder, parler beaucoup. ► **tchatche** n. f. → **bagout.** ► **tchatcheur, euse** n.

**tchat(t)er ; tchat(t)eur, euse** → ② **chat**

**tchécoslovaque** adj. et n. hist. Relatif à la Tchécoslovaquie (jusqu'en 1992).

**tchèque** adj. et n. De la République tchèque. – n. *Les Tchèques.* ♦ n. m. *Le tchèque* (langue slave).

**tchernoziom** [tʃɛʀnozjɔm] n. m. géogr. Sol noir très fertile (Russie, Ukraine).

**tchin-tchin** [tʃintʃin] interj. fam. Interjection pour trinquer.

**te** pron. pers. Pronom personnel de la deuxième personne du singulier, complément (s'élide en *t'* devant voyelle ou *h* muet). **1** (compl. d'objet direct) *Je te quitte.* **2** (compl. indir.) À toi. *Cela te plaît ?* **3** (dans une forme pronom.) *Ne te perds pas.*

**té** n. m. Règle plate, en équerre.

**teasing** [tiziŋ] n. m. anglic., publicité Procédé publicitaire consistant à susciter la curiosité par un message dont le sens sera dévoilé plus tard par la publicité proprement dite.

**technicien, ienne** [tɛk-] **I** n. **1** Personne qui possède, connaît une technique. → **professionnel, spécialiste. 2** Agent spécialisé dirigé par un ingénieur. **II** adj. Qui fait prévaloir la technique.

**technicité** [tɛk-] n. f. Caractère technique, méthodique et professionnel.

**technico-commercial, iale, iaux** [tɛk-] adj. Qui relève à la fois de la technique et du commerce.

**technique** [tɛknik] **I** adj. **1** Qui appartient à un domaine spécialisé d'activité ou de connaissance. *Termes techniques.* **2** (en art) Qui concerne les procédés de travail (plus que l'inspiration). **3** Des applications de la science dans la production et l'économie. **4** Qui concerne le matériel. *Incident technique.* **II** n. f. **1** Procédés et méthodes employés pour produire une œuvre, obtenir un résultat matériel. → **art, métier. 2** fam. Manière de faire. *N'avoir pas la (bonne) technique.* **3** Procédés méthodiques, fondés sur des connaissances scientifiques, employés à la production. *Les techniques de pointe* (dites par anglicisme *technologies*). ► **techniquement** adv.

**techno** n. f. Musique électronique répétitive au rythme rapide, très marqué. – adj. *Des soirées technos.*

**technocrate** n. m. Responsable qui fait prévaloir les aspects techniques. ► **technocratie** n. f. ► **technocratique** adj.

**technologie** n. f. **1** Étude des techniques, des outils. **2** anglic. Technique (II, 3). ► **technologique** adj.

**technopole** n. f. Zone regroupant des structures de recherche et d'enseignement techniques, des industries de pointe.

**teck** ou **tek** n. m. **1** Arbre des zones tropicales. **2** Son bois imputrescible.

**teckel** n. m. Basset d'origine allemande, à pattes très courtes.

**tectonique** géol. **1** n. f. Étude de la structure de l'écorce terrestre. ♦ Processus étudiés par cette science. **2** adj. Relatif à la tectonique.

**Te Deum** [tedeɔm] n. m. invar. Chant catholique de louange et d'action de grâces.

**tee** [ti] n. m. anglic. golf Petit socle sur lequel la balle de golf est frappée.

**tee-shirt** [tiʃœʀt] n. m. anglic. Maillot de coton à manches, en forme de T.

**tégument** n. m. **1** anat. Tissu vivant qui recouvre le corps (peau), avec ses appendices (poils, plumes, écailles, etc.). **2** bot. Enveloppe protectrice. ► **tégumentaire** adj.

**teigne** n. f. **1** Petit papillon de couleur terne (ex. la mite). **2** cour. Maladie parasitaire du cuir chevelu. → **pelade.** ♦ fig. Personne méchante, hargneuse.

**teigneux, euse** adj. **1** Qui a la teigne. – n. *Un teigneux.* **2** fam. Hargneux, agressif.

**teindre** v. tr. [52] **1** Imprégner (qqch.) d'une substance colorante (par teinture). **2** littér. Colorer. → **teinter.** ▷ adj. ① **teint, teinte** *Cheveux teints.*

② **teint** n. m. **I** dans des loc. Teinture. *Tissu grand teint,* dont la teinture résiste. – fig. et plais. *Bon teint :* résistant, solide. **II** Nuance de la couleur du visage. → **carnation.**

**teinte** n. f. **1** Couleur le plus souvent complexe ; nuance. → **ton.** **2** fig. Apparence peu marquée. *Une légère teinte d'ironie.*

**teinter** v. tr. [1] **1** Couvrir uniformément d'une teinte légère, colorer légèrement. - pronom. *Le ciel se teintait de rouge.* **2** fig. Marquer d'une teinte (2) (surtout pronom. et p. p.). *Souvenirs teintés de nostalgie.*

Ne pas confondre avec *tinter* «sonner».

**teinture** n. f. **I** Action de teindre (qqch.). **II 1** Matière colorante pour teindre. **2** Solution dans l'alcool. *Teinture d'iode.* **3** fig. Connaissance superficielle. → **vernis.**

**teinturerie** n. f. **1** Industrie de la teinture (I). **2** Magasin de teinturier (2).

**teinturier, ière** n. **1** techn. Personne qui effectue la teinture. **2** cour. Professionnel qui entretient les vêtements (nettoyage...).

**tel, telle** adj. et pron. **I 1** Semblable, du même genre. → **pareil.** *Je m'étonne qu'il tienne de tels propos.* ♦ *Comme tel* : à ce titre. - *En tant que tel* : par sa seule nature. ♦ (redoublé) loc. prov. *Tel père, tel fils.* **2** *Tel que* : comme. *Les arbres tels que les conifères.* **3** (en tête de phrase) *Tel, telle est,* voilà. ♦ littér. Comme. *Il a filé telle une flèche.* **4** *Tel quel* : sans modification. *Laisser les choses telles quelles* (incorrect : *telles que*). **II 1** (intensité) Si grand, si important. → **pareil, semblable.** - *À tel point.* → **tellement.** - *Rien de tel* : rien de si efficace. **2** (conséquence) *J'ai eu une telle peur que je me suis enfui.* **III** indéfini Un... particulier. **1** adj. (sans article) *Tel(le) ou tel(le)...*, un(e) ou un(e) autre. ♦ (désignant ce qu'on ne nomme pas) *Tel jour, à telle heure.* **2** pron. littér. Certain, quelqu'un. **3** *Un tel,* tenant lieu d'un nom propre. *Madame Une telle.* - *La famille Un tel* ou *Untel.*

**télé** n. f. (abrév.) **1** → **télévision.** *Regarder la télé.* **2** → **téléviseur.** *Télé couleur.*

**téléachat** ou **télé-achat** n. m. Offre à la vente par l'intermédiaire d'un support audiovisuel, de la télévision.

**télécabine** n. f. Téléphérique à plusieurs petites cabines. - syn. **télébenne.**

**télécarte** n. f. (marque déposée) Carte de téléphone.

**téléchargement** n. m. inform. Transfert téléinformatique de données. ► **télécharger** v. tr. [3]

**télécommande** n. f. Commande à distance d'un appareil. ► **télécommander** v. tr. [1] → **téléguider.**

**télécommunication** n. f. Procédés de transmission d'informations à distance (téléphone, télévision, Internet...).

**télécopie** n. f. Procédé de reproduction à distance d'un document graphique semblable à l'original. → anglic. **fax.** ► **télécopier** v. tr. [7] ► **télécopieur** n. m. → **fax.**

**télédéclaration** n. f. Déclaration de revenus effectuée sur Internet.

**télédétection** n. f. didact. Science et techniques de la détection à distance.

**télédiffuser** v. tr. [1] Diffuser par télévision. → **téléviser.** ► **télédiffusion** n. f.

**télédistribution** n. f. techn. Procédé de diffusion de programmes télévisés par câble ou par relais hertziens.

**télé-enseignement** n. m. Mode d'enseignement à distance (par correspondance, Internet, etc.).

**téléfilm** [-film] n. m. Film réalisé pour la télévision. → aussi **série.**

**télégénique** adj. (personnes) Dont l'image télévisée est agréable (→ photogénique).

**télégramme** n. m. Communication transmise autrefois par télégraphe ou radiotélégraphie.

**télégraphe** n. m. anciennt Système de transmission de signaux par une ligne électrique.

**télégraphie** n. f. **1** anciennt Technique de la transmission par télégraphe électrique. **2** vx *Télégraphie sans fil.* → **T. S. F.** ► **télégraphier** v. tr. [7]

**télégraphique** adj. **1** Du télégraphe. **2** Expédié par télégraphe ou télégramme. **3** *Style télégraphique,* abrégé. ► **télégraphiquement** adv.

**télégraphiste** n. **1** Spécialiste de télégraphie. **2** Personne qui délivrait les télégrammes.

**téléguider** v. tr. [1] **1** Diriger, guider à distance (un véhicule, un engin). **2** fig. Inspirer, conduire par une influence secrète. ▷ adj. **téléguidé, ée** ► **téléguidage** n. m.

**téléinformatique** n. f. Informatique par transmission à distance. - adj. *Réseau téléinformatique.*

**télématique** n. f. Techniques combinant l'informatique et les télécommunications. - adj. *Systèmes télématiques.*

**télémédecine** n. f. Médecine qui se pratique à distance à l'aide des technologies de l'information et de la communication.

**télémètre** n. m. Appareil de mesure des distances par un procédé optique.

**téléobjectif** n. m. Objectif photographique à longue distance focale, servant à photographier des objets éloignés.

**téléologie** n. f. didact. Étude philosophique de la finalité*, des moyens et des fins.

**télépaiement** n. m. Paiement à distance, par des moyens informatiques.

**télépathie** n. f. Sentiment de communication à distance par la pensée. ► **télépathe** n. et adj. ► **télépathique** adj.

**téléphérique** n. m. Dispositif de transport par cabine suspendue à un câble (→ télécabine) ; la cabine. - var. **téléférique.**

**téléphone** n. m. **1** Instrument qui permet de transmettre à distance et recevoir des sons, par circuit électrique. – Système mettant en liaison un grand nombre de personnes au moyen de cet appareil. – *Coup de téléphone,* appel, communication téléphonique. **2** Appareil constitué d'un combiné* microphone-récepteur. *Téléphone portable.* → **portable.** ► **téléphonique** adj. ► **téléphoniquement** adv.

**téléphoner** v. [1] **1** v. tr. Communiquer, transmettre par téléphone. **2** v. tr. ind. *(à)* et intr. Parler au téléphone.

**téléphoniste** n. Personne chargée d'assurer les liaisons téléphoniques.

**téléréalité** n. f. Genre télévisuel qui consiste à filmer la vie quotidienne de candidats placés dans des situations déterminées.

**télescope** n. m. Instrument d'optique à miroir pour l'observation des objets éloignés, des astres.

**télescoper** v. tr. [1] Rentrer dans, enfoncer par un choc violent (un autre véhicule). → **heurter, tamponner ; carambolage.** ▷ v. pron. se **télescoper** (fig. Se mêler). ► **télescopage** n. m.

**télescopique** adj. **I** Qui se fait à l'aide du télescope. **II** Dont les éléments s'emboîtent et coulissent.

**téléscripteur** n. m. Appareil télégraphique qui transmet un texte. → **télex.** – syn. **télétype.**

**télésiège** [-s-] n. m. Série de sièges suspendus à un câble unique (téléphérique).

**téléski** n. m. Remonte-pente pour skieurs.

**téléspectateur, trice** n. Spectateur et auditeur de la télévision.

**téléthon** n. m. Longue émission de télévision, à caractère caritatif (recherche médicale...).

**télétraitement** n. m. inform. Traitement de données par des terminaux éloignés.

**télétravail** n. m. Activité professionnelle exercée à distance (d'une entreprise), grâce aux outils de télécommunication. ► **télétravailler** v. intr. [1]

**télétype** n. m. → **téléscripteur.**

**téléviser** v. tr. [1] Transmettre par télévision. ▷ p. p. **télévisé, ée** *Programmes télévisés.*

**téléviseur** n. m. Poste récepteur de télévision. → **télévision** (3) ; **télé.**

**télévision** n. f. **1** Technique de transmission des images, après analyse (en points et en lignes) et transformation en ondes hertziennes. **2** Élaboration et diffusion d'informations et de spectacles par cette technique. – Les programmes. **3** Poste récepteur de télévision. → **téléviseur ; télé.**

**télévisuel, elle** adj. De la télévision, en tant que moyen d'expression.

**télex** [-ɛks] n. m. Dactylographie à distance par téléscripteur. ♦ Message ainsi transmis. ► **télexer** v. tr. [1]

**tellement** adv. **1** À un degré si élevé. → **si.** ♦ *Tellement... que...* → **si. 2** fam. *Tellement de.* → **tant. 3** (+ proposition causale) Tant. *On ne le reconnaît plus, tellement il a changé.*

**tellurique** adj. De la Terre. – *Secousse tellurique :* séisme.

**téméraire** adj. **1** Hardi avec imprudence. **2** (choses) *Une action téméraire.* → **audacieux.** – *Jugement téméraire,* porté à la légère. ► **témérité** n. f.

**témoignage** n. m. **1** Déclaration de ce que l'on a vu, entendu, servant à l'établissement de la vérité. **2** Déclaration d'un témoin en justice. → **déposition.** *Faux témoignage :* inexact et de mauvaise foi (délit). **3** Marque, preuve (de qqch.).

**témoigner** v. [1] **I** v. tr. dir. **1** Certifier qu'on a vu ou entendu. → **attester.** *Témoigner avoir fait, qu'on a fait...* **2** Exprimer, faire paraître (un sentiment...). → **manifester, montrer. 3** (sujet chose) littér. (avec *que, combien*) Être l'indice, le signe de. **II** intrans. Faire un témoignage (2). *Témoigner en justice.* **III** v. tr. ind. *Témoigner de* **1** Confirmer la vérité, la valeur de (qqch.), par des paroles, des actes, son existence même. **2** (sujet chose) Être le signe de. *Il est généreux, sa conduite en témoigne.*

**témoin** n. m. **I 1** Personne qui peut certifier qqch., en témoigner. *Témoin oculaire.* – loc. *Prendre qqn à témoin :* invoquer son témoignage. **2** dr. Personne en présence de qui s'est accompli un fait et qui est appelée à l'attester en justice. – *Faux témoin :* personne qui fait un faux témoignage. **3** Personne qui doit certifier les identités, l'exactitude des déclarations, lors d'un acte officiel. *Les témoins d'un mariage.* **4** Personne qui assiste à un événement. *J'ai été témoin de la scène.* **II 1** littér. Ce qui, par son existence, permet de constater, de vérifier. *Les derniers témoins d'une civilisation.* **2** appos. Élément de comparaison. *Sujet témoin* (dans une expérience). – *Lampe témoin* (contrôle). **3** sports Bâtonnet que doivent se passer les coureurs de relais. **III** (en tête de phrase) invar. À preuve.

**tempe** n. f. Côté de la tête, entre le coin de l'œil et le haut de l'oreille.

**tempérament** n. m. **I 1** Constitution physiologique ; traits de caractère en résultant. – absolt *C'est un tempérament,* une forte personnalité. **2** *Avoir du tempérament,* des appétits sexuels. **II 1** *Vente à tempérament,* à crédit échelonné. **2** mus. Organisation de l'échelle des sons, qui donne une valeur commune au dièse d'une note et au bémol de la note immédiatement supérieure (→ **tempéré**).

**tempérance** n. f. littér. Modération dans les plaisirs (nourriture, alcool...). ► **tempérant, ante** adj. littér. → **frugal, sobre.**

**température** n. f. **1** Degré de chaleur ou de froid de l'atmosphère en un lieu. (en physique) Manifestation de l'énergie cinétique d'un système thermodynamique. **2** Chaleur du corps. *Animaux à température fixe* (à «sang chaud»), *variable* (à «sang froid»). **3** *Avoir de la température.* → **fièvre.**

**tempéré, ée** adj. **1** *Climat tempéré,* ni très chaud ni très froid. → **doux. 2** mus. Réglé par le tempérament (II, 2). «*Le Clavier* (ou *Clavecin*) *bien tempéré*» (de J.-S. Bach).

**tempérer** v. tr. [6] **1** Adoucir la température de. **2** fig., littér. Adoucir et modérer. → **atténuer, mitiger.**

**tempête** n. f. **1** Violente perturbation atmosphérique ; vent rapide, orage. → **bourrasque, cyclone, ouragan, tourmente.** – *Tempête de neige.* ♦ spécialt Ce temps sur la mer. ♦ appos. *Lampe-tempête,* à flamme protégée. **2** fig. *Une tempête de rires,* une explosion subite. ♦ Troubles violents.

**tempêter** v. intr. [1] Manifester à grand bruit sa colère. → **fulminer.**

**tempétueux, euse** adj. **1** littér. Où les tempêtes sont fréquentes. **2** fig. → **tumultueux.**

**temple** n. m. **1** Édifice public consacré au culte d'une divinité (église, synagogue, mosquée...). *Un temple bouddhiste.* – spécialt Temple protestant. **2** hist. *Le Temple* : ordre de moines-soldats fondé lors des premières croisades près du temple de Jérusalem.

**templier** n. m. hist. Chevalier de l'ordre religieux et militaire du Temple (2).

**tempo** [tɛmpo ; tɛ̃po] n. m. **1** mus. Notation d'un mouvement. *Des tempos* (ou *tempi*). **2** (jazz) Vitesse d'exécution.

**temporaire** adj. **1** Qui ne dure ou ne doit durer qu'un temps limité. → **momentané, provisoire.** – loc. *Travail temporaire.* **2** Qui n'exerce ses activités que pour un temps. ► **temporairement** adv.

**temporal, ale, aux** adj. Des tempes.

**temporel, elle** adj. **1** relig. Qui est du domaine du temps qui passe (opposé à *éternel*). – Des choses matérielles (opposé à *spirituel*). → **séculier, terrestre. 2** gramm. Qui indique le temps, les temps. **3** didact. Relatif au temps ; situé dans le temps (surtout opposé à *spatial*). → **spatiotemporel.** ► **temporalité** n. f.

**temporiser** v. intr. [1] Différer d'agir, par calcul. ► **temporisation** n. f. ► **temporisateur, trice** adj. et n.

**temps** [tɑ̃] n. m. **I** Continuité indéfinie, milieu où se déroulent la succession des événements et des phénomènes, leur représentation dans la conscience. *Le temps et l'espace.* **1** La durée. *Le temps presse* : il faut agir rapidement. *Dans, en peu de temps.* – (Grandeur mesurable) *Unités de temps* (jour, heure, minute, seconde). **2** Portion limitée de durée. *Emploi du temps.* – loc. conj. *Voilà beau temps que* : il y a longtemps que. – *La plupart du temps* : le plus souvent. *Tout le temps* : continuellement. – *Le temps de* (+ inf.), *que* (+ subj.) : le temps nécessaire pour. ♦ loc. *Prendre (tout) son temps,* ne pas se presser. **3** mus. Chacune des divisions égales de la mesure. – loc. *En deux temps, trois mouvements,* très rapidement. **4** Chacune des phases (d'une manœuvre, d'une opération, d'un cycle). *Moteur à quatre temps.* **5** Durée chronométrée d'une course. ♦ *Temps mort* (dans un match) ; fig. période sans activité. **II 1** Point repérable dans une succession par référence à un «avant» et un «après». → **date, époque, instant, moment.** – loc. *Chaque chose en son temps,* quand il convient. **2** Époque (de qqn, qqch.). → **ère, siècle.** *Être de son temps.* ♦ *Les temps (actuels). Les temps sont durs.* – *Ces derniers temps,* il y a peu. **3** Époque, moment de la vie. – *De mon temps,* quand j'étais jeune. ♦ *Se donner, prendre du bon temps,* s'amuser. **4** *Le temps de* (+ inf.) : le bon moment pour. – *Il est temps de* (+ inf.), *que* (+ subj.), le moment est venu. **5** loc. adv. *À temps* : juste assez tôt. – *En même temps* : simultanément ; à la fois, aussi bien. – *Entre temps.* → **entre-temps.** – *De temps en temps, de temps à autre* : à des intervalles de temps irréguliers. – *De tout temps* : depuis toujours. – *En tout temps* : toujours. – *Dans le temps* : autrefois, jadis. ♦ loc. conj. *Du temps que* (+ indic.) : lorsque. – *Au temps, du temps où.* → **quand. 6** gramm. Forme verbale particulière à valeur temporelle. *Temps et modes.* – (en français) *Temps simples* : présent, imparfait, passé simple, futur. *Temps composés* (formés avec un auxiliaire). **III** *Le temps* : entité (souvent personnifiée) représentative du changement continuel de l'univers. – *Tuer le temps* : s'occuper. **IV** État de l'atmosphère à un moment donné (→ **météorologie**). *Beau, mauvais temps.*

> Attention à l'orthographe de l'expression *au temps pour moi,* qui se dit lorsqu'on admet son erreur.

**tenable** adj. (en emploi négatif) Supportable.

**tenace** adj. **1** Dont on se débarrasse difficilement. *Des préjugés tenaces.* → **durable.** – *Odeur tenace.* **2** (personnes) Qui tient fermement à ses opinions, ses décisions. → **obstiné, persévérant.** ► **tenacement** adv. ► **ténacité** n. f.

**tenaille** n. f. (surtout au plur.) Outil formé de deux pièces articulées, à mâchoires.

**tenailler** v. tr. [1] Faire beaucoup souffrir. *La faim, le remords le tenaille.*

**tenancier, ière** n. Personne qui tient une exploitation. ♦ admin. ou péj. Personne qui tient un établissement surveillé.

**tenant, ante** I adj. 1 Qui se poursuit. ♦ loc. *Séance* tenante.* 2 Qui tient, est attaché. II n. 1 sports *Le tenant (la tenante) du titre.* → **détenteur.** 2 Partisan. *Les tenants d'une doctrine.* 3 n. m. (choses) *D'un seul tenant :* d'une seule pièce. ♦ (n. m. pl.) loc. *Les tenants et les aboutissants*.*

**tendance** I n. f. 1 Disposition à être, à agir, à se comporter d'une certaine façon. → **inclination, penchant.** – *Avoir tendance à* (+ inf.) : être enclin à. 2 Orientation commune. *Quelle est sa tendance politique ?* 3 Évolution (de qqch.) dans un même sens. → **direction, orientation.** *Les tendances de la mode.* II adj. fam. (invar.) Conforme aux dernières modes. *C'est très tendance.*

**tendanciel, ielle** adj. Qui marque une tendance (3).

**tendancieux, euse** adj. Qui manifeste des préjugés. → **partial.** *Récit tendancieux.* ► **tendancieusement** adv.

**tender** [-ɛʀ] n. m. anciennt Wagon contenant le combustible et l'eau nécessaires à une locomotive à vapeur.

**tendeur** n. m. 1 Appareil servant à tendre (une chaîne de bicyclette, des fils, etc.). 2 Câble élastique de fixation.

**tendineux, euse** adj. Qui contient beaucoup de tendons.

**tendinite** n. f. méd. Inflammation d'un tendon (1).

**tendon** n. m. 1 Organe conjonctif, fibreux, d'un blanc nacré, par lequel un muscle s'insère sur un os. *Tendon d'Achille* (au talon). 2 Cet organe, dans une viande.

① **tendre** v. [41] I v. tr. dir. 1 Tirer sur (une chose souple ou élastique), de manière à la rendre droite. *Tendre un arc.* → **bander.** – *Tendre ses muscles,* les raidir. ♦ fig. pronom. *Leurs rapports se sont tendus.* 2 Déployer. *Tendre un filet.* – fig. *Tendre un piège, une embuscade.* 3 Tapisser (→ **tenture**). – au p. p. *Mur tendu de papier.* 4 Allonger ou présenter en avançant (une partie du corps). *Tendre la main,* pour prendre, demander ; aider, secourir. – loc. *Tendre l'oreille :* écouter avec attention. → **dresser.** 5 Présenter (qqch.) à qqn. → **donner.** – *Tendre la main, les bras à qqn.* II v. tr. ind. 1 *Tendre à, vers :* avoir un but, une fin et s'en rapprocher. → **viser** à. 2 (sujet chose) *Tendre à* (+ inf.) : avoir tendance à, évoluer de façon à. *La situation tend à s'améliorer.* ♦ *Tendre à prouver que...,* sembler prouver.

② **tendre** adj. 1 (choses) Qui se laisse (plus) facilement entamer (opposé à *dur*). → **mou.** ♦ *Viande tendre* (► **tendreté** n. f.). 2 Délicat, fragile. – *L'âge tendre,* le jeune âge. *Tendre enfance.* 3 (personnes) Porté à la sensibilité, aux affections. → **sensible.** – n. *Un, une tendre.* → **sentimental.** ♦ (sentiments) Qui présente un caractère de douceur et de délicatesse. → **tendresse.** ♦ Qui manifeste l'affection. *Un regard tendre.* 4 (couleurs) Doux, atténué.

**tendrement** adv. Avec tendresse.

**tendresse** n. f. Sentiment tendre (3).

① **tendron** n. m. Morceau de viande (veau, bœuf), paroi inférieure du thorax.

② **tendron** n. m. vx Fille d'âge tendre.

**tendu, ue** adj. 1 Rendu droit par traction. *Corde tendue.* ♦ fig. *Volonté tendue,* qui s'applique avec effort à qqch. 2 (personnes ; opposé à *détendu*). → **contracté, préoccupé, soucieux.** 3 Qui menace de se dégrader. *Des rapports tendus.* 4 Que l'on tend (I, 5). – loc. *Politique de la main tendue.*

**ténèbres** n. f. pl. Obscurité profonde. → **noir.** – fig., littér. *Les ténèbres de l'inconscient.* ♦ littér. *La ténèbre.*

**ténébreux, euse** adj. 1 littér. Où règne une obscurité menaçante. → **sombre.** 2 Secret et dangereux. → **mystérieux.** 3 (personnes) Sombre et mélancolique. – (n.) loc. *Un beau ténébreux.*

**teneur** n. f. 1 Contenu exact (d'un écrit officiel). *La teneur du décret.* 2 Quantité (d'un élément) contenue, en pourcentage. *La teneur en métal d'un minerai.*

**ténia** ou **tænia** n. m. Long ver parasite de l'intestin. → **ver** solitaire.

**tenir** v. [22] I v. tr. 1 Avoir, garder avec soi en empêchant de tomber, de s'échapper. *Tenir un bébé dans ses bras.* 2 Faire rester (qqch., qqn) en place, dans une situation, un état pendant un certain temps. → **maintenir.** – loc. *Tenir qqn en respect, en échec.* 3 Saisir (un être qui s'échappe), s'emparer de. *Nous le tenons.* 4 Résister à (dans des expr.). *Tenir le vin, l'alcool.* – *Tenir tête* à.* – *Tenir le coup.* 5 Avoir en sa possession (surtout abstrait). → **détenir.** *Je tiens la solution.* ♦ prov. *Mieux vaut tenir que courir,* avoir effectivement qu'espérer. – (*Tu tiens,* substantivé) *Un tiens vaut mieux que deux tu l'auras,* mieux vaut un bien réel que des promesses. ♦ *Tiens !, tenez !,* prends, prenez. – *Tiens !* (marque l'étonnement). 6 *Tenir en* (et n. d'attitude psychologique) : avoir en. *Tenir qqn en haute estime.* 7 *Tenir* (un renseignement...) *de qqn,* l'avoir par lui. ♦ Avoir par hérédité. *Il tient cela de son père.* II v. tr. (sens affaibli) 1 Occuper (un espace). *Cela tient trop de place.* 2 Occuper (un lieu), sans s'en écarter. *Tenez votre droite !* 3 Remplir (une activité). *Tenir son rôle.* ♦ Diriger, gérer. *Tenir un hôtel.* ♦ Réunir (une assemblée). 4 *Tenir... pour :* considérer comme, croire. 5 Observer fidèlement (ce qu'on a promis). *Tenir parole.* III v. intr. 1 Être attaché, fixé ; se maintenir. *Tenir droit ; debout.* – loc. *Cette histoire ne tient pas debout,* est invraisemblable. 2 Être solide, ne pas céder, ne pas se défaire. – *Il n'y a pas de raison qui tienne,* qui puisse s'opposer à... ♦ Résister à l'épreuve du temps. → **durer.** *Leur mariage tient toujours.* 3 (sujet personne) Résister. – loc. *Tenir bon :* ne pas céder. 4 Être compris, contenu dans un espace. → **entrer.** *Ça ne tient pas dans le coffre.* **IV** v. tr. ind. **1** *Tenir à qqn, à qqch.*, y être attaché par un sentiment durable. ♦ Vouloir absolument (qqch.). *Si vous y tenez...* **2** (sujet chose) *Tenir à qqch.*, avoir un rapport de dépendance. → **provenir, résulter.** – impers. *Il ne tient qu'à vous que* (+ subj.), *de* (+ inf.), cela ne dépend que de vous. – *Qu'à cela ne tienne !*, peu importe. **3** *Tenir de qqn, de qqch.* : ressembler à. *Il a de qui tenir,* ses parents ont bien ce trait qu'il possède. ♦ Participer de la nature de (qqch.). *Cela tient du miracle.* ▷ v. pron. **se tenir** (réfl.) **1** *Se tenir à qqch.* : tenir qqch. afin de garder une position. **2** Être, demeurer (dans une position). *Tiens-toi droit !* ♦ (choses) *Une histoire qui se tient,* cohérente. **3** Être (quelque part). *Il se tenait sur le seuil.* ♦ Être et rester (dans un état). *Se tenir sur la réserve.* – (et adj.) *Se tenir tranquille.* **4** *S'en tenir à* (qqch.), ne vouloir rien de plus. *Je m'en tiens aux ordres.* – loc. *Savoir à quoi s'en tenir,* être fixé. **5** (récipr.) Se tenir l'un l'autre. ♦ (chose) Être dans une dépendance réciproque. ▷ **tenu, ue 1** v. passif *Être tenu à, de* (+ inf.) : obligé, contraint. **2** adj. (choses) *Bien, mal tenu,* bien (mal) arrangé, entretenu.

**tennis** [tenis] n. m. **1** Sport dans lequel deux ou quatre joueurs se renvoient une balle, à l'aide de raquettes, de part et d'autre d'un filet. ♦ *Tennis de table.* → **ping-pong. 2** Terrain de tennis. → **court. 3** n. m. ou f. Chaussure de sport basse.

**tenon** n. m. Partie saillante d'un assemblage, qui s'ajuste à une mortaise.

**ténor** n. m. **1** Voix d'homme au-dessus du baryton ; le chanteur. → aussi **contre-ténor.** ♦ adj. Se dit des instruments ayant ce registre. **2** fig. Personnage très en vue.

**tenseur** n. m. **1** Muscle qui produit une tension. **2** math. Être mathématique, généralisation de la notion de vecteur. ► **tensoriel, elle** adj. *Calcul tensoriel.*

**tensiomètre** n. m. Appareil servant à mesurer la tension (artérielle, etc.).

**tension** n. f. **I 1** État d'une substance souple ou élastique tendue (opposé à *détente*). **2** phys. Force qui agit de manière à écarter, à séparer les parties d'un corps. **3** *Tension (artérielle, veineuse),* pression du sang. – *Avoir de la tension,* de l'hypertension. **4** électr. Différence de potentiel. *Haute tension ; basse tension.* **II 1** Effort intellectuel ; application soutenue. → **concentration. 2** État de ce qui menace de rompre ; situation tendue. *La tension internationale.* **3** *Tension nerveuse,* énervement.

**tentaculaire** adj. Qui se développe dans toutes les directions.

**tentacule** n. m. Organe allongé muni de ventouses (poulpes, calmars).

> Mot masculin : *un long tentacule.*

**tentant, ante** adj. Qui tente, éveille l'envie. *Un menu tentant.*

**tentateur, trice** n. et adj. (Personne) qui cherche à tenter, à séduire. – *Le Tentateur :* le démon.

**tentation** n. f. **1** relig. Impulsion qui pousse au péché, au mal. **2** Ce qui tente (I, 2).

**tentative** n. f. Action par laquelle on s'efforce d'obtenir un résultat. → **essai.**

**tente** n. f. Abri fait d'une matière souple tendue sur des supports (mâts, piquets).

**tenter** v. tr. [1] **I 1** relig. Essayer d'entraîner au mal, au péché. → **tentation. 2** (sujet chose) Éveiller le désir, l'envie de (qqn). *Se laisser tenter.* – *Être tenté, très tenté,* avoir envie (d'une chose). **II** Éprouver (les chances de réussite) ; essayer. → **tentative.** – loc. *Tenter sa chance,* tenter de réussir.

**tenture** n. f. Pièce de tapisserie, de décoration murale.

**tenu, ue** → **tenir**

**ténu, ue** adj. Très mince, très fin. ► **ténuité** n. f.

**tenue** n. f. **I 1** Fait, manière de tenir, gérer (un établissement). *La tenue d'une maison,* son entretien. **2** Fait de tenir (une séance, une réunion...). **3** *Tenue de route :* aptitude d'un véhicule à se maintenir dans la direction commandée. **II 1** Fait de bien se tenir ; correction des manières. **2** Façon de se tenir (bien ou mal). *Bonne tenue à table.* **3** Manière dont une personne est habillée. → **mise.** ♦ Habillement particulier. *Tenue de sport.* – fam. *Être en petite tenue,* peu vêtu. **4** fin. Fermeté du cours (d'une valeur), en Bourse.

**tequila** [tekila] n. f. Alcool d'agave (mexicain).

① **ter** [tɛʀ] adv. **1** mus. Indication d'avoir à répéter un passage trois fois. **2** (après un nombre) Troisième (après *bis*).

② **TER** n. m. (sigle) (en France) « Train express régional », reliant des pôles régionaux.

**tératologie** n. f. biol. Science qui étudie les malformations des êtres vivants.

**tercet** n. m. Strophe de trois vers.

**térébenthine** n. f. Résine végétale recueillie par incision (conifères).

**térébrant, ante** adj. didact. **1** *Insecte térébrant,* qui perce des trous. **2** *Douleur térébrante,* sensation de percement.

**tergal** n. m. (nom déposé) Fibre synthétique de polyester.

**tergiverser** v. intr. [1] littér. Raisonner pour éviter de donner une réponse nette, retarder une décision. → **atermoyer, temporiser.** ► **tergiversation** n. f.

① **terme** n. m. **1** Limite fixée dans le temps. – *Mettre un terme à qqch.,* faire cesser. ♦ *À terme :* avec un terme fixé. *Vente à terme* (opposé à *au comptant*). → à **crédit.** – *À court, à long terme,* dans un temps bref, long. **2** Date de paiement des loyers. ♦ Le loyer. **3** littér. Dernier élément, dernier stade. → **conclusion, fin.** *Mener qqch. à (son) terme.*

→ **terminer.** **4** *Accouchement à terme,* dans le temps normal. – *Enfant né avant terme.* → **prématuré.**

② **terme** n. m. **I 1** Mot, expression. *Chercher le terme exact.* **2** au plur. Discours ; manière de s'exprimer. – loc. *En (ces, d'autres...) termes :* à l'aide de ces, d'autres... mots. **3** Mot appartenant à une terminologie (1). *Termes techniques.* **4** Élément simple, objet d'une relation. *Les termes d'une équation.* ♦ fig. *Moyen terme :* solution, situation intermédiaire. **II** loc. *Être en bons, en mauvais termes avec qqn :* entretenir de bonnes, de mauvaises relations avec qqn.

**terminaison** n. f. **1** Dernier élément d'un mot. → **finale.** **2** Extrémité. – anat. *Terminaisons nerveuses.*

① **terminal, ale, aux** adj. Qui forme le dernier élément. → **final.** *Phase terminale.* ♦ n. f. (en France) Dernière classe du lycée.

② **terminal, aux** n. m. anglic. **1** Installations pour le déchargement de navires de transport (pétroliers, etc.). **2** Périphérique d'utilisation à distance d'un ordinateur. **3** Point de départ des passagers d'un aéroport.

**terminer** v. tr. [1] **1** Faire cesser volontairement (qqch. dans le temps). *Terminer un débat.* → **clore, lever.** **2** Mener à terme (ce qui est en cours). → **achever, finir.** *Terminer un travail.* ♦ Passer la dernière partie de (un temps). *Terminer la soirée au cinéma.* **3** (sujet chose) Constituer, former le dernier élément de (qqch.). ▷ v. pron. se **terminer** **1** Prendre fin (dans l'espace ou dans le temps). **2** *Se terminer par :* avoir pour dernier élément. **3** *Se terminer en.* – (dans l'espace) *Clocher qui se termine en pointe.* – (dans le temps) *L'histoire se termine en queue de poisson.*

**terminologie** n. f. **1** Ensemble organisé de termes appartenant à un domaine spécial (science, technique, institutions). ♦ Vocabulaire didactique. **2** Étude des systèmes de termes et de notions. ► **terminologique** adj. ► **terminologue** n.

**terminus** [-ys] n. m. Dernière station (d'une ligne de transports).

**termite** n. m. Insecte social qui ronge le bois par l'intérieur. *Un termite.*

**termitière** [-tjɛʀ] n. f. Nid de termites, butte de terre durcie percée de galeries.

**ternaire** adj. Composé de trois éléments.

**terne** adj. **1** Qui manque d'éclat, reflète peu la lumière. *Couleur terne.* – *Regard terne,* inexpressif. **2** Sans intérêt.

**ternir** v. tr. [2] **1** Rendre terne (1). **2** Porter atteinte à. *Ternir la réputation de qqn.* → **salir.**

**terrain** n. m. **I 1** Étendue de terre (dans son relief ou sa situation). → **sol.** *En terrain plat.* – fig. *Un terrain glissant,* une situation dangereuse. – loc. adj. *Tout terrain.* → **tout-terrain.** **2** Portion plus ou moins étendue et épaisse de l'écorce terrestre, quant à sa nature, son âge, son origine (souvent au plur.). *Terrains glaciaires.* **3** *Le terrain,* la zone des opérations militaires. – loc. *Sur le terrain* (fig. sur place). *Tâter, préparer le terrain.* – fig. *Terrain d'entente.* – *Gagner, perdre du terrain,* avancer, reculer (aussi fig.). ♦ loc. *Un homme de terrain,* en contact avec les réalités. **4** État (d'un organisme, d'un organe...), quant à sa résistance à la maladie. **II 1** Espace, étendue de terres. *Terrain vague*.* **2** Emplacement aménagé. *Terrain de jeu.*

**terrasse** n. f. **1** Levée de terre plane. *Cultures en terrasses.* **2** Plate-forme en plein air. – Toiture plate, accessible. **3** Partie d'un café sur un trottoir.

**terrassement** n. m. **1** Opération par laquelle on creuse et on déplace la terre. *Travaux de terrassement.* **2** Les terres déplacées.

① **terrasser** v. tr. [1] Creuser et déplacer la terre de. *Terrasser des fondations.*

② **terrasser** v. tr. [1] Abattre, renverser (qqn), jeter à terre dans une lutte.

**terrassier** n. m. Ouvrier employé aux travaux de terrassement.

**terre** n. f. **I 1** Surface sur laquelle les humains, les animaux se tiennent et marchent. → **sol.** – *À terre, par terre :* sur le sol. – loc. fig. *Avoir les pieds sur terre :* être réaliste. **2** (concret) Couche superficielle de la croûte terrestre (lorsqu'elle n'est pas rocheuse). *Un chemin de terre,* non revêtu. **3** L'élément où poussent les végétaux. *Cultiver la terre.* ♦ *Les terres :* étendue de terrain où poussent les végétaux. *Terres cultivées.* → **champ.** **4** *La terre :* la vie paysanne, l'agriculture. – loc. *Le retour à la terre.* **5** Étendue de surfaces cultivables, objet de possession. → **domaine, propriété, terrain.** ♦ au plur. *Se retirer sur ses terres.* **6** Vaste étendue de la surface solide du globe. *Les terres australes.* **7** *La terre, les terres* (opposé à *la mer, à l'air*). → **continent, île.** *La terre ferme.* – *L'armée de terre* (opposé à *la marine, l'aviation*). **8** La croûte terrestre. – loc. *Tremblement* de terre.* **9** Le sol, considéré comme ayant un potentiel électrique égal à zéro. – loc. *Prise de terre.* **II 1** (avec maj.) Planète appartenant au système solaire et où vivent de nombreuses espèces, dont l'humanité. **2** L'ensemble des lieux de la surface de la planète, en tant que milieu. → **monde.** – loc. *Remuer* ciel et terre.* **III 1** Matière pulvérulente contenant généralement de l'argile, et servant à fabriquer des objets. *Terre glaise.* – *Terre cuite.* **2** Colorant minéral. *Terre de Sienne.*

**terre à terre** loc. adj. invar. Matériel et peu poétique. → **prosaïque.**

**terreau** n. m. Engrais naturel, formé de terre végétale et de produits de décomposition. → **humus.**

**terre-neuvas** n. m. invar. Navire ou marin qui pêche à Terre-Neuve.

**terre-neuve** n. m. invar. Gros chien à tête large, à longs poils.

**terre-plein** n. m. Plate-forme, levée de terre soutenue par une maçonnerie.

se **terrer** v. pron. [1] **1** (animaux) Se cacher dans un terrier, se blottir. **2** Se mettre à l'abri dans un lieu couvert ou souterrain.

**terrestre** adj. **1** De la planète Terre. *Le globe terrestre.* **2** Qui vit sur la surface solide de la Terre. ♦ (opposé à *aérien, maritime*) *Transports terrestres.* **3** (opposé à *céleste*) Du monde où vit l'homme.

**terreur** n. f. **1** Peur extrême qui bouleverse, paralyse. → **effroi, épouvante, frayeur.** **2** Peur collective qu'on fait régner pour briser une résistance (→ **terrorisme**). - Régime fondé sur l'emploi de l'arbitraire imposé et de la violence (spécialt en France, 1793-94). **3** Être qui inspire une grande peur. - Personnage redoutable (aussi iron.).

**terreux, euse** adj. **1** De la nature ou de la couleur de la terre. **2** Mêlé de terre.

**terrible** adj. **1** (choses) Qui inspire de la terreur (1). → **effrayant, terrifiant.** ♦ (personnes) n. *Ivan le Terrible.* **2** Très pénible, très fort. *Un froid terrible.* **3** (personnes) Agressif, turbulent. *Un enfant terrible.* → **intenable, insupportable.** **4** fam. Extraordinaire ; excellent. ► **terriblement** adv.

**terrien, ienne** **I** adj. **1** Qui possède des terres. *Propriétaire terrien.* → **foncier.** **2** littér. Qui concerne la terre, les paysans (opposé à *citadin*). **II** n. Habitant de la planète Terre (opposé aux extraterrestres imaginés).

**terrier** n. m. **I** Trou, galerie que certains animaux creusent dans la terre. **II** Chien pour la chasse des animaux à terrier.

**terrifier** v. tr. [7] **1** Frapper (qqn) de terreur. → **effrayer, terroriser.** **2** (sens affaibli) Inquiéter, faire peur. ► **terrifiant, ante** adj.

**terril** [-i(l)] ou **terri** n. m. Grand tas de déblais près d'une mine. → **crassier.**

**terrine** n. f. Récipient de terre où l'on fait cuire et où l'on conserve certains aliments. ♦ Son contenu. - spécialt Pâté.

**territoire** n. m. **1** Étendue de la surface terrestre sur laquelle vit un groupe humain. - *Aménagement du territoire,* politique de répartition des activités selon un plan. **2** Étendue de pays sur laquelle s'exerce une autorité. *Le territoire de la commune.* ♦ Pays qui ne constitue pas un État souverain. **3** Zone qu'un animal se réserve.

**territorial, ale, aux** adj. **1** Qui consiste en un territoire, le concerne. *Les eaux territoriales* (d'un État riverain). **2** vieilli Qui concerne la défense du territoire national.

**terroir** n. m. **1** Région rurale. *Accent du terroir.* **2** Terres d'une région fournissant un produit agricole caractéristique.

**terroriser** v. tr. [1] Frapper de terreur, faire vivre dans la terreur. → **terrifier.**

**terrorisme** n. m. **1** Emploi systématique de la violence pour atteindre un but idéologique ; ces actes de violence. **2** Attitude d'intolérance, d'intimidation. ► **terroriste** adj. et n.

**tertiaire** adj. **I** géol. *Ère tertiaire* ou n. m. *le tertiaire* : ère géologique (environ 70 millions d'années) marquée par les plissements alpins, la diversification des mammifères. **II** écon. *Secteur tertiaire* ou n. m. *le tertiaire* : activités qui ne produisent pas des biens de consommation (commerce, services, administration).

**tertio** adv. En troisième lieu (après *primo, secundo*). → **troisièmement.**

**tertre** n. m. Petite éminence isolée à sommet aplati. → **butte, monticule.**

**tessiture** n. f. mus. Étendue des sons (d'une voix, d'un instrument). → **registre.**

**tesson** n. m. Débris (de verre, poterie).

**test** [tɛst] n. m. **1** psych. Épreuve qui permet de déceler les aptitudes, les caractères psychiques d'une personne. **2** Contrôle biologique ou chimique. *Test de grossesse.* **3** Épreuve ou expérience décisive.

**testament** n. m. **I** relig. chrét. Partie de la Bible. *L'Ancien, le Nouveau* (→ **évangile**) *Testament.* **II** **1** Acte par lequel une personne dispose des biens qu'elle laissera en mourant. **2** fig. Suprême expression de la pensée et de l'art de qqn. ► **testamentaire** adj.

① **tester** v. tr. [1] **1** Soumettre à des tests. **2** Contrôler, éprouver (qqch.).

② **tester** v. intr. [1] dr. Disposer de ses biens par testament. ► **testateur, trice** n.

**testicule** n. m. Glande génitale mâle, productrice des spermatozoïdes. ♦ Cet organe et ses enveloppes (→ ① **bourse, scrotum**), chez l'homme.

**tétanie** n. f. méd. Affection se traduisant par des contractures, des spasmes.

**tétaniser** v. tr. [1] **1** méd. Mettre en état de tétanie. **2** fig. Figer, paralyser. ► **tétanisation** n. f.

**tétanos** [-os] n. m. **1** Grave maladie infectieuse, contraction douloureuse des muscles avec des crises convulsives. **2** *Tétanos musculaire* : contraction prolongée d'un muscle. ► **tétanique** adj.

**têtard** n. m. Larve de batracien, à grosse tête prolongée par un corps effilé.

**tête** n. f. **I** **1** Extrémité antérieure des animaux, portant la bouche et les principaux organes des sens (quand elle est distincte). *La tête d'un oiseau, d'un poisson, d'un serpent.* **2** Partie supérieure du corps (d'un être humain) contenant le cerveau. ♦ loc. *La tête haute,* redressée ; fig. (adverbial) avec fierté. *La tête basse* (fig. → **confus, honteux**). - *Être tombé sur la tête* : être un peu fou. - *Ne savoir où donner de la tête* : avoir trop d'occupations. - *En avoir par-dessus la tête,* assez. - *En tête à tête avec qqn* : avec lui seul. ♦ *Tenir tête* : résister. **3** Sommet de la tête où poussent les cheveux. *Tête nue,* sans chapeau. **4** (En tant que partie vitale) *Risquer sa tête,* sa vie. – loc. *Donner sa tête à couper que :* affirmer avec conviction. **5** Le visage, l'expression. *Une bonne tête.* → fam. **bouille.** *Tête à claque.* – *Faire la tête.* → **bouder.** ♦ Visage (qui rend qqn reconnaissable). *J'ai vu cette tête-là quelque part.* **6** Représentation de cette partie du corps de l'homme, des animaux supérieurs. – loc. fig. *Être la tête de Turc de qqn :* être sans cesse en butte à ses railleries. **7** *Tête de mort :* crâne humain. **8** Hauteur d'une tête humaine. *Il la dépasse d'une tête.* ♦ Longueur d'une tête de cheval, dans une course. **9** Coup de tête dans la balle, au football. **10** Partie (d'une chose) où l'on peut poser la tête. *La tête du lit.* → **chevet. II 1** Le siège de la pensée, chez l'être humain. → **cerveau, cervelle, esprit.** – loc. *Être tête en l'air :* être étourdi. *Une grosse tête :* une personne savante. péj. *Avoir la grosse tête :* être prétentieux. – *Il n'a pas de tête,* il oublie tout. – *Une femme de tête,* énergique, efficace. – *Calculer de tête,* mentalement. – *Une idée derrière la tête,* une intention cachée. ♦ *Se mettre dans la tête, en tête (qqch. ; de..., que...) :* décider ; imaginer, se persuader. ♦ *Je n'ai plus son nom en tête,* je ne m'en souviens plus. **2** Le siège des états psychologiques. *Perdre la tête :* s'affoler. *Avoir la tête à ce qu'on fait,* l'attention. *N'en faire qu'à sa tête :* agir selon sa fantaisie. – *Coup de tête :* décision, action irréfléchie. **3** (Raison). loc. *Perdre la tête :* devenir fou. *Avoir toute sa tête.* **III 1** (Personne). *Une forte tête :* une personne qui s'oppose aux autres et fait ce qu'elle veut. *Une mauvaise tête.* **2** *Par tête :* par personne, par individu. – fam. *Par tête de pipe* (même sens). **3** Personne qui conçoit et dirige. **4** Animal d'un troupeau. *Cent têtes de bétail.* **IV** (choses) **1** Extrémité, partie terminale. *La tête d'un clou.* – *Tête de lecture.* **2** Partie antérieure (d'une chose qui se déplace). *La tête d'un train.* – *Tête chercheuse :* dispositif (d'une fusée...) pouvant modifier sa trajectoire vers l'objectif. **3** Partie antérieure (d'une chose orientée). – *Tête de liste,* premier nom. **4** Place de ce qui est à l'avant ou au début (surtout : *de, en tête*). *Wagon de tête.* **5** Place de la personne qui dirige, commande. *Prendre la tête.* – *À la tête de... :* en dirigeant.

**tête-à-queue** n. m. invar. Volte-face (d'un cheval, d'un véhicule).

**tête-à-tête** n. m. invar. Situation de deux personnes qui se trouvent seules ensemble ou s'isolent.

**tête-bêche** loc. adv. Parallèlement et en sens inverse, opposé.

**tête-de-loup** n. f. Brosse ronde à long manche, pour nettoyer les plafonds.

**tête-de-nègre 1** adj. invar. et n. m. invar. De couleur marron foncé. **2** n. f. Pâtisserie faite d'une meringue sphérique enrobée de chocolat, appelée aujourd'hui *tête, boule au chocolat. Des têtes-de-nègre.*

**téter** v. tr. [6] Boire (le lait) en suçant le mamelon ou une tétine. ► **tétée** n. f.

**tétine** n. f. **1** Mamelle de certains mammifères. → **pis. 2** Embouchure percée d'un biberon. ♦ Embout de caoutchouc qu'on donne à sucer à un bébé.

**téton** n. m. fam. Mamelon (I).

**tétra** n. m. Nom courant de divers poissons d'aquarium.

**tétraèdre** n. m. Polyèdre à quatre faces triangulaires. ► **tétraédrique** adj.

**tétralogie** n. f. Ensemble de quatre œuvres (spécialt : quatre opéras de Wagner).

**tétraplégie** n. f. méd. Paralysie des quatre membres. ► **tétraplégique** adj. et n.

**tétrapode** n. m. et adj. Se dit de vertébrés à quatre membres (apparents ou non).

**tétrarque** n. m. Antiq. Gouverneur de l'une des quatre régions d'une province. ► **tétrarchie** n. f.

**tétras** [-ɑ(s)] n. m. Gallinacé sauvage des montagnes (→ coq de bruyère).

**têtu, ue** adj. Entêté, obstiné. → **buté.**

**teuf** n. f. (verlan) fam. Fête.

**teufeur, euse** n. fam. Habitué(e) des fêtes, et spécialt des raves*.

**teuf-teuf** n. m. invar. Bruit du moteur à explosion. – Vieille auto.

**teuton, onne** adj. et n. **1** hist. Relatif aux anciens Teutons. **2** péj. Allemand. ► **teutonique** adj. → **germanique.**

**tex-mex** adj. Se dit de la cuisine mexicaine adaptée aux États-Unis (d'abord, au Texas).

**texte** n. m. **1** Les termes, les phrases qui constituent un écrit, une œuvre. *Le texte d'une chanson.* **2** La composition, la page imprimée. **3** dr. Écrit authentique. *Le texte d'un testament.* **4** Page, fragment d'une œuvre. *Textes choisis.* → **morceau.**

**texter** v. [1] **I** v. intr. Rédiger, envoyer un texto. **II** v. tr. **1** Envoyer un texto à (qqn). **2** Envoyer par texto. *Texter une adresse à qqn.* – var. **textoter.**

**textile** adj. et n. m. **1** Susceptible d'être tissé. – n. m. Matière textile. **2** Qui concerne les tissus. – n. m. L'industrie textile.

① **texto** adv. fam. Textuellement. *C'est ce qu'il m'a dit texto.*

② **texto** n. m. Bref message échangé entre téléphones portables. → **SMS.**

**textoter** → **texter**

**textuel, elle** adj. **1** Conforme au texte. **2** didact. Du texte. ► **textuellement** adv.

**texture** n. f. Arrangement, disposition (des éléments d'une matière, d'un tout). → **constitution, structure.**

**T. G. V.** [teʒeve] n. m. (sigle ; marque déposée) (en France) Train à grande vitesse.

**thaï, thaïe** [taj] adj. et n. Se dit de langues de l'Asie du Sud-Est, parlées notamment par les Thaïlandais, et des peuples qui les parlent. ♦ n. m. *Le thaï* : ces langues.

**thalamus** [-ys] n. m. Les deux noyaux de substance grise, à la base du cerveau. → aussi **hypothalamus.** ► **thalamique** adj.

**thalassothérapie** n. f. Usage thérapeutique de l'eau de mer. – abrév. fam. **thalasso.**

**thalle** n. m. bot. Appareil végétatif des plantes inférieures sans feuilles, tiges ni racines (*thallophytes* n. f. pl.).

**thalweg** n. m. → **talweg**

**thaumaturge** adj. didact. ou littér. Qui fait des miracles. – n. m. Faiseur de miracles.

**thé** n. m. **1** Arbre ou arbrisseau d'Asie, cultivé pour ses feuilles (→ **théine**). ♦ Feuilles de thé séchées. **2** Boisson de thé infusé. **3** Réunion où l'on sert du thé, des gâteaux.

**théâtral, ale, aux** adj. **1** Qui appartient au théâtre ; de théâtre (II, 1). **2** fig. et péj. Artificiel, excessif. *Une attitude théâtrale.* ► **théâtralement** adv. ► **théâtralité** n. f.

**théâtre** n. m. **I 1** Antiq. Construction en plein air réservée aux spectacles, adossée à une colline creusée en hémicycle. → **amphithéâtre.** ♦ mod. Construction ou salle destinée aux spectacles. **2** Entreprise de spectacles dramatiques (→ **compagnie, troupe). 3** fig. *Le théâtre de* : le cadre de (un événement). **II 1** Art visant à représenter devant un public des êtres humains agissant et parlant. → **scène ; dramatique.** *Pièce de théâtre.* – fig. *Coup de théâtre* : retournement d'une situation. **2** Genre littéraire ; œuvres dramatiques*. → **comédie, drame, tragédie. 3** Activités de l'acteur ; profession de comédien de théâtre (et de metteur en scène, etc.).

**théier** n. m. Arbre à thé.

**théière** n. f. Récipient pour le thé.

**théine** n. f. didact. Variété de caféine des feuilles de thé (alcaloïde).

**théisme** n. m. didact. Croyance en un dieu unique. → **déisme.** ► **théiste** adj. et n.

**thématique I** adj. Relatif à un thème. *Catalogue thématique.* **II** n. f. didact. Ensemble, système organisé de thèmes.

**thème** n. m. **1** Sujet, idée qu'on développe (dans un discours, un ouvrage). → **objet, sujet. 2** Traduction d'un texte de la langue maternelle dans une langue étrangère (s'oppose à *version*). – loc. *Un fort en thème* : un très bon élève. **3** mus. Dessin mélodique répété ou objet de variations. → **motif.**

**théocratie** n. f. didact. Régime où une religion, les prêtres jouent un rôle politique important. ► **théocratique** adj.

**théodolite** n. m. sc. Instrument de visée, servant à mesurer les angles.

**théogonie** n. f. (religions polythéistes) Récit de la naissance des dieux. → **mythologie.**

**théologal, ale, aux** adj. (religion chrétienne) *Vertus théologales,* qui ont Dieu pour objet (foi, espérance, charité).

**théologie** n. f. (religions monothéistes) Étude des questions religieuses fondée sur les textes sacrés, les dogmes. ► **théologique** adj. ► **théologien, ienne** n.

**théorbe** n. m. Luth à sonorité grave.

**théorème** n. m. Proposition démontrable qui résulte d'autres propositions.

**théoricien, ienne** n. **1** Personne qui connaît la théorie ; spécialt qui s'occupe de théorie plus que d'applications. **2** Personne qui élabore, défend une théorie.

① **théorie** n. f. **1** Ensemble d'idées, de concepts abstraits dans un domaine. → **conception, doctrine, système.** ♦ *Théorie et pratique.* – *En théorie* : en envisageant la question abstraitement. **2** sc. Système d'hypothèses, de connaissances vérifiées et de règles logiques.

② **théorie** n. f. littér. Cortège, procession.

**théorique** adj. **1** De la théorie ; qui élabore des théories. *Recherche théorique.* → **fondamental. 2** souvent péj. Conçu, étudié d'une manière abstraite et souvent irréaliste.

**théoriquement** adv. **1** D'une manière théorique. **2** En principe, normalement.

**théosophie** n. f. Doctrine ésotérique du divin, fondée sur la contemplation, l'illumination intérieure. ► **théosophe** n.

**thérapeute** n. didact. Personne qui soigne des malades. → **médecin.**

**thérapeutique 1** adj. Qui concerne le traitement des maladies ; apte à guérir. **2** n. f. didact. Médecine de soins.

**thérapie** n. f. **1** didact. Traitement médical. → **soin(s). 2** Psychothérapie.

**thermal, ale, aux** adj. **1** (source, eau) De température élevée et à propriétés thérapeutiques. **2** Où l'on utilise ces eaux. *Station, cure thermale.* ► **thermalisme** n. m.

**thermes** n. m. pl. Établissement de bains publics de l'Antiquité.

**thermidor** n. m. Onzième mois du calendrier républicain (19 juillet-18 août).

**thermie** n. f. Ancienne unité de quantité de chaleur.

**thermique 1** adj. Relatif à la chaleur, à la température. – *Centrale thermique* (produisant de l'électricité). ► **thermiquement** adv. **2** n. f. Partie de la physique qui étudie les phénomènes thermiques.

**thermocautère** n. m. méd. Instrument pour cautériser par la chaleur.

**thermodynamique** n. f. Science (physique) des relations entre phénomènes thermiques et mécaniques. ♦ adj. *Potentiel thermodynamique.*

**thermoélectricité** n. f. sc. **1** Étude des relations entre phénomènes thermiques et électriques. **2** Électricité produite par énergie thermique. ► **thermoélectrique** adj.

**thermogène** adj. didact. Qui produit de la chaleur.

**thermomètre** n. m. Instrument destiné à la mesure des températures. – spécialt *Thermomètre médical*, mesurant la température interne du corps.

**thermonucléaire** adj. phys. Relatif à la fusion de noyaux d'atomes légers à très haute température. *Bombe thermonucléaire* (cour. : *bombe H*).

**thermos** [-os] n. m. ou f. (nom déposé) Récipient isolant. – appos. *Bouteille thermos*.

**thermostat** n. m. Appareil qui maintient une température constante dans une enceinte.

**thésard, arde** n. fam. Personne qui prépare une thèse. → **doctorant.**

**thésauriser** v. [1] littér. **1** v. intr. Amasser de l'argent pour le garder. → **capitaliser, économiser, épargner.** **2** v. tr. Amasser (de l'argent). ► **thésaurisation** n. f. ► **thésauriseur, euse** n.

**thésaurus** ou **thesaurus** [tezɔʀys] n. m didact. Répertoire structuré de termes (mots-clés) pour le classement.

**thèse** n. f **1** Proposition ou théorie qu'on tient pour vraie et qu'on défend. – *Pièce, roman à thèse*, qui illustre une thèse (morale ou autre). **2** Ouvrage présenté pour l'obtention du doctorat. **3** philos. Premier moment de la démarche dialectique (→ antithèse, synthèse).

**thibaude** n. f. Molleton ou feutre placé entre le sol et les tapis.

**thon** n. m. Poisson de grande taille qui vit dans l'Atlantique et la Méditerranée.

**thonier** n. m. Navire de pêche au thon.

**Thora** n. f. → **Torah**

**thorax** [-aks] n. m. **1** chez l'être humain Cavité limitée par le diaphragme, les côtes et le sternum. **2** vertébrés Partie antérieure du tronc. **3** Partie du corps de l'insecte portant les organes locomoteurs. ► **thoracique** adj. *Cage thoracique*.

**thorium** [-jɔm] n. m. chim. Élément (symb. Th), métal gris à isotope radioactif.

**thriller** [sʀilœʀ] n. m. anglic. Récit, film (policier, fantastique) provoquant des sensations fortes.

**thrombose** n. f. Formation d'un caillot dans un vaisseau sanguin ou dans le cœur.

**thune** n. f. fam. Argent. – var. **tune.**

**thuriféraire** n. m. **1** relig. Porteur d'encensoir. **2** fig., littér. Flatteur.

**thuya** [tyja] n. m. Grand conifère proche du cyprès.

**thym** n. m. Plante aromatique des garrigues.

**thymus** [timys] n. m. Glande située à la partie inférieure du cou. – *Thymus de veau*. → **ris** de veau.

**thyroïde** adj. et n. f. Se dit de la glande endocrine située à la partie antérieure et inférieure du cou. ► **thyroïdien, ienne** adj.

**thyrse** n. m. **1** mythol. Bâton entouré de feuilles, attribut de Bacchus. **2** bot. Inflorescence en grappe fusiforme.

**tiare** n. f. ancienn Coiffure papale à trois couronnes. – fig. Dignité papale.

**tiaré** n. m. Plante de la Polynésie dont les fleurs servent à la préparation du monoï.

**tibétain, aine** adj. et n. Du Tibet.

**tibia** n. m. **1** Os du devant de la jambe, en forme de prisme triangulaire. ► **tibial, ale, aux** adj. **2** Le devant de la jambe.

**tic** n. m. **1** Mouvement convulsif, geste bref automatique. **2** Geste, attitude répétitive. → **manie.**

Ne pas confondre avec *tique* «parasite».

**ticket** n. m. **1** Rectangle de carton, de papier, donnant droit à un service. → **billet.** – *Ticket modérateur**. **2** fam. *Avoir un ticket avec qqn*, lui plaire manifestement.

**tic-tac** ou **tic tac** interj. et n. m. invar. Bruit sec et uniforme (d'horlogerie, etc.).

**tie-break** [tajbʀɛk] n. m. anglic. (au tennis) Jeu décisif (pour départager).

**tiède** adj. **1** Légèrement chaud, ni chaud ni froid. – adv. *Boire tiède*. ► **tiédasse** adj. (péj.) **2** fig. Qui a peu d'ardeur, peu d'enthousiasme. **3** littér. Doux et agréable.

**tiédeur** n. f. Caractère tiède.

**tiédir** v. [2] **I** v. intr. Devenir tiède (1 et 2). **II** v. tr. Rendre tiède (1). ► **tiédissement** n. m.

**tien, tienne** [tjɛ̃, tjɛn] adj. et pron. poss. de la 2ᵉ pers. du sing. **I** adj. littér. De toi. → **ton.** *Un tien parent*. **II** pron. poss. *Le tien, la tienne, les tiens, les tiennes*, l'objet ou l'être lié à la personne à qui l'on s'adresse par *tu*. **III** n. **1** *Du tien* (partitif). *Il faut y mettre du tien* (→ sien (III, 1)). **2** *Les tiens*, ta famille, tes amis, etc.

**tiens** [tjɛ̃] Forme du verbe *tenir*.

**tierce** n. f. **1** Intervalle musical de trois degrés (ex. do-mi). **2** Trois cartes de même couleur qui se suivent.

**tiercé** adj. m. et n. m. *(Pari) tiercé*, pari mutuel où l'on parie sur trois chevaux, en précisant l'ordre d'arrivée. → **P. M. U.**

**tiers, tierce** [tjɛʀ, tjɛʀs] **I** adj. **1** vx Troisième. *Le «Tiers Livre», de Rabelais*. – *Le tiers état**. **2** loc. *Une tierce personne* : une personne extérieure. ♦ → **tiers-monde.** **II** n. m. **1** *Un tiers* : une personne étrangère (à une affaire, un groupe...). **2** Fraction d'un tout divisé en trois parties égales. ♦ *Tiers provisionnel**.

**tiers-monde** n. m. Ensemble des pays pauvres dits en voie de développement.

**tiers-mondisme** n. m. Solidarité avec le tiers-monde. ► **tiers-mondiste** adj. et n.

**tif** n. m. fam. (surtout au plur.) Cheveu.

**tifosi** n. m. pl. Supporters italiens.

**tige** n. f. **I** Partie allongée (d'une plante), qui porte les feuilles. **II** fig. **1** Partie (d'une chaussure, d'une botte) qui couvre le dessus du pied. **2** Pièce mince et allongée.

**tignasse** n. f. Chevelure touffue, rebelle.

**tigre, tigresse** n. Le plus grand des félins, carnassier, au pelage jaune roux rayé de bandes noires transversales.

**tigré, ée** adj. Marqué de taches ou de bandes foncées. *Chat tigré.*

**tilbury** n. m. anciennt Voiture à cheval, cabriolet léger à deux places.

**tilde** [tild(e)] n. m. Signe en forme de S couché (˜) qui se met au-dessus du *n*, en espagnol, lorsqu'il se prononce [ɲ].

**tillac** n. m. Pont supérieur (d'un navire).

**tilleul** n. m. **1** Grand arbre à fleurs blanches ou jaunâtres odorantes. ♦ Son bois. **2** Infusion de fleurs de tilleul.

**tilt** [tilt] n. m. anglic. Signal qui interrompt la partie, au billard électrique. – loc. *Faire tilt* (fig. attirer soudain l'attention). *Ça a fait tilt :* j'ai soudain compris. ► **tilter** v. intr. [1]

**timbale** n. f. **I** Grand tambour hémisphérique (instrument du *timbalier* n. m.). **II 1** Gobelet cylindrique de métal. – *Décrocher la timbale :* obtenir une chose disputée. **2** Moule de cuisine circulaire. ♦ Préparation cuite dans ce moule.

**timbrage** n. m. Opération qui consiste à timbrer (spécialt, une lettre).

**timbre** n. m. **I 1** Calotte de métal, qui, frappée, émet une sonnerie. *Timbre de bicyclette.* → **sonnette. 2** mus. Qualité spécifique des sons. → **sonorité.** *Le timbre du hautbois.* **II 1** Marque, cachet que doivent porter certains documents officiels ; droit perçu sur ce timbre. *Timbre fiscal.* **2** Marque sur un document, garantie d'origine. ♦ Instrument pour imprimer cette marque. → **cachet, tampon. 3** *Timbre* ou *timbre-poste :* vignette qui, collée sur un objet confié à la poste, a une valeur d'affranchissement. *Des timbres-poste.* **4** méd. Pastille adhésive imprégnée d'un médicament, d'une substance. → **patch.**

**timbré, ée** adj. **I** mus. Qui a du timbre (I, 2). **II 1** Marqué d'un timbre (II, 1). *Papier timbré.* **2** Qui porte un timbre-poste. *Enveloppe timbrée.* **III** (personnes) fam. Un peu fou.

**timbrer** v. tr. [1] Marquer d'un timbre (II).

**timide** adj. **1** Qui manque d'audace. → **timoré. 2** Qui manque d'assurance. – n. *Un, une timide.* ► **timidement** adv.

**timidité** n. f. **1** Manque d'audace, de vigueur dans l'action ou la pensée. **2** Manque d'aisance et d'assurance en société. → **gaucherie, modestie.**

**timon** n. m. Pièce de bois de chaque côté de laquelle on attelle une bête de trait.

**timonerie** n. f. mar. **1** Service de timonier. **2** Partie du navire qui abrite les appareils de navigation.

**timonier, ière** n. Personne chargée de la direction du navire (→ barre). – loc. fig. *Le Grand Timonier :* Mao Zedong.

**timoré, ée** adj. Qui craint le risque, les responsabilités. → **craintif, pusillanime.**

**tinctorial, ale, aux** adj. didact. **1** Qui sert à teindre. **2** Relatif à la teinture.

**tinette** n. f. Lieux d'aisances rudimentaires.

**tintamarre** n. m. Grand bruit discordant.

**tintement** n. m. Bruit de ce qui tinte. ♦ *Tintement d'oreilles* (bourdonnement).

**tinter** v. intr. [1] **1** Produire des sons aigus qui se succèdent lentement. **2** Produire des sons clairs et aigus.

Ne pas confondre avec *teinter* «colorer».

**tintin** n. m. loc. fam. *Faire tintin :* se priver.

**tintinnabuler** v. intr. [1] littér. Sonner (clochette, grelot) ; tinter de manière irrégulière.

**tintouin** n. m. fam. **1** Bruit fatigant. **2** Souci, tracas. *Se donner du tintouin.*

**T. I. P.** ou **TIP** n. m. (sigle) «Titre interbancaire de paiement», document imprimé permettant un paiement par prélèvement bancaire (s'il est signé).

**tique** n. f. Acarien parasite des animaux, se nourrissant de sang, transmetteur de maladies contagieuses.

Ne pas confondre avec *tic* «manie».

**tiquer** v. intr. [1] Manifester par la physionomie, ou par un tic, son mécontentement. *Il a tiqué sur le prix.*

**tir** n. m. **I 1** Fait de tirer (IV), de lancer un projectile (à l'aide d'une arme). ♦ Lancement (d'un engin). **2** Direction selon laquelle une arme à feu lance ses projectiles ; leur trajectoire. *Ajuster, régler le tir* (aussi fig.). → **viser. II** Emplacement aménagé pour tirer à la cible. → **stand.** *Tir forain.* – *Tir au pigeon :* dispositif pour s'exercer au tir des oiseaux au vol (→ aussi **ball-trap).**

**tirade** n. f. **1** Développement récité sans interruption par un personnage de théâtre. **2** Longue phrase emphatique.

**tirage** n. m. **I** (→ tirer, I) **1** techn. Allongement, étirage. **2** loc. fam. *Il y a du tirage,* des difficultés, des frictions. **3** Circulation de l'air facilitant la combustion. *Régler le tirage d'un poêle.* **II** (→ tirer, III, 3 et 4) **1** Fait d'imprimer, de reproduire par impression. **2** Ce qui est imprimé. ♦ Ensemble des exemplaires tirés en une fois. *Journal à gros tirage.* **3** Impression définitive (d'une gravure). **4** Opération par laquelle on obtient une image positive (épreuve) d'un cliché photographique. **III** (→ tirer, VI) **1** Fait de tirer le vin. → **soutirage.** **2** *Tirage au sort :* désignation par le sort. – Fait de tirer au hasard des numéros. *Le tirage d'une loterie.*

**tiraillement** n. m. **1** Fait de tirailler (I, 1). **2** fig. Fait d'être tiraillé entre des sentiments, des désirs. **3** Sensation douloureuse, crampe.

**tirailler** v. [1] **I** v. tr. **1** Tirer (I) à plusieurs reprises, en diverses directions. **2** fig. Solliciter de façon contradictoire et importune (surtout passif et p. p.). *Être tiraillé entre des sentiments contraires.* **II** v. intr. Tirer (IV) souvent, à volonté (→ **tirailleur**).

**tirailleur** n. m. **1** Soldat détaché pour tirer à volonté sur l'ennemi. – *En tirailleurs,* en lignes espacées. **2** anciennt (en France) Soldat de troupes d'infanterie coloniale.

**tiramisu** [tiʀamisu] n. m. Entremets d'origine italienne à base de mascarpone et de biscuit, parfumé au café et saupoudré de cacao.

**tirant** n. m. **1** Ce qui sert à tirer (I). **2** *Tirant (d'eau) :* masse d'eau que déplace un navire ; distance verticale entre la ligne de flottaison et la quille.

① **tire** n. f. loc. *Vol à la tire,* en tirant de la poche, du sac (→ **pickpocket**).

② **tire** n. f. argot Voiture.

**tiré, ée** adj. **I** Qui a été tiré, tendu. ♦ Amaigri par la fatigue. *Traits tirés.* **II** Qui a été tiré, imprimé. – n. m. *Tiré à part :* extrait.

**tire-au-flanc** [-flɑ̃] n. invar. n. m. Soldat qui cherche à échapper aux corvées. ♦ n. Paresseux. – syn. vulg. **tire-au-cul.**

**tire-bouchon** n. m. **1** Hélice de métal qu'on enfonce dans le bouchon d'une bouteille pour le retirer. *Des tire-bouchons.* **2** loc. *En tire-bouchon :* en hélice (► **tire(-)bouchonner** v. [1]).

à **tire-d'aile** loc. adv. **1** Avec des coups d'ailes rapides. **2** fig. Très vite.

**tirée** n. f. fam. Longue distance pénible à parcourir. → **trotte.**

**tire-fesses** n. m. invar. fam. Téléski.

**tire-fond** n. m. Longue vis à tête carrée ou ronde. *Des tire-fond(s).*

**tire-jus** n. m. invar. fam. Mouchoir.

**tire-lait** n. m. Petit appareil permettant d'aspirer le lait du sein. *Des tire-lait(s).*

à **tire-larigot** loc. adv. En quantité.

**tire-ligne** n. m. Instrument de métal servant à tracer des lignes égales.

**tirelire** n. f. **1** Récipient percé d'une fente par où on introduit les pièces de monnaie pour les conserver. **2** fam. Tête.

**tirer** v. [1] **I** v. tr. **1** Amener vers soi une extrémité, ou éloigner les extrémités de (qqch.). → **allonger, étirer, tendre.** *Tirer une corde.* – loc. fig. *Tirer les ficelles*.* **2** Faire aller vers soi. *Tirer et pousser un tiroir.* ♦ Faire mouvoir latéralement (→ **tirette**). *Tirer un verrou.* **3** Faire avancer en déplaçant. *Tirer une charrette.* **4** v. tr. ind. *Tirer sur :* faire effort sur, pour tendre, amener vers soi. *Tirer sur une corde.* ♦ Exercer une forte aspiration sur. *Tirer sur sa pipe.* – intrans. *Poêle qui tire bien* (→ **tirage** (I, 3)). **5** v. intr. Subir une tension. – *La peau lui tire.* **II** (idée d'«aller») **1** v. intr. *Tirer à sa fin :* approcher de son terme. → **toucher.** **2** *Tirer sur :* se rapprocher de, évoquer. *Un bleu tirant sur le vert.* **3** v. tr. fam. Passer péniblement (une durée). *Plus qu'une heure à tirer !* **III** v. tr. **1** Allonger sur le papier (une figure). → **tracer.** **2** loc. *Se faire tirer le portrait,* portraiturer. **3** Imprimer (→ **tirage**). – trans. ind. *Ce journal tire à trente mille (exemplaires).* – loc. *Bon à tirer :* mention portée sur les épreuves corrigées, bonnes pour l'impression. **4** photogr. Obtenir (l'image positive). **IV** v. tr. **1** Envoyer au loin (un projectile) au moyen d'une arme. → **tir.** – *Tirer sur qqn,* le viser. ♦ intrans. *Tirer à,* avec (une arme). *Tirer à l'arc.* **2** Faire partir (une arme lourde). *Tirer le canon.* **3** Chercher à atteindre (qqn, un animal) par un tir. **4** intrans. Lancer sa boule sans la faire rouler. *Je tire ou je pointe ?* **5** très fam. *Tirer son coup :* avoir un rapport sexuel (homme). **V** v. tr. (Faire sortir) **1** Faire sortir (une chose) d'un contenant. → **retirer, sortir.** *Tirer un mouchoir de son sac.* – *Tirer qqn du lit.* **2** Choisir parmi d'autres. *Tirer qqch. au sort.* – *Tirer les cartes* (→ **cartomancie**). **3** *(Tirer qqn de...)* Faire cesser d'être retenu dans un lieu, une situation. → **délivrer, sortir.** *Tirer un blessé des décombres.* – loc. *Tirer qqn d'affaire,* le sauver. **VI** v. tr. **1** Obtenir (un produit) en utilisant une matière première, une origine. → **extraire.** *Tirer le vin.* → **soutirer.** – passif *L'opium est tiré d'un pavot.* **2** dans des loc. (*tirer* + nom + *de*) Obtenir (qqch.) de qqn, qqch. *Tirer vanité de :* s'enorgueillir de. *Tirer parti* de.* ♦ Obtenir (des paroles, une action) de qqn. *On ne peut rien en tirer,* il reste muet ou inactif. **3** Obtenir (de l'argent, un avantage matériel). → **retirer.** ♦ fam. Voler. *Se faire tirer (son sac)* (→ ① **tire**). **4** loc. *Tirer au sort :* obtenir par le hasard. **5** Déduire. *Tirer des conclusions hâtives.* **6** Emprunter (son origine, sa raison d'être) de qqch. *Tirer sa force, son pouvoir de...* ▷ v. pron. se **tirer** **1** fam. Partir, s'en aller ; s'enfuir. **2** fam. S'écouler lentement (durée) ; se terminer (tâche fastidieuse). **3** *Se tirer de :* échapper de ; venir à bout de. ♦ *S'en tirer :* en réchapper, en sortir indemne. – Réussir une chose difficile. *Il s'en est bien tiré.* – En être quitte pour. *Il s'en tire avec un mois de prison.*

**tiret** n. m. **1** Petit trait horizontal après un mot interrompu en fin de ligne. **2** Trait un peu plus long (pour ponctuer...). → **division.** **3** Trait d'union (dans un mot).

**tirette** n. f. **1** Tige ou pièce métallique qui se tire. **2** Planchette mobile.

**tireur, euse** n. 1 Personne qui se sert d'une arme à feu. *Tireur d'élite.* 2 n. m. Personne qui tire un chèque. → **émetteur.** ♦ n. f. *Tireuse de cartes* : cartomancienne.

**tiroir** n. m. 1 Compartiment coulissant emboîté (d'un meuble, etc.). ♦ *Fond de tiroir* (fig. chose vieille, sans valeur). – loc. *Les fonds de tiroirs* : tout l'argent disponible. 2 (au théâtre...) *À tiroirs* : avec des scènes emboîtées dans l'action principale. – fam. *Nom à tiroirs.* → à **rallonge.**

**tiroir-caisse** n. m. Caisse enregistreuse à tiroir automatique.

**tisane** n. f. Boisson contenant une substance végétale médicale ou hygiénique.

**tisanière** n. f. Tasse à tisane.

**tison** n. m. Reste d'un morceau de bois, d'une bûche dont une partie a brûlé.

**tisonner** v. tr. [1] Remuer la braise de (un foyer, un feu). → **attiser.**

**tisonnier** n. m. Longue barre de fer pour attiser le feu.

**tissage** n. m. 1 Opérations par lesquelles on entrelace des fils textiles pour produire des étoffes ou tissus. 2 Établissement, ateliers où s'exécutent ces opérations.

**tisser** v. tr. [1] 1 Fabriquer (un tissu) par tissage. ♦ Transformer (un textile) en tissu. *Tisser de la laine.* – *Métier à tisser.* ♦ *L'araignée tisse sa toile.* 2 fig., littér. Former, élaborer comme par tissage. – au p. p. *Tissé, ée* ou littér. *tissu, ue. Un livre tissu* (ou tissé) *d'aventures compliquées.*

**tisserand, ande** n. Ouvrier(ère) qui fabrique des tissus sur métier à bras.

**tisseur, euse** n. Ouvrier(ère) qui fait du tissage.

**tissu** n. m. I 1 Surface souple constituée par un assemblage régulier de fils tissés ou à mailles. → **étoffe.** 2 fig. Suite ininterrompue (de choses regrettables). *Un tissu de mensonges.* II 1 biol. Ensemble de cellules de l'organisme analogues, assurant la même fonction (→ **histologie).** *Le tissu osseux.* 2 fig. *Le tissu urbain.*

**tissulaire** adj. biol. Relatif aux tissus (II).

**titan** n. m. (nom mythol.) littér. Géant. – loc. *Un travail de titan.*

**titane** n. m. Élément (symb. Ti), métal blanc brillant.

**titanesque** adj. littér. 1 Gigantesque. 2 Grandiose et difficile.

**titi** n. m. Gamin déluré et malicieux.

**titiller** v. tr. [1] 1 Chatouiller agréablement. 2 fig. Exciter. ► **titillation** n. f.

**titrage** n. m. Action de titrer (① et ②).

① **titre** n. m. I 1 Désignation honorifique de dignité. *Titres de noblesse.* 2 Nom de charge, de fonction, de grade. ♦ *En titre* : qui a effectivement le titre d'une fonction (opposé à *auxiliaire, suppléant*). → **titulaire.** – *Fournisseur en titre.* → **attitré.** 3 Qualité de gagnant, de champion. 4 *À titre ; à titre de* loc. prép., en tant que, comme. – *À ce titre* : pour cette raison. – *Au même titre (que),* de la même manière (que). – *À titre* (+ adj.). *À titre amical,* amicalement. II 1 Document qui constate et prouve un droit. → **certificat.** – *Titre de transport,* billet, carte, ticket. ♦ Certificat représentatif d'une valeur de Bourse. 2 loc. *À juste titre* : à bon droit. III 1 Proportion d'or, d'argent dans un alliage. 2 chim. Rapport de la masse ou du volume d'une substance dissoute à la masse ou au volume de solution. → **degré.**

② **titre** n. m. 1 Nom donné (à une œuvre, un livre). *Faux titre* : titre simple sur la page précédant la page de titre. ♦ *Le titre d'une chanson, d'un film, d'un tableau.* 2 Expression, phrase qui présente un article de journal. *Gros titres.* 3 dr. Subdivision du livre (d'un recueil juridique).

① **titrer** v. tr. [1] I Donner un titre de noblesse à (qqn). – au p. p. *Être titré.* II Déterminer le titre (III) de. ♦ Avoir (tant de degrés) pour titre.

② **titrer** v. tr. [1] Intituler (→ ② titre).

**tituber** v. intr. [1] Vaciller, aller de droite et de gauche, en marchant. → **chanceler.** ► **titubant, ante** adj.

**titulaire** adj. et n. 1 Qui a une fonction pour laquelle il a été nommé personnellement (→ ① **titre).** – n. *Le, la titulaire d'un poste.* 2 Qui possède (un droit, un diplôme...). ► **titulariser** v. tr. [1] ► **titularisation** n. f.

① **T. N. T.** n. m. (sigle) Trinitrotoluène (explosif).

② **T. N. T.** n. f. (sigle) «Télévision numérique terrestre», diffusée par voie hertzienne.

**toast** [tost] n. m. I Discours par quoi l'on propose de boire en l'honneur de qqn ou de qqch. II Tranche de pain de mie grillée.

**toboggan** n. m. 1 Traîneau à longs patins métalliques. 2 Longue rampe inclinée sur laquelle on peut glisser. 3 Glissière de manutention ; de circulation automobile.

① **toc** interj. Bruit sec, heurt.

② **toc** n. m. 1 Imitation sans valeur. 2 adj. invar. fam. Faux et prétentieux.

③ **toc** n. m. (sigle) Trouble obsessionnel compulsif (→ **obsession,** 2). – var. **TOC.**

**tocante** ou **toquante** n. f. fam. Montre.

**tocard, arde** ou **toquard, arde** 1 adj. fam. Ridicule, laid. 2 n. fam. Personne incapable. ♦ n. m. Mauvais cheval.

**toccata** n. f. Pièce de musique pour clavier, à rythme régulier et marqué.

**tocsin** n. m. Sonnerie de cloche répétée et prolongée, pour donner l'alarme.

**tofu** [tɔfu] n. m. Pâté de soja (japonais).

**toge** n. f. 1 Ample pièce d'étoffe sans coutures dans laquelle les Romains se drapaient. 2 Robe de cérémonie (avocats...).

**tohu-bohu** [tɔybɔy] n. m. invar. 1 vieilli Confusion. 2 Bruit confus.

**toi** pron. pers. Pronom personnel (forme tonique) de la 2e personne, qui représente la personne à qui l'on s'adresse. → **tu.** 1 avec un impératif (sauf devant *en* et *y* → **te**) *Toi, viens ici !* – (verbes pronominaux) *Mets-toi là.* 2 avec un infinitif *Toi, nous quitter ?* – sujet d'un participe *Toi parti...* 3 (coordonné) *Paul et toi* (vous) *partirez devant.* – *Il invitera tes parents et toi.* ♦ (comparaison) *Il est plus gentil que toi.* 4 (renforçant *tu*) *Toi, tu vas aller te coucher.* 5 (attribut) *Si j'étais toi,* à ta place. 6 (précédé d'une préposition) *Chez toi. Je suis fier de toi.* 7 (renforcé) *Toi-même.*

**toile** n. f. I 1 Tissu d'armure (II) unie, de lin, coton, chanvre. 2 Pièce de toile. ♦ loc. fam. (Écran). *Se faire une toile,* aller au cinéma. II 1 Pièce de toile sur châssis, servant de support pour une peinture. ♦ Tableau. 2 loc. *Toile de fond,* ce qui sert d'arrière-plan. III 1 Réseau de fils (d'araignée). 2 *La Toile :* partie d'Internet regroupant les sites du réseau mondial. → **web.**

**toilette** n. f. I 1 Fait de se préparer pour paraître en public ; spécialt, de s'habiller, de se parer. 2 Manière dont une femme est vêtue. – *Une toilette :* les vêtements (d'une femme). 3 Soins de propreté du corps. *Faire sa toilette.* II au plur. Lieu, pièce aménagé(e) pour y satisfaire les besoins naturels. *Aller aux toilettes.*

**toiletter** v. tr. [1] 1 Faire la toilette de (un animal de compagnie). 2 fig. Retoucher légèrement. ▸ **toilettage** n. m.

**toise** n. f. 1 anciennt Mesure de longueur de 6 pieds. 2 Tige verticale graduée pour mesurer la taille humaine.

**toiser** v. tr. [1] Regarder avec mépris.

**toison** n. f. 1 Pelage laineux des ovidés. 2 Chevelure ou poils humains très fournis. – Poils abondants (animaux).

**toit** n. m. 1 Surface supérieure (d'un édifice) ; matériaux recouvrant une construction. → **couverture, toiture.** ♦ loc. *Crier qqch. sur les toits,* divulguer. – *Le toit du monde :* le Tibet. 2 Maison, abri. *Être sans toit.* 3 Paroi supérieure (d'un véhicule). *Voiture à toit ouvrant.*

**toiture** n. f. Couverture d'un édifice avec son armature.

**tokay** n. m. 1 [tokaj] Vin de liqueur de Hongrie. 2 [tokɛ] Pinot gris d'Alsace.

**tôle** n. f. Feuille de fer ou d'acier obtenue par laminage. ♦ *Tôle ondulée.*

> Ne pas confondre avec *taule* « prison ».

**tolérable** adj. 1 Qu'on peut tolérer, excuser. → **admissible.** 2 Supportable.

**tolérance** n. f. I 1 Fait de respecter les attitudes différentes des siennes, la liberté d'autrui en matière d'opinions. 2 Ce qui est toléré. 3 anciennt *Maison de tolérance,* de prostitution. II 1 Aptitude de l'organisme à supporter (un médicament...). 2 techn. Limite de l'écart admis entre les prévisions et les caractéristiques réelles.

**tolérant, ante** adj. Qui manifeste de la tolérance (I, 1).

**tolérer** v. tr. [6] I 1 Laisser se produire ou subsister (une chose qu'on aurait le droit ou la possibilité d'empêcher). → **permettre.** – au p. p. *Stationnement toléré.* ♦ Admettre avec indulgence (qqch. qu'on n'approuve pas). 2 Supporter avec patience. → **endurer.** ♦ *Tolérer qqn* (malgré ses défauts). II (organisme vivant) Supporter sans réaction fâcheuse (→ **tolérance** (II)).

**tôlerie** n. f. 1 Fabrication, commerce de la tôle. 2 Atelier où l'on travaille la tôle. 3 (collectif) Ensemble des tôles (d'un objet).

**tôlier** n. m. Celui qui fabrique, travaille ou vend la tôle.

**tollé** n. m. Clameur collective de protestation indignée. → **huée.**

**toluène** n. m. Hydrocarbure benzénique.

**T. O. M.** → **D. O. M.**

**tomahawk** [tɔmaok] n. m. Hache de guerre des Indiens d'Amérique du Nord.

**tomaison** n. f. Indication du numéro du tome (d'un ouvrage).

**tomate** n. f. 1 Plante potagère annuelle. 2 Fruit sphérique rouge de cette plante.

**tombal, ale, aux** adj. 1 Qui appartient à une tombe. *Pierre tombale :* dalle. 2 littér. Qui évoque la mort.

**tombant, ante** adj. 1 *À la nuit tombante :* au crépuscule. 2 Qui s'affaisse.

**tombe** n. f. 1 Lieu où l'on ensevelit un mort, fosse recouverte d'une dalle. → **sépulture, tombeau.** ♦ loc. *Avoir un pied dans la tombe,* être près de mourir. 2 Pierre tombale, monument funéraire.

**tombeau** n. m. 1 Sépulture à monument. → **caveau, mausolée, sépulcre, stèle.** 2 fig., littér. Lieu clos, sombre, d'aspect funèbre. 3 loc. *Rouler à tombeau ouvert,* à une vitesse excessive. 4 *Le tombeau de... :* œuvre en l'honneur de (un artiste défunt).

**tombée** n. f. littér. Chute (de neige, de pluie...). ♦ loc. *La tombée de la nuit,* moment où la nuit tombe, crépuscule.

**tomber** v. intr. [1] auxiliaire *être* (sauf V) I 1 Être entraîné à terre en perdant son équilibre, son assise (→ **chute**). – loc. *Tomber de fatigue, de sommeil :* être épuisé. ♦ Être tué. ♦ (Sans aller à terre). *Se laisser tomber dans un fauteuil.* ♦ (sujet chose) S'écrouler. 2 fig. Cesser de régner, être renversé. *Le gouvernement est tombé.* 3 (abstrait) Être détruit ou disparaître. *La difficulté tombe.* 4 Perdre de sa force, décliner. *Le jour, le vent tombe. Sa colère est tombée.* II 1 Être entraîné vers le sol, le bas. *Tomber dans le vide.* – *La pluie tombe.* ♦ loc. *Laisser tomber :* ne plus s'occuper de (qqch.), ne plus s'intéresser à (qqn). 2 (lumière, son, paroles, etc.) Arriver, parvenir du haut. *La nuit tombe.* **3** fig. (personnes) Être en décadence. *Il est tombé bien bas.* **4** (sujet chose) S'abaisser en étant suspendu ou soutenu. *Ses cheveux tombaient en boucles.* ◆ S'affaisser. *Des épaules qui tombent.* → **tombant. III 1** *Tomber sur :* s'élancer de toute sa force et par surprise sur. *Tomber sur qqn, lui tomber dessus* (fig. l'accabler). **2** *Tomber dans, en,* se trouver entraîné dans (un état critique, une situation fâcheuse). *Tomber dans le désespoir.* - *Tomber en panne.* **3 suivi d'un attribut** Être, devenir (après une évolution rapide). *Tomber malade ; amoureux.* - *Tomber d'accord,* s'accorder. **IV 1** Arriver ou se présenter inopinément. → **survenir.** - *Tomber sur* (qqn, qqch.) : rencontrer par hasard. - *Tomber sous la main,* à portée de. - *Tomber sous le sens :* être évident. ◆ *Tomber bien, mal :* arriver à propos ou non. **2** Arriver, par une coïncidence. *Noël tombe un dimanche.* **V v. tr. (auxiliaire *avoir*) 1** Plaquer (qqn) au sol. **2** fam. Séduire **(→ tombeur). 3** loc. fam. *Tomber la veste,* l'enlever.

**tombereau** n. m. Grosse voiture ou engin muni d'une benne. ◆ Son contenu.

**tombeur, euse** n. fam. Séducteur, séductrice.

**tombola** n. f. Loterie où chaque gagnant reçoit un lot en nature.

**tome** n. m. **1** Division principale (d'un ouvrage). **2** Volume (d'un ouvrage en plusieurs volumes).

**tomette** n. f. Petite brique de carrelage, de forme hexagonale, de couleur rouge.

**tomme** n. f. **1** Fromage fermenté, à pâte pressée (chèvre, brebis ou vache). - spécialt Tomme de Savoie. **2** région. Fromage frais de lait de vache ou de chèvre.

**tomographie** n. f. méd. Image radiographique en coupe **(→ scanographie ; stratigraphie).**

**tom-pouce** [tɔm-] n. m. invar. fam. Homme très petit.

① **ton, ta, tes** adj. poss. **I** (sens subjectif) **1** Qui est à toi, t'appartient. **2** (devant un n. de personne) En rapport (avec la personne à qui on dit *tu*). *Ton père, ta mère, tes amis.* **II** (sens objectif) *Ton juge,* celui qui te juge. *À ta vue,* en te voyant.

② **ton** n. m. **I 1** Hauteur de la voix. *Changement de ton.* **2** Qualité de la voix humaine, en hauteur, par ext., en timbre et en intensité, pour exprimer. → **accent, intonation.** - loc. *Sur* (tel) *ton. Dire, répéter qqch. sur tous les tons,* de toutes les manières. ◆ *Le ton amical d'une lettre.* **3** loc. *De bon ton :* de bon goût. **II 1** ling. Accent de hauteur. ◆ Hauteur d'un son propre au système phonologique (dans les *langues à tons :* chinois, langues africaines, suédois...). **2** mus. Intervalle qui sépare deux notes consécutives de la gamme (dans une tonalité*). *Ton majeur. Demi-ton.* **3** mus. Hauteur absolue d'une échelle de sons musicaux (réglée par le diapason) ; échelle musicale d'une hauteur déterminée (désignée par la tonique). *Le ton de si bémol majeur, mineur.* **4** Hauteur des sons émis par la voix ou par un instrument. - loc. *Se mettre dans le ton :* s'accorder. **III** Teinte, nuance. - *Ton sur ton :* dans une même couleur nuancée.

**tonal, ale, als** adj. mus. **1** Qui concerne ou définit un ton (II). **2** De la tonalité (I). *Musique tonale et musique modale.*

**tonalité** n. f. **I 1** Système musical fondé sur la disposition des tons et demi-tons dans la gamme. **2** emploi critiqué Ton (II, 3). **3** Hauteur, timbre (de sons, d'une voix). **4** Son que l'on entend dans certains téléphones quand on décroche le combiné. **II** Ton (III) dominant.

**tondeuse** n. f. **1** Instrument destiné à tondre le poil, les cheveux. **2** Petite faucheuse rotative. *Tondeuse à gazon.*

**tondre** v. tr. [41] **1** Couper à ras (les poils, la laine). **2** Dépouiller (un animal) de ses poils, (une personne) de ses cheveux en les coupant ras. ◆ fig. Voler (qqn). **3** Couper à ras. *Tondre le gazon.* ▷ adj. **tondu, ue**

**toner** [tɔnɛʀ] n. m. anglic., techn. Poudre pigmentée apte à se déposer sur le papier (copieurs, imprimantes).

**tong** n. f. Sandale légère formée d'une semelle et d'une bride en V passée entre les deux premiers orteils.

**tonicité** n. f. didact. Caractère de ce qui est tonique (①).

**tonifier** v. tr. [7] Avoir un effet tonique sur. → **vivifier.** ► **tonifiant, ante** adj.

① **tonique** adj. **I 1** Qui fortifie, reconstitue les forces. *Médicament tonique ;* n. m. *un tonique.* → **fortifiant, remontant. 2** Qui raffermit la peau. **3** fig. Stimulant. **II 1** Qui porte le ton (II). *Voyelle, syllabe tonique.* **2** Qui marque le ton (II, 1). *Accent tonique.*

② **tonique** n. f. mus. Première note de la gamme qui désigne le ton (d'un morceau).

**tonitruant, ante** adj. Qui fait un bruit de tonnerre, un bruit énorme.

**tonnage** n. m. **1** Capacité de transport d'un navire de commerce (en tonneaux). → **jauge. 2** Capacité totale de navires marchands.

**tonnant, ante** adj. **1** didact. Qui tonne. **2** *Une voix tonnante.* → **tonitruant.**

**tonne** n. f. **I 1** Unité de masse, mesure valant 1000 kilogrammes (symb. t). **2** Mesure du poids (des véhicules...). **3** loc. *Des tonnes :* beaucoup. **II** techn. Grand tonneau.

① **tonneau** n. m. **I** Grand récipient cylindrique en bois, renflé au milieu. → **barrique.** - spécialt Tonneau de vin. **II** Unité internationale de volume (2,83 $m^3$), pour la capacité des navires **(→ jauge, tonnage).**

② **tonneau** n. m. Tour complet (d'un avion) autour de son axe. ◆ Tour complet (d'une voiture) sur le côté (accident).

**tonnelet** n. m. Petit tonneau. → **baril.**

**tonnelier** n. m. Artisan, ouvrier qui fabrique et répare les tonneaux.

**tonnelle** n. f. Petit abri circulaire à sommet arrondi garni de plantes.

**tonner** v. intr. [1] **1** impers. Éclater (tonnerre). **2** Faire un bruit de tonnerre. *Le canon tonne.* → **gronder.** **3** Exprimer violemment sa colère. → **fulminer.**

**tonnerre** n. m. **1** Bruit de la foudre, accompagnant l'éclair. *Coup de tonnerre* (fig. événement brutal et imprévu). **2** Bruit très fort. *Un tonnerre d'applaudissements.* **3** loc. adj. fam. *Du tonnerre,* extraordinaire.

**tonsure** n. f. **1** Petit cercle rasé au sommet de la tête des ecclésiastiques. ► **tonsurer** v. tr. [1] – au p. p. *Clerc tonsuré.* **2** fam. Calvitie circulaire au sommet de la tête.

**tonte** n. f. **1** Action de tondre. *La tonte des moutons.* **2** Laine de tonte.

**tontine** n. f. Association de personnes qui mettent de l'argent en commun.

**tonton** n. m. fam. Oncle.

**tonus** [-ys] n. m. **1** Légère contraction permanente du muscle vivant. **2** Énergie, dynamisme.

① **top** [tɔp] n. m. Signal sonore qu'on donne pour déterminer un instant.

② **top** [tɔp] anglic. **I** Élément, de l'angl. *top* «sommet» signifiant «extrême, supérieur» : ex. *top niveau, top secret, top model.* **II** fam. **1** adj. Supérieur, excellent. *Il est trop top !* **2** n. m. Le sommet, ce qu'il y a de mieux. *C'est le top.*

**topaze** n. f. Pierre fine (silicate), pâle ou jaune, transparente.

**toper** v. intr. [1] surtout à l'impér. Accepter un défi, un enjeu, en tapant dans la main.

**topinambour** n. m. Tubercule consommé comme légume ou destiné au bétail.

**topique** adj. didact. **1** Relatif à un lieu. – méd. *Médicament topique,* ou n. m. *un topique,* agissant sur un point précis du corps. **2** Relatif à un lieu du discours. ♦ n. f. log. Théorie des catégories générales.

**top-modèle** n. anglic. Mannequin vedette. *Des top-modèles.* – (d'une femme) *C'est un(e) top-modèle.* – var. **top-model.**

**topo** n. m. fam. Discours, exposé. → **laïus.**

**topographie** n. f. **1** Technique du levé des cartes et des plans de terrains. → **cartographie.** **2** Configuration, relief (d'un lieu...). ► **topographe** n. ► **topographique** adj.

**topologie** n. f. sc. Géométrie de situation, qui étudie les positions indépendamment des formes et des grandeurs. ► **topologique** adj.

**toponymie** n. f. ling. Étude des noms de lieux (les *toponymes* [n. m.]), de leur étymologie. ► **toponymique** adj.

**toquade** n. f. fam. Goût très vif, passager, souvent bizarre, pour qqch. ou qqn. → **caprice, lubie.**

**toque** n. f. Coiffure cylindrique, casquette sans bords. *Toque de jockey.*

**toqué, ée** adj. fam. **1** Un peu fou, bizarre. – n. *Un vieux toqué.* **2** *Toqué de :* épris de.

① **toquer** v. intr. [1] fam. Frapper légèrement, discrètement sur (qqch.).

② **se toquer** v. pron. [1] fam. *Se toquer de,* s'amouracher (→ **toquade).**

**torche** n. f. **1** Flambeau grossier. **2** *Torche électrique :* lampe de poche cylindrique.

**torche-cul** [-ky] n. m. fam. **1** Ce avec quoi on s'essuie après être allé à la selle. **2** Écrit, journal méprisable. → **torchon.**

**torcher** v. tr. [1] **I** fam. ou région. **1** Essuyer pour nettoyer. **2** spécialt *Torcher le derrière d'un enfant.* – pronom. *Se torcher* (fig. se moquer de). **II** Faire vite et mal. → **bâcler.** ▷ adj. **torché, ée**

**torchère** n. f. **1** Candélabre monumental. **2** Tuyauterie élevée pour brûler les gaz excédentaires d'hydrocarbures (raffineries).

**torchis** n. m. Terre argileuse malaxée avec de la paille hachée (→ **pisé).**

**torchon** n. m. **1** Toile qui sert à essuyer la vaisselle, les meubles. ♦ loc. *Les torchons et les serviettes,* choses, gens de valeur faible ou importante. – *Le torchon brûle,* il y a une querelle. **2** fam. Écrit sale, mal présenté.

**torchonner** v. tr. [1] fam. Bâcler. → **torcher.** ▷ adj. **torchonné, ée**

**tordant, ante** adj. fam. Très drôle, très amusant. → **marrant.**

**tord-boyaux** n. m. invar. fam. Eau-de-vie très forte, de mauvaise qualité.

**tordre** v. tr. [41] **1** Déformer par torsion, enrouler en hélice. *Tordre du linge mouillé.* **2** Soumettre (un membre, une partie du corps) à une torsion. – *Tordre le cou à qqn,* l'étrangler. **3** Déformer par flexion ; plier. *Tordre une barre de fer.* **4** Plier brutalement (une articulation) ; déformer. *Se tordre le pied.* ▷ v. pron. **se tordre** **1** Se plier en deux. *Se tordre de rire* (→ **tordant).** **2** Se plier, se courber en tous sens.

**tordu, ue** adj. **1** Dévié, tourné de travers ; qui n'est pas droit. **2** fig. *Avoir l'esprit tordu,* bizarre. ♦ fam. Fou.

**tore** n. m. **1** Moulure en demi-cylindre. ♦ géom. Surface de révolution en anneau. **2** Anneau doué de propriétés magnétiques.

**toréador** n. m. vx Torero.

**toréer** v. intr. [1] Combattre le taureau selon les règles de la tauromachie.

**torero** [tɔʀeʀo] n. m. Homme qui combat le taureau (en corrida). → **matador.** – REM. Pour les femmes, on emploie parfois *torera.*

**torgnole** n. f. Série de coups.

**toril** [-il] n. m. Enceinte des taureaux, avant une corrida.

**tornade** n. f. Mouvement tournant de l'atmosphère (régions tropicales). → **cyclone, ouragan.**

**toron** n. m. Fils tordus ensemble.

**torpeur** n. f. Diminution de la sensibilité, de l'activité, sans perte de conscience.

**torpille** n. f. **1** Poisson capable de produire une décharge électrique. **2** Engin de guerre sous-marin chargé d'explosifs.

**torpiller** v. tr. [1] **1** Faire sauter à l'aide de torpilles. **2** fig. Attaquer sournoisement. *Torpiller un projet.* ► **torpillage** n. m.

**torpilleur** n. m. Bateau de guerre léger et rapide (→ aussi **contre-torpilleur**).

**torque 1** n. f. Torsade. **2** n. m. archéol. Collier métallique rigide.

**torréfacteur, trice** n. **1** n. m. Appareil pour torréfier. **2** Commerçant qui vend le café qu'il torréfie.

**torréfier** v. tr. [7] Brûler à feu nu, par début de calcination. *Torréfier du café.* ► **torréfaction** n. f.

**torrent** n. m. **1** Cours d'eau à forte pente, à débit rapide et irrégulier. **2** Écoulement rapide et brutal. – loc. *Il pleut à torrents,* abondamment. **3** fig. Grande abondance (de ce qui afflue violemment). *Des torrents de larmes.* ► **torrentiel, ielle** adj.

**torride** adj. **1** Où la chaleur est extrême. – par ext. *Une chaleur torride.* **2** fam. Très érotique.

**tors, torse** adj. *Colonne torse,* à fût contourné en spirale.

**torsade** n. f. **1** Rouleau de fils, cordons tordus ensemble (ornement). – *Des torsades de cheveux.* **2** Motif ornemental en hélice. ► **torsader** v. tr. [1] ▷ adj. **torsadé, ée**

**torse** n. m. **1** Buste, poitrine. **2** Sculpture représentant un tronc.

**torsion** n. f. **1** Action de tordre. **2** État, position de ce qui est tordu.

**tort** n. m. **I** (sans article) **1** *Avoir tort :* ne pas avoir le droit, la raison de son côté, se tromper (opposé à *avoir raison*). – *Avoir tort de* (+ inf.). ♦ *Donner tort à :* accuser, désapprouver. – *Les faits vous ont donné tort.* **2** *À tort :* pour de mauvaises, de fausses raisons. – *À tort ou à raison :* quelle que soit la réalité. – *À tort et à travers :* sans raison ni justesse. **3** *Dans son tort, en tort* (relativement à la loi, à une autre personne). **II 1** Action, attitude blâmable. *Reconnaître ses torts.* **2** Action, attitude qui constitue une erreur, une faute. *Il a le tort de trop parler.* **3** Fait d'agir injustement contre qqn. → **préjudice.** – *Faire (du) tort à qqn.*

> Ne pas confondre avec *tord* (forme de *tordre*).

**torticolis** n. m. Torsion douloureuse du cou avec inclinaison de la tête.

**tortilla** n. f. Galette de maïs (parfois de blé), plat populaire au Mexique.

**tortillard** n. m. Train d'intérêt local dont la voie fait de nombreux détours.

**tortiller** v. [1] **I** v. tr. Tordre à plusieurs tours (une chose souple). **II** v. intr. **1** Se remuer en ondulant. *Tortiller des fesses.* **2** loc. fam. *Il n'y a pas à tortiller,* à hésiter. ▷ v. pron. **se tortiller** ► **tortillement** n. m.

**tortillon** n. m. Chose tortillée.

**tortionnaire** n. et adj. (Personne) qui fait subir des tortures. → **bourreau.**

**tortue** n. f. Reptile à quatre pattes courtes, à carapace, à tête munie d'un bec corné, à marche lente.

**tortueux, euse** adj. **1** Qui présente des courbes irrégulières. → **sinueux. 2** fig. Hypocrite. ► **tortueusement** adv.

**torture** n. f. **1** Souffrances physiques infligées notamment pour faire avouer. ♦ fig. *Mettre qqn à la torture,* embarrasser, laisser dans l'incertitude. **2** Souffrance intolérable. *Les tortures de la jalousie.*

**torturer** v. tr. [1] **1** Faire subir des tortures à (qqn). *Torturer un prisonnier.* → **supplicier ; tortionnaire. 2** Faire beaucoup souffrir. → **martyriser. 3** Déformer par force. – au p. p. *Un visage torturé.*

**torve** adj. (regard) Oblique et menaçant.

**tory** n. m. (en Grande-Bretagne) Conservateur.

**tôt** adv. **1** Au bout de peu de temps, avant le moment habituel ou normal (opposé à *tard*). *Arriver tôt, plus tôt, très tôt.* – loc. *Dans une heure au plus tôt,* pas avant. – *Il ne viendra pas de si tôt* (ou de sitôt). **2** Au commencement d'une portion de temps. *Se lever tôt,* de bonne heure. **3** loc. *Avoir tôt fait de,* vite fait.

> Ne pas confondre *aussi tôt,* opposé à *aussi tard,* avec *aussitôt* «immédiatement». Ne pas confondre *plus tôt,* opposé à *plus tard,* avec *plutôt* «assez». Ne pas confondre *si tôt,* opposé à *si tard,* avec *sitôt* «immédiatement».

**total, ale, aux 1** adj. Qui affecte toutes les parties, tous les éléments. → **absolu, complet, général.** *Confiance totale.* ♦ Pris dans son entier. *La somme totale* (→ **global**). ► **totalement** adv. **2** n. m. Quantité totale. *Faire le total :* additionner le tout. – *Au total* (fig. tout bien considéré). → en **somme. 3** n. f. pop. Hystérectomie. ♦ fig., fam. *C'est la totale ! :* c'est le comble.

**totaliser** v. tr. [1] **1** Additionner. **2** Compter au total. *L'équipe qui totalise le plus grand nombre de points.* ► **totalisation** n. f. ► **totalisateur, trice** adj.

**totalitaire** adj. **1** *Régime totalitaire :* régime à parti unique, dictatorial, n'admettant aucune opposition organisée. ► **totalitarisme** n. m. **2** didact. Qui englobe la totalité des éléments (d'un ensemble).

**totalité** n. f. Réunion totale des parties ou éléments constitutifs (d'un tout). → **intégralité.** – *En totalité :* au total, intégralement.

**totem** [tɔtɛm] n. m. Animal considéré comme l'ancêtre et le protecteur d'un clan. - Sa représentation (mât sculpté). ► **totémique** adj. ► **totémisme** n. m.

**touage** n. m. Remorquage (→ **touer**).

**touareg** [twaʀɛg] n. et adj. Nomade du Sahara. - *Touareg* est un pluriel, à l'origine. On emploie aussi au singulier **targui, ie**.

**toubib** [tubib] n. fam. Médecin.

**toucan** n. m. Oiseau grimpeur au plumage éclatant, à gros bec.

① **touchant** prép. littér. Au sujet de. *Je ne sais rien touchant cette affaire.*

② **touchant, ante** adj. **1** littér. Qui fait naître de la pitié. **2** Qui émeut. → **attendrissant.**

**touche** n. f. **I 1** Action, manière de poser la couleur sur la toile. - Couleur posée d'un coup de pinceau. ♦ fig. *Mettre une touche de gaieté* (dans un décor, une toilette). **2** loc. *Pierre de touche.* → **pierre** (I, 3). **3** au rugby, au football *Ligne de touche* ou *la touche :* limite latérale du champ de jeu. ♦ loc. *Rester, être mis sur la touche,* hors du jeu. **4** pêche Action du poisson qui mord à l'hameçon. **5** Action, fait de toucher (escrime, billard). **6** fig., fam. *Faire une touche :* rencontrer qqn à qui l'on plaît. **II** Chacun des petits leviers d'un clavier que l'on frappe des doigts. *Les touches d'un piano, d'un ordinateur.* **III** fam. Aspect, allure d'ensemble. → **tournure.** *Il a une drôle de touche.*

**touche-à-tout** n. m. invar. **1** Personne, enfant qui touche à tout. **2** Personne qui se disperse en activités multiples.

① **toucher** v. tr. [1] **I 1** Entrer en contact avec (qqn, qqch.) en éprouvant les sensations du toucher. ♦ (choses) Atteindre, prendre contact avec. **2** Atteindre (l'adversaire) avec contact ou par projectile. **3** (compl. n. de personne) Joindre, arriver à rencontrer (qqn), par un intermédiaire (lettre, téléphone). → **atteindre, contacter.** *Où peut-on vous toucher ?* **4** Entrer en possession de, percevoir (de l'argent, un salaire...). **5** abstrait Émouvoir, spécialt en excitant la compassion, la sympathie. → **attendrir ;** ② **touchant.** *Ses larmes m'ont touché.* **II** (sans mouvement) **1** Se trouver en contact avec ; être tout proche de. *Sa maison touche l'église.* **2** fig. Concerner, avoir un rapport avec. *C'est un problème qui les touche de près.* **III** v. tr. ind. *Toucher à.* **1** Porter la main sur, pour prendre, utiliser. *Cet enfant touche à tout* (→ **touche-à-tout**). ♦ (négatif) *Ne pas toucher à :* ne pas utiliser. **2** abstrait Se mêler, s'occuper de (qqch.). *Il vaut mieux ne pas toucher à ce sujet.* → **aborder.** - *Un air de ne pas y toucher,* faussement innocent (→ **sainte nitouche**). **3** littér. Atteindre, arriver à (un point). *Nous touchons au but.* - (temps) *Toucher à sa fin.* **4** fig. Avoir presque le caractère de. → **confiner.** *Sa minutie touche à la névrose.*

② **toucher** n. m. **1** Un des cinq sens, sensibilité dans l'exploration des objets par palpation. → **tact. 2** Action, manière de toucher. → **contact.** *Le velours est doux au toucher.* **3** Manière de jouer d'un instrument à touches. **4** méd. Exploration à la main d'une cavité naturelle du corps. → **palpation.**

**touer** v. tr. [1] Faire avancer en tirant, en remorquant (un navire).

**touffe** n. f. Assemblage naturel de plantes, de poils, de brins..., rapprochés par la base.

**touffeur** n. f. littér. Atmosphère chaude et étouffante.

**touffu, ue** adj. **1** Qui est en touffes. **2** fig. Trop complexe et dense.

**touiller** v. tr. [1] fam. Remuer, agiter.

**toujours** adv. de temps **1** Dans la totalité de la vie, du souvenir. *Je l'ai toujours su. Ça ne durera pas toujours.* → **éternellement.** ♦ À chaque instant. *Il est toujours à l'heure.* - *Comme toujours :* comme dans tous les autres cas. - *Presque toujours :* très souvent. - *Depuis toujours* (→ de tout temps). - *Pour toujours.* → **définitivement ; à jamais. 2** Encore maintenant, encore au moment considéré. *Je l'aime toujours.* - *Il n'est toujours pas parti :* pas encore. **3** Dans toute circonstance. ♦ loc. *Toujours est-il (que) :* cependant...

**toundra** [tun-] n. f. Steppe de la zone arctique, à mousses, lichens.

**toupet** n. m. **I** Touffe de cheveux au-dessus du front. **II** fig., fam. Hardiesse, assurance effrontée. → **aplomb, culot.**

**toupie** n. f. **1** Petit objet conique ou sphérique, pouvant se maintenir en équilibre en tournant sur une pointe. → **toton. 2** injure *(Vieille) toupie,* femme désagréable.

① **tour** n. f. **1** Bâtiment (souvent cylindrique) construit en hauteur, dominant un édifice. *La tour d'un château.* → **donjon.** - Clocher à sommet plat. ♦ Immeuble à nombreux étages. → **gratte-ciel. 2** Construction en hauteur. *La tour Eiffel.* ♦ *Tour de contrôle :* local surélevé pour le contrôle des activités d'un aérodrome. **3** aux échecs Pièce en forme de tour crénelée, qui avance en ligne. **4** loc. *Tour d'ivoire :* retraite hautaine. **5** allus. biblique *Tour de Babel :* lieu où l'on parle toutes les langues.

② **tour** n. m. **I 1** Limite circulaire. → **circonférence.** *Tour de taille.* **2** Chose qui en recouvre une autre en l'entourant (vêtements, garnitures). **3** *Faire le tour de qqch. :* aller autour. - fig. Passer en revue. **4** *Faire un tour,* une petite sortie. → **promenade. 5** *Tour de... :* parcours, voyage où l'on revient au point de départ. → **circuit, périple.** *Faire le tour du monde.* - *Tour de France (cycliste).* **II 1** Mouvement giratoire. → **rotation.** *Un tour de manivelle.* - loc. *Partir au quart* de tour. Monter, grimper dans les tours :* augmenter le régime moteur ; fig. s'emporter. *À double* tour.* **2** loc. *À tour de bras :* de toute la force du bras ; fig. avec acharnement. **3** *En un tour* *de main* : très vite. → en un **tournemain.** - *Tour de main,* habileté. **4** *Tour de reins**. **III 1** Mouvement, exercice difficile à exécuter. *Tour de cartes.* - *Tour de force* : action difficile, remarquable. **2** Action qui suppose de l'adresse, de la ruse. *Avoir plus d'un tour dans son sac.* - *Jouer un tour à qqn,* agir à son détriment. - *Le tour est joué,* c'est accompli, terminé. - *Bon tour* : plaisanterie. **IV** (→ **tournure**) **1** Aspect. *Le tour que prend la situation.* **2** *Tour d'esprit* : manière d'être caractéristique d'un certain esprit. **V 1** loc. *À mon (ton...) tour,* à moi (toi...) d'agir (jouer, parler, etc.). - *Chacun son tour.* **2** loc. *Tour à tour* : (personnes) l'un, puis l'autre. - (états, actions) → **alternativement, successivement.** ♦ *À tour de rôle**. **3** *Tour de chant* : série de morceaux interprétés par un chanteur, une chanteuse. **4** *Tour de scrutin* : vote (d'une élection qui en compte plusieurs).

③ **tour** n. m. **1** Dispositif, machine-outil qui sert à façonner des pièces par rotation. **2** Armoire cylindrique tournant sur pivot.

① **tourbe** n. f. Matière combustible végétale spongieuse et légère. ► **tourbière** n. f.

② **tourbe** n. f. péj., vx Foule misérable.

**tourbillon** n. m. **1** Masse d'air qui tournoie rapidement. **2** (fluides, particules) Mouvement tournoyant et rapide. → **remous. 3** fig., littér. Ce qui entraîne dans un mouvement rapide. *Un tourbillon de plaisirs.*

**tourbillonner** v. intr. [1] **1** Former un tourbillon. **2** fig. Être agité par un mouvement rapide, irrésistible. ► **tourbillonnant, ante** adj. ► **tourbillonnement** n. m.

**tourelle** n. f. **1** Petite tour. **2** Abri blindé contenant des pièces d'artillerie.

**tourisme** n. m. **1** Fait de voyager pour son plaisir. *Voiture de tourisme,* pour les déplacements privés. **2** Activités liées aux déplacements des touristes. ► **touristique** adj.

**tourista** → **turista**

**touriste** n. **1** Personne qui fait du tourisme. **2** *Classe touriste,* à tarif réduit.

**tourmaline** n. f. Pierre fine aux tons divers.

**tourment** n. m. **1** littér. Très grande souffrance. → **supplice, torture. 2** Grave souci.

**tourmente** n. f. **1** littér. Tempête soudaine et violente. → **bourrasque, orage. 2** fig. Troubles sociaux violents et profonds.

**tourmenté, ée** adj. **1** En proie aux tourments. → **anxieux, inquiet. 2** Agité. - fig., littér. *Une période, une vie tourmentée.* **3** De forme très irrégulière. *Un relief tourmenté.* → **accidenté. 4** Chargé d'ornements.

**tourmenter** v. tr. [1] **1** Affliger de tourments ; angoisser. **2** (sujet chose) Faire souffrir ; préoccuper en angoissant. ▷ v. pron. se **tourmenter** → s'**inquiéter,** se **tracasser.**

**tournage** n. m. Action de tourner (I, 8) un film. → **réalisation.**

① **tournant, ante** adj. **1** Qui tourne (III), pivote sur soi-même. **2** Qui contourne, prend à revers. *Mouvement tournant.* **3** Qui fait des détours. → **sinueux. 4** *Grève tournante,* qui affecte plusieurs secteurs.

② **tournant** n. m. **1** Endroit où une voie tourne. → **coude, courbe ; virage. 2** loc. fam. *Je t'aurai au tournant,* je me vengerai dès que possible. **3** fig. Moment où ce qui évolue change de direction.

**tournebouler** v. tr. [1] fam. Mettre l'esprit à l'envers. ▷ p. p. **tourneboulé, ée**

**tournebroche** n. m. Mécanisme servant à faire tourner une broche. → **rôtissoire.**

**tourne-disque** n. m. vieilli Appareil pour écouter des disques microsillons. → ① **platine.** *Des tourne-disques.*

**tournedos** n. m. Tranche de filet de bœuf.

**tournée** n. f. **1** Voyage professionnel à itinéraire fixé. *La tournée du facteur.* - *Troupe de théâtre en tournée.* **2** Visite d'endroits de même sorte. → **virée.** - loc. *La tournée des grands-ducs**. **3** fam. Consommations offertes à plusieurs personnes, au café.

**en un tournemain** loc. adv. En un instant (→ en un tour de main).

**tourner** v. [1] **I** v. tr. **1** Faire mouvoir en cercle, en courbe, autour d'un axe, d'un centre. *Tourner une manivelle.* - *Tourner et retourner qqch.,* manier (fig. examiner) en tous sens. **2** Remuer circulairement. *Tourner une sauce.* **3** loc. *Tourner la tête à, de qqn.,* étourdir ; fig. rendre amoureux. **4** *Tourner les pages d'un livre,* en lisant, en feuilletant. **5** Mettre, présenter (qqch.) en sens inverse. - loc. *Tourner le dos**. **6** Diriger (par rotation). *Tourner la tête.* - abstrait *Tourner toutes ses pensées vers...* → **appliquer.** - loc. (au p. p.) *Avoir l'esprit mal tourné,* qui interprète de façon scabreuse. **7** Suivre en changeant de direction. *Tourner le coin de la rue.* **8** (de *tourner la manivelle* de la caméra) *Tourner un film* : faire un film (→ **tournage**). - absolt *Silence, on tourne !* **II** v. tr. **1** Façonner (un objet) au tour (③). **2** Arranger (les mots) d'une certaine manière. - au p. p. *Un compliment bien tourné.* **3** *Tourner en, à,* transformer (qqn ou qqch.). *Tourner qqn en dérision.* **III** v. intr. **1** Se mouvoir circulairement ou décrire une ligne courbe (autour de qqch.). *La Terre tourne autour du Soleil.* - (personnes) *Tourner en rond**. **2** *Tourner autour,* évoluer sans s'éloigner. - loc. *Tourner autour de qqn,* lui faire la cour. ♦ (conversation, etc.) Avoir pour centre d'intérêt. **3** Avoir un mouvement circulaire autour d'un axe. *La porte tourne sur ses gonds.* - loc. *L'heure tourne* : le temps passe. **4** Fonctionner (par rotation). *Le moteur tourne.* ♦ fig. Fonctionner, marcher. *Faire tourner une entreprise.* **5** loc. *La tête lui tourne,* il est étourdi. **6** Changer de direction. *Tournez à gauche !* - *La chance a tourné,* changé. **7** *Tourner à..., en...* : changer d'aspect, d'état. → se **transformer. 8** Évoluer. - loc. *Tourner bien, mal.* - (personnes) *Elle a* *mal tourné.* **9** Devenir aigre (lait) ; se décomposer (mayonnaise). ▷ v. pron. se **tourner** **1** Aller, se mettre dans une nouvelle direction. **2** fig. S'orienter.

**tournesol** n. m. **I** Plante à grande fleur jaune **(→ hélianthe, soleil),** à graines oléagineuses. *Huile de tournesol.* **II** chim. Substance qui tourne au rouge sous l'action d'un acide, au bleu sous l'action des bases.

**tourneur, euse** n. **I** Personne qui travaille au tour (③). **II** appos. *Derviche* tourneur.*

**tournevis** [-vis] n. m. Outil pour tourner les vis, à extrémité aplatie ou cruciforme.

**tourniquer** v. intr. [1] Aller et venir sur place, sans but. – syn. fam. **tournicoter.**

**tourniquet** n. m. **1** Appareil tournant, en croix, pouvant livrer passage aux personnes, chacune à son tour. – Porte à tambour. **2** Plate-forme horizontale tournant sur un pivot (jeu). ♦ Présentoir tournant. **3** Arroseur qui tourne sous la force de l'eau.

**tournis** n. m. **1** Maladie des bêtes à cornes (qui tournoient). **2** fam. Vertige.

**tournoi** n. m. **1** (au Moyen Âge) Combat courtois entre chevaliers. **2** fig., littér. Lutte d'émulation. **3** sports Concours à plusieurs séries d'épreuves.

**tournoyer** v. intr. [8] **1** Décrire des courbes sans s'éloigner. **2** Tourner sur soi **(→ pivoter).** – Tourner en hélice **(→ tourbillonner).** ► **tournoyant, ante** adj. ► **tournoiement** n. m.

**tournure** n. f. **I 1** Forme donnée à l'expression, à la phrase. *Tournure élégante.* **2** Air, apparence (d'une chose) ; aspect général (des événements). → **allure.** – loc. *Prendre tournure,* s'organiser. **3** *Tournure d'esprit* : manière d'envisager les choses. **II** anciennt Rembourrage sous la robe, au bas du dos (→ faux cul).

**tourte** n. f. **1** Pâtisserie ronde garnie de produits salés. **2** fam. Imbécile, idiot.

① **tourteau** n. m. Résidu de graines, de fruits oléagineux, aliment pour le bétail.

② **tourteau** n. m. Gros crabe à chair estimée (appelé aussi *dormeur*).

**tourtereau** n. m. **1** Jeune tourterelle. **2** fig. *Des tourtereaux* : de jeunes amoureux.

**tourterelle** n. f. Oiseau voisin du pigeon, mais plus petit.

**tourtière** [-tjɛʀ] n. f. **1** Ustensile pour faire des tourtes. **2** région. Tourte.

**Toussaint** n. f. Fête catholique en l'honneur de tous les saints, le 1er novembre.

**tousser** v. intr. [1] Avoir un accès de toux. ♦ fig. *Moteur qui tousse,* qui a des ratés.

**toussoter** v. intr. [1] Tousser d'une petite toux peu bruyante. ► **toussotement** n. m.

① **tout** [tu] ; **toute ; tous** [tu ; tus] ; **toutes** adj., pron. et adv. **I** *Tout, toute* (pas de pluriel) adj. qualificatif Complet, entier **(→ totalité). 1** *Tout le jour, toute la nuit.* – *Tout le monde* : l'ensemble des gens ; chacun d'eux. – *Tout un, toute une... C'est toute une affaire,* une véritable, une grave affaire. – *Tout ce qu'il y a de* (+ nom pluriel) : tous les... – fam. *Des gens tout ce qu'il y a de plus cultivé* (ou *cultivés*), très cultivés. **2** (dans des loc. ; nom sans article) *Avoir tout intérêt à,* un intérêt évident et grand à. *À toute vitesse*. De toute beauté*.* – *Pour tout(e)* : en fait de..., pour seul(e)... – *Le Tout-Paris* (ou nom de grande ville) : les personnes les plus notables. **3** *Tout, toute à* : entièrement à. *Elle était toute à son travail.* – *Tout, toute en, de,* entièrement. *Elles sont tout de bleu vêtues.* **II** adj. indéf. **1** *Tous, toutes* (toujours plur.) : l'ensemble, la totalité de, sans rien excepter ; le plus grand nombre de. *Tous les hommes.* – *C'est tout un,* la même chose. **2** *Tous, toutes* (plur. de *chaque*), marque la périodicité, l'intervalle. *Tous les ans, je voyage.* **3** *Tout, toute* (singulier ; + nom sans article) : un quelconque, n'importe lequel. *Toute personne.* → **quiconque.** – *Avant toute chose.* **III** pron. **1** *Tous, toutes* (plur.). *Ils sont tous venus. Tous sont venus.* – loc. *Tous autant que nous sommes* : nous, sans exception. – Ceux dont il est question ; la collectivité entière. *Nous avons tous nos défauts.* **2** *Tout* (masc. sing.) : l'ensemble des choses dont il est question (contr. *rien*). *Tout va bien.* – *Tout est là* : là réside le problème. – *C'est tout,* marque la fin du discours. *Ce n'est pas tout* : il reste encore qqch. – *Ce n'est pas tout de..., que de...* : ce n'est pas assez. – *Voilà tout,* ce n'était pas si important. *Il a trop bu, voilà tout.* – *Comme tout* : extrêmement. *Elle est jolie comme tout.* ♦ *En tout* : complètement ; au total. *En tout et pour tout.* **IV** adv. *Tout* (parfois *toute, toutes*) : entièrement, complètement **(→ absolument, bien, exactement, extrêmement). 1** Invariable au masc., et devant les adj. fém. commençant par une voyelle ou un *h* muet. *Ils sont tout jeunes. Tout entière.* – Variable devant les adj. fém. commençant par une consonne ou par un *h* aspiré. *Toute belle. Elle est toute honteuse.* ♦ *Tout autre* : complètement différent. ♦ *Tout...* (+ adj.) *que* (+ indic. ou subj.). → **bien** que. *Tout malin qu'il soit.* **2** *Tout,* invar., devant une préposition, un adverbe. *Elle était tout en larmes.* – loc. *Tout à coup*. Tout à l'heure*. Tout au plus.* **3** *Tout à fait.* → **entièrement, totalement.** ♦ en réponse Exactement. **4** *Tout en...* (+ p. prés.), en même temps que. *Il chante tout en travaillant.* **5** *Tout,* invar., + épithète ou attribut. *Je suis tout ouïe*.*

② **tout,** plur. **touts** n. m. **I 1** *Le tout* : l'ensemble en question. → **totalité.** *Vendez le tout.* – loc. *Le tout pour le tout,* tout ce qu'on peut perdre pour pouvoir tout gagner. **2** *Un, le tout* : l'ensemble. *Former un tout.* ♦ *Mon tout* : le mot à trouver dans une charade. **3** L'ensemble de toutes choses. *Le (grand) tout.* → **univers. 4** *Le tout* : ce qu'il y a de plus important. *Le tout est d'être attentif.* **II** loc. adv. **1** *Du tout au tout* : complètement (d'un changement). **2** *Pas du tout* : absolument pas. *Rien du tout* : absolument rien.

**tout-à-l'égout** [tut-] n. m. invar. Envoi à l'égout des eaux usées.

**tout à trac** [tutatʀak] loc. adv. vieilli En s'exprimant soudainement.

**toutefois** adv. En considérant toutes les circonstances et malgré elles. → **cependant, néanmoins, pourtant.**

**toute-puissance** n. f Puissance absolue.

**tout-fou** adj. m. et n. m. fam. Très excité.

**toutou** n. m. affectif Chien.

**tout-petit** n. m. Très jeune enfant.

**tout-puissant, toute-puissante** adj. **1** Qui peut tout, dont la puissance est absolue. ♦ n. m. relig. *Le Tout-Puissant* : Dieu. **2** Qui a un très grand pouvoir.

**tout-terrain** adj. (véhicule) Capable de rouler hors des routes. - n. *Des tout-terrains.* ♦ *Vélo tout-terrain.* → **V. T. T.**

à **tout-va** loc. adv. Sans retenue.

**tout-venant** n. m. invar. Tout ce qui se présente (sans tri).

**toux** n. f. Expulsion forcée et bruyante d'air à travers la glotte rétrécie (→ **tousser**). *Une toux grasse, sèche,* avec, sans expectoration.

**township** n. f. ou m. anglic., hist. (en Afrique du Sud) District assigné à la population noire et qui, dans le cadre de l'apartheid, constituait une sorte de ghetto.

**toxémie** n. f. méd. Présence de toxines dans le sang.

**toxicité** n. f. Caractère toxique.

**toxicologie** n. f. Étude des poisons. ► **toxicologique** adj. ► **toxicologue** n.

**toxicomanie** n. f. État engendré par la prise répétée de substances toxiques (drogues, stupéfiants), créant un état de dépendance. ► **toxicomane** adj. et n.

**toxine** n. f. méd. Substance toxique élaborée par un organisme vivant.

**toxique** **1** n. m. didact. Poison. **2** adj. Qui agit comme un poison.

**toxoplasmose** n. f. méd. Maladie causée par un protozoaire parasite (le *toxoplasme*), dangereuse pour le fœtus humain.

**traboule** n. f. (à Lyon) Passage qui traverse un pâté de maisons.

**trac** n. m. Peur ou angoisse (notamment avant d'affronter le public).

**traçabilité** n. f. anglic., comm. Capacité (d'un produit) à être suivi, de la production à la distribution. ► **traçable** adj.

**traçant, ante** adj. **1** bot. *Racine traçante,* horizontale. **2** *Balle traçante,* qui laisse une trace lumineuse.

**tracas** n. m. **1** vieilli (au sing.) Embarras, peine, effort. **2** (souvent au plur.) Souci ou dérangement d'ordre matériel.

**tracasser** v. tr. [1] Tourmenter avec insistance. ▷ v. pron. se **tracasser** ► **tracasserie** n. f. ► **tracassier, ière** adj.

**trace** n. f. **1** Empreinte (3) que laisse le passage d'un être ou d'un objet. ♦ loc. *Suivre qqn à la trace.* - fig. *Suivre les traces de qqn,* son exemple. **2** Marque. *Traces de fatigue.* ♦ Ce qui subsiste. → **reste, vestige. 3** Très petite quantité perceptible.

**tracé** n. m. **1** Lignes d'un plan. → **graphique. 2** Ligne continue, dans la nature. *Le tracé sinueux d'un ruisseau.* **3** Contours graphiques.

**tracer** v. tr. [3] **1** Indiquer en faisant une trace. → **frayer.** - fig. *Tracer le chemin, la voie :* donner l'exemple. **2** Suivre le parcours de (qqch.). *Tracer un colis.* **3** Mener (une ligne) dans une direction. ♦ Former, en faisant des traits. *Tracer un triangle.* ♦ Écrire. *Tracer quelques lignes.*

**traceur, euse** **1** n. Personne qui trace (qqch.), établit un tracé. **2** n. m. sc. Isotope radioactif dont on peut suivre la trace.

**trachée** n. f. Portion du conduit respiratoire entre l'extrémité du larynx et l'origine des bronches. ► **trachéal, ale, aux** [tʀak-]. adj.

**trachéite** [tʀak-] n. f. Inflammation de la trachée.

**trachéotomie** [-ke-] n. f. Incision chirurgicale de la trachée.

**trachome** [tʀakom] n. m. méd. Conjonctivite contagieuse.

**tract** [tʀakt] n. m. Petite feuille ou brochure gratuite de propagande.

**tractation** n. f. péj. (surtout au plur.) Négociation clandestine compliquée.

**tracter** v. tr. [1] Tirer au moyen d'un moteur. → **remorquer.** ▷ adj. **tracté, ée**

**tracteur** n. m. Véhicule automobile destiné à la traction (3).

**traction** n. f. **1** techn. Action de tirer en tendant. **2** Mouvement de gymnastique consistant à tirer le corps (suspendu), en tendant et raidissant les bras. **3** Action de traîner, d'entraîner (par la force animale, un moteur, etc.). - *Traction avant* : dispositif à roues avant motrices.

**tractopelle** n. f. techn. Tracteur muni d'une pelle mécanique.

**trade-union** [tʀɛdynjɔ̃] n. f. anglic. Syndicat ouvrier corporatiste, en Grande-Bretagne. *Des trade-unions.*

**tradition** n. f. **1** Doctrine, pratique transmise depuis longtemps. **2** Notions relatives au passé, transmises par les générations. → **folklore, légende, mythe.** *Tradition orale.* **3** Coutume, héritage du passé.

**traditionalisme** n. m. Attachement aux coutumes, aux techniques traditionnelles. → **conservatisme.** ♦ spécialt Intégrisme religieux. ► **traditionaliste** adj. et n.

**traditionnel, elle** adj. **1** Fondé sur la tradition (religieuse, politique, culturelle). **2** (avant le nom) D'un usage ancien, habituel. ► **traditionnellement** adv.

**traducteur, trice** n. Auteur d'une traduction. ♦ n. m. ou f. Appareil fournissant des éléments de traduction.

**traduction** n. f. **1** Action, manière de traduire (II, 1). *Traduction orale, simultanée.* → **interprétation.** *Traduction assistée par ordinateur (T. A. O.).* **2** Texte ou ouvrage traduit. **3** fig. Expression, transposition.

**traduire** v. tr. [38] p. p. *traduit, e* **I** dr. Citer, déférer. *Traduire qqn en justice.* **II 1** Faire passer d'une langue dans une autre, en tendant à l'équivalence de sens et de valeur des deux énoncés. – au p. p. *Roman traduit de l'italien.* ► **traduisible** adj. **2** Exprimer par le langage, l'art. **3** Manifester aux yeux d'un observateur (un enchaînement, un rapport). – pronom. *Sa politique s'est traduite par un échec.* → se **solder.**

**trafic** n. m. **I** péj. Commerce clandestin, immoral ou illicite. – *Trafic d'influence* : corruption. **II 1** Mouvement général des trains. **2** par ext. *Trafic maritime, routier, aérien.* ♦ Circulation routière. **3** Nombre de visiteurs d'un site web.

S'écrit avec un seul *f.*

**traficoter** v. intr. [1] fam. Trafiquer.

**trafiquant, ante** n. péj. Personne qui trafique (1). *Un trafiquant de drogue.*

**trafiquer** v. tr. [1] **1** Acheter et vendre en réalisant des profits illicites. **2** fam. Modifier (un objet, un produit) pour tromper. – au p. p. *Moteur trafiqué.* **3** fam. Faire (qqch. de mystérieux).

**tragédie** n. f. **1** Œuvre dramatique (surtout en vers), représentant des personnages illustres aux prises avec des conflits intérieurs et un destin exceptionnel et malheureux. **2** fig. Drame (dans la vie réelle).

**tragédien, ienne** n. Acteur, actrice qui joue les rôles tragiques.

**tragicomédie** n. f. **1** didact. Tragédie dont l'action est romanesque et le dénouement heureux (ex. «*Le Cid*»). **2** fig. Situation où le comique se mêle au tragique. ► **tragicomique** adj.

**tragique** adj. **1** De la tragédie (1) et du drame ; qui évoque une situation où l'homme prend douloureusement conscience d'une fatalité. – n. m. *Les tragiques grecs.* ♦ n. m. *Le tragique et le comique.* **2** Qui inspire l'émotion par un caractère effrayant ou funeste. → **dramatique, terrible.** *Il a eu une fin tragique.* ♦ n. m. *Prendre qqch. au tragique.* ► **tragiquement** adv.

**trahir** v. tr. [2] **1** Livrer ou abandonner (qqn à qui l'on doit fidélité). → **dénoncer, vendre.** ♦ *Trahir son pays.* **2** Cesser d'être fidèle à (qqn). *Trahir un ami.* **3** Lâcher, cesser de seconder. *Ses forces le trahissent.* **4** Livrer (un secret). → **divulguer, révéler.** ♦ (choses) *Sa voix ne trahit aucune émotion.* ▷ v. pron. se **trahir** Laisser apparaître ce qu'on voulait cacher.

**trahison** n. f. **1** Crime d'une personne qui trahit, passe à l'ennemi. – *Haute trahison* : intelligence avec une puissance étrangère ou ennemie en guerre. **2** Action de trahir (2). → **traîtrise.**

**train** n. m. **I 1** File de choses traînées, tirées. *Un train de péniches.* **2** techn. Suite ou ensemble de choses semblables qui fonctionnent ensemble. *Un train de pneus.* – fig. *Un train de réformes.* **3** loc. *Train de maison* : domesticité, dépenses. – *Mener grand train* : vivre dans le luxe. **II** cour. La locomotive et l'ensemble des voitures (wagons) qu'elle entraîne. → **convoi, rame.** – loc. fig. *Prendre le train en marche* : s'associer à une action en cours. – *Un train peut en cacher un autre* (fig. ce qui est visible peut cacher qqch. d'autre). ♦ Moyen de transport ferroviaire. → **chemin de fer, rail.** *Voyager par le train.* **III 1** Partie qui porte le corps d'une voiture et à laquelle sont attachées les roues. – *Train d'atterrissage* (d'un avion). **2** *Train de devant, de derrière* : partie de devant (→ **avant-train**), de derrière (→ **arrière-train**) des animaux de trait. **3** pop. Derrière. *Filer le train à qqn.* **IV** fig. (Allure, marche) **1** dans des loc. *Du train où vont les choses* : si les choses continuent comme cela. – *Aller son train* : suivre son cours. ♦ *Train de vie* : manière de vivre (de qqn), relativement aux dépenses courantes. **2** Allure (du cheval, d'une monture, d'un véhicule, d'une personne). – loc. *Aller bon train. Un train d'enfer,* très rapide. *À fond de train,* très vite. **3** *En train* loc. adv. : en mouvement, en action, ou en humeur d'agir. *Mise en train* : début d'exécution. ♦ *En train de* (+ inf.) loc. prép., marque l'action en cours.

**traînailler** v. intr. [1] **1** Traîner, lambiner. **2** Errer inoccupé. – syn. **traînasser.**

**traînant, ante** adj. **1** Qui traîne par terre ; qui pend. **2** (sons) Monotone et lent.

**traînard, arde** n. **1** Personne qui traîne, reste en arrière. **2** Personne trop lente dans son travail. → **lambin.**

**traîne** n. f. **1** Fait de traîner (II). – loc. *Ciel de traîne.* ♦ *À la traîne* loc. adv. : en traînant (II, 4). **2** Bas d'un vêtement qui traîne à terre. *Robe de mariée à traîne.*

**traîneau** n. m. Voiture à patins allant sur la neige.

**traînée** n. f. **I 1** Longue trace laissée sur une surface par une substance répandue. – loc. *Comme une traînée de poudre* : très rapidement. **2** Ce qui suit un corps en mouvement. *La traînée lumineuse d'une comète.* ♦ Bande allongée. **II** fam. (insulte) Femme de mauvaise vie.

**traîner** v. [1] **I** v. tr. **1** Tirer après soi (→ **traction**) ; déplacer en tirant sans soulever. *Traîner un meuble.* loc. *Traîner les pieds* (fig. obéir sans empressement). ♦ *Traîner la jambe, la patte* : avoir de la difficulté à marcher. **2** Forcer (qqn) à aller (quelque part). *Traîner qqn à une soirée.* **3** Amener, avoir partout avec soi par nécessité (ce qui encombre, gêne). → fam. **trimballer.** – *Traîner* *une grippe.* **II** v. intr. **1** Pendre sur le sol. *Vos lacets traînent par terre.* ♦ S'étendre en longueur. **2** Être posé, laissé sans être rangé. **3** Durer trop longtemps. → **s'éterniser.** loc. *Traîner en longueur.* **4** Rester en arrière d'un groupe qui avance. – S'attarder (→ **traînard**). ♦ Agir trop lentement. → **lambiner. 5** péj. Aller sans but. → **errer, vagabonder.** *Traîner dans les rues.* ▷ v. pron. **se traîner 1** Avancer, marcher avec peine. **2** Aller à contrecœur. *Se traîner à une soirée.* **3** Avancer à plat ventre ou à genoux. **4** (choses) Durer trop longtemps.

**training** n. m. anglic. Entraînement (sportif).

**train-train** n. m. invar. Marche régulière sans imprévu. → **routine.**

**traire** v. tr. [50] Tirer le lait de (la femelle d'animaux domestiques) en pressant le pis.

**trait** n. m. **I 1** dans des loc. Fait de tirer. → **traction.** *Bête, animal de trait,* destiné à tirer des voitures. **2** Projectile lancé à la main (javelot, lance) ou avec un arc (flèche). **3** dans des loc. Fait de boire en une seule fois (→ **gorgée**). *Boire à longs traits.* ♦ *D'un trait,* d'un seul coup. **4** Fait de dessiner (→ **tirer** (III)) une ou des lignes. *Dessin au trait,* fait seulement de lignes. – *Esquisser à grands traits,* rapidement. ♦ Ligne (spécialt ligne droite). *Tracer un trait. Trait pour trait,* avec une parfaite exactitude. ♦ → **trait d'union. 5** au plur. Les lignes caractéristiques du visage. *Avoir des traits réguliers.* **II** fig. **1** *Trait de,* acte, fait qui constitue le signe de (une qualité, une capacité). *Un trait de courage, de génie.* – *Un trait d'esprit,* une parole spirituelle. **2** loc. *Avoir trait à :* se rapporter à, concerner. **3** Élément caractéristique qui permet de reconnaître. **4** Bon mot, mot d'esprit.

**traitant, ante** adj. (médecin) Qui traite les malades.

**trait d'union** n. m. **1** Petit trait horizontal reliant les éléments de mots composés (ex. arc-en-ciel) ou le verbe et un pronom (ex. crois-tu ?). **2** fig. Intermédiaire.

**traite** n. f. **I 1** anciennt *La traite (des esclaves, des Noirs) :* le commerce des esclaves noirs. **2** Lettre de change ; effet de commerce. **II** vieilli Trajet effectué sans s'arrêter. – mod. *D'une (seule) traite* loc. adv. : sans interruption. **III** Action de traire (les vaches, etc.).

**traité** n. m. **1** Exposé didactique d'un sujet. **2** Acte juridique par lequel des États établissent des décisions communes. → **pacte.**

**traitement** n. m. **1** Comportement, actes à l'égard de qqn. *Mauvais traitements :* coups, sévices. **2** Manière de soigner (un malade, une maladie) ; moyens employés pour guérir. → **médication, thérapeutique. 3** Rémunération (d'un fonctionnaire, de professions socialement importantes). **4** Manière de traiter (une substance). ♦ *Traitement de l'information* (par ordinateur). – *Traitement de texte,* logiciel pour composer, corriger, éditer des textes. **5** Manière de traiter (un sujet, un problème).

**traiter** v. [1] **I** v. tr. (compl. personne) **1** Agir, se conduire envers (qqn) de telle ou telle manière. *Traiter qqn assez bien. Il la traite en adulte.* **2** littér. Convier ou recevoir à sa table. **3** Soumettre à un traitement médical. → **soigner. 4** *Traiter de :* qualifier de. – loc. *Traiter qqn de tous les noms* (injurieux). **II** v. tr. (compl. chose) **1** Régler (une affaire) en discutant, en négociant. **2** Soumettre (une substance) à des opérations de manière à la modifier. *Traiter un minerai.* ♦ *Traiter des cultures.* – au p. p. *Citrons non traités.* **3** Soumettre (un objet) à la pensée pour exposer. *L'élève n'a pas traité le sujet.* ♦ arts Mettre en œuvre de telle ou telle manière. **4** inform. Soumettre (une information) à un programme. **III 1** v. tr. ind. *Traiter de :* avoir pour objet. *Un livre qui traite d'économie.* → **parler. 2** v. intr. Entrer en pourparlers. → **négocier, parlementer.**

**traiteur** n. m. Personne, entreprise qui prépare des repas, des plats à emporter.

**traître, traîtresse I** n. **1** Personne qui trahit. ♦ loc. *Prendre qqn en traître,* sournoisement. **2** langage classique Perfide, scélérat. **II** adj. **1** Qui trahit ou est capable de trahir. **2** (choses) Qui est nuisible sans le paraître. *Ce vin est traître.* ♦ loc. fam. *Ne pas dire un traître mot,* pas un seul mot.

**traîtreusement** adv. littér. Par traîtrise.

**traîtrise** n. f. **1** Caractère, comportement de traître. ♦ Acte de traître. → **trahison. 2** Danger que présente ce qui est traître (II, 2).

**trajectoire** n. f. Courbe décrite par le centre de gravité (d'un mobile).

**trajet** n. m. Fait de parcourir un espace, pour aller d'un lieu à un autre ; le chemin parcouru. → **parcours.** – *Le trajet d'un nerf.*

**tralala** n. m. **1** fam. dans des loc. Luxe recherché et voyant. *Recevoir en grand tralala.* – *Et tout le tralala :* et tout ce qui s'ensuit. **2** interj. Exprime la joie.

**tram** [tʀam] n. m. Tramway.

**trame** n. f. **1** Ensemble des fils en largeur qui se croisent avec les fils de chaîne* pour constituer un tissu. ♦ techn. Film finement quadrillé utilisé en photogravure. – Lignes horizontales constituant une image de télévision. **2** fig. *La trame d'un récit.*

**tramer** v. tr. [1] **1** techn. Tisser. ♦ Tirer ou agrandir (un cliché) avec une trame. **2** fig. Élaborer par des manœuvres cachées. → **combiner, machiner, ourdir.** – pronom. (impers.) *Il se trame quelque chose.*

**traminot, ote** n. Employé(e) de tramway.

**tramontane** n. f. Vent du nord-ouest (côte méditerranéenne).

**trampoline** n. m. Surface souple sur laquelle on effectue des sauts.

**tramway** [tʀamwɛ] n. m. Chemin de fer urbain à rails plats ; voiture circulant sur ces rails. → **tram.**

**tranchant, ante** I adj. 1 Dur et effilé. → **coupant.** 2 fig. Qui tranche (II, 2). → **cassant, impérieux.** II n. m. Côté mince, destiné à couper. → **taille.** – loc. *À double tranchant,* se dit de ce qui peut se retourner contre qui l'emploie. ♦ *Le tranchant de la main :* le côté mince.

**tranche** n. f. I concret 1 Morceau (d'une chose comestible) coupé sur toute la largeur. *Tranche de jambon.* – *Une tranche de gâteau.* → **part, portion.** ♦ *Tranche napolitaine :* glace à plusieurs parfums. 2 Partie moyenne de la cuisse de bœuf. 3 Partie des feuillets d'un livre qui est rognée. *Livre doré sur tranche(s).* 4 Bord mince (d'une médaille...). II abstrait 1 Série de chiffres. – spécialt *Tranches d'imposition.* 2 Partie séparée (dans le temps) d'une opération. *Paiement en plusieurs tranches.* – *Une tranche de vie :* scène, récit réaliste. ♦ loc. fam. *S'en payer une tranche* (de bon temps) : s'amuser. ♦ *Tranche d'âge :* âge compris entre deux limites.

**tranchée** n. f. 1 Excavation en longueur dans le sol. 2 Fossé allongé, près des lignes ennemies. *Guerre de tranchées.*

**tranchefile** n. f. Bourrelet entouré de fils qui renforce un dos de reliure.

**trancher** v. [1] I v. tr. 1 Diviser, séparer d'une manière nette (avec un instrument tranchant*). → **couper.** ♦ Couper en tranches. 2 fig. Terminer par une décision, un choix ; résoudre (une affaire, une question). *Trancher un différend.* II v. intr. 1 loc. fig. *Trancher dans le vif :* agir de façon énergique. 2 Décider d'une manière franche, catégorique. 3 *Trancher sur, avec :* se distinguer avec netteté ; former un contraste. → **contraster,** se **détacher, ressortir.** ▷ adj. **tranché, ée** 1 Coupé en tranches. 2 fig. Qui se distingue nettement. *Couleurs tranchées.* – *Opinion tranchée,* nette. → **catégorique.**

**tranchet** n. m. techn. Outil tranchant, formé d'une lame plate, sans manche.

**tranchoir** n. m. I Support sur lequel on tranche (la viande, etc.). II Grande lame pour trancher (→ hachoir).

**tranquille** [-kil] adj. I 1 Où se manifestent un ordre, un équilibre durable. → **calme, immobile, silencieux.** *Mer tranquille.* ♦ Calme et régulier. *Un pas tranquille.* 2 (êtres vivants) Qui n'éprouve pas le besoin de mouvement, de bruit. → **paisible.** 3 En repos, qui ne bouge pas. *Restez tranquilles !* → **sage.** II 1 Qui éprouve un sentiment de sécurité, de paix. *Soyez tranquille :* ne vous inquiétez pas. 2 *Laisser qqn tranquille,* ne pas l'inquiéter (→ en paix). – *Avoir la conscience tranquille :* n'avoir rien à se reprocher. 3 fam. Qui est certain de la réalité de qqch. → **sûr.** *Il n'ira pas, je suis tranquille.*

**tranquillement** [-kil-] adv. 1 D'une manière tranquille. → **paisiblement.** 2 Sans émotion ni inquiétude. → **calmement.**

**tranquillisant, ante** [-kil-] 1 adj. Qui tranquillise. 2 n. m. Médicament qui agit comme calmant global. → **neuroleptique.**

**tranquilliser** [-kil-] v. tr. [1] Rendre (plus) tranquille. → **calmer, rassurer.**

**tranquillité** [-kil-] n. f. 1 État stable, constant, ou modifié régulièrement et lentement. → **calme.** 2 Stabilité morale ; état tranquille. → **calme, paix, quiétude, sérénité.**

**transaction** [tʀɑ̃z-] n. f. 1 dr. Contrat où chacun renonce à une partie de ses prétentions. – cour. Compromis. 2 écon. Opération commerciale, financière.

**transactionnel, elle** [tʀɑ̃z-] adj. 1 dr. Qui concerne une transaction. 2 (anglic.) psych. *Analyse transactionnelle :* thérapie visant les relations entre personnes.

**transalpin, ine** [tʀɑ̃z-] adj. Qui est au-delà des Alpes.

**transat** [tʀɑ̃zat] 1 n. m. Chaise longue pliante en toile. 2 n. f. Course transatlantique de voiliers.

**transatlantique** [tʀɑ̃z-] adj. et n. m. 1 Qui traverse l'Atlantique. – n. m. *Un transatlantique* (paquebot). 2 n. m. Chaise longue. → **transat** (1).

**transbahuter** v. tr. [1] fam. Transporter.

**transborder** v. tr. [1] Faire passer d'un navire, d'un train, d'un véhicule à un autre. ► **transbordement** n. m.

**transbordeur** n. m. et adj. m. *Transbordeur* ou *pont transbordeur :* pont mobile. ♦ *Navire transbordeur :* recomm. off. pour *ferry-boat.*

**transcendant, ante** adj. 1 Qui s'élève au-dessus du niveau moyen. → **sublime, supérieur.** 2 philos. Qui suppose un principe extérieur et supérieur (opposé à *immanent*). ► **transcendance** n. f.

**transcendantal, ale, aux** adj. 1 philos. (chez Kant) Qui constitue une condition a priori de l'expérience. 2 anglic. *Méditation transcendantale,* par abstraction de la réalité sensible.

**transcender** v. tr. [1] Dépasser en étant supérieur ou d'un autre ordre, se situer au-delà de. – pronom. *Se transcender :* se dépasser.

**transcodage** n. m. Traduction d'une information dans un code différent (spécialt en informatique). ► **transcoder** v. tr. [1]

**transcontinental, ale, aux** adj. Qui traverse un continent d'un bout à l'autre.

**transcription** n. f. 1 Action de transcrire (1 et 2). → **copie, enregistrement ; translittération.** – *Transcription phonétique.* 2 Action de transcrire une œuvre musicale. → **arrangement.** 3 biol. *Transcription génétique :* transfert de l'information génétique des chromosomes de la cellule sur l'A. R. N.

**transcrire** v. tr. [39] 1 Copier très exactement, en reportant. 2 Noter (les mots d'une langue) dans un autre alphabet. 3 Adapter (une œuvre musicale).

**transe** n. f. **1** au plur. littér. Inquiétude ou appréhension extrêmement vive. **2** État du médium dépersonnalisé. **3** *Être, entrer en transe :* être hors de soi.

**transept** [tʀɑ̃sɛpt] n. m. Nef transversale d'une église en croix latine.

**transférentiel, ielle** adj. psych. Relatif au transfert (3).

**transférer** v. tr. [6] **1** Transporter en observant les formalités prescrites. *Transférer un prisonnier* (► **transfèrement** n. m.). **2** psych. Étendre (un sentiment) à un autre objet, par un transfert (3).

**transfert** n. m. **1** dr. Déplacement d'une personne à une autre. **2** Déplacement d'un lieu à un autre. *Le transfert des cendres de Napoléon. - Transfert de fonds.* **3** psych. Extension d'un affect à un autre objet. - en psychanalyse Fait, pour le patient en analyse, de revivre une situation affective de son enfance dans sa relation avec l'analyste.

**transfigurer** v. tr. [1] **1** relig. chrét. Transformer en revêtant d'un aspect glorieux. **2** Transformer par une beauté et un éclat inhabituels. ► **transfiguration** n. f.

**transformable** adj. Qui peut être transformé.

**transformateur, trice 1** adj. Qui transforme. **2** n. m. Appareil modifiant la tension, la nature d'un courant électrique.

**transformation** n. f. **1** Action de transformer ; opération par laquelle on transforme. - *Industrie de transformation.* ♦ au rugby Action de transformer un essai. **2** Fait de se transformer ; changement.

**transformer** v. tr. [1] **1** Faire passer d'une forme à une autre, donner un autre aspect à. → **changer, modifier, renouveler.** ♦ au rugby *Transformer un essai,* le faire suivre d'un but. **2** *Transformer en :* changer en. ▷ v. pron. se **transformer 1** Prendre une autre forme, un autre aspect. → **changer, évoluer. 2** *Se transformer en :* prendre la forme, l'aspect, la nature de.

**transformisme** n. m. **1** sc. Théorie de l'évolution* par transformations successives. **2** Art du transformiste.

**transformiste** n. et adj. **1** sc. Partisan du transformisme (1). **2** Artiste de music-hall qui interprète de nombreux personnages en changeant de costume.

**transfuge 1** n. m. milit. Déserteur qui passe à l'ennemi. → **traître. 2** n. Personne qui trahit une cause.

**transfuser** v. tr. [1] Faire passer (le sang d'un organisme [humain]) dans un autre. ▷ adj. **transfusé, ée** *Sang transfusé.* ♦ *Malade transfusé.*

**transfusion** n. f. *Transfusion (sanguine),* injection thérapeutique de sang humain dans la veine d'un malade, d'un accidenté.

**transgénique** adj. (organisme) Dont le génome a été modifié (par *transgenèse* n. f.). → **O. G. M.** *Maïs transgénique.*

**transgenre** adj. et n. (Personne) dont le genre ne correspond pas à celui qui lui a été attribué à la naissance.

**transgresser** v. tr. [1] Passer par-dessus (un ordre, une obligation, une loi). → **contrevenir** à, **violer.** ► **transgresseur** n. m. ► **transgressif, ive** adj. ► **transgression** n. f.

**transhumance** [tʀɑ̃z-] n. f. Migration du bétail de la plaine vers la montagne, pendant l'été. ► **transhumant, ante** adj.

**transi, ie** [tʀɑ̃zi] adj. Pénétré, engourdi (de froid ; d'un sentiment qui paralyse). - iron. *Un amoureux transi,* timide.

**transiger** [tʀɑ̃z-] v. intr. [3] **1** Faire des concessions réciproques (→ **transaction). 2** *Transiger sur, avec qqch. :* céder ou faire des concessions.

**transir** [tʀɑ̃ziʀ] v. tr. [2] seulement prés. de l'indic., temps composés et inf. littér. (froid, sentiment) Pénétrer, transpercer.

**transistor** [tʀɑ̃zistɔʀ] n. m. **1** électron. Dispositif électronique pour redresser, moduler ou amplifier les courants électriques. **2** Poste récepteur portatif de radio.

**transistoriser** [tʀɑ̃z-] v. tr. [1] Équiper de transistors (1).

**transit** [tʀɑ̃zit] n. m. **1** Situation d'une marchandise qui ne fait que traverser un lieu ; passage en franchise (surtout dans *en, de transit*). **2** *Voyageurs, passagers en transit,* qui ne subissent pas les contrôles. **3** physiol. Passage des aliments à travers les voies digestives. *Transit intestinal.* **4** astron. Passage d'un astre devant un autre.

**transitaire** [-z-] **1** adj. De transit. **2** n. Mandataire qui s'occupe des transits (1).

**transiter** [-z-] v. [1] **1** v. tr. Faire passer (des marchandises, etc.) en transit (1). **2** v. intr. Passer, voyager en transit (2).

**transitif, ive** [-z-] adj. Qui peut avoir un complément d'objet (opposé à *intransitif*). *Verbes transitifs directs ; indirects* (complément construit avec une préposition : *à, de*...). ► **transitivement** adv.

**transition** [-z-] n. f. **1** Manière de passer de l'expression d'une idée à une autre en les reliant. **2** Passage graduel d'un état à un autre ; état intermédiaire. → **évolution.** - *Sans transition,* brusquement. - *De transition.* → **transitoire.**

**transitoire** [-z-] adj. Qui constitue une transition. *Un régime transitoire.*

**translation** n. f. **1** Transport, déplacement. **2** sc. Déplacement, mouvement (d'un corps, d'une figure) pendant lequel les positions d'une même droite restent parallèles.

**translittération** n. f. ling. Transcription lettre par lettre (→ **transcrire** (2)). ► **translittérer** v. tr. [6]

**translucide** adj. Qui laisse passer la lumière, mais n'est pas transparent. → **diaphane.** ► **translucidité** n. f. didact.

**transmetteur** n. m. et adj. Appareil qui sert à transmettre les signaux.

**transmettre** v. tr. [56] **1** Faire passer d'une personne à une autre (un bien, matériel ou moral). *Transmettre un héritage.* → **léguer.** *Transmettre son pouvoir à qqn.* → **déléguer.** **2** Faire passer d'une personne à une autre (un écrit, des paroles, etc.) ; faire changer de lieu. *Transmettre une information.* → **communiquer ; transmission. 3** Faire parvenir (un phénomène physique) d'un lieu à un autre. *Corps qui transmettent l'électricité.* **4** Faire passer (un germe, une maladie) d'un organisme à un autre (→ **contaminer).**

**transmigration** n. f. relig. Passage (d'une âme) d'un corps dans un autre. → **métempsychose.**

**transmissible** adj. Qui peut être transmis. ♦ méd. → **contagieux.** *Maladies sexuellement transmissibles.* → **M. S. T.**

**transmission** n. f. **I 1** Action, fait de transmettre (1). ♦ *Transmission des caractères.* → **hérédité. 2** Contagion. **3** Action de faire connaître, de communiquer (un message...). ♦ *Transmission de pensée :* télépathie. **4** Déplacement (d'un phénomène physique) avec intermédiaires. *Transmission d'ondes sonores.* → **diffusion.** – *Les organes de transmission d'une machine.* ♦ Système qui transmet le mouvement. **II** *Les transmissions :* moyens destinés à transmettre les informations. ♦ Troupes spécialisées qui mettent en œuvre ces moyens.

**transmuer** v. tr. [1] littér. Transformer (qqch.) en altérant profondément sa nature.

**transmutation** n. f. **1** Changement d'une substance en une autre. ♦ phys. Transformation d'un élément chimique en un autre par modification du noyau atomique. **2** fig., littér. Changement de nature (→ **transmuer).**

**transparaître** v. intr. [57] Se montrer au travers de qqch. ♦ fig. Apparaître.

**transparence** n. f. **1** Qualité d'un corps transparent. **2** *La transparence du teint,* sa clarté. **3** fig., littér. Clarté, évidence. → **limpidité.**

**transparent, ente I** adj. **1** Qui laisse passer la lumière et paraître avec netteté les objets qui se trouvent derrière. **2** Translucide, diaphane. **3** fig. Qui laisse voir clairement la réalité, le sens. *Une allusion transparente.* → **clair. II** n. m. Panneau, tableau éclairé par-derrière.

**transpercer** v. tr. [3] **1** Percer de part en part. **2** fig., littér. (sentiment, émotion...) Atteindre en faisant souffrir. **3** Pénétrer.

**transpiration** n. f. **1** Sécrétion de la sueur. → **sudation. 2** Sueur.

**transpirer** v. intr. [1] **1** Sécréter de la sueur par les pores de la peau. → **suer. 2** fig., littér. (d'une information tenue cachée) Finir par être connu. *La nouvelle a transpiré.*

**transplant** n. m. Organe, tissu transplanté (→ greffe).

**transplantation** n. f. **1** Action de transplanter (une plante, un arbre). **2** biol. Greffe d'un organe entier. ♦ Implantation d'un embryon dans un utérus. **3** fig. Déplacement (de personnes, d'animaux).

**transplanter** v. tr. [1] **1** Sortir (un végétal) de la terre pour replanter ailleurs. **2** biol. Greffer (un organe). **3** fig. Transporter (des populations...).

**transport** n. m. **I 1** Manière de déplacer ou de faire parvenir sur une distance assez longue. – *Moyen de transport,* utilisé pour transporter les marchandises ou les personnes (véhicules, avions, navires). **2** au plur. Moyens d'acheminement. – *Transports en commun,* des voyageurs dans des véhicules publics. **II** fig., littér. Vive émotion, sentiment passionné qui entraîne.

**transporter** v. tr. [1] **I 1** Déplacer (qqn, qqch.) d'un lieu à un autre en portant. **2** Faire passer d'un point à un autre. → **transmettre.** *Les ondes transportent l'énergie à distance.* ► **transportable** adj. **II** (sujet chose) Agiter (qqn) par un sentiment violent. → **enivrer, exalter ; transport** (II). – au passif et p. p. *(Être) transporté de joie.*

**transporteur, euse** n. **1** Personne qui se charge de transporter (des marchandises ou des personnes) ; entrepreneur de transports. **2** n. m. Appareil, dispositif pour transporter des marchandises.

**transposer** v. tr. [1] **I 1** (compl. plur. ou collectif) Placer en intervertissant l'ordre. **2** Faire passer dans un autre domaine. *Transposer au* XIX^e^ *siècle l'histoire de Tristan et Iseult.* **II** mus. Faire passer (une structure musicale) dans un autre ton sans l'altérer. ► **transposition** n. f.

**transsaharien, ienne** adj. Qui traverse le Sahara.

**transsexuel, elle** n. et adj. (Personne) qui ne s'identifie pas au sexe qui lui a été attribué à la naissance. – spécialt (Personne) qui a changé de sexe.

**transsibérien, ienne** adj. Qui traverse la Sibérie. – n. m. *Le Transsibérien* (chemin de fer).

**transsubstantiation** n. f. relig. cathol. Changement du pain et du vin en la substance du corps de Jésus-Christ.

**transsuder** v. intr. [1] didact. Passer en fines gouttelettes. → **filtrer, suinter.** ► **transsudation** n. f.

**transuranien, ienne** [tʀɑ̃z-] adj. chim. Dont le nombre atomique est supérieur à celui de l'uranium.

**transvaser** v. tr. [1] Verser d'un récipient dans un autre. ► **transvasement** n. m.

**transversal, ale, aux I** adj. **1** Qui traverse une chose perpendiculairement à sa plus grande dimension. *Coupe transversale* (opposé à *longitudinal*). **2** Qui traverse, est en travers. ► **transversalement** adv. **II** n. f. Voie transversale.

**transverse** adj. anat. Se dit d'un organe qui est en travers. *Côlon transverse.*

**trapèze** n. m. **I** Quadrilatère dont deux côtés sont parallèles (surtout lorsqu'ils sont inégaux). **II** Barre horizontale suspendue au moyen de deux cordes (sport...).

**trapéziste** n. Acrobate du trapèze.

**trapézoïdal, ale, aux** adj. didact. En forme de trapèze.

① **trappe** n. f. **1** Ouverture pratiquée dans un plancher, un plafond et munie d'une fermeture qui se rabat. **2** Piège, fosse recouverte (de branchages...). → **chausse-trape.**

② **Trappe** n. f. Ordre religieux cistercien.

**trappeur, euse** n. Professionnel(le) de la chasse qui fait commerce de fourrures.

**trappiste** n. m. Moine, religieux qui observe la règle réformée de la Trappe.

**trapu, ue** adj. **1** (personnes) Qui est court et large, robuste. ♦ (choses) Ramassé, massif. **2** fam. Fort, savant. ♦ Difficile.

**traquenard** n. m. Piège.

**traquer** v. tr. [1] **1** Poursuivre (le gibier) en le serrant de plus en plus. **2** Poursuivre (qqn), le forcer dans sa retraite. – au p. p. *Un homme traqué.* ► **traque** n. f.

**trash** adj. invar. anglic., fam. Qui est volontairement sale, désagréable, de mauvais goût.

**traumatique** adj. didact. Qui a rapport aux blessures. *Choc traumatique.*

**traumatiser** v. tr. [1] Provoquer un traumatisme chez (qqn). ► **traumatisant, ante** adj.

**traumatisme** n. m. **1** Troubles provoqués dans l'organisme par une lésion, une blessure grave. **2** Choc émotionnel très violent.

**traumatologie** n. f. didact. Médecine, chirurgie des traumatismes. ► **traumatologique** adj.

**travail, aux** n. m **I 1** Ensemble des activités humaines organisées, coordonnées en vue de produire ce qui est utile ; activité productive. *Travail manuel, intellectuel.* **2** Action ou façon de travailler (I, 1) une matière ; de manier un instrument. **3** Activités manuelles ou intellectuelles exercées pour parvenir à un résultat utile. → **besogne, tâche. 4** Manière dont un ouvrage, une chose ont été exécutés. *Travail soigné.* **II** *Les travaux.* **1** Suite d'opérations exigeant une activité physique suivie et l'emploi de moyens techniques. *Gros travaux,* pénibles. **2** *Travaux publics :* travaux de construction, de réparation, ou d'entretien d'utilité générale (ex. routes, ponts, etc.). **3** anciennt *Travaux forcés* (peine de droit commun). → **bagne. 4** Recherches. *Travaux scientifiques.* **5** Délibérations (d'une assemblée) devant aboutir à une décision. **III 1** Activité laborieuse, rétribuée, dans une profession. → **emploi, gagne-pain, métier, profession, spécialité ;** fam. **boulot, job.** *Être sans travail* (→ **chômeur**). **2** L'ensemble des travailleurs, surtout agricoles et industriels. → **ouvrier, paysan ; main-d'œuvre. IV** Période des contractions, dans l'accouchement. **V** sc. **1** Action continue, progressive (d'une cause naturelle). *Le travail d'érosion.* **2** Fait de produire un effet utile. *Travail musculaire.* **3** phys. Produit d'une force par le déplacement de son point d'application.

**travailler** v. [1] **I** v. tr. **1** Modifier par le travail ; rendre plus utile ou utilisable. *Travailler le bois. Travailler la terre.* → **cultiver.** ♦ Soumettre à un travail intellectuel, pour améliorer. *Travailler son style.* **2** Chercher à acquérir ou perfectionner par l'exercice, l'étude ou la pratique. **3** Soumettre à des influences volontaires. **4** *Travailler à... :* faire tous ses efforts pour obtenir (un résultat). *Travailler à la perte de qqn.* ♦ Consacrer son activité à (un ouvrage). **II** v. intr. **1** Agir d'une manière suivie, avec effort, pour obtenir un résultat utile. ♦ spécialt Étudier. *Élève qui travaille bien.* **2** Exercer une activité professionnelle, un métier. *Travailler en usine.* **3** S'exercer, effectuer un exercice. **4** (sujet chose : temps, force...) Agir. *Le temps travaille pour nous.* **5** Fonctionner pour la production. *Entreprise qui travaille pour l'exportation.* **III** v. intr. (choses) **1** Subir une force, une action. *Le bois a travaillé.* → se **déformer. 2** Fermenter, subir une action interne. *Le vin travaille.* **3** fig. Être agité. *Son imagination travaille.* **IV** v. tr. Inquiéter, préoccuper. *Ça le travaille.*

**travailleur, euse I** n. **1** Personne qui travaille. **2** Personne qui exerce une activité professionnelle. – *Les travailleurs,* les salariés (surtout ouvriers). → **prolétaire. II** adj. **1** Qui aime le travail. **2** Des travailleurs. *Les masses travailleuses.* → **laborieux.**

**travailliste** n. et adj. Membre du Labour Party britannique (parti du *Travail*).

**travailloter** v. intr. [1] Travailler peu.

**travée** n. f. **1** techn. Portion (de voûte, de comble, de pont...) comprise entre deux points d'appui. **2** Rangée de tables, de sièges placés les uns derrière les autres.

**traveller's check** ou **traveller's chèque** [tʀavlœʀ(s)ʃɛk] n. m. anglic. Chèque de voyage, payable en espèces dans tout établissement bancaire du pays où l'on se rend.

**travelling** [tʀavliŋ] n. m. anglic. Mouvement de la caméra placée sur un chariot, qui glisse sur des rails.

**travelo** n. m. fam. et péj. Travesti (I, 2).

**travers** n. m. **I** dans des loc. **1** *En travers :* dans une position transversale. – fig., littér. *Se mettre en travers de :* s'opposer à. **2** *À travers :* en traversant. – fig. *À travers les âges.* ♦ *Au travers :* en passant d'un bout à l'autre ; de part en part. – loc. *Passer au travers,* échapper. ♦ *Par le travers :* sur le côté. **3** *De travers :* dans une direction, une position oblique ; qui n'est pas droit. → fam. de **traviole.** – loc. *Regarder qqn de travers,* avec animosité, suspicion. – *Raisonner de* *travers.* → **mal.** 4 *À tort* et à travers.* II Léger défaut (de qqn). → **imperfection.**

**traversable** adj. Qui peut être traversé.

**traverse** n. f. I 1 Barre disposée en travers, servant à assembler, à consolider des montants. 2 Pièce placée en travers de la voie pour maintenir l'écartement des rails. II *Chemin de traverse.* → **raccourci.**

**traversée** n. f. 1 Action de traverser la mer, une grande étendue d'eau. 2 Action de traverser (un espace) d'un bout à l'autre.

**traverser** v. tr. [1] I 1 Passer, pénétrer de part en part, à travers (un corps, un milieu). → **percer, transpercer.** 2 Se frayer un passage à travers (une foule...). II 1 Parcourir (un espace) en entier. *Traverser une ville. Traverser l'Atlantique.* – Couper (une voie de communication), aller d'un bord à l'autre. *Traverser la rue.* 2 (sujet chose ; sans mouvement) S'étendre, s'allonger au travers de... *La route traverse la voie ferrée.* → **croiser.** 3 Vivre (un espace de temps). *Traverser une période difficile.* 4 (sujet chose) Passer par (l'esprit, l'imagination).

**traversier, ière** I adj. vx Qui est en travers. *Rue traversière.* – loc. *Flûte traversière* (horizontale). II n. m. (au Québec) Bac.

**traversin** n. m. Long coussin cylindrique, placé en travers, à la tête du lit. → **polochon.**

**travertin** n. m. Calcaire présentant de petites cavités, utilisé en construction.

**travesti, ie** I 1 adj. Revêtu d'un déguisement. → **costumé.** – n. m. *Un travesti,* un acteur jouant un rôle féminin. 2 n. m. Homme habillé et maquillé en femme. → fam. **travelo.** II n. m. vieilli Déguisement.

**travestir** v. [2] 1 v. pron. *Se travestir :* se déguiser (→ **travesti,** I, 1 et 2). 2 v. tr. Transformer en dénaturant. → **déformer, fausser.** *Travestir la vérité.* ► **travestissement** n. m.

de **traviole** loc. adv. fam. De travers.

**trayeuse** n. f. Machine à traire.

**trayon** n. m. Tétine du pis (d'une vache).

**trébuchant, ante** adj. 1 Qui trébuche. 2 fig. Qui hésite à chaque difficulté. 3 loc. *Espèces sonnantes* et trébuchantes.*

**trébucher** v. intr. [1] 1 Perdre soudain l'équilibre, faire un faux pas. → **chanceler.** 2 fig. Être arrêté par une difficulté.

**trébuchet** n. m. 1 Piège à oiseaux. 2 Petite balance pour les pesées délicates.

**tréfiler** v. tr. [1] techn. Étirer (un métal) en le faisant passer par une filière. ► **tréfilage** n. m. ► **tréfilerie** n. f. (atelier, usine).

**trèfle** n. m. 1 Herbe des prairies aux feuilles à trois folioles. – *Trèfle à quatre feuilles* (porte-bonheur). ♦ Se dit d'autres plantes à trois folioles. 2 Motif décoratif évoquant la feuille de trèfle. ♦ aux cartes Ce motif, de couleur noire. *As de trèfle.*

**tréfonds** n. m. littér. Ce qu'il y a de plus profond, de plus secret.

**treillage** n. m. Assemblage de lattes, d'échalas posés parallèlement ou croisés. ♦ Clôture à claire-voie. → ① **treillis.**

**treille** n. f. Vigne en berceau, en voûte (sur treillage, mur...) ; tonnelle où grimpe la vigne. ♦ loc. *Le jus de la treille,* le vin.

① **treillis** n. m. Entrecroisement de lattes, de fils métalliques formant claire-voie.

② **treillis** n. m. 1 Forte toile de chanvre. 2 Tenue militaire d'exercice ou de combat.

**treize** I adj. numéral invar. 1 (cardinal) Dix plus trois (13). *Treize cents* ou *mille trois cents (1300).* – loc. *Treize à la douzaine,* treize pour le prix de douze. 2 (ordinal) Treizième. *Louis XIII (treize).* II n. m. invar. Le nombre, le numéro treize. ► **treizième** adj. et n. ► **treizièmement** adv.

**trekking** n. m. anglic. Randonnée pédestre en montagne, avec guides et porteurs, pour visiter des lieux inaccessibles d'une autre manière.

**tréma** n. m. Signe formé de deux points juxtaposés sur les voyelles *e, i, u* (la voyelle qui précède est prononcée séparément).

**tremblant, ante** adj. 1 Qui tremble. *Tremblant de froid.* → **grelottant.** 2 Qui tremble de peur.

**tremble** n. m. Peuplier à écorce lisse, à tige droite, dont les feuilles frissonnent.

**tremblé, ée** adj. 1 Tracé d'une main tremblante. *Écriture tremblée.* 2 (son, voix) Qui tremble.

**tremblement** n. m. 1 Secousses répétées qui agitent une chose. – *Tremblement de terre :* secousses en relation avec la déformation de l'écorce terrestre en un lieu. → **séisme ;** secousse **sismique.** 2 Léger mouvement de ce qui tremble. 3 Agitation du corps par petites oscillations involontaires. → **convulsion.** 4 loc. fam. *Et tout le tremblement :* et tout le reste.

**trembler** v. intr. [1] 1 Être agité de petits mouvements répétés autour d'une position d'équilibre. – Être ébranlé. *La terre tremble.* → **tremblement** de terre. ♦ (lumière) Produire une image vacillante. ♦ (voix, son) Varier rapidement (en intensité, hauteur). 2 (personnes) Être agité par une suite de petites contractions involontaires des muscles. *Trembler comme une feuille,* beaucoup. – *Ses mains tremblent.* 3 fig. Avoir grand peur. *Je tremble qu'on ne l'ait vu. Trembler pour qqn,* craindre pour lui.

**trembleur** n. m. Vibreur.

**tremblote** n. f. fam. *Avoir la tremblote :* trembler (2).

**trembloter** v. intr. [1] Trembler (1, 2) légèrement. ► **tremblotement** n. m.

**trémie** n. f. Entonnoir en forme de pyramide renversée.

**trémière** adj. f. *Rose trémière,* plante décorative (guimauve) à fleurs roses.

**trémolo** n. m. 1 mus. Répétition très rapide d'un son. 2 Tremblement d'émotion (affecté) de la voix.

se **trémousser** v. pron. [1] S'agiter avec de petits mouvements vifs et irréguliers. → **frétiller,** se **tortiller.** ► **trémoussement** n. m.

**trempage** n. m. Action de tremper.

**trempe** n. f. I 1 Immersion dans un bain froid (d'un métal, d'un alliage chauffé). 2 Qualité qu'un métal acquiert par la trempe. ♦ loc. fig. *De (cette...) trempe :* de (cette...) qualité, de (ce...) caractère. II fam. Volée de coups.

**tremper** v. [1] I v. tr. 1 (liquide) Mouiller fortement, imbiber. – passif et p. p. *Être trempé.* 2 Plonger (un solide) dans un liquide pour imbiber, enduire. ♦ Immerger, baigner. 3 techn. Soumettre à la trempe (I, 1). – au p. p. *Acier trempé.* 4 fig. et littér. Aguerrir, fortifier. – au p. p. *Caractère bien trempé,* énergique. II v. intr. 1 Rester plongé dans un liquide. 2 loc. (sujet personne) *Tremper dans* (une affaire malhonnête), y participer.

**trempette** n. f. *Faire trempette :* prendre un bain hâtif.

**tremplin** n. m. 1 Planche élastique sur laquelle on prend élan pour sauter. 2 fig. *Les difficultés lui ont servi de tremplin.*

**trench-coat** [tʀɛnʃkot] n. m. anglic. Imperméable à ceinture (abrév. *trench*). *Des trench-coats ; des trenchs.*

**trentaine** n. f. Nombre de trente. ♦ Âge d'environ trente ans.

**trente** I adj. numéral invar. 1 (cardinal) Trois fois dix (30). ♦ *Trente-six :* fam. un grand nombre indéterminé. – loc. *Tous les trente-six du mois,* quasiment jamais. 2 (ordinal) Trentième. II n. m. invar. Le nombre, le numéro trente. ♦ loc. *Se mettre sur son trente et un :* mettre ses plus beaux habits. ► **trentième** adj. et n.

**trépan** n. m. 1 chir. Instrument pour percer les os du crâne. 2 Vilebrequin pour forer. → **foreuse.**

**trépaner** v. tr. [1] chir. Percer la boîte crânienne de (qqn) à l'aide d'un trépan. ► **trépanation** n. f.

**trépas** n. m. vx ou littér. Mort (d'une personne). loc. *Passer de vie à trépas :* mourir. ► **trépasser** v. intr. [1] → **mourir.**

**trépidant, ante** adj. 1 Agité de petites secousses. 2 (rythme) Très rapide et agité.

**trépider** v. intr. [1] Être agité de petites secousses fréquentes, d'oscillations rapides. → **vibrer.** ► **trépidation** n. f.

**trépied** n. m. Support à trois pieds.

**trépigner** v. intr. [1] Piétiner, frapper des pieds à plusieurs reprises. *Trépigner de colère.* ► **trépignement** n. m.

**tréponème** n. m. Micro-organisme dont une espèce est responsable de la syphilis.

**très** [tʀɛ] adv. devant une consonne, [tʀɛz] devant voyelle ou *h* muet À un haut degré. 1 (devant un adj.) *Très drôle.* → **extrêmement.** – *Pas très,* moyennement, un peu. (euphémisme) *Il n'est pas très malin,* pas du tout. – (+ terme à valeur d'adj.) *Être très en retard. Elle est déjà très femme.* 2 (devant un adv.) *Aller très vite.* 3 (dans des locutions verbales d'état) *Il fait très chaud. Il va très mal.* – *J'ai très faim.* → **grand.**

**trésor** n. m. I 1 Choses précieuses amassées et cachées. *Découvrir un trésor.* 2 souvent au plur. Grandes richesses concrètes. *Les trésors artistiques des musées.* – Masse monétaire importante. 3 *Le Trésor (public) :* moyens financiers d'un État. – (en France) Service financier de l'État. II fig. 1 *Un, des trésor(s) de :* une abondance précieuse de. *Des trésors de patience.* 2 Titre d'ouvrages encyclopédiques, de dictionnaires. 3 *Mon trésor,* terme d'affection.

**trésorerie** n. f. 1 Administration du Trésor public. – Services financiers. 2 État et gestion des fonds, des ressources. *Difficultés de trésorerie,* financières.

**trésorier, ière** n. Personne chargée de l'administration des finances (d'une organisation). – *Trésorier-payeur général,* qui gère le Trésor public dans un département.

**tressage** n. m. Action de tresser.

**tressaillement** n. m. Secousses musculaires qui agitent brusquement le corps. ► **tressaillir** v. intr. [13] → **sursauter, tressauter.**

**tressauter** v. intr. [1] 1 Tressaillir. 2 (sujet chose) Être agité. ► **tressautement** n. m.

**tresse** n. f. 1 Assemblage de trois mèches de cheveux entrecroisées à plat. → **natte.** 2 Cordon plat fait de fils entrelacés.

**tresser** v. tr. [1] 1 Entrelacer (des brins de paille, de jonc ; des cheveux). 2 Faire (un objet) en entrelaçant des fils, des brins.

**tréteau** n. m. Pièce de bois, support, barre horizontale sur quatre pieds. *Table à tréteaux.*

**treuil** n. m. Appareil de levage, cylindre tournant sur un axe et autour duquel s'enroule un câble. → **cabestan.** ► **treuiller** v. tr. [1] ► **treuillage** n. m.

**trêve** n. f. 1 Cessation provisoire des combats, par convention. → **cessez-le-feu.** 2 fig. Interruption dans une lutte. 3 *Sans trêve :* sans relâche. – exclam. *Trêve de... :* assez de. *Trêve de plaisanterie !*

**trévise** n. f. Chicorée d'origine italienne, à cœurs pommés rouges veinés de blanc.

**tri** n. m. Action de trier. *Le tri des lettres.*

**triade** n. f. didact. Groupe de trois.

**triage** n. m. 1 Fait de trier ou de répartir. → **tri, choix.** 2 Séparation et regroupement des wagons. *Gare de triage.*

**trial** n. m. anglic. Course de motos sur terrain accidenté. ♦ Moto pour ce sport.

**triangle** n. m. **1** Figure géométrique, polygone à trois côtés. *Triangle isocèle, équilatéral, rectangle.* **2** Objet de cette forme. **3** Instrument de musique à percussion, tige d'acier repliée.

**triangulaire** adj. **1** En forme de triangle. **2** fig. À trois éléments. *Élection triangulaire.*

**triangulation** n. f. Division (d'un terrain) en triangles pour le mesurer.

**trias** [-ɑs] n. m. géol. Terrain du secondaire ancien dont les dépôts contiennent trois parties (grès, calcaire coquillier, marnes); sa période. ► **triasique** adj.

**triathlon** n. m. sport Épreuve d'athlétisme : natation, course cycliste et à pied.

**tribal, ale, aux** adj. didact. De la tribu.

**tribo-électricité** n. f. phys. Électricité statique produite par frottement. ► **tribo-électrique** adj.

**tribord** n. m. Côté droit d'un navire, en regardant vers l'avant (opposé à *bâbord*).

**tribu** n. f. **1** Antiq. Division du peuple (juif, grec, romain). *Les douze tribus d'Israël.* **2** Groupe social et politique fondé sur la parenté ethnique, dans les sociétés préindustrielles. **3** iron. Groupe nombreux.

> Ne pas confondre avec *tribut* «contribution».

**tribulations** n. f. pl. Aventures plus ou moins désagréables.

**tribun** n. m. **1** Antiq. Officier *(tribun militaire)* ou magistrat *(tribun de la plèbe)* romain. **2** littér. Défenseur éloquent (d'une idée...).

**tribunal, aux** n. m. **1** Lieu où l'on rend la justice. → **palais** de justice. **2** Magistrats exerçant une juridiction (→ **chambre, cour**). **3** fig. Justice, jugement (de la postérité).

**tribune** n. f. **1** Emplacement élevé où sont réservées des places. *Tribune de presse.* ♦ Emplacement en gradins (dans un stade...). **2** Estrade d'où l'orateur (→ **tribun**) s'adresse à une assemblée. **3** fig. Rubrique offerte au public par un média.

**tribut** n. m. **1** Contribution forcée. **2** Contribution payée à une autorité. **3** fig., littér. *Payer un lourd tribut à...*

> Ne pas confondre avec *tribu* «peuple».

**tributaire** adj. **1** Qui paye tribut ; soumis à un pouvoir. **2** Qui dépend (de qqn, de qqch.). **3** (cours d'eau) → **affluent.**

**triceps** adj. et n. m. (Muscle) dont une extrémité s'insère à trois points osseux.

**tricératops** [-ɔps] n. m. didact. Grand reptile fossile (dinosaurien) à trois cornes.

**triche** n. f. fam. Tricherie.

**tricher** v. intr. [1] **1** Enfreindre les règles d'un jeu en vue de gagner. **2** Enfreindre une règle, un usage. *Tricher à un examen.* **3** Dissimuler un défaut par un artifice. ► **tricherie** n. f. ► **tricheur, euse** n.

**trichine** [-k-] n. f. Petit ver parasite de l'intestin (animaux, homme), et à l'état de larve dans les muscles, provoquant une maladie (la *trichinose*).

**trichloréthylène** [-kl-] n. m. chim. Dérivé chloré de l'éthylène, solvant des corps gras.

**trichromie** [-kʀ-] n. f. techn. Procédé de reproduction des couleurs basé sur le bleu, le rouge et le jaune.

**tricolore** adj. **1** De trois couleurs. **2** Des couleurs du drapeau français : bleu, blanc et rouge. ♦ *L'équipe tricolore,* française.

**tricorne** n. m. Chapeau à trois cornes.

**tricot** n. m. **1** Tissu formé d'une matière textile disposée en mailles. **2** Action de tricoter. *Faire du tricot.* **3** Vêtement tricoté. → **chandail, pull-over.** – *Tricot de corps.* → **maillot.**

**tricoter** v. [1] **I** v. tr. Exécuter au tricot. – sans compl. *Aiguilles à tricoter.* **II** v. intr. fig., fam. Bouger, courir vite. ► **tricotage** n. m.

**tricoteur, euse** **1** n. Personne qui tricote. ♦ n. f. hist. (Révolution française) Femme du peuple révolutionnaire. **2** n. f. Machine à tricoter.

**trictrac** n. m. Jeu de dés, où l'on fait avancer des pions sur un plateau spécial.

**tricycle** n. m. Cycle à trois roues.

**tridacne** n. m. zool. Grand mollusque des mers chaudes appelé aussi *bénitier.*

**trident** n. m. Fourche, harpon à trois pointes.

**tridimensionnel, elle** adj. didact. Qui a trois dimensions ; qui se développe dans un espace à trois dimensions.

**trièdre** n. m. géom. Figure formée par trois plans qui se coupent deux à deux.

**triennal, ale, aux** adj. Qui a lieu tous les trois ans ou dure trois ans.

**trier** v. tr. [7] **1** Choisir parmi d'autres ; extraire d'un plus grand nombre (→ **tri, triage**). – loc. *Trier sur le volet**. **2** Séparer en enlevant ce qui est mauvais. *Trier des lentilles.* **3** Répartir en groupes. → **classer.** *Trier ses papiers.* – inform. *Trier des données* (selon un ordre). ► **trieur, euse** adj. et n.

**trière** n. f. Antiq. grecque Bateau à trois rangs de rames. → **trirème.**

**triforium** [-jɔm] n. m. archit. Galerie étroite à ouvertures (églises gothiques).

**trifouiller** v. [1] fam. **1** v. tr. Mettre en désordre. **2** v. intr. Fouiller (dans).

**triglyphe** n. m. archit. Ornement de la frise dorique, à trois ciselures.

**trigonométrie** n. f. math. Détermination des éléments des triangles au moyen des fonctions circulaires (sinus, cosinus, tangente...). ► **trigonométrique** adj.

**trijumeau** adj. et n. m. *(Nerf) trijumeau,* cinquième nerf crânien, divisé en trois.

**trilingue** adj. didact. **1** Qui est en trois langues. **2** Qui connaît trois langues.

**trille** n. m. mus. Battement rapide et ininterrompu sur deux notes voisines.

**trillion** [tʀiljɔ̃] n. m. Un milliard de milliards (soit $10^{18}$).

**trilobé, ée** adj. didact. Qui a trois lobes.

**trilogie** n. f. Groupe de trois pièces de théâtre, de trois œuvres.

**trimaran** n. m. Voilier (multicoque) à trois coques.

**trimballer** v. tr. [1] fam. Mener, porter partout avec soi. ▶ **trimballage** n. m.

**trimer** v. intr. [1] Travailler avec effort.

**trimestre** n. m. **1** Durée de trois mois. **2** Somme payée tous les trois mois. ▶ **trimestriel, ielle** adj. ▶ **trimestriellement** adv.

**trimoteur** n. m. Avion à trois moteurs. → **triréacteur.**

**tringle** n. f. Tige rigide.

**trinité** n. f. **1** relig. chrét. *La Trinité :* Dieu unique en trois personnes. ♦ Fête religieuse (après la Pentecôte). **2** Groupe de trois dieux (→ **triade**), ou de trois principes.

**trinitrotoluène** n. m. chim. Explosif dérivé du toluène. – abrév. cour. **T. N. T.**

**trinôme** n. m Polynôme à trois termes.

**trinquer** v. intr. [1] **1** Choquer son verre contre celui d'un autre et boire à sa santé. **2** fam. Subir des désagréments.

**trinquette** n. f. mar. Voile d'avant triangulaire, en arrière du foc.

**trio** n. m. **1** mus. Morceau pour trois instruments ou trois voix. – Groupe de trois musiciens. – Seconde partie du menuet*. **2** Groupe de trois personnes.

**triode** n. f. phys. Tube à trois électrodes.

**triolet** n. m. mus. Groupe de trois notes de valeur égale valant deux temps.

**triomphal, ale, aux** adj. **1** D'un triomphe (1 et 2). **2** Qui est accompagné d'honneurs, d'acclamations. **3** Qui constitue une grande réussite. ▶ **triomphalement** adv.

**triomphalisme** n. m. Croyance affichée au succès. ▶ **triomphaliste** adj. et n.

**triomphant, ante** adj. **1** Qui a remporté une éclatante victoire. **2** Qui manifeste une joie éclatante.

**triomphateur, trice** n. **1** Personne qui triomphe (II). **2** n. m. Antiq. Général romain à qui l'on faisait les honneurs du triomphe.

**triomphe** n. m. **1** Victoire éclatante à l'issue d'une lutte, d'une rivalité. **2** Antiq. Honneur décerné à un général romain victorieux. ♦ loc. *Arc* de triomphe.* **3** loc. *Porter qqn en triomphe,* le faire acclamer. **4** Grande satisfaction (après un succès). **5** Approbation enthousiaste du public.

**triompher** v. [1] **I** v. tr. ind. *Triompher de* qqn, le vaincre avec éclat. – *Triompher de qqch.,* en venir à bout. **II** v. intr. **1** Remporter une victoire absolue ; s'imposer de façon éclatante. **2** Éprouver un sentiment de triomphe. **3** Réussir brillamment (en public). → **exceller.**

**triparti, ie** ou **tripartite** adj. polit. Qui réunit trois parties. *Pacte tripartite.*

**tripatouiller** v. tr. [1] **1** fam. Altérer (un texte original). ♦ Truquer (des comptes...). **2** (concret) Tripoter. ▶ **tripatouillage** n. m. ▶ **tripatouilleur, euse** n. et adj.

**tripe** n. f. **1** *Des tripes,* plat fait de boyaux de ruminants préparés. **2** fam. Intestin de l'homme ; ventre. **3** fig. et fam. Entrailles. *Prendre aux tripes,* bouleverser.

**triperie** n. f. Commerce du tripier.

**tripette** n. f. loc. vieilli *Ça ne vaut pas tripette :* cela ne vaut rien.

**triphasé, ée** adj. électr. *Courant triphasé,* à trois phases.

**tripier, ière** n. Commerçant qui vend des abats (tripes, etc.).

**triple** adj. **1** Qui équivaut à trois, se présente comme trois. *Triple menton,* qui fait trois plis. – Qui concerne trois éléments. **2** Trois fois plus grand. – n. m. *Le triple.*

**triplé** **I** n. m. sports Triple succès d'un athlète, d'une équipe. **II** au plur. *Triplés, ées :* trois enfants nés d'une même grossesse.

**tripler** v. [1] **1** v. tr. Rendre triple, multiplier par trois. **2** v. intr. Devenir triple. ▶ **triplement** n. m.

**triplet** n. m. sc. Association de trois éléments.

**triporteur** n. m. Tricycle muni d'une caisse pour le transport de marchandises.

**tripot** n. m. péj. Maison de jeu.

**tripotée** n. f. fam. **1** Raclée, volée. **2** *Une tripotée de :* un grand nombre de.

**tripoter** v. [1] **1** v. tr. Manier, tâter sans délicatesse. – Toucher de manière répétée, machinalement. → **triturer. 2** v. intr. Se livrer à des combinaisons malhonnêtes. → **trafiquer.** ▶ **tripotage** n. m. ▶ **tripoteur, euse** n.

**tripous** ou **tripoux** n. m. pl. région. Tripes et abats (pieds de mouton, etc.).

**triptyque** n. m. **1** Peinture, sculpture composée d'un panneau central et de deux volets mobiles. ♦ Œuvre littéraire en trois tableaux ou récits. **2** Document douanier en trois feuillets.

**trique** n. f. Gros bâton pour frapper.

**triréacteur** n. m. Avion à trois réacteurs.

**trirème** n. f. Antiq. Navire de guerre à trois rangées de rames. → **trière.**

**trisaïeul, eule** n. Père, mère du bisaïeul ou de la bisaïeule. *Mes trisaïeuls.*

**trisomie** n. f. méd. Présence anormale d'un chromosome supplémentaire dans une paire. *Trisomie 21* : mongolisme. ► **trisomique** adj. et n.

**triste** adj. I 1 Qui éprouve un malaise douloureux. ♦ Habituellement sans gaieté. → **mélancolique, morose.** 2 Qui exprime la tristesse. → **malheureux, sombre.** *De tristes pensées.* 3 (choses) Qui répand la tristesse. → **morne, sinistre.** II (choses) 1 Qui fait souffrir. → **affligeant, malheureux, pénible.** - Qui raconte ou montre des choses pénibles. 2 Qui suscite des jugements pénibles. → **déplorable.** *Dans un triste état.* 3 péj. (avant le nom) Dont le caractère médiocre ou odieux afflige. → **lamentable.** *Quelle triste époque !* ► **tristement** adv.

**tristesse** n. f. 1 État affectif pénible et durable ; douleur morale générale. → **mélancolie, peine.** 2 Moment où l'on est dans cet état ; ce qui le fait naître. → **chagrin.** 3 Caractère de ce qui exprime ou suscite cet état. *La tristesse des ruines.*

**trithérapie** n. f. Traitement associant trois médicaments (maladies virales...).

**triton** n. m. I mythol. Divinité marine à figure humaine et à queue de poisson. II zool. 1 Grand mollusque marin à coquille en spirale. 2 Batracien aquatique.

**triturer** v. tr. [1] 1 Réduire en poudre ou en pâte en écrasant. → **broyer.** 2 Manier à fond. → **pétrir.** - fam. *Se triturer les méninges, la cervelle* : se fatiguer l'esprit. 3 Manier avec insistance, machinalement. → **tripoter.** ► **trituration** n. f.

**triumvir** [tʀijɔmviʀ] n. m. Antiq. Magistrat romain chargé, avec deux collègues, d'une mission administrative. ► **triumvirat** n. m.

**trivalent, ente** adj. chim. Qui possède la triple valence.

**trivial, ale, aux** adj. 1 littér. Qui, à force d'usage, est devenu ordinaire, commun. 2 Vulgaire. ► **trivialité** n. f.

**troc** n. m. Échange direct d'un bien contre un autre. - Système économique sans monnaie. *Économie de troc.*

**troène** n. m. Arbuste à petites fleurs blanches très odorantes.

**troglodyte** n. m. Habitant d'une caverne, d'une grotte, d'une demeure aménagée dans le roc. ► **troglodytique** adj.

**trogne** n. f. fam. Visage grotesque.

**trognon** n. m. 1 Ce qui reste quand on a enlevé la partie comestible (d'un fruit, d'un légume). ♦ loc. fam. *Jusqu'au trognon* : jusqu'au bout, complètement. 2 fam. Terme d'affection. - adj. Mignon.

**troïka** n. f. 1 Grand traîneau russe, attelé à trois chevaux de front. 2 Groupe de trois dirigeants, de trois entreprises.

**trois** I adj. numéral 1 (cardinal) Deux plus un (3). - loc. *Règle de trois*, par laquelle on cherche le quatrième terme d'une proportion, les trois autres étant connus. 2 (ordinal) Troisième. *Page trois.* II n. m. Le chiffre, le nombre, le numéro trois.

**trois-huit** [tʀwaɥit] n. m. pl. *Les trois-huit* : système de travail continu par trois équipes travaillant chacune huit heures.

**troisième** 1 adj. numéral ordinal Qui suit le deuxième (3e). ♦ n. *Le, la troisième.* 2 adj. et n. m. Se dit d'une partie d'un tout également divisé en trois. → **tiers.** ► **troisièmement** adv.

**trois-mâts** n. m. Voilier à trois mâts.

**trois-points** adj. fam. *Les frères trois-points* : les francs-maçons.

**trois-quarts** n. m. 1 Manteau court. 2 au rugby Joueur placé entre les demis et les arrières.

① **troll** n. m. Lutin (scandinave).

② **troll** n. anglic. inform. Personne qui cherche à créer la polémique sur Internet. ♦ n. m. Message publié par un troll.

**trolley** n. m. Dispositif servant à transmettre le courant d'un câble conducteur au moteur d'un véhicule.

**trolleybus** [-ys] n. m. Autobus à trolley.

**trombe** n. f. 1 Cyclone tropical où une colonne tourbillonnante soulève la surface des eaux. → **tornade.** 2 *Trombe d'eau* : forte pluie. 3 loc. *En trombe, comme une trombe* : avec un mouvement rapide et violent.

**trombidion** n. m. zool. → **aoûtat.**

**trombine** n. f. fam. Tête, visage.

**trombinoscope** n. m. fam. Collection des portraits, des photos des personnes (d'un groupe...).

**tromblon** n. m. Ancienne arme à feu au canon évasé.

**trombone** n. m. I Instrument à vent, cuivre de grande taille, à embouchure. *Trombone à coulisse*, dont le tube s'allonge et se raccourcit. ♦ Joueur de trombone. II Petite agrafe de fil de fer repliée.

**trompe** n. f. I Instrument à vent, tube évasé en pavillon. *Trompe de chasse* : cor. II 1 Prolongement de l'appendice nasal de l'éléphant, organe tactile. 2 Organe buccal (de certains insectes). 3 anat. *Trompe de Fallope* : conduit par lequel l'ovule quitte l'ovaire. ♦ *Trompe d'Eustache* : canal qui relie le tympan au rhinopharynx.

**trompe-l'œil** [-œj] n. m. invar. 1 Peinture décorative visant à créer l'illusion d'objets réels en relief. 2 fig. Apparence illusoire.

**tromper** v. tr. [1] 1 Induire (qqn) en erreur par mensonge, ruse. → **berner, duper, leurrer ;** fam. **rouler.** 2 (dans la vie amoureuse) Être infidèle à... 3 Échapper à. → **déjouer.** *Tromper la surveillance de ses gardiens.* 4 (sujet chose) Faire tomber (qqn) dans l'erreur. *La ressemblance vous trompe.* 5 littér. Décevoir. *L'événement a trompé notre attente.* 6 Donner une satisfaction illusoire ou momentanée à (un besoin, un désir). *Tromper la soif.* ▷ v. pron. se **tromper** Commettre une erreur. ♦ *Se tromper de...* (+ nom sans article). *Se tromper de route.* ♦ *Si je ne me trompe :* sauf erreur.

**tromperie** n. f. Fait de tromper, d'induire volontairement en erreur. → **imposture.**

**trompette I** n. f. **1** Instrument à vent, cuivre à embouchure. **2** loc. *En trompette :* relevé du bout. **3** Nom de coquillages ; de champignons. – *Trompette-de-la-mort :* champignon noir apprécié. **II** n. m. Militaire joueur de trompette.

**trompettiste** n. Musicien qui joue de la trompette. *Trompettiste de jazz.*

**trompeur, euse** adj. **1** Qui trompe, est capable de tromper (1). **2** (choses) Qui induit en erreur. *Apparences trompeuses.* ► **trompeusement** adv.

**tronc** [tʀɔ̃] n. m. **I 1** Partie inférieure et dénudée de la tige (d'un arbre). ♦ fig. *Tronc commun :* partie commune. **2** Boîte percée d'une fente, où l'on dépose des offrandes. **3** anat. Partie principale (d'un nerf, d'un vaisseau). **4** Partie comprise entre la base et une section plane parallèle (d'un solide). *Tronc de cône.* **II** Partie du corps humain où sont fixés la tête et les membres. → **torse.**

**troncation** n. f. didact. Procédé d'abrégement d'un mot.

**tronche** n. f. fam. Tête. → **trombine.**

**tronçon** n. m. **1** Partie coupée (d'un objet plus long que large). – Morceau coupé (d'animaux à corps cylindrique). **2** Partie (d'une voie...). *Un tronçon d'autoroute.*

**tronconique** adj. Qui constitue un tronc (I, 4) de cône.

**tronçonner** v. tr. [1] Couper, diviser en tronçons. ► **tronçonnage** n. m.

**tronçonneuse** n. f. Machine-outil, scie à chaîne à moteur.

**trône** n. m. **1** Siège élevé sur lequel prend place un souverain. ♦ fam. et iron. Siège des cabinets. **2** fig. Puissance d'un souverain. → **souveraineté.** *Les prétendants au trône.*

**trôner** v. intr. [1] **1** Siéger sur un trône. **2** Occuper la place d'honneur.

**tronquer** v. tr. [1] **1** Couper en retranchant. **2** fig. et péj. Retrancher qqch. de. *Tronquer un texte.* ▷ adj. **tronqué, ée**

**trop I** adv. **1** D'une manière excessive ; plus qu'il ne faudrait. *C'est trop cher.* – *Trop peu :* pas assez. – *Il a trop bu.* – *Trop... pour. C'est trop beau pour être vrai :* on n'ose y croire. – *Pas trop :* un peu. **2** Très suffisamment. → **beaucoup, très.** *Vous êtes trop aimable.* ♦ fam. Extrêmement. *C'était trop bien. Il est trop sympa !* **3** adjectivt fam. Excessif, incroyable (cf. angl. *too much*). *Il, elle est trop !* **II** nominal Une quantité excessive. *Il y en a trop.* ♦ *De trop ; en trop :* au-delà de ce qu'il fallait. *Boire un coup de trop.* – *De trop* (attribut) : superflu. *Huit jours ne seront pas de trop.* – *Être de trop, en trop :* être indésirable, importun. ♦ *Trop de* (+ nom) : une quantité excessive de.

**trope** n. m. didact. Figure de rhétorique par laquelle un mot, une expression sont détournés de leur sens propre.

**trophée** n. m. **1** Antiq. Dépouille d'un ennemi vaincu. **2** Objet attestant une victoire. *Trophée de chasse :* tête empaillée de l'animal abattu. **3** Motif décoratif formé d'armes (→ **panoplie**), d'emblèmes.

Ce mot masculin se termine par un e.

**tropical, ale, aux** adj. **1** Qui concerne les tropiques. *Climat tropical :* type de climat chaud à forte variation des pluies. **2** *Une chaleur tropicale.*

**tropique** n. m. **1** Chacun des deux parallèles de la sphère terrestre, délimitant la zone où le Soleil passe au zénith, à chacun des solstices. *Tropique du Cancer* (hémisphère Nord), *du Capricorne* (Sud). **2** *Les tropiques,* la région intertropicale.

**tropisme** n. m. **1** biol. Réaction d'orientation ou de locomotion orientée. **2** fig., littér. Réaction élémentaire.

**troposphère** n. f. sc. Partie de l'atmosphère au-dessous de la stratosphère.

**trop-perçu** n. m. Ce qui a été perçu en sus de ce qui était dû. *Des trop-perçus.*

**trop-plein** n. m. **1** Ce qui excède la capacité d'un récipient. – fig. Ce qui est en trop. *Un trop-plein de vie, d'énergie.* → **surabondance. 2** Réservoir destiné à recevoir un liquide en excès. *Des trop-pleins.*

**troquer** v. tr. [1] **1** Donner en troc. → **échanger. 2** Changer, faire succéder à.

**troquet** n. m. fam. Café. → **bistrot.**

**trot** n. m. **1** Allure naturelle du cheval et de quelques quadrupèdes, intermédiaire entre le pas et le galop. **2** fam. *Au trot :* rapidement, sans traîner.

**trotskiste** ou **trotskyste** n. et adj. Partisan de Trotski, de sa doctrine de la révolution permanente. ► **trotskisme** ou **trotskysme** n. m.

**trotte** n. f. fam. Chemin assez long à parcourir à pied.

**trotte-menu** adj. invar. vx Qui trotte à petits pas.

**trotter** v. intr. [1] **1** Aller au trot. **2** Marcher rapidement à petits pas. → **trottiner. 3** fig. (sujet chose) *Une idée qui trotte par, dans la tête.*

**trotteur** n. m. Cheval dressé à trotter.

**trotteuse** n. f. Aiguille des secondes.

**trottiner** v. intr. [1] **1** Avoir un trot très court. **2** Marcher à petits pas courts.

**trottinette** n. f. **1** Patinette (jouet d'enfant). **2** fam. Petite automobile.

**trottoir** n. m. **1** Chemin surélevé réservé à la circulation des piétons. ♦ loc. *Faire le trottoir :* se prostituer. **2** *Trottoir roulant :* plateforme mécanique roulante.

**trou** n. m. **I 1** Abaissement ou enfoncement naturel ou artificiel de la surface extérieure (de qqch.). *Tomber dans un trou.* – *Trou d'air :* courant atmosphérique descendant (avions). **2** Abri naturel ou creusé. – loc. *Faire son trou :* réussir. **3** loc. fig. *Boucher un trou :* combler un manque. – *Avoir un trou de mémoire,* un oubli momentané. ♦ *Trou normand :* verre d'alcool bu entre deux plats. **4** fam. Petit village perdu, retiré. **5** fam. Prison. **II 1** Ouverture pratiquée de part en part. *Le trou d'une aiguille.* → **chas. 2** Endroit percé involontairement (par l'usure, etc.). **3** fam. Orifice, cavité anatomique. – fam. *Trous de nez.* → **narine.** – vulg. *Trou du cul :* anus. **III** astron. *Trou noir :* région de l'espace sans rayonnement.

**troubadour** n. m. Poète lyrique courtois de langue d'oc.

Ne pas confondre avec *trouvère* «poète de langue d'oïl».

**troublant, ante** adj. **1** Qui rend perplexe. → **déconcertant. 2** Qui éveille le désir.

① **trouble** adj. **1** (liquide) Qui n'est pas limpide, contient des particules en suspension. ♦ Qui n'est pas net. *Image trouble.* – **adv.** *Voir trouble.* **2** fig. Équivoque, louche.

② **trouble** n. m. **1** littér. au sing. Confusion, désordre. – cour. **au plur.** Ensemble d'événements caractérisés par l'agitation, le désordre social. → **insurrection. 2** littér. État anormal et pénible d'agitation, d'angoisse. **3** souvent au plur. Modification pathologique des activités de l'organisme. *Troubles de la vue.* – *Troubles mentaux.*

**trouble-fête** n. Personne qui trouble une situation agréable, des réjouissances. *Des trouble-fêtes.*

**troubler** v. tr. [1] **1** Altérer la clarté, la transparence de. *Troubler l'eau.* – Rendre moins net. *La fatigue lui trouble la vue.* **2** Modifier, détruire (un état d'équilibre, de paix). *Troubler l'ordre public.* **3** Déranger, perturber. **4** (sentiment...) Priver (qqn) de lucidité. → **égarer.** ♦ *Troubler qqn,* rendre perplexe. *Un détail me trouble.* ♦ Émouvoir en suscitant le désir. ▷ v. pron. se **troubler** ▷ adj. **troublé, ée**

**trouée** n. f. **1** Large ouverture qui permet le passage, ou qui laisse voir. **2** Ouverture faite dans les rangs d'une armée ennemie. → **percée. 3** Large passage naturel, en montagne. *La trouée de Belfort.*

**trouer** v. tr. [1] Faire un trou, des trous, une trouée dans. ▷ adj. **troué, ée**

**troufion** n. m. fam. Simple soldat.

**trouille** n. f. fam. Peur. → **frousse.** ► **trouillard, arde** adj. et n.

**trouillomètre** n. m. loc. fam. *Avoir le trouillomètre à zéro :* avoir très peur.

**troupe** n. f. **1** Réunion de gens qui vont ensemble. → **bande, groupe.** – Groupe d'animaux de même espèce. **2** Groupe régulier et organisé de soldats. – *Les troupes :* la force armée. ♦ *La troupe :* les soldats (opposé à *officiers*). **3** Groupe de comédiens, d'artistes qui jouent ensemble. → **compagnie.**

**troupeau** n. m. **1** Réunion d'animaux domestiques qu'on élève ensemble. – (bêtes sauvages) *Un troupeau d'éléphants.* **2** péj. Foule nombreuse et passive.

**troupier** n. m. vx Simple soldat. ♦ adj. m. *Comique troupier :* genre comique à base d'histoires de soldats (vers 1900).

**trousse** n. f. **I 1** ancienn Haut-de-chausses court et relevé. **2** loc. *Aux trousses* (de qqn), à sa poursuite. *Avoir la police à ses trousses.* **II** Poche, étui à compartiments. *Trousse à outils.*

**trousseau** n. m. **I** *Trousseau de clés :* ensemble de clés réunies. **II** Vêtements, linge, etc. qu'emporte une jeune fille qui se marie, un enfant qui va en pension, en colonie de vacances.

**trousser** v. tr. [1] **1** *Trousser une volaille,* replier ses membres et les lier au corps. **2** vieilli Retrousser (un vêtement). **3** vieilli ou littér. Faire rapidement et habilement. *Trousser un sonnet.*

**trousseur** n. m. loc. fam. vieilli *Un trousseur de jupons :* un coureur.

**trouvable** adj. Qu'on peut trouver.

**trouvaille** n. f. **1** Fait de trouver avec bonheur ; chose trouvée. **2** Idée, expression originale. *Les trouvailles d'un écrivain.*

**trouver** v. tr. [1] **I 1** Apercevoir, rencontrer (ce que l'on cherchait ou ce que l'on souhaitait avoir). → **découvrir. 2** Se procurer, parvenir à avoir. *Trouver un emploi.* **3** Parvenir à rencontrer, à être avec (qqn). → **atteindre, joindre.** – *Aller trouver qqn.* **II** Découvrir, rencontrer (qqch., qqn) sans avoir cherché. *J'ai trouvé un parapluie dans le taxi.* ♦ *Trouver la mort dans un accident.* **III 1** Découvrir par un effort de l'esprit, de l'imagination. → **imaginer, inventer.** *Trouver (le) moyen de...* **2** Pouvoir disposer de (temps, occasion, etc.). *Trouver le temps, la force de* (+ inf.). – littér. *Trouver à* (+ inf.) : trouver le moyen de. *Trouver qqch. à* (+ inf.) : avoir à. **3** *Trouver* (un sentiment) *dans, à :* éprouver. *Trouver un malin plaisir à taquiner qqn.* **4** Voir (qqn, qqch.) se présenter d'une certaine manière. *J'ai trouvé porte close.* – *On l'a trouvé évanoui.* ♦ *Trouver* (un caractère, une qualité) *à* (qqn, qqch.), lui reconnaître. *Je lui trouve mauvaise mine.* ♦ *Trouver qqn, qqch.* (+ attribut) : estimer, juger que qqn, qqch. est... *Je le trouve sympathique.* **5** *Trouver que,* juger, estimer que. *Je trouve que c'est bon.* ▷ v. pron. se **trouver 1** Découvrir sa véritable personnalité. **2** Être (en un endroit). *Le dossier se trouvait dans un tiroir.* ♦ Être (dans un état, une situation). *Se trouver dans l'embarras.* **3** *Se trouver* (+ inf.) : être, avoir... par hasard. *Elle se trouve être mon amie.* **4** impers. *Il se trouve :* il existe, il y a. – *Il se trouve que :* il se fait que. **5** (avec un attribut) Se sentir (dans un état). – loc. *Se trouver mal* : s'évanouir. – *Se trouver bien, mal de qqch.*, en tirer un avantage, en éprouver un désagrément. ♦ Se croire. *Se trouver trop gros.*

**trouvère** n. m. (au Moyen Âge) Poète et jongleur de la France du Nord, s'exprimant en langue d'oïl.

Ne pas confondre avec *troubadour* «poète de langue d'oc».

**truand, ande** 1 n. vx Mendiant professionnel. 2 n. m. mod. Malfaiteur.

**truander** v. tr. [1] fam. Voler, escroquer.

**trublion** n. m. Agitateur.

**truc** n. m. fam. 1 Façon d'agir qui requiert de l'habileté. → **combine, moyen.** – Procédé habile. *Les trucs d'un prestidigitateur.* 2 Chose quelconque. → **machin.**

**trucage** ou **truquage** n. m. 1 Fait de truquer, de falsifier. 2 cin. Procédé pour produire une illusion (→ effet spécial).

**truchement** n. m. littér. 1 Personne qui parle à la place d'une autre. → **porte-parole.** 2 loc. *Par le truchement de qqn*, par son intermédiaire.

**trucider** v. tr. [1] fam. Tuer.

**truculent, ente** adj. Qui étonne et réjouit par ses excès. *Un personnage truculent.* → **pittoresque.** ► **truculence** n. f.

**truelle** n. f. Outil de maçon, à manche coudé, pour étendre le mortier, l'enduit.

**truffe** n. f. 1 Tubercule souterrain (champignon), très recherché. ♦ *Truffe en chocolat* (friandise). 2 Extrémité du museau (du chien).

**truffer** v. tr. [1] 1 Garnir de truffes. 2 fig. *Truffer de* : remplir de choses disséminées en abondance. ▷ adj. **truffé, ée** 1 Garni de truffes. 2 fig. *Un devoir truffé de fautes.*

**truffier, ière** adj. 1 Où poussent les truffes. *Terrain truffier* (ou *truffière* n. f.). 2 (animal) Dressé à la recherche des truffes.

**truie** n. f. Femelle du porc, du verrat.

**truisme** n. m. littér. Vérité d'évidence. → **banalité, lapalissade, lieu** commun.

**truite** n. f. Poisson à chair estimée qui vit surtout dans les eaux pures et vives. ♦ *Truite de mer* (poisson voisin du saumon).

**trumeau** n. m. 1 Panneau (de menuiserie, de glace) entre deux fenêtres. 2 Panneau décoré au-dessus d'une cheminée.

**truquage** → **trucage**

**truquer** v. tr. [1] Changer pour tromper, donner une fausse apparence. → **falsifier, maquiller.** – au p. p. *Élections truquées.*

**truqueur, euse** n. 1 Tricheur. 2 Technicien du trucage.

**trust** [trœst] n. m. anglic. 1 écon. Concentration financière réunissant plusieurs entreprises. 2 Entreprise assez puissante pour dominer un marché.

**truster** [trœste] v. tr. [1] anglic. Accaparer, monopoliser.

**trypanosomiase** n. f. méd. Maladie causée par des protozoaires parasites (les *trypanosomes* n. m.). *Trypanosomiase africaine* : maladie du sommeil.

**tsar** n. m. hist. Titre porté par les empereurs de Russie, des souverains slaves.

**tsarévitch** n. m. hist. Fils aîné du tsar.

**tsarine** n. f. hist. Femme du tsar. – Impératrice de Russie.

**tsarisme** n. m. hist. Régime autocratique des tsars ; période de l'histoire russe où ont régné les tsars. ► **tsariste** adj. et n.

**tsé-tsé** n. f. invar. Mouche d'Afrique qui peut transmettre des trypanosomiases*. – appos. *Mouche tsé-tsé.*

**T. S. F.** n. f. (sigle) vx 1 Télégraphie sans fil, radiotélégraphie. 2 Radiodiffusion. ♦ Poste récepteur. → **radio.**

**T-shirt** → **tee-shirt**

**tsigane** (didact.) ou **tzigane** (cour.) [dzi- ; tsi-] n. et adj. Personne d'une population venue de l'Inde, qui mène une vie nomade. → **bohémien, gitan, rom.** – adj. *Musique tsigane.*

**tsunami** n. m. Mouvement océanique entraînant d'énormes vagues côtières. → **raz** de marée.

**tu** pron. pers. Pronom personnel sujet de la deuxième personne du singulier et des deux genres. *Tu as tort.* ♦ loc. *Être à tu et à toi avec qqn*, être très lié.

**tuant, ante** adj. 1 fam. Épuisant, éreintant. 2 (personnes) Très énervant.

**tub** [tœb] n. m. Large cuvette de bain.

**tuba** n. m. I Instrument à vent (cuivre). II Tube respiratoire pour nager sous l'eau.

**tubage** n. m. méd. Introduction d'un tube dans un organe.

**tube** n. m. 1 Conduit à section circulaire, ouvert à une extrémité ou aux deux. – *Tube à essai* : éprouvette. ♦ Tuyau (de métal, etc.). ♦ loc. *À plein(s) tube(s)* : à pleine puissance. ♦ *Tube de* (ou *au*) *néon* (pour l'éclairage). 2 fam. Chanson à succès. 3 Organe creux et allongé. *Tube digestif* : conduits de l'appareil digestif. 4 Conditionnement cylindrique fermé.

**tubercule** n. m. 1 anat. Petite protubérance arrondie. *Les tubercules des molaires.* 2 méd. Petite masse solide arrondie (dans certaines maladies ; spécialt, dans la tuberculose). 3 Excroissance arrondie d'une racine, réserve nutritive (ex. la pomme de terre).

**tuberculeux, euse** adj. 1 Qui s'accompagne de tubercules (2) pathologiques. 2 Relatif à la tuberculose. ♦ Atteint de tuberculose. → vx **phtisique, poitrinaire.** – n. *Un tuberculeux.*

**tuberculine** n. f. Extrait d'une culture de bacilles de Koch. → **cuti-réaction.**

**tuberculose** n. f. Maladie infectieuse (poumon, etc.), causée par le bacille de Koch.

**tubéreuse** n. f. Plante à bulbe, à grappes de fleurs blanches très parfumées.

**tubulaire** adj. **1** Qui a la forme d'un tube. **2** Fait de tubes métalliques.

**tubulure** n. f. Ensemble de tubes, de tuyaux d'une installation. → **tuyauterie.**

**tudesque** adj. et n. vx Allemand.

**tue-mouche** **1** n. m. Fausse oronge, champignon vénéneux. – appos. *Amanite tue-mouche.* **2** adj. *Papier tue-mouche(s),* imprégné d'une substance empoisonnée (contre les insectes).

**tuer** v. tr. [1] **1** Faire mourir (qqn) de mort violente. **2** Faire mourir volontairement (un animal). **3** (sujet chose) Causer la mort de. **4** fig. Faire cesser. *La bureaucratie tue l'initiative.* **5** loc. *Tuer dans l'œuf,* étouffer avant tout développement. – *Tuer le temps**. **6** (sujet chose) Épuiser (qqn) en brisant la résistance. *Ces escaliers me tuent.* → **éreinter ; tuant.** ♦ Plonger dans le désarroi. → **désespérer.** ▷ v. pron. se **tuer** **1** Être cause de sa propre mort (accident, suicide). **2** fig. User ses forces, compromettre sa santé. *Se tuer au travail.* – *Se tuer à* (+ inf.) : se donner du mal. → s'**évertuer.** ▷ adj. **tué, ée**

**tuerie** n. f. Action de tuer en masse, sauvagement. → **carnage, massacre.**

à **tue-tête** loc. adv. D'une voix si forte qu'on étourdit.

**tueur, euse** n. **1** Personne qui tue. → **assassin, meurtrier.** *Tueur à gages.* ♦ *Tueur en série* : meurtrier dont les multiples crimes ont des caractères communs. **2** techn. Professionnel qui tue les bêtes dans un abattoir.

**tuf** n. m. Roche poreuse de faible densité.

**tuile** n. f. **I** **1** Plaque de terre cuite servant à couvrir un édifice. **2** Petit gâteau sec moulé sur un rouleau. **II** fig., fam. Désagrément inattendu.

**tuiler** v. tr. [1] techn. *Tuiler des opérations,* commencer chacune avant la fin de la précédente. ► **tuilage** n. m.

**tuilerie** n. f. Fabrique de tuiles. ♦ Four où elles sont cuites.

**tulipe** n. f. **1** Plante à bulbe dont la fleur renflée à la base est évasée à l'extrémité. **2** Sa fleur. **3** Objet (verre, globe, lampe...) de forme analogue.

**tulipier** n. m. Arbre (magnolia), dont la fleur ressemble à une tulipe.

**tulle** n. m. Tissu léger, réseau de mailles.

**tuméfier** v. tr. [7] Causer une augmentation de volume anormale à (une partie du corps). → **enfler, gonfler.** ▷ v. pron. se **tuméfier** ▷ adj. **tuméfié, ée** ► **tuméfaction** n. f.

**tumescence** n. f. didact. Gonflement des tissus. → **érection, turgescence.**

**tumeur** n. f. **1** Gonflement pathologique formant une saillie anormale. **2** Amas de cellules à multiplication anarchique. *Tumeur bénigne. Tumeur maligne.* → **cancer, sarcome.** ► **tumoral, ale, aux** adj.

**tumulte** n. m. Désordre bruyant ; bruit confus de personnes assemblées. → **brouhaha, chahut, vacarme.** – par ext. *Le tumulte de la rue.* ♦ fig., littér. *Le tumulte des passions.*

**tumultueux, euse** adj. littér. **1** Agité et bruyant. **2** Violent. *Les flots tumultueux.* **3** Plein d'agitation, de trouble. *Vie tumultueuse.* ► **tumultueusement** adv.

**tumulus** [-ys] n. m. archéol. Tertre artificiel élevé au-dessus d'une tombe.

**tuner** [tynɛʀ ; tynœʀ] n. m. anglic. Récepteur de modulation de fréquence (radio).

**tungstène** n. m. Élément (symb. W), métal gris, très dense.

**tunique** n. f. **I** **1** Dans l'Antiquité, Vêtement de dessous, chemise longue. **2** Veste, redingote (d'uniforme). **3** Chemisier. **II** anat. Membrane qui enveloppe (un organe).

**tunnel** n. m. **1** Galerie souterraine d'une voie de communication. **2** loc. *Voir le bout du tunnel, sortir du tunnel,* d'une période difficile, pénible.

**tupi, ie** adj. et n. D'un groupe ethnique (amérindien) du Brésil et du Paraguay. ♦ n. m. *Le tupi* (langue).

**tuque** n. f. (Canada) Bonnet de laine en forme de cône, à bords roulés.

**turban** n. m. **1** Coiffure d'homme orientale, bande d'étoffe enroulée autour de la tête. **2** Coiffure de femme analogue.

**turbin** n. m. fam., vieilli Travail, métier.

**turbine** n. f. Dispositif rotatif, transmettant le mouvement au moyen d'un arbre (→ **turbo-**). *Turbine à gaz.*

**turbiner** v. intr. [1] fam., vieilli Travailler dur.

**turbo** n. m. Turbocompresseur de suralimentation. – appos. *Moteur turbo.*

**turbocompresseur** n. m. techn. Turbine destinée à augmenter la pression ou le débit d'un gaz. → **turbo.**

**turbomoteur** n. m. techn. Moteur à turbine à gaz.

**turbopropulseur** n. m. techn. Moteur d'avion à turbine entraînant les hélices.

**turboréacteur** n. m. techn. Moteur d'avion à turbine alimentant les compresseurs.

**turbot** n. m. Poisson de mer plat à chair très estimée.

**turbotrain** n. m. Train propulsé par des turbines à gaz.

**turbulence** n. f. **1** Agitation désordonnée. – Caractère turbulent (1). **2** phys. Formation de tourbillons, dans un fluide.

**turbulent, ente** adj. **1** Qui est souvent dans un état d'excitation bruyante. **2** phys. *Régime turbulent* : écoulement irrégulier des fluides, entraînant des turbulences (2).

**turc, turque 1** adj. De la Turquie (ottomane ou moderne). *Café turc,* fort, servi avec le marc. *Bain turc* : bain de vapeur. → **hammam.** ♦ *Être assis à la turque,* en tailleur. **2** n. *Les Turcs.* - *Les jeunes Turcs* : les révolutionnaires turcs (au pouvoir en 1908). ♦ *Tête* de Turc.* **3** n. m. Langue parlée en Asie centrale, en Turquie et à Chypre.

**turf** [tyʀf ; tœʀf] n. m. Ce qui concerne les courses de chevaux.

**turfiste** [tyʀ- ; tœʀ-] n. Personne qui fréquente les courses de chevaux, qui parie.

**turgescence** n. f. physiol. Augmentation de volume (d'un organe ; spécialt la verge) par rétention de sang veineux. → **tumescence.** ► **turgescent, ente** adj.

**turista** [tu-] ou **tourista** n. f. fam. Diarrhée infectieuse qui touche de nombreux voyageurs.

**turlupiner** v. tr. [1] fam. Tracasser.

**turlututu** interj. Exclamation moqueuse.

**turne** n. f. fam. Chambre ou maison sale et sans confort. → **taudis.**

**turpitude** n. f. littér. ou iron. **1** Caractère de bassesse, d'indignité. → **ignominie, infamie. 2** Action, parole... basse, honteuse.

**turquerie** n. f. Objet, œuvre d'inspiration orientale, turque.

**turquoise 1** n. f. Pierre fine opaque d'un bleu tirant sur le vert (bijou). **2** adj. invar. De couleur turquoise.

**tussilage** n. m. Herbe vivace, dont les fleurs jaunes ont des propriétés pectorales.

**tutélaire** adj. **1** littér. (divinité) Qui assure une protection. **2** dr. De la tutelle.

**tutelle** n. f. **1** dr. Institution conférant à un tuteur le pouvoir de prendre soin de la personne et des biens d'un mineur ou d'un incapable. **2** État de dépendance. **3** Protection vigilante. *Être sous la tutelle des lois.* → **sauvegarde.**

**tuteur, trice** n. **I 1** Personne chargée d'une tutelle (1). *Le tuteur et son pupille.* **2** Enseignant qui suit et conseille un élève. **II** n. m. Tige fixée dans le sol pour soutenir ou redresser des plantes. → **perche,** ② **rame.**

**tutoriel, ielle** anglic. **1** adj. Relatif à l'enseignement assisté, au tutorat. **2** n. m. inform. Logiciel conçu pour faciliter la compréhension du fonctionnement d'un logiciel. ♦ Guide d'apprentissage (texte, vidéo). - abrév. fam. **tuto.** *Des tutos coiffure.*

**tutoyer** v. tr. [8] S'adresser à (qqn) en employant la deuxième personne du singulier *(tu).* ► **tutoiement** n. m.

**tutti quanti** [tutikwɑ̃ti] loc. nominale souvent péj. (après des noms de personnes) *Et tutti quanti* : et tous les gens de cette espèce.

**tutu** n. m. Jupe de gaze courte, évasée, portée par les danseuses de ballet classique.

**tuyau** n. m. **I 1** Conduit à section circulaire destiné à faire passer un liquide, un gaz. → **canalisation, conduite, tube. 2** Cylindre creux. - loc. *Dans le tuyau de l'oreille* : tout bas. **3** Pli ornemental (d'un tissu) en forme de tube. **II** fam. Information confidentielle.

**tuyauter** v. tr. [1] **I** Orner de tuyaux (I, 3). ♦ au p. p. *Bonnet tuyauté.* - n. m. Assemblage de tuyaux (I, 3). **II** fam. Donner un, des tuyaux (II) à (qqn).

**tuyauterie** n. f. Ensemble des tuyaux (d'une installation). → **canalisation.**

**tuyère** [tyjɛʀ ; tɥijɛʀ] n. f. Large tuyau d'admission ou de refoulement des gaz.

**T. V. A.** n. f. (sigle) Taxe à la valeur ajoutée, perçue à chaque stade du circuit économique.

**tweed** [twid] n. m. anglic. Tissu de laine cardée, à l'origine fabriqué en Écosse.

**tweet** [twit] n. m. anglic. Court message informatif posté sur Internet à l'intention de personnes abonnées.

**tweeter** [twite] v. [1] anglic. **I** v. intr. Publier des tweets. **II** v. tr. Publier dans un tweet. *Tweeter une nouvelle.*

**twist** [twist] n. m. Danse avec mouvement rapide de rotation du bassin.

**tympan** n. m. **I** Espace compris entre le linteau et les voussures d'un portail (églises romanes, gothiques...). **II** Membrane fibreuse qui sépare le conduit auditif externe de l'oreille moyenne. - loc. *Crever, déchirer le tympan* : assourdir.

**tympanon** n. m. Instrument de musique à cordes tendues sur une caisse trapézoïdale, frappé avec deux maillets.

**type** n. m. **I 1** Ensemble des traits caractéristiques d'une catégorie de personnes ou de choses. → **canon, idéal, modèle.** *Un type de beauté éternelle.* **2** sc. Caractères qui permettent de distinguer des catégories d'objets, de faits, d'individus. ♦ Schéma ou modèle de structure (→ **typologie**). - *Types humains. Elle a le type nordique.* - fam. *C'est tout à fait mon type,* le genre de personne qui me plaît. **3** Caractères d'une série d'objets fabriqués. → **norme, standard. 4** Personne ou chose qui réunit les principaux éléments d'un type (I, 1 et 2). → **personnification, représentant.** - appos. *C'est la sportive type.* **II** fam. Homme en général, individu. → **mec.** *Un brave type.*

**typé, ée** adj. Qui présente nettement les caractères d'un type.

**typer** v. tr. [1] Donner à (une création) les caractères apparents d'un type.

**typhique** adj. Du typhus ou de la typhoïde. ♦ Qui en est atteint. - n. *Un, une typhique.*

**typhoïde** adj. et n. f. *Fièvre typhoïde,* ou n. f. *la typhoïde :* maladie infectieuse, contagieuse, caractérisée par une fièvre élevée, des troubles digestifs.

**typhon** n. m. Cyclone (Pacifique).

**typhus** [-ys] n. m. Maladie infectieuse, épidémique, fièvre intense et brutale avec des rougeurs et un état de stupeur.

**typicité** n. f. .Caractère typique. – spécialt Caractère marqué (d'un vin), en rapport avec le terroir, la vinification...

**typique** adj. **1** Qui constitue un type, un exemple caractéristique. *Un cas typique.* **2** Assez caractérisé pour servir d'exemple, de repère. → **spécifique.** ► **typiquement** adv.

**typographe** n. Professionnel(le) de la typographie. – abrév. **typo** n.

**typographie** n. f. **1** Techniques permettant de reproduire des textes par l'impression d'un assemblage de caractères en relief (par opposition aux procédés par report) ; spécialt les opérations de composition. **2** Manière dont un texte est imprimé. – abrév. **typo** n. f. ► **typographique** adj.

**typologie** n. f. didact. **1** Science de l'élaboration des types, facilitant la classification. **2** Système de types. → **classification.** ► **typologique** adj.

**tyran** n. m. **1** Antiq. Chez les Grecs, celui qui s'emparait du pouvoir par la force. **2** Personne qui exerce le pouvoir absolu de manière oppressive. **3** fig. Personne qui abuse de son pouvoir.

**tyranneau** n. m. littér. Petit tyran.

**tyrannie** n. f. **1** Antiq. Usurpation et exercice du pouvoir par un tyran (1). **2** Gouvernement absolu, oppressif et arbitraire. → **despotisme, dictature. 3** littér. Abus de pouvoir. ♦ Contrainte impérieuse. *La tyrannie de la mode.* ► **tyrannique** adj.

**tyranniser** v. tr. [1] Traiter (qqn) avec tyrannie. → **opprimer, persécuter.**

**tyrannosaure** n. m. Grand reptile fossile carnivore du secondaire.

**tyrolien, ienne 1** adj. et n. Du Tyrol. – *Chapeau tyrolien.* **2** n. f. Chant à trois temps, avec passage rapide de la voix de poitrine à la voix de tête (→ **iodler**).

**tzatziki** n. m. Préparation à base de concombre et de fromage blanc (cuisine grecque).

# U

**u** [y] n. m. Vingt et unième lettre, cinquième voyelle de l'alphabet. – *En U :* en forme de U.

**ubac** n. m. géogr. Versant d'une montagne exposé au nord (opposé à *adret*).

**ubiquité** [-kɥi-] n. f. littér. Possibilité d'être présent en plusieurs lieux à la fois.

**ubuesque** adj. Qui rappelle le personnage d'Ubu (d'Alfred Jarry), par un caractère comiquement cruel et couard.

**uchronie** [-k-] n. f. didact. Récit d'événements fictifs à partir d'un point de départ historique.

**ufologie** n. f. anglic. Étude des objets volants non identifiés (ovnis). ► **ufologue** n.

**uhlan** n. m. hist. Cavalier mercenaire des armées de Pologne, d'Allemagne, etc.

**U. H. T.** [yaʃte] n. f. (sigle de *ultra-haute température*) Stérilisation par élévation à haute température pendant un temps très court. – appos. *Lait U. H. T.*

**ukase** → **oukase**

**ukrainien, ienne** adj. et n. De l'Ukraine. – n. *Les Ukrainiens.* ♦ n. m. *L'ukrainien* (langue slave).

**ukulélé** ['(j)uku-] n. m. Guitare hawaïenne d'origine portugaise, au son proche de celui du banjo.

**ulcération** n. f. didact. **1** Formation d'un ulcère. **2** Ulcère. *Ulcérations cancéreuses.*

**ulcère** n. m. Perte de substance de la peau, d'une muqueuse sous forme de plaie qui ne cicatrise pas. *Ulcère à* (ou *de*) *l'estomac.*

**ulcérer** v. tr. [6] **I** méd. Produire un ulcère sur. **II** fig. Blesser (qqn) profondément, en l'irritant. ▷ adj. **ulcéré, ée** (sens I et II).

**ulcéreux, euse** adj. méd. **1** De la nature de l'ulcère. **2** adj. et n. Atteint d'un ulcère de l'estomac ou du duodénum.

**uléma** [ylema ; u-] n. m. Théologien musulman. – var. **ouléma.**

**U. L. M.** [yɛlɛm] n. m. (sigle de *ultraléger motorisé*) Petit avion monoplace ou biplace, de conception simplifiée.

**ulna** n. m. anat. Cubitus. ► **ulnaire** adj.

**ultérieur, eure** adj. Qui sera, arrivera plus tard. → **futur, postérieur.** ► **ultérieurement** adv. → **après, ensuite.**

**ultimatum** [-ɔm] n. m. Dernières conditions présentées par un État à un autre et comportant une sommation. ♦ par ext. Exigence impérative, mise en demeure.

**ultime** adj. Dernier, final (dans le temps).

**ultra** n. Réactionnaire extrémiste. *Des ultra(s).* – adj. invar. *Elles sont ultra.*

**ultramoderne** adj. Très moderne.

**ultramontain, aine** adj. et n. Qui soutient la position traditionnelle de l'Église italienne (pouvoir absolu du pape), par opposition à *gallican.*

**ultrasensible** [-s-] adj. Très sensible.

**ultrason** [-sɔ̃] n. m. Vibration sonore de fréquence très élevée, non perceptible par l'oreille humaine.

**ultraviolet, ette** adj. (radiations électromagnétiques) Dont la longueur d'onde se situe entre celle de la lumière visible et celle des rayons X. *Rayons ultraviolets ;* n. m. pl. *les ultraviolets* (abrév. U. V.).

**ululement ; ululer** → **hululement ; hululer**

**un, une** **I** numéral Expression de l'unité. → **mon(o)-, uni-.** **1** adj. cardinal (invar. en nombre) *Une ou deux fois. Six heures une* (minute). – loc. *Il était moins une :* il s'en fallait de très peu (de temps). – *Pas un..., pas une... :* aucun(e), nul(le). **2** pron. *Il en reste un.* – *Un à un, une à une ; un par un, une par une :* à tour de rôle et un(e) seul(e) à la fois. **3** n. m. invar. *Un et un (font) deux.* – loc. *Ne faire qu'un avec :* se confondre avec. **4** ordinal Premier. *La page un* (→ **une**). ♦ n. m. *Il habite au un de la rue.* ♦ n. f. (commandement) *Une !... deux !...* – fam. *Ne faire ni une ni deux**. **II** adj. qualificatif (après le nom ou attribut) Qui n'a pas de parties et ne peut être divisé. *La République une et indivisible.* **III** art. indéf. (plur. *des*) **1** Désigne un individu, un élément distinct mais indéterminé. *Un homme est venu. J'ai reçu une lettre.* **2** (avec le pron. *en*) *En fumer une* (cigarette). – *En voilà un qui ne s'en fait pas !* **3** (en phrase exclamative ; emphatique) *Il fait une chaleur !* **4** (devant un nom propre) Une personne telle que... *Un don Juan.* – Une personne de telle famille. *Une Bonaparte.* **IV** pron. indéf. *Une de mes camarades. Un de ces jours.* – *L'un, l'une ; les uns, les unes. L'un d'eux est venu. L'un et l'autre*.*

**unanime** adj. **1** au plur. Qui ont tous le même avis (→ d'**accord**). **2** Qui exprime un avis commun à plusieurs. *Accord unanime.* **3** Qui est fait par tous, en même temps. *Un rire unanime.* ► **unanimement** adv.

**unanimité** n. f. Conformité d'opinion ou d'intention entre tous les membres d'un groupe. → **accord, consensus.**

**underground** [œndœRgRaund ; œ̃dɛRgR(a)und] adj. invar. et n. m. anglic. Se dit d'un mouvement artistique indépendant des circuits commerciaux traditionnels.

**une** n. f. Première page d'un journal.

**uni, unie** adj. **I 1** Qui est avec *(uni à, avec)* ou qui sont ensemble *(unis)* de manière à former un tout ou à être en union. *Les États-Unis (d'Amérique).* **2** vieilli Joint, réuni (concret ou abstrait). **3** Formé d'éléments liés ; qui constitue une unité. *Le Royaume-Uni.* **4** En bonne entente (opposé à *désuni*). **II** Dont les éléments sont semblables ; qui ne présente pas d'inégalité, de variation apparente. → **cohérent, homogène. 1** (surface) Sans aspérités. → **égal, lisse.** ♦ De couleur, d'aspect uniforme. **2** vx ou littér. Qui s'écoule sans changement. *Vie unie.*

**uniate** adj. Se dit des Églises chrétiennes orientales liées au catholicisme.

**unicellulaire** adj. biol. Formé d'une seule cellule. *Organismes unicellulaires.* – n. m. *Les unicellulaires.* → **protiste.**

**unicité** n. f. didact. Caractère unique.

**unicorne** adj. Qui n'a qu'une corne.

**unième** adj. numéral ordinal (après un numéral) Qui vient en premier, immédiatement après une dizaine (sauf dix, soixante-dix, quatre-vingt-dix), une centaine, un millier. *Vingt et unième. Cent unième.* ► **unièmement** adv.

**unifier** v. tr. [7] **1** Faire de (plusieurs éléments) une seule et même chose ; faire l'unité de. → **unir.** *Unifier deux régions ; un pays.* **2** Rendre semblables (des éléments rassemblés). → **normaliser, uniformiser. 3** Rendre homogène. ▷ v. pron. s'**unifier** ► **unification** n. f. ► **unificateur, trice** adj.

**uniforme I** adj. **1** Qui présente des éléments tous semblables ; dont toutes les parties sont ou paraissent identiques. → **régulier.** *Mouvement uniforme.* **2** Qui ne varie pas ou peu. **3** Analogue, identique. **II** n. m. Costume militaire réglementaire. ♦ Vêtement déterminé (d'un groupe).

**uniformément** adv. **1** D'une manière uniforme. **2** Comme tous (toutes) les autres.

**uniformiser** v. tr. [1] **1** Rendre uniforme. **2** Rendre semblables ou moins différents. → **unifier.** ► **uniformisation** n. f.

**uniformité** n. f. **1** Caractère uniforme. **2** Absence de changement, de variété.

**unijambiste** adj. Qui a été amputé d'une jambe. – n. *Un(e) unijambiste.*

**unilatéral, ale, aux** adj. **1** Qui ne se fait que d'un côté. **2** dr. Qui n'engage qu'une seule partie. **3** Qui provient d'un seul, n'intéresse qu'un seul (lorsque plusieurs sont concernés). *Décision unilatérale.* ► **unilatéralement** adv.

**unilingue** adj. didact. Qui est en une seule langue. → **monolingue.** ♦ Qui parle, écrit une seule langue. ► **unilinguisme** n. m.

**uniment** adv. D'une manière unie. ♦ littér. Avec régularité.

**uninominal, ale, aux** adj. admin. Qui porte sur un seul nom. *Scrutin, vote uninominal* (opposé à *de liste*).

**union** n. f. **I 1** Relation qui existe entre des personnes ou choses considérées comme formant un ensemble (→ **unir**). *Union étroite, solide.* **2** Relation réciproque entre personnes ; vie en commun. → **attachement.** – *Union libre.* → **concubinage. 3** État dans lequel se trouvent des personnes, des groupes liés. – (Entre États) *L'Union européenne* (1993). **4** Entente (entre personnes, groupes). → **concorde, harmonie.** prov. *L'union fait la force.* **II** Ensemble de personnes unies. → **association, groupement, ligue. III** Réunion. *L'union de deux terres.*

**unique** adj. **I** (quantitatif) **1** Qui est un seul, n'est pas accompagné par d'autres du même genre. *Son unique fils.* **2** Qui est un seul et répond seul à sa désignation. *Dieu unique en trois personnes* (Trinité des catholiques). ♦ Qui est le même pour plusieurs choses, plusieurs cas. *Prix unique.* – *Marché unique,* sans frontières intérieures. **II** (qualitatif ; le comparatif et le superlatif sont possibles) Qui est ou paraît différent des autres. → **irremplaçable ; exceptionnel.** *Un artiste unique.* ♦ fam. Qui étonne beaucoup (en bien ou en mal). *Il est vraiment unique !* → **extravagant.**

**uniquement** adv. **1** littér. → **exclusivement. 2** Seulement, sans autre motif.

**unir** v. tr. [2] **1** Mettre ensemble (les éléments d'un tout). → **assembler, confondre, réunir. 2** Faire exister, vivre ensemble (des personnes). – spécialt *Le maire qui les a unis.* → **marier.** ♦ (sujet chose) Constituer la cause de l'union entre (des personnes). *L'amitié qui les unit.* **3** Associer par un lien politique, économique. → **allier ; union. 4** Avoir, posséder à la fois (des caractères différents et souvent en opposition). *Unir la force à la douceur.* ▷ v. pron. **s'unir 1** récipr. Ne plus former qu'un tout. → **fusionner,** se **mêler.** ♦ Former une union. ♦ Faire cause commune. **2** passif (sujet chose) Se trouver ensemble, de manière à former un tout. **3** réfl. *S'unir à, avec qqn* (spécialt par des liens affectifs, le mariage). ♦ (sujet chose) Se trouver avec, s'allier à.

**unisexe** [-s-] adj. (habillement...) Destiné indifféremment aux hommes et aux femmes.

**unisson** n. m. Son unique produit par plusieurs voix ou instruments. ♦ loc. *Chanter à l'unisson.* - fig. *Cœurs à l'unisson.*

**unitaire** adj. **1** Qui forme une unité politique. **2** Relatif à l'unité. *Prix unitaire.*

**unité** n. f. **I 1** Caractère de ce qui est unique. - *Unité de...*, caractère unique. *Unité de vues.* → **conformité, identité. 2** didact. Caractère de ce qui n'a pas de parties, ne peut être divisé. ♦ État de ce qui forme un tout fonctionnel. *Faire l'unité de* (→ **unifier**). **3** Cohérence interne. → **cohésion, homogénéité. II** Chose qui est une. **1** Élément ou structure faisant partie d'un ensemble. *Unité de production.* **2** Formation militaire spécifique. **3** Objet fabriqué (identique à d'autres). → **pièce.** *Prix à l'unité.* **4** Élément arithmétique qui forme les nombres. - spécialt (nombres de deux chiffres et plus) Chiffre placé à droite de celui des dizaines. **5** Grandeur finie servant de base à la mesure des autres grandeurs de même espèce. → **étalon.** *Unités de mesure.* - *Unité monétaire.* → **monnaie.**

**univalve** adj. didact. Dont la coquille n'est formée que d'une pièce.

**univers** n. m. **1** Ensemble des groupes humains sur la Terre. **2** L'ensemble de tout ce qui existe. → **monde, nature.** - sc. Ensemble de la matière, dans l'espace et le temps. *Théories de l'univers.* **3** fig. Milieu matériel ou moral. *L'univers de l'enfance.*

**universaliser** v. tr. [1] Rendre universel ; répandre largement. → **diffuser, généraliser.** ► **universalisation** n. f.

**universalité** n. f. **1** Caractère universel. **2** Caractère d'un esprit universel (2).

**universel, elle** adj. **1** Qui s'étend, s'applique à la totalité des objets (personnes ou choses) qui existent. → **général.** *Notion universelle.* ♦ n. m. didact. *L'universel et le particulier.* **2** Dont les connaissances, les aptitudes s'appliquent à tous les sujets. **3** dr. À qui échoit la totalité d'un patrimoine. *Légataire universel.* **4** Qui concerne la totalité des humains. ♦ *Suffrage universel*, étendu à tous (sauf les exceptions prévues par la loi). ♦ Commun à tous ou à un groupe. *Raison universelle.* **5** Qui concerne l'univers entier. *Gravitation universelle.*

**universellement** adv. Par tous les humains. → **mondialement.**

**universitaire** adj. **1** Relatif à l'Université (1). - n. Membre de l'Université (enseignant(e), chercheur). **2** Relatif aux universités.

**université** n. f. **1** *L'Université* : le corps des maîtres de l'enseignement public des divers degrés. **2** *Une université* : établissement public d'enseignement supérieur. → **faculté.**

**univoque** adj. didact. Qui garde toujours le même sens (s'oppose à *ambigu, équivoque*). ► **univocité** n. f. didact.

**uppercut** [ypɛRkyt] n. m. anglic. (boxe) Coup porté de bas en haut. → **crochet.**

**uranium** [-jɔm] n. m. Élément radioactif naturel (symb. U), métal gris, dur, présent dans plusieurs minerais.

**urbain, aine** adj. **I** Qui est de la ville, des villes (s'oppose à *rural*). *Habitat urbain.* **II** littér. Qui témoigne, fait preuve d'urbanité.

**urbanisation** n. f. Concentration de la population dans les villes.

**urbaniser** v. tr. [1] Donner le caractère urbain à (un lieu) ; transformer en ville.

**urbanisme** n. m. Méthodes permettant d'adapter l'habitat urbain aux besoins humains. *Architecture et urbanisme.* ► **urbaniste** n.

**urbanité** n. f. littér. Politesse affable.

**urbi et orbi** [yRbiɛtɔRbi] loc. adv. et adj. relig. Se dit de la bénédiction que le pape donne à Rome et au monde entier. - fig. *Proclamer qqch. urbi et orbi*, partout.

**urée** n. f. Substance que l'on rencontre dans le sang et l'urine des carnivores.

**urémie** n. f. méd. Intoxication due à une accumulation d'urée dans le sang.

**uretère** n. m. Canal qui conduit l'urine du rein à la vessie.

> Ne pas confondre avec *urètre* «canal qui permet l'excrétion de l'urine».

**urètre** n. m. Canal excréteur de l'urine, de la vessie au méat urinaire.

> Ne pas confondre avec *uretère* (du rein à la vessie).

**urgence** n. f. **1** Caractère de ce qui est urgent. **2** Nécessité d'agir vite. *En cas d'urgence.* - *Une urgence* : un malade à soigner sans délai. - *Service des urgences, dans un hôpital. Médecin spécialiste des urgences* (► **urgentiste** n.). **3** *D'urgence* loc. adv. : sans délai, en toute hâte.

**urgent, ente** adj. Dont on doit s'occuper sans retard. → **pressant, pressé.**

**urger** v. intr. [3] seulement 3e pers. du sing. fam. Être urgent. → **presser.** *Ça urge !*

**urinaire** adj. Qui a rapport à l'urine. - *Appareil urinaire*, rein, uretère, urètre, vessie. → **urogénital.**

**urinal, aux** n. m. Récipient à col incliné où un homme peut uriner allongé.

**urine** n. f. Liquide organique clair et ambré, odorant, qui se forme dans le rein, passe dans les uretères, séjourne dans la vessie et est évacué **(→ miction)** par l'urètre. – *Les urines*, l'urine évacuée.

**uriner** v. intr. [1] Évacuer l'urine.

**urinoir** n. m. Petit édifice où les hommes vont uriner. **→ vespasienne** ; fam. **pissotière.**

**urique** adj. *Acide urique* : substance azotée à propriétés acides, éliminée par les urines.

**URL** ou **U. R. L.** n. m. (sigle) inform., anglic. Système standardisé d'attribution des adresses, sur Internet. – Adresse d'un site, sur Internet.

**urne** n. f. **1** Vase servant à renfermer les cendres d'un mort. **2** Vase antique à flancs arrondis. **3** Boîte à couvercle fendu, où l'on dépose des bulletins de vote.

**urogénital, ale, aux** adj. didact. Qui a rapport aux appareils urinaire et génital.

**urographie** n. f. méd. Radiographie de l'appareil urinaire.

**urologie** n. f. méd. Médecine de l'appareil urinaire. ► **urologique** adj. ► **urologue** n.

**urticaire** n. f. Éruption cutanée passagère, accompagnée de démangeaisons.

Mot féminin : *une urticaire géante.*

**urticant, ante** adj. didact. Dont la piqûre ou le contact produit une urtication.

**urtication** n. f. didact. Inflammation cutanée associée à une sensation de brûlure.

**urubu** n. m. zool. Petit vautour d'Amérique tropicale.

**us** [ys] n. m. pl. loc. *Les us et coutumes* : les mœurs, les usages traditionnels.

**usage** n. m. **I 1** Action d'user, de se servir (de qqch.). **→ emploi, utilisation.** *L'usage d'un outil ; de la force.* **2** Mise en activité effective (d'une faculté). **→ exercice.** *L'usage de la parole.* **3** loc. *Faire usage de* : se servir de. **→ utiliser ; employer.** ♦ *À l'usage* : lorsqu'on s'en sert. ♦ *Hors d'usage* : qui ne peut plus servir et, spécialt, fonctionner. **4** Fait de pouvoir produire un effet particulier et voulu. **→ fonction, utilité.** *Un canif à multiples usages.* ♦ *À usage (de)* : destiné à être utilisé (de telle ou telle façon). ♦ *À l'usage de* : destiné à être utilisé par (qqn...). **→ pour.** **5** Fait d'employer les éléments du langage dans le discours, la parole ; manière dont ils sont employés. **II 1** Pratique que l'ancienneté ou la fréquence rend normale, dans une société. *Un usage ancien.* – au plur. Comportements considérés comme les meilleurs, ou normaux. **2** *L'usage* : l'ensemble des pratiques sociales. **→ coutume, habitude.** *Suivre l'usage.* – *D'usage* : habituel, normal. **3** littér. Les bonnes manières. *Manquer d'usage.* **III** dr. Droit réel qui permet à son titulaire (l'usager) de se servir d'une chose appartenant à autrui. **→ usufruit.**

**usagé, ée** adj. Qui a déjà servi, beaucoup servi.

**usager, ère** n. **1** dr. Titulaire d'un droit réel d'usage (III). **2** Personne qui utilise (qqch. ; un service...). **→ utilisateur.**

**usant, ante** adj. Qui use la santé.

**USB** n. m. (sigle angl.) anglic., inform. Prise (port) permettant de connecter des périphériques à un ordinateur. – appos. *Clé USB*, dispositif à très grande capacité de mémoire, qui se connecte sur un port USB.

**usé, ée** adj. **1** Altéré par un usage prolongé, par des actions physiques. *Souliers usés.* ♦ *Eaux usées*, salies. **2** Diminué, affaibli, notamment par la répétition. **→ démodé, éculé.** **3** Dont les forces, la santé sont diminuées.

**user** v. [1] **I** *User de* v. tr. ind. **1** (compl. chose abstraite) Avoir recours à (qqch.), mettre en œuvre. → se **servir** de, **utiliser ; usage.** *User d'un droit ; d'un stratagème.* ♦ Se servir de (un élément du langage). **2** vx ou littér. *En user... avec qqn*, se comporter d'une certaine manière. **II** v. tr. dir. **1** Modifier (qqch.) progressivement en enlevant des parties, en altérant l'aspect, par un usage prolongé. **→ abîmer, élimer ; usure.** *User ses vêtements.* ♦ Altérer ou entamer (qqch.). – au p. p. *Terrains usés par l'érosion.* **2** Diminuer, affaiblir par une action progressive. *User sa santé.* **3** (sujet chose) Diminuer les forces de (qqn). **→ épuiser.** ▷ v. pron. s'**user** **1** Se détériorer à l'usage. **2** fig. S'affaiblir avec le temps.

**usine** n. f. **1** Établissement de la grande industrie destiné à la fabrication d'objets ou de produits, à la transformation de matières premières, à la production d'énergie. **2** La grande industrie. *Ouvrier d'usine.* – *Travail en usine.* **3** fam. Local qui évoque une usine.

**usiner** v. tr. [1] **1** Façonner avec une machine-outil. **2** Fabriquer dans une usine. ► **usinage** n. m.

**usité, ée** adj. Qui est employé, en usage. *Un mot usité.* **→ courant, usuel.**

**usnée** n. f. bot. Lichen de couleur grisâtre, à longs cils.

**ustensile** n. m. Objet ou accessoire d'usage domestique, sans mécanisme ou à mécanisme simple. *Ustensiles de cuisine.*

**usuel, elle** **1** adj. Qui est utilisé habituellement. ► **usuellement** adv. **2** n. m. Ouvrage de référence, de consultation (notamment, dans une bibliothèque).

**usufruit** n. m. dr. Jouissance légale d'un bien dont on n'a pas la propriété. ► **usufruitier, ière** n. dr.

① **usure** n. f. **1** Détérioration par un usage prolongé (→ **user** (II, 1)). **2** Diminution ou altération (d'une qualité, de la santé). ♦ Fait d'user les forces de qqn. *Guerre d'usure.* **3** État de ce qui est détérioré par l'usage.

② **usure** n. f. Intérêt de taux excessif ; fait de prendre un tel intérêt. - fig., littér. *Avec usure* : au-delà de ce que l'on a reçu. ► **usuraire** adj.

**usurier, ière** n. Prêteur à usure (②).

**usurper** v. tr. [1] S'approprier sans droit, par la violence ou la fraude (un pouvoir, une dignité, un bien...). ♦ Obtenir de façon illégitime. - au p. p. *Une réputation usurpée*, imméritée. ► **usurpation** n. f. ► **usurpateur, trice** n. → **imposteur.**

**ut** [yt] n. m. invar. **1** Do (note). → aussi **contre-ut.** **2** Ton de do. *Clé d'ut.*

**utérin, ine** adj. **1** dr. Se dit des frères et sœurs ayant la même mère, mais un père différent. **2** anat. Relatif à l'utérus.

**utérus** [-ys] n. m. (chez la femme) Organe situé entre la vessie et le rectum, destiné à contenir l'œuf, l'embryon jusqu'à son complet développement. → vx **matrice.** - (chez les animaux vivipares) Organe de la gestation chez la femelle.

**utile** adj. **1** Dont l'usage, l'emploi est ou peut être avantageux, satisfait un besoin. *Des conseils utiles.* - *Il est utile de* (+ inf.) ; *que* (+ subj.). - *Utile à* (+ inf.) : qu'il est utile de. - *Charge utile*, que peut transporter un véhicule. ♦ n. m. *L'utile.* → **bien, utilité.** - loc. *Joindre l'utile à l'agréable.* **2** (personnes) Dont l'activité est ou peut être avantageusement mise au service d'autrui. ♦ *Animaux utiles* (opposé à *nuisible*). **3** *En temps utile* : au moment opportun.

**utilement** adv. D'une manière utile.

**utilisable** adj. Qui peut être utilisé.

**utiliser** v. tr. [1] **1** Rendre utile, faire servir à une fin précise. → **employer,** se **servir** de. **2** Employer. *Utiliser un procédé.* ► **utilisation** n. f. (action ; manière). ► **utilisateur, trice** n. → **usager.**

**utilitaire** adj. **1** Qui vise essentiellement à l'utile. - *Véhicules utilitaires* : camions, autocars, etc. (opposé à *de tourisme*). **2** péj. Préoccupé des seuls intérêts matériels.

**utilité** n. f. **1** Caractère de ce qui est utile. **2** Le bien ou l'intérêt (de qqn). *Pour mon utilité.* → **convenance.** - *Association reconnue d'utilité publique.* **3** Emploi subalterne d'acteur. loc. *Jouer les utilités.*

**utopie** n. f. Idéal, vue politique ou sociale qui ne tient pas compte de la réalité. ♦ Conception ou projet qui paraît irréalisable. → **chimère, rêve.** ► **utopique** adj.

**utopiste** n. Auteur d'utopies ; esprit attaché à des utopies. → **rêveur.**

**U. V.** [yve] n. m. pl. → **ultraviolet.**

**uval, ale, aux** adj. didact. Du raisin.

**uvée** n. f. anat. Tunique moyenne de l'œil, comprenant la choroïde et l'iris.

# V

**v** [ve] n. m. Vingt-deuxième lettre de l'alphabet, dix-septième consonne. – *Décolleté en V,* en pointe. ♦ *V :* cinq (en chiffres romains).

**va 1** Forme du verbe *aller**. ♦ fam. *Va pour :* je suis d'accord pour. **2** interj. *Va !,* s'emploie pour encourager ou menacer.

**vacance** n. f. **I 1** Période où les tribunaux interrompent leur activité. **2** État d'une charge, d'un poste vacant. **II** au plur. **1** Période pendant laquelle les écoles, les universités ne sont pas en activité. **2** Repos, cessation des occupations ordinaires. ♦ Temps de repos accordé aux salariés. → **congé.**

**vacancier, ière** n. Personne en vacances. → **estivant.**

**vacant, ante** adj. **1** Qui n'a pas de titulaire. **2** Libre. *Siège vacant.*

**vacarme** n. m. **1** Grand bruit de personnes assemblées. **2** Bruit assourdissant.

**vacataire** n. et adj. Personne affectée à une fonction pour un temps déterminé.

**vacation** n. f. admin. Temps consacré à l'accomplissement d'une fonction. – Travail fait pendant ce temps.

**vaccin** n. m. Substance pathogène qui, inoculée, confère l'immunité contre une maladie.

**vaccination** n. f. Inoculation d'un vaccin.

**vaccine** n. f. vieilli Maladie infectieuse des bovins, inoculée contre la variole.

**vacciner** v. tr. [1] Immuniser par un vaccin. ▷ p. p. **vacciné, ée 1** *Enfants vaccinés.* **2** fig., fam. *Être vacciné contre qqch.,* préservé par l'expérience d'une chose désagréable.

**vache** n. f. **I 1** Femelle du taureau (en boucherie, on dit *du bœuf*). *Jeune vache.* → **génisse.** – anglic. *Maladie de la vache folle ;* fam. *la vache folle :* encéphalopathie spongiforme bovine (épizootie). **2** loc. *Vache à lait :* personne, chose qu'on exploite. – *Manger de la vache enragée :* en être réduit à de dures privations. **3** Poils, cuir de vache apprêtés (→ **vachette**). **II** fam. **1** Personne méchante. – *Peau de vache* (même sens). – *Un coup en vache,* nuisible et hypocrite. – par ext. Salaud. *Ah ! les vaches, ils m'ont oublié !* ♦ spécialt, vx Gendarme, agent de police. *Mort aux vaches !* **2** *La vache !,* exclamation d'étonnement, d'admiration (→ **vachement**) ou d'indignation. **3** adj. Méchant, injuste.

**vachement** adv. fam. **1** Méchamment. **2** (intensif, admiratif) Beaucoup ; très.

**vacher, ère** n. Personne qui mène paître les vaches et les soigne.

**vacherie** n. f. fam. **1** Parole, action méchante. **2** Caractère vache (II, 3), méchant. **3** Chose ratée, nulle.

**vacherin** n. m. **I** Fromage de vache de Franche-Comté. **II** Meringue à la crème fraîche.

**vachette** n. f. **1** Jeune vache. **2** Cuir de génisse.

**vaciller** [-ije ; -ile] v. intr. [1] **1** Être animé de mouvements répétés, alternatifs ; être en équilibre instable. → **chanceler. 2** (lumière) Trembler, être sur le point de s'éteindre ; scintiller faiblement. → **trembloter. 3** fig. (mémoire...) Devenir faible, incertain ; manquer de solidité. ► **vacillant, ante** adj. ► **vacillement** n. m. ou **vacillation** n. f.

**vacuité** n. f. **1** didact. État de ce qui est vide. **2** Vide moral, intellectuel.

**vacuole** n. f. didact. Petite cavité. ► **vacuolaire** adj.

**vade-mecum** [vademekɔm] n. m. invar. littér. Livre (manuel, guide) que l'on garde sur soi pour le consulter.

**vadrouille** n. f. **I** mar. Tampon à manche, balai pour nettoyer le pont d'un navire. **II** fam. Action de vadrouiller.

**vadrouiller** v. intr. [1] fam. Se promener sans but précis. → **flâner.**

**va-et-vient** n. m. invar. **1** Dispositif servant à établir une communication dans les deux sens. – spécialt Dispositif électrique permettant d'allumer et d'éteindre de plusieurs endroits. **2** Mouvement alternatif. **3** Allées et venues.

**vagabond, onde I** adj. **1** littér. Qui mène une vie errante. → **nomade. 2** fig. Qui change sans cesse. *Humeur vagabonde.* **II** n. Personne sans domicile fixe et sans ressources.

**vagabonder** v. intr. [1] **1** Circuler sans but, sans avoir de lieu de repos. → **errer. 2** fig. Passer sans s'arrêter d'un sujet à l'autre. ► **vagabondage** n. m.

**vagin** n. m. Conduit musculaire qui s'étend de l'utérus à la vulve. ► **vaginal, ale, aux** adj.

**vagir** v. intr. 2 Pousser de faibles cris. ► **vagissement** n. m.

① **vague** n. f. **1** Inégalité de la surface d'une étendue liquide (mer, lac...) agitée ; masse d'eau qui se soulève et s'abaisse. **2** fig. Mouvement analogue. *Une vague d'enthousiasme.* ♦ loc. *Faire des vagues,* des remous. - *La nouvelle vague :* la dernière génération ou tendance. ♦ (idée de déferlement) *Vague de chaleur, de froid.* **3** Masse (d'hommes, de choses) qui se répand brusquement. **4** Surface ondulée. *Les vagues d'une chevelure.*

② **vague** adj. *Terrain vague,* vide de constructions, en ville.

③ **vague** I adj. **1** Que l'esprit a du mal à saisir, mouvant, mal défini. → **confus, incertain ; flou, indéfini.** - (avant le n.) Insuffisant, faible. *Je n'en ai qu'une vague idée.* **2** *Regard vague,* qui exprime l'indécision. **3** Perçu d'une manière imparfaite. *De vagues contours.* **4** Qui n'est pas ajusté, serré. *Manteau vague.* **5** (avant le n.) Dont l'identité précise importe peu ; quelconque. *Un vague cousin.* **II** n. m. **1** Ce qui n'est pas défini, fixé (espace, domaine). *Regarder dans le vague.* - *Rester dans le vague :* ne pas préciser sa pensée. **2** loc. *Vague à l'âme :* mélancolie. **III** adj. *Le nerf vague :* le nerf pneumogastrique.

**vaguelette** n. f. Petite vague. → **ride.**

**vaguement** adv. **1** D'une manière vague, en termes imprécis. **2** D'une manière incertaine ou douteuse.

**vaguemestre** n. m. Sous-officier chargé de la poste (armée, marine).

**vahiné** n. f. Femme de Tahiti.

**vaillance** n. f. **1** littér. Bravoure. **2** Courage d'une personne que la souffrance, le travail n'effraient pas.

**vaillant, ante** adj. **I 1** littér. Plein de bravoure, de courage (pour se battre, pour le travail). **2** région. Vigoureux. **II** vx Qui vaut qqch. - loc. *N'avoir pas un sou vaillant :* être pauvre. ► **vaillamment** adv.

**vain, vaine** adj. **I** (choses) **1** littér. Dépourvu de valeur, de sens. → **insignifiant.** loc. *Ce n'est pas un vain mot.* - Qui n'a pas de base sérieuse. → **illusoire.** *Un vain espoir.* **2** Sans efficacité. **II** (personnes) littér. Fier de soi sans avoir de raisons de l'être (→ **vanité**). **III** *En vain* loc. adv. : sans résultat, sans que la chose en vaille la peine. ► **vainement** adv.

**vaincre** v. tr. 42 **1** L'emporter par les armes sur (un ennemi). → **battre.** ♦ Dominer. **2** L'emporter sur (un adversaire, un concurrent) dans une compétition. **3** Faire reculer ou disparaître. → **dominer, surmonter.** *Vaincre sa timidité.*

**vaincu, ue** adj. Qui a subi une défaite. *S'avouer vaincu :* reconnaître sa défaite. - n. *Malheur aux vaincus !*

**vainqueur** n. **1** Personne qui a gagné une bataille, une guerre. - adj. Victorieux. **2** Gagnant(e). → **champion, lauréat.** *La grande vainqueur du tournoi.* **3** Personne qui a triomphé (d'une force, d'une difficulté naturelle). *Le vainqueur de l'Everest.*

**vair** n. m. Fourrure de petit-gris.

① **vairon** n. m. Petit poisson des eaux courantes, au corps cylindrique.

② **vairon** adj. m. Se dit des yeux à l'iris cerclé d'une teinte blanchâtre. *Des yeux vairons.*

**vaisseau** n. m. **I 1** vieilli Bateau d'une certaine importance. → **navire ; bâtiment.** **2** *Vaisseau spatial :* véhicule des astronautes. **II** Espace allongé que forme l'intérieur d'un grand bâtiment, surtout voûté. → **nef.** **III** Organe, tube où circulent des liquides organiques, et spécialt le sang (artères, veines). → **vasculaire.**

**vaisselier** n. m. Meuble rustique, buffet où la vaisselle est exposée.

**vaisselle** n. f. **1** Ensemble des récipients qui servent à présenter, à mettre la nourriture. **2** Ces récipients qu'il faut laver. - Lavage de la vaisselle.

**val,** plur. **vaux** ou **vals** n. m. **1** (dans des noms de lieux) Vallée. *Le Val de Loire.* **2** loc. *Par monts* et par vaux.*

**valable** adj. **1** Qui remplit les conditions requises (pour être accepté). → **valide.** *Contrat valable.* **2** Qui a une valeur reconnue. → **acceptable, sérieux.** *Sans raison valable.* **3** (emploi critiqué) Qui a des qualités appréciables. *Une solution valable.*

**valablement** adv. **1** De manière à produire ses effets juridiques. **2** À bon droit. **3** D'une manière appréciable.

**valdinguer** v. intr. 1 fam. Tomber. - *Envoyer valdinguer.* → **promener.**

**valence** n. f. Nombre de liaisons chimiques qu'un atome ou un ion peut avoir avec ceux d'autres substances, en combinaison.

**valériane** n. f. Plante à fleurs roses ou blanches, à la racine ramifiée.

**valet** n. m. **I 1** Domestique. → **laquais, serviteur.** - anciennt *Valet de pied :* domestique en livrée. - *Valet de chambre :* domestique masculin. **2** Salarié chargé de travaux manuels. *Valet de ferme :* ouvrier agricole. **II** Carte à jouer sur laquelle est représenté un jeune écuyer. *Le valet de pique.*

**valetaille** n. f. péj. Ensemble de personnes serviles.

**valétudinaire** adj. et n. littér. Maladif.

**valeur** n. f. **I 1** Ce qui rend une personne digne d'estime. → **mérite.** *C'est un homme de grande valeur.* **2** littér. Courage (→ **valeureux**). **II 1** Caractère mesurable (d'un objet) qui le rend susceptible d'être échangé, d'être désiré. → **prix ; valoir.** - loc. *Mettre en valeur :* faire valoir, faire produire (un bien matériel, un capital) ; fig. montrer à son avantage. **2** Qualité estimée, en économie. *Taxe à la valeur ajoutée.* → **T. V. A.** **3** *Valeurs (mobilières) :* titres. *Valeurs cotées (en*

*Bourse).* → **effet, titre. III 1** Caractère de ce qui est digne d'estime (selon une norme sociale). **2** Qualité estimée. – loc. *Jugement de valeur,* par lequel on affirme que qqch. est plus ou moins digne d'estime. **3** Qualité de ce qui produit l'effet souhaité. *La valeur d'une méthode.* → **efficacité. 4** *Une valeur :* ce qui est vrai, beau, bien (pour une culture). *Les valeurs morales, esthétiques.* **IV 1** Mesure (d'une grandeur, d'une quantité variable). – Quantité approximative. *Ajoutez la valeur d'un verre d'eau.* **2** Effet, fonction d'un signe, par convention. *La valeur des cartes change selon les jeux.* ♦ mus. Durée relative (d'une note, d'un silence). ♦ didact. Sens, dans un système d'oppositions.

**valeureux, euse** adj. littér. Brave, courageux. → **vaillant.**

**valide** adj. **1** Qui est en bonne santé, capable de travail, d'exercice. **2** (choses) Qui présente les conditions requises pour produire son effet. → **valable.**

**valider** v. tr. [1] Rendre ou déclarer valide (2). → **entériner, homologuer, ratifier.** ► **validation** n. f.

**validité** n. f. Caractère valide (2).

**valise** n. f. **1** Bagage de forme rectangulaire, pouvant être porté à la main. **2** *Valise diplomatique :* correspondance et objets transportés couverts par l'immunité diplomatique. **3** fig., fam. Poche sous les yeux.

**vallée** n. f. **1** Espace allongé entre deux zones plus élevées (pli concave) ou situé de part et d'autre du lit d'un cours d'eau. → **val, vallon ; gorge, ravin.** ♦ relig. *Vallée de larmes,* la vie terrestre. **2** Région qu'arrose un cours d'eau. → **bassin. 3** en montagne Région moins haute (par oppos. aux sommets).

**vallon** n. m. Petite dépression allongée entre deux collines, deux coteaux. → **vallée.** ► **vallonné, ée** adj.

**vallonnement** n. m. Relief de vallons et de collines.

**valoche** n. f. fam. Valise (1 et 3).

**valoir** v. [29] **I** v. intr. **1** Correspondre à (une valeur) ; avoir un rapport d'égalité avec (autre chose) selon une estimation. → **coûter, faire.** *Valoir peu, beaucoup.* **2** Correspondre, dans le jugement des humains, à (une qualité, une utilité). *Prendre une chose pour ce qu'elle vaut.* – *Cela ne lui vaut rien,* ne lui réussit pas. **3** sans compl. Avoir de la valeur, de l'intérêt, de l'utilité ; agir, s'appliquer. *Cette loi vaut pour tout le monde.* – loc. *Cela ne me dit rien qui vaille :* cela m'inquiète. – *Vaille que vaille :* tant bien que mal. – *À valoir :* dont la valeur est à déduire (somme). **4** *Faire valoir :* faire apprécier plus. – Rendre efficace. *Faire valoir ses droits,* les exercer, les défendre. – *Se faire valoir :* se montrer à son avantage. ♦ Rendre productif (un bien). → **exploiter. 5** Être égal en valeur à (qqch. ; qqn d'autre). – pronom. Être équivalent. **6** *Valoir mieux que* (+ nom) : avoir plus de valeur que. ♦ impers. *Il vaut mieux, mieux vaut :* il est préférable de. – *Il vaut mieux que* (+ subj.). **7** Mériter (un effort, un sacrifice). *Cela vaut le dérangement.* – loc. *Valoir la peine,* fam. *le coup :* mériter qu'on prenne la peine (de...) ; être bon, excellent. **II** v. tr. Faire obtenir, avoir pour conséquence. → **procurer.** *Qu'est-ce qui me vaut cet honneur ?*

**valoriser** v. tr. [1] **1** Faire prendre de la valeur à (qqch., un bien), augmenter la valeur attribuée à (qqch.). **2** Augmenter la valeur reconnue de (qqn). ► **valorisant, ante** adj. ► **valorisation** n. f.

**valse** n. f. **1** Danse à trois temps, où chaque couple tourne sur lui-même. – Musique au rythme de cette danse. *Les valses de Chopin.* **2** fig., fam. Mouvement fréquent de personnel. *La valse des ministres.* ♦ Changements répétés. *La valse des prix.*

**valser** v. intr. [1] **1** Danser la valse, une valse. ► **valseur, euse** n. **2** fam. Être projeté. – *Faire valser :* déplacer. *Envoyer valser qqn,* le rembarrer (→ **promener**).

**valseuses** n. f. pl. argot Testicules.

**valve** n. f. **1** Chacune des deux parties de la coquille (bivalve*) de mollusques et crustacés. **2** Système de régulation d'un courant de fluide. – Soupape à clapet. *Valve de chambre à air.* **3** Appareil qui laisse passer le courant électrique dans un sens.

**valvule** n. f. anat. Repli qui règle le débit des vaisseaux.

**vamp** [vɑ̃p] n. f. anglic. Femme fatale.

**vamper** v. tr. [1] fam. Séduire par des allures de vamp.

**vampire** n. m. **I 1** Fantôme censé sortir la nuit de son tombeau pour aller sucer le sang des vivants. **2** fig. Homme avide d'argent. ♦ Meurtrier cruel. **II** Chauve-souris insectivore de l'Amérique du Sud, qui suce parfois le sang des animaux.

① **van** n. m. Large panier à anses, à fond plat, qui sert à vanner les grains.

② **van** n. m. anglic. Voiture servant au transport des chevaux de course.

**vanadium** [-jɔm] n. m. chim. Élément (symb. V), métal blanc peu fusible.

**vandale** n. Destructeur brutal, ignorant.

**vandalisme** n. m. Destruction ou détérioration des œuvres d'art, des équipements publics. ► **vandaliser** v. tr. [1]

**vandoise** n. f. Poisson d'eau douce, aussi appelé *chevesne, meunier.*

**vanille** n. f. **1** Gousse du vanillier, qui, séchée, devient noire et aromatique. **2** La substance aromatique. ► **vanillé, ée** adj.

**vanillier** n. m. Plante tropicale à tige grimpante, dont le fruit est la vanille.

> Se termine par *-ier,* comme d'autres noms d'arbres fruitiers.

**vanité** n. f. **I 1** vieilli Caractère de ce qui est vain (I, 1 et 2). **2** Défaut d'une personne vaine*, trop satisfaite d'elle-même. → **fatuité, prétention, suffisance. II** didact. Image, tableau évoquant la vanité (I, 1), la futilité des choses humaines et la mort.

**vaniteux, euse** adj. Plein de vanité (I, 2). → **orgueilleux, prétentieux, suffisant.** – n. *C'est un vaniteux* (s'oppose à *modeste*).

**vannage** n. m. Action de vanner (I).

① **vanne** n. f. Panneau vertical mobile réglant le débit dans une canalisation. *Les vannes d'une écluse.*

② **vanne** n. f. fam. Plaisanterie ou allusion désobligeante.

**vanné, ée** adj. fam. Très fatigué.

**vanneau** n. m. Oiseau échassier de la taille du pigeon, à huppe noire.

**vanner** v. tr. [1] **I** Secouer dans un van (les grains), pour trier, nettoyer. **II** fig. Accabler de fatigue (→ **vanné**).

**vannerie** n. f. **1** Fabrication des objets tressés avec des fibres végétales, des tiges (osier, rotin). **2** Objets ainsi fabriqués. ► **vannier, ière** n.

**vanneur, euse** n. Personne qui vanne (I) les grains.

**vantail, aux** n. m. Panneau mobile. → **battant.**

**vantard, arde** adj. Qui a l'habitude de se vanter. – n. *Quel vantard !* ► **vantardise** n. f.

**vanter** v. [1] v. tr. littér. Parler très favorablement de (qqn ou qqch.) ; louer, avec excès. ▷ v. pron. se **vanter 1** Exagérer ses mérites. **2** *Se vanter de :* tirer vanité de, prétendre avoir fait. ♦ Prétendre être capable de (faire qqch.).

**va-nu-pieds** n. invar. Vagabond misérable.

**vape** n. f. loc. *Être dans la vape, dans les vapes,* dans l'hébétude, la somnolence.

**vapeur I** n. f. **1** Amas visible, traînée de très fines gouttelettes d'eau suspendues dans l'air. → **brouillard, brume, nuage. 2** *Vapeur (d'eau),* eau à l'état gazeux, au-dessus de son point d'ébullition. – *À vapeur,* actionné par la vapeur d'eau. – loc. *Renverser la vapeur* (fig. agir en sens contraire). – *À toute vapeur :* à toute vitesse. ♦ *Bain de vapeur.* → **étuve. 3** sc. Substance à l'état gazeux au-dessous de sa température critique. *Vapeur d'essence.* **4** Troubles, malaises (exhalaisons montant au cerveau). *Les vapeurs de l'ivresse.* **II** n. m. vx Bateau à vapeur.

**vaporeux, euse** adj. **1** littér. Voilé par des vapeurs. → **nébuleux. 2** Léger, fin et transparent. *Tutu vaporeux.*

**vaporisateur** n. m. Pulvérisateur, atomiseur.

**vaporiser** v. tr. [1] **1** Disperser et projeter en fines gouttelettes. → **pulvériser. 2** didact. Transformer en vapeur. ♦ pronom. *Se vaporiser.* ► **vaporisation** n. f.

**vapoter** v. intr. [1] Utiliser une cigarette électronique.

**vapoteur, euse** n. **1** Personne qui utilise une cigarette électronique. **2** n. f. (marque déposée) fam. Cigarette électronique.

**vaquer** v. tr. ind. [1] *Vaquer à :* s'occuper de. *Vaquer à ses occupations.*

**varan** n. m. zool. Reptile saurien, grand lézard.

**varangue** n. f. mar. Pièce courbe ou fourchue, placée sur la quille, perpendiculaire à l'axe du navire.

**varappe** n. f. Ascension d'un couloir rocheux, d'une paroi, en montagne. ► **varappeur, euse** n.

**varech** [-ɛk] n. m. Algues, goémons rejetés par la mer, qu'on récolte sur le rivage.

**vareuse** n. f. **1** Blouse courte en grosse toile. **2** Veste d'uniforme. – Veste ample.

**variable** adj. **1** Susceptible de se modifier, de changer souvent. → **changeant, incertain, instable.** *Temps variable.* – *Vent variable* (en direction ou intensité). ♦ sc. Qui prend, peut prendre plusieurs valeurs distinctes. – n. f. Symbole ou terme auquel on peut attribuer plusieurs valeurs numériques différentes (s'oppose à *constante*). **2** Qui prend plusieurs aspects, fonctions (selon les circonstances...). **3** Conçu, fabriqué pour subir des variations. *Objectif à focale variable.* ► **variabilité** n. f.

**variante** n. f. **1** Élément d'un texte qui présente des différences par rapport à la version éditée ; différence entre versions. **2** Forme ou solution légèrement différente. **3** Mot, expression qui s'écarte d'un type. *Variantes dialectales.*

**variation** n. f. **1** Suite de changements. **2** Passage d'un état à un autre ; différence entre deux états successifs. → **modification. 3** Écart entre deux valeurs numériques (d'une variable) ; modification d'une grandeur. *Variations de température.* **4** mus. Composition formée d'un thème et de ses modifications (transpositions, développements...). *Variations pour piano.*

**varice** n. f. Dilatation (permanente) d'un vaisseau, d'une veine (surtout aux jambes).

**varicelle** n. f. Maladie infectieuse, contagieuse, à éruptions.

**varicosité** n. f. pathol. Dilatation permanente des veines, parfois avec nécrose.

**varié, ée** adj. **1** Qui présente des aspects ou des éléments distincts. → **divers. 2** au plur. Qui donnent une impression de diversité. *Hors-d'œuvre variés.*

**varier** v. [7] **I** v. tr. **1** Donner à (une seule chose) plusieurs aspects distincts. *Varier son alimentation.* **2** Rendre (plusieurs choses) nettement distinctes, diverses. *Varier ses lectures.* **II** v. intr. **1** Présenter au cours d'une durée plusieurs modifications ; changer. ♦ (personnes) Ne pas conserver la même attitude, les mêmes opinions. **2** (sujet chose) Se réaliser sous des formes diverses. → **différer.**

**variété** n. f. **1** Caractère d'un ensemble formé d'éléments variés ; différences entre ces éléments. → **diversité.** **2** Subdivision de l'espèce, délimitée par la variation de caractères individuels. **3** au plur. Titre de recueils sur des sujets variés. ♦ *Spectacle, émission de variétés,* comprenant des attractions variées.

**variole** n. f. Maladie infectieuse, épidémique et contagieuse, avec éruption de boutons. → petite **vérole.** ► **varioleux, euse** adj. et n. et **variolique** adj.

**variqueux, euse** adj. Accompagné de varices. *Ulcère variqueux.*

**varlope** n. f. Grand rabot à poignée, qui se manie à deux mains.

**vasculaire** adj. didact. Qui appartient aux vaisseaux (III), contient des vaisseaux. ♦ bot. (végétaux) À tige, racine(s) et feuilles.

**vasculariser** v. tr. [1] didact. Pourvoir de vaisseaux (III) (surtout pronom. et p. p.). *Tissus vascularisés.* ► **vascularisation** n. f.

① **vase** n. m. **1** Récipient pour des usages nobles, ou à valeur artistique. *Vases grecs.* **2** Récipient pour les fleurs coupées. **3** *Vases sacrés,* destinés à la célébration de la messe. **4** Récipient utilisé en chimie. – loc. *Le principe des vases communicants* (fig. se dit de deux choses dont l'une s'accroît quand l'autre diminue). **5** loc. *En vase clos :* sans communication avec l'extérieur.

② **vase** n. f. Dépôt de terre et de particules organiques en décomposition (dans l'eau).

**vasectomie** n. f. méd. Section des canaux déférents des testicules (pour rendre un homme stérile).

**vaseline** n. f. Substance molle (mélange d'hydrocarbures), utilisée en pharmacie.

**vaseux, euse** adj. **I** Qui contient de la vase, est formé de vase. **II** fam. **1** (personnes) Faible, en état de malaise. **2** (choses abstraites) Trouble, embarrassé.

**vasistas** [-ɑs] n. m. Petit vantail pouvant s'ouvrir dans une porte ou une fenêtre.

**vasoconstricteur, trice** adj. Qui commande la diminution du calibre d'un vaisseau (nerfs...). ► **vasoconstriction** n. f.

**vasodilatateur, trice** adj. Qui commande la dilatation des vaisseaux (nerfs...). ► **vasodilatation** n. f.

**vasomoteur, trice** adj. Relatif à la dilatation et à la contraction des vaisseaux.

**vasouiller** v. intr. [1] fam. Être hésitant, peu sûr de soi, maladroit (dans une réponse...). ► **vasouillard, arde** adj. → **vaseux** (II).

**vasque** n. f. **1** Bassin ornemental peu profond. **2** Large coupe décorative. **3** Cuvette de lavabo évasée.

**vassal, ale, aux** n. **1** hist. Sous le système féodal, Homme lié personnellement à un seigneur, un suzerain qui lui concédait la possession d'un fief. **2** Personne, groupe dépendant d'un autre. ► **vassalité** n. f.

**vassaliser** v. tr. [1] hist. ou littér. Asservir, rendre semblable à un vassal. ► **vassalisation** n. f.

**vaste** adj. **1** (surface) Très grand, immense. **2** Très grand (construction). – Ample. **3** Important en quantité. **4** Étendu dans sa portée ou son action. *Un vaste sujet.*

**vaticiner** v. intr. [1] littér. Prédire l'avenir (en parlant comme un oracle), prophétiser. ► **vaticination** n. f.

**va-tout** n. m. invar. aux cartes Coup où l'on risque tout son argent. – loc. fig. *Jouer son va-tout :* risquer le tout pour le tout.

**vaudeville** [-vil] n. m. Comédie légère, divertissante, fertile en rebondissements. ♦ Situation réelle analogue. ► **vaudevillesque** adj.

**vaudevilliste** [-vil-] n. Auteur de vaudevilles.

① **vaudois, oise** n. Membre d'une secte chrétienne intégriste du Moyen Âge, en France. – adj. *L'hérésie vaudoise.*

② **vaudois, oise** adj. et n. Du pays de Vaud (en Suisse romande).

**vaudou, e** n. m. et adj. Culte religieux des Antilles, d'Haïti, mélange de pratiques magiques, de sorcellerie et d'éléments chrétiens. – adj. *Cérémonies vaudoues.*

à **vau-l'eau** loc. adv. loc. fig. *Aller à vau-l'eau :* péricliter par inaction, passivité.

**vaurien, enne** n. **1** vx Bandit, brigand. **2** Enfant, adolescent effronté.

**vautour** n. m. **1** Oiseau rapace de grande taille, au bec crochu, à la tête et au cou dénudés. **2** fig. Personne dure et rapace.

se **vautrer** v. pron. [1] **1** Se coucher, s'étendre (sur, dans qqch.), en prenant une position abandonnée. – au p. p. *Rester vautré sur son lit.* **2** fig. Se complaire (dans un vice...).

à la **va-vite** loc. adv. Trop rapidement et sans soin.

**veau** n. m. **I 1** Petit de la vache, mâle ou femelle, pendant sa première année. ♦ allus. biblique *Adorer le Veau d'or :* avoir le culte de l'argent. **2** Viande de cet animal (viande blanche). **3** Peau de veau ou de génisse, tannée et apprêtée. → ② **box, vélin. II** fig., fam. **1** Nigaud, paresseux. **2** Automobile peu nerveuse.

**vecteur** n. m. **1** math. Segment de droite orienté, être mathématique sur lequel on peut effectuer des opérations. *Vecteurs et tenseurs.* ► **vectoriel, ielle** adj. **2** biol. Animal transmettant un agent infectieux. **3** fig. Intermédiaire. **4** milit. Véhicule capable de transporter une charge nucléaire.

**vécu, ue** adj. Qui appartient à l'expérience de la vie. *Histoire vécue.* → **vrai.** ♦ n. m. *Le vécu,* l'expérience vécue.

**véda** n. m. didact. Texte religieux et poétique de l'Inde ancienne (→ **védique**).

**vedettariat** n. m. Condition de vedette (I, 3). – Système social, culturel où les vedettes sont essentielles.

**vedette** n. f. **I 1** *Mettre en vedette :* mettre en évidence, en valeur. **2** Fait d'avoir son nom imprimé en gros caractères. ♦ fig. *Avoir, tenir la vedette.* **3** Artiste, personne qui jouit d'une grande renommée. → **star.** **II** Petit navire de guerre d'observation. – Canot rapide.

**védique** adj. didact. Relatif aux védas.

**végétal, ale, aux** n. m. et adj. **I** n. m. Être vivant caractérisé par des mouvements et une sensibilité plus faibles que les animaux, une composition chimique particulière, une nutrition à partir d'éléments simples. → ① **plante, végétation ; botanique.** **II** adj. **1** Relatif aux plantes. *Règne végétal.* **2** Qui provient de végétaux. *Huiles végétales.*

**végétalien, enne** adj. et n. *Régime végétalien,* d'où sont exclus la viande et tous les produits d'origine animale. – n. Personne qui suit ce régime. ► **végétalisme** n. m.

**végétarien, enne** adj. et n. *Régime végétarien,* d'où est exclue la viande. – n. Personne qui suit ce régime. ► **végétarisme** n. m.

**végétatif, ive** adj. **I** Des fonctions contrôlées par le système neurovégétatif. **II** Inactif et immobile. → **végéter** (2).

**végétation** n. f. **I** Ensemble des végétaux, des plantes qui poussent en un lieu. → **flore.** **II** au plur. Hypertrophie des replis de la peau ou des muqueuses, notamment des amygdales *(végétations adénoïdes).*

**végéter** v. intr. [6] **1** (plantes) Croître avec difficulté. **2** (personnes) Avoir une activité réduite ; vivre dans la médiocrité. ♦ (choses) *Son entreprise végète.*

**véhément, ente** adj. littér. Qui a une grande force expressive, qui entraîne ou émeut. → **enflammé, fougueux.** ► **véhémence** n. f.

**véhiculaire** adj. didact. *Langue véhiculaire,* qui sert entre peuples de langues différentes.

**véhicule** n. m. **I** didact. Ce qui sert à transmettre, à communiquer. *Le langage, véhicule de la pensée.* ♦ relig. Voie du salut, dans le bouddhisme. *Le grand, le petit véhicule* (formes du bouddhisme). **II** cour. Engin de transport à roues, à moyen de propulsion.

**véhiculer** v. tr. [1] **1** Transporter (qqn) avec un véhicule (II). **2** Constituer un véhicule (I) pour (qqch.).

**veille** n. f. **I 1** Action de veiller (I, 1) ; moment sans sommeil. **2** Garde de nuit. *Prendre la veille.* **3** État d'une personne qui ne dort pas (opposé à *sommeil*). **II** Jour qui en précède un autre. – loc. fam. *Ce n'est pas demain la veille :* ce n'est pas pour bientôt. – *À la veille de* (un événement), dans la période qui le précède. – *Être à la veille de* (+ inf.), sur le point de.

**veillée** n. f. **1** Temps qui s'écoule entre le repas du soir et le coucher, autrefois consacré à des réunions familiales ou de voisinage. **2** loc. *Veillée d'armes :* préparation à une épreuve. **3** Action de veiller un malade, un mort ; temps passé à le veiller.

**veiller** v. [1] **I** v. intr. **1** Rester volontairement éveillé pendant le temps habituel du sommeil. **2** Être en éveil, vigilant. **II 1** v. tr. dir. Rester la nuit auprès de (un malade pour s'occuper de lui ; un mort). **2** v. tr. ind. *Veiller à qqch.,* s'en occuper activement. – *Veiller sur qqn.*

**veilleur, euse** n. **1** Soldat de garde. **2** *Veilleur, euse de nuit :* gardien(ne) (d'un hôtel, d'une entreprise...) qui est de service la nuit.

**veilleuse** n. f. **1** Petite lampe qu'on laisse allumée pendant la nuit. – Lanterne d'automobile. – loc. fig. *Mettre en veilleuse :* réduire l'intensité, l'activité. **2** Petite flamme (d'un réchaud, etc.).

**veinard, arde** adj. et n. fam. (Personne) qui a de la veine (IV). → **chanceux.**

**veine** n. f. **I 1** Vaisseau à ramifications convergentes, qui ramène le sang des capillaires au cœur (s'oppose à *artère*). **2** Les vaisseaux sanguins, symboles de la vie (dans des loc.). *Ne pas avoir de sang dans les veines :* être lâche. **II 1** Filon mince (d'un minéral). **2** Dessin coloré, mince et sinueux (dans le bois, les pierres dures). **III 1** Inspiration de l'artiste. *Veine poétique. Être en veine,* inspiré. **2** *En veine de :* disposé à. **IV** fam. et vieilli Chance (opposé à *déveine*). → **bol, pot.**

**veiné, ée** adj. **I** Qui présente des veines apparentes sous la peau. **II** Qui présente des veines (II), des filons.

**veineux, euse** adj. Qui a rapport aux veines (I) (opposé à *artériel*).

**veinule** n. f. **1** Petit vaisseau qui, convergeant avec d'autres, forme les veines. **2** bot. Ramification des nervures des feuilles.

**vêlage** n. m. **1** Fait de vêler. **2** géogr. Désagrégation (de la banquise).

**vélaire** adj. et n. f. phonét. Se dit d'une consonne articulée près du voile du palais (ex. [k]).

**velcro** n. m. invar. (nom déposé) Ensemble de deux rubans qui s'agrippent par contact.

**vêler** v. intr. [1] (vache) Mettre bas.

**vélin** n. m. **1** Peau de veau mort-né (→ **parchemin**). ♦ Cuir de veau. *Reliure de vélin.* **2** Papier très blanc et de pâte très fine.

**véliplanchiste** n. Personne qui pratique la planche à voile.

**vélique** adj. didact. Des voiles. *Point vélique :* centre de voilure.

**vélite** n. m. hist. Soldat d'infanterie légère.

**velléité** n. f. Intention qui n'aboutit pas à une décision. ► **velléitaire** adj. et n.

**vélo** n. m. **1** Bicyclette. **2** Fait de monter, de rouler à bicyclette. → **cyclisme.**

> *En vélo* est critiqué : on emploie *en* quand on est à l'intérieur du véhicule *(en voiture, en train)* ; quand on est dessus, on emploie *à (à vélo, à cheval).*

**véloce** adj. littér. Agile, rapide.

**vélocipède** n. m. anciennt Appareil de locomotion, ancêtre de la bicyclette. ► **vélocipédique** adj.

**vélocité** n. f. **1** rare Mouvement rapide ; rapidité. **2** Agilité, vitesse dans le jeu (d'un instrument de musique).

**vélodrome** n. m. Piste entourée de gradins, pour les courses cyclistes.

**vélomoteur** n. m. Vélo à moteur de petite cylindrée, entre 50 et 125 $cm^3$. → **cyclomoteur.**

**velours** n. m. **1** Tissu à deux chaînes superposées dont l'endroit est formé de poils très serrés et dressés. *Velours uni, côtelé.* ◆ loc. fig. *Jouer sur le (du) velours :* agir sans risques. – *Faire patte de velours :* dissimuler un dessein de nuire sous une douceur affectée. **2** fig. Ce qui donne une impression de douceur au toucher, à la vue, au goût. – plais. *Des yeux de velours,* des yeux doux.

**velouté, ée** adj. et n. m. **1** Qui a la douceur du velours. *Une pêche veloutée.* ◆ fig. *Voix veloutée.* **2** Doux et onctueux (au goût). ◆ n. m. Potage onctueux. **3** n. m. Douceur de ce qui est velouté au toucher ou à l'aspect. *Le velouté de la peau.*

**velouter** v. tr. [1] Donner l'apparence, la douceur du velours à.

**velu, ue** adj. Qui a les poils très abondants.

**vélum** ou **velum** [velɔm] n. m. **1** Grande pièce d'étoffe pour protéger de la pluie, du soleil, tamiser la lumière. **2** zool. Membrane (de méduses) servant à la locomotion.

**venaison** n. f. Chair de grand gibier (cerf, chevreuil, daim, sanglier).

**vénal, ale, aux** adj. **1** Qui se laisse corrompre. *Un politicien vénal.* – (choses) *Amour vénal.* **2** écon. Estimé en argent. *La valeur vénale d'un bien.*

**vénalité** n. f. **1** Fait d'être cédé pour de l'argent au mépris des valeurs morales. **2** Caractère vénal ; corruption. **3** hist. *La vénalité des charges, des offices,* le fait qu'ils s'achetaient et se vendaient.

**à tout venant** loc. À chacun, à tout le monde (→ tout-venant).

**vendable** adj. Qui peut être vendu.

**vendange** n. f. **1** Fait de recueillir les raisins mûrs pour la fabrication du vin. **2** au plur. Époque des vendanges. **3** Raisin récolté pour faire le vin.

**vendanger** v. [3] **1** v. tr. Récolter les raisins de (la vigne) ; récolter (les raisins) pour faire le vin. **2** v. intr. Faire la vendange. ► **vendangeur, euse** n.

**vendetta** [vɑ̃deta ; -ɛtta] n. f. Coutume (d'abord italienne, corse) de vengeance réciproque entre deux familles ennemies.

**vendeur, euse I** n. **1** Personne qui vend ou a vendu (qqch.). **2** Personne dont la profession est de vendre (en général, sans commerce fixe). ◆ Employé qui vend aux clients. **3** Personne qui connaît et applique les procédés de vente. **II** adj. **1** Disposé à vendre. *Il n'est pas vendeur à ce prix.* **2** Qui fait vendre. *Une présentation très vendeuse.*

**vendre** v. tr. [41] **1** Céder (qqch.) à qqn en échange d'une somme d'argent. *Il a vendu sa voiture à un ami.* – *À vendre :* offert pour la vente. ◆ Faire commerce de (ce que l'on a fabriqué ou acheté). ◆ Organiser, faire la vente. *Pays qui vend à l'étranger.* → **exporter. 2** souvent péj. Accorder ou céder (un avantage, un service) en faisant payer. **3** Exiger qqch. en échange de. *Vendre chèrement sa vie :* se défendre avec vaillance. **4** Trahir, dénoncer (qqn). ▷ v. pron. se **vendre 1** (passif) Être vendu. **2** (réfl.) Se mettre au service de qqn par intérêt matériel. *Se vendre à un parti.*

**vendredi** n. m. Cinquième jour de la semaine, qui succède au jeudi. *Le vendredi saint :* anniversaire de la Crucifixion.

**vendu, ue** adj. **1** (choses) Cédé pour de l'argent. **2** (personnes) Qui a promis ses services pour de l'argent. *Juge vendu.* → **corrompu, vénal. 3** n. Personne qui a trahi pour de l'argent. → **traître.** ◆ Crapule.

**venelle** n. f. Petite rue étroite. → **ruelle.**

**vénéneux, euse** adj. (végétaux) Qui contient un poison. → **toxique.**

**vénérable** adj. **1** littér. ou plais. Digne de vénération. – *D'un âge vénérable :* très vieux. **2** n. relig. Personne qui a obtenu le premier degré de la canonisation. ◆ Président d'une loge maçonnique.

**vénérer** v. tr. [6] **1** Considérer avec le respect dû aux choses sacrées. → **adorer, révérer. 2** littér. Avoir un grand respect, empreint d'affection, pour (qqn, qqch.). ► **vénération** n. f. → **culte, dévotion.**

**vénerie** n. f. **1** Art de la chasse à courre. **2** Administration des officiers des chasses (→ **veneur**).

**vénérien, enne** adj. *Maladies vénériennes :* maladies contagieuses transmises par les rapports sexuels. → **M. S. T.**

**vénérologie** n. f. méd. Médecine des maladies vénériennes. ► **vénérologue** n.

**veneur** n. m. Personne qui organise les chasses à courre. – *Grand veneur :* chef d'une vénerie (2).

**vengeance** n. f. Action de se venger ; dédommagement moral de l'offensé par punition de l'offenseur (→ **vendetta**). – prov. *La vengeance est un plat qui se mange froid.*

**venger** v. tr. [3] **1** Dédommager moralement (qqn) en punissant son offenseur. *Venger qqn d'une injure.* – (sujet chose) Constituer une vengeance, une compensation. **2** littér. Réparer (une offense) en punissant l'offenseur. *Venger une injure.* ▷ v. pron. **se venger** *Se venger de qqn, d'un acte.* ► **vengeur, vengeresse** adj. et n.

**véniel, elle** adj. relig. *Péché véniel* : faute digne de pardon (opposé à *péché mortel*).

**venimeux, euse** adj. **1** (animaux) Qui a du venin. **2** fig. Haineux, perfide.

**venin** n. m. **1** Substance toxique sécrétée par certains animaux, et qu'ils injectent. – Substance végétale toxique. **2** fig. Méchanceté perfide. loc. *Cracher son venin* : dire des méchancetés.

**venir** v. intr. [22] **I** (sens spatial) Se déplacer de manière à aboutir dans un lieu. **1** (sans compl. de lieu) *Venez avec moi* : accompagnez-moi. – loc. *Voir venir. Je te vois venir* : je devine tes intentions. – (avec un compl. marquant le terme du mouvement) *Venir à, chez, dans... Venez ici. Il vient vers nous.* ♦ (sujet chose) *Idée qui vient à l'esprit.* – impers. *Jamais ça ne m'est venu à l'esprit.* **2** (abstrait) Parvenir (à un but, une étape). loc. *Venir à bout de qqch.* ♦ fig. *Venir à* (un sujet, une question). → **aborder**. – *En venir à* : finir par faire, par employer. **3** *Venir de* (avec un compl. marquant le point de départ, l'origine). *D'où venez-vous ?* – *Une montre qui lui venait de son père* (par héritage). ♦ Provenir, sortir de. ♦ (avec un compl. de cause) → **découler**. *Son échec vient d'une erreur.* **II** (+ inf.) **1** Se déplacer (pour faire). *Je viendrai vous chercher à midi.* **2** *Venir à* (+ inf. ; surtout à la 3e pers.) : se trouver en train de (faire, subir qqch.). *Si elle venait à mourir.* – impers. *S'il venait à passer quelqu'un.* **3** *Venir de* (+ inf.) : avoir (fait) très récemment, avoir juste fini de. *Elle vient de sortir.* **III 1** (personnes) *Ceux qui viendront après nous.* → **succéder**. – (événements) Arriver. *Prendre les choses comme elles viennent.* – (temps) *L'heure est venue de réfléchir.* – au p. p. *La nuit venue,* tombée. ♦ loc. adv. *À venir. Les générations à venir,* futures. **2** (végétaux) Naître et se développer. → **pousser**. *Un sol où le blé vient bien.* **3** (idées, créations) *Les idées ne viennent pas. Alors, ça vient ?* : allez-vous répondre ? ▷ v. pron. **s'en venir** région. Venir, arriver.

**vénitien, ienne** adj. et n. De la ville de Venise. – *Blond vénitien* : un peu roux.

**vent** n. m. **I 1** Mouvement de l'atmosphère ; déplacement d'air. ♦ loc. *Passer en coup de vent* : rapidement. ♦ loc. *Au vent* (dans la direction du vent) ; *sous le vent* (dans la direction opposée). *Vent debout**. ♦ *À vent* : mû par le vent. *Moulin à vent.* ♦ *Les quatre vents* : les quatre points cardinaux. *Aux quatre vents ; à tous les vents* : partout, en tous sens. **2** L'atmosphère, l'air (agité de courants). *En plein vent* : en plein air. **3** loc. fig. *Contre vents et marées* : envers et contre tout. *Avoir le vent en poupe**. *Être dans le vent,* à la mode. – *Quel bon vent vous amène ?* : quelle est la cause de votre venue ? (formule d'accueil). – *Le vent tourne* : les événements vont changer. **4** *Du vent* : des choses vaines, vides. **5** *Avoir vent de* : avoir connaissance de. **II 1** Déplacement d'air, de gaz. – *Faire du vent,* faire l'important. **2** *Instrument* (de musique) *à vent,* dans lequel on souffle. **3** au plur. Gaz intestinaux. → **pet**.

**vente** n. f. **1** Échange d'un bien contre de l'argent (→ **vendre**). – *En vente* : disponible pour la vente. **2** Réunion au cours de laquelle on vend publiquement. *Vente aux enchères.*

**venté, ée** adj. Soumis au vent.

**venter** v. impers. [1] *Il vente* : il fait du vent. – loc. *Qu'il pleuve ou qu'il vente* : par tous les temps.

**venteux, euse** adj. Où il y a beaucoup de vent.

**ventilateur** n. m. Appareil servant à brasser de l'air. – spécialt Mécanisme qui refroidit un moteur.

**ventiler** v. tr. [1] **I** Produire un courant d'air dans, sur (en brassant, en renouvelant l'air). → **aérer**. **II 1** Répartir (une somme totale) entre plusieurs comptes. *Ventiler les dépenses.* **2** Répartir en plusieurs groupes (des choses, des personnes). ► **ventilation** n. f.

**ventouse** n. f. **1** Petite cloche de verre appliquée sur la peau après qu'on y a raréfié l'air. **2** Organe où un vide partiel se fait, et qui sert à sucer, aspirer. **3** Dispositif qui se fixe par vide partiel.

**ventral, ale, aux** adj. **1** Du ventre. → **abdominal**. **2** Qui se porte sur le ventre.

**ventre** n. m. **I** (chez l'être humain) **1** Partie antérieure de la cavité qui contient l'intestin (→ **abdomen**) ; paroi antérieure du bassin. *Le dos et le ventre.* – loc. *À plat ventre.* fig. *Se mettre à plat ventre devant qqn* : s'humilier. ♦ *Danse du ventre* : danse orientale où la danseuse remue les hanches et le bassin. **2** (animaux) Paroi inférieure du corps (opposé à *dos*). – loc. fig. *Courir ventre à terre,* très vite. **3** Proéminence que forme la paroi antérieure de l'abdomen. *Avoir du ventre.* **4** L'abdomen, siège de la digestion (estomac et intestins). – loc. *Avoir le ventre creux,* l'estomac vide. *Avoir les yeux plus grands que le ventre* : préjuger de son appétit, et fig. de ses forces. **5** L'abdomen féminin, siège de la gestation. **6** Intérieur du corps ; siège de la vie, de l'énergie. – loc. *Avoir du cœur au ventre,* du courage. **II** Partie creuse (d'un objet renflé).

**ventrée** n. f. fam. Nourriture copieuse.

**ventricule** n. m. anat. 1 Chacun des deux compartiments inférieurs (du cœur), séparés par une cloison. 2 Chacune des cavités de l'encéphale. ► **ventriculaire** adj.

**ventriloque** n. et adj. (Personne) qui peut articuler des paroles sans remuer les lèvres.

**ventripotent, ente** adj. littér. Qui a un gros ventre.

**ventru, ue** adj. 1 Qui a un gros ventre. 2 (choses) Renflé, bombé.

**venu, ue** adj. et n. 1 littér. *Être bien, mal venu :* arriver à propos ou non ; être bien ou mal accueilli. – *Être mal venu de* (+ inf.) : n'être pas fondé à. 2 *Bien, mal venu :* qui s'est développé (bien, mal). 3 n. *Le, la premier(ère) venu(e) :* n'importe qui.

**venue** n. f. 1 Action, fait de venir (I). → **arrivée.** *Des allées* et venues.* 2 littér. Action, fait de venir (III), de se produire, d'arriver. 3 loc. *D'une seule venue, tout d'une venue :* d'un seul jet (végétaux).

**vénus** [-ys] n. f. (nom mythol.) I Très belle femme. II zool. Mollusque bivalve. → **praire.**

**vêpres** n. f. pl. Office catholique de l'après-midi.

**ver** [vɛʀ] n. m. I cour. 1 Petit animal au corps mou (insecte, larve) sans pattes. ♦ *Ver (de terre) :* lombric terrestre. – *Ver solitaire :* ténia. – *Ver blanc :* larve de hanneton ; asticot. – *Ver luisant :* femelle du lampyre qui brille la nuit ; luciole. – *Ver à soie :* chenille du bombyx du mûrier. 2 loc. *Tirer les vers du nez de qqn,* le faire parler. 3 Vermine qui, selon la croyance populaire, ronge la chair des morts. II zool. Métazoaire au corps mou, sans cavité centrale *(vers plats)* ou avec cette cavité (annélides, etc.).

> Ne pas confondre avec *vers* «partie de poème».

**véracité** n. f. 1 littér. Qualité d'une personne qui dit la vérité. 2 Exactitude, authenticité. *La véracité d'un témoignage.*

**véranda** n. f. Galerie vitrée contre une maison, servant de petit salon.

**verbal, ale, aux** adj. I Relatif au verbe (II). *Locution verbale :* groupe de mots formé d'un verbe et d'un complément (ex. prendre froid). II 1 Qui se fait de vive voix (opposé à *écrit*). → **oral.** *Promesse verbale.* 2 Qui se fait, s'exprime par la parole. *Violence verbale.* 3 Qui concerne les mots plutôt que la chose ou l'idée. → **formel.** ► **verbalement** adv.

**verbaliser** v. [1] I v. intr. Dresser un procès-verbal (1). II v. tr. psych. Exprimer (qqch.) par le langage. ► **verbalisation** n. f.

**verbalisme** n. m. péj. Utilisation des mots pour eux-mêmes au détriment de l'idée.

**verbatim** didact. 1 adv. Selon les termes exacts. 2 n. m Compte rendu écrit précis (d'un débat...).

**verbe** n. m. I 1 (avec maj.) relig. chrét. Parole (de Dieu) adressée aux hommes. 2 littér. Expression de la pensée au moyen du langage, d'une langue. *La magie du verbe.* 3 Ton de voix. loc. *Avoir le verbe haut :* parler très fort, avec hauteur. II Mot qui exprime une action, un état, un devenir, et qui présente un système complexe de formes. *Conjuguer un verbe.*

**verbeux, euse** adj. Qui dit les choses en trop de paroles, trop de mots. ► **verbeusement** adv. ► **verbosité** n. f.

**verbiage** n. m. Abondance de paroles ; discours verbeux. → **bavardage.**

**verdâtre** adj. D'un vert un peu sale.

**verdeur** n. f. 1 Vigueur de la jeunesse (chez qqn qui n'est plus jeune). 2 Acidité (d'un fruit vert, d'un vin trop vert). 3 Liberté, spontanéité dans le langage.

**verdict** [-ik(t)] n. m. 1 Déclaration par laquelle le jury répond, après délibération, aux questions du tribunal. → **sentence.** 2 Jugement (d'une autorité).

**verdier** n. m. Oiseau passereau, de la taille du moineau, à plumage verdâtre.

**verdir** v. intr. [2] 1 Devenir vert. – (végétaux) Pousser. 2 Blêmir (de peur...). ► **verdissant, ante** adj.

**verdoyer** v. intr. [8] rare (végétaux, campagne) Donner une sensation dominante de vert. ► **verdoiement** n. m. ► **verdoyant, ante** adj.

**verdure** n. f. 1 Couleur verte de la végétation. 2 Plantes, herbes, feuilles. 3 Plante potagère que l'on mange crue.

**véreux, euse** adj. 1 Gâté par des vers. 2 fig. (personnes) Foncièrement malhonnête. – *Affaire véreuse.* → **louche.**

**verge** n. f. I littér. Baguette (pour frapper, battre). II Organe de la copulation (chez l'homme et les mammifères). → **pénis.**

**verger** n. m. Terrain planté d'arbres fruitiers.

**vergeture** n. f. (surtout au plur.) Petites marques sillonnant la peau à des endroits qui ont été distendus. ► **vergeté, ée** adj.

**verglas** n. m. Couche de glace naturelle très mince qui se forme sur le sol. ► **verglaçant, ante** adj. *Pluie verglaçante.* ► **verglacé, ée** adj.

**vergogne** n. f. loc. adv. et adj. *Sans vergogne :* sans honte, sans scrupule.

**vergue** n. f. Longue pièce de bois disposée sur un mât pour soutenir une voile.

**véridique** adj. 1 littér. Qui dit la vérité, qui rapporte qqch. avec exactitude. *Témoin véridique.* 2 cour. Conforme à la vérité. → **authentique, exact.** ► **véridiquement** adv.

**vérifiable** adj. Qui peut être vérifié ; dont on peut prouver la vérité.

**vérifier** v. tr. [7] **1** Examiner la valeur de (qqch.), par confrontation avec les faits observés ou par un contrôle de la cohérence interne. – *Vérifier si* (+ indic.), *que* (+ indic.), examiner pour constater que. **2** Examiner (une chose) de manière à établir si elle fonctionne correctement. *Vérifier ses freins.* **3** Reconnaître ou faire reconnaître pour vrai. → **prouver.** *Vérifier une hypothèse.* – (sujet chose) Constituer le signe de la vérité de (qqch.). → **confirmer.** – pronom. *Se vérifier* : se révéler exact, juste. ► **vérification** n. f. ► **vérificateur, trice** n.

**vérin** n. m. Appareil de levage à vis.

**vérisme** n. m. didact. Naturalisme italien (fin XIX^e^ s.). ► **vériste** adj. et n.

**véritable** adj. **1** vx Sincère. ♦ vieilli Exact. **2** Qui n'est pas imité. *Or véritable.* **3** Réel (pas seulement apparent). *On ignore son véritable nom.* **4** Qui mérite son nom. *C'est une véritable canaille.* ► **véritablement** adv.

**vérité** n. f. **1** Ce à quoi l'esprit peut et doit donner son assentiment (rapport de conformité avec l'objet de pensée, cohérence interne de la pensée) [opposé à *erreur, illusion*]. **2** Connaissance conforme au réel ; son expression (opposé à *erreur, ignorance* ou à *mensonge*). *C'est l'entière, la pure vérité.* – *Dire la vérité.* – *En vérité* loc. adv. → **assurément, certainement, vraiment.** – *À la vérité* loc. adv. : pour être exact. – loc. *Minute, heure... de vérité* : moment décisif. **3** Conformité au sentiment de la réalité. *La vérité d'un portrait* (→ **ressemblance**), *d'un personnage* (→ **vraisemblance**). **4** *Une vérité* : idée, assertion vraie. → **conviction, évidence.** – loc. *Vérités premières,* évidentes mais indémontrables. – *Dire ses quatre vérités à qqn,* lui dire sur son compte des choses désobligeantes. **5** Le réel. → **réalité.** **6** Expression sincère, vraie.

**verjus** n. m. Suc acide de raisin vert.

**verlan** n. m. Procédé argotique, inversion des syllabes de certains mots.

① **vermeil, eille** adj. (teint, peau) D'un rouge vif et léger. *Teint vermeil.*

② **vermeil** n. m. Argent recouvert d'une dorure d'un ton chaud. *Plats en vermeil.*

**vermicelle** n. m. Pâtes à potage en forme de fils très minces. *Du vermicelle.*

**vermiculaire** adj. Qui a la forme, l'aspect d'un petit ver.

**vermiculé, ée** adj. Orné de petites stries sinueuses.

**vermifuge** adj. et n. m. (Remède) qui provoque l'expulsion des vers intestinaux.

**vermillon** n. m. Couleur d'un rouge vif tirant sur l'orangé. – adj. invar. *Des robes vermillon.*

**vermine** n. f. **1** (collectif) Insectes parasites. **2** fig., littér. Ensemble d'individus méprisables. → **canaille, racaille.**

**vermisseau** n. m. Petit ver, petite larve.

**vermoulu, ue** adj. Rongé, mangé par les vers (objets en bois). ► **vermoulure** n. f.

**vermout** ou **vermouth** [-ut] n. m. Apéritif à base de vin aromatisé.

**vernaculaire** adj. didact. Propre au pays. *Langue vernaculaire* : dialecte.

**vernal, ale, aux** adj. didact. Du printemps. – *Point vernal* : intersection de l'équateur et de l'écliptique à l'équinoxe.

**verni, ie** adj. **I** Enduit de vernis. **II** fam. Qui a de la chance.

> Pas de *s* au singulier : *du cuir verni.*

**vernir** v. tr. [2] Enduire de vernis.

**vernis** n. m. **1** Solution résineuse qui laisse une pellicule brillante. **2** fig. Apparence séduisante et superficielle.

**vernissage** n. m. **1** Action de vernir, de vernisser. **2** Jour d'ouverture d'une exposition (de peinture...). → **inauguration.**

**vernisser** v. tr. [1] Enduire de vernis (une poterie, une faïence...).

**vérole** n. f. **1** *Petite vérole* : variole. **2** fam. et vx Syphilis. ► **vérolé, ée** adj. et n.

**véronal, als** n. m. Barbiturique employé comme somnifère.

**véronique** n. f. Plante à fleurs bleues.

**verrat** n. m. Porc mâle, reproducteur.

**verre** n. m. **I** Substance fabriquée, dure, cassante et transparente (silicates alcalins). ♦ *Laine de verre,* matériau de fils de verre (isolant...). – *Papier de verre,* débris de verre fixés au papier, à la toile (abrasif). **II 1** Plaque, lame, morceau, objet de verre. – *Verres optiques.* → **lunette(s).** **2** Récipient à boire (en verre, cristal, matière plastique...). *Lever son verre* (pour trinquer). **3** Contenu d'un verre. – Boisson alcoolisée (au café). *Payer un verre à qqn.* → fam. **pot.** – loc. fam. *Avoir un verre dans le nez,* être ivre.

**verrerie** n. f. **1** Usine où l'on travaille le verre ; fabrication du verre. **2** Commerce du verre. ♦ Objets en verre.

**verrier, ière** n. **1** Personne qui fabrique des objets en verre. **2** Artiste qui fait des vitraux ; peintre sur verre.

**verrière** n. f. **1** Grande ouverture ornée de vitraux. **2** Grand vitrage ; toit vitré.

**verroterie** n. f. Verre coloré et travaillé, dont on fait des bijoux et des ornements.

**verrou** n. m. **1** Pièce de métal allongée qui coulisse horizontalement (fermeture). – loc. *Sous les verrous,* en prison. **2** géol. Barre rocheuse fermant une vallée glaciaire. **3** fig. Ce qui bloque, ferme.

**verrouiller** v. tr. [1] **1** Fermer à l'aide d'un verrou. **2** Bloquer, fermer ; immobiliser. ► **verrouillage** n. m.

**verrue** n. f. **1** Petite excroissance cornée de la peau. **2** fig., littér. Ce qui défigure.

**verruqueux, euse** adj. **1** En forme de verrue. **2** Qui a des verrues.

① **vers** prép. **1** En direction de. *Courir vers la sortie.* ♦ fig. *C'est un pas vers la solution.* **2** (sans mouvement) Du côté de ; aux environs de. **3** À peu près (à telle époque). *Vers la mi-juin.*

② **vers** n. m. **1** Fragment d'énoncé formant une unité rythmique définie par des règles, et appartenant à une œuvre poétique. *Vers libres,* non rimés et irréguliers. **2** *Les vers,* l'écriture en vers. → **poésie.**

Ne pas confondre avec *ver* «animal».

**versant** n. m. Chacune des deux pentes (d'une montagne, d'une vallée).

**versatile** adj. Qui change facilement d'opinion. → **changeant, inconstant.** ► **versatilité** n. f.

**verse** n. f. **I** *Pleuvoir à verse* loc. adv., en abondance. **II** État des végétaux versés sur le sol (par les pluies, la maladie).

**versé, ée** adj. littér. *Versé dans,* expérimenté et savant en (une matière).

**Verseau** n. m. Onzième signe du zodiaque (20 janvier-18 février). – *Elles sont Verseau.*

**versement** n. m. Action de verser de l'argent. → **paiement.** ♦ L'argent versé.

**verser** v. [1] **I** v. tr. **1** Faire tomber, faire couler (un liquide) d'un récipient qu'on incline. – Servir (une boisson). **2** Répandre. – *Verser le sang* (en blessant, en tuant). *Verser son sang,* être blessé, ou mourir. **3** Donner en répandant. → **prodiguer.** **4** Apporter (de l'argent). → **payer ; versement.** ♦ Déposer, annexer (des documents). *Verser une pièce au dossier.* **5** Affecter (qqn) à une arme. → **incorporer.** *On l'a versé, il a été versé dans l'infanterie.* **II** v. intr. **1** Basculer et tomber sur le côté. **2** fig. *Verser dans... :* tomber dans.

**verset** n. m. **1** Paragraphe (d'un texte sacré). *Les versets de la Bible.* **2** liturgie Brève formule récitée ou chantée à l'office. **3** Suite de phrases rythmées d'une seule respiration, dans un texte poétique.

**verseur** n. m. Appareil servant à verser (1). ♦ adj. *Bec verseur.*

**versicolore** adj. didact. Aux couleurs changeantes ou variées.

**versification** n. f. **1** Technique du vers régulier (→ **métrique, prosodie**). **2** Technique du vers propre à un poète.

**versifier** v. tr. [7] Mettre en vers. – au p. p. *Récit versifié.* ► **versificateur, trice** n.

**version** n. f. **1** Traduction (d'un texte en langue étrangère) dans une langue maternelle (opposé à *thème*). **2** Chacun des états d'un texte modifié. ♦ *Film en version originale* (abrév. **V. O.**), avec la bande sonore originale. **3** Manière de présenter, d'interpréter des faits. *La version du témoin.*

**verso** n. m. Envers d'un feuillet.

**versoir** n. m. Pièce de la charrue qui rabat la terre sur le côté.

**verste** n. f. Ancienne unité de distance (1067 m), en Russie.

**vert, verte I** adj. **1** Intermédiaire entre le bleu et le jaune. *Une robe verte.* – *Chêne vert,* à feuilles persistantes. *Lézard vert.* – *Feu vert,* indiquant que la voie est libre. – par exagér. *Être vert de peur.* **2** Qui n'est pas mûr ; qui a encore de la sève. *Légumes verts* (consommés non séchés). – loc. *Des vertes et des pas mûres,* des choses scandaleuses, choquantes. **3** (personnes) Qui a de la vigueur. *Un vieillard très vert* (→ **verdeur**). **4** *Langue verte :* argot. **5** Qui concerne la végétation. – Relatif à la nature, à la campagne. – Qui contribue au respect de l'environnement. ♦ n. m. *Les Verts,* les écologistes (en politique). **II** n. m. **1** Couleur verte. **2** Feuilles vertes, verdure ; fourrage frais. – loc. *Se mettre au vert :* aller se reposer à la campagne.

**vert-de-gris 1** n. m. invar. Dépôt verdâtre sur le cuivre, le bronze. ► **vert-de-grisé, ée** adj. **2** adj. invar. D'un vert grisâtre.

**vertèbre** n. f. Chacun des os qui forment la colonne vertébrale. ► **vertébral, ale, aux** adj.

**vertébré, ée 1** adj. Qui a des vertèbres, un squelette (s'oppose à *invertébré*). **2** n. m. pl. *Les vertébrés :* l'embranchement du règne animal formé des animaux à colonne vertébrale (poissons, batraciens, reptiles, oiseaux, mammifères).

**vertement** adv. Avec vivacité, rudesse.

**vertical, ale, aux** adj. et n. **1** adj. Qui suit la direction de la pesanteur ; perpendiculaire à l'horizontale. **2** n. f. Ligne, position verticale. ► **verticalement** adv. ► **verticalité** n. f.

**vertige** n. m. **1** Impression de perte d'équilibre et de mouvement, d'oscillations (alors qu'on est immobile). → **étourdissement.** **2** Peur pathologique de tomber dans le vide. **3** fig. État, trouble d'une personne égarée.

**vertigineux, euse** adj. **1** Du vertige (1 et 2). **2** cour. Très haut, très profond ; qui donnerait le vertige (2). **3** fig. Très grand, très rapide. *Hausse vertigineuse des prix.* ► **vertigineusement** adv.

**vertu** n. f. **I 1** vieilli Force morale avec laquelle l'être humain tend au bien (opposé à *vice*). ♦ Conduite, vie vertueuse. **2** vx Chasteté ; fidélité conjugale (d'une femme). – loc. *Femme de petite vertu,* de mœurs légères. **3** Disposition à accomplir des actes moraux par un effort de volonté. **II 1** littér. Principe actif. → **pouvoir, propriété.** **2** *En vertu de* loc. prép. : par le pouvoir de. *En vertu des pouvoirs qui me sont conférés.*

**vertueux, euse** adj. **1** vieilli (personnes) Qui a des vertus morales. **2** vieilli (femme) Chaste ou fidèle. **3** littér. (choses) Qui a le caractère de la vertu. ► **vertueusement** adv.

**vertugadin** n. m. ancienn Armature faisant bouffer la jupe. → **panier.**

**verve** n. f. Imagination et fantaisie dans la parole. – *Être en verve* : faire preuve d'esprit (IV, 6).

**verveine** n. f. **1** Plante dont une espèce *(verveine officinale)* a des vertus calmantes. **2** Infusion de verveine officinale.

**verveux** n. m. techn. Filet de pêche conique monté sur des cercles.

**vesce** n. f. Plante herbacée à vrilles fleuries, ressemblant aux pois de senteur.

**vésical, ale, aux** adj. anat. De la vessie.

**vésicant, ante** adj. méd. Qui détermine des ampoules sur la peau.

**vésicatoire** n. m. méd. Remède pour provoquer une révulsion de l'épiderme.

**vésicule** n. f. Cavité, petit sac membraneux. – *Vésicule (biliaire)*, qui emmagasine la bile du foie.

**vespasienne** n. f. vieilli Urinoir public pour homme.

**vespéral, ale, aux** adj. littér. Du soir.

**vesse** n. f. Pet silencieux.

**vesse-de-loup** n. f. Champignon à spores grisâtres.

**vessie** n. f. **1** Organe creux dans lequel s'accumule l'urine (→ **vésical**). **2** Vessie d'animal desséchée, formant sac. – loc. *Prendre des vessies pour des lanternes*, se tromper grossièrement. **3** (poissons) *Vessie natatoire*, sac membraneux qui équilibre l'animal dans l'eau.

**vestale** n. f. (Antiq. romaine) Prêtresse de Vesta, vouée à la chasteté.

**veste** n. f. **1** Vêtement de dessus court, avec manches, ouvert devant. → **veston**. – *Veste de pyjama*. **2** loc. *Ramasser une veste*, subir un échec. *Retourner sa veste*, changer de parti.

**vestiaire** [-tjɛʀ] n. m. **1** Lieu où l'on dépose les vêtements d'extérieur, dans un établissement public. **2** Lieu où l'on revêt une tenue (sportive, professionnelle). **3** Les vêtements d'une garde-robe.

**vestibule** n. m. Pièce d'entrée. → **hall**.

**vestige** n. m. surtout plur. **1** Ce qui demeure (d'une chose disparue, d'un groupe, d'une culture). **2** Ce qui reste (de qqch.). *Des vestiges de grandeur*.

**vestimentaire** adj. Des vêtements.

**veston** n. m. Veste d'un complet d'homme.

**vêtement** n. m. **1** plur. Habillement (avec le linge) ; spécialt vêtements de dessus (opposé à *sous-vêtements*). → **habits**. ♦ (sing. collectif) *L'industrie du vêtement*. **2** *Un vêtement* : une pièce de l'habillement de dessus.

**vétéran** n. m. **1** Ancien combattant. **2** Personne pleine d'expérience. **3** Sportif de la catégorie des plus âgés. REM. Au fém. on rencontre la forme *vétérane*.

**vétérinaire** **1** adj. Qui a rapport au soin des bêtes. *Médecine vétérinaire*. **2** n. Médecin vétérinaire. – abrév. fam. **véto**.

**vétille** n. f. Chose insignifiante. → **bagatelle, broutille**.

**vétilleux, euse** adj. littér. Qui s'attache à des détails, à des vétilles.

**vêtir** v. tr. [20] littér. Couvrir (qqn) de vêtements ; mettre un vêtement à (qqn). → **habiller**. ▷ v. pron. se **vêtir** littér. ▷ adj. **vêtu, ue** Qui porte un vêtement (contr. *nu*). → **habillé**.

**vétiver** [-ɛʀ] n. m. **1** Plante tropicale à racine utilisée en parfumerie. **2** Son parfum.

**veto** [veto] n. m. invar. Opposition à une décision. *Droit de veto*.

**vêture** n. f. **I** relig. Cérémonie de prise d'habit ou de voile. **II** littér. Vêtement.

**vétuste** adj. Qui est vieux, dégradé (choses, bâtiments, installations). ► **vétusté** n. f.

**veuf, veuve** **1** adj. Dont le conjoint est mort. **2** n. Personne veuve. – loc. iron. *Défenseur de la veuve et de l'orphelin*. **3** n. f. Passereau d'Afrique au plumage noir et blanc.

**veule** adj. Qui n'a aucune énergie, aucune volonté. → **faible, lâche**. ► **veulerie** n. f.

**veuvage** n. m. Situation, état d'une personne veuve et non remariée.

**vexant, ante** adj. **1** Qui contrarie, peine. → **contrariant, irritant**. **2** Qui blesse l'amour-propre. → **blessant**.

**vexation** n. f. **1** vx Brimade, persécution (→ **vexer** (1)). **2** Blessure d'amour-propre. → **humiliation, mortification**. ► **vexatoire** adj.

**vexer** v. tr. [1] **1** vx Maltraiter par abus de pouvoir. **2** Blesser (qqn) dans son amour-propre. ▷ v. pron. se **vexer** → se **formaliser**, se **froisser**. ▷ adj. **vexé, ée**

**via** prép. Par la voie de, en passant par.

**viabiliser** v. tr. [1] Rendre apte à la construction en effectuant des travaux de viabilité. ▷ p. p. **viabilisé, ée**

① **viabilité** n. f. **1** État d'une voie où l'on peut circuler. **2** admin. Travaux d'aménagement (voirie, égouts, adductions) à exécuter avant de construire sur un terrain.

② **viabilité** n. f. **1** État d'un organisme viable (1). **2** Caractère viable (2).

**viable** adj. **1** (fœtus...) Apte à vivre. **2** Qui présente les conditions nécessaires pour durer, se développer. *Affaire viable*.

**viaduc** n. m. Pont de grande longueur servant au passage d'une voie.

**viager, ère** adj. Qui se termine avec la vie d'une personne. *Rente viagère*. – n. m. *Le viager*. *Vendre une maison en viager*, moyennant une rente viagère.

**viande** n. f. **1** Chair des mammifères et des oiseaux en tant que nourriture. *Viande de boucherie*. *Viande rouge* (bœuf, cheval, mouton) ; *blanche* (volaille, veau, porc). **2** fam. Chair de l'homme, corps. *Étaler sa* *viande*, se dénuder. - *Viande froide* : cadavre.

**viatique** n. m. **1** relig. cathol. Communion portée à un mourant. **2** fig., littér. Secours indispensable.

**vibrant, ante** adj. **1** Qui est en vibration. - n. f. phonét. Consonne produite par la vibration de la langue ou du gosier. **2** Qui exprime ou trahit une forte émotion. *Un discours vibrant.*

**vibraphone** n. m. Instrument de musique formé de plaques métalliques frappées. ► **vibraphoniste** n.

**vibratile** adj. biol. Animé de mouvements rapides de flexion et d'extension.

**vibration** n. f. **1** Mouvement, état de ce qui vibre ; ses effets. **2** phys. Oscillation de fréquence élevée. *Vibrations sonores.* **3** Tremblement. ♦ anglic. Ondes supposées agir sur le psychisme. ► **vibratoire** adj.

**vibrato** n. m. mus. Tremblement rapide d'un son. → **trémolo.**

**vibrer** v. intr. [1] **1** Se mouvoir périodiquement et rapidement autour de sa position d'équilibre avec une très faible amplitude. *Faire vibrer un diapason.* **2** (voix) Avoir une sonorité tremblée qui dénote l'émotion. **3** fig. Être ému, exalté.

**vibreur** n. m. Élément qui produit, transmet une vibration.

**vibrion** n. m. **I** sc. Bactérie de forme incurvée. **II** fam. Personne très agitée (► **vibrionner** v. intr. [1]).

**vibrisse** n. f. sc. Poil tactile. → **moustache.**

**vibromasseur** n. m. Appareil électrique qui produit des massages par vibration.

**vicaire** n. m. **1** Celui qui exerce en second des fonctions ecclésiastiques. - Prêtre qui aide le curé. **2** *Le vicaire de Dieu* : le pape. ► **vicariat** n. m.

**vice** n. m. **I 1** vieilli *Le vice* : disposition habituelle au mal ; conduite qui en résulte. → **immoralité, mal** ; relig. **péché** (opposé à *vertu*) **2** vieilli *Un vice* : défaut grave que réprouve la morale sociale. ♦ spécialt Perversion sexuelle. **3** Mauvaise habitude. **II** Imperfection grave. → **défaut, défectuosité.** *Vice de fabrication.* - dr. *Vice de forme* : absence d'une formalité obligatoire qui rend nul un acte juridique.

**vice-** Particule invariable, du latin *vice* «à la place de» (noms de grades, de fonctions immédiatement inférieurs).

**vicelard, arde** adj. fam. Vicieux. - n. *Un, une vicelarde.*

**vice-président, ente** n. Personne qui seconde ou supplée un(e) président(e). ► **vice-présidence** n. f. ► **vice-présidentiel, ielle** adj.

**vice-roi** n. m. hist. Celui à qui un roi, un empereur a délégué son autorité pour gouverner un royaume, une province.

**vice versa** [vis(e)vɛʀsa] loc. adv. Réciproquement, inversement. - var. **vice-versa.**

**vichy** n. m. Toile de coton à carreaux.

**vicier** v. tr. [7] **1** dr. Rendre défectueux. **2** littér. Corrompre. → **polluer.** ▷ adj. **vicié, ée** Impur, pollué. *Air vicié.*

**vicieux, euse** adj. **I 1** littér. Qui a des vices (1). → **corrompu, dépravé.** ♦ Ombrageux et rétif (cheval...). **2** Qui a des mœurs sexuelles que la société réprouve. → **pervers.** - n. *Un vieux vicieux.* → **satyre. 3** fam. Rusé et malhonnête (personnes, procédés). **II** (choses) **1** vx Défectueux, mauvais, entaché de vices (II). **2** *Cercle* vicieux.* ► **vicieusement** adj.

**vicinal, ale, aux** adj. *Chemin vicinal*, voie qui relie des villages.

**vicissitudes** n. f. pl. littér. Événements, surtout malheureux, de la vie.

**vicomte** n. m. Personne possédant le titre de noblesse au-dessous du comte. ► **vicomté** n. m. ► **vicomtesse** n. f.

**victime** n. f. **1** Créature vivante offerte en sacrifice aux dieux. **2** Personne qui subit des injustices, qui souffre. *Se prendre pour une victime.* **3** Personne tuée ou blessée. ♦ Personne arbitrairement tuée, condamnée à mort. *Les victimes du nazisme.*

**victimiser** v. tr. [1] anglic. Transformer en victime. ► **victimisation** n. f.

**victoire** n. f. **1** Succès dans un combat, une bataille, une guerre (s'oppose à *défaite*). - loc. *Une victoire à la Pyrrhus*, trop chèrement acquise. **2** Heureuse issue d'une lutte, d'une compétition, pour qui a eu l'avantage (s'oppose à *échec*). *Une victoire facile.* - loc. *Crier, chanter victoire*, se glorifier d'une réussite.

**victoria** n. f. anciennt Voiture à cheval découverte, à quatre roues.

**victorieux, euse** adj. **1** Qui a remporté une victoire. → **vainqueur.** *Armée victorieuse.* - *L'équipe victorieuse.* **2** Qui exprime, évoque une victoire. → **triomphant.** ► **victorieusement** adv.

**victuailles** n. f. pl. Provisions de bouche. → **vivres.**

**vidage** n. m. Action de vider (II, 2).

**vidange** n. f. **1** Action de vider de matières sales. *Vidange du réservoir d'huile d'une voiture.* **2** Ce qui est enlevé, vidé. **3** Mécanisme qui sert à vider l'eau.

**vidanger** v. tr. [3] **1** Faire la vidange de (une fosse, un réservoir). **2** Évacuer par une vidange. *Vidanger l'huile d'un moteur.*

**vidangeur, euse** n. Personne qui fait la vidange des fosses d'aisances.

**vide I** adj. (opposé à *plein*) **1** Qui ne contient rien de perceptible. - math. *Ensemble vide*, qui n'a aucun élément. **2** Dépourvu de son contenu normal. - loc. *Rentrer les mains vides*, sans rapporter ce que l'on allait chercher. ♦ (local, lieu) Inoccupé. ♦ fig. loc. *Avoir la tête, l'esprit vide*, ne plus avoir momentanément ses connaissances, ses souvenirs. **3** (durée) Qui n'est pas employé ; sans occupation. **4** Qui manque d'intérêt, de substance. *Des propos vides.* → **vain ; vacuité.** **II** n. m. **1** Espace qui n'est pas occupé par de la matière ; par des choses ou des personnes. ♦ Abaissement important de la pression d'un gaz. **2** Espace où il n'y a aucun corps solide susceptible de servir d'appui. – *Regarder dans le vide* (fig. dans le vague). **3** *Un vide* : espace vide ; fente, ouverture. – fig. Ce qui est ressenti comme un manque. *Son départ laisse un grand vide.* **4** Absence d'intérêt, de contenu. *Le vide de son existence.* → **néant, vacuité.** **5** *À vide* loc. adv. Sans rien contenir. ♦ Sans avoir l'effet attendu. *Tourner à vide.* – fig. *Il raisonne à vide.* ♦ loc. *Passage à vide* : moment où un mécanisme tourne à vide ; fig. moment d'inactivité.

**vidéaste** n. Personne qui réalise des films vidéo.

**vide-dressing** [-iŋ] n. m. Vente de vêtements d'occasion par des particuliers. *Des vide-dressings.*

**vidéo** **I** adj. invar. Qui concerne l'enregistrement et la retransmission des images et des sons sur un écran. *Signal vidéo.* – *Caméra vidéo. Jeu vidéo.* **II** n. f. Ensemble des techniques vidéo. ♦ Équipement vidéo. ♦ Enregistrement vidéo.

**vidéocassette** n. f. Cassette vidéo.

**vidéoclip** → ② **clip**

**vidéocommunication** n. f. techn. Ensemble des techniques permettant de transmettre des informations sous forme d'images fixes ou animées (câble, satellite...).

**vidéoconférence** → **visioconférence**

**vide-ordures** n. m. invar. Conduit vertical pour jeter les ordures (dans un immeuble).

**vidéosurveillance** n. f. Surveillance (notamment des lieux publics) par caméras vidéo.

**vidéothèque** n. f. Collection de documents vidéo. – Lieu où on les entrepose.

**vide-poches** n. m. invar. Petit meuble ou récipient où l'on peut déposer de petits objets (qui étaient dans les poches).

**vider** v. tr. [1] **I 1** Rendre vide (un contenant) (opposé à *remplir*). – *Vider... dans, sur* : répandre le contenu de... quelque part. → **verser.** **2** Ôter les entrailles de (un poisson, une volaille) pour le faire cuire. ♦ fig. *Vider son cœur* : s'épancher. **3** *Vider... de* : débarrasser de. – pronom. *La ville se vide en août.* **4** S'en aller de. loc. *Vider les lieux,* partir. **5** fam. Épuiser les forces de (qqn). → **crever, éreinter ; vidé** (2). **6** fig. Faire en sorte que (une question) soit réglée. → **résoudre, terminer.** *Vider une querelle.* **II 1** Enlever (qqch.) de son contenant. *Aller vider les ordures.* → **jeter.** **2** fam. Faire sortir brutalement (qqn) d'un lieu, d'un emploi. → **chasser, renvoyer.**

▷ adj. **vidé, ée** (personnes) **1** Épuisé, sans forces. **2** Sans ressources morales. → **fini.**

**videur, euse** n. Personne qui est chargée de vider (spécialt (II, 2) les indésirables).

**viduité** n. f. **I** dr. État de veuf, de veuve. **II** littér. Abandon, solitude.

**vie** n. f. **I 1** Fait de vivre ; état des êtres organisés qui évoluent de la naissance à la mort. → **existence.** *Donner la vie à un enfant,* enfanter. ♦ Vigueur, vivacité. *Un enfant plein de vie.* **2** Animation que l'artiste donne à son œuvre. *Un portrait plein de vie.* **3** *La vie* : l'ensemble des phénomènes (croissance, métabolisme, reproduction) que présente la matière organisée (organismes animaux ou végétaux), de la naissance à la mort. *Science de la vie.* → **biologie.** – La matière vivante. *La vie animale, végétale.* **4** Temps compris entre la naissance et la mort. *Espérance* de vie.* – relig. *Cette vie, la vie terrestre* (opposée à *l'autre vie, la vie future, éternelle*). ♦ Temps qui reste à vivre à un individu. *Amis pour la vie.* – *À vie* : jusqu'à la mort. *Prison à vie.* → **perpétuité.** **5** Activités, événements qui remplissent la vie (4), pour chaque être. *Écrire la vie de qqn.* → **biographie.** **6** Manière de vivre (d'un individu, d'un groupe). ♦ loc. *Mener, faire la vie dure à qqn,* le tourmenter. ♦ vieilli *Femme de mauvaise vie,* prostituée. **7** (suivi d'une épithète, d'un compl.) Part de l'activité humaine. *La vie privée et la vie professionnelle.* ♦ Le monde, l'univers où s'exerce une activité psychique. *La vie affective.* **8** Moyens matériels (nourriture, argent) d'assurer la subsistance d'un être vivant. *Niveau de vie.* **9** absolt Le cours des choses humaines. *Regarder la vie en face.* **II** Existence dont le caractère temporel et dynamique évoque la vie. **1** (monde humain) *La vie des mots, des cultures.* **2** (monde inorganique) *La vie des étoiles.* **3** *Avoir la vie dure* : résister. *Une erreur qui a la vie dure.*

**vieil, vieille** → **vieux**

**vieillard, arde** n. Personne d'un grand âge.

**vieillerie** n. f. **1** Objet vieux, démodé, usé. **2** Idée rebattue ; œuvre démodée.

**vieillesse** n. f. s'oppose à *jeunesse* **1** Dernière période de la vie humaine, caractérisée par le ralentissement des activités biologiques (→ **sénescence**). **2** Fait d'être vieux. **3** Les personnes âgées (→ troisième âge).

**vieillir** v. [2] **I** v. intr. **1** Prendre de l'âge. **2** Acquérir les caractères de la vieillesse ; changer par vieillissement. → **décliner.** *Il a beaucoup vieilli depuis sa maladie.* **3** (sujet chose) Perdre de son intérêt avec le temps. *Ce film a vieilli.* ♦ Être en voie de disparition. – au p. p. *Mot vieilli.* **4** (produits) Acquérir certaines qualités avec le temps. *Faire vieillir du vin.* **II** v. tr. **1** (sujet chose) Faire paraître plus vieux (opposé à *rajeunir*). *Cette coiffure le vieillit.* **2** Attribuer à (qqn) un âge supérieur à son âge réel. ► **vieillissant, ante** adj.

**vieillissement** n. m. **1** Fait de devenir vieux, ou de s'affaiblir par l'effet de l'âge. – Augmentation de la proportion de vieillards. **2** Fait de se démoder. **3** Fait de vieillir (vins, fromages...).

**vieillot, otte** adj. Qui a un caractère vieilli, un peu ridicule. → **désuet, suranné.**

**vielle** n. f. Instrument de musique à cordes frottées par une roue à manivelle.

**viennois, oise** adj. et n. **1** De Vienne, en Autriche. – n. *Les Viennois.* **2** *Café, chocolat viennois,* avec de la crème Chantilly.

**viennoiserie** n. f. Boulangerie fine.

**vierge** n. f. et adj. **I** n. f. **1** Fille qui n'a jamais eu de rapports sexuels. → **pucelle. 2** *La (Sainte) Vierge,* Marie, mère de Jésus. – Sa représentation (tableau, statue). **3** Sixième signe du zodiaque (23 août-22 septembre). – *Ils sont Vierge.* **II** adj. **1** Qui n'a jamais eu de relations sexuelles. *Il est vierge.* → **puceau. 2** Qui n'a jamais été touché, sali ou utilisé. *Feuille* (de papier) *vierge,* où l'on n'a pas écrit. *Casier judiciaire vierge.* – *Vierge de. Être vierge de toute accusation.* **3** Qui n'est mélangé à rien d'autre. *Laine vierge.* **4** Inculte, inexploité. – *Forêt vierge :* forêt tropicale impénétrable. **5** *Vigne** (3) *vierge.*

**vieux** ou **vieil** (plur. **vieux), vieille** *vieil* devant voyelle ou *h* muet : *un vieil homme, un vieil arbre* (mais *un homme vieux*) **I** adj. (êtres vivants) opposé à *jeune* **1** Qui a vécu longtemps ; qui est dans la vieillesse. → **âgé. 2** Qui a les caractères physiques ou moraux d'une personne âgée. → **sénile.** *Être vieux avant l'âge.* **3** loc. *Sur ses vieux jours,* dans sa vieillesse. **4** Qui est depuis longtemps dans l'état indiqué. *Vieux garçon, vieille fille,* célibataire. **5** (avec *assez, trop, plus, moins*) Âgé. *Elle est plus vieille que moi.* **II** adj. (choses) opposé à *neuf, nouveau* **1** Qui existe depuis longtemps. → **ancien.** *Une vieille voiture.* ♦ *Vieux rose :* adouci, moins vif. ♦ (vins, alcools) Amélioré par le temps. *Vin vieux.* **2** Hors d'usage, inutilisable. **3** Dont l'origine, le début est ancien. – loc. *Le Vieux Monde :* l'Europe. – *Vieux, vieille de* (+ numéral) : qui date de. ♦ péj. Qui a perdu son intérêt, ses qualités, avec la nouveauté. – loc. *Vieux jeu*.* **4** Qui a existé autrefois, il y a longtemps. *Une vieille coutume.* loc. *Le bon vieux temps.* **III** n. **1** *Un vieux, une vieille.* → **vieillard.** – loc. *Un vieux de la vieille* (de la *vieille garde*), un vieux soldat (Premier Empire) ; fig. un ancien. **2** Personne âgée. *Les vieux du village.* **3** fam. (avec le poss.) Père, mère ; parents. *Ses vieux sont morts.* **4** fam. Terme d'amitié (même entre personnes jeunes). *Mon vieux, ma vieille.* **5** fam. *Coup de vieux :* vieillissement subit. **IV** n. f. Labre (poisson).

**vif, vive** adj. **I** vx ou dans des loc. Vivant, vivante. *Jeanne d'Arc a été brûlée vive.* – loc. *Être plus mort que vif,* paralysé de peur, d'émotion. **II 1** Dont la vitalité se manifeste par la rapidité, la vivacité* des mouvements et des réactions. → **agile, alerte, éveillé.** *Un enfant vif.* **2** Qui s'emporte facilement. → **emporté, violent.** – *Échanger des propos très vifs.* **3** Rapide. *Intelligence vive.* **III** (choses) **1** Mis à nu. *Vive arête,* nette, aiguë. **2** *Eau vive,* eau pure qui coule. – *Air vif,* frais et pur. **3** Intense. *Couleurs vives.* – (sensations, émotions) → **fort.** *Une vive douleur.* → **aigu. IV** n. m. **1** dr. Personne vivante. *Donation entre vifs.* **2** loc. *Sur le vif :* d'après nature. **3** fig. *Entrer dans le vif du sujet, du débat,* toucher à l'essentiel. ♦ *À vif :* avec la chair vive à nu. fig. *Avoir les nerfs, la sensibilité à vif.* ♦ *Être atteint, touché, blessé, piqué au vif,* au point le plus sensible.

**vif-argent** n. m. **1** vx Mercure (métal). **2** fig. *Du vif-argent,* une personne très vive.

**vigie** n. f. **1** Matelot en observation (dans la mâture ou à la proue). **2** Son poste d'observation.

**vigilant, ante** adj. **1** Qui surveille avec une attention soutenue. → **attentif. 2** physiol. Aptitude de l'organisme aux réactions. ► **vigilance** n. f.

① **vigile** n. f. relig. cathol. Veille d'une fête importante.

② **vigile** n. m. Membre d'une police privée, d'un organisme de défense.

**vigne** n. f. **1** Arbrisseau grimpant, à fruits en grappes (→ **raisin**), cultivé pour la production du vin. *Pied de vigne.* → **cep.** *Culture de la vigne.* → **vignoble, viticulture. 2** Plantation de vignes. → **vignoble. 3** *Vigne vierge :* plante décorative grimpante.

**vigneron, onne** n. Personne qui cultive la vigne, fait le vin. → **viticulteur.**

**vignette** n. f. **1** Motif ornemental dans un livre. ♦ Petite illustration. **2** Petit carré de papier, étiquette ou timbre.

**vignoble** n. m. Plantation de vignes. – Ensemble de vignes (d'une région).

**vigogne** n. f. **1** Animal ruminant du genre lama, à pelage fin. **2** Laine de vigogne.

**vigoureux, euse** adj. **1** Qui a de la vigueur. → **énergique, fort, robuste, solide. 2** Qui s'exprime, agit avec efficacité. *Style vigoureux.* ► **vigoureusement** adv.

**vigueur** n. f. **1** Force, énergie (d'un être en pleine santé et dans la plénitude de son développement). **2** Activité intellectuelle libre et efficace. *Vigueur de l'expression.* → **fermeté, véhémence. 3** arts Netteté pleine de force. **4** *En vigueur :* en application actuellement ; en usage.

**V. I. H.** [veiaʃ] n. m. (sigle de *virus de l'immunodéficience humaine*) Virus responsable du sida. → anglic. **L. A. V.** – syn. (anglic.) **H. I. V.**

**viking** n. m. et adj. hist. Marin scandinave, dans l'expansion maritime du VIIIe au XIe siècle. – adj. *Bateau viking.* → **drakkar.**

**vil, vile** adj. 1 littér. Qui inspire le mépris ; sans dignité, sans courage. *Vil flatteur.* - *Action vile.* → **vilenie.** 2 *À vil prix :* à très bas prix.

**vilain, aine** I n. (au Moyen Âge) Paysan libre (qui n'était pas serf). → **manant.** - prov. *Jeux de main, jeux de vilain,* jeu qui risque de dégénérer. II adj. 1 Se dit d'un enfant qui ne se conduit pas bien (opposé à *gentil*). 2 Désagréable à voir. → **laid.** 3 (temps) Mauvais, laid. 4 Dont l'apparence est inquiétante. *Une vilaine blessure.* - (au moral) *Il lui a joué un vilain tour.* → **sale.** - n. m. *Il va y avoir du vilain,* un éclat, une dispute. ► **vilainement** adv.

**vilebrequin** n. m. 1 Outil pour percer, formé d'une mèche que l'on fait tourner à l'aide d'une manivelle coudée. 2 techn. Arbre articulé avec des bielles, qui transforme un mouvement rectiligne (pistons) en rotation.

**vilenie** [vil(ə)ni ; vileni] n. f. littér. 1 Action vile et basse. 2 Caractère vil.

**vilipender** v. tr. [1] littér. Dénoncer comme vil, méprisable. → **bafouer, honnir.**

**villa** [villa] n. f. 1 Maison de plaisance avec un jardin. 2 Voie calme, impasse.

**village** [vil-] n. m. 1 Agglomération rurale autonome. *Gros village.* → **bourg, bourgade.** - *Village de toile.* → **camping.** 2 Les habitants d'un village. ► **villageois, oise** adj. et n.

**ville** [vil] n. f. 1 Réunion importante de constructions constituant un milieu social autonome, et une entité économique (commerce, industrie, administration). → **cité.** - loc. *La Ville lumière,* Paris. *La Ville éternelle,* Rome. - *Ville d'eaux,* station thermale. ♦ *En ville, à la ville :* dans la ville. ♦ hist. de France (XVII^e^-XVIII^e^ siècles) *La Ville et la Cour :* Paris et Versailles. 2 L'administration, la personne morale de la ville. → **municipalité.** *Travaux financés par la ville.* 3 La vie, les habitudes sociales dans une grande ville (→ **urbain**). - *Les gens de la ville.* → **citadin.** 4 Les habitants de la ville. *Toute la ville en parle.*

**villégiature** [vi(l)le-] n. f. Séjour de repos, à la campagne ou dans un lieu de plaisance. ♦ Lieu de ce séjour. ► **villégiaturer** v. intr. [1]

**villosité** [vil-] n. f. anat. Saillie filiforme qui donne un aspect velu à une surface.

**vin** n. m. 1 Boisson alcoolisée provenant de la fermentation du raisin. *Vin rouge, rosé, blanc. Vin vieux. Grand vin.* → **cru.** *Vin de pays,* provenant d'un terroir non délimité. ♦ *Vins doux, vins de liqueur,* auxquels on ajoute de l'alcool de raisin en cours de fermentation. 2 *Le vin,* symbole de l'ivresse. *Avoir le vin gai, triste.* loc. *Être entre deux vins,* légèrement ivre. 3 relig. cathol. L'une des deux espèces sous lesquelles se fait la consécration. 4 par ext. *Vin de palme* (sève de palmier fermentée).

**vinaigre** n. m. Vin ou solution alcoolisée après fermentation acétique (assaisonnement, condiment). *Vinaigre de vin, d'alcool. Huile et vinaigre.* - loc. fig. *Tourner au vinaigre,* tourner mal, empirer. - fam. *Faire vinaigre,* se dépêcher. ► **vinaigrer** v. tr. [1] ▷ adj. **vinaigré, ée**

**vinaigrette** n. f. Sauce faite d'huile et de vinaigre ; assaisonnement (salade, crudités).

**vinaigrier, ière** n. 1 Personne qui fait, vend du vinaigre. 2 n. m. Flacon pour le vinaigre.

**vinasse** n. f. fam. Mauvais vin rouge.

**vindicatif, ive** adj. Porté à la vengeance.

**vindicte** n. f. loc. dr. *Vindicte publique :* poursuite et punition des crimes au nom de la société.

**vineux, euse** adj. 1 Qui a la couleur du vin rouge. 2 Qui a l'odeur du vin.

**vingt** [vɛ̃ ; vɛ̃t] adj. numéral ([vɛ̃] isolé ou devant consonne, [vɛ̃t] en liaison et dans les nombres de *vingt-deux* à *vingt-neuf*) I 1 (cardinal) Deux fois dix (20). *Vingt dollars.* 2 (ordinal) Vingtième. *Les années vingt,* entre 1920 et 1930. II n. m. Le nombre, le numéro vingt. ♦ fam. *Vingt-deux !,* attention ! ► **vingtième** adj.

**vingtaine** [vɛ̃t-] n. f. Nombre approximatif de vingt.

**vinicole** adj. Relatif à la culture de la vigne et à la production du vin.

**vinification** n. f. Transformation du moût en vin. ♦ Fermentation alcoolique, transformation des glucides en alcool par des levures.

**vinifier** v. tr. [7] Traiter (les moûts) pour faire le vin.

**vintage** [vintɛdʒ] anglic. I n. m. Porto millésimé. II adj. 1 Se dit de modèles anciens d'automobiles. 2 Se dit d'objets (vêtements, affiches...) déjà anciens et conservés depuis leur création. - n. m. *Porter du vintage.*

**vinyle** n. m. 1 Radical chimique qui entre dans la composition des matières plastiques. 2 Matière plastique imitant le cuir (ameublement, vêtements...). 3 Disque microsillon (fabriqué à partir du vinyle). *Une collection de vinyles.*

**vioc** ou **vioque** adj. et n. fam. péj. Vieux.

**viol** n. m. Acte par lequel une personne en force une autre à avoir des relations sexuelles avec elle, par violence (crime).

**violacé, ée** adj. Qui tire sur le violet.

**violation** n. f. Action de violer (un engagement, un droit), de profaner. ► **violateur, trice** n.

**viole** n. f. Instrument de musique à cordes et à archet. ♦ *Viole de gambe :* grande viole à six cordes, placée entre les jambes.

**violemment** [-amɑ̃] adv. 1 Avec une force brutale. → **brutalement.** 2 Vivement. *Réagir violemment.*

**violence** n. f. **1** Force brutale pour soumettre qqn. → **brutalité.** - Manifestations sociales de cette force brutale. *Escalade de la violence.* ♦ loc. *Faire violence à qqn* : le faire agir contre sa volonté, par force ou intimidation. *Se faire violence* : se forcer, se contraindre. **2** Acte violent. *Subir des violences.* → **sévices ; viol.** - loc. *Se faire une douce violence* : accepter avec plaisir après une résistance affectée. **3** Disposition naturelle à l'expression brutale. **4** Force brutale ; intensité (d'un sentiment...).

**violent, ente** adj. **1** Qui agit ou s'exprime avec violence, sans aucune retenue. → **brutal.** - n. *C'est un violent.* ♦ *Des propos violents.* **2** Qui a un intense pouvoir d'action ou d'expression. *Un violent orage.* ♦ Qui a un effet intense sur les sens. *Impression violente.* **3** Qui exige de la force, de l'énergie. *Faire de violents efforts.* - *Mort violente,* accident, meurtre.

**violenter** v. tr. [1] Violer (II).

**violer** v. tr. [1] **I** (compl. chose) **1** Agir contre, porter atteinte à (ce qu'on doit respecter). → **enfreindre, transgresser.** *Violer un traité.* **2** Ouvrir, pénétrer dans (un lieu sacré ou protégé). *Violer une sépulture.* → **profaner.** **II** Posséder sexuellement (une personne) contre sa volonté. → **violenter ; viol.** ► **violeur, euse** n.

**violet, ette 1** adj. Mêlé de bleu et de rouge. **2** n. m. Couleur violette.

**violette** n. f. Petite plante à fleurs souvent violettes, solitaires, à cinq pétales ; sa fleur. ♦ Essence, parfum de violette.

**violine** adj. Violet foncé. → **lie-de-vin.**

**violiste** n. Musicien qui joue de la viole de gambe.

**violon** n. m. **I 1** Instrument de musique à quatre cordes que l'on frotte avec un archet, et qui se tient entre l'épaule et le menton. - *La famille des violons* (altos, violoncelles, contrebasses ; viole). - loc. *Accordez vos violons !,* mettez-vous d'accord. - *Violon d'Ingres* : activité favorite, en dehors de la profession (le peintre Ingres jouait du violon). **2** Violoniste. **II** fam. Prison d'un poste de police.

**violoncelle** n. m. Instrument à cordes, plus grand que le violon, tenu entre les jambes (→ viole de gambe). ► **violoncelliste** n.

**violoneux** n. m. anciennt Violoniste de village.

**violoniste** n. Instrumentiste jouant du violon.

**vioque** n. → **vioc**

**viorne** n. f. **1** Arbrisseau à fleurs blanches. **2** Clématite.

**vipère** n. f. Serpent à tête triangulaire aplatie, à deux crochets à venin. ♦ loc. *Une langue de vipère, une vipère,* une personne médisante. ► **vipérin, ine** adj.

**virage** n. m. **I 1** Mouvement d'un véhicule qui tourne. *Virage sur l'aile* (avions). **2** Forte courbure du tracé (d'une voie). → **coude, tournant. 3** fig. Changement radical d'orientation, d'attitude. **II** chim. Changement de couleur (d'un réactif).

**virago** n. f. péj. Femme d'allure masculine, aux manières rudes et autoritaires.

**viral, ale, aux** adj. **1** Qui se rapporte à un virus. ♦ Provoqué par un virus. **2** Relatif aux virus informatiques. **3** Qui se propage rapidement sur Internet.

**virée** n. f. fam. Promenade, voyage rapide. → **balade.**

**virelai** n. m. didact. Poème du Moyen Âge, petite pièce sur deux rimes avec refrain.

**virement** n. m. Transfert de fonds d'un compte à un autre.

**virer** v. [1] **I 1** v. tr. mar. Faire tourner. **2** v. intr. Tourner sur soi, en rond. **3** v. intr. mar. Changer de direction. ♦ par ext. (voiture...) *Braquer pour virer.* **II** v. tr. **1** Transporter (une somme) d'un compte à un autre (→ **virement).** **2** fam. *Virer qqn,* le renvoyer. **III** v. intr. **1** Changer d'aspect, de couleur. **2** *Cuti-réaction qui vire,* qui devient positive. - trans. *Virer sa cuti*.* **3** *Virer à* : devenir. *Virer au rouge.*

**virevolte** n. f. **1** Mouvement de ce qui fait un demi-tour. **2** fig. Changement (spécialt, d'opinion). → **revirement, volte-face.**

**virevolter** v. intr. [1] **1** Tourner rapidement sur soi. **2** fig. Aller en tous sens, changer continuellement. → **papillonner.** ► **virevoltant, ante** adj.

① **virginal, ale, aux** adj. D'une vierge.

② **virginal** n. m. mus. Épinette en usage en Angleterre (XVI$^e$-XVII$^e$ siècles).

**virginité** n. f. État d'une personne vierge.

**virgule** n. f. **1** Signe de ponctuation (,) marquant une pause de peu de durée à l'intérieur de la phrase. **2** Signe (,) qui précède la décimale dans un nombre décimal (→ anglic. point).

**viril, ile** adj. **1** De l'homme adulte. → **mâle, masculin. 2** Qui a l'appétit sexuel d'un homme normal. **3** Qui a les caractères correspondant à une image biologique et sociale de l'homme (énergie, force...). ► **virilement** adv. ► **virilité** n. f.

**virole** n. f. Petite bague de métal pour assujettir qqch. à l'extrémité d'un manche.

**virologie** n. f. sc. Étude des virus. ► **virologiste** ou **virologue** n.

**virtuel, elle** adj. **1** Qui est à l'état de simple possibilité ; qui a en soi les conditions de sa réalisation. → **possible, potentiel. 2** phys. *Image virtuelle,* qui se forme dans le prolongement des rayons lumineux. ► **virtualité** n. f.

**virtuellement** adv. **1** didact. En puissance. → **potentiellement. 2** Selon toute probabilité. → en **principe.**

**virtuose** n. 1 Chanteur(euse), instrumentiste ayant une technique brillante. 2 Personne, artiste extrêmement habile. ► **virtuosité** n. f. → **brio.**

**virulence** n. f. 1 Violence agressive. *La virulence d'un propos.* 2 Aptitude des germes pathogènes à se développer et à sécréter des toxines. – Caractère nocif, dangereux. ► **virulent, ente** adj.

**virus** [-ys] n. m. 1 Germe pathogène. – Micro-organisme capable de former sa propre substance par synthèse (sans échanges). *Maladies à virus* (→ **viral**). 2 fig. Principe moral dangereux et contagieux. ♦ Goût excessif. *Il a le virus du jeu.* 3 inform. Instruction qui perturbe le fonctionnement d'un système informatique.

**vis** [vis] n. f. 1 Tige présentant une partie saillant en hélice (filet), et que l'on fait agir en la faisant tourner sur elle-même. – loc. *Serrer la vis à qqn,* le traiter avec sévérité. 2 *Escalier à vis,* en hélice. 3 *Vis platinée**.

**visa** n. m. 1 Formule apposée sur un acte pour le valider. *Visa de censure* (d'un film). 2 Formule exigée, en plus du passeport, pour entrer dans certains pays.

**visage** n. m. 1 Partie antérieure de la tête humaine. → **face, figure.** *Un beau visage.* – loc. *À visage découvert,* sans se cacher. – *À visage humain :* qui respecte les droits de l'homme. 2 Expression du visage. – loc. *Faire bon, mauvais visage à qqn,* bien, mal l'accueillir. 3 La personne. *Mettre un nom sur un visage.* – loc. *Les Visages pâles,* les Blancs (pour les Indiens d'Amérique). 4 Aspect particulier et reconnaissable (de qqch.). *Le vrai visage des États-Unis.*

**visagiste** n. Esthéticien, coiffeur spécialisé dans la mise en valeur du visage.

**vis-à-vis** [vizavi] I *Vis-à-vis de* loc. prép. 1 En face de (concret). 2 fig. En présence de, devant (de manière à confronter). *J'ai honte vis-à-vis de lui.* – En regard, en comparaison de. 3 Envers (qqn). II n. m. 1 Position de deux personnes, de deux choses qui se font face. 2 Personne, chose placée en face d'une autre.

**viscéral, ale, aux** adj. 1 Relatif aux viscères. 2 (sentiment) Profond et irraisonné. ► **viscéralement** adv.

**viscère** n. m. anat. Organe contenu dans une cavité du corps (cerveau, cœur, estomac, foie, intestin, poumon, rate, rein, utérus). ♦ cour. *Les viscères.* → **boyau(x), entrailles.**

**viscose** n. f. techn. Solution colloïdale de cellulose et de soude.

**viscosité** n. f. 1 État de ce qui est visqueux (1). 2 Caractère visqueux (2), gluant.

**visée** n. f. 1 Action de diriger la vue, une arme, un instrument d'optique vers un but, un objectif. 2 fig. surtout plur. Direction de l'esprit vers un but. → **ambition, intention.**

① **viser** v. [1] I v. intr. 1 Diriger attentivement vers le but, la cible à atteindre. 2 fig. *Viser haut,* avoir de grandes ambitions. II v. tr. ind. *Viser à.* Avoir en vue (une fin). – (+ inf.) Tendre à. III v. tr. dir. 1 Regarder attentivement (un but, une cible) afin de l'atteindre. 2 fig. Avoir en vue, s'efforcer d'atteindre (un résultat). 3 (sujet chose) S'appliquer à. → **concerner.** – passif et p. p. *Être, se sentir visé,* être l'objet d'une allusion, d'une critique. 4 fam. Regarder.

② **viser** v. tr. [1] Revêtir (un acte) d'un visa*. *Faire viser son passeport.*

**viseur** n. m. Instrument, dispositif optique servant à effectuer une visée (1), à délimiter le champ (photo, cinéma, vidéo).

**visibilité** n. f. 1 Caractère de ce qui est perceptible par la vue. 2 Qualité de l'atmosphère, permettant de voir (plus ou moins loin). *Bonne, mauvaise visibilité.* 3 Possibilité de voir les abords. *Virage sans visibilité.*

**visible** adj. 1 Qui peut être vu. *Visible à l'œil nu, au microscope.* 2 Sensible à la vue. *Le monde visible.* – n. m. *Le visible et l'invisible.* 3 Qui peut être constaté par les sens. → **manifeste, sensible.** *Un plaisir visible.* – impers. *Il est visible que* (+ indic.), clair, évident. 4 (personnes) En état de recevoir une visite, d'être vu (habillé, apprêté). → **présentable.**

**visiblement** adv. 1 En se manifestant à la vue. 2 D'une manière évidente, claire.

**visière** n. f. 1 Partie d'une casquette, d'un képi qui abrite les yeux. 2 Pièce qui protège les yeux. – *Mettre sa main en visière devant ses yeux.*

**visioconférence** n. f. techn. Système de télécommunication permettant de réunir des personnes éloignées dans des conditions proches de celles d'une réunion ordinaire.

**vision** n. f. I 1 Perception du monde extérieur par la vue. 2 fig. Action de se représenter en esprit. → **représentation.** *Une vision confuse de l'avenir.* II (Une, des visions) 1 Chose surnaturelle qui apparaît. → **apparition, révélation.** 2 Représentation imaginaire. → **idée, rêve.**

**visionnaire** 1 n. Personne qui a des visions. → **illuminé.** – Personne qui a la vision de ce qui est caché. → **voyant.** 2 adj. Capable d'anticiper, qui a une vision de l'avenir. *Un art visionnaire.*

**visionner** v. tr. [1] 1 Examiner techniquement (un film). 2 Faire apparaître sur un écran de visualisation.

**visionneuse** n. f. Dispositif optique grossissant, pour examiner un film, des diapositives.

**visiophone** n. m. Téléphone où chaque correspondant a une image de l'autre.

**Visitation** n. f. relig. cathol. Visite de la Sainte Vierge à sainte Élisabeth, alors enceinte de Jean-Baptiste ; fête commémorant cet événement.

**visite** n. f. **I 1** Fait d'aller voir (qqn) et de rester avec lui un certain temps ; fait de recevoir un visiteur. *Rendre visite à qqn.* **2** La personne qui se rend chez une autre. *Tu as une visite,* fam. *de la visite.* **3** (contexte professionnel) Fait de se rendre auprès d'un malade, pour un médecin. – Action de visiter (un client). *Les visites d'un représentant.* **II 1** Fait de se rendre (dans un lieu) pour parcourir, visiter. *Visite touristique.* **2** Fait d'aller examiner, inspecter. *Visite d'expert.* – *Visite de douane.* → **fouille.** **3** Examen de patients, de malades par un médecin à l'hôpital, en clinique.

**visiter** v. tr. [1] **I 1** rare Faire une visite à (qqn). **2** Se rendre auprès de (qqn) pour l'assister, le soigner. **II 1** Aller voir (qqch.), parcourir (un lieu) en examinant. *Visiter un pays, un musée.* **2** Examiner, inspecter.

**visiteur, euse** n. **I 1** Personne qui va voir qqn chez lui, lui fait une visite. *Reconduire un visiteur.* **2** Personne qui visite (un pensionnaire, un malade, un prisonnier). **II 1** Personne qui inspecte, examine. **2** Personne qui visite un lieu. → **touriste.** **3** sports Membre d'une équipe qui se déplace et joue sur le terrain de l'adversaire.

**vison** n. m. **1** Mammifère voisin du putois, chassé et élevé pour sa fourrure très estimée. **2** Sa fourrure. ♦ Vêtement en vison.

**visqueux, euse** adj. **1** (liquide) Qui est épais et s'écoule avec difficulté. **2** péj. Dont la surface est couverte d'une couche gluante. **3** fig. Répugnant par un caractère de bassesse, de traîtrise.

**visser** v. tr. [1] **1** Fixer, faire tenir avec une vis, des vis. **2** Serrer en tournant sur un pas de vis (opposé à *dévisser*). **3** fig., fam. Traiter sévèrement (qqn), contraindre. ► **vissage** n. m.

**visualiser** v. tr. [1] **1** Rendre visible (ce qui ne l'est pas). **2** inform. Faire apparaître sur un écran (les résultats d'un traitement). → **afficher.** ► **visualisation** n. f.

**visuel, elle** **1** adj. Relatif à la vue. *Mémoire visuelle.* **2** n. Personne chez qui les sensations visuelles prédominent. **3** adj. Qui fait appel au sens de la vue. *Méthode visuelle.* ► **visuellement** adv.

**vit** [vi] n. m. vx Sexe de l'homme. → **verge.**

**vital, ale, aux** adj. **1** Qui concerne, constitue la vie. – *Principe vital, force vitale.* **2** Essentiel à la vie (d'un individu, d'une collectivité). → **indispensable.** *Espace* vital.*

**vitalisme** n. m. didact. Doctrine d'après laquelle les phénomènes vitaux sont irréductibles. ► **vitaliste** adj. et n.

**vitalité** n. f. Caractère de ce qui manifeste une santé, une activité remarquables.

**vitamine** n. f. Substance organique, sans valeur énergétique, mais indispensable à l'organisme. *Vitamine A* (de croissance), *C* (antiscorbutique), *D* (antirachitique). ► **vitaminé, ée** adj.

**vite** **I** adv. **1** En parcourant un grand espace en peu de temps. *Aller, courir vite.* **2** En peu de temps. → **rapidement.** *Faire vite,* se dépêcher. – (avec un impér.) Immédiatement. *Partez vite.* **3** Au bout d'une courte durée. *On sera plus vite arrivé.* – *Au plus vite,* dans le plus court délai. – loc. adv. fam. *Vite fait :* rapidement. *Vite fait bien fait.* **II** adj. sports *Le coureur le plus vite.*

**vitellus** [-ys] n. m. biol. Substance qui constitue les réserves de l'œuf, de l'embryon. ► **vitellin, ine** adj.

**vitelotte** n. f. Pomme de terre de forme oblongue, à la peau et à la chair violacées.

**vitesse** n. f. **I** (sens absolu) **1** Fait ou pouvoir de parcourir un grand espace en peu de temps. → **célérité, rapidité, vélocité.** *Calculer la vitesse d'un mobile. Course de vitesse.* **2** Fait d'accomplir une action en peu de temps. → **hâte, promptitude.** – loc. fam. *En vitesse :* au plus vite. **II** (sens relatif) **1** Fait d'aller plus ou moins vite. → **allure.** *Compteur de vitesse.* – loc. *À toute vitesse :* très vite. *Vitesse de croisière*.* – loc. *Perte de vitesse* (d'un avion, capable d'entraîner la chute). fig. *En perte de vitesse,* qui ne se développe plus. – fig. *À deux vitesses,* qui varie selon les types d'usagers (économie, médecine...). **2** Rapport entre la vitesse de rotation de l'arbre moteur et celle des roues. *Changement de vitesse.* – loc. fam. *En quatrième vitesse,* très vite. **3** sc. Quantité exprimée par le rapport d'une distance au temps mis à la parcourir.

**viticole** adj. Relatif à la culture de la vigne et à la production du vin.

**viticulture** n. f. Culture de la vigne. ► **viticulteur, trice** n. → **vigneron.**

**vitrage** n. m. **1** Ensemble de vitres (d'une baie, d'une serre, etc.). **2** Châssis garni de vitres.

**vitrail, aux** n. m. Panneau constitué de morceaux de verre colorés, assemblés pour former une décoration. – *Le vitrail,* la technique, l'art des vitraux.

**vitre** n. f. **1** Panneau de verre garnissant une ouverture (fenêtre, porte, etc.). → **carreau.** **2** Panneau de verre garnissant les portières d'un véhicule. → **glace.**

① **vitré, ée** adj. anat. *Corps vitré* ou n. m. *le vitré :* masse transparente entre la rétine et le cristallin. – *Humeur vitrée de l'œil,* remplissant le corps vitré. → **vitreux.**

**vitrer** v. tr. [1] Garnir de vitres. ▷ adj. ② **vitré, ée** *Porte vitrée.*

**vitrerie** n. f. Industrie des vitres et glaces.

**vitreux, euse** adj. **1** Qui ressemble au verre fondu. **2** Dont l'éclat est terni. *Œil, regard vitreux.*

**vitrier, ière** n. Personne qui vend, coupe et pose les vitres, les pièces de verre.

**vitrifier** v. tr. [7] **1** Transformer en verre par fusion ; donner la consistance du verre à (une matière). – pronom. *Se vitrifier.*

2 Recouvrir d'une matière plastique transparente. – au p. p. *Parquet vitrifié.* ► **vitrification** n. f.

**vitrine** n. f. 1 Devanture vitrée d'un local commercial ; espace où l'on expose des objets à vendre ; son contenu. 2 Petite armoire vitrée.

**vitriol** n. m. 1 Acide sulfurique concentré, très corrosif. 2 fig. *Portrait au vitriol.*

**vitrioler** v. tr. [1] Lancer du vitriol sur (qqn) pour le défigurer. ► **vitriolage** n. m.

**vitupérer** v. [6] 1 v. tr. littér. Blâmer vivement. 2 v. intr. *Vitupérer contre qqn, qqch.*, protester violemment. ► **vitupération** n. f.

**vivable** adj. 1 Où l'on peut vivre. 2 (personnes) Que l'on peut supporter.

① **vivace** adj. 1 Résistant, robuste (plantes, animaux inférieurs). 2 bot. *Plante vivace*, qui vit plus de deux années. 3 Qui se maintient sans défaillance. *Souvenir vivace.*

② **vivace** [vivatʃe] adj. invar. et adv. mus. D'un mouvement rapide (plus que l'allégro).

**vivacité** n. f. 1 Caractère de ce qui a de la vie, est vif. *La vivacité d'un enfant. Vivacité d'esprit.* 2 Caractère de ce qui a de l'intensité. *La vivacité d'un coloris.* 3 Caractère vif (II, 2), emporté ou agressif.

**vivandière** n. f. ancienn^t Cantinière.

**vivant, ante** adj. I 1 Qui vit, est en vie. – n. *Les vivants et les morts.* 2 Plein de vie. → **vif.** *Un enfant très vivant.* – (œuvres, personnages...) Qui a l'expression, les qualités de ce qui vit réellement. 3 Doué de vie. → **animé, organisé.** 4 Constitué par des êtres vivants. *Tableaux vivants.* 5 (lieu) Plein de vie, d'animation. → **animé.** 6 (choses) Actif, actuel. *Langues vivantes* (opposé à *langues mortes*). – *Son souvenir est toujours vivant.* II n. m. *Du vivant de..., de son vivant* : pendant la vie de (qqn), sa vie.

**vivarium** [-jɔm] n. m. didact. Espace aménagé pour de petits animaux vivants (insectes, reptiles, etc.).

**vivat** n. m. Acclamation. → **ovation.**

① **vive** n. f. Poisson aux nageoires épineuses, vivant dans le sable.

② **vive** exclam. Acclamation envers qqn, qqch. à qui l'on souhaite de durer. → **vivat.** *Vive la République !* – (avec un nom au plur.) *Vive les vacances !*

**vivement** adv. 1 Avec vivacité, ardeur. 2 exclam. Exprime un souhait d'accomplissement rapide. *Vivement les vacances !* – *Vivement que* (+ subj.). 3 D'un ton vif, avec un peu de colère. 4 Avec force, intensité. *Être vivement affecté par une nouvelle.*

**viveur** n. m. vieilli Fêtard.

**vivier** n. m. 1 Étang, bassin où l'on garde du poisson, des crustacés. 2 fig. Milieu favorable au développement d'idées, de personnalités.

**vivifier** v. tr. [7] Donner de la vitalité à (qqn). → **stimuler, tonifier.** ► **vivifiant, ante** adj.

**vivipare** adj. Se dit d'un animal dont l'œuf se développe complètement à l'intérieur de l'utérus maternel.

**vivisection** [-s-] n. f. Opération pratiquée à titre d'expérience sur les animaux vivants. ► **vivisecteur, trice** n.

**vivoter** v. intr. [1] 1 Vivre au ralenti, avec de petits moyens. → **végéter.** 2 (sujet chose) Subsister ; avoir une activité faible.

**vivre** v. [46] I v. intr. (sujet être vivant) 1 Être en vie. *Il vit encore.* – loc. *Se laisser vivre*, vivre sans faire d'effort. 2 (avec un compl. de durée) Avoir une vie de. *Vivre cent ans.* 3 Passer une partie de sa vie en résidant habituellement (dans un lieu). → **habiter.** *Vivre à la campagne.* 4 Mener une certaine vie. *Vivre seul ; avec qqn.* ♦ loc. *Art de vivre*, de se conduire. – *Être facile, difficile à vivre.* 5 Subsister par des moyens matériels. *Vivre de son travail. Avoir de quoi vivre.* 6 Réaliser toutes les possibilités de la vie. – *Avoir beaucoup vécu*, avoir eu une vie riche d'expériences. 7 (sujet chose) Exister ; subsister. II v. tr. (sujet personne) 1 Avoir, mener (telle ou telle vie). – Passer (un temps). *Vivre des jours heureux.* → **couler.** 2 Éprouver par l'expérience de la vie. *Vivre un grand amour.* ♦ Traduire en actes réels. *Vivre son art.*

**vivres** n. m. pl. Ce qui sert à l'alimentation humaine. ♦ loc. *Couper les vivres à qqn*, le priver de moyens de subsistance.

**vizir** n. m. Ministre, sous l'empire ottoman. *Grand vizir.*

**vlan** interj. Onomatopée, bruit fort et sec.

**V. O.** [veo] n. f. (sigle) Version originale. *Film en V. O.*

**vocable** n. m. Mot d'une langue.

**vocabulaire** n. m. 1 Dictionnaire succinct ou spécialisé. 2 Ensemble de mots (d'un texte ; disponibles). *Enrichir son vocabulaire.* 3 Termes spécialisés (d'une science, d'un art...). → **terminologie.**

**vocal, ale, aux** adj. 1 Qui produit la voix. *Cordes vocales.* 2 De la voix ; du chant.

**vocalique** adj. ling. Qui a rapport aux voyelles.

**vocaliser** v. intr. [1] Chanter, en parcourant une échelle de sons et sur une seule syllabe. ► **vocalise** n. f.

**vocatif** n. m. gramm. Cas employé pour s'adresser directement à qqn, à qqch.

**vocation** n. f. 1 Mouvement intérieur par lequel qqn se sent appelé par Dieu. 2 Inclination, penchant (pour une profession, un état). *Vocation artistique.* 3 Destination morale. → **mission.**

**vociférer** v. intr. [6] Parler en criant et avec colère. → **hurler.** – trans. *Vociférer des injures.* ► **vocifération** n. f.

**vodka** n. f. Eau-de-vie de grain (seigle, orge).

**vœu** n. m. **1** Promesse faite à Dieu ; engagement religieux **(→ votif ; vouer).** *Faire vœu de pauvreté.* **2** Engagement, résolution (envers soi-même). **3** Souhait que s'accomplisse qqch. **– au plur.** Souhaits. *Envoyer ses vœux.* **4** Demande, requête.

① **vogue** n. f. *En vogue* : à la mode.

② **vogue** n. f. région. Fête, foire annuelle.

**voguer** v. intr. [1] littér. **1** Avancer avec des rames. **2** Naviguer. **– loc.** *Vogue la galère !* : advienne que pourra !

**voici** prép. **1** Désigne une chose ou une personne relativement proche (alors opposé à *voilà*). **2** Désigne ce qui arrive, approche ; ce dont il va être question (opposé à *voilà* (2)). *Voici la pluie.* **3 (présentant un nom, un pronom, une complétive) → voilà.** *Vous voici rassuré. Voici comment il faut faire.*

**voie** n. f. **I 1** Espace à parcourir pour aller quelque part. **→ chemin, passage.** *Suivre la bonne voie.* ♦ **loc.** fig. *La Voie lactée*.* **2** Cet espace tracé et aménagé. **→ artère, chemin, route, rue.** *Voie de communication.* **–** (collectif) *La voie publique* (faisant partie du domaine public). **–** *Voie de garage.* **–** *Voie navigable* : fleuve, canal. **3** Partie d'une route de la largeur d'un véhicule. *Route à deux voies.* **4** *Voie (ferrée)* : ensemble des rails mis bout à bout (→ chemin de fer). **5** (collectif) *La voie maritime, aérienne* : les transports par mer, air. **II** par ext. **1** chasse Lieux par lesquels est passée la bête. **– loc.** fig. *Mettre qqn sur la voie,* l'aider à trouver. **2** Trace laissée par une voiture. **–** techn. Écartement des roues. **3** Passage. **– loc.** *Voie d'eau* : ouverture accidentelle (de la coque d'un navire). ♦ Passage, conduit anatomique. *Les voies digestives.* **–** *Par voie buccale.* **III** fig. **1** Conduite, suite d'actes orientés vers une fin. *Préparer la voie.* **→ passage.** ♦ *Les voies de Dieu,* ses desseins, ses intentions. **2** Conduite suivie ou à suivre ; façon de procéder. **→ moyen. – loc.** *Voie de fait* : violence. **3** Intermédiaire. *Réclamer par la voie hiérarchique.* **– loc.** *Par voie de conséquence* : en conséquence. **4** *En voie de,* en se modifiant dans un sens déterminé.

Ne pas confondre avec *voix* « expression vocale ».

**voilà** prép. **1** Désigne une personne ou une chose relativement éloignée (alors opposé à *voici*) ; par ext. une personne, une chose en général (syn. de *voici*). *Le voilà, votre ami.* ♦ **loc. adv.** *En voilà* : voilà de ceci. *En veux-tu en voilà* : tant qu'on en veut. ♦ *Voilà !,* interjection qui répond à un appel, à une demande. **2** Désignant les choses dont il vient d'être question (opposé à *voici* (2)). *Voilà tout.* **–** *En voilà assez* : cela suffit. **3 présentant un nom, un pronom, une complétive** *Voilà le facteur. Voilà que... Nous voilà arrivés.* **– loc.** *Nous y voilà* : nous abordons enfin le problème. ♦ vx *Voilà-t-il* [ti] *pas* (étonnement, surprise). **4** Il y a (telle durée). *Voilà quinze jours qu'il est parti.*

**voilage** n. m. Grand rideau de voile.

① **voile** n. m. **I 1** Étoffe qui cache une ouverture, un monument, une plaque. **2** Morceau d'étoffe destiné à cacher (en partie) le visage (pour des motifs religieux, esthétiques...). **– loc.** *Prendre le voile* : se faire religieuse catholique. **3** Tissu léger et fin. **II** fig. **1** Ce qui cache qqch. *Lever le voile* : révéler. **→ dévoiler. 2** Ce qui rend moins net. *Un voile de brume.* **–** méd. *Voile au poumon.* **III** *Voile du palais* : cloison musculaire et membraneuse, qui sépare la bouche du pharynx.

② **voile** n. f. **1** Pièce de tissu très résistant (attachée à un mât), destinée à recevoir l'action du vent pour faire avancer un bateau. *Bateau à voiles.* ♦ **loc.** fam. *Mettre les voiles* : s'en aller. **2** Navigation (de plaisance) à voile. **–** Sport nautique sur voilier. **3** *Vol à voile* : pilotage des planeurs. **4** *Planche* à voile.*

① **voiler** v. tr. [1] **1** Couvrir, cacher d'un voile. *Voiler une statue.* **– loc.** (allus. biblique) *Se voiler la face* : refuser de voir (ce qui indigne, choque). **2** fig., littér. Dissimuler. *Voiler la vérité.* **3** Rendre moins visible, moins net. **→ obscurcir. – pronom.** *Le ciel se voile,* se couvre. ▷ **adj. voilé, ée 1** Couvert d'un voile. **2** fig. Rendu moins perceptible. *Des reproches voilés.* **3** Qui a peu d'éclat, de netteté. *Regard voilé.* **→ terne. 4** (voix) Qui émet des sons sans clarté.

② **se voiler** v. pron. [1] Se déformer, ne plus être plan. **– au p. p.** *Roue voilée.*

**voilette** n. f. Petit voile transparent sur un chapeau de femme.

**voilier, ière** n. **I** n. m. Bateau à voiles (de nos jours, spécialt bateau de sport ou de plaisance). *Course de voiliers.* **→ régate. II** Professionnel(le) qui fait ou répare les voiles. **III** n. m. Oiseau à longues ailes, capable d'utiliser les courants aériens.

**voilure** n. f. **1** Ensemble des voiles (d'un navire). **2** Ensemble des surfaces portantes d'un avion. ♦ Toile d'un parachute.

**voir** v. [30] **I** v. intr. Percevoir les images des objets par la vue. **– loc.** fig. *Voir loin* : prévoir. **II** v. tr. dir. **1** Percevoir (qqch.) par les yeux. *Je l'ai à peine vu.* **→ apercevoir, entrevoir.** ♦ **loc.** *Voir le jour* : naître ; (choses) paraître. ♦ *Faire voir* : montrer. ♦ *Laisser voir* : permettre qu'on voie ; ne pas cacher. ♦ Avoir l'image de (qqn, qqch.) dans l'esprit. **→ se représenter.** ♦ *Voir...* (+ inf.). *Je vois tout tourner.* **– loc.** *Voir venir,* attendre. **–** (sujet chose) *Le pays qui l'a vue naître,* où elle est née. ♦ *Voir...* (+ attribut). *Vous m'en voyez ravi.* **– loc.** fam. *Je voudrais vous y voir !* (dans cet état, cette situation) : vous ne feriez pas mieux. **2** Être spectateur, témoin de (qqch.). *Aller voir une pièce de théâtre.* **→ assister** à. *J'ai déjà vu ce film.* **–** *Voir du pays*.* **3** Être, se trouver en présence de (qqn). **→ rencontrer.** *Aller voir qqn,* lui rendre visite. **–** fam. *Je ne peux pas le voir (en peinture),* je le déteste. **4** Regarder attentivement, avec intérêt. → **examiner.** *Voyons cela.* – *Voir un malade.* **5** fig. Se faire une opinion sur (qqch.). – absolt *Nous allons voir,* réfléchir (avant un choix). *On verra :* on avisera. ♦ *Pour voir :* pour se faire une opinion. – menace *Essaie un peu, pour voir !* ♦ *Voir que, comme, combien...* → **constater.** ♦ (en incise) *Vois-tu, voyez-vous,* appuie une opinion. ♦ *Voyons !,* rappel à la raison. **6** Se représenter par la pensée. → **concevoir, imaginer.** *Je vois :* je comprends bien. ♦ *Voir grand :* avoir de grands projets. **7** *Avoir qqch. à voir (avec, dans) :* avoir une relation, un rapport avec (seulement avec *pas, rien, peu*). **III** v. tr. ind. *Voir à* (+ inf.) : songer, veiller à. *Nous verrons à vous augmenter plus tard.* ▷ v. pron. se **voir 1** (réfl.) Voir sa propre image. *Se voir dans la glace.* – (semi-auxiliaire) *Elle s'est vue contrainte de renoncer. Elle s'est vu refuser l'entrée,* on lui a refusé... ♦ S'imaginer. *Je me voyais déjà arrivé.* **2** (récipr.) Se rencontrer, se trouver ensemble. *Ils ne se voient plus.* → se **fréquenter. 3** (passif) Être, pouvoir être vu. – Se trouver. *Cela se voit tous les jours :* c'est fréquent.

**voire** adv. **1** *Voire !,* exprime le doute. **2** Et (peut-être) même. *Plusieurs mois, voire un an.*

**voirie** n. f. admin. Aménagement et entretien des voies, des chemins ; administration publique qui s'en occupe. ♦ Enlèvement quotidien des ordures.

**voisin, ine I** adj. **1** Qui est à une faible distance. → **proche, rapproché.** – Qui est à côté. *Les pays voisins.* ♦ Proche dans le temps. **2** Qui présente une ressemblance. *Espèces voisines.* – *Voisin de... :* proche de. **II** n. **1** Personne qui vit, habite le plus près. – Personne qui occupe la place la plus proche. *Mon voisin de table.* **2** Autrui. → **prochain.** *Envier le sort du voisin.*

**voisinage** n. m. **1** Ensemble des voisins. → **entourage. 2** Relations entre voisins. *Relations de bon voisinage.* **3** Proximité. ♦ Espace à proximité. → **environs, parages.**

**voisiner** v. intr. [1] *Voisiner avec :* être placé près de.

**voiture** n. f. **1** Véhicule monté sur roues, tiré ou poussé par un animal, un humain. *Voiture à cheval. Voiture à bras,* poussée ou tirée par des personnes. ♦ *Voiture d'enfant.* → **landau, poussette. 2** Automobile. *Voiture de course, de sport, de tourisme.* **3** chemins de fer Grand véhicule sur rails, destiné aux voyageurs. – loc. *En voiture ! :* le train va partir. ♦ *Voiture-bar, voiture-lit.*

**voiturer** v. tr. [1] Transporter en voiture. → **véhiculer.**

**voiturier, ière** n. **1** n. m. anciennt Charretier ; conducteur de voiture. **2** Employé(e) chargé(e) de garer les voitures des clients.

**voïvode** n. m. hist. **1** Gouverneur militaire (Europe orientale). **2** Prince (Roumanie, Bulgarie).

**voix** n. f. **I 1** Ensemble des sons produits par les vibrations des cordes vocales (→ **vocal ; phon-**). ♦ *La voix,* organe de la parole. loc. *De vive voix :* oralement. **2** Parole. *Obéir à la voix d'un chef.* – loc. *De la voix et du geste.* **3** Cri (d'un animal). *Chien qui donne de la voix.* **4** Bruit, son (d'instruments de musique, de phénomènes naturels...). **II** fig. **1** Ce que l'être humain ressent en lui-même, qui l'avertit, l'inspire. *La voix de la raison.* **2** Expression de l'opinion. *La voix du peuple.* ♦ Droit de donner son opinion ; suffrage. → **vote. III** gramm. Aspect de l'action verbale, suivant qu'elle est considérée comme accomplie par le sujet *(voix active),* ou subie par lui *(voix passive).*

Ne pas confondre avec *voie* «chemin».

① **vol** n. m. **1** Ensemble des mouvements coordonnés faits par les animaux capables de se maintenir et de se déplacer en l'air (→ ① **voler**). *Prendre son vol :* s'envoler ; fig. prendre son essor. – *Au vol :* rapidement, au passage. *Saisir au vol.* – *À vol d'oiseau*.* – *De haut vol :* de grande envergure. **2** Fait de se soutenir et de se déplacer dans l'air (aérostats, avions...). – *En vol, en plein vol :* pendant le vol. ♦ Déplacement aérien. ♦ *Vol à voile* (planeurs) ; *libre* (deltaplane). **3** Distance parcourue en volant (oiseaux, insectes). **4** La quantité (d'oiseaux, d'insectes) qui se déplacent ensemble dans l'air.

② **vol** n. m. **1** Fait de s'emparer du bien d'autrui (→ ② **voler**), par la force ou à son insu. **2** Fait de voler (II, 2), d'escroquer (qqn).

**volage** adj. Qui change facilement de sentiments (spécialt en amour).

**volaille** n. f. **1** Ensemble des oiseaux qu'on élève (→ **aviculture**). ♦ Viande de volaille. **2** Oiseau de basse-cour. → **volatile.**

**volailler, ère** n. Marchand(e) de volailles.

① **volant, ante** adj. **1** Capable de s'élever dans les airs (pour ce qui n'en est en général pas capable). *Poisson volant.* ♦ Qui se déplace en avion. *Personnel volant.* → **navigant. 2** milit. Qui intervient en fonction des besoins. **3** Mobile. *Pont volant.* ♦ *Feuille* (de papier) *volante,* détachée.

② **volant** n. m. **I** Petit morceau de liège, de bois, de plastique, muni de plumes en couronne, destiné à être lancé à l'aide d'une raquette. – *Jouer au volant.* **II** Garniture de tissu, libre à un bord. **III 1** Roue de régularisation. – fig. *Volant de sécurité.* **2** Dispositif circulaire pour orienter les roues directrices d'une automobile.

**volapük** [-pyk] n. m. Langue artificielle forgée sur l'anglais simplifié.

**volatil, ile** adj. Qui passe facilement à l'état de vapeur. ► **volatilité** n. f.

**volatile** n. m. **1** vx Oiseau. **2** mod. Oiseau domestique, de basse-cour. → **volaille.**

**volatiliser** v. tr. [1] Faire passer à l'état gazeux. ▷ v. pron. se **volatiliser** (fig.) Disparaître, s'éclipser. ► **volatilisation** n. f.

**vol-au-vent** n. m. invar. Croûte de pâte feuilletée garnie d'une préparation en sauce. → **timbale.**

**volcan** n. m. **1** Montagne qui émet ou a émis des matières en fusion. *L'éruption d'un volcan.* **2** fig. Violence dangereuse ; danger imminent. ► **volcanique** adj.

**volcanisme** n. m. didact. Ensemble des manifestations volcaniques.

**volcanologie** n. f. didact. Science qui étudie les phénomènes volcaniques. – var. vieilli **vulcanologie** ► **volcanologue** n.

**volée** n. f. **I 1** littér. Envol, essor. **2** Groupe d'oiseaux qui volent ensemble. **3** *De haute volée :* de grande envergure. **II 1** Mouvement rapide ou violent (de ce qui est lancé, jeté ou balancé). *Une volée de flèches.* – *À la volée ; à toute volée :* en faisant un mouvement ample. **2** Mouvement de ce qui a été lancé et n'a pas encore touché le sol. *Attraper qqch. à la volée.* – (tennis...) Renvoi d'une balle avant qu'elle n'ait touché le sol. **3** Série (de coups rapprochés).

① **voler** v. intr. [1] **1** Se soutenir et se déplacer dans l'air au moyen d'ailes. ♦ (ballons, engins) Se soutenir et se déplacer au-dessus du sol. ♦ (personnes) Être dans un appareil en vol. **2** Être projeté dans l'air. – loc. *Voler en éclats :* éclater. ♦ Flotter. *Voile qui vole au vent.* **3** Aller très vite, s'élancer. *Voler au secours de qqn.*

② **voler** v. tr. [1] **I** (compl. chose) **1** Prendre (ce qui appartient à qqn) contre son gré ou à son insu. → **dérober,** s'**emparer** de. – sans compl. *Impulsion à voler.* → **kleptomanie.** **2** S'approprier, prendre (ce à quoi on n'a pas droit). → **usurper.** – loc. fam. *Il ne l'a pas volé :* il l'a bien mérité. **II** (compl. personne) **1** Dépouiller (qqn) de son bien, de sa propriété, par force ou par ruse. → **cambrioler, détrousser, dévaliser. 2** Ne pas donner ce que l'on doit ou prendre plus qu'il n'est dû à (qqn). → **escroquer.** ▷ adj. **volé, ée**

**volet** n. m. **1** Panneau ou battant qui protège une baie (à l'extérieur ou à l'intérieur). → **contrevent, jalousie, persienne. 2** Vantail, aile, partie (d'un objet qui se replie). **3** loc. *Trier sur le volet :* choisir avec le plus grand soin.

**voleter** v. intr. [4] Voler à petits coups d'aile.

**voleur, euse I** n. **1** Personne qui vole (②) ou a volé le bien d'autrui ; personne qui tire ses ressources de délits de vol. → **cambrioleur ;** argot **casseur.** – *Voleur de grand chemin,* qui opérait sur les grandes routes. **2** Personne qui détourne à son profit l'argent d'autrui, qui vole (②, I, 2). → **escroc. II** adj. Qui a l'habitude de voler (②), a tendance à voler.

**volière** n. f. Enclos grillagé où les oiseaux enfermés peuvent voler.

**volige** n. f. Latte sur laquelle sont fixées les ardoises, les tuiles d'un toit.

**volition** n. f. didact. Acte de volonté. ► **volitif, ive** adj.

**volley-ball** [vɔlɛbol] n. m. anglic. Sport opposant deux équipes de six joueurs, où l'on renvoie un ballon à la main par-dessus un filet. – abrév. **volley.** ► ① **volleyeur, euse** n.

**volleyer** v. intr. [1] anglic. Pratiquer le jeu de volée, au tennis. ► ② **volleyeur, euse** n.

**volontaire** adj. **1** Qui résulte d'un acte de volonté (et non de l'automatisme, des réflexes). → **délibéré, intentionnel, voulu.** ♦ Qui n'est pas forcé, obligatoire. *Contribution volontaire.* **2** Qui manifeste de la décision. → **opiniâtre. 3** Qui agit librement, sans contrainte extérieure. – *Engagé volontaire* (soldat). – n. m. *Les volontaires et les appelés.* ♦ n. Personne bénévole qui offre ses services. ► **volontariat** n. m.

**volontairement** adv. Par un acte volontaire. → **délibérément, intentionnellement.**

**volontariste** n. Personne qui croit pouvoir soumettre le réel à sa volonté. – adj. *Attitude volontariste.* ► **volontarisme** n. m.

**volonté** n. f. **I 1** Décision conforme à une intention ; sa manifestation. → **détermination, résolution ; vouloir.** ♦ loc. fam. *Faire les quatre volontés de qqn,* tout ce qu'il veut. – loc. *À volonté :* de la manière qu'on veut et autant qu'on veut. → à **discrétion.** – loc. *Les dernières volontés de qqn,* celles qu'il manifeste avant de mourir. **2** *Bonne volonté :* disposition à bien faire, à faire avec plaisir (→ **volontiers).** – *Mobiliser les bonnes volontés.* ♦ *Mauvaise volonté :* disposition à se dérober (aux ordres, aux devoirs) ou à faire de mauvaise grâce. **II** Faculté de vouloir, de se déterminer librement à agir ou à s'abstenir. → **caractère ; énergie, fermeté.** – *Une volonté de fer.*

**volontiers** [-tje] adv. **1** Par inclination et avec plaisir. → de bonne **grâce,** de bon **gré.** *J'irai volontiers vous voir.* – (en réponse) → **oui. 2** Par une tendance naturelle ou ordinaire. *Il reste volontiers sans parler.*

**volt** [vɔlt] n. m. Unité de force électromotrice et de différence de potentiel (symb. V).

**voltage** n. m. Différence de potentiel (mesurée en volts). – Nombre de volts pour lequel un appareil électrique fonctionne normalement.

**voltaire** n. m. Fauteuil à siège bas, à dossier élevé.

**volte** n. f. (cheval) Tour sur soi-même.

**volte-face** n. f. invar. **1** Action de se retourner pour faire face. *Faire volte-face.* → **demi-tour. 2** fig. Changement brusque et total d'opinion, d'attitude. → **revirement.**

**voltige** n. f. **1** Exercice d'acrobatie au trapèze volant. **2** Exercices acrobatiques à cheval. – Acrobatie aérienne.

**voltiger** v. intr. [3] **1** Faire de la voltige. **2** (insectes, petits oiseaux) Voleter. **3** (choses légères) Voler, flotter çà et là. ► **voltigement** n. m.

**voltigeur, euse** n. **1** Acrobate qui fait de la voltige. **2** n. m. Élément motorisé d'une unité mobile (police...).

**voltmètre** n. m. techn. Appareil mesurant les différences de potentiel.

**volubile** adj. Qui parle avec abondance, rapidité. → **bavard, loquace.** – *Une explication volubile.* ► **volubilité** n. f.

**volubilis** [-is] n. m. Plante ornementale, grimpante, à grandes fleurs. → **liseron.**

**volume** n. m. **I 1** Réunion de cahiers (notamment imprimés) brochés ou reliés ensemble. → **livre. 2** Chacune des parties, brochées ou reliées à part, d'un ouvrage. → **tome. II 1** Partie de l'espace qu'occupe un corps ; quantité qui la mesure. *Le volume d'un récipient.* → **capacité, contenance.** – *Eau oxygénée à vingt volumes,* susceptible de dégager vingt fois son propre volume en oxygène. **2** géom. Figure à trois dimensions, limitée par des surfaces. → **solide. 3** Quantité globale, masse. *Le volume de la production.* **4** Intensité (de la voix). → **ampleur.** ♦ *Volume sonore,* intensité des sons.

**volumétrique** adj. phys. De la détermination des volumes (ou *volumétrie* n. f.).

**volumineux, euse** adj. Qui a un grand volume, occupe une grande place. → **gros ; embarrassant, encombrant.**

**volumique** adj. phys. Relatif à l'unité de volume. *Masse volumique.*

**volupté** n. f. littér. **1** Vif plaisir des sens (surtout plaisir sexuel) ; jouissance. **2** Plaisir moral ou esthétique très vif. → **délectation.**

**voluptueux, euse** adj. **1** Qui aime, recherche la jouissance, les plaisirs raffinés. – n. → **épicurien, sybarite.** ♦ Qui est porté aux plaisirs de l'amour. **2** Qui exprime ou inspire les plaisirs amoureux. ► **voluptueusement** adv.

**volute** n. f. **1** archit. Ornement sculpté en spirale. **2** Forme enroulée en hélice. *Des volutes de fumée.*

**volve** n. f. bot. Membrane qui enveloppe le pied et le chapeau de certains champignons jeunes.

**vomer** [-ɛʀ] n. m. anat. Os du nez, partie de la cloison des fosses nasales.

**vomi** n. m. fam. Vomissure.

**vomique** adj. *Noix vomique :* fruit d'un arbre de l'Inde, qui a des propriétés vomitives et contient de la strychnine.

**vomir** v. tr. [2] **1** Rejeter par la bouche de manière spasmodique. → **régurgiter, rendre ;** fam. **gerber.** *Vomir son repas.* ♦ sans compl. *Avoir envie de vomir :* avoir des nausées. **2** fig. Rejeter, critiquer avec répugnance. → **exécrer. 3** littér. Laisser sortir, projeter au dehors. – au p. p. *Laves vomies par un volcan.* ♦ fig. Proférer avec violence (des injures, des blasphèmes). ► **vomissement** n. m.

**vomissure** n. f. Matière vomie.

**vomitif, ive** adj. **1** Qui fait vomir. → **émétique.** – n. m. *Un vomitif.* **2** fig., fam. Répugnant.

**vorace** adj. **1** Qui dévore, mange avec avidité. – *Un appétit vorace.* **2** fig. Avide, insatiable. *Une curiosité vorace.* ► **voracement** adv. ► **voracité** n. f.

**vortex** [-ɛks] n. m. didact. Tourbillon.

**votant, ante** n. Personne qui a le droit de voter, qui participe à un vote.

**votation** n. f. (Suisse) Vote ; élections.

**vote** n. m. **1** Opinion exprimée, dans une assemblée délibérante, un corps politique. – Suffrage, dans une élection. ♦ Fait d'exprimer ou de pouvoir exprimer une telle opinion. *Droit de vote.* ♦ Mode de scrutin. *Vote à main levée.* **2** Fait de voter pour. *Le vote d'une loi.* → **adoption.**

**voter** v. [1] **1** v. intr. Exprimer son opinion par son vote, son suffrage. *Voter pour tel candidat.* **2** v. tr. Décider par un vote. *Voter une loi.*

**votif, ive** adj. Qui commémore l'accomplissement d'un vœu. – *Fête votive :* fête du saint auquel est vouée une paroisse.

**votre,** plur. **vos** Adjectif possessif de la deuxième personne du pluriel, correspondant au pronom *vous.* **I 1** (représentant un groupe dont le locuteur est exclu) *Vos histoires ne m'intéressent pas.* **2** (représentant une seule personne à laquelle on s'adresse au pluriel de politesse, au lieu de *ton*) *Donnez-moi votre adresse, Monsieur.* **II** De vous, de votre personne. *Pour votre bien.*

> Ne pas confondre avec le pronom *vôtre : c'est votre maison* mais *c'est la vôtre.*

**vôtre,** plur. **vôtres I** adj. poss. (attribut) littér. À vous. *Amicalement vôtre* (formule). **II** pron. poss. (avec l'article) *Le vôtre, la vôtre, les vôtres,* ce qui a rapport à un groupe de personnes auquel le locuteur n'appartient pas ; à une personne à laquelle on s'adresse au pluriel de politesse (au lieu de *tien*). ♦ *À la vôtre :* à votre santé. **III** n. **1** loc. *Il faut que vous y mettiez du vôtre* (→ sien*). **2** *Les vôtres :* vos parents, vos amis... *Je ne pourrai être des vôtres,* être parmi vous.

> Ne pas confondre avec l'adjectif *votre : c'est la vôtre* mais *c'est votre maison.*

**vouer** v. tr. [1] **1** relig. Consacrer à Dieu, à un saint, par un vœu. – (pronom.) loc. *Ne plus savoir à quel saint se vouer,* à qui recourir. **2** littér. Promettre solennellement d'avoir, de garder. *Vouer à qqn une haine implacable.* **3** Consacrer. *Vouer tout son temps à.* **4** (sujet chose) Destiner irrévocablement à. → **condamner.** ▷ adj. **voué, ée** *Quartier voué à la démolition.*

**vouivre** n. f. région. Serpent fabuleux.

① **vouloir** v. tr. [31] **I 1** Avoir la volonté, le désir de. → **désirer, souhaiter.** *Vouloir qqch.* ♦ (+ inf.) *Je veux y aller. Je voudrais le voir.* – fam. (sujet chose) *Le feu ne veut pas prendre.* **2** *Vouloir que* (suivi d'une complétive au subj., dont le sujet ne peut être celui de *vouloir*). *Il veut que je lui fasse la lecture.* – *Si tu veux, si vous voulez, si on veut.* **3** (avec un nom, un pronom compl.) Prétendre obtenir, ou souhaiter que se produise... → **demander, désirer.** *Il veut sa tranquillité.* ♦ *Vouloir qqn :* désirer, accepter pour partenaire. ♦ *Vouloir qqch. à qqn,* souhaiter que qqch. arrive à qqn. *Je ne lui veux aucun mal.* – *Vouloir qqch. de qqn,* vouloir obtenir de lui. → **attendre. 4** fam. *En vouloir :* avoir de la volonté, de l'ambition. **5** *En vouloir à :* s'en prendre à. – Garder rancune à (qqn). *Il m'en veut.* – pronom. Se reprocher de. → **se repentir.** *Je m'en veux d'avoir accepté.* **6** *Vouloir de qqch., de qqn :* être disposé à accepter. **7** sans compl. Faire preuve de volonté. *Vouloir, c'est pouvoir.* **II** (sujet chose) *Le hasard voulut qu'ils soient réunis.* ♦ Donner pour vrai, affirmer. *La légende veut que* (+ subj.). **III** Consentir, accepter. *Si vous voulez (bien) me suivre.* – (prière polie) *Veuillez avoir l'obligeance de...* ♦ *Vouloir bien :* accepter ; être d'accord pour.

② **vouloir** n. m. **1** littér. Faculté de vouloir. → **volonté. 2** *Bon, mauvais vouloir :* bonne, mauvaise volonté.

**voulu, ue** adj. **1** Exigé, requis. **2** Délibéré, volontaire.

**vous** pron. pers. **I** Pronom personnel de la deuxième personne du pluriel (réel ou de politesse). **1** pluriel *Vous pouvez venir tous les trois.* **2** singulier (remplaçant *tu, toi*). *Que voulez-vous ?* **3** (renforcé) *Voyez vous-même.* **II** nominal *Dire vous à qqn.* → **vouvoyer.**

**voussure** n. f. Courbure (d'un arc...).

**voûte** n. f. **1** Ouvrage de maçonnerie cintré, fait de pierres spécialement taillées, s'appuyant sur des supports, et servant de couverture. **2** Paroi, région supérieure courbe. – *La voûte céleste.* ♦ *Voûte plantaire :* courbure inférieure du pied.

**voûter** v. tr. [1] **1** Fermer (le haut d'une construction) par une voûte. **2** Courber (qqn). – pronom. *Il commence à se voûter.* ▷ adj. **voûté, ée 1** *Cave voûtée.* **2** Dont le dos est courbé et ne peut plus se redresser. *Un vieillard voûté.* – *Dos voûté.*

**vouvoyer** v. tr. [8] S'adresser à (qqn) en employant la deuxième personne du pluriel, *vous.* ► **vouvoiement** n. m.

**vox populi** [vɔks-] n. f. invar. littér. La « voix du peuple », l'opinion du plus grand nombre.

**voyage** n. m. **1** Déplacement d'une personne qui se rend en un lieu assez éloigné. *Faire un grand voyage. Voyage en avion.* – loc. *Partir en voyage.* ♦ loc. *Les gens du voyage,* les forains. – *Le dernier voyage,* la mort. **2** Course que fait un chauffeur, un porteur pour transporter qqn, qqch.

**voyager** v. intr. [3] **1** Faire un voyage. *Voyager en train.* – Aller en différents lieux pour voir du pays. *Il a beaucoup voyagé.* **2** (représentants, voyageurs de commerce) Faire des tournées. **3** (sujet chose) Être transporté.

**voyageur, euse** n. **1** Personne qui est en voyage. – Usager d'un transport public. → **passager. 2** Personne qui voyage, pour explorer, faire du tourisme. **3** *Voyageur (de commerce) :* représentant de commerce. → **V. R. P.**

**voyagiste** n. Personne, organisme qui commercialise des voyages.

① **voyant, ante I** n. **1** Personne réputée avoir un don de seconde vue ; qui fait métier de prédire l'avenir (► **voyance** n. f.). ♦ Visionnaire. **2** Personne qui voit. *Voyants et non-voyants.* **II** n. m. Signal lumineux.

② **voyant, ante** adj. Qui attire la vue, qui se voit de loin. péj. *Couleurs voyantes.*

**voyelle** n. f. Phonème caractérisé par une résonance de la cavité buccale plus ou moins ouverte. ♦ Lettre qui le note.

**voyeur, euse** n. Personne qui assiste pour son plaisir à une scène érotique. ► **voyeurisme** n. m.

**voyou** n. m. **1** Homme du peuple ayant des activités délictueuses. **2** Mauvais sujet. **3** adj. *Un air voyou.*

**en vrac** loc. adv. **1** (marchandises) Pêle-mêle, sans être arrimé et sans emballage. **2** En désordre. **3** Au poids (opposé à *en paquet*). *Acheter du riz en vrac.*

**vrai, vraie I** adj. **1** Qui présente un caractère de vérité ; à quoi on peut et doit donner son assentiment (opposé à *faux,* à *mensonger*). → **certain, exact, incontestable, sûr, véritable.** *Une histoire vraie.* **2** Réel, effectif (opposé à *imaginaire*). **3** (avant le nom) Conforme à son apparence ou à sa désignation. → **véritable.** *De vraies perles* (opposé à *faux*). *Un vrai Renoir.* → **authentique.** – (intensif) *C'est un vrai salaud.* → **véritable. 4** Qui donne un sentiment de réalité, en art ; sincère, naturel. *Des personnages vrais.* **5** littér. (personnes) Sincère, véridique. **II** n. m. *Le vrai* **1** La vérité. ♦ La réalité. *Vous êtes dans le vrai.* **2** loc. *À dire vrai ; à vrai dire,* introduit une restriction. – fam. (lang. enfantin) *Pour de vrai :* vraiment. **III** adv. Conformément à notre sentiment de la réalité. *Faire vrai.* – fam. (détaché en tête ou en incise) Vraiment.

**vraiment** adv. **1** D'une façon indiscutable. → **effectivement.** *Il a vraiment réussi.* **2** S'emploie pour souligner une affirmation. → **franchement.** *Vraiment, il exagère !* ♦ *Vraiment ?,* est-ce vrai ? **3** *Pas vraiment :* pas complètement, un peu.

**vraisemblable** adj. **1** Qui peut être considéré comme vrai ; qui semble vrai. *Hypothèse vraisemblable.* → **plausible. 2** (événements futurs) *Son succès est vraisemblable.* → **possible, probable.** ► **vraisemblablement** adv.

**vraisemblance** n. f. Caractère vraisemblable ; apparence de vérité.

**vrille** n. f. 1 Organe de fixation de plantes grimpantes, qui s'enroule en hélice. 2 Outil formé d'une tige que termine une vis. 3 *En vrille* : en hélice. – fam. *Partir en vrille* : devenir incontrôlable.

**vriller** v. [1] 1 v. intr. S'enrouler sur soi-même. 2 v. tr. Percer avec une vrille.

**vrombir** v. intr. [2] Produire un son vibré par un mouvement périodique rapide. → **bourdonner, ronfler.** ► **vrombissant, ante** adj. ► **vrombissement** n. m.

**vroum** [vRum] interj. Onomatopée imitant un bruit de moteur.

**V. R. P.** n. (sigle de *voyageur, représentant placier*) Voyageur*, voyageuse de commerce.

**V. T. T.** n. m. (sigle) Vélo tout-terrain.

**vu, vue** I adj. 1 Perçu par le regard. – loc. *Ni vu ni connu* : sans que personne en sache rien. ♦ n. m. *Au vu et au su de tout le monde*, ouvertement. – *C'est du déjà vu, du jamais vu.* 2 Compris. *C'est bien vu ?* – ellipt *Vu ?* 3 *Être bien, mal vu*, considéré. II *Vu* prép. 1 En considérant, eu égard à. *Vu la qualité, c'est cher.* 2 loc. conj. *Vu que* : étant donné que.

**vue** n. f. I Action, fait de voir*. 1 Sens par lequel les stimulations lumineuses donnent naissance à des sensations (lumière, couleur, forme), produisant une représentation de l'espace. *L'œil, organe de la vue.* 2 Manière de percevoir les sensations visuelles. → **vision.** *Avoir une bonne vue.* 3 (dans des loc.) Regard. *À première vue* : au premier coup d'œil. – *Connaître qqn de vue*, l'avoir déjà vu, sans avoir d'autres relations. ♦ *À vue d'œil* : d'une manière visible ; très vite. – plais. *À vue de nez**. 4 Les yeux. *S'abîmer la vue.* – loc. fam. *En mettre plein la vue à qqn*, l'éblouir. → **épater.** II Ce qui est vu. 1 Étendue de ce qu'on peut voir d'un lieu. → **panorama.** 2 Aspect sous lequel se présente (un objet) (→ **point de vue**). ♦ *En vue* : aisément visible. fig. *Un personnage en vue*, marquant. 3 *La vue de...* → **spectacle, vision.** *La vue du sang le rend malade.* 4 Ce qui représente (un lieu) ; image, photo. *Une vue de Madrid.* 5 Orientation permettant de voir. *Chambre avec vue sur la mer.* III fig. 1 Faculté de former des images mentales ; son exercice. – *Seconde vue, double vue* : faculté de voir par l'esprit des objets réels, des faits qui sont hors de portée des yeux (→ **voyant**). 2 Image, idée. – loc. *Échange de vues* : entretien, discussion. – *Une vue de l'esprit*, une vue théorique. 3 *Avoir qqch. en vue*, y songer, l'envisager. – *Avoir qqn en vue pour un poste.* ♦ loc. prép. *En vue de* : de manière à permettre, à préparer (une fin, un but). → **pour.** 4 au plur. Dessein, projet. – *Avoir des vues sur qqn*, penser à lui pour un projet (spécialt séduction, mariage).

**vulcain** n. m. Papillon rouge et noir, au vol rapide.

**vulcaniser** v. tr. [1] Traiter (le caoutchouc) par le soufre pour augmenter sa résistance. ► **vulcanisation** n. f.

**vulcanologie** → **volcanologie**

**vulgaire** I adj. 1 vx Très répandu. ♦ didact. Connu de tous (langue). *Le nom vulgaire d'une plante.* → **courant, usuel.** 2 (avant le nom) Quelconque, ordinaire. *Un vulgaire menteur.* 3 péj. Qui manque d'élévation ou de distinction. → **commun, grossier, trivial.** ♦ spécialt Qui choque la bienséance. II n. m. vx ou littér. Le commun des hommes (souvent péj.). → **foule, masse.**

**vulgairement** adv. 1 didact. *Appelé vulgairement*, dans le langage courant (opposé à *scientifiquement*). 2 péj. Avec vulgarité.

**vulgarisation** n. f. Fait d'adapter des connaissances techniques, scientifiques, pour les rendre accessibles à un lecteur non spécialiste. ► **vulgarisateur, trice** n.

**vulgariser** v. tr. [1] 1 Répandre (des connaissances) en mettant à la portée du grand public (→ **vulgarisation**). 2 péj. Rendre ou faire paraître vulgaire.

**vulgarité** n. f. 1 Caractère vulgaire (I, 3). → **bassesse, trivialité.** 2 Manière vulgaire.

**vulgate** n. f. didact. Traduction latine de la Bible.

**vulgum pecus** [vylgɔmpekys] n. m. sing. fam. Le commun des mortels, les ignorants.

**vulnérable** adj. 1 Qui peut être blessé, frappé par un mal physique. 2 fig. Qui peut être facilement atteint, attaqué. ► **vulnérabilité** n. f.

**vulnéraire** 1 n. m. vx Remède qu'on appliquait sur les plaies. 2 n. f. Plante utilisée en médecine populaire.

**vulve** n. f. Ensemble des organes génitaux externes de la femme (et des femelles de mammifères). – spécialt Orifice extérieur du vagin. ► **vulvaire** adj.

**vuvuzela** [vuvuzela] n. f. Instrument à vent élémentaire produisant un seul son, utilisé lors des rencontres de football en Afrique australe.

# W

**w** [dubləve] n. m. Vingt-troisième lettre, dix-huitième consonne de l'alphabet, notant les sons [v] (ex. *wagon*) ou [w] (ex. *watt*).

**wagon** n. m. Véhicule sur rails, tiré par une locomotive. *Wagon de marchandises.*

**wagon-citerne** n. m. Wagon-réservoir aménagé pour le transport des liquides. *Des wagons-citernes.*

**wagon-lit** n. m. Voiture d'un train formée de compartiments équipés de lits et de cabinets de toilette. – syn. **voiture-lit.** *Des wagons-lits.*

**wagonnet** n. m. Petit chariot sur rails, destiné au transport de matériaux en vrac dans les mines.

**wagon-restaurant** n. m. Voiture d'un train aménagée en restaurant. *Des wagons-restaurants.*

**walkman** [wɔ(l)kman] n. m. (nom déposé) anglic. → **baladeur.**

**walkyrie** n. f. Déesse guerrière des mythologies germaniques, décidant du sort des combats et de la mort des guerriers.

**wallon, onne** [walɔ̃, ɔn] adj. et n. De la Wallonie. – n. *Les Wallons.* ♦ n. m. Dialecte français d'oïl, parlé en Belgique.

**WAP** [wap] n. m. (sigle) anglic. Technique permettant l'accès des téléphones mobiles à Internet.

**wapiti** [wapiti] n. m. Grand cerf d'Amérique du Nord.

**wasabi** [wazabi] n. m. Condiment japonais en pâte, voisin du raifort, servi avec les poissons crus.

**wassingue** [wasɛ̃g ; vasɛ̃g] n. f. région. (Belgique, Nord de la France) Serpillière.

**water-closet** → **waters, W.-C.**

**water-polo** [watɛʀ-] n. m. anglic. Jeu de ballon qui se pratique dans l'eau, et où s'opposent deux équipes de sept nageurs.

**waterproof** [watɛʀpʀuf] adj. invar. anglic. À l'épreuve de l'eau. → **étanche.**

**waters** [watɛʀ] n. m. pl. faux anglic. Lieux d'aisance. – Cuvette des lieux d'aisances. – syn. vieilli **water-closet(s).** → **W.-C.**

**waterzooi** [watɛʀzɔj] n. m. (Belgique) Ragoût de viande blanche ou de poisson aux légumes. – var. **waterzoï.**

**watt** [wat] n. m. Unité de mesure de puissance (symb. W) équivalant à un travail de un joule par seconde.

**wax** [waks] n. m. anglic. Tissu africain de coton, imprimé à la cire, de couleurs vives.

**W.-C.** [dubləvese ; vese] n. m. pl. Abréviation de *water-closet(s).* → **waters.**

**web** [wɛb] n. m. anglic. Ensemble des données reliées par des liens hypertextes*, sur Internet. *Surfer sur le web (ou le Web).* – appos. *Page web* : document multimédia du web.

Invariable en apposition : *des pages web.*

**webcam** [wɛbkam] n. f. anglic. Caméra numérique miniaturisée permettant de diffuser des images vidéo sur Internet.

**webdesign** [wɛbdizajn] n. m. anglic. Conception d'interfaces web. ► **webdesigner** [-œʀ] n.

**webzine** n. m. Magazine sur Internet.

**week-end** [wikɛnd] n. m. anglic. Congé de fin de semaine, comprenant le samedi et le dimanche. *Des week-ends.*

**welter** [wɛltɛʀ ; vɛltɛʀ] n. m. anglic., boxe Poids mi-moyen.

**western** [wɛstɛʀn] n. m. anglic. Film sur la conquête de l'ouest des États-Unis. ♦ Genre cinématographique de ces films.

**wharf** [waʀf] n. m. anglic. Appontement formant jetée.

**whig** [wig] n. hist. Membre du parti libéral anglais (XVIII^e-XIX^e s. ; s'oppose à *tory*).

**whisky** [wiski] n. m. Eau-de-vie de grain (seigle, orge, maïs), fabriquée principalement dans les îles Britanniques et en Amérique du Nord. *Des whiskys.* ♦ Verre de cette eau-de-vie.

**whist** [wist] n. m. anglic. Jeu de cartes du XIX^e siècle, ancêtre du bridge.

**white spirit** [wajtspiʀit] n. m. anglic. Produit de la distillation du pétrole utilisé comme solvant. – var. **white-spirit.**

**widget** [widʒɛt] n. m. anglic. inform. Petite application utilitaire.

**wi-fi** ou **wifi** [wifi] n. m. invar. anglic. Technique qui permet la communication sans fil entre divers appareils (ordinateur, téléviseur...).

Mot masculin : *un wi-fi gratuit.*

**wigwam** [wigwam] n. m. Habitation traditionnelle (tente, hutte) des Amérindiens (États-Unis, Canada).

**wiki** [wiki] n. m. anglic. Site Internet collaboratif.

**wilaya** [wilaja] n. f. admin. Division territoriale de l'Algérie.

**winch** [win(t)ʃ] n. m. anglic. Petit treuil à main (navires de plaisance). → **cabestan.**

**wok** [wɔk] n. m. Sauteuse à hauts bords et à fond arrondi, utilisée dans la cuisine asiatique.

**wolfram** [vɔlfʀam] n. m. vx Tungstate naturel de fer et de manganèse.

**wolof** ou **ouolof** [wɔlɔf] n. m. Langue nigéro-congolaise, la plus parlée au Sénégal. – adj. *La grammaire wolof.*

# X Y

**x** [iks] n. m. **I 1** Vingt-quatrième lettre, dix-neuvième consonne de l'alphabet. **2** Forme de cette lettre. *Tréteaux en X.* **3** en algèbre Symbole désignant une inconnue. *Les x et les y.* – Chose, personne inconnue. *X années,* un temps non spécifié. ♦ *Rayons** X. **4** Classé comme pornographique. *Film X.* **5** fam. *L'X :* l'École polytechnique. – *Un, une X :* un, une polytechnicien(ne). **II** X : dix (en chiffres romains).

**xénon** n. m. Élément (symb. Xe), le plus lourd des gaz rares de l'air.

**xénophobe** adj. et n. Hostile par principe aux étrangers, à ce qui vient de l'étranger. *Racisme xénophobe.* ► **xénophobie** n. f.

**xérès** [gzerɛs ; kerɛs ; ksereɛs] n. m. Vin blanc, apéritif de la région de Jerez (Andalousie). → anglic. **sherry.** – var. **jerez.**

**xylène** [gzi- ; ksi-] n. m. chim. Hydrocarbure liquide extrait du benzol.

**xylographie** n. f. didact. Gravure sur bois ; estampe réalisée par cette technique. ► **xylographe** n. ► **xylographique** adj.

**xylophage** adj. zool. Qui ronge le bois.

**xylophone** n. m. Instrument à percussion formé de lames de bois sur lesquelles on frappe avec deux petits maillets. ♦ (abusif) Vibraphone (lames de métal). ► **xylophoniste** n.

## Y

① **y** [igrɛk] n. m. **1** Vingt-cinquième lettre, sixième voyelle de l'alphabet, servant à noter les sons [i] et [j]. **2** math. Lettre désignant une seconde inconnue (après *x*), ou une fonction de la variable *x*.

② **y** pron. et adv. Représente une chose ou un énoncé. **1** Dans ce lieu, dans cela. *J'y vais. Allons-y.* – *Ah ! j'y suis,* je comprends. **2** (représentant un compl. précédé de *à*) *J'y renonce.* – (représentant un compl. précédé d'une autre prép.) *N'y comptez pas.* **3** loc. *Il y a* (→ **avoir**). – *Vas-y !*, décide-toi. *Ça y est !*, c'est arrivé (enfin).

> Quand *y* est le complément d'un verbe à l'impératif, celui-ci prend toujours un *s* pour éviter le hiatus : *reste* mais *restes-y.*

③ **y** S'emploie pour transcrire *il* ou *lui* dans la prononciation négligée. *Y en a pas* (il n'y en a pas). *Y a* (il y a). *J'y ai dit* (je lui ai dit).

***yacht** [jɔt] n. m. Grand navire de plaisance, à voiles ou à moteur.

***yachting** [jɔtiŋ] n. m. Pratique de la navigation de plaisance.

***yack** ou **yak** n. m. Ruminant à longue toison soyeuse, domestiqué au Tibet.

***yakitori** n. m. Brochette de volaille marinée (plat japonais). *Des yakitoris.*

***yakuza** n. m. [jaku-] Malfaiteur japonais, membre d'une organisation mafieuse. *Des yakuzas.*

***yang** [jɑ̃g ; jɑ̃ŋ] → **yin.**

***yankee** [jɑ̃ki] n. **1** hist. Habitant du nord-est des États-Unis (→ aussi **nordiste**). **2** fam. Habitant des États-Unis. → **américain.** – adj. *Les capitaux yankees.*

***yaourt** [jauʀt] n. m. Préparation de lait caillé et fermenté. – var. ***yoghourt.**

***yaourtière** n. f. Appareil servant à confectionner des yaourts.

***yard** [jaʀd] n. m. Mesure de longueur anglo-saxonne valant 0,914 mètre.

***yatagan** n. m. Sabre turc, à lame recourbée vers la pointe. → **cimeterre.**

***yearling** [jœʀliŋ] n. m. anglic. Cheval pur-sang âgé d'un an.

***yen** [jɛn] n. m. Unité monétaire du Japon.

***yéti** n. m. Monstre de légende, humanoïde de l'Himalaya (syn. *l'abominable homme des neiges*).

**yeuse** n. f. Chêne vert. *L'yeuse.*

**yeux** → **œil**

***yéyé** n. et adj. invar. Qui concerne la musique, la mode, les goûts des jeunes des années 1960. – var. **yé-yé.**

***yiddish** [jidiʃ] adj. invar. Des parlers allemands des communautés juives d'Europe orientale. – n. m. *Le yiddish :* ces parlers.

***yin** [jin] n. m. Principe de la philosophie chinoise (confucianisme, taoïsme), formant couple avec le *yang,* et correspondant (le *yang*) à l'activité (le chaud, le feu) et (le *yin*) à la neutralité (le froid, la terre).

**ylang-ylang** → **ilang-ilang**

***yod** [jɔd] n. m. phonét. Semi-consonne, transcrite en français par *-i- (pied), -y- (ayant), -il (soleil), -ille (maille).*

***yoga** n. m. Doctrine et exercices traditionnels hindous, cherchant à libérer l'esprit des contraintes du corps par des pratiques psychiques et corporelles.

***yoghourt** [jɔguʀt] → **yaourt**

***yogi** [jɔgi] n. n. m. Ascète hindou qui pratique le yoga. ♦ n. par ext. Personne qui pratique le yoga.

***yole** n. f. Bateau non ponté, étroit et allongé, propulsé à l'aviron.

***youpi** interj. Cri d'enthousiasme.

***yourte** n. f. Tente de peau des nomades de l'Asie centrale.

***youyou** [juju] n. m. Petit canot, utilisé pour les transports d'un navire à la terre.

***yoyo** n. m. Jeu fait de deux disques reliés par un axe, qu'on fait descendre et monter le long d'un fil. – var. **yo-yo** (invar.) (nom déposé)

**ypérite** n. f. Gaz asphyxiant (utilisé comme gaz de combat).

**ysopet** n. m. hist. littér. (Moyen Âge) Recueil de fables. – var. **isopet.**

***yuan** [jyan] n. m. Unité monétaire de la Chine.

***yucca** [juka] n. m. Plante originaire d'Amérique, arborescente.

***yuppie** [jupi] n. (sigle angl.) anglic. Jeune cadre ambitieux et sans scrupules.

***yuzu** [juzu] n. m. Agrume d'Asie, très parfumé.

# Z

**z** [zɛd] n. m. Vingt-sixième et dernière lettre, vingtième consonne de l'alphabet. - loc. *De A* à Z.*

**Z. A. C.** [zak] n. f. (sigle) Zone d'aménagement concerté.

**zakouski** n. m. Hors-d'œuvre à la russe (légumes, poissons, etc.). *Des zakouski(s).*

**zapper** v. intr. [1] Passer fréquemment d'un programme de télévision à un autre. ♦ fig. et fam. Passer rapidement d'une chose à une autre. - par ext. Oublier. *Zapper un rendez-vous.* ► **zappage** n. m. ► **zappeur, euse** n.

**zappette** n. f. fam. Télécommande (d'un téléviseur).

**zazou, e** n. (1941-1950 environ) Jeune qui se signalait par sa passion pour le jazz et son élégance tapageuse. - adj. *Tenue zazoue.*

**zébras** n. m. pl. anglic. Zone de zébrures parallèles peintes sur une chaussée, en diagonale. *Il est interdit de rouler sur les zébras.*

**zèbre** n. m. **1** Équidé d'Afrique, voisin de l'âne, à la robe rayée de bandes sombres, au galop rapide. **2** fam. Individu bizarre.

**zébrer** v. tr. [6] Marquer de raies qui évoquent la robe du zèbre. ▷ adj. **zébré, ée**

**zébrure** n. f. **1** Rayure du pelage d'un animal. **2** Marque de forme allongée.

**zébu** n. m. Grand bœuf domestique, à bosse graisseuse sur le garrot.

**zélateur, trice** n. littér. Partisan ou défenseur zélé (d'une cause, de qqn).

**zèle** n. m. Ardeur à servir une personne ou une cause à laquelle on est dévoué. *Travailler avec zèle.* - loc. *Faire du zèle :* montrer un zèle inhabituel ou hypocrite.

**zélé, ée** adj. Plein de zèle.

**zélote** n. littér. Personne animée d'un zèle fanatique.

**zen** [zɛn] **I** n. m. École bouddhique du Japon où la méditation prend la première place. - Courant esthétique qui en est issu, caractérisé par le dépouillement. **II** adj. invar. **1** Du zen japonais. **2** fig. Empreint de calme, de détachement. → **cool.** *Restons zen !*

**zénith** n. m. **1** Point du ciel situé à la verticale de l'observateur (opposé à *nadir*). **2** fig., littér. Point culminant. → **apogée, sommet.** ► **zénithal, ale, aux** adj.

**zénitude** n. f. plais. État de sérénité.

**zéphyr** n. m. **I** poét. Vent doux et agréable. **II** Toile de coton fine et souple.

**zeppelin** n. m. ancienn*t* Grand dirigeable rigide à carcasse métallique.

**zéro** n. m. **1** Chiffre arabe (0) notant les ordres d'unités absentes. **2** Nombre qui représente un ensemble vide. **3** fam. Néant, rien. - loc. *Avoir le moral à zéro,* être déprimé. *Repartir à zéro,* recommencer après avoir échoué. ♦ Chose ou personne insignifiante, nulle. **4** (en fonction d'adj.) Aucun. *Zéro faute.* **5** Point de départ d'une mesure. *Zéro degré. Zéro heure :* minuit. **6** Note la plus basse. *Zéro de conduite.* **7** appos. *Croissance zéro,* nulle.

Prend un *s* au pluriel : *des zéros.*

**zeste** n. m. **1** Petit morceau d'écorce fraîche (de citron...). **2** fig. Petite quantité.

**zézayer** v. intr. [8] Prononcer *z* à la place de *j* ou *s* à la place de *ch.* → fam. **zozoter.** ► **zézaiement** n. m.

**zibeline** n. f. Petit mammifère (martre) de la Sibérie et du Japon, à la fourrure précieuse. ♦ Fourrure de cet animal.

**zieuter** ou **zyeuter** v. tr. [1] fam. Jeter un coup d'œil pour regarder (qqch., qqn).

**zig** ou **zigue** n. m. fam. et vieilli Individu, type.

**ziggourat** [-at] n. f. archéol. Temple babylonien, en forme de pyramide à étages.

**zigoto** n. m. fam. et vieilli → **zig.** - loc. *Faire le zigoto,* le malin, l'intéressant.

**zigouigoui** n. m. fam. Objet, dessin, forme que l'on ne nomme pas.

**zigouiller** v. tr. [1] fam. Tuer.

**zigounette** n. f. fam., plais. Sexe masculin (notamment, d'un jeune garçon).

**zigzag** [zigzag] n. m. Ligne brisée.

**zigzaguer** v. intr. [1] Faire des zigzags, aller de travers.

**zinc** [zɛ̃g] n. m. **1** Élément (symb. Zn), métal dur d'un blanc bleuâtre, utilisé pour sa résistance à la corrosion par l'eau. **2** fam. Comptoir (d'un bar). **3** fam. Avion.

**zingueur, euse** n. Ouvrier, ouvrière spécialisé(e) dans les revêtements en zinc.

**zinnia** n. m. Plante d'origine exotique, ornementale, aux nombreuses variétés.

**zinzin** adj. invar. fam. Un peu fou.

**zinzolin** n. m. Violet rougeâtre.

**zircon** n. m. Pierre semi-précieuse utilisée en bijouterie.

**zizanie** n. f. Discorde. *Semer la zizanie* (entre *des personnes,* dans *un groupe*).

**zizi** n. m. fam. Pénis (surtout d'un enfant).

**zloty** n. m. Unité monétaire de la Pologne.

**zob** [zɔb] n. m. vulg. Pénis.

**zodiaque** n. m. **1** Zone circulaire du ciel à l'horizon, dans laquelle le Soleil et les constellations se lèvent au cours de l'année. **2** *Signes du zodiaque,* les douze figures qu'évoque la configuration des étoiles dans cette zone, et qui président, selon l'astrologie, à la destinée de chacun. ► **zodiacal, ale, aux** adj.

**zombie** n. m. **1** Revenant (dans les croyances vaudoues). **2** Cadavre animé qui se nourrit de la chair des vivants (récits fantastiques). **3** fig. Personne qui paraît vidée de sa substance, sans volonté. – var. **zombi.**

**zona** n. m. méd. Maladie virale caractérisée par une éruption de vésicules disposées sur le trajet des nerfs sensitifs.

**zonard, arde** n. fam. Personne qui vit dans une zone, une banlieue défavorisée.

**zone** n. f. **1** Partie d'une surface sphérique comprise entre deux plans parallèles. *La zone équatoriale.* **2** Partie importante (d'une surface). → **région, secteur. 3** Portion (de territoire). *Zone urbaine.* – *Zone libre, zone occupée* (en France, 1940-1942). ♦ **absolt** Faubourg misérable. – Banlieue défavorisée. **4** loc. *De seconde zone,* mineur, médiocre.

**zoner** v. intr. [1] **1** fam. Mener une existence précaire. **2** Flâner, traîner sans but.

**zoo** [z(o)o] n. m. Jardin zoologique.

**zoologie** n. f. Partie des sciences naturelles qui étudie les animaux. ► **zoologiste** n.

**zoologique** adj. Relatif à la zoologie, aux animaux. – *Jardin zoologique,* parc où des animaux sont présentés dans des conditions rappelant leur vie en liberté. → **zoo.**

**zoom** [zum] n. m. anglic. Objectif à focale variable. ♦ Effet obtenu en faisant varier cette focale. ► **zoomer** [zume] v. intr. [1]

**zoomorphe** adj. arts Qui représente des animaux.

**zoomorphisme** n. m. didact. Métamorphose en animal.

**zoophilie** n. f. didact. Perversion sexuelle, relations avec des animaux. ► **zoophile** n. et adj.

**zoroastrisme** n. m. Religion manichéenne fondée par Zarathoustra.

**zou** interj. fam. Allons !, vite !

**zouave** n. m. **1** hist. Soldat algérien d'un corps d'infanterie coloniale créé en 1830. – Fantassin français d'infanterie coloniale. **2** fig. *Faire le zouave,* faire le malin, le pitre.

**zouk** n. m. Musique de danse très rythmée, originaire de la Guadeloupe et de la Martinique.

**zoulou, e** adj. et n. Relatif à un peuple noir d'Afrique du Sud.

**zozo** n. m. Naïf, niais.

**zozoter** v. intr. [1] fam. Zézayer. ► **zozotement** n. m.

**zumba** [zum-] n. f. (marque déposée) Méthode de fitness inspirée de danses latino-américaines.

**Z. U. P.** [zyp] Sigle de *zone à urbaniser en priorité.*

**zut** [zyt] interj. fam. Exclamation de dépit.

**zyeuter** → **zieuter**

**zygomatique** adj. anat. De la joue. *Les muscles zygomatiques (rire, sourire).*

**zythum** [zitɔm] n. m. (Égypte antique) Boisson fermentée analogue à la bière.

**zzz...** [zzz] interj. Onomatopée, bruit de sifflement léger et continu. → **bzzz.**

# ANNEXES

# GRAMMAIRE

## LES CLASSES DE MOTS

➥ Chaque mot de la langue française appartient à une **catégorie grammaticale.** C'est sa **nature** ou sa **classe.** Dans ce dictionnaire, elle est indiquée pour chaque mot sous forme abrégée, après la transcription phonétique : *voiture* n. f. = nom féminin ; *confier* v. tr. = verbe transitif.

➤ Voir la liste des abréviations p. VII.

➥ Quelle que soit la place du mot dans la phrase, sa classe ne change pas.

Il y a **neuf classes** de mots. Il existe cinq classes de **mots variables** (ils varient en genre, en nombre et en personne) : les noms, les déterminants, les adjectifs, les verbes et les pronoms. Il existe quatre classes de **mots invariables** (leur forme ne change jamais) : les adverbes, les prépositions, les conjonctions et les interjections.

➥ Certains mots peuvent appartenir à plusieurs classes : *botanique* est un adjectif *(un jardin botanique)* et un nom féminin *(étudier la botanique) ; fort* est un adjectif *(un homme fort)* et un adverbe *(parler fort).*

### Les noms

#### ♦ Les noms communs

Ils servent à désigner les êtres et les choses qui appartiennent à une même catégorie : les **êtres vivants** *(un élève, un chat),* les **choses** *(une table),* les **idées** *(le bonheur, la justice)* et les **faits** *(un accident, une révolution).* Ils s'écrivent **sans majuscule** et sont généralement précédés d'un déterminant. Ils ont un **genre** masculin ou féminin : *un tas* (masculin), *une ombrelle* (féminin). Ils ont un **nombre** singulier ou pluriel : *un vase* (singulier), *des enfants* (pluriel).

On appelle **groupe nominal** l'ensemble des mots qui sont rattachés directement au nom. Le groupe nominal minimal est constitué d'un déterminant et d'un nom : *la maison ; ces chiens.* Le groupe nominal étendu est complété par une ou plusieurs expansions : un adjectif qualificatif *(la maison fleurie),* un autre groupe nominal *(quelques feuilles de laurier)* ou une proposition subordonnée relative *(le bouquet qui est sur la table).*

➥ Un nom commun peut être formé de plusieurs mots séparés ou non par un trait d'union. C'est alors un **nom composé** : *un chou-fleur, un porte-monnaie, une pomme de terre, un compte rendu.*

#### ♦ Les noms propres

Ils servent à nommer des **entités individuelles** : personnes, lieux, monuments, périodes historiques, événements, etc. Ils commencent toujours par une **majuscule** et, quand ils sont précédés d'un déterminant, il s'agit le plus souvent de l'article défini : *Victor Hugo, Paris, les Français, les Alpes, le Panthéon, la Seconde Guerre mondiale.*

### Les déterminants

Ils sont toujours placés **devant** le nom avec lequel ils forment le groupe nominal. Ils **s'accordent** en **genre** et en **nombre** avec lui.

Il existe **six sortes** de déterminants : les articles, les déterminants numéraux cardinaux, les déterminants possessifs, les déterminants démonstratifs, les déterminants interrogatifs et exclamatifs et les déterminants indéfinis.

➥ Hormis les articles, ces déterminants étaient autrefois classés parmi les adjectifs. C'est encore le cas dans certaines grammaires et dans certains dictionnaires.

### ♦ Les articles

Comme tous les déterminants, les articles se placent **devant** le nom. Ils en indiquent le **genre** et le **nombre.**

Il existe **trois sortes** d'articles : les articles définis, les articles indéfinis et les articles partitifs.

Les **articles définis** *le, la* et *les* déterminent soit des êtres ou des choses **déjà connus** *(le gâteau qu'il mange)*, soit des êtres ou des choses pris dans un **sens général** *(le chien est le meilleur ami de l'homme)*. Ils s'utilisent aussi devant certains noms propres : *la France*.

➥ **Le** et **la** deviennent **l'** devant une **voyelle** ou un **h muet** : *l'abricot, l'humeur*.

➥ Précédés de la préposition **à** ou **de,** les articles **le** et **les** se contractent pour former **au** *(à + le)*, **aux** *(à + les)*, **du** *(de + le)* et **des** *(de + les)* : *Je vais au cinéma. Je parle des enfants de Sophie.*

Les **articles indéfinis** *un, une* et *des* déterminent soit des êtres ou des choses qu'on évoque pour la **première fois** *(un homme est arrivé)*, soit des êtres ou des choses pris dans un **sens général** *(un enfant a besoin d'attention)*.

➥ ***Des*** est remplacé par **de** devant un adjectif qualificatif *(il lit des romans → il lit de longs romans)* et devant un nom COD dans une phrase négative *(il a pris des livres → il n'a pas pris de livres)*.

Les **articles partitifs** *du, de la* et *des* déterminent une **partie d'un ensemble** ou des **objets non comptables** : *Il mange du gâteau. Elle boit du café.* Ils signifient : « une certaine quantité de ».

### ♦ Les déterminants numéraux cardinaux

Ils servent à indiquer une **quantité précise** : *trois filles ; vingt pommes ; deux cents ans ; mille points.* Ils s'emploient également pour désigner les **années,** les **heures,** les **dates** et les **personnes d'une dynastie** : *1789 ; 8 h 25 ; le 14 octobre ; Louis XIV.*

Ils sont **invariables sauf *vingt* et *cent*,** qui prennent un **s** quand ils sont multipliés et qu'ils ne sont pas suivis d'un autre nombre : *quatre-vingts ans* mais *quatre-vingt-un an ; cinq cents chaises* mais *cinq cent quatre chaises.*

➥ Quand ***cent*** et ***quatre-vingt*** sont suivis de ***millier, million, milliard,*** qui ne sont pas des déterminants numéraux mais des noms communs, ils prennent un **s** s'ils sont multipliés : *quatre-vingts millions ; deux cents milliards.*

➥ Quand ***cent*** et ***quatre-vingt*** ont une valeur ordinale, c'est-à-dire qu'ils n'indiquent plus une quantité mais un **rang** (un numéro de page, une année, etc.), ils restent **invariables** : *ce livre a deux cents pages* mais *ouvrez le livre à la page deux cent ; quatre-vingts ans* mais *l'année mille neuf cent quatre-vingt.*

➤ Pour les ordinaux, voir p. 837.

### ♦ Les déterminants possessifs

Ils désignent le **possesseur** du nom qu'ils accompagnent : *la chambre de Manon → sa chambre ; la chambre des parents → leur chambre.*

Ils font partie du **groupe nominal** et se placent toujours **devant** le nom qu'ils déterminent.

Ils **s'accordent** en **personne** avec le nom désignant le possesseur *(tu manges ta glace ; Alexis mange sa glace)* ainsi qu'en **genre** et en **nombre** avec le nom désignant l'être ou la chose possédée *(il te rend ta chemise ; il te rend tes livres).*

| | **un seul possesseur** | | | **plusieurs possesseurs** | | |
|---|---|---|---|---|---|---|
| | **1^re pers. sing.** | **2^e pers. sing.** | **3^e pers. sing.** | **1^re pers. pl.** | **2^e pers. pl.** | **3^e pers. pl.** |
| **masc. sing.** | mon | ton | son | notre | votre | leur |
| **fém. sing.** | ma | ta | sa | notre | votre | leur |
| **pluriel** | mes | tes | ses | nos | vos | leurs |

↪ Il ne faut pas confondre ***leur* déterminant possessif** et ***leur* pronom personnel.** Le premier s'accorde en nombre avec le nom et peut être remplacé par un autre déterminant possessif : *Ils ont dit au revoir à leur ami.* → *Ils ont dit au revoir à leurs amis.* Le second est invariable et n'est pas remplaçable par un déterminant possessif : *Ils leur ont dit au revoir.*

**Devant** un **nom féminin** commençant par une **voyelle** ou un ***h* muet**, on emploie ***mon, ton, son*** à la place de ***ma, ta, sa*** **:** *mon idée, ton habileté.*

Lorsque la possession est évidente, comme pour les **parties du corps**, on emploie l'**article défini** au lieu du déterminant possessif : *Il a mal à la jambe. Je lui ai fait un signe de la tête.*

### ♦ Les déterminants démonstratifs

Ils désignent un être ou une chose que l'on peut **montrer** d'un regard ou d'un geste *(peux- tu me montrer Paris sur cette carte ?)* ou que l'on a **déjà évoqué** *(un homme est entré ; la fatigue de cet homme se lisait sur son visage).*

Ils servent également à indiquer un **temps rapproché** (passé ou futur) : *Il est venu ce matin. Je ne serai pas là cette semaine.*

Ils font partie du groupe nominal et **s'accordent** en **genre** et en **nombre** avec le nom qu'ils déterminent : *ce mur, cette fleur, ces plantes.*

| | **masculin** | **féminin** |
|---|---|---|
| **singulier** | ce, cet | cette |
| **pluriel** | ces | ces |

↪ Il ne faut pas confondre le **déterminant démonstratif *ces*** et le **déterminant possessif *ses*** **:** *Ces chiens aboient* (= les chiens dont on parle). *Ses chiens aboient* (= les chiens dont il est le maître).

Devant un **nom masculin** commençant par une **voyelle** ou un ***h* muet**, on emploie **cet** au lieu de **ce :** *cet animal, cet homme.*

### ♦ Les déterminants interrogatifs et exclamatifs

Les déterminants **interrogatifs** servent à **poser une question** sur la qualité ou l'identité de l'être ou de la chose désigné par le nom qu'ils déterminent.

Les déterminants **exclamatifs** servent à **exprimer le sentiment** (l'admiration, l'étonnement, la joie, le mépris, la peur, etc.) que l'on éprouve devant l'être ou la chose désigné par le nom qu'ils déterminent.

Ils s'accordent en **genre** et en **nombre** avec le nom qu'ils précèdent : *Quelle robe mets-tu ? Quels jolis cahiers tu as achetés !*

| | singulier | pluriel |
|---|---|---|
| **masculin** | quel | quels |
| **féminin** | quelle | quelles |

### ♦ Les déterminants indéfinis

Ils servent à exprimer une **nuance de quantité** du nom. Celle-ci peut être nulle *(aucun, nul, pas un)*, partielle ou indéfinie *(certains, maints, quelques, divers, différents, plusieurs)*, distributive *(chaque)* ou totale *(tout, tous)*. Ils servent également à exprimer une **nuance d'identité** afin d'indiquer une différence *(autre)*, une ressemblance ou une identité *(même, tel)*. Ils servent enfin à exprimer l'**indétermination** d'un être ou d'une chose *(n'importe quel, quelconque)*.

Ils **s'accordent** en **genre** et en **nombre** avec le nom qu'ils déterminent : *tous les matins ; certaines fois ; n'importe quelle table.*

On relève deux formes de déterminants indéfinis :

- les **mots simples** (*aucun, autre, certain, chaque, différents, divers, maint, même, plusieurs, quelconque, quelque, nul, tel, tout*, etc.) ;
- les **locutions** (*je ne sais quel, n'importe quel, pas un*, etc.).

➥ ***Aucun, nul, pas un*** et ***personne*** sont toujours accompagnés de la négation **ne** : *Aucun juré ne comprend pourquoi il a fait ça. Nul passant ne l'avait croisé. Pas une étoile n'était visible. Personne ne m'a prévenu.*

***Aucun*** prend un *s* seulement devant les noms qui n'ont pas de singulier : *aucuns frais, aucunes mœurs.*

***Chaque*** est toujours au singulier : *Ils ont parlé à chaque personne présente.*

***Maint*** est toujours au pluriel dans l'expression *maintes et maintes fois.*

Il ne faut pas confondre ***même* déterminant indéfini** avec l'**adverbe *même*** qui signifie « y compris » et qui est invariable : *Même leurs amis sont venus.*

Au singulier, ***quelque*** remplace l'article indéfini *un* pour renforcer l'**indétermination** : *Il a sûrement eu quelque imprévu.* Il sert aussi à exprimer une **quantité indéterminée** : *Elle lui voue quelque sympathie depuis longtemps.* Au pluriel, il remplace l'article indéfini *des* et exprime une **petite quantité** : *Reprendrez-vous quelques biscuits ?*

Il ne faut pas confondre ***quelque* déterminant indéfini** avec **l'adverbe *quelque*** qui signifie « environ » et qui est invariable : *Ils habitent à quelque trente kilomètres.*

Il ne faut pas non plus confondre ***quelque*** avec la locution ***quelque... que*** qui introduit une proposition subordonnée conjonctive d'opposition au subjonctif : *Quelque timide qu'il soit, il fait du théâtre.*

Il ne faut pas confondre ***tout* déterminant indéfini avec l'adverbe *tout*.**

- S'il se rapporte à un nom ou un pronom, *tout* est un **déterminant** et s'accorde en genre et en nombre avec le nom ou le pronom qu'il précède : *Toutes les filles portaient des jupes et tous les garçons des pantalons. Tous ceux qui le souhaitent peuvent venir.*
- S'il précède un adjectif, un adverbe ou une locution adverbiale, *tout* est un **adverbe** qui ne s'accorde que dans certains cas.

➤ Voir l'accord de l'adverbe *tout* p. 841.

Il ne faut donc pas confondre *elles sont tout heureuses* (= elles sont très heureuses) avec *elles sont toutes heureuses* (= chacune d'entre elles est heureuse).

➥ Certains déterminants indéfinis s'emploient aussi comme **adjectifs** : *Il est parti un certain matin de novembre. Il répète toujours les mêmes choses.*

## Les adjectifs

### ♦ Les adjectifs qualificatifs

Ils permettent de **caractériser** le nom qu'ils complètent en donnant une information supplémentaire (qualité, défaut, taille, couleur…) : *Cette maison est blanche, ancienne, belle et spacieuse.*

Ils **s'accordent** en **genre** et en **nombre** avec le nom : *un plat chaud ; une boisson fraîche ; des chiens obéissants.*

➥ Le **participe passé** est souvent employé comme adjectif : *une feuille déchirée ; un air attendri.*

L'adjectif qualificatif peut se placer de différentes façons par rapport au nom auquel il se rapporte :

- **à côté** du nom, devant ou derrière *(des oiseaux superbes ; de superbes oiseaux) ;*
- **séparé** du nom par une **virgule** *(les oiseaux, gracieux et majestueux, se sont posés au bord de l'étang) ;*
- **séparé** du nom par un **verbe,** souvent le verbe *être* ou un autre verbe d'état *(les feuilles sont très longues ; elle reste impassible).*

➥ La **place** de l'adjectif devant ou derrière le nom peut entraîner un **sens différent :** *un grand homme* (= un homme important) ; *un homme grand* (= un homme de haute taille).

### ♦ Les adjectifs numéraux ordinaux

Ils indiquent l'**ordre,** le **rang** dans une suite : *premier, deuxième, troisième, vingtième, centième, millième,* etc. Comme les adjectifs qualificatifs, ils précisent et complètent le nom : *C'est son quatrième enfant.*

➥ ***Second*** tend à s'employer quand il n'y a pas de suite *(le Second Empire),* **deuxième** quand il y a une suite *(il est deuxième du classement).*

Il ne faut pas confondre les adjectifs numéraux ordinaux avec les **adverbes numéraux** qui sont leurs dérivés : *premièrement, deuxièmement,* etc.

> ➤ Les numéraux cardinaux sont désormais classés parmi les déterminants : voir p. 834.

## Les verbes

Il existe deux grandes catégories de verbes.

- Les **verbes d'état :** le verbe *être* et ceux qui peuvent le remplacer *(avoir l'air, demeurer, devenir, paraître, rester, sembler).* Ils expriment ce que l'on est ou ce que l'on devient : *Je suis heureux. Elle paraît contente.*
- Les **verbes d'action :** tous les autres verbes (*travailler, jouer, dormir,* etc.). Ils expriment ce que l'on fait : *Je joue aux cartes. Ils dorment.*

### ♦ Conjugaison

La conjugaison d'un verbe est l'ensemble des formes qu'il peut prendre. Ces formes varient pour donner des indications de **temps** (passé, présent, futur), de **personnes** et de **modes.** Les modes se répartissent entre les **modes personnels** (l'indicatif, le subjonctif, le conditionnel et l'impératif) et les **modes impersonnels** (l'infinitif et le participe).

> ➤ Voir les tableaux de conjugaison p. 863.

La conjugaison des verbes se répartit en **trois groupes.**

- 1^er^ groupe : les verbes en **-er** (sauf *aller*).
- 2^e^ groupe : les verbes en ***-ir*** dont le participe présent se termine en ***-issant*** *(finir → finissant).*

- 3e groupe : tous les autres verbes en **-ir** *(courir, partir)*, les verbes en **-oir** *(pouvoir, vouloir)*, en **-re** *(descendre, faire, moudre)* et le verbe **aller.**

➥ ***Être*** et **avoir** peuvent être des **verbes** *(je suis une fille ; j'ai un frère)* ou des **auxiliaires**, c'est-à-dire qu'ils aident à conjuguer d'autres verbes aux temps composés *(elle est allée à Lille ; nous avons chanté)*.

Pour conjuguer un verbe, il faut l'analyser en **radical** et en **terminaison** (ou désinence). Le radical porte le sens du verbe. On le trouve souvent en retirant la terminaison de l'infinitif : *courir, chanter*. La terminaison donne des précisions de temps, de personne, de nombre et de mode.

➥ Le **radical** de certains verbes peut prendre **différentes formes** : *venir, je viens, nous venons, il viendra*.

### ♦ Construction

Les verbes se distinguent aussi selon leur construction. On en relève **quatre types** différents.

- Les verbes **transitifs**, qui acceptent un complément d'objet direct (COD) : *Elle mange une glace*.
- Les verbes **intransitifs**, qui n'admettent pas de COD : *Il marche*.
- Les verbes exclusivement **pronominaux** : *Ils s'agenouillent*.
- Les verbes **impersonnels**, employés uniquement à la 3e personne du singulier : *Il neige. Il faut du temps.*

## Les pronoms

Ils **remplacent** un nom ou un groupe nominal.

On distingue **cinq sortes** de pronoms : les pronoms personnels, les pronoms possessifs, les pronoms démonstratifs, les pronoms indéfinis et les pronoms relatifs.

### ♦ Les pronoms personnels

Ils servent, d'une part, à **désigner une personne.** Les pronoms personnels de la **1re personne** *(je, me, moi, nous)* désignent celui (ou ceux) qui s'exprime(nt). Ceux de la **2e personne** *(tu, te, toi, vous)* désignent celui (ou ceux) à qui l'on s'adresse. Ceux de la **3e personne** (*il, elle*, etc.) désignent les êtres ou les choses dont on parle.

Les pronoms personnels servent, d'autre part, à **reprendre un nom déjà utilisé** afin d'éviter une répétition. Les pronoms personnels de la 3e personne remplacent ainsi un nom ou un groupe nominal : *Le chien aboie.* → *Il aboie. Les fleurs sont coupées* → *Elles sont coupées.*

Selon les mots qu'ils remplacent, ils **varient** en **personne**, en **genre** et en **nombre** : *Je parle à Alexis.* → *Je lui parle* (3e personne du singulier). *Je parle à Alexis et Sarah.* → *Je leur parle* (3e personne du pluriel).

Ils varient aussi selon leur **fonction** par rapport au verbe : *Alexis raconte une histoire à Charlotte.* → *Il* (sujet) *la* (COD) *lui* (COI) *raconte.*

| | sujet | COD | COI |
|---|---|---|---|
| **1re pers. sing.** | je | me | me, moi |
| **2e pers. sing** | tu | te | te, toi |
| **3e pers. sing** | il/elle | le, la, se | lui, se, soi, en, y |
| **1re pers. plur.** | nous | nous | nous |
| **2e pers. plur.** | vous | vous | vous |
| **3e pers. plur.** | ils, elles | les | leur, eux, elles, se |

➥ ***Me, te, se, la*** et ***le*** **s'élident** devant une **voyelle** ou un ***h*** **muet** : *Tu m'écoutes ? Ils t'ont applaudi. Il s'habille. Elle l'appelle souvent.*

***En*** et ***y*** sont des adverbes de lieu *(j'en viens ; j'y suis)* mais peuvent s'employer comme des pronoms personnels.

- ***En*** remplace un nom ou un groupe nominal précédé du partitif ou de la préposition **de.** Il a alors le sens de « de lui, d'elle ou d'elles, d'eux, de cela » : *Je veux de l'eau.* → *J'en veux. Combien avez-vous de frères ?* → *J'en ai deux.*
- ***Y*** remplace un nom ou un groupe nominal précédé de la préposition **à** et a le sens de « à lui, à elle ou à elles, à eux, à cela » : *Je pense aux vacances.* → *J'y pense. Je me fie à son jugement.* → *Je m'y fie.*

Les **pronoms réfléchis** *(me, te, se, nous, vous)* ont la fonction de complément et renvoient au sujet du verbe : *Je me promène. Nous nous souvenons des vacances.*

➥ Les pronoms ***le, la, les*** et ***leur*** ne doivent pas être confondus avec des **déterminants.** Quand ils sont pronoms, ils **remplacent** un groupe nominal : *Je parle à mes amis.* → *Je leur parle.* Quand ils sont déterminants, ils **précèdent** un nom pour former un groupe nominal et s'accordent avec lui : *Ils prennent leurs affaires.*

### ♦ Les pronoms possessifs

Ils servent à **remplacer** un nom précédé d'un déterminant possessif : *J'ai acheté mon billet de train, as-tu le tien ?*

➥ Dans certaines expressions, ils ne remplacent aucun nom : *moi et les miens* (= moi et mes proches) ; *faire des siennes* (= faire des bêtises) ; *y mettre du sien* (= y mettre de la bonne volonté).

Ils **s'accordent** en **genre** et en **nombre** avec le groupe nominal qu'ils remplacent et selon la **personne** du possesseur.

| possesseur | possédé | | | |
|---|---|---|---|---|
| | **masc. sing.** | **fém. sing.** | **masc. plur.** | **fém. plur.** |
| moi | le mien | la mienne | les miens | les miennes |
| toi | le tien | la tienne | les tiens | les tiennes |
| lui/elle | le sien | la sienne | les siens | les siennes |
| nous | le nôtre | la nôtre | les nôtres | les nôtres |
| vous | le vôtre | la vôtre | les vôtres | les vôtres |
| eux/elles | le leur | la leur | les leurs | les leurs |

➥ Les pronoms possessifs ***les nôtres*** et ***les vôtres*** prennent un **accent circonflexe,** contrairement aux déterminants possessifs *notre* et *votre.*

### ♦ Les pronoms démonstratifs

Ils remplacent un nom précédé d'un déterminant démonstratif : *Ces hommes sont grands.* → *Ceux-ci sont grands.*

Ils désignent un être ou une chose que l'on peut **montrer** d'un regard ou d'un geste *(regarde cela)* ou que l'on a **déjà évoqué** *(sa chambre est aussi grande que celle de son frère).*

Ils **s'accordent** en **genre** et en **nombre** avec le groupe nominal qu'ils remplacent.

➥ Les pronoms **ce, ceci, cela** et **ça** sont **invariables** et reprennent une proposition ou une phrase : *On m'a dit qu'il ne viendrait pas, cela ne me surprend pas.*

| | masc. sing. | fém. sing. | masc. plur. | fém. plur. | invariable |
|---|---|---|---|---|---|
| **formes simples** | celui | celle | ceux | celles | ce |
| **formes composées** | celui-ci | celle-ci | ceux-ci | celles-ci | ceci |
| | celui-là | celle-là | ceux-là | celles-là | cela, ça |

Les **formes simples** sont toujours suivies d'un **complément** introduit par **de** ou d'une **proposition relative** : *J'ai raté le train de 10 h 50 donc je prendrai celui de midi/celui qui passe par Nancy*.

➥ Les pronoms démonstratifs renforcés par ***-ci*** renvoient à un être ou une chose **proche** dans l'espace ou dans le temps. Ceux renforcés par ***-là*** renvoient à un être ou une chose **éloigné** dans l'espace ou dans le temps.

### ♦ Les pronoms indéfinis

Ils **remplacent** un nom précédé d'un déterminant indéfini : *Aucun ne parlait* (= aucune personne ne parlait).

Ils se rapportent à un être ou une chose indéfini et servent à exprimer une nuance de **quantité** :

- nulle *(personne n'a rien fait ; pas un n'a bougé)* ;
- partielle ou indéfinie *(quelqu'un a téléphoné ; plusieurs se sont plaints ; certains vous diront que oui, d'autres que non)* ;
- distributive *(chacun a sa part de responsabilité)* ;
- totale *(tous sont venus)*.

Ils servent également à exprimer une nuance d'identité afin d'exprimer une **différence** *(autre, autre chose, autrui)* ou une **similitude** *(le même) : Il demande conseil aux autres. Elle est restée la même.*

Ils servent enfin à exprimer l'**indétermination** d'un être ou d'une chose : *Ils sont allés chercher je ne sais quoi. Cela concerne n'importe qui.*

➥ Certains **adverbes de quantité** *(beaucoup, combien, assez, peu)* jouent parfois le rôle de pronoms indéfinis : *Beaucoup sont revenus.*

### ♦ Les pronoms relatifs

Ils servent à établir une **relation** entre le nom ou le pronom qu'ils représentent (l'antécédent) et une proposition subordonnée relative.

Ils se divisent en deux groupes : les pronoms relatifs **simples** et les pronoms relatifs **composés.**

Les premiers réunissent les pronoms ***qui, que, quoi, dont*** et ***où.*** Ils ne marquent ni le genre ni le nombre mais varient selon la **fonction** qu'ils occupent dans la proposition :

- *Paris est une ville qu'elle apprécie.* → COD.
- *Paris est la ville dont elle parle.* → COI.
- *Paris est la ville où elle vit.* → CC de lieu.

➥ ***Qui*** et **que**, s'ils ne marquent pas les catégories du genre et du nombre, servent cependant de relais en imposant au verbe et à l'adjectif de la proposition relative l'accord qu'aurait entraîné l'antécédent lui-même : *les femmes que j'ai vues.*

Les seconds comprennent le pronom ***lequel*** et ses formes contractées ***auquel*** *(à + lequel)* et **duquel** *(de + lequel).* Ils **s'accordent** en **genre** et en **nombre** avec leur antécédent : *Les films auxquels il fait référence sont introuvables.*

### ♦ Les pronoms interrogatifs

Ils se répartissent selon trois séries de formes : composées, simples et renforcées.

Les **formes composées** s'emploient avec un antécédent. Elles servent à poser une **question** sur des êtres ou des choses déjà **mentionnés** *(la bleue ou la rouge, laquelle préfères-tu ?)* ou qui vont l'être *(laquelle préfères-tu, la bleue ou la rouge ?)*.

| | singulier | pluriel |
|---|---|---|
| **masculin** | lequel | lesquels |
| **féminin** | laquelle | lesquelles |

Les **formes simples** s'emploient sans antécédent : *Qui est venu ? Que fait-elle ? De quoi parles-tu ?*

| | sujet | COD et attribut | complément prépositionnel |
|---|---|---|---|
| **personne** | qui | qui | qui |
| **chose** | — | que, quoi | quoi |

Les **formes renforcées** s'emploient également sans antécédent : *qui est-ce qui ? qui est-ce que ? qu'est-ce qui ? qu'est-ce que ? qu'est-ce que c'est que ? à qui est-ce que ? de quoi est-ce que ?*, etc.

➥ Les formes composées **varient** en **genre** et en **nombre** : *Plusieurs candidats ont été entendus, lesquels retenez-vous ?* Les formes simples et renforcées sont **invariables** : *Qui va là ?*

## Les adverbes

Ils servent à **modifier** ou **préciser le sens** d'un verbe, d'un adjectif, d'un autre adverbe ou d'une phrase : *Ils courent vite. Elle est très amusante. Il voyage assez souvent. Aujourd'hui, elle se repose.*

Ils se répartissent en deux groupes :

- les **mots simples** *(ici, là, hier, assez, heureusement...)* ;
- les **locutions adverbiales** *(à peu près, tout à coup...)*.

➥ La plupart des adverbes sont formés à partir du **féminin** de l'adjectif auquel on ajoute le suffixe **-ment** : *lente → lentement ; claire → clairement.* De nombreux adverbes sont également créés à partir d'adjectifs : *s'arrêter net ; sentir bon.*

Tous les adverbes sont **invariables, sauf *tout*** qui s'accorde dans certains cas en genre et en nombre.

➥ ***Tout*** adverbe est **invariable** au **masculin** et devant les **adjectifs féminins** commençant par une **voyelle** ou un ***h* muet** : *ils sont tout contents ; tout entière.* Il **s'accorde** avec les **adjectifs féminins** commençant par une **consonne** ou un ***h* aspiré** : *de toutes jeunes filles ; elle est toute honteuse.*

## Les prépositions

Ce sont des mots ou des locutions **invariables** qui servent à **introduire** un mot ou un groupe de mots ayant la fonction de complément. Elles permettent donc de marquer la **fonction** de ce mot ou groupe de mots :

- *Ils ont parlé de toi.* → COI.
- *Il a appelé pour prévenir de son retard.* → CC de but.

Elles peuvent se présenter sous la forme :

- d'un **mot** *(à, après, avant, avec, chez, contre, dans, de, depuis, derrière,*

*dès, devant, en, entre, hors, malgré, par, parmi, pendant, pour, sans, sauf, sous, sur, vers*, etc.) ;
- d'une **locution invariable** *(à cause de, à moins de, à travers, afin de, au lieu de, avant de, d'après, en dépit de, en vue de, grâce à, jusqu'à, par-delà, près de, quant à*, etc.).

Le mot ou le groupe de mots introduit par une préposition peut être :
- un nom ou un groupe nominal *(vous avez résisté avec un grand courage)* ;
- un pronom *(pensez à lui)* ;
- un adverbe *(il est arrivé par là)* ;
- un verbe à l'infinitif *(ils pensent à adopter un enfant)*.

↪ La préposition **en** suivie du **participe présent** forme le **gérondif** du verbe : *Il est entré en chantant.*

## Les conjonctions

Ce sont des mots de liaison qui servent à **joindre** deux mots, deux groupes de mots ou deux propositions. Elles sont **invariables.**

Il existe deux sortes de conjonctions : les conjonctions de coordination et les conjonctions de subordination.

### ♦ Les conjonctions de coordination

Elles se présentent sous la forme de sept mots simples : ***mais, ou, et, donc, or, ni, car.*** Elles servent à **coordonner** deux mots, groupes de mots ou propositions de même fonction :
- *Mon frère et moi ressemblons à notre père.* → Sujets.
- *Ils sont ambitieux mais peu travailleurs.* → Attributs.
- *Il est parti car je suis restée.* → Propositions indépendantes.
- *Elle a dit qu'elle reviendrait et qu'elle resterait plus longtemps.* → Propositions subordonnées complétives.

↪ Il est incorrect de coordonner des compléments de fonctions différentes : **Il aime et obéit à ses parents.* Dans la phrase *il aime ses parents*, le groupe nominal est COD. Dans la phrase *il obéit à ses parents*, le groupe nominal est COI. Il faut donc dire : *Il aime ses parents et leur obéit.*

Les conjonctions de coordination peuvent se trouver dans des constructions symétriques ou parallèles sous la forme ***et... et, ni... ni, ou... ou*** : *Je ne suis disponible ni le mercredi ni le jeudi. Ou tu rentres ou tu sors, mais décide-toi !*

### ♦ Les conjonctions de subordination

Elles servent à **relier** une **proposition subordonnée complétive** ou **circonstancielle** à une proposition principale ou à une autre proposition subordonnée complétive ou circonstancielle et permettent de marquer le rapport de subordination qui existe entre les deux propositions : *Je pars parce que je suis très pressé.*

Elles se présentent sous la forme :
- d'un **mot** *(comme, lorsque, puisque, quand, que, quoique, si)* ;
- d'une **locution conjonctive** presque toujours formée avec **que** *(à condition que, au cas où, afin que, ainsi que, après que, avant que, bien que, de même que, de peur que, dès que, parce que, pour que, sans que, si bien que, sitôt que, tandis que...).*

Il ne faut pas confondre **que** conjonction de subordination introduisant une proposition subordonnée complétive *(j'espère qu'il va réussir)* ou circonstancielle *(il est tellement surpris qu'il ne peut plus parler)* avec :
- le pronom relatif qui introduit une subordonnée relative *(la table que tu as achetée est jolie)* ;

- le pronom interrogatif dans une interrogation directe et indirecte *(que voulez-vous ? je ne sais que faire)* ;
- l'adverbe interrogatif *(que ne l'avez-vous pas dit avant ?)* ;
- l'adverbe exclamatif *(que vous êtes bavardes !)* ;
- l'adverbe dans la locution adverbiale restrictive *ne... que (je n'ai que dix euros)*.

Il ne faut pas confondre **quand** conjonction de subordination introduisant une subordonnée circonstancielle *(quand tu la verras, tu le lui diras)* avec :

- l'adverbe interrogatif dans une interrogation directe et indirecte *(quand arrive-t-elle ? dites-moi quand elle doit arriver)* ;
- la locution prépositive *quant à (quant à moi, je suis d'accord)*.

Il ne faut pas confondre **si** conjonction de subordination introduisant une subordonnée circonstancielle *(si nous avions su, nous serions arrivés plus tôt)* avec :

- l'adverbe interrogatif dans une interrogation indirecte *(il veut savoir si tu es arrivé)* ;
- l'adverbe exclamatif *(regardez s'ils sont beaux !)* ;
- l'adverbe d'intensité *(ils ont l'air si heureux !)* ;
- l'adverbe d'affirmation *(ne sont-ils pas heureux ? si !)*.

### Les interjections

Ce sont des mots ou groupes de mots **invariables** qui servent à exprimer un **sentiment** vif et soudain : *Zut, j'ai perdu mes lunettes. Chut, tais-toi !*

➥ Contrairement aux adverbes, aux prépositions et aux conjonctions, elles ne jouent aucun rôle grammatical dans la phrase.

Elles se présentent sous la forme d'une **onomatopée** *(eh, aïe, bof, beurk, brrr, zut)*, d'un **mot simple** *(attention ! bravo ! hourra ! silence ! vite ! voyons !)* ou d'une **locution interjective** *(à la bonne heure ! bon sang ! par exemple !)*.

## LA FONCTION DES MOTS

La fonction d'un mot correspond au **rôle** qu'il joue dans la phrase par rapport à un autre mot ou un groupe de mots. Elle **varie** constamment selon le **sens**, la **place** et le **rôle** du mot dans la phrase : *un homme* peut être sujet dans une phrase *(un homme est entré)* et complément dans une autre *(je vois un homme)*.

➥ Connaître la fonction d'un mot permet de lui appliquer les **règles d'accord** qui le concernent : identifier un sujet permet, par exemple, de savoir avec quel mot s'accorde le verbe et comment le conjuguer : *Les enfants* (sujet) *pensent à leur chien*.

Il existe **huit fonctions :** le sujet, le complément d'objet (direct, indirect ou second), le complément circonstanciel, le complément d'agent, le complément du nom, l'attribut (du sujet ou du verbe), l'épithète et l'apposition.

Les fonctions des mots se définissent par rapport :

- au **verbe** (le sujet, les compléments d'objet et le complément d'agent) ;
- au **nom** (l'épithète, le complément du nom et l'apposition ainsi que l'attribut du sujet et du COD par l'intermédiaire du verbe) ;
- à la **phrase** (le complément circonstanciel).

### Le sujet

C'est un élément indispensable de la phrase verbale : il ne peut **pas** être **supprimé.**

Il répond à la question *qui est-ce qui... ?* ou *qu'est-ce qui... ?* et peut être mis en relief par les expressions *c'est... qui* ou *ce sont... qui : Alexis arrive.* → *Qui est-ce qui arrive ? C'est Alexis qui arrive.* Il commande l'**accord du verbe** en **personne**, en **genre** (aux temps composés) et en **nombre** (singulier ou pluriel).

Le sujet est le plus souvent un **nom** ou un **groupe nominal** *(son nouveau roman est passionnant)*, un **pronom** *(nous partons en vacances ; celui-ci est superbe)* ou un verbe à l'**infinitif** *(fuir était impossible)*. Il peut être aussi une **proposition subordonnée relative** : *Qui veut voyager loin ménage sa monture.*

↪ Le sujet peut toujours être remplacé par un pronom personnel, le plus souvent *il(s)* ou *elle(s)*, ou par le pronom démonstratif *cela*.

En général, le sujet est placé **avant** le verbe. Quand il est placé **après** le verbe, on dit qu'il est **inversé.** Cela se produit dans plusieurs cas.

- Dans les **phrases interrogatives,** il est relié au verbe par un trait d'union : *Dînez-vous au restaurant ce soir ?*
- Dans une proposition qui suit le **discours direct,** il indique qui est le locuteur : « *Attendez-moi, j'arrive !* », *cria-t-elle.*
- Dans le **registre soutenu,** après certains compléments en tête de phrase (compléments circonstanciels ou adverbes), l'inversion produit un effet de mise en relief : *Au bord du lac vivait un pauvre pêcheur.* Dans ce cas, l'inversion du sujet n'est pas obligatoire.

↪ Lorsque le verbe se termine par une voyelle et qu'il est suivi d'un pronom, un ***t* euphonique** est placé entre deux traits d'union pour permettre de faire la liaison : *A-t-il eu peur ?*

↪ Dans une phrase interrogative, le nom sujet peut être repris après le verbe par un **pronom** : *Les voyages forment-ils la jeunesse ?*

## Les compléments d'objet

Ce sont des compléments du verbe. Ils dépendent d'un **verbe transitif** et ne peuvent être supprimés sans que le sens de la phrase en soit modifié, contrairement aux compléments circonstanciels.

Il existe **trois types** de compléments d'objet qui dépendent de la construction du verbe.

- Certains se construisent **directement** : leur complément d'objet est direct (COD).
- D'autres exigent une **préposition** *(à/de...)* : leur complément d'objet est indirect (COI).
- Certains verbes qui se construisent avec un COD ou un COI admettent **un autre complément** d'objet qui est appelé complément d'objet second (COS).

### ♦ Le complément d'objet direct (COD)

Il complète un **verbe transitif direct** et se construit **sans préposition** : *Il a rencontré sa femme à l'université.*

Le COD ne peut **pas** être **supprimé** ni **déplacé,** au risque d'altérer fortement le sens de la phrase : *J'ai mangé des escargots pour la première fois.* → **J'ai mangé pour la première fois.* La phrase peut même devenir agrammaticale : *Elle a acheté les œuvres complètes de Voltaire.* → **Elle a acheté.*

Pour reconnaître un COD, on peut poser la question ***qui est-ce que ?*** ou ***qu'est-ce que ?*** : *Qu'est-ce que la clientèle apprécie ? La clientèle apprécie la qualité du service.* On peut aussi le remplacer par un **pronom personnel** : *Ils ont ouvert leur restaurant.* → *Ils l'ont ouvert.*

➥ On peut remplacer le COD par le **pronom *en*** lorsqu'il comprend un **article partitif** ou **défini** : *J'ai déjà mangé du requin. → J'en ai déjà mangé. Je prendrai une glace. → J'en prendrai une.*

On peut enfin reconnaître un COD au fait qu'il devient **sujet** quand le verbe est conjugué à la **voix passive** (➤ voir p. 800) : *Tout le monde connaît Mozart. → Mozart est connu de tout le monde.*

Dans une phrase simple, le complément d'objet direct peut être un **nom** ou un **groupe nominal** *(il prépare un potage)*, un pronom *(elle préfère celui-ci ; je te crois)* ou un verbe à l'**infinitif** *(il ne sait pas répondre)*.

Il est généralement placé **après** le verbe : *Il mange une pomme.* Il **précède** le verbe uniquement :

- quand il est **pronom personnel** *(il nous voit)* ;
- dans certaines phrases **interrogatives** ou **exclamatives** *(quel livre as-tu acheté ? quelle mine tu as !)*.

➥ Il ne faut pas confondre le **COD** et le **sujet inversé** :

- *J'ai rencontré un vieux fermier.* → COD.
- *Derrière la colline, habitait un vieux fermier.* → Sujet inversé.

### ♦ Le complément d'objet indirect (COI)

Il complète un **verbe transitif indirect** et il est introduit par une **préposition**, le plus souvent **à** ou **de** : *Il parle de son travail. Elle s'intéresse à l'anthropologie.* Comme le COD, il ne peut **pas** être **supprimé** ni **déplacé**.

Pour reconnaître un COI, on peut poser la question **à *quoi* est-ce que ?** ou **de quoi est-ce que ?** : *De quoi est-ce qu'il parle ? Il parle de son nouveau travail.* On peut aussi le remplacer par un **pronom personnel** : *Il a parlé à sa mère. → Il lui a parlé.*

Le COI peut être un **nom** ou un **groupe nominal** *(il ressemble beaucoup à son frère)*, un **pronom personnel** *(il a confiance en toi)*, un **pronom démonstratif** *(il croit à cela)* ou un **pronom possessif** *(elle a parlé de ses projets, j'ai parlé des miens)*.

Lorsque le COI est un nom ou un groupe nominal, il se place **après** le verbe. Lorsqu'il est un pronom personnel, la préposition s'efface souvent et le pronom **précède** le verbe : *Il demande à sa sœur s'il peut rester. → Il lui demande s'il peut rester.*

### ♦ Le complément d'objet second (COS)

Il complète un verbe qui a **déjà** un **COD** ou un **COI** et il est introduit par les **prépositions à, de** ou ***pour*** : *Il offre des fleurs* (COD) *à sa mère* (COS).

Le COS se trouve principalement après des verbes signifiant « **donner** », « **retirer** » ou « **dire** » : *Elle parlera de toi* (COI) *à ses amis* (COS).

Il se place **avant ou après** le premier complément d'objet : *Il demande à ses collaborateurs le silence./Il demande le silence à ses collaborateurs.*

## Les compléments circonstanciels (CC)

Ce sont des compléments de la phrase. Ils permettent de préciser dans quelles **circonstances** se déroule l'action exprimée par le verbe. Ils expriment non seulement des relations de **temps**, de **lieu**, de **manière**, de **moyen**, de **cause**, mais encore le **but**, la **quantité**, la **conséquence**, la **condition**, la **comparaison**, etc.

➥ Une même phrase peut comporter **plusieurs** compléments circonstanciels : *Il est arrivé à Paris* (CC de lieu) *ce matin* (CC de temps) *par le train* (CC de moyen) *pour affaires* (CC de cause).

Contrairement aux compléments d'objet, la plupart des compléments circonstanciels peuvent être **supprimés** ou **déplacés** à l'aide d'une virgule : *J'ai rencontré mon cousin à la médiathèque.* → *(À la médiathèque,) j'ai rencontré mon cousin.*

Les groupes nominaux compléments circonstanciels sont souvent introduits par une **préposition** ou une locution prépositive : *Elle s'est levée à huit heures.*

➥ Une même préposition peut, selon le contexte, prendre un sens différent :
- *Il séjourne à Paris.* → CC de lieu.
- *Il est parti à cinq heures.* → CC de temps.
- *Il est venu à bicyclette.* → CC de moyen.
- Les compléments circonstanciels peuvent aussi se construire directement **sans préposition.** Ce sont généralement des noms accompagnés d'un déterminant exprimant une nuance de **lieu**, de **temps** et de **quantité** (prix, poids et mesure) : *Il habite rue Jean-Jaurès. Elle dort le jour et travaille la nuit. Ce livre coûte 15 euros. Elle pesait 3,6 kilos à la naissance. Ils ont parcouru cent kilomètres.*

## Le complément d'agent

Il désigne l'être ou la chose par lequel est accomplie l'action exprimée par le **verbe** employé à la **voix passive** (➤ voir p. 852). Il est introduit par les prépositions **par** et **de** : *La souris est mangée par le chat. Elle est appréciée de ses voisins.*

**Par** s'emploie souvent avec des verbes pris au **sens propre** et exprimant une action **concrète** tandis que **de** s'emploie de préférence avec des verbes pris au **sens figuré** et exprimant un **sentiment** : *Le pont est submergé par les vagues./Je suis submergée de travail. Ma candidature a été retenue par la commission./Il est estimé de tous.*

➥ **Par** s'emploie encore souvent devant un nom **précédé d'un déterminant** tandis que **de** s'emploie de préférence devant un nom **sans déterminant** : *Le jardin est envahi par les mauvaises herbes/de mauvaises herbes.*

Seuls les verbes admettant une construction à la **voix passive** peuvent avoir un complément d'agent :
- les **verbes transitifs directs** *(la maison a été construite par son père)* ;
- les verbes transitifs indirects ***désobéir, obéir*** et **pardonner** *(il a été pardonné par tout le monde)* ;
- certains **verbes intransitifs** lorsqu'ils sont employés avec un sens transitif *(leur séparation a été mal vécue par la famille).*

La fonction de complément d'agent peut être occupée par un **nom** ou un **groupe nominal** *(il a été réveillé par ses voisins)*, un **pronom** *(elle est respectée par tous)*, une **proposition subordonnée relative** *(je suis indignée par ce qu'il a dit).*

➥ Il ne faut pas confondre les **compléments d'agent** avec les **compléments circonstanciels** introduits par la préposition **par** :
- *Elle a été contactée par l'agence.* → Complément d'agent.
- *Elle a été contactée par erreur.* → CC de cause.

## Le complément du nom

Il sert à compléter le nom afin d'en préciser le sens : *Elle porte une robe longue en soie.* Il peut, la plupart du temps, être **supprimé** sans altérer le sens de la phrase.

La fonction de complément du nom peut être occupée par :
- un nom ou un groupe nominal *(il a reçu une carte de ses parents)* ;

- un pronom *(ce projet requiert la participation de tous)* ;
- un adverbe *(la journée d'hier a été très agréable)* ;
- un infinitif *(une machine à coudre)* ;
- une proposition subordonnée complétive *(l'idée qu'il revienne me fait peur)* ;
- une proposition subordonnée relative *(il a lu le passage dont je lui avais parlé)*.

Il est souvent joint au nom par une **préposition**, le plus souvent **de**, mais aussi **à, contre, en, par, pour, sur** : *une cuillère à soupe ; un abri contre le vent ; une assiette en porcelaine ; la preuve par neuf ; une gamme pour enfants ; une vue sur la mer.*

➥ Le complément du nom peut être **directement** relié au nom : *l'affaire Dreyfus ; un café crème.*

Il se place généralement **après** le nom qu'il complète : *les fêtes de Noël*. Mais on le trouve aussi **avant** le nom dans les phrases interrogatives *(de quel guitariste ton frère est-il fan ?)* et dans la langue soutenue *(de sa grand-mère, il a hérité la force de caractère).*

## Les attributs

Ils font apparaître une **qualité** attribuée au sujet (il s'agit alors d'un **attribut du sujet**) ou à l'objet (il s'agit alors d'un **attribut de l'objet**) par l'intermédiaire d'un verbe :

- *Pierre est sympathique.* → Attribut du sujet *Pierre*.
- *Je trouve Marie intelligente.* → Attribut de l'objet *Marie*.

Ce sont des éléments indispensables du groupe verbal et ils ne peuvent **pas** être **supprimés.**

### ♦ L'attribut du sujet

Il sert à identifier le sujet *(Pierre est mon frère)* ou à préciser une de ses caractéristiques *(Pierre est prudent).*

L'attribut du sujet entretient un rapport avec le sujet par l'intermédiaire du verbe **être** ou d'un **verbe attributif**, c'est-à-dire les **verbes d'état** et tout verbe équivalent : *tomber, naître, sortir, être nommé, être reconnu, se montrer, avoir l'air, passer pour*, etc.

Il **s'accorde** en **genre** et en **nombre** avec le sujet : *Elles nous ont paru émues.*

La fonction attribut du sujet peut être occupée par :

- un **adjectif** qualificatif ou un participe passé *(mon frère passe pour courageux ; cette pelouse est mal tondue)* ;
- un **nom** commun ou un groupe nominal *(il est médecin ; il passe pour un homme courageux)* ;
- un **pronom** *(elle est courageuse, je le suis aussi)* ;
- un **infinitif** introduit par *de (son plaisir dans la vie est de voyager)* ;
- une **proposition** *(le fait est que je connaissais déjà l'histoire).*

### ♦ L'attribut du COD

Il sert à préciser une des caractéristiques de l'objet : *Je trouve Luc intelligent. Il l'appelle son petit oiseau.*

➥ Le COD n'est pas toujours exprimé : *On dit que les carottes rendent aimable.*

L'attribut du COD se construit avec des **verbes transitifs** comme *appeler, croire, déclarer, dire, élire, estimer, faire, juger, laisser, nommer, trouver*, etc.

Il **s'accorde** en **genre** et en **nombre** avec le COD : *Je trouve ces fleurs belles.*

↪ Dans la phrase *je vois la lumière blanche,* si *blanche* est employé comme **attribut du COD,** la phrase signifie « je vois la lumière blanche alors qu'en réalité elle est d'une autre couleur ». Si *blanche* est employé comme **épithète** du nom *lumière,* la phrase signifie « je vois effectivement la lumière qui est de couleur blanche ».

En règle générale, l'attribut du COD se place **derrière** le COD qui l'introduit : *Je déclare la cérémonie ouverte.* Mais il arrive qu'il **précède** le COD : *Je juge inadmissible votre conduite.*

## L'épithète

Il s'agit d'un **adjectif qualificatif** (ou un participe passé employé comme adjectif) qui fait partie du groupe nominal et qui est placé directement devant ou derrière le nom qu'il qualifie : *Il a vécu une aventure périlleuse/ une périlleuse aventure.*

↪ L'épithète se distingue de l'attribut qui est relié au nom ou au groupe nominal par un verbe attributif : *Cette aventure est périlleuse.*

L'épithète est toujours placée **derrière** le nom quand elle est suivie d'un **complément** *(un fruit bon à manger)* ou qu'il s'agit d'un **participe passé** *(un travail terminé).* Elle peut être placée **devant** le nom, en particulier pour des **adjectifs courts** comme *bon, beau, gros, haut, joli* ou *long : un bon repas ; un gros paquet ; une longue route.*

L'épithète **s'accorde** en genre et en **nombre** avec le ou les noms qu'elle qualifie : *la pleine lune.* Lorsqu'elle qualifie plusieurs noms, elle s'accorde au pluriel. Si le genre des noms est différent, l'accord se fait au masculin : *une chèvre et un agneau effrayés.*

↪ **Plusieurs** épithètes peuvent se rapporter à un même nom : *de jolies petites maisons fleuries.*

L'épithète peut être **séparée** du nom auquel elle se rapporte **par une virgule.** On parle alors d'**épithète détachée :** *L'autre voix, plus jolie, montait du vallon.* Une épithète détachée peut se rapporter à un **pronom :** *Assis sur le petit mur, je regardais la rivière.*

## L'apposition

Il s'agit d'un nom placé **à côté** d'un autre nom pour en **compléter** le sens : *Camille, la mère de Pierre.* Le nom en apposition désigne obligatoirement **le même être** ou **le même objet** que le nom ou le pronom auquel il est apposé : *Arnaud, la nouvelle recrue de l'équipe, est très compétent.*

↪ Il ne faut pas confondre l'**apposition** et le **complément du nom.** La première établit un rapport d'équivalence entre le nom apposé et le nom complété : *la ville de Lyon* (= la ville qui est Lyon). Le second n'établit pas ce rapport : *la cathédrale de Lyon* (= la cathédrale située à Lyon).

En général, l'apposition **s'accorde** en **genre** et en **nombre** avec le nom ou le pronom auquel elle se rapporte : *Jean et Pierre, les amis de Lucie.*

Trois constructions sont possibles.

- Le nom en apposition suit **directement** le nom auquel il se rapporte. On parle alors d'**apposition liée :** *le roi Louis XVI ; la note do ; un remède miracle ; un médecin anesthésiste.*
- Le nom en apposition est **relié** au nom auquel il se rapporte par la préposition **de,** explétive (vide de sens) mais non supprimable : *le mois de septembre.*

- Le nom apposé est **séparé** du nom auquel il est apposé par une **virgule.** On parle alors d'**apposition détachée :** *Adolescent, il sortait presque tous les soirs. Victor Hugo, à la fois romancier, poète et dramaturge, est mon écrivain préféré.*

↬ Le nom apposé peut être **séparé** du nom auquel il se rapporte par **deux-points :** *J'ai rencontré d'anciennes connaissances : Alexis, Romane et Victor.*

Le nom est la classe de mot la plus fréquemment construite en apposition. Mais cette fonction peut aussi être occupée par :

- un **pronom** *(les nouveaux modèles, ceux-ci, sont arrivés hier)* ;
- un **infinitif** *(elle n'a peur que d'une chose, se tromper)* ;
- une subordonnée **complétive** *(je ne regrette qu'une chose, qu'ils soient partis)* ;
- une subordonnée **relative** *(si vous en êtes d'accord, ce dont je ne doute pas, vous pourriez venir lundi)*.

Dans le cas de l'adjectif, on parle plutôt d'épithète.

➤ Voir ci-dessus.

# LA PHRASE

Une phrase est une suite de mots qui :

- commence par une **majuscule** et s'achève sur une **ponctuation forte** *(. ? ! …)* ;
- est grammaticalement **organisée** ;
- présente un **sens** dans un contexte donné.

## Phrase verbale et phrase non verbale

Une **phrase verbale** est organisée autour d'un verbe conjugué : *Je cours tous les matins.*

Une **phrase non verbale** est organisée autour d'un autre mot :

- un nom ou un groupe nominal *(quelle horreur !)* ;
- un adjectif *(impossible de continuer !)* ;
- un infinitif *(ne pas manger à l'intérieur)* ;
- une interjection *(chut !)*.

↬ Une phrase non verbale peut comporter un **verbe conjugué.** Celui-ci n'est alors pas le noyau de la phrase mais seulement une **expansion** du nom : *Et boum la lampe qui tombe !*

## Phrase simple et phrase complexe

Dans une **phrase verbale simple,** les groupes de mots sont organisés autour d'**un seul verbe** conjugué : *L'enfant lit un livre.*

La **phrase complexe** comporte plusieurs verbes conjugués, donc **plusieurs propositions :** *Il ouvre la porte et il pose un livre sur son bureau.*

Dans une phrase complexe, certaines propositions sont autonomes : on peut les transformer en phrases simples. Ce sont des **propositions indépendantes :** *Il a entendu cette chanson une seule fois mais il la reconnaît. → Il a entendu cette chanson une seule fois. Mais il la reconnaît.*

Les propositions indépendantes peuvent se combiner de deux façons :

- **juxtaposées,** c'est-à-dire séparées par un signe de **ponctuation faible** comme une virgule *(il a beaucoup travaillé, il en est fier)* ;

- **coordonnées** par un **mot de liaison** comme une conjonction de coordination, un adverbe ou une locution adverbiale *(il a beaucoup travaillé donc il a réussi)*.

➥ Certaines propositions fonctionnent comme une parenthèse dans la principale. Ce sont des **incises** : *Il vous attendra sous le petit pont, dit-elle, je vous le promets.*

Les autres propositions ne sont pas autonomes. Ce sont des **propositions subordonnées.** Elles dépendent d'une autre proposition appelée principale et sont introduites par un mot subordonnant (conjonction de subordination, pronom relatif, etc.) : *Il a beaucoup travaillé si bien qu'il a réussi.*

Ces propositions peuvent être de différentes natures selon la fonction qu'elles occupent par rapport à la principale.

- Si la proposition subordonnée complète un **groupe nominal**, c'est une **subordonnée relative** : *Il reconnaît cette chanson* (principale) *qu'il a entendue une seule fois* (relative).
- Si la proposition complète le **verbe** de la principale, c'est une **subordonnée conjonctive** (complément d'objet ou complément circonstanciel) : *Il reconnaît* (principale) *qu'il a déjà entendu cette chanson* (conjonctive COD). *Il reconnaît cette chanson* (principale) *alors qu'il ne l'a entendue qu'une seule fois* (conjonctive CC).

## Phrase affirmative et phrase négative

Une phrase peut prendre une forme affirmative ou négative.

Une phrase est **affirmative** quand elle ne contient **pas de négation.** Elle indique qu'un fait a eu lieu ou qu'on est d'accord : *J'habite en ville. Je suis contente.*

Une phrase est **négative** quand elle contient une **négation.** Elle permet de nier quelque chose ou de dire qu'on n'est pas d'accord : *Je n'habite pas en ville. Je ne suis pas contente.*

La **négation** est généralement composée de **deux éléments** qui encadrent le verbe.

- Le premier élément ***ne*** est placé **devant** le verbe : *Il ne me regarde pas.* Il se place devant le verbe quand celui-ci est à l'**infinitif** : *Je préfère ne pas le voir.*
- Le deuxième élément est **variable** et se place le plus souvent **derrière** le verbe : *Elle ne lit jamais. Il ne regarde personne. Ils ne mangent rien.* Il peut se placer devant le verbe quand celui-ci est à l'infinitif : *Elle avoue ne jamais lire.*

**Ne** peut être **absent** dans les phrases **non verbales** *(pas de fromage ?)* et dans la langue **orale** et **familière** *(tu devrais pas dire ça)*.

**Ne** peut être employé **seul** dans des **expressions figées** *(qu'à cela ne tienne)* et dans certaines **subordonnées de condition** *(si je ne me trompe ; si je ne m'abuse)*.

➥ Attention à ne pas oublier l'adverbe ***ne*** après le pronom ***on*** dans une phrase négative à l'écrit : *On n'a pas vu ta cousine.*

Il arrive que ***ne*** soit employé dans certaines propositions **subordonnées affirmatives.** Il n'a alors ni valeur négative ni grammaticale. Cet élément, appelé ***ne* explétif,** est souvent **facultatif** et non exprimé dans la langue parlée. Il s'emploie généralement :

- après les verbes de **crainte** employés à la forme négative *(je crains qu'il ne soit trop tard)* et après **de crainte que** et **de peur que** ;

- après les verbes d'**empêchement**, de **précaution**, de **défense** *(évitez qu'il ne parte)* ;
- après les verbes de **doute** employés à la forme négative *(je ne doute pas qu'ils ne soient heureux ensemble)* ;
- dans les **propositions comparatives** après *plus, moins, mieux, autre, autrement, meilleur, moindre, pire, plutôt (il est plus jeune qu'il n'y paraît)* ;
- après **avant que, à moins que, sans que** *(à moins qu'elle ne te l'ait demandé, ne touche plus à rien !)*.

## Les types de phrase

Lorsqu'on parle à quelqu'un, on peut le faire dans l'intention de l'**informer**, de l'**interroger**, de lui **ordonner** ou de lui **conseiller** quelque chose. On peut aussi exprimer l'**émotion** que l'on ressent au moment où l'on parle (colère, étonnement, joie, déception, etc.). La phrase appartient donc à un type différent en fonction de l'intention de celui qui parle et de l'effet qu'il cherche à produire sur son interlocuteur.

Il existe **quatre types** de phrase : déclarative, interrogative, injonctive et exclamative.

### ♦ Le type déclaratif

On l'utilise pour donner un **renseignement**, une **information.** La phrase déclarative présente le plus souvent la construction **sujet/verbe/compléments** et se termine par un point. Le verbe est généralement au mode **indicatif :** *Mon frère travaille à Toulouse.*

### ♦ Le type interrogatif

Il sert à poser une **question.** On l'utilise donc généralement en vue d'obtenir une confirmation ou une information et il appelle une réponse.

La phrase interrogative est marquée par un **point d'interrogation :** *Viendrez-vous ? À quelle heure viendra-t-il ?*

Il existe **deux sortes** d'interrogation : totale ou partielle.

L'**interrogation totale** appelle une réponse par **oui** ou par **non.** Elle équivaut à la reprise de la question à la forme affirmative ou négative : *Êtes-vous bien arrivés ? → Oui, nous sommes bien arrivés./Non, nous ne sommes pas bien arrivés.*

Elle se construit de trois manières :
- en ajoutant un **point d'interrogation** à la phrase déclarative *(vous voulez quelque chose ?)* ;
- dans la langue parlée, avec l'expression **est-ce que** *(est-ce que vous voulez quelque chose ?)* ;
- dans la langue parlée soutenue et à l'écrit, **en inversant le sujet** qui se trouve derrière le verbe *(voulez-vous quelque chose ?)*.

L'**interrogation partielle** porte sur un constituant de la phrase, soit :
- le sujet *(qui veut venir avec moi ?)* ;
- un complément essentiel *(qu'attends-tu pour rentrer ?)* ;
- un complément circonstanciel *(comment as-tu appris la nouvelle ?)*.

Elle se construit à l'aide de **mots interrogatifs** placés en tête de phrase :
- les pronoms *qui, lequel, à/de quoi (qui est là ?)* ;
- le déterminant *quel (quelle saison préfères-tu ?)* ;
- un adverbe *(comment vas-tu ?)*.

### ♦ Le type injonctif

On l'utilise pour donner un **ordre**, un **conseil**, exprimer une **défense** à son interlocuteur : *Ne regarde pas en bas !*

La phrase injonctive se termine par un **point** ou un **point d'exclamation.** Il peut s'agir d'une phrase **verbale** *(taisez-vous !)* ou **non verbale** *(silence !)*.

Son verbe se conjugue aux **modes :**

- indicatif *(tu fermeras la porte en partant)* ;
- impératif *(claque la porte en partant)* ;
- subjonctif *(qu'il s'en aille !)* ;
- infinitif *(ne pas claquer les portes)*.

### ♦ Le type exclamatif

On l'emploie pour transmettre un **sentiment** ou une **émotion** à son interlocuteur : *Ils ont gagné !*

La phrase exclamative se termine par un **point d'exclamation.**

Elle peut se construire comme :

- la phrase déclarative *(votre maison est magnifique !)* ;
- la phrase interrogative *(veux-tu me répondre !)* ;
- la phrase injonctive *(arrêtez de gémir !)*.

Elle est marquée au moyen de certains mots comme :

- les adverbes **comme** et **que** *(qu'elle est intelligente ! comme tu as de la chance !)* ;
- des **interjections**, des **présentatifs**, des **déterminants** *(aïe, tu m'as fait mal ! voilà le travail ! quelle atrocité ! la menteuse !)*.

➥ La phrase exclamative se présente souvent sous la forme d'une phrase **incomplète** ou **nominale :** *Si j'avais su ! Quel spectacle !*

## Voix active et voix passive

Dans une phrase à la **voix active**, le sujet **effectue l'action** exprimée par **le verbe :** *Le chat mange la souris.* Dans une phrase à la **voix passive**, le sujet **subit l'action** exprimée par le verbe : *La souris est mangée par le chat.*

Le COD de la phrase à la voix active *(la souris)* devient donc le sujet de la phrase à la voix passive tandis que le sujet *(le chat)* devient le complément d'agent. De plus, le verbe prend une **forme composée** avec l'auxiliaire *être* *(mange → est mangée)*.

# ORTHOGRAPHE

## LE PLURIEL

### Le pluriel du nom

#### ♦ Le nom simple

En règle générale, on forme le pluriel en ajoutant un *s*.

Il existe un certain nombre de cas particuliers :

| terminaison du singulier | terminaison du pluriel | exceptions |
|---|---|---|
| **-au, -eau, -eu** | **-aux, -eaux, -eux :**<br>*tuyaux, châteaux, jeux*, etc. | **-aus, -eus :**<br>*landaus, bleus, pneus* |
| **-al** | **-aux :**<br>*canaux, chevaux, journaux*, etc. | **-als :**<br>*bals, carnavals, chacals, festivals, récitals, régals* |
| **-ail** | **-ails :**<br>*chandails, cocktails, portails, rails*, etc. | **-aux :**<br>*baux, coraux, émaux, soupiraux, travaux, vantaux, vitraux* |
| **-ou** | **-ous :**<br>*cous, fous, gnous, nounous, sous*, etc. | **-oux :**<br>*bijoux, cailloux, choux, genoux, hiboux, joujoux, poux* |

#### ♦ Le nom composé

La marque du pluriel s'ajoute aux éléments des noms composés en fonction de leur **classe** d'origine.

Les **adjectifs** et les **noms** prennent la marque du pluriel : *mes petits-enfants, des coffres-forts, des portes-fenêtres* (*porte* est ici un nom).

➥ Lorsque les deux éléments sont des noms et que le second est un **complément**, celui-ci reste invariable, qu'il soit introduit ou non par une préposition : *des pommes de terre, des pots de chambre, des arcs-en-ciel, des timbres-poste* (= des timbres de la Poste).

Les **prépositions**, les **adverbes** et les **verbes** restent invariables : *des contre-allées, des haut-parleurs, des porte-bébés* (*porte* est ici une forme du verbe *porter*).

Les **éléments savants** ne varient pas : *des micro-ordinateurs.*

### Le pluriel de l'adjectif

En règle générale, on forme le pluriel en ajoutant un *s* : *un grand arbre* → *de grands arbres.* Si l'adjectif est déjà terminé par un *s* ou un *x*, il ne change pas au pluriel : *des immeubles bas ; des enfants heureux.*

Les adjectifs en **-al** font leur pluriel en *-aux (original* → *originaux)*, hormis quelques exceptions : *bancals, fatals, natals, navals, tonals...*

↬ Certains adjectifs en *-al* acceptent le pluriel en *-al* ou en *-aux* : *austral* → *australs* ou *austraux*.

Parmi les trois adjectifs en **-eu**, *bleu* et *feu* prennent un *s (des yeux bleus ; mes feus parents)* tandis que *hébreu* prend un *x (des textes hébreux)*.

➤ Pour l'adjectif composé, voir ci-après les cas d'invariabilité dans **L'accord de l'adjectif qualificatif.**

# LES RÈGLES D'ACCORD

## L'accord de l'adjectif qualificatif

### ♦ Généralités

L'adjectif qualificatif s'accorde en **genre** et en **nombre** avec le nom ou le pronom qu'il qualifie, quelle que soit sa fonction : *C'est une artiste prodigieuse. Ils sont charmants. Je trouve les mariés très beaux. Gênée, elle s'est esquivée rapidement.*

### ♦ Cas particuliers de l'adjectif attribut

Lorsqu'il est attribut du pronom personnel ***on***, l'adjectif **s'accorde** :

- au **masculin singulier**, lorsqu'il désigne une ou plusieurs personnes *(on est grand dans la famille)* ;
- au **masculin** ou au **féminin pluriel** selon le cas lorsqu'il équivaut à *nous (on est courageuses, on ne va pas se laisser abattre)*.

Lorsqu'il est attribut du pronom **ce**, l'adjectif **s'accorde au masculin singulier** : *Attention aux légumes, c'est très chaud.*

Lorsqu'il est attribut de **vous**, pluriel de politesse, l'adjectif reste au **singulier** : *Léa, vous seriez gentille de m'accompagner.*

Lorsqu'il est construit avec **avoir l'air**, l'adjectif attribut s'accorde obligatoirement avec le sujet lorsque c'est un nom de **chose** : *La route a l'air mauvaise.* Lorsque le sujet désigne une **personne**, l'adjectif peut s'accorder avec le sujet *(elle a l'air douce)* ou avec *air* si l'on veut insister sur l'expression du visage *(elle a l'air soucieux)*. Si l'adjectif est suivi d'un complément, il reste au masculin singulier : *Elles ont l'air sérieux des adultes.*

### ♦ L'adjectif composé

Dans la plupart des cas, les deux éléments **s'accordent** en **genre** et en **nombre** : *deux jeunes sourds-muets ; du poulet à la sauce aigre-douce.*

Le **premier** des deux adjectifs reste parfois **invariable**, notamment quand il est employé comme adverbe, comme dans *grand-ducal, extrême-oriental, bas breton, haut allemand, franc-maçonnique, nouveau-né, mort-né,* etc. : *la langue haut allemande ; des symboles franc-maçonniques.*

↬ Quelques adjectifs employés comme adverbes devant un autre adjectif **s'accordent** en **genre** et en **nombre** :

- *nouveau* employé devant les participes passés autres que *né (nouveaux arrivés, nouvelles venues)* ;
- *premier* et *dernier* composés avec le participe passé *né (première-née, derniers-nés)* ;
- *grand* dans *des yeux grands ouverts* et *des fenêtres grandes ouvertes* ;
- *tout* dans *tout-puissant,* au féminin seulement *(des volontés toutes-puissantes)*.

Dans les adjectifs composés d'un **préfixe** (terminé par *-o* ou *-i*) et d'un **adjectif**, c'est l'adjectif qui s'accorde en genre et en nombre, le préfixe restant invariable : *des traditions sacro-saintes ; des œuvres tragi-comiques.*

### ♦ Les adjectifs invariables

Un certain nombre d'adjectifs ne s'accordent pas.

- Les **adjectifs de couleur** dérivés d'un nom (*chocolat, mandarine, marron, orange, saumon,* etc.) : *Il ne met que des chaussures marron.*
  - ➥ ***Mauve, rose, pourpre, fauve, incarnat*** et ***écarlate***, bien que dérivés d'un nom, s'accordent en nombre : *des rideaux pourpres ; elles sont devenues écarlates.*
- Les **adjectifs de couleur** déterminés par un autre adjectif ou un nom : *des rideaux vert foncé ; des nappes bleu lavande ; des jupes bleu-gris.*
- Les adjectifs ***plein*** et ***sauf*** lorsqu'ils sont employés comme **prépositions :** *Elle a de l'argent plein les poches. Sa mère, sauf erreur, s'appelle Catherine.*
  - ➥ Lorsque *plein* et *sauf* sont placés **derrière** le nom auquel ils se rapportent, ils sont adjectifs et **s'accordent** avec le nom qu'ils qualifient : *Elle est arrivée les mains pleines de cadeaux. Elles sont rentrées saines et sauves.*
- Des adjectifs comme *bas, bon, cher, clair, court, droit, dur, ferme, fort, franc, haut, juste, net,* etc. **employés comme adverbes** après certains verbes : *Elle parle trop bas. La vie coûte cher. Il a gagné haut la main.*
- Les adjectifs ***demi, semi, mi*** et ***nu*** employés dans des mots composés : *Ils ont déclaré une demi-part. Il était dans une semi-conscience. Je l'ai reconnu à mi-distance. Elle est nu-tête.*
  - ➥ Lorsque ***nu*** est placé **derrière** le nom auquel il se rapporte, il **s'accorde** en **genre** et en **nombre :** *Elle était pieds nus.*
  - ➥ Lorsque ***demi*** est placé **derrière** le nom auquel il se rapporte, il **s'accorde** en **genre** uniquement : *Il a attendu deux heures et demie.*
- L'adjectif ***feu*** signifiant « défunt », lorsqu'il est placé **devant** le groupe nominal : *feu mes grands-parents.*
  - ➥ Lorsque **feu** s'intercale entre le nom et son déterminant, il **s'accorde** en **genre** et en **nombre :** *mes feus grands-parents.*
- L'adjectif ***possible***, lorsqu'il renforce les adverbes ***le moins*** et ***le plus* :** *Il faut convaincre le plus de personnes possible.*

## L'accord du participe passé employé seul

Le participe passé employé seul obéit aux règles de l'accord de l'adjectif qualificatif. Il **s'accorde** en **genre** et en **nombre** avec le nom ou le pronom auquel il se rapporte : *une grande porte fermée.*

Il existe quelques cas particuliers.

***Attendu, (non/y) compris, entendu, excepté, ôté, passé, supposé, vu*** placés devant le nom s'emploient comme des prépositions et restent invariables : *Tout est compris, excepté la boisson. Passé six heures, le magasin sera fermé.*

- ➥ Ces participes **s'accordent** quand ils sont placés **derrière** le nom : *Tout est compris, la boisson exceptée. Il est six heures passées.*

***Étant donné*** et ***mis à part*** peuvent être accordés ou non, qu'ils soient placés devant ou derrière le nom : *Mis(es) à part de petites rentes annuelles, il n'a aucun revenu.*

***Ci-annexé, ci-inclus*** et ***ci-joint*** restent invariables lorsqu'ils sont employés comme adverbes. Dans ce cas, ils sont généralement placés en tête de phrase *(ci-joint les pièces à verser au dossier)* ou devant un nom sans déterminant *(vous trouverez ci-inclus copie de l'arrêté municipal).*

➥ Ces participes **s'accordent** quand ils sont employés avec la valeur d'un adjectif qualificatif. *Veuillez trouver mon CV et ma lettre de motivation ci-joints.*

***Approuvé, lu*** et ***vu*** sont toujours invariables lorsqu'ils sont employés dans des locutions comme *lu et approuvé*.

➤ Pour l'accord du participe passé aux temps composés, voir p. 809.

## L'accord du verbe

### ♦ Généralités

Le verbe **s'accorde** en **nombre** et en **personne** avec son sujet, qu'il soit exprimé ou sous-entendu : *Ils couraient, trébuchaient, tombaient puis se relevaient vaillamment.*

Lorsqu'il y a **plusieurs sujets**, le verbe se met au **pluriel** : *Camille et Pierre arriveront demain.*

Le verbe ne marque pas le **genre** du sujet, sauf au **participe passé** : *Il est parti. Elle est partie.*

Si **plusieurs personnes** grammaticales sont en présence pour un même verbe, l'usage impose un **ordre de priorité.**

- La première personne l'emporte sur la deuxième et la troisième personne. Elle impose l'accord du verbe à la **première personne du pluriel** : *Toi et moi sommes satisfaits. Pierre et moi passerons te prendre.*
- La deuxième personne l'emporte sur la troisième et impose l'accord du verbe à la **deuxième personne du pluriel** : *Pierre et toi passerez me prendre.*

### ♦ Avec un nom collectif ou une fraction

Lorsque le sujet est constitué d'un nom déterminé par un autre **nom** de sens **collectif** *(armée, foule, bande, horde, nuée, multitude, troupe, dizaine, centaine,* etc.) ou par une **fraction** *(moitié, tiers, centième,* etc.), les **deux accords** sont possibles, suivant que l'accent est mis sur l'idée de **globalité** ou de **pluralité** : *Une foule d'étudiants s'est amassée/se sont amassés sur la place. Une dizaine de projets a été financée/ont été financés. Un tiers des spectateurs est parti/sont partis.*

➥ Lorsque le nom collectif est précédé d'un **article défini**, d'un **déterminant possessif** ou **démonstratif**, le verbe se met obligatoirement au **singulier** : *Le (son, ce) troupeau de brebis est descendu de la montagne.*

➥ Si la **fraction** est **au pluriel**, le verbe se met au **pluriel** : *Les trois quarts de la population sont favorables.*

### ♦ Avec un nom exprimant une quantité

Lorsque le sujet au pluriel est déterminé par un **adverbe de quantité** *(beaucoup, combien, force, nombre de, peu, quantité de, la plupart, trop),* le verbe se met au **pluriel** : *Beaucoup de gens sont venus. La plupart des gens ont été recontactés.*

➥ **Employés seuls**, ces adverbes continuent d'entraîner un **accord au pluriel** : *Beaucoup y croient. La plupart sont encore là.*

Lorsque l'adverbe ***peu*** est précédé d'un article défini, d'un déterminant possessif ou démonstratif, le verbe se met généralement au **singulier** : *peu de gens m'ont convaincu* mais *ce peu de gens m'a convaincu.*

Lorsque le sujet est un **pronom personnel** déterminé par un **adverbe de quantité** ou un nom à sens **collectif** *(beaucoup d'entre nous, la majorité d'entre nous)*, les **deux accords** sont possibles : le verbe s'accorde soit avec *beaucoup de (beaucoup d'entre nous ont exprimé leur désaccord)*, soit avec *nous (beaucoup d'entre nous avons exprimé notre désaccord)*.

Avec **plus d'un**, l'accord se fait au **singulier** tandis qu'avec *moins de deux*, il se fait au **pluriel** : *Plus d'un jour m'a suffi. Moins de deux jours m'ont suffi.*

### ♦ Avec plusieurs sujets coordonnés ou juxtaposés

Lorsque les sujets sont coordonnés ou juxtaposés par **et**, le verbe **s'accorde** au **pluriel** : *La mer et la montagne sont des destinations touristiques.*

Lorsque les sujets sont coordonnés par ***ni***, ***ou*** ou avec les comparatifs ***comme*** et ***ainsi que***, le verbe se met au singulier ou au pluriel selon le sens.

- Si la coordination est **disjonctive** (un seul choix est possible, les termes étant exclusifs l'un de l'autre) ou qu'elle a le sens d'une **comparaison**, le verbe s'accorde au **singulier** : *Le maire ou son adjoint animera le conseil. Le brochet, comme la perche, est un poisson d'eau douce.*
- Si la coordination exprime l'idée d'un **ajout**, d'une **addition**, le verbe s'accorde au **pluriel** : *Ni l'appartement ni le chalet ne sont réservés. Le vin blanc comme le vin rouge me montent vite à la tête.*

### ♦ Avec *l'un et l'autre, ni l'un ni l'autre, l'un ou l'autre*

Lorsque le sujet est ***l'un et l'autre*** ou ***ni l'un ni l'autre***, les **deux accords** sont possibles, le pluriel étant cependant plus fréquent : *L'un et l'autre ont/a fait beaucoup pour lui. Ni l'un ni l'autre ne l'ont/a aidé.*

Lorsque le sujet est ***l'un ou l'autre***, le verbe s'accorde au **singulier** : *L'un ou l'autre me convient.*

### ♦ Avec un pronom

Lorsque le sujet est le pronom **ce** et qu'il introduit les pronoms personnels ***nous*** et ***vous***, le verbe s'accorde au **singulier** : *Qui commence, c'est nous ou c'est vous ?* Avec les pronoms ***eux*** et ***elles***, un **nom** ou un **groupe nominal pluriel**, le verbe s'accorde au **pluriel** : *Ce sont eux que je connais. Ce sont des professionnels.*

Lorsque le sujet est le pronom relatif ***qui***, le verbe s'accorde à la même personne que l'**antécédent** : *C'est moi qui m'en occuperai. C'est vous qui êtes venus hier ?*

➥ Lorsque l'antécédent est ***le seul, le premier***, etc., et qu'il est **attribut du sujet**, le verbe s'accorde soit à la même personne que le **sujet**, soit à la même personne que l'**antécédent** attribut : *Tu es la première qui m'aies/ait jamais dit ça.*

Lorsque les sujets sont **résumés** ou **annoncés** par *aucun, chacun, nul, personne, rien, tout*, le verbe s'accorde au **singulier** : *Tout, meubles, vaisselle, literie, doit être déménagé avant ce soir.*

## LES HOMONYMES

Ce sont des mots de **prononciation identique** (homophones) et de **sens différent**, qu'ils soient de même orthographe (homographes) ou non : *vert, verre, ver* et *vair* sont des homonymes homophones ; *frais* (adjectif) et *frais* (nom) sont des homonymes homographes.

Les homonymes peuvent se distinguer par :

- leur **étymologie** (*poids* vient du latin *pensum* et *pois* vient du latin *pisum ; sceau* vient du latin *sigillum* et *seau* vient du latin populaire *sitellus*) ;
- leur **genre** (*le mousse* et *la mousse*) ;
- leur **classe** grammaticale (*verre* est un nom et *vert* un adjectif).

Certains sont des **homophones grammaticaux.** On trouvera ci-dessous les plus fréquents.

## a et à

***A*** est une forme du verbe ***avoir*** à la 3e personne du présent de l'indicatif ; **à,** avec accent grave, est une **préposition** qui est toujours suivie d'un groupe nominal, d'un verbe à l'infinitif ou d'un pronom : *Il a pris le train. Elle habite à Paris.*

➥ Pour savoir s'il s'agit du verbe *avoir*, remplacer par le verbe à l'imparfait : *il avait pris le train* est possible mais pas **elle habite avait Paris.*

## est, es et et

***Est*** est la forme conjuguée du verbe **être** à la 3e personne du singulier du présent de l'indicatif ; **es** est la forme conjuguée du verbe **être** à la 2e personne du singulier du présent de l'indicatif ; **et** est une **conjonction de coordination :** *Tu es content ? Il est poli. Elle mange du riz et des épinards.*

➥ Pour savoir s'il s'agit du verbe *être*, remplacer par le verbe à l'imparfait : *tu étais content ?* et *il était poli* sont possibles mais pas **elle mange du riz était des épinards.*

## ou et où

***Ou*** est une **conjonction de coordination** ; ***où*** sert à indiquer un **lieu :** *Sais-tu où tu vas dormir ? À la maison ou chez des amis ?*

➥ Pour savoir s'il s'agit de la conjonction *ou*, remplacer par **ou bien :** *à la maison ou bien chez des amis* est possible mais pas **sais-tu ou bien tu vas dormir ?*

## quand à et quant à

***Quand*** est une **conjonction de subordination** qui indique le temps ; ***quant*,** toujours suivi de *à/au/aux*, est une **locution prépositionnelle** signifiant « en ce qui concerne » : *Quand à huit heures il n'est pas rentré, sa mère s'inquiète. Quant à lui, il arrivera demain.*

➥ Pour savoir s'il s'agit de la conjonction *quand*, remplacer par **lorsque :** *lorsqu'à huit heures il n'est pas rentré* est possible mais pas **lorsqu'à lui.*

## sa, ça et çà

**Sa** est un **déterminant possessif** qui ne se rencontre que devant un nom ; **ça** est un **pronom :** *Sa mère lui a dit : « ça ne se fait pas ! »*

- Pour savoir s'il s'agit du possessif *sa*, remplacer par le possessif de la première personne : *ma mère* est possible mais pas **ma ne se fait pas.*

➥ Ne pas confondre le pronom *ça* et l'adverbe de lieu *çà* qui ne se rencontre que dans l'expression *çà et là.*

## se et ce

**Se** est un **pronom réfléchi** employé avec un verbe ; ***ce*** est un **pronom** ou un **déterminant démonstratif** toujours suivi d'un nom : *Il se demande où il a mis ce pull qu'il aime tant.*

➥ Pour savoir s'il s'agit du démonstratif *ce*, remplacer par le démonstratif pluriel : *il a mis ces pulls* est possible mais pas **il ces demande*.

## *sont et son*

***Sont*** est la forme conjuguée du verbe **être** à la troisième personne du pluriel du présent de l'indicatif ; ***son*** est un **déterminant possessif**, toujours placé devant un nom : *Son frère et son oncle sont à Lyon.*

➥ Pour savoir s'il s'agit du possessif *son*, remplacer par le possessif de la première personne : *mon frère et mon oncle* est possible mais pas **mon à Lyon.*

# LA PONCTUATION

Elle sert à marquer le **rapport** entre les propositions, à **organiser** et **structurer** la pensée, à donner un **sens** précis à la phrase.

➥ Une phrase comme *la boulangère dit la vendeuse est absente* change de sens selon la ponctuation :

- *La boulangère dit : « La vendeuse est absente. »* → C'est la vendeuse qui est absente.
- *La boulangère, dit la vendeuse, est absente.* → C'est la boulangère qui est absente.

En outre, la ponctuation sert à marquer les **pauses** et les **inflexions** de la voix lors de la lecture.

Le **point** indique la fin d'une phrase. La voix marque une forte pause : *Il faisait nuit. Les enfants jouaient sous les lampadaires.*

La **virgule** sert à séparer les éléments de la phrase qui ont une même fonction. La voix marque une brève pause : *Luc, mon ami d'enfance, vit en Autriche.*

Le **point-virgule** sépare des phrases plus fortement que la virgule, sans les isoler. Elles sont liées plus ou moins étroitement par le sens : *Il part tous les week-ends en randonnée ; sa femme l'accompagne.*

Les **deux-points** annoncent :

- une énumération *(la Picardie comptait trois départements : l'Aisne, l'Oise et la Somme)* ;
- des paroles rapportées ou une citation *(Rousseau a écrit : « toutes nos langues sont des ouvrages de l'art »)* ;
- une explication *(mon père est allé chez le médecin : il était malade)*.

Les **points de suspension** sont utilisés pour :

- ménager un effet de surprise *(il l'attrapa par le cou... et l'embrassa)* ;
- marquer une hésitation *(il lui avoua que... qu'il était amoureux d'elle)* ;
- écourter une énumération *(elle aime les fruits rouges : les fraises, les framboises, les cerises...)*.

➥ ***Etc.*** n'est jamais suivi de points de suspension.

Le **point d'interrogation** se place à la fin d'une phrase interrogative : *Quand te décideras-tu à venir ?*

➥ Dans une **interrogation indirecte**, on utilise le point : *Je me demande quand tu te décideras à venir.*

Les **guillemets** servent à :

- encadrer une citation : *(« La raison du plus fort est toujours la meilleure » est une citation de Jean de La Fontaine)* ;

- rapporter un discours direct *(la boulangère dit : « la vendeuse est absente »)* ;
- marquer un mot impropre ou familier *(c'est un peureux, un « pétochard »)*.

Le **point d'exclamation** se place :

- à la fin d'une phrase exclamative *(qu'il est mignon, ce bébé ! ; taisez-vous !)* ;
- après une interjection *(atchoum !)*.

Les **parenthèses** servent à isoler un mot ou un groupe de mots dans une phrase : *L'hypocrisie est un défaut (et pas le moindre) qui la caractérise.*

Le **tiret** sert à :

- indiquer un changement d'interlocuteur dans un dialogue *(qu'en penses-tu ? – je suis d'accord)* ;
- remplacer les parenthèses *(les Anglais – ou, plus exactement, les Britanniques – et les Allemands)* ;
- à introduire chaque élément d'une énumération.

## LES MAJUSCULES

Les majuscules s'emploient dans différents cas.

- Au début d'une **phrase**, d'un **vers**, d'une **citation** : *Il était huit heures. Tous passèrent à table.*
- Après un **point**, un point d'exclamation, un point d'interrogation et des points de suspension lorsqu'ils terminent une phrase : *Quel bel ensemble ! Quelles belles chaussures ! Que dites-vous ? Vous allez nous quitter ?*
- Aux **noms propres** : *l'Asie, l'Aquitaine, Bordeaux, la Seine, Voltaire, Marcel Proust.*
- Aux **noms communs** employés comme noms propres : *rendez-vous devant l'Opéra ; la Renaissance.*
- Aux noms de **peuples** ou d'**habitants** *(un Français, des Catalans, les Parisiennes)*, contrairement aux adjectifs géographiques *(un plat catalan, des touristes allemands)*.
- Aux noms de **rues** : *boulevard Voltaire ; rue des Cascades.*
- Aux noms de **fêtes civiles** ou **religieuses** : *le 14 Juillet ; le premier de l'An ; le Vendredi saint ; Yom Kippour ; l'Aïd.*
- Aux titres d'**œuvres**, de **journaux**, de **revues** : *Le Rouge et le Noir* de Stendhal ; *Le Monde ; la Nouvelle Revue française.*
- Aux **points cardinaux** :
  – lorsqu'ils sont employés substantivement pour désigner une **région**, un **territoire**, une **entité géographique** *(ils ont passé leurs vacances dans le Sud ; l'Ouest américain ; les pays de l'Est)* ;
  – lorsqu'ils sont employés comme **noms propres** *(la gare du Nord)* ;
  – lorsqu'ils sont **abrégés** *(le vent souffle S.-S.-O.)*.

➥ Les points cardinaux s'écrivent avec une **minuscule** :

- lorsqu'ils indiquent une **direction**, une **orientation**, une **exposition** *(se diriger vers le nord ; Orléans est au sud-ouest de Paris ; la façade de la maison est plein sud)* ;
- lorsqu'ils sont employés **adjectivement** *(la côte ouest des États-Unis ; le Pacifique sud)* sauf dans *le pôle Nord, le pôle Sud, l'hémisphère Nord* et *l'hémisphère Sud.*

# ACCORD DU PARTICIPE PASSÉ

## avec AUXILIAIRE **AVOIR**

| | | |
|---|---|---|
| OBJET DIRECT | v. intr. | Nous avons ri (passé composé) |
| | | Il m'a prêté des outils |
| | | Les outils qu'il m'a prêtés |
| | | Vos outils, je vous les ai rendus |
| | | Cette décision, c'est lui qui l'a prise |
| | | On vous a reçue, madame |
| | | L'impression qu'il m'a faite est excellente |
| | | Une des personnes que j'ai vues |
| | | Après l'avoir vue, j'ai changé d'avis |
| | | Dès qu'il nous a eu quittés, j'ai dormi |
| | | Combien as-tu écrit de pages ? Combien de pages as-tu écrites ? |
| | | Quelle joie nous avons eue ! |
| | impers. | La patience qu'il a fallu ; la chaleur qu'il a fait |
| | double objet | La récompense que j'avais espéré qu'on lui donnerait |
| | | La personne que j'avais prévenue que nous viendrions |
| OBJET INDIRECT | | Ces histoires nous ont plu [à nous] |
| | | On vous a écrit, madame |
| ELLIPSE DE *AVOIR* | | Bien reçu ta longue lettre |
| | | Vu la loi de 1994 |
| VERBES DE MESURE | mesure | Les cinquante kilos qu'elle a pesé |
| | | Les trente ans qu'il a vécu |
| | | Les millions que cela a coûté |
| | objet | Les voitures qu'on a pesées |
| | | Les horreurs qu'il a vécues |
| | | Les efforts qu'il nous a coûtés |
| ATTRIBUT | | Ce médicament les a rendus malades |
| | | Il l'a traitée d'arriviste |
| | v. d'opinion | On les a crus (ou cru) morts |
| | | Il l'aurait souhaitée (souhaité) plus attentive |
| | | Une maison qu'on aurait dite (dit) récente |
| INFINITIF IMMÉDIAT | | On les a laissés partir |
| | | On les a laissé emmener [par qqn] |
| | | Les musiciens que j'ai entendus jouer |
| | | La musique que j'ai entendu jouer [par qqn] |
| | faire | Les paquets qu'il a fait partir |
| | (invar.) | Les paquets qu'il a fait expédier [par qqn] |
| | v. d'opinion | La lettre qu'il a dit, affirmé, nié avoir écrite |
| | | Des tableaux qu'on avait cru, estimé, être des faux |
| | ellipse du v. | J'ai fait tous les efforts que j'ai pu [faire] |
| | | Il a eu tous les honneurs qu'il a souhaité [avoir] |
| PRÉPOSITION ET INFINITIF | | Les chemises que j'ai mis (mises) à sécher |
| | | La difficulté que nous avons eu (eue) à surmonter |
| | | La difficulté que nous avons eue à le convaincre |
| AVEC LE PRONOM *L'* | | Elle était partie, comme je l'avais imaginé |
| | | Elle était encore plus belle que je ne l'avais imaginé [cela], que je ne l'avais imaginée [elle] |
| EMPLOYÉ AVEC *EN* | OBJET DIRECT | Des pays, j'en ai vu ; j'en ai vu des pays ! |
| | | Des fautes, s'il en a commis |
| | quantité | J'ai donné des conseils plus que je n'en ai reçu (ou reçus) |
| | | Des pays, j'en ai tant vu (ou vus) |
| | OBJET INDIRECT | Des pages, combien en as-tu écrit (ou écrites) ? |
| | | Il gardait les cadeaux qu'il en avait reçus [de sa femme] |

# ACCORD DU PARTICIPE PASSÉ

## avec AUXILIAIRE **ÊTRE**

### VERBES NON PRONOMINAUX

| | |
|---|---|
| v. intr. | Nous sommes partis |
| p. p. adj. | Nous sommes (on est) séparés et mécontents<br>Nous lui sommes attachés et reconnaissants |
| passif | Elles ont été félicitées ; ayant été félicitées<br>Bientôt nous sera confiée une mission |
| ellipse du v. | Inventée ou pas, son histoire est crédible<br>Sa mission terminée, il revint<br>Fini (ou finis), les soucis ! [c'est fini ou ils sont finis]<br>Sept ôté de dix [le nombre sept] |

### VERBES PRONOMINAUX

| | | | |
|---|---|---|---|
| ESSENTIELS | | | Elle s'est enfuie. Elles se sont tues. Elle s'y est mal prise.<br>Ils se sont emparés de l'objet ; ils s'en sont emparés |
| ACCIDENTELS | OBJET DIRECT | réfl. | Elle s'est brûlée [brûler qqn]<br>Elle s'est crue malade, elle s'est crue arrivée<br>Elle s'est mise à chanter, à nous taquiner<br>Autrefois s'est produite une chose analogue<br>Ils se sont aperçus de leur erreur, ils s'en sont aperçus<br>Elle s'est persuadée qu'on la trompait |
| | | récipr. | Ils se sont rencontrés au théâtre<br>On s'est bien connus, lui et moi |
| | | passif | Ces modèles se sont bien vendus |
| | | (impers.) | Il s'est vendu mille exemplaires du livre |
| | OBJET INDIRECT | réfl. | Elle s'est plu, déplu, complu dans cette situation [plaire à qqn]<br>Elle s'est plu à les contredire<br>Ils se sont cru (ou crus) obligés d'attendre<br>Elle s'est brûlé la main<br>Elle s'est permis certaines choses ; les choses qu'elle s'est permises<br>Elles se sont donné des objectifs ; elles s'en sont donné<br>Elle s'est imaginé qu'on la trompait |
| | | récipr. | Ils se sont parlé et ils se sont plu<br>Ils se sont succédé et ils se sont nui<br>Ils se sont écrit des lettres ; les lettres qu'ils se sont écrites ; des lettres, ils s'en sont écrit |
| AVEC L'INFINITIF IMMÉDIAT | OBJET DIRECT | | Ils se sont laissés mourir [ils meurent]<br>Ils se sont vus vieillir |
| | OBJET INDIRECT | | Ils se sont laissé convaincre, faire [on les convainc]<br>Elles se sont vu infliger une amende |
| *SE FAIRE* | | attribut | Elles se sont faites plus aimables<br>Elles se sont fait belles (se faire beau : loc. verbale) |
| | | récipr. | Ils se sont fait des farces |
| | | réfl. | Elle s'est fait des idées ; les idées qu'elle s'est faites |
| | | inf. | Nous nous sommes fait prendre, avoir<br>Elle s'est fait raccompagner par Paul<br>Ils se sont fait faire le même costume |

Pour l'accord du participe passé employé seul, voir p. 855.

## INDICATIF

**Présent**
je chante
tu chantes
il/elle chante
nous chantons
vous chantez
ils/elles chantent

**Passé composé**
j'ai chanté
tu as chanté
il/elle a chanté
nous avons chanté
vous avez chanté
ils/elles ont chanté

**Imparfait**
je chantais
tu chantais
il/elle chantait
nous chantions
vous chantiez
ils/elles chantaient

**Plus-que-parfait**
j'avais chanté
tu avais chanté
il/elle avait chanté
nous avions chanté
vous aviez chanté
ils/elles avaient chanté

**Passé simple**
je chantai
tu chantas
il/elle chanta
nous chantâmes
vous chantâtes
ils/elles chantèrent

**Passé antérieur**
j'eus chanté
tu eus chanté
il/elle eut chanté
nous eûmes chanté
vous eûtes chanté
ils/elles eurent chanté

**Futur simple**
je chanterai
tu chanteras
il/elle chantera
nous chanterons
vous chanterez
ils/elles chanteront

**Futur antérieur**
j'aurai chanté
tu auras chanté
il/elle aura chanté
nous aurons chanté
vous aurez chanté
ils/elles auront chanté

## SUBJONCTIF

**Présent**
que je chante
que tu chantes
qu'il/elle chante
que nous chantions
que vous chantiez
qu'ils/elles chantent

**Imparfait**
que je chantasse
que tu chantasses
qu'il/elle chantât
que nous chantassions
que vous chantassiez
qu'ils/elles chantassent

**Passé**
que j'aie chanté
que tu aies chanté
qu'il/elle ait chanté
que nous ayons chanté
que vous ayez chanté
qu'ils/elles aient chanté

**Plus-que-parfait**
que j'eusse chanté
que tu eusses chanté
qu'il/elle eût chanté
que nous eussions chanté
que vous eussiez chanté
qu'ils/elles eussent chanté

## CONDITIONNEL

**Présent**
je chanterais
tu chanterais
il/elle chanterait
nous chanterions
vous chanteriez
ils/elles chanteraient

**Passé 1re forme**
j'aurais chanté
tu aurais chanté
il/elle aurait chanté
nous aurions chanté
vous auriez chanté
ils/elles auraient chanté

**Passé 2e forme**
j'eusse chanté
tu eusses chanté
il/elle eût chanté
nous eussions chanté
vous eussiez chanté
ils/elles eussent chanté

## IMPÉRATIF

**Présent** chante
chantons
chantez

**Passé** aie chanté
ayons chanté
ayez chanté

## INFINITIF

**Présent** chanter

**Passé** avoir chanté

## PARTICIPE

**Présent** chantant

**Passé** chanté / chantée
chantés / chantées

**Passé composé** ayant chanté

**REMARQUES** : Cette série comprend la plupart des verbes en **-er** du 1er groupe. La plupart des verbes nouveaux sont formés sur ce modèle.
• Ne pas oublier le **i** des 1re et 2e personnes du pluriel de l'imparfait de l'indicatif et du présent du subjonctif des verbes en **-iller** (ex. *mouiller : nous mouillions, vous mouilliez)*, des verbes en **-gner** (ex. *signer : nous signions, vous signiez)* et des verbes en **-eyer** (ex. *grasseyer : nous grasseyions, vous grasseyiez)*.

## INDICATIF

| Présent | Passé composé |
|---|---|
| je navigue | j'ai navigué |
| tu navigues | tu as navigué |
| il/elle navigue | il/elle a navigué |
| nous naviguons | nous avons navigué |
| vous naviguez | vous avez navigué |
| ils/elles naviguent | ils/elles ont navigué |

| Imparfait | Plus-que-parfait |
|---|---|
| je naviguais | j'avais navigué |
| tu naviguais | tu avais navigué |
| il/elle naviguait | il/elle avait navigué |
| nous naviguions | nous avions navigué |
| vous naviguiez | vous aviez navigué |
| ils/elles naviguaient | ils/elles avaient navigué |

| Passé simple | Passé antérieur |
|---|---|
| je naviguai | j'eus navigué |
| tu naviguas | tu eus navigué |
| il/elle navigua | il/elle eut navigué |
| nous naviguâmes | nous eûmes navigué |
| vous naviguâtes | vous eûtes navigué |
| ils/elles naviguèrent | ils/elles eurent navigué |

| Futur simple | Futur antérieur |
|---|---|
| je naviguerai | j'aurai navigué |
| tu navigueras | tu auras navigué |
| il/elle naviguera | il/elle aura navigué |
| nous naviguerons | nous aurons navigué |
| vous naviguerez | vous aurez navigué |
| ils/elles navigueront | ils/elles auront navigué |

## SUBJONCTIF

| Présent |
|---|
| que je navigue |
| que tu navigues |
| qu'il/elle navigue |
| que nous naviguions |
| que vous naviguiez |
| qu'ils/elles naviguent |

| Imparfait |
|---|
| que je naviguasse |
| que tu naviguasses |
| qu'il/elle naviguât |
| que nous naviguassions |
| que vous naviguassiez |
| qu'ils/elles naviguassent |

| Passé |
|---|
| que j'aie navigué |
| que tu aies navigué |
| qu'il/elle ait navigué |
| que nous ayons navigué |
| que vous ayez navigué |
| qu'ils/elles aient navigué |

| Plus-que-parfait |
|---|
| que j'eusse navigué |
| que tu eusses navigué |
| qu'il/elle eût navigué |
| que nous eussions navigué |
| que vous eussiez navigué |
| qu'ils/elles eussent navigué |

## CONDITIONNEL

| Présent | Passé 1^re forme | Passé 2^e forme |
|---|---|---|
| je naviguerais | j'aurais navigué | j'eusse navigué |
| tu naviguerais | tu aurais navigué | tu eusses navigué |
| il/elle naviguerait | il/elle aurait navigué | il/elle eût navigué |
| nous naviguerions | nous aurions navigué | nous eussions navigué |
| vous navigueriez | vous auriez navigué | vous eussiez navigué |
| ils/elles navigueraient | ils/elles auraient navigué | ils/elles eussent navigué |

## IMPÉRATIF

**Présent** navigue
naviguons
naviguez

**Passé** aie navigué
ayons navigué
ayez navigué

## INFINITIF

**Présent** naviguer

**Passé** avoir navigué

## PARTICIPE

**Présent** naviguant

**Passé** navigué

**Passé composé** ayant navigué

**REMARQUES** : On garde le **u** après le **g** même devant **a** et **o** *(naviguant)*.
• Les verbes en **-éguer** (ex. *léguer*) se conjuguent comme **céder** avec la particularité des verbes en **-guer**, c'est-à-dire avec le **u** après le **g**.

## INDICATIF

| Présent | Passé composé |
| --- | --- |
| je finis | j'ai fini |
| tu finis | tu as fini |
| il/elle finit | il/elle a fini |
| nous finissons | nous avons fini |
| vous finissez | vous avez fini |
| ils/elles finissent | ils/elles ont fini |

| Imparfait | Plus-que-parfait |
| --- | --- |
| je finissais | j'avais fini |
| tu finissais | tu avais fini |
| il/elle finissait | il/elle avait fini |
| nous finissions | nous avions fini |
| vous finissiez | vous aviez fini |
| ils/elles finissaient | ils/elles avaient fini |

| Passé simple | Passé antérieur |
| --- | --- |
| je finis | j'eus fini |
| tu finis | tu eus fini |
| il/elle finit | il/elle eut fini |
| nous finîmes | nous eûmes fini |
| vous finîtes | vous eûtes fini |
| ils/elles finirent | ils/elles eurent fini |

| Futur simple | Futur antérieur |
| --- | --- |
| je finirai | j'aurai fini |
| tu finiras | tu auras fini |
| il/elle finira | il/elle aura fini |
| nous finirons | nous aurons fini |
| vous finirez | vous aurez fini |
| ils/elles finiront | ils/elles auront fini |

## SUBJONCTIF

**Présent**

que je finisse
que tu finisses
qu'il/elle finisse
que nous finissions
que vous finissiez
qu'ils/elles finissent

**Imparfait**

que je finisse
que tu finisses
qu'il/elle finît
que nous finissions
que vous finissiez
qu'ils/elles finissent

**Passé**

que j'aie fini
que tu aies fini
qu'il/elle ait fini
que nous ayons fini
que vous ayez fini
qu'ils/elles aient fini

**Plus-que-parfait**

que j'eusse fini
que tu eusses fini
qu'il/elle eût fini
que nous eussions fini
que vous eussiez fini
qu'ils/elles eussent fini

## CONDITIONNEL

| Présent | Passé 1ʳᵉ forme | Passé 2ᵉ forme |
| --- | --- | --- |
| je finirais | j'aurais fini | j'eusse fini |
| tu finirais | tu aurais fini | tu eusses fini |
| il/elle finirait | il/elle aurait fini | il/elle eût fini |
| nous finirions | nous aurions fini | nous eussions fini |
| vous finiriez | vous auriez fini | vous eussiez fini |
| ils/elles finiraient | ils/elles auraient fini | ils/elles eussent fini |

## IMPÉRATIF

**Présent** finis
finissons
finissez

**Passé** aie fini
ayons fini
ayez fini

## INFINITIF

**Présent** finir

**Passé** avoir fini

## PARTICIPE

**Présent** finissant

**Passé** fini / finie
finis / finies

**Passé composé** ayant fini

**REMARQUES** : Cette série comprend les verbes en **-ir** du 2ᵉ groupe.
• *Bénir* a pour participes passés *béni, ie (une région bénie des dieux)* et *bénit, ite (de l'eau bénite)*.
• *Maudire* se conjugue comme **finir** sauf à l'infinitif et au participe passé *(maudit, ite)*.
• Le verbe *faillir* au sens vieilli de « faire faillite » se conjugue comme **finir** et non comme *assaillir*.

## INDICATIF

### Présent
je place
tu places
il/elle place
nous plaçons
vous placez
ils/elles placent

### Passé composé
j'ai placé
tu as placé
il/elle a placé
nous avons placé
vous avez placé
ils/elles ont placé

### Imparfait
je plaçais
tu plaçais
il/elle plaçait
nous placions
vous placiez
ils/elles plaçaient

### Plus-que-parfait
j'avais placé
tu avais placé
il/elle avait placé
nous avions placé
vous aviez placé
ils/elles avaient placé

### Passé simple
je plaçai
tu plaças
il/elle plaça
nous plaçâmes
vous plaçâtes
ils/elles placèrent

### Passé antérieur
j'eus placé
tu eus placé
il/elle eut placé
nous eûmes placé
vous eûtes placé
ils/elles eurent placé

### Futur simple
je placerai
tu placeras
il/elle placera
nous placerons
vous placerez
ils/elles placeront

### Futur antérieur
j'aurai placé
tu auras placé
il/elle aura placé
nous aurons placé
vous aurez placé
ils/elles auront placé

## SUBJONCTIF

### Présent
que je place
que tu places
qu'il/elle place
que nous placions
que vous placiez
qu'ils/elles placent

### Imparfait
que je plaçasse
que tu plaçasses
qu'il/elle plaçât
que nous plaçassions
que vous plaçassiez
qu'ils/elles plaçassent

### Passé
que j'aie placé
que tu aies placé
qu'il/elle ait placé
que nous ayons placé
que vous ayez placé
qu'ils/elles aient placé

### Plus-que-parfait
que j'eusse placé
que tu eusses placé
qu'il/elle eût placé
que nous eussions placé
que vous eussiez placé
qu'ils/elles eussent placé

## CONDITIONNEL

### Présent
je placerais
tu placerais
il/elle placerait
nous placerions
vous placeriez
ils/elles placeraient

### Passé 1re forme
j'aurais placé
tu aurais placé
il/elle aurait placé
nous aurions placé
vous auriez placé
ils/elles auraient placé

### Passé 2e forme
j'eusse placé
tu eusses placé
il/elle eût placé
nous eussions placé
vous eussiez placé
ils/elles eussent placé

## IMPÉRATIF

**Présent** place
plaçons
placez

**Passé** aie placé
ayons placé
ayez placé

## INFINITIF

**Présent** placer

**Passé** avoir placé

## PARTICIPE

**Présent** plaçant

**Passé** placé / placée
placés / placées

**Passé composé** ayant placé

**REMARQUES :** Les verbes en **-cer** présentent l'alternance **c/ç** devant **a** et **o**, pour maintenir la prononciation [s].
• Les verbes en **-ecer** (ex. *dépecer*) se conjuguent comme **placer** et **peler**, c'est-à-dire qu'ils présentent à la fois l'alternance **c/ç** devant **a** et **o** et l'alternance **e/è** devant un **e** muet.
• Les verbes en **-écer** (ex. *rapiécer*) se conjuguent comme **placer** et **céder**, c'est-à-dire qu'ils présentent à la fois l'alternance **c/ç** devant **a** et **o** et l'alternance **é/è** devant un **e** muet.

## INDICATIF

**Présent**
je bouge
tu bouges
il/elle bouge
nous bougeons
vous bougez
ils/elles bougent

**Passé composé**
j'ai bougé
tu as bougé
il/elle a bougé
nous avons bougé
vous avez bougé
ils/elles ont bougé

**Imparfait**
je bougeais
tu bougeais
il/elle bougeait
nous bougions
vous bougiez
ils/elles bougeaient

**Plus-que-parfait**
j'avais bougé
tu avais bougé
il/elle avait bougé
nous avions bougé
vous aviez bougé
ils/elles avaient bougé

**Passé simple**
je bougeai
tu bougeas
il/elle bougea
nous bougeâmes
vous bougeâtes
ils/elles bougèrent

**Passé antérieur**
j'eus bougé
tu eus bougé
il/elle eut bougé
nous eûmes bougé
vous eûtes bougé
ils/elles eurent bougé

**Futur simple**
je bougerai
tu bougeras
il/elle bougera
nous bougerons
vous bougerez
ils/elles bougeront

**Futur antérieur**
j'aurai bougé
tu auras bougé
il/elle aura bougé
nous aurons bougé
vous aurez bougé
ils/elles auront bougé

## SUBJONCTIF

**Présent**
que je bouge
que tu bouges
qu'il/elle bouge
que nous bougions
que vous bougiez
qu'ils/elles bougent

**Imparfait**
que je bougeasse
que tu bougeasses
qu'il/elle bougeât
que nous bougeassions
que vous bougeassiez
qu'ils/elles bougeassent

**Passé**
que j'aie bougé
que tu aies bougé
qu'il/elle ait bougé
que nous ayons bougé
que vous ayez bougé
qu'ils/elles aient bougé

**Plus-que-parfait**
que j'eusse bougé
que tu eusses bougé
qu'il/elle eût bougé
que nous eussions bougé
que vous eussiez bougé
qu'ils/elles eussent bougé

## CONDITIONNEL

**Présent**
je bougerais
tu bougerais
il/elle bougerait
nous bougerions
vous bougeriez
ils/elles bougeraient

**Passé 1re forme**
j'aurais bougé
tu aurais bougé
il/elle aurait bougé
nous aurions bougé
vous auriez bougé
ils/elles auraient bougé

**Passé 2e forme**
j'eusse bougé
tu eusses bougé
il/elle eût bougé
nous eussions bougé
vous eussiez bougé
ils/elles eussent bougé

## IMPÉRATIF

**Présent** bouge
bougeons
bougez

**Passé** aie bougé
ayons bougé
ayez bougé

## INFINITIF

**Présent** bouger

**Passé** avoir bougé

## PARTICIPE

**Présent** bougeant

**Passé** bougé / bougée
bougés / bougées

**Passé composé** ayant bougé

**REMARQUES** : Les verbes en **-ger** présentent l'alternance **g/ge** devant **a** et **o**, pour maintenir la prononciation [ʒ].
• Les verbes en **-éger** (ex. *protéger*) se conjuguent comme **bouger** et **céder**, c'est-à-dire qu'ils présentent à la fois l'alternance **g/ge** et l'alternance **é/è**.

## INDICATIF

| Présent | Passé composé |
|---|---|
| j'appelle | j'ai appelé |
| tu appelles | tu as appelé |
| il/elle appelle | il/elle a appelé |
| nous appelons | nous avons appelé |
| vous appelez | vous avez appelé |
| ils/elles appellent | ils/elles ont appelé |

| Imparfait | Plus-que-parfait |
|---|---|
| j'appelais | j'avais appelé |
| tu appelais | tu avais appelé |
| il/elle appelait | il/elle avait appelé |
| nous appelions | nous avions appelé |
| vous appeliez | vous aviez appelé |
| ils/elles appelaient | ils/elles avaient appelé |

| Passé simple | Passé antérieur |
|---|---|
| j'appelai | j'eus appelé |
| tu appelas | tu eus appelé |
| il/elle appela | il/elle eut appelé |
| nous appelâmes | nous eûmes appelé |
| vous appelâtes | vous eûtes appelé |
| ils/elles appelèrent | ils/elles eurent appelé |

| Futur simple | Futur antérieur |
|---|---|
| j'appellerai | j'aurai appelé |
| tu appelleras | tu auras appelé |
| il/elle appellera | il/elle aura appelé |
| nous appellerons | nous aurons appelé |
| vous appellerez | vous aurez appelé |
| ils/elles appelleront | ils/elles auront appelé |

## SUBJONCTIF

| Présent | Imparfait |
|---|---|
| que j'appelle | que j'appelasse |
| que tu appelles | que tu appelasses |
| qu'il/elle appelle | qu'il/elle appelât |
| que nous appelions | que nous appelassions |
| que vous appeliez | que vous appelassiez |
| qu'ils/elles appellent | qu'ils/elles appelassent |

| Passé | Plus-que-parfait |
|---|---|
| que j'aie appelé | que j'eusse appelé |
| que tu aies appelé | que tu eusses appelé |
| qu'il/elle ait appelé | qu'il/elle eût appelé |
| que nous ayons appelé | que nous eussions appelé |
| que vous ayez appelé | que vous eussiez appelé |
| qu'ils/elles aient appelé | qu'ils/elles eussent appelé |

## CONDITIONNEL

| Présent | Passé 1^re forme | Passé 2^e forme |
|---|---|---|
| j'appellerais | j'aurais appelé | j'eusse appelé |
| tu appellerais | tu aurais appelé | tu eusses appelé |
| il/elle appellerait | il/elle aurait appelé | il/elle eût appelé |
| nous appellerions | nous aurions appelé | nous eussions appelé |
| vous appelleriez | vous auriez appelé | vous eussiez appelé |
| ils/elles appelleraient | ils/elles auraient appelé | ils/elles eussent appelé |

## IMPÉRATIF

**Présent** appelle
appelons
appelez

**Passé** aie appelé
ayons appelé
ayez appelé

## INFINITIF

**Présent** appeler

**Passé** avoir appelé

## PARTICIPE

**Présent** appelant

**Passé** appelé / appelée
appelés / appelées

**Passé composé** ayant appelé

**REMARQUES** : La plupart des verbes en **-eler** doublent le **l** devant un e muet *(j'appelle, j'appellerai)*.
• Ces verbes en **-eler** peuvent se conjuguer comme **geler**, sauf *appeler* et ses composés (réforme de l'orthographe).

## INDICATIF

| Présent | Passé composé |
|---|---|
| je jette | j'ai jeté |
| tu jettes | tu as jeté |
| il/elle jette | il/elle a jeté |
| nous jetons | nous avons jeté |
| vous jetez | vous avez jeté |
| ils/elles jettent | ils/elles ont jeté |

| Imparfait | Plus-que-parfait |
|---|---|
| je jetais | j'avais jeté |
| tu jetais | tu avais jeté |
| il/elle jetait | il/elle avait jeté |
| nous jetions | nous avions jeté |
| vous jetiez | vous aviez jeté |
| ils/elles jetaient | ils/elles avaient jeté |

| Passé simple | Passé antérieur |
|---|---|
| je jetai | j'eus jeté |
| tu jetas | tu eus jeté |
| il/elle jeta | il/elle eut jeté |
| nous jetâmes | nous eûmes jeté |
| vous jetâtes | vous eûtes jeté |
| ils/elles jetèrent | ils/elles eurent jeté |

| Futur simple | Futur antérieur |
|---|---|
| je jetterai | j'aurai jeté |
| tu jetteras | tu auras jeté |
| il/elle jettera | il/elle aura jeté |
| nous jetterons | nous aurons jeté |
| vous jetterez | vous aurez jeté |
| ils/elles jetteront | ils/elles auront jeté |

## SUBJONCTIF

| Présent | Imparfait |
|---|---|
| que je jette | que je jetasse |
| que tu jettes | que tu jetasses |
| qu'il/elle jette | qu'il/elle jetât |
| que nous jetions | que nous jetassions |
| que vous jetiez | que vous jetassiez |
| qu'ils/elles jettent | qu'ils/elles jetassent |

| Passé | Plus-que-parfait |
|---|---|
| que j'aie jeté | que j'eusse jeté |
| que tu aies jeté | que tu eusses jeté |
| qu'il/elle ait jeté | qu'il/elle eût jeté |
| que nous ayons jeté | que nous eussions jeté |
| que vous ayez jeté | que vous eussiez jeté |
| qu'ils/elles aient jeté | qu'ils/elles eussent jeté |

## CONDITIONNEL

| Présent | Passé 1re forme | Passé 2e forme |
|---|---|---|
| je jetterais | j'aurais jeté | j'eusse jeté |
| tu jetterais | tu aurais jeté | tu eusses jeté |
| il/elle jetterait | il/elle aurait jeté | il/elle eût jeté |
| nous jetterions | nous aurions jeté | nous eussions jeté |
| vous jetteriez | vous auriez jeté | vous eussiez jeté |
| ils/elles jetteraient | ils/elles auraient jeté | ils/elles eussent jeté |

## IMPÉRATIF

**Présent** jette
jetons
jetez

**Passé** aie jeté
ayons jeté
ayez jeté

## INFINITIF

**Présent** jeter

**Passé** avoir jeté

## PARTICIPE

**Présent** jetant

**Passé** jeté / jetée
jetés / jetées

**Passé composé** ayant jeté

**REMARQUES :** La plupart des verbes en **-eter** doublent le **t** devant un **e** muet *(je jette, je jetterai)*.
• Ces verbes en **-eter** peuvent se conjuguer comme **acheter**, sauf *jeter* et ses composés (réforme de l'orthographe).

## INDICATIF

| Présent | Passé composé |
|---|---|
| je gèle | j'ai gelé |
| tu gèles | tu as gelé |
| il/elle gèle | il/elle a gelé |
| nous gelons | nous avons gelé |
| vous gelez | vous avez gelé |
| ils/elles gèlent | ils/elles ont gelé |

| Imparfait | Plus-que-parfait |
|---|---|
| je gelais | j'avais gelé |
| tu gelais | tu avais gelé |
| il/elle gelait | il/elle avait gelé |
| nous gelions | nous avions gelé |
| vous geliez | vous aviez gelé |
| ils/elles gelaient | ils/elles avaient gelé |

| Passé simple | Passé antérieur |
|---|---|
| je gelai | j'eus gelé |
| tu gelas | tu eus gelé |
| il/elle gela | il/elle eut gelé |
| nous gelâmes | nous eûmes gelé |
| vous gelâtes | vous eûtes gelé |
| ils/elles gelèrent | ils/elles eurent gelé |

| Futur simple | Futur antérieur |
|---|---|
| je gèlerai | j'aurai gelé |
| tu gèleras | tu auras gelé |
| il/elle gèlera | il/elle aura gelé |
| nous gèlerons | nous aurons gelé |
| vous gèlerez | vous aurez gelé |
| ils/elles gèleront | ils/elles auront gelé |

## SUBJONCTIF

| Présent | Imparfait |
|---|---|
| que je gèle | que je gelasse |
| que tu gèles | que tu gelasses |
| qu'il/elle gèle | qu'il/elle gelât |
| que nous gelions | que nous gelassions |
| que vous geliez | que vous gelassiez |
| qu'ils/elles gèlent | qu'ils/elles gelassent |

| Passé | Plus-que-parfait |
|---|---|
| que j'aie gelé | que j'eusse gelé |
| que tu aies gelé | que tu eusses gelé |
| qu'il/elle ait gelé | qu'il/elle eût gelé |
| que nous ayons gelé | que nous eussions gelé |
| que vous ayez gelé | que vous eussiez gelé |
| qu'ils/elles aient gelé | qu'ils/elles eussent gelé |

## CONDITIONNEL

| Présent | Passé 1<sup>re</sup> forme | Passé 2<sup>e</sup> forme |
|---|---|---|
| je gèlerais | j'aurais gelé | j'eusse gelé |
| tu gèlerais | tu aurais gelé | tu eusses gelé |
| il/elle gèlerait | il/elle aurait gelé | il/elle eût gelé |
| nous gèlerions | nous aurions gelé | nous eussions gelé |
| vous gèleriez | vous auriez gelé | vous eussiez gelé |
| ils/elles gèleraient | ils/elles auraient gelé | ils/elles eussent gelé |

## IMPÉRATIF

**Présent** gèle
gelons
gelez

**Passé** aie gelé
ayons gelé
ayez gelé

## INFINITIF

**Présent** geler

**Passé** avoir gelé

## PARTICIPE

**Présent** gelant

**Passé** gelé / gelée
gelés / gelées

**Passé composé** ayant gelé

**REMARQUES** : Cette série comprend les verbes en **e** + consonne(s) + **-er** (*lever, semer, mener, peser, sevrer*, etc.), qui présentent l'alternance **e/è** devant un **e** muet *(je gelais, je gèlerai)*.

• Tous les verbes en **-eler** (sauf *appeler* et ses composés) peuvent se conjuguer selon ce modèle (réforme de l'orthographe).

## INDICATIF

| Présent | Passé composé |
| --- | --- |
| j'achète | j'ai acheté |
| tu achètes | tu as acheté |
| il/elle achète | il/elle a acheté |
| nous achetons | nous avons acheté |
| vous achetez | vous avez acheté |
| ils/elles achètent | ils/elles ont acheté |
| **Imparfait** | **Plus-que-parfait** |
| j'achetais | j'avais acheté |
| tu achetais | tu avais acheté |
| il/elle achetait | il/elle avait acheté |
| nous achetions | nous avions acheté |
| vous achetiez | vous aviez acheté |
| ils/elles achetaient | ils/elles avaient acheté |
| **Passé simple** | **Passé antérieur** |
| j'achetai | j'eus acheté |
| tu achetas | tu eus acheté |
| il/elle acheta | il/elle eut acheté |
| nous achetâmes | nous eûmes acheté |
| vous achetâtes | vous eûtes acheté |
| ils/elles achetèrent | ils/elles eurent acheté |
| **Futur simple** | **Futur antérieur** |
| j'achèterai | j'aurai acheté |
| tu achèteras | tu auras acheté |
| il/elle achètera | il/elle aura acheté |
| nous achèterons | nous aurons acheté |
| vous achèterez | vous aurez acheté |
| ils/elles achèteront | ils/elles auront acheté |

## SUBJONCTIF

**Présent**
que j'achète
que tu achètes
qu'il/elle achète
que nous achetions
que vous achetiez
qu'ils/elles achètent

**Imparfait**
que j'achetasse
que tu achetasses
qu'il/elle achetât
que nous achetassions
que vous achetassiez
qu'ils/elles achetassent

**Passé**
que j'aie acheté
que tu aies acheté
qu'il/elle ait acheté
que nous ayons acheté
que vous ayez acheté
qu'ils/elles aient acheté

**Plus-que-parfait**
que j'eusse acheté
que tu eusses acheté
qu'il/elle eût acheté
que nous eussions acheté
que vous eussiez acheté
qu'ils/elles eussent acheté

## CONDITIONNEL

| Présent | Passé 1re forme | Passé 2e forme |
| --- | --- | --- |
| j'achèterais | j'aurais acheté | j'eusse acheté |
| tu achèterais | tu aurais acheté | tu eusses acheté |
| il/elle achèterait | il/elle aurait acheté | il/elle eût acheté |
| nous achèterions | nous aurions acheté | nous eussions acheté |
| vous achèteriez | vous auriez acheté | vous eussiez acheté |
| ils/elles achèteraient | ils/elles auraient acheté | ils/elles eussent acheté |

## IMPÉRATIF

**Présent** achète
achetons
achetez

**Passé** aie acheté
ayons acheté
ayez acheté

## INFINITIF

**Présent** acheter

**Passé** avoir acheté

## PARTICIPE

**Présent** achetant

**Passé** acheté / achetée
achetés / achetées

**Passé composé** ayant acheté

**REMARQUE** : Tous les verbes en **-eter** (sauf *jeter* et ses composés) peuvent se conjuguer selon ce modèle (réforme de l'orthographe).

## INDICATIF

| Présent | Passé composé |
| --- | --- |
| je cède | j'ai cédé |
| tu cèdes | tu as cédé |
| il/elle cède | il/elle a cédé |
| nous cédons | nous avons cédé |
| vous cédez | vous avez cédé |
| ils/elles cèdent | ils/elles ont cédé |

| Imparfait | Plus-que-parfait |
| --- | --- |
| je cédais | j'avais cédé |
| tu cédais | tu avais cédé |
| il/elle cédait | il/elle avait cédé |
| nous cédions | nous avions cédé |
| vous cédiez | vous aviez cédé |
| ils/elles cédaient | ils/elles avaient cédé |

| Passé simple | Passé antérieur |
| --- | --- |
| je cédai | j'eus cédé |
| tu cédas | tu eus cédé |
| il/elle céda | il/elle eut cédé |
| nous cédâmes | nous eûmes cédé |
| vous cédâtes | vous eûtes cédé |
| ils/elles cédèrent | ils/elles eurent cédé |

| Futur simple | Futur antérieur |
| --- | --- |
| je céderai ou cèderai | j'aurai cédé |
| tu céderas ou cèderas | tu auras cédé |
| il/elle cédera ou cèdera | il/elle aura cédé |
| nous céderons ou cèderons | nous aurons cédé |
| vous céderez ou cèderez | vous aurez cédé |
| ils/elles céderont ou cèderont | ils/elles auront cédé |

## SUBJONCTIF

| Présent | Imparfait |
| --- | --- |
| que je cède | que je cédasse |
| que tu cèdes | que tu cédasses |
| qu'il/elle cède | qu'il/elle cédât |
| que nous cédions | que nous cédassions |
| que vous cédiez | que vous cédassiez |
| qu'ils/elles cèdent | qu'ils/elles cédassent |

| Passé | Plus-que-parfait |
| --- | --- |
| que j'aie cédé | que j'aie cédé |
| que tu aies cédé | que tu aies cédé |
| qu'il/elle ait cédé | qu'il/elle ait cédé |
| que nous ayons cédé | que nous ayons cédé |
| que vous ayez cédé | que vous ayez cédé |
| qu'ils/elles aient cédé | qu'ils/elles aient cédé |

## CONDITIONNEL

| Présent | Passé 1re forme | Passé 2e forme |
| --- | --- | --- |
| je céderais ou cèderais | j'aurais cédé | j'eusse cédé |
| tu céderais ou cèderais | tu aurais cédé | tu eusses cédé |
| il/elle céderait ou cèderait | il/elle aurait cédé | il/elle eût cédé |
| nous céderions ou cèderions | nous aurions cédé | nous eussions cédé |
| vous céderiez ou cèderiez | vous auriez cédé | vous eussiez cédé |
| ils/elles céderaient ou cèderaient | ils/elles auraient cédé | ils/elles eussent cédé |

## IMPÉRATIF

**Présent** cède, cédons, cédez

**Passé** aie cédé, ayons cédé, ayez cédé

## INFINITIF

**Présent** céder

**Passé** avoir cédé

## PARTICIPE

**Présent** cédant

**Passé** cédé / cédée, cédés / cédées

**Passé composé** ayant cédé

**REMARQUES** : Cette série comprend les verbes en **é** + consonne(s) + **-er** (ex. *célébrer, lécher, préfére* etc.), qui présentent l'alternance é/è devant un e muet *(je cédais, je cède)*.

• Les verbes en **-éger** (ex. *protéger*) se conjuguent comme **céder** et **bouger**. Les verbes en **-écer** (ex *rapiécer*) se conjuguent comme **céder** et **placer**. Les verbes en **-éguer** (ex. *léguer*) se conjuguen comme **céder** et **naviguer**.

• La prononciation appelle l'accent grave au futur et au conditionnel *(je cèderai, je cèderais* préconisé par la réforme de l'orthographe de 1990.

## INDICATIF

| Présent | Passé composé |
|---|---|
| j'épie | j'ai épié |
| tu épies | tu as épié |
| il/elle épie | il/elle a épié |
| nous épions | nous avons épié |
| vous épiez | vous avez épié |
| ils/elles épient | ils/elles ont épié |

| Imparfait | Plus-que-parfait |
|---|---|
| j'épiais | j'avais épié |
| tu épiais | tu avais épié |
| il/elle épiait | il/elle avait épié |
| nous épiions | nous avions épié |
| vous épiiez | vous aviez épié |
| ils/elles épiaient | ils/elles avaient épié |

| Passé simple | Passé antérieur |
|---|---|
| j'épiai | j'eus épié |
| tu épias | tu eus épié |
| il/elle épia | il/elle eut épié |
| nous épiâmes | nous eûmes épié |
| vous épiâtes | vous eûtes épié |
| ils/elles épièrent | ils/elles eurent épié |

| Futur simple | Futur antérieur |
|---|---|
| j'épierai | j'aurai épié |
| tu épieras | tu auras épié |
| il/elle épiera | il/elle aura épié |
| nous épierons | nous aurons épié |
| vous épierez | vous aurez épié |
| ils/elles épieront | ils/elles auront épié |

## SUBJONCTIF

| Présent | Imparfait |
|---|---|
| que j'épie | que j'épiasse |
| que tu épies | que tu épiasses |
| qu'il/elle épie | qu'il/elle épiât |
| que nous épiions | que nous épiassions |
| que vous épiiez | que vous épiassiez |
| qu'ils/elles épient | qu'ils/elles épiassent |

| Passé | Plus-que-parfait |
|---|---|
| que j'aie épié | que j'eusse épié |
| que tu aies épié | que tu eusses épié |
| qu'il/elle ait épié | qu'il/elle eût épié |
| que nous ayons épié | que nous eussions épié |
| que vous ayez épié | que vous eussiez épié |
| qu'ils/elles aient épié | qu'ils/elles eussent épié |

## CONDITIONNEL

| Présent | Passé 1re forme | Passé 2e forme |
|---|---|---|
| j'épierais | j'aurais épié | j'eusse épié |
| tu épierais | tu aurais épié | tu eusses épié |
| il/elle épierait | il/elle aurait épié | il/elle eût épié |
| nous épierions | nous aurions épié | nous eussions épié |
| vous épieriez | vous auriez épié | vous eussiez épié |
| ils/elles épieraient | ils/elles auraient épié | ils/elles eussent épié |

## IMPÉRATIF

**Présent** épie
épions
épiez

**Passé** aie épié
ayons épié
ayez épié

## INFINITIF

**Présent** épier

**Passé** avoir épié

## PARTICIPE

**Présent** épiant

**Passé** épié / épiée
épiés / épiées

**Passé composé** ayant épié

**REMARQUES** : Attention aux deux **i** aux 1re et 2e personnes du pluriel de l'imparfait de l'indicatif et du présent du subjonctif *(nous épiions, vous épiiez)*.
• Attention au **e** après le **i** au futur et au conditionnel présent (ex. *j'épierai, tu épierais*).

## INDICATIF

| Présent | Passé composé |
|---|---|
| je prie | j'ai prié |
| tu pries | tu as prié |
| il/elle prie | il/elle a prié |
| nous prions | nous avons prié |
| vous priez | vous avez prié |
| ils/elles prient | ils/elles ont prié |

| Imparfait | Plus-que-parfait |
|---|---|
| je priais | j'avais prié |
| tu priais | tu avais prié |
| il/elle priait | il/elle avait prié |
| nous priions | nous avions prié |
| vous priiez | vous aviez prié |
| ils/elles priaient | ils/elles avaient prié |

| Passé simple | Passé antérieur |
|---|---|
| je priai | j'eus prié |
| tu prias | tu eus prié |
| il/elle pria | il/elle eut prié |
| nous priâmes | nous eûmes prié |
| vous priâtes | vous eûtes prié |
| ils/elles prièrent | ils/elles eurent prié |

| Futur simple | Futur antérieur |
|---|---|
| je prierai | j'aurai prié |
| tu prieras | tu auras prié |
| il/elle priera | il/elle aura prié |
| nous prierons | nous aurons prié |
| vous prierez | vous aurez prié |
| ils/elles prieront | ils/elles auront prié |

## SUBJONCTIF

| Présent | Imparfait |
|---|---|
| que je prie | que je priasse |
| que tu pries | que tu priasses |
| qu'il/elle prie | qu'il/elle priât |
| que nous priions | que nous priassions |
| que vous priiez | que vous priassiez |
| qu'ils/elles prient | qu'ils/elles priassent |

| Passé | Plus-que-parfait |
|---|---|
| que j'aie prié | que j'eusse prié |
| que tu aies prié | que tu eusses prié |
| qu'il/elle ait prié | qu'il/elle eût prié |
| que nous ayons prié | que nous eussions prié |
| que vous ayez prié | que vous eussiez prié |
| qu'ils/elles aient prié | qu'ils/elles eussent prié |

## CONDITIONNEL

| Présent | Passé 1re forme | Passé 2e forme |
|---|---|---|
| je prierais | j'aurais prié | j'eusse prié |
| tu prierais | tu aurais prié | tu eusses prié |
| il/elle prierait | il/elle aurait prié | il/elle eût prié |
| nous prierions | nous aurions prié | nous eussions prié |
| vous prieriez | vous auriez prié | vous eussiez prié |
| ils/elles prieraient | ils/elles auraient prié | ils/elles eussent prié |

## IMPÉRATIF

**Présent** prie
prions
priez

**Passé** aie prié
ayons prié
ayez prié

## INFINITIF

**Présent** prier

**Passé** avoir prié

## PARTICIPE

**Présent** priant

**Passé** prié / priée
priés / priées

**Passé composé** ayant prié

**REMARQUES** : Attention aux deux **i** aux 1re et 2e personnes du pluriel de l'imparfait de l'indicatif et du présent du subjonctif *(nous priions, vous priiez)*.
• Attention au **e** après le **i** au futur et au conditionnel présent *(je prierai, je prierais)*.

## INDICATIF

**Présent**
je noie
tu noies
il/elle noie
nous noyons
vous noyez
ils/elles noient

**Passé composé**
j'ai noyé
tu as noyé
il/elle a noyé
nous avons noyé
vous avez noyé
ils/elles ont noyé

**Imparfait**
je noyais
tu noyais
il/elle noyait
nous noyions
vous noyiez
ils/elles noyaient

**Plus-que-parfait**
j'avais noyé
tu avais noyé
il/elle avait noyé
nous avions noyé
vous aviez noyé
ils/elles avaient noyé

**Passé simple**
je noyai
tu noyas
il/elle noya
nous noyâmes
vous noyâtes
ils/elles noyèrent

**Passé antérieur**
j'eus noyé
tu eus noyé
il/elle eut noyé
nous eûmes noyé
vous eûtes noyé
ils/elles eurent noyé

**Futur simple**
je noierai
tu noieras
il/elle noiera
nous noierons
vous noierez
ils/elles noieront

**Futur antérieur**
j'aurai noyé
tu auras noyé
il/elle aura noyé
nous aurons noyé
vous aurez noyé
ils/elles auront noyé

## SUBJONCTIF

**Présent**
que je noie
que tu noies
qu'il/elle noie
que nous noyions
que vous noyiez
qu'ils/elles noient

**Imparfait**
que je noyasse
que tu noyasses
qu'il/elle noyât
que nous noyassions
que vous noyassiez
qu'ils/elles noyassent

**Passé**
que j'aie noyé
que tu aies noyé
qu'il/elle ait noyé
que nous ayons noyé
que vous ayez noyé
qu'ils/elles aient noyé

**Plus-que-parfait**
que j'eusse noyé
que tu eusses noyé
qu'il/elle eût noyé
que nous eussions noyé
que vous eussiez noyé
qu'ils/elles eussent noyé

## CONDITIONNEL

**Présent**
je noierais
tu noierais
il/elle noierait
nous noierions
vous noieriez
ils/elles noieraient

**Passé 1re forme**
j'aurais noyé
tu aurais noyé
il/elle aurait noyé
nous aurions noyé
vous auriez noyé
ils/elles auraient noyé

**Passé 2e forme**
j'eusse noyé
tu eusses noyé
il/elle eût noyé
nous eussions noyé
vous eussiez noyé
ils/elles eussent noyé

## IMPÉRATIF

**Présent** noie
noyons
noyez

**Passé** aie noyé
ayons noyé
ayez noyé

## INFINITIF

**Présent** noyer

**Passé** avoir noyé

## PARTICIPE

**Présent** noyant

**Passé** noyé / noyée
noyés / noyées

**Passé composé** ayant noyé

**REMARQUES** : Cette série comprend les verbes en **-oyer** et en **-uyer** (ex. *nettoyer, essuyer*), qui présentent l'alternance **y/i** devant un **e** muet *(je noie, je noierai)*.
• Attention de ne pas oublier le **i** aux 1re et 2e personnes du pluriel de l'imparfait de l'indicatif et du présent du subjonctif *(nous noyions, vous noyiez)*.
• Attention au **e** après le **i** au futur et au conditionnel présent *(je noierai, je noierais)*.
• *Envoyer* fait au futur *j'enverrai, tu enverras, il enverra, nous enverrons, vous enverrez, ils enverront*, et au conditionnel *j'enverrais, tu enverrais, il enverrait, nous enverrions, vous enverriez, ils enverraient*.

## INDICATIF

| Présent | Passé composé |
| --- | --- |
| je paie ou paye | j'ai payé |
| tu paies ou payes | tu as payé |
| il/elle paie ou paye | il/elle a payé |
| nous payons | nous avons payé |
| vous payez | vous avez payé |
| ils/elles paient ou payent | ils/elles ont payé |

| Imparfait | Plus-que-parfait |
| --- | --- |
| je payais | j'avais payé |
| tu payais | tu avais payé |
| il/elle payait | il/elle avait payé |
| nous payions | nous avions payé |
| vous payiez | vous aviez payé |
| ils/elles payaient | ils/elles avaient payé |

| Passé simple | Passé antérieur |
| --- | --- |
| je payai | j'eus payé |
| tu payas | tu eus payé |
| il/elle paya | il/elle eut payé |
| nous payâmes | nous eûmes payé |
| vous payâtes | vous eûtes payé |
| ils/elles payèrent | ils/elles eurent payé |

| Futur simple | Futur antérieur |
| --- | --- |
| je paierai ou payerai | j'aurai payé |
| tu paieras ou payeras | tu auras payé |
| il/elle paiera ou payera | il/elle aura payé |
| nous paierons ou payerons | nous aurons payé |
| vous paierez ou payerez | vous aurez payé |
| ils/elles paieront ou payeront | ils/elles auront payé |

## SUBJONCTIF

| Présent | Imparfait |
| --- | --- |
| que je paie ou paye | que je payasse |
| que tu paies ou payes | que tu payasses |
| qu'il/elle paie ou paye | qu'il/elle payât |
| que nous payions | que nous payassions |
| que vous payiez | que vous payassiez |
| qu'ils/elles paient ou payent | qu'ils/elles payassent |

| Passé | Plus-que-parfait |
| --- | --- |
| que j'aie payé | que j'eusse payé |
| que tu aies payé | que tu eusses payé |
| qu'il/elle ait payé | qu'il/elle eût payé |
| que nous ayons payé | que nous eussions payé |
| que vous ayez payé | que vous eussiez payé |
| qu'ils/elles aient payé | qu'ils/elles eussent payé |

## CONDITIONNEL

| Présent | Passé 1re forme | Passé 2e forme |
| --- | --- | --- |
| je paierais ou payerais | j'aurais payé | j'eusse payé |
| tu paierais ou payerais | tu aurais payé | tu eusses payé |
| il/elle paierait ou payerait | il/elle aurait payé | il/elle eût payé |
| nous paierions ou payerions | nous aurions payé | nous eussions payé |
| vous paieriez ou payeriez | vous auriez payé | vous eussiez payé |
| ils/elles paieraient ou payeraient | ils/elles auraient payé | ils/elles eussent payé |

## IMPÉRATIF

**Présent** paie ou paye
payons
payez

**Passé** aie payé
ayons payé
ayez payé

## INFINITIF

**Présent** payer

**Passé** avoir payé

## PARTICIPE

**Présent** payant

**Passé** payé / payée
payés / payées

**Passé composé** ayant payé

**REMARQUES** : Cette série comprend les verbes en **-ayer**, qui présentent ou non l'alternance **y/i** devant un **e** muet *(je paie* ou *je paye)*.
• Attention de ne pas oublier le **i** aux 1re et 2e personnes du pluriel de l'imparfait de l'indicatif et du présent du subjonctif *(nous payions, vous payiez)*.
• Attention au **e** après le **i** au futur et au conditionnel présent *(je paierai, je paierais)*.

## INDICATIF

| Présent | Passé composé |
|---|---|
| je vais | je suis allé/ée |
| tu vas | tu es allé/ée |
| il/elle va | il/elle est allé/ée |
| nous allons | nous sommes allés/ées |
| vous allez | vous êtes allés/ées |
| ils/elles vont | ils/elles sont allés/ées |

| Imparfait | Plus-que-parfait |
|---|---|
| j'allais | j'étais allé/ée |
| tu allais | tu étais allé/ée |
| il/elle allait | il/elle était allé/ée |
| nous allions | nous étions allés/ées |
| vous alliez | vous étiez allés/ées |
| ils/elles allaient | ils/elles étaient allés/ées |

| Passé simple | Passé antérieur |
|---|---|
| j'allai | je fus allé/ée |
| tu allas | tu fus allé/ée |
| il/elle alla | il/elle fut allé/ée |
| nous allâmes | nous fûmes allés/ées |
| vous allâtes | vous fûtes allés/ées |
| ils/elles allèrent | ils/elles furent allés/ées |

| Futur simple | Futur antérieur |
|---|---|
| j'irai | je serai allé/ée |
| tu iras | tu seras allé/ée |
| il/elle ira | il/elle sera allé/ée |
| nous irons | nous serons allés/ées |
| vous irez | vous serez allés/ées |
| ils/elles iront | ils/elles seront allés/ées |

## SUBJONCTIF

| Présent | Imparfait |
|---|---|
| que j'aille | que j'allasse |
| que tu ailles | que tu allasses |
| qu'il/elle aille | qu'il/elle allât |
| que nous allions | que nous allassions |
| que vous alliez | que vous allassiez |
| qu'ils/elles aillent | qu'ils/elles allassent |

| Passé | Plus-que-parfait |
|---|---|
| que je sois allé/ée | que je fusse allé/ée |
| que tu sois allé/ée | que tu fusses allé/ée |
| qu'il/elle soit allé/ée | qu'il/elle fût allé/ée |
| que nous soyons allés/ées | que nous fussions allés/ées |
| que vous soyez allés/ées | que vous fussiez allés/ées |
| qu'ils/elles soient allés/ées | qu'ils/elles fussent allés/ées |

## CONDITIONNEL

| Présent | Passé 1re forme | Passé 2e forme |
|---|---|---|
| j'irais | je serais allé/ée | je fusse allé/ée |
| tu irais | tu serais allé/ée | tu fusses allé/ée |
| il/elle irait | il/elle serait allé/ée | il/elle fût allé/ée |
| nous irions | nous serions allés/ées | nous fussions allés/ées |
| vous iriez | vous seriez allés/ées | vous fussiez allés/ées |
| ils/elles iraient | ils/elles seraient allés/ées | ils/elles fussent allés/ées |

## IMPÉRATIF

**Présent** va
allons
allez

**Passé** sois allé/ée
soyons allés/ées
soyez allés/ées

## INFINITIF

**Présent** aller

**Passé** être allé/allée
être allés/allées

## PARTICIPE

**Présent** allant

**Passé** allé / allée
allés / allées

**Passé composé** étant allé/allée
étant allés/allées

**REMARQUE :** *S'en aller* se conjugue comme *aller*. Aux temps composés, il est préférable de placer l'auxiliaire entre *en* et *allé (je m'en suis allé)* mais l'autre ordre est courant et considéré comme correct *(je me suis en allé)*.

## INDICATIF

| Présent | Passé composé |
|---|---|
| je hais | j'ai haï |
| tu hais | tu as haï |
| il/elle hait | il/elle a haï |
| nous haïssons | nous avons haï |
| vous haïssez | vous avez haï |
| ils/elles haïssent | ils/elles ont haï |

| Imparfait | Plus-que-parfait |
|---|---|
| je haïssais | j'avais haï |
| tu haïssais | tu avais haï |
| il/elle haïssait | il/elle avait haï |
| nous haïssions | nous avions haï |
| vous haïssiez | vous aviez haï |
| ils/elles haïssaient | ils/elles avaient haï |

| Passé simple | Passé antérieur |
|---|---|
| je haïs | j'eus haï |
| tu haïs | tu eus haï |
| il/elle haït | il/elle eut haï |
| nous haïmes | nous eûmes haï |
| vous haïtes | vous eûtes haï |
| ils/elles haïrent | ils/elles eurent haï |

| Futur simple | Futur antérieur |
|---|---|
| je haïrai | j'aurai haï |
| tu haïras | tu auras haï |
| il/elle haïra | il/elle aura haï |
| nous haïrons | nous aurons haï |
| vous haïrez | vous aurez haï |
| ils/elles haïront | ils/elles auront haï |

## SUBJONCTIF

| Présent | Imparfait |
|---|---|
| que je haïsse | que je haïsse |
| que tu haïsses | que tu haïsses |
| qu'il/elle haïsse | qu'il/elle haït |
| que nous haïssions | que nous haïssions |
| que vous haïssiez | que vous haïssiez |
| qu'ils/elles haïssent | qu'ils/elles haïssent |

| Passé | Plus-que-parfait |
|---|---|
| que j'aie haï | que j'eusse haï |
| que tu aies haï | que tu eusses haï |
| qu'il/elle ait haï | qu'il/elle eût haï |
| que nous ayons haï | que nous eussions haï |
| que vous ayez haï | que vous eussiez haï |
| qu'ils/elles aient haï | qu'ils/elles eussent haï |

## CONDITIONNEL

| Présent | Passé 1re forme | Passé 2e forme |
|---|---|---|
| je haïrais | j'aurais haï | j'eusse haï |
| tu haïrais | tu aurais haï | tu eusses haï |
| il/elle haïrait | il/elle aurait haï | il/elle eût haï |
| nous haïrions | nous aurions haï | nous eussions haï |
| vous haïriez | vous auriez haï | vous eussiez haï |
| ils/elles haïraient | ils/elles auraient haï | ils/elles eussent haï |

## IMPÉRATIF

**Présent** hais
haïssons
haïssez

**Passé** aie haï
ayons haï
ayez haï

## INFINITIF

**Présent** haïr

**Passé** avoir haï

## PARTICIPE

**Présent** haïssant

**Passé** haï / haïe
haïs / haïes

**Passé composé** ayant haï

**REMARQUES :** Le verbe *haïr* se conjugue comme **finir** sauf aux trois personnes du singulier du présent de l'indicatif.
• À cause du tréma, il n'y a pas d'accent circonflexe au passé simple *(nous haïmes, vous haïtes)* et à l'imparfait du subjonctif *(qu'il, qu'elle haït)*.

## INDICATIF

| Présent | Passé composé |
|---|---|
| je cours | j'ai couru |
| tu cours | tu as couru |
| il/elle court | il/elle a couru |
| nous courons | nous avons couru |
| vous courez | vous avez couru |
| ils/elles courent | ils/elles ont couru |

| Imparfait | Plus-que-parfait |
|---|---|
| je courais | j'avais couru |
| tu courais | tu avais couru |
| il/elle courait | il/elle avait couru |
| nous courions | nous avions couru |
| vous couriez | vous aviez couru |
| ils/elles couraient | ils/elles avaient couru |

| Passé simple | Passé antérieur |
|---|---|
| je courus | j'eus couru |
| tu courus | tu eus couru |
| il/elle courut | il/elle eut couru |
| nous courûmes | nous eûmes couru |
| vous courûtes | vous eûtes couru |
| ils/elles coururent | ils/elles eurent couru |

| Futur simple | Futur antérieur |
|---|---|
| je courrai | j'aurai couru |
| tu courras | tu auras couru |
| il/elle courra | il/elle aura couru |
| nous courrons | nous aurons couru |
| vous courrez | vous aurez couru |
| ils/elles courront | ils/elles auront couru |

## SUBJONCTIF

**Présent**
que je coure
que tu coures
qu'il/elle coure
que nous courions
que vous couriez
qu'ils/elles courent

**Imparfait**
que je courusse
que tu courusses
qu'il/elle courût
que nous courussions
que vous courussiez
qu'ils/elles courussent

**Passé**
que j'aie couru
que tu aies couru
qu'il/elle ait couru
que nous ayons couru
que vous ayez couru
qu'ils/elles aient couru

**Plus-que-parfait**
que j'eusse couru
que tu eusses couru
qu'il/elle eût couru
que nous eussions couru
que vous eussiez couru
qu'ils/elles eussent couru

## CONDITIONNEL

| Présent | Passé 1re forme | Passé 2e forme |
|---|---|---|
| je courrais | j'aurais couru | j'eusse couru |
| tu courrais | tu aurais couru | tu eusses couru |
| il/elle courrait | il/elle aurait couru | il/elle eût couru |
| nous courrions | nous aurions couru | nous eussions couru |
| vous courriez | vous auriez couru | vous eussiez couru |
| ils/elles courraient | ils/elles auraient couru | ils/elles eussent couru |

## IMPÉRATIF

**Présent** cours
courons
courez

**Passé** aie couru
ayons couru
ayez couru

## INFINITIF

**Présent** courir

**Passé** avoir couru

## PARTICIPE

**Présent** courant

**Passé** couru / courue
courus / courues

**Passé composé** ayant couru

**REMARQUE :** On prononce les deux **r** au futur et au conditionnel.

## INDICATIF

| Présent | Passé composé |
|---|---|
| je cueille | j'ai cueilli |
| tu cueilles | tu as cueilli |
| il/elle cueille | il/elle a cueilli |
| nous cueillons | nous avons cueilli |
| vous cueillez | vous avez cueilli |
| ils/elles cueillent | ils/elles ont cueilli |

| Imparfait | Plus-que-parfait |
|---|---|
| je cueillais | j'avais cueilli |
| tu cueillais | tu avais cueilli |
| il/elle cueillait | il/elle avait cueilli |
| nous cueillions | nous avions cueilli |
| vous cueilliez | vous aviez cueilli |
| ils/elles cueillaient | ils/elles avaient cueilli |

| Passé simple | Passé antérieur |
|---|---|
| je cueillis | j'eus cueilli |
| tu cueillis | tu eus cueilli |
| il/elle cueillit | il/elle eut cueilli |
| nous cueillîmes | nous eûmes cueilli |
| vous cueillîtes | vous eûtes cueilli |
| ils/elles cueillirent | ils/elles eurent cueilli |

| Futur simple | Futur antérieur |
|---|---|
| je cueillerai | j'aurai cueilli |
| tu cueilleras | tu auras cueilli |
| il/elle cueillera | il/elle aura cueilli |
| nous cueillerons | nous aurons cueilli |
| vous cueillerez | vous aurez cueilli |
| ils/elles cueilleront | ils/elles auront cueilli |

## SUBJONCTIF

| Présent | Imparfait |
|---|---|
| que je cueille | que je cueillisse |
| que tu cueilles | que tu cueillisses |
| qu'il/elle cueille | qu'il/elle cueillît |
| que nous cueillions | que nous cueillissions |
| que vous cueilliez | que vous cueillissiez |
| qu'ils/elles cueillent | qu'ils/elles cueillissent |

| Passé | Plus-que-parfait |
|---|---|
| que j'aie cueilli | que j'eusse cueilli |
| que tu aies cueilli | que tu eusses cueilli |
| qu'il/elle ait cueilli | qu'il/elle eût cueilli |
| que nous ayons cueilli | que nous eussions cueilli |
| que vous ayez cueilli | que vous eussiez cueilli |
| qu'ils/elles aient cueilli | qu'ils/elles eussent cueilli |

## CONDITIONNEL

| Présent | Passé 1re forme | Passé 2e forme |
|---|---|---|
| je cueillerais | j'aurais cueilli | j'eusse cueilli |
| tu cueillerais | tu aurais cueilli | tu eusses cueilli |
| il/elle cueillerait | il/elle aurait cueilli | il/elle eût cueilli |
| nous cueillerions | nous aurions cueilli | nous eussions cueilli |
| vous cueilleriez | vous auriez cueilli | vous eussiez cueilli |
| ils/elles cueilleraient | ils/elles auraient cueilli | ils/elles eussent cueilli |

## IMPÉRATIF

**Présent** cueille
cueillons
cueillez

**Passé** aie cueilli
ayons cueilli
ayez cueilli

## INFINITIF

**Présent** cueillir

**Passé** avoir cueilli

## PARTICIPE

**Présent** cueillant

**Passé** cueilli / cueillie
cueillis / cueillies

**Passé composé** ayant cueilli

**REMARQUE** : Attention de ne pas oublier le **i** aux 1re et 2e personnes du pluriel de l'imparfait de l'indicatif et du présent du subjonctif *(nous cueillions, vous cueilliez)*.

## INDICATIF

**Présent**
j'assaille
tu assailles
il/elle assaille
nous assaillons
vous assaillez
ils/elles assaillent

**Passé composé**
j'ai assailli
tu as assailli
il/elle a assailli
nous avons assailli
vous avez assailli
ils/elles ont assailli

**Imparfait**
j'assaillais
tu assaillais
il/elle assaillait
nous assaillions
vous assailliez
ils/elles assaillaient

**Plus-que-parfait**
j'avais assailli
tu avais assailli
il/elle avait assailli
nous avions assailli
vous aviez assailli
ils/elles avaient assailli

**Passé simple**
j'assaillis
tu assaillis
il/elle assaillit
nous assaillîmes
vous assaillîtes
ils/elles assaillirent

**Passé antérieur**
j'eus assailli
tu eus assailli
il/elle eut assailli
nous eûmes assailli
vous eûtes assailli
ils/elles eurent assailli

**Futur simple**
j'assaillirai
tu assailliras
il/elle assaillira
nous assaillirons
vous assaillirez
ils/elles assailliront

**Futur antérieur**
j'aurai assailli
tu auras assailli
il/elle aura assailli
nous aurons assailli
vous aurez assailli
ils/elles auront assailli

## SUBJONCTIF

**Présent**
que j'assaille
que tu assailles
qu'il/elle assaille
que nous assaillions
que vous assailliez
qu'ils/elles assaillent

**Imparfait**
que j'assaillisse
que tu assaillisses
qu'il/elle assaillît
que nous assaillissions
que vous assaillissiez
qu'ils/elles assaillissent

**Passé**
que j'aie assailli
que tu aies assailli
qu'il/elle ait assailli
que nous ayons assailli
que vous ayez assailli
qu'ils/elles aient assailli

**Plus-que-parfait**
que j'eusse assailli
que tu eusses assailli
qu'il/elle eût assailli
que nous eussions assailli
que vous eussiez assailli
qu'ils/elles eussent assailli

## CONDITIONNEL

**Présent**
j'assaillirais
tu assaillirais
il/elle assaillirait
nous assaillirions
vous assailliriez
ils/elles assailliraient

**Passé 1re forme**
j'aurais assailli
tu aurais assailli
il/elle aurait assailli
nous aurions assailli
vous auriez assailli
ils/elles auraient assailli

**Passé 2e forme**
j'eusse assailli
tu eusses assailli
il/elle eût assailli
nous eussions assailli
vous eussiez assailli
ils/elles eussent assailli

## IMPÉRATIF

**Présent** assaille
assaillons
assaillez

**Passé** aie assailli
ayons assailli
ayez assailli

## INFINITIF

**Présent** assaillir

**Passé** avoir assailli

## PARTICIPE

**Présent** assaillant

**Passé** assailli / assaillie
assaillis / assaillies

**Passé composé** ayant assailli

**REMARQUE** : Attention de ne pas oublier le i aux 1re et 2e personnes du pluriel de l'imparfait de l'indicatif et du présent du subjonctif *(nous assaillions, vous assailliez)*.

## INDICATIF

| Présent | Passé composé |
|---|---|
| je sers | j'ai servi |
| tu sers | tu as servi |
| il/elle sert | il/elle a servi |
| nous servons | nous avons servi |
| vous servez | vous avez servi |
| ils/elles servent | ils/elles ont servi |

| Imparfait | Plus-que-parfait |
|---|---|
| je servais | j'avais servi |
| tu servais | tu avais servi |
| il/elle servait | il/elle avait servi |
| nous servions | nous avions servi |
| vous serviez | vous aviez servi |
| ils/elles servaient | ils/elles avaient servi |

| Passé simple | Passé antérieur |
|---|---|
| je servis | j'eus servi |
| tu servis | tu eus servi |
| il/elle servit | il/elle eut servi |
| nous servîmes | nous eûmes servi |
| vous servîtes | vous eûtes servi |
| ils/elles servirent | ils/elles eurent servi |

| Futur simple | Futur antérieur |
|---|---|
| je servirai | j'aurai servi |
| tu serviras | tu auras servi |
| il/elle servira | il/elle aura servi |
| nous servirons | nous aurons servi |
| vous servirez | vous aurez servi |
| ils/elles serviront | ils/elles auront servi |

## SUBJONCTIF

| Présent | Imparfait |
|---|---|
| que je serve | que je servisse |
| que tu serves | que tu servisses |
| qu'il/elle serve | qu'il/elle servît |
| que nous servions | que nous servissions |
| que vous serviez | que vous servissiez |
| qu'ils/elles servent | qu'ils/elles servissent |

| Passé | Plus-que-parfait |
|---|---|
| que j'aie servi | que j'eusse servi |
| que tu aies servi | que tu eusses servi |
| qu'il/elle ait servi | qu'il/elle eût servi |
| que nous ayons servi | que nous eussions servi |
| que vous ayez servi | que vous eussiez servi |
| qu'ils/elles aient servi | qu'ils/elles eussent servi |

## CONDITIONNEL

| Présent | Passé 1re forme | Passé 2e forme |
|---|---|---|
| je servirais | j'aurais servi | j'eusse servi |
| tu servirais | tu aurais servi | tu eusses servi |
| il/elle servirait | il/elle aurait servi | il/elle eût servi |
| nous servirions | nous aurions servi | nous eussions servi |
| vous serviriez | vous auriez servi | vous eussiez servi |
| ils/elles serviraient | ils/elles auraient servi | ils/elles eussent servi |

## IMPÉRATIF

**Présent** sers
servons
servez

**Passé** aie servi
ayons servi
ayez servi

## INFINITIF

**Présent** servir

**Passé** avoir servi

## PARTICIPE

**Présent** servant

**Passé** servi / servie
servis / servies

**Passé composé** ayant servi

## INDICATIF

**Présent**
je bous
tu bous
il/elle bout
nous bouillons
vous bouillez
ils/elles bouillent

**Passé composé**
j'ai bouilli
tu as bouilli
il/elle a bouilli
nous avons bouilli
vous avez bouilli
ils/elles ont bouilli

**Imparfait**
je bouillais
tu bouillais
il/elle bouillait
nous bouillions
vous bouilliez
ils/elles bouillaient

**Plus-que-parfait**
j'avais bouilli
tu avais bouilli
il/elle avait bouilli
nous avions bouilli
vous aviez bouilli
ils/elles avaient bouilli

**Passé simple**
je bouillis
tu bouillis
il/elle bouillit
nous bouillîmes
vous bouillîtes
ils/elles bouillirent

**Passé antérieur**
j'eus bouilli
tu eus bouilli
il/elle eut bouilli
nous eûmes bouilli
vous eûtes bouilli
ils/elles eurent bouilli

**Futur simple**
je bouillirai
tu bouilliras
il/elle bouillira
nous bouillirons
vous bouillirez
ils/elles bouilliront

**Futur antérieur**
j'aurai bouilli
tu auras bouilli
il/elle aura bouilli
nous aurons bouilli
vous aurez bouilli
ils/elles auront bouilli

## SUBJONCTIF

**Présent**
que je bouille
que tu bouilles
qu'il/elle bouille
que nous bouillions
que vous bouilliez
qu'ils/elles bouillent

**Imparfait**
que je bouillisse
que tu bouillisses
qu'il/elle bouillît
que nous bouillissions
que vous bouillissiez
qu'ils/elles bouillissent

**Passé**
que j'aie bouilli
que tu aies bouilli
qu'il/elle ait bouilli
que nous ayons bouilli
que vous ayez bouilli
qu'ils/elles aient bouilli

**Plus-que-parfait**
que j'eusse bouilli
que tu eusses bouilli
qu'il/elle eût bouilli
que nous eussions bouilli
que vous eussiez bouilli
qu'ils/elles eussent bouilli

## CONDITIONNEL

**Présent**
je bouillirais
tu bouillirais
il/elle bouillirait
nous bouillirions
vous bouilliriez
ils/elles bouilliraient

**Passé 1re forme**
j'aurais bouilli
tu aurais bouilli
il/elle aurait bouilli
nous aurions bouilli
vous auriez bouilli
ils/elles auraient bouilli

**Passé 2e forme**
j'eusse bouilli
tu eusses bouilli
il/elle eût bouilli
nous eussions bouilli
vous eussiez bouilli
ils/elles eussent bouilli

## IMPÉRATIF

**Présent** bous
bouillons
bouillez

**Passé** aie bouilli
ayons bouilli
ayez bouilli

## INFINITIF

**Présent** bouillir

**Passé** avoir bouilli

## PARTICIPE

**Présent** bouillant

**Passé** bouilli / bouillie
bouillis / bouillies

**Passé composé** ayant bouilli

**REMARQUE** : Attention de ne pas oublier le **i** aux 1re et 2e personnes du pluriel de l'imparfait de l'indicatif et du présent du subjonctif *(nous bouillions, vous bouilliez)*.

## INDICATIF

| Présent | Passé composé |
| --- | --- |
| je pars | je suis parti/ie |
| tu pars | tu es parti/ie |
| il/elle part | il/elle est parti/ie |
| nous partons | nous sommes partis/ies |
| vous partez | vous êtes partis/ies |
| ils/elles partent | ils/elles sont partis/ies |

| Imparfait | Plus-que-parfait |
| --- | --- |
| je partais | j'étais parti/ie |
| tu partais | tu étais parti/ie |
| il/elle partait | il/elle était parti/ie |
| nous partions | nous étions partis/ies |
| vous partiez | vous étiez partis/ies |
| ils/elles partaient | ils/elles étaient partis/ies |

| Passé simple | Passé antérieur |
| --- | --- |
| je partis | je fus parti/ie |
| tu partis | tu fus parti/ie |
| il/elle partit | il/elle fut parti/ie |
| nous partîmes | nous fûmes partis/ies |
| vous partîtes | vous fûtes partis/ies |
| ils/elles partirent | ils/elles furent partis/ies |

| Futur simple | Futur antérieur |
| --- | --- |
| je partirai | je serai parti/ie |
| tu partiras | tu seras parti/ie |
| il/elle partira | il/elle sera parti/ie |
| nous partirons | nous serons partis/ies |
| vous partirez | vous serez partis/ies |
| ils/elles partiront | ils/elles seront partis/ies |

## SUBJONCTIF

| Présent | Imparfait |
| --- | --- |
| que je parte | que je partisse |
| que tu partes | que tu partisses |
| qu'il/elle parte | qu'il/elle partît |
| que nous partions | que nous partissions |
| que vous partiez | que vous partissiez |
| qu'ils/elles partent | qu'ils/elles partissent |

| Passé | Plus-que-parfait |
| --- | --- |
| que je sois parti/ie | que je fusse parti/ie |
| que tu sois parti/ie | que tu fusses parti/ie |
| qu'il/elle soit parti/ie | qu'il/elle fût parti/ie |
| que nous soyons partis/ies | que nous fussions partis/ies |
| que vous soyez partis/ies | que vous fussiez partis/ies |
| qu'ils/elles soient partis/ies | qu'ils/elles fussent partis/ies |

## CONDITIONNEL

| Présent | Passé 1re forme | Passé 2e forme |
| --- | --- | --- |
| je partirais | je serais parti/ie | je fusse parti/ie |
| tu partirais | tu serais parti/ie | tu fusses parti/ie |
| il/elle partirait | il/elle serait parti/ie | il/elle fût parti/ie |
| nous partirions | nous serions partis/ies | nous fussions partis/ies |
| vous partiriez | vous seriez partis/ies | vous fussiez partis/ies |
| ils/elles partiraient | ils/elles seraient partis/ies | ils/elles fussent partis/ies |

## IMPÉRATIF

**Présent** pars
partons
partez

**Passé** sois parti/ie
soyons partis/ies
soyez partis/ies

## INFINITIF

**Présent** partir

**Passé** être parti/ie
être partis/ies

## PARTICIPE

**Présent** partant

**Passé** parti / partie
partis / parties

**Passé composé** étant parti/ie
étant partis/ies

## INDICATIF

**Présent**
je sens
tu sens
il/elle sent
nous sentons
vous sentez
ils/elles sentent

**Passé composé**
j'ai senti
tu as senti
il/elle a senti
nous avons senti
vous avez senti
ils/elles ont senti

**Imparfait**
je sentais
tu sentais
il/elle sentait
nous sentions
vous sentiez
ils/elles sentaient

**Plus-que-parfait**
j'avais senti
tu avais senti
il/elle avait senti
nous avions senti
vous aviez senti
ils/elles avaient senti

**Passé simple**
je sentis
tu sentis
il/elle sentit
nous sentîmes
vous sentîtes
ils/elles sentirent

**Passé antérieur**
j'eus senti
tu eus senti
il/elle eut senti
nous eûmes senti
vous eûtes senti
ils/elles eurent senti

**Futur simple**
je sentirai
tu sentiras
il/elle sentira
nous sentirons
vous sentirez
ils/elles sentiront

**Futur antérieur**
j'aurai senti
tu auras senti
il/elle aura senti
nous aurons senti
vous aurez senti
ils/elles auront senti

## SUBJONCTIF

**Présent**
que je sente
que tu sentes
qu'il/elle sente
que nous sentions
que vous sentiez
qu'ils/elles sentent

**Imparfait**
que je sentisse
que tu sentisses
qu'il/elle sentît
que nous sentissions
que vous sentissiez
qu'ils/elles sentissent

**Passé**
que j'aie senti
que tu aies senti
qu'il/elle ait senti
que nous ayons senti
que vous ayez senti
qu'ils/elles aient senti

**Plus-que-parfait**
que j'eusse senti
que tu eusses senti
qu'il/elle eût senti
que nous eussions senti
que vous eussiez senti
qu'ils/elles eussent senti

## CONDITIONNEL

**Présent**
je sentirais
tu sentirais
il/elle sentirait
nous sentirions
vous sentiriez
ils/elles sentiraient

**Passé 1re forme**
j'aurais senti
tu aurais senti
il/elle aurait senti
nous aurions senti
vous auriez senti
ils/elles auraient senti

**Passé 2e forme**
j'eusse senti
tu eusses senti
il/elle eût senti
nous eussions senti
vous eussiez senti
ils/elles eussent senti

## IMPÉRATIF

**Présent** sens
sentons
sentez

**Passé** aie senti
ayons senti
ayez senti

## INFINITIF

**Présent** sentir

**Passé** avoir senti

## PARTICIPE

**Présent** sentant

**Passé** senti / sentie
sentis / senties

**Passé composé** ayant senti

**REMARQUE** : Cette série regroupe les verbes en **-mir** (*dormir* et composés), **-tir** (*sentir, mentir* et composés) et **-vir** *(chauvir)*.

## INDICATIF

**Présent**
je fuis
tu fuis
il/elle fuit
nous fuyons
vous fuyez
ils/elles fuient

**Passé composé**
j'ai fui
tu as fui
il/elle a fui
nous avons fui
vous avez fui
ils/elles ont fui

**Imparfait**
je fuyais
tu fuyais
il/elle fuyait
nous fuyions
vous fuyiez
ils/elles fuyaient

**Plus-que-parfait**
j'avais fui
tu avais fui
il/elle avait fui
nous avions fui
vous aviez fui
ils/elles avaient fui

**Passé simple**
je fuis
tu fuis
il/elle fuit
nous fuîmes
vous fuîtes
ils/elles fuirent

**Passé antérieur**
j'eus fui
tu eus fui
il/elle eut fui
nous eûmes fui
vous eûtes fui
ils/elles eurent fui

**Futur simple**
je fuirai
tu fuiras
il/elle fuira
nous fuirons
vous fuirez
ils/elles fuiront

**Futur antérieur**
j'aurai fui
tu auras fui
il/elle aura fui
nous aurons fui
vous aurez fui
ils/elles auront fui

## SUBJONCTIF

**Présent**
que je fuie
que tu fuies
qu'il/elle fuie
que nous fuyions
que vous fuyiez
qu'ils/elles fuient

**Imparfait**
que je fuisse
que tu fuisses
qu'il/elle fuît
que nous fuissions
que vous fuissiez
qu'ils/elles fuissent

**Passé**
que j'aie fui
que tu aies fui
qu'il/elle ait fui
que nous ayons fui
que vous ayez fui
qu'ils/elles aient fui

**Plus-que-parfait**
que j'eusse fui
que tu eusses fui
qu'il/elle eût fui
que nous eussions fui
que vous eussiez fui
qu'ils/elles eussent fui

## CONDITIONNEL

**Présent**
je fuirais
tu fuirais
il/elle fuirait
nous fuirions
vous fuiriez
ils/elles fuiraient

**Passé 1re forme**
j'aurais fui
tu aurais fui
il/elle aurait fui
nous aurions fui
vous auriez fui
ils/elles auraient fui

**Passé 2e forme**
j'eusse fui
tu eusses fui
il/elle eût fui
nous eussions fui
vous eussiez fui
ils/elles eussent fui

## IMPÉRATIF

**Présent** fuis
fuyons
fuyez

**Passé** aie fui
ayons fui
ayez fui

## INFINITIF

**Présent** fuir

**Passé** avoir fui

## PARTICIPE

**Présent** fuyant

**Passé** fui / fuie
fuis / fuies

**Passé composé** ayant fui

**REMARQUE** : Attention de ne pas oublier le **i** aux 1re et 2e personnes du pluriel de l'imparfait de l'indicatif et du présent du subjonctif *(nous fuyions, vous fuyiez)*.

## INDICATIF

**Présent**
je couvre
tu couvres
il/elle couvre
nous couvrons
vous couvrez
ils/elles couvrent

**Passé composé**
j'ai couvert
tu as couvert
il/elle a couvert
nous avons couvert
vous avez couvert
ils/elles ont couvert

**Imparfait**
je couvrais
tu couvrais
il/elle couvrait
nous couvrions
vous couvriez
ils/elles couvraient

**Plus-que-parfait**
j'avais couvert
tu avais couvert
il/elle avait couvert
nous avions couvert
vous aviez couvert
ils/elles avaient couvert

**Passé simple**
je couvris
tu couvris
il/elle couvrit
nous couvrîmes
vous couvrîtes
ils/elles couvrirent

**Passé antérieur**
j'eus couvert
tu eus couvert
il/elle eut couvert
nous eûmes couvert
vous eûtes couvert
ils/elles eurent couvert

**Futur simple**
je couvrirai
tu couvriras
il/elle couvrira
nous couvrirons
vous couvrirez
ils/elles couvriront

**Futur antérieur**
j'aurai couvert
tu auras couvert
il/elle aura couvert
nous aurons couvert
vous aurez couvert
ils/elles auront couvert

## SUBJONCTIF

**Présent**
que je couvre
que tu couvres
qu'il/elle couvre
que nous couvrions
que vous couvriez
qu'ils/elles couvrent

**Imparfait**
que je couvrisse
que tu couvrisses
qu'il/elle couvrît
que nous couvrissions
que vous couvrissiez
qu'ils/elles couvrissent

**Passé**
que j'aie couvert
que tu aies couvert
qu'il/elle ait couvert
que nous ayons couvert
que vous ayez couvert
qu'ils/elles aient couvert

**Plus-que-parfait**
que j'eusse couvert
que tu eusses couvert
qu'il/elle eût couvert
que nous eussions couvert
que vous eussiez couvert
qu'ils/elles eussent couvert

## CONDITIONNEL

**Présent**
je couvrirais
tu couvrirais
il/elle couvrirait
nous couvririons
vous couvririez
ils/elles couvriraient

**Passé 1re forme**
j'aurais couvert
tu aurais couvert
il/elle aurait couvert
nous aurions couvert
vous auriez couvert
ils/elles auraient couvert

**Passé 2e forme**
j'eusse couvert
tu eusses couvert
il/elle eût couvert
nous eussions couvert
vous eussiez couvert
ils/elles eussent couvert

## IMPÉRATIF

**Présent** couvre
couvrons
couvrez

**Passé** aie couvert
ayons couvert
ayez couvert

## INFINITIF

**Présent** couvrir

**Passé** avoir couvert

## PARTICIPE

**Présent** couvrant

**Passé** couvert / couverte
couverts / couvertes

**Passé composé** ayant couvert

## INDICATIF

| Présent | Passé composé |
|---|---|
| je meurs | je suis mort/te |
| tu meurs | tu es mort/te |
| il/elle meurt | il/elle est mort/te |
| nous mourons | nous sommes morts/tes |
| vous mourez | vous êtes morts/tes |
| ils/elles meurent | ils/elles sont morts/tes |

| Imparfait | Plus-que-parfait |
|---|---|
| je mourais | j'étais mort/te |
| tu mourais | tu étais mort/te |
| il/elle mourait | il/elle était mort/te |
| nous mourions | nous étions morts/tes |
| vous mouriez | vous étiez morts/tes |
| ils/elles mouraient | ils/elles étaient morts/tes |

| Passé simple | Passé antérieur |
|---|---|
| je mourus | je fus mort/te |
| tu mourus | tu fus mort/te |
| il/elle mourut | il/elle fut mort/te |
| nous mourûmes | nous fûmes morts/tes |
| vous mourûtes | vous fûtes morts/tes |
| ils/elles moururent | ils/elles furent morts/tes |

| Futur simple | Futur antérieur |
|---|---|
| je mourrai | je serai mort/te |
| tu mourras | tu seras mort/te |
| il/elle mourra | il/elle sera mort/te |
| nous mourrons | nous serons morts/tes |
| vous mourrez | vous serez morts/tes |
| ils/elles mourront | ils/elles seront morts/tes |

## SUBJONCTIF

**Présent**

que je meure
que tu meures
qu'il/elle meure
que nous mourions
que vous mouriez
qu'ils/elles meurent

**Imparfait**

que je mourusse
que tu mourusses
qu'il/elle mourût
que nous mourussions
que vous mourussiez
qu'ils/elles mourussent

**Passé**

que je sois mort/te
que tu sois mort/te
qu'il/elle soit mort/te
que nous soyons morts/tes
que vous soyez morts/tes
qu'ils/elles soient morts/tes

**Plus-que-parfait**

que je fusse mort/te
que tu fusses mort/te
qu'il/elle fût mort/te
que nous fussions morts/tes
que vous fussiez morts/tes
qu'ils/elles fussent morts/tes

## CONDITIONNEL

| Présent | Passé 1re forme | Passé 2e forme |
|---|---|---|
| je mourrais | je serais mort/te | je fusse mort/te |
| tu mourrais | tu serais mort/te | tu fusses mort/te |
| il/elle mourrait | il/elle serait mort/te | il/elle fût mort/te |
| nous mourrions | nous serions morts/tes | nous fussions morts/tes |
| vous mourriez | vous seriez morts/tes | vous fussiez morts/tes |
| ils/elles mourraient | ils/elles seraient morts/tes | ils/elles fussent morts/tes |

## IMPÉRATIF

**Présent** meurs
mourons
mourez

**Passé** sois mort/te
soyons morts/tes
soyez morts/tes

## INFINITIF

**Présent** mourir

**Passé** être mort/te
être morts/tes

## PARTICIPE

**Présent** mourant

**Passé** mort / morte
morts / mortes

**Passé composé** étant mort/te
étant morts/tes

**REMARQUE :** On prononce les deux **r** au futur et au conditionnel.

## INDICATIF

**Présent**
je vêts
tu vêts
il/elle vêt
nous vêtons
vous vêtez
ils/elles vêtent

**Passé composé**
j'ai vêtu
tu as vêtu
il/elle a vêtu
nous avons vêtu
vous avez vêtu
ils/elles ont vêtu

**Imparfait**
je vêtais
tu vêtais
il/elle vêtait
nous vêtions
vous vêtiez
ils/elles vêtaient

**Plus-que-parfait**
j'avais vêtu
tu avais vêtu
il/elle avait vêtu
nous avions vêtu
vous aviez vêtu
ils/elles avaient vêtu

**Passé simple**
je vêtis
tu vêtis
il/elle vêtit
nous vêtîmes
vous vêtîtes
ils/elles vêtirent

**Passé antérieur**
j'eus vêtu
tu eus vêtu
il/elle eut vêtu
nous eûmes vêtu
vous eûtes vêtu
ils/elles eurent vêtu

**Futur simple**
je vêtirai
tu vêtiras
il/elle vêtira
nous vêtirons
vous vêtirez
ils/elles vêtiront

**Futur antérieur**
j'aurai vêtu
tu auras vêtu
il/elle aura vêtu
nous aurons vêtu
vous aurez vêtu
ils/elles auront vêtu

## SUBJONCTIF

**Présent**
que je vête
que tu vêtes
qu'il/elle vête
que nous vêtions
que vous vêtiez
qu'ils/elles vêtent

**Imparfait**
que je vêtisse
que tu vêtisses
qu'il/elle vêtît
que nous vêtissions
que vous vêtissiez
qu'ils/elles vêtissent

**Passé**
que j'aie vêtu
que tu aies vêtu
qu'il/elle ait vêtu
que nous ayons vêtu
que vous ayez vêtu
qu'ils/elles aient vêtu

**Plus-que-parfait**
que j'eusse vêtu
que tu eusses vêtu
qu'il/elle eût vêtu
que nous eussions vêtu
que vous eussiez vêtu
qu'ils/elles eussent vêtu

## CONDITIONNEL

**Présent**
je vêtirais
tu vêtirais
il/elle vêtirait
nous vêtirions
vous vêtiriez
ils/elles vêtiraient

**Passé 1re forme**
j'aurais vêtu
tu aurais vêtu
il/elle aurait vêtu
nous aurions vêtu
vous auriez vêtu
ils/elles auraient vêtu

**Passé 2e forme**
j'eusse vêtu
tu eusses vêtu
il/elle eût vêtu
nous eussions vêtu
vous eussiez vêtu
ils/elles eussent vêtu

## IMPÉRATIF

**Présent** vêts
vêtons
vêtez

**Passé** aie vêtu
ayons vêtu
ayez vêtu

## INFINITIF

**Présent** vêtir

**Passé** avoir vêtu

## PARTICIPE

**Présent** vêtant

**Passé** vêtu / vêtue
vêtus / vêtues

**Passé composé** ayant vêtu

**REMARQUE :** Cette série regroupe les composés de *vêtir*.

## INDICATIF

| Présent | Passé composé |
|---|---|
| j'acquiers | j'ai acquis |
| tu acquiers | tu as acquis |
| il/elle acquiert | il/elle a acquis |
| nous acquérons | nous avons acquis |
| vous acquérez | vous avez acquis |
| ils/elles acquièrent | ils/elles ont acquis |

| Imparfait | Plus-que-parfait |
|---|---|
| j'acquérais | j'avais acquis |
| tu acquérais | tu avais acquis |
| il/elle acquérait | il/elle avait acquis |
| nous acquérions | nous avions acquis |
| vous acquériez | vous aviez acquis |
| ils/elles acquéraient | ils/elles avaient acquis |

| Passé simple | Passé antérieur |
|---|---|
| j'acquis | j'eus acquis |
| tu acquis | tu eus acquis |
| il/elle acquit | il/elle eut acquis |
| nous acquîmes | nous eûmes acquis |
| vous acquîtes | vous eûtes acquis |
| ils/elles acquirent | ils/elles eurent acquis |

| Futur simple | Futur antérieur |
|---|---|
| j'acquerrai | j'aurai acquis |
| tu acquerras | tu auras acquis |
| il/elle acquerra | il/elle aura acquis |
| nous acquerrons | nous aurons acquis |
| vous acquerrez | vous aurez acquis |
| ils/elles acquerront | ils/elles auront acquis |

## SUBJONCTIF

| Présent | Imparfait |
|---|---|
| que j'acquière | que j'acquisse |
| que tu acquières | que tu acquisses |
| qu'il/elle acquière | qu'il/elle acquît |
| que nous acquérions | que nous acquissions |
| que vous acquériez | que vous acquissiez |
| qu'ils/elles acquièrent | qu'ils/elles acquissent |

| Passé | Plus-que-parfait |
|---|---|
| que j'aie acquis | que j'eusse acquis |
| que tu aies acquis | que tu eusses acquis |
| qu'il/elle ait acquis | qu'il/elle eût acquis |
| que nous ayons acquis | que nous eussions acquis |
| que vous ayez acquis | que vous eussiez acquis |
| qu'ils/elles aient acquis | qu'ils/elles eussent acquis |

## CONDITIONNEL

| Présent | Passé 1re forme | Passé 2e forme |
|---|---|---|
| j'acquerrais | j'aurais acquis | j'eusse acquis |
| tu acquerrais | tu aurais acquis | tu eusses acquis |
| il/elle acquerrait | il/elle aurait acquis | il/elle eût acquis |
| nous acquerrions | nous aurions acquis | nous eussions acquis |
| vous acquerriez | vous auriez acquis | vous eussiez acquis |
| ils/elles acquerraient | ils/elles auraient acquis | ils/elles eussent acquis |

## IMPÉRATIF

**Présent** acquiers
acquérons
acquérez

**Passé** aie acquis
ayons acquis
ayez acquis

## INFINITIF

**Présent** acquérir

**Passé** avoir acquis

## PARTICIPE

**Présent** acquérant

**Passé** acquis / acquise
acquis / acquises

**Passé composé** ayant acquis

**REMARQUES** : Il ne faut pas confondre *acquis*, participe passé de *acquérir*, et *acquit*, participe passé substantivé de *acquitter*.
• On prononce les deux **r** au futur et au conditionnel.

## INDICATIF

**Présent**
je viens
tu viens
il/elle vient
nous venons
vous venez
ils/elles viennent

**Passé composé**
je suis venu/ue
tu es venu/ue
il/elle est venu/ue
nous sommes venus/ues
vous êtes venus/ues
ils/elles sont venus/ues

**Imparfait**
je venais
tu venais
il/elle venait
nous venions
vous veniez
ils/elles venaient

**Plus-que-parfait**
j'étais venu/ue
tu étais venu/ue
il/elle était venu/ue
nous étions venus/ues
vous étiez venus/ues
ils/elles étaient venus/ues

**Passé simple**
je vins
tu vins
il/elle vint
nous vînmes
vous vîntes
ils/elles vinrent

**Passé antérieur**
je fus venu/ue
tu fus venu/ue
il/elle fut venu/ue
nous fûmes venus/ues
vous fûtes venus/ues
ils/elles furent venus/ues

**Futur simple**
je viendrai
tu viendras
il/elle viendra
nous viendrons
vous viendrez
ils/elles viendront

**Futur antérieur**
je serai venu/ue
tu seras venu/ue
il/elle sera venu/ue
nous serons venus/ues
vous serez venus/ues
ils/elles seront venus/ues

## SUBJONCTIF

**Présent**
que je vienne
que tu viennes
qu'il/elle vienne
que nous venions
que vous veniez
qu'ils/elles viennent

**Imparfait**
que je vinsse
que tu vinsses
qu'il/elle vînt
que nous vinssions
que vous vinssiez
qu'ils/elles vinssent

**Passé**
que je sois venu/ue
que tu sois venu/ue
qu'il/elle soit venu/ue
que nous soyons venus/ues
que vous soyez venus/ues
qu'ils/elles soient venus/ues

**Plus-que-parfait**
que je fusse venu/ue
que tu fusses venu/ue
qu'il/elle fût venu/ue
que nous fussions venus/ues
que vous fussiez venus/ues
qu'ils/elles fussent venus/ues

## CONDITIONNEL

**Présent**
je viendrais
tu viendrais
il/elle viendrait
nous viendrions
vous viendriez
ils/elles viendraient

**Passé 1re forme**
je serais venu/ue
tu serais venu/ue
il/elle serait venu/ue
nous serions venus/ues
vous seriez venus/ues
ils/elles seraient venus/ues

**Passé 2e forme**
je fusse venu/ue
tu fusses venu/ue
il/elle fût venu/ue
nous fussions venus/ues
vous fussiez venus/ues
ils/elles fussent venus/ues

## IMPÉRATIF

**Présent** viens
venons
venez

**Passé** sois venu/ue
soyons venus/ues
soyez venus/ues

## INFINITIF

**Présent** venir

**Passé** être venu/venue
être venus/venues

## PARTICIPE

**Présent** venant

**Passé** venu / venue
venus / venues

**Passé composé** étant venu/ue
étant venus/ues

## INDICATIF

| Présent | Passé composé |
|---|---|
| — | — |
| — | — |
| il pleut | il a plu |
| — | — |
| — | — |
| ils/elles pleuvent | ils/elles ont plu |

| Imparfait | Plus-que-parfait |
|---|---|
| — | — |
| — | — |
| il pleuvait | il avait plu |
| — | — |
| — | — |
| ils/elles pleuvaient | ils/elles avaient plu |

| Passé simple | Passé antérieur |
|---|---|
| — | — |
| — | — |
| il plut | il eut plu |
| — | — |
| — | — |
| ils/elles plurent | ils/elles eurent plu |

| Futur simple | Futur antérieur |
|---|---|
| — | — |
| — | — |
| il pleuvra | il aura plu |
| — | — |
| — | — |
| ils/elles pleuvront | ils/elles auront plu |

## SUBJONCTIF

| Présent | Imparfait |
|---|---|
| — | — |
| — | — |
| qu'il pleuve | qu'il plût |
| — | — |
| — | — |
| qu'ils/elles pleuvent | qu'ils/elles plussent |

| Passé | Plus-que-parfait |
|---|---|
| — | — |
| — | — |
| qu'il ait plu | qu'il eût plu |
| — | — |
| — | — |
| qu'ils/elles aient plu | qu'ils/elles eussent plu |

## CONDITIONNEL

| Présent | Passé 1re forme | Passé 2e forme |
|---|---|---|
| — | — | — |
| — | — | — |
| il pleuvrait | il aurait plu | il eût plu |
| — | — | — |
| — | — | — |
| ils/elles pleuvraient | ils/elles auraient plu | ils/elles eussent plu |

## IMPÉRATIF

**Présent** inusité

**Passé** inusité

## INFINITIF

**Présent** pleuvoir

**Passé** avoir plu

## PARTICIPE

**Présent** pleuvant

**Passé** plu

**Passé composé** ayant plu

**REMARQUE :** Ce verbe impersonnel a des emplois figurés au pluriel *(les coups, les balles pleuvaient)* mais de nombreuses formes sont inusitées.

## INDICATIF

### Présent
je prévois
tu prévois
il/elle prévoit
nous prévoyons
vous prévoyez
ils/elles prévoient

### Passé composé
j'ai prévu
tu as prévu
il/elle a prévu
nous avons prévu
vous avez prévu
ils/elles ont prévu

### Imparfait
je prévoyais
tu prévoyais
il/elle prévoyait
nous prévoyions
vous prévoyiez
ils/elles prévoyaient

### Plus-que-parfait
j'avais prévu
tu avais prévu
il/elle avait prévu
nous avions prévu
vous aviez prévu
ils/elles avaient prévu

### Passé simple
je prévis
tu prévis
il/elle prévit
nous prévîmes
vous prévîtes
ils/elles prévirent

### Passé antérieur
j'eus prévu
tu eus prévu
il/elle eut prévu
nous eûmes prévu
vous eûtes prévu
ils/elles eurent prévu

### Futur simple
je prévoirai
tu prévoiras
il/elle prévoira
nous prévoirons
vous prévoirez
ils/elles prévoiront

### Futur antérieur
j'aurai prévu
tu auras prévu
il/elle aura prévu
nous aurons prévu
vous aurez prévu
ils/elles auront prévu

## SUBJONCTIF

### Présent
que je prévoie
que tu prévoies
qu'il/elle prévoie
que nous prévoyions
que vous prévoyiez
qu'ils/elles prévoient

### Imparfait
que je prévisse
que tu prévisses
qu'il/elle prévît
que nous prévissions
que vous prévissiez
qu'ils/elles prévissent

### Passé
que j'aie prévu
que tu aies prévu
qu'il/elle ait prévu
que nous ayons prévu
que vous ayez prévu
qu'ils/elles aient prévu

### Plus-que-parfait
que j'eusse prévu
que tu eusses prévu
qu'il/elle eût prévu
que nous eussions prévu
que vous eussiez prévu
qu'ils/elles eussent prévu

## CONDITIONNEL

### Présent
je prévoirais
tu prévoirais
il/elle prévoirait
nous prévoirions
vous prévoiriez
ils/elles prévoiraient

### Passé 1$^{re}$ forme
j'aurais prévu
tu aurais prévu
il/elle aurait prévu
nous aurions prévu
vous auriez prévu
ils/elles auraient prévu

### Passé 2$^{e}$ forme
j'eusse prévu
tu eusses prévu
il/elle eût prévu
nous eussions prévu
vous eussiez prévu
ils/elles eussent prévu

## IMPÉRATIF

**Présent** prévois
prévoyons
prévoyez

**Passé** aie prévu
ayons prévu
ayez prévu

## INFINITIF

**Présent** prévoir

**Passé** avoir prévu

## PARTICIPE

**Présent** prévoyant

**Passé** prévu / prévue
prévus / prévues

**Passé composé** ayant prévu

**REMARQUES :** *Prévoir* se conjugue comme *voir*, sauf au futur de l'indicatif et au présent du conditionnel.
• Attention de ne pas oublier le **i** aux 1$^{re}$ et 2$^{e}$ personnes du pluriel de l'imparfait de l'indicatif et du présent du subjonctif *(nous prévoyions, vous prévoyiez)*.

## INDICATIF

| Présent | Passé composé |
|---|---|
| je pourvois | j'ai pourvu |
| tu pourvois | tu as pourvu |
| il/elle pourvoit | il/elle a pourvu |
| nous pourvoyons | nous avons pourvu |
| vous pourvoyez | vous avez pourvu |
| ils/elles pourvoient | ils/elles ont pourvu |

| Imparfait | Plus-que-parfait |
|---|---|
| je pourvoyais | j'avais pourvu |
| tu pourvoyais | tu avais pourvu |
| il/elle pourvoyait | il/elle avait pourvu |
| nous pourvoyions | nous avions pourvu |
| vous pourvoyiez | vous aviez pourvu |
| ils/elles pourvoyaient | ils/elles avaient pourvu |

| Passé simple | Passé antérieur |
|---|---|
| je pourvus | j'eus pourvu |
| tu pourvus | tu eus pourvu |
| il/elle pourvut | il/elle eut pourvu |
| nous pourvûmes | nous eûmes pourvu |
| vous pourvûtes | vous eûtes pourvu |
| ils/elles pourvurent | ils/elles eurent pourvu |

| Futur simple | Futur antérieur |
|---|---|
| je pourvoirai | j'aurai pourvu |
| tu pourvoiras | tu auras pourvu |
| il/elle pourvoira | il/elle aura pourvu |
| nous pourvoirons | nous aurons pourvu |
| vous pourvoirez | vous aurez pourvu |
| ils/elles pourvoiront | ils/elles auront pourvu |

## SUBJONCTIF

| Présent | Imparfait |
|---|---|
| que je pourvoie | que je pourvusse |
| que tu pourvoies | que tu pourvusses |
| qu'il/elle pourvoie | qu'il/elle pourvût |
| que nous pourvoyions | que nous pourvussions |
| que vous pourvoyiez | que vous pourvussiez |
| qu'ils/elles pourvoient | qu'ils/elles pourvussent |

| Passé | Plus-que-parfait |
|---|---|
| que j'aie pourvu | que j'eusse pourvu |
| que tu aies pourvu | que tu eusses pourvu |
| qu'il/elle ait pourvu | qu'il/elle eût pourvu |
| que nous ayons pourvu | que nous eussions pourvu |
| que vous ayez pourvu | que vous eussiez pourvu |
| qu'ils/elles aient pourvu | qu'ils/elles eussent pourvu |

## CONDITIONNEL

| Présent | Passé 1re forme | Passé 2e forme |
|---|---|---|
| je pourvoirais | j'aurais pourvu | j'eusse pourvu |
| tu pourvoirais | tu aurais pourvu | tu eusses pourvu |
| il/elle pourvoirait | il/elle aurait pourvu | il/elle eût pourvu |
| nous pourvoirions | nous aurions pourvu | nous eussions pourvu |
| vous pourvoiriez | vous auriez pourvu | vous eussiez pourvu |
| ils/elles pourvoiraient | ils/elles auraient pourvu | ils/elles eussent pourvu |

## IMPÉRATIF

**Présent** pourvois
pourvoyons
pourvoyez

**Passé** aie pourvu
ayons pourvu
ayez pourvu

## INFINITIF

**Présent** pourvoir

**Passé** avoir pourvu

## PARTICIPE

**Présent** pourvoyant

**Passé** pourvu / pourvue
pourvus / pourvues

**Passé composé** ayant pourvu

**REMARQUE** : Attention de ne pas oublier le i aux 1re et 2e personnes du pluriel de l'imparfait de l'indicatif et du présent du subjonctif *(nous pourvoyions, vous pourvoyiez)*.

## INDICATIF

**Présent**

j'assieds ou assois
tu assieds ou assois
il/elle assied ou assoit
nous asseyons ou assoyons
vous asseyez ou assoyez
ils/elles asseyent ou assoient

**Passé composé**

j'ai assis
tu as assis
il/elle a assis
nous avons assis
vous avez assis
ils/elles ont assis

**Imparfait**

j'asseyais ou assoyais
tu asseyais ou assoyais
il/elle asseyait ou assoyait
nous asseyions ou assoyions
vous asseyiez ou assoyiez
ils/elles asseyaient ou assoyaient

**Plus-que-parfait**

j'avais assis
tu avais assis
il/elle avait assis
nous avions assis
vous aviez assis
ils/elles avaient assis

**Passé simple**

j'assis
tu assis
il/elle assit
nous assîmes
vous assîtes
ils/elles assirent

**Passé antérieur**

j'eus assis
tu eus assis
il/elle eut assis
nous eûmes assis
vous eûtes assis
ils/elles eurent assis

**Futur simple**

j'assiérai ou assoirai
tu assiéras ou assoiras
il/elle assiéra ou assoira
nous assiérons ou assoirons
vous assiérez ou assoirez
ils/elles assiéront ou assoiront

**Futur antérieur**

j'aurai assis
tu auras assis
il/elle aura assis
nous aurons assis
vous aurez assis
ils/elles auront assis

## SUBJONCTIF

**Présent**

que j'asseye ou assoie
que tu asseyes ou assoies
qu'il/elle asseye ou assoie
que nous asseyions ou assoyions
que vous asseyiez ou assoyiez
qu'ils/elles asseyent ou assoient

**Imparfait**

que j'assisse
que tu assisses
qu'il/elle assît
que nous assissions
que vous assissiez
qu'ils/elles assissent

**Passé**

que j'aie assis
que tu aies assis
qu'il/elle ait assis
que nous ayons assis
que vous ayez assis
qu'ils/elles aient assis

**Plus-que-parfait**

que j'eusse assis
que tu eusses assis
qu'il/elle eût assis
que nous eussions assis
que vous eussiez assis
qu'ils/elles eussent assis

## CONDITIONNEL

**Présent**

j'assiérais ou assoirais
tu assiérais ou assoirais
il/elle assiérait ou assoirait
nous assiérions ou assoirions
vous assiériez ou assoiriez
ils/elles assiéraient ou assoiraient

**Passé 1ʳᵉ forme**

j'aurais assis
tu aurais assis
il/elle aurait assis
nous aurions assis
vous auriez assis
ils/elles auraient assis

**Passé 2ᵉ forme**

j'eusse assis
tu eusses assis
il/elle eût assis
nous eussions assis
vous eussiez assis
ils/elles eussent assis

## IMPÉRATIF

**Présent** assieds ou assois
asseyons ou assoyons
asseyez ou assoyez

**Passé** aie assis
ayons assis
ayez assis

## INFINITIF

**Présent** asseoir

**Passé** avoir assis

## PARTICIPE

**Présent** asseyant ou assoyant

**Passé** assis / assise
assis / assises

**Passé composé** ayant assis

**REMARQUES :** Attention au **i** aux 1ʳᵉ et 2ᵉ personnes du pluriel de l'imparfait de l'indicatif et du présent du subjonctif *(nous asseyions, vous asseyiez, nous assoyions, vous assoyiez).*
• *Surseoir* conserve le **e** de l'infinitif au futur et au conditionnel : *je surseoirai, je surseoirais. Seoir* (être assis) a pour participe présent *séant* et pour participe passé *sis, sise.*

## INDICATIF

| Présent | Passé composé |
|---|---|
| je meus | j'ai mû |
| tu meus | tu as mû |
| il/elle meut | il/elle a mû |
| nous mouvons | nous avons mû |
| vous mouvez | vous avez mû |
| ils/elles meuvent | ils/elles ont mû |

| Imparfait | Plus-que-parfait |
|---|---|
| je mouvais | j'avais mû |
| tu mouvais | tu avais mû |
| il/elle mouvait | il/elle avait mû |
| nous mouvions | nous avions mû |
| vous mouviez | vous aviez mû |
| ils/elles mouvaient | ils/elles avaient mû |

| Passé simple | Passé antérieur |
|---|---|
| je mus | j'eus mû |
| tu mus | tu eus mû |
| il/elle mut | il/elle eut mû |
| nous mûmes | nous eûmes mû |
| vous mûtes | vous eûtes mû |
| ils/elles murent | ils/elles eurent mû |

| Futur simple | Futur antérieur |
|---|---|
| je mouvrai | j'aurai mû |
| tu mouvras | tu auras mû |
| il/elle mouvra | il/elle aura mû |
| nous mouvrons | nous aurons mû |
| vous mouvrez | vous aurez mû |
| ils/elles mouvront | ils/elles auront mû |

## SUBJONCTIF

| Présent | Imparfait |
|---|---|
| que je meuve | que je musse |
| que tu meuves | que tu musses |
| qu'il/elle meuve | qu'il/elle mût |
| que nous mouvions | que nous mussions |
| que vous mouviez | que vous mussiez |
| qu'ils/elles meuvent | qu'ils/elles mussent |

| Passé | Plus-que-parfait |
|---|---|
| que j'aie mû | que j'eusse mû |
| que tu aies mû | que tu eusses mû |
| qu'il/elle ait mû | qu'il/elle eût mû |
| que nous ayons mû | que nous eussions mû |
| que vous ayez mû | que vous eussiez mû |
| qu'ils/elles aient mû | qu'ils/elles eussent mû |

## CONDITIONNEL

| Présent | Passé 1re forme | Passé 2e forme |
|---|---|---|
| je mouvrais | j'aurais mû | j'eusse mû |
| tu mouvrais | tu aurais mû | tu eusses mû |
| il/elle mouvrait | il/elle aurait mû | il/elle eût mû |
| nous mouvrions | nous aurions mû | nous eussions mû |
| vous mouvriez | vous auriez mû | vous eussiez mû |
| ils/elles mouvraient | ils/elles auraient mû | ils/elles eussent mû |

## IMPÉRATIF

**Présent** meus, mouvons, mouvez

**Passé** aie mû, ayons mû, ayez mû

## INFINITIF

**Présent** mouvoir

**Passé** avoir mû

## PARTICIPE

**Présent** mouvant

**Passé** mû / mue, mus / mues

**Passé composé** ayant mû

**REMARQUES :** La conjugaison complète est plus courante pour la forme pronominale *se mouvoir* que pour *mouvoir*.

• Le participe passé s'écrit traditionnellement avec un accent circonflexe sur le *u*. Cependant, la réforme de l'orthographe de 1990 préconise la graphie sans accent circonflexe pour le participe passé *mu* à tous les temps composés, ceci afin d'harmoniser cette forme avec les participes passés des verbes *émouvoir* et *promouvoir (ému, promu)*. Ainsi les graphies *j'ai mu, nous aurions mu*, etc. ne sont plus considérées comme fautives.

## INDICATIF

**Présent**
je reçois
tu reçois
il/elle reçoit
nous recevons
vous recevez
ils/elles reçoivent

**Passé composé**
j'ai reçu
tu as reçu
il/elle a reçu
nous avons reçu
vous avez reçu
ils/elles ont reçu

**Imparfait**
je recevais
tu recevais
il/elle recevait
nous recevions
vous receviez
ils/elles recevaient

**Plus-que-parfait**
j'avais reçu
tu avais reçu
il/elle avait reçu
nous avions reçu
vous aviez reçu
ils/elles avaient reçu

**Passé simple**
je reçus
tu reçus
il/elle reçut
nous reçûmes
vous reçûtes
ils/elles reçurent

**Passé antérieur**
j'eus reçu
tu eus reçu
il/elle eut reçu
nous eûmes reçu
vous eûtes reçu
ils/elles eurent reçu

**Futur simple**
je recevrai
tu recevras
il/elle recevra
nous recevrons
vous recevrez
ils/elles recevront

**Futur antérieur**
j'aurai reçu
tu auras reçu
il/elle aura reçu
nous aurons reçu
vous aurez reçu
ils/elles auront reçu

## SUBJONCTIF

**Présent**
que je reçoive
que tu reçoives
qu'il/elle reçoive
que nous recevions
que vous receviez
qu'ils/elles reçoivent

**Imparfait**
que je reçusse
que tu reçusses
qu'il/elle reçût
que nous reçussions
que vous reçussiez
qu'ils/elles reçussent

**Passé**
que j'aie reçu
que tu aies reçu
qu'il/elle ait reçu
que nous ayons reçu
que vous ayez reçu
qu'ils/elles aient reçu

**Plus-que-parfait**
que j'eusse reçu
que tu eusses reçu
qu'il/elle eût reçu
que nous eussions reçu
que vous eussiez reçu
qu'ils/elles eussent reçu

## CONDITIONNEL

**Présent**
je recevrais
tu recevrais
il/elle recevrait
nous recevrions
vous recevriez
ils/elles recevraient

**Passé 1re forme**
j'aurais reçu
tu aurais reçu
il/elle aurait reçu
nous aurions reçu
vous auriez reçu
ils/elles auraient reçu

**Passé 2e forme**
j'eusse reçu
tu eusses reçu
il/elle eût reçu
nous eussions reçu
vous eussiez reçu
ils/elles eussent reçu

## IMPÉRATIF

**Présent** reçois
recevons
recevez

**Passé** aie reçu
ayons reçu
ayez reçu

## INFINITIF

**Présent** recevoir

**Passé** avoir reçu

## PARTICIPE

**Présent** recevant

**Passé** reçu / reçue
reçus / reçues

**Passé composé** ayant reçu

**REMARQUES** : Dans les verbes en **-cevoir**, **c** devient **ç** devant **o** et **u** pour garder le son [s].
• *Devoir, redevoir* font au participe passé *dû, due, dus, dues ; redû, redue, redus, redues.*

## INDICATIF

| Présent | Passé composé |
|---|---|
| je vaux | j'ai valu |
| tu vaux | tu as valu |
| il/elle vaut | il/elle a valu |
| nous valons | nous avons valu |
| vous valez | vous avez valu |
| ils/elles valent | ils/elles ont valu |

| Imparfait | Plus-que-parfait |
|---|---|
| je valais | j'avais valu |
| tu valais | tu avais valu |
| il/elle valait | il/elle avait valu |
| nous valions | nous avions valu |
| vous valiez | vous aviez valu |
| ils/elles valaient | ils/elles avaient valu |

| Passé simple | Passé antérieur |
|---|---|
| je valus | j'eus valu |
| tu valus | tu eus valu |
| il/elle valut | il/elle eut valu |
| nous valûmes | nous eûmes valu |
| vous valûtes | vous eûtes valu |
| ils/elles valurent | ils/elles eurent valu |

| Futur simple | Futur antérieur |
|---|---|
| je vaudrai | j'aurai valu |
| tu vaudras | tu auras valu |
| il/elle vaudra | il/elle aura valu |
| nous vaudrons | nous aurons valu |
| vous vaudrez | vous aurez valu |
| ils/elles vaudront | ils/elles auront valu |

## SUBJONCTIF

**Présent**
que je vaille
que tu vailles
qu'il/elle vaille
que nous valions
que vous valiez
qu'ils/elles vaillent

**Imparfait**
que je valusse
que tu valusses
qu'il/elle valût
que nous valussions
que vous valussiez
qu'ils/elles valussent

**Passé**
que j'aie valu
que tu aies valu
qu'il/elle ait valu
que nous ayons valu
que vous ayez valu
qu'ils/elles aient valu

**Plus-que-parfait**
que j'eusse valu
que tu eusses valu
qu'il/elle eût valu
que nous eussions valu
que vous eussiez valu
qu'ils/elles eussent valu

## CONDITIONNEL

| Présent | Passé 1re forme | Passé 2e forme |
|---|---|---|
| je vaudrais | j'aurais valu | j'eusse valu |
| tu vaudrais | tu aurais valu | tu eusses valu |
| il/elle vaudrait | il/elle aurait valu | il/elle eût valu |
| nous vaudrions | nous aurions valu | nous eussions valu |
| vous vaudriez | vous auriez valu | vous eussiez valu |
| ils/elles vaudraient | ils/elles auraient valu | ils/elles eussent valu |

## IMPÉRATIF

**Présent** vaux
valons
valez

**Passé** aie valu
ayons valu
ayez valu

## INFINITIF

**Présent** valoir

**Passé** avoir valu

## PARTICIPE

**Présent** valant

**Passé** valu / value
valus / values

**Passé composé** ayant valu

**REMARQUE** : Notez le **x** aux 1re et 2e personnes du singulier de l'indicatif présent et à la 2e personne du singulier de l'impératif présent.

## INDICATIF

| Présent | Passé composé |
|---|---|
| — | — |
| — | — |
| il faut | il a fallu |
| — | — |
| — | — |
| — | — |

| Imparfait | Plus-que-parfait |
|---|---|
| — | — |
| — | — |
| il fallait | il avait fallu |
| — | — |
| — | — |
| — | — |

| Passé simple | Passé antérieur |
|---|---|
| — | — |
| — | — |
| il fallut | il eut fallu |
| — | — |
| — | — |
| — | — |

| Futur simple | Futur antérieur |
|---|---|
| — | — |
| — | — |
| il faudra | il aura fallu |
| — | — |
| — | — |
| — | — |

## SUBJONCTIF

| Présent | Imparfait | Passé | Plus-que-parfait |
|---|---|---|---|
| — | — | — | — |
| — | — | — | — |
| qu'il faille | qu'il fallût | qu'il ait fallu | qu'il eût fallu |
| — | — | — | — |
| — | — | — | — |
| — | — | — | — |

## CONDITIONNEL

| Présent | Passé 1re forme | Passé 2e forme |
|---|---|---|
| — | — | — |
| — | — | — |
| il faudrait | il aurait fallu | il eût fallu |
| — | — | — |
| — | — | — |
| — | — | — |

## IMPÉRATIF

**Présent** inusité

**Passé** inusité

## INFINITIF

**Présent** falloir

**Passé** inusité

## PARTICIPE

**Présent** inusité

**Passé** fallu

**Passé composé** inusité

**REMARQUE** : Ce verbe est impersonnel ; de nombreuses formes sont inusitées.

## INDICATIF

**Présent**
je vois
tu vois
il/elle voit
nous voyons
vous voyez
ils/elles voient

**Passé composé**
j'ai vu
tu as vu
il/elle a vu
nous avons vu
vous avez vu
ils/elles ont vu

**Imparfait**
je voyais
tu voyais
il/elle voyait
nous voyions
vous voyiez
ils/elles voyaient

**Plus-que-parfait**
j'avais vu
tu avais vu
il/elle avait vu
nous avions vu
vous aviez vu
ils/elles avaient vu

**Passé simple**
je vis
tu vis
il/elle vit
nous vîmes
vous vîtes
ils/elles virent

**Passé antérieur**
j'eus vu
tu eus vu
il/elle eut vu
nous eûmes vu
vous eûtes vu
ils/elles eurent vu

**Futur simple**
je verrai
tu verras
il/elle verra
nous verrons
vous verrez
ils/elles verront

**Futur antérieur**
j'aurai vu
tu auras vu
il/elle aura vu
nous aurons vu
vous aurez vu
ils/elles auront vu

## SUBJONCTIF

**Présent**
que je voie
que tu voies
qu'il/elle voie
que nous voyions
que vous voyiez
qu'ils/elles voient

**Imparfait**
que je visse
que tu visses
qu'il/elle vît
que nous vissions
que vous vissiez
qu'ils/elles vissent

**Passé**
que j'aie vu
que tu aies vu
qu'il/elle ait vu
que nous ayons vu
que vous ayez vu
qu'ils/elles aient vu

**Plus-que-parfait**
que j'eusse vu
que tu eusses vu
qu'il/elle eût vu
que nous eussions vu
que vous eussiez vu
qu'ils/elles eussent vu

## CONDITIONNEL

**Présent**
je verrais
tu verrais
il/elle verrait
nous verrions
vous verriez
ils/elles verraient

**Passé 1re forme**
j'aurais vu
tu aurais vu
il/elle aurait vu
nous aurions vu
vous auriez vu
ils/elles auraient vu

**Passé 2e forme**
j'eusse vu
tu eusses vu
il/elle eût vu
nous eussions vu
vous eussiez vu
ils/elles eussent vu

## IMPÉRATIF

**Présent** vois
voyons
voyez

**Passé** aie vu
ayons vu
ayez vu

## INFINITIF

**Présent** voir

**Passé** avoir vu

## PARTICIPE

**Présent** voyant

**Passé** vu / vue
vus / vues

**Passé composé** ayant vu

**REMARQUE** : Attention de ne pas oublier le i aux 1re et 2e personnes du pluriel de l'imparfait de l'indicatif et du présent du subjonctif *(nous voyions, vous voyiez)*.

## INDICATIF

**Présent**
je veux
tu veux
il/elle veut
nous voulons
vous voulez
ils/elles veulent

**Passé composé**
j'ai voulu
tu as voulu
il/elle a voulu
nous avons voulu
vous avez voulu
ils/elles ont voulu

**Imparfait**
je voulais
tu voulais
il/elle voulait
nous voulions
vous vouliez
ils/elles voulaient

**Plus-que-parfait**
j'avais voulu
tu avais voulu
il/elle avait voulu
nous avions voulu
vous aviez voulu
ils/elles avaient voulu

**Passé simple**
je voulus
tu voulus
il/elle voulut
nous voulûmes
vous voulûtes
ils/elles voulurent

**Passé antérieur**
j'eus voulu
tu eus voulu
il/elle eut voulu
nous eûmes voulu
vous eûtes voulu
ils/elles eurent voulu

**Futur simple**
je voudrai
tu voudras
il/elle voudra
nous voudrons
vous voudrez
ils/elles voudront

**Futur antérieur**
j'aurai voulu
tu auras voulu
il/elle aura voulu
nous aurons voulu
vous aurez voulu
ils/elles auront voulu

## SUBJONCTIF

**Présent**
que je veuille
que tu veuilles
qu'il/elle veuille
que nous voulions
que vous vouliez
qu'ils/elles veuillent

**Imparfait**
que je voulusse
que tu voulusses
qu'il/elle voulût
que nous voulussions
que vous voulussiez
qu'ils/elles voulussent

**Passé**
que j'aie voulu
que tu aies voulu
qu'il/elle ait voulu
que nous ayons voulu
que vous ayez voulu
qu'ils/elles aient voulu

**Plus-que-parfait**
que j'eusse voulu
que tu eusses voulu
qu'il/elle eût voulu
que nous eussions voulu
que vous eussiez voulu
qu'ils/elles eussent voulu

## CONDITIONNEL

**Présent**
je voudrais
tu voudrais
il/elle voudrait
nous voudrions
vous voudriez
ils/elles voudraient

**Passé 1^re^ forme**
j'aurais voulu
tu aurais voulu
il/elle aurait voulu
nous aurions voulu
vous auriez voulu
ils/elles auraient voulu

**Passé 2^e^ forme**
j'eusse voulu
tu eusses voulu
il/elle eût voulu
nous eussions voulu
vous eussiez voulu
ils/elles eussent voulu

## IMPÉRATIF

**Présent** veux ou veuille
voulons
voulez ou veuillez

**Passé** aie voulu
ayons voulu
ayez voulu

## INFINITIF

**Présent** vouloir

**Passé** avoir voulu

## PARTICIPE

**Présent** voulant

**Passé** voulu / voulue
voulus / voulues

**Passé composé** ayant voulu

**REMARQUE :** L'impératif *veux, voulons, voulez* est rare sauf au négatif dans les expressions : *ne m'en veux pas, ne m'en voulez pas*. L'impératif *veuillez* est d'un emploi formel *(veuillez agréer...)*.

## INDICATIF

| Présent | Passé composé |
|---|---|
| je sais | j'ai su |
| tu sais | tu as su |
| il/elle sait | il/elle a su |
| nous savons | nous avons su |
| vous savez | vous avez su |
| ils/elles savent | ils/elles ont su |

| Imparfait | Plus-que-parfait |
|---|---|
| je savais | j'avais su |
| tu savais | tu avais su |
| il/elle savait | il/elle avait su |
| nous savions | nous avions su |
| vous saviez | vous aviez su |
| ils/elles savaient | ils/elles avaient su |

| Passé simple | Passé antérieur |
|---|---|
| je sus | j'eus su |
| tu sus | tu eus su |
| il/elle sut | il/elle eut su |
| nous sûmes | nous eûmes su |
| vous sûtes | vous eûtes su |
| ils/elles surent | ils/elles eurent su |

| Futur simple | Futur antérieur |
|---|---|
| je saurai | j'aurai su |
| tu sauras | tu auras su |
| il/elle saura | il/elle aura su |
| nous saurons | nous aurons su |
| vous saurez | vous aurez su |
| ils/elles sauront | ils/elles auront su |

## SUBJONCTIF

**Présent**
que je sache
que tu saches
qu'il/elle sache
que nous sachions
que vous sachiez
qu'ils/elles sachent

**Imparfait**
que je susse
que tu susses
qu'il/elle sût
que nous sussions
que vous sussiez
qu'ils/elles sussent

**Passé**
que j'aie su
que tu aies su
qu'il/elle ait su
que nous ayons su
que vous ayez su
qu'ils/elles aient su

**Plus-que-parfait**
que j'eusse su
que tu eusses su
qu'il/elle eût su
que nous eussions su
que vous eussiez su
qu'ils/elles eussent su

## CONDITIONNEL

| Présent | Passé 1re forme | Passé 2e forme |
|---|---|---|
| je saurais | j'aurais su | j'eusse su |
| tu saurais | tu aurais su | tu eusses su |
| il/elle saurait | il/elle aurait su | il/elle eût su |
| nous saurions | nous aurions su | nous eussions su |
| vous sauriez | vous auriez su | vous eussiez su |
| ils/elles sauraient | ils/elles auraient su | ils/elles eussent su |

## IMPÉRATIF

**Présent** sache
sachons
sachez

**Passé** aie su
ayons su
ayez su

## INFINITIF

**Présent** savoir

**Passé** avoir su

## PARTICIPE

**Présent** sachant

**Passé** su / sue
sus / sues

**Passé composé** ayant su

## INDICATIF

**Présent**
je peux ou je puis
tu peux
il/elle peut
nous pouvons
vous pouvez
ils/elles peuvent

**Passé composé**
j'ai pu
tu as pu
il/elle a pu
nous avons pu
vous avez pu
ils/elles ont pu

**Imparfait**
je pouvais
tu pouvais
il/elle pouvait
nous pouvions
vous pouviez
ils/elles pouvaient

**Plus-que-parfait**
j'avais pu
tu avais pu
il/elle avait pu
nous avions pu
vous aviez pu
ils/elles avaient pu

**Passé simple**
je pus
tu pus
il/elle put
nous pûmes
vous pûtes
ils/elles purent

**Passé antérieur**
j'eus pu
tu eus pu
il/elle eut pu
nous eûmes pu
vous eûtes pu
ils/elles eurent pu

**Futur simple**
je pourrai
tu pourras
il/elle pourra
nous pourrons
vous pourrez
ils/elles pourront

**Futur antérieur**
j'aurai pu
tu auras pu
il/elle aura pu
nous aurons pu
vous aurez pu
ils/elles auront pu

## SUBJONCTIF

**Présent**
que je puisse
que tu puisses
qu'il/elle puisse
que nous puissions
que vous puissiez
qu'ils/elles puissent

**Imparfait**
que je pusse
que tu pusses
qu'il/elle pût
que nous pussions
que vous pussiez
qu'ils/elles pussent

**Passé**
que j'aie pu
que tu aies pu
qu'il/elle ait pu
que nous ayons pu
que vous ayez pu
qu'ils/elles aient pu

**Plus-que-parfait**
que j'eusse pu
que tu eusses pu
qu'il/elle eût pu
que nous eussions pu
que vous eussiez pu
qu'ils/elles eussent pu

## CONDITIONNEL

**Présent**
je pourrais
tu pourrais
il/elle pourrait
nous pourrions
vous pourriez
ils/elles pourraient

**Passé 1re forme**
j'aurais pu
tu aurais pu
il/elle aurait pu
nous aurions pu
vous auriez pu
ils/elles auraient pu

**Passé 2e forme**
j'eusse pu
tu eusses pu
il/elle eût pu
nous eussions pu
vous eussiez pu
ils/elles eussent pu

## IMPÉRATIF

**Présent** inusité

**Passé** inusité

## INFINITIF

**Présent** pouvoir

**Passé** avoir pu

## PARTICIPE

**Présent** pouvant

**Passé** pu

**Passé composé** ayant pu

**REMARQUE :** À la forme interrogative, seule la forme *puis* est en usage *(puis-je venir ?)*. *Puis* est plus recherché que *peux* à la forme négative, et encore plus à l'affirmative.

# 34 AVOIR



## INDICATIF

| Présent | Passé composé |
|---|---|
| j'ai | j'ai eu |
| tu as | tu as eu |
| il/elle a | il/elle a eu |
| nous avons | nous avons eu |
| vous avez | vous avez eu |
| ils/elles ont | ils/elles ont eu |

| Imparfait | Plus-que-parfait |
|---|---|
| j'avais | j'avais eu |
| tu avais | tu avais eu |
| il/elle avait | il/elle avait eu |
| nous avions | nous avions eu |
| vous aviez | vous aviez eu |
| ils/elles avaient | ils/elles avaient eu |

| Passé simple | Passé antérieur |
|---|---|
| j'eus | j'eus eu |
| tu eus | tu eus eu |
| il/elle eut | il/elle eut eu |
| nous eûmes | nous eûmes eu |
| vous eûtes | vous eûtes eu |
| ils/elles eurent | ils/elles eurent eu |

| Futur simple | Futur antérieur |
|---|---|
| j'aurai | j'aurai eu |
| tu auras | tu auras eu |
| il/elle aura | il/elle aura eu |
| nous aurons | nous aurons eu |
| vous aurez | vous aurez eu |
| ils/elles auront | ils/elles auront eu |

## SUBJONCTIF

| Présent | Imparfait |
|---|---|
| que j'aie | que j'eusse |
| que tu aies | que tu eusses |
| qu'il/elle ait | qu'il/elle eût |
| que nous ayons | que nous eussions |
| que vous ayez | que vous eussiez |
| qu'ils/elles aient | qu'ils/elles eussent |

| Passé | Plus-que-parfait |
|---|---|
| que j'aie eu | que j'eusse eu |
| que tu aies eu | que tu eusses eu |
| qu'il/elle ait eu | qu'il/elle eût eu |
| que nous ayons eu | que nous eussions eu |
| que vous ayez eu | que vous eussiez eu |
| qu'ils/elles aient eu | qu'ils/elles eussent eu |

## CONDITIONNEL

| Présent | Passé 1re forme | Passé 2e forme |
|---|---|---|
| j'aurais | j'aurais eu | j'eusse eu |
| tu aurais | tu aurais eu | tu eusses eu |
| il/elle aurait | il/elle aurait eu | il/elle eût eu |
| nous aurions | nous aurions eu | nous eussions eu |
| vous auriez | vous auriez eu | vous eussiez eu |
| ils/elles auraient | ils/elles auraient eu | ils/elles eussent eu |

## IMPÉRATIF

**Présent** aie
ayons
ayez

**Passé** aie eu
ayons eu
ayez eu

## INFINITIF

**Présent** avoir

**Passé** avoir eu

## PARTICIPE

**Présent** ayant

**Passé** eu / eue
eus / eues

**Passé composé** ayant eu

**REMARQUES** : Attention, au subjonctif présent *ayez, ayons* ne prennent pas de **i** (à la différence de *payions, payiez)*.

• Le passé composé de **avoir** sert à former le passé surcomposé d'autres verbes *(quand j'ai eu fini)*.

## INDICATIF

**Présent**
je conclus
tu conclus
il/elle conclut
nous concluons
vous concluez
ils/elles concluent

**Passé composé**
j'ai conclu
tu as conclu
il/elle a conclu
nous avons conclu
vous avez conclu
ils/elles ont conclu

**Imparfait**
je concluais
tu concluais
il/elle concluait
nous concluions
vous concluiez
ils/elles concluaient

**Plus-que-parfait**
j'avais conclu
tu avais conclu
il/elle avait conclu
nous avions conclu
vous aviez conclu
ils/elles avaient conclu

**Passé simple**
je conclus
tu conclus
il/elle conclut
nous conclûmes
vous conclûtes
ils/elles conclurent

**Passé antérieur**
j'eus conclu
tu eus conclu
il/elle eut conclu
nous eûmes conclu
vous eûtes conclu
ils/elles eurent conclu

**Futur simple**
je conclurai
tu concluras
il/elle conclura
nous conclurons
vous conclurez
ils/elles concluront

**Futur antérieur**
j'aurai conclu
tu auras conclu
il/elle aura conclu
nous aurons conclu
vous aurez conclu
ils/elles auront conclu

## SUBJONCTIF

**Présent**
que je conclue
que tu conclues
qu'il/elle conclue
que nous concluions
que vous concluiez
qu'ils/elles concluent

**Imparfait**
que je conclusse
que tu conclusses
qu'il/elle conclût
que nous conclussions
que vous conclussiez
qu'ils/elles conclussent

**Passé**
que j'aie conclu
que tu aies conclu
qu'il/elle ait conclu
que nous ayons conclu
que vous ayez conclu
qu'ils/elles aient conclu

**Plus-que-parfait**
que j'eusse conclu
que tu eusses conclu
qu'il/elle eût conclu
que nous eussions conclu
que vous eussiez conclu
qu'ils/elles eussent conclu

## CONDITIONNEL

**Présent**
je conclurais
tu conclurais
il/elle conclurait
nous conclurions
vous concluriez
ils/elles concluraient

**Passé 1re forme**
j'aurais conclu
tu aurais conclu
il/elle aurait conclu
nous aurions conclu
vous auriez conclu
ils/elles auraient conclu

**Passé 2e forme**
j'eusse conclu
tu eusses conclu
il/elle eût conclu
nous eussions conclu
vous eussiez conclu
ils/elles eussent conclu

## IMPÉRATIF

**Présent** conclus
concluons
concluez

**Passé** aie conclu
ayons conclu
ayez conclu

## INFINITIF

**Présent** conclure

**Passé** avoir conclu

## PARTICIPE

**Présent** concluant

**Passé** conclu / conclue
conclus / conclues

**Passé composé** ayant conclu

**REMARQUE** : Notez que *exclure* et *conclure* font au participe passé *exclu, ue ; conclu, ue* tandis que *inclure* et *occlure* font au participe passé *inclus, use ; occlus, use*.

## INDICATIF

**Présent**
je ris
tu ris
il/elle rit
nous rions
vous riez
ils/elles rient

**Passé composé**
j'ai ri
tu as ri
il/elle a ri
nous avons ri
vous avez ri
ils/elles ont ri

**Imparfait**
je riais
tu riais
il/elle riait
nous riions
vous riiez
ils/elles riaient

**Plus-que-parfait**
j'avais ri
tu avais ri
il/elle avait ri
nous avions ri
vous aviez ri
ils/elles avaient ri

**Passé simple**
je ris
tu ris
il/elle rit
nous rîmes
vous rîtes
ils/elles rirent

**Passé antérieur**
j'eus ri
tu eus ri
il/elle eut ri
nous eûmes ri
vous eûtes ri
ils/elles eurent ri

**Futur simple**
je rirai
tu riras
il/elle rira
nous rirons
vous rirez
ils/elles riront

**Futur antérieur**
j'aurai ri
tu auras ri
il/elle aura ri
nous aurons ri
vous aurez ri
ils/elles auront ri

## SUBJONCTIF

**Présent**
que je rie
que tu ries
qu'il/elle rie
que nous riions
que vous riiez
qu'ils/elles rient

**Imparfait**
que je risse
que tu risses
qu'il/elle rît
que nous rissions
que vous rissiez
qu'ils/elles rissent

**Passé**
que j'aie ri
que tu aies ri
qu'il/elle ait ri
que nous ayons ri
que vous ayez ri
qu'ils/elles aient ri

**Plus-que-parfait**
que j'eusse ri
que tu eusses ri
qu'il/elle eût ri
que nous eussions ri
que vous eussiez ri
qu'ils/elles eussent ri

## CONDITIONNEL

**Présent**
je rirais
tu rirais
il/elle rirait
nous ririons
vous ririez
ils/elles riraient

**Passé 1re forme**
j'aurais ri
tu aurais ri
il/elle aurait ri
nous aurions ri
vous auriez ri
ils/elles auraient ri

**Passé 2e forme**
j'eusse ri
tu eusses ri
il/elle eût ri
nous eussions ri
vous eussiez ri
ils/elles eussent ri

## IMPÉRATIF

**Présent** ris
rions
riez

**Passé** aie ri
ayons ri
ayez ri

## INFINITIF

**Présent** rire

**Passé** avoir ri

## PARTICIPE

**Présent** riant

**Passé** ri

**Passé composé** ayant ri

**REMARQUE** : Attention aux deux **i** aux 1re et 2e personnes du pluriel de l'imparfait de l'indicatif et du présent du subjonctif *(nous riions, vous riiez)*.

## INDICATIF

**Présent**
je dis
tu dis
il/elle dit
nous disons
vous dites
ils/elles disent

**Passé composé**
j'ai dit
tu as dit
il/elle a dit
nous avons dit
vous avez dit
ils/elles ont dit

**Imparfait**
je disais
tu disais
il/elle disait
nous disions
vous disiez
ils/elles disaient

**Plus-que-parfait**
j'avais dit
tu avais dit
il/elle avait dit
nous avions dit
vous aviez dit
ils/elles avaient dit

**Passé simple**
je dis
tu dis
il/elle dit
nous dîmes
vous dîtes
ils/elles dirent

**Passé antérieur**
j'eus dit
tu eus dit
il/elle eut dit
nous eûmes dit
vous eûtes dit
ils/elles eurent dit

**Futur simple**
je dirai
tu diras
il/elle dira
nous dirons
vous direz
ils/elles diront

**Futur antérieur**
j'aurai dit
tu auras dit
il/elle aura dit
nous aurons dit
vous aurez dit
ils/elles auront dit

## SUBJONCTIF

**Présent**
que je dise
que tu dises
qu'il/elle dise
que nous disions
que vous disiez
qu'ils/elles disent

**Imparfait**
que je disse
que tu disses
qu'il/elle dît
que nous dissions
que vous dissiez
qu'ils/elles dissent

**Passé**
que j'aie dit
que tu aies dit
qu'il/elle ait dit
que nous ayons dit
que vous ayez dit
qu'ils/elles aient dit

**Plus-que-parfait**
que j'eusse dit
que tu eusses dit
qu'il/elle eût dit
que nous eussions dit
que vous eussiez dit
qu'ils/elles eussent dit

## CONDITIONNEL

**Présent**
je dirais
tu dirais
il/elle dirait
nous dirions
vous diriez
ils/elles diraient

**Passé 1re forme**
j'aurais dit
tu aurais dit
il/elle aurait dit
nous aurions dit
vous auriez dit
ils/elles auraient dit

**Passé 2e forme**
j'eusse dit
tu eusses dit
il/elle eût dit
nous eussions dit
vous eussiez dit
ils/elles eussent dit

## IMPÉRATIF

**Présent** dis
disons
dites

**Passé** aie dit
ayons dit
ayez dit

## INFINITIF

**Présent** dire

**Passé** avoir dit

## PARTICIPE

**Présent** disant

**Passé** dit / dite
dits / dites

**Passé composé** ayant dit

**REMARQUES :** *Médire, contredire, dédire, interdire, prédire* se conjuguent comme **dire** sauf au présent de l'indicatif et de l'impératif à la 2e personne du pluriel : *médisez, contredisez, dédisez, interdisez, prédisez*. Mais *redire* fait *vous redites*.
• *Maudire* se conjugue comme **finir** sauf au participe passé *(maudit, ite)* et à l'infinitif.
• Les 2e personnes du pluriel du présent de l'indicatif et de l'impératif sont irrégulières : *(vous) dites*.

## INDICATIF

| Présent | Passé composé |
|---|---|
| je suffis | j'ai suffi |
| tu suffis | tu as suffi |
| il/elle suffit | il/elle a suffi |
| nous suffisons | nous avons suffi |
| vous suffisez | vous avez suffi |
| ils/elles suffisent | ils/elles ont suffi |

| Imparfait | Plus-que-parfait |
|---|---|
| je suffisais | j'avais suffi |
| tu suffisais | tu avais suffi |
| il/elle suffisait | il/elle avait suffi |
| nous suffisions | nous avions suffi |
| vous suffisiez | vous aviez suffi |
| ils/elles suffisaient | ils/elles avaient suffi |

| Passé simple | Passé antérieur |
|---|---|
| je suffis | j'eus suffi |
| tu suffis | tu eus suffi |
| il/elle suffit | il/elle eut suffi |
| nous suffîmes | nous eûmes suffi |
| vous suffîtes | vous eûtes suffi |
| ils/elles suffirent | ils/elles eurent suffi |

| Futur simple | Futur antérieur |
|---|---|
| je suffirai | j'aurai suffi |
| tu suffiras | tu auras suffi |
| il/elle suffira | il/elle aura suffi |
| nous suffirons | nous aurons suffi |
| vous suffirez | vous aurez suffi |
| ils/elles suffiront | ils/elles auront suffi |

## SUBJONCTIF

| Présent | Imparfait |
|---|---|
| que je suffise | que je suffisse |
| que tu suffises | que tu suffisses |
| qu'il/elle suffise | qu'il/elle suffît |
| que nous suffisions | que nous suffissions |
| que vous suffisiez | que vous suffissiez |
| qu'ils/elles suffisent | qu'ils/elles suffissent |

| Passé | Plus-que-parfait |
|---|---|
| que j'aie suffi | que j'eusse suffi |
| que tu aies suffi | que tu eusses suffi |
| qu'il/elle ait suffi | qu'il/elle eût suffi |
| que nous ayons suffi | que nous eussions suffi |
| que vous ayez suffi | que vous eussiez suffi |
| qu'ils/elles aient suffi | qu'ils/elles eussent suffi |

## CONDITIONNEL

| Présent | Passé 1re forme | Passé 2e forme |
|---|---|---|
| je suffirais | j'aurais suffi | j'eusse suffi |
| tu suffirais | tu aurais suffi | tu eusses suffi |
| il/elle suffirait | il/elle aurait suffi | il/elle eût suffi |
| nous suffirions | nous aurions suffi | nous eussions suffi |
| vous suffiriez | vous auriez suffi | vous eussiez suffi |
| ils/elles suffiraient | ils/elles auraient suffi | ils/elles eussent suffi |

## IMPÉRATIF

**Présent** suffis
suffisons
suffisez

**Passé** aie suffi
ayons suffi
ayez suffi

## INFINITIF

**Présent** suffire

**Passé** avoir suffi

## PARTICIPE

**Présent** suffisant

**Passé** suffi

**Passé composé** ayant suffi

**REMARQUE :** Cette série comprend les verbes *suffire, confire et circoncire,* qui diffèrent cependant par leurs participes passés : *suffi* (invar.) ; *confit, ite ; circoncis, ise* (variables).

## INDICATIF

**Présent**
je nuis
tu nuis
il/elle nuit
nous nuisons
vous nuisez
ils/elles nuisent

**Passé composé**
j'ai nui
tu as nui
il/elle a nui
nous avons nui
vous avez nui
ils/elles ont nui

**Imparfait**
je nuisais
tu nuisais
il/elle nuisait
nous nuisions
vous nuisiez
ils/elles nuisaient

**Plus-que-parfait**
j'avais nui
tu avais nui
il/elle avait nui
nous avions nui
vous aviez nui
ils/elles avaient nui

**Passé simple**
je nuisis
tu nuisis
il/elle nuisit
nous nuisîmes
vous nuisîtes
ils/elles nuisirent

**Passé antérieur**
j'eus nui
tu eus nui
il/elle eut nui
nous eûmes nui
vous eûtes nui
ils/elles eurent nui

**Futur simple**
je nuirai
tu nuiras
il/elle nuira
nous nuirons
vous nuirez
ils/elles nuiront

**Futur antérieur**
j'aurai nui
tu auras nui
il/elle aura nui
nous aurons nui
vous aurez nui
ils/elles auront nui

## SUBJONCTIF

**Présent**
que je nuise
que tu nuises
qu'il/elle nuise
que nous nuisions
que vous nuisiez
qu'ils/elles nuisent

**Imparfait**
que je nuisisse
que tu nuisisses
qu'il/elle nuisît
que nous nuisissions
que vous nuisissiez
qu'ils/elles nuisissent

**Passé**
que j'aie nui
que tu aies nui
qu'il/elle ait nui
que nous ayons nui
que vous ayez nui
qu'ils/elles aient nui

**Plus-que-parfait**
que j'eusse nui
que tu eusses nui
qu'il/elle eût nui
que nous eussions nui
que vous eussiez nui
qu'ils/elles eussent nui

## CONDITIONNEL

**Présent**
je nuirais
tu nuirais
il/elle nuirait
nous nuirions
vous nuiriez
ils/elles nuiraient

**Passé 1re forme**
j'aurais nui
tu aurais nui
il/elle aurait nui
nous aurions nui
vous auriez nui
ils/elles auraient nui

**Passé 2e forme**
j'eusse nui
tu eusses nui
il/elle eût nui
nous eussions nui
vous eussiez nui
ils/elles eussent nui

## IMPÉRATIF

**Présent** nuis
nuisons
nuisez

**Passé** aie nui
ayons nui
ayez nui

## INFINITIF

**Présent** nuire

**Passé** avoir nui

## PARTICIPE

**Présent** nuisant

**Passé** nui

**Passé composé** ayant nui

**REMARQUE** : *Nuire, luire* et *reluire* ont un participe passé invariable.

## INDICATIF

### Présent
je conduis
tu conduis
il/elle conduit
nous conduisons
vous conduisez
ils/elles conduisent

### Passé composé
j'ai conduit
tu as conduit
il/elle a conduit
nous avons conduit
vous avez conduit
ils/elles ont conduit

### Imparfait
je conduisais
tu conduisais
il/elle conduisait
nous conduisions
vous conduisiez
ils/elles conduisaient

### Plus-que-parfait
j'avais conduit
tu avais conduit
il/elle avait conduit
nous avions conduit
vous aviez conduit
ils/elles avaient conduit

### Passé simple
je conduisis
tu conduisis
il/elle conduisit
nous conduisîmes
vous conduisîtes
ils/elles conduisirent

### Passé antérieur
j'eus conduit
tu eus conduit
il/elle eut conduit
nous eûmes conduit
vous eûtes conduit
ils/elles eurent conduit

### Futur simple
je conduirai
tu conduiras
il/elle conduira
nous conduirons
vous conduirez
ils/elles conduiront

### Futur antérieur
j'aurai conduit
tu auras conduit
il/elle aura conduit
nous aurons conduit
vous aurez conduit
ils/elles auront conduit

## SUBJONCTIF

### Présent
que je conduise
que tu conduises
qu'il/elle conduise
que nous conduisions
que vous conduisiez
qu'ils/elles conduisent

### Imparfait
que je conduisisse
que tu conduisisses
qu'il/elle conduisît
que nous conduisissions
que vous conduisissiez
qu'ils/elles conduisissent

### Passé
que j'aie conduit
que tu aies conduit
qu'il/elle ait conduit
que nous ayons conduit
que vous ayez conduit
qu'ils/elles aient conduit

### Plus-que-parfait
que j'eusse conduit
que tu eusses conduit
qu'il/elle eût conduit
que nous eussions conduit
que vous eussiez conduit
qu'ils/elles eussent conduit

## CONDITIONNEL

### Présent
je conduirais
tu conduirais
il/elle conduirait
nous conduirions
vous conduiriez
ils/elles conduiraient

### Passé 1re forme
j'aurais conduit
tu aurais conduit
il/elle aurait conduit
nous aurions conduit
vous auriez conduit
ils/elles auraient conduit

### Passé 2e forme
j'eusse conduit
tu eusses conduit
il/elle eût conduit
nous eussions conduit
vous eussiez conduit
ils/elles eussent conduit

## IMPÉRATIF

**Présent** conduis
conduisons
conduisez

**Passé** aie conduit
ayons conduit
ayez conduit

## INFINITIF

**Présent** conduire

**Passé** avoir conduit

## PARTICIPE

**Présent** conduisant

**Passé** conduit / conduite
conduits / conduites

**Passé composé** ayant conduit

## INDICATIF

**Présent**
j'écris
tu écris
il/elle écrit
nous écrivons
vous écrivez
ils/elles écrivent

**Passé composé**
j'ai écrit
tu as écrit
il/elle a écrit
nous avons écrit
vous avez écrit
ils/elles ont écrit

**Imparfait**
j'écrivais
tu écrivais
il/elle écrivait
nous écrivions
vous écriviez
ils/elles écrivaient

**Plus-que-parfait**
j'avais écrit
tu avais écrit
il/elle avait écrit
nous avions écrit
vous aviez écrit
ils/elles avaient écrit

**Passé simple**
j'écrivis
tu écrivis
il/elle écrivit
nous écrivîmes
vous écrivîtes
ils/elles écrivirent

**Passé antérieur**
j'eus écrit
tu eus écrit
il/elle eut écrit
nous eûmes écrit
vous eûtes écrit
ils/elles eurent écrit

**Futur simple**
j'écrirai
tu écriras
il/elle écrira
nous écrirons
vous écrirez
ils/elles écriront

**Futur antérieur**
j'aurai écrit
tu auras écrit
il/elle aura écrit
nous aurons écrit
vous aurez écrit
ils/elles auront écrit

## SUBJONCTIF

**Présent**
que j'écrive
que tu écrives
qu'il/elle écrive
que nous écrivions
que vous écriviez
qu'ils/elles écrivent

**Imparfait**
que j'écrivisse
que tu écrivisses
qu'il/elle écrivît
que nous écrivissions
que vous écrivissiez
qu'ils/elles écrivissent

**Passé**
que j'aie écrit
que tu aies écrit
qu'il/elle ait écrit
que nous ayons écrit
que vous ayez écrit
qu'ils/elles aient écrit

**Plus-que-parfait**
que j'eusse écrit
que tu eusses écrit
qu'il/elle eût écrit
que nous eussions écrit
que vous eussiez écrit
qu'ils/elles eussent écrit

## CONDITIONNEL

**Présent**
j'écrirais
tu écrirais
il/elle écrirait
nous écririons
vous écririez
ils/elles écriraient

**Passé 1re forme**
j'aurais écrit
tu aurais écrit
il/elle aurait écrit
nous aurions écrit
vous auriez écrit
ils/elles auraient écrit

**Passé 2e forme**
j'eusse écrit
tu eusses écrit
il/elle eût écrit
nous eussions écrit
vous eussiez écrit
ils/elles eussent écrit

## IMPÉRATIF

**Présent** écris
écrivons
écrivez

**Passé** aie écrit
ayons écrit
ayez écrit

## INFINITIF

**Présent** écrire

**Passé** avoir écrit

## PARTICIPE

**Présent** écrivant

**Passé** écrit / écrite
écrits / écrites

**Passé composé** ayant écrit

## INDICATIF

| Présent | Passé composé |
|---|---|
| je suis | j'ai suivi |
| tu suis | tu as suivi |
| il/elle suit | il/elle a suivi |
| nous suivons | nous avons suivi |
| vous suivez | vous avez suivi |
| ils/elles suivent | ils/elles ont suivi |

| Imparfait | Plus-que-parfait |
|---|---|
| je suivais | j'avais suivi |
| tu suivais | tu avais suivi |
| il/elle suivait | il/elle avait suivi |
| nous suivions | nous avions suivi |
| vous suiviez | vous aviez suivi |
| ils/elles suivaient | ils/elles avaient suivi |

| Passé simple | Passé antérieur |
|---|---|
| je suivis | j'eus suivi |
| tu suivis | tu eus suivi |
| il/elle suivit | il/elle eut suivi |
| nous suivîmes | nous eûmes suivi |
| vous suivîtes | vous eûtes suivi |
| ils/elles suivirent | ils/elles eurent suivi |

| Futur simple | Futur antérieur |
|---|---|
| je suivrai | j'aurai suivi |
| tu suivras | tu auras suivi |
| il/elle suivra | il/elle aura suivi |
| nous suivrons | nous aurons suivi |
| vous suivrez | vous aurez suivi |
| ils/elles suivront | ils/elles auront suivi |

## SUBJONCTIF

| Présent | Imparfait |
|---|---|
| que je suive | que je suivisse |
| que tu suives | que tu suivisses |
| qu'il/elle suive | qu'il/elle suivît |
| que nous suivions | que nous suivissions |
| que vous suiviez | que vous suivissiez |
| qu'ils/elles suivent | qu'ils/elles suivissent |

| Passé | Plus-que-parfait |
|---|---|
| que j'aie suivi | que j'eusse suivi |
| que tu aies suivi | que tu eusses suivi |
| qu'il/elle ait suivi | qu'il/elle eût suivi |
| que nous ayons suivi | que nous eussions suivi |
| que vous ayez suivi | que vous eussiez suivi |
| qu'ils/elles aient suivi | qu'ils/elles eussent suivi |

## CONDITIONNEL

| Présent | Passé 1re forme | Passé 2e forme |
|---|---|---|
| je suivrais | j'aurais suivi | j'eusse suivi |
| tu suivrais | tu aurais suivi | tu eusses suivi |
| il/elle suivrait | il/elle aurait suivi | il/elle eût suivi |
| nous suivrions | nous aurions suivi | nous eussions suivi |
| vous suivriez | vous auriez suivi | vous eussiez suivi |
| ils/elles suivraient | ils/elles auraient suivi | ils/elles eussent suivi |

## IMPÉRATIF

**Présent** suis
suivons
suivez

**Passé** aie suivi
ayons suivi
ayez suivi

## INFINITIF

**Présent** suivre

**Passé** avoir suivi

## PARTICIPE

**Présent** suivant

**Passé** suivi / suivie
suivis / suivies

**Passé composé** ayant suivi

**REMARQUE** : Cette série regroupe les composés de *suivre*. *S'ensuivre*, verbe pronominal, forme ses temps composés avec *être* et n'est employé qu'aux 3e personnes et à l'infinitif.

## INDICATIF

**Présent**
je rends
tu rends
il/elle rend
nous rendons
vous rendez
ils/elles rendent

**Passé composé**
j'ai rendu
tu as rendu
il/elle a rendu
nous avons rendu
vous avez rendu
ils/elles ont rendu

**Imparfait**
je rendais
tu rendais
il/elle rendait
nous rendions
vous rendiez
ils/elles rendaient

**Plus-que-parfait**
j'avais rendu
tu avais rendu
il/elle avait rendu
nous avions rendu
vous aviez rendu
ils/elles avaient rendu

**Passé simple**
je rendis
tu rendis
il/elle rendit
nous rendîmes
vous rendîtes
ils/elles rendirent

**Passé antérieur**
j'eus rendu
tu eus rendu
il/elle eut rendu
nous eûmes rendu
vous eûtes rendu
ils/elles eurent rendu

**Futur simple**
je rendrai
tu rendras
il/elle rendra
nous rendrons
vous rendrez
ils/elles rendront

**Futur antérieur**
j'aurai rendu
tu auras rendu
il/elle aura rendu
nous aurons rendu
vous aurez rendu
ils/elles auront rendu

## SUBJONCTIF

**Présent**
que je rende
que tu rendes
qu'il/elle rende
que nous rendions
que vous rendiez
qu'ils/elles rendent

**Imparfait**
que je rendisse
que tu rendisses
qu'il/elle rendît
que nous rendissions
que vous rendissiez
qu'ils/elles rendissent

**Passé**
que j'aie rendu
que tu aies rendu
qu'il/elle ait rendu
que nous ayons rendu
que vous ayez rendu
qu'ils/elles aient rendu

**Plus-que-parfait**
que j'eusse rendu
que tu eusses rendu
qu'il/elle eût rendu
que nous eussions rendu
que vous eussiez rendu
qu'ils/elles eussent rendu

## CONDITIONNEL

**Présent**
je rendrais
tu rendrais
il/elle rendrait
nous rendrions
vous rendriez
ils/elles rendraient

**Passé 1re forme**
j'aurais rendu
tu aurais rendu
il/elle aurait rendu
nous aurions rendu
vous auriez rendu
ils/elles auraient rendu

**Passé 2e forme**
j'eusse rendu
tu eusses rendu
il/elle eût rendu
nous eussions rendu
vous eussiez rendu
ils/elles eussent rendu

## IMPÉRATIF

**Présent** rends
rendons
rendez

**Passé** aie rendu
ayons rendu
ayez rendu

## INFINITIF

**Présent** rendre

**Passé** avoir rendu

## PARTICIPE

**Présent** rendant

**Passé** rendu / rendue
rendus / rendues

**Passé composé** ayant rendu

**REMARQUE :** Cette série comprend les verbes en **-endre** (sauf *prendre* et ses dérivés), **-andre** (ex. *répandre*), **-erdre** (ex. *perdre*), **-ondre** (ex. *répondre*), et **-ordre** (ex. *mordre*).

## INDICATIF

**Présent**
je romps
tu romps
il/elle rompt
nous rompons
vous rompez
ils/elles rompent

**Passé composé**
j'ai rompu
tu as rompu
il/elle a rompu
nous avons rompu
vous avez rompu
ils/elles ont rompu

**Imparfait**
je rompais
tu rompais
il/elle rompait
nous rompions
vous rompiez
ils/elles rompaient

**Plus-que-parfait**
j'avais rompu
tu avais rompu
il/elle avait rompu
nous avions rompu
vous aviez rompu
ils/elles avaient rompu

**Passé simple**
je rompis
tu rompis
il/elle rompit
nous rompîmes
vous rompîtes
ils/elles rompirent

**Passé antérieur**
j'eus rompu
tu eus rompu
il/elle eut rompu
nous eûmes rompu
vous eûtes rompu
ils/elles eurent rompu

**Futur simple**
je romprai
tu rompras
il/elle rompra
nous romprons
vous romprez
ils/elles rompront

**Futur antérieur**
j'aurai rompu
tu auras rompu
il/elle aura rompu
nous aurons rompu
vous aurez rompu
ils/elles auront rompu

## SUBJONCTIF

**Présent**
que je rompe
que tu rompes
qu'il/elle rompe
que nous rompions
que vous rompiez
qu'ils/elles rompent

**Imparfait**
que je rompisse
que tu rompisses
qu'il/elle rompît
que nous rompissions
que vous rompissiez
qu'ils/elles rompissent

**Passé**
que j'aie rompu
que tu aies rompu
qu'il/elle ait rompu
que nous ayons rompu
que vous ayez rompu
qu'ils/elles aient rompu

**Plus-que-parfait**
que j'eusse rompu
que tu eusses rompu
qu'il/elle eût rompu
que nous eussions rompu
que vous eussiez rompu
qu'ils/elles eussent rompu

## CONDITIONNEL

**Présent**
je romprais
tu romprais
il/elle romprait
nous romprions
vous rompriez
ils/elles rompraient

**Passé 1re forme**
j'aurais rompu
tu aurais rompu
il/elle aurait rompu
nous aurions rompu
vous auriez rompu
ils/elles auraient rompu

**Passé 2e forme**
j'eusse rompu
tu eusses rompu
il/elle eût rompu
nous eussions rompu
vous eussiez rompu
ils/elles eussent rompu

## IMPÉRATIF

**Présent** romps
rompons
rompez

**Passé** aie rompu
ayons rompu
ayez rompu

## INFINITIF

**Présent** rompre

**Passé** avoir rompu

## PARTICIPE

**Présent** rompant

**Passé** rompu / rompue
rompus / rompues

**Passé composé** ayant rompu

**REMARQUE :** Les composés de *rompre (corrompre, interrompre)* se conjuguent sur ce modèle.

## INDICATIF

**Présent**
je bats
tu bats
il/elle bat
nous battons
vous battez
ils/elles battent

**Passé composé**
j'ai battu
tu as battu
il/elle a battu
nous avons battu
vous avez battu
ils/elles ont battu

**Imparfait**
je battais
tu battais
il/elle battait
nous battions
vous battiez
ils/elles battaient

**Plus-que-parfait**
j'avais battu
tu avais battu
il/elle avait battu
nous avions battu
vous aviez battu
ils/elles avaient battu

**Passé simple**
je battis
tu battis
il/elle battit
nous battîmes
vous battîtes
ils/elles battirent

**Passé antérieur**
j'eus battu
tu eus battu
il/elle eut battu
nous eûmes battu
vous eûtes battu
ils/elles eurent battu

**Futur simple**
je battrai
tu battras
il/elle battra
nous battrons
vous battrez
ils/elles battront

**Futur antérieur**
j'aurai battu
tu auras battu
il/elle aura battu
nous aurons battu
vous aurez battu
ils/elles auront battu

## SUBJONCTIF

**Présent**
que je batte
que tu battes
qu'il/elle batte
que nous battions
que vous battiez
qu'ils/elles battent

**Imparfait**
que je battisse
que tu battisses
qu'il/elle battît
que nous battissions
que vous battissiez
qu'ils/elles battissent

**Passé**
que j'aie battu
que tu aies battu
qu'il/elle ait battu
que nous ayons battu
que vous ayez battu
qu'ils/elles aient battu

**Plus-que-parfait**
que j'eusse battu
que tu eusses battu
qu'il/elle eût battu
que nous eussions battu
que vous eussiez battu
qu'ils/elles eussent battu

## CONDITIONNEL

**Présent**
je battrais
tu battrais
il/elle battrait
nous battrions
vous battriez
ils/elles battraient

**Passé 1re forme**
j'aurais battu
tu aurais battu
il/elle aurait battu
nous aurions battu
vous auriez battu
ils/elles auraient battu

**Passé 2e forme**
j'eusse battu
tu eusses battu
il/elle eût battu
nous eussions battu
vous eussiez battu
ils/elles eussent battu

## IMPÉRATIF

**Présent** bats
battons
battez

**Passé** aie battu
ayons battu
ayez battu

## INFINITIF

**Présent** battre

**Passé** avoir battu

## PARTICIPE

**Présent** battant

**Passé** battu / battue
battus / battues

**Passé composé** ayant battu

**REMARQUE** : Cette série comprend les composés du verbe *battre*.

## INDICATIF

**Présent**
je vaincs
tu vaincs
il/elle vainc
nous vainquons
vous vainquez
ils/elles vainquent

**Passé composé**
j'ai vaincu
tu as vaincu
il/elle a vaincu
nous avons vaincu
vous avez vaincu
ils/elles ont vaincu

**Imparfait**
je vainquais
tu vainquais
il/elle vainquait
nous vainquions
vous vainquiez
ils/elles vainquaient

**Plus-que-parfait**
j'avais vaincu
tu avais vaincu
il/elle avait vaincu
nous avions vaincu
vous aviez vaincu
ils/elles avaient vaincu

**Passé simple**
je vainquis
tu vainquis
il/elle vainquit
nous vainquîmes
vous vainquîtes
ils/elles vainquirent

**Passé antérieur**
j'eus vaincu
tu eus vaincu
il/elle eut vaincu
nous eûmes vaincu
vous eûtes vaincu
ils/elles eurent vaincu

**Futur simple**
je vaincrai
tu vaincras
il/elle vaincra
nous vaincrons
vous vaincrez
ils/elles vaincront

**Futur antérieur**
j'aurai vaincu
tu auras vaincu
il/elle aura vaincu
nous aurons vaincu
vous aurez vaincu
ils/elles auront vaincu

## SUBJONCTIF

**Présent**
que je vainque
que tu vainques
qu'il/elle vainque
que nous vainquions
que vous vainquiez
qu'ils/elles vainquent

**Imparfait**
que je vainquisse
que tu vainquisses
qu'il/elle vainquît
que nous vainquissions
que vous vainquissiez
qu'ils/elles vainquissent

**Passé**
que j'aie vaincu
que tu aies vaincu
qu'il/elle ait vaincu
que nous ayons vaincu
que vous ayez vaincu
qu'ils/elles aient vaincu

**Plus-que-parfait**
que j'eusse vaincu
que tu eusses vaincu
qu'il/elle eût vaincu
que nous eussions vaincu
que vous eussiez vaincu
qu'ils/elles eussent vaincu

## CONDITIONNEL

**Présent**
je vaincrais
tu vaincrais
il/elle vaincrait
nous vaincrions
vous vaincriez
ils/elles vaincraient

**Passé 1re forme**
j'aurais vaincu
tu aurais vaincu
il/elle aurait vaincu
nous aurions vaincu
vous auriez vaincu
ils/elles auraient vaincu

**Passé 2e forme**
j'eusse vaincu
tu eusses vaincu
il/elle eût vaincu
nous eussions vaincu
vous eussiez vaincu
ils/elles eussent vaincu

## IMPÉRATIF

**Présent** vaincs
vainquons
vainquez

**Passé** aie vaincu
ayons vaincu
ayez vaincu

## INFINITIF

**Présent** vaincre

**Passé** avoir vaincu

## PARTICIPE

**Présent** vainquant

**Passé** vaincu / vaincue
vaincus / vaincues

**Passé composé** ayant vaincu

**REMARQUES :** Cette série comprend *vaincre* et *convaincre*.
• Devant une voyelle autre que **u** prononcé, le son [k] se note **qu** (ex. *nous vainquons, je vainquis*).
• À la 3e personne du singulier du présent de l'indicatif, *vaincre* et *convaincre* ne prennent pas de **-t** *(il vainc, il convainc)*.

## INDICATIF

**Présent**
je lis
tu lis
il/elle lit
nous lisons
vous lisez
ils/elles lisent

**Passé composé**
j'ai lu
tu as lu
il/elle a lu
nous avons lu
vous avez lu
ils/elles ont lu

**Imparfait**
je lisais
tu lisais
il/elle lisait
nous lisions
vous lisiez
ils/elles lisaient

**Plus-que-parfait**
j'avais lu
tu avais lu
il/elle avait lu
nous avions lu
vous aviez lu
ils/elles avaient lu

**Passé simple**
je lus
tu lus
il/elle lut
nous lûmes
vous lûtes
ils/elles lurent

**Passé antérieur**
j'eus lu
tu eus lu
il/elle eut lu
nous eûmes lu
vous eûtes lu
ils/elles eurent lu

**Futur simple**
je lirai
tu liras
il/elle lira
nous lirons
vous lirez
ils/elles liront

**Futur antérieur**
j'aurai lu
tu auras lu
il/elle aura lu
nous aurons lu
vous aurez lu
ils/elles auront lu

## SUBJONCTIF

**Présent**
que je lise
que tu lises
qu'il/elle lise
que nous lisions
que vous lisiez
qu'ils/elles lisent

**Imparfait**
que je lusse
que tu lusses
qu'il/elle lût
que nous lussions
que vous lussiez
qu'ils/elles lussent

**Passé**
que j'aie lu
que tu aies lu
qu'il/elle ait lu
que nous ayons lu
que vous ayez lu
qu'ils/elles aient lu

**Plus-que-parfait**
que j'eusse lu
que tu eusses lu
qu'il/elle eût lu
que nous eussions lu
que vous eussiez lu
qu'ils/elles eussent lu

## CONDITIONNEL

**Présent**
je lirais
tu lirais
il/elle lirait
nous lirions
vous liriez
ils/elles liraient

**Passé 1re forme**
j'aurais lu
tu aurais lu
il/elle aurait lu
nous aurions lu
vous auriez lu
ils/elles auraient lu

**Passé 2e forme**
j'eusse lu
tu eusses lu
il/elle eût lu
nous eussions lu
vous eussiez lu
ils/elles eussent lu

## IMPÉRATIF

**Présent** lis
lisons
lisez

**Passé** aie lu
ayons lu
ayez lu

## INFINITIF

**Présent** lire

**Passé** avoir lu

## PARTICIPE

**Présent** lisant

**Passé** lu / lue
lus / lues

**Passé composé** ayant lu

**REMARQUE** : Cette série regroupe les composés de *lire*.

## INDICATIF

**Présent**
je crois
tu crois
il/elle croit
nous croyons
vous croyez
ils/elles croient

**Passé composé**
j'ai cru
tu as cru
il/elle a cru
nous avons cru
vous avez cru
ils/elles ont cru

**Imparfait**
je croyais
tu croyais
il/elle croyait
nous croyions
vous croyiez
ils/elles croyaient

**Plus-que-parfait**
j'avais cru
tu avais cru
il/elle avait cru
nous avions cru
vous aviez cru
ils/elles avaient cru

**Passé simple**
je crus
tu crus
il/elle crut
nous crûmes
vous crûtes
ils/elles crurent

**Passé antérieur**
j'eus cru
tu eus cru
il/elle eut cru
nous eûmes cru
vous eûtes cru
ils/elles eurent cru

**Futur simple**
je croirai
tu croiras
il/elle croira
nous croirons
vous croirez
ils/elles croiront

**Futur antérieur**
j'aurai cru
tu auras cru
il/elle aura cru
nous aurons cru
vous aurez cru
ils/elles auront cru

## SUBJONCTIF

**Présent**
que je croie
que tu croies
qu'il/elle croie
que nous croyions
que vous croyiez
qu'ils/elles croient

**Imparfait**
que je crusse
que tu crusses
qu'il/elle crût
que nous crussions
que vous crussiez
qu'ils/elles crussent

**Passé**
que j'aie cru
que tu aies cru
qu'il/elle ait cru
que nous ayons cru
que vous ayez cru
qu'ils/elles aient cru

**Plus-que-parfait**
que j'eusse cru
que tu eusses cru
qu'il/elle eût cru
que nous eussions cru
que vous eussiez cru
qu'ils/elles eussent cru

## CONDITIONNEL

**Présent**
je croirais
tu croirais
il/elle croirait
nous croirions
vous croiriez
ils/elles croiraient

**Passé 1ʳᵉ forme**
j'aurais cru
tu aurais cru
il/elle aurait cru
nous aurions cru
vous auriez cru
ils/elles auraient cru

**Passé 2ᵉ forme**
j'eusse cru
tu eusses cru
il/elle eût cru
nous eussions cru
vous eussiez cru
ils/elles eussent cru

## IMPÉRATIF

**Présent** crois
croyons
croyez

**Passé** aie cru
ayons cru
ayez cru

## INFINITIF

**Présent** croire

**Passé** avoir cru

## PARTICIPE

**Présent** croyant

**Passé** cru / crue
crus / crues

**Passé composé** ayant cru

**REMARQUE** : Attention de ne pas oublier le **i** aux 1ʳᵉ et 2ᵉ personnes du pluriel de l'imparfait de l'indicatif et du présent du subjonctif *(nous croyions, vous croyiez)*.

# 45 CLORE — 3e groupe

## INDICATIF

**Présent**
je clos
tu clos
il/elle clôt
—
—
ils/elles closent

**Passé composé**
j'ai clos
tu as clos
il/elle a clos
nous avons clos
vous avez clos
ils/elles ont clos

**Imparfait**
inusité

**Plus-que-parfait**
j'avais clos
tu avais clos
il/elle avait clos
nous avions clos
vous aviez clos
ils/elles avaient clos

**Passé simple**
inusité

**Passé antérieur**
j'eus clos
tu eus clos
il/elle eut clos
nous eûmes clos
vous eûtes clos
ils/elles eurent clos

**Futur simple**
je clorai
tu cloras
il/elle clora
nous clorons
vous clorez
ils/elles cloront

**Futur antérieur**
j'aurai clos
tu auras clos
il/elle aura clos
nous aurons clos
vous aurez clos
ils/elles auront clos

## SUBJONCTIF

**Présent**
que je close
que tu closes
qu'il/elle close
que nous closions
que vous closiez
qu'ils/elles closent

**Imparfait**
inusité

**Passé**
que j'aie clos
que tu aies clos
qu'il/elle ait clos
que nous ayons clos
que vous ayez clos
qu'ils/elles aient clos

**Plus-que-parfait**
que j'eusse clos
que tu eusses clos
qu'il/elle eût clos
que nous eussions clos
que vous eussiez clos
qu'ils/elles eussent clos

## CONDITIONNEL

**Présent**
je clorais
tu clorais
il/elle clorait
nous clorions
vous cloriez
ils/elles cloraient

**Passé 1re forme**
j'aurais clos
tu aurais clos
il/elle aurait clos
nous aurions clos
vous auriez clos
ils/elles auraient clos

**Passé 2e forme**
j'eusse clos
tu eusses clos
il/elle eût clos
nous eussions clos
vous eussiez clos
ils/elles eussent clos

## IMPÉRATIF

**Présent** clos
—
—

**Passé** aie clos
ayons clos
ayez clos

## INFINITIF

**Présent** clore

**Passé** avoir clos

## PARTICIPE

**Présent** closant

**Passé** clos / close
clos / closes

**Passé composé** ayant clos

**REMARQUES :** Cette série comprend le verbe *clore* et ses composés *déclore, éclore, enclore, forclore*.
• *Éclore* s'emploie surtout à l'infinitif, au présent et au participe passé, *forclore* à l'infinitif et au participe passé.
• Au présent de l'indicatif on écrit : *il éclot, il enclot, il déclot* sans accent circonflexe mais *il clôt* en prend un.

## INDICATIF

| Présent | Passé composé |
|---|---|
| je vis | j'ai vécu |
| tu vis | tu as vécu |
| il/elle vit | il/elle a vécu |
| nous vivons | nous avons vécu |
| vous vivez | vous avez vécu |
| ils/elles vivent | ils/elles ont vécu |

| Imparfait | Plus-que-parfait |
|---|---|
| je vivais | j'avais vécu |
| tu vivais | tu avais vécu |
| il/elle vivait | il/elle avait vécu |
| nous vivions | nous avions vécu |
| vous viviez | vous aviez vécu |
| ils/elles vivaient | ils/elles avaient vécu |

| Passé simple | Passé antérieur |
|---|---|
| je vécus | j'eus vécu |
| tu vécus | tu eus vécu |
| il/elle vécut | il/elle eut vécu |
| nous vécûmes | nous eûmes vécu |
| vous vécûtes | vous eûtes vécu |
| ils/elles vécurent | ils/elles eurent vécu |

| Futur simple | Futur antérieur |
|---|---|
| je vivrai | j'aurai vécu |
| tu vivras | tu auras vécu |
| il/elle vivra | il/elle aura vécu |
| nous vivrons | nous aurons vécu |
| vous vivrez | vous aurez vécu |
| ils/elles vivront | ils/elles auront vécu |

## SUBJONCTIF

| Présent | Imparfait |
|---|---|
| que je vive | que je vécusse |
| que tu vives | que tu vécusses |
| qu'il/elle vive | qu'il/elle vécût |
| que nous vivions | que nous vécussions |
| que vous viviez | que vous vécussiez |
| qu'ils/elles vivent | qu'ils/elles vécussent |

| Passé | Plus-que-parfait |
|---|---|
| que j'aie vécu | que j'eusse vécu |
| que tu aies vécu | que tu eusses vécu |
| qu'il/elle ait vécu | qu'il/elle eût vécu |
| que nous ayons vécu | que nous eussions vécu |
| que vous ayez vécu | que vous eussiez vécu |
| qu'ils/elles aient vécu | qu'ils/elles eussent vécu |

## CONDITIONNEL

| Présent | Passé 1re forme | Passé 2e forme |
|---|---|---|
| je vivrais | j'aurais vécu | j'eusse vécu |
| tu vivrais | tu aurais vécu | tu eusses vécu |
| il/elle vivrait | il/elle aurait vécu | il/elle eût vécu |
| nous vivrions | nous aurions vécu | nous eussions vécu |
| vous vivriez | vous auriez vécu | vous eussiez vécu |
| ils/elles vivraient | ils/elles auraient vécu | ils/elles eussent vécu |

## IMPÉRATIF

**Présent** vis / vivons / vivez

**Passé** aie vécu / ayons vécu / ayez vécu

## INFINITIF

**Présent** vivre

**Passé** avoir vécu

## PARTICIPE

**Présent** vivant

**Passé** vécu / vécue / vécus / vécues

**Passé composé** ayant vécu

**REMARQUES :** Cette série regroupe les composés de *vivre*.
• *Survivre* a un participe passé invariable *survécu*.

## INDICATIF

| Présent | Passé composé |
| --- | --- |
| je mouds | j'ai moulu |
| tu mouds | tu as moulu |
| il/elle moud | il/elle a moulu |
| nous moulons | nous avons moulu |
| vous moulez | vous avez moulu |
| ils/elles moulent | ils/elles ont moulu |

| Imparfait | Plus-que-parfait |
| --- | --- |
| je moulais | j'avais moulu |
| tu moulais | tu avais moulu |
| il/elle moulait | il/elle avait moulu |
| nous moulions | nous avions moulu |
| vous mouliez | vous aviez moulu |
| ils/elles moulaient | ils/elles avaient moulu |

| Passé simple | Passé antérieur |
| --- | --- |
| je moulus | j'eus moulu |
| tu moulus | tu eus moulu |
| il/elle moulut | il/elle eut moulu |
| nous moulûmes | nous eûmes moulu |
| vous moulûtes | vous eûtes moulu |
| ils/elles moulurent | ils/elles eurent moulu |

| Futur simple | Futur antérieur |
| --- | --- |
| je moudrai | j'aurai moulu |
| tu moudras | tu auras moulu |
| il/elle moudra | il/elle aura moulu |
| nous moudrons | nous aurons moulu |
| vous moudrez | vous aurez moulu |
| ils/elles moudront | ils/elles auront moulu |

## SUBJONCTIF

**Présent**
que je moule
que tu moules
qu'il/elle moule
que nous moulions
que vous mouliez
qu'ils/elles moulent

**Imparfait**
que je moulusse
que tu moulusses
qu'il/elle moulût
que nous moulussions
que vous moulussiez
qu'ils/elles moulussent

**Passé**
que j'aie moulu
que tu aies moulu
qu'il/elle ait moulu
que nous ayons moulu
que vous ayez moulu
qu'ils/elles aient moulu

**Plus-que-parfait**
que j'eusse moulu
que tu eusses moulu
qu'il/elle eût moulu
que nous eussions moulu
que vous eussiez moulu
qu'ils/elles eussent moulu

## CONDITIONNEL

| Présent | Passé 1re forme | Passé 2e forme |
| --- | --- | --- |
| je moudrais | j'aurais moulu | j'eusse moulu |
| tu moudrais | tu aurais moulu | tu eusses moulu |
| il/elle moudrait | il/elle aurait moulu | il/elle eût moulu |
| nous moudrions | nous aurions moulu | nous eussions moulu |
| vous moudriez | vous auriez moulu | vous eussiez moulu |
| ils/elles moudraient | ils/elles auraient moulu | ils/elles eussent moulu |

## IMPÉRATIF

**Présent** mouds
moulons
moulez

**Passé** aie moulu
ayons moulu
ayez moulu

## INFINITIF

**Présent** moudre

**Passé** avoir moulu

## PARTICIPE

**Présent** moulant

**Passé** moulu / moulue
moulus / moulues

**Passé composé** ayant moulu

**REMARQUE** : Les formes conjuguées de ce verbe sont rarement utilisées (sauf *moudrai(s), moulu, ue*) par risque de confusion avec certaines formes du verbe *mouler*.

## INDICATIF

**Présent**

je couds
tu couds
il/elle coud
nous cousons
vous cousez
ils/elles cousent

**Passé composé**

j'ai cousu
tu as cousu
il/elle a cousu
nous avons cousu
vous avez cousu
ils/elles ont cousu

**Imparfait**

je cousais
tu cousais
il/elle cousait
nous cousions
vous cousiez
ils/elles cousaient

**Plus-que-parfait**

j'avais cousu
tu avais cousu
il/elle avait cousu
nous avions cousu
vous aviez cousu
ils/elles avaient cousu

**Passé simple**

je cousis
tu cousis
il/elle cousit
nous cousîmes
vous cousîtes
ils/elles cousirent

**Passé antérieur**

j'eus cousu
tu eus cousu
il/elle eut cousu
nous eûmes cousu
vous eûtes cousu
ils/elles eurent cousu

**Futur simple**

je coudrai
tu coudras
il/elle coudra
nous coudrons
vous coudrez
ils/elles coudront

**Futur antérieur**

j'aurai cousu
tu auras cousu
il/elle aura cousu
nous aurons cousu
vous aurez cousu
ils/elles auront cousu

## SUBJONCTIF

**Présent**

que je couse
que tu couses
qu'il/elle couse
que nous cousions
que vous cousiez
qu'ils/elles cousent

**Imparfait**

que je cousisse
que tu cousisses
qu'il/elle cousît
que nous cousissions
que vous cousissiez
qu'ils/elles cousissent

**Passé**

que j'aie cousu
que tu aies cousu
qu'il/elle ait cousu
que nous ayons cousu
que vous ayez cousu
qu'ils/elles aient cousu

**Plus-que-parfait**

que j'eusse cousu
que tu eusses cousu
qu'il/elle eût cousu
que nous eussions cousu
que vous eussiez cousu
qu'ils/elles eussent cousu

## CONDITIONNEL

**Présent**

je coudrais
tu coudrais
il/elle coudrait
nous coudrions
vous coudriez
ils/elles coudraient

**Passé 1re forme**

j'aurais cousu
tu aurais cousu
il/elle aurait cousu
nous aurions cousu
vous auriez cousu
ils/elles auraient cousu

**Passé 2e forme**

j'eusse cousu
tu eusses cousu
il/elle eût cousu
nous eussions cousu
vous eussiez cousu
ils/elles eussent cousu

## IMPÉRATIF

**Présent** couds
cousons
cousez

**Passé** aie cousu
ayons cousu
ayez cousu

## INFINITIF

**Présent** coudre

**Passé** avoir cousu

## PARTICIPE

**Présent** cousant

**Passé** cousu / cousue
cousus / cousues

**Passé composé** ayant cousu

## INDICATIF

**Présent**
je joins
tu joins
il/elle joint
nous joignons
vous joignez
ils/elles joignent

**Passé composé**
j'ai joint
tu as joint
il/elle a joint
nous avons joint
vous avez joint
ils/elles ont joint

**Imparfait**
je joignais
tu joignais
il/elle joignait
nous joignions
vous joigniez
ils/elles joignaient

**Plus-que-parfait**
j'avais joint
tu avais joint
il/elle avait joint
nous avions joint
vous aviez joint
ils/elles avaient joint

**Passé simple**
je joignis
tu joignis
il/elle joignit
nous joignîmes
vous joignîtes
ils/elles joignirent

**Passé antérieur**
j'eus joint
tu eus joint
il/elle eut joint
nous eûmes joint
vous eûtes joint
ils/elles eurent joint

**Futur simple**
je joindrai
tu joindras
il/elle joindra
nous joindrons
vous joindrez
ils/elles joindront

**Futur antérieur**
j'aurai joint
tu auras joint
il/elle aura joint
nous aurons joint
vous aurez joint
ils/elles auront joint

## SUBJONCTIF

**Présent**
que je joigne
que tu joignes
qu'il/elle joigne
que nous joignions
que vous joigniez
qu'ils/elles joignent

**Imparfait**
que je joignisse
que tu joignisses
qu'il/elle joignît
que nous joignissions
que vous joignissiez
qu'ils/elles joignissent

**Passé**
que j'aie joint
que tu aies joint
qu'il/elle ait joint
que nous ayons joint
que vous ayez joint
qu'ils/elles aient joint

**Plus-que-parfait**
que j'eusse joint
que tu eusses joint
qu'il/elle eût joint
que nous eussions joint
que vous eussiez joint
qu'ils/elles eussent joint

## CONDITIONNEL

**Présent**
je joindrais
tu joindrais
il/elle joindrait
nous joindrions
vous joindriez
ils/elles joindraient

**Passé 1re forme**
j'aurais joint
tu aurais joint
il/elle aurait joint
nous aurions joint
vous auriez joint
ils/elles auraient joint

**Passé 2e forme**
j'eusse joint
tu eusses joint
il/elle eût joint
nous eussions joint
vous eussiez joint
ils/elles eussent joint

## IMPÉRATIF

**Présent** joins
joignons
joignez

**Passé** aie joint
ayons joint
ayez joint

## INFINITIF

**Présent** joindre

**Passé** avoir joint

## PARTICIPE

**Présent** joignant

**Passé** joint / jointe
joints / jointes

**Passé composé** ayant joint

**REMARQUE** : Attention de ne pas oublier le i aux 1re et 2e personnes du pluriel de l'imparfait de l'indicatif et du présent du subjonctif *(nous joignions, vous joigniez).*

## INDICATIF

| Présent | Passé composé |
| --- | --- |
| je trais | j'ai trait |
| tu trais | tu as trait |
| il/elle trait | il/elle a trait |
| nous trayons | nous avons trait |
| vous trayez | vous avez trait |
| ils/elles traient | ils/elles ont trait |

| Imparfait | Plus-que-parfait |
| --- | --- |
| je trayais | j'avais trait |
| tu trayais | tu avais trait |
| il/elle trayait | il/elle avait trait |
| nous trayions | nous avions trait |
| vous trayiez | vous aviez trait |
| ils/elles trayaient | ils/elles avaient trait |

| Passé simple | Passé antérieur |
| --- | --- |
| | j'eus trait |
| | tu eus trait |
| inusité | il/elle eut trait |
| | nous eûmes trait |
| | vous eûtes trait |
| | ils/elles eurent trait |

| Futur simple | Futur antérieur |
| --- | --- |
| je trairai | j'aurai trait |
| tu trairas | tu auras trait |
| il/elle traira | il/elle aura trait |
| nous trairons | nous aurons trait |
| vous trairez | vous aurez trait |
| ils/elles trairont | ils/elles auront trait |

## SUBJONCTIF

**Présent**
que je traie
que tu traies
qu'il/elle traie
que nous trayions
que vous trayiez
qu'ils/elles traient

**Imparfait**
inusité

**Passé**
que j'aie trait
que tu aies trait
qu'il/elle ait trait
que nous ayons trait
que vous ayez trait
qu'ils/elles aient trait

**Plus-que-parfait**
que j'eusse trait
que tu eusses trait
qu'il/elle eût trait
que nous eussions trait
que vous eussiez trait
qu'ils/elles eussent trait

## CONDITIONNEL

| Présent | Passé 1re forme | Passé 2e forme |
| --- | --- | --- |
| je trairais | j'aurais trait | j'eusse trait |
| tu trairais | tu aurais trait | tu eusses trait |
| il/elle trairait | il/elle aurait trait | il/elle eût trait |
| nous trairions | nous aurions trait | nous eussions trait |
| vous trairiez | vous auriez trait | vous eussiez trait |
| ils/elles trairaient | ils/elles auraient trait | ils/elles eussent trait |

## IMPÉRATIF

**Présent** trais
trayons
trayez

**Passé** aie trait
ayons trait
ayez trait

## INFINITIF

**Présent** traire

**Passé** avoir trait

## PARTICIPE

**Présent** trayant

**Passé** trait / traite
traits / traites

**Passé composé** ayant trait

**REMARQUES :** Les verbes de cette série (*attraire, distraire, soustraire*, etc.) sont inusités au passé simple et à l'imparfait du subjonctif.
• Attention de ne pas oublier le i aux 1re et 2e personnes du pluriel de l'imparfait de l'indicatif et du présent du subjonctif *(nous trayions, vous trayiez)*.

## INDICATIF

### Présent

j'absous
tu absous
il/elle absout
nous absolvons
vous absolvez
ils/elles absolvent

### Passé composé

j'ai absous
tu as absous
il/elle a absous
nous avons absous
vous avez absous
ils/elles ont absous

### Imparfait

j'absolvais
tu absolvais
il/elle absolvait
nous absolvions
vous absolviez
ils/elles absolvaient

### Plus-que-parfait

j'avais absous
tu avais absous
il/elle avait absous
nous avions absous
vous aviez absous
ils/elles avaient absous

### Passé simple

inusité

### Passé antérieur

j'eus absous
tu eus absous
il/elle eut absous
nous eûmes absous
vous eûtes absous
ils/elles eurent absous

### Futur simple

j'absoudrai
tu absoudras
il/elle absoudra
nous absoudrons
vous absoudrez
ils/elles absoudront

### Futur antérieur

j'aurai absous
tu auras absous
il/elle aura absous
nous aurons absous
vous aurez absous
ils/elles auront absous

## SUBJONCTIF

### Présent

que j'absolve
que tu absolves
qu'il/elle absolve
que nous absolvions
que vous absolviez
qu'ils/elles absolvent

### Imparfait

inusité

### Passé

que j'aie absous
que tu aies absous
qu'il/elle ait absous
que nous ayons absous
que vous ayez absous
qu'ils/elles aient absous

### Plus-que-parfait

que j'eusse absous
que tu eusses absous
qu'il/elle eût absous
que nous eussions absous
que vous eussiez absous
qu'ils/elles eussent absous

## CONDITIONNEL

### Présent

j'absoudrais
tu absoudrais
il/elle absoudrait
nous absoudrions
vous absoudriez
ils/elles absoudraient

### Passé 1re forme

j'aurais absous
tu aurais absous
il/elle aurait absous
nous aurions absous
vous auriez absous
ils/elles auraient absous

### Passé 2e forme

j'eusse absous
tu eusses absous
il/elle eût absous
nous eussions absous
vous eussiez absous
ils/elles eussent absous

## IMPÉRATIF

**Présent** absous
absolvons
absolvez

**Passé** aie absous
ayons absous
ayez absous

## INFINITIF

**Présent** absoudre

**Passé** avoir absous

## PARTICIPE

**Présent** absolvant

**Passé** absous / absoute
absous / absoutes

**Passé composé** ayant absous

**REMARQUES :** Cette série comprend les verbes *absoudre, dissoudre* et *résoudre*.
• La réforme de l'orthographe de 1990 préconise d'employer les participes passés *absout, dissout* avec un **t** final, sur le modèle des féminins *absoute, dissoute*. Ainsi on peut écrire indifféremment *j'ai absous* ou *j'ai absout*.
• *Résoudre* se conjugue comme *absoudre*, mais le passé simple *je résolus* est courant; il a deux participes passés : *résolu, ue* pour le sens « statuer, se déterminer » (ex. *problème résolu*) et *résous, oute* pour le sens « dissoudre » (ex. *brouillard résous en pluie*).

## INDICATIF

| Présent | Passé composé |
|---|---|
| je crains | j'ai craint |
| tu crains | tu as craint |
| il/elle craint | il/elle a craint |
| nous craignons | nous avons craint |
| vous craignez | vous avez craint |
| ils/elles craignent | ils/elles ont craint |

| Imparfait | Plus-que-parfait |
|---|---|
| je craignais | j'avais craint |
| tu craignais | tu avais craint |
| il/elle craignait | il/elle avait craint |
| nous craignions | nous avions craint |
| vous craigniez | vous aviez craint |
| ils/elles craignaient | ils/elles avaient craint |

| Passé simple | Passé antérieur |
|---|---|
| je craignis | j'eus craint |
| tu craignis | tu eus craint |
| il/elle craignit | il/elle eut craint |
| nous craignîmes | nous eûmes craint |
| vous craignîtes | vous eûtes craint |
| ils/elles craignirent | ils/elles eurent craint |

| Futur simple | Futur antérieur |
|---|---|
| je craindrai | j'aurai craint |
| tu craindras | tu auras craint |
| il/elle craindra | il/elle aura craint |
| nous craindrons | nous aurons craint |
| vous craindrez | vous aurez craint |
| ils/elles craindront | ils/elles auront craint |

## SUBJONCTIF

| Présent | Imparfait |
|---|---|
| que je craigne | que je craignisse |
| que tu craignes | que tu craignisses |
| qu'il/elle craigne | qu'il/elle craignît |
| que nous craignions | que nous craignissions |
| que vous craigniez | que vous craignissiez |
| qu'ils/elles craignent | qu'ils/elles craignissent |

| Passé | Plus-que-parfait |
|---|---|
| que j'aie craint | que j'eusse craint |
| que tu aies craint | que tu eusses craint |
| qu'il/elle ait craint | qu'il/elle eût craint |
| que nous ayons craint | que nous eussions craint |
| que vous ayez craint | que vous eussiez craint |
| qu'ils/elles aient craint | qu'ils/elles eussent craint |

## CONDITIONNEL

| Présent | Passé 1re forme | Passé 2e forme |
|---|---|---|
| je craindrais | j'aurais craint | j'eusse craint |
| tu craindrais | tu aurais craint | tu eusses craint |
| il/elle craindrait | il/elle aurait craint | il/elle eût craint |
| nous craindrions | nous aurions craint | nous eussions craint |
| vous craindriez | vous auriez craint | vous eussiez craint |
| ils/elles craindraient | ils/elles auraient craint | ils/elles eussent craint |

## IMPÉRATIF

**Présent** crains
craignons
craignez

**Passé** aie craint
ayons craint
ayez craint

## INFINITIF

**Présent** craindre

**Passé** avoir craint

## PARTICIPE

**Présent** craignant

**Passé** craint / crainte
craints / craintes

**Passé composé** ayant craint

**REMARQUE** : Attention de ne pas oublier le **i** aux 1re et 2e personnes du pluriel de l'imparfait de l'indicatif et du présent du subjonctif *(nous craignions, vous craigniez)*.

## INDICATIF

**Présent**
je peins
tu peins
il/elle peint
nous peignons
vous peignez
ils/elles peignent

**Passé composé**
j'ai peint
tu as peint
il/elle a peint
nous avons peint
vous avez peint
ils/elles ont peint

**Imparfait**
je peignais
tu peignais
il/elle peignait
nous peignions
vous peigniez
ils/elles peignaient

**Plus-que-parfait**
j'avais peint
tu avais peint
il/elle avait peint
nous avions peint
vous aviez peint
ils/elles avaient peint

**Passé simple**
je peignis
tu peignis
il/elle peignit
nous peignîmes
vous peignîtes
ils/elles peignirent

**Passé antérieur**
j'eus peint
tu eus peint
il/elle eut peint
nous eûmes peint
vous eûtes peint
ils/elles eurent peint

**Futur simple**
je peindrai
tu peindras
il/elle peindra
nous peindrons
vous peindrez
ils/elles peindront

**Futur antérieur**
j'aurai peint
tu auras peint
il/elle aura peint
nous aurons peint
vous aurez peint
ils/elles auront peint

## SUBJONCTIF

**Présent**
que je peigne
que tu peignes
qu'il/elle peigne
que nous peignions
que vous peigniez
qu'ils/elles peignent

**Imparfait**
que je peignisse
que tu peignisses
qu'il/elle peignît
que nous peignissions
que vous peignissiez
qu'ils/elles peignissent

**Passé**
que j'aie peint
que tu aies peint
qu'il/elle ait peint
que nous ayons peint
que vous ayez peint
qu'ils/elles aient peint

**Plus-que-parfait**
que j'eusse peint
que tu eusses peint
qu'il/elle eût peint
que nous eussions peint
que vous eussiez peint
qu'ils/elles eussent peint

## CONDITIONNEL

**Présent**
je peindrais
tu peindrais
il/elle peindrait
nous peindrions
vous peindriez
ils/elles peindraient

**Passé 1re forme**
j'aurais peint
tu aurais peint
il/elle aurait peint
nous aurions peint
vous auriez peint
ils/elles auraient peint

**Passé 2e forme**
j'eusse peint
tu eusses peint
il/elle eût peint
nous eussions peint
vous eussiez peint
ils/elles eussent peint

## IMPÉRATIF

**Présent** peins
peignons
peignez

**Passé** aie peint
ayons peint
ayez peint

## INFINITIF

**Présent** peindre

**Passé** avoir peint

## PARTICIPE

**Présent** peignant

**Passé** peint / peinte
peints / peintes

**Passé composé** ayant peint

**REMARQUES** : Attention de ne pas oublier le **i** aux 1re et 2e personnes du pluriel de l'imparfait de l'indicatif et du présent du subjonctif *(nous peignions, vous peigniez)*.
• De nombreuses formes du verbe *peindre* sont communes avec le verbe *peigner*.

## INDICATIF

**Présent**
je bois
tu bois
il/elle boit
nous buvons
vous buvez
ils/elles boivent

**Passé composé**
j'ai bu
tu as bu
il/elle a bu
nous avons bu
vous avez bu
ils/elles ont bu

**Imparfait**
je buvais
tu buvais
il/elle buvait
nous buvions
vous buviez
ils/elles buvaient

**Plus-que-parfait**
j'avais bu
tu avais bu
il/elle avait bu
nous avions bu
vous aviez bu
ils/elles avaient bu

**Passé simple**
je bus
tu bus
il/elle but
nous bûmes
vous bûtes
ils/elles burent

**Passé antérieur**
j'eus bu
tu eus bu
il/elle eut bu
nous eûmes bu
vous eûtes bu
ils/elles eurent bu

**Futur simple**
je boirai
tu boiras
il/elle boira
nous boirons
vous boirez
ils/elles boiront

**Futur antérieur**
j'aurai bu
tu auras bu
il/elle aura bu
nous aurons bu
vous aurez bu
ils/elles auront bu

## SUBJONCTIF

**Présent**
que je boive
que tu boives
qu'il/elle boive
que nous buvions
que vous buviez
qu'ils/elles boivent

**Imparfait**
que je busse
que tu busses
qu'il/elle bût
que nous bussions
que vous bussiez
qu'ils/elles bussent

**Passé**
que j'aie bu
que tu aies bu
qu'il/elle ait bu
que nous ayons bu
que vous ayez bu
qu'ils/elles aient bu

**Plus-que-parfait**
que j'eusse bu
que tu eusses bu
qu'il/elle eût bu
que nous eussions bu
que vous eussiez bu
qu'ils/elles eussent bu

## CONDITIONNEL

**Présent**
je boirais
tu boirais
il/elle boirait
nous boirions
vous boiriez
ils/elles boiraient

**Passé 1re forme**
j'aurais bu
tu aurais bu
il/elle aurait bu
nous aurions bu
vous auriez bu
ils/elles auraient bu

**Passé 2e forme**
j'eusse bu
tu eusses bu
il/elle eût bu
nous eussions bu
vous eussiez bu
ils/elles eussent bu

## IMPÉRATIF

**Présent** bois
buvons
buvez

**Passé** aie bu
ayons bu
ayez bu

## INFINITIF

**Présent** boire

**Passé** avoir bu

## PARTICIPE

**Présent** buvant

**Passé** bu / bue
bus / bues

**Passé composé** ayant bu

## INDICATIF

**Présent**

je plais
tu plais
il/elle plaît
nous plaisons
vous plaisez
ils/elles plaisent

**Passé composé**

j'ai plu
tu as plu
il/elle a plu
nous avons plu
vous avez plu
ils/elles ont plu

**Imparfait**

je plaisais
tu plaisais
il/elle plaisait
nous plaisions
vous plaisiez
ils/elles plaisaient

**Plus-que-parfait**

j'avais plu
tu avais plu
il/elle avait plu
nous avions plu
vous aviez plu
ils/elles avaient plu

**Passé simple**

je plus
tu plus
il/elle plut
nous plûmes
vous plûtes
ils/elles plurent

**Passé antérieur**

j'eus plu
tu eus plu
il/elle eut plu
nous eûmes plu
vous eûtes plu
ils/elles eurent plu

**Futur simple**

je plairai
tu plairas
il/elle plaira
nous plairons
vous plairez
ils/elles plairont

**Futur antérieur**

j'aurai plu
tu auras plu
il/elle aura plu
nous aurons plu
vous aurez plu
ils/elles auront plu

## SUBJONCTIF

**Présent**

que je plaise
que tu plaises
qu'il/elle plaise
que nous plaisions
que vous plaisiez
qu'ils/elles plaisent

**Imparfait**

que je plusse
que tu plusses
qu'il/elle plût
que nous plussions
que vous plussiez
qu'ils/elles plussent

**Passé**

que j'aie plu
que tu aies plu
qu'il/elle ait plu
que nous ayons plu
que vous ayez plu
qu'ils/elles aient plu

**Plus-que-parfait**

que j'eusse plu
que tu eusses plu
qu'il/elle eût plu
que nous eussions plu
que vous eussiez plu
qu'ils/elles eussent plu

## CONDITIONNEL

**Présent**

je plairais
tu plairais
il/elle plairait
nous plairions
vous plairiez
ils/elles plairaient

**Passé 1re forme**

j'aurais plu
tu aurais plu
il/elle aurait plu
nous aurions plu
vous auriez plu
ils/elles auraient plu

**Passé 2e forme**

j'eusse plu
tu eusses plu
il/elle eût plu
nous eussions plu
vous eussiez plu
ils/elles eussent plu

## IMPÉRATIF

**Présent** plais
plaisons
plaisez

**Passé** aie plu
ayons plu
ayez plu

## INFINITIF

**Présent** plaire

**Passé** avoir plu

## PARTICIPE

**Présent** plaisant

**Passé** plu

**Passé composé** ayant plu

**REMARQUES** : *Complaire, déplaire* et *plaire* prennent traditionnellement un accent circonflexe au présent de l'indicatif : *il plaît*. Cependant, la réforme de l'orthographe de 1990 préconise l'abandon de cet accent. Les formes *il plait, il complait, il déplait* ne sont donc plus considérées comme fautives.

• *Taire* se conjugue comme **plaire** sauf au présent *(il tait)* et au participe passé *(tu, tue)*.

## INDICATIF

**Présent**
je tais
tu tais
il/elle tait
nous taisons
vous taisez
ils/elles taisent

**Passé composé**
j'ai tu
tu as tu
il/elle a tu
nous avons tu
vous avez tu
ils/elles ont tu

**Imparfait**
je taisais
tu taisais
il/elle taisait
nous taisions
vous taisiez
ils/elles taisaient

**Plus-que-parfait**
j'avais tu
tu avais tu
il/elle avait tu
nous avions tu
vous aviez tu
ils/elles avaient tu

**Passé simple**
je tus
tu tus
il/elle tut
nous tûmes
vous tûtes
ils/elles turent

**Passé antérieur**
j'eus tu
tu eus tu
il/elle eut tu
nous eûmes tu
vous eûtes tu
ils/elles eurent tu

**Futur simple**
je tairai
tu tairas
il/elle taira
nous tairons
vous tairez
ils/elles tairont

**Futur antérieur**
j'aurai tu
tu auras tu
il/elle aura tu
nous aurons tu
vous aurez tu
ils/elles auront tu

## SUBJONCTIF

**Présent**
que je taise
que tu taises
qu'il/elle taise
que nous taisions
que vous taisiez
qu'ils/elles taisent

**Imparfait**
que je tusse
que tu tusses
qu'il/elle tût
que nous tussions
que vous tussiez
qu'ils/elles tussent

**Passé**
j'aie tu
que tu aies tu
qu'il/elle ait tu
que nous ayons tu
que vous ayez tu
qu'ils/elles aient tu

**Plus-que-parfait**
que j'eusse tu
que tu eusses tu
qu'il/elle eût tu
que nous eussions tu
que vous eussiez tu
qu'ils/elles eussent tu

## CONDITIONNEL

**Présent**
je tairais
tu tairais
il/elle tairait
nous tairions
vous tairiez
ils/elles tairaient

**Passé 1re forme**
j'aurais tu
tu aurais tu
il/elle aurait tu
nous aurions tu
vous auriez tu
ils/elles auraient tu

**Passé 2e forme**
j'eusse tu
tu eusses tu
il/elle eût tu
nous eussions tu
vous eussiez tu
ils/elles eussent tu

## IMPÉRATIF

**Présent** tais
taisons
taisez

**Passé** aie tu
ayons tu
ayez tu

## INFINITIF

**Présent** taire

**Passé** avoir tu

## PARTICIPE

**Présent** taisant

**Passé** tu / tue
tus / tues

**Passé composé** ayant tu

## INDICATIF

**Présent**
je croîs
tu croîs
il/elle croît
nous croissons
vous croissez
ils/elles croissent

**Passé composé**
j'ai crû
tu as crû
il/elle a crû
nous avons crû
vous avez crû
ils/elles ont crû

**Imparfait**
je croissais
tu croissais
il/elle croissait
nous croissions
vous croissiez
ils/elles croissaient

**Plus-que-parfait**
j'avais crû
tu avais crû
il/elle avait crû
nous avions crû
vous aviez crû
ils/elles avaient crû

**Passé simple**
je crûs
tu crûs
il/elle crût
nous crûmes
vous crûtes
ils/elles crûrent

**Passé antérieur**
j'eus crû
tu eus crû
il/elle eut crû
nous eûmes crû
vous eûtes crû
ils/elles eurent crû

**Futur simple**
je croîtrai
tu croîtras
il/elle croîtra
nous croîtrons
vous croîtrez
ils/elles croîtront

**Futur antérieur**
j'aurai crû
tu auras crû
il/elle aura crû
nous aurons crû
vous aurez crû
ils/elles auront crû

## SUBJONCTIF

**Présent**
que je croisse
que tu croisses
qu'il/elle croisse
que nous croissions
que vous croissiez
qu'ils/elles croissent

**Imparfait**
que je crûsse
que tu crûsses
qu'il/elle crût
que nous crûssions
que vous crûssiez
qu'ils/elles crûssent

**Passé**
que j'aie crû
que tu aies crû
qu'il/elle ait crû
que nous ayons crû
que vous ayez crû
qu'ils/elles aient crû

**Plus-que-parfait**
que j'eusse crû
que tu eusses crû
qu'il/elle eût crû
que nous eussions crû
que vous eussiez crû
qu'ils/elles eussent crû

## CONDITIONNEL

**Présent**
je croîtrais
tu croîtrais
il/elle croîtrait
nous croîtrions
vous croîtriez
ils/elles croîtraient

**Passé 1re forme**
j'aurais crû
tu aurais crû
il/elle aurait crû
nous aurions crû
vous auriez crû
ils/elles auraient crû

**Passé 2e forme**
j'eusse crû
tu eusses crû
il/elle eût crû
nous eussions crû
vous eussiez crû
ils/elles eussent crû

## IMPÉRATIF

**Présent** croîs
croissons
croissez

**Passé** aie crû
ayons crû
ayez crû

## INFINITIF

**Présent** croître

**Passé** avoir crû

## PARTICIPE

**Présent** croissant

**Passé** crû / crue
crus / crues

**Passé composé** ayant crû

**REMARQUE :** Ce verbe prend traditionnellement un accent circonflexe sur le **i** devant le **t**. Cependant, la réforme de l'orthographe de 1990 préconise l'abandon de cet accent au futur et au conditionnel, temps auxquels la confusion entre les verbes *croître* et *croire* n'est pas possible. Ainsi les graphies *je croitrai, tu croitras, il croitra, nous croitrons, vous croitrez, ils croitront* et *je croitrais, tu croitrais, il croitrait, nous croitrions, vous croitriez, ils croitraient* ne sont plus considérées comme fautives.

# 55 ACCROÎTRE

## INDICATIF / SUBJONCTIF

| Présent | Passé composé | Présent (subjonctif) |
|---|---|---|
| j'accrois | j'ai accru | que j'accroisse |
| tu accrois | tu as accru | que tu accroisses |
| il/elle accroît | il/elle a accru | qu'il/elle accroisse |
| nous accroissons | nous avons accru | que nous accroissions |
| vous accroissez | vous avez accru | que vous accroissiez |
| ils/elles accroissent | ils/elles ont accru | qu'ils/elles accroissent |

| Imparfait | Plus-que-parfait | Imparfait (subjonctif) |
|---|---|---|
| j'accroissais | j'avais accru | que j'accrusse |
| tu accroissais | tu avais accru | que tu accrusses |
| il/elle accroissait | il/elle avait accru | qu'il/elle accrût |
| nous accroissions | nous avions accru | que nous accrussions |
| vous accroissiez | vous aviez accru | que vous accrussiez |
| ils/elles accroissaient | ils/elles avaient accru | qu'ils/elles accrussent |

| Passé simple | Passé antérieur | Passé (subjonctif) |
|---|---|---|
| j'accrus | j'eus accru | que j'aie accru |
| tu accrus | tu eus accru | que tu aies accru |
| il/elle accrut | il/elle eut accru | qu'il/elle ait accru |
| nous accrûmes | nous eûmes accru | que nous ayons accru |
| vous accrûtes | vous eûtes accru | que vous ayez accru |
| ils/elles accrurent | ils/elles eurent accru | qu'ils/elles aient accru |

| Futur simple | Futur antérieur | Plus-que-parfait (subjonctif) |
|---|---|---|
| j'accroîtrai | j'aurai accru | que j'eusse accru |
| tu accroîtras | tu auras accru | que tu eusses accru |
| il/elle accroîtra | il/elle aura accru | qu'il/elle eût accru |
| nous accroîtrons | nous aurons accru | que nous eussions accru |
| vous accroîtrez | vous aurez accru | que vous eussiez accru |
| ils/elles accroîtront | ils/elles auront accru | qu'ils/elles eussent accru |

## CONDITIONNEL

| Présent | Passé 1re forme | Passé 2e forme |
|---|---|---|
| j'accroîtrais | j'aurais accru | j'eusse accru |
| tu accroîtrais | tu aurais accru | tu eusses accru |
| il/elle accroîtrait | il/elle aurait accru | il/elle eût accru |
| nous accroîtrions | nous aurions accru | nous eussions accru |
| vous accroîtriez | vous auriez accru | vous eussiez accru |
| ils/elles accroîtraient | ils/elles auraient accru | ils/elles eussent accru |

## IMPÉRATIF

**Présent** accrois
accroissons
accroissez

**Passé** aie accru
ayons accru
ayez accru

## INFINITIF

**Présent** accroître

**Passé** avoir accru

## PARTICIPE

**Présent** accroissant

**Passé** accru / accrue
accrus / accrues

**Passé composé** ayant accru

**REMARQUE** : Ce verbe prend traditionnellement un accent circonflexe sur le **i** devant le **t**. Cependant, la réforme de l'orthographe de 1990 préconise l'abandon de cet accent. Ainsi les graphies *j'accroitrai, tu accroitras, il accroitra, nous accroitrons, vous accroitrez, ils accroitront* et *j'accroitrais, tu accroitrais, il accroitrait, nous accroitrions, vous accroitriez, ils accroitraient* ne sont plus considérées comme fautives.

## INDICATIF

| Présent | Passé composé |
|---|---|
| je mets | j'ai mis |
| tu mets | tu as mis |
| il/elle met | il/elle a mis |
| nous mettons | nous avons mis |
| vous mettez | vous avez mis |
| ils/elles mettent | ils/elles ont mis |

| Imparfait | Plus-que-parfait |
|---|---|
| je mettais | j'avais mis |
| tu mettais | tu avais mis |
| il/elle mettait | il/elle avait mis |
| nous mettions | nous avions mis |
| vous mettiez | vous aviez mis |
| ils/elles mettaient | ils/elles avaient mis |

| Passé simple | Passé antérieur |
|---|---|
| je mis | j'eus mis |
| tu mis | tu eus mis |
| il/elle mit | il/elle eut mis |
| nous mîmes | nous eûmes mis |
| vous mîtes | vous eûtes mis |
| ils/elles mirent | ils/elles eurent mis |

| Futur simple | Futur antérieur |
|---|---|
| je mettrai | j'aurai mis |
| tu mettras | tu auras mis |
| il/elle mettra | il/elle aura mis |
| nous mettrons | nous aurons mis |
| vous mettrez | vous aurez mis |
| ils/elles mettront | ils/elles auront mis |

## SUBJONCTIF

| Présent | Imparfait |
|---|---|
| que je mette | que je misse |
| que tu mettes | que tu misses |
| qu'il/elle mette | qu'il/elle mît |
| que nous mettions | que nous missions |
| que vous mettiez | que vous missiez |
| qu'ils/elles mettent | qu'ils/elles missent |

| Passé | Plus-que-parfait |
|---|---|
| que j'aie mis | que j'eusse mis |
| que tu aies mis | que tu eusses mis |
| qu'il/elle ait mis | qu'il/elle eût mis |
| que nous ayons mis | que nous eussions |
| que vous ayez mis | mis que vous eussiez mis |
| qu'ils/elles aient mis | qu'ils/elles eussent mis |

## CONDITIONNEL

| Présent | Passé 1re forme | Passé 2e forme |
|---|---|---|
| je mettrais | j'aurais mis | j'eusse mis |
| tu mettrais | tu aurais mis | tu eusses mis |
| il/elle mettrait | il/elle aurait mis | il/elle eût mis |
| nous mettrions | nous aurions mis | nous eussions mis |
| vous mettriez | vous auriez mis | vous eussiez mis |
| ils/elles mettraient | ils/elles auraient mis | ils/elles eussent mis |

## IMPÉRATIF

**Présent** mets
mettons
mettez

**Passé** aie mis
ayons mis
ayez mis

## INFINITIF

**Présent** mettre

**Passé** avoir mis

## PARTICIPE

**Présent** mettant

**Passé** mis / mise
mis / mises

**Passé composé** ayant mis

**REMARQUE** : Cette série regroupe les composés de *mettre*.

## INDICATIF

**Présent**

je connais
tu connais
il/elle connaît
nous connaissons
vous connaissez
ils/elles connaissent

**Passé composé**

j'ai connu
tu as connu
il/elle a connu
nous avons connu
vous avez connu
ils/elles ont connu

**Imparfait**

je connaissais
tu connaissais
il/elle connaissait
nous connaissions
vous connaissiez
ils/elles connaissaient

**Plus-que-parfait**

j'avais connu
tu avais connu
il/elle avait connu
nous avions connu
vous aviez connu
ils/elles avaient connu

**Passé simple**

je connus
tu connus
il/elle connut
nous connûmes
vous connûtes
ils/elles connurent

**Passé antérieur**

j'eus connu
tu eus connu
il/elle eut connu
nous eûmes connu
vous eûtes connu
ils/elles eurent connu

**Futur simple**

je connaîtrai
tu connaîtras
il/elle connaîtra
nous connaîtrons
vous connaîtrez
ils/elles connaîtront

**Futur antérieur**

j'aurai connu
tu auras connu
il/elle aura connu
nous aurons connu
vous aurez connu
ils/elles auront connu

## SUBJONCTIF

**Présent**

que je connaisse
que tu connaisses
qu'il/elle connaisse
que nous connaissions
que vous connaissiez
qu'ils/elles connaissent

**Imparfait**

que je connusse
que tu connusses
qu'il/elle connût
que nous connussions
que vous connussiez
qu'ils/elles connussent

**Passé**

que j'aie connu
que tu aies connu
qu'il/elle ait connu
que nous ayons connu
que vous ayez connu
qu'ils/elles aient connu

**Plus-que-parfait**

que j'eusse connu
que tu eusses connu
qu'il/elle eût connu
que nous eussions connu
que vous eussiez connu
qu'ils/elles eussent connu

## CONDITIONNEL

**Présent**

je connaîtrais
tu connaîtrais
il/elle connaîtrait
nous connaîtrions
vous connaîtriez
ils/elles connaîtraient

**Passé 1re forme**

j'aurais connu
tu aurais connu
il/elle aurait connu
nous aurions connu
vous auriez connu
ils/elles auraient connu

**Passé 2e forme**

j'eusse connu
tu eusses connu
il/elle eût connu
nous eussions connu
vous eussiez connu
ils/elles eussent connu

## IMPÉRATIF

**Présent** connais
connaissons
connaissez

**Passé** aie connu
ayons connu
ayez connu

## INFINITIF

**Présent** connaître

**Passé** avoir connu

## PARTICIPE

**Présent** connaissant

**Passé** connu / connue
connus / connues

**Passé composé** ayant connu

**REMARQUES** : Le **i** prend traditionnellement un accent circonflexe devant un **t**. Cependant, la réforme de l'orthographe de 1990 préconise l'abandon de cet accent. Ainsi les graphies *connaitre, il connait, je connaitrai, tu connaitras, il connaitra, nous connaitrons, vous connaitrez, ils connaitront* et *je connaitrais, tu connaitrais, il connaitrait, nous connaitrions, vous connaitriez, ils connaitraient,* ne sont plus considérées comme fautives.
• *Paître* n'a ni temps composés ni participe passé, ni passé simple, ni subjonctif imparfait. Mais ces formes existent pour *repaître (repu, ue ; je repus).*

## INDICATIF

**Présent**
je prends
tu prends
il/elle prend
nous prenons
vous prenez
ils/elles prennent

**Passé composé**
j'ai pris
tu as pris
il/elle a pris
nous avons pris
vous avez pris
ils/elles ont pris

**Imparfait**
je prenais
tu prenais
il/elle prenait
nous prenions
vous preniez
ils/elles prenaient

**Plus-que-parfait**
j'avais pris
tu avais pris
il/elle avait pris
nous avions pris
vous aviez pris
ils/elles avaient pris

**Passé simple**
je pris
tu pris
il/elle prit
nous prîmes
vous prîtes
ils/elles prirent

**Passé antérieur**
j'eus pris
tu eus pris
il/elle eut pris
nous eûmes pris
vous eûtes pris
ils/elles eurent pris

**Futur simple**
je prendrai
tu prendras
il/elle prendra
nous prendrons
vous prendrez
ils/elles prendront

**Futur antérieur**
j'aurai pris
tu auras pris
il/elle aura pris
nous aurons pris
vous aurez pris
ils/elles auront pris

## SUBJONCTIF

**Présent**
que je prenne
que tu prennes
qu'il/elle prenne
que nous prenions
que vous preniez
qu'ils/elles prennent

**Imparfait**
que je prisse
que tu prisses
qu'il/elle prît
que nous prissions
que vous prissiez
qu'ils/elles prissent

**Passé**
que j'aie pris
que tu aies pris
qu'il/elle ait pris
que nous ayons pris
que vous ayez pris
qu'ils/elles aient pris

**Plus-que-parfait**
que j'eusse pris
que tu eusses pris
qu'il/elle eût pris
que nous eussions pris
que vous eussiez pris
qu'ils/elles eussent pris

## CONDITIONNEL

**Présent**
je prendrais
tu prendrais
il/elle prendrait
nous prendrions
vous prendriez
ils/elles prendraient

**Passé 1re forme**
j'aurais pris
tu aurais pris
il/elle aurait pris
nous aurions pris
vous auriez pris
ils/elles auraient pris

**Passé 2e forme**
j'eusse pris
tu eusses pris
il/elle eût pris
nous eussions pris
vous eussiez pris
ils/elles eussent pris

## IMPÉRATIF

**Présent** prends
prenons
prenez

**Passé** aie pris
ayons pris
ayez pris

## INFINITIF

**Présent** prendre

**Passé** avoir pris

## PARTICIPE

**Présent** prenant

**Passé** pris / prise
pris / prises

**Passé composé** ayant pris

**REMARQUE :** Cette série regroupe les composés de *prendre*.

## INDICATIF

| Présent | Passé composé |
|---|---|
| je nais | je suis né/née |
| tu nais | tu es né/née |
| il/elle naît | il/elle est né/née |
| nous naissons | nous sommes nés/nées |
| vous naissez | vous êtes nés/nées |
| ils/elles naissent | ils/elles sont nés/nées |

| Imparfait | Plus-que-parfait |
|---|---|
| je naissais | j'étais né/née |
| tu naissais | tu étais né/née |
| il/elle naissait | il/elle était né/née |
| nous naissions | nous étions nés/nées |
| vous naissiez | vous étiez nés/nées |
| ils/elles naissaient | ils/elles étaient nés/nées |

| Passé simple | Passé antérieur |
|---|---|
| je naquis | je fus né/née |
| tu naquis | tu fus né/née |
| il/elle naquit | il/elle fut né/née |
| nous naquîmes | nous fûmes nés/nées |
| vous naquîtes | vous fûtes nés/nées |
| ils/elles naquirent | ils/elles furent nés/nées |

| Futur simple | Futur antérieur |
|---|---|
| je naîtrai | je serai né/née |
| tu naîtras | tu seras né/née |
| il/elle naîtra | il/elle sera né/née |
| nous naîtrons | nous serons nés/nées |
| vous naîtrez | vous serez nés/nées |
| ils/elles naîtront | ils/elles seront nés/nées |

## SUBJONCTIF

| Présent |
|---|
| que je naisse |
| que tu naisses |
| qu'il/elle naisse |
| que nous naissions |
| que vous naissiez |
| qu'ils/elles naissent |

| Imparfait |
|---|
| que je naquisse |
| que tu naquisses |
| qu'il/elle naquît |
| que nous naquissions |
| que vous naquissiez |
| qu'ils/elles naquissent |

| Passé |
|---|
| que je sois né/née |
| que tu sois né/née |
| qu'il/elle soit né/née |
| que nous soyons nés/nées |
| que vous soyez nés/nées |
| qu'ils/elles soient nés/nées |

| Plus-que-parfait |
|---|
| que je fusse né/née |
| que tu fusses né/née |
| qu'il/elle fût né/née |
| que nous fussions nés/nées |
| que vous fussiez nés/nées |
| qu'ils/elles fussent nés/nées |

## CONDITIONNEL

| Présent | Passé 1re forme | Passé 2e forme |
|---|---|---|
| je naîtrais | je serais né/née | je fusse né/née |
| tu naîtrais | tu serais né/née | tu fusses né/née |
| il/elle naîtrait | il/elle serait né/née | il/elle fût né/née |
| nous naîtrions | nous serions nés/nées | nous fussions nés/nées |
| vous naîtriez | vous seriez nés/nées | vous fussiez nés/nées |
| ils/elles naîtraient | ils/elles seraient nés/nées | ils/elles fussent nés/nées |

## IMPÉRATIF

**Présent** nais
naissons
naissez

**Passé** sois né/née
soyons nés/nées
soyez nés/nées

## INFINITIF

**Présent** naître

**Passé** être né/née
être nés/nées

## PARTICIPE

**Présent** naissant

**Passé** né / née
nés / nées

**Passé composé** étant né/née
étant nés/nées

**REMARQUE :** Le **i** prend traditionnellement un accent circonflexe devant un **t**. Cependant, la réforme de l'orthographe de 1990 préconise l'abandon de cet accent. Ainsi les graphies *naitre, il nait, je naitrai, tu naitras, il naitra, nous naitrons, vous naitrez, ils naitront* et *je naitrais, tu naitrais, il naitrait, nous naitrions, vous naitriez, ils naitraient* ne sont plus considérées comme fautives.

## INDICATIF

**Présent**

je fais
tu fais
il/elle fait
nous faisons
vous faites
ils/elles font

**Passé composé**

j'ai fait
tu as fait
il/elle a fait
nous avons fait
vous avez fait
ils/elles ont fait

**Imparfait**

je faisais
tu faisais
il/elle faisait
nous faisions
vous faisiez
ils/elles faisaient

**Plus-que-parfait**

j'avais fait
tu avais fait
il/elle avait fait
nous avions fait
vous aviez fait
ils/elles avaient fait

**Passé simple**

je fis
tu fis
il/elle fit
nous fîmes
vous fîtes
ils/elles firent

**Passé antérieur**

j'eus fait
tu eus fait
il/elle eut fait
nous eûmes fait
vous eûtes fait
ils/elles eurent fait

**Futur simple**

je ferai
tu feras
il/elle fera
nous ferons
vous ferez
ils/elles feront

**Futur antérieur**

j'aurai fait
tu auras fait
il/elle aura fait
nous aurons fait
vous aurez fait
ils/elles auront fait

## SUBJONCTIF

**Présent**

que je fasse
que tu fasses
qu'il/elle fasse
que nous fassions
que vous fassiez
qu'ils/elles fassent

**Imparfait**

que je fisse
que tu fisses
qu'il/elle fît
que nous fissions
que vous fissiez
qu'ils/elles fissent

**Passé**

que j'aie fait
que tu aies fait
qu'il/elle ait fait
que nous ayons fait
que vous ayez fait
qu'ils/elles aient fait

**Plus-que-parfait**

que j'eusse fait
que tu eusses fait
qu'il/elle eût fait
que nous eussions fait
que vous eussiez fait
qu'ils/elles eussent fait

## CONDITIONNEL

**Présent**

je ferais
tu ferais
il/elle ferait
nous ferions
vous feriez
ils/elles feraient

**Passé 1^re^ forme**

j'aurais fait
tu aurais fait
il/elle aurait fait
nous aurions fait
vous auriez fait
ils/elles auraient fait

**Passé 2^e^ forme**

j'eusse fait
tu eusses fait
il/elle eût fait
nous eussions fait
vous eussiez fait
ils/elles eussent fait

## IMPÉRATIF

**Présent** fais
faisons
faites

**Passé** aie fait
ayons fait
ayez fait

## INFINITIF

**Présent** faire

**Passé** avoir fait

## PARTICIPE

**Présent** faisant

**Passé** fait / faite
faits / faites

**Passé composé** ayant fait

## INDICATIF

| Présent | Passé composé |
|---|---|
| je suis | j'ai été |
| tu es | tu as été |
| il/elle est | il/elle a été |
| nous sommes | nous avons été |
| vous êtes | vous avez été |
| ils/elles sont | ils/elles ont été |

| Imparfait | Plus-que-parfait |
|---|---|
| j'étais | j'avais été |
| tu étais | tu avais été |
| il/elle était | il/elle avait été |
| nous étions | nous avions été |
| vous étiez | vous aviez été |
| ils/elles étaient | ils/elles avaient été |

| Passé simple | Passé antérieur |
|---|---|
| je fus | j'eus été |
| tu fus | tu eus été |
| il/elle fut | il/elle eut été |
| nous fûmes | nous eûmes été |
| vous fûtes | vous eûtes été |
| ils/elles furent | ils/elles eurent été |

| Futur simple | Futur antérieur |
|---|---|
| je serai | j'aurai été |
| tu seras | tu auras été |
| il/elle sera | il/elle aura été |
| nous serons | nous aurons été |
| vous serez | vous aurez été |
| ils/elles seront | ils/elles auront été |

## SUBJONCTIF

| Présent | Imparfait |
|---|---|
| que je sois | que je fusse |
| que tu sois | que tu fusses |
| qu'il/elle soit | qu'il/elle fût |
| que nous soyons | que nous fussions |
| que vous soyez | que vous fussiez |
| qu'ils/elles soient | qu'ils/elles fussent |

| Passé | Plus-que-parfait |
|---|---|
| que j'aie été | que j'eusse été |
| que tu aies été | que tu eusses été |
| qu'il/elle ait été | qu'il/elle eût été |
| que nous ayons été | que nous eussions été |
| que vous ayez été | que vous eussiez été |
| qu'ils/elles aient été | qu'ils/elles eussent été |

## CONDITIONNEL

| Présent | Passé 1re forme | Passé 2e forme |
|---|---|---|
| je serais | j'aurais été | j'eusse été |
| tu serais | tu aurais été | tu eusses été |
| il/elle serait | il/elle aurait été | il/elle eût été |
| nous serions | nous aurions été | nous eussions été |
| vous seriez | vous auriez été | vous eussiez été |
| ils/elles seraient | ils/elles auraient été | ils/elles eussent été |

## IMPÉRATIF

**Présent** sois
soyons
soyez

**Passé** aie été
ayons été
ayez été

## INFINITIF

**Présent** être

**Passé** avoir été

## PARTICIPE

**Présent** étant

**Passé** été

**Passé composé** ayant été

**REMARQUES :** Aux temps composés, **être** se conjugue avec *avoir*.
• Le passé composé sert à former le passé surcomposé d'autres verbes (ex. *quand j'ai été parti*).

# PRINCIPES DE NOTATION DE LA PRONONCIATION

Dans ce dictionnaire comme dans les autres dictionnaires Le Robert, nous avons choisi de noter les sons grâce aux symboles de l'Association phonétique internationale (A.P.I.), notation adoptée dans tous les pays (voir tableau des signes de l'alphabet phonétique). Même si certains symboles sont peu familiers (ex. : *ch* noté [ʃ]), nous avons voulu faire prendre conscience au lecteur de la différence entre la langue orale et la langue écrite. Il y a 6 voyelles à l'écrit *(a, e, i, o, u, y)* et 16 à l'oral (voir tableaux des voyelles).

Nous avons transcrit en alphabet phonétique tous les mots situés à la tête d'une série (imprimés dans un corps typographique plus grand) ainsi que les mots isolés. Les dérivés et composés réguliers ne posant aucun problème de prononciation ne comportent pas de transcription phonétique. Les mots qui ne suivent pas les règles générales de la correspondance entre l'écriture et la prononciation (voir tableaux) sont transcrits ; il peut s'agir de mots savants ou d'emprunts, mais également de mots fréquents.

## CORRESPONDANCE ENTRE L'ÉCRITURE DES MOTS ET LEUR PRONONCIATION

Dans les tableaux, nous avons choisi la graphie la plus fréquente ou la plus connue de chaque son distinctif à l'oral, suivie du symbole phonétique correspondant et nous avons indiqué d'autres graphies régulières possibles.

### Les consonnes

**Remarques :** La lettre *x* correspond aux sons [ks] *(fixer, extrait)* sauf :

– dans les mots commençant par *ex-* suivi d'une voyelle et leurs dérivés *(examen, inexistant)* où on prononce [gz].

– au début des mots, on a tendance à prononcer plus souvent [gz]. Ainsi, autrefois on disait *xylophone* [ksilɔfɔn], maintenant on dit plutôt [gzilɔfɔn].

La lettre *h* ne correspond à aucun son en français, sauf parfois dans des onomatopées (*hum* [hœm]).
Les mots commençant par *h* devant lesquels on ne fait ni la liaison ni l'élision sont précédés d'un astérisque. Des mots commençant par une autre lettre que *h* sont également précédés de l'astérisque (**ouistiti, *yaourt,* etc.).

**Les doubles consonnes :** Elles ont tendance à se prononcer comme une seule consonne *(allée, arrêt)*. On entend parfois encore une consonne double dans certains mots *(collègue, grammaire)*, surtout après un préfixe *(illégal)*.

-cc- devant *i, e, y* se prononcent [ks] : *occident*.

-gg- devant *i, e, y* se prononcent [gʒ] : *suggérer*.

**Les consonnes finales :** À la fin des mots, les consonnes *b, c, ck, f, g, l, q, ss, th* sont généralement prononcées *(club, bac, rock, vif, grog, bal, coq, miss, bismuth)*.

– *r* est généralement prononcé *(tour, finir)* sauf dans la plupart des finales en *-er (boucher, chanter)*.

– les consonnes *d, p, s, t, x, z* sont généralement muettes *(pied, trop, bas, sot, deux, assez)*.

– *m* et *n* à la finale nasalisent généralement la voyelle précédente *(fin, faim)*.

## Les consonnes du français

| LABIALES | | DENTALES | | PALATALES ou VÉLAIRES | |
|---|---|---|---|---|---|
| **p** [p] | *papa, apporter* | **t** [t] | *tard, bateau, brouette* | **k** [k] | *képi, break* |
| -b- | devant consonne sourde : *absurde, obscur* | -th- | *théâtre, thym* | -kh- | *khan* |
| | | | | -c- | devant *a, o, u* : *cap, corps, cure*<br>devant une consonne : *cri, clou*<br>à la finale : *bac, bec, soc* |
| | | | | -cc- | devant *a, o, u* ou devant consonne : *accord, occasion* |
| | | | | -qu- | (-q en finale) : *quatre, coq* |
| | | | | -ck- | *nickel, stock* |
| **b** [b] | *bain, habit, abbé, lob* | **d** [d] | *dos, radeau, caddie* | **g** [g] | *gare* |
| | | | | -g- | devant *a, o, u* : *gai, fagot, figure*<br>devant une consonne : *gris, glisser*<br>à la finale : *gag* |
| | | | | -gg- | devant *a, o, u* ou devant consonne : *toboggan, aggraver* |
| | | | | -gu- | devant *i, e, y* : *guitare, guenon*<br>et parfois devant *a, o* dans les conjugaisons : *naviguons, naviguant* |
| | | | | -gh- | *ghetto* |
| **f** [f] | *file, affaire, café* | **s** [s] | *si* | **ch** [ʃ] | *chapeau, hacher, vache* |
| -ph- | *photographie* | -s- | au début des mots : *sac*<br>devant une consonne : *poster, scandale*<br>après une consonne : *valser* | -sh- | *short, cash* |
| | | -ss- | entre voyelles et en fin de mot : *brosse, poisson, cross* | -sch- | *schéma* |
| | | -c- | devant *i, e, y* : *cirage, cerise, foncé, cymbale* | | |
| | | -ç- | devant *a, o, u* : *glaçon, ça, reçu* | | |
| | | -sc- | devant *e, i, y* : *scélérat, scier* | | |
| | | -ti- | + voyelle : *nation, démocratie* sauf après *s* : *bastion* [-tjɔ̃] | | |
| **v** [v] | *veau, avis, cave* | **z** [z] | *zoo, bazar, gaz* | **j** [ʒ] | *jeu, bijou* |
| -w- | *wagon* | -s- | entre voyelles : *poison, base* | -g- | devant *e, i, y* : *genou, girafe, gymnastique* |
| | | | en liaison : *les amis* [lezami] *deux amis* [døzami] | -ge- | devant *a, o* : *geai, nageons* |
| **m** [m] | *mou, ami, homme* | **n** [n] | *nid, année, bonne* | **gn** [ɲ] | *agneau, vigne* |
| | | | | **ng** [ŋ] | dans des emprunts : *camping* |
| | | **l** [l] | *lait, allée, bal* | | |
| | | **r** [ʀ] | *riz, arrêt, finir* | | |
| | | -rh- | *rhume* | | |

## Les voyelles

En principe, le français oral, selon l'usage encore en vigueur dans la région parisienne, distingue 16 voyelles différentes. Certaines oppositions ont tendance à régresser, en particulier la différence entre [a] et [ɑ] (*mal* [mal] et *mâle* [mɑl]), encore vivante surtout en région parisienne, la différence entre [ɛ̃] et [œ̃] (*brin* [bʀɛ̃] et *brun* [bʀœ̃]) plutôt sensible dans le sud de la France. À Paris, l'opposition entre [e] et [ɛ] se maintient en syllabe finale de mot (*vallée* [vale] et *valet* [valɛ]) mais tend à disparaître en syllabe non finale. D'autres sont sujettes à des variations selon les régions, y compris parfois chez une même personne en fonction de la situation de communication. Pour ces raisons, malgré une différence de transcription, nous avons considéré comme homonymes des mots comme *pâte* et *patte* ou encore *pécheur* et *pêcheur*.

### Les voyelles orales

Elles sont produites avec le voile du palais relevé pour empêcher l'air de s'échapper par le nez. La différence de timbre résulte du déplacement de la langue de haut en bas (voyelles fermées ou ouvertes) et d'avant en arrière de la cavité buccale. Certaines voyelles sont prononcées avec les lèvres étirées (ex. : *i* [i] *lit*), d'autres avec les lèvres arrondies (ex. : *u* [y] *lu*).

L'opposition entre le *a* d'avant [a] et le *a* d'arrière [ɑ] tend à disparaître au profit d'un *a* ouvert situé vers le centre de la bouche. Certains mots prononcés autrefois avec [ɑ] sont peu utilisés dans la langue parlée *(las, tâche)*.

Le *e* caduc [ə], dit parfois improprement *e muet*, autrefois prononcé comme une voyelle centrale, tend à se confondre avec *-eu-* [ø] ou [œ] et l'on entend peu de différence entre *je dis* [ʒədi] et *jeudi* [ʒødi], *je ne vaux rien* [ʒənvoʀjɛ̃] et *jeune vaurien* [ʒœnvoʀjɛ̃]. Le *e caduc*, qui autrefois tombait régulièrement précédé d'une seule consonne prononcée, semble de nos jours tomber moins souvent, soit sous l'influence du midi de la France, soit sous l'influence du style soutenu proposé par les médias.

Certaines régions de France conservent une différence dans la longueur des voyelles (ex. : *il tète/la tête*). Cette différence est actuellement peu sensible à Paris, alors qu'elle se faisait régulièrement sentir au XVIIIe siècle.

Pour les voyelles dites à deux timbres (é fermé [e], è ouvert [ɛ] ; eu fermé [ø], eu ouvert [œ], o fermé [o], o ouvert [ɔ]), un grand nombre de Français ne font plus la différence et en particulier en syllabe non finale de mot. La tendance serait d'avoir une voyelle ouverte en syllabe fermée (syllabe terminée par une consonne prononcée), et une voyelle fermée en syllabe ouverte (terminée par la voyelle), selon le modèle : *boucher* [buʃe], *bouchère* [buʃɛʀ]; *sot* [so], *sotte* [sɔt].

### Les voyelles nasales

Elles sont produites en abaissant le voile du palais et en laissant l'air s'échapper par le nez pendant l'articulation de la voyelle. Sauf dans le midi de la France, elles ne sont pas suivies de la prononciation d'une consonne nasale.

On a une voyelle nasale soit en fin de mot (*bon* [bɔ̃], *faim* [fɛ̃]) soit devant une consonne prononcée ou non (*temps* [tɑ̃], *bonté* [bɔ̃te], *ampoule* [ɑ̃pul]).

Quand une ou deux consonnes nasales sont suivies d'une voyelle écrite, on prononce une voyelle orale suivie de la consonne *(ami, homme, année)*.

La distinction entre *brin* et *brun* tend à disparaître et *brun* se prononce souvent comme *brin* avec [ɛ̃].

## Les voyelles orales

| AVANT | | | | | ARRIÈRE |
|---|---|---|---|---|---|
| + fermées | | | | | |
| | **étirées** | | **arrondies** | | |
| **i** [i] | *lit, épi, amie* | **u** [y] | *lu, vue, utile* | **ou** [u] | *hibou, joue, outil* |
| -y- | *cycle, whisky* | | | | |
| -ï- | *maïs* | | | | |
| **é** [e] | *été* | **eu** [ø] | *bleu, deux* | **au** [o] | *haut* |
| -er | *chanter, pêcher* | -œu- | *nœud, bœufs* | -ô- | *côte* |
| -ez | *chantez, assez* | -eu- | devant [z] : *chanteuse* | -eau- | *beau* |
| monosyllabes : *et, les, des, mes, tes, ces, ses* | | | | -o | (fin de mot) : *bravo, sot* |
| | | | | -o | devant [z] : *rose* |
| -e- | devant 2 consonnes identiques suivies d'une voyelle : *essai* | | | | |
| **ê** [ɛ] | *prêt, bête* | **eu** [œ] | devant consonne prononcée : *chanteur, seul* | **o** [ɔ] | devant une consonne prononcée : *sol, poster* |
| -è | *élève* | | | | |
| -ei | *peine* | -œu- | *cœur, bœuf* | | |
| -ai- | *épais, balai* | | | | |
| -ès | *près* | | | | |
| -et | *poulet* | | | | |
| -ey | *poney* | | | | |
| -ay | *tramway* | | | | |
| -e- | devant consonne prononcée : *cher, chef, avec, cette, sel* | | | | |
| + ouvertes | | | | | |
| | | **a** [a] | *patte, ami* | **â** [ɑ] | *pâte* |
| | | | | -as | *bas, pas* |

**-e-** [ə] prononcé ou non selon la place de ce son et selon le style

– monosyllabes : *le, me, ne, se*

– fin de mot : *battre*

– devant une seule consonne ou devant ou derrière une consonne suivie de *r* ou *l* : *pelage, repli, vendredi*

## Les voyelles nasales

| | | | | | |
|---|---|---|---|---|---|
| **in, im** [ɛ̃] | *fin, impossible, brin* | **un, um** [œ̃] | *un, brun, parfum* | **on, om** [ɔ̃] | *monter, tomber, plomb, son* |
| -ain, aim- | *pain, faim* | -eun- | *à jeun* | | |
| -ein- | *plein, peinture* | | | | |
| -yn, ym- | *syndicat, sympathie* | | | | |
| -ien- [jɛ̃] | *chien, il vient* | | | | |
| -yen [jɛ̃] | *moyen* | | | | |
| -éen [eɛ̃] | *européen* | | | | |
| -oin- [wɛ̃] | *loin, moins* | | | | |
| | | **an, am** [ɑ̃] | *banc, lampe* | | |
| | | -en, em- | *entrer, vent, temps, emporter* | | |
| | | -aon | *faon, paon, taon* | | |
| | | -aen | *Caen* | | |

## Les semi-consonnes, ou semi-voyelles

Quand les voyelles les plus fermées du français *(i, u, ou)* sont suivies d'une voyelle prononcée, pour éviter l'hiatus (rencontre de deux voyelles successives, ex. : *chaos*) on les prononce généralement comme des consonnes. Ainsi, on dit je *scie* [si], nous *scions* [sjɔ̃], je *sue* [sy], nous *suons* [sɥɔ̃], je *joue* [ʒu], nous *jouons* [ʒwɔ̃]. Après consonne + *r* ou consonne + *l*, on prononce [ij] : je *crie* [kʀi], nous *crions* [kʀijɔ̃], je *plie* [pli], nous *plions* [plijɔ̃], mais *cruel* [kʀyɛl] et *brouette* [bʀuɛt].

*oi* note [wa] : *joie* ; *w* note parfois [w] : *watt*.

Les sons [ɥ] de *lui* et [w] de *jouet* ne se rencontrent qu'avant une autre voyelle mais le son [j] de *pied* peut se rencontrer dans d'autres cas :

-y- suivi d'une voyelle prononcée : *yaourt, yeux, myope*

-il- après voyelle à la fin des mots : *soleil, travail*
-ill- entre deux voyelles : *maillot, houille*
-ill- après consonne se prononce généralement [ij] : *famille*

-uy- suivi d'une voyelle se prononce [ɥij] : *essuyer, fuyant*

-oy- suivi d'une voyelle se prononce [waj] : *envoyer, voyant*

-ey- suivi d'une voyelle se prononce [ɛj] ou [ej] : *seyant, grasseyé*

-ay- suivi d'une voyelle se prononce [ɛj] ou [ej] : *balayer, payant*

# ALPHABET PHONÉTIQUE

(Prononciations des mots, placées entre crochets)

| VOYELLES | | CONSONNES | |
|---|---|---|---|
| [i] | **il**, **vie**, **lyre** | [p] | **père**, **soupe** |
| [e] | **blé**, **jouer**, **chez** | [t] | **terre**, **vite** |
| [ɛ] | **lait**, **jouet**, **merci**, **fête** | [k] | **cou**, **qui**, **sac**, **képi** |
| [a] | **plat**, **patte** | [b] | **bon**, **robe** |
| [ɑ] | **bas**, **pâte** | [d] | **dans**, **aide** |
| [ɔ] | **mort**, **donner** | [g] | **gare**, **bague** |
| [o] | **mot**, **dôme**, **eau** **gauche**, **rose** | [f] | **feu**, **neuf**, **photo** |
| [u] | **genou**, **roue** | [s] | **sale**, **celui**, **ça**, **dessous**, **tasse**, **nation** |
| [y] | **rue**, **vêtu** | [ʃ] | **chat**, **tache**, **schéma**, **short** |
| [ø] | **peu**, **deux** | [v] | **vous**, **rêve** |
| [œ] | **peur**, **meuble** | [z] | **zéro**, **maison**, **rose** |
| [ə] | **le**, **premier** | [ʒ] | **je**, **gilet**, **geôle** |
| [ɛ̃] | **matin**, **plein**, **main** | [l] | **lent**, **sol**, **aller** |
| [ɑ̃] | **sans**, **vent** | [ʀ] | **rue**, **venir** |
| [ɔ̃] | **bon**, **ombre** | [m] | **main**, **flamme** |
| [œ̃] | **lundi**, **brun**, **parfum** | [n] | **nous**, **tonne**, **animal** |
| | | [ɲ] | **agneau**, **vigne** |
| | | [h] | **hop !** (exclamatif) |
| **SEMI-CONSONNES** | | ['] | **haricot** (pas de liaison, ni d'élision) (1) |
| [j] | **yeux**, **paille**, **pied** | [ŋ] | mots empruntés à l'anglais, **camping** |
| [w] | **oui**, **nouer**, **joua**, **joie** | [χ] | mots empruntés à l'espagnol, **jota** ; à l'arabe, **khamsin**, etc. |
| [ɥ] | **huile**, **lui** | | |

De nombreux signes se lisent sans difficulté (ex. : [b, t, d, f], etc.)

Mais, ATTENTION aux signes suivants :

**Ne confondez pas :**

| | | | | | | | | | | | | | |
|---|---|---|---|---|---|---|---|---|---|---|---|---|---|
| [a] | : | patte | et | [ɑ] | : | pâte | [y] | : | **tu** | et | [ɥ] | : | **tuer** |
| [ə] | : | premier | et | [e] | : | méchant | [k] | : | cas | et | [s] | : | se, acier |
| [e] | : | méchant | et | [ɛ] | : | père | [g] | : | gai | et | [ʒ] | : | âge |
| [ø] | : | **peu** | et | [œ] | : | **peur** | [s] | : | poisson | et | [z] | : | poison |
| [o] | : | mot, rose | et | [ɔ] | : | mort | [s] | : | sa | et | [ʃ] | : | **chat** |
| [y] | : | **lu** | et | [u] | : | **loup** | [ʒ] | : | âge, âgé | et | [z] | : | aisé |
| [i] | : | **si** | et | [j] | : | ciel, yeux | [n] | : | mine | et | [ɲ] | : | ligne |
| [u] | : | **joue** | et | [w] | : | **jouer** | [ɲ] | : | ligne | et | [ŋ] | : | **dancing** |

Le signe ~ au-dessus d'une voyelle marque un son nasal :

| | | |
|---|---|---|
| [ɑ̃] | : | **banc** |
| [ɔ̃] | : | **bon** |
| [œ̃] | : | **brun** |
| [ɛ̃] | : | **brin** |

(1) REM. Les mots devant lesquels on ne fait ni la liaison ni l'élision sont précédés d'un astérisque (**héros, *ouistiti, *yoga*).

# NOMS PROPRES

# A

Alvar **Aalto** ▫ Architecte et urbaniste finlandais (1898-1976). Son style à la fois libre, rigoureux et dépouillé, son sens de l'intégration des constructions au paysage en font un pionnier du design organique.

**Aar** ou **Aare** n. m. ▫ Rivière de Suisse, affluent du Rhin. 295 km.

**Aaron** ▫ Bible Frère de Moïse.

Claudio **Abbado** ▫ Chef d'orchestre italien (1933-2014).

Mahmoud **Abbas** ▫ Homme politique palestinien (né en 1935). Premier ministre en 2003, il succéda à Yasser Arafat à la tête de l'OLP (2004) et comme président de l'Autorité palestinienne (2005).

les **Abbassides** ▫ Dynastie arabe qui régna à Bagdad de 750 à 1258.

**ABC** *(American Broadcasting Company)* ▫ Réseau américain de télévision créé en 1943.

**Abdallah II** ▫ Roi de Jordanie (né en 1962). Il a succédé à son père Hussein en 1999.

**Abd el-Kader** ▫ Émir algérien (1807-1883). Chef de la résistance aux Français (1832-1847) lors de la conquête de l'Algérie.

**Abd el-Krim** ▫ Nationaliste marocain (1882-1963). Il dirigea la lutte contre les Espagnols et les Français (guerre du Rif).

Abe Kimifusa, dit **Abe Kōbō** ▫ Écrivain japonais (1924-1993). Poèmes, pièces de théâtre, romans *(La Femme des sables)*.

**Abel** ▫ Bible Fils d'Adam, tué par son frère aîné Caïn.

Niels **Abel** ▫ Mathématicien norvégien (1802-1829). Théorie des intégrales elliptiques.

Pierre **Abélard** ▫ Théologien et philosophe français (1079-1142). Liaison tragique avec Héloïse.

**Abidjan** ▫ Ville principale et port de la Côte d'Ivoire. 4,4 millions d'habitants. Anc. capitale.

l'**Abkhazie** n. f. ▫ République autonome de Géorgie (reconnue comme république indépendante par la Russie en 2008). 8 600 km². 250 000 habitants. Capitale : Soukhoumi.

**Abou Dhabi** ▫ Le plus important des Émirats arabes unis. 67 600 km². 2,8 millions d'habitants. ► **Abou Dhabi,** sa capitale (700 000 habitants), est aussi la capitale fédérale des Émirats.

**Aboukir** ▫ Localité d'Égypte où Nelson vainquit une escadre française en 1798.

**Abou Simbel** ▫ Site archéologique d'Égypte. Temples déplacés lors de la construction du barrage d'Assouan.

**Abraham** ▫ Patriarche de la Bible. Ancêtre des Arabes et des Juifs.

les **Abruzzes** n. f. pl. ▫ Montagnes calcaires d'Italie centrale. Région administrative 10 794 km². 1,26 million d'habitants. Chef-lieu : L'Aquila.

**Abu Bakr** ▫ Beau-père et successeur de Mahomet (v. 573-634).

**Abuja** ▫ Capitale du Nigeria. 1,2 million d'habitants.

**Abydos** ▫ Site archéologique d'Égypte.

l'**Abyssinie** n. f. ▫ Anc. nom de l'Éthiopie.

l'**Académie française** ▫ Société créée en 1635 par Richelieu. Ses 40 membres sont chargés de rédiger un dictionnaire de la langue française.

l'**Acadie** n. f. ▫ Anc. province du Canada français. Elle correspond aujourd'hui à la Nouvelle-Écosse et au Nouveau-Brunswick.

**Acapulco** ▫ Ville du Mexique, sur le Pacifique. 720 000 habitants.

**Accra** ▫ Capitale et port du Ghana. 2 millions d'habitants.

**Achab** ▫ Roi d'Israël de 874 à 853 avant J.-C. Il laissa sa femme Jézabel favoriser le culte de Baal, ce qui lui valut une réputation d'impiété et des démêlés avec le prophète Élie.

les **Achéens** ▫ Peuple indo-européen qui s'établit en Grèce au IIe millénaire avant J.-C. (civilisation de Mycènes).

les **Achéménides** ▫ Dynastie perse qui régna de 550 à 330 avant J.-C.

l'**Achéron** n. m. ▫ mythol. grecque Fleuve des Enfers.

**Achgabat** ▫ Capitale du Turkménistan. 1 million d'habitants.

**Achille** ▫ Héros de l'*Iliade*. Vainqueur d'Hector dans la guerre de Troie.

l'**Aconcagua** n. m. ▫ Point culminant des Andes (Argentine). 6 960 m.

les **Açores** n. f. ▫ Archipel portugais de l'océan Atlantique. 2 247 km². 243 000 habitants. Capitale : Ponta Delgada.

l'**Acropole** n. f. ▫ Citadelle antique d'Athènes (Parthénon, Erechthéion).

**Actes des apôtres** ▫ Cinquième livre du Nouveau Testament qui retrace l'histoire des premiers chrétiens.

l'**Action française** ▫ Mouvement d'extrême droite, nationaliste et royaliste créé en 1898 au moment de l'affaire Dreyfus*, et rejoint par Maurras.

**Actium** ▫ Promontoire de Grèce (côte ouest). Victoire navale d'Octave sur Antoine et Cléopâtre (31 avant J.-C.).

l'**Actors Studio** ▫ École d'art dramatique, fondée à New York en 1947. Les acteurs y sont incités à trouver en eux-mêmes, et non dans leur personnage, la vérité de leur jeu.

**Adam** ▫ Bible Le premier homme.

**Adam de la Halle** ▫ Trouvère et musicien français (v. 1240-v. 1285). *Le Jeu de la feuillée ; le Jeu de Robin et Marion.*

**Addis-Abeba** ou **Addis Abeba** ▫ Capitale de l'Éthiopie. 3,2 millions d'habitants.

**Adélaïde** ▫ Ville d'Australie. 1,1 million d'habitants.

la terre **Adélie** ▫ Possession française de l'Antarctique (terres Australes). 432 000 km².

**Aden** ▫ Port du Yémen. 600 000 habitants.

Konrad **Adenauer** ▫ Homme d'État (démocrate-chrétien) allemand (1876-1967). Premier chancelier de la RFA, de 1949 à 1963.

Clément **Ader** ▫ Ingénieur français, pionnier de l'aviation (1841-1925). Il créa le mot *avion*.

l'**Adige** n. m. ▫ Fleuve d'Italie du Nord. 410 km.

l'**Adjarie** n. f. ▫ République autonome de Géorgie. 3 000 km². 346 000 habitants. Capitale : Batoumi.

**Adonis** ▫ mythol. grecque Jeune homme d'une grande beauté, aimé d'Aphrodite.

Theodor **Adorno** ▫ Philosophe et musicologue allemand (1903-1969).

l'**Adour** n. m. ▫ Fleuve du sud-ouest de la France. 335 km.

l'**Adriatique** n. f. ▫ Mer située entre l'Italie et la péninsule balkanique.

l'**AEUMC** ou le **Nouvel Alena,** *Accord États-Unis-Mexique-Canada* ▫ Accord de libre-échange qui succéda à l'Alena et entra en vigueur en 2020.

l'**Afghanistan** n. m. ▫ Pays d'Asie centrale. 652 088 km². Env. 30 millions d'habitants. Capitale : Kaboul.

**AFNOR** ▫ «Association française de normalisation». Elle établit et délivre la certification NF (norme française).

l'**AFP,** *Agence France-Presse* ▫ Agence de presse française, créée en 1944.

l'**Afrique** n. f. ▫ Une des six parties du monde. 30,3 millions de km². 1,3 milliard d'habitants.

l'**Afrique du Sud** n. f. ▫ État d'Afrique australe. 1 221 037 km². 59 millions d'habitants. Capitale administrative : Pretoria ; capitale législative : Le Cap.

**Agadé** → **Akkad**

**Agadir** ▫ Port du Maroc, sur l'Atlantique. 421 800 habitants.

**Agamemnon** ▫ Chef des Grecs pendant la guerre de Troie, dans *l'Iliade*. Il sacrifia sa fille Iphigénie pour obtenir la faveur des dieux.

**Agen** ▫ Chef-lieu du Lot-et-Garonne. 33 012 habitants.

Marie de Flavigny, comtesse d'**Agoult** ▫ Écrivaine française (1805-1876). De sa liaison avec Liszt naquirent trois enfants (Cosima épousa Wagner). Elle publia sous le nom de Daniel Stern.

**Agra** ▫ Ville d'Inde (Uttar Pradesh). 1,7 million d'habitants. Mausolée du Tāj Mahal.

**Agrigente** ▫ Ville d'Italie, en Sicile. 54 600 habitants. Temples grecs (VIe-Ve s. avant J.-C.).

**Agrippine** la Jeune ▫ Princesse romaine (16-59). Mère de Néron et femme de Claude.

**Ahmedabad** ▫ Ville du nord-ouest de l'Inde (Gujarat). 6,3 millions d'habitants.

**Ahriman** ▫ Principe du Mal, dans le mazdéisme.

**Ahura Mazdâ** ▫ Dieu suprême du mazdéisme.

**Aïcha** ▫ Épouse favorite de Mahomet (v. 614-678).

le mont **Aigoual** ▫ Point culminant des Cévennes. 1 565 m.

**Aigues-Mortes** ▫ Ville du Gard entourée de remparts. 8 456 habitants. Anc. port créé par Louis IX, auj. dans les terres.

l'**Ain** n. m. ▫ Rivière, affluent du Rhône. 200 km. ► l'**Ain** [01]. Département français de la Région Auvergne-Rhône-Alpes. 5 762 km². 647 634 habitants. Chef-lieu : Bourg-en-Bresse. Chefs-lieux d'arrondissement : Belley, Gex, Nantua.

**Airbus** ▫ Consortium de constructeurs aéronautiques européens, créé en 1970.

l'**Aisne** n. f. ▫ Rivière, affluent de l'Oise. 300 km. ► l'**Aisne** [02]. Département français de la Région Hauts-de-France. 7 378 km². 533 316 habitants. Chef-lieu : Laon. Chefs-lieux d'arrondissement : Château-Thierry, Saint-Quentin, Soissons, Vervins.

**Ai Weiwei** ▫ Artiste et architecte chinois (né en 1957). Figure de l'opposition, il dut s'exiler.

**Aix-en-Provence** ▫ Chef-lieu d'arrondissement des Bouches-du-Rhône. 143 097 habitants. Festival de musique.

**Aix-la-Chapelle** ▫ Ville d'Allemagne (Rhénanie-du-Nord-Westphalie). 239 200 habitants. Chapelle Palatine. Résidence de Charlemagne.

**Ajaccio** ▫ Chef-lieu de la Corse-du-Sud. 70 817 habitants.

**Ajanta** ▫ Site archéologique d'Inde (Dekkan). Grottes bouddhiques.

**Ajax** ▫ Héros grec de l'*Iliade*.

Muḥammad **Akbar** ▫ (1542-1605) Empereur moghol de l'Inde de 1556 à sa mort.

George **Akerlof** ▫ Économiste américain (né en 1940). Études des marchés avec asymétrie d'information. Prix Nobel 2001.

**Akhenaton** ▫ Nom que se donna le pharaon Aménophis IV, roi d'Égypte de 1375 à 1354 avant J.-C. Il tenta d'imposer le monothéisme en instituant le culte solaire d'Aton.

Anna Andreïevna Gorenko, dite Anna **Akhmatova** ▫ Poétesse russe (1889-1966). Persécutée par les autorités soviétiques, elle fut réhabilitée après la mort de Staline.

**Akihito** ▫ 125e empereur du Japon, de 1989 à 2019 (né en 1933).

**Akkad** ou **Agadé** ▫ Puissante cité de Mésopotamie (IIIe millénaire avant J.-C.).

l'**Alabama** n. m. ▫ État du sud-est des États-Unis. 105 145 km². 4,4 millions d'habitants. Capitale : Montgomery.

**Aladin** ▫ Héros de contes arabes. Le jeune Aladin trouve une lampe merveilleuse où est emprisonné un génie qui réalise ses vœux.

Émile-Auguste Chartier, dit **Alain** ▫ Écrivain et philosophe français (1868-1951). Ses *Propos* sont de courts textes exprimant des idéaux républicains, démocratiques, pacifiques et laïques.

Henri Alban Fournier, dit **Alain-Fournier** ▫ Romancier français (1886-1914). *Le Grand Meaulnes* (1913) est une évocation poétique du regret de l'enfance et une réflexion sur le bonheur.

les **Alamans** ▫ Tribus germaniques vaincues par Clovis en 496.

El-**Alamein** ▫ Localité d'Égypte où Montgomery battit Rommel (1942).

les **Alaouites** ▫ Dynastie arabe régnant au Maroc depuis le XVIIe s.

**Alaric Ier** ▫ Roi des Wisigoths de 395 à 410. À la mort de Théodose, il envahit l'Empire, dévastant la Thrace et la Macédoine, et entra en Italie ; il atteignit Rome (en 410) qu'il pilla. Le sac de Rome marqua le début de la chute de l'Empire romain d'Occident.

l'**Alaska** n. m. ▫ État des États-Unis, au nord-ouest du Canada. 1 518 700 km². 627 000 habitants. Capitale : Juneau.

l'**Albanie** n. f. ▫ État des Balkans. 28 748 km². 2,8 millions d'habitants. Capitale : Tirana.

le duc d'**Albe** ▫ Général et homme d'État espagnol (1507-1582).

Edward Franklin **Albee** ▫ Auteur dramatique américain (1928-2016). *Qui a peur de Virginia Woolf ?*

**Albe la Longue** ▫ Anc. ville du Latium, détruite par Rome (665 avant J.-C.).

Isaac **Albéniz** ▫ Compositeur espagnol (1860-1909). Pianiste virtuose, auteur d'*Iberia*.

**Albert Ier** ▫ (1848-1922) Prince de Monaco de 1889 à sa mort.

**Albert Ier** ▫ (1875-1934) Roi des Belges de 1909 à sa mort.

**Albert II** ▫ (né en 1934) Roi des Belges de 1993 à 2013.

**Albert II** ▫ (né en 1958) Prince de Monaco depuis 2005.

saint **Albert le Grand** ▫ Théologien allemand (v. 1200-1280).

l'**Alberta** n. f. ▫ Province de l'ouest du Canada. 661 848 km². 4 millions d'habitants. Capitale : Edmonton. Ville principale : Calgary.

**Albi** ▫ Chef-lieu du Tarn. 48 993 habitants.

la croisade contre les **albigeois** ▫ Guerre menée par l'Église contre les hérétiques, spécialement les cathares (1209-1229).

Tomaso **Albinoni** ▫ Compositeur baroque italien (1671-1750). Opéras et œuvre instrumentale. Le célèbre *Adagio* fut « recréé » en 1945 à partir de quelques mesures.

**Albion** n. f. ▫ Nom donné à l'Angleterre.

**Albuquerque** ▫ Ville des États-Unis (Nouveau-Mexique), sur le Rio Grande. 546 000 habitants.

Afonso de **Albuquerque** ▫ Conquistador portugais (1453-1515). Gouverneur des Indes de 1508 à 1515.

**Alcibiade** ▫ Général et homme d'État athénien (v. 450-v. 404 avant J.-C.).

**Alcuin** ▫ Religieux anglo-saxon (v. 735-804). Conseiller de Charlemagne.

Pierre **Alechinsky** ▫ Peintre belge (né en 1927). Membre du groupe Cobra, proche de l'expressionnisme abstrait.

Jean Le Rond d'**Alembert** ▫ Mathématicien et philosophe français (1717-1783). Il dirigea l'*Encyclopédie*, avec Diderot.

l'**Alena,** *Accord de libre-échange nord-américain* ▫ Accord entre les États-Unis, le Mexique et le Canada, entré en vigueur en 1994, puis remplacé par l'AEUMC.

**Alençon** ▫ Chef-lieu de l'Orne. 25 775 habitants.

l'**Alentejo** n. m. ▫ Province du Portugal, au sud du Tage. 26 997 km$^2$. 764 300 habitants. Capitale : Evora.

les îles **Aléoutiennes** ▫ Archipel de la mer de Béring appartenant aux États-Unis.

**Alep** ▫ Ville du nord de la Syrie. 2 millions d'habitants.

**Alès** ▫ Chef-lieu d'arrondissement du Gard. 40 802 habitants.

**Alésia** ▫ Site gallo-romain en Côte-d'Or. Victoire décisive de César sur les Gaulois (52 avant J.-C.).

**Alexandre VI** ▫ (1431-1503) Pape de 1492 à sa mort, né Borgia. Père de César Borgia.

**Alexandre Ier** ▫ (1777-1825) Tsar de Russie de 1801 à sa mort. Adversaire de Napoléon Ier.

**Alexandre II** ▫ (1818-1881) Tsar de Russie de 1855 à sa mort. Il abolit le servage (1861).

**Alexandre III** ▫ (1845-1894) Tsar de Russie de 1881 à sa mort.

**Alexandre Ier Karageorgévitch** ▫ (1888-1934) Roi de Yougoslavie de 1921 à sa mort.

**Alexandre le Grand** ▫ (356-323 avant J.-C.) Roi de Macédoine de 336 avant J.-C. à sa mort. Grand conquérant, il s'empara de l'Empire perse et s'avança jusqu'à l'Indus.

**Alexandre Nevski** ▫ (v. 1220-1263) Grand-duc de Novgorod de 1236 à 1251. Il battit les Suédois et les chevaliers Teutoniques.

**Alexandrie** ▫ Port d'Égypte. 5,1 millions d'habitants. Foyer de la civilisation hellénistique.

Svetlana **Alexievitch** ▫ Écrivaine biélorusse (née en 1948). Ses récits rendent compte de l'empreinte du système soviétique sur l'âme du peuple. *La Fin de l'homme rouge*. Prix Nobel 2015.

Vittorio **Alfieri** ▫ Auteur dramatique italien (1749-1803).

saint **Alfred le Grand** ▫ (849-899) Roi anglo-saxon de 878 à sa mort.

l'**Algarve** n. f. ▫ Province du sud du Portugal. 4 960 km$^2$. 421 500 habitants. Capitale : Faro.

**Alger** ▫ Capitale de l'Algérie. 1,5 million d'habitants.

l'**Algérie** n. f. ▫ État d'Afrique du Nord. 2 381 741 km$^2$. 41 millions d'habitants. Capitale : Alger. ► la guerre d'**Algérie** (1954-1962). Guerre d'indépendance des nationalistes algériens contre la France.

**Algésiras** ▫ Ville d'Espagne (Andalousie). 117 695 habitants. Port sur le détroit de Gibraltar, le 2e de la Méditerranée.

les **Algonquins** ▫ Population amérindienne d'Amérique du Nord.

l'**Alhambra** → **Grenade**

**Ali** ▫ Quatrième calife, marié à Fatima, la fille de Mahomet (v. 600-661).

Muhammad **Ali,** né *Cassius Clay* ▫ Boxeur américain (1942-2016). Champion du monde des poids lourds de 1964 à 1967, puis de 1974 à 1978. Converti à l'islam, il lutta contre la ségrégation raciale et la guerre du Viêtnam.

**Alicante** ▫ Port du sud de l'Espagne. 329 325 habitants.

**Aliénor d'Aquitaine** ▫ (v. 1122-1204) Reine de France puis d'Angleterre. Femme de Louis VII (1137) puis de Henri II d'Angleterre (1152).

**Allah** ▫ Dieu unique de l'islam.

**Allahābād** ▫ Ville d'Inde (Uttar Pradesh). 1,2 million d'habitants.

Alphonse **Allais** ▫ Écrivain français (1854-1905). Conteur et humoriste.

la République fédérale d'**Allemagne** ou **RFA** ▫ État fédéral d'Europe centrale. 356 959 km$^2$. 83 millions d'habitants. Capitale : Berlin. De 1949 à 1990, l'Allemagne fut divisée en deux États : la RFA et la RDA (République démocratique allemande).

Allan Konigsberg, dit Woody **Allen** ▫ Réalisateur et acteur américain (né en 1935). Il pratique un humour spécifique à l'intellectuel juif new-yorkais. *Annie Hall ; Manhattan ; Minuit à Paris.*

Salvador **Allende** ▫ (1908-1973) Président (socialiste) de la République chilienne de 1970 à sa mort. Il se suicida lors du putsch de Pinochet.

la Sainte-**Alliance** ▫ Pacte signé en 1815 entre la Russie, la Prusse et l'Autriche.

l'**Allier** n. m. ▫ Rivière, affluent de la Loire. 410 km. ► l'**Allier** [03]. Département français de la Région Auvergne-Rhône-Alpes. 7 381 km$^2$. 337 171 habitants. Chef-lieu : Moulins. Chefs-lieux d'arrondissement : Montluçon, Vichy.

les **Allobroges** ▫ Peuple celte établi en Gaule qui contrôlait une partie de la vallée du Rhône. Ils furent vaincus par les Romains au IIe s. avant J.-C.

l'**Alma** n. m. ▫ Fleuve de Crimée. Victoire franco-britannique sur les Russes (1854).

**Almaty,** anciennement *Alma-Ata* ▫ Ville du Kazakhstan, capitale jusqu'en 1997. 1,13 million d'habitants.

Pedro **Almodóvar** ▫ Réalisateur espagnol (né en 1949). Satire de la société espagnole, teintée d'humour noir. *Talons aiguilles ; Tout sur ma mère ; Parle avec elle ; Volver.*

les **Almohades** ▫ Dynastie berbère qui régna sur l'Andalousie et le Maghreb (1147-1269).

les **Almoravides** ▫ Dynastie berbère qui régna sur l'Afrique du Nord et l'Andalousie (1055-1147).

les **Alpes** n. f. pl. ▫ Massif montagneux d'Europe. Point culminant : le mont Blanc, 4 810 m. ► les **Alpes-de-Haute-Provence** [04]. Département français de la Région Provence-Alpes-Côte d'Azur. 6 925 km$^2$. 164 068 habitants. Chef-lieu : Digne. Chefs-lieux d'arrondissement : Barcelonnette, Castellane, Forcalquier. ► les **Alpes-Maritimes** [06]. Département français de la Région Provence-Alpes-Côte d'Azur. 4 298 km$^2$. 1,09 million d'habitants. Chef-lieu : Nice. Chef-lieu d'arrondissement : Grasse. ► les **Hautes-Alpes** [05]. Département français de la Région Provence-Alpes-Côte d'Azur. 5 632 km$^2$. 140 698 habitants. Chef-lieu : Gap. Chef-lieu d'arrondissement : Briançon.

**Alphonse** ▫ Nom de plusieurs souverains espagnols. ► **Alphonse VIII le Noble** (1155-1214), roi de Castille de 1158 à sa mort, vainqueur des Maures à Las Navas de Tolosa (1212). ► **Alphonse X,** dit **le Sage** (1221-1284) Roi de Castille et de León de 1254 à 1284. Érudit, il soutint un ensemble d'intellectuels chrétiens, juifs et arabes (manuscrits *alphonsins*). ► **Alphonse XIII** (1886-1941), roi d'Espagne de 1902 à 1931.

les **Alpilles** n. f. pl. ▫ Petite chaîne montagneuse de Provence. 493 m.

**al-Qaïda** → al-**Qaïda**

l'**Alsace** n. f. ▫ Anc. région administrative de l'est de la France. ► l'**Alsace-Lorraine.** Territoires annexés par les Allemands de 1871 à 1918 et de 1940 à 1945.

l'**Altaï** n. m. ▫ Chaîne de montagnes d'Asie centrale. 4 506 m au mont Beloukha.

la grotte d'**Altamira** ▫ Site préhistorique d'Espagne. Peintures rupestres.

Albrecht **Altdorfer** ▫ Peintre et graveur allemand (v. 1480-1538).

Louis **Althusser** ▫ Philosophe français (1918-1990). A proposé une lecture non idéologique de Marx. *Pour Marx ; Lire le Capital.*

l'**Altiplano** n. m. ▫ Haute plaine des Andes (Bolivie).

Alois **Alzheimer** ▫ Neurologue allemand (1864-1915). Il décrivit les symptômes de la dégénérescence corticale *(maladie d'Alzheimer).*

Jorge **Amado** ▫ Romancier brésilien (1912-2001). Œuvre marquée par le drame des ouvriers agricoles sans terre. *Bahia de tous les saints ; Dona Flor et ses deux maris.*

**Amarna** → **Tell el-Armana**

**Amazon** ▫ Entreprise américaine de commerce en ligne créée en 1994.

l'**Amazone** n. f. ▫ Fleuve d'Amérique du Sud (6 762 km), le premier du monde par sa longueur et son débit. Né dans les Andes, il se jette dans l'Atlantique.

les **Amazones** n. f. ▫ mythol. grecque Peuple de femmes guerrières.

l'**Amazonie** n. f. ▫ Région d'Amérique du Sud (7 millions de km$^2$) traversée par le fleuve Amazone et répartie sur huit pays (Bolivie, Brésil, Colombie, Équateur, Guyana, Pérou, Suriname, Venezuela).

**Amboise** ▫ Ville d'Indre-et-Loire. 12 693 habitants. Château gothique et Renaissance.

saint **Ambroise** ▫ Père et docteur de l'Église (v. 339-397). Évêque de Milan.

**Aménophis** ▫ Nom de quatre pharaons. ► **Aménophis IV** → **Akhenaton.**

les **Amérindiens** → les **Indiens**

l'**Amérique** n. f. ▫ Une des six parties du monde. 42 millions de km$^2$. 1 milliard d'habitants. Elle est divisée en *Amérique du Nord* (Canada, États-Unis, Mexique), *Amérique centrale* (du Rio Grande à l'extrémité de l'isthme de Panama) et *Amérique du Sud.*

Henri Frédéric **Amiel** ▫ Écrivain et philosophe suisse de langue française (1821-1881). Monumental *Journal intime* écrit entre 1847 et 1881.

**Amiens** ▫ Chef-lieu de la Somme. 133 891 habitants. Cathédrale gothique.

**Amman** ▫ Capitale de la Jordanie. 1,8 million d'habitants.

**Amnesty International** ▫ ONG internationale de défense des droits de l'homme, fondée en 1961. Prix Nobel de la paix 1977.

**Amon** ▫ Dieu de l'Égypte antique.

l'**Amou-Daria** n. m. ▫ Fleuve d'Asie. 2 540 km.

l'**Amour** ou **Heilong jiang** n. m. ▫ Fleuve frontière entre la Russie et la Chine. 4 354 km.

André-Marie **Ampère** ▫ Physicien français (1775-1836). Théoricien de l'électromagnétisme.

**Amphitrite** ▫ mythol. grecque Déesse de la mer, Néréide qui épousa Poséidon.

**Amritsar** ▫ Ville d'Inde (Panjab). 1 million d'habitants. Ville sainte des sikhs.

**Amsterdam** ▫ Ville des Pays-Bas, capitale politique du pays. 870 000 habitants. Canaux, musées (Rijksmuseum).

Roald **Amundsen** ▫ Explorateur norvégien (1872-1928). Il mena la première expédition au pôle Sud (1911).

Jacques **Amyot** ▫ Humaniste français (1513-1593). Traducteur de Plutarque.

**Anacréon** ▫ Poète grec (v. 570-v. 485 avant J.-C.).

l'**Anatolie** n. f. ▫ Anc. nom de l'Asie Mineure (Turquie d'Asie).

l'**Ancien Régime** ▫ Régime politique (monarchie), économique et social de la France, du XVI$^e$ s. à la Révolution.

**Ancône** ▫ Port d'Italie sur l'Adriatique. 100 500 habitants.

l'**Andalousie** n. f. ▫ Région historique et communauté autonome du sud de l'Espagne. 87 268 km$^2$. 8,3 millions d'habitants. Capitale : Séville. Autres villes : Cordoue, Grenade.

Hans Christian **Andersen** ▫ Écrivain danois (1805-1875). Ses *Contes (La Petite Sirène...)* sont d'un style simple, délicat et pleins d'imagination.

Carl David **Anderson** ▫ Physicien américain (1905-1991). Mise en évidence du positron. Prix Nobel 1936.

les **Andes** n. f. pl. ▫ Chaîne montagneuse longeant la côte occidentale de l'Amérique du Sud (6 960 m à l'Aconcagua).

l'**Andhra Pradesh** n. m. ▫ État du sud-est de l'Inde. 160 205 km$^2$. 54 millions d'habitants. Capitale : Hyderabad.

l'**Andorre** n. f. ▫ État d'Europe, dans les Pyrénées. 465 km$^2$. 73 105 habitants. Capitale : Andorre-la-Vieille.

saint **André** ▫ Un des apôtres du Christ, frère de l'apôtre Pierre.

**Andrea del Sarto** ▫ Peintre florentin de la Renaissance (1486-1530).

Lou **Andreas-Salomé** ▫ Écrivaine allemande (1861-1937). Amie de Nietzsche et de Rilke, elle fut la disciple de Freud et devint psychanalyste.

Paul **Andreu** ▫ Architecte français (1938-2018). Concepteur d'une quarantaine d'aérogares, du terminal français du tunnel sous la Manche et de l'Opéra de Pékin.

**Andromaque** ▫ Femme du prince troyen Hector, dans l'*Iliade*. Elle a inspiré Euripide et Racine.

le pic d'**Aneto** ▫ Point culminant des Pyrénées, en Espagne. 3 404 m.

Guido di Pietro, dit Fra **Angelico** ▫ Peintre italien, dominicain (v. 1400-1455). Fresques du couvent de San Marco à Florence. Béatifié en 1982.

**Angers** ▫ Chef-lieu du Maine-et-Loire. 154 508 habitants. Capitale historique de l'Anjou (château médiéval).

**Angkor** ▫ Site archéologique du Cambodge, anc. capitale des Khmers (IX$^e$-XV$^e$ s.).

les **Angles** ▫ Peuple germanique qui envahit l'île de Bretagne au V$^e$ s., en même temps que les Saxons. → **Anglo-Saxons.**

l'**Angleterre** n. f. ▫ Partie centrale de l'île de Grande-Bretagne. 131 760 km$^2$. 53,01 millions d'habitants.

les îles **Anglo-Normandes,** en anglais *Channel Islands* ▫ Archipel britannique de la Manche comprenant Jersey, Guernesey, Aurigny et Sercq. 194 km$^2$. 150 000 habitants.

les **Anglo-Saxons** ▫ Les deux peuples germaniques qui s'établirent en Angleterre au V$^e$ s.

l'**Angola** n. m. ▫ État d'Afrique équatoriale. 1 246 000 km$^2$. 31,1 millions d'habitants. Capitale : Luanda.

Christine **Angot** ▫ Écrivaine française (née en 1959). *L'Inceste*.

**Angoulême** ▫ Chef-lieu de la Charente. 41 711 habitants. Festival international de la bande dessinée.

Anders Jonas **Ångström** ▫ Physicien suédois (1814-1874). Auteur de recherches sur le spectre solaire.

l'**Anhui** n. m. ▫ Province de l'est de la Chine. 139 700 km$^2$. 59 millions d'habitants. Capitale : Hefei.

l'**Anjou** n. m. ▫ Région historique de l'ouest de la France.

**Ankara** ▫ Capitale de la Turquie. 4,2 millions d'habitants.

**Annaba,** anciennement *Bône* ▫ Ville d'Algérie orientale. 376 000 habitants.

l'**Annam** n. m. ▫ Partie centrale du Viêtnam.

Kofi **Annan** ▫ Homme politique ghanéen (1938-2018). Il fut le secrétaire général de l'ONU de 1997 à 2006. Prix Nobel de la paix 2001.

l'**Annapurna** n. m. ▫ Un des sommets de l'Himalaya. 8 091 m.

sainte **Anne** ▫ Mère de la Vierge Marie, selon la tradition chrétienne.

**Anne Boleyn** ▫ Reine d'Angleterre (1507-1536). Seconde femme d'Henri VIII qui la fit exécuter.

**Annecy** ▫ Chef-lieu de la Haute-Savoie, sur le *lac d'Annecy* (27 km$^2$). 54 145 habitants.

**Anne d'Autriche** ▫ Reine de France (1601-1666). Femme de Louis XIII, régente durant la minorité de son fils Louis XIV, de 1643 à 1661.

**Anne de Bretagne** ▫ Duchesse de Bretagne, reine de France (1477-1514). Elle épousa Charles VIII en 1491 et Louis XII en 1499.

**Anne de France** ou **de Beaujeu** ▫ (1461-1522) Fille de Louis XI, régente de 1483 à 1491, pendant la minorité de Charles VIII.

**Anne Stuart** ▫ (1665-1714) Reine d'Angleterre, d'Écosse et d'Irlande de 1702 à sa mort.

Jean **Anouilh** ▫ Auteur dramatique français (1910-1987). Œuvre ironique, critique, pessimiste, qu'il a rassemblée en «Pièces noires» *(Le Voyageur sans bagage ; Antigone)*, «Pièces roses» *(Le Bal des voleurs ; Léocadia)*, «Pièces brillantes», «Pièces grinçantes», etc.

Jacques **Anquetil** ▫ Coureur cycliste français (1934-1987). Cinq fois vainqueur du Tour de France.

l'**Anschluss** n. m. ▫ Rattachement de l'Autriche à l'Allemagne, en 1938.

Ernest **Ansermet** ▫ Chef d'orchestre et compositeur suisse (1883-1969). Fondateur de l'Orchestre de la Suisse romande (1918).

**Antakya** → **Antioche**

**Antananarivo** ou **Tananarive** ▫ Capitale de Madagascar. 1,3 million d'habitants.

l'**Antarctique** n. m. ▫ Continent centré sur le pôle Sud. 14,2 millions de km². Environ 1 500 habitants. ► l'océan Glacial **Antarctique** ou océan **Austral.** Partie des océans Atlantique, Indien et Pacifique entourant le continent Antarctique.

**Antibes** ▫ Ville des Alpes-Maritimes. 72 915 habitants.

**Antigone** ▫ Fille d'Œdipe. Condamnée à mort pour avoir enterré son frère Polynice malgré l'interdiction du roi Créon. Elle a inspiré Sophocle et Anouilh.

**Antigua-et-Barbuda** n. f. ▫ État des Antilles. 442 km². 85 500 habitants. Capitale : Saint John's.

les **Antilles** n. f. pl. ▫ Archipel qui sépare la *mer des Antilles* (ou mer des Caraïbes) de l'océan Atlantique. On distingue les *Grandes Antilles* (Cuba, Haïti, Jamaïque, Porto Rico) et les *Petites Antilles* (dont font partie la Guadeloupe et la Martinique).

**Antioche,** auj. **Antakya** ▫ Ville de Turquie. 213 600 habitants. Importante cité grecque d'Orient dans l'Antiquité.

**Antiochos** ▫ Nom de 13 rois séleucides de Syrie (IVe-Ier s. avant J.-C.).

Marc **Antoine** ▫ Général romain (v. 83-30 avant J.-C.). Lieutenant de César, amant de Cléopâtre, il fut vaincu par son rival Octave à Actium, en 31 avant J.-C.

saint **Antoine de Padoue** ▫ Franciscain portugais (1195-1231).

saint **Antoine le Grand** ▫ Fondateur de la vie érémitique en Égypte (v. 251-356).

**Antonello da Messina** ou **de Messine** ▫ Peintre italien (v. 1430-1479).

**Antonin le Pieux** ▫ (86-161) Empereur romain de 138 à sa mort. ► les **Antonins,** dynastie des empereurs romains de 96 à 192.

Michelangelo **Antonioni** ▫ Réalisateur italien (1912-2007). Films d'un style dépouillé et raffiné. *L'Avventura ; Blow up ; Profession reporter...*

**Anubis** ▫ Dieu funéraire de l'anc. Égypte, à tête de chacal.

**Anvers** ▫ Ville de Belgique. 529 247 habitants. Port sur l'Escaut. ► la province d'**Anvers,** province de Belgique. 2 867 km². 1,8 million d'habitants. Chef-lieu : Anvers.

la Vallée d'**Aoste,** anciennement *le Val d'Aoste* ▫ Région autonome de l'Italie, dans les Alpes. 3 262 km². 119 500 habitants. On y parle italien et français. ► **Aoste,** son chef-lieu. 34 000 habitants.

la nuit du 4 **août 1789** ▫ Date de l'abolition des privilèges par la Constituante.

les **Apaches** ▫ Population amérindienne du sud-ouest des États-Unis.

**Apelle** ▫ Peintre grec (IVe s. avant J.-C.).

l'**Apennin** n. m., ou les **Apennins** ▫ Massif de l'Italie péninsulaire. 2 912 m au Gran Sasso.

Georges **Aperghis** ▫ Compositeur grec (né en 1945). Théâtre musical, opéras. *Pandaemonium.*

**Aphrodite** ▫ mythol. grecque Déesse de l'Amour. *Vénus* chez les Romains.

**Apis** ▫ Dieu funéraire de l'Égypte anc., honoré sous la forme d'un taureau.

l'**Apocalypse** n. f. ▫ Dernier livre du Nouveau Testament, attribué à saint Jean.

Guillaume **Apollinaire** ▫ Poète français (1880-1918). Il renouvela la poésie française par une association inédite de modernité, de culture, d'humour et de simplicité. Poèmes «dessinés» *(Calligrammes).* Il participa aux avant-gardes de son temps (cubisme, surréalisme). Ses amours et la guerre de 1914-1918 fournissent la matière principale de son œuvre *(Alcools ; Poèmes à Lou).*

**Apollo** ▫ Programme spatial américain (1961-1972) qui permit l'alunissage d'astronautes (Apollo 11, 1969).

**Apollon** ou **Phébus** ▫ mythol. grecque et romaine Dieu de la Lumière, de la Musique et de la Poésie.

les **Appalaches** n. m. pl. ▫ Montagnes de l'est de l'Amérique du Nord. 2 037 m au mont Mitchell.

l'**Appenzell** n. m. ▫ Ancien canton de Suisse divisé en deux cantons en 1999. ► **Appenzell Rhodes-Extérieures.** 243 km². 54 954 habitants. Chef-lieu : Herisau.

► **Appenzell Rhodes-Intérieures.** 172 km². 16 003 habitants. Chef-lieu : Appenzell.

Nicolas **Appert** ▫ Industriel français (1749-1841). Inventeur d'un procédé de conservation des aliments par la chaleur, à l'origine de l'industrie de la conserve.

la voie **Appienne,** en latin *Via Appia* ▫ Voie romaine qui reliait Rome à Brindisi, port de l'Adriatique (Pouilles).

**Apple** ▫ Entreprise multinationale américaine d'informatique, fondée par Steve Jobs et Steve Wozniak (1976).

**Apulée** ▫ Écrivain latin du IIe s., rhéteur et philosophe. Il est l'auteur du seul «roman» latin à nous être parvenu en entier, *Les Métamorphoses* (ou *L'Âne d'or*).

**Aqmi, Aqpa** → al-**Qaïda**

l'**Aquitaine** n. f. ▫ Anc. région administrative du sud-ouest de la France.

les **Arabes** ▫ Habitants de la péninsule d'Arabie et, par extension, populations arabophones du Proche-Orient et d'Afrique du Nord. Ils fondèrent aux VIIe-VIIIe s. un vaste empire s'étendant de l'Iran à l'Espagne.

l'**Arabie** n. f. ▫ Péninsule désertique de l'extrémité sud-ouest de l'Asie.

l'**Arabie saoudite** n. f. ▫ État d'Arabie. 2,2 millions de km². 33,4 millions d'habitants. Capitale : Riyad. Pétrole.

le golfe **Arabique** ou **Arabo-Persique** → golfe **Persique**

Yasser **Arafat** ▫ Président de l'Autorité palestinienne, chef de l'OLP (1929-2004). Prix Nobel de la paix 1994, avec Y. Rabin et S. Peres.

François **Arago** ▫ Astronome et physicien français (1786-1853). Brillant vulgarisateur, il donna un cours d'astronomie populaire.

Louis **Aragon** ▫ Écrivain français (1897-1982). D'abord surréaliste, puis communiste (1927). Œuvre multiforme : poèmes lyriques ou militants *(Le Crève-Cœur ; Les Yeux d'Elsa)* ; romans *(Les Beaux Quartiers ; Aurélien)* ; méditations sur l'art.

l'**Aragon** n. m. ▫ Ancien royaume du nord-est de l'Espagne, aujourd'hui communauté autonome. 47 669 km². 1,3 million d'habitants. Capitale : Saragosse.

la mer d'**Aral** ▫ Mer intérieure d'Asie centrale. Asséchée en partie par une utilisation excessive de ses eaux (15 000 km²).

les **Araméens** ▫ Peuple sémite du Proche-Orient (XIIIe-VIIIe s. avant J.-C.).

le mont **Ararat** ▫ Massif de Turquie (5 165 m). Selon la Bible, l'arche de Noé s'y serait échouée. Symbole national de l'Arménie.

les **Araucans** ▫ Population amérindienne du Chili.

Diane **Arbus** ▫ Photographe américaine (1923-1971). Elle s'inscrit dans un courant documentaire et urbain (portraits de marginaux, de malades mentaux...).

**Arcachon** ▫ Chef-lieu d'arrondissement de la Gironde, sur le *bassin d'Arcachon.* 11 567 habitants.

l'**Arcadie** n. f. ▫ Région de la Grèce antique.

Denys **Arcand** ▫ Réalisateur canadien québécois (né en 1941). *Le Déclin de l'empire américain ; Les Invasions barbares.*

**Arc-et-Senans** ▫ Commune du Doubs. 1 618 habitants. Saline royale construite par Ledoux.

**Archimède** ▫ Savant grec (v. 287-v. 212 avant J.-C.). Fondateur de l'hydrostatique.

Alexandre **Archipenko** ▫ Sculpteur et peintre américain d'origine russe (1887-1964).

Giuseppe **Arcimboldo** ou **Arcimboldi** ▫ Peintre italien (v. 1527-1593). «Têtes composées», par assemblage de végétaux, d'animaux ou d'objets.

**Arcole** ▫ Ville d'Italie, près de Vérone. Victoire de Bonaparte (1796) sur les Autrichiens.

l'**Arctique** n. m. ▫ Région formée par l'*océan Glacial Arctique* (12,3 millions de km²) et les terres centrées sur le pôle Nord.

l'**Ardèche** n. f. ▫ Affluent du Rhône. 120 km. ► l'**Ardèche** [07]. Département français de la Région Auvergne-Rhône-Alpes. 5 511 km². 326 606 habitants. Chef-lieu : Privas. Chefs-lieux d'arrondissement : Largentière, Tournon-sur-Rhône.

l'**Ardenne** n. f. ▫ Région partagée entre la Belgique, la France et le Luxembourg. ► les **Ardennes** [08]. Département français de la Région Grand Est. 5 234 km². 271 845 habitants. Chef-lieu : Charleville-Mézières. Chefs-lieux d'arrondissement : Rethel, Sedan, Vouziers.

Hannah **Arendt** ▫ Philosophe américaine d'origine allemande (1906-1975). Élève de Heidegger, elle fuit l'Allemagne nazie et mena une réflexion sur le totalitarisme et le mal *(Les Origines du totalitarisme).*

**Arès** ▫ mythol. grecque Dieu de la guerre. *Mars* chez les Romains.

l'**Arétin** ▫ Écrivain satirique italien (1492-1556). Auteur de comédies et de dialogues inventifs et licencieux : *Les Ragionamenti.*

l'**Argentine** n. f. ▫ État fédéral d'Amérique du Sud. 2 780 400 km². 44,9 millions d'habitants. Capitale : Buenos Aires.

Martha **Argerich** ▫ Pianiste argentine (née en 1941). Soliste virtuose.

les **Argonautes** ▫ mythol. grecque Héros partis, à bord du navire *Argo,* à la conquête de la Toison d'or.

l'**Argonne** n. f. ▫ Région boisée entre la Champagne et la Lorraine. Combats en 1914-1918.

le canton d'**Argovie** ▫ Canton de Suisse. 1 404 km². 663 462 habitants. Chef-lieu : Aarau.

**Ariane** ▫ mythol. grecque Fille de Minos, elle aida Thésée à sortir du Labyrinthe.

**Ariane** ▫ Fusée spatiale européenne.

Alfredo **Arias** ▫ Metteur en scène franco-argentin (né en 1944). Spectacles musicaux, mise en scène d'opéras, présentant un univers féerique, plein d'exubérance et d'humour.

l'**Ariège** n. f. ▫ Rivière, affluent de la Garonne. 170 km. ► l'**Ariège** [09]. Département français de la Région Occitanie. 4 902 km². 153 066 habitants. Chef-lieu : Foix. Chefs-lieux d'arrondissement : Pamiers, Saint-Girons.

Ludovico Ariosto, dit L'**Arioste** ▫ Poète italien (1474-1533). Son chef-d'œuvre est le *Roland furieux,* poème épique de 33 000 vers.

**Aristide** ▫ Général et homme politique athénien (v. 550-v. 467 avant J.-C.).

Jean-Bertrand **Aristide** ▫ Homme d'État haïtien (né en 1953). Ancien prêtre catholique, président de la République (1990-1991, 1994-1995 et 2000-2004).

**Aristophane** ▫ Écrivain grec (v. 450-386 avant J.-C.). Auteur de comédies : *Les Grenouilles ; L'Assemblée des femmes.*

**Aristote** ▫ Savant et philosophe grec (384-322 avant J.-C.). Il créa la logique et aborda tous les domaines du savoir.

l'**Arizona** n. m. ▫ État du sud-ouest des États-Unis. 295 014 km². 5,1 millions d'habitants. Capitale : Phoenix.

l'**Arkansas** n. m. ▫ État du sud des États-Unis. 137 539 km². 2,7 millions d'habitants. Capitale : Little Rock.

**Arkhangelsk** ▫ Port de Russie. 319 000 habitants.

**Arles** ▫ Chef-lieu d'arrondissement des Bouches-du-Rhône. 51 031 habitants. Monuments romains et médiévaux. Rencontres de la photographie.

Arlette-Léonie Bathiat, dite **Arletty** ▫ Actrice française (1898-1992). Elle composa au théâtre et au cinéma un personnage au franc-parler à l'accent faubourien. *Hôtel du Nord ; Les Enfants du paradis.*

l'Invincible **Armada** ▫ Flotte de Philippe II d'Espagne, envoyée contre l'Angleterre en 1588 et détruite par la tempête.

l'**Armagnac** n. m. ▫ Région du Gers. Vignobles *(armagnac).*

les **armagnacs** ▫ Faction qui s'opposa aux bourguignons et aux Anglais lors de la guerre de Cent Ans.

Armand Fernandez, dit **Arman** ▫ Artiste (sculpteur) franco-américain (1928-2005). Installations, accumulations d'objets.

l'**Arménie** n. f. ▫ Région d'Asie occidentale. ► la république d'**Arménie.** État du Caucase, qui fit partie de l'URSS. 29 800 km². 3 millions d'habitants. Capitale : Erevan.

le Massif **armoricain** ▫ Massif ancien de l'ouest de la France.

l'**Armorique** n. f. ▫ Ancien nom de la Bretagne.

Louis **Armstrong** ▫ Musicien et chanteur de jazz américain (1901-1971). Son style souverain à la trompette et sa voix, à la fois rauque et émouvante, son humour scénique aussi, en font la plus grande figure, avec Ellington, de la période du jazz qui va de 1925 à 1950.

Neil **Armstrong** ▫ Astronaute américain (1930-2012). Le premier homme ayant marché sur la Lune, en juillet 1969, avec la mission Apollo 11.

Lance **Armstrong** ▫ Cycliste américain (né en 1971). Titulaire du record de victoires dans le Tour de France (1999 à 2005), déchu de ses titres pour dopage.

les **Arnauld** ▫ Famille française, liée au jansénisme. ► Antoine **Arnauld** (1560-1619), conseiller d'État, restaura l'abbaye janséniste de Port-Royal. ► Antoine, dit le **Grand Arnauld,** son fils (1612-1694), théologien, auteur avec Pierre Nicole de la *Logique de Port-Royal.*

l'**Arno** n. m. ▫ Fleuve d'Italie qui traverse Florence et Pise. 240 km.

Raymond **Aron** ▫ Sociologue français (1905-1983). L'un des principaux critiques du marxisme. Il polémiqua avec Sartre.

Hans, dit Jean **Arp** ▫ Sculpteur et peintre abstrait français (1886-1966).

Fernando **Arrabal** ▫ Dramaturge et réalisateur espagnol d'expression française (né en 1932). Œuvre symbolique, lyrique et violente, marquée de sadomasochisme. *J'irai comme un cheval fou* (cinéma).

**Arras** ▫ Chef-lieu du Pas-de-Calais. 41 555 habitants.

Claudio **Arrau** ▫ Pianiste chilien (1903-1991). Interprète de la musique romantique (Beethoven, Chopin...).

les monts d'**Arrée** ▫ Chaîne de hauteurs granitiques de Bretagne.

Svante **Arrhenius** ▫ Chimiste suédois (1859-1927). Travaux sur les électrolytes. Prix Nobel 1903.

**Arromanches-les-Bains** ▫ Commune du Calvados, où les Alliés débarquèrent le 6 juin 1944. 550 h.

le curé d'**Ars** → saint **Jean-Baptiste Marie Vianney**

**Arsace** ▫ Fondateur de la dynastie parthe des *Arsacides* qui régna sur la Perse (250 avant J.-C.-244 apr. J.-C.).

Charles de Batz, seigneur d'**Artagnan** ▫ Mousquetaire français (1611-1673). Immortalisé par A. Dumas dans *Les Trois Mousquetaires*.

Antonin **Artaud** ▫ Écrivain et homme de théâtre français (1896-1948). Œuvre lyrique, violente et incantatoire.

**Artaxerxès Ier** ▫ (v. 491-424 avant J.-C.) Roi de Perse de 465 à sa mort. Fils de Xerxès Ier. Battu par les Grecs, il signa la paix qui mit fin aux guerres médiques.

**Artémis** ▫ mythol. grecque Déesse de la Chasse. *Diane* chez les Romains.

**Arthur** ou **Artus** ▫ Roi celte légendaire (VIe s.), héros du cycle romanesque de la Table ronde.

Yann **Arthus-Bertrand** ▫ Photographe français (né en 1946). *La Terre vue du ciel.*

l'**Artois** n. m. ▫ Province historique de France (actuel Pas-de-Calais).

les **Arvernes** ▫ Gaulois d'Auvergne qui avaient pour chef Vercingétorix.

les **Aryens** ▫ Dans l'Antiquité, peuple d'Iran et d'Inde du Nord, de langue indo-européenne.

les frères **Asam** ▫ Peintres, décorateurs et architectes allemands. Cosmas Damian (1686-1739) et Egid Quirin (1692-1750) réalisèrent de nombreuses décorations en Bavière, Tyrol, etc. Style baroque rococo.

l'**Asean** ou **Ansea** ▫ Association des nations du Sud-Est asiatique, créée en 1967.

les **Ases** n. m. pl. ▫ mythol. nordique Dieux guerriers.

**Ashoka** ▫ Empereur indien (v. 273-v. 237 avant J.-C.). Unificateur de l'Inde. Propagateur du bouddhisme.

l'**Asie** n. f. ▫ La plus grande et la plus peuplée des six parties du monde. 44 millions de km². 4,6 milliards d'habitants.

l'**Asie Mineure** ▫ Péninsule d'Asie comprenant la Turquie.

Isaac **Asimov** ▫ Écrivain américain d'origine russe (1920-1992). Professeur de biochimie, il a écrit des ouvrages de vulgarisation scientifique et des romans de science-fiction (cycle de *Fondation*).

**Asmara** ▫ Capitale de l'Érythrée. 900 000 habitants.

El-**Asnam** → **Chlef**

Hafiz al-**Assad** ▫ (1928-2000) Président de la République syrienne de 1971 à sa mort. ► Bachar al-**Assad,** son fils (né en 1965), lui a succédé.

l'**Assam** n. m. ▫ État du nord-est de l'Inde. 78 438 km². 35,6 millions d'habitants. Capitale : Dispur.

Julian Paul **Assange** ▫ Informaticien australien (né en 1971). Fondateur de l'organisation WikiLeaks qui publie des documents secrets, il est emprisonné depuis 2019.

l'**Assemblée constituante** → **Constituante**

l'**Assemblée législative** ▫ Assemblée française élue en 1791 après la Constituante. La Convention lui succéda (1792).

l'**Assemblée nationale** ▫ Institution (Chambre des députés) qui, avec le Sénat, forme le Parlement, en France.

**Assise** ▫ Ville d'Italie (Ombrie). 25 300 habitants. Basilique Saint-François décorée d'œuvres de Cimabue et de Giotto. Patrie de saint François d'Assise.

**Assouan** ▫ Ville de Haute Égypte. 321 760 habitants. Barrage sur le Nil.

**Assuérus** ▫ Dans la Bible, nom donné au roi Xerxès.

**Assur** ▫ Ancienne capitale de l'Assyrie.

**Assurbanipal** ▫ Dernier grand roi d'Assyrie, de 669 à 631 avant J.-C.

l'**Assyrie** n. f. ▫ Anc. empire mésopotamien (XXe-VIIe s. avant J.-C.).

Frederick Austerlitz, dit Fred **Astaire** ▫ Acteur, danseur et chorégraphe américain (1899-1987). Virtuose des claquettes : *Tous en scène.*

**Astana** → **Noursoultan**

**Asti** ▫ Ville d'Italie (Piémont). 71 300 habitants. Vins pétillants.

**Astrakhan** ▫ Port de Russie dans le delta de la Volga. 520 300 habitants.

**Astrid** ▫ Reine des Belges (1905-1935), mariée au roi Léopold III et mère de Baudouin Ier.

Miguel Ángel **Asturias** ▫ Romancier et poète guatémaltèque (1899-1974). Il fit revivre les légendes mayas *(Hommes de maïs).* Il a dénoncé l'injustice, la misère et la dictature *(Monsieur le Président).* Prix Nobel 1967.

les **Asturies** n. f. pl. ▫ Région historique et communauté autonome de l'Espagne. 10 565 km². 1,1 million d'habitants. Capitale : Oviedo.

**Asunción** ▫ Capitale du Paraguay. 1,2 million d'habitants.

**Atahualpa** ▫ Dernier empereur inca (v. 1500-1533), mis à mort par Pizarro.

**Atatürk** → **Mustafa Kemal**

Eugène **Atget** ▫ Photographe français (1857-1927). Réalisme documentaire et photos d'architecture à Paris.

**Athalie** ▫ Reine de Juda de 841 à 834 avant J.-C. Héroïne d'une tragédie de Racine.

**Athéna** ▫ mythol. grecque Déesse de la Raison, des Arts et des Sciences. *Minerve* chez les Romains.

**Athènes** ▫ Capitale de la Grèce. 748 100 habitants (agglomération 3 millions). Acropole, Parthénon.

le mont **Athos** ▫ Montagne de Grèce. 2 033 m. Monastères orthodoxes.

**Atlanta** ▫ Ville des États-Unis, capitale de la Géorgie. 420 000 habitants (agglomération 6 millions).

l'**Atlantide** n. f. ▫ Île fabuleuse, engloutie, d'après Platon, v. 1500 avant J.-C.

l'océan **Atlantique** n. m. ▫ Océan entre l'Europe, l'Afrique et l'Amérique (106 millions de km²). ► le mur de l'**Atlantique** : système de fortifications bâti par les Allemands sur la côte occidentale de l'Europe de 1942 à 1944.

**Atlas** ▫ mythol. grecque Géant condamné par Zeus à porter le ciel sur ses épaules.

l'**Atlas** n. m. ▫ Barrière montagneuse d'Afrique du Nord. 4 167 m au djebel Toubkal.

**Aton** ▫ Dieu solaire égyptien, dont le culte fut instauré par Akhénaton.

les **Atrides** ▫ mythol. grecque Descendants d'Atrée, roi de Mycènes, père d'Agamemnon et de Ménélas.

**Attila** ▫ (v. 395-453) Roi des Huns de 434 à sa mort. Il domina un vaste territoire, de la mer Noire à la Gaule.

l'**Attique** n. f. ▫ Région de Grèce autour d'Athènes.

l'**Aube** n. f. ▫ Rivière, affluent de la Seine. 248 km. ► l'**Aube** [10]. Département français de la Région Grand Est. 6 010 km². 310 020 habitants. Chef-lieu : Troyes. Chefs-lieux d'arrondissement : Bar-sur-Aube, Nogent-sur-Seine.

Agrippa d'**Aubigné** ▫ Écrivain français (1552-1630). Calviniste intransigeant, auteur d'une œuvre lyrique, satirique et épique : *Les Tragiques.*

**Aubusson** ▫ Chef-lieu d'arrondissement de la Creuse. 3 328 habitants. Ateliers de tapisserie.

**Auch** ▫ Chef-lieu du Gers. 22 200 habitants.

**Auckland** ▫ Port et ville principale de la Nouvelle-Zélande. 1,4 million d'habitants.

l'**Aude** n. m. ▫ Fleuve de France. 220 km. ► l'**Aude** [11]. Département français de la Région Occitanie. 6 289 km². 372 806 habitants. Chef-lieu : Carcassonne. Chefs-lieux d'arrondissement : Limoux, Narbonne.

Michel **Audiard** ▫ Scénariste, dialoguiste et réalisateur français (1920-1985). Son style vert et caustique a marqué le cinéma populaire des années 1960 à 1980. *Les Tontons flingueurs.*

Jacques **Audiard** ▫ Réalisateur et scénariste français, fils de Michel Audiard (né en 1952). Cinéaste de genre. *Un prophète ; Dheepan.*

Jacques **Audiberti** ▫ Écrivain français (1899-1965). Auteur de romans *(Abraxas ; Marie Dubois)*, de pièces de théâtre *(Le mal court)* et de poèmes, au style baroque et lyrique.

John James **Audubon** ▫ Naturaliste et peintre américain (1785-1851). Il fit la description de la faune et de la flore d'Amérique du Nord, et l'illustra lui-même (*Les Oiseaux d'Amérique*, 1827-1838).

**Augias** ▫ mythol. grecque Roi d'Élide, dont Héraclès nettoya les écuries en détournant les eaux de l'Alphée.

**Augsbourg** ▫ Ville d'Allemagne (Bavière). 267 900 habitants. ► la confession d'**Augsbourg,** profession de foi des luthériens rédigée par Melanchthon (1530). ► la ligue d'**Augsbourg** réunit de 1686 à 1697 les opposants à Louis XIV (Angleterre, Hollande, Suède, Espagne).

**Auguste** ▫ (63 avant J.-C.-14 apr. J.-C.) Premier empereur romain, de 27 avant J.-C. à sa mort, appelé d'abord Octave, puis Octavien. Le siècle d'Auguste fut l'âge d'or du classicisme romain.

saint **Augustin** ▫ Docteur et Père de l'Église (354-430). Évêque d'Hippone, en Afrique du Nord, théologien, philosophe et écrivain latin : *Les Confessions.*

Gaetana, dite Gae **Aulenti** ▫ Architecte et designer italienne (1927-2012).

Henri d'Orléans, duc d'**Aumale** ▫ Général français (1822-1897). Fils de Louis-Philippe.

**Aung San** ▫ Homme politique birman (1915-1947). Opposé aux Britanniques, il tenta d'obtenir l'indépendance de son pays, mais fut assassiné.

**Aung San Suu Kyi** ▫ Femme d'État birmane (née en 1945), fille d'Aung San. Figure de l'opposition à la dictature, elle dirige de facto depuis 2016 un gouvernement qui doit composer avec les militaires, qui la renversent en 2021. Prix Nobel de la paix 1991.

l'**Aunis** n. m. ▫ Anc. province dans la région de La Rochelle.

**Aurangzeb** ▫ (1618-1707) Empereur moghol de l'Inde, de 1658 à sa mort.

**Aurélien** ▫ (v. 212-275) Empereur romain de 270 à sa mort. Il restaura un pouvoir fort.

les **Aurès** n. m. pl. ▫ Massif de l'Algérie orientale. 2 326 m au djebel Chelia.

**Aurillac** ▫ Chef-lieu du Cantal. 25 531 habitants.

Vincent **Auriol** ▫ (1884-1966) Premier président (socialiste) de la IVᵉ République, de 1947 à 1954.

**Auschwitz** ▫ Localité de Pologne. Le plus grand camp d'extermination nazi : environ 1 million de Juifs y furent tués entre 1940 et 1945.

Jane **Austen** ▫ Romancière anglaise (1775-1817). Elle peint des personnages féminins observés avec humour et réalisme. *Orgueil et préjugés ; Persuasion.*

Paul **Auster** ▫ Romancier américain (né en 1947). Œuvre centrée sur la question de l'identité, et dont les personnages sont tentés par le néant. *Trilogie new-yorkaise ; Léviathan.*

**Austerlitz** ▫ Localité de Moravie où Napoléon Ier battit l'armée austro-russe (2 déc. 1805).

l'océan **Austral** → océan **Antarctique**

les Terres **australes** ou **subantarctiques** ▫ Ensemble d'îles au large de l'Antarctique, dont les archipels Crozet et Kerguelen, qui constituent, avec la terre Adélie, la collectivité d'outre-mer des *Terres australes et antarctiques françaises* (TAAF).

l'**Australie** n. f. ▫ État fédéral d'Océanie. 7 682 300 km². 21,1 millions d'habitants. Capitale : Canberra. Villes principales : Melbourne, Sydney.

l'**Austrasie** n. f. ▫ Royaume mérovingien (VIe-VIIIe s.) de l'est de la Gaule.

l'**Autriche** n. f. ▫ État fédéral d'Europe centrale. 83 872 km². 8,4 millions d'habitants. Capitale : Vienne.

l'**Autriche-Hongrie** ▫ Ancienne monarchie comprenant l'empire d'Autriche et le royaume de Hongrie sous l'autorité des Habsbourg (1867-1918).

**Autun** ▫ Chef-lieu d'arrondissement de la Saône-et-Loire. 13 157 habitants. Cathédrale romane.

l'**Auvergne** n. f. ▫ Anc. région administrative française dans le Massif central.

**Auvergne-Rhône-Alpes** ▫ Région administrative de la France. Douze départements : Ain, Allier, Ardèche, Cantal, Drôme, Haute-Loire, Haute-Savoie, Isère, Loire, Puy-de-Dôme, Rhône, Savoie. 69 711 km². 7,99 millions d'habitants. Capitale : Lyon.

**Auvers-sur-Oise** ▫ Ville du Val-d'Oise. 6 860 habitants. Séjour de nombreux peintres au XIXe s. (Cézanne, Pissarro, Van Gogh qui s'y donna la mort).

**Auxerre** ▫ Chef-lieu de l'Yonne. 34 764 habitants.

les **Avars** ▫ Tribu asiatique qui constitua du VIe au IXe s. un empire en Europe centrale.

Richard **Avedon** ▫ Photographe américain (1923-2004). Photos de mode, portraits.

Ibn Bājā, dit **Avempace** ▫ Philosophe et médecin arabe (mort en 1138).

le mont **Aventin** ▫ Une des sept collines de Rome.

Ibn Ruchd, dit **Averroès** ▫ Philosophe arabe et musulman d'Espagne (1126-1198). Commentateur d'Aristote.

Tex **Avery** ▫ Réalisateur américain de dessins animés (1908-1980). Créateur de films marqués par l'humour et la fantaisie (Droopy, Bugs Bunny, Daffy Duck...).

l'**Aveyron** n. m. ▫ Rivière, affluent du Tarn. 250 km. ► l'**Aveyron** [12]. Département français de la Région Occitanie. 8 749 km². 279 274 habitants. Chef-lieu : Rodez. Chefs-lieux d'arrondissement : Millau, Villefranche-de-Rouergue.

Ibn Gabirol, dit **Avicebron** ▫ Philosophe mystique juif espagnol (v. 1020-v. 1058).

Ibn Sinā, dit **Avicenne** ▫ Médecin, philosophe et mystique perse (980-1037). *Le Canon*, première encyclopédie médicale, sera la référence pendant des siècles.

**Avignon** ▫ Chef-lieu du Vaucluse. 91 729 habitants. Résidence des papes au XIVe s. Palais des Papes, pont Saint-Bénezet. Festival de théâtre.

**Ávila** ▫ Ville d'Espagne (Castille-et-León). 59 482 habitants. Enceinte et églises médiévales. Sainte Thérèse d'Ávila y fonda son premier couvent.

Amedeo **Avogadro** ▫ Chimiste italien (1776-1856). Théorie moléculaire des gaz.

les **Aymaras** ▫ Population amérindienne du Pérou et de Bolivie.

Marcel **Aymé** ▫ Écrivain français (1902-1967). Récits (romans et contes) d'une ironie critique : *La Jument verte ; Uranus ; Contes du chat perché.* Comédies.

**Azay-le-Rideau** ▫ Commune d'Indre-et-Loire. 3 493 habitants. Château Renaissance.

l'**Azerbaïdjan** n. m. ▫ État du Caucase. 86 600 km². 9,9 millions d'habitants. Capitale : Bakou.

**Azincourt** ▫ Commune du Pas-de-Calais. 308 habitants. Importante victoire anglaise durant la guerre de Cent Ans (1415).

la mer d'**Azov** ▫ Golfe de la mer Noire. 38 000 km².

les **Aztèques** ▫ Ancien peuple amérindien qui fonda un empire au Mexique (XVe s.).

# B

Amadou Hampâté **Bâ** ▫ Écrivain malien (1901-1991). Il s'attacha à transmettre la tradition orale, notamment peule. *L'Étrange destin de Wangrin.*

**Baalbek** ▫ Ville du Liban. 14 000 habitants. Temples antiques.

**Baas** ou **Baath** ▫ Parti arabe nationaliste et laïc. Dominant en Syrie depuis 1963, il le fut en Irak de 1968 à 2003.

Charles **Babbage** ▫ Mathématicien britannique (1791-1871). Il tenta de réaliser des machines à calculer ; considéré pour cela comme un pionnier de l'informatique.

la tour de **Babel** ▫ Bible Tour dont la construction devait permettre aux hommes d'atteindre le ciel.

François Noël, dit Gracchus **Babeuf** ▫ Révolutionnaire français (1760-1797). Partisan du communisme égalitaire.

Joseph **Babinski** ▫ Médecin français (1857-1932). Spécialiste de la pathologie nerveuse.

**Bābur** ▫ Souverain turc (1483-1530). Il fonda l'Empire moghol.

**Babylone** ▫ Ville antique de Mésopotamie, capitale d'un royaume puissant, qui rayonna dans tout le Moyen-Orient. Les jardins suspendus étaient considérés comme l'une des Sept Merveilles du monde. Vestiges en Irak.

Betty Joan Perske, dite Lauren **Bacall** ▫ Actrice américaine (1924-2014). Elle fut la partenaire et l'épouse d'Humphrey Bogart.

**Baccarat** ▫ Ville de Meurthe-et-Moselle. 4 225 habitants. Cristallerie, fondée en 1764.

**Bacchus** ▫ mythol. romaine Dieu du vin. *Dionysos* chez les Grecs.

Jean-Sébastien **Bach** ▫ Musicien allemand (1685-1750). Musique religieuse (cantates, passions...), musique de chambre, musique pour clavier (orgue, clavecin...). Son œuvre monumentale, d'une puissance théorique unique, nourrie par une inventivité et une spiritualité constantes, est à la base de toute la musique occidentale postérieure. *Concertos brandebourgeois ; Le Clavier bien tempéré ; L'Art de la fugue.* Ses fils furent des compositeurs réputés, notamment Wilhelm Friedemann **Bach** (1710-1784), Carl Philipp Emanuel **Bach** (1714-1788) et Johann Christian **Bach** (1735-1782).

Gaston **Bachelard** ▫ Philosophe français (1884-1962). Il renouvela l'histoire et la perception de la science et analysa les symboles ainsi que l'imagination poétique.

la **Bachkirie** ▫ République autonome de Russie. 143 600 km². 4,1 millions d'habitants. Capitale : Oufa.

Roger **Bacon** ▫ Théologien et philosophe anglais (v. 1214-1294). Précurseur de la science expérimentale.

Francis **Bacon** ▫ Philosophe et chancelier anglais (1561-1626). Théoricien de la méthode inductive et expérimentale.

Francis **Bacon** ▫ Peintre britannique (1909-1992). Son style expressionniste exprime la violence et la tragédie.

la **Bactriane** ▫ Ancienne région de l'Asie centrale.

Robert **Baden-Powell** ▫ Général anglais (1857-1941). Il fonda le scoutisme en 1908.

le **Bade-Wurtemberg** ▫ Land d'Allemagne. 35 751 km². 10,8 millions d'habitants. Capitale : Stuttgart.

Robert **Badinter** ▫ Avocat et homme politique français (né en 1928). Marié à Élisabeth Badinter. Ministre de la Justice de 1981 à 1986, il fit voter l'abolition de la peine de mort en France (9 oct. 1981).

Élisabeth **Badinter** ▫ Philosophe et historienne française (née en 1944). Mariée à Robert Badinter. Spécialiste du XVIIIe siècle ; réflexions sur la place de la femme dans la société, l'instinct maternel, les relations entre les sexes.

Joan **Baez** ▫ Chanteuse et compositrice américaine (née en 1941). Artiste engagée contre la guerre et l'injustice.

la terre de **Baffin** ▫ Île de l'archipel arctique canadien, séparée du Groenland par la *mer de Baffin.* 476 066 km².

**Bagdad** ▫ Capitale de l'Irak. 6,7 millions d'habitants. Ancienne capitale des Abbassides.

le Commonwealth des **Bahamas** ▫ État des Antilles composé de 700 îles. 13 935 km². 351 461 habitants. Capitale : Nassau.

**Bahia** ▫ État du Brésil. 566 978 km². 14 millions d'habitants. Capitale : Salvador (anciennement *Bahia*).

**Bahreïn** n. m. ▫ État insulaire du golfe Persique. 691 km². 1,5 million d'habitants. Capitale : Manama.

Jean Antoine de **Baïf** ▫ Poète français (1532-1589). Membre de la Pléiade. *Mimes, enseignements et proverbes* (1576).

le lac **Baïkal** ▫ Lac de Russie, en Sibérie orientale (Bouriatie). 31 500 km².

**Baïkonour** ▫ Base aérospatiale russe située au Kazakhstan.

**Bajazet** → **Bayazid Ier**

Li Feigan, dit **Ba Jin** ou **Pa Kin** ▫ Écrivain et poète chinois (1904-2005).

Joséphine **Baker** ▫ Chanteuse et danseuse française d'origine américaine (1906-1975). Elle s'engagea dans la résistance puis dans le mouvement des droits civiques.

Chesney Henry, dit Chet **Baker** ▫ Trompettiste et chanteur de jazz américain (1929-1988).

**Bakou** ▫ Capitale de l'Azerbaïdjan. 1,2 million d'habitants. Pétrole.

Mikhaïl **Bakounine** ▫ Révolutionnaire anarchiste russe (1814-1876).

Mili Alekseïevitch **Balakirev** ▫ Compositeur russe (1837-1910). Fondateur du groupe des Cinq* en 1857.

George **Balanchine** ▫ Chorégraphe russe naturalisé américain (1904-1983).

le lac **Balaton** ▫ Le plus grand lac de Hongrie. 596 km².

Vasco Núñez de **Balboa** ▫ Conquistador espagnol (1475-1517). Il découvrit l'océan Pacifique en 1513.

**Bâle** ▫ Ville de Suisse. 171 513 habitants (zone urbaine 547 761). ► le canton de **Bâle-Ville** (37 km² ; 193 908 habitants ; chef-lieu : Bâle).► le canton de **Bâle-Campagne** (428 km² ; 287 023 habitants ; chef-lieu : Liestal).

les **Baléares** n. f. pl. ▫ Archipel méditerranéen. Communauté autonome de l'Espagne dont les îles principales sont Majorque, Minorque et Ibiza. 5 014 km². 1,1 million d'habitants. Capitale : Palma de Majorque.

lord **Balfour** ▫ Homme d'État britannique (1848-1930). ► la déclaration **Balfour,** en 1917, préconise la création en Palestine d'un «foyer national juif».

**Bali** ▫ Île d'Indonésie. 5 621 km². 4,1 millions d'habitants. Chef-lieu : Denpasar.

les **Balkans** n. m. pl. ▫ Péninsule du sud de l'Europe (Slovénie, Croatie, Bosnie-Herzégovine, Macédoine du Nord, Monténégro, Serbie, Slovaquie, Kosovo, Albanie, Bulgarie, Grèce et Turquie d'Europe).

le lac **Balkhach** ▫ Lac du Kazakhstan. 17 300 km².

Victor **Baltard** ▫ Architecte français (1805-1874). Anciennes halles de Paris.

les pays **baltes** ▫ L'Estonie, la Lettonie et la Lituanie.

**Balthazar** ▫ Un des Rois mages.

Balthasar Klossowski de Rola, dit **Balthus** ▫ Peintre français (1908-2001). Son style est dépouillé, ses couleurs discrètes, ses sujets, d'un érotisme suggestif (portraits de très jeunes filles, scènes d'intérieur ambiguës).

**Baltimore** ▫ Port des États-Unis (Maryland). 621 000 habitants.

la mer **Baltique** ▫ Mer qui baigne les côtes d'Europe du Nord.

le **Balouchistan** ▫ Région aride s'étendant sur le Pakistan et l'Iran.

Honoré de **Balzac** ▫ Romancier français (1799-1850). Auteur de *la Comédie humaine*, ensemble de 95 romans et nouvelles qui composent une étude de mœurs. *Le Père Goriot, Eugénie Grandet*...

**Bamako** ▫ Capitale du Mali. 3 millions d'habitants.

les **Bambaras** ▫ Mandingues établis au Mali.

Shigeru **Ban** ▫ Architecte japonais (né en 1957). Centre Pompidou-Metz.

**Bandiagara** ▫ Ville du Mali. 17 000 habitants. Le pays dogon s'étend autour de la *falaise de Bandiagara*.

**Bandung** ▫ Ville d'Indonésie (Java). 2,4 millions d'habitants. ► la conférence de **Bandung** réunit en 1955 29 pays d'Asie et d'Afrique qui refusaient de s'aligner sur l'URSS comme sur les États-Unis.

**Bangalore** ▫ Ville d'Inde. 12 millions d'habitants.

**Bangkok** ▫ Capitale de la Thaïlande. 8,5 millions d'habitants.

le **Bangladesh** ▫ État du sud de l'Asie. 144 000 km². 144 millions d'habitants. Capitale : Dacca.

**Bangui** ▫ Capitale de la République centrafricaine. 725 000 habitants.

**Ban Ki-moon** ▫ Diplomate et homme politique sud-coréen (né en 1944). Secrétaire général de l'ONU de 2007 à 2016.

**Banksy** ▫ Artiste britannique (né en 1974). Œuvres d'art urbain au message pacifiste, anticapitaliste, mêlant humour et poésie.

la **Banque centrale européenne** (BCE) ▫ Créée en 1998 (traité de Maastricht), elle définit la politique monétaire de la zone euro.

la **Banque de France** ▫ Créée en 1800, nationalisée en 1945, indépendante depuis 1993, elle a le monopole de l'émission des billets de banque.

la **Banque mondiale** ▫ Créée en 1945 (par les accords de Bretton Woods) pour financer la reconstruction en Europe, elle regroupe cinq organismes internationaux, dont la BIRD*, chargés d'aider les pays en voie de développement.

les **Bantous** ▫ Peuples du sud de l'Afrique parlant des langues du même groupe.

Théodore de **Banville** ▫ Poète français (1823-1891). Virtuose de la versification. *Odes funambulesques.*

**Barabbas** ▫ Bible Voleur condamné à mort et gracié par Pilate à la place de Jésus, à la demande du peuple.

la **Barbade** ▫ État insulaire des Petites Antilles. 431 km². 274 000 habitants. Capitale : Bridgetown.

Monique Serf, dite **Barbara** ▫ Compositrice et interprète française (1930-1997). Sa voix contribua à charger d'une émotion profonde des textes lyriques et raffinés. *L'Aigle noir ; Göttingen.*

les **Barbares** ▫ Nom désignant dans l'Antiquité les non-Grecs pour les Grecs, puis les peuples qui envahirent l'Empire romain (IIIe-VIe s.).

les **Barberousse** ▫ Corsaires turcs basés à Alger au XVIe s.

Frédéric Ier **Barberousse** → **Frédéric Ier**

Armand **Barbès** ▫ Révolutionnaire français (1809-1870).

Jules-Amédée **Barbey d'Aurevilly** ▫ Écrivain français (1808-1889). Récits insolites au style précis et pur. *Les Diaboliques.*

**Barbizon** ▫ Commune de Seine-et-Marne. 1 169 habitants. ► L'école de **Barbizon,** colonie de peintres paysagistes (Millet, Corot, Daubigny...), précurseurs de l'impressionnisme.

Henri **Barbusse** ▫ Écrivain français (1873-1935). *Le Feu,* roman évoquant de manière réaliste la guerre de 1914-1918.

**Barcelone** ▫ Ville et port d'Espagne, capitale de la Catalogne. 1,6 million d'habitants. Œuvres de Gaudí.

Brigitte **Bardot** ▫ Actrice française (née en 1934). *Et Dieu créa la femme ; Le Mépris.*

Daniel **Barenboïm** ▫ Pianiste et chef d'orchestre argentin, espagnol, palestinien et israélien (né en 1942).

la mer de **Barents** ▫ Mer de l'océan Arctique.

**Bari** ▫ Port du sud de l'Italie, chef-lieu des Pouilles. 316 500 habitants.

Alessandro **Baricco** ▫ Écrivain italien (né en 1958). *Soie ; Novecento.*

René **Barjavel** ▫ Romancier français (1911-1985). Pionnier de la science-fiction en France. *Ravage ; La Nuit des temps.*

**Bar-le-Duc** ▫ Chef-lieu de la Meuse. 14 733 habitants.

Christian **Barnard** ▫ Chirurgien sud-africain (1922-2001). Il réalisa la première transplantation cardiaque en 1967.

Paul, vicomte de **Barras** ▫ Révolutionnaire français (1755-1829). Membre le plus influent du Directoire.

Jean-Louis **Barrault** ▫ Comédien français (1910-1994). *Les Enfants du paradis.*

Maurice **Barrès** ▫ Écrivain français (1862-1923). Homme politique, nationaliste, antisémite, il se revendiquait dans l'énergie individuelle *(Le Culte du moi),* enrichi par l'enracinement national (*Le Roman de l'énergie nationale,* trilogie, 1897-1902). Ses *Cahiers* forment un témoignage engagé sur l'époque.

Françoise **Barré-Sinoussi** ▫ Biochimiste française (née en 1947). Prix Nobel 2008, avec L. Montagnier, pour la découverte en 1983 du VIH.

sir James Matthew **Barrie** ▫ Romancier et auteur dramatique écossais (1860-1937). Créateur du personnage de Peter Pan (1904).

Jeanne Bécu, comtesse du **Barry** ▫ Favorite de Louis XV (1743-1793).

Jean **Bart** ▫ Corsaire français (1650-1702).

Karl **Barth** ▫ Théologien protestant suisse (1886-1968). *Dogmatique.*

saint **Barthélemy** ▫ L'un des douze apôtres.

Roland **Barthes** ▫ Critique et sémiologue français (1915-1980). *Le Degré zéro de l'écriture ; L'Empire des Signes ; Le Plaisir du texte.*

Frédéric Auguste **Bartholdi** ▫ Sculpteur français (1834-1904). *La Liberté éclairant le monde* à New York.

Béla **Bartók** ▫ Compositeur hongrois (1881-1945). Pianiste, spécialiste du folklore populaire hongrois, il marqua la musique du XXe siècle par une œuvre variée : piano, musique de chambre *(Quatuors),* musique symphonique, œuvres scéniques.

Cecilia **Bartoli** ▫ Cantatrice (mezzo-soprano) italienne (née en 1966).

Mikhaïl Nikolaïevitch **Barychnikov** ▫ Danseur et chorégraphe américain d'origine russe (né en 1948). Après une carrière éclatante en Union soviétique, il émigra en 1974 aux États-Unis, où il a travaillé avec Balanchine.

le **Bas-Empire** ▫ Dernière période de l'Empire romain (IIIe-Ve s.).

Alain **Bashung** ▫ Chanteur français (1947-2009). Nourri de rock, il a créé un univers singulier, sombre et énigmatique. *Vertige de l'amour ; Osez Joséphine.*

William, dit Count **Basie** ▫ Pianiste, compositeur et chef d'orchestre de jazz américain (1904-1984).

saint **Basile le Grand** ▫ Docteur et Père de l'Église (v. 330-379).

le Pays **basque** ▫ Région des Pyrénées occidentales (France et Espagne). En Espagne, elle forme une communauté autonome (7 261 km² ; 2,1 millions d'habitants ; capitale : Vitoria).

Jean-Michel **Basquiat** ▫ Peintre et graphiste américain d'origine portoricaine (1960-1988). Il utilisa tous les supports possibles, mêlant écriture, peinture, dessin.

le **Bas-Rhin** → **Rhin**

Jacopo da Ponte, dit il **Bassano** ▫ Peintre vénitien (v. 1517-1592).

la **Basse-Normandie** → **Normandie**

**Basse-Terre** ▫ Chef-lieu de la Guadeloupe. 10 046 habitants.

**Bassora** ou **Basra** ▫ Port d'Irak. 825 000 habitants.

**Bastia** ▫ Chef-lieu et port de Haute-Corse. 48 044 habitants.

la **Bastille** ▫ Prison d'État, à Paris, prise par les émeutiers le 14 juillet 1789.

Georges **Bataille** ▫ Écrivain français (1897-1962). Son œuvre est une analyse impitoyable de la transgression, axée sur l'érotisme et la mort.

les **Bataves** ▫ Peuple germain qui habitait les Pays-Bas au Ier s. avant J.-C.

**Batavia** → **Jakarta**

le **Bateau-Lavoir** ▫ Immeuble parisien à Montmartre (détruit en 1970). Habité par des peintres et des poètes au début du XXe s., il fut l'un des centres d'éclosion du cubisme.

**Bath** ▫ Ville d'Angleterre (Avon), au sud-est de Bristol. 94 000 habitants. Bâtiments et urbanisme du XVIIIe s.

**Batman** (anglais «l'homme chauve-souris») ▫ Personnage de justicier masqué, héros de bande dessinée américaine, créé en 1939 par Bill Finger et Bob Kane.

l'île de **Batz** ▫ Île sur la côte nord du Finistère.

**Baucis** → **Philémon**

Charles **Baudelaire** ▫ Poète français (1821-1867). Outre *Les Fleurs du mal*, recueil versifié fondateur de la poésie moderne, son œuvre comprend des poèmes en prose, des textes admirables sur la littérature, la peinture, la musique *(Curiosités esthétiques ; L'Art romantique)*.

**Baudouin Ier** ▫ (1930-1993) Roi des Belges de 1951 à sa mort.

Jean **Baudrillard** ▫ Philosophe français (1929-2007). Traducteur de Marx, il a développé une sémiologie sociale. *Le Système des objets ; La Transparence du mal.*

le **Bauhaus** ▫ École d'architecture fondée par Gropius à Weimar (1919-1933).

Étienne Blum, dit Étienne-Émile **Baulieu** ▫ Médecin français (né en 1926). Endocrinologue, il a mis au point la pilule abortive en 1980.

Henri, dit Harry **Baur** ▫ Acteur français (1880-1943). Il interpréta au cinéma des personnages comme Jean Valjean, Hérode, Maigret, Raspoutine.

Pina **Bausch** ▫ Danseuse et chorégraphe allemande (1940-2009). Chorégraphies expressionnistes, proches du théâtre.

Les **Baux-de-Provence** ▫ Commune des Bouches-du-Rhône. Cité médiévale.

la **Bavière** ▫ Land d'Allemagne. 70 554 km². 12,5 millions d'habitants. Capitale : Munich.

Pierre de **Bayard** ▫ Homme de guerre français, surnommé le «chevalier sans peur et sans reproche» (v. 1475-1524).

**Bayazid Ier**, en français *Bajazet* ▫ (1354-1403) Sultan ottoman de 1389 à 1402.

**Bayeux** ▫ Chef-lieu d'arrondissement du Calvados. 13 017 habitants. La *tapisserie de Bayeux*, broderie de la reine Mathilde (XIe s.) représentant la conquête de l'Angleterre par Guillaume le Conquérant.

Pierre **Bayle** ▫ Écrivain et penseur français (1647-1706). Calviniste, il dut émigrer à Genève, puis à Rotterdam. Séparant la morale de la religion, prônant la liberté de conscience, il publia des *Nouvelles de la république des lettres* (1684-1687) et surtout un grand *Dictionnaire historique et critique* (1695-1697) portant sur les dogmes et les traditions. Il fut un précurseur de l'esprit des Lumières.

**Bayonne** ▫ Chef-lieu d'arrondissement des Pyrénées-Atlantiques. 51 411 habitants.

**Bayreuth** ▫ Ville d'Allemagne (Bavière). 72 000 habitants. Festival Wagner.

Achille **Bazaine** ▫ Maréchal de France (1811-1888).

Jean-Pierre Hervé-Bazin, dit Hervé **Bazin** ▫ Romancier français (1911-1996). Son œuvre est tournée vers la dénonciation des contraintes sociales bourgeoises. *Vipère au poing ; Au nom du fils.*

la **BBC** *(British Broadcasting Company)* ▫ Office national de la radio et de la télévision publique britannique, créé en 1922.

la **BCE** → la **Banque centrale européenne**

Robert, dit Bob **Beamon** ▫ Athlète américain (né en 1946). Détenteur du record du monde de saut en longueur (à 8,90 m) de 1968 à 1991.

Aubrey Vincent **Beardsley** ▫ Dessinateur et écrivain britannique (1872-1898). L'esthétique de ses affiches, de ses illustrations est caractéristique de l'art nouveau.

le **Béarn** ▫ Province historique du sud-ouest de la France. Capitale : Pau.

les **Beatles** n. m. pl. ▫ Groupe anglais de musique pop (1962-1970).

**Beatrix Ire** ▫ Reine des Pays-Bas de 1980 à 2013 (née en 1938).

Julos **Beaucarne** ▫ Poète, chanteur et auteur-compositeur belge d'expression française (né en 1936).

la **Beauce** ▫ Région agricole du Bassin parisien.

Yves **Beauchemin** ▫ Romancier canadien d'expression française (né en 1941). *Le Matou.*

Alphonse **Beau de Rochas** ▫ Ingénieur français (1815-1893). Inventeur du cycle à quatre temps.

sir Francis **Beaufort** ▫ Amiral britannique (1774-1857). Il proposa en 1805 une échelle pour la mesure de la force des vents (l'*échelle de Beaufort*).

Joséphine de **Beauharnais** → **Joséphine**

le **Beaujolais** ▫ Région de l'est du Massif central. Vignobles.

Victor-Lévy **Beaulieu** ▫ Romancier, auteur dramatique et poète canadien d'expression française (né en 1945).

Pierre Augustin Caron de **Beaumarchais** ▫ Auteur dramatique français (1732-1799). *Le Barbier de Séville ; Le Mariage de Figaro.*

**Beaune** ▫ Chef-lieu d'arrondissement de la Côte-d'Or. 20 711 habitants. Hôtel-Dieu (Hospices) (XV$^{e}$ s.). Vins.

**Beauvais** ▫ Chef-lieu de l'Oise. 56 605 habitants.

Simone de **Beauvoir** ▫ Écrivaine et philosophe française (1908-1986). Romans, nouvelles, souvenirs et essais, notamment sur la place de la femme dans la société. *Le Deuxième Sexe.*

**Bécassine** ▫ Personnage de bande dessinée, créé en 1905 par Joseph-Porphyre Pinchon, jeune servante bretonne naïve.

Sidney **Bechet** ▫ Musicien de jazz américain (1897-1959). Il joua de la clarinette et, surtout, du saxophone soprano.

Jacques **Becker** ▫ Cinéaste français (1906-1960). Description sensible de la réalité sociale française d'après-guerre. *Casque d'or.*

Samuel **Beckett** ▫ Écrivain irlandais d'expression anglaise et française (1906-1989). Auteur de romans *(Molloy)* et de pièces de théâtre minimalistes sur l'absurdité de l'existence *(En attendant Godot ; Oh, les beaux jours !)* d'un pessimisme extrême. Prix Nobel 1919.

Max **Beckmann** ▫ Peintre et dessinateur allemand (1884-1950). Expressionnisme d'une grande intensité chromatique.

Henri **Becquerel** ▫ Physicien français (1852-1908). Il découvrit la radioactivité. Prix Nobel 1903, avec les Curie.

Joseph **Bédier** ▫ Médiéviste français (1864-1938). Il édita et adapta en français moderne *Tristan et Iseut* et *La Chanson de Roland.*

les **Bédouins** ▫ Arabes nomades d'Afrique du Nord et du Proche-Orient.

Harriett Elizabeth **Beecher-Stowe** ▫ Romancière américaine (1811-1896). *La Case de l'oncle Tom.*

Ludwig van **Beethoven** ▫ Compositeur allemand (1770-1827). Auteur d'une œuvre immense : 9 symphonies, sonates, quatuors, musique de chambre, un opéra *(Fidelio)*, etc.

Menahem **Begin** ▫ Homme d'État israélien (1913-1992). Premier ministre de 1977 à 1983, il négocia la paix avec l'Égypte. Prix Nobel de la paix 1978, avec Sadate.

Vitus **Behring** ▫ Navigateur et explorateur danois (1681-1741). ► le détroit de **Behring** → **Béring.**

Emil von **Behring** ▫ Médecin et bactériologiste allemand (1854-1917). Travaux sur la diphtérie et le tétanos. Prix Nobel 1901.

**Beijing** → **Pékin**

Maurice Berger, dit **Béjart** ▫ (1927-2007). Danseur et chorégraphe français.

la **Bekaa** ▫ Haute plaine du Liban.

le **Belarus** → **Biélorussie**

**Belau** → **Palaos**

**Belém** ▫ Port du nord du Brésil, sur l'Amazone. 1,4 million d'habitants.

**Belfast** ▫ Capitale de l'Irlande du Nord. 280 500 habitants.

**Belfort** ▫ Chef-lieu du Territoire de Belfort. 46 954 habitants. ► le Territoire de **Belfort** [90]. Département français de la Région Bourgogne-Franche-Comté. 549 km$^2$. 141 852 habitants. Chef-lieu : Belfort.

la **Belgique** ▫ État fédéral d'Europe occidentale. 30 527 km$^2$. 11,49 millions d'habitants. Capitale : Bruxelles.

**Belgrade** ▫ Capitale de la Serbie. 1,1 million d'habitants.

**Bélisaire** ▫ Général byzantin (v. 500-565).

le **Belize** ou **Bélize** ▫ État d'Amérique centrale. 22 965 km$^2$. 408 000 habitants. Capitale : Belmopan.

Alexander Graham **Bell** ▫ Ingénieur américain d'origine britannique (1847-1922). Inventeur du téléphone.

Joachim du **Bellay** ▫ Poète français de la Pléiade (1522-1560). Poèmes harmonieux, d'une émouvante simplicité. *Les Regrets.*

Rémi **Belleau** ▫ Poète français (1528-1577). Il fut l'un des membres de la Pléiade.

**Belle-Île-en-Mer** ▫ Île du Morbihan. 5 249 habitants. Chef-lieu : Le Palais.

**Belleville** ▫ Quartier de Paris.

Giovanni **Bellini** ▫ Peintre vénitien (v. 1433-1516).

Vincenzo **Bellini** ▫ Compositeur d'opéras italien (1801-1835). *Norma.*

Hans **Bellmer** ▫ Peintre français d'origine allemande (1902-1975). Surréaliste, il illustra les œuvres de Georges Bataille.

Saul **Bellow** ▫ Romancier américain (1915-2005). *Herzog.* Prix Nobel 1976.

Paul **Belmondo** ▫ Sculpteur français (1898-1982), néoclassique. ► Jean-Paul **Belmondo,** son fils (né en 1933), acteur français. *À bout de souffle ; Le Magnifique.*

**Belo Horizonte** ▫ Ville du sud-est du Brésil. 2,4 millions d'habitants.

**Belzébuth** ▫ Chef des démons dans le Nouveau Testament. Un des noms du diable.

Zine el-Abidine **Ben Ali** ▫ Homme d'État tunisien (1936-2019). Président de la République de 1987 à 2011. Renversé par une révolution populaire.

**Bénarès** ou **Varanasi** ▫ Ville d'Inde, sur le Gange. 1,2 million d'habitants. L'une des sept villes saintes de l'hindouisme.

Ahmed **Ben Bella** ▫ Premier président de la République algérienne de 1963 à 1965 (1916-2012).

Julien **Benda** ▫ Romancier et essayiste français (1867-1956). *La France byzantine ; La Trahison des clercs.*

le **Benelux** ▫ Union économique de la Belgique, des Pays-Bas et du Luxembourg.

Edvard **Beneš** ▫ Homme d'État tchécoslovaque (1884-1948). Président de la République en 1945, il se retira à la suite du coup de force communiste de 1948.

le **Bengale** ▫ Région partagée en 1947 entre l'Inde (État du *Bengale-Occidental :* 88 752 km$^2$ ; 99,6 millions d'habitants ; capitale : Calcutta) et le Pakistan oriental, devenu en 1971 l'État indépendant du Bangladesh.

**Benghazi** ▫ Port de Libye. 800 000 habitants.

David **Ben Gourion** ▫ Homme d'État israélien (1886-1973). Premier chef de gouvernement (travailliste) de l'État d'Israël.

le royaume du **Bénin** ▫ Ancien royaume d'Afrique occidentale (XI$^e$-XIX$^e$ s.).

le **Bénin,** anciennement *Dahomey* ▫ État d'Afrique occidentale. 112 622 km$^2$. 11,1 millions d'habitants. Capitale : Porto-Novo. Ville principale : Cotonou.

**Benjamin** ▫ Bible Dernier des douze fils de Jacob.

Walter **Benjamin** ▫ Écrivain et philosophe allemand (1892-1940). Théoricien de l'esthétique et de la traduction.

Tahar **Ben Jelloun** ▫ Écrivain marocain d'expression française (né en 1944). *L'Écrivain public ; La Nuit sacrée.*

Oussama **Ben Laden** ▫ Chef politique et religieux d'origine saoudienne (1957-2011). Fondateur d'al-Qaïda. Il fut tué par un commando américain.

le **Ben Nevis** ▫ Point culminant de la Grande-Bretagne, en Écosse. 1 343 m.

Pierre **Benoit** ▫ Romancier français (1886-1962). *L'Atlantide ; Mademoiselle de la Ferté.*

**Benoît** ▫ Nom de papes. ► **Benoît XIV,** pape de 1740 à 1758, de tendance libérale. ► **Benoît XV,** pape de 1914 à 1922, mena une action humanitaire. ► **Benoît XVI,** le cardinal allemand Josef Ratzinger (né en 1927), fut élu en 2005 et renonça au pontificat en 2013.

saint **Benoît de Nursie** ▫ Fondateur (italien) de l'ordre bénédictin (v. 480-v. 547). Initiateur du monachisme en Occident.

Jeremy **Bentham** ▫ Philosophe et juriste anglais (1748-1832). Fondateur de l'utilitarisme moral.

Émile **Benveniste** ▫ Linguiste français (1902-1976). Spécialiste de la grammaire comparée des langues indo-européennes.

la **Béotie** ▫ Région de Grèce centrale. Capitale : Thèbes.

Pierre de **Béranger** ▫ Chansonnier français (1780-1857).

les **Berbères** ▫ Peuples autochtones d'Afrique du Nord.

Nina Nikolaïevna **Berberova** ▫ Romancière et critique littéraire américaine d'origine et d'expression russes (1901-1993). *L'Accompagnatrice.*

**Berchtesgaden** ▫ Ville d'Allemagne (Bavière). 7 700 habitants. Hitler y avait installé son «nid d'aigle».

**Bercy** ▫ Quartier de l'est de Paris. Palais omnisport.

**Bérénice** ▫ Princesse juive (v. 28-79) dont l'histoire a inspiré Racine.

la **Bérézina** ▫ Rivière de Biélorussie. Tragique retraite de l'armée de Napoléon (1812).

Alban **Berg** ▫ Compositeur autrichien (1885-1935). Élève de Schoenberg, il interpréta les principes du dodécaphonisme de manière personnelle. Œuvres symphoniques, opéras : *Wozzeck ; Lulu* (inachevé).

**Bergame** ▫ Ville d'Italie (Lombardie). 113 100 habitants.

Teresa **Berganza** ▫ Cantatrice (mezzo-soprano) espagnole (née en 1933).

**Bergen** ▫ Port de Norvège. 260 400 habitants.

Ingrid **Bergman** ▫ Actrice suédoise (1915-1982). Elle tourna avec Hitchcock, Rossellini.

Ingmar **Bergman** ▫ Réalisateur suédois (1918-2007). Œuvre d'une grande perfection formelle et d'une émotion profonde. *Le Septième Sceau ; Cris et chuchotements.*

Henri **Bergson** ▫ Philosophe français (1859-1941). Son attitude est spiritualiste et antidogmatique. *La Pensée et le Mouvant ; Matière et Mémoire.* Prix Nobel 1927.

Lavrenti Pavlovitch **Beria** ▫ Homme politique soviétique (1899-1953). Il dirigea la police politique et fut exécuté après la mort de Staline.

le détroit de **Béring** ou **Behring** ▫ Bras de mer formant un passage entre les océans Arctique et Pacifique.

Luciano **Berio** ▫ Compositeur italien (1925-2003). Il renouvela la musique du XX$^e$ siècle, mêlant l'art vocal et l'électroacoustique.

**Berlin** ▫ Capitale et Land d'Allemagne. 889 km$^2$. 3,5 millions d'habitants.

Israël Isidore Berline, dit Irving **Berlin** ▫ Compositeur américain d'origine russe (1888-1989). Chansons de comédies musicales.

Hector **Berlioz** ▫ Compositeur français (1803-1869). Le plus inventif des musiciens de sa génération, auteur d'une vaste œuvre symphonique *(La Symphonie fantastique ; Harold en Italie ; Requiem...)*, de mélodies, d'une «légende dramatique», *La Damnation de Faust* (1846), d'un opéra *(Les Troyens à Carthage)*... Théoricien, critique musical, il est l'auteur de plusieurs ouvrages et de *Mémoires* (publiées en 1870).

Silvio **Berlusconi** ▫ Homme d'affaires et homme d'État (centre droit) italien (né en 1936). Président du Conseil (1994 ; 2001-2006 ; 2008-2011).

les **Bermudes** n. f. pl. ▫ Archipel britannique de l'Atlantique, au nord-est des Antilles. 53 km². 64 237 habitants. Capitale : Hamilton.

sainte **Bernadette Soubirous** ▫ Religieuse française (1844-1879). Ses visions à la grotte de Lourdes sont à l'origine d'un pèlerinage.

**Bernadotte** → **Charles XIV de Suède**

Georges **Bernanos** ▫ Romancier et essayiste français (1888-1948). Catholique hanté par le problème du mal : *Sous le soleil de Satan ; Journal d'un curé de campagne* (romans) ; *Dialogues des carmélites* (théâtre).

Claude **Bernard** ▫ Physiologiste français (1813-1878). *Introduction à l'étude de la médecine expérimentale.*

Paul, dit Tristan **Bernard** ▫ Écrivain humoriste français (1866-1947).

Émile **Bernard** ▫ Peintre français (1868-1941), membre de l'école de Pont-Aven.

saint **Bernard de Clairvaux** ▫ Fondateur (français) de l'abbaye de Clairvaux (1091-1153).

**Bernard** ou **Bernart de Ventadour** ▫ Troubadour limousin du XIIe s. Il vécut à la cour d'Aliénor d'Aquitaine. Chansons d'amour, baignées de mélancolie.

Henri **Bernardin de Saint-Pierre** ▫ Écrivain français (1737-1814). *Paul et Virginie ; Études de la nature.*

**Berne** ▫ Capitale fédérale de la Suisse. 133 800 habitants (zone urbaine 418 225). ► le canton de **Berne.** Canton de Suisse. 6 051 km². 1 026 513 habitants. Chef-lieu : Berne.

Thomas **Bernhard** ▫ Écrivain autrichien (1931-1989). Auteur de romans, de drames, de récits autobiographiques critiques à l'égard de la société bourgeoise.

Sarah **Bernhardt** ▫ Tragédienne française (1844-1923). *L'Aiglon.*

Gian Lorenzo Bernini dit Le **Bernin** ▫ Architecte et sculpteur baroque italien (1598-1680). Baldaquin et colonnade de Saint-Pierre de Rome.

la **Bernina** ▫ Massif des Alpes suisses (Grisons). 4 049 m au Piz Bernina.

les **Bernoulli** ▫ Famille de mathématiciens et physiciens suisses des XVIIe et XVIIIe s.

Leonard **Bernstein** ▫ Chef d'orchestre et compositeur américain (1918-1990). Auteur de la comédie musicale *West Side Story.*

l'étang de **Berre** ▫ Étang des Bouches-du-Rhône. Raffineries.

le **Berry** ▫ Région du centre de la France. Ville principale : Bourges.

Charles-Ferdinand, duc de **Berry** ▫ (1778-1820) Fils de Charles X, chef des ultras.

Chuck **Berry** ▫ Guitariste américain de rock (1926-2017).

**Berthe,** dite Berthe aux grands pieds ▫ Femme de Pépin le Bref, mère de Charlemagne (v. 730-783).

Marcelin **Berthelot** ▫ Chimiste et homme politique français (1827-1907).

Claude Louis comte **Berthollet** ▫ Chimiste français (1748-1822).

Bernardo **Bertolucci** ▫ Réalisateur italien (1941-2018). Cinéaste de la jeunesse en révolte, il évolua vers un style plus académique. *Prima della rivoluzione ; Le Dernier Tango à Paris ; Le Dernier Empereur.*

Louis, dit Aloysius **Bertrand** ▫ Écrivain français (1807-1841). Ses poèmes en prose manifestent un goût romantique pour le Moyen Âge. *Gaspard de la nuit.*

Pierre de **Bérulle** ▫ Prélat français (1575-1629). Il fonda l'ordre de l'Oratoire.

Jöns Jacob, baron **Berzelius** ▫ Chimiste suédois (1779-1848). Il créa la notation symbolique moderne.

**Besançon** ▫ Chef-lieu du Doubs. 116 775 habitants. Citadelle de Vauban.

la **Bessarabie** ▫ Région partagée entre l'Ukraine et la Moldavie.

sir Henry **Bessemer** ▫ Ingénieur anglais (1813-1898). Inventeur d'un procédé de production de l'acier.

Luc **Besson** ▫ Réalisateur français (né en 1959). *Le Grand Bleu ; Nikita.*

Hans Albrecht **Bethe** ▫ Physicien américain d'origine allemande (1906-2005). Physique nucléaire. Prix Nobel 1967.

**Bethléem** ▫ Ville de Cisjordanie. 75 000 habitants. D'après les Évangiles, Jésus y naquit.

**Bethsabée** ▫ Bible Femme du roi David et mère de Salomon.

Alexandre Biyidi, dit Mongo **Beti** ▫ Écrivain camerounais (1932-2001). *Ville cruelle ; Main basse sur le Cameroun.*

la chaîne **Bétique** ▫ Massif montagneux du sud-est de l'Espagne. 3 482 m au Mulhacén.

Bruno **Bettelheim** ▫ Psychiatre et psychanalyste américain d'origine autrichienne (1903-1990). Spécialiste des psychoses infantiles, notamment de l'autisme.

Joseph **Beuys** ▫ Artiste plasticien allemand (1921-1986). Son œuvre, contestataire ou narcissique et morbide, est censée exprimer son inconscient et libérer celui du spectateur.

Henri **Beyle** → **Stendhal**

**Beyrouth** ▫ Capitale du Liban. 1,5 million d'habitants.

Théodore de **Bèze** ▫ Écrivain et théologien protestant (1519-1605). Il succéda à Calvin.

**Béziers** ▫ Chef-lieu d'arrondissement de l'Hérault. 77 599 habitants.

**Bhagavad-gītā** ▫ Poème sanskrit incorporé au *Mahābhārata*.

**Bhopal** ▫ Ville d'Inde (Madhya Pradesh). 1,9 million d'habitants. Catastrophe industrielle en 1984 (20 000 morts).

le **Bhoutan** ▫ État d'Asie, dans l'Himalaya. 46 500 km$^2$. 750 000 habitants. Capitale : Thimphou.

Zulfikar Ali **Bhutto** ▫ Homme d'État pakistanais (1928-1979). Président de la République puis Premier ministre (1971-1977). Il fut renversé et exécuté.

Benazir **Bhutto** ▫ Femme d'État pakistanaise (1953-2007), fille de Zulfikar Ali Bhutto. Première ministre (1988-1990 ; 1993-1996). Elle fut assassinée.

la république du **Biafra** ▫ Nom pris par la région sud-est du Nigeria en sécession de 1967 à 1970.

**Biarritz** ▫ Ville des Pyrénées-Atlantiques. 25 532 habitants. Station balnéaire.

la **Bible** ▫ Livre saint des juifs et des chrétiens. Écrite en hébreu, la Bible juive est composée de 24 livres (39 textes). Traduite en grec, elle est devenue l'Ancien Testament des chrétiens, qui lui ajoutent 27 textes écrits en grec, le Nouveau Testament.

la **Bibliothèque nationale de France** ▫ Établissement public comprenant deux sites principaux, Richelieu et Tolbiac (Bibliothèque François-Mitterrand), à Paris.

François Marie Xavier **Bichat** ▫ Anatomiste et physiologiste français (1771-1802).

**Bichkek** ▫ Capitale du Kirghizstan. 1 million d'habitants.

la **Bidassoa** ▫ Rivière du Pays basque à la frontière entre la France et l'Espagne.

Joseph R., dit Joe **Biden** ▫ Homme d'État (démocrate) américain (né en 1942). Vice-président d'Obama, il devint le 46$^e$ président des États-Unis en 2021.

la **Biélorussie** ou le **Belarus** ▫ État d'Europe orientale. 207 600 km$^2$. 9,4 millions d'habitants. Capitale : Minsk.

Fulgence **Bienvenüe** ▫ Ingénieur français (1852-1936). Il dressa les plans et dirigea la construction du métro parisien (1900).

la **Bigorre** ▫ Région des Hautes-Pyrénées.

le **Bihar** ▫ État du nord-est de l'Inde. 94 163 km$^2$. 124 millions d'habitants. Capitale : Patna.

**Bikini** ▫ Atoll des îles Marshall. Les États-Unis y firent des expériences atomiques.

**Bilbao** ▫ Port d'Espagne (Biscaye). 351 356 habitants. Musée Guggenheim.

Alfred **Binet** ▫ Psychologue français (1857-1911). Créateur des tests mentaux.

Jean-Baptiste **Biot** ▫ Astronome et physicien français (1774-1862). Recherches en astronomie et en physique.

la **BIRD** ▫ «Banque internationale pour la reconstruction et le développement» créée en 1945 (par les accords de Bretton Woods). Elle accorde des prêts aux pays les plus pauvres.

**Bir Hakeim** ▫ Localité de Libye où les Français résistèrent aux Allemands en 1942.

**Birkenau** ▫ L'un des trois camps, ouvert en 1941, formant le complexe d'Auschwitz.

la **Birmanie** ou le **Myanmar** ▫ État d'Asie du Sud-Est. 676 579 km$^2$. 53,7 millions d'habitants. Capitale : Nay Pyi Taw. Ville principale : Rangoun.

**Birmingham** ▫ Ville d'Angleterre (Midlands). 1 million d'habitants.

la **Biscaye** ▫ Province basque d'Espagne. 2 217 km$^2$. 1,1 million d'habitants. Chef-lieu : Bilbao.

**Bismarck** ▫ Homme d'État allemand (1815-1898). Artisan de l'unité allemande.

**Bissau** ou **Bissao** ▫ Capitale de la Guinée-Bissau. 388 000 habitants.

les **Bituriges** ▫ Populations celtiques établies dans l'actuel Berry (capitale Avaricum, Bourges) et dans l'actuel Bordelais (capitale Burdigala, Bordeaux).

**Bizerte** ▫ Port du nord-est de la Tunisie. 114 400 habitants.

Georges **Bizet** ▫ Compositeur français (1838-1875). Opéras, opéras-comiques (*L'Arlésienne ; Carmen*).

Bjørnstjerne **Bjørnson** ▫ Auteur dramatique norvégien (1832-1910). Prix Nobel 1903.

les **Black Panthers** ▫ Mouvement révolutionnaire afro-américain qui militait pour la cause noire (1966-1971).

Marie-Claire **Blais** ▫ Romancière canadienne d'expression française (née en 1939). *La Belle Bête ; Une saison dans la vie d'Emmanuel.*

William **Blake** ▫ Poète et graveur britannique (1757-1827). Il écrivit des poèmes lyriques et visionnaires qu'il transcrivit dans ses gravures (*Le Mariage du Ciel et de l'Enfer*, 1793).

Louis **Blanc** ▫ Socialiste et historien français (1811-1882).

le mont **Blanc** ▫ Point culminant des Alpes (4 810 m). Tunnel routier.

la mer **Blanche** ▫ Mer de l'océan Arctique, au nord-ouest de la Russie.

**Blanche de Castille** ▫ Reine de France (1188-1252). Femme de Louis VIII et mère de Louis IX.

**Blanche-Neige** ▫ Héroïne d'un conte des frères Grimm (1812). Walt Disney en fit le sujet du premier dessin animé de long-métrage (1937).

Maurice **Blanchot** ▫ Critique et romancier français (1907-2003). Il est l'auteur de textes, en quête des formes littéraires, face à l'insignifiance et à la mort. *Thomas l'obscur.*

Louis Auguste **Blanqui** ▫ Socialiste français, théoricien révolutionnaire (1805-1881).

Vicente **Blasco Ibáñez** ▫ Romancier espagnol (1867-1928). Son réalisme populiste est au service de valeurs morales. *Arènes sanglantes*, critique de la corrida.

Louis **Blériot** ▫ Aviateur français (1872-1936). Première traversée de la Manche, en 1909.

Roger **Blin** ▫ Acteur et metteur en scène de théâtre français (1907-1984). A créé notamment des pièces de Beckett et Genet.

Karen **Blixen** ▫ Romancière danoise (1885-1962). Elle vécut au Kenya. *La Ferme africaine.*

Marc **Bloch** ▫ Médiéviste français (1886-1944). Fondateur avec Lucien Febvre de l'école des Annales.

le **Blocus continental** ▫ Ensemble de mesures prises par Napoléon I^er^ à partir de 1806 pour tenter de bloquer l'économie britannique.

**Blois** ▫ Chef-lieu du Loir-et-Cher. 45 871 habitants. Château (XIII^e^-XVII^e^ s.).

Léon **Bloy** ▫ Écrivain et polémiste catholique français (1846-1917). Romans *(Le Désespéré ; La Femme pauvre)*, pamphlets, journal intime d'un style baroque et violent.

Gebhard Leberecht von **Blücher** ▫ Général prussien (1742-1819). Soutenant Wellington, il vainquit Napoléon à Waterloo.

Léon **Blum** ▫ Homme politique (socialiste) français (1872-1950). Il présida le premier gouvernement du Front populaire.

Franz **Boas** ▫ Anthropologue américain d'origine allemande (1858-1942). Il étudia particulièrement les cultures amérindiennes.

Louis, dit Louison **Bobet** ▫ Coureur cycliste français (1925-1983). Il fut champion du monde sur route (1954) et triple vainqueur du Tour de France (1953-1955).

**Bobigny** ▫ Chef-lieu de la Seine-Saint-Denis. 54 272 habitants.

**Boccace** ▫ Écrivain italien (1313-1375). *Le Décaméron*, recueil de contes satiriques, érotiques, influa sur la langue et la littérature italiennes.

Luigi **Boccherini** ▫ Compositeur italien (1743-1805). Violoncelliste virtuose, il fit carrière en Espagne.

les **Bochimans** ▫ Peuple nomade du Sud-Ouest africain.

Jean **Bodel** ▫ Trouvère français (1165 ?-1210). Il est l'auteur de fabliaux, d'un poème épique (la *Chanson des Saxons*), d'une pièce de théâtre (le *Jeu de saint Nicolas*) et de poèmes.

les **Boers** ▫ Colons néerlandais, qui s'installèrent en Afrique du Sud dès 1652. ► la guerre des **Boers** opposa les Boers aux Anglais de 1899 à 1902.

Ricardo **Bofill** ▫ Architecte espagnol (né en 1939). Style néoclassique.

Derek Van den Bogaerde, dit Dirk **Bogarde** ▫ Acteur britannique (1921-1999). Il créa des rôles mémorables pour J. Losey *(The Servant)*, Visconti *(Mort à Venise)*, Resnais *(Providence)*.

Humphrey **Bogart** ▫ Acteur américain (1899-1957). Son personnage, à la fois cynique et humain, a marqué son époque. *Casablanca ; Le Grand Sommeil ; La Comtesse aux pieds nus.*

**Bogotá** ▫ Capitale de la Colombie. 7,3 millions d'habitants.

la **Bohême** ▫ Partie occidentale de la République tchèque. 52 770 km². 6,3 millions d'habitants.

Niels **Bohr** ▫ Physicien danois (1885-1962). Pionnier de la mécanique quantique. Modèles de l'atome. Prix Nobel 1922.

Nicolas Despréaux, dit **Boileau** ou **Boileau-Despréaux** ▫ Écrivain classique français (1636-1711). *Satires ; L'Art poétique.*

**Boko Haram** ▫ Organisation terroriste islamiste fondée au Nigeria en 2002.

Simón **Bolívar** ▫ Héros de l'indépendance sud-américaine (1783-1830).

la **Bolivie** ▫ État d'Amérique du Sud. 1 098 581 km². 11,6 millions d'habitants. Capitales : Sucre et La Paz.

Heinrich **Böll** ▫ Romancier allemand (1917-1985). Romans d'esprit humaniste, socialiste et chrétien. *L'Honneur perdu de Katharina Blum.* Prix Nobel 1972.

**Bollywood** → **Bombay**

**Bologne** ▫ Ville d'Italie, capitale de l'Émilie-Romagne. 371 200 habitants. Université, la plus ancienne d'Europe.

Jean **Bologne** → **Giambologna**

Jair **Bolsonaro** ▫ Homme d'État brésilien (né en 1955). Président de la République depuis 2019.

Usain **Bolt** ▫ Athlète jamaïcain (né en 1986). Spécialiste du sprint, dix-neuf titres olympiques et mondiaux.

Christian **Boltanski** ▫ Plasticien français (né en 1944). Il travaille sur la fragilité de l'existence et la mémoire.

Ludwig **Boltzmann** ▫ Physicien autrichien (1844-1906). Thermodynamique.

Alain **Bombard** ▫ Médecin et biologiste français (1924-2005). Il traversa l'Atlantique en canot pneumatique, dans des conditions de survie, en 1952.

Joseph-Armand **Bombardier** ▫ Industriel canadien (1908-1964). Inventeur de la motoneige.

**Bombay** ou **Mumbai** ▫ Port d'Inde, sur l'océan Indien. Studios de cinéma («Bollywood»). 18,4 millions d'habitants.

les **Bonaparte** ▫ Famille corse d'origine italienne. ► **Joseph** (1768-1844), roi de Naples puis roi d'Espagne. ► **Napoléon** → **Napoléon Ier**. ► **Lucien** (1775-1840), président du Conseil des Cinq-Cents. ► **Louis** (1778-1846), roi de Hollande, père de Napoléon III. ► **Pauline** (1780-1825), princesse Borghèse.

saint **Bonaventure** ▫ Théologien franciscain italien (1221-1274).

**Bône** → **Annaba**

Omar **Bongo** ▫ Président de la république du Gabon de 1967 à sa mort (1935-2009). ► Ali **Bongo,** son fils (né en 1959), lui succéda.

**Boniface VIII** ▫ (1235-1303) Pape de 1294 à sa mort. Adversaire décidé de Philippe le Bel, qu'il menaça d'excommunication.

**Bonn** ▫ Ville d'Allemagne (Rhénanie-du-Nord-Westphalie). 314 300 habitants. Capitale de la RFA de 1949 à 1990.

Pierre **Bonnard** ▫ Peintre français (1867-1947). Il reconsidéra l'impressionnisme en recherchant l'équilibre plastique et coloré, ainsi que l'expression, dans des sujets intimistes (intérieurs bourgeois, portraits et nus...).

Léon **Bonnat** ▫ Peintre français (1833-1922). Style académique d'une précision photographique.

le cap de **Bonne-Espérance** ▫ Pointe à l'extrême sud de l'Afrique.

Yves **Bonnefoy** ▫ Poète et traducteur français (1923-2016). Poèmes dépouillés, suggestifs *(Du mouvement et de l'immobilité de Douve)* ; écrits critiques sur la peinture, l'art, la poésie ; traductions (Shakespeare, Yeats).

Jules Joseph **Bonnot** ▫ Criminel anarchiste français (1876-1912). La *bande à Bonnot* fut célèbre.

George **Boole** ▫ Mathématicien anglais (1815-1864). Créateur de la logique symbolique moderne.

William **Booth** ▫ Réformateur britannique (1829-1912). Il fonda l'Armée du Salut.

**Booz** ▫ Bible Mari de Ruth.

**Bora Bora** ▫ Île volcanique de la Polynésie française. 10 549 habitants.

**Bordeaux** ▫ Chef-lieu de la Gironde et capitale de la Région Nouvelle-Aquitaine, sur la Garonne. 257 068 habitants. Port maritime. ► le **Bordelais,** région viticole.

Paul-Émile **Borduas** ▫ Peintre abstrait et sculpteur canadien (québécois) (1905-1960).

**Borée** ▫ mythol. grecque Fils du Titan Astrée et d'Éos (l'Aube), dieu du Vent du nord. *Aquilon* chez les Romains.

Björn **Borg** ▫ Joueur de tennis suédois (né en 1956). Il remporta cinq fois le tournoi de Wimbledon et six fois celui de Roland-Garros (entre 1974 et 1981).

Jorge Luis **Borges** ▫ Écrivain argentin (1899-1986). Il élabora un univers imaginaire nouveau, avec des fictions fantastiques *(Fictions ; L'Aleph)* et en abordant l'infini.

les **Borgia** ▫ Famille romaine. ► César **Borgia,** prélat et homme d'État italien (1476-1507), fils du pape Alexandre VI. ► Lucrèce **Borgia,** sa sœur (1480-1519), fut l'instrument de sa politique.

le **Borinage** ▫ Région de Belgique (Hainaut). Anc. mines de charbon.

**Boris Godounov** ▫ (v. 1551-1605) Tsar de Russie de 1598 à sa mort. Son histoire a inspiré Pouchkine et Moussorgski.

Norman Ernest **Borlaug** ▫ Agronome américain (1914-2009). Travaux sur le blé. Engagé dans la lutte contre la faim dans le monde. Prix Nobel de la paix 1970.

Max **Born** ▫ Physicien allemand naturalisé britannique (1882-1970). Il contribua à l'élaboration de la mécanique quantique. Prix Nobel 1954.

**Bornéo** ▫ Île du Sud-Est asiatique partagée entre l'Indonésie, la Malaisie et Brunei. 736 561 km$^2$. Plus de 20 millions d'habitants.

**Borobudur** ▫ Monument bouddhique de Java (VIIIe s.).

Alexandre **Borodine** ▫ Compositeur russe (1833-1887). *Le Prince Igor.*

Francesco **Borromini** ▫ Architecte baroque italien (1599-1667).

Jérôme **Bosch** ▫ Peintre flamand (v. 1450-1516). Scènes complexes, foisonnantes d'éléments symboliques, réalistes et imaginaires, de personnages hybrides et de monstres, dont la signification demeure mystérieuse.

Henri **Bosco** ▫ Écrivain français (1888-1976). *L'Enfant et la Rivière.*

la **Bosnie-Herzégovine** ▫ État d'Europe méridionale. 51 129 km$^2$. 3,5 millions d'habitants. Capitale : Sarajevo.

le **Bosphore** ▫ Détroit entre l'Europe et l'Asie qui relie la mer Noire et la mer de Marmara.

Jacques Bénigne **Bossuet** ▫ Prélat et écrivain français (1627-1704). *Oraisons funèbres.*

**Boston** ▫ Port des États-Unis (Massachusetts). 617 600 habitants (agglomération 3,4 millions).

Fernando **Botero** ▫ Peintre et sculpteur colombien (né en 1932). Personnages et représentations de forme ronde, ballonnée, inspirés de l'art précolombien.

la **Botnie** ▫ Région du nord de l'Europe, entre la Suède et la Finlande.

le signal de **Botrange** ▫ Point culminant de la Belgique, en Ardenne. 694 m.

le **Botswana** ▫ État d'Afrique australe. 600 372 $km^2$. 2,2 millions d'habitants. Capitale : Gaborone.

Sandro **Botticelli** ▫ Peintre italien (1445-1510). Son œuvre témoigne d'une maîtrise graphique absolue et d'un idéal de beauté. *Le Printemps.*

François **Boucher** ▫ Peintre et décorateur français (1703-1770). Il représente un monde sensuel et gracieux, par un dessin souple et des couleurs tendres.

Hélène **Boucher** ▫ Aviatrice française (1908-1934).

les **Bouches-du-Rhône** [13] ▫ Département français de la Région Provence-Alpes-Côte d'Azur. 5 247 $km^2$. 2,03 millions d'habitants. Chef-lieu : Marseille. Chefs-lieux d'arrondissement : Aix-en-Provence, Arles, Istres.

André **Boucourechliev** ▫ Compositeur français d'origine bulgare (1925-1997). Musique sur bandes magnétiques ; séquences instrumentales aléatoires.

Şiddartha Gautama, dit le **Bouddha** ou **Sākyamuni** ▫ Fondateur du bouddhisme (v. 536-v. 480 avant J.-C.).

Eugène **Boudin** ▫ Peintre et dessinateur français (1824-1898). Marines, paysages et plages de Normandie.

Louis Antoine, comte de **Bougainville** ▫ Navigateur français (1729-1811).

William **Bouguereau** ▫ Peintre français (1825-1905). Portraits, compositions allégoriques de style académique.

**Boukhara** ▫ Ville d'Ouzbékistan. 237 900 habitants. Mosquées des Xᵉ-XIIᵉ s.

Nikolaï Ivanovitch **Boukharine** ▫ Révolutionnaire russe, bolchevik (1888-1938). Exécuté sous Staline.

Georges **Boulanger** ▫ Général français (1837-1891). Il menaça de renverser la République en 1889.

Pierre **Boulez** ▫ Compositeur et chef d'orchestre français (1925-2016). Son œuvre abondante illustre les principes du dodécaphonisme de Schoenberg et Webern Il a dirigé l'Institut de recherche et coordination acoustique-musique (IRCAM) de sa création (1974) à 1991.

Mikhaïl **Boulgakov** ▫ Écrivain soviétique (1891-1940). *Le Maître et Marguerite.*

André Charles **Boulle** ▫ Ébéniste français (1642-1732).

Pierre **Boulle** ▫ Écrivain français (1912-1994). Romans d'aventures et de science-fiction *(La Planète des singes).*

**Boulogne-Billancourt** ▫ Chef-lieu d'arrondissement des Hauts-de-Seine. 121 334 habitants.

**Boulogne-sur-Mer** ▫ Chef-lieu d'arrondissement du Pas-de-Calais. 40 664 habitants. Principal port de pêche de France.

Houari **Boumédiène** ▫ (1932-1978) Président de la République algérienne de 1965 à sa mort.

Ivan **Bounine** ▫ Écrivain symboliste et poète russe (1870-1953). Prix Nobel 1933.

le **Bounty** ▫ Navire de la marine royale britannique. Une partie de son équipage se mutina en 1709 et se réfugia sur l'île de Pitcairn.

Robert **Bourassa** ▫ Homme politique (libéral) canadien (québécois) (1933-1996).

Nicolas **Bourbaki** ▫ Nom utilisé par un groupe de normaliens mathématiciens. Le groupe Bourbaki, créé en 1935, publie depuis 1939 des *Éléments de mathématique.*

les maisons de **Bourbon** ▫ Famille à laquelle appartinrent les rois de France de Henri IV à Charles X. ► la maison de **Bourbon-Orléans,** branche cadette dont est issu Louis-Philippe (→ maison d'**Orléans**). ► la maison de **Bourbon-Anjou,** branche qui régna sur l'Espagne à partir de 1700 (Philippe V).

l'île **Bourbon** → île de La **Réunion**

le palais **Bourbon** ▫ Siège de l'Assemblée nationale, à Paris.

le **Bourbonnais** ▫ Ancienne province de France (Allier).

Louis **Bourdaloue** ▫ Prédicateur français (1632-1704).

Antoine **Bourdelle** ▫ Sculpteur français (1861-1929). *Héraclès archer.*

Pierre **Bourdieu** ▫ Sociologue français (1930-2002). Il étudia particulièrement la transmission de la culture. *La Distinction ; Les Héritiers ; La Reproduction.*

**Bourg-en-Bresse** ▫ Chef-lieu de l'Ain. 41 248 habitants. Monastère de Brou (gothique flamboyant).

Louise **Bourgeois** ▫ Sculptrice française, naturalisée américaine (1911-2010). Thèmes de la sexualité et de la maternité mis en scène dans des matériaux variés. *Maman* (immense araignée).

**Bourges** ▫ Chef-lieu du Cher. 64 668 habitants. Cathédrale. Palais Jacques-Cœur (XVᵉ s.).

le lac du **Bourget** ▫ Lac des Alpes françaises, en Savoie (44 $km^2$).

la **Bourgogne** ▫ Anc. région administrative française. Anc. province réunie à la France après la mort de Charles le Téméraire (1477).

**Bourgogne-Franche-Comté** ▫ Région administrative de la France. Huit départements : Côte-d'Or, Doubs, Haute-Saône, Jura, Nièvre, Saône-et-Loire, Territoire-de-Belfort, Yonne. 47 784 km². 2,81 millions d'habitants. Capitale : Dijon. Vignobles.

Habib **Bourguiba** ▫ (1903-2000) Premier président de la République tunisienne de 1957 à 1987.

les **bourguignons** → **armagnacs**

la **Bouriatie** ▫ République autonome de Russie. 351 300 km². 981 000 habitants. Capitale : Oulan-Oude.

André Raimbourg, dit **Bourvil** ▫ Chanteur et acteur français (1917-1970). Il dut sa célébrité à ses chansons, puis à ses rôles au cinéma, souvent comiques. *La Grande Vadrouille ; Le Cercle rouge.*

Abdelaziz **Bouteflika** ▫ Homme d'État algérien (né en 1937). Président de la République (1999-2019).

Boutros **Boutros-Ghali** ▫ Homme politique égyptien (1922-2016). Ministre des Affaires étrangères (1977-1992), puis secrétaire général des Nations unies (1992-1996).

Dierick **Bouts** ▫ Peintre hollandais (v. 1415-1475). Sujets religieux délicats, à la perspective précise.

**Bouvines** ▫ Site (près de Lille) d'une victoire de Philippe Auguste (1214) contre l'empereur germanique Othon IV et ses alliés.

David Robert Jones, dit David **Bowie** ▫ Compositeur, chanteur et acteur britannique (1947-2016).

Paul **Bowles** ▫ Compositeur et écrivain américain (1910-1999). Son œuvre littéraire mêle la fiction et l'autobiographie *(Un thé au Sahara).*

les **Boxers** ▫ Secte chinoise qui se révolta contre les Européens à Pékin en 1900.

sir Robert **Boyle** ▫ Physicien et chimiste irlandais (1627-1691). Il énonça, indépendamment de Mariotte, la loi de compressibilité des gaz.

la **Brabançonne** ▫ Hymne national de la Belgique.

le **Brabant** ▫ Région historique de Belgique, située entre la Meuse et l'Escaut. ► le **Brabant flamand,** province belge. 2 106 km². 1,1 million d'habitants. Chef-lieu : Louvain. ► le **Brabant wallon,** province belge. 1 090 km². 406 019 habitants. Chef-lieu : Wavre.

Ray **Bradbury** ▫ Romancier américain de science-fiction (1920-2012). *Chroniques martiennes.*

la maison de **Bragance** ▫ Famille qui a régné sur le Portugal (1640-1910) et le Brésil (1822-1889).

Tycho **Brahé** ▫ Astronome danois (1546-1601). Catalogue de 777 étoiles.

**Brahmā** ▫ Divinité hindoue.

le **Brahmapoutre** ▫ Fleuve d'Asie. 2 900 km. Delta commun avec le Gange.

Johannes **Brahms** ▫ Compositeur allemand (1833-1897). Œuvres pour piano, pour le chant *(lieder),* symphonies continuant l'esprit de Beethoven.

Louis **Braille** ▫ Inventeur français de l'écriture pour les aveugles (1809-1852).

**Bramante** ▫ Architecte italien de la Renaissance (1444-1514).

Constantin **Brancusi** ▫ Sculpteur français d'origine roumaine (1876-1957). Il créa des formes stylisées jusqu'à l'abstraction.

le **Brandebourg** ▫ Land d'Allemagne. 29 476 km². 2,5 millions d'habitants. Capitale : Potsdam.

Marlon **Brando** ▫ Acteur américain (1924-2004). *Un tramway nommé Désir ; Le Parrain.*

Willy **Brandt** ▫ Homme d'État (social-démocrate) allemand (1913-1992). Chancelier de la RFA de 1969 à 1974. Prix Nobel de la paix 1971.

Édouard **Branly** ▫ Physicien français (1844-1940). Pionnier de la radiodiffusion.

Pierre de Bourdeille, seigneur de **Brantôme** ▫ Écrivain français (v. 1538-1614). *Vie des dames galantes.*

Georges **Braque** ▫ Peintre français (1882-1963). L'un des créateurs du cubisme avec Picasso. Il développa un style très personnel, où la composition et la couleur exaltent la surface.

**Brasília** ▫ Capitale du Brésil. 3 millions d'habitants. Édifiée à partir de 1956 par Costa et Niemeyer.

Gyula Halász, dit **Brassaï** ▫ Photographe français d'origine hongroise (1899-1984).

**Brassempouy** ▫ Village des Landes. 264 habitants. Vestiges du Paléolithique, statuette d'ivoire dite *Dame de Brassempouy,* première représentation connue d'un visage humain.

Georges **Brassens** ▫ Auteur-compositeur et chanteur français (1921-1981). Poète populaire sensible et anticonformiste. *Chanson pour l'Auvergnat ; Les Copains d'abord.*

**Bratislava** ▫ Capitale de la Slovaquie. 428 700 habitants.

Fernand **Braudel** ▫ Historien français (1902-1985). Il privilégia l'étude de l'histoire sur la longue durée. *La Méditerranée.*

Wernher von **Braun** ▫ Savant allemand naturalisé américain (1912-1977). Père des fusées modernes.

**Brazzaville** ▫ Capitale du Congo. 1,4 million d'habitants.

Bertolt **Brecht** ▫ Auteur dramatique allemand (1898-1956). Critique de la société, d'un point de vue marxiste. Créateur d'un théâtre épique, fondé sur l'«effet de distanciation» : *L'Opéra de quat'sous ; Mère Courage et ses enfants.*

**Breda** ▫ Ville des Pays-Bas, au sud du pays. 170 300 habitants (zone urbaine 311 700).

**Brégançon** ▫ Cap de Provence (Var) où se trouve un fort du XVI^e s., résidence d'été des présidents de la République française depuis 1968.

Louis **Breguet** ▫ Ingénieur français (1880-1955). Pionnier de l'aéronautique.

l'île de **Bréhat** ▫ Île des Côtes-d'Armor.

Leonid **Brejnev** ▫ (1906-1982) Homme d'État soviétique, au pouvoir de 1964 à sa mort.

Jacques **Brel** ▫ Auteur-compositeur et chanteur belge (1929-1978). D'une poésie dramatique, marquées par la mort, la solitude, l'amour malheureux, parfois violemment critiques de la société, ses chansons étaient servies par une interprétation passionnée.

**Brême** ▫ Port (547 400 habitants) sur la Weser et Land d'Allemagne (686 000 habitants).

Alfred **Brendel** ▫ Pianiste autrichien (né en 1931). Interprète exceptionnel de Schubert et de Beethoven.

Sydney **Brenner** ▫ Biologiste britannique (1927-2019). Il démontra l'existence de l'ARN messager avec F. Jacob. Découverte de l'apoptose. Prix Nobel 2002.

**Brennus** ▫ Chef des Gaulois Senones qui envahirent l'Italie et ravagèrent Rome en 390 ou 387 avant J.-C. La légende lui attribue la formule «Malheur aux vaincus» *(Vae victis).*

**Brescia** ▫ Ville d'Italie (Lombardie). 187 600 habitants.

le **Brésil** ▫ État fédéral d'Amérique du Sud. 8 514 000 km$^2$. 211,8 millions d'habitants. Capitale : Brasília. Principales villes : São Paulo, Rio de Janeiro, Belo Horizonte, Salvador, Belém. Langue : portugais.

**Breslau** → **Wrocław**

la **Bresse** ▫ Région de l'est de la France. Ville principale : Bourg-en-Bresse.

Robert **Bresson** ▫ Réalisateur français (1901-1999). Style dépouillé et d'un profond humanisme. *Journal d'un curé de campagne ; Mouchette* (d'après Bernanos).

**Brest** ▫ Chef-lieu d'arrondissement et port du Finistère, sur la rive nord de la *rade de Brest.* 139 602 habitants.

**Brest,** jusqu'en 1921 **Brest-Litovsk** ▫ Ville de Biélorussie. 304 200 habitants. ► le traité de **Brest-Litovsk** (1918) mit fin à la guerre russo-allemande.

la **Bretagne** ▫ Péninsule de l'ouest de la France. Région administrative comptant quatre départements : Côtes-d'Armor, Finistère, Ille-et-Vilaine, Morbihan. 27 000 km$^2$. 3,34 millions d'habitants. Capitale : Rennes.

André **Breton** ▫ Écrivain français (1896-1966). Poète, il fut l'un des fondateurs du mouvement surréaliste. *Manifeste du surréalisme* (1924). Ses thèmes principaux sont l'inconscient, le rêve, l'amour fou... *Nadja ; Arcane 17.*

les accords de **Bretton Woods** ▫ Accords signés en juillet 1944 par 44 pays. Ils instaurèrent le dollar comme monnaie de réserve (seule convertible en or) et créèrent le FMI et la BIRD, qui devint la Banque* mondiale.

**Breughel** → **Bruegel**

le **Brexit** ▫ Retrait du Royaume-Uni de l'Union européenne, voté par référendum en juin 2016 et effectif le 31 janvier 2020 avec une période de transition jusqu'au 31 décembre 2020.

Aristide **Briand** ▫ Homme d'État français (1862-1932). Socialiste, onze fois président du Conseil. Ardent partisan d'une politique de paix et de coopération internationale. Prix Nobel de la paix 1926.

les **BRICS** ▫ Groupe de 5 pays émergents formé par le Brésil, la Russie, l'Inde, la Chine et l'Afrique du Sud.

la **Brie** ▫ Plateau fertile du Bassin parisien (Seine-et-Marne principalement).

la **Brière** ▫ Région de marais au nord de l'estuaire de la Loire (Loire-Atlantique).

les **Brigades internationales** ▫ Volontaires étrangers qui combattirent aux côtés des républicains espagnols (1936-1938).

**Brighton** ▫ Ville d'Angleterre (East Sussex). 229 000 habitants.

Anthelme **Brillat-Savarin** ▫ Gastronome et écrivain français (1755-1826). *Physiologie du goût.*

André **Brink** ▫ Écrivain et traducteur sud-africain d'expression afrikaans et anglaise (1935-2015). Romans critiques contre le régime d'apartheid et le racisme. *Une saison blanche et sèche.*

**Brisbane** ▫ Port d'Australie, sur l'océan Pacifique. 2,5 millions d'habitants.

Jacques Pierre Brissot, dit **Brissot de Warville** ▫ Révolutionnaire français (1754-1793). Chef des Girondins, il fut guillotiné.

**Bristol** ▫ Port d'Angleterre, sur l'Avon. 535 700 habitants.

**Britannicus** ▫ Rival malheureux de Néron (41-55). Son destin a inspiré Racine.

les îles **Britanniques** ▫ La Grande-Bretagne, l'Irlande et 5 000 îles environnantes.

le **British Museum** ▫ Musée de Londres fondé en 1753.

Benjamin **Britten** ▫ Compositeur anglais (1913-1976). Œuvre multiforme, symphonique, vocale et surtout lyrique (opéras, comme *Peter Grimes, le Tour d'écrou,* d'après Henry James).

**Brive-la-Gaillarde** ▫ Chef-lieu d'arrondissement de la Corrèze. 46 630 habitants.

**Brno** ▫ Ville de la République tchèque (Moravie). 366 700 habitants.

**Broadway** ▫ Avenue de Manhattan (New York), réputée pour sa vie nocturne et ses théâtres.

Paul **Broca** ▫ Chirurgien français (1824-1880). Il découvrit la localisation cérébrale de la parole.

Hermann **Broch** ▫ Romancier autrichien (1886-1951). Romans décrivant la décadence des valeurs bourgeoises *(Les Somnambules).* Exilé aux États-Unis, il étudia la psychologie des foules *(Théorie de la folie des masses).*

Joseph **Brodsky** ▫ Poète soviétique naturalisé américain (1940-1996). *Urania.* Prix Nobel 1987.

Louis de **Broglie** ▫ Physicien français (1892-1987). Créateur de la mécanique ondulatoire. Prix Nobel 1929.

Alexandre Théodore **Brongniart** ▫ Architecte néoclassique français (1739-1813). Bourse de Paris, appelée aussi *palais Brongniart.*

les sœurs **Brontë** ▫ Poètes et romancières anglaises. ► Charlotte **Brontë** (1816-1855). Romans en partie biographiques, dont *Jane Eyre.* ► Emily **Brontë** (1818-1848). *Les Hauts de Hurlevent.*

le **Bronx** ▫ District de New York.

Peter **Brook** ▫ Metteur en scène britannique de théâtre et de cinéma (né en 1925). *Le Mahābhārata.*

**Brooklyn** ▫ District de New York.

Louise **Brooks** ▫ Actrice américaine (1906-1985). Elle fut la *Loulou* de Pabst (1929).

Salomon de **Brosse** ▫ Architecte français (1571-1626). Palais du Luxembourg.

Pierre **Brossolette** ▫ Journaliste français (1903-1944). Il fut un des organisateurs de la Résistance et, arrêté par les Allemands, se suicida pour échapper à la torture.

**Brousse** → **Bursa**

Robert **Brown** ▫ Botaniste écossais (1773-1858).

James **Brown** ▫ Chanteur américain (1933-2006). Musicien et homme de scène, il renouvela le rhythm and blues.

James Gordon **Brown** ▫ Homme d'État britannique (né en 1951). Ministre des Finances (travailliste) (1997) puis Premier ministre (2007-2010).

Robert **Browning** ▫ Poète romantique anglais (1812-1889). *L'Anneau et le Livre.*

Tod **Browning** ▫ Réalisateur américain (1882-1962). *Freaks.*

Libéral **Bruant** ▫ Architecte et ingénieur français (v. 1636-1697). Hôtel des Invalides.

Aristide **Bruant** ▫ Chansonnier français (1851-1925). Il utilise l'argot dans ses chansons (*Dans la rue,* recueil).

Anton **Bruckner** ▫ Compositeur romantique autrichien (1824-1896). Symphonies à l'orchestration riche ; œuvres religieuses.

les **Bruegel** ou **Breughel** ▫ Famille de peintres flamands de la Renaissance. ► Pieter **Bruegel l'ancien** (v. 1525-1569). Œuvre d'une grande invention et perfection formelle, satirique et morale. Scènes populaires, «diableries» influencées par Jérôme Bosch *(Les Aveugles).* ► Son fils Pieter II, dit **Bruegel le Jeune** (v. 1564-1638), continua son œuvre. ► Son second fils Jan, dit **Bruegel de Velours** (1568-1625), peignit avec raffinement des fleurs, des natures mortes.

**Bruges** ▫ Ville de Belgique, chef-lieu de la Flandre-Occidentale. 118 656 habitants. Canaux.

le 18 **Brumaire an VIII** ▫ 9 novembre 1799, journée au cours de laquelle Bonaparte renversa le Directoire.

George Bryan **Brummell** ▫ Aristocrate britannique (1778-1840). Il a représenté à l'époque romantique l'idéal du dandy.

**Brunehaut** ▫ Reine d'Austrasie (v. 543-613).

le **Brunei** ▫ État du nord de Bornéo. 5 785 km². 342 000 habitants. Capitale : Bandar Seri Begawan.

Filippo **Brunelleschi** ▫ Architecte et sculpteur italien de la Renaissance (1377-1446). Coupole du Dôme de Florence.

saint **Bruno** ▫ Fondateur de l'ordre des chartreux (v. 1035-1101).

Giordano **Bruno** ▫ Philosophe italien (1548-1600). Brûlé pour hérésie.

Charles Guillaume duc de **Brunswick** ▫ Chef des armées austro-prussiennes (1735-1806). Il lança le *manifeste de Brunswick* contre la France en 1792.

**Brutus** ▫ Fils adoptif de César, et l'un de ses meurtriers (v. 85-42 avant J.-C.).

**Bruxelles** ▫ Capitale de la Belgique. 185 103 habitants. Cathédrale, Grand-Place. Musées. ► la Région de **Bruxelles-Capitale.** Région administrative de Belgique. 161,4 km². 1,21 milllion d'habitants.

Martin **Buber** ▫ Philosophe israélien d'origine autrichienne (1878-1965). Son spiritualisme méditatif est issu du courant judaïque hassidique. *Je et Tu* (1923).

**Bucarest** ▫ Capitale de la Roumanie. 1,9 million d'habitants.

**Buchenwald** ▫ Camp de concentration nazi (1937-1945), près de Weimar.

Georg **Büchner** ▫ Dramaturge romantique allemand (1813-1837). *Woyzeck ; La Mort de Danton.*

Pearl **Buck** ▫ Romancière américaine (1892-1973). *La Terre chinoise.* Prix Nobel 1938.

**Buckingham Palace** ▫ Palais situé à Londres, actuelle résidence royale.

**Budapest** ▫ Capitale de la Hongrie, sur le Danube. 1,8 million d'habitants.

Guillaume **Budé** ▫ Humaniste et érudit français (1467-1540).

**Buenos Aires** ▫ Capitale de l'Argentine. 2,8 millions d'habitants (agglomération 17 millions).

William Cody, dit **Buffalo Bill** ▫ Aventurier américain (1846-1917).

Bernard **Buffet** ▫ Peintre français (1928-1999). Toiles au graphisme maigre et aux couleurs discrètes.

Georges Louis Leclerc, comte de **Buffon** ▫ Naturaliste français (1707-1788). *Histoire naturelle* (40 volumes).

Thomas **Bugeaud** ▫ Maréchal de France (1784-1849). Gouverneur de l'Algérie de 1840 à 1847.

**Bujumbura** ▫ Capitale économique du Burundi. 1,5 million d'habitants.

la **Bulgarie** ▫ État des Balkans. 110 912 km$^2$. 6,9 millions d'habitants. Capitale : Sofia.

John **Bull** ▫ Compositeur anglais (v. 1562-1628). Musique pour clavier.

Fredrik Rosing **Bull** ▫ Ingénieur norvégien (1882-1925). Il inventa une des premières machines à cartes perforées (1919). Ses brevets furent acquis par un groupe français qui prit son nom (1931).

Bernhard, prince von **Bülow** ▫ (1849-1929) Chancelier allemand de 1900 à 1909.

le **Bundesrat** ▫ L'une des deux chambres législatives de la République fédérale allemande. Ce « Conseil fédéral » représente les États au Parlement.

le **Bundestag** ▫ L'une des deux chambres législatives de la République fédérale allemande. Cette « Diète fédérale » élit le chancelier fédéral.

Robert Wilhelm **Bunsen** ▫ Physicien allemand (1811-1899). Il inventa un bec de gaz *(bec Bunsen).*

Luis **Buñuel** ▫ Réalisateur espagnol (1900-1983). Œuvres d'abord surréalistes *(Un chien andalou)* et anarchistes *(L'Âge d'or),* puis auteur, au Mexique et en Europe, de films poétiques et satiriques d'une grande force *(Los Olvidados ; Le Charme discret de la bourgeoisie ; Viridiana...).*

John **Bunyan** ▫ Écrivain anglais (1628-1688).

Daniel **Buren** ▫ Artiste français (né en 1938). Partisan de l'art « in situ ». Colonnes rayées dans la cour du Palais-Royal à Paris.

Anthony **Burgess** ▫ Romancier britannique (1917-1993). *Orange mécanique.*

les **Burgondes** ▫ Peuple germanique qui fonda au V$^e$ s. un royaume.

**Burgos** ▫ Ville d'Espagne (Castille-et-Léon). 178 864 habitants. Cathédrale.

le **Burkina Faso,** anciennement *Haute-Volta* ▫ Pays d'Afrique occidentale. 274 000 km$^2$. 20 millions d'habitants. Capitale : Ouagadougou.

Edward **Burne-Jones** ▫ Peintre préraphaélite britannique (1833-1898). *L'Enchantement de Merlin.*

Robert **Burns** ▫ Poète écossais (1759-1796).

Edgar Rice **Burroughs** ▫ Romancier américain (1875-1950). Auteur de romans d'aventures et de science-fiction, créateur du personnage de Tarzan (1912).

William **Burroughs** ▫ Écrivain américain (1914-1997). Figure de la *beat generation* et de l'underground, proche de Kerouac et Ginsberg.

**Bursa,** anciennement *Brousse* ▫ Ville de Turquie. 1,7 million d'habitants. Capitale des sultans ottomans au XIV$^e$ s.

Tim **Burton** ▫ Réalisateur américain (né en 1958). Son œuvre crée un univers fantastique, sombre et ironique. *Batman ; Edward aux mains d'argent ; Les Noces funèbres.*

le **Burundi** ▫ Pays d'Afrique centrale. 27 834 km$^2$. 11,5 millions d'habitants. Capitale Gitega ; capitale économique : Bujumbura.

George **Bush** ▫ 41$^e$ président (républicain) des États-Unis de 1989 à 1993 (1924-2018). ► George W. **Bush,** son fils (né en 1946), 43$^e$ président (républicain) des États-Unis de 2001 à 2009.

Michel **Butor** ▫ Écrivain français (1926-2016), d'abord représentant du « nouveau roman » *(La Modification),* puis d'une littérature expérimentale. Critiques d'art.

Dietrich **Buxtehude** ▫ Organiste et compositeur allemand d'origine danoise (1637-1707). Il influença Haendel et Bach.

Dino **Buzzati** ▫ Romancier italien (1906-1972). Auteur de récits où l'étrangeté se dégage d'un réalisme délicat *(Le Désert des Tartares).*

**Byblos** ▫ Ancienne cité phénicienne.

lord **Byron** ▫ Poète romantique anglais (1788-1824). *Don Juan ; Le Pèlerinage de Childe Harold.*

**Byzance** ▫ Ancien nom de Constantinople. Elle fut la capitale de l'*Empire byzantin* qui, de 476 à 1453, succéda en Orient à l'Empire romain.

# C

Montserrat **Caballé** ▫ Cantatrice (soprano) espagnole (1933-2018).

les **Cabot** ▫ Famille de navigateurs italiens des XVe-XVIe s., au service de l'Angleterre. Jean ou John (v. 1450-1499) et son fils, Sébastien (v. 1476-1557).

Pedro Álvares **Cabral** ▫ Navigateur portugais (v. 1460-1526). Il prit possession du Brésil en 1500.

Christian **Cabrol** ▫ Chirurgien français (1925-2017). Première transplantation cardiaque en Europe.

Jean Cabut, dit **Cabu** ▫ Dessinateur français (1938-2015). Créateur du Grand Duduche et du Beauf. Collaborateur de journeaux satiriques, il fut assassiné lors de l'attentat islamiste à *Charlie Hebdo*.

le **Cachemire** ▫ Région partagée depuis 1949 entre l'Inde et le Pakistan.

**Cadix** ▫ Port d'Espagne (Andalousie). 124 014 habitants.

Georges **Cadoudal** ▫ Chef chouan (1771-1804).

le mont **Caelius** ▫ Une des sept collines de Rome.

**Caen** ▫ Chef-lieu du Calvados. 105 512 habitants.

John **Cage** ▫ Compositeur américain (1912-1992). Musique aléatoire ; « pianos préparés ».

**Cagliari** ▫ Port d'Italie (Sardaigne). 164 200 habitants.

**Cahors** ▫ Chef-lieu du Lot. 19 907 habitants. Pont Valentré. Cathédrale romane à coupoles.

Joseph **Caillaux** ▫ Homme politique (radical) français (1863-1944).

Gustave **Caillebotte** ▫ Peintre français (1848-1894). Son œuvre se signale par la construction, ainsi que par les sujets (paysages urbains, scènes de travail). Mécène, collectionneur, il légua ses tableaux à l'État.

René **Caillié** ▫ Explorateur français (1799-1838). Il voyagea jusqu'à Tombouctou.

Roger **Caillois** ▫ Écrivain français (1913-1978). Il fit connaître en France la littérature latino-américaine moderne et traduisit Borges. Essais concernant la sociologie et l'esthétique. *L'Homme et le Sacré ; Les Jeux et les Hommes.*

les îles **Caïmans** ▫ Archipel britannique des Antilles.

**Caïn** ▫ Bible Fils d'Adam et Ève. Il tua son frère Abel.

Le **Caire** ▫ Capitale de l'Égypte, sur le Nil. 9,5 millions d'habitants (agglomération 20 millions). Université al-Azhar.

la **Calabre** ▫ Région administrative du sud de l'Italie. 15 080 km². 2 millions d'habitants. Chef-lieu : Catanzaro.

**Calais** ▫ Chef-lieu d'arrondissement et port du Pas-de-Calais. 72 929 habitants. ► le pas de **Calais.** Détroit entre la France et l'Angleterre. 31 km. Gare Eurostar, à proximité du tunnel sous la Manche.

le Pas-de-**Calais** → le **Pas-de-Calais.**

**Calcutta** ou **Kolkata** ▫ Port d'Inde (Bengale-Occidental). 13,2 millions d'habitants.

Alexander **Calder** ▫ Sculpteur et peintre américain (1898-1976). Mobiles.

Pedro **Calderón de la Barca** ▫ Auteur dramatique espagnol (1600-1681). *La vie est un songe.*

Erskine **Caldwell** ▫ Romancier et journaliste américain (1903-1987). Il évoque les « pauvres Blancs » du sud des États-Unis. *Le Petit Arpent du bon Dieu.*

**Calgary** ▫ Ville du Canada (Alberta). 1,2 million d'habitants.

**Cali** ▫ Ville de Colombie. 2,1 millions d'habitants.

la **Californie** ▫ État de l'ouest des États-Unis. 411 012 km². 34 millions d'habitants. Capitale : Sacramento. Villes principales : Los Angeles, San Francisco.

**Caligula** ▫ Empereur romain (12-41). D'abord politiquement libéral, il sombra dans une folie narcissique et sanguinaire, et fut assassiné.

**Callao** ▫ Port du Pérou. 389 600 habitants.

Maria Kalogeropoulos, dite Maria **Callas** ▫ Cantatrice grecque (1923-1977). Soprano remarquable par son timbre, son registre étendu et son tempérament de tragédienne. Elle fut la *Médée* de Pasolini.

Jacques **Callot** ▫ Graveur et dessinateur français (1592-1635). Sa maîtrise technique du dessin baroque est au service d'un message social. *Les Misères et malheurs de la guerre.*

Albert **Calmette** ▫ Médecin et bactériologiste français (1863-1933). Il mit au point, avec Camille Guérin, le vaccin contre la tuberculose, dit BCG («Bacille de Calmette et Guérin»).

Charles de **Calonne** ▫ Ministre de Louis XVI (1734-1802).

le **Calvados** [14] ▫ Département français de la Région Normandie. 5 692 km². 694 056 habitants. Chef-lieu : Caen. Chefs-lieux d'arrondissement : Bayeux, Lisieux, Vire Normandie.

Jean **Calvin** ▫ Penseur religieux et écrivain français, ayant vécu à Genève (1509-1564). Érudit et humaniste, il adhéra à la Réforme, dirigea l'Église réformée de France, puis celle de Genève. Sa doctrine démocratique et d'un moralisme intolérant est exposée dans l'*Institution de la religion chrétienne* (1538 en latin), dont la version française (1541) est un modèle de prose, par la clarté et la modernité.

Italo **Calvino** ▫ Écrivain italien (1923-1985). Il se fit connaître par une trilogie fantaisiste *(Le Baron perché)* et fut membre de l'Oulipo.

la **Camargue** ▫ Région du sud de la France, à l'embouchure du Rhône.

Jean-Jacques Régis de **Cambacérès** ▫ Juriste et homme politique français (1753-1824), l'un des auteurs du Code civil (1804). Il fut consul avec Bonaparte et Lebrun (1799).

le **Cambodge** ▫ État d'Asie du Sud-Est. 181 000 km². 15,3 millions d'habitants. Capitale : Phnom Penh.

**Cambrai** ▫ Chef-lieu d'arrondissement du Nord. 32 501 habitants.

**Cambridge** ▫ Ville du sud-est de l'Angleterre. 108 900 habitants. Université.

Pierre **Cambronne** ▫ Général français (1770-1842). Célèbre pour son apostrophe aux Anglais, qui le sommaient de se rendre, à Waterloo. On lui attribue la réplique dite *le mot de Cambronne* (merde !).

James **Cameron** ▫ Réalisateur canadien (né en 1954). Films spectaculaires à gros budget, utilisant les techniques de trucage et les effets spéciaux les plus novateurs. *Terminator ; Titanic ; Avatar.*

David **Cameron** ▫ Homme d'État britannique (né en 1966). Premier ministre (conservateur) de 2010 à 2016.

le **Cameroun** ▫ État d'Afrique centrale. 475 442 km². 25 millions d'habitants. Capitale : Yaoundé.

Luís de **Camoens** ▫ Poète portugais (v. 1524-1580). *Les Lusiades.*

Tommaso **Campanella** ▫ Dominicain italien (1568-1639). Auteur d'une utopie politique, *La Cité du soleil.*

la **Campanie** ▫ Région administrative du sud de l'Italie. 13 595 km². 5,7 millions d'habitants. Chef-lieu : Naples.

**Camp David** ▫ Résidence du président des États-Unis, dans le Maryland. ► les accords de **Camp David.** En septembre 1978, ils préparèrent le traité de paix israélo-égyptien signé en 1979. En 2000, la réunion à l'initiative de Bill Clinton ne put aboutir à la résolution du conflit israélo-palestinien.

Jane **Campion** ▫ Réalisatrice néo-zélandaise (née en 1954). Portraits de femmes romanesques et ambitieux. *La Leçon de piano.*

**Campoformio** ▫ Ville de Vénétie. Traité entre la France et l'Autriche (1797).

Albert **Camus** ▫ Écrivain et philosophe français (1913-1960). Moraliste à la prose dépouillée. Romans *(L'Étranger ; La Peste ; La Chute)*, pièces de théâtre *(Caligula)*, essais *(L'Homme révolté)*. Prix Nobel 1957.

**Cana** ▫ Ville de Galilée où Jésus aurait transformé l'eau en vin.

le pays de **Canaan** → les **Cananéens**

le **Canada** ▫ État fédéral d'Amérique du Nord. 9 984 670 km². 35,1 millions d'habitants. Capitale : Ottawa. Villes principales : Toronto, Montréal.

Antonio Canal, dit **Canaletto** ▫ Peintre vénitien (1697-1768). Vues de Venise.

les **Cananéens** ▫ Habitants du pays de **Canaan,** la Terre promise selon la Bible (Phénicie-Palestine). Ils furent vaincus par les Hébreux (XI$^e$ s. avant J.-C.).

les **Canaques** → les **Kanaks**

les îles **Canaries** n. f. pl. ▫ Archipel de l'océan Atlantique, au large du Sahara. Communauté autonome espagnole. 7 273 km². 2 millions d'habitants. Capitale : Las Palmas et Santa Cruz de Tenerife.

cap **Canaveral** ▫ Base aérospatiale américaine en Floride.

**Canberra** ▫ Capitale fédérale de l'Australie. 390 000 habitants.

**Candie** ▫ Ancien nom d'Héraklion.

Elias **Canetti** ▫ Écrivain de langue allemande, naturalisé britannique (1905-1994). Un roman *(Autodafé)* et une autobiographie sont ses œuvres majeures. Prix Nobel 1981.

**Cannes** ▫ Ville des Alpes-Maritimes. 73 965 habitants. Station balnéaire. Festival du cinéma.

**Cannes** ▫ Anc. ville d'Italie du Sud. Victoire d'Hannibal sur les Romains (216 avant J.-C.).

**Canossa** ▫ Village d'Italie où l'empereur germanique Henri IV vint implorer le pardon du pape Grégoire VII (1077).

Antonio **Canova** ▫ Sculpteur néoclassique italien (1757-1822). *L'Amour et Psyché.*

la **Cantabrie** ▫ Région historique et communauté autonome du nord de l'Espagne. 5 289 km². 592 543 habitants. Capitale : Santander.

les monts **Cantabriques** ▫ Chaîne de montagnes d'Espagne qui prolonge les Pyrénées le long du golfe de Gascogne.

le **Cantal** ▫ Massif d'Auvergne. ► le **Cantal** [15]. Département français de la Région Auvergne-Rhône-Alpes. 5 777 km². 144 765 habitants. Chef-lieu : Aurillac. Chefs-lieux d'arrondissement : Mauriac, Saint-Flour.

**Canterbury** ▫ Ville d'Angleterre (Kent). 135 300 habitants. Cathédrale gothique.

le **Cantique des cantiques** ▫ Livre de la Bible, traditionnellement attribué au roi Salomon. C'est l'un des «Cinq Rouleaux» de la Bible hébraïque.

**Canton** ou **Guangzhou** ▫ Port de Chine (Guangdong). 9,7 millions d'habitants.

Georg **Cantor** ▫ Mathématicien allemand (1845-1918). Théorie des ensembles.

Le **Cap** ▫ Port et capitale législative de l'Afrique du Sud. 1,9 million d'habitants.

André Friedmann, dit Robert **Capa** ▫ Photographe américain d'origine hongroise (1913-1954). Il couvrit les guerres d'Espagne et du Viêtnam (où il fut tué par une mine). Fondateur de l'agence Magnum, avec Robert Cartier-Bresson, en 1947.

Karel **Čapek** ▫ Écrivain tchèque d'inspiration fantastique (1890-1938).

Hugues **Capet** → **Hugues Capet**

les **Capétiens** ▫ Dynastie des rois de France qui régna de 987 (Hugues Capet) à 1328.

**Cap-Haïtien** ▫ Ville d'Haïti. 262 000 habitants. Capitale de Saint-Domingue jusqu'en 1770, sous le nom de *Cap-François*.

le **Capitole** ▫ L'une des sept collines de Rome.

Al **Capone** ▫ Gangster américain, d'origine italienne (1895-1947). Trafic d'alcool durant la prohibition.

Truman Streckfus Persons, dit Truman **Capote** ▫ Romancier américain (1924-1984). Récits autour du thème du mal, parfois légers *(Petit déjeuner chez Tiffany)*, parfois tragiques *(De sang froid)*.

**Capoue** ▫ Ville d'Italie (Campanie), prise par Hannibal en 215 avant J.-C. L'armée romaine s'y établit après la bataille de Cannes, s'amollissant dans les *délices de Capoue*.

la **Cappadoce** ▫ Ancien pays d'Asie Mineure, aujourd'hui partie orientale de la Turquie.

Frank **Capra** ▫ Réalisateur et producteur américain d'origine italienne (1897-1991). Films optimistes, d'un humour moralisateur. *L'Extravagant Mr Deeds ; Arsenic et vieilles dentelles*.

**Capri** ▫ Île d'Italie (golfe de Naples). 10 km². 12 500 habitants. Chef-lieu : Capri (7 400 habitants.).

le **Cap-Vert** ▫ Archipel et État au large du Sénégal. 4 033 km². 550 480 habitants. Capitale : Praia.

**Caracalla** ▫ (188-217) Empereur romain de 211 à sa mort. Il combattit pour l'unification de l'Empire.

**Caracas** ▫ Capitale du Venezuela. 2 millions d'habitants.

les **Caraïbes** ▫ Ancien peuple des Petites Antilles. ► la mer des **Caraïbes** → **Antilles.**

Emmanuel Poiré, dit **Caran d'Ache** ▫ Dessinateur humoristique français (1859-1909).

Michelangelo Merisi da Caravaggio, dit (le) **Caravage** ▫ Peintre italien (1573-1610). Le plus grand peintre de l'école romaine, dont l'œuvre réaliste est transfigurée par le traitement de la lumière. Son influence fut immense (le «caravagisme»). *Bacchus ; La Bonne Aventure*.

**Carcassonne** ▫ Chef-lieu de l'Aude. Cité médiévale entourée de remparts. 46 513 habitants.

François Carcopino-Tusoli, dit Francis **Carco** ▫ Écrivain et poète français (1886-1958). Son œuvre évoque Montmartre et les mauvais garçons *(Jésus la Caille)*. Il écrivit des études psychologiques *(L'Homme traqué)* et des biographies libres (Villon, Verlaine, Utrillo...).

Jérôme **Cardan** ▫ Médecin, mathématicien et philosophe italien (1501-1576). Inventeur du *cardan*.

**Cardiff** ▫ Port de Grande-Bretagne et capitale du pays de Galles. 335 000 habitants.

Fernando Henrique **Cardoso** ▫ Sociologue brésilien (né en 1931). Président de la République de 1994 à 2002.

la **Carélie** ▫ République de la fédération de Russie limitrophe de la Finlande. 172 000 km². 615 000 habitants. Capitale : Petrozavodsk.

Marie-Antoine, dit Antonin **Carême** ▫ Cuisinier, pâtissier et maître d'hôtel français (1784-1833).

Maurice **Carême** ▫ Poète belge d'expression française (1899-1978).

la **Carinthie** ▫ Land d'Autriche. 9 533 km². 557 671 habitants. Capitale : Klagenfurt.

Gilles **Carle** ▫ Cinéaste canadien d'expression française (1929-2009). *La Mort d'un bûcheron*.

don **Carlos** ▫ Infant d'Espagne (1788-1855), frère de Ferdinand VII. La succession de ce dernier provoqua les *guerres carlistes*.

Carolyn **Carlson** ▫ Danseuse et chorégraphe américaine (née en 1943). Elle dirigea de nombreux ballets en Europe (Venise ; Stockholm ; Centre chorégraphique national de Roubaix, 2004-2013).

la **Carmagnole** ▫ Chant révolutionnaire composé en 1792.

le **Carmel** ▫ Ordre religieux catholique, fondé sur le mont Carmel (Palestine, XIIe s.).

**Carnac** ▫ Commune du Morbihan. 4 251 habitants. Monuments mégalithiques.

Rudolf **Carnap** ▫ Logicien et philosophe allemand naturalisé américain (1891-1970). Représentant du positivisme logique.

Marcel **Carné** ▫ Réalisateur français (1909-1996). Ses plus grands films sont nés d'une collaboration avec Prévert, de *Quai des brumes* et *Hôtel du Nord* aux *Visiteurs du soir* et aux *Enfants du paradis*.

Andrew **Carnegie** ▫ Industriel et philanthrope américain, d'origine écossaise (1835-1919). Il fit fortune dans la sidérurgie et finança de nombreuses fondations (bibliothèques, institutions culturelles comme *Carnegie Hall*).

Lazare **Carnot** ▫ Révolutionnaire et savant français (1753-1823). Surnommé « l'organisateur de la victoire ». ► Sadi **Carnot,** son fils (1796-1832), précurseur de la thermodynamique. ► Marie François Sadi **Carnot,** son petit-fils (1837-1894), président de la République de 1887 à son assassinat.

la **Caroline du Nord** ▫ État du sud-est des États-Unis. 135 000 km². 6 millions d'habitants. Capitale : Raleigh. ► la **Caroline du Sud.** État au sud du précédent. 79 176 km². 4 millions d'habitants. Capitale : Columbia.

les îles **Carolines** ▫ Archipel de Micronésie.

les **Carolingiens** ▫ Dynastie franque qui succéda aux Mérovingiens. Elle régna sur la France de 751 à 987 et tenta de restaurer l'empire d'Occident (Charlemagne).

Vittore **Carpaccio** ▫ Peintre italien de l'école vénitienne (v. 1460-v. 1525). Auteur de cycles narratifs, de scènes spectaculaires, de paysages urbains, aux compositions amples, aux riches couleurs et aux détails pittoresques.

les **Carpates** n. f. pl. ▫ Ensemble montagneux d'Europe centrale.

Jean-Baptiste **Carpeaux** ▫ Sculpteur français (1827-1875). *La Danse.*

Georges **Carpentier** ▫ Boxeur français (1894-1975). Champion d'Europe toutes catégories. Champion du monde des mi-lourds (1920).

Alejo **Carpentier** ▫ Romancier et musicologue cubain (1904-1980). *Concert baroque.*

les frères **Carrache** ▫ Peintres italiens de la fin du XVIe s. de style maniériste (école de Bologne). Ludovico (1555-1619), Agostino (1557-1602), et Annibale (1560-1609) décorateur du palais Farnèse à Rome.

**Carrare** ▫ Ville d'Italie (Toscane). 65 000 habitants. Marbres.

Charles Dodgson, dit Lewis **Carroll** ▫ Écrivain, photographe et mathématicien britannique (1832-1898). *Alice au pays des merveilles ; La Chasse au Snark.*

James dit Jimmy **Carter** ▫ 39e président (démocrate) des États-Unis de 1977 à 1981 (né en 1924). Prix Nobel de la paix 2002.

**Carthage** ▫ Cité antique d'Afrique du Nord (Tunisie). Fondée par les Phéniciens v. 814 avant J.-C., elle s'opposa à Rome qui la rasa (fin des guerres puniques, 146 avant J.-C.).

Jacques **Cartier** ▫ Navigateur français (1491-1557). Il prit possession du Canada en 1534.

sir Georges Étienne **Cartier** ▫ Homme politique canadien (1814-1873). Un des créateurs de la Confédération canadienne.

Henri **Cartier-Bresson** ▫ Photographe français (1908-2004). Ses photos d'une expressivité humaine intense sont d'une composition parfaite.

Louis Dominique Bourguignon, dit **Cartouche** ▫ Célèbre bandit français (1693-1721).

Enrico **Caruso** ▫ Chanteur (ténor) italien (1873-1921). Sa voix chaude et puissante, dans l'interprétation de l'opéra italien, lui valut une notoriété mondiale.

Raymond **Carver** ▫ Nouvelliste et poète américain (1938-1988). Il décrivit le désespoir et la solitude des Américains ordinaires : *Tais-toi je t'en prie ; Les Vitamines du bonheur.*

**Casablanca** ▫ Port du Maroc, sur l'Atlantique. 3,3 millions d'habitants. Grande Mosquée.

Pablo **Casals** [kazals] ▫ Violoncelliste espagnol (catalan) (1876-1973). Admirable interprète de J.-S. Bach, il fuit l'Espagne franquiste et se fixa en France, dans les Pyrénées-Orientales, à Prades, où il créa un festival de musique.

Giacomo Girolamo **Casanova** ▫ Aventurier et mémorialiste italien, modèle du séducteur (1725-1798).

la mer **Caspienne** ▫ La plus vaste mer fermée du monde en Asie. Sa superficie varie de 371 000 à 393 000 km².

les **Casques bleus** ▫ Militaires de la force d'urgence de l'ONU, constituée des contingents fournis par les États membres.

**Cassandre** ▫ mythol. grecque Princesse troyenne dont les sombres prophéties n'étaient jamais écoutées.

John **Cassavetes** ▫ Cinéaste et acteur américain (1929-1989). *Faces ; Une femme sous influence.*

le mont **Cassin,** en italien *monte Cassino* ▫ Colline d'Italie du Sud où saint Benoît fonda un monastère en 529. Combats meurtriers en 1944.

René **Cassin** ▫ Juriste français (1887-1976). Résistant, il fit adopter la Déclaration universelle des droits de l'homme (1948). Prix Nobel de la paix 1968.

les **Cassini** ▫ Dynastie d'astronomes et de cartographes français (XVII^e^-XVIII^e^ s.).

Ernst **Cassirer** ▫ Philosophe allemand (1874-1945). *Philosophie des formes symboliques.*

**Castel Gandolfo** ▫ Ville d'Italie, sur le lac d'Albano, près de Rome. 7 900 habitants. Résidence d'été des papes.

Jean **Castex** ▫ Homme d'État français (né en 1965). Premier ministre d'Emmanuel Macron depuis 2020.

Baldassare **Castiglione** ▫ Écrivain italien (1478-1529). *Le Parfait Courtisan.*

la **Castille** ▫ Ancien royaume du centre de l'Espagne, aujourd'hui divisé en plusieurs communautés autonomes. ► **Castille-La Manche** (79 226 km$^2$ ; 2 millions d'habitants ; capitale : Tolède). ► **Castille-et-Léon** (94 147 km$^2$ ; 2,5 millions d'habitants).

**Castor** et **Pollux** ▫ mythol. grecque Fils jumeaux de Zeus et Léda, dits *les Dioscures.*

**Castres** ▫ Chef-lieu d'arrondissement du Tarn. 41 795 habitants.

Fidel **Castro** ▫ Révolutionnaire et homme d'État cubain au pouvoir de 1959 à 2008 (1926-2016). Il établit à Cuba une dictature de référence communiste. ► Raúl **Castro,** son frère (né en 1931), lui succéda. Il gouverna le pays de 2008 à 2018.

les champs **Catalauniques** ▫ Plaine de Champagne où Attila fut vaincu par les Romains (451).

la **Catalogne** ▫ Communauté autonome et région historique du nord-est de l'Espagne. 31 930 km$^2$. 7,5 millions d'habitants. Capitale : Barcelone.

**Catane** ▫ Port d'Italie (Sicile). 313 100 habitants.

Le **Cateau-Cambrésis** ▫ Commune du Nord où furent signés les traités qui mirent fin aux guerres d'Italie (1559). 6 951 habitants.

**Catherine II la Grande** ▫ (1729-1796) Impératrice de Russie de 1762 à sa mort.

**Catherine d'Aragón** ▫ Première femme d'Henri VIII, qui la répudia (1485-1536).

**Catherine de Médicis** ▫ Reine de France (1519-1589). Femme d'Henri II, régente durant la minorité de son fils, Charles IX.

sainte **Catherine de Sienne** ▫ Mystique italienne (1347-1380).

**Catilina** ▫ Patricien et conspirateur romain (v. 108-62 avant J.-C.). Il fut dénoncé par Cicéron.

**Caton l'Ancien** ou **le Censeur** ▫ Homme politique romain (234-149 avant J.-C.). Symbole des qualités romaines d'austérité et de vertu. ► **Caton d'Utique,** son arrière-petit-fils (93-46 avant J.-C.), ultime adversaire républicain de César.

**Catulle** ▫ Poète latin (v. 87-v. 54 avant J.-C.). Poèmes lyriques et érotiques.

le **Caucase** ▫ Ensemble montagneux s'étendant entre la mer Noire et la Caspienne. 5 642 m au mont Elbrouz.

Pierre **Cauchon** ▫ Religieux français (1371-1442). Évêque de Beauvais, il présida, à Rouen, le tribunal qui condamna Jeanne d'Arc.

Augustin, baron **Cauchy** ▫ Mathématicien français (1789-1857). Il a profondément réorganisé l'analyse.

les **Causses** n. m. pl. ▫ Plateaux calcaires du sud du Massif central.

le pays de **Caux** ▫ Région de Normandie.

Jean **Cavaillès** ▫ Philosophe et logicien français (1903-1944). Chef d'un mouvement de résistance, il fut exécuté par les Allemands.

René Robert **Cavelier de La Salle** ▫ Explorateur français (1643-1687). Il explora les Grands Lacs et descendit le Mississippi jusqu'au golfe du Mexique.

Henry **Cavendish** ▫ Physicien et chimiste anglais (1731-1810). Il réalisa la première analyse précise de l'air.

Camillo Benso, comte de **Cavour** ▫ Homme d'État italien (1810-1861). Artisan de l'unité italienne.

**Cawnpore** → **Kanpur**

**Cayenne** ▫ Chef-lieu de la Guyane française. 63 652 habitants. Anc. bagne.

**CBS** *(Columbia Broadcasting System)* ▫ Réseau de radio et de télévision américain, fondé en 1927.

le **CEA,** *Commissariat à l'énergie atomique* ▫ Organisme public français de recherche dans les domaines de l'énergie atomique (technologie, défense, santé), créé en 1945.

Nicolae **Ceauşescu** ▫ Homme d'État roumain (1918-1989). Dictateur communiste, au pouvoir de 1965 à 1989, il fut renversé puis exécuté.

la **CECA,** *Communauté européenne du charbon et de l'acier* ▫ Organisation internationale fondée en 1951 entre la France, l'Allemagne de l'Ouest, l'Italie, la Belgique, le Luxembourg et les Pays-Bas, créant un marché unique du charbon et de l'acier. Elle fusionna avec la CEE.

la **CEE,** *Communauté économique européenne* ▫ «Marché commun» créé par le traité de Rome en 1957, entre l'Allemagne, la France, l'Italie, le Benelux, rejoints par le Danemark, le Royaume-Uni, l'Irlande (1973), la Grèce (1981), le Portugal et l'Espagne (1986). La CEE est devenue en 1993 l'Union européenne.

la **CEI,** *Communauté des États indépendants* ▫ Communauté, créée en 1991, réunissant d'anciennes républiques d'URSS.

les **Célèbes** → **Sulawesi**

Louis-Ferdinand Destouches, dit **Céline** ▫ Romancier français (1894-1961). Œuvre romanesque en forme d'autobiographie transfigurée, renouvelant la prose, dès le *Voyage au bout de la nuit* et *Mort à crédit*.

Benvenuto **Cellini** ▫ Sculpteur et orfèvre italien (1500-1571). La perfection technique et la force ornementale de son œuvre en font une figure majeure de la Renaissance italienne.

Anders **Celsius** ▫ Astronome et physicien suédois (1701-1744). Il créa l'échelle thermométrique centésimale *(degré Celsius)*.

les **Celtes** ▫ Population indo-européenne, venue d'Allemagne et apparue au –IIe millénaire.

Frédéric Sauser, dit Blaise **Cendrars** ▫ Écrivain français d'origine suisse (1887-1961). Ses poèmes visent à embrasser le monde entier *(La Prose du Transsibérien)*. Récits de vies aventureuses, autobiographie poétique *(Bourlinguer)*.

la guerre de **Cent Ans** ▫ Conflits (1337-1453) qui opposèrent la France et l'Angleterre.

les **Centaures** n. m. ▫ mythol. grecque Êtres mi-hommes mi-chevaux.

les **Cent-Jours** ▫ Dernière période du règne de Napoléon Ier, au cours de laquelle il tenta de restaurer l'Empire (20 mars-22 juin 1815). Vaincu à Waterloo, il abdiqua.

la République **centrafricaine** ou la **Centrafrique** ▫ État d'Afrique centrale. 622 436 km$^2$. 4,6 millions d'habitants. Capitale : Bangui.

**Central Park** ▫ Vaste parc public au centre de New York.

le **Centre** ▫ Anc. région administrative française.

**Centre national d'art et de culture Georges-Pompidou,** couramment appelé **Centre Pompidou** ▫ Complexe culturel construit par R. Piano et R. Rogers à Paris à l'initiative de Georges Pompidou. Inauguré en 1977, il comprend le Musée national d'art moderne et des équipements culturels. L'Institut de recherche et coordination acoustique-musique (IRCAM) lui est associé.

le **Centre-Val de Loire** ▫ Région administrative de la France. Six départements : Cher, Eure-et-Loir, Indre, Indre-et-Loire, Loiret, Loir-et-Cher. 39 151 km$^2$. 2,57 millions d'habitants. Capitale : Orléans.

**Cerbère** ▫ mythol. grecque Chien à trois têtes, gardien des Enfers.

la **Cerdagne** ▫ Région de l'est des Pyrénées.

Marcel **Cerdan** ▫ Boxeur français (1916-1949). Il fut champion du monde des poids moyens en 1948.

**Cérès** → **Déméter**

**Cergy** ▫ Chef-lieu du Val-d'Oise. 66 322 habitants.

le **Cern** ▫ Conseil européen pour la recherche nucléaire, aujourd'hui Laboratoire européen pour la physique des particules, créé en 1954. Il possède le plus puissant accélérateur de particules au monde, le LHC.

Miguel de **Cervantès** ▫ Écrivain espagnol (1547-1616). *Don Quichotte de la Manche*.

le mont **Cervin** ▫ Sommet des Alpes, en Suisse. 4 478 m.

Aimé **Césaire** ▫ Écrivain et homme politique français (martiniquais) (1913-2008). Défenseur de la négritude et anticolonialiste *(Cahier d'un retour au pays natal ; Soleil cou coupé)*.

Jules **César** ▫ Homme d'État romain (101-44 avant J.-C.). Il conquit la Gaule et lutta contre Pompée et le Sénat. Il fut assassiné. Auteur de *Commentaires de la guerre des Gaules*.

César Baldaccini, dit **César** ▫ Sculpteur français (1921-1998). Sculptures en métal, d'abord expressionnistes, puis structurées et équilibrées. « Compressions », notamment d'automobiles.

**Césarée** ▫ Nom donné dans l'Antiquité à plusieurs villes, en l'honneur des empereurs romains (César). ► **Césarée de Cappadoce** (aujourd'hui Kayseri, Turquie). ► **Césarée de Palestine** (aujourd'hui centre touristique d'Israël). ► **Césarée de Maurétanie** (aujourd'hui Cherchell, Algérie).

le **CETA** ▫ Traité global de libre-échange entre l'Union européenne et le Canada entré provisoirement en vigueur en 2017.

**Ceuta** ▫ Ville autonome espagnole sur la côte nord du Maroc. 18 km$^2$. 83 517 habitants.

les **Cévennes** n. f. pl. ▫ Bordure sud-est du Massif central.

**Ceylan** → **Sri Lanka**

Paul **Cézanne** ▫ Peintre français (1839-1906). D'abord proche des impressionnistes, il annonça le cubisme par sa reconstruction des formes. *Les Joueurs de cartes* ; série de *La Montagne Sainte-Victoire*.

la **CFDT,** *Confédération française démocratique du travail* ▫ Syndicat (réformiste) français issu de la *Confédération française des travailleurs chrétiens* (CFTC) en 1964.

la **CGC,** *Confédération générale des cadres* ▫ Syndicat français de cadres, créé en 1944.

la **CGT,** *Confédération générale du travail* ▫ Syndicat ouvrier français, créé en 1895.

la **CGT-FO** → **FO**

Emmanuel **Chabrier** ▫ Compositeur français (1841-1894). Mélodies, œuvres pour piano, pour l'orchestre ; ouvrages lyriques.

Claude **Chabrol** ▫ Réalisateur français (1930-2010). Films d'un réalisme critique, ironique et cruel, dépeignant la bourgeoisie de province. *Que la bête meure ; Le Boucher ; La Cérémonie.*

le **Chaco** ou **Gran Chaco** ▫ Vaste plaine de l'Argentine, de la Bolivie et du Paraguay. 400 000 km².

Chadli Bendjedid, dit **Chadli** ▫ Colonel et homme d'État algérien (1929-2012). Il fut président de la République de 1979 à 1992.

sir James **Chadwick** ▫ Physicien britannique (1891-1974). Élève de Rutherford, il découvrit l'existence du neutron en 1932. Prix Nobel 1935.

Marc **Chagall** ▫ Peintre français d'origine russe (1887-1985). Œuvre inspirée par le folklore juif d'Europe orientale, puis thèmes bibliques. Grand coloriste, il privilégie l'effusion lyrique.

Youssef **Chahine** ▫ Réalisateur égyptien (1926-2008). Son cinéma humaniste prône la tolérance et la liberté. *Gare centrale ; Le Destin.*

la **Chaldée** ▫ Pays des **Chaldéens** (Babylonie, en Basse-Mésopotamie).

Fedor **Chaliapine** ▫ Chanteur russe d'opéra (1873-1938).

**Châlons-en-Champagne,** anciennement **Châlons-sur-Marne** ▫ Chef-lieu de la Marne. 44 246 habitants.

**Chalon-sur-Saône** ▫ Chef-lieu d'arrondissement de Saône-et-Loire. 44 810 habitants.

**Cham** ▫ Bible Second fils de Noé.

Joseph **Chamberlain** ▫ Homme politique britannique (1836-1914). ► Arthur Neville **Chamberlain,** son fils (1869-1940), Premier ministre de 1937 à 1940.

**Chambéry** ▫ Chef-lieu de la Savoie. 58 833 habitants.

**Chambord** ▫ Commune de Loir-et-Cher. Château de la Renaissance. 93 habitants.

Nicolas de **Chamfort** ▫ Moraliste français (1741-1794). Auteur de pensées et anecdotes spirituelles et caustiques *(Maximes et Pensées).*

Patrick **Chamoiseau** ▫ Écrivain français (né en 1953). Chantre de la culture martiniquaise et du créole. *Texaco.*

**Chamonix-Mont-Blanc** ▫ Ville de Haute-Savoie, dominée par le mont Blanc. 8 648 habitants. Centre d'alpinisme. Importante station de ski.

la **Champagne** ▫ Ancienne province de l'est du Bassin parisien. Vins. ► la **Champagne-Ardenne.** Anc. région administrative.

Philippe de **Champaigne** ▫ Peintre français d'origine flamande (1602-1674). Portraits et scènes religieuses d'un classicisme dépouillé.

Samuel de **Champlain** ▫ Colonisateur français du Canada (v. 1567-1635). Il fonda la ville de Québec (1608).

Jean-François **Champollion** ▫ Égyptologue français (1790-1832). Il déchiffra les hiéroglyphes grâce à la pierre de Rosette.

les **champs Élysées** ▫ mythol. grecque Séjour des morts vertueux.

les **Champs-Élysées** ▫ Célèbre avenue de Paris.

**Chandernagor** ou **Chandannagar** ▫ Ville d'Inde (Bengale-Occidental). 166 000 habitants. Anc. comptoir français.

**Chandigarh** ▫ Ville du nord de l'Inde. 1,6 million d'habitants. Conçue par Le Corbusier.

Raymond **Chandler** ▫ Auteur américain de romans policiers (1888-1959). Ses intrigues violentes, ses personnages bien typés, immoraux, renouvelèrent le roman criminel.

Gabrielle Chasnel, dite Coco **Chanel** ▫ Couturière française (1883-1971). Sa maison de couture est devenue un des symboles internationaux de l'élégance et du luxe.

**Changchun** ▫ Ville de Chine (Jilin). 3,4 millions d'habitants.

Jean-Pierre **Changeux** ▫ Biologiste français (né en 1936). Spécialiste du fonctionnement neuronal.

**Chang-hai** → **Shanghai**

**Chang jiang** ou **Yang-tseu kiang,** en français *le fleuve Bleu* ▫ Fleuve de Chine. 6 300 km.

**Changsha** ▫ Ville de Chine (Hunan). 3,1 millions d'habitants.

**Chantilly** ▫ Ville de l'Oise. 11 001 habitants. Château.

sir Charles Spencer Chaplin, dit Charlie **Chaplin** ▫ Acteur et réalisateur britannique (1889-1977). Émigré aux États-Unis, il créa un univers poétique, critique et comique, centré sur un personnage inoubliable, Charlot (*Charlie* en anglais). Pendant la crise du maccarthysme, il se fixa en Suisse. *The Kid, La Ruée vers l'or, Les Lumières de la ville, Les Temps modernes, Le Dictateur, Monsieur Verdoux, Les Feux de la rampe.*

Maurice **Chappaz** ▫ Écrivain et poète suisse d'expression française (1916-2009). Ses poèmes et ses récits évoquent avec force et lyrisme son pays natal, le Valais.

Claude **Chappe** ▫ Ingénieur français (1763-1805). Inventeur du télégraphe aérien.

Jean **Chaptal** ▫ Chimiste français (1756-1832). Pionnier de l'industrie chimique.

René **Char** ▫ Poète français (1907-1988). Œuvre engagée et morale (une «leçon de vie»), d'une rigueur extrême, soulignant les rapports entre la poétique et les arts plastiques.

Jean Martin **Charcot** ▫ Neurologue français (1825-1893). ► Jean **Charcot,** son fils (1867-1936), explora les régions polaires.

Jean-Baptiste Siméon **Chardin** ▫ Peintre français (1699-1779). Maître de la nature morte et de la suggestion de la réalité, des matières. *La Raie.*

la **Charente** ▫ Fleuve de France. 360 km. ► la **Charente** [16]. Département français de la Région Nouvelle-Aquitaine. 5 956 km². 351 778 habitants. Chef-lieu : Angoulême. Chefs-lieux d'arrondissement : Cognac, Confolens. ► la **Charente-Maritime** [17]. Département français de la Région Nouvelle-Aquitaine. 6 864 km². 646 932 habitants. Chef-lieu : La Rochelle. Chefs-lieux d'arrondissement : Jonzac, Rochefort, Saintes, Saint-Jean-d'Angély.

Jean **Charest** ▫ Homme d'État canadien (né en 1958). Premier ministre du Québec de 2003 à 2012.

le **Chari** ▫ Fleuve d'Afrique qui se jette dans le lac Tchad. 1 100 km.

Robert **Charlebois** ▫ Chanteur-compositeur canadien d'expression française (né en 1944). Il introduisit le rock dans la chanson québécoise avec un humour décapant et une grande inventivité stylistique.

**Charlemagne** ou **Charles Ier le Grand** ▫ (742-814) Roi des Francs, sacré empereur d'Occident en 800.

**Charleroi** ▫ Ville de Belgique (Hainaut). 202 746 habitants.

**Charles** ▫ Nom de plusieurs souverains européens.
**1** EMPEREURS D'ALLEMAGNE ► **Charles III le Gros** (839-888). Empereur d'Occident de 881 à 887, roi de France de 884 à 887. ► **Charles V,** dit **Charles Quint** (1500-1558). Roi d'Espagne (Charles Ier) après 1516, empereur germanique après 1519, il lutta contre François Ier et abdiqua en 1556.
**2** ROI D'ANGLETERRE ► **Charles Ier** (1600-1649) Roi en 1625, il fut vaincu par Cromwell et exécuté.
**3** DUC DE BOURGOGNE ► **Charles le Téméraire** (1433-1477). Duc en 1467, il s'opposa à Louis XI.
**4** ROI D'ESPAGNE ► **Charles Ier** → 1. empereurs d'Allemagne, **Charles Quint.**
**5** ROIS DE FRANCE ► **Charles Ier** → **Charlemagne.** ► **Charles II le Chauve** (823-877). Roi après 843, empereur d'Occident après 875. ► **Charles III le Gros** → 1. empereurs d'Allemagne, **Charles III.** ► **Charles III le Simple** (879-929). Roi de 898 à 922. ► **Charles IV le Bel** (1294-1328). Roi de France et de Navarre de 1322 à sa mort. ► **Charles V le Sage** (1338-1380). Roi de 1364 à sa mort. ► **Charles VI le Bien-Aimé** ou **le Fou** (1368-1422). Roi de 1380 à sa mort. ► **Charles VII** (1403-1461). Roi de 1422 à sa mort. ► **Charles VIII** (1470-1498). Roi de 1483 à sa mort. ► **Charles IX** (1550-1574). Roi de 1560 à sa mort. ► **Charles X** (1757-1836). Roi en 1824. Il fut renversé par la révolution de 1830.
**6** ROIS DE SUÈDE ► **Charles XII** (1682-1718). Roi de 1697 à sa mort. Victorieux contre le Danemark, il fut battu par les Russes. ► **Charles XIV** ou **Charles-Jean** (1763-1844). Nom de règne du maréchal français Charles Jean-Baptiste Bernadotte, roi de 1818 à sa mort.

Ray Robinson, dit Ray **Charles** ▫ Chanteur, pianiste et compositeur américain (1932-2004). À partir du blues et du gospel, il acquit une notoriété mondiale dans un répertoire plus varié.

**Charles Martel** ▫ Maire du palais franc (v. 688-741). Il repoussa les Arabes à Poitiers en 732.

**Charleville-Mézières** ▫ Chef-lieu des Ardennes. 46 391 habitants.

**Charlie Hebdo** ▫ Journal satirique français, créé en 1969. Après avoir publié des caricatures de Mahomet, la rédaction fut attaquée le 7 janvier 2015 par deux terroristes islamistes qui assassinèrent douze personnes.

**Charlot** → Charlie **Chaplin**

le **Charolais** ▫ Région du nord-est du Massif central. Bovins.

**Charon** ▫ mythol. grecque Pilote de la barque des Enfers, qui fait traverser l'Achéron aux âmes des morts.

Georges **Charpak** ▫ Physicien français (1924-2010). Il inventa un détecteur de particules. Prix Nobel 1992.

Marc Antoine **Charpentier** ▫ Compositeur français (1634-1704). L'un des principaux représentants de la musique baroque en France. *Te Deum.*

Emmanuelle **Charpentier** ▫ Microbiologiste française (née en 1968). Elle mit au point des «ciseaux moléculaires» permettant de modifier le génome. Prix Nobel de chimie 2020.

Enguerrand **Charreton** → **Quarton**

**Chartres** ▫ Chef-lieu d'Eure-et-Loir. 38 426 habitants. Cathédrale gothique aux célèbres statues et vitraux.

**Charybde** et **Scylla** ▫ mythol. grecque Monstres fabuleux gardant le détroit de Messine.

Michel **Chasles** ▫ Mathématicien français (1793-1880). Géométrie projective.

Théodore **Chassériau** ▫ Peintre français (1819-1856). *Suzanne au bain.*

François-René, vicomte de **Chateaubriand** ▫ Écrivain français (1768-1848). Défenseur du christianisme *(Le Génie du christianisme ; Les Martyrs)* et de la monarchie légitimiste, il fut l'initiateur de la prose lyrique du romantisme *(Atala ; René).* Il poursuivit sa méditation religieuse *(La Vie de Rancé)* et couronna son œuvre par les *Mémoires d'outre-tombe,* dont l'admirable style et la «mélancolie moderne» (T. Gautier) firent l'admiration de tous.

**Châteauroux** ▫ Chef-lieu de l'Indre. 43 442 habitants.

le **Chatt al-Arab** ▫ Fleuve d'Irak à la frontière avec l'Iran, formé par la confluence du Tigre et de l'Euphrate.

Geoffrey **Chaucer** ▫ Poète anglais (v. 1340-1400). *Contes de Cantorbéry.*

**Chaumont** ▫ Chef-lieu de la Haute-Marne. 21 990 habitants.

Hugo **Chávez Frías** ▫ Homme d'État vénézuélien (1954-2013). Président (socialiste) de 1999 à sa mort.

Damien **Chazelle** ▫ Réalisateur et scénariste franco-américain (né en 1985). La musique tient une place primordiale dans ses films. *La La Land.*

le **Che** → Ernesto **Guevara**

Andrée **Chedid** ▫ Écrivaine française d'origine libanaise (1920-2011). Son œuvre est un questionnement fervent, mystique et sensuel sur la condition humaine.

le **Chemin des Dames** ▫ Route de crête (Aisne), théâtre de violents combats en 1917 et 1918.

**Chengdu** ▫ Ville de Chine (Sichuan). 6,3 millions d'habitants.

André **Chénier** ▫ Poète français (1762-1794). Son lyrisme délicat annonce le romantisme. *Iambes.*

**Chennaï,** anciennement *Madras* ▫ Ville de l'Inde, capitale du Tamil Nadu. 8,6 millions d'habitants.

**Chenonceaux** ▫ Commune d'Indre-et-Loire. 350 habitants. Château Renaissance reposant sur un pont à cinq arches enjambant le Cher.

**Chéops** → **Khéops**

**Chéphren** → **Khéphren**

le **Cher** ▫ Rivière, affluent de la Loire. 320 km. ► le **Cher** [18]. Département français de la Région Centre-Val de Loire. 7 227 km². 303 408 habitants. Chef-lieu : Bourges. Chefs-lieux d'arrondissement : Saint-Amand-Montrond, Vierzon.

**Cherbourg-en-Cotentin** ▫ Chef-lieu d'arrondissement et port de la Manche. 79 144 habitants.

Patrice **Chéreau** ▫ Metteur en scène et réalisateur français (1944-2013). Mises en scènes hardies et puissantes du répertoire classique. Création d'œuvres de Koltès, mises en scène d'opéras.

Luigi **Cherubini** ▫ Compositeur italien (1760-1842). *Médée.*

Jacques **Chessex** ▫ Écrivain et poète suisse de langue française (1934-2009). Ses romans évoquent le sort dramatique de personnages passionnés *(L'Ogre).*

Gilbert Keith **Chesterton** ▫ Romancier et essayiste britannique (1874-1936). Romans mettant en scène un prêtre détective (le père Brown), études sur l'art et récits sur des thèmes religieux et métaphysiques.

Ferdinand Cheval, dit le facteur **Cheval** ▫ Facteur dans la Drôme (1836-1924), il consacra plus de trente ans à édifier un «palais idéal», chef-d'œuvre d'art naïf.

Maurice **Chevalier** ▫ Artiste français de music-hall (1888-1972). Il incarna l'optimisme populaire parisien, tant en France qu'à Hollywood.

**Cheverny** ▫ Commune du Loir-et-Cher. 929 habitants. Château Renaissance et classique.

Eugène **Chevreul** ▫ Chimiste français (1786-1889). Analyse des corps gras.

les **Cheyennes** ▫ Peuple amérindien d'Amérique du Nord.

le **Chiapas** ▫ État du sud-est du Mexique, voisin du Guatemala. 74 211 km². 4,8 millions d'habitants.

**Chicago** ▫ Ville des États-Unis, sur le lac Michigan. 2,7 millions d'habitants (agglomération 9 millions).

**Chichén Itzá** ▫ Site archéologique maya du Mexique.

**Chicoutimi** ▫ Ville du Canada (Québec), l'un des arrondissements de Saguenay. 67 612 habitants.

**Childebert Ier** ▫ (v. 495-558) Roi mérovingien de 511 à sa mort, fils de Clovis.

**Childéric** ▫ Nom de trois rois mérovingiens. ► **Childéric Ier** (v. 436-481), père de Clovis. ► **Childéric III** (mort en 755), dernier roi mérovingien, déposé en 751.

le **Chili** ▫ État d'Amérique du Sud. 756 945 km². 17,5 millions d'habitants. Capitale : Santiago.

**Chilpéric Ier** ▫ (539-584) Roi de Neustrie de 561 à sa mort. Époux de Frédégonde.

le **Chimborazo** ▫ Volcan des Andes (Équateur). 6 268 m.

la **Chimère** ▫ mythol. grecque Monstre à tête de chèvre, corps de lion et queue de dragon.

la **Chine** ▫ État d'Asie le plus peuplé du monde. 9 560 000 km². 1,339 milliard d'habitants. Capitale : Pékin (Beijing).

l'île de **Chios** ▫ Île grecque de la mer Égée.

Thomas **Chippendale** ▫ Ébéniste anglais (v. 1718-1779). Il créa un style décoratif.

Jacques **Chirac** ▫ Homme d'État français (1932-2019). Président de la République de 1995 à 2007.

**Chirāz** ▫ Ville d'Iran. 1,2 million d'habitants.

**Chirico** → Giorgio **De Chirico**

**Chisinau,** anciennement *Kichinev* ▫ Capitale de la Moldavie. 664 000 habitants.

**Chittagong** ▫ Port du Bangladesh. 2,5 millions d'habitants.

**Chlef,** anciennement *Orléansville,* puis *El-Asnam* ▫ Ville d'Algérie. 224 000 habitants.

**Choderlos de Laclos** → **Laclos**

Étienne François, duc de **Choiseul** ▫ Ministre de Louis XV (1719-1785).

**Cholet** ▫ Chef-lieu d'arrondissement de Maine-et-Loire. 54 186 habitants.

Mikhaïl Alexandrovitch **Cholokhov** ▫ Romancier soviétique (1905-1984). Le plus inspiré des écrivains officiels de l'URSS, il évoque avec un souffle épique la terre et le peuple de son pays *(Le Don paisible).* Prix Nobel 1965.

Noam **Chomsky** ▫ Linguiste et militant américain (né en 1928). Fondateur de la grammaire générative transformationnelle. Intellectuel engagé contre la politique néo-impérialiste des États-Unis.

**Chongqing** ▫ Ville et municipalité autonome de Chine, sur le Chang jiang. 6,2 millions d'habitants.

Frédéric **Chopin** ▫ Compositeur polonais (1810-1849). Il a révolutionné l'art du piano, par des œuvres romantiques d'un style personnel. *Polonaises ; Mazurkas ; Valses.*

Dmitri **Chostakovitch** ▫ Compositeur soviétique (1906-1975). Œuvre symphonique puissante ; musique de chambre. *Lady Macbeth de Mzensk.*

**Chou** En-lai → **Zhou** Enlai

Driss **Chraïbi** ▫ Romancier marocain d'expression française (1926-2007). Il évoque dans un style imagé le drame des ex-colonisés contraints à l'émigration *(Le Passé simple).*

**Chrétien de Troyes** ▫ Écrivain français (v. 1135-v. 1183). Ses romans de chevalerie en vers de huit syllabes *(Lancelot, Yvain ou le Chevalier au lion, Perceval ou le Conte du Graal),* issus de légendes celtiques, mêlent le réalisme au surréel, célébrant à la fois l'amour courtois et la mystique chrétienne.

**Christian** ▫ Nom de dix rois du Danemark.

Mary Clarissa Miller, dite Agatha **Christie** ▫ Romancière anglaise, auteur de romans policiers (1890-1976). Elle créa les personnages d'Hercule Poirot et de miss Marple.

William **Christie** ▫ Claveciniste et chef d'orchestre franco-américain (né en 1944). Spécialiste de la musique française baroque.

**Christie's** ▫ Société de vente aux enchères internationale fondée en 1766, à Londres, par James Christie.

**Christine** ▫ (1626-1689) Reine de Suède de 1632 à 1654. Elle abdiqua pour se convertir au catholicisme.

**Christine de Pisan** ▫ Poètesse française (v. 1363-v. 1430). *La Cité des dames.*

Christo Javacheff, dit **Christo** ▫ Artiste américain d'origine bulgare (1935-2020). Il a emballé plusieurs monuments : le Pont-Neuf à Paris, le Reichstag à Berlin.

sir Winston **Churchill** ▫ Homme d'État (conservateur) britannique (1874-1965). Premier ministre (1940-1945 ; 1951-1955), artisan de l'effort de guerre britannique. *Mémoires de guerre.* Prix Nobel de littérature 1953.

les frères **Churriguera** ▫ Architectes baroques espagnols des années 1700, à l'origine d'un style décoratif influent *(art churrigueresque).*

**Chypre** ▫ Île et État de la Méditerranée orientale. 9 251 km². 900 000 habitants. Capitale : Nicosie. L'île est partagée entre la Grèce et la Turquie.

la **CIA** *(Central Intelligence Agency)* ▫ Agence de renseignement des États-Unis, fondée en 1947.

**Cicéron** ▫ Homme politique, orateur et écrivain romain (106-43 avant J.-C.). Il a porté l'art oratoire latin à son apogée, *Catilinaires ; Philippiques...*

Rodrigo Díaz de Bivár, dit le **Cid Campeador** ▫ Chef de guerre espagnol (1043-1099). Sa légende a inspiré Corneille.

**Cimabue** ▫ Peintre florentin primitif (v. 1240-v. 1302). Maître de Giotto.

Domenico **Cimarosa** ▫ Compositeur italien (1749-1801). *Le Mariage secret.*

**Cincinnati** ▫ Ville des États-Unis (Ohio). 297 000 habitants.

**Cincinnatus** ▫ Consul et dictateur romain (Ve s. avant J.-C.), modèle de vertu.

**Cinecittà** [tʃinetʃita] ▫ Studios de cinéma italiens, fondés à Rome en 1936.

la **Cinémathèque française** ▫ Organisme créé à Paris, en 1936, par Henri Langlois, Georges Franju et Jean Mitry.

Charles Albert **Cingria** ▫ Écrivain suisse de langue française (1883-1954). Ouvrages d'érudition *(Bois sec, bois vert).*

Cneius Cornelius **Cinna** ▫ Conspirateur romain, opposé à Auguste (Ier s. avant J.-C.). Corneille en fit le héros d'une tragédie.

le groupe des **Cinq** ▫ Musiciens russes du XIXe s. : Balakirev, Borodine, César Cui, Moussorgski, Rimski-Korsakov.

Henri Coiffier de Ruzé d'Effiat, marquis de **Cinq-Mars** ▫ Favori de Louis XIII (1620-1642). Il conspira contre Richelieu et fut exécuté. L'affaire inspira un roman, *Cinq-Mars,* à Alfred de Vigny.

le Monte **Cinto** ▫ Point culminant de la Corse. 2 706 m.

le **CIO,** *Comité international olympique* ▫ Organisation non gouvernementale fondée en 1894 par Pierre de Coubertin pour promouvoir et organiser les Jeux olympiques.

Emil Michel **Cioran** ▫ Essayiste roumain d'expression française (1911-1995). Moraliste d'un pessimisme teinté d'humour *(De l'inconvénient d'être né).*

**Circé** ▫ Magicienne de l'*Odyssée.*

la Gaule **cisalpine** ▫ Nom donné par les Romains à l'Italie du Nord.

la **Cisjordanie** ▫ Région à l'ouest du Jourdain occupée par Israël depuis 1967. Un «mur de sécurité» a été édifié par Israël en 2002. 3 millions d'habitants.

l'île de la **Cité** ▫ Île sur la Seine, site originaire de la ville de Paris.

**Cîteaux** ▫ Abbaye fondée en Bourgogne en 1098, berceau de l'ordre cistercien.

la **Cité des sciences et de l'industrie** ▫ Établissement français de vulgarisation scientifique et technique à Paris.

la **Cité interdite** ▫ Palais impérial construit à Pékin entre 1407 et 1420. Résidence impériale interdite à tous les étrangers au palais. La place Tiananmen a été aménagée à sa porte sud.

André **Citroën** ▫ Industriel français de l'automobile (1878-1935).

**Ciudad de Guatemala** ▫ Capitale du Guatemala. 950 000 habitants.

**Ciudad Juárez** ▫ Ville du Mexique. 925 000 habitants.

**Çiva** → **Shiva**

**Cixi** ou **Ts'eu-hi** ▫ (1835-1908) Impératrice et régente de Chine de 1875 à sa mort.

sainte **Claire** ▫ Fondatrice, avec saint François, de l'ordre des *clarisses* (v. 1193-1253).

**Clairvaux** ▫ Abbaye cistercienne dans l'Aube, transformée en prison en 1808.

**Claude Ier** ▫ Empereur romain de 41 à sa mort (10 avant J.-C.-54). Mari de Messaline puis d'Agrippine, qui l'assassina.

Paul **Claudel** ▫ Poète, auteur dramatique et diplomate français (1868-1955). Son œuvre pour le théâtre glorifie l'amour de Dieu *(Partage de midi ; Le Soulier de satin)*. Ses poèmes, d'un lyrisme concentré, font souvent référence à la poésie japonaise. ► Camille **Claudel,** sa sœur (1864-1943). Sculptrice française, élève de Rodin.

Philippe **Claudel** ▫ Écrivain français (né en 1962). Il explore les tourments de l'âme humaine. *La Petite Fille de monsieur Linh.*

Karl von **Clausewitz** ▫ Général prussien (1780-1831). Théoricien de la guerre.

Cassius **Clay** → Muhammad **Ali**

Georges **Clemenceau** ▫ Homme d'État (radical) français (1841-1929). Artisan de l'effort de guerre français à partir de 1917.

**Clément V** ▫ Pape élu en 1305 (mort en 1314). Il s'installa à Avignon.

**Clément VII** ▫ (1478-1534) Jules de Médicis, pape de 1523 à sa mort. Il excommunia Henri VIII.

**Cléopâtre VII** ▫ (69-30 avant J.-C.) Reine d'Égypte de 51 avant J.-C. à sa mort. Maîtresse de César puis d'Antoine, elle se suicida après Actium.

**Clermont-Ferrand** ▫ Chef-lieu du Puy-de-Dôme. 146 734 habitants.

Stephen Grover **Cleveland** ▫ (1837-1908) 22e et 24e président (démocrate) des États-Unis de 1885 à 1889 et de 1893 à 1897.

**Cleveland** ▫ Ville des États-Unis (Ohio). 397 000 habitants.

William, dit Bill **Clinton** ▫ 42e président (démocrate) des États-Unis, de 1993 à 2001 (né en 1946).

Hillary Rodham **Clinton** ▫ Femme politique (démocrate) américaine (née en 1947). Femme de Bill Clinton, elle échoua à la présidentielle face à D. Trump (2016).

**Clio** ▫ mythol. grecque Muse de la Poésie épique et de l'Histoire.

**Clisthène** ▫ Homme d'État athénien (fin VIe s. avant J.-C.).

George **Clooney** ▫ Acteur, réalisateur et producteur américain (né en 1961). *Ocean's Eleven.*

**Clotaire Ier** ▫ Dernier fils de Clovis (497-561).

**Clotilde** ▫ Princesse burgonde, fille de Chilpéric (v. 475-545). Elle épousa en 492-493 Clovis dont elle favorisa la conversion au catholicisme.

Jean **Clouet** ▫ Peintre français d'origine flamande (v. 1485-1541). Miniatures, portraits, dessins d'une extrême finesse, minutieux dans le détail et d'une grande force psychologique. Il eut un grand succès à la cour des Valois. ► François **Clouet,** son fils (v. 1515-1572), continua la manière de Jean. Portraits, notamment de François Ier, scènes dans le goût maniériste de l'école de Fontainebleau.

Henri-Georges **Clouzot** ▫ Réalisateur français (1907-1977). Films d'un réalisme critique, souvent très noir. *Le Corbeau ; Quai des orfèvres.*

**Clovis Ier** ▫ (v. 466-511) Roi des Francs de 481 à sa mort. Il se convertit au christianisme.

**Cluny** ▫ Ville de Saône-et-Loire. Ruines d'une abbaye bénédictine. 4 880 habitants.

**Clytemnestre** ▫ mythol. grecque Femme d'Agamemnon. Elle fit assassiner son mari par son amant, et fut tuée par son fils Oreste.

**CNN** *(Cable News Network)* ▫ Chaîne de télévision américaine émettant en continu, créée en 1980.

**Cnossos** ou **Knossos** ▫ Site archéologique de la Crète. Palais du roi Minos.

le **CNRS,** *Centre national de la recherche scientifique* ▫ Établissement public français créé en 1939, consacré à la recherche fondamentale.

**Coblence** ▫ Ville d'Allemagne (Rhénanie-Palatinat). 108 200 habitants. Refuge des émigrés français en 1793.

**Cobra** ▫ Mouvement artistique expressionniste (1948-1951). Son nom reprend les premières lettres de Copenhague, Bruxelles et Amsterdam.

Pierre **Cochereau** ▫ Compositeur et organiste français (1924-1984), titulaire des grandes orgues à Notre-Dame de Paris de 1955 à 1984.

la **Cochinchine** ▫ Nom donné par les Français au sud du Viêtnam durant la colonisation.

Jean **Cocteau** ▫ Artiste français (1889-1963). Il est l'auteur de romans *(Les Enfants terribles ; Thomas l'Imposteur)*, de poèmes, de pièces de théâtre *(Les Parents terribles)*, de films *(La Belle et la Bête)*. Proche de toute l'avant-garde de son temps, collaborant avec les musiciens, il fut aussi un peintre et un dessinateur notoire.

le **Code civil** ou **Code Napoléon** ▫ Recueil de droit civil français (1804).

les frères **Coen** ▫ Cinéastes américains, Joël (né en 1954) et Ethan (né en1957). Œuvre mêlant humour noir, sens de l'absurde, suspense et critique du mode de vie américain. *The Big Lebowski ; Fargo.*

**Coëtquidan** → **Saint-Cyr**

John Maxwell **Coetzee** ▫ Romancier australien d'origine sud-africaine (né en 1940). Son œuvre aborde l'aliénation, la violence, dans un contexte politique. *Disgrâce.* Prix Nobel 2003.

Jacques **Cœur** ▫ Négociant français, argentier de Charles VII (v. 1395-1456).

**Cognac** ▫ Chef-lieu d'arrondissement de la Charente. 18 628 habitants. Eau-de-vie.

Albert **Cohen** ▫ Écrivain suisse d'expression française (1895-1981). *Belle du Seigneur ; Le Livre de ma mère.*

Leonard **Cohen** ▫ Écrivain et chanteur canadien d'expression anglaise (1934-2016).

Claude **Cohen-Tannoudji** ▫ Physicien français (né en 1933). Physique quantique. Prix Nobel 1997.

**Coimbra** ▫ Ville du Portugal. 139 000 habitants. Université.

**Coire** ▫ Ville de Suisse, chef-lieu du canton des Grisons. 32 400 habitants.

Jean-Baptiste **Colbert** ▫ Ministre de Louis XIV (1619-1683). Il favorisa l'essor du commerce et de l'industrie.

Ornette **Coleman** ▫ Saxophoniste, trompettiste et violoniste de jazz américain (1930-2015). L'un des fondateurs du free-jazz.

Samuel **Coleridge** ▫ Poète romantique anglais (1772-1834). *Le Dit du vieux marin.*

Sidonie Gabrielle Colette, dite **Colette** ▫ Romancière française (1873-1954). Son style précis et savoureux est au service d'une grande lucidité psychologique et d'un regard sensuel sur le monde, avec des aspects autobiographiques. Série des *Claudine ; Le Blé en herbe ; Chéri ; Sido ; La Chatte...*

Gaspard de Châtillon, sire de **Coligny** ▫ Chef protestant tué à la Saint-Barthélemy (1519-1572).

le **Colisée** ▫ Amphithéâtre de Rome (v. 80).

le **Collège de France** ▫ Établissement d'enseignement fondé à Paris en 1530 par François Ier.

**Colmar** ▫ Chef-lieu du Haut-Rhin. 68 703 habitants.

**Cologne** ▫ Ville d'Allemagne, sur le Rhin (Rhénanie-du-Nord-Westphalie). 950 200 habitants. Cathédrale gothique.

Christophe **Colomb** ▫ Navigateur d'origine italienne, au service de l'Espagne (v. 1451-1506). Il découvrit l'Amérique (1492).

la **Colombie** ▫ État d'Amérique du Sud. 1 141 748 km². 48,2 millions d'habitants. Capitale : Bogotá.

la **Colombie-Britannique** ▫ Province du Canada. 944 735 km². 4,6 millions d'habitants. Capitale : Victoria. Ville principale : Vancouver.

**Colombo** ▫ Capitale commerciale et port du Sri Lanka. 600 000 habitants.

le **Colorado** ▫ Fleuve des États-Unis. 2 250 km. ► le **Colorado.** État de l'ouest des États-Unis. 270 000 km². 4,3 millions d'habitants. Capitale : Denver.

John **Coltrane** ▫ Saxophoniste ténor et musicien de jazz américain (1926-1967). Il évolua du style bop au free-jazz.

Michel Colucci, dit **Coluche** ▫ Comédien et humoriste français (1944-1986). Il devint célèbre grâce à ses sketchs satiriques. Il fonda les «Restos du cœur» en 1985.

la **Columbia** ▫ Fleuve d'Amérique du Nord. 1 953 km.

l'université **Columbia** ▫ Université américaine (privée), située à New York, fondée en 1754.

le district fédéral de **Columbia** ▫ District des États-Unis où se trouve Washington, la capitale fédérale. 179 km². 572 000 habitants.

les **Comanches** ▫ Peuple amérindien du sud-ouest des États-Unis.

Robert **Combas** ▫ Peintre français (né en 1957). Inspirée par la bande dessinée, l'art populaire et le rock, son œuvre se distingue par ses couleurs vives.

Émile **Combes** ▫ Homme politique (radical) français (1835-1921). Il réalisa la séparation des Églises et de l'État.

**Côme** ▫ Ville d'Italie (Lombardie), sur le *lac de Côme.* 78 700 habitants.

la **Comédie-Française** ▫ Société de comédiens français créée en 1680 à Paris. Elle s'installa en 1799 au Théâtre-Français (actuelle salle Richelieu).

le **Comité de salut public** ▫ Organisme de l'exécutif pendant la Révolution française (1793-1795).

**Commode** ▫ (161-192) Empereur romain de 180 à son assassinat.

le **Commonwealth** ▫ Fédération d'États souverains issus de l'ancien Empire britannique, formée en 1931.

la **Commune** ▫ Gouvernement révolutionnaire instauré à Paris (mars-mai 1871).

le Parti **communiste** français ▫ Parti politique créé en 1920 au congrès de Tours.

Philippe de **Commynes** ▫ Historien français (v. 1447-1511).

les **Comnènes** ▫ Empereurs byzantins (XIe s.).

les **Comores** ▫ État insulaire de l'océan Indien. 1 862 km². 691 000 habitants. Capitale : Moroni.

**Compiègne** ▫ Chef-lieu d'arrondissement de l'Oise. 40 542 habitants. Château. Forêt.

**Compostelle** → **Saint-Jacques-de-Compostelle**

Arthur **Compton** ▫ Physicien américain (1892-1962). Découverte de l'*effet Compton*. Prix Nobel 1927.

le **Comtat venaissin** ▫ Ancienne région autour d'Avignon, propriété des papes de 1274 à 1791.

Auguste **Comte** ▫ Philosophe français (1798-1857), fondateur du positivisme.

**Conakry** ▫ Capitale et port de la Guinée. 1,6 million d'habitants.

la **Conciergerie** ▫ Ancienne prison de Paris, aujourd'hui dans l'enceinte du Palais.

Concino **Concini,** dit **le maréchal d'Ancre** ▫ Ministre de Marie de Médicis, éliminé par Louis XIII (1575-1617).

Louis II, dit le Grand **Condé** ▫ Général français (1621-1686). Vainqueur des Espagnols à Rocroi (1643).

Étienne Bonnot de **Condillac** ▫ Philosophe et logicien français (1715-1780). Il place la sensation à l'origine des connaissances, les humains accédant à la pensée grâce aux signes du langage, et toute science étant « une langue bien faite ». *Traité des sensations ; Logique* (1780).

Marie Jean Antoine Nicolas de Caritat, marquis de **Condorcet** ▫ Philosophe et homme politique français (1743-1794). Il collabora à l'*Encyclopédie.* Il écrivit l'*Esquisse d'un tableau historique des progrès de l'esprit humain.*

la **Confédération germanique** ▫ Union politique des États allemands (1815-1866).

Kongfuzi ou K'ong-tseu (« maître Kong »), dit en latin **Confucius** ▫ Penseur chinois (v. 555-v. 479 avant l'ère chrétienne). Son enseignement, transmis par ses disciples, influença la pensée chinoise jusqu'à nos jours. Il professait une morale sociale modérée, respectueuse des usages et de la tradition.

le **Congo,** anciennement *Congo-Brazzaville* ▫ État d'Afrique équatoriale. 341 821 km². 3,7 millions d'habitants. Capitale : Brazzaville.

la République démocratique du **Congo** ou **RDC,** anciennement *Zaïre* ▫ État de l'Afrique équatoriale. 2 345 000 km². 100 millions d'habitants. Capitale : Kinshasa. ► le **Congo,** anciennement *Zaïre,* fleuve d'Afrique centrale. 4 350 km, deuxième fleuve du monde par son débit.

le **Connecticut** ▫ État du nord-est des États-Unis. 12 850 km². 3,4 millions d'habitants. Capitale : Hartford.

le **Connemara** ▫ Région de l'ouest de l'Irlande.

sir Thomas, dit Sean **Connery** ▫ Acteur britannique (1930-2020). *Goldfinger ; Le Nom de la rose.*

Alain **Connes** ▫ Mathématicien français (né en 1947). Ses recherches sur les géométries « non commutatives » dégagent des cadres pour les modèles de la physique théorique. Médaille Fields 1982.

**Conon de Béthune** ▫ Trouvère artésien (v. 1150-v. 1220). Auteur de chansons qui célèbrent l'amour courtois et les croisades. Il prit part à la 4e croisade.

**Conrad** ▫ Nom de quatre souverains germaniques (Xe-XIIIe s.).

Joseph **Conrad** ▫ Romancier britannique d'origine polonaise (1857-1924). Officier de la marine marchande. Ses récits de voyages maritimes et d'aventures témoignent d'un sens du tragique et d'un grand humanisme *(Lord Jim ; Au cœur des ténèbres ; Typhon).*

le **Conseil constitutionnel** ▫ Organe créé par la Constitution de 1958, chargé de veiller à son respect.

le **Conseil national de la Résistance** ▫ Organisme fondé en 1943 pour coordonner les divers mouvements de la Résistance.

John **Constable** ▫ Peintre anglais (1776-1837). Maître du paysage.

**Constance** ▫ Ville d'Allemagne (Bade-Wurtemberg), sur le *lac de Constance.* 74 500 habitants.

**Constance Ier Chlore** ▫ ( ?-306) Empereur romain de 305 à sa mort, père de Constantin Ier.

**Constance II** ▫ (317-361) Empereur romain de 337 à sa mort. Fils de Constantin Ier.

Benjamin **Constant** ▫ Homme politique et écrivain français d'origine suisse (1767-1830). Écrivain et pamphlétaire de talent, il doit sa réputation littéraire à ses romans *(Cécile ; Adolphe)* à l'analyse psychologique.

**Constantin Ier le Grand** ▫ (entre 270 et 288-337) Empereur romain de 306 à sa mort. Fondateur de l'Empire chrétien, qu'il dota d'une nouvelle capitale : Constantinople.

**Constantine** ▫ Ville d'Algérie. 520 000 habitants.

**Constantinople** ▫ L'anc. Byzance, capitale de l'empire d'Orient (395-1453). → **İstanbul.**

**Constantza** ou **Constanţa** ▫ Port de Roumanie. 304 300 habitants.

la **Constituante** ▫ Première Assemblée nationale de la Révolution française (1789-1791).

le **Consulat** ▫ Gouvernement de la France, de 1799 à 1804, qui précéda l'Empire.

la **Contre-Réforme** ▫ Réforme catholique qui suivit au XVI^e s. la Réforme protestante.

**Contrexéville** ▫ Commune des Vosges. 3 192 habitants. Station thermale.

la **Convention** ▫ Assemblée qui gouverna la France de 1792 à 1795 et proclama la République.

James **Cook** ▫ Navigateur anglais (1728-1779). Il explora les îles du Pacifique, rapportant de nombreuses connaissances géographiques et ethnographiques.

James Fenimore **Cooper** ▫ Écrivain américain (1789-1851). *Le Dernier des Mohicans.*

Gary **Cooper** ▫ Acteur américain (1901-1961). *Le train sifflera trois fois.*

**Copacabana** ▫ Plage de Rio de Janeiro.

**Copenhague** ▫ Capitale et port du Danemark. 503 700 habitants.

Nicolas **Copernic** ▫ Astronome polonais (1473-1543). Il démontra le mouvement des planètes autour du Soleil.

Raúl Taborda Damonte, dit **Copi** ▫ Dessinateur, écrivain et dramaturge argentin d'expression française (1939-1987). Ses dessins et son théâtre explorent avec humour la psychologie sexuelle.

Yves **Coppens** ▫ Paléontologue français (né en 1934). Il dirigeait l'équipe qui découvrit «Lucy», en Éthiopie, en 1974.

Francis Ford **Coppola** ▫ Cinéaste et producteur américain (né en 1939). *Le Parrain* (trilogie) ; *Apocalypse Now.* ► Sofia **Coppola,** sa fille (née en 1971), est realisatrice. *Virgin Suicides ; Marie-Antoinette.*

la mer de **Corail** ▫ Partie du Pacifique comprise entre l'Australie et la Mélanésie.

le **Coran** ▫ Livre sacré des musulmans (écrit en arabe). Message transmis par Allah à Mahomet.

les **Corbières** n. f. pl. ▫ Bordure nord-est des Pyrénées. Région vinicole.

Charlotte **Corday** ▫ Personnage de la Révolution française (1768-1793). Elle poignarda Marat.

le club des **Cordeliers** ▫ Cercle révolutionnaire (1790-1794), animé par Marat.

**Córdoba** ▫ Ville d'Argentine. 1,4 million d'habitants.

**Cordoue** ▫ Ville d'Espagne (Andalousie), sur le Guadalquivir. 328 326 habitants. Pont romain. Mosquée omeyade, transformée en cathédrale sous Charles Quint.

la **Corée** ▫ Péninsule d'Asie, divisée depuis 1948 en deux États. ► la **Corée du Nord.** 120 538 km². 24 millions d'habitants. Capitale : Pyongyang. ► la **Corée du Sud** ou république de **Corée.** 99 274 km². 51 millions d'habitants. Capitale : Séoul.

Arcangelo **Corelli** ▫ Compositeur et violoniste italien (1653-1713).

**Corfou** ▫ Une des îles Ioniennes en Grèce. 641 km². 105 000 habitants.

**Corinthe** ▫ Port de Grèce, sur l'*isthme de Corinthe* où a été percé un canal. 30 000 habitants.

**Coriolan** ▫ Général romain (v. 488 avant J.-C.).

Gaspard **Coriolis** ▫ Mathématicien et ingénieur français (1792-1843). Théorème de mécanique.

**Cork** ▫ Port de la république d'Irlande. 120 000 habitants.

la **Corne d'or** ▫ Baie située au sud du Bosphore, côté ouest (européen). Ce port naturel a constitué le cœur de Constantinople.

Pierre **Corneille** ▫ Auteur dramatique français (1606-1684). Il évolua de l'esthétique baroque au classicisme, dans des pièces de réflexion morale et politique mettant ses héros face à des choix difficiles. *L'Illusion comique ; Le Cid ; Horace ; Cinna ; Polyeucte.*

la **Cornouaille** ▫ Région du sud-ouest de la Bretagne (Finistère).

les **Cornouailles** ▫ Région à l'extrémité sud-ouest de l'Angleterre.

Jean-Baptiste Camille **Corot** ▫ Peintre français (1796-1875). Grand paysagiste.

Antonio Allegri da Corregio, dit **Le Corrège** ▫ Peintre italien (v. 1489-1534). Précurseur du baroque.

la **Corrèze** [19] ▫ Département français de la Région Nouvelle-Aquitaine. 5 865 km². 240 583 habitants. Chef-lieu : Tulle. Chefs-lieux d'arrondissement : Brive-la-Gaillarde, Ussel.

la **Corse** ▫ Île montagneuse de la Méditerranée. 8 569 km². 338 554 habitants. Elle forme une collectivité territoriale unique comprenant deux départements. ► la **Haute-Corse** [2B]. 4 555 km². 180 701 habitants. Chef-lieu : Bastia. Chefs-lieux d'arrondissement : Calvi, Corte. ► la **Corse-du-Sud** [2A]. 4 014 km². 157 853 habitants. Chef-lieu : Ajaccio. Chef-lieu d'arrondissement : Sartène.

Julio **Cortázar** ▫ Écrivain franco-argentin (1914-1984). Son œuvre est marquée par le fantastique. *Les Armes secrètes ; Heures indues.*

Hernán **Cortés** ▫ Conquistador espagnol (1485-1547). Vainqueur des Aztèques.

Alfred **Cortot** ▫ Pianiste français (1877-1962).

les **Cosaques** ▫ Population guerrière installée dans le sud de la Russie.

la **Costa Brava** ▫ Littoral de la Catalogne (Espagne).

la **Costa del Sol** ▫ Région du sud de l'Espagne (Andalousie), donnant sur la Méditerranée.

Konstantinos Gavras, dit **Costa-Gavras** ▫ Réalisateur franco-grec (né en 1933). Ses films ont dénoncé le totalitarisme militaire *(Z)* aussi bien que communiste *(L'Aveu)*.

le **Costa Rica** ▫ Pays d'Amérique centrale. 51 000 km². 4,5 millions d'habitants. Capitale : San José.

la **Côte d'Azur** ▫ Littoral français de la Méditerranée entre Toulon et Menton.

la **Côte d'Ivoire** ▫ État d'Afrique occidentale. 322 463 km². 26,4 millions d'habitants. Capitale : Yamoussoukro. Ville principale : Abidjan.

la **Côte-d'Or** [21] ▫ Département français de la Région Bourgogne-Franche-Comté. 8 803 km². 533 220 habitants. Chef-lieu : Dijon. Chefs-lieux d'arrondissement : Beaune, Montbard.

le **Cotentin** ▫ Presqu'île de Normandie (Manche).

les **Côtes-d'Armor** [22] ▫ Département français de la Région Bretagne. 6 996 km². 599 584 habitants. Chef-lieu : Saint-Brieuc. Chefs-lieux d'arrondissement : Dinan, Guingamp, Lannion.

**Cotonou** ▫ Port du Bénin. 679 000 habitants.

René **Coty** ▫ (1882-1962) Président de la République française de 1954 à 1959.

Pierre de **Coubertin** ▫ Pédagogue français (1863-1937). Promoteur du sport, il fut à l'initiative des Jeux olympiques modernes.

le **Couesnon** ▫ Fleuve côtier se jetant dans la baie du Mont-Saint-Michel. 90 km.

Charles Augustin de **Coulomb** ▫ Physicien français (1736-1806). Lois d'attraction électrique et magnétique.

François **Couperin,** dit le Grand ▫ Compositeur français (1668-1733). Son œuvre pour clavecin est un sommet de la musique française. *Leçons de ténèbres.*

Gustave **Courbet** ▫ Peintre français (1819-1877). D'abord influencé par Delacroix et le romantisme, il évolua vers un réalisme social. Ses qualités de coloriste, la puissance et l'originalité de ses compositions en font l'un des plus grands peintres du XIXᵉ siècle. *Un enterrement à Ornans ; L'Atelier du peintre.*

Paul-Louis **Courier** ▫ Pamphlétaire français (1772-1825).

Antoine Augustin **Cournot** ▫ Mathématicien, économiste et philosophe français (1801-1877). Spécialiste du calcul des probabilités.

la **Cour pénale internationale** ▫ Organisation internationale indépendante, installée à La Haye pour juger les crimes contre l'humanité, les crimes de guerre et les génocides.

Georges Moinaux dit Georges **Courteline** ▫ Auteur dramatique et romancier français (1858-1929). Ses comédies tournent en dérision l'administration et la bourgeoisie. *Les Boulingrin.*

Jacques-Yves **Cousteau** ▫ Océanographe et cinéaste français (1910-1997).

les **Coustou** ▫ Famille de sculpteurs français des XVIIᵉ-XVIIIᵉ s.

Antoine **Coysevox** [kwazvo] ▫ Sculpteur français (1640-1720). L'un des principaux décorateurs du château et des jardins de Versailles.

**Cracovie** ▫ Ville du sud de la Pologne. 756 300 habitants. Ancienne capitale.

Lucas **Cranach,** dit l'Ancien ▫ Peintre et graveur allemand (1472-1553). Ses thèmes religieux et profanes sont influencés par la Renaissance italienne, mais son style expressif est dans la tradition germanique, avec un traitement original et sensuel de la beauté féminine. ► Son fils Lucas, dit **Cranach** le Jeune (1515-1586), continua son œuvre.

**Crassus** ▫ Général et homme politique romain (114-53 avant J.-C.).

la **Crau** ▫ Plaine des Bouches-du-Rhône.

Lucille Fay Le Sueur, dite Joan **Crawford** ▫ Actrice américaine (1904-1977).

Prosper Jolyot de Crébillon, dit **Crébillon père** ▫ Auteur dramatique français (1674-1762). *Atrée et Thyeste.* ► Son fils Claude, dit **Crébillon fils** (1707-1777). *Les Égarements du cœur et de l'esprit ; Le Sopha.*

**Crécy-en-Ponthieu** ▫ Commune de la Somme. 1 403 habitants. Défaite française face aux Anglais en 1346.

**Crésus** ▫ Roi de Lydie (v. 561-546 avant J.-C.), à la fortune légendaire. Il fut vaincu par Cyrus le Grand.

la **Crète** ▫ Île grecque de la Méditerranée. 8 331 km². 570 000 habitants. Capitale : Héraklion.

**Créteil** ▫ Chef-lieu du Val-de-Marne. 92 265 habitants.

la **Creuse** ▫ Rivière, affluent de la Vienne. 255 km. ► la **Creuse** [23]. Département français de la Région Nouvelle-Aquitaine. 5 571 km². 117 503 habitants. Chef-lieu : Guéret. Chef-lieu d'arrondissement : Aubusson.

Francis **Crick** ▫ Biochimiste anglais (1916-2004). Prix Nobel 1962. → **Watson.**

la **Crimée** ▫ Presqu'île d'Ukraine. Elle a demandé son rattachement à la Russie en 2014. ► la guerre de **Crimée** (1854-1855) vit la victoire de la France et de l'Angleterre, alliées de la Turquie, contre la Russie.

Francesco **Crispi** ▫ Homme politique italien (1819-1901).

la **Croatie** ▫ État des Balkans. 56 538 km$^2$. 4,28 millions d'habitants. Capitale : Zagreb.

les **croisades** n. f. ▫ Expéditions militaires entreprises contre les musulmans, pour délivrer les Lieux saints. Il y eut neuf croisades (XI$^e$-XIII$^e$ s.).

la **Croix-Rouge** ▫ Organisation internationale d'assistance humanitaire, créée par Henri Dunant en 1863 (appelée **Croissant-Rouge** dans le monde musulman). Prix Nobel de la paix 1917, 1944 et 1963.

**Cro-Magnon** ▫ Site préhistorique de Dordogne (*homme de Cro-Magnon*, 30 000 avant J.-C.).

Oliver **Cromwell** ▫ Homme politique anglais (1599-1658). Il fit exécuter Charles I$^{er}$ et instaura la république.

**Cronos** ▫ mythol. grecque Titan, père de Zeus. *Saturne* chez les Romains.

**Cronstadt** → **Kronstadt**

sir William **Crookes** ▫ Physicien et chimiste britannique (1832-1919). Découverte des rayons cathodiques, grâce aux *tubes de Crookes*.

Charles **Cros** ▫ Poète et savant français (1842-1888). Inventeur du phonographe.

l'archipel des **Crozet** ▫ Archipel français de l'océan Indien, faisant partie des Terres australes et antarctiques. 505 km$^2$.

le **CSA,** *Conseil supérieur de l'audiovisuel* ▫ Organisme créé en 1989, dont la mission est de garantir la liberté de la communication audiovisuelle en France (radio et télévision).

**Cuba** ▫ Île et État des Antilles. 110 860 km$^2$. 11,2 millions d'habitants. Capitale : La Havane.

Joseph **Cugnot** ▫ Ingénieur militaire français (1725-1804). Il inventa le premier véhicule automobile mû par la vapeur, le *fardier* de Cugnot.

George **Cukor** ▫ Réalisateur américain (1899-1983). Films pleins d'esprit et d'élégance. *My Fair Lady.*

**Cumes** ▫ Site archéologique d'Italie (Campanie).

Merce **Cunningham** ▫ Danseur et chorégraphe américain (1919-2009).

**Cupidon** ▫ mythol. romaine Dieu de l'Amour. *Éros* chez les Grecs.

**Curaçao** ▫ Île des Antilles néerlandaises. 444 km$^2$. 150 500 habitants. Capitale : Wilemstad.

les **Curiaces** → **Horaces**

Pierre **Curie** ▫ Physicien français (1859-1906). Il découvrit, avec son frère Paul Jacques, la piézoélectricité et, avec sa femme, Marie Curie, le polonium et le radium. Prix Nobel (1903), avec Marie Curie et Becquerel.

Marie **Curie** née Skłodowska ▫ Physicienne française d'origine polonaise (1867-1934). Elle découvrit la radioactivité du thorium et, avec son mari, Pierre Curie, le polonium et le radium. En collaboration avec A. Debierne, elle obtint du radium métallique pur. Prix Nobel (physique) 1903 et (chimie) 1911.

**Curitiba** ▫ Ville du Brésil (Paraná). 1,8 million d'habitants.

Mihály Kertész, dit Michael **Curtiz** ▫ Réalisateur américain d'origine hongroise (1888-1962). *Casablanca.*

Georges, baron **Cuvier** ▫ Zoologiste français (1769-1832). Il fonda l'anatomie comparée et la paléontologie.

**Cuzco** ▫ Ville du Pérou, à 3 600 m. 101 200 habitants. Berceau de l'Empire inca.

**Cybèle** ▫ Déesse orientale de la Fertilité.

les **Cyclades** n. f. pl. ▫ Îles grecques de la mer Égée.

les **Cyclopes** n. m. ▫ mythol. grecque Géants n'ayant qu'un œil, au milieu du front.

Savinien de **Cyrano de Bergerac** ▫ Écrivain français (1619-1655). Poète burlesque et romancier utopique à l'imagination débordante. Son personnage est évoqué de manière très infidèle par Edmond Rostand.

la **Cyrénaïque** ▫ Région orientale de la Libye.

les saints **Cyrille et Méthode** ▫ Évangélisateurs des Slaves (IX$^e$ s.).

**Cyrus II le Grand** ▫ Fondateur de l'Empire perse achéménide (v. 580-v. 530 avant J.-C.).

**Cythère** ▫ Île grecque de la mer Égée, au sud du Péloponnèse.

Karl **Czerny** ▫ Compositeur et pianiste autrichien (1791-1857). Élève de Beethoven, il eut Liszt pour disciple.

**Częstochowa** ▫ Ville du sud de la Pologne. 245 000 habitants. Pèlerinage.

György, dit Georges **Cziffra** ▫ Pianiste français d'origine hongroise (1921-1994). Spécialiste de Liszt.

# D

**Dacca** ou **Dhaka** ▫ Capitale du Bangladesh. 7 millions d'habitants.

**Dachau** ▫ Camp de concentration nazi (1933-1945) en Allemagne (Bavière).

la **Dacie** ▫ Région de l'Antiquité correspondant à la Roumanie actuelle.

**Daech, Daesh** (arabe «État islamique en Irak et au Levant») ou **État islamique** (EI) ▫ Organisation terroriste djihadiste formée en 2006 en Irak. Elle a perdu son «califat» autoproclamé en Irak et en Syrie après l'intervention d'une coalition internationale (2014-2019).

Stig **Dagerman** ▫ Écrivain suédois (1923-1954). *L'Île des condamnés.*

**Dagobert Ier** ▫ (v. 600-639) Roi mérovingien des Francs de 629 à sa mort.

Jacques **Daguerre** ▫ Inventeur français (1787-1851). Procédés photographiques *(daguerréotype).*

le **Daguestan** ou **Daghestan** ▫ République autonome de Russie (Caucase). 50 300 km². 2,6 millions d'habitants. Capitale : Makhatchkala.

Roald **Dahl** ▫ Écrivain britannique pour la jeunesse (1916-1990). *Charlie et la Chocolaterie.*

le **Dahomey** → **Bénin**

le **Daily Mail** (anglais «le courrier quotidien») ▫ Quotidien britannique (conservateur) fondé en 1896.

le **Daily Mirror** (anglais «le miroir quotidien») ▫ Quotidien britannique fondé en 1903. Proche des travaillistes.

Gottlieb **Daimler** ▫ Ingénieur allemand (1834-1900). Inventeur du moteur à essence.

**Dakar** ▫ Capitale et port du Sénégal. 3,1 millions d'habitants.

le **Dakota du Nord** ▫ État du nord des États-Unis. 183 022 km². 642 200 habitants. Capitale : Bismarck. ► le **Dakota du Sud.** État au sud du précédent. 199 552 km². 754 800 habitants. Capitale : Pierre.

les **Dakotas** → **Sioux**

Édouard **Daladier** ▫ Homme d'État (radical) français (1884-1970).

Salvador **Dali** ▫ Peintre espagnol (catalan) (1904-1989). Son iconographie surréaliste et sa fantaisie personnelle le rendirent célèbre. Théoricien saugrenu de la «paranoïa critique», il sut irriter et séduire.

**Dalila** ▫ Personnage de la Bible. → **Samson**

Luigi **Dallapicola** ▫ Compositeur et pianiste italien (1904-1975). Polyphoniste, adepte de la musique sérielle.

**Dallas** ▫ Ville des États-Unis (Texas). 1,2 million d'habitants (agglomération 5,2 millions).

la **Dalmatie** ▫ Région historique des Balkans, aujourd'hui en Croatie.

John **Dalton** ▫ Chimiste anglais (1766-1844). Il est le fondateur de la théorie atomique moderne.

**Damas** ▫ Capitale de la Syrie. 1,8 million d'habitants. Grande mosquée des Omeyades.

**Damiette** ▫ Port d'Égypte, au nord-est du Caire. 282 880 habitants.

**Damoclès** ▫ Courtisan de Denys l'Ancien (IVe s. avant J.-C.). Ce dernier le fit s'asseoir sous une épée suspendue à un fil.

les **Danaïdes** n. f. pl. ▫ mythol. grecque Meurtrières de leurs époux, elles furent condamnées à verser de l'eau dans un tonneau sans fond.

**Da Nang** ▫ Ville et port du Viêtnam. 988 560 habitants. Base militaire américaine pendant la guerre.

le **Danemark** ▫ État d'Europe du Nord. 43 098 km². 5,8 millions d'habitants. Capitale : Copenhague.

**Daniel** ▫ Bible Prophète. Il sortit indemne de la fosse aux lions.

Gabriele **D'Annunzio** ▫ Écrivain italien (1863-1938).

**Dante** Alighieri ▫ Écrivain italien (1265-1321). Il est l'auteur de recueils poétiques *(La Vita nuova),* d'un traité philosophique *(Le Banquet)* et d'un poème allégorique *(La Divine Comédie).* Son action sur la fixation de la langue italienne à partir du dialecte florentin fut essentielle.

Georges Jacques **Danton** ▫ Révolutionnaire français (1759-1794). Condamné à mort par le Tribunal révolutionnaire, il fut exécuté.

**Dantzig** → **Gdańsk**

le **Danube** ▫ Fleuve d'Europe. 2 850 km. Né en Allemagne, il se jette dans la mer Noire.

Emanuele Conegliano, dit Lorenzo **Da Ponte** ▫ Librettiste italien (1749-1838). Il écrivit des livrets d'opéras pour Mozart *(Don Giovanni ; Cosi fan tutte).*

**Dapsang** ou **K2** ▫ 2e sommet du monde, dans l'Himalaya. 8 611 m.

Frédéric **Dard** ▫ Écrivain français (1921-2000). Il publia sous son nom et sous celui de son héros-narrateur, le commissaire San-Antonio.

le détroit des **Dardanelles** ▫ Détroit entre la mer Égée et la mer de Marmara.

les frères **Dardenne** ▫ Réalisateurs belges, Jean-Pierre (né en 1951) et Luc (né en 1954). Auteurs de drames sociaux. *Rosetta ; L'Enfant.*

**Dar es-Salaam** ou **Dar es Salam** ▫ Port de la Tanzanie. 4,3 millions d'habitants. Capitale jusqu'en 1974.

**Darfour** n. m. ▫ Région montagneuse du Soudan occidental.

Georges **Darien** ▫ Journaliste et romancier français (1862-1921), antimilitariste et anticonformiste. *Biribi ; Le Voleur.*

**Darios** ou **Darius le Grand** ▫ Roi de Perse de 522 à 486 avant J.-C. Vaincu à Marathon.

**Dark Vador** ▫ Personnage de la saga *Star Wars* de George Lucas. Chevalier de l'ordre du Jedi, Anakin Skywalker bascule du côté obscur de la force à la mort de sa mère.

**Darmstadt** ▫ Ville d'Allemagne, dans la Hesse. 140 000 habitants.

Marie **Darrieussecq** ▫ Écrivaine française (née en 1969). *Truismes ; Naissance des fantômes.*

Danielle **Darrieux** ▫ Actrice française (1917-2017). Elle tourna une centaine de films (*Madame de,* de Max Ophuls).

Charles **Darwin** ▫ Naturaliste anglais (1809-1882). Par plusieurs écrits majeurs, il fonda la théorie de l'évolution des espèces vivantes par la sélection naturelle, l'influence du milieu et l'importance fonctionnelle des organes (suivant alors Lamarck). Ses théories, en grande partie confirmées, sont encore combattues par les tenants religieux d'une création divine.

Marcel **Dassault** ▫ Ingénieur français, industriel de l'aéronautique (1892-1986).

Alphonse **Daudet** ▫ Écrivain français (1840-1897). *Lettres de mon moulin ; Tartarin de Tarascon.*

Léon **Daudet** ▫ Journaliste et écrivain français (1868-1942). Il collabora à l'*Action française.*

Honoré **Daumier** ▫ Dessinateur et peintre français (1808-1879). Son œuvre de caricaturiste le rendit célèbre. Peinture remarquable par la liberté et la modernité de sa technique, qui annonce parfois l'expressionnisme.

le **Dauphiné** ▫ Région du sud-est de la France. Ville principale : Grenoble.

**David** ▫ Roi d'Israël (v. 1000 avant J.-C.). Il vainquit le géant Goliath et fonda Jérusalem.

Jacques Louis **David** ▫ Peintre néoclassique français (1748-1825). Portraits. *Marat assassiné ; Le Sacre de Napoléon Ier.*

Alexandra **David-Néel** ▫ Orientaliste et exploratrice française (1868-1969). Voyages au Tibet.

Ruth Elizabeth, dite Bette **Davis** ▫ Actrice américaine (1908-1989). Elle incarna des femmes insoumises et énergiques (*Ève,* de Mankiewicz).

Miles **Davis** ▫ Trompettiste de jazz américain (1926-1991). Il participa avec Charlie Parker au développement du style bop, puis au style cool *(Birth of the Cool),* au free-jazz *(Freedom Jazz Dance)* et au jazz-rock.

sir Colin **Davis** ▫ Chef d'orchestre britannique (1927-2013).

Angela **Davis** ▫ Professeur de philosophie et militante américaine (née en 1944). Figure de la lutte contre la discrimination raciale aux États-Unis.

**Davos** ▫ Ville de Suisse (Grisons). Forum économique mondial annuel.

les **Dayaks** ▫ Populations non malaises de Bornéo.

Moshe **Dayan** ▫ Général et homme politique israélien (1915-1981).

James **Dean** ▫ Acteur américain (1931-1955). *La Fureur de vivre.*

Guy **Debord** ▫ Essayiste français (1931-1994). Figure du mouvement situationniste *(La Société du spectacle).*

Régis **Debray** ▫ Écrivain politique et essayiste français (né en 1940). Essais sur les religions.

Charles **De Brouckère** ▫ Homme politique belge (1796-1860).

Claude **Debussy** ▫ Compositeur français (1862-1918). Opéras *(Pelléas et Mélisande),* musique de chambre, musique symphonique *(La Mer).* Il renouvela l'harmonie.

Élie, duc **Decazes** ▫ Ministre libéral de Louis XVIII (1780-1860).

le **Deccan** → **Dekkan**

Giorgio **De Chirico** ▫ Peintre italien (1888-1978). L'un des principaux représentants de la peinture métaphysique.

**Déclaration des droits de l'homme** → **droits de l'homme**

Charles **De Coster** ▫ Écrivain belge d'expression française (1827-1879). *Les Aventures d'Ulenspiegel et de Laamme Goedzack au pays de Flandres et ailleurs.*

Philippe **Decouflé** ▫ Chorégraphe et danseur français (né en 1961). Ses chorégraphies associent la danse contemporaine et l'art du cirque. *Codex ; Decodex ; Octopus.*

**Dédale** ▫ mythol. grecque Père d'Icare et architecte du Labyrinthe de Crète.

La **Défense** ▫ Quartier d'affaires et ensemble résidentiel de l'Ouest parisien. La *Grande Arche de la Défense* fut inaugurée en 1989.

le gouvernement de la **Défense nationale** ▫ Gouvernement qui succéda au Second Empire (1870-1871).

Daniel **Defoe** ▫ Écrivain anglais (1660-1731). Poète satirique, journaliste, féministe, il écrivit des romans *(Moll Flanders)*, après avoir publié son œuvre la plus célèbre, *Robinson Crusoé*.

Edgar **Degas** ▫ Peintre et sculpteur français (1834-1917). Observateur de la vie en mouvement (danseuses, repasseuses, femmes à la toilette, jockeys).

Alcide **De Gasperi** ▫ Homme politique (démocrate chrétien) italien (1881-1954).

Pieter **De Hooch** ou **De Hoogh** ▫ Peintre hollandais (1629-1683). Ses œuvres peintes à Delft présentent des affinités avec celles de Vermeer.

le **Dekkan** ou **Deccan** ▫ Partie méridionale de la péninsule indienne.

Frederik Willem **De Klerk** ▫ Homme d'État sud-africain (né en 1936). Il mena des négociations avec Nelson Mandela, ouvrant la voie à la fin de l'apartheid. Prix Nobel de la paix 1993, avec N. Mandela.

Willem **De Kooning** ▫ Peintre américain d'origine néerlandaise (1904-1997). Style violemment expressionniste.

Eugène **Delacroix** ▫ Peintre français (1798-1863). Par la force du dessin et de la couleur, la perfection dans la composition, il atteignit le sommet de la peinture romantique. *La Liberté guidant le peuple ; La Mort de Sardanapale.*

Michel Richard **Delalande** ou **de Lalande** ▫ Compositeur français (1657-1726). Ballets. Motets.

Robert **Delaunay** ▫ Peintre français (1885-1941). Influencé par le cubisme, il a évolué vers l'art abstrait. *La Tour Eiffel.* ► Sonia **Delaunay,** sa femme (1885-1979), également peintre, s'est consacrée en partie aux arts décoratifs.

le **Delaware** ▫ État du nord-est des États-Unis. 6 138 km². 783 600 habitants. Capitale : Dover.

Gilles **Deleuze** ▫ Philosophe français (1925-1995). *L'Anti-Œdipe,* avec F. Guattari.

**Delft** ▫ Ville des Pays-Bas (Hollande-Méridionale). 90 000 habitants. Faïences.

**Delhi** ▫ Ville d'Inde englobant la ville nouvelle de New Delhi, capitale fédérale de l'Inde. 16,3 millions d'habitants. Monuments moghols.

Léo **Delibes** ▫ Compositeur français (1836-1891). Il composa des opéras *(Lakmé)* et des ballets d'inspiration romantique *(Coppélia).*

Piero **della Francesca** → **Piero della Francesca**

les **Della Robbia** ▫ Sculpteurs florentins des XV^e-XVI^e s.

Alfred **Deller** ▫ Chanteur (contre-ténor) britannique (1912-1979).

Louis **Delluc** ▫ Réalisateur et théoricien français du cinéma (1890-1924).

Alain **Delon** ▫ Acteur français (né en 1935). Il tourna notamment pour René Clément *(Plein Soleil)*, Visconti *(Rocco et ses frères ; Le Guépard)*, Melville *(Le Samouraï)*, Losey *(Monsieur Klein)*.

Philibert **Delorme** ▫ Architecte français (v. 1510-v. 1570). Château d'Anet.

**Délos** ▫ Île des Cyclades, en Grèce. Centre de la ligue maritime dirigée par Athènes (V^e s. avant J.-C.). Sanctuaire d'Apollon.

**Delphes** ▫ Ville de l'anc. Grèce, centre du culte d'Apollon qui donnait des oracles. Site archéologique.

Joseph **Delteil** ▫ Écrivain français (1894-1978). *Sur le fleuve Amour.*

Paul **Delvaux** ▫ Peintre surréaliste belge (1897-1994). Tableaux de grand format, représentant souvent des nus féminins dans des situations oniriques. *Train de nuit.*

**Déméter** ▫ mythol. grecque Déesse de l'Agriculture. *Cérès* chez les Romains.

Cecil Blount, dit Cecil B. **DeMille** ▫ Réalisateur américain (1881-1959). Films à grand spectacle, souvent d'inspiration biblique. *Les Dix Commandements.*

**Démocrite** ▫ Penseur matérialiste grec (v. 460-v. 370 avant J.-C.).

**Démosthène** ▫ Homme politique et orateur athénien (384-322 avant J.-C.). *Philippiques.*

Jacques **Demy** ▫ Réalisateur français (1931-1990). Comédies musicales originales *(Les Parapluies de Cherbourg ; Peau d'Âne).*

le **Denali,** anciennement *mont McKinley* ▫ Plus haut sommet d'Amérique du Nord (Alaska, 6 190 m).

Catherine Dorléac, dite Catherine **Deneuve** ▫ Actrice française (née en 1943). Remarquée très jeune pour sa beauté, elle tourna avec Demy, Truffaut, Polanski, Buñuel, Melville, Téchiné...

**Deng** Xiaoping ▫ Homme d'État chinois (1904-1997), au pouvoir de 1978 à sa mort.

Robert **De Niro** ▫ Acteur américain (né en 1943). Il joua notamment dans plusieurs films de Martin Scorsese. *Taxi Driver ; Raging Bull.*

saint **Denis** ou **Denys** ▫ Premier évêque de Paris (v. 250). Martyr.

Maurice **Denis** ▫ Peintre français (1870-1943). Théoricien des nabis.

Dominique Vivant, baron **Denon** ▫ Écrivain et graveur français (1747-1825). Spécialiste de l'art égyptien, administrateur pour le compte de Bonaparte.

**Denver** ▫ Ville des États-Unis (Colorado). 600 000 habitants (agglomération 2,6 millions).

**Denys l'Ancien** ▫ Tyran de Syracuse (430-367 avant J.-C.).

Brian **De Palma** ▫ Réalisateur américain (né en 1940). *Scarface ; Les Incorruptibles.*

Gérard **Depardieu** ▫ Acteur français (né en 1948). Il mena sa carrière des films confidentiels (avec Duras) aux grands rôles tragiques (avec Pialat, Resnais, Truffaut), en passant par d'énormes succès publics *(Les Valseuses).*

Raymond **Depardon** ▫ Photographe et réalisateur français (né en 1942). Films documentaires sur la presse, la justice...

René **Depestre** ▫ Écrivain haïtien d'expression française (né en 1926). Poèmes, nouvelles, romans *(Hadriana dans tous mes rêves).*

Thomas **De Quincey** ▫ Écrivain anglais (1785-1859). *Les Confessions d'un opiomane anglais.*

André **Derain** ▫ Peintre français (1880-1954). Représentant audacieux du fauvisme.

Jacques **Derrida** ▫ Philosophe français (1930-2004). Il a développé un mode de pensée qui fait de la «différence» un acte pour mieux «déconstruire» le passé, et lutté contre la primauté de la parole (le logos).

Agnès **Desarthe** ▫ Écrivaine française (née en 1966). Romans pour la jeunesse *(La Plus Belle Fille du monde)* et pour adultes *(Ce cœur changeant).*

Marceline **Desbordes-Valmore** ▫ Poétesse française (1786-1859).

René **Descartes** ▫ Philosophe et savant français (1596-1650). Il a défendu la primauté absolue de la raison analytique, pour atteindre la vérité, appliquant ce principe à la science, créant un univers mécaniste maîtrisable par les mathématiques et la physique. Malgré les critiques (Pascal, notamment), son influence fut immense sur toute la philosophie occidentale *(Discours de la méthode).*

Eustache **Deschamps** ▫ Poète français (v. 1344-v. 1406). Disciple de Guillaume de Machaut, il est l'auteur de poésies (rondeaux, ballades...) de style réaliste et très personnel.

Jérôme **Deschamps** ▫ Metteur en scène et comédien français (né en 1947). Il fonda la compagnie des Deschiens, célèbre pour son univers burlesque et l'interprétation décalée de ses acteurs.

Paul **Deschanel** ▫ (1855-1922) Président de la République française en 1920.

Vittorio **De Sica** ▫ Réalisateur néoréaliste italien (1902-1974). *Le Voleur de bicyclette.*

Richard **Desjardins** ▫ Auteur, compositeur et chanteur canadien d'expression française (né en 1948).

Camille **Desmoulins** ▫ Journaliste et conventionnel français (1760-1794).

Robert **Desnos** ▫ Poète français (1900-1945). Surréaliste et militant de la liberté *(Corps et Biens ; Chantefables).*

Virginie **Despentes** ▫ Écrivaine française (née en 1969). Elle écrit des romans à l'érotisme cru dont certains autobiographiques. *Bye Bye Blondie ; Vernon Subutex.*

**Detroit** ▫ Ville des États-Unis (Michigan). 713 800 habitants.

le **Deutéronome** ▫ Cinquième livre de la Bible.

la guerre des **Deux-Roses** ▫ Guerre civile anglaise entre les maisons d'York et de Lancastre (1455-1485).

les **Deux-Sèvres** n. f. pl. [79] ▫ Département français de la Région Nouvelle-Aquitaine. 6 036 km². 374 799 habitants. Chef-lieu : Niort. Chefs-lieux d'arrondissement : Bressuire, Parthenay.

Eamon **De Valera** ▫ Homme d'État irlandais (1882-1975). Chef du parti nationaliste, le Sinn Féin, fondateur de la république d'Irlande en 1937 et président de la République de 1959 à 1973.

Achille **Devéria** ▫ Dessinateur et peintre français (1800-1857). Il fut l'interprète romantique de la vie mondaine.

la guerre de **Dévolution** ▫ Guerre par laquelle Louis XIV prit à l'Espagne le sud de la Flandre, notamment Lille (1668).

Corneille **De Vos** ▫ Peintre flamand (v. 1585-1651). Ce collaborateur de Rubens peignit des portraits. ► Paul **De Vos,** son frère (1596-1673), fut aussi un peintre notable.

Raymond **Devos** ▫ Humoriste franco-belge (1922-2006). Ses monologues jouent avec les mots, de manière virtuose et comique, souvent sur le thème de l'absurde.

Hugo **De Vries** ▫ Botaniste et généticien hollandais (1848-1935). Il étudia les mutations.

John **Dewey** ▫ Philosophe et pédagogue américain (1859-1952). Il est l'auteur de méthodes actives en pédagogie.

Melvil **Dewey** ▫ Bibliographe américain (1851-1931). Il mit au point un système décimal de classification des livres.

**Dhaka** → **Dacca**

André **Dhôtel** ▫ Romancier français (1900-1991). *Le Pays où l'on n'arrive jamais.*

Serge de **Diaghilev** ▫ Critique d'art et imprésario russe, créateur des Ballets russes (1872-1929).

**Diane** → **Artémis**

**Diane de Poitiers** ▫ Dame française, maîtresse d'Henri II (1499-1566).

Bartolomeu **Dias** ▫ Navigateur portugais (v. 1450-1500). Il franchit le premier le cap de Bonne-Espérance.

Porfirio **Díaz** ▫ Homme d'État mexicain (1830-1915). Maître du pays de 1876 à 1911.

Mohammed **Dib** ▫ Poète et romancier algérien d'expression française (1920-2003).

Leonardo **DiCaprio** ▫ Acteur américain (né en 1974). *Titanic ; Shutter Island.*

Charles **Dickens** ▫ Romancier anglais (1812-1870). Romancier prolifique, il décrivit de manière critique et sensible de nombreux aspects de la société anglaise de son temps, aboutissant à des thèmes humanistes universels *(Oliver Twist ; Le Magasin d'antiquités ; David Copperfield).* L'humour des *Aventures de M. Pickwick,* le charme des *Contes de Noël* éclairent le pessimisme de sa critique.

Emily **Dickinson** ▫ Poétesse américaine (1830-1886). Son œuvre, publiée après sa mort, a exercé une grande influence sur la poésie des États-Unis.

Denis **Diderot** ▫ Écrivain français (1713-1784). Auteur multiforme, conteur d'une vivacité qui n'exclut pas la profondeur *(Le Neveu de Rameau ; Jacques le Fataliste et son maître),* il s'est montré philosophe de la nature et de l'émotion, passionné par l'art et la technique, par la morale et la politique, dans de nombreux textes comme dans la préface et les articles du «dictionnaire raisonné» qu'il dirigea avec d'Alembert, l'*Encyclopédie.*

**Didon** ou **Elissa** ▫ Princesse de Tyr et reine de Carthage. D'après Virgile, abandonnée par Énée, elle se suicida.

**Điện Biên Phủ** ▫ Site du nord du Viêtnam. Défaite des Français contre le Viêt-minh (1954).

**Dieppe** ▫ Chef-lieu et port de la Seine-Maritime. 28 561 habitants.

Rudolf **Diesel** ▫ Ingénieur allemand (1858-1913). Inventeur du moteur sans carburateur, utilisant des carburants lourds, qui porte son nom.

Maria Magdalena, dite Marlène **Dietrich** ▫ Actrice allemande naturalisée américaine (1901-1992). *L'Ange bleu,* de von Sternberg.

**Digne-les-Bains** ▫ Chef-lieu des Alpes-de-Haute-Provence. 16 333 habitants.

**Dijon** ▫ Chef-lieu de la Côte-d'Or et capitale de la Région Bourgogne-Franche-Comté. 156 854 habitants. Palais ducal.

**Dinant** ▫ Ville de Belgique (Namur). 13 374 habitants.

**Dioclétien** ▫ (245-v. 313) Empereur romain de 284 à 305. Il abdiqua.

**Diogène le Cynique** ▫ Philosophe grec (v. 413-v. 327 avant J.-C.).

**Dionysos** ▫ mythol. grecque Dieu de la Vigne, du Vin et du Délire extatique. *Bacchus* chez les Romains.

Birago **Diop** ▫ Écrivain sénégalais d'expression française (1906-1989). *Les Contes d'Amadou Koumba.*

Christian **Dior** ▫ Couturier français (1905-1957). Style «new-look».

les **Dioscures** → **Castor et Pollux**

Paul **Dirac** ▫ Physicien britannique (1902-1984). Un des pères de la mécanique quantique. Prix Nobel 1933.

le **Directoire** ▫ Régime politique de la France de 1795 à 1799.

Walt **Disney** ▫ Réalisateur américain de dessins animés (1901-1966). *Mickey ; Blanche-Neige.*

**Disneyland** ▫ Parc d'attractions créé en 1995 en Californie par la société Disney. ► **Disneyland Paris** a ouvert en 1992.

Benjamin **Disraeli** ▫ Homme d'État (conservateur) britannique (1804-1881).

Otto **Dix** ▫ Peintre et graveur expressionniste allemand (1891-1969).

Fatma Zohra Imalhayène, dite Assia **Djebar** ▫ Romancière algérienne d'expression française (1936-2015). *Femmes d'Alger dans leur appartement ; La Femme sans sépulture.*

**Djeddah** ou **Djedda** ▫ Port d'Arabie saoudite sur la mer Rouge. 2,8 millions d'habitants.

**Djerba** ▫ Île de Tunisie. 514 km². 175 000 habitants.

la république de **Djibouti** ▫ État du nord-est de l'Afrique. 23 200 km². 1 million d'habitants. Capitale : Djibouti (542 000 habitants).

le **Djurdjura** ▫ Chaîne montagneuse d'Algérie. 2 309 m au pic Lalla-Khedidja.

le **Dniepr** ▫ Fleuve de Russie, de Biélorussie et d'Ukraine. 2 200 km.

le **Dniestr** ▫ Fleuve d'Ukraine et de Moldavie. 1 352 km.

**Dnipro** ▫ Ville d'Ukraine, sur le Dniepr. 1 million d'habitants.

Alfred **Döblin** ▫ Romancier allemand (1878-1957). *Berlin Alexanderplatz.*

la **Dobroudja** ▫ Région partagée entre la Roumanie et la Bulgarie.

le **Dodécanèse** ▫ Archipel grec de la mer Égée dont fait partie Rhodes.

**Dodoma** ▫ Capitale de la Tanzanie. 410 000 habitants.

les **Dogons** ▫ Peuple du Mali.

**Doha** ▫ Capitale du Qatar. 587 000 habitants.

Robert **Doisneau** ▫ Photographe français (1912-1994).

Xavier **Dolan** ▫ Réalisateur et acteur canadien, d'expression française (né en 1989). *Mommy ; Juste la fin du monde.*

Étienne **Dolet** ▫ Humaniste et imprimeur français, brûlé pour hérésie (1509-1546).

Engelbert **Dollfuss** ▫ Homme politique autrichien (1892-1934). Assassiné par les nazis.

les **Dolomites** n. f. pl. ou **Alpes dolomitiques** ▫ Massif italien des Alpes orientales. Point culminant : la Marmolada, 3 343 m.

Françoise **Dolto** ▫ Psychanalyste française (1908-1988). Elle eut une grande influence sur l'éducation *(La Cause des enfants).*

le puy de **Dôme** ▫ Point culminant (1 465 m) des volcans de la *chaîne des Puys* ou *monts Dôme* en Auvergne.

Placido **Domingo** ▫ Chanteur (ténor) espagnol (né en 1941). Opéra italien, notamment Verdi, français et allemand.

la République **dominicaine** ▫ État de l'est de l'île d'Haïti. 48 730 km². 10,3 millions d'habitants. Capitale : Saint-Domingue.

saint **Dominique** ▫ Religieux espagnol (v. 1170-1221), fondateur de l'ordre des *dominicains.*

la **Dominique** ▫ Île et État des Antilles. 751 km². 72 000 habitants. Capitale : Roseau.

**Domitien** ▫ (51-96) Empereur romain de 81 à son assassinat.

**Domrémy-la-Pucelle** ▫ Village des Vosges, où naquit Jeanne d'Arc. 94 habitants.

le **Don** ▫ Fleuve de Russie (1 870 km).

Donato di Niccolò di Betto Bardi, dit **Donatello** ▫ Sculpteur italien (v. 1386-1466). L'un des plus grands artistes de la Renaissance italienne, actif à Florence, il influença Michel-Ange et toute l'esthétique de son temps. Son *David* est célèbre.

le **Donbass** ▫ Bassin houiller d'Ukraine et de Russie.

Stanley **Donen** ▫ Réalisateur américain (1924-2019). *Chantons sous la pluie.*

**Donetsk** ▫ Ville d'Ukraine autoproclamée République populaire en 2014. 1 million d'habitants.

Gaetano **Donizetti** ▫ Compositeur romantique italien (1797-1848). *Lucia di Lammermoor.*

**Don Juan** ▫ Personnage mythique du séducteur libertin, mis en scène par Tirso de Molina, Molière, Mozart.

Christian **Doppler** ▫ Physicien autrichien (1803-1853). Découverte de l'*effet Doppler.*

la **Dordogne** ▫ Rivière, affluent de la Garonne. 490 km. ► la **Dordogne** [24]. Département français de la Région Nouvelle-Aquitaine. 9 222 km². 413 418 habitants. Chef-lieu : Périgueux. Chefs-lieux d'arrondissement : Bergerac, Nontron, Sarlat-la-Canéda.

Gustave **Doré** ▫ Dessinateur, graveur et peintre romantique français (1832-1883).

Roland Lécavelé, dit Roland **Dorgelès** ▫ Romancier français (1885-1973). *Les Croix de bois,* récit de la guerre de 1914-1918.

les **Doriens** ▫ Peuple grec de l'Antiquité.

Jacques **Doriot** ▫ Homme politique français (1898-1945). Il collabora avec les nazis.

**Dortmund** ▫ Ville d'Allemagne (Rhénanie-du-Nord-Westphalie). 588 500 habitants.

John **Dos Passos** ▫ Écrivain américain (1896-1970). *Manhattan Transfer.*

Fedor **Dostoïevski** ▫ Écrivain russe (1821-1881). Spiritualiste chrétien fasciné par la présence du mal, il a écrit des romans d'un humanisme fervent, d'une générosité angoissée et d'une puissance dramatique intense *(Crime et Châtiment ; L'Idiot ; Les Démons ; Les Frères Karamazov),* ainsi que des souvenirs tragiques *(Souvenirs de la maison des morts).*

Christian **Dotremont** ▫ Écrivain et dessinateur belge d'expression française (1922-1979). Inventeur des «logogrammes», caractères abstraits, glosés par une phrase poétique.

**Douai** ▫ Chef-lieu d'arrondissement du Nord. 39 634 habitants.

**Douala** ▫ Port du Cameroun. 3 millions d'habitants.

le **Douanier Rousseau** → **Rousseau**

**Douarnenez** ▫ Port du Finistère. 14 015 habitants.

**Douaumont** ▫ Anc. commune de la Meuse, détruite en 1916 lors de la bataille de Verdun. Fort, ossuaire.

le **Doubs** ▫ Rivière, affluent de la Saône. 430 km. ► le **Doubs** [25]. Département français de la Région Bourgogne-Franche-Comté. 5 228 km². 541 454 habitants. Chef-lieu : Besançon. Chefs-lieux d'arrondissement : Montbéliard, Pontarlier.

**Douchanbé** ▫ Capitale du Tadjikistan. 846 400 habitants.

Paul **Doumer** ▫ (1857-1932) Président (radical) de la République française de 1931 à son assassinat.

Gaston **Doumergue** ▫ (1863-1937) Président (radical) de la République française de 1924 à 1931.

le **Douro** ▫ Fleuve de la péninsule Ibérique qui se jette dans l'Atlantique à Porto. 850 km.

**Douvres** ▫ Port d'Angleterre (sur le pas de Calais). 42 000 habitants.

l'indice **Dow Jones** n. m. ▫ Indice de la Bourse de New York, créé en 1896. Il représente le cours des trente entreprises américaines les plus importantes.

**Downing Street** ▫ Rue de Londres où se trouve la résidence du Premier ministre.

sir Arthur Conan **Doyle** ▫ Écrivain écossais (1859-1930). Romans policiers dont le héros est Sherlock Holmes.

**Dracula** (roumain *dracul* «dragon») ▫ Personnage de vampire, inspiré d'un tyran roumain historique, et créé par Bram Stoker.

sir Francis **Drake** ▫ Navigateur et corsaire anglais (v. 1540-1596).

**Drancy** ▫ Commune de Seine-Saint-Denis. 72 109 habitants. Camp d'internement pour les juifs sous l'occupation allemande.

les **Dravidiens** ▫ Peuples du sud de l'Inde (Dekkan).

Theodore **Dreiser** ▫ Romancier américain (1871-1945). Adepte d'un réalisme social *(Une tragédie américaine)*.

**Dresde** ▫ Ville d'Allemagne (Saxe). 556 780 habitants. La ville a été détruite par les bombardements alliés de 1945.

Carl Theodor **Dreyer** ▫ Réalisateur danois (1889-1968). *Dies irae ; La Passion de Jeanne d'Arc.*

l'affaire **Dreyfus** n. f. ▫ Crise majeure de la IIIe République (1894-1906) qui a pour origine la condamnation du capitaine Alfred Dreyfus (1859-1935) pour espionnage au profit de l'Allemagne. Cette erreur judiciaire suscita de violentes polémiques nationalistes et antisémites.

Pierre **Drieu la Rochelle** ▫ Écrivain français (1893-1945). Influencé par Barrès et Maurras, ce poète et romancier *(Le Feu follet)* fut tenté par le fascisme et collabora avec les nazis.

la Convention internationale des **droits de l'enfant** ▫ Convention adoptée par l'Assemblée générale des Nations unies en 1989. Elle énonce les droits des enfants du monde entier.

la Déclaration des **droits de l'homme et du citoyen** ▫ Déclaration votée par l'Assemblée constituante le 26 août 1789. ► la Déclaration universelle des **droits de l'homme.** Déclaration adoptée en 1948 par l'ONU. Elle affirme les droits fondamentaux de l'individu.

la **Drôme** ▫ Rivière, affluent du Rhône. 110 km. ► la **Drôme** [26]. Département français de la Région Auvergne-Rhône-Alpes. 6 576 km². 514 732 habitants. Chef-lieu : Valence. Chefs-lieux d'arrondissement : Die, Nyons.

les **Druzes** ▫ Secte religieuse arabe issue d'un courant chiite (Syrie, Galilée, Liban).

**Dubaï** ▫ Un des Émirats arabes unis. 3 840 km². 3 millions d'habitants. Capitale : Dubaï. Pétrole, tourisme, place financière.

Alexander **Dubček** ▫ Homme politique tchécoslovaque (1921-1992). Instigateur du «printemps de Prague» (1968).

Marcel **Dubé** ▫ Auteur dramatique canadien (québécois) (1930-2016). *Zone ; Bilan.*

Roland **Dubillard** ▫ Auteur de théâtre, poète et acteur français (1923-2011). *Naïves hirondelles ; Les Diablogues.*

**Dublin** ▫ Capitale et port de la république d'Irlande. 506 200 habitants (agglomération 1 million).

Albert **Dubout** ▫ Dessinateur humoristique français (1905-1976).

**Dubrovnik,** anciennement *Raguse* ▫ Port de Croatie, sur la côte dalmate. 42 615 habitants. Cité ancienne.

Jean **Dubuffet** ▫ Peintre français (1901-1985). Théoricien de l'«art brut».

Georges **Duby** ▫ Médiéviste français (1919-1996).

Maxime **Du Camp** ▫ Écrivain français (1822-1894). Ami de Flaubert, il écrivit avec lui *Par les champs et par les grèves.*

Marcel **Duchamp** ▫ Artiste français (1887-1968). Pionnier du dadaïsme, avec ses objets *ready-made.* ► Raymond **Duchamp-Villon,** son frère (1876-1918), sculpteur proche du cubisme.

Gaston **Duchamp** → Jacques **Villon**

Réjean **Ducharme** ▫ Écrivain canadien (québécois) (1941-2017). Sa virtuosité linguistique est au service d'une peinture tragi-comique de la société québécoise. *Le Nez qui voque ; L'Hiver de force.*

Esther **Duflo** ▫ Économiste française (née en 1972). Ses travaux portent sur le mode de vie des populations pauvres et sur les actions mises en place pour améliorer leur condition *(Repenser la pauvreté)*. Prix Nobel 2019.

le **Dufourspitze** ▫ Point culminant de la Suisse (4 634 m).

Diane **Dufresne** ▫ Chanteuse et comédienne canadienne, d'expression française (née en 1944).

Raoul **Dufy** ▫ Peintre et décorateur français (1877-1953). Il évolua du fauvisme à une peinture légère, claire, colorée. *La Fée Électricité.*

Marc **Dugain** ▫ Écrivain et réalisateur français (né en 1957). Ses romans s'inspirent de faits historiques. *La Chambre des officiers.*

René **Duguay-Trouin** ▫ Corsaire français (1673-1736).

Bertrand **Du Guesclin** ▫ Connétable de France, héros de la guerre de Cent-Ans (v. 1320-1380).

Georges **Duhamel** ▫ Écrivain français (1884-1966). *Récits des temps de guerre ; Chronique des Pasquier.*

**Duisbourg** ▫ Ville et port d'Allemagne (Rhénanie-Westphalie), au confluent du Rhin et de la Ruhr. 500 000 habitants.

Paul **Dukas** ▫ Compositeur français (1865-1935). *L'Apprenti sorcier.*

Germaine **Dulac** ▫ Réalisatrice française (1882-1942). Pionnière de l'avant-garde dans les années 1920, elle fonda la Fédération française des ciné-clubs.

John Foster **Dulles** ▫ Homme politique américain (1888-1959). Responsable de la politique étrangère américaine durant la guerre froide.

Charles **Dullin** ▫ Acteur et metteur en scène français de théâtre (1885-1949). Fondateur de l'*Atelier*, pédagogue du théâtre. Au cinéma, *Volpone.*

Jean-Baptiste **Dumas** ▫ Chimiste français (1800-1884).

Alexandre **Dumas** ▫ Écrivain français (1802-1870). Sa virtuosité narrative en fait le plus populaire des romanciers de son temps. *Le Comte de Monte-Cristo ; Les Trois Mousquetaires.* ► Alexandre **Dumas fils,** son fils (1824-1895), auteur dramatique. *La Dame aux camélias.*

Georges **Dumézil** ▫ Historien français des religions (1898-1986). Il a mis en lumière la théorie des trois fonctions (prêtre, guerrier, paysan) dans les sociétés indo-européennes.

René **Dumont** ▫ Agronome français (1904-2001). Spécialiste du développement économique des pays pauvres, il dénonça l'attitude des pays riches, notamment à l'égard de l'Afrique.

Jules **Dumont d'Urville** ▫ Navigateur français (1790-1842). Découverte de la terre Adélie.

Charles François **Dumouriez** ▫ Général français (1739-1823). Il passa aux Autrichiens en 1793.

Henri **Dunant** ▫ Philanthrope suisse (1828-1910). Créateur de la Croix-Rouge. Prix Nobel de la paix 1901.

Isadora **Duncan** ▫ Danseuse américaine (1877-1927).

**Dundee** ▫ Port de l'est de l'Écosse (Tayside). 149 000 habitants.

**Dunkerque** ▫ Chef-lieu d'arrondissement et port du Nord. 86 865 habitants.

John **Dunlop** ▫ Inventeur écossais (1840-1921). Créateur du pneumatique.

John **Duns Scot** ▫ Théologien et philosophe écossais (v. 1266-1308).

Henri **Duparc** ▫ Compositeur français (1848-1933). Il détruisit une grande partie de son œuvre, ne conservant que des mélodies.

Joseph François **Dupleix** ▫ Gouverneur français de l'Inde (1697-1763).

Pierre **Dupont de Nemours** ▫ Économiste français (1739-1817). Il émigra aux États-Unis.

Marcel **Dupré** ▫ Organiste et compositeur français (1886-1971).

Guillaume **Dupuytren** ▫ Chirurgien français (1777-1835).

Abraham **Duquesne** ▫ Officier de marine français (1610-1688), lieutenant général des armées navales.

la **Durance** ▫ Rivière, affluent du Rhône. 305 km.

**Durandal** ou **Durendal** ▫ Nom de l'épée de Roland.

Marguerite **Duras** ▫ Romancière et cinéaste française (1914-1996). Ses récits d'apparence statique sont vivifiés par l'exigence et la passion de l'écriture. *Moderato cantabile. L'Amant.* Scénariste de *Hiroshima mon amour.*

**Durban** ▫ Port d'Afrique du Sud (Kwazulu-Natal). 3,6 millions d'habitants.

Albrecht **Dürer** ▫ Artiste allemand de la Renaissance (1471-1528). Remarquable graveur *(Melencolia I)*, peintre *(Les Quatre Apôtres)*, théoricien *(Traité des proportions du corps humain)* et grand anatomiste.

Émile **Durkheim** ▫ Sociologue français (1858-1917). Il établit les principes fondateurs de la sociologie.

Lawrence **Durrell** ▫ Écrivain britannique (1912-1990). *Le Quatuor d'Alexandrie.*

Friedrich **Dürrenmatt** ▫ Écrivain suisse de langue allemande (1921-1991). Pièces de théâtre *(La Visite de la vieille dame).*

Victor **Duruy** ▫ Historien et homme politique français (1811-1894).

**Düsseldorf** ▫ Ville d'Allemagne (Rhénanie-du-Nord-Westphalie), sur le Rhin. 621 800 habitants.

Henri **Dutilleux** ▫ Compositeur français (1916-2013). *Métaboles ; Timbres, espace, mouvement ; Le Temps de l'horloge.*

François **Duvalier** ▫ (1909-1971) Homme politique haïtien, au pouvoir de 1957 à sa mort. ► Jean-Claude **Duvalier,** son fils (1951-2014), lui succéda jusqu'en 1986.

Julien **Duvivier** ▫ Réalisateur français (1896-1967). *La Bandera ; La Belle Équipe ; Pépé le Moko.*

Antonín **Dvořák** ▫ Compositeur tchèque (1841-1904). *Symphonie «Du Nouveau Monde».* Opéras *(Rusalka)*, musique religieuse...

Bob **Dylan** ▫ Chanteur américain (né en 1941). Contestataire de style rock et folk. *Blowin' in the Wind.* Prix Nobel de littérature 2016.

# E

George **Eastman** ▫ Inventeur et industriel américain (1854-1932). Pionnier de la photographie et du cinéma.

Clint **Eastwood** ▫ Acteur et réalisateur américain (né en 1930). *L'Inspecteur Harry ; Sur la route de Madison ; Million Dollar Baby.*

Isabelle **Eberhardt** ▫ Femme de lettres française d'origine russe (1877-1904). Convertie à l'islam, elle voyagea en Algérie et dans le Sahara. *Notes de route.*

Friedrich **Ebert** ▫ (1871-1925) Président (social-démocrate) de la République allemande de 1919 à 1925.

l'**Èbre** n. m. ▫ Fleuve d'Espagne. 950 km.

l'**Ecclésiaste** ▫ Livre de la Bible, parfois attribué à Salomon.

Jean **Echenoz** ▫ Écrivain français (né en 1947). Auteur de romans *(Cherokee)* dont plusieurs biographies *(Ravel ; Courir).*

Maître **Eckhart** ▫ Dominicain et mystique allemand (v. 1260-v. 1327).

Umberto **Eco** ▫ Écrivain et sémioticien italien (1932-2016). Essais sur l'esthétique, la sociologie, la littérature, et romans inventifs *(Le Nom de la rose ; L'Île du jour d'avant).*

l'**Écosse** n. f., en anglais *Scotland* ▫ Partie la plus au nord de la Grande-Bretagne. 78 772 km². 5,3 millions d'habitants. Capitale : Édimbourg. Ville principale : Glasgow.

sir Arthur **Eddington** ▫ Astrophysicien britannique (1882-1944). Ses expériences contribuèrent à vérifier la théorie de la relativité d'Einstein.

**Édesse** ▫ Ancienne ville de Mésopotamie.

**Edfou** ▫ Ville du sud de l'Égypte. 84 400 habitants. Temple consacré à Horus.

**Édimbourg** ▫ Capitale de l'Écosse. 459 000 habitants.

Thomas **Edison** ▫ Inventeur américain (1847-1931). Phonographe. Lampe à incandescence.

**Edmonton** ▫ Ville du Canada, capitale de l'Alberta. 932 546 habitants.

saint **Édouard le Confesseur** ▫ (v. 1002-1066) Roi d'Angleterre de 1042 à sa mort.

**Édouard** ▫ Nom de plusieurs rois d'Angleterre. ► **Édouard III** (1312-1377). Roi de 1327 à sa mort. Il déclencha la guerre de Cent Ans. ► **Édouard VII** (1841-1910). Roi de 1901 à sa mort. ► **Édouard VIII** (1894-1972) ne régna qu'un an, en 1936. Il abdiqua et prit le titre de *duc de Windsor.*

**Édouard d'Angleterre,** dit le Prince Noir ▫ Prince de Galles (1330-1376). Fils d'Édouard III, vainqueur de Jean II le Bon à Poitiers (1356).

les **Éduens** ▫ Peuple gaulois (Bourgogne, Morvan, Mâconnais), le plus puissant avec les Arvernes.

la mer **Égée** ▫ Partie de la Méditerranée entre la Grèce et la Turquie.

**Égine** ▫ Île grecque entre Athènes et le Péloponnèse.

l'**Égypte** n. f. ▫ État du nord-est de l'Afrique. 1 001 449 km². 94,7 millions d'habitants. Capitale : Le Caire.

l'**El** → **Daech**

Gustave **Eiffel** ▫ Ingénieur français (1832-1923). Il réalisa, à Paris, *la tour Eiffel* (1887-1889).

l'**Eiger** n. m. ▫ Sommet des Alpes bernoises en Suisse. 3 970 m.

Albert **Einstein** ▫ Physicien allemand naturalisé américain (1879-1955). Ses théories de la relativité (relativité restreinte, relativité générale) ont bouleversé la science moderne. Prix Nobel 1921.

l'**Éire** n. f. ▫ Nom gaélique de l'Irlande.

Dwight **Eisenhower** ▫ (1890-1969) Chef des forces alliées en 1943-1945 et 34ᵉ président (républicain) des États-Unis, de 1953 à 1961.

Serge **Eisenstein,** nom francisé de Sergueï Mikhaïlovitch Aïzenchtaïn ▫ Cinéaste soviétique (1898-1948). Il mit son génie de l'image et du montage au service de l'idéologie léniniste. *Le Cuirassé Potemkine ; Octobre ; Alexandre Nevski ; Ivan le Terrible.*

l'**Élam** n. m. ▫ Royaume antique à l'est du Tigre. C'est la *Susiane* des Grecs.

l'**Elbe** n. f. ▫ Fleuve d'Europe centrale. 1 165 km.

l'île d'**Elbe** ▫ Île italienne où Napoléon Iᵉʳ séjourna en exil (1814-1815).

l'**Elbrouz** n. m. ▫ Point culminant du Caucase. 5 642 m.

l'**Eldorado** n. m. ▫ Contrée mythique d'Amérique du Sud dont rêvaient les conquérants espagnols.

**Électre** ▫ mythol. grecque Fille d'Agamemnon et de Clytemnestre. Pour venger son père, elle fit tuer sa mère.

**Éleusis** ▫ Ville de Grèce (Attique), où étaient célébrés dans l'Antiquité les *mystères d'Éleusis,* liés au culte de Déméter.

**Élie** ▫ Prophète de la Bible.

Mary Ann Evans, dite George **Eliot** ▫ Romancière anglaise (1819-1880). «Romans d'idées» généreux et humanistes.

Thomas Stearns, dit T. S. **Eliot** ▫ Poète anglais d'origine américaine (1888-1965). *La Terre vaine.* Prix Nobel 1948.

sainte **Élisabeth** ▫ Mère de Jean-Baptiste et cousine de la Vierge Marie.

**Élisabeth Ire** ▫ (1533-1603) Reine d'Angleterre de 1558 à sa mort. Fille d'Henri VIII.

**Élisabeth II** ▫ (née en 1926) Reine du Royaume-Uni depuis 1952.

**Élisabeth de Wittelsbach** ▫ (1837-1898) Impératrice d'Autriche, épouse de François-Joseph Ier, surnommée Sissi.

**Élisabeth Petrovna** ▫ (1709-1762) Impératrice de Russie de 1741 à sa mort, fille de Pierre Ier.

**Elissa** → **Didon**

Edward Kennedy, dit Duke **Ellington** ▫ Pianiste et chef d'orchestre de jazz américain (1899-1974). Figure majeure du jazz entre 1925 et les années 1960.

Bret Easton **Ellis** ▫ Écrivain américain (né en 1964). *American Psycho.*

**Ellora** ▫ Site archéologique d'Inde. Temple creusé dans le roc (Kailāsa).

Lee Earle, dit James **Ellroy** ▫ Écrivain américain (né en 1948). Romans noirs ; obsessions, crimes et perversions hantent son œuvre. *Le Dahlia noir.*

saint **Éloi** ▫ Orfèvre franc, évêque, conseiller du roi Dagobert (v. 588-660).

**El Paso** ▫ Ville des États-Unis (Texas). 650 000 habitants.

**Elseneur** ▫ Port du Danemark. 35 000 habitants. Shakespeare y situa l'action d'*Hamlet.*

Boris **Eltsine** ▫ (1931-2007) Président de la Fédération de Russie de 1991 à 1999.

Eugène Grindel, dit Paul **Éluard** ▫ Poète français (1895-1952). Tenté par les avant-gardes (dada, puis le surréalisme), il exprima un lyrisme personnel généreux au service de la justice et de la liberté *(«J'écris ton nom... Liberté»).*

l'**Élysée** n. m. ▫ Résidence du président de la République française (à Paris).

les champs **Élysées** → **champs Élysées**

les **Elzévir** ou **Elsevier** ▫ Imprimeurs hollandais des XVIe et XVIIe s.

Ralph Waldo **Emerson** ▫ Essayiste et poète idéaliste américain (1803-1882). *Nature ; Essais.*

l'**Émilie** n. f. ▫ Région du nord de l'Italie, réunie à la Romagne pour former l'**Émilie-Romagne** (22 123 km$^2$ ; 3,98 millions d'habitants. ; chef-lieu : Bologne).

Mihai **Eminescu** ▫ Poète romantique roumain (1850-1889).

les **Émirats arabes unis** ▫ Fédération de sept émirats de la péninsule Arabique (Abou Dhabi, Dubaï, Sharjah, Ajman, Umm al-Qaïwain, Ras al-Khaima et Fujaïrah). 83 657 km$^2$. 4,8 millions d'habitants. Capitale : Abou Dhabi.

**Emmaüs** ▫ Bourg de Judée. Dans l'Évangile, Jésus y apparaît à deux disciples après sa résurrection.

**Empédocle** ▫ Penseur grec (v. 490-v. 435 avant J.-C.), philosophe et poète.

le Premier **Empire** ▫ Gouvernement de la France sous Napoléon Ier (1804-1814 et mars-juin 1815).

le Second **Empire** ▫ Gouvernement de la France sous Napoléon III (1852-1870).

la dépêche d'**Ems** ▫ Dépêche qui provoqua la guerre franco-allemande de 1870.

l'**ENA** ▫ «École nationale d'administration», qui forme les hauts responsables de l'Administration française.

l'**Encyclopédie** ▫ Ouvrage, dirigé par Diderot et d'Alembert, «Dictionnaire raisonné» scientifique et technique dans l'esprit des Lumières (1751-1772).

**Énée** ▫ Prince troyen légendaire, héros de l'*Énéide* de Virgile.

Friedrich **Engels** ▫ Théoricien socialiste allemand (1820-1895). Ami de Marx, avec lequel il écrivit le *Manifeste du parti communiste.*

le duc d'**Enghien** ▫ Dernier des Condé (1772-1804), fusillé sur ordre de Bonaparte.

François **Englert** ▫ Physicien belge (né en 1932). A proposé au même moment que Peter Higgs mais indépendamment de lui, l'existence du boson de Higgs. Prix Nobel 2013, avec P. Higgs.

James Sydney **Ensor** ▫ Peintre et graveur belge (1860-1949), au style expressionniste puissant.

l'**Entente cordiale** ▫ Politique de rapprochement franco-britannique, inaugurée par Guizot.

**Éole** ▫ mythol. grecque Dieu des Vents.

les îles **Éoliennes** ou **Lipari** ▫ Archipel italien de la mer Tyrrhénienne.

**Épaminondas** ▫ Général et homme d'État grec (v. 418-362 avant J.-C.).

l'abbé de l'**Épée** ▫ Éducateur français des sourds (1712-1789).

**Épernay** ▫ Chef-lieu d'arrondissement de la Marne. 22 330 habitants. Champagne.

**Éphèse** ▫ Ancienne ville d'Asie Mineure. Temple d'Artémis.

**Épictète** ▫ Philosophe stoïcien latin de langue grecque (50-v. 130).

**Épicure** ▫ Philosophe grec (341-270 avant J.-C.).

**Épidaure** ▫ Ancienne ville de Grèce. Sanctuaire d'Asclépios, théâtre.

**Épinal** ▫ Chef-lieu des Vosges. 32 223 habitants.

l'**Épire** n. f. ▫ Région montagneuse partagée entre la Grèce (9 302 km$^2$ ; 360 000 habitants) et l'Albanie.

**Epsom** ▫ Ville d'Angleterre (Surrey). 75 000 habitants. Courses de chevaux.

Jean **Epstein** ▫ Cinéaste français (1897-1953). Théoricien, réalisateur inventif *(Le Tempestaire ; Finis terrae)*.

l'**Équateur** n. m. ▫ État d'Amérique du Sud, sur le Pacifique. 283 561 km$^2$. 17,5 millions d'habitants. Capitale : Quito.

**Érasme** ▫ Humaniste hollandais (v. 1469-1536). *Éloge de la folie.*

**Ératosthène** ▫ Astronome, mathématicien et géographe grec (v. 276-v. 194 avant J.-C.).

**Erckmann-Chatrian** ▫ Nom de plume adopté par Émile Erckmann (1822-1899) et Alexandre Chatrian (1826-1890), romanciers français d'Alsace. *L'Ami Fritz.*

Recep Tayyip **Erdoğan** ▫ Homme d'État turc (né en 1954). Fondateur du parti Justice et Développement (AKP), Premier ministre (2003) puis président de la République (2014).

l'**Erebus** n. m. ▫ Volcan actif de l'Antarctique (3 794 m).

l'**Érechtéion** [eʀɛktejɔ̃] n. m. ▫ Temple sur l'Acropole à Athènes.

**Erevan** ▫ Capitale de l'Arménie. 1,1 million d'habitants.

**Erfurt** ▫ Ville d'Allemagne (Thuringe). 210 500 habitants.

le lac **Érié** ▫ Grand Lac américain, situé à la frontière entre les États-Unis et le Canada, entre le lac Huron et le lac Ontario (25 800 km$^2$).

**Erik le Rouge** ▫ Chef norvégien (v. 940-v. 1010). Il découvrit le Groenland.

les **Érinyes** n. f. ▫ mythol. grecque Déesses de la Vengeance, les *Furies* des Romains.

l'**Ermitage** ▫ Palais de Saint-Pétersbourg. Musée.

Annie **Ernaux** ▫ Écrivaine française (née en 1940). Dans un style dépouillé, elle écrit essentiellement des romans autobiographiques. *La Place.*

Max **Ernst** ▫ Artiste allemand naturalisé français (1891-1976). Œuvre où l'imaginaire s'allie à l'humour, servi par une perfection technique dans de nombreux procédés.

**Éros** ▫ Dieu grec de l'Amour, le *Cupidon* des Romains.

l'**Érythrée** n. f. ▫ État d'Afrique de l'Est sur la mer Rouge. 117 600 km$^2$. 5,2 millions d'habitants. Capitale : Asmara.

**Ésaü** ▫ Bible Frère aîné de Jacob, auquel il vendit son droit d'aînesse.

l'**Escaut** n. m. ▫ Fleuve de France, de Belgique et des Pays-Bas. 430 km.

**Eschine** ▫ Orateur grec (v. 390-314 avant J.-C.), adversaire de Démosthène.

**Eschyle** ▫ Fondateur de la tragédie grecque (v. 525-456 avant J.-C.). *Les Perses ; L'Orestie.*

Auguste **Escoffier** ▫ Cuisinier français (1846-1935). *Guide culinaire.*

**Esculape** ▫ Dieu romain de la Médecine, l'*Asclépios* des Grecs.

l'**Escurial** n. m. ▫ Palais et monastère édifié près de Madrid par Philippe II.

**Ésope** ▫ Fabuliste grec (VI$^e$ s. avant J.-C.).

l'**Espagne** n. f. ▫ État du sud-ouest de l'Europe. 504 748 km$^2$. 47 millions d'habitants. Capitale : Madrid. ► la guerre d'**Espagne.** Guerre civile qui opposa les républicains aux nationalistes **(→ Franco)** de 1936 à 1939.

l'**Esquilin** n. m. ▫ Une des collines de Rome.

les **Esquimaux** → **Inuits**

Jean-Étienne Dominique **Esquirol** ▫ Médecin et psychiatre français (1772-1840). Il poursuivit les travaux et l'action de Pinel.

**Essen** ▫ Ville d'Allemagne (Rhénanie-du-Nord-Westphalie). 589 500 habitants. Centre métallurgique de la Ruhr.

Sergueï **Essenine** ▫ Poète lyrique russe (1895-1925).

l'**Essex** n. m. ▫ Comté de l'Angleterre. 3 674 km$^2$. 1,41 million d'habitants.

l'**Essonne** n. f. ▫ Rivière, affluent de la Seine. 90 km. ► l'**Essonne** [91]. Département français de la Région Île-de-France. 2 284 km$^2$. 1,30 million d'habitants. Chef-lieu : Évry. Chefs-lieux d'arrondissement : Étampes, Palaiseau.

les **Este** ▫ Famille d'Italie. Ducs de Ferrare (1240-1597) et de Modène (1288-1796).

l'**Esterel** n. m. ▫ Massif de Provence. Point culminant : Mont Vinaigre, 614 m.

Maurice **Estève** ▫ Peintre français (1904-2001). Œuvres abstraites équilibrées et fortement rythmées.

**Esther** ▫ Bible Héroïne qui épousa le roi de Perse et obtint la grâce des juifs. Son histoire a inspiré Racine.

les **Estienne** ▫ Imprimeurs et humanistes français du XVI$^e$ s. ► Robert **Estienne** (1498-1559) et Henri **Estienne,** son fils (1531-1598).

l'**Estonie** n. f. ▫ L'un des trois pays baltes. 45 100 km$^2$. 1,3 million d'habitants. Capitale : Tallinn.

Gabrielle d'**Estrées** ▫ Favorite d'Henri IV (1573-1599).

l'**Estrémadure** n. f. ▫ Communauté autonome du sud-ouest de l'Espagne. 41 602 km$^2$. 1,1 million d'habitants. Capitale : Mérida.

l'**Estrémadure portugaise** ▫ Province côtière du Portugal, près de Lisbonne.

l'**Eswatini** n. m., anc. *Swaziland* ▫ État d'Afrique australe. 17 363 km$^2$. 1 million d'habitants. Capitale : Mbabane.

l'**ETA** (*Euskadi Ta Azkâtasuna* «Pays basque et sa liberté») ▫ Mouvement indépendantiste basque créé en 1959 et dissous en 2018.

l'**État français** → gouvernement de **Vichy**

l'**État islamique** → **Daech**

les **États-Unis d'Amérique,** en anglais *United States of America (USA)* ▫ État fédéral d'Amérique du Nord. 9 363 353 km$^2$. 328 millions d'habitants. Capitale : Washington.

l'**Éthiopie** n. f. ▫ État d'Afrique de l'Est. 1 104 294 km$^2$. 102 millions d'habitants. Capitale : Addis-Abeba.

saint **Étienne** ▫ Diacre à Jérusalem (Ier s.). Premier martyr chrétien.

saint **Étienne Ier** ▫ (v. 969-1038) Premier roi de Hongrie, de 997 à sa mort. Il imposa le christianisme.

l'**Etna** n. m. ▫ Volcan de Sicile (3 329 m).

l'**Étolie** n. f. ▫ Région de l'anc. Grèce.

**Eton** ▫ Ville du sud de l'Angleterre. 4 000 habitants. Célèbre collège fondé en 1440.

l'**Étrurie** n. f. ▫ Ancienne région d'Italie (correspondant approximativement à l'actuelle Toscane). ► les **Étrusques,** ses habitants, apparus au VIIIe s. avant J.-C. et soumis v. 350 avant J.-C. par les Romains.

**Eubée** ▫ Île grecque de la mer Égée.

**Euclide** ▫ Mathématicien grec d'Alexandrie (IIIe s. avant J.-C.). Créateur de la géométrie classique.

**Eudes** ▫ (v. 860-898) Roi de France de 888 à sa mort.

Eugène de Savoie-Carignan, dit le Prince **Eugène** ▫ Homme de guerre au service de l'Autriche (1663-1736).

Eugénie de Montijo, dite l'impératrice **Eugénie** ▫ Femme de Napoléon III (1826-1920).

Leonhard **Euler** ▫ Mathématicien suisse (1707-1783). Un des fondateurs de l'analyse moderne.

les **Euménides** n. f. ▫ Nom («les Bienveillantes») donné aux Érinyes dans la tragédie d'Eschyle qui porte ce titre.

l'**Euphrate** n. m. ▫ Fleuve d'Asie occidentale. 2 330 km.

l'**Eurasie** n. f. ▫ Masse continentale formée par l'Asie et l'Europe.

l'**Eure** n. f. ▫ Rivière, affluent de la Seine. 225 km. ► l'**Eure** [27]. Département français de la Région Normandie. 6 037 km$^2$. 599 962 habitants. Chef-lieu : Évreux. Chefs-lieux d'arrondissement : Les Andelys, Bernay.

l'**Eure-et-Loir** [28] n. m. ▫ Département français de la Région Centre-Val de Loire. 5 939 km$^2$. 431 997 habitants. Chef-lieu : Chartres. Chefs-lieux d'arrondissement : Châteaudun, Dreux, Nogent-le-Rotrou.

**Euripide** ▫ Poète tragique grec (480-406 avant J.-C.). *Iphigénie à Aulis.*

**Europe** ▫ mythol. grecque Princesse phénicienne que Zeus enlève, métamorphosé en taureau. Mère de Minos.

l'**Europe** n. f. ▫ Un des six continents. 10 millions de km$^2$. 747 millions d'habitants. → **Union européenne.**

**Europoort** ▫ Avant-port de Rotterdam.

**Eurydice** → **Orphée**

**Euterpe** ▫ mythol. grecque Muse de la musique.

les **Évangiles** n. m. pl. ▫ Dans le Nouveau Testament, récits de la vie de Jésus par Matthieu, Marc, Luc et Jean.

Walker **Evans** ▫ Photographe américain (1903-1975). Œuvre documentaire et humaniste (portraits de fermiers du Sud).

**Ève** ▫ Bible La première femme.

le mont **Everest** ▫ Point culminant du globe dans l'Himalaya. 8 850 m.

**Évian-les-Bains** ▫ Ville de Haute-Savoie. 9 100 habitants. Station thermale. ► les accords d'**Évian** mirent fin à la guerre d'Algérie (1962).

**Évreux** ▫ Chef-lieu de l'Eure. 46 707 habitants.

**Évry-Courcouronnes** ▫ Ville nouvelle, chef-lieu de l'Essonne. 67 131 habitants.

**Exeter** ▫ Ville du sud-ouest de l'Angleterre. 113 500 habitants. Cathédrale (XIIIe-XIVe s.).

l'**Exode** ▫ Deuxième livre de la Bible.

l'**Express** ▫ Hebdomadaire français fondé en 1953 par J.-J. Servan-Schreiber et Françoise Giroud.

**Eyjafjallajökull** ou **Eyjafjöll** ▫ Volcan d'Islande (1 651 m).

la bataille d'**Eylau** ▫ Bataille entre Napoléon et les Russes qui battirent en retraite (1807).

Les **Eyzies-de-Tayac-Sireuil** ▫ Commune de Dordogne. Nombreux sites préhistoriques.

**Ézéchiel** ▫ Bible Un des quatre grands prophètes (VIe s. avant J.-C.).

# F

Jean Henri **Fabre** ▫ Entomologiste français (1823-1915).

Philippe Fabre, dit **Fabre d'Églantine** ▫ Écrivain et révolutionnaire français (1750-1794). Auteur du calendrier républicain.

**Facebook** ▫ Réseau social en ligne créé en 2004.

**Fachoda** ▫ Ville du Soudan du Sud, occupée en 1898 par les Français, qui furent contraints de la livrer aux Anglais.

les Hautes **Fagnes** n. f. pl. ▫ Plateau de l'Ardenne belge.

Daniel Gabriel **Fahrenheit** ▫ Physicien allemand (1686-1736). Inventeur d'une échelle thermométrique *(degré Fahrenheit).*

Louis **Faidherbe** ▫ Général français (1818-1889). Gouverneur du Sénégal.

**Faisalabad,** anciennement *Lyallpur* ▫ Ville du Pakistan (Panjab). 2 millions d'habitants.

les **Falachas** ▫ Population noire d'Éthiopie pratiquant le judaïsme.

les îles **Falkland** → îles **Malouines**

Manuel de **Falla** ▫ Compositeur espagnol (1876-1946). Œuvre variée, d'inspiration populaire et raffinée. *L'Amour sorcier.*

Armand **Fallières** ▫ (1841-1931) Président de la République française de 1906 à 1913.

Frédéric comte de **Falloux** ▫ Homme politique français (1811-1886). Il favorisa l'enseignement catholique (*loi Falloux,* 1850).

**Fangataufa** → **Tuamotu**

Juan Manuel **Fangio** ▫ Coureur automobile argentin (1911-1995), cinq fois champion du monde de formule 1 (1951-1957).

Henri **Fantin-Latour** ▫ Peintre réaliste français (1836-1904). Natures mortes, portraits.

la **FAO** *(Food and Agriculture Organization)* ▫ Organisation créée en 1945, dans le cadre de l'ONU, pour l'amélioration de la nutrition et des rendements agricoles.

al-**Fārābī** ▫ Philosophe arabo-islamique de langue arabe (872-950).

Michael **Faraday** ▫ Physicien et chimiste anglais (1791-1867). Découverte de l'induction électromagnétique.

Léon-Paul **Fargue** ▫ Poète et chroniqueur français (1876-1947). Poèmes lyriques, pleins de fantaisie, dans une langue riche en trouvailles *(Ludions ; Le Piéton de Paris).*

Alexandre **Farnèse** ▫ Régent des Pays-Bas pour Philippe II d'Espagne (1545-1592).

le **Far West** ▫ L'ouest des États-Unis, au moment de la conquête des territoires au-delà du Mississipi.

Rainer Werner **Fassbinder** ▫ Réalisateur allemand (1945-1982). *Le Mariage de Maria Braun.*

le **Fatah** ▫ Mouvement de libération de la Palestine, fondé en 1959. Principale composante de l'OLP qu'il a rejointe en 1968.

**Fatima** ▫ Ville du Portugal. Pèlerinage à la Vierge qui y serait apparue en 1917.

**Faṭima** ▫ Fille du prophète Mahomet, épouse d'Ali (v. 606-633).

les **Fatimides** ▫ Dynastie musulmane qui régna sur le Maghreb et l'Égypte (Xe-XIIe s.).

William **Faulkner** ▫ Romancier américain (1897-1962). Fidèle à ses origines sudistes, il évoqua la société décadente du Mississippi *(Le Bruit et la Fureur ; Sanctuaire).* Prix Nobel 1949.

Félix **Faure** ▫ (1841-1899) Président de la République française de 1895 à sa mort.

Gabriel **Fauré** ▫ Compositeur français (1845-1924). Mélodies, musique de chambre et orchestrale. *Requiem.*

**Faust** ▫ Personnage mythique qui vendit son âme au diable afin d'obtenir la connaissance et le plaisir. Il a notamment inspiré Goethe, Gounod et Berlioz.

Charles-Simon **Favart** ▫ Auteur dramatique et librettiste français (1710-1792). La salle de l'Opéra-Comique porte son nom.

**Fayçal Ier** ▫ Premier souverain (hachémite) d'Irak (1883-1933). Il dirigea la lutte arabe contre les Ottomans avec l'aide des Britanniques et obtint l'indépendance de son pays en 1932.

**Fayçal Ier ibn Abd al-Aziz** ▫ (1906-1975) Frère d'Ibn Séoud, il lui succéda comme roi d'Arabie.

le **Fayoum** ▫ Région de haute Égypte au sud-ouest du Caire.

le **FBI** *(Federal Bureau of Investigation)* ▫ Organisme fédéral chargé d'enquêter sur les violations des lois fédérales des États-Unis, créé en 1908 par Theodore Roosevelt.

Lucien **Febvre** ▫ Historien français (1878-1956), fondateur avec Marc Bloch de l'école des Annales.

**Fécamp** ▫ Chef-lieu de canton de la Seine-Maritime. 18 251 habitants. Abbaye bénédictine (fondée en 658), centre de fabrication de la liqueur appelée Bénédictine.

la **FED** *(Federal Reserve System)* ▫ Banque centrale des États-Unis, fondée en 1913.

Roger **Federer** ▫ Joueur de tennis suisse (né en 1981). Il détient, de même que Nadal, le record de vingt titres remportés en Grand Chelem.

le mur des **Fédérés** ▫ Mur du cimetière du Père-Lachaise, à Paris, où furent exécutés les derniers communards (28 mai 1871).

**Felipe VI** ou **Philippe VI** ▫ (né en 1968) Roi d'Espagne (depuis 2014). Fils et successeur du roi Juan Carlos I^er^.

Federico **Fellini** ▫ Cinéaste italien (1920-1993). Il subit l'influence du néoréalisme (Rossellini, etc.) avant de s'affirmer comme un auteur complet, critique de l'aliénation sociale, poète de l'image, créateur d'un cinéma onirique et visionnaire. *La Strada ; La Dolce Vita ; Huit et demi ; Fellini Roma ; Amarcord.*

le prix **Femina** ▫ Prix littéraire français, créé en 1904, attribué par un jury féminin.

François de Salignac de La Mothe **Fénelon** ▫ Prélat et écrivain français (1651-1715). *Les Aventures de Télémaque.*

Félix **Fénéon** ▫ Écrivain et critique français (1861-1944). Lié aux symbolistes, il fit connaître l'œuvre de Rimbaud, de Joyce, et contribua à la diffusion de l'impressionnisme.

Mouloud **Feraoun** ▫ Écrivain algérien d'expression française (1913-1962). *Le Fils du pauvre.*

**Ferdawsī** → **Firdoussi**

**Ferdinand** ▫ Nom de plusieurs souverains européens.
**1** EMPEREUR D'ALLEMAGNE ► **Ferdinand I^er^** (1503-1564). Empereur germanique à la suite de son frère Charles Quint en 1556.
**2** ROIS D'ESPAGNE ► **Ferdinand le Catholique** (1452-1516). Roi d'Aragon de 1479 à sa mort, époux d'Isabelle de Castille. ► **Ferdinand VII** (1784-1833), détrôné par Napoléon en 1808, rétabli en 1814.

Pierre de **Fermat** ▫ Mathématicien français (1601-1665). Calcul différentiel et intégral.

Enrico **Fermi** ▫ Physicien italien (1901-1954). Première pile atomique. Prix Nobel 1938.

Fernand Contandin, dit **Fernandel** ▫ Acteur comique français (1903-1971). *François I^er^ ; La Fille du puisatier ;* série des *Don Camillo.*

les îles **Féroé** ▫ Archipel danois de l'Atlantique Nord. 1 400 km². 47 500 habitants. Chef-lieu : Thorshavn.

Elena **Ferrante** ▫ Écrivaine italienne (née en 1943). *L'Amie prodigieuse.*

**Ferrare** ▫ Ville d'Italie (Émilie-Romagne). 131 000 habitants. Château d'Este (XIV^e^-XVI^e^ s.).

Enzo **Ferrari** ▫ Constructeur automobile italien (1898-1988).

Jean Tenenbaum, dit Jean **Ferrat** ▫ Auteur-compositeur et chanteur français (1930-2010). Marqué par le nazisme, proche du parti communiste, il a mis en musique des poèmes d'Aragon.

Léo **Ferré** ▫ Auteur-compositeur et chanteur français (1916-1993). Chansons réalistes, puis longs textes poétiques, de tendance anarchiste. Il mit en musique nombre de poètes (Aragon, Apollinaire...).

Jules **Ferry** ▫ Homme politique français (1832-1893). Il réforma l'enseignement primaire et favorisa l'essor colonial.

**Fès** ou **Fez** ▫ Ville du Maroc. 1 200 000 habitants. Ville d'art, inscrite au patrimoine mondial de l'humanité.

Ludwig **Feuerbach** ▫ Philosophe allemand (1804-1872). Disciple de Hegel, il étudia le christianisme, aboutissant à un humanisme matérialiste et naturaliste.

Louis **Feuillade** ▫ Cinéaste français (1873-1925). Ciné-romans. *Fantômas ; Judex.*

le club des **Feuillants** ▫ Club révolutionnaire rassemblant les monarchistes constitutionnels (1791-1792).

Paul **Féval** ▫ Écrivain français (1817-1887). Auteur des aventures du chevalier de Lagardère *(Le Bossu).*

la révolution de **Février** → **révolution russe de 1917**

**février 1848** → **révolution française de 1848**

Georges **Feydeau** ▫ Auteur dramatique français (1862-1921). Un des maîtres du vaudeville. *Le Dindon.*

Jacques Frédérix, dit Jacques **Feyder** ▫ Réalisateur français d'origine belge (1885-1948). *La Kermesse héroïque.*

Richard Phillips **Feynman** ▫ Physicien américain (1918-1988). Il étudia les interactions entre électrons et photons (électrodynamique quantique). Prix Nobel 1955.

**Fez** → **Fès**

Johann Gottlieb **Fichte** ▫ Philosophe idéaliste allemand (1762-1814).

les îles **Fidji** ▫ Archipel et État de Mélanésie. 18 333 km². 885 000 habitants. Capitale : Suva.

Henry **Fielding** ▫ Écrivain satirique et journaliste anglais (1707-1754). *Tom Jones.*

John Charles **Fields** ▫ Mathématicien canadien (1863-1932). Fondateur de la *médaille Fields,* créée pour compenser l'absence de prix Nobel de mathématiques et attribuée depuis 1936.

**Figaro** ▫ Personnage de Beaumarchais, présent dans les opéras de Mozart *(Les Noces de Figaro),* de Rossini.

Le **Figaro** ▫ Quotidien français fondé au milieu du XIX^e^ s.

le **Finistère** [29] ▫ Département français de la Région Bretagne. 6 785 km². 911 735 habitants. Chef-lieu : Quimper. Chefs-lieux d'arrondissement : Brest, Châteaulin, Morlaix.

le cap **Finisterre** ▫ Extrémité nord-ouest de l'Espagne.

la **Finlande** ▫ État du nord de l'Europe. 337 032 km². 5,5 millions d'habitants. Capitale : Helsinki.

**Firdoussi** ou **Ferdawsī** ▫ Poète persan (v. 940-1020). Le *Livre des rois.*

Robert James, dit Bobby **Fischer** ▫ Joueur d'échecs américain naturalisé islandais (1943-2008).

Dietrich **Fischer-Dieskau** ▫ Baryton allemand (1925-2012). Sa voix exceptionnelle et sa musicalité lui permirent d'aborder de nombreux répertoires, et notamment les *lieder* romantiques. Pédagogue du chant.

Johann Bernhard **Fischer von Erlach** ▫ Architecte autrichien de style baroque (1656-1723). Église Saint-Charles-Borromée à Vienne.

Francis Scott **Fitzgerald** ▫ Écrivain américain (1896-1940). *Gatsby le Magnifique.*

Ella **Fitzgerald** ▫ Chanteuse de jazz américaine (1918-1996). Son registre étendu, sa sûreté mélodique et rythmique en firent une des grandes voix du jazz.

**Fiume** → **Rijeka**

Robert **Flaherty** ▫ Réalisateur américain (1884-1951). Documentariste *(Nanouk l'Esquimau ; Tabou,* avec Murnau).

la Région **flamande** ▫ Région administrative néerlandophone du nord de la Belgique. 13 522 km². 6,62 millions d'habitants. Capitale : Bruxelles.

Camille **Flammarion** ▫ Astronome français (1842-1925).

la **Flandre** ou les **Flandres** ▫ Région historique partagée auj. entre la France et la Belgique, où elle constitue deux provinces. ► la **Flandre-Occidentale.** 3 144 km². 1,2 million d'habitants. Chef-lieu : Bruges. ► la **Flandre-Orientale.** 2 982 km². 1,52 million d'habitants. Chef-lieu : Gand.

Gustave **Flaubert** ▫ Écrivain français (1821-1880). Romans. Contes. Abondante correspondance. *Madame Bovary ; Salammbô ; L'Éducation sentimentale.*

les **Flaviens** ▫ Dynastie d'empereurs romains de 69 à 96 (Vespasien, Titus et Domitien).

**Flavius Josèphe** ▫ Historien juif rallié à Rome (37-v. 100). *Antiquités judaïques.*

le maître de **Flémalle** ▫ Nom donné à un peintre flamand anonyme, identifié avec Robert Campin (1378-1444). *Nativité de Dijon ; Retable de Mérode* (Annonciation).

sir Alexander **Fleming** ▫ Médecin britannique (1881-1955). Il découvrit la pénicilline, ouvrant la voie au traitement antibiotique des maladies infectieuses. Prix Nobel 1945.

Victor **Fleming** ▫ Cinéaste américain (1883-1949). *Le Magicien d'Oz ; Autant en emporte le vent* (1939).

Laura **Flessel-Colovic** ▫ Escrimeuse française (née en 1971). Nombreux titres mondiaux à l'épée, individuels et par équipe.

**Fleurus** ▫ Commune de Belgique. Victoire française sur les Autrichiens (1794).

le cardinal de **Fleury** ▫ Ministre de Louis XV (1653-1743).

**Fleury-Mérogis** ▫ Commune de l'Essonne, près d'Évry. 13 917 habitants. Plus grand centre pénitentiaire d'Europe.

le **fleuve Bleu** → **Chang jiang**

le **fleuve Jaune** → **Huang he**

le **FLN,** *Front de libération nationale* ▫ Parti nationaliste algérien, créé en 1954. Il dirigea la lutte pour l'indépendance lors de la guerre d'Algérie et joue un rôle de premier plan dans la vie politique.

**Flore** ▫ mythol. romaine Déesse des Fleurs, la *Chloris* des Grecs.

**Florence,** en italien *Firenze* ▫ Ville d'Italie (Toscane). 356 000 habitants. Sous les Médicis, foyer de la Renaissance. Ville d'art (édifices civils et religieux des XIV^e^-XVI^e^ s. ; musées).

Jean-Pierre Claris de **Florian** ▫ Écrivain français (1755-1794). Comédies, romans ; fables.

la **Floride** ▫ État du sud-est des États-Unis. 151 940 km². 16 millions d'habitants. Capitale : Tallahassee. Ville principale : Miami.

le **FMI,** *Fonds monétaire international* ▫ Institution internationale, créée en 1944, veillant à la stabilité des changes.

**FO,** *Force ouvrière* ▫ Syndicat français issu d'une scission de la CGT en 1948.

Dario **Fo** ▫ Acteur, auteur et metteur en scène italien (1926-2016). Spectacles inspirés de la comédie populaire, inventifs et contestataires. Prix Nobel 1997.

Ferdinand **Foch** ▫ Maréchal de France (1851-1929). Généralissime des forces alliées en 1918.

**Foix** ▫ Chef-lieu de l'Ariège. 9 532 habitants.

**Folkestone** ▫ Port d'Angleterre (Kent). 51 000 habitants.

Jean-Michel **Folon** ▫ Peintre et dessinateur belge (1934-2005).

Henry **Fonda** ▫ Acteur américain de cinéma (1905-1982). Il incarna divers types de héros, chez Fritz Lang, John Ford, Hitchcock.

les **Fons** ▫ Peuple du Bénin.

Pierre François **Fontaine** ▫ Architecte français associé à Percier (1762-1853).

**Fontainebleau** ▫ Chef-lieu d'arrondissement de Seine-et-Marne. 15 407 habitants. Forêt. Château.

Bernard de **Fontenelle** ▫ Écrivain français (1657-1757). Vulgarisateur scientifique. *Entretiens sur la pluralité des mondes.*

**Fontenoy** ▫ Commune de Belgique. Victoire du maréchal de Saxe sur les Anglo-Hollandais, en 1745.

l'abbaye de **Fontevraud** ou **Fontevrault** ▫ Abbaye (Maine-et-Loire) fondée à la fin du XI^e s. Abbatiale romane (nécropole des Plantagenêts).

Jean-Louis **Forain** ▫ Peintre, dessinateur et graveur français (1852-1931).

John **Ford** ▫ Auteur dramatique anglais (1586-1639). *Dommage qu'elle soit une putain.*

Henry **Ford** ▫ Industriel américain (1863-1947). Pionnier de l'industrie automobile.

John **Ford** ▫ Réalisateur américain (1894-1973). Son sens de l'épopée et des relations humaines simples et fortes trouve un aboutissement dans le western *(La Chevauchée fantastique ; My Darling Clementine)*, mais aussi dans le drame social *(Les Raisins de la colère)*.

la **Forêt-Noire** ▫ Massif montagneux d'Allemagne, en bordure du Rhin. 1 493 m au Feldberg.

le **Forez** ▫ Région du Massif central.

Miloš **Forman** ▫ Réalisateur américain d'origine tchécoslovaque (1932-2018). *Vol au-dessus d'un nid de coucou ; Amadeus.*

**Formose** → **Taiwan**

Edward Morgan **Forster** ▫ Romancier britannique (1879-1970). *Howards End ; Route des Indes.*

William **Forsythe** ▫ Chorégraphe américain (né en 1949). Il renouvela le ballet, alliant vitesse, acrobatie et effets de lumière. *Artifact.*

Paul **Fort** ▫ Poète français (1872-1960).

**Fortaleza** ▫ Port du nord du Brésil. 2,5 millions d'habitants.

**Fort-de-France** ▫ Chef-lieu de la Martinique. 78 126 habitants.

sir Norman **Foster** ▫ Architecte britannique (né en 1935). Nombreux ponts (viaduc de Millau), aéroports et monuments de Londres (City Hall, 30 St Mary Axe).

Charles de Foucauld, dit le père de **Foucauld** ▫ Prêtre et missionnaire français au Sahara (1858-1916).

Léon **Foucault** ▫ Physicien français (1819-1868). Inventeur du gyroscope.

Michel **Foucault** ▫ Philosophe et critique français (1926-1984). Analysant l'histoire des idées à la manière d'une «archéologie», il s'intéressa à la médecine, à la folie, aux sciences humaines *(Les Mots et les Choses)*, à l'histoire de la sexualité, aux prisons *(Surveiller et punir)*.

Joseph **Fouché** ▫ Homme politique français (1759-1820). Ministre de la Police sous l'Empire et Louis XVIII.

Léonard **Foujita** ▫ Peintre français d'origine japonaise (1886-1968). Peintures d'un graphisme élégant.

les **Foulbés** → les **Peuls**

Jean **Fouquet** ▫ Peintre et miniaturiste français (v. 1420-v. 1477).

Nicolas **Fouquet** ▫ Surintendant des Finances de Louis XIV (1615-1680). Disgracié en 1661.

Antoine **Fouquier-Tinville** ▫ Accusateur public du Tribunal révolutionnaire (1746-1795).

Martin **Fourcade** ▫ Athlète de biathlon français (né en 1988). Il a remporté cinq médailles d'or aux JO (2014 et 2018).

Joseph **Fourier** ▫ Mathématicien français (1768-1830). Découverte des séries trigonométriques.

Charles **Fourier** ▫ Philosophe utopiste français (1772-1837). Partisan de l'organisation de phalanstères.

Les **Fourons** ▫ Commune de Belgique (Limbourg). Lieu symbole de la querelle linguistique belge.

**Fourvière** ▫ Colline dominant Lyon. Basilique.

le **Fouta-Djalon** ▫ Massif montagneux de Guinée.

**Fou-tcheou** → **Fuzhou**

George **Fox** ▫ Protestant anglais, fondateur du mouvement des quakers (1624-1691).

**Fra Angelico** → Fra **Angelico**

Jean-Honoré **Fragonard** ▫ Peintre français (1732-1806). Scènes de genre, parfois libertines.

Anatole François Thibault, dit Anatole **France** ▫ Écrivain français (1844-1924). Ses romans d'une facture classique et raffinée, ses critiques littéraires, ses nouvelles allient scepticisme et humanisme. *Les dieux ont soif.* Prix Nobel 1921.

la **France** ▫ État d'Europe occidentale. 543 965 km². 66,73 millions d'habitants (métropole : 64,64 millions). Capitale : Paris.

Piero della **Francesca** → **Piero della Francesca**

**France Télévisions** ▫ Société nationale française de télévision, créée en 1992.

**Francfort-sur-le-Main** ▫ Ville d'Allemagne (Hesse). 651 600 habitants. Foire du livre. ► le traité de **Francfort** (10 mai 1871) mit fin à la guerre franco-allemande de 1870.

la **Franche-Comté** ▫ Anc. région administrative de l'est de la France.

César **Franck** ▫ Compositeur et organiste français d'origine belge (1822-1890). Il composa des œuvres religieuses, des poèmes symphoniques d'esprit romantique mais très personnels.

Francisco **Franco** ▫ Général et homme d'État espagnol (1892-1975), au pouvoir de 1938 à sa mort. Il prit le titre de *caudillo* «guide». Il désigna Juan Carlos de Bourbon comme son successeur.

la guerre **franco-allemande de 1870** ▫ Conflit entre Napoléon III et Guillaume Ier (1870-1871). La défaite de Sedan provoqua la chute de l'Empire français, l'annexion de l'Alsace-Lorraine par l'Allemagne et confirma l'unité allemande.

**François** ▫ (né en 1936). Pape élu en 2013 après la renonciation de Benoît XVI.

**François** ▫ Nom de plusieurs souverains européens.
1 EMPEREURS D'ALLEMAGNE ► **François Ier** (1708-1765). Empereur germanique de 1745 à sa mort. ► **François II** (1768-1835). Dernier souverain du Saint Empire romain germanique (1792-1806) et premier empereur d'Autriche, de 1804 à sa mort, sous le nom de François Ier.
2 ROIS DE FRANCE ► **François Ier** (1494-1547). Roi de 1515 à sa mort, il s'opposa à la puissance de Charles Quint. ► **François II** (1544-1560). Roi de 1559 à sa mort.

saint **François d'Assise** ▫ Religieux italien (v. 1182-1226). Il fonda l'ordre des Franciscains.

saint **François de Sales** ▫ Évêque de Genève (1567-1622). *Introduction à la vie dévote.*

**François-Ferdinand de Habsbourg** ▫ Archiduc héritier d'Autriche (1863-1914). Son assassinat à Sarajevo déclencha la guerre de 1914.

**François-Joseph Ier** ▫ (1830-1916) Empereur d'Autriche de 1848 à sa mort, roi de Hongrie après 1867.

saint **François Xavier** ▫ Jésuite et missionnaire espagnol aux Indes et au Japon (1506-1552).

la **Franconie** ▫ Région d'Allemagne (Bavière).

les **Francs** ▫ Peuple germanique qui envahit la Belgique et la Gaule romaines (Ve-VIe s.).

Georges **Franju** ▫ Réalisateur français (1912-1987). Il fut l'un des fondateurs de la Cinémathèque* française. *Les Yeux sans visage ; Judex.*

Annelies Marie, dite Anne **Frank** ▫ Jeune fille allemande (1929-1945). Juive, elle fut déportée avec sa famille, et laissa un *Journal* en néerlandais, tenu de 1942 à 1944 (publié en 1947), où elle relatait sa vie quotidienne dans leur cachette à Amsterdam.

Benjamin **Franklin** ▫ Savant et homme politique américain (1706-1790). Il participa aux actes fondateurs de l'indépendance des États-Unis. Il inventa le paratonnerre.

André **Franquin** ▫ Dessinateur belge de bandes dessinées (1924-1997). Il reprit et anima les personnages de Spirou et créa le Marsupilami (1952) et Gaston Lagaffe (1957).

sir James George **Frazer** ▫ Ethnologue britannique (1854-1941). *Le Rameau d'or.*

**Frédégonde** ▫ (v. 545-597) Reine de Neustrie, femme de Chilpéric Ier.

**Frédéric** ▫ Nom de plusieurs souverains européens.
1 EMPEREURS D'ALLEMAGNE ► **Frédéric Ier Barberousse** (v. 1122-1190). Empereur de 1155 à sa mort. Il raffermit l'autorité impériale et mourut en croisade. ► **Frédéric II** (1194-1250). Empereur en 1212, roi de Sicile, il fut excommunié et déposé par le pape en 1245.
2 ROI DE PRUSSE ► **Frédéric II le Grand** (1712-1786). Roi de 1740 à sa mort. Modèle du despote éclairé. Correspondit avec Voltaire.

**Frédéric-Guillaume,** dit **le Grand Électeur** ▫ (1620-1688) Électeur de Brandebourg et duc de Prusse, fondateur de la future puissance prussienne.

**Frédéric-Guillaume Ier,** dit **le Roi-Sergent** ▫ (1688-1740) Roi de Prusse de 1713 à sa mort. Il installa une armée et une administration modernes.

**Freetown** ▫ Capitale de la Sierra Leone. 690 000 habitants.

Marguerite Boulch, dite **Fréhel** ▫ Chanteuse française (1891-1951). Chansons réalistes.

le cap **Fréhel** ▫ Cap de la côte bretonne (Côtes-d'Armor). Réserve ornithologique.

Célestin **Freinet** ▫ Éducateur français (1896-1966). Fondateur d'une école expérimentale.

**Fréjus** ▫ Ville du Var. 53 786 habitants.

le col du **Fréjus** ▫ Col des Alpes reliant la Maurienne au Piémont. 2 540 m. Tunnel ferroviaire et tunnel routier.

Girolamo **Frescobaldi** ▫ Compositeur et organiste italien (1583-1643).

Augustin **Fresnel** ▫ Physicien français (1788-1827). Théorie ondulatoire de la lumière.

**Fresnes** ▫ Ville du Val-de-Marne. 28 230 habitants. Prison.

Sigmund **Freud** ▫ Neurologue autrichien (1856-1939), fondateur de la psychanalyse. Ses hypothèses sur l'inconscient, le «ça», le moi et le surmoi, le refoulement des pulsions, sur l'importance centrale de la sexualité, ont révolutionné la psychologie.

Anna **Freud** ▫ Psychanalyste britannique d'origine autrichienne (1895-1982). Fille de S. Freud, elle se spécialisa dans la psychanalyse infantile et étudia les mécanismes de défense.

Lucian **Freud** ▫ Peintre britannique (1922-2011). Petit-fils de S. Freud. Style expressionniste, parfois proche de Francis Bacon.

Gisèle **Freund** ▫ Photographe française d'origine allemande (1908-2000). Elle fut l'une des premières à utiliser la couleur pour ses portraits d'écrivains et d'artistes.

**Fribourg** ▫ Ville de Suisse. 38 500 habitants. ► le canton de **Fribourg.** 1 671 km². 311 914 habitants. Chef-lieu : Fribourg.

**Fribourg-en-Brisgau** ▫ Ville d'Allemagne (Bade-Wurtemberg). 214 700 habitants. Cathédrale (XIIIe-XVe s.).

Caspar David **Friedrich** ▫ Peintre romantique allemand (1774-1840).

le **Frioul** ▫ Région historique partagée entre la Slovénie et l'Italie, où elle fait partie de la région administrative autonome du **Frioul-Vénétie-Julienne** (7 846 km² ; 1,2 million d'habitants ; chef-lieu : Trieste).

Karl von **Frisch** ▫ Zoologiste autrichien (1886-1982). Il étudia le mode de communication des abeilles. Prix Nobel 1973, avec K. Lorenz et N. Tinbergen.

la **Frise** ▫ Région partagée entre l'Allemagne et les Pays-Bas.

Jean **Froissart** ▫ Écrivain français (v. 1337-v. 1400). *Chroniques.*

Nicolas **Froment** ▫ Peintre français (v. 1425-v. 1484). *Le Buisson ardent.*

Eugène **Fromentin** ▫ Peintre et écrivain français (1820-1876). Peintre romantique, romancier sensible *(Dominique)*, auteur de récits de voyage.

la **Fronde** ▫ Troubles politiques contre Mazarin, durant la minorité de Louis XIV.

le **Front populaire** ▫ Coalition des forces de gauche qui dirigea la France (1936-1938) et entreprit plusieurs réformes sociales.

Louis de Buade de **Frontenac** ▫ Administrateur français (1622-1698). Gouverneur général de la Nouvelle-France (Canada).

Robert Lee **Frost** ▫ Poète américain (1874-1963). *North of Boston.*

René **Frydman** ▫ Médecin (gynécologue) français (né en 1943). Il est à l'origine de la naissance du premier bébé français issu d'une fécondation in vitro, en 1982 (avec J. Testart) et du premier «bébé-médicament» français en 2011.

le **FSB** («Service fédéral de sécurité») ▫ Service secret russe chargé de la sécurité intérieure.

Carlos **Fuentes** ▫ Romancier mexicain (1928-2012). Critique de la société mexicaine. *La Mort d'Artemio Cruz.*

les **Fugger** ▫ Banquiers allemands, financiers des Habsbourg aux XVe et XVIe s.

**Fujian** ▫ Province côtière du sud-est de la Chine. 120 000 km². 34,1 millions d'habitants. Capitale : Fuzhou.

le **Fuji Yama** ou mont **Fuji** ▫ Volcan du Japon, point culminant du pays (3 776 m).

**Fukuoka** ▫ Port du Japon (Kyūshū). 1,4 million d'habitants.

**Fukushima** ▫ Ville du Japon (Honshū). 292 600 habitants. Accident nucléaire à la centrale de Fukushima Daiichi en 2011, suite à un tsunami.

Samuel **Fuller** ▫ Cinéaste américain (1911-1997). Un style violent anime ses films de guerre, ses westerns, ses films policiers.

Robert **Fulton** ▫ Ingénieur américain (1765-1815). Constructeur du premier sous-marin en 1798.

Louis de **Funès** ▫ Comédien français (1914-1983). Rôles comiques. *La Grande Vadrouille.*

Antoine **Furetière** ▫ Écrivain et lexicographe français (1619-1688). *Dictionnaire universel* (publié en 1690) ; *Le Roman bourgeois.*

les **Furies** → **Érinyes**

Wilhelm **Furtwängler** ▫ Chef d'orchestre allemand (1886-1954).

Johann Heinrich **Füssli** ▫ Peintre et dessinateur suisse (1741-1825) ; également écrivain. Il traita des thèmes tragiques inspirés de Shakespeare, des sujets fantastiques et allégoriques dans un style influencé par le maniérisme italien.

Numa Denis **Fustel de Coulanges** ▫ Historien français (1830-1889). *La Cité antique.*

**Futuna** ▫ Île de la Polynésie française, dans la collectivité de Wallis-et-Futuna. 4 300 habitants.

le **Futuroscope** ▫ Parc d'attractions scientifiques créé en 1986 près de Poitiers.

**Fuzhou** ou **Fou-tcheou** ▫ Port de Chine (Fujian). 2,8 millions d'habitants.

# G

le **G7** ▫ Organisation regroupant les sept plus grandes puissances (Allemagne, Canada, États-Unis, France, Grande-Bretagne, Italie, Japon) rejointes par la Russie **(le G8).**

le **G10** ▫ Groupe de discussion regroupant les ministres des Finances et les directeurs des banques centrales des pays du G8 ainsi que ceux de la Belgique, la Suisse et la Suède (soit 11 pays).

le **G20** ▫ Groupe de discussion créé en 1999 entre les ministres des Finances et les directeurs des banques centrales de 19 pays (les pays du G8 et 11 pays à économie émergente) et des représentants de l'Union européenne.

**Gabès** ▫ Port de Tunisie. 116 300 habitants.

Jean **Gabin** ▫ Acteur de cinéma français (1904-1976). *La Grande Illusion ; le Quai des brumes.*

Clark **Gable** ▫ Acteur américain (1901-1960). Il interpréta des rôles de séducteur viril *(Autant en emporte le vent).*

le **Gabon** ▫ État d'Afrique équatoriale. 267 667 km². 1,5 million d'habitants. Capitale : Libreville.

Dennis **Gabor** ▫ Physicien britannique (1900-1979). Inventeur de l'holographie. Prix Nobel 1971.

Émile **Gaboriau** ▫ Écrivain et journaliste français (1832-1873). Il fut l'un des inventeurs (avec Edgar Poe) du roman policier *(L'Affaire Lerouge).*

**Gaborone** ▫ Capitale du Botswana. 282 200 habitants.

saint **Gabriel** ▫ Archange de l'Annonciation, dans la Bible et le Coran (Jibril).

Jacques **Gabriel** ▫ Architecte français (1667-1742). Il acheva le palais Bourbon. ► Jacques-Ange **Gabriel,** son fils (1698-1782). Il édifia le Petit Trianon à Versailles.

Hans Georg **Gadamer** ▫ Philosophe allemand (1900-2002). Théoricien de l'herméneutique.

les **GAFAM** n. m. pl. (*Google, Apple, Facebook, Amazon* et *Microsoft*) ▫ Les cinq premières entreprises de l'économie numérique.

Youri **Gagarine** ▫ Cosmonaute soviétique (1934-1968), premier homme dans l'espace.

**Gaïa** ou **Gê** ▫ mythol. grecque Déesse primordiale, personnification de la Terre.

Thomas **Gainsborough** ▫ Peintre anglais (1727-1788). Il associa l'art du portrait à celui du paysage.

Lucien Ginsburg, dit Serge **Gainsbourg** ▫ Chanteur et auteur-compositeur français (1928-1991). Son ironie, son sens de la provocation vont de pair avec une sensibilité à fleur de peau. *Je t'aime moi non plus ; Élisa ; Bonnie and Clyde.*

les îles **Galápagos** ▫ Archipel de l'océan Pacifique, formant une province de l'Équateur. 25 000 habitants.

**Galatée** ▫ mythol. grecque Fille du dieu marin Nérée (Néréide). Cette nymphe est courtisée par le cyclope Polyphème qui tue le berger Acis qu'elle lui préférait.

Servius Sulpicius **Galba** ▫ (v. l'an 3-69) Empereur romain, il succéda à Néron.

John Kenneth **Galbraith** ▫ Économiste américain (1908-2006). Il inspira la politique des démocrates (New Deal).

le **Galibier** ▫ Col entre la Savoie (Maurienne) et les Hautes-Alpes (2 642 m).

la **Galice** ▫ Communauté autonome du nord-ouest de l'Espagne. 29 434 km². 2,7 millions d'habitants. Capitale : Saint-Jacques-de-Compostelle.

la **Galicie** ▫ Région partagée entre la Pologne et l'Ukraine.

Claude **Galien** ▫ Médecin grec (v. 131-v. 201). Découvertes en anatomie.

**Galilée** ▫ Mathématicien, physicien et astronome italien (1564-1642). L'un des grands fondateurs de la physique moderne. L'Église le condamna pour ses idées en astronomie, contraires au dogme.

la **Galilée** ▫ Région du nord de la Palestine aujourd'hui en Israël.

**Galileo** ▫ Système européen de navigation et de positionnement par satellite.

Émile **Gallé** ▫ Verrier et ébéniste français (1846-1904). Un des créateurs de l'Art nouveau (école de Nancy).

le pays de **Galles,** en anglais *Wales* ▫ Pays de l'ouest de la Grande-Bretagne. 20 768 km². 2,9 millions d'habitants. Capitale : Cardiff.

le prince de **Galles** ▫ Titre porté par le fils aîné des souverains britanniques.

Joseph **Gallieni** ▫ Maréchal de France et administrateur colonial (1849-1916).

George Horace **Gallup** ▫ Statisticien américain, créateur d'un institut de sondages d'opinion (1901-1984).

Évariste **Galois** ▫ Mathématicien français (1811-1832). Théorie des groupes de substitution.

John **Galsworthy** ▫ Écrivain britannique (1867-1933). Peintre sans complaisance de la société victorienne *(La Saga des Forsyte)*. Prix Nobel 1932.

Luigi **Galvani** ▫ Médecin et physicien italien (1737-1798).

Vasco de **Gama** ▫ Navigateur portugais (1469-1524). Il atteignit les Indes par la route de B. Dias (1497).

Léon **Gambetta** ▫ Homme d'État français (1838-1882). Un des fondateurs de la IIIe République.

la **Gambie** ▫ Fleuve d'Afrique de l'Ouest. 1 130 km. ► la **Gambie.** État d'Afrique occidentale. 11 300 km². 2 millions d'habitants. Capitale : Banjul.

George **Gamow** ▫ Physicien américain d'origine russe (1904-1968). L'un des pères de la théorie du Big Bang.

Abel **Gance** ▫ Cinéaste français (1889-1981). Sa puissance et son lyrisme se manifestent dans de grands thèmes historiques. *La Roue ; Napoléon.*

**Gand** ▫ Port de Belgique (Flandre-Orientale), sur l'Escaut. 263 927 habitants. Ville d'art.

Mohandas Karamchand **Gandhi,** dit le Mahatma («grande âme») Gandhi ▫ Homme politique et philosophe indien, principal artisan de l'indépendance de l'Inde (1869-1948). Fervent défenseur de la non-violence, il fut assassiné.

Indira **Gandhi** ▫ Femme d'État indienne (1917-1984). Fille de Nehru. Première ministre de 1966 à 1977 puis de 1980 à son assassinat. ► Rajiv **Gandhi,** son fils (1944-1991), lui succéda jusqu'en 1989 et fut aussi assassiné.

**Ganesh** ou **Ganesha** ▫ relig. Dieu de l'hindouisme, fils de Shiva, représenté avec une tête d'éléphant.

le **Gange** ▫ Fleuve sacré du nord de l'Inde. 3 000 km.

le **Gansu** ▫ Province du nord de la Chine. 454 300 km². 26,2 millions d'habitants. Capitale : Lanzhou.

**Gao** Xingjian ▫ Écrivain et artiste chinois naturalisé français (né en 1940). *La Montagne de l'âme.* Prix Nobel 2000.

**Gap** ▫ Chef-lieu des Hautes-Alpes. 40 895 habitants.

Greta Gustafsson, dite Greta **Garbo** ▫ Actrice américaine d'origine suédoise (1905-1990). Sa prestance, sa beauté sereine, son regard la firent surnommer «la Divine». *La Reine Christine ; Ninotchka.*

Federico **García Lorca** ▫ Poète et auteur dramatique espagnol (1899-1936). *Noces de sang ; La Maison de Bernarda.*

Gabriel **García Márquez** ▫ Écrivain colombien (1928-2014). *Cent ans de solitude ; Chronique d'une mort annoncée.* Prix Nobel 1982.

**Garcilaso de la Vega** ▫ Poète espagnol (1503-1536). Auteur de poèmes d'amour, d'une sensibilité exceptionnelle.

le **Gard** ▫ Rivière, affluent du Rhône. 130 km. ► le **Gard** [30]. Département français de la Région Occitanie. 5 848 km². 745 458 habitants. Chef-lieu : Nîmes. Chefs-lieux d'arrondissement : Alès, Le Vigan.

le pont du **Gard** ▫ Aqueduc romain (Ier s.) qui alimentait Nîmes.

le lac de **Garde** ▫ Lac glaciaire d'Italie du Nord. 370 km².

Charles Gardes, dit Carlos **Gardel** ▫ Auteur-compositeur et interprète de tango argentin d'origine française (1890-1935).

sir John Eliot **Gardiner** ▫ Chef d'orchestre britannique (né en 1943). Œuvres de Monteverdi.

Ava **Gardner** ▫ Actrice américaine (1922-1990). *La Comtesse aux pieds nus,* de Joseph Mankiewicz.

**Gargantua** ▫ Héros de Rabelais. Géant, père de Pantagruel.

Giuseppe **Garibaldi** ▫ Révolutionnaire italien, héros de l'unification italienne (1807-1882).

Hector de Saint-Denys **Garneau** ▫ Poète canadien, d'expression française (1912-1943). Il exprime une expérience spirituelle angoissée, par un vers libre inspiré du symbolisme *(Les Solitudes).*

Charles **Garnier** ▫ Architecte français (1825-1898). Opéra de Paris, dit aussi *palais Garnier.*

la **Garonne** ▫ Fleuve français né en Espagne et se jetant dans l'Atlantique. 650 km. ► la **Haute-Garonne** [31]. Département français de la Région Occitanie. 6 309 km². 1,38 million d'habitants. Chef-lieu : Toulouse. Chefs-lieux d'arrondissement : Muret, Saint-Gaudens.

Gérard **Garouste** ▫ Peintre français (né en 1946). Style «post-moderne» à tendance baroque.

Roland **Garros** ▫ Aviateur français (1888-1918), le premier à franchir la Méditerranée (1913). Un stade de tennis parisien porte son nom. → **Roland-Garros.**

Romain Kacew, dit Romain **Gary** ▫ Diplomate et romancier français d'origine russe (1914-1980). Prix Goncourt en 1956 *(Les Racines du ciel)*, puis en 1975 pour *La Vie devant soi*, sous le pseudonyme d'Émile Ajar.

la **Gascogne** ▫ Anc. région du sud-ouest de la France. ► le golfe de **Gascogne,** golfe de l'Atlantique qui borde la France et l'Espagne.

**Gaspard** ▫ Un des Rois mages.

Pierre Gassend, dit **Gassendi** ▫ Philosophe et savant français (1592-1655).

**Gaston III de Foix,** dit **Gaston Phœbus** ▫ Comte de Foix et vicomte de Béarn (1331-1391). Il protégea les lettres et les arts.

le **Gâtinais** ▫ Région du Bassin parisien.

**Gatineau** ▫ Ville du Canada (Québec), près d'Ottawa. 276 245 habitants.

Sauveur Dante, dit Armand **Gatti** ▫ Réalisateur et dramaturge français (1924-2017). Son théâtre est celui d'un militant révolutionnaire.

Laurent **Gaudé** ▫ Écrivain français (né en 1972). Ses romans empruntent souvent à la mythologie *(La Mort du roi Tsongor ; Le Soleil des Scorta)*.

Antonio **Gaudí** ▫ Architecte espagnol (catalan) (1852-1926). Sa maîtrise technique dans l'« art nouveau » est au service d'une puissance visionnaire. Basilique de la Sagrada Familia à Barcelone.

Paul **Gauguin** ▫ Peintre et sculpteur français (1848-1903). Par son traitement des couleurs, d'abord avec les peintres de l'école de Pont-Aven, puis à Tahiti, il eut une grande influence sur l'art du XX<sup>e</sup> s.

la **Gaule** ▫ Territoire correspondant à la France, à la Belgique et à l'Italie du Nord, sous domination romaine du II<sup>e</sup> au I<sup>er</sup> s. avant J.-C.

Charles de **Gaulle** ▫ Général et homme d'État français (1890-1970). Il organisa la Résistance contre l'Allemagne et fut le premier président de la V<sup>e</sup> République de 1959 à 1969. Outre leur valeur historique, ses *Mémoires* révèlent un écrivain de talent.

Geneviève de **Gaulle-Anthonioz** ▫ Résistante française, nièce de Charles de Gaulle (1920-2002). Elle raconte sa détention à Ravensbrück dans *La Traversée de la nuit*.

Jean-Paul **Gaultier** ▫ Couturier français (né en 1952). Les emblèmes de sa marque, créée en 1976, sont la marinière et le corset.

Léon **Gaumont** ▫ Inventeur et industriel français, pionnier du cinéma (1863-1946).

Carl Friedrich **Gauss** ▫ Mathématicien allemand, physicien et astronome (1777-1855). Travaux en algèbre, en analyse et en géométrie.

Théophile **Gautier** ▫ Écrivain français (1811-1872). La perfection formelle de sa poésie *(Émaux et Camées)*, la vivacité truculente de ses récits *(Le Capitaine Fracasse)* en font une figure majeure du romantisme français.

le cirque de **Gavarnie** ▫ Vaste site des Hautes-Pyrénées.

**Gavroche** ▫ Personnage des *Misérables* de Victor Hugo, devenu le symbole du gamin des rues parisien, effronté et courageux.

Louis Joseph **Gay-Lussac** ▫ Physicien et chimiste français (1778-1850).

**Gaza** ▫ Ville de Palestine. 580 000 habitants. Capitale de la *bande de Gaza*, qui compose, avec la Cisjordanie, les Territoires palestiniens. Elle est contrôlée par le Hamas depuis 2006. (2 millions d'habitants).

**Gaziantep** ▫ Ville de Turquie. 1 324 500 habitants.

Laurent **Gbagbo** ▫ Homme d'État ivoirien (né en 1945). Président de la République de 2000 à 2010. Il provoqua une guerre civile par son refus de se retirer après sa défaite électorale, et fut jugé pour crimes contre l'humanité par la Cour pénale internationale.

**Gdańsk,** anciennement *Dantzig* ▫ Port de Pologne. 456 700 habitants. Constructions navales.

**Gê** → **Gaïa**

Hailé **Gébrésélassié** ▫ Coureur éthiopien (né en 1973). L'un des plus grands coureurs de fond (10 000 m, marathon) de tous les temps.

Frank Owen **Gehry** ▫ Architecte américain (né en 1929). Musée Guggenheim de Bilbao en Espagne, American Center (devenu la Cinémathèque française), Fondation Louis Vuitton à Paris.

Hans **Geiger** ▫ Physicien allemand (1882-1945). Le *compteur Geiger-Müller* : détecteur de particules radioactives.

Andre **Geim** ▫ Physicien néerlandais d'origine russe (né en 1958). Découverte du graphène. Prix Nobel 2010, avec K. Novoselov.

Claude **Gellée** → le **Lorrain**

**Gênes** ▫ Port d'Italie (Ligurie). 610 000 habitants.

la **Genèse** ▫ Premier livre de la Bible.

Jean **Genet** ▫ Écrivain français (1910-1986). Auteur de romans *(Notre-Dame des Fleurs ; Querelle de Brest)*, de *Poèmes*, de pièces de théâtre *(Les Bonnes ; Le Balcon)*. Son style raffiné contraste avec la violence de son inspiration.

**Genève** ▫ Ville de Suisse, sur le lac Léman. 200 000 habitants. Ville anc., siège de nombreux organismes internationaux. ► le lac de **Genève** → **Léman.** ► le canton de

**Genève** 282 km². 592 000 habitants. ► les conventions de **Genève.** Conventions internationales sur la protection des victimes de guerre (blessés, prisonniers, civils).

sainte **Geneviève** ▫ Patronne de Paris, dont elle aurait détourné les armées d'Attila (v. 422-502).

Maurice **Genevoix** ▫ Écrivain français (1890-1980). Après avoir écrit sur la guerre *(Ceux de 14)*, il exploita une veine réaliste et régionaliste, évoquant la nature dans un style très pur *(Raboliot ; Tendre bestiaire)*.

**Gengis Khān** ou **Temüjin** ▫ Fondateur de l'Empire mongol (v. 1167-1227).

**Genji Monogatari** ▫ Œuvre de la romancière Murasaki Shikibu (v. 978-v. 1015), le «Dit ou Conte de Genji» est le premier roman japonais.

Stéphanie Félicité du Crest, comtesse de **Genlis** ▫ Écrivaine française (1746-1830). Elle publia entre autres des mémoires.

Pierre-Gilles de **Gennes** ▫ Physicien français (1932-2007). Travaux en physique de la matière condensée. Prix Nobel 1991.

Étienne **Geoffroy Saint-Hilaire** ▫ Naturaliste français (1772-1844).

**George** ▫ Nom de six rois britanniques. ► **George V.** Roi de Grande-Bretagne de 1910 à sa mort (1865-1936). ► **George VI.** Roi de Grande-Bretagne de 1936 à sa mort (1895-1952).

saint **Georges** ▫ Personnage de martyr chrétien, représenté tuant un dragon auquel allait être sacrifiée une princesse.

**Georgetown** ▫ Capitale du Guyana. 200 000 habitants.

la **Géorgie** ▫ État situé au bord de la mer Noire. 69 700 km². 4 millions d'habitants. Capitale : Tbilissi. À la suite de conflits séparatistes armés, la Russie a reconnu l'indépendance de l'Abkhazie et de l'Ossétie du Sud en 2008.

la **Géorgie** ▫ État du sud-est des États-Unis. 152 589 km². 9,7 millions d'habitants. Capitale : Atlanta.

le mont **Gerbier-de-Jonc** ▫ Mont d'origine volcanique de l'Ardèche où la Loire prend sa source.

**Gergovie** ▫ Anc. ville de Gaule (Auvergne). Victoire de Vercingétorix sur César en 52 avant J.-C.

Théodore **Géricault** ▫ Peintre français (1791-1824). De style romantique brillant, il atteint un tragique absolu dans *Le Radeau de la Méduse*.

Sophie **Germain** ▫ Mathématicienne française (1776-1831). Elle étudia l'élasticité des corps et contribua à la théorie des nombres.

Sylvie **Germain** ▫ Écrivaine française (née en 1954). Elle s'interroge sur la foi, le mal, le silence de Dieu. *Jours de colère ; Magnus*.

les **Germains** ▫ Peuple probablement originaire de Scandinavie qui envahit l'Europe à partir du IIIe s. avant J.-C.

**Germanicus** ▫ Général romain (15 avant J.-C.-19). Il rétablit l'ordre en Germanie.

la **Germanie** ▫ Région entre le Rhin et la Vistule, habitée dans l'Antiquité par les Germains.

Go Khla Yeh, dit **Geronimo** ▫ Chef de guerre apache (1829-1909). Il combattit les Mexicains et les Américains.

le **Gers** ▫ Rivière, affluent de la Garonne. 178 km. ► le **Gers** [32]. Département français de la Région Occitanie. 6 291 km². 191 283 habitants. Chef-lieu : Auch. Chefs-lieux d'arrondissement : Condom, Mirande.

George **Gershwin** ▫ Compositeur américain (1898-1937). Il introduisit le rythme du jazz dans l'écriture de l'orchestre symphonique classique. *Rhapsody in Blue*.

la **Gestapo** ▫ Police politique du régime nazi.

**Gethsémani** ▫ Jardin du mont des Oliviers où Jésus pria la nuit qui précéda son arrestation.

**Gettysburg** ▫ Ville des États-Unis (Pennsylvanie). 7 600 habitants. Victoire des nordistes durant la guerre de Sécession.

Stanley, dit Stan **Getz** ▫ Saxophoniste et musicien de jazz américain (1927-1991).

le **Gévaudan** ▫ Plateau du Massif central.

l'empire du **Ghana** ▫ Anc. État africain (IVe-XIe s.).

le **Ghana** ▫ État de l'Afrique occidentale. 239 460 km². 30 millions d'habitants. Capitale : Accra.

Muhammad al-**Ghazâlî** ▫ Théologien et mystique persan d'expression arabe, connu en Europe, au Moyen Âge, sous le nom d'*Algazel* (1058-1111). Il se retira pour vivre en soufi et combattit les philosophes néoplatoniciens, en particulier Avicenne ; il fut lui-même réfuté par Averroès.

Adémar Martens, dit Michel de **Ghelderode** ▫ Auteur dramatique belge d'expression française (1898-1962). *La Balade du Grand Macabre*, mise en musique par G. Ligeti.

Lorenzo **Ghiberti** ▫ Orfèvre, sculpteur et architecte italien de la Renaissance (1378-1455). Portes du baptistère de Florence.

Domenico Bigordi, dit **Ghirlandaio** ▫ Peintre italien, actif à Florence et à Rome (1449-1494). Dans ses portraits et ses fresques, il joint la maîtrise du dessin, de la couleur et de la composition.

Alberto **Giacometti** ▫ Sculpteur suisse (1901-1966). Établi à Paris, il élabora un style personnel, sculptant des personnages filiformes.

**Giambologna** ou **Jean Bologne** ▫ Sculpteur maniériste flamand (1529-1608).

**Giáp** → **Võ Nguyên Giáp**

Edward **Gibbon** ▫ Historien britannique (1737-1794). Il est l'auteur d'une monumentale *Histoire du déclin et de la chute de l'empire romain* (1776).

Josiah Willard **Gibbs** ▫ Physicien américain (1839-1903). Il jeta les bases de la physico-chimie.

les **gibelins** → les **guelfes**

**Gibraltar** ▫ Port britannique, à l'extrême sud de l'Espagne. 30 000 habitants. ► le détroit de **Gibraltar** réunit l'Atlantique à la Méditerranée.

Gibran Khalil **Gibran** ▫ Peintre et écrivain libanais d'expression arabe et anglaise (1883-1931). *Le Prophète.*

André **Gide** ▫ Écrivain français (1869-1951). Ses œuvres de jeunesse, notamment *Paludes*, témoignent d'une réflexion originale sur la création littéraire. Il est l'auteur d'essais moraux et philosophiques, de récits romanesques (*Les Caves du Vatican*, satirique ; *Les Faux-Monnayeurs*), de témoignages sur l'Afrique colonisée et la jeune URSS, d'une vaste correspondance et surtout d'un *Journal* dont la sincérité fait songer à J.-J. Rousseau. Prix Nobel 1947.

le **GIEC,** *Groupe d'experts intergouvernemental sur l'évolution du climat* ▫ Organisme, fondé en 1988, dont le rôle consiste à évaluer le changement climatique, ses conséquences et les solutions envisageables. Prix Nobel de la paix 2007.

sir Arthur John **Gielgud** ▫ Acteur et metteur en scène britannique (1904-2000). Il excella dans les rôles shakespeariens.

Gilberto **Gil** ▫ Chanteur, compositeur et guitariste brésilien (né en 1942). Ministre de la Culture du Brésil de 2003 à 2008.

**Gilgamesh** ▫ Héros d'une épopée mésopotamienne du IIIe millénaire avant J.-C.

Dizzy **Gillespie** ▫ Trompettiste de jazz et chef d'orchestre américain (1917-1993). Un des créateurs du be-bop.

Allen **Ginsberg** ▫ Poète américain (1926-1997), représentant de la contre-culture.

Jean **Giono** ▫ Écrivain français (1895-1970). Il a célébré la nature et la vie rustique dans sa Provence natale *(Regain ; Le Chant du monde)*, avant d'évoluer vers des thèmes plus sombres *(Le Hussard sur le toit ; Un roi sans divertissement)*.

Luca **Giordano** ▫ Peintre et décorateur baroque italien (1634-1705).

Giorgio da Castelfranco, dit **Giorgione** ▫ Peintre vénitien (v. 1477-1510). Ses œuvres, trop rares, suffisent à en faire l'un des grands fondateurs de l'école vénitienne. *La Tempête ; Les Trois Philosophes.*

**Giotto** di Bondone ▫ Artiste florentin (v. 1266-1337). Outre son œuvre majeure d'architecte (le campanile de Florence) et de sculpteur, il est l'un des fondateurs de la peinture italienne du XIVe siècle. Fresques de la *Vie de saint François* à Assise et de la chapelle des Scrovegni à Padoue.

René **Girard** ▫ Essayiste français (1923-2015). Son œuvre combine critique littéraire et réflexion anthropologique, puis théologique *(La Violence et le Sacré)*.

François **Girardon** ▫ Sculpteur classique français (1628-1715).

Jean **Giraud** ▫ Dessinateur français (1938-2012). Auteur de bandes dessinées réalistes sous le nom de Gir *(Blueberry)*, oniriques sous le nom de Mœbius *(L'Incal)*.

Jean **Giraudoux** ▫ Écrivain français (1882-1944). Son théâtre, d'abord optimiste *(Amphitryon 38 ; Intermezzo)*, se teinta de gravité *(La guerre de Troie n'aura pas lieu ; La Folle de Chaillot)*.

la **Gironde** ▫ Estuaire formé par la Garonne et la Dordogne. ► la **Gironde** [33]. Département français de la Région Nouvelle-Aquitaine. 10 725 km². 1,60 million d'habitants. Chef-lieu : Bordeaux. Chefs-lieux d'arrondissement : Arcachon, Blaye, Langon, Lesparre-Médoc, Libourne.

les **Girondins** ▫ Groupe de révolutionnaires modérés éliminés par les Montagnards en 1793.

Valéry **Giscard d'Estaing** ▫ Homme d'État français (1926-2020). Président de la République, de 1974 à 1981.

Carlo Maria **Giulini** ▫ Chef d'orchestre italien (1914-2005). Célèbre pour ses directions d'opéras.

**Giulio Romano** → **Jules Romain**

**Giunta Pisano** → Giunta **Pisano**

**Giverny** ▫ Village de l'Eure. 496 habitants. Maison et jardin de Claude Monet.

**Gizeh** ou **Guizeh** ▫ Ville d'Égypte, faubourg du Caire. 4,1 millions d'habitants. Sphinx et pyramides de Khéops, Khéphren et Mykérinos.

la Mer de **Glace** ▫ Glacier dans le massif du Mont-Blanc.

William Ewart **Gladstone** ▫ Homme politique (libéral) britannique (1809-1898). Rival de Disraeli.

**Glanum** ▫ Site grec puis romain de Gaule, près de Saint-Rémy-de-Provence.

le canton de **Glaris** ▫ Canton de Suisse. 685 km². 40 147 habitants. Chef-lieu : Glaris.

Philip **Glass** ▫ Compositeur américain (né en 1937). L'un des chefs de file de la musique minimaliste répétitive.

les îles de **Glénan** ▫ Îlots du Finistère. Centre nautique.

le plateau des **Glières** ▫ Plateau de Haute-Savoie. Maquis de résistants, exterminés en 1944.

Mikhaïl **Glinka** ▫ Compositeur russe (1804-1857). *La Vie pour le tsar.*

Édouard **Glissant** ▫ Écrivain martiniquais (1928-2011). Il célèbre le pays et le peuple antillais *(La Lézarde ; Malemort).*

les Trois **Glorieuses** → **révolution française de 1830**

Christoph Willibald von **Gluck** ▫ Compositeur allemand (1714-1787). Il a renouvelé le style lyrique : *Orphée et Eurydice ; Alceste ; Armide.*

**Goa** ▫ État de la côte ouest de l'Inde, anc. colonie portugaise. 3 702 km². 1,5 million d'habitants. Capitale : Panaji.

les **Gobelins** ▫ Manufacture de tapisseries fondée à Paris en 1662.

le désert de **Gobi** ▫ Désert d'Asie centrale.

Joseph Arthur de **Gobineau** ▫ Écrivain français (1816-1882). *Les Pléiades.*

Jean-Luc **Godard** ▫ Réalisateur franco-suisse (né en 1930), figure de la Nouvelle Vague. *À bout de souffle ; Pierrot le Fou.*

Jacques **Godbout** ▫ Écrivain canadien, québécois (né en 1933). Auteur de poèmes, de romans *(Salut Galarneau ; D'amour P. Q.)* où l'influence du français populaire de Montréal (le joual) est sensible.

**Godefroy de Bouillon** ▫ (1061-1100) Chevalier franc, à la tête de la première croisade, élu roi de Jérusalem.

Kurt **Gödel** ▫ Logicien et philosophe autrichien naturalisé américain (1906-1978).

Manuel de **Godoy** ▫ (1767-1851) Premier ministre de Charles IV d'Espagne.

Joseph Paul **Goebbels** ▫ Homme politique allemand (1897-1945). Ministre de la propagande nazie.

Johann Wolfgang von **Goethe** ▫ Écrivain allemand (1749-1832). Il fut l'un des chefs de file du *Sturm und Drang,* avant d'incarner le classicisme allemand *(Les Souffrances du jeune Werther ; Wilhelm Meister ; Faust).*

**Gog et Magog** ▫ relig. Peuples cités dans la Bible (livre d'Ézéchiel ; Apocalypse) et dans le Coran (Ya'jûj et Ma'jûj). Ils symbolisent la barbarie prête à déferler sur le monde, vaincue par Dieu.

Nikolaï **Gogol** ▫ Écrivain russe (1809-1852). Son œuvre constitue une caricature impitoyable des faiblesses humaines. *Le Nez ; Les Âmes mortes.*

le **Golan** ▫ Plateau du sud de la Syrie, occupé par Israël depuis 1967 et annexé en 1981.

**Golconde** ▫ Ancienne cité de l'Inde (Deccan), fondée au début du XVI^e^ s., absorbée par l'Empire moghol à la fin du XVII^e^ s. Elle était célèbre pour ses richesses, ainsi que pour son école de peinture.

William **Golding** ▫ Écrivain britannique (1911-1993). *Sa Majesté-des-Mouches.* Prix Nobel 1983.

Carlo **Goldoni** ▫ Auteur italien de pièces comiques (1707-1793). *La Locandiera ; La Villégiature.* Il écrivit des *Mémoires* en français.

Oliver **Goldsmith** ▫ Écrivain anglais (1728-1774). *Le Vicaire de Wakefield.*

la guerre du **Golfe** ▫ Conflit qui opposa l'Irak, après son invasion du Koweït en août 1990, à une coalition de 30 pays, conduite par les États-Unis sous l'égide de l'ONU.

le **Golgotha** ▫ Site près de Jérusalem, où Jésus fut crucifié.

**Goliath** ▫ Bible Géant vaincu par David.

Witold **Gombrowicz** ▫ Écrivain polonais (1904-1969). Œuvre romanesque *(Ferdydurke ; La Pornographie)* et théâtrale.

**Gomorrhe** → **Sodome**

Władysław **Gomułka** ▫ (1905-1982) Homme d'État (communiste) polonais, au pouvoir de 1956 à 1970.

les frères **Goncourt** ▫ Écrivains français. Edmond (1822-1896) et Jules (1830-1870). Auteurs de romans naturalistes et d'un *Journal* dévoilant l'intimité de la vie littéraire parisienne. Edmond fonda l'Académie Goncourt, décernant un prix littéraire annuel.

le **Gondwana** ▫ Continent qui aurait réuni, à l'ère primaire, l'Inde, l'Afrique, l'Australie, l'Amérique du Sud et l'Antarctique.

Luis de **Góngora y Argote** ▫ Poète baroque espagnol au style raffiné (1561-1627). *Pyrame et Thisbé.*

Ivan **Gontcharov** ▫ Romancier russe (1812-1891). *Oblomov.*

Natalia **Gontcharova** ▫ Peintre russe (1881-1962). Elle participa au mouvement futuriste, réalisa des décors pour les Ballets russes et fut une pionnière de l'art abstrait.

Jane **Goodall** ▫ Éthologue britannique (née en 1934). Elle étudia le comportement des chimpanzés dans leur environnement (Tanzanie).

Benjamin David, dit Benny **Goodman** ▫ Clarinettiste et chef d'orchestre américain de jazz (1909-1986).

**Google** ▫ Entreprise d'informatique américaine créée en 1998. Elle a développé un puissant moteur de recherche sur Internet.

Mikhaïl **Gorbatchev** ▫ Homme d'État soviétique (né en 1931). À la tête de l'URSS (1985-1991), il mena une politique de réformes *(perestroïka)*. Prix Nobel de la paix 1990.

Nadine **Gordimer** ▫ Romancière sud-africaine (1923-2014). *Ceux de July*. Prix Nobel 1991.

Albert Arnold, dit Al **Gore** ▫ Homme politique américain (né en 1948). Vice-président de Bill Clinton (1992 à 1999). Prix Nobel de la paix 2007 pour son engagement dans la défense de l'environnement.

l'île de **Gorée** ▫ Île du Sénégal, face à Dakar. Anc. point de transit de la traite des esclaves.

les **Gorgones** n. f. pl. ▫ mythol. grecque Monstres féminins à la chevelure de serpents. Méduse est la plus célèbre.

Hermann **Göring** ▫ Maréchal allemand (1893-1946). Chef des SA puis de la Luftwaffe de 1935 à 1945.

Maxime **Gorki** ▫ Écrivain russe (1868-1936). Romans réalistes : *Les Bas-Fonds ; La Mère*.

**Gorki** → **Nijni-Novgorod**

René **Goscinny** ▫ Scénariste de bandes dessinées français (1926-1977). Il créa le personnage du Petit Nicolas, les scénarios de *Lucky Luke* et, dans le journal *Pilote*, la série *Astérix* dessinée par Uderzo.

**Göteborg** ▫ Port de Suède. 489 800 habitants.

**Gothard** → **Saint-Gothard**

les **Goths** ▫ Peuple de Germains qui se divisa au IVe s. entre Ostrogoths et Wisigoths.

**Göttingen** ▫ Ville d'Allemagne (Basse-Saxe). 118 900 habitants. Université.

**Gouda** ▫ Ville des Pays-Bas (Hollande-Méridionale). 71 000 habitants. Fromages.

Jean-Paul **Goude** ▫ Chorégraphe français (né en 1940). Univers facétieux et métissé : clips publicitaires, défilé du Bicentenaire sur les Champs-Élysées en 1989.

Olympe de **Gouges** ▫ Féministe française (1748-1793).

Jean **Goujon** ▫ Sculpteur et architecte français de la Renaissance (1510-v. 1566).

Glenn **Gould** ▫ Pianiste canadien (1932-1982). Interprète majeur de l'œuvre de clavier de J.-S. Bach.

Stephen Jay **Gould** ▫ Paléontologue américain (1941-2002). L'un des auteurs d'une théorie de l'évolution par bonds successifs *(L'Éventail du vivant)*.

Charles **Gounod** ▫ Compositeur français (1818-1893). Auteur d'opéras *(Faust)* et de musique religieuse *(Messe solennelle de sainte Cécile)*.

Marie de **Gournay** ▫ Écrivaine française (1566-1645). «Fille d'alliance» (filleule) de Montaigne, elle publia la première édition posthume des *Essais*.

Francisco de **Goya** y Lucientes ▫ Peintre espagnol (1746-1828). Ses manières successives le conduisirent de la grâce et du charme de scènes populaires à d'admirables portraits expressifs, puis à un style puissant, sombre et violent, d'une imagination visionnaire. Ses recueils de gravures *(Tauromachie ; Caprices ; Désastres de la guerre)* sont d'une puissance expressive inégalée.

le **Graal** ou **Saint-Graal** ▫ Vase sacré qui, selon la légende, servit à la Cène et qui recueillit le sang du Christ.

les frères **Gracchus** ▫ Tribuns romains. Tiberius (v. 162-133 avant J.-C.) et Caius (v. 154-121 avant J.-C.). Ils firent voter une loi agraire mais furent assassinés.

les trois **Grâces** ▫ mythol. Déesses de la Beauté, chez les Grecs et les Romains (Aglaé, Thalie, Euphrosyne).

Louis Poirier, dit Julien **Gracq** ▫ Écrivain français (1910-2007). Son œuvre romanesque, poétique et critique *(Lettrines)* se distingue par la perfection du style. *Le Rivage des Syrtes ; Un balcon en forêt*.

Martha **Graham** ▫ Danseuse et chorégraphe américaine (1894-1991).

Zénobe **Gramme** ▫ Électricien belge (1826-1901). Inventeur de la dynamo.

Antonio **Gramsci** ▫ Philosophe marxiste et homme politique italien (1891-1937).

Enrique **Granados** ▫ Compositeur espagnol (1867-1916). *Goyescas*.

le **Gran Chaco** → **Chaco**

le **Grand Canyon** ▫ Gorge du Colorado dans l'Arizona (États-Unis).

la **Grande-Bretagne** ▫ Île de l'archipel britannique comprenant l'Angleterre, le pays de Galles, l'Écosse et formant le Royaume-Uni avec l'Irlande du Nord. 244 046 km². 63,2 millions d'habitants. Capitale : Londres.

la **Grande Grèce** ▫ Nom donné dans l'Antiquité au sud de l'Italie et à la Sicile.

le **Grand Est** ▫ Région administrative de l'est de la France. Dix départements : Ardennes, Aube, Bas-Rhin, Haute-Marne, Haut-Rhin, Marne, Meurthe-et-Moselle, Meuse, Moselle, Vosges. 57 433 km². 5,55 millions d'habitants. Capitale : Strasbourg.

les **Grands Lacs** ▫ Ensemble de lacs nord-américains, reliés entre eux, de Duluth à la baie du Saint-Laurent (Supérieur, Michigan, Huron, Érié, Ontario).

Ulysses **Grant** ▫ (1822-1885) Général américain, commandant des armées nordistes, 18e président (républicain) des États-Unis de 1869 à 1877.

Archibald Leach, dit Cary **Grant** ▫ Acteur américain (1904-1986). Créateur d'un personnage désinvolte, charmeur et plein d'humour. Interprète d'Hitchcock *(La Mort aux trousses)*, de Hawks *(L'Impossible M. Bébé)* et de Capra *(Arsenic et vieilles dentelles)*.

Stéphane **Grappelli** ▫ Violoniste français de jazz (1908-1997).

Günter **Grass** ▫ Écrivain allemand (1927-2015). Il est l'auteur de poèmes, de pièces de théâtre et surtout de romans mêlant la réflexion historique au fantastique. *Le Tambour ; Les Années de chien ; Le Turbot*. Prix Nobel 1999.

**Graz** ▫ Ville d'Autriche (Styrie). 265 318 habitants.

Arnoul **Gréban** ▫ Écrivain français (v. 1425-v. 1495). Le *Mystère de la Passion*, mystère médiéval.

la **Grèce** ▫ État du sud-est de l'Europe. 131 957 km². 11 millions d'habitants. Capitale : Athènes.

Dominikos Theotokopoulos, dit Le **Greco** ▫ Peintre espagnol d'origine crétoise (1541-1614). Formé en Italie, il se fixa à Tolède ; son style (tons sombres, personnages aux traits étirés) associe la tradition byzantine et le maniérisme italien dans une expression très personnelle. *L'Enterrement du comte d'Orgaz*.

Julien **Green** ▫ Écrivain français d'origine américaine (1900-1998). Son œuvre, les romans *(Léviathan ; Moïra)* comme son théâtre et son journal, est une réflexion morale pathétique et pudique sur la condition humaine.

Graham **Greene** ▫ Écrivain et scénariste britannique (1904-1991). Son œuvre est imprégnée d'une foi teintée de pessimisme. *Le Troisième Homme*.

**Greenpeace** ▫ Mouvement écologiste international, fondé en 1971 pour protéger l'environnement et la biodiversité par des actions non-violentes.

**Greenwich** ▫ Bourg du Grand Londres. 215 000 habitants. Le *méridien de Greenwich* a été adopté comme méridien d'origine.

**Grégoire** ▫ Nom de seize papes. ► saint **Grégoire Ier, dit Grégoire le Grand** (v. 540-604). Pape de 590 à sa mort. Il réforma la liturgie et le chant d'Église. ► saint **Grégoire VII** (v.1020-1085). Pape de 1073 à sa mort. Il lutta contre l'empereur d'Allemagne Henri IV qui vint implorer son pardon à Canossa. ► **Grégoire XIII** (1502-1585). Pape de 1572 à sa mort. Il réforma le calendrier.

Henri Grégoire, dit l'abbé **Grégoire** ▫ Ecclésiastique et révolutionnaire français (1750-1831).

saint **Grégoire de Nazianze** ▫ Docteur de l'Église (v. 330-v. 390).

saint **Grégoire de Nysse** ▫ Père de l'Église (v. 335-v. 395).

saint **Grégoire de Tours** ▫ Évêque de Tours et historien (v. 538-v. 594). *Histoire des Francs*.

**Grenade** ▫ Île et État des Antilles. 345 km². 110 000 habitants. Capitale : Saint George's.

**Grenade** ▫ Ville d'Espagne (Andalousie). 241 003 habitants. Palais mauresque de l'Alhambra (XIIIe-XIVe s.).

les **Grenadines** ▫ Archipel des Petites Antilles.

les accords de **Grenelle** ▫ Accords sur le travail négociés en Mai 68 entre les syndicats et les organisations patronales, à l'initiative du gouvernement.

**Grenoble** ▫ Chef-lieu de l'Isère, sur l'Isère. 157 650 habitants.

Jean-Baptiste **Greuze** ▫ Peintre français (1725-1805). *La Cruche cassée*.

la place de **Grève** ▫ Place de Paris, auj. place de l'Hôtel-de-Ville.

Jules **Grévy** ▫ (1807-1891) Président de la République française de 1879 à 1887.

Marcel **Griaule** ▫ Ethnologue français (1898-1956). Il étudia particulièrement les Dogons, révélant la richesse d'une pensée qui ne put dès lors plus être considérée comme « primitive ». *Dieu d'eau*.

Edvard **Grieg** ▫ Compositeur norvégien (1843-1907). *Peer Gynt*.

David Wark **Griffith** ▫ Réalisateur américain (1875-1948). *La Naissance d'une nation*.

**Grimaldi** ▫ Famille d'origine génoise, connue depuis le XIIIe s., dont une branche règne sur Monaco.

Paul **Grimault** ▫ Réalisateur d'animation français (1905-1994). *Le Roi et l'Oiseau*.

Jacob **Grimm** ▫ Philologue et écrivain allemand (1785-1863). Il publia avec son frère Wilhelm (1786-1859) des *Contes d'enfants et du foyer*, et commença la rédaction du plus grand dictionnaire de la langue allemande.

Juan **Gris** ▫ Peintre cubiste espagnol (1887-1927). *Pierrots et Arlequins*.

le canton des **Grisons** ▫ Canton de Suisse. 7 105 km². 198 379 habitants. Chef-lieu : Coire.

Adrien Wettach, dit **Grock** ▫ Artiste suisse de cirque, acrobate, puis clown (1880-1959).

Georg **Groddeck** ▫ Médecin allemand (1866-1934). Fondateur de la médecine psychosomatique.

le **Groenland** ▫ Île danoise au nord-est du Canada, couverte de glace. 2 175 600 km². 56 600 habitants. Chef-lieu : Nuuk.

l'île de **Groix** ▫ Île du Morbihan.

Marcel **Gromaire** ▫ Peintre français (1892-1971). Il est proche de l'expressionnisme, mais avec des formes massives. *La Guerre*.

Andreï Andreievitch **Gromyko** ▫ Homme d'État soviétique (1909-1989). Il fit partie des créateurs de l'ONU, et fut ministre des Affaires étrangères puis président du Soviet suprême.

Walter **Gropius** ▫ Architecte américain d'origine allemande, fondateur du Bauhaus (1883-1969).

Antoine, baron **Gros** ▫ Peintre français de l'épopée napoléonienne (1771-1835).

George **Grosz** ▫ Peintre et dessinateur allemand naturalisé américain (1893-1959). Son sens de la satire et du grotesque s'est exercé contre la bourgeoisie.

Hugo de Groot, dit **Grotius** ▫ Juriste hollandais (1583-1645). Un des fondateurs du droit international *(Du droit de la guerre et de la paix)*.

le marquis de **Grouchy** ▫ Maréchal français (1766-1847).

**Groznyï** ▫ Ville de Russie, capitale de la Tchétchénie. 300 000 habitants.

Jean-Claude **Grumberg** ▫ Dramaturge et scénariste français (né en 1939). *L'Atelier ; Zone libre*.

Matthias **Grünewald** ▫ Peintre allemand (v. 1460 ou v. 1475-1528). Sa science de la lumière et des formes tourmentées est au service d'une inspiration de visionnaire tragique. *Le Retable d'Issenheim*, à Colmar.

la famille **Gruss** ▫ Famille française d'artistes et de directeurs de cirque.

**Guadalajara** ▫ Ville du Mexique. 1,5 million d'habitants.

**Guadalcanal** ▫ Île volcanique des Salomon. Violents combats américano-japonais (1942-1943).

le **Guadalquivir** ▫ Fleuve d'Espagne qui se jette dans l'Atlantique. 680 km.

la **Guadeloupe** [971] ▫ Îles (Grande-Terre et Basse-Terre) des Antilles qui constituent une région et un département français d'outre-mer. 1 709 km². 387 629 habitants. Chef-lieu : Basse-Terre. Chef-lieu d'arrondissement : Pointe-à-Pitre.

le **Guangdong** ▫ Province côtière du sud de la Chine. 178 000 km². 104,3 millions d'habitants. Capitale : Canton.

le **Guangxi** ▫ Région autonome du sud de la Chine. 236 000 km². 46 millions d'habitants. Capitale : Nanning.

**Guangzhou** → **Canton**

**Guantánamo** ▫ Ville de Cuba. 243 800 habitants. Base navale et centre de détention américains.

les **Guaranis** ▫ Population amérindienne des zones amazoniennes (Brésil, Paraguay...).

Francesco **Guardi** ▫ Peintre italien (1712-1793). Vues de Venise, d'une vivacité d'exécution et d'une poésie exceptionnelles.

le **Guatemala** ou **Guatémala** ▫ État d'Amérique centrale. 108 889 km². 16,9 millions d'habitants. Capitale : Ciudad de Guatemala.

**Guayaquil** ▫ Port de l'Équateur. 2 millions d'habitants.

le ballon de **Guebwiller** ▫ Point culminant des Vosges (1 424 m).

les **guelfes** n. m. ▫ Nom donné au XIIIe s., en Italie, aux partisans du pape, unis contre les gibelins, partisans de l'empereur d'Allemagne.

la **Guépéou** (russe « police politique d'État ») ▫ Police politique soviétique de 1922 à 1934.

le **Guerchin** ▫ Peintre italien (1591-1666). Œuvre lyrique et dramatique d'un maniérisme raffiné.

**Guéret** ▫ Chef-lieu de la Creuse. 13 161 habitants.

Camille **Guérin** ▫ Biologiste français (1872-1961). → **Calmette.**

**Guernesey** ▫ Une des îles Anglo-Normandes. 63 km². 62 600 habitants. Chef-lieu : Saint Peter Port.

**Guernica y Luno** ▫ Ville d'Espagne (Biscaye). 16 727 habitants. Le bombardement en 1937 par les Allemands alliés de Franco fit près de 2 000 victimes. Picasso a peint un monumental tableau consacré au thème de la guerre civile, intitulé *Guernica*.

la **guerre de 1870** → guerre **franco-allemande de 1870**

la **guerre froide** ▫ Tension diplomatique et militaire entre les États-Unis et l'URSS de 1948 à 1989.

la Première **Guerre mondiale** ▫ Premier conflit mondial de l'histoire (1914-1918). Il opposa deux blocs : d'une part la Serbie, les États de la Triple-Entente (France, Royaume-Uni, Russie) et leurs alliés (Belgique, Japon, Italie, Roumanie, Grèce et États-Unis) ; d'autre part les puissances centrales (Allemagne, Autriche-Hongrie), l'Empire ottoman et la Bulgarie. Ces derniers furent vaincus.

la Seconde **Guerre mondiale** ▫ Conflit qui, de 1939 à 1945, opposa les forces de l'Axe (Allemagne, Italie, Japon) aux Alliés (France, Royaume-Uni, URSS, États-Unis). Ces derniers furent vainqueurs.

Du **Guesclin** → **Du Guesclin**

Jules **Guesde** ▫ Socialiste marxiste français (1845-1922).

Ernesto **Guevara,** dit le Che ▫ Révolutionnaire argentin (1928-1967). Compagnon de Fidel Castro.

**Guillaume** ▫ Nom de plusieurs souverains européens.
1 EMPEREURS D'ALLEMAGNE ► **Guillaume Ier** (1797-1888). Roi de Prusse après 1861 et empereur d'Allemagne de 1871 à sa mort. ► **Guillaume II** (1859-1941). Empereur en 1888, il abdiqua en 1918.
2 ROIS D'ANGLETERRE ► **Guillaume Ier, dit Guillaume le Conquérant** (1027-1087). Duc de Normandie, roi d'Angleterre de 1066 à sa mort. ► **Guillaume III d'Orange-Nassau** (1650-1702). Stathouder des Provinces-Unies (1672), roi d'Angleterre de 1689 à sa mort.

**Guillaume de Lorris** ▫ Poète français (v. 1200-v. 1238). Auteur avec Jean de Meung du *Roman de la rose*.

**Guillaume de Machaut** ▫ Compositeur et poète français (v. 1300-v. 1377). Un des maîtres de la polyphonie.

**Guillaume d'Occam** ou **d'Ockham** ▫ Théologien et philosophe nominaliste anglais (v. 1290-v. 1349).

**Guillaume Tell** ▫ Héros légendaire de l'indépendance suisse (v. 1300).

Sylvie **Guillem** ▫ Danseuse étoile française (née en 1965).

Eugène **Guillevic** ▫ Poète français (1907-1997). Son lyrisme vise à «tout rendre concret, palpable», par une parole incantatoire *(Terraqué ; Carnac ; Creusement)*.

Louis **Guilloux** ▫ Romancier français (1899-1980). Humanisme et foi révolutionnaire *(La Maison du peuple)* animent ses romans, d'un style réaliste. *Le Sang noir*.

Hector **Guimard** ▫ Architecte français, principal représentant de l'Art nouveau (1867-1942).

la **Guinée** ▫ État d'Afrique occidentale. 245 857 km². 12,7 millions d'habitants. Capitale : Conakry.

la **Guinée-Bissau** ou **Guinée-Bissao** ▫ État d'Afrique occidentale. 36 125 km². 1,8 million d'habitants. Capitale : Bissau.

la **Guinée équatoriale** ▫ Pays d'Afrique occidentale. 28 051 km². 1,2 million d'habitants. Capitale : Malabo.

le **Guipúzcoa** ▫ Province basque d'Espagne. 1 997 km². 708 428 habitants. Chef-lieu : Saint-Sébastien.

les **Guise** ▫ Famille noble de Lorraine. François (1519-1563) et Henri (1550-1588) furent les chefs du parti catholique en France pendant les guerres de Religion.

Sacha **Guitry** ▫ Acteur, réalisateur et auteur français de comédies (1885-1957). *Le Roman d'un tricheur*.

**Guizeh** → **Gizeh**

le **Guizhou** ▫ Province du sud de la Chine. 176 000 km². 35 millions d'habitants. Capitale : Guiyang.

François **Guizot** ▫ Historien français, théoricien libéral, ministre de Louis-Philippe (1787-1874).

le **Gujarat** ▫ État du nord-ouest de l'Inde. 196 024 km². 50,7 millions d'habitants. Capitale : Gandhinagar.

le **Gulf Stream** ▫ Courant marin chaud de l'Atlantique, né dans le golfe du Mexique.

les **Gupta** ▫ Dynastie indienne (IVe-Ve s.).

**Gustave** ▫ Nom de plusieurs rois de Suède. ► **Gustave Ier Vasa** (v. 1495-1560). Roi de 1523 à sa mort, après avoir rompu l'union avec le Danemark. ► **Gustave II Adolphe** (1594-1632). Roi de 1611 à sa mort.

Johannes Gensfleisch, dit **Gutenberg** ▫ Inventeur allemand de l'imprimerie (avant 1400-1468).

le **Guyana** ▫ État d'Amérique du Sud. 214 970 km². 751 200 habitants. Capitale : Georgetown.

la **Guyane** [973] ▫ Région et département français d'outre-mer. 91 000 km². 276 128 habitants. Chef-lieu : Cayenne. Chef-lieu d'arrondissement : Saint-Laurent-du-Maroni.

la **Guyenne** ▫ Ancienne province française (Aquitaine). Capitale : Bordeaux.

Georges **Guynemer** ▫ Héros de l'aviation militaire française (1894-1917).

Louis Bernard **Guyton de Morveau** ▫ Chimiste français (1727-1818). Il réalisa la synthèse de l'ammoniac et étudia les affinités chimiques. Il établit une terminologie chimique avec Lavoisier* (1787).

**Gwalior** ▫ Ville d'Inde (Madhya Pradesh). 1,1 million d'habitants.

# H

**Haakon** ▫ Nom de sept rois de Norvège.

**Haarlem** ▫ Ville des Pays-Bas (Hollande-Septentrionale). 160 000 habitants.

Jürgen **Habermas** ▫ Philosophe et sociologue allemand (né en 1929). Il critique l'importance sociale de la technique.

Hissène **Habré** ▫ Homme d'État tchadien (né en 1942). Il conquit le pouvoir par la guerre (1973-1982) et fut déposé en 1990. Condamné à la prison à perpétuité pour crimes contre l'humanité.

la maison de **Habsbourg** ▫ Dynastie qui régna notamment sur le Saint Empire romain germanique, sur l'Autriche (1278-1918), sur l'Espagne (1516-1700) et sur la Hongrie (1526-1918).

Jeanne Laisné, dite Jeanne **Hachette** ▫ Héroïne française (née v. 1454). Elle défendit Beauvais, assiégé par Charles le Téméraire.

Louis **Hachette** ▫ Éditeur français (1800-1864).

**Hadès** ▫ mythol. grecque Dieu des Enfers. *Pluton* chez les Romains.

**Hadrien** ▫ (76-138) Empereur romain de 117 à sa mort (76-138).

Ernst **Haeckel** ▫ Biologiste allemand (1834-1919). L'un des fondateurs de l'embryologie. Il créa le mot *écologie*.

Georg Friedrich **Haendel** ou **Händel** ▫ Compositeur anglais d'origine allemande (1685-1759). Son œuvre immense intègre les influences italienne, allemande, française et anglaise. Musique instrumentale et vocale : cantates, oratorios (notamment *Le Messie*), opéras.

Muḥammad **Ḥāfiẓ** ▫ Poète lyrique persan (v. 1320-v. 1389). *Divan*.

la **Hague** ▫ Cap du nord-ouest du Cotentin.

Otto **Hahn** ▫ Chimiste allemand (1879-1968). Découverte de la fission des noyaux lourds (avec F. Strassmann). Prix Nobel 1944.

Christian Samuel **Hahnemann** ▫ Médecin allemand (1755-1843). Fondateur de l'homéopathie.

**Haïfa** ▫ Port d'Israël. 266 300 habitants.

Claudie **Haigneré** ▫ Scientifique et femme politique française (née en 1957). Astronaute, elle fut la première Européenne dans l'espace.

**Hailé Sélassié Ier** ▫ Négus d'Éthiopie (1892-1975), renversé en 1974.

le **Hainaut** ▫ Province de Belgique. 3 785 km². 1,34 million d'habitants. Chef-lieu : Mons.

**Haiphong** ▫ Port du Viêtnam. 841 500 habitants.

**Haïti,** anciennement *Hispaniola* ▫ Île des Antilles partagée entre la République dominicaine et la république d'Haïti. ► La république d'**Haïti.** 27 750 km². 10,4 millions d'habitants. Capitale : Port-au-Prince.

Ludovic **Halévy** ▫ Écrivain français (1834-1908). → **Meilhac.**

**Halifax** ▫ Port du Canada, capitale de Nouvelle-Écosse. 403 131 habitants.

Gisèle **Halimi** ▫ Avocate et militante féministe française (1927-2020).

al-**Ḥallāj** ▫ Mystique musulman condamné à mort pour ses idées inspirées du soufisme (v. 858-922).

Edmund **Halley** ▫ Astronome britannique (1656-1742). Il prédit le retour périodique d'une comète, la *comète de Halley*.

**Hallstatt** ▫ Village autrichien et site préhistorique ayant donné son nom au premier âge du fer.

Jean-Philippe Smet, dit Johnny **Hallyday** ▫ Chanteur français (1943-2017). Idole du rock and roll en France.

Frans **Hals** ▫ Peintre hollandais (v. 1580-1666). Portraits, tableaux corporatifs. Son style large et puissant évolua vers la gravité et le tragique.

le **Hamas** ▫ Mouvement palestinien créé en 1987 à Gaza qui revendique pour la Palestine un État islamique, par le terrorisme.

**Hambourg** ▫ Port et Land d'Allemagne, sur l'Elbe. 755 km². 1,79 million d'habitants.

**Hamilcar Barca** ▫ Chef carthaginois (v. 290-229 avant J.-C.). Père d'Hannibal.

**Hamilton** ▫ Ville du Canada (Ontario). 536 917 habitants.

**Hamlet** ▫ Prince danois (IIe s. ?) dont la légende inspira Shakespeare.

Dashiell **Hammett** ▫ Auteur américain (1894-1961). Ses romans policiers dénoncent la corruption et la violence *(Le Faucon maltais).*

**Hammourabi** ou **Hammurabi** ▫ Fondateur du premier Empire babylonien (XVIIIe s. avant J.-C.). Auteur d'un code de lois.

le **Hampshire** ▫ Comté du sud de l'Angleterre. 1 382 540 habitants.

Lionel **Hampton** ▫ (1909-2002) Musicien de jazz américain.

Knut **Hamsun** ▫ Romancier norvégien (1859-1952). Il évoque le vagabondage et la misère *(La Faim),* dénonce les vices de la société. Prix Nobel 1920.

les **Han** ▫ Dynastie chinoise (206 avant J.-C.-220 apr. J.-C.).

**Händel** → **Haendel**

Peter **Handke** ▫ Romancier et auteur dramatique autrichien (né en 1942). Thèmes de l'isolement, de l'incommunicabilité. *La Femme gauchère.* Prix Nobel 2019.

Michael **Haneke** ▫ Réalisateur autrichien (né en 1942). Dans un univers oppressant, il dépeint la violence, le refoulement et l'obscurantisme. *Funny Games ; La Pianiste ; Le Ruban blanc.*

**Hangzhou** ▫ Ville de Chine (Zhejiang). 5,1 millions d'habitants.

**Hannibal** ▫ Général et homme d'État carthaginois (v. 247-183 avant J.-C.). Il déclencha la deuxième guerre punique.

**Hanoi** ou **Hanoï** ▫ Capitale du Viêtnam sur le delta du fleuve Rouge. 3,6 millions d'habitants.

le **Hanovre** ▫ Ancien État du nord de l'Allemagne, incorporé en 1945 à l'État de Basse-Saxe. ► **Hanovre.** Ville d'Allemagne (Basse-Saxe). 515 000 habitants.

la **Hanse** ▫ Association de villes marchandes d'Allemagne du Nord (XIIe-XVIIe s.).

Simon **Hantaï** ▫ Peintre français d'origine hongroise (1922-2008). D'abord surréaliste, puis adepte d'une «peinture de signes» d'esprit fantastique.

les **Haoussas** ▫ Peuple musulman du Niger et du Nigeria.

**Harare** ▫ Capitale du Zimbabwe. 1 450 000 habitants.

**Harbin** ou **Kharbin** ▫ Ville du nord-est de la Chine (Heilongjiang). 4,5 millions d'habitants.

Jules Hardouin, dit **Hardouin-Mansart** ▫ Architecte classique français (1646-1708). Il acheva le château de Versailles.

Thomas **Hardy** ▫ Écrivain anglais (1840-1928). Poèmes, nouvelles, romans *(Tess d'Urberville ; Jude l'Obscur).*

Oliver **Hardy** → Stan **Laurel**

**Harlem** ▫ Quartier de New York, au nord de Manhattan, longtemps ghetto noir.

Nikolaus **Harnoncourt** ▫ Chef d'orchestre autrichien (1929-2016). Il a enregistré l'intégrale des cantates de J.-S. Bach.

Serge **Haroche** ▫ Physicien français (né en 1944). L'un des fondateurs de l'électrodynamique quantique en cavité. Prix Nobel 2012.

**Harold II** ▫ Roi d'Angleterre, de 1066 à sa mort (né v. 1022). Il fut vaincu par Guillaume le Conquérant et tué à la bataille d'Hastings.

**Haroun al-Rachid** ▫ Calife abbasside (766-809).

**Harpagon** ▫ Personnage de Molière incarnant l'avarice *(L'Avare).*

les **Harpies** n. f. ▫ mythol. grecque Divinités mi-oiseaux mi-femmes. Ravisseuses d'âmes.

Hans **Hartung** ▫ Peintre abstrait allemand naturalisé français (1904-1989).

**Harvard** ▫ La plus ancienne université (1636) des États-Unis, à Cambridge (Massachusetts).

William **Harvey** ▫ Médecin anglais (1578-1657). Il découvrit la circulation sanguine.

Jaroslav **Hašek** ▫ Écrivain tchèque (1883-1923). Anarchiste et satiriste. *Le Brave Soldat Chveik.*

Clara **Haskil** ▫ Pianiste roumaine (1895-1960). Interprète de Mozart, Schubert.

**Hassan II** ▫ (1929-1999) Roi du Maroc de 1961 à sa mort.

**Hastings** ▫ Port du sud de l'Angleterre. 93 000 habitants. Victoire de Guillaume le Conquérant sur Harold II (1066).

**Hatchepsout** ▫ Reine d'Égypte de la XVIIIe dynastie (v. 1504-1483 avant J.-C.). Son temple de Deir-el-Bahari se trouve en face de Karnak.

**Hathor** ▫ Déesse égyptienne, personnification du Ciel, sous la forme d'une vache aux cornes en lyre, mère d'Horus, le Soleil.

le baron **Haussmann** ▫ Préfet de la Seine (1809-1891). Il dirigea les grands travaux de Paris.

la **Haute-Corse** → **Corse**

la **Haute-Garonne** → **Garonne**

la **Haute-Loire** → **Loire**

la **Haute-Marne** → **Marne**

les **Hautes-Alpes** → **Alpes**

la **Haute-Saône** → **Saône**

la **Haute-Savoie** → **Savoie**

les **Hautes-Pyrénées** → **Pyrénées**

la **Haute-Vienne** → **Vienne**

la **Haute-Volta** → le **Burkina Faso**

le **Haut-Rhin** → Rhin

les **Hauts-de-France** ▫ Région administrative de la France. Cinq départements : Aisne, Nord, Oise, Pas-de-Calais, Somme. 31 813 km². 6 millions d'habitants. Capitale : Lille.

les **Hauts-de-Seine** [92] ▫ Département français de la Région Île-de-France. 175 km². 1,62 million d'habitants. Chef-lieu : Nanterre. Chefs-lieux d'arrondissement : Antony, Boulogne-Billancourt.

l'abbé René Just **Haüy** ▫ Minéralogiste français (1743-1822). ► Valentin **Haüy,** son frère (1745-1822), éducateur des jeunes aveugles.

La **Havane** ▫ Capitale de Cuba. 2,2 millions d'habitants.

l'Agence **Havas** ▫ Agence française d'information et de publicité, créée en 1835 par Charles Henri Havas (1783-1858). Son secteur d'information donna naissance à l'Agence France-Presse (A. F. P.) en 1944.

Václav **Havel** ▫ Dramaturge et homme d'État tchèque (1936-2011). Président de la république de Tchécoslovaquie (1989-1992) puis de la République tchèque (1993-2003).

Le **Havre** ▫ Chef-lieu d'arrondissement et port de la Seine-Maritime. 169 733 habitants.

les îles **Hawaii** ou **Hawaï** ▫ Archipel de Polynésie, formant l'un des États des États-Unis. 16 600 km². 1,36 million d'habitants. Capitale : Honolulu. Nommé *îles Sandwich* par Cook qui le découvrit.

Howard **Hawks** ▫ Réalisateur et scénariste américain (1896-1977). Auteur de films de genres très divers *(Rio Bravo ; Scarface ; Le Grand Sommeil).*

Nathaniel **Hawthorne** ▫ Romancier américain (1804-1864). Il dépeint les milieux puritains de Nouvelle-Angleterre. *La Lettre écarlate.*

Joseph **Haydn** ▫ Compositeur autrichien (1732-1809). Nombreuses symphonies ; quatuors qui renouvellent le genre, oratorios *(Les Saisons ; La Création)*, opéras, musique religieuse *(Stabat mater)*. Il exerça une profonde influence sur Mozart et Beethoven.

La **Haye** ▫ Ville des Pays-Bas (Hollande-Méridionale), siège du gouvernement. 514 600 habitants. Siège de la Cour internationale de justice.

Marguerite Cansino, dite Rita **Hayworth** ▫ Actrice américaine (1918-1987). *Gilda ; La Dame de Shanghaï,* d'Orson Welles.

Michel **Hazanavicius** ▫ Réalisateur français (né en 1967). Parodies de films d'espionnage *(OSS 117)* et *The Artist,* récompensé par cinq Oscars en 2012.

William Randolf **Hearst** ▫ Magnat de la presse américaine (1863-1951). Personnage mégalomane et secret, qui inspira le *Citizen Kane* d'Orson Welles.

le **Hebei** ▫ Province du nord de la Chine. 187 700 km². 71,8 millions d'habitants. Capitale : Shijiazhuang.

Jacques **Hébert** ▫ Révolutionnaire français (1757-1794). Opposé aux modérés, il fut éliminé par Robespierre.

Anne **Hébert** ▫ Romancière et poétesse canadienne d'expression française (1916-2000). *Les Fous de Bassan.*

les **Hébreux** ▫ Peuple sémitique du Proche-Orient ancien dont la Bible retrace l'histoire.

les **Hébrides** n. f. pl. ▫ Archipel britannique à l'ouest de l'Écosse.

**Hébron** ▫ Ville de Palestine, en Cisjordanie. 163 000 habitants.

**Hécate** ▫ mythol. grecque Déesse de la Magie.

**Hector** ▫ Héros troyen de l'*Iliade* tué par Achille.

le **Hedjaz** ou **Hijāz** ▫ Barrière montagneuse de l'Arabie saoudite. Point culminant : 2 579 m.

Georg Wilhelm Friedrich **Hegel** ▫ Philosophe allemand (1770-1831). Sa philosophie spiritualiste est fondée sur la dialectique. *La Phénoménologie de l'esprit.*

Martin **Heidegger** ▫ Philosophe allemand (1889-1976). Maître de l'existentialisme athée *(L'Être et le Temps)*. Ses rapports intellectuels avec le nazisme prêtent à controverse.

**Heidelberg** ▫ Ville d'Allemagne (Bade-Wurtemberg). 142 900 habitants. Université.

Jascha **Heifetz** ▫ Violoniste américain d'origine lituanienne (1901-1987). Répertoire surtout romantique.

le **Heilongjiang** ▫ Province du nord-est de la Chine, bordée par le fleuve **Heilong jiang** (ou Amour*).

Heinrich **Heine** ▫ Poète romantique et journaliste allemand (1797-1856). Ses attitudes politiques, libérales et socialistes, sa sensibilité en ont fait un médiateur entre les cultures allemande et française.

Werner **Heisenberg** ▫ Physicien allemand (1901-1976). L'un des fondateurs de la mécanique quantique. Prix Nobel 1932.

**Hélène** ▫ Femme de Ménélas, héroïne de l'*Iliade.* Son enlèvement par Pâris déclencha la guerre de Troie.

**Helgoland** ou **Héligoland** ▫ Petite île de la mer du Nord, base navale allemande (sous-marins) jusqu'en 1945.

**Héliopolis** ▫ Ancienne ville d'Égypte consacrée au culte du Soleil.

**Hélios** ▫ mythol. grecque Dieu du Soleil.

Hermann von **Helmholtz** ▫ Physicien et physiologiste allemand (1821-1894). Il fut l'un des fondateurs de la thermodynamique et contribua à la philosophie des sciences.

**Héloïse** ▫ Abbesse française (1101-1164). → **Abélard.**

**Helsinki** ▫ Capitale de la Finlande. 568 600 habitants.

l'**Helvétie** n. f. ▫ Anc. partie orientale de la Gaule correspondant à la Suisse.

Ernest **Hemingway** ▫ Romancier américain (1899-1961). Son œuvre célèbre l'action et l'énergie vitale, mais elle est hantée par la mort *(L'Adieu aux armes ; Pour qui sonne le glas ; Le Vieil Homme et la Mer).* Prix Nobel 1954.

Louis **Hémon** ▫ Écrivain français (1880-1913). *Maria Chapdelaine.*

le **Henan** ▫ Province de la Chine. 167 000 $km^2$. 94 millions d'habitants. Capitale : Zhengzhou.

Barbara **Hendricks** ▫ Cantatrice américaine (soprano) (née en 1948).

James Marshall, dit Jimi **Hendrix** ▫ Guitariste et chanteur américain (1942-1970).

**Henri** ▫ Nom de plusieurs souverains européens.
**1** ROIS ET EMPEREURS D'ALLEMAGNE ► **Henri Ier l'Oiseleur** (v. 875-936). Roi de 919 à sa mort. ► Saint **Henri II** (973-1024). Roi après 1002, empereur de 1014 à sa mort. ► **Henri III** (1017-1058). Empereur de 1046 à sa mort. ► **Henri IV** (1050-1106). Empereur de 1084 à sa mort. Il lutta contre le pape Grégoire VII. ► **Henri V** (1081-1125). Empereur de 1111 à sa mort. Il mit fin à la querelle des Investitures, conflit qui opposait la papauté au Saint-Empire. ► **Henri VI** (1165-1197). Empereur de 1191 à sa mort.
**2** ROIS D'ANGLETERRE ► **Henri Ier Beauclerc** (1068-1135). Roi de 1100 à sa mort. ► **Henri II** (1133-1189). Roi de 1154 à sa mort, mari d'Aliénor d'Aquitaine. ► **Henri III** (1207-1272). Roi de 1216 à sa mort. ► **Henri IV** (1367-1413). Roi de 1399 à sa mort. ► **Henri V** (1387-1422). Roi de 1413 à sa mort, vainqueur des Français à Azincourt (1415). ► **Henri VI** (1421-1471). Roi de 1422 à 1461. ► **Henri VII** (1457-1509). Roi de 1485 à sa mort. Il mit fin à la guerre des Deux-Roses. ► **Henri VIII** (1491-1547). Roi de 1509 à sa mort, marié six fois. Il est le fondateur de l'anglicanisme.
**3** ROIS DE FRANCE ► **Henri Ier** (v. 1008-1060). Roi de 1031 à sa mort. ► **Henri II** (1519-1559). Roi de 1547 à sa mort. ► **Henri III** (1551-1589). Roi de 1574 à sa mort. Il fut tué par un moine ligueur. ► **Henri IV** (1553-1610). Roi de 1589 à sa mort. Il mit fin aux guerres de Religion. Assassiné par Ravaillac.
**4** GRAND-DUC DE LUXEMBOURG ► **Henri** (né en 1955). Il a succédé à son père, le grand-duc Jean, en 2000.

**Henriette-Anne d'Angleterre** ▫ Duchesse d'Orléans, mariée au frère de Louis XIV (1644-1670). Oraison funèbre par Bossuet.

**Henri le Navigateur** ▫ Prince portugais (1394-1460). Il dirigea l'exploration des côtes d'Afrique.

Pierre **Henry** ▫ Compositeur français (1927-2017). Fondateur de la musique concrète avec Pierre Schaeffer. *Messe pour le temps présent.*

Katharine **Hepburn** ▫ Actrice américaine (1907-2003). Comédies de George Cukor ; *African Queen*, de John Huston (avec H. Bogart).

Audrey **Hepburn** ▫ Actrice américaine (1929-1993). *Vacances romaines ; My Fair Lady.*

**Héphaïstos** ▫ mythol. grecque Dieu du Feu et des Forgerons. *Vulcain* chez les Romains.

**Héra** ▫ mythol. grecque Déesse du Mariage. *Junon* chez les Romains.

**Héraclès** ▫ mythol. grecque Héros célèbre pour sa force et ses exploits : les «Douze Travaux». *Hercule* chez les Romains.

**Héraclite** ▫ Penseur présocratique grec (v. 576-v. 480 avant J.-C.).

**Héraklion,** anciennement *Candie* ▫ Capitale et port de Crète. 165 000 habitants.

l'**Hérault** n. m. ▫ Fleuve côtier du sud de la France. 160 km. ► l'**Hérault** [34]. Département français de la Région Occitanie. 6 224 $km^2$. 1,16 million d'habitants. Chef-lieu : Montpellier. Chefs-lieux d'arrondissement : Béziers, Lodève.

**Herculanum** ▫ Ville de l'Italie anc. (Campanie), ensevelie par le Vésuve avec Pompéi, en 79.

**Hercule** → **Héraclès**

José Maria de **Heredia** ▫ Poète français (1842-1905). Maître de la poésie «parnassienne» *(Les Trophées).*

Georges Remi, dit **Hergé** ▫ Dessinateur belge, créateur de Tintin (1907-1983).

**Hermaphrodite** ▫ mythol. grecque Fils d'Hermès et d'Aphrodite.

**Hermès** ▫ mythol. grecque Dieu du Commerce et messager des dieux. *Mercure* chez les Romains.

**Hérode Ier le Grand** ▫ Roi des Juifs (73-4 avant J.-C.). Selon l'Évangile, il ordonna le «massacre des Innocents».

**Hérode Antipas** ▫ Fils d'Hérode Ier (4 avant J.-C.-39). Dans l'Évangile, il fit décapiter Jean-Baptiste.

**Hérodiade** ▫ Princesse juive, épouse d'Hérode Antipas (7 avant J.-C.-39).

**Hérodote** ▫ Historien grec (v. 484-v. 425 avant J.-C.).

Édouard **Herriot** ▫ Écrivain et homme d'État (radical) français (1872-1957).

sir William **Herschel** ▫ Astronome anglais (1738-1822). Il découvrit Uranus.

Heinrich **Hertz** ▫ Physicien allemand (1857-1894). Il découvrit les ondes électromagnétiques dites *hertziennes.*

Ejnar **Hertzsprung** ▫ Astronome danois (1873-1967). Auteur, avec H. N. Russell, d'une classification des étoiles *(diagramme de Hertzsprung-Russell).*

Theodor **Herzl** ▫ Écrivain juif hongrois, fondateur du sionisme (1860-1904).

**Hésiode** ▫ Poète grec (VIII^e^-VII^e^ s. avant J.-C.). *Les Travaux et les Jours.*

les **Hespérides** n. f. pl. ▫ mythol. grecque Nymphes gardiennes du jardin où poussaient des pommes d'or.

Hermann **Hesse** ▫ Romancier allemand naturalisé suisse (1877-1962). Il oppose la quête spirituelle personnelle à la décadence de la civilisation moderne *(Le Loup des steppes ; Le Jeu des perles de verre).* Prix Nobel 1946.

la **Hesse** ▫ Land d'Allemagne. 21 114 km². 6,1 millions d'habitants. Capitale : Wiesbaden.

Stéphane **Hessel** ▫ Diplomate et résistant français d'origine allemande (1917-2013). *Indignez-vous !*

le **Hezbollah** (arabe «parti d'Allah») ▫ Mouvement chiite libanais pro-iranien fondé en 1982 pour lutter contre Israël.

Jacques **Higelin** ▫ Chanteur et auteur-compositeur français (1940-2018). *Tombé du ciel.*

Peter W. **Higgs** ▫ Physicien britannique (né en 1929). Découvreur de la particule élémentaire dite *boson de Higgs.* Prix Nobel 2013, avec F. Englert.

les **Highlands** n. m. pl. ▫ Région du nord de l'Écosse.

Patricia **Highsmith** ▫ Romancière américaine (1921-1995). Thrillers oppressants. *L'Inconnu du Nord-Express* (adapté par Hitchcock).

**Hijāz** → **Hedjaz**

David **Hilbert** ▫ Mathématicien allemand (1862-1943). Il formalisa la géométrie.

Lukas von **Hildebrandt** ▫ Architecte baroque autrichien (1668-1745).

sir Edmund **Hillary** ▫ Alpiniste néo-zélandais (1919-2008). Il vainquit l'Everest, avec le sherpa Tenzing Norgay (1914-1986).

l'**Himalaya** n. m. ▫ La plus haute chaîne de montagnes du monde (8 850 m à l'Everest), située en Asie.

Chester **Himes** ▫ Romancier américain (1909-1984). Œuvres antiracistes et romans policiers truculents situés à Harlem.

Heinrich **Himmler** ▫ Homme politique allemand (1900-1945). Chef de la Gestapo, il organisa l'extermination des juifs.

Bernard **Hinault** ▫ Cycliste français (né en 1954). Cinq fois vainqueur du Tour de France.

Paul von **Hindenburg** ▫ Maréchal allemand (1847-1934). Général en chef lors de la Première Guerre mondiale. Président du Reich, il nomma Hitler chancelier.

l'**Hindū Kush** n. m. ▫ Chaîne montagneuse d'Afghanistan et du Pakistan. Point culminant : Tirich Mir, 7 690 m.

**Hipparque** ▫ Astronome grec (II^e^ s. avant J.-C.). Il découvrit la précession des équinoxes.

**Hippocrate** ▫ Médecin grec (v. 460-v. 377 avant J.-C.). Il établit la théorie des humeurs et demeura pendant des siècles, à côté de Galien, la principale référence de la médecine en Occident. Le *serment d'Hippocrate* est prêté par les médecins occidentaux.

**Hirohito** ▫ (1901-1989) Empereur du Japon de 1926 à sa mort.

**Hiroshige** ▫ Dessinateur japonais (1797-1858). Estampes de style *ukiyo-e.*

**Hiroshima** ▫ Port du Japon (Honshū). 1,15 million d'habitants. Les Américains y larguèrent la première bombe atomique le 6 août 1945.

**Hispaniola** → **Haïti**

sir Alfred **Hitchcock** ▫ Réalisateur britannique naturalisé américain (1899-1980). Considéré comme le «maître du suspense», doté du sens britannique de l'humour, il réalisa des films d'une grande maîtrise technique. *Fenêtre sur cour ; La Mort aux trousses ; Psychose.*

Adolf **Hitler** ▫ Homme d'État allemand d'origine autrichienne (1889-1945). Chef du parti nazi. Au pouvoir de 1933 à 1945, il établit un régime totalitaire et antisémite et provoqua la Seconde Guerre mondiale.

les **Hittites** ▫ Peuple d'Anatolie qui forma un empire du XX^e^ au XII^e^ s. avant J.-C.

Thomas **Hobbes** ▫ Philosophe anglais (1588-1679). Matérialiste empirique, il professait une morale fondée sur l'efficacité. Sa théorie politique associe l'idée de contrat social au pouvoir absolu (*Léviathan,* 1651).

Lazare **Hoche** ▫ Général de la Révolution française (1768-1797). Il pacifia la Vendée.

**Hồ Chí Minh** ▫ Homme d'État (communiste) vietnamien (1890-1969). Artisan de l'indépendance du pays.

**Hồ Chí Minh-Ville,** anciennement *Saigon* ▫ Ville du sud du Viêtnam. 7 millions d'habitants.

David **Hockney** ▫ Peintre britannique (né en 1937). Figure majeure du pop art et de l'hyperréalisme (série des piscines).

Enver **Hodja** → Enver **Hoxha**

Ernst Theodor Amadeus **Hoffmann** ▫ Écrivain et compositeur allemand (1776-1822). Ses contes font preuve d'une imagination fantastique *(Les Élixirs du diable)*.

Hugo von **Hofmannsthal** ▫ Auteur dramatique autrichien (1874-1929). Son théâtre lyrique et métaphysique mêle le pathétique à l'ironie. Il écrivit des livrets d'opéra pour Richard Strauss.

William **Hogarth** ▫ Peintre et graveur anglais (1697-1764). Il fit la satire des mœurs de son époque.

le **Hoggar** ▫ Massif volcanique du Sahara. Point culminant : Tahat, 2 918 m.

les **Hohenzollern** ▫ Famille allemande qui régna sur la Prusse (1701-1918) et établit l'Empire allemand.

**Hokkaidō** ▫ Île du nord du Japon. 78 521 km². 5,63 millions d'habitants.

**Hokusai** ▫ Peintre et graveur japonais (1760-1849). Il renouvela l'art de l'estampe.

**Holbein le jeune** ▫ Peintre allemand (1497-1543). Peintre du roi Henri VIII d'Angleterre. Portraits. *Les Ambassadeurs.*

Friedrich **Hölderlin** ▫ Poète allemand (1770-1843). Il célèbre les idéaux de la Grèce antique et la communion avec la nature avec un lyrisme qui prépare le romantisme.

Eleanora, dite Billie **Holiday** ou Lady Day ▫ Chanteuse de jazz américaine (1915-1959).

François **Hollande** ▫ Homme d'État français (né en 1954). Premier secrétaire du Parti socialiste (1997-2008), il fut président de la République de 2012 à 2017.

la **Hollande** ▫ Région la plus riche et la plus peuplée des Pays-Bas, divisée en deux provinces. ► la **Hollande-Méridionale.** 2 905 km². 3,5 millions d'habitants. Chef-lieu : La Haye. ► la **Hollande-Septentrionale.** 2 668 km². 2,6 millions d'habitants. Chef-lieu : Haarlem.

**Hollywood** ▫ Faubourg de Los Angeles (Californie). Studios de cinéma.

Sherlock **Holmes** → **Sherlock Holmes**

**Holopherne** ▫ Personnage de la Bible. Général de Nabuchodonosor, il assiège Béthulie. Judith le séduit et le décapite.

le **Holstein** → le **Schleswig-Holstein**

**Homère** ▫ Poète grec à qui on attribue l'*Iliade* et l'*Odyssée* (IXᵉ s. avant J.-C.).

**Homs** ▫ Ville de Syrie. 775 400 habitants.

**Hondō** → **Honshū**

le **Honduras** ▫ État d'Amérique centrale. 112 088 km². 9,3 millions d'habitants. Capitale : Tegucigalpa.

Arthur **Honegger** ▫ Compositeur suisse (1892-1955). Œuvre symphonique et vocale, musique de chambre. Il renouvela l'expression théâtrale lyrique *(Jeanne au bûcher)*.

**Hong Kong** ▫ Territoire du sud de la Chine. 1 068 km². 7 millions d'habitants.

la **Hongrie** ▫ État d'Europe centrale. 93 030 km². 9,7 millions d'habitants. Capitale : Budapest.

**Honolulu** ▫ Capitale de l'État d'Hawaii. 371 700 habitants.

**Honshū,** anciennement *Hondō* ▫ La plus grande et la plus peuplée des îles du Japon. 230 822 km². 100 millions d'habitants.

les **Hopis** ▫ Groupe amérindien des Pueblos.

Edward **Hopper** ▫ Peintre américain (1882-1967). Son réalisme épuré, impersonnel, en fait un précurseur du pop art.

**Horace** ▫ Poète latin (65-8 avant J.-C.). Il célèbre l'amour, la vie rustique, la simplicité et la liberté intérieure (*Satires ; Épîtres ; Odes,* d'esprit stoïcien).

les trois **Horaces** ▫ Nom de trois frères romains (VIIᵉ s. avant J.-C.). Ils triomphèrent des Curiaces, champions d'Albe. Ce combat a inspiré une tragédie à Corneille *(Horace)* et un tableau à David *(Le Serment des Horaces)*.

la **Horde d'Or** ▫ Khanat mongol qui s'étendait de la Russie au Caucase (XIIIᵉ-XVᵉ s.).

Max **Horkheimer** ▫ Sociologue et philosophe allemand, de l'« école de Francfort » (1895-1973). Critique de la société industrielle et de la culture de masse.

le cap **Horn** ▫ Pointe la plus australe de l'Amérique du Sud.

Vladimir **Horowitz** ▫ Pianiste américain d'origine russe (1904-1989). Interprète virtuose de Chopin, Liszt, et du répertoire russe.

Victor **Horta** ▫ Architecte belge (1861-1947). Pionnier de l'Art nouveau.

**Horus** ▫ mythol. égyptienne Dieu du Soleil.

les **Hottentots** ▫ Peuple nomade de Namibie.

Jean Antoine **Houdon** ▫ Sculpteur français (1741-1828). Bustes.

Michel Thomas, dit Michel **Houellebecq** ▫ Écrivain français (né en 1958). Son ton provocateur, son cynisme en font une voix singulière. *Extension du domaine de la lutte ; Les Particules élémentaires ; La Carte et le Territoire.*

Félix **Houphouët-Boigny** ▫ (1905-1993) Premier président de la République ivoirienne, de 1960 à sa mort.

**Houston** ▫ Port des États-Unis (Texas). 1,9 million d'habitants.

Enver **Hoxha** ou **Hodja** ▫ Homme d'État (communiste) albanais (1908-1985), au pouvoir de 1945 à sa mort.

le **Huang he,** en français *le fleuve Jaune* ▫ Fleuve de Chine du Nord. 5 464 km.

Edwin Powell **Hubble** ▫ Astronome américain (1889-1953). Il se consacra à l'étude des galaxies. ► **Hubble,** télescope spatial américain mis en orbite en 1990.

le **Hubei** ▫ Province du centre de la Chine. 185 900 km². 57,8 millions d'habitants. Capitale : Wuhan.

saint **Hubert** ▫ Évêque de Tongres et Maastricht (656-727). Lors d'une chasse, un cerf lui serait apparu, surmonté d'un crucifix.

l'**Hudson** n. m. ▫ Fleuve des États-Unis qui relie New York aux Grands Lacs. 500 km.

la baie d'**Hudson** ▫ Mer intérieure du Canada.

**Huế** ▫ Ville du Viêtnam. 341 450 habitants.

Victor **Hugo** ▫ Écrivain français (1802-1885). Chef de file des romantiques, poète *(La Légende des siècles)*, dramaturge *(Hernani ; Ruy Blas)* et romancier *(Notre-Dame de Paris ; Les Misérables)*. Hugo fut un dessinateur exceptionnel. Son rôle politique, sa lutte contre Napoléon III, son exil influencèrent l'opinion.

**Hugues Capet** ▫ (v. 941-996) Roi de France de 987 à sa mort. Il fonda la dynastie des *Capétiens*.

**Hu Jintao** ▫ Homme d'État chinois (né en 1942). Président de la République (2003-2013).

L'**Humanité** ▫ Quotidien français fondé en 1904 par Jaurès. Organe socialiste, puis communiste.

Wilhelm von **Humboldt** ▫ Linguiste et philosophe allemand (1767-1835). Il étudia de nombreuses langues et élabora une théorie du langage. ► Alexander von **Humboldt,** son frère (1769-1859). Naturaliste, grand voyageur.

David **Hume** ▫ Philosophe empiriste et historien écossais (1711-1776).

le **Hunan** ▫ Province du sud de la Chine. 210 000 km². 65,7 millions d'habitants. Capitale : Changsha.

les **Huns** ▫ Peuple nomade d'Asie qui dévasta l'Europe au Vᵉ s. → **Attila.**

Isabelle **Huppert** ▫ Actrice française (née en 1953). Elle mène une carrière internationale. *La Dentellière ; La Porte du paradis ; Madame Bovary.*

le lac **Huron** ▫ Grand Lac des États-Unis. 59 500 km².

les **Hurons** ▫ Groupe amérindien du Canada.

Jan **Hus** ▫ Réformateur religieux tchèque (v. 1371-1415). Il fut brûlé comme hérétique.

**Hussein** ▫ (1935-1999) Roi de Jordanie de 1952 à sa mort.

Saddam **Hussein** ▫ Homme d'État irakien (1937-2006), au pouvoir depuis 1979, renversé en 2003. Accusé de crimes contre l'humanité, jugé en Irak, il fut condamné à mort et pendu.

Edmund **Husserl** ▫ Philosophe allemand (1859-1938). Il a fondé la phénoménologie.

John **Huston** ▫ Cinéaste américain (1906-1987). *Le Faucon maltais ; Le Trésor de la Sierra Madre ; Les Désaxés.*

Nancy **Huston** ▫ Écrivaine canadienne d'expression anglaise et française (née en 1953). Romans *(Instruments des ténèbres ; Lignes de faille)*, essais.

James **Hutton** ▫ Chimiste et géologue britannique (1726-1797).

les **Hutus** ▫ Population d'Afrique centrale (Rwanda, Burundi...). → **Tutsis.**

Aldous **Huxley** ▫ Écrivain anglais (1894-1963). Il exprime une vision du monde ironique et critique *(Contrepoint)* et imagine un avenir sombre *(Le Meilleur des mondes)*.

Christiaan **Huygens** ▫ Physicien et astronome néerlandais (1629-1695). Lois de la force centrifuge. Théorie ondulatoire de la lumière.

Joris-Karl **Huysmans** ▫ Écrivain français (1848-1907). Après des romans naturalistes assez cruels, il chercha un remède à la bassesse et à la bêtise dans l'occultisme et le raffinement sensuel, puis dans la foi chrétienne *(À rebours ; Là-Bas ; La Cathédrale)*.

**Hyderabad** ▫ Ville d'Inde (Andhra Pradesh et Telangana). 7,6 millions d'habitants.

**Hyderabad** ▫ Ville du Pakistan. 1,7 million d'habitants.

les îles d'**Hyères** ▫ Archipel du Var (Porquerolles, Port-Cros, l'île du Levant).

les **Hyksos** ▫ Envahisseurs asiatiques qui dominèrent l'Égypte de 1785 à 1580 avant J.-C.

le mont **Hymette** ▫ Montagne au sud d'Athènes. 1 026 m.

**Hypathie** ▫ Érudite, philosophe et mathématicienne grecque (370-415), directrice d'une école de philosophie à Alexandrie.

# I

**Iahvé** → **Yahvé**

la **Iakoutie** → république de **Sakha**

**Iaroslavl** □ Ville de Russie, sur la Volga. 613 200 habitants. Églises des XVI$^{e}$-XVII$^{e}$ s.

**Ibadan** □ Ville du Nigeria. 3,8 millions d'habitants.

les **Ibères** □ Peuple établi en Espagne, au temps de la conquête romaine (I$^{er}$ s.). ► la péninsule **Ibérique,** l'ensemble que constituent l'Espagne et le Portugal.

**Ibn ʿArabī** □ Philosophe, poète et mystique musulman (1165-1241). Le grand maître du soufisme.

**Ibn Baṭṭūṭa** □ Voyageur et géographe arabe (1304-1377).

**Ibn Khaldoun** □ Historien et philosophe arabe (1332-1406). Précurseur des sciences humaines, notamment de la sociologie.

**Ibn Séoud** □ (1887-1953) Roi d'Arabie saoudite de 1932 à sa mort.

les **Ibos** □ Peuple du Nigeria oriental.

Henrik **Ibsen** □ Auteur dramatique norvégien (1828-1906). Son théâtre exprime une philosophie du courage, plus pessimiste à la fin de sa vie. *Brand ; Peer Gynt ; Maison de poupée.*

**Icare** □ mythol. grecque Fils de Dédale. Il s'échappa du Labyrinthe au moyen d'ailes attachées avec de la cire que le soleil fit fondre, provoquant sa chute.

l'**Idaho** n. m. □ État du nord-ouest des États-Unis. 216 413 km$^2$. 1,5 million d'habitants. Capitale : Boise.

**Iekaterinbourg** □ Ville de Russie. 1,3 million d'habitants.

**Iéna** □ Ville d'Allemagne (Thuringe). 102 700 habitants. Victoire de Napoléon I$^{er}$ sur les Prussiens en 1806.

l'**Iénisseï** n. m. □ Fleuve de Russie. 3 487 km.

**If** □ Îlot français de la Méditerranée, en face de Marseille. Le *château d'If* servit de prison.

l'**IFOP** □ «Institut français d'opinion publique», fondé en 1938. Sondages d'opinion.

l'**IGN** □ «Institut géographique national» (français) fondé en 1940.

saint **Ignace de Loyola** □ Prêtre espagnol, fondateur des jésuites (1491-1556).

l'**Iguaçu** n. m. □ Rivière du Brésil. 1 045 km. Chutes d'eau spectaculaires.

l'**Île-de-France** □ Région administrative française, au cœur du Bassin parisien. Huit départements : Essonne, Hauts-de-Seine, Paris, Seine-et-Marne, Seine-Saint-Denis, Val-de-Marne, Val-d'Oise, Yvelines. 12 012 km$^2$. 12,21 millions d'habitants. Capitale : Paris.

l'**Iliade** □ Épopée grecque attribuée à Homère. Récit de la guerre de Troie.

**Ilion** → **Troie**

l'**Ill** n. m. □ Rivière d'Alsace, affluent du Rhin. 208 km.

l'**Ille-et-Vilaine** [35] n. f. □ Département français de la Région Bretagne. 6 852 km$^2$. 1,07 million d'habitants. Chef-lieu : Rennes. Chefs-lieux d'arrondissement : Fougères, Redon, Saint-Malo.

Ivan **Illich** □ Philosophe autrichien de langue anglaise (1926-2002). Réflexion sur les mutations sociales et culturelles de la 2$^{de}$ moitié du XX$^{e}$ siècle.

l'**Illinois** n. m. □ État du centre des États-Unis. 146 756 km$^2$. 12,8 millions d'habitants. Capitale : Springfield. Ville principale : Chicago.

l'**Illyrie** n. f. □ Anc. nom de la partie nord des Balkans.

Shohei **Imamura** □ Cinéaste japonais (1926-2006). Assistant d'Ozu, il réalisa ensuite des films sobres et réalistes. *La Ballade de Narayama ; L'Anguille.*

**Imhotep** □ Architecte et ministre égyptien de l'Antiquité (v. 2800 avant J.-C.). Il construisit la première pyramide à degrés, à Saqqara.

l'**INA,** *Institut national de l'audiovisuel* □ Établissement public français, créé en 1975 pour archiver les productions audiovisuelles.

les **Incas** ▫ Peuple de l'Amérique précolombienne qui fonda un puissant empire le long de la cordillère des Andes, qui connut son apogée au XV^e^ s. avant d'être détruit par les Espagnols en 1532.

**Inch'ŏn** ▫ Port de Corée du Sud. 2,8 millions d'habitants.

l'**Inde** n. f. ▫ État fédéral d'Asie. 3 287 263 km². 1,37 milliard d'habitants. Capitale : New Delhi.

la guerre de l'**Indépendance américaine** ▫ Guerre qui opposa le Royaume-Uni à ses colonies d'Amérique du Nord de 1775 à 1782 et aboutit à la création des États-Unis.

les **Indes occidentales** ▫ Nom donné à l'Amérique par les Européens qui la découvrirent, à la suite de Christophe Colomb.

l'**Indiana** n. m. ▫ État du centre des États-Unis. 94 153 km². 6 millions d'habitants. Capitale : Indianapolis.

l'océan **Indien** ▫ Océan entre l'Afrique, l'Asie et l'Australie. 75 millions de km².

les **Indiens** ou **Amérindiens** ▫ Nom donné aux premiers habitants d'Amérique par les Européens.

l'**Indochine** n. f. ▫ Péninsule asiatique qui comprend la Birmanie, le Laos, la Thaïlande, le Cambodge, le Viêtnam et la Malaisie. ► la guerre d'**Indochine :** guerre d'indépendance des Vietnamiens, qui aboutit au départ des Français (1946-1954).

l'**Indonésie** n. f. ▫ État d'Asie du Sud-Est, formé d'un archipel d'env. 13 000 îles dont Java, Bali, Sumatra, Célèbes, la Papouasie occidentale et Kalimantan (partie indonésienne de Bornéo). 1 919 400 km². 255 millions d'habitants. Capitale : Jakarta.

**Indore** ▫ Ville d'Inde (Madhya Pradesh). 1,6 million d'habitants.

**Indra** ▫ Divinité védique de l'Inde, considérée comme le roi des dieux.

l'**Indre** n. f. ▫ Rivière, affluent de la Loire. 265 km. ► l'**Indre** [36]. Département français de la Région Centre-Val de Loire. 6 824 km². 220 595 habitants. Chef-lieu : Châteauroux. Chefs-lieux d'arrondissement : Le Blanc, La Châtre, Issoudun.

l'**Indre-et-Loire** [37] n. f. ▫ Département français de la Région Centre-Val de Loire. 6 126 km². 607 760 habitants. Chef-lieu : Tours. Chefs-lieux d'arrondissement : Chinon, Loches.

l'**Indus** n. m. ▫ Fleuve de l'Inde et du Pakistan. 3 180 km. Ses rives abritèrent une civilisation brillante du III^e^ au II^e^ millénaire avant J.-C.

Vincent d'**Indy** ▫ Compositeur français (1851-1931). Élève de César Franck, admirateur de Wagner, il est l'auteur d'une œuvre importante en musique de chambre et symphonique, utilisant souvent le folklore français.

l'**Ingouchie** n. f. ▫ République autonome de Russie. 2 700 km². 468 900 habitants. Capitale : Nazran.

Dominique **Ingres** ▫ Peintre français (1780-1867). Portraits, nus témoignent de la primauté du dessin sur la couleur *(Le Bain turc)*.

**Innocent** ▫ Nom de treize papes. ► **Innocent III.** Pape de 1198 à sa mort (1160-1216). Il lutta contre Philippe Auguste, Jean sans Terre et prêcha la quatrième croisade et la croisade contre les albigeois.

**Innsbruck** ▫ Ville d'Autriche, capitale du Tyrol. 121 329 habitants. Édifices des XV^e^-XVIII^e^ s.

İsmet **İnönü** ▫ Général et homme politique turc (1884-1973), au pouvoir de 1923 à 1950.

l'**Inquisition** n. f. ▫ Juridiction créée par l'Église pour lutter contre l'hérésie (XIII^e^-XVIII^e^ s.).

l'**INRA** ▫ Institut national (français) de la recherche agronomique (fondé en 1946).

l'**INSEE** ▫ Institut national (français) de la statistique et des études économiques (fondé en 1946).

l'**INSERM** ▫ Institut national (français) de la santé et de la recherche médicale (fondé en 1964).

l'**Institut de France** ▫ Ensemble formé par l'Académie française, l'Académie des sciences, l'Académie des beaux-arts, l'Académie des inscriptions et belles-lettres et l'Académie des sciences morales et politiques, qu'abrite le *palais de l'Institut*, à Paris, édifice du XVII^e^ s.

l'**Institut Pasteur** → **Pasteur**

l'**Insulinde** n. f. ▫ Nom des îles du Sud-Est asiatique : Indonésie et Philippines.

l'**Internationale** n. f. ▫ Organisation des partis ouvriers ayant pour but l'avènement du socialisme. Il y eut quatre Internationales. ► l'**Internationale.** Hymne révolutionnaire composé par E. Pottier et P. Degeyter en 1871.

**Interpol** ▫ Organisation internationale de police criminelle, créée en 1923.

l'**Intifada** n. f. (arabe «soulèvement») ▫ Soulèvement populaire palestinien contre la présence israélienne dans les territoires occupés (1987-1993). «Deuxième intifada», en 2000.

les **Inuits** ▫ Peuple des régions arctiques et subarctiques (Groenland, Labrador, Alaska...), longtemps appelé *Esquimaux*.

l'hôtel des **Invalides** ▫ Monument de Paris construit au XVIII^e^ s. par Hardouin-Mansart.

**Inverness** ▫ Ville d'Écosse, au nord-est. 48 000 habitants.

**Io** ▫ mythol. grecque Prêtresse d'Héra, aimée de Zeus et changée par lui en génisse.

Eugène **Ionesco** ▫ Auteur dramatique français d'origine roumaine (1909-1994). Il décrit l'incommunicabilité entre les êtres, dans des pièces d'une drôlerie symbolique *(La Cantatrice chauve ; Rhinocéros ; Le roi se meurt)*.

l'**Ionie** n. f. ▫ Anc. région d'Asie Mineure sur la mer Égée. ► les **Ioniens,** chassés de Grèce, s'y installèrent au XII$^e$ s. avant J.-C. et fondèrent Samos, Éphèse et Milet. ► la mer **Ionienne :** partie de la Méditerranée entre l'Italie et la Grèce. ► les îles **Ioniennes.** Archipel grec (Corfou, Ithaque, Cythère, Leucade, Céphalonie, Zante).

l'**Iowa** n. m. ▫ État du centre des États-Unis. 145 791 km$^2$. 3 millions d'habitants. Capitale : Des Moines.

**Iphigénie** ▫ mythol. grecque Fille d'Agamemnon que son père sacrifie pour obtenir des vents favorables à la navigation vers Troie.

Jean Robert **Ipoustéguy** ▫ Sculpteur français (1920-2006).

**Ipsos** ▫ Société française de sondages et d'études de marché (1975).

l'**IRA** n. f. *(Irish Republican Army)* ▫ Organisation armée irlandaise, fondée en 1919. Après l'indépendance de l'Éire, l'IRA reprit la lutte armée en 1946 en Irlande du Nord (Ulster).

l'**Irak** ou l'**Iraq** n. m. ▫ État d'Asie occidentale. 440 000 km$^2$. 38,2 millions d'habitants. Capitale : Bagdad.

l'**Iran** n. m. ▫ État d'Asie occidentale. 1 648 000 km$^2$. 79 millions d'habitants. Capitale : Téhéran.

**Irène** ▫ Impératrice d'Orient (v. 752-803).

**Irkoutsk** ▫ Ville de Russie. 587 800 habitants.

l'**Irlande** n. f. ▫ Île située à l'ouest de la Grande-Bretagne. 84 000 km$^2$. ► l'**Irlande** (*Éire* en langue irlandaise). État d'Europe du Nord. 70 280 km$^2$. 4,2 millions d'habitants. Capitale : Dublin. ► l'**Irlande du Nord :** partie nord-est de l'île, faisant partie du Royaume-Uni. 13 843 km$^2$. 1,8 million d'habitants. Capitale : Belfast.

la mer d'**Iroise** ▫ Bras de mer de la côte occidentale de Bretagne.

les **Iroquois** ▫ Groupe amérindien d'Amérique du Nord.

Washington **Irving** ▫ Écrivain et historien américain (1783-1859). Contes humoristiques *(Rip Van Winkle)*.

**Isaac** ▫ Bible Patriarche, fils d'Abraham. Son père allait le sacrifier lorsque Dieu lui substitua un bélier.

**Isabeau de Bavière** ▫ Reine de France (1371-1435). Régente pendant la folie de son mari Charles VI.

**Isabelle I$^{re}$ la Catholique** ▫ (1451-1504) Reine de Castille de 1474 à sa mort, femme de Ferdinand d'Aragon.

**Isaïe** ▫ Bible Prophète hébreu (VIII$^e$ s. avant J.-C.).

col de l'**Iseran** ▫ Col des Alpes françaises, en Savoie. 2 764 m.

l'**Isère** n. f. ▫ Rivière, affluent du Rhône. 290 km. ► l'**Isère** [38]. Département français de la Région Auvergne-Rhône-Alpes. 7 467 km$^2$. 1,26 million d'habitants. Chef-lieu : Grenoble. Chefs-lieux d'arrondissement : La Tour-du-Pin, Vienne.

**Iseult** → **Tristan et Iseult**

**Isfahan** → **Ispahan**

Kazuo **Ishiguro** ▫ Écrivain britannique d'origine japonaise (né en 1954). *Les Vestiges du jour* (film de James Ivory). Prix Nobel 2017.

**Ishtar** ▫ Déesse de la Fécondité, dans la religion mésopotamienne. *Astarté* chez les Grecs.

saint **Isidore de Séville** ▫ Évêque espagnol, écrivain latin (v. 570-636). *Les Étymologies,* encyclopédie.

**Isis** ▫ Déesse de l'anc. Égypte, épouse d'Osiris.

**Islamabad** ▫ Capitale du Pakistan. 1 014 800 habitants.

l'**Islande** n. f. ▫ État insulaire du nord de l'Atlantique. 102 828 km$^2$. 313 400 habitants. Capitale : Reykjavík.

**Ismaël** ▫ Bible Fils d'Abraham et de sa servante, considéré comme l'ancêtre des Arabes.

**Ispahan** ou **Isfahan** ▫ Ville d'Iran. 1,6 million d'habitants. Grande Mosquée, XI$^e$-XVIII$^e$ s.

**Israël** ▫ Bible Mot hébreu qui désigne : 1° Jacob ; 2° les tribus issues de ses douze fils ; 3° le royaume fondé après la mort de Salomon ; 4° le peuple juif.

**Israël** ▫ État du Proche-Orient. 20 770 km$^2$. 7,1 millions d'habitants. Capitale : Jérusalem (non reconnue par l'ONU mais reconnue par les États-Unis). Tel-Aviv-Jaffa est le siège du gouvernement. ► les guerres **israélo-arabes.** Conflits qui opposèrent Israël et les pays arabes qui refusèrent de reconnaître cet État, qui occupe une partie de la Cisjordanie. Il y eut cinq guerres en 1948-1949, en 1956, en 1967 *(guerre des Six Jours),* en 1973 *(guerre du Kippour)* et de 1982 à 1985, puis les Intifadas, des affrontements avec le Hezbollah libanais en 2006 et une offensive contre le Hamas à Gaza en déc. 2008.

**İstanbul,** anciennement *Byzance*, puis *Constantinople* ▫ Ville et port de Turquie, sur la rive européenne du Bosphore. 13 millions d'habitants. Mosquées Sainte-Sophie, Süleymaniye, palais de Topkapı.

Panaït **Istrati** ▫ Écrivain roumain d'expression française (1884-1935). Romans aux thèmes sociaux réalistes. *Les Chardons du Baragan.*

l'**Istrie** n. f. ▫ Région de Croatie et de Slovénie, en face de Venise.

l'**Italie** n. f. ▫ État d'Europe méridionale. 301 230 km². 59 millions d'habitants. Capitale : Rome. ► **les guerres d'Italie.** Expéditions menées par les rois de France de 1494 à 1559.

**Ithaque** ▫ Une des îles Ioniennes, patrie d'Ulysse dans l'*Odyssée.*

**Ivan IV,** dit **Ivan le Terrible** ▫ (1530-1584) Premier tsar de Russie de 1547 à sa mort.

**Ivanhoé** ▫ Personnage de Walter Scott, héros loyal envers Richard Cœur de Lion.

Charles **Ives** ▫ Compositeur américain (1874-1954). Précurseur de Stravinsky, Bartók et de l'atonalité.

sir James **Ivory** ▫ Cinéaste américain (né en 1928). Adaptations de Henry James, E. M. Forster. *Chambre avec vue ; Les Vestiges du jour.*

**İzmir,** anciennement *Smyrne* ▫ Port de Turquie, sur la mer Égée. 2,8 millions d'habitants.

**İznik** → **Nicée**

le col de l'**Izoard** ▫ Col des Hautes-Alpes à 2 360 m d'altitude.

les **Izvestia** (russe «les nouvelles») ▫ Quotidien russe fondé en 1917.

# J

Philippe **Jaccottet** ▫ Poète et traducteur suisse d'expression française (1925-2021).

**Jack l'Éventreur** ▫ Criminel qui sévit à Londres à la fin du XIXe s., resté inconnu.

Andrew **Jackson** ▫ (1767-1845) 7e président (démocrate) des États-Unis, de 1829 à 1837.

Mahalia **Jackson** ▫ Chanteuse américaine de gospel (1911-1972).

Michael **Jackson** ▫ Chanteur américain de musique pop (1958-2009). *Thriller.*

**Jacob** ▫ Bible Patriarche hébreu. Ses douze fils furent les pères des douze tribus d'Israël.

Georges **Jacob** ▫ Ébéniste français (1739-1814). ► Ses fils, Georges et François Honoré **Jacob,** continuèrent son œuvre.

Max **Jacob** ▫ Poète français (1876-1944). *Le Cornet à dés,* poèmes en prose d'une grande invention verbale (1917). Humour et mysticisme chrétien dans les poèmes et les romans qui suivirent.

François **Jacob** ▫ Biochimiste français (1920-2013). Auteur de *La Logique du vivant.* Prix Nobel 1965, avec A. Lwoff et J. Monod.

les **Jacobins** ▫ Club révolutionnaire créé en 1789. Dominé par les Montagnards, il soutint Robespierre.

Joseph-Marie **Jacquard** ▫ Mécanicien français (1752-1834). Inventeur d'un métier à tisser automatique.

Albert **Jacquard** ▫ Généticien français (1925-2013). Auteur d'ouvrages de vulgarisation. *L'Éloge de la différence.*

la **Jacquerie** ▫ Soulèvement de paysans dans le Beauvaisis en 1358, écrasé par le roi de Navarre, Charles II le Mauvais.

saint **Jacques,** dit le Majeur ▫ Apôtre de Jésus (mort en 44). Considéré comme l'évangélisateur de l'Espagne.

saint **Jacques,** dit le Juste ou le Mineur ▫ Apôtre de Jésus (mort en 62). Il serait mort lapidé.

**Jacques Ier Stuart** ▫ (1566-1625) Roi d'Écosse en 1567, d'Angleterre et d'Irlande de 1603 à sa mort.

**Jacques II** ▫ (1633-1701) Roi de Grande-Bretagne de 1685 à 1688. Son gendre, Guillaume d'Orange, l'obligea à s'exiler en France.

**Jaffa** → **Tel-Aviv-Jaffa**

les **Jagellons** ▫ Dynastie lituanienne qui régna sur la Pologne de 1386 à 1572.

**Jaipur** ▫ Ville d'Inde (Rajasthan). 3 millions d'habitants.

**Jakarta,** anciennement *Batavia* ▫ Capitale fédérale d'Indonésie. 9,6 millions d'habitants.

Roman **Jakobson** ▫ Linguiste et poéticien russe naturalisé américain (1896-1982). Travaux sur la phonologie, les fonctions du langage.

la **Jamaïque** ▫ Île et État des Antilles. 10 991 km². 2,7 millions d'habitants. Capitale : Kingston.

Henry **James** ▫ Romancier américain naturalisé anglais (1843-1916). Il écrivit des récits complexes, d'une grande pénétration psychologique *(Les Ambassadeurs ; La Coupe d'or ; Les Ailes de la colombe)* et des nouvelles envoûtantes *(Ce que savait Maisie ; Le Tour d'écrou).*

Phyllis Dorothy, dite P. D. **James,** baronne of Holland Park ▫ Romancière britannique (1920-2014). Romans policiers très documentés. *À visage couvert ; Un certain goût pour la mort.*

Francis **Jammes** ▫ Écrivain français (1868-1938). Poèmes et romans d'une délicate simplicité, empreints de ferveur chrétienne *(Les Géorgiques chrétiennes).*

Leoš **Janáček** ▫ Compositeur tchèque (1854-1928). *Jenufa* (opéra).

Clément **Janequin** ▫ Compositeur français (v. 1485-1558). Maître de la chanson polyphonique.

le **Janicule** ▫ Une des collines de Rome.

Vladimir **Jankélévitch** ▫ Philosophe français (1903-1985).

**Jansénius** ▫ Théologien néerlandais, à l'origine du jansénisme (1585-1638).

Jules **Janssen** ▫ Astronome français (1824-1907). Découverte de l'hélium en 1868.

**Janus** ▫ mythol. romaine Dieu à deux visages, gardien des portes.

**Japhet** ▫ Patriarche de la Bible, fils de Noé, ancêtre mythique des peuples d'Asie.

le **Japon** ▫ État et archipel d'Asie. 377 765 km². 126,4 millions d'habitants. Îles principales (du nord au sud) : Hokkaidō, Honshū ou Hondō, Shikoku, Kyūshū, les Ryūkyū (dont Okinawa). Capitale : Tōkyō.

Philippe **Jaroussky** ▫ Contre-ténor français (né en 1978). Répertoire des castrats (Monteverdi, Vivaldi, Haendel...).

Alfred **Jarry** ▫ Écrivain français (1873-1907). Il créa le personnage du père Ubu *(Ubu roi)*, écrivit des textes, proses et poèmes symbolistes et inventa la «pataphysique», science fantaisiste des solutions imaginaires.

**Jason** ▫ mythol. grecque Chef des Argonautes, parti à la conquête de la Toison d'or.

le fleuve **Jaune** → **Huang he**

la mer **Jaune** ▫ Mer entre la Chine et la Corée.

Jean **Jaurès** ▫ Homme politique français, figure marquante du socialisme (1859-1914). Il fonda *L'Humanité*. Opposé à la guerre, il fut assassiné.

**Java** ▫ Île volcanique d'Indonésie. 132 186 km². 125,9 millions d'habitants. Ville principale : Jakarta.

Andreï Alexandrovitch **Jdanov** ▫ Homme politique soviétique (1886-1948). Théoricien du «réalisme socialiste», il défendit l'orthodoxie stalinienne.

saint **Jean** ▫ Apôtre de Jésus. On lui attribue le quatrième Évangile et l'Apocalypse.

**Jean** ▫ Nom de vingt-trois papes. ► saint **Jean XXIII.** Pape de 1958 à sa mort (1881-1963). Il convoqua le IIᵉ concile du Vatican.

**Jean** ▫ Nom de plusieurs souverains européens.
**1** ROI D'ANGLETERRE ► **Jean sans Terre** (1167-1216). Roi de 1199 à sa mort. Il fut condamné par Philippe Auguste à perdre ses terres françaises.
**2** DUC DE BOURGOGNE ► **Jean sans Peur** (1371-1419). Duc de 1404 à sa mort. Il fut assassiné.
**3** ROIS DE FRANCE ► **Jean Iᵉʳ le Posthume,** fils posthume de Louis X. Il ne vécut que cinq jours (1316). ► **Jean II le Bon** (1319-1364). Roi de 1350 à sa mort. Prisonnier des Anglais, il mourut en captivité.
**4** ROI DE POLOGNE ► **Jean III Sobieski** (1624-1696). Roi de 1674 à sa mort. Vainqueur des Turcs.
**5** ROI DE PORTUGAL ► **Jean Iᵉʳ le Grand** (1357-1433). Roi de 1385 à sa mort.
**6** GRAND-DUC DE LUXEMBOURG ► **Jean** (1921-2019), grand-duc de 1964 à 2000. Il abdiqua en faveur de son fils, Henri.

saint **Jean-Baptiste** ▫ Prophète juif (mort v. 28). Il reconnut Jésus comme Messie et le baptisa dans le Jourdain. Il fut décapité.

saint **Jean-Baptiste de La Salle** ▫ Prêtre français, fondateur des frères des Écoles chrétiennes (1651-1719).

saint **Jean-Baptiste Marie Vianney** ▫ Prêtre français (1786-1859). Curé d'Ars (Ain).

**Jean Bodel** → **Bodel**

saint **Jean Bosco** ▫ Prêtre italien (1815-1888). Fondateur de la congrégation des salésiens.

saint **Jean Chrysostome** ▫ Docteur de l'Église, patriarche de Constantinople (v. 349-407).

Juan de Yepes, saint **Jean de la Croix** ▫ Mystique espagnol (1542-1591). Réformateur des carmels d'Espagne. Il écrivit des poèmes et quatre traités mystiques d'une foi exaltée et lyrique.

**Jean de Meung** ▫ Poète français (1250-v. 1305). Il acheva *Le Roman de la rose* (commencé par Guillaume de Lorris).

**Jeanne III d'Albret** ▫ Reine de Navarre (1528-1572). Mère d'Henri IV.

sainte **Jeanne d'Arc,** dite **la Pucelle d'Orléans** ▫ Héroïne française née à Domrémy (v. 1412-1431). Pendant la guerre de Cent Ans, elle délivra Orléans et fit sacrer Charles VII à Reims (1429). Prisonnière des Anglais, elle fut brûlée à Rouen.

**Jeanne la Folle** ▫ (1479-1555) Reine de Castille de 1504 à sa mort. Mère de Charles Quint.

saint **Jean-Paul II** ▫ Pape (1920-2005) de 1978 à sa mort.

**Jean Paul** → Johann Paul **Richter**

Thomas **Jefferson** ▫ Homme d'État américain (1743-1826), 3ᵉ président des États-Unis (1801-1809). Homme des Lumières, il rédigea la Déclaration d'indépendance de 1776, et milita pour l'abolition de l'esclavage.

**Jéhovah** ▫ Autre nom de Yahvé.

Elfriede **Jelinek** ▫ Écrivaine autrichienne (née en 1946). Féministe et critique de la société autrichienne. *La Pianiste.* Prix Nobel 2004.

**Jemappes,** anciennement *Jemmapes* ▫ Anc. commune de Belgique. Dumouriez y vainquit les Autrichiens en 1792.

Edward **Jenner** ▫ Médecin anglais (1749-1823). Inventeur du premier vaccin (contre la variole).

**Jérémie** ▫ Bible Prophète hébreu (v. 650-v. 580 avant J.-C.).

**Jerez de la Frontera,** en français *Xérès* ▫ Ville d'Espagne (Andalousie). 202 700 habitants. Vins.

**Jéricho** ▫ Ville de Palestine, sous autogouvernement palestinien. 20 000 habitants.

saint **Jérôme** ▫ Père et docteur de l'Église (v. 347-420). Auteur de la *Vulgate*.

**Jersey** ▫ Une des îles Anglo-Normandes. 116 $km^2$. 97 800 habitants. Chef-lieu : Saint-Hélier.

**Jérusalem** ▫ Ville de Palestine, capitale de l'État d'Israël (non reconnue par la communauté internationale mais par les États-Unis depuis 2017), cité sainte pour les religions juive, chrétienne et musulmane. Mur des Lamentations, Saint-Sépulcre, Dôme du Rocher. 733 300 habitants.

**Jésus** ou **Jésus-Christ** ▫ Juif de Galilée, fondateur de la religion chrétienne. Messie et fils de Dieu. Il serait né à Bethléem et mort crucifié en 28 ou 29 de l'ère chrétienne.

la Compagnie de **Jésus** ▫ Ordre de clercs réguliers (jésuites) fondé en 1540 par Ignace de Loyola et voué à l'enseignement.

le serment du **Jeu de paume** ▫ Serment prêté le 20 juin 1789 par les députés du tiers état, afin de donner une constitution à la France **(→ Constituante).**

les **Jeunes-Turcs** ▫ Officiers, membres d'un mouvement réformiste de Turquie, de 1868 à la Première Guerre mondiale.

**Jiang Jieshi** ou **Tchang Kaï-chek** ▫ Maréchal et homme d'État chinois (1886-1975). Chef du Guomindang, il lutta contre les communistes et se réfugia à Taiwan après 1949.

**Jiang Qing** ou **Kiang K'ing** ▫ Femme politique chinoise (1914-1991). Femme de Mao Zedong, elle domina la vie politique pendant la «Révolution culturelle», puis fut jugée après la mort de Mao.

**Jiangsu** ▫ Province côtière de l'est de la Chine. 102 600 $km^2$. 79 millions d'habitants. Capitale : Nankin.

le **Jiangxi** ▫ Province du sud de la Chine. 167 000 $km^2$. 44,5 millions d'habitants. Capitale : Nanchang.

le **Jilin** ▫ Province du nord-est de la Chine. 187 400 $km^2$. 27,4 millions d'habitants. Capitale : Changchun.

**Jinan** ▫ Ville de Chine (Shangdong). 3,8 millions d'habitants.

Muḥammad ʿAli **Jinnāh** ▫ Homme politique pakistanais (1876-1948). Fondateur du Pakistan.

les **Jivaros** ▫ Peuple amérindien d'Amazonie.

saint **Joachim** ▫ Père de la Vierge Marie.

**Job** ▫ Personnage biblique qui accepta les épreuves que Dieu lui envoya.

Steven Paul, dit Steve **Jobs** ▫ Informaticien américain (1955-2011). Cofondateur d'Apple (1976).

la **Joconde** ▫ Nom de la Florentine Monna Lisa, femme du marquis del *Giocondo*, et de son célèbre portrait par Léonard de Vinci (musée du Louvre).

**Jodhpur** ▫ Ville d'Inde (Rajasthan). 1,1 million d'habitants.

Joseph **Joffre** ▫ Maréchal de France (1852-1931). Vainqueur de la bataille de la Marne en 1914.

**Jogjakarta** ou **Yogyakarta** ▫ Ville d'Indonésie. 430 000 habitants. Non loin, se trouve le grand temple de Borobudur.

**Johannesburg** ▫ Ville d'Afrique du Sud. 3,9 millions d'habitants.

Jasper **Johns** ▫ Peintre américain (né en 1930). Représentant du pop art et du minimalisme (série des drapeaux).

Lyndon **Johnson** ▫ 36e président (démocrate) des États-Unis, de 1963 à 1969 (1908-1973).

Erwin, dit Magic **Johnson** ▫ Basketteur américain (né en 1959).

Alexander Boris de Pfeffel Johnson, dit Boris **Johnson** ▫ Homme d'État britannique (né en 1964). Premier ministre (conservateur) depuis 2019, il mena les négociations du Brexit à leur terme.

Ellen **Johnson-Sirleaf** ▫ Femme d'État libérienne (née en 1938). Présidente de la République de 2006 à 2018. Prix Nobel de la paix 2011.

Jean de **Joinville** ▫ Chroniqueur français (1225-1317). Conseiller de Louis IX.

Irène **Joliot-Curie** ▫ Physicienne française (1897-1956). Fille de Pierre et de Marie Curie, elle étudia la radioactivité et contribua à la naissance de la physique nucléaire. Prix Nobel de chimie 1935, avec son mari. ► Frédéric **Joliot-Curie,** son mari (1900-1958), étudia avec elle la radioactivité artificielle et la fission de l'atome.

**Jonas** ▫ Personnage biblique, qui, avalé par une baleine, aurait passé trois jours dans son ventre.

Inigo **Jones** ▫ Architecte et décorateur anglais (1573-1652). Style classique, influencé par Palladio.

Johan Barthold **Jongkind** ▫ Peintre et aquarelliste néerlandais (1819-1891). Ses paysages délicats annoncent l'impressionnisme.

Ben **Jonson** ▫ Écrivain anglais élisabéthain (1572-1637), auteur de comédies. *Volpone ; L'Alchimiste.*

Scott **Joplin** ▫ Compositeur et pianiste américain (1868-1917). L'un des créateurs du ragtime.

Janis **Joplin** ▫ Chanteuse de rock et de blues américaine (1943-1970).

les Grandes **Jorasses** ▫ Sommets du massif du Mont-Blanc. 4 206 m.

Jacob **Jordaens** ▫ Peintre flamand (1593-1678). Style baroque flamand truculent, développant certains aspects de l'œuvre de Rubens.

Michael **Jordan** ▫ Basketteur américain (né en 1963).

Philippe **Jordan** ▫ Chef d'orchestre suisse (né en 1974). Il a dirigé de prestigieux ensembles (Opéra de Paris et de Vienne).

la **Jordanie** ▫ Pays du Proche-Orient. 92 000 km². 10 millions d'habitants. Capitale : Amman.

**Joseph** ▫ Bible Fils de Jacob, vendu par ses frères.

saint **Joseph** ▫ Bible Charpentier, il épouse la Vierge Marie et devient le père nourricier de Jésus.

**Joseph II** ▫ (1741-1790) Empereur germanique de 1765 à sa mort. Fils de Marie-Thérèse, despote éclairé.

Flavius **Josèphe** → **Flavius Josèphe**

**Joséphine,** née Marie-Josèphe Tascher de La Pagerie ▫ Impératrice des Français (1763-1814). Veuve d'Alexandre de Beauharnais, elle épousa Napoléon Iᵉʳ qui la répudia en 1809.

**Josquin des Prés** ▫ Compositeur français (v. 1440-1521). Un des maîtres de la polyphonie.

**Josué** ▫ Bible Successeur de Moïse (v. XIIᵉ s. avant J.-C.). Il fait tomber les murs de Jéricho au son des trompettes.

le marquis de **Jouffroy d'Abbans** ▫ Ingénieur français (1751-1832). Il fit fonctionner le premier bateau à vapeur (1776).

Marcel **Jouhandeau** ▫ Écrivain français (1888-1979). Évocateur de la province *(Chaminadour)*, moraliste à la fois cynique et mystique, parfois cruel *(Chroniques maritales)*.

Léon **Jouhaux** ▫ Syndicaliste français (1879-1954). Secrétaire général de la CGT de 1909 à 1947, l'un des fondateurs de la CGT-FO. Prix Nobel de la paix 1951.

Gueorgui **Joukov** ▫ Maréchal soviétique (1896-1974). Vainqueur de la bataille de Stalingrad (1942), signataire de la capitulation allemande (1945).

James Prescott **Joule** ▫ Physicien anglais (1818-1889). Un des fondateurs de la thermodynamique.

le **Jourdain** ▫ Fleuve de Palestine qui sépare la Jordanie de la Cisjordanie. 350 km.

Jean-Baptiste **Jourdan** ▫ Maréchal de France (1762-1833). Vainqueur à Fleurus (1794).

**Journal officiel** (de la République française) ▫ Quotidien créé en 1848, publiant les textes officiels.

Louis **Jouvet** ▫ Acteur, metteur en scène et directeur de théâtre français (1887-1951). Il joua au théâtre (Giraudoux, Molière) et au cinéma *(Topaze ; Knock ; Quai des orfèvres)*.

**Jouy-en-Josas** ▫ Commune des Yvelines. 8 124 habitants. Oberkampf y créa une industrie textile *(toiles de Jouy)*.

James **Joyce** ▫ Écrivain irlandais (1882-1941). Après des récits évocateurs *(Gens de Dublin)*, il publia *Ulysse*, somme psychologique et sociale critique, d'une écriture novatrice et d'une composition élaborée.

Attila **József** ▫ Poète hongrois (1905-1937). Il tenta la synthèse entre le surréalisme et le folklore hongrois.

**Juan Carlos Iᵉʳ** ▫ Roi d'Espagne de 1975 à 2014 (né en 1938).

**Juda** ▫ Bible Fils de Jacob.

le royaume de **Juda** ▫ Royaume établi après la mort de Salomon dans le sud de la Palestine (931-587 avant J.-C.).

**Judas l'Iscariote** ▫ Apôtre qui trahit Jésus.

saint **Jude** ou **Thaddée** ▫ Un des douze apôtres.

la **Judée** ▫ Région du sud de la Palestine.

**Judith** ▫ Héroïne biblique juive qui tua le général assyrien Holopherne.

les **Juges** ▫ Livre de la Bible, le deuxième des Livres historiques de l'Ancien Testament.

Clément **Juglar** ▫ Économiste français (1819-1905). Théorie des cycles économiques.

**Jugurtha** ▫ Roi de Numidie vaincu par les Romains (v. 160-v. 104 avant J.-C.).

le 14 **Juillet 1789** → **Bastille**

la monarchie de **Juillet** ▫ Nom donné au règne de Louis-Philippe Iᵉʳ (1830-1848).

Alphonse **Juin** ▫ Maréchal de France (1888-1967). Vainqueur à Garigliano (1944).

l'appel du 18 **juin 40** ▫ Discours du 18 juin 1940 prononcé par le général de Gaulle à la radio de Londres, où il appela les Français à continuer la lutte malgré la défaite.

**Jules II** ▫ (1443-1513) Pape de 1503 à sa mort. Grand mécène.

**Jules Romain,** en italien *Giulio Romano* ▫ Peintre et architecte italien (1492 ou 1499-1546). Palais du Tè à Mantoue.

**Juliana** ▫ (1909-2004) Reine des Pays-Bas de 1948 à 1980.

**Julien l'Apostat** ▫ (331-363) Empereur romain d'Orient de 361 à sa mort. Il tenta de restaurer la religion païenne.

l'abbaye de **Jumièges** ▫ Ruines d'une abbaye fondée en 654 près de Rouen. Église abbatiale (XIᵉ s.).

Carl Gustav **Jung** ▫ Psychiatre suisse (1875-1961). Il élabora le concept d'« inconscient collectif ».

Ernst **Jünger** ▫ Écrivain allemand (1895-1998). Sa fascination pour la guerre le rendit proche du national-socialisme, qu'il condamna ensuite. *Orages d'acier ; Sur les falaises de marbre.*

la **Jungfrau** ▫ Sommet des Alpes suisses 4 158 m.

**Junon** ▫ mythol. romaine Déesse du mariage et de la fécondité. *Héra* chez les Grecs.

Andoche **Junot,** duc d'Abrantès ▫ Général français (1771-1813).

**Jupiter** ▫ mythol. romaine Maître des dieux. *Zeus* chez les Grecs. ► **Jupiter.** Planète, la plus grosse du système solaire. Diamètre : 143 000 km.

le **Jura** ▫ Chaîne de montagnes de France, de Suisse, d'Allemagne. 1 720 m au Crêt de la Neige. ► le **Jura** [39]. Département français de la Région Bourgogne-Franche-Comté. 5 053 km². 259 746 habitants. Chef-lieu : Lons-le-Saunier. Chefs-lieux d'arrondissement : Dole, Saint-Claude. ► le **Jura.** Canton de la Suisse. 836 km². 73 122 habitants. Chef-lieu : Delémont.

Antoine Laurent de **Jussieu** ▫ Botaniste français (1748-1836). Méthode de classification des plantes.

**Justinien Ier** ▫ (482-565) Empereur romain d'Orient de 527 à sa mort. Grand conquérant, bâtisseur et législateur.

le **Jutland** ▫ Péninsule formant la partie continentale du Danemark. Bataille navale anglo-allemande en 1916.

Claude **Jutra** ▫ Cinéaste canadien d'expression française (1930-1986). *À tout prendre ; Mon oncle Antoine.*

Filippo **Juvara** ▫ Architecte et décorateur italien (1676-1736). Il construisit plusieurs châteaux dont le château royal de Madrid.

**Juvénal** ▫ Poète latin (v. 55-v. 140). Il dénonça les mœurs corrompues de la Rome du IIe s. dans ses *Satires.*

# K

**K2** → **Dapsang**

la **Kaaba** ou al-**Ka'ba** ▫ Édifice sacré au centre de la mosquée de La Mecque.

la **Kabardino-Balkarie** ▫ République autonome de Russie, dans le Caucase. 12 500 km$^2$. 900 500 habitants. Capitale : Naltchik.

**Kaboul** ▫ Capitale de l'Afghanistan. 2,5 millions d'habitants.

la **Kabylie** ▫ Massifs montagneux d'Algérie. 2 004 m au Grand Babor. ► les **Kabyles,** population d'origine berbère.

János **Kádár** ▫ Homme d'État (communiste) hongrois (1912-1989), à la tête de son pays de 1956 à 1988.

Ismaïl **Kadaré** ▫ Écrivain albanais (né en 1936). Auteur de puissants récits inspirés des légendes de son pays. *Le Général de l'armée morte.*

Muammar al-**Kadhafi** ▫ Homme d'État libyen (1942-2011), «Guide de la révolution» au pouvoir depuis 1969, dictateur renversé par son peule et tué.

Franz **Kafka** ▫ Écrivain tchèque d'expression allemande (1883-1924). Il créa dans ses romans un univers oppressant et absurde où les institutions écrasent la liberté *(Le Procès ; Le Château)* ou une réalité fantastique *(La Métamorphose).*

Frida **Kahlo** ▫ Peintre mexicaine (1910-1954). Son style est réaliste, très coloré, avec des éléments surréalistes.

Daniel-Henry **Kahnweiler** ▫ Collectionneur et marchand d'art français d'origine allemande (1884-1979). Il soutint et promut les cubistes et les «fauves».

**Kairouan** ▫ Ville de Tunisie. 117 900 habitants. Ville sainte de l'Islam.

le désert de **Kalahari** ▫ Cuvette désertique d'Afrique australe.

**Kālī** ▫ Divinité hindoue honorée par des sacrifices sanglants.

la **Kalmoukie** ▫ République autonome de Russie. 75 900 km$^2$. 292 400 habitants. Capitale : Elista.

**Kāma Sūtra** (sanskrit «préceptes sur le désir») ▫ Traité indien (IV$^e$ s.) des relations érotiques.

Lev Borissovitch Rosenfeld, dit **Kamenev** ▫ Homme politique soviétique (1883-1936). L'un des compagnons de Lénine, il dirigea la *Pravda*, contribua à l'élimination politique de Trotski.

**Kampala** ▫ Capitale de l'Ouganda. 2 millions d'habitants.

le **Kamtchatka** ▫ Presqu'île de Sibérie.

les **Kanaks** ou **Canaques** ▫ Peuple d'Océanie (Nouvelle-Calédonie).

**Kandahar** ou **Qandahār** ▫ Ville au sud de l'Afghanistan, à 1 000 m d'altitude. 325 000 habitants.

Wassily **Kandinsky** ▫ Peintre et théoricien russe naturalisé français (1866-1944). Un des créateurs de l'art abstrait.

**Kano** ▫ Ville du Nigeria. 2,2 millions d'habitants.

**Kanpur,** anciennement *Cawnpore* ▫ Ville d'Inde (Uttar Pradesh). 2,9 millions d'habitants.

le **Kansas** ▫ État du centre des États-Unis. 213 095 km$^2$. 2,8 millions d'habitants. Capitale : Topeka.

**Kansas City** ▫ Ville des États-Unis (Missouri), sur le Missouri. 460 000 habitants.

Emmanuel **Kant** ▫ Philosophe allemand (1724-1804). Explorant tous les domaines philosophiques, il élabora une critique générale de la connaissance humaine *(Critique de la raison pure)*, la morale *(Critique de la raison pratique)*, la religion, l'esthétique. Son influence sur la pensée occidentale des XIX$^e$ et XX$^e$ siècles fut immense.

Tadeusz **Kantor** ▫ Metteur en scène et peintre polonais (1915-1990). *La Classe morte.*

Anish **Kapoor** ▫ Sculpteur britannique d'origine indienne (né en 1954). Ses sculptures monumentales aux formes bombées ou creuses sont parfois recouvertes de pigments purs *(Dirty Corner).*

**Karachi** ▫ Port du Pakistan. 14,9 millions d'habitants.

Herbert von **Karajan** ▫ Chef d'orchestre autrichien (1908-1989).

la **Karakalpakie** ▫ République autonome d'Ouzbékistan. 164 900 km$^2$. 1,25 million d'habitants. Capitale : Noukous.

le **Karakoram** ▫ Massif montagneux de l'ouest de l'Himalaya. 8 611 m au Dapsang.

la **Karatchaïevo-Tcherkessie** ▫ République autonome de Russie. 14 100 km². 465 500 habitants. Capitale : Tcherkessk.

les **Karens** ▫ Peuple vivant en Birmanie et en Thaïlande.

**Karlsruhe** ▫ Ville d'Allemagne (Bade-Wurtemberg). 275 600 habitants.

**Karnak** ▫ Site archéologique d'Égypte (partie nord de Thèbes). Temple d'Amon.

**Karnataka,** anciennement *Mysore* ▫ État du sud-ouest de l'Inde. 191 773 km². 67,5 millions d'habitants. Capitale : Bangalore.

Anatoli **Karpov** ▫ Joueur d'échecs russe (né en 1951). Champion du monde d'échecs de 1975 à 1985.

Garry Weinstein, dit **Kasparov** ▫ Joueur d'échecs russe (né en 1963). Devenu champion du monde d'échecs en 1985, en battant Karpov, il le resta jusqu'en 2000.

**Kassel** ▫ Ville d'Allemagne (Hesse). 192 600 habitants. Château impérial (IXe s.).

Alfred **Kastler** ▫ Physicien français (1902-1984). Mise au point du pompage optique. Prix Nobel 1966.

le **Katanga** ▫ Province du sud-est de la RDC. Elle fit sécession en 1960 sous le nom de *Shaba* (1971-1997). Importantes ressources minières.

**Kateb** Yacine ▫ Écrivain algérien d'expression française (1929-1989). La situation de sa patrie lui donne l'occasion de développer le tragique de l'aliénation. *Nedjma.*

**Katmandou** ou **Kathmandu** ▫ Capitale du Népal. 671 800 habitants.

**Katowice** ▫ Ville de Pologne. 314 500 habitants.

**Katyn** ▫ Localité de Russie où furent découverts les cadavres de 4 500 officiers polonais exécutés par les Soviétiques en 1940-1941.

**Kaunas** ▫ Ville de Lituanie. 358 000 habitants.

Kenneth **Kaunda** ▫ Homme d'État zambien (né en 1924). Il mena son pays à l'indépendance et en fut le premier président de 1964 à 1991.

Yasunari **Kawabata** ▫ Romancier japonais (1899-1972). Romans au style concis, au contenu sensible et tragique. *Pays de neige.* Prix Nobel 1968.

**Kawasaki** ▫ Ville du Japon (Honshū). 1,3 million d'habitants.

le **Kazakhstan** ▫ État d'Asie centrale. 2 717 300 km². 18,6 millions d'habitants. Capitale : Noursoultan.

Elia **Kazan** ▫ Réalisateur américain d'origine grecque (1909-2003). *À l'est d'Éden ; America, America.*

**Kazan** ▫ Ville de Russie, sur la Volga (Tatarstan). 1,4 million d'habitants.

Nikos **Kazantzakis** ▫ Écrivain grec (1883-1957). Poète *(Odyssée),* romancier *(Alexis Zorba ; Le Christ recrucifié).*

Edmund **Kean** ▫ Tragédien anglais (1787-1833). Sa vie inspira Dumas.

Buster **Keaton** ▫ Acteur et cinéaste américain (1895-1966). Le comique du personnage est fondé sur l'impassibilité («l'homme qui ne rit jamais»). *Le Mécano de la Générale.*

John **Keats** ▫ Poète romantique anglais (1795-1821). *Endymion ; Odes,* développant les grands thèmes du romantisme, dans un style très pur.

François **Kellermann,** duc de Valmy ▫ Maréchal de France (1735-1820). Vainqueur à Valmy (1792).

Eugene Curran, dit Gene **Kelly** ▫ Danseur, acteur et chorégraphe américain (1912-1998). Comédies musicales, *Un Américain à Paris* et *Chantons sous la pluie.*

lord **Kelvin** → sir William **Thomson**

Mustafa **Kemal** → **Mustafa Kemal**

Wilhelm **Kempff** ▫ Pianiste allemand (1895-1991). Il fut l'interprète privilégié de Beethoven et de Schumann.

John Fitzgerald **Kennedy** ▫ (1917-1963) 35e président (démocrate) des États-Unis, de 1961 à son assassinat. ► Robert Francis, dit Bob **Kennedy,** son frère (1925-1968), fut assassiné lors de sa campagne pour la candidature démocrate à la présidence.

le **Kent** ▫ Comté du sud-est de l'Angleterre. 3 732 km². 1,58 million d'habitants. Chef-lieu : Maidstone.

le **Kentucky** ▫ État du centre des États-Unis. 104 623 km². 4,3 millions d'habitants. Capitale : Frankfort.

le **Kenya** ▫ État de l'Afrique de l'Est. 582 646 km². 48 millions d'habitants. Capitale : Nairobi.

Jomo **Kenyatta** ▫ (1893-1978) Premier président du Kenya, de 1964 à sa mort.

Johannes **Kepler** ▫ Astronome allemand (1571-1630). Il énonça les lois du mouvement des planètes autour du Soleil.

le **Kerala** ▫ État du sud de l'Inde. 35,7 millions d'habitants.

Aleksandr **Kerenski** ▫ Homme politique russe (1881-1970). Renversé par les bolcheviks en 1917.

les îles **Kerguelen** ▫ Archipel français du sud de l'océan Indien.

Jack **Kerouac** ▫ Écrivain américain (1922-1969). *Sur la route.*

André **Kertész** ▫ Photographe américain d'origine hongroise (1894-1985).

Imre **Kertész** ▫ Écrivain hongrois (1929-2016), survivant des camps de concentration nazis. *Être sans destin*. Prix Nobel 2002.

Joseph **Kessel** ▫ Journaliste et romancier français (1898-1979). *Le Lion*.

John Maynard **Keynes** ▫ Économiste britannique (1883-1946). Il chercha à concilier les principes essentiels du capitalisme libéral et l'intervention de l'État pour favoriser le plein-emploi et la consommation.

le **KGB** ▫ Services secrets soviétiques chargés du renseignement en URSS de 1954 à 1991.

**Khadīja** ▫ Première épouse de Mahomet (morte en 619).

la **Khakassie** ▫ République autonome de Russie, au nord de l'Altaï. 61 900 km². 546 100 habitants. Capitale : Abakan.

**Kharbin** → **Harbin**

**Kharkiv,** anciennement *Kharkov* ▫ Ville d'Ukraine. 1,62 million d'habitants.

**Khartoum** ▫ Capitale du Soudan. 1,4 million d'habitants.

Aram Ilitch **Khatchatourian** ▫ Compositeur arménien (1903-1978). Ballets, symphonies, concertos.

'Umar ou Omar **Khayyām** ou **Khayām** ▫ Savant (astronome), philosophe et poète persan (v. 1050-v. 1123). Auteur de quatrains *(robayat)* d'un épicurisme sceptique.

**Khéops** ou **Chéops** ▫ Deuxième pharaon de la IVe dynastie égyptienne (v. 2650 avant J.-C.). Il fit édifier la plus grande des pyramides de Gizeh (l'une ses Sept Merveilles du monde).

**Khéphren** ou **Chéphren** ▫ Quatrième pharaon de la IVe dynastie égyptienne (v. 2620 avant J.-C.). Fils de Khéops, il fit construire la deuxième pyramide de Gizeh.

les **Khmers** ▫ Peuple du Cambodge. ► les **Khmers rouges.** Communistes cambodgiens au pouvoir de 1975 à 1979.

l'ayatollah **Khomeiny** ▫ Chef chiite iranien, fondateur de la république islamique d'Iran en 1979 (1902-1989).

Nikita **Khrouchtchev** ▫ Homme d'État soviétique (1894-1971), au pouvoir de 1958 à 1964.

**Kiang K'ing** → **Jiang Qing**

Abbas **Kiarostami** ▫ Réalisateur iranien (1940-2016). Cinéma minimaliste. *Le Goût de la cerise ; Le vent nous emportera*.

**Kichinev** → **Chisinau**

**Kiel** ▫ Port d'Allemagne (Schleswig-Holstein). 233 000 habitants.

Søren **Kierkegaard** ▫ Philosophe et penseur religieux danois (1813-1855). Il exprima l'angoisse et la souffrance de la personne humaine devant la liberté et le problème moral, le saut irrationnel de la foi étant vécu dans la «crainte et [le] tremblement». *Le Journal d'un séducteur ; Le Concept d'angoisse*.

Krzysztof **Kieślowski** ▫ Réalisateur polonais (1941-1996). *Le Décalogue ; Trois couleurs* (trilogie : *Bleu ; Blanc ; Rouge*).

**Kiev** ▫ Capitale de l'Ukraine. 2,9 millions d'habitants. Cathédrale Sainte-Sophie (XIe s.).

**Kigali** ▫ Capitale du Rwanda. 1,1 million d'habitants.

les **Kikouyous** ▫ Peuple du Kenya, de langue bantoue, établi autour du mont Kenya.

le **Kilimandjaro,** aujourd'hui **pic Uhuru** ▫ Point culminant de l'Afrique (Tanzanie). 5 895 m.

**Kim Il-sung** ou **Kim Il-song** ▫ Homme d'État (communiste) nord-coréen (1912-1994), au pouvoir dictatorial de 1948 à sa mort. ► **Kim Jong-il,** son fils (1942-2011), lui succéda en 1994. ► **Kim Jong-un,** fils du précédent (né en 1983 ou 1984). Au pouvoir depuis 2011, il maintient le régime dictatorial. Défiant l'Occident, il met en place un arsenal nucléaire.

Motoo **Kimura** ▫ Biologiste japonais (1924-1994). Génétique des populations.

William Lyon Mackenzie **King** → **Mackenzie King**

Martin Luther **King** ▫ Pasteur noir américain (1929-1968). Il lutta contre la ségrégation raciale, prônant la non-violence. Il organisa en 1963 une marche sur Washington pour les droits civiques. Il fut assassiné. Prix Nobel de la paix 1964.

Stephen **King** ▫ Écrivain américain (né en 1947). *Carrie ; Misery*.

**Kingston** ▫ Capitale de la Jamaïque. 940 000 habitants.

**Kinshasa,** anciennement *Léopoldville* ▫ Capitale de la République démocratique du Congo. 14 millions d'habitants.

Rudyard **Kipling** ▫ Écrivain anglais (1865-1936). Dans des contes et des récits, il transmet une morale de l'énergie et une défense de l'Empire britannique et de ses valeurs. *Le Livre de la jungle ; Kim*. Prix Nobel 1907.

Gustav **Kirchhoff** ▫ Physicien allemand (1824-1887). Fondateur de l'analyse spectrale.

le **Kirghizstan** ou **Kirghizistan** ou la **Kirghizie** ▫ État d'Asie centrale. 198 500 km². 6,5 millions d'habitants. Capitale : Bichkek.

**Kiribati** ▫ État de l'Océanie. 717,1 km². 103 000 habitants. Capitale : Tarawa.

**Kisangani,** anciennement *Stanleyville* ▫ Ville de la République démocratique du Congo sur le fleuve Congo. 1 million d'habitants. Université.

Henry Alfred **Kissinger** ▫ Homme politique et diplomate américain d'origine allemande (né en 1923). Il fut conseiller de R. Nixon. Prix Nobel de la paix 1973.

**Kitākyūshū** ▫ Ville du Japon (Kyūshū). 993 500 habitants. Pont avec l'île de Honshū.

lord Herbert **Kitchener** ▫ Maréchal britannique (1850-1916).

le lac **Kivu** ▫ Lac entre la République démocratique du Congo et le Rwanda. 2 650 km$^2$.

Serge **Klarsfeld** ▫ Historien français (né en 1935). Avocat, il se consacra à la poursuite des responsables nazis de la Shoah, avec sa femme Beate (allemande, née en 1939).

Jean-Baptiste **Kléber** ▫ Général français (1753-1800). Il réprima la contre-révolution en Vendée.

Paul **Klee** ▫ Peintre et théoricien suisse allemand (1879-1940). Créateur de formes à partir d'éléments simples, fonctionnant parfois comme des idéogrammes. *Carrés magiques*.

Melanie **Klein** ▫ Psychanalyste autrichienne naturalisée britannique (1882-1960). *La Psychanalyse des enfants*.

Yves **Klein** ▫ Peintre français (1928-1962). Ses monochromes bleus le rendirent célèbre.

Naomi **Klein** ▫ Journaliste et essayiste canadienne (née en 1970). Militante altermondialiste. *No Logo*.

Heinrich von **Kleist** ▫ Dramaturge allemand (1777-1811). Œuvre théâtrale passionnée et complexe, inspirée par l'histoire *(Le Prince de Hombourg)*. Nouvelles évoquant la révolte contre l'injustice.

Frederik De **Klerk** → **De Klerk**

Gustav **Klimt** ▫ Peintre et décorateur autrichien (1862-1918). Art nouveau, au graphisme subtil, aux couleurs éclatantes.

le **Klondike** ▫ Rivière du Canada (150 km), lieu d'une ruée vers l'or en 1896.

Friedrich **Klopstock** ▫ Poète et auteur dramatique allemand (1724-1803). Poèmes épiques et lyriques empreints de mysticisme. Tragédies bibliques.

la **Knesset** ou **Knesseth** ▫ Parlement israélien, qui siège à Jérusalem.

**Knossos** → **Cnossos**

John **Knox** ▫ Réformateur religieux écossais (v. 1505-1572). Fondateur de l'Église presbytérienne.

**Knud** ou **Knut,** en français *Canut* ▫ (v. 995-1035) Roi du Danemark de 1018 à sa mort. Roi d'Angleterre en 1017. Roi de Norvège en 1030.

**Kōbe** ▫ Port du Japon (Honshū). 1,53 million d'habitants.

Robert **Koch** ▫ Médecin allemand (1843-1910). Découverte de la bactérie responsable de la tuberculose *(bacille de Koch)*. Prix Nobel 1905.

Zoltán **Kodály** ▫ Compositeur et folkloriste hongrois (1882-1967). Œuvre variée, souvent inspirée par le folklore hongrois.

Arthur **Koestler** ▫ Écrivain britannique d'origine hongroise (1905-1983). Romans *(Le Zéro et l'Infini)*, essais *(Le Yoghi et le Commissaire)* dénonçant le totalitarisme.

Helmut **Kohl** ▫ Homme d'État (démocrate-chrétien) allemand (1930-2017). Chancelier de 1982 à 1998.

Oskar **Kokoschka** ▫ Peintre autrichien (1886-1980). Peintures d'une touche large, violente, d'un expressionnisme angoissé.

la presqu'île de **Kola** ▫ Péninsule du nord de la Russie.

**Kolkata** → **Calcutta**

Bernard-Marie **Koltès** ▫ Auteur dramatique français (1948-1989). Son théâtre évoque, de façon dépouillée, la solitude de l'être. *Combat de nègre et de chiens*.

la **Kolyma** ▫ Fleuve de Russie, en Sibérie orientale. 2 129 km.

le **Komintern** ▫ Nom donné à la III$^e$ Internationale (1919-1943).

la république des **Komis** ▫ République autonome de Russie. 415 000 km$^2$. 1,1 million d'habitants. Capitale : Syktyvkar.

**Kongfuzi** ou **K'ong-tseu** → **Confucius**

**Konya** ▫ Ville de Turquie. 1 million d'habitants. Mosquée du XIII$^e$ s.

Rem **Koolhaas** ▫ Architecte néerlandais (né en 1944).

Jeff **Koons** ▫ Artiste américain (né en 1955). Œuvres marquées par le kitsch et la couleur. *Balloon Dog* ; série des bouquets de tulipes.

Raymond **Kopa** ▫ Footballeur français (1931-2017).

Sándor Laszlo Kellner, dit sir Alexander **Korda** ▫ Producteur et réalisateur britannique d'origine hongroise (1893-1956).

Tadeusz **Kościuszko** ▫ Officier et patriote polonais (1746-1817).

Joseph **Kosma** ▫ Compositeur français d'origine hongroise (1905-1969). Chansons (paroles de Prévert, Aragon, Sartre, Queneau) ; musiques de films.

le **Kosovo** ▫ État de l'Europe du Sud-Est. 10 887 km$^2$. 1,8 million d'habitants. Capitale : Priština. Indépendance proclamée en 2008, non reconnue par l'ONU et l'UE.

Lajos **Kossuth** ▫ Homme politique et écrivain hongrois (1802-1894). Chef de la révolution de 1848.

**Kouïbychev** → **Samara**

les îles **Kouriles** ▫ Archipel russe au nord du Japon. 15 600 km$^2$.

**Kourou** ▫ Ville de la Guyane française. 24 959 habitants. Base de lancement de fusées (Ariane, Soyouz).

Ahmadou **Kourouma** ▫ Romancier ivoirien d'expression française (1927-2003). Il décrit de manière critique et avec une force émotive la situation politique de l'Afrique.

Mikhaïl **Koutouzov** ▫ Feld-maréchal russe (1745-1813). Vainqueur de Napoléon Ier en 1812.

Sofia Vassilievna **Kovalevskaïa** ▫ Mathématicienne russe (1850-1891). Elle étudia les équations aux dérivées partielles et écrivit par ailleurs des romans.

le **Koweït** ▫ Émirat d'Arabie. 17 818 km$^2$. 4,5 millions d'habitants. Capitale : Koweït.

le **Krakatau** ▫ Îlot volcanique d'Indonésie dont l'éruption fit 30 000 morts (1883).

**Krasnoïarsk** ▫ Ville de Russie, en Sibérie orientale. 973 800 habitants.

Hans Adolf **Krebs** ▫ Biochimiste britannique d'origine allemande (1900-1981). Il étudia l'apport d'énergie à la cellule vivante *(cycle de Krebs)*. Prix Nobel 1953.

Bruno **Kreisky** ▫ Homme d'État autrichien (1911-1990). Chancelier de 1970 à 1983.

le **Kremlin** ▫ Ancienne citadelle de Moscou. Cathédrales et palais des XVIe-XVIIIe s. Siège du gouvernement russe.

Kathrine **Kressmann Taylor** ▫ Écrivaine américaine (1903-1996). *Inconnu à cette adresse.*

**Krishna** ▫ Divinité hindoue.

Julia **Kristeva** ▫ Écrivaine française d'origine bulgare (née en 1941). Sémiologue, psychanalyste et théoricienne de la littérature.

**Kronstadt** ou **Cronstadt** ▫ Base navale russe dans le golfe de Finlande. Mutineries révolutionnaires en 1825, 1905, 1917 et 1921.

Petr, prince **Kropotkine** ▫ Révolutionnaire anarchiste russe (1842-1921).

Paul **Kruger** ▫ Homme d'État sud-africain (1825-1904). Président du Transvaal, il mena la guerre des Boers.

Paul **Krugman** ▫ Économiste américain (né en 1953). Concept de la «concurrence imparfaite». Prix Nobel 2008.

Alfred **Krupp** ▫ Industriel allemand de la sidérurgie (1812-1887).

**Kuala Lumpur** ▫ Capitale fédérale de la Malaisie. 1,3 million d'habitants.

**Kūbilaï Khān** ▫ Empereur mongol de 1260 à sa mort (1215-1294).

Stanley **Kubrick** ▫ Réalisateur américain (1928-1999). Son œuvre comporte des adaptations littéraires assez classiques *(Lolita ; Barry Lyndon)*, des visions personnelles puissantes *(2001 : l'Odyssée de l'espace ; Orange mécanique)* et des satires antimilitaristes *(Les Sentiers de la gloire)*.

le **Ku Klux Klan** ▫ Société secrète américaine fondée vers 1865, prônant la suprématie de la «race blanche».

Milan **Kundera** ▫ Écrivain français d'origine tchèque (né en 1929). Romans critiques sur son pays d'origine *(La Plaisanterie)* et méditation sur l'existence *(L'Insoutenable Légèreté de l'être)*.

**Kunming** ▫ Ville de Chine (Yunnan). 3,2 millions d'habitants.

František **Kupka** ▫ Peintre tchèque installé à Paris (1871-1957). Art abstrait, voué au lyrisme de la couleur.

les **Kurdes** ▫ Peuple de l'ouest de l'Asie. Ils sont 16 millions, vivant en Turquie, Iran, Irak et Syrie et réclament l'indépendance. ► le **Kurdistan.** Région de l'ouest de l'Asie.

Akira **Kurosawa** ▫ Réalisateur japonais (1910-1998). Œuvre puissante, parfois violente, d'une grande beauté formelle, inspirée par la tradition *(Rashōmon ; Les Sept Samouraïs)* comme par des chefs-d'œuvre de la littérature *(L'Idiot,* d'après Dostoïevski ; *Le Château de l'araignée,* d'après *Macbeth*).

Emir **Kusturica** [kusturitsa] ▫ Réalisateur français d'origine yougoslave (né en 1955). Œuvres baroques, valorisant la culture et la musique tsiganes. *Le Temps des Gitans.*

**Kyōto** ▫ Ville du Japon (Honshū) et anc. capitale du pays. 1,5 million d'habitants. Nombreux temples. ► le protocole de **Kyōto,** accord international portant sur la réduction des gaz à effet de serre, signé en 1997 et entré en vigueur en 2005. L'accord de Paris l'a remplacé en 2020.

**Kyūshū** ▫ La plus méridionale des quatre principales îles du Japon. 42 780 km$^2$. 14 millions d'habitants.

# L

Louise **Labé** ▫ Poète française (v. 1524-1566). Ses élégies et ses sonnets, d'une forme parfaite, évoquent les joies et les peines de l'amour.

Eugène **Labiche** ▫ Auteur français de comédies (1815-1888). Observateur critique et amusé de la bourgeoisie, dans des vaudevilles où des personnages médiocres et sans idéal animent des intrigues comiques. *Un chapeau de paille d'Italie ; Le Voyage de M. Perrichon.*

Étienne de **La Boétie** ▫ Écrivain français (1530-1563). Moraliste. Il entretint une amitié profonde avec Montaigne. *Discours de la servitude volontaire.*

Henri **Laborit** ▫ Biologiste et essayiste français (1914-1995). Ouvrages sur le comportement humain et ses facteurs biologiques.

Bertrand François Mahé de **La Bourdonnais** ▫ Amiral de France et administrateur français (1699-1753). Il contribua à l'expansion coloniale française dans l'océan Indien et aux Indes.

le **Labrador** ▫ Péninsule du nord-est du Canada.

Jean de **La Bruyère** ▫ Écrivain français (1645-1696). Dans les *Caractères*, il dépeint la société de son temps et crée des portraits de valeur universelle.

le **Labyrinthe** n. m. → **Dédale**

Jacques **Lacan** ▫ Psychiatre et psychanalyste français (1901-1981). Il montre dans le langage le modèle de la structuration de l'inconscient. *Écrits.*

**Lacédémone** → **Sparte**

Étienne de La Ville comte de **Lacépède** ▫ Naturaliste français (1756-1825).

Pierre Choderlos de **Laclos** ▫ Écrivain français (1741-1803). Son roman épistolaire, *Les Liaisons dangereuses*, est un traité du cynisme et du mal.

Charles Marie de **La Condamine** ▫ Savant et voyageur français (1701-1774).

la **Laconie** ▫ Région de Grèce autour de Sparte.

Henri **Lacordaire** ▫ Prêtre, dominicain et prédicateur français (1802-1861).

René **Lacoste** ▫ Champion de tennis français (1904-1996). Une chemise de sport porte son nom.

Yves **Lacoste** ▫ Géographe français (né en 1929). Fondateur de la revue *Hérodote*, à l'origine d'une pensée géopolitique.

**Lacq** ▫ Gisement de gaz naturel des Pyrénées-Atlantiques.

le lac **Ladoga** ▫ Lac de Russie (Carélie). 17 700 km$^2$.

René **Laennec** ▫ Médecin français (1781-1826). Il inventa le stéthoscope.

Paul **Lafargue** ▫ Socialiste français (1842-1911). *Le Droit à la paresse.*

Marie-Madeleine Pioche de La Vergne, comtesse de **La Fayette** ▫ Romancière française (1634-1693). Son roman *La Princesse de Clèves* est d'un style très pur et d'une grande pénétration psychologique.

Marie Joseph, marquis de **La Fayette** ▫ Général et homme politique français (1757-1834). Héros de la guerre d'Indépendance américaine, il participa aux révolutions de 1789 et de 1830.

Dany **Laferrière** ▫ Écrivain canadien d'origine haïtienne (né en 1953). *L'Énigme du retour.*

Jean de **La Fontaine** ▫ Poète français (1621-1695). Ses *Contes*, souvent licencieux, suivent la tradition de Boccace. Ses *Fables*, d'une admirable liberté poétique, sont une critique de la société et de la politique au moyen de personnages animaux illustrant une morale épicurienne ou cynique.

Jules **Laforgue** ▫ Poète français (1860-1887). Il fut un maître du vers libre, d'une expression sensible et délicate. *Complaintes.*

**Lagash** ▫ Cité-État sumérienne. Sites archéologiques (Irak).

Pär **Lagerkvist** ▫ Écrivain suédois (1891-1974). *Le Nain ; Barabbas.* Prix Nobel 1951.

Selma **Lagerlöf** ▫ Romancière suédoise (1858-1940). Son inspiration sensible et imagée l'apparente à Andersen. *Le Merveilleux Voyage de Nils Holgersson.* Prix Nobel 1909.

les **Lagides** → les **Ptolémées**

**Lagos** ▫ Port du Nigeria. 5,8 millions d'habitants. Capitale jusqu'en 1991.

Joseph Louis de **Lagrange** ▫ Mathématicien français (1736-1813).

Frédéric César de **La Harpe** ▫ Homme politique suisse (1754-1838).

**Lahore** ▫ Ville du Pakistan. 11,1 millions d'habitants.

Joseph **Lakanal** ▫ Révolutionnaire français (1762-1845). Conventionnel, il organisa l'enseignement public.

Michel Richard de **Lalande** → **Delalande**

Joseph Jerôme Lefrançois de **Lalande** ▫ Astronome français (1732-1807).

René **Lalique** ▫ Verrier et décorateur français (1860-1945). Art nouveau.

Thomas de **Lally-Tollendal** ▫ Général français qui combattit en Inde (1702-1766).

Édouard **Lalo** ▫ Compositeur français (1823-1892). *Le Roi d'Ys.*

Jean-Baptiste de Monet de **Lamarck** ▫ Naturaliste français (1744-1829). Il élabora la première théorie de l'évolution des êtres vivants.

Alphonse de **Lamartine** ▫ Poète et homme politique français (1790-1869). Son lyrisme fervent et sa maîtrise formelle en font l'un des représentants majeurs du romantisme en France *(Méditations poétiques ; Harmonies poétiques et religieuses).* Poèmes épiques *(Jocelyn),* souvenirs de voyage, ouvrages d'histoire et de critique littéraire. Il eut un rôle politique important.

Félicité de **Lamennais** ou **La Mennais** ▫ Écrivain et penseur catholique français (1782-1854). *Paroles d'un croyant.*

Christophe Louis Juchault de **Lamoricière** ▫ Général et homme politique français (1806-1865). Il prit part à la conquête de l'Algérie.

Giuseppe Tomasi di **Lampedusa** ▫ Romancier italien (1896-1957). *Le Guépard,* son unique roman, fut adapté par Visconti.

le **Lancashire** ▫ Comté d'Angleterre. 3 043 km². 1,13 million d'habitants. Chef-lieu : Preston.

Burton Stephen, dit Burt **Lancaster** ▫ Acteur américain (1912-1994).

la maison de **Lancastre** ▫ Famille noble anglaise opposée à la maison d'York durant la guerre des Deux-Roses.

Lev Davidovitch **Landau** ▫ Physicien russe (1908-1968). Il étudia notamment la supraconductivité, les plasmas, la théorie des champs. Prix Nobel 1962.

les **Landes** n. f. pl. ▫ Région forestière d'Aquitaine. ► les **Landes** [40]. Département français de la Région Nouvelle-Aquitaine. 9 316 km². 410 355 habitants. Chef-lieu : Mont-de-Marsan. Chef-lieu d'arrondissement : Dax.

Wanda **Landowska** ▫ Claveciniste polonaise (1877-1959). Pédagogue et concertiste, elle a contribué à la renaissance du clavecin.

Henri Désiré **Landru** ▫ Criminel français (1869-1922). Il fut exécuté pour le meurtre de dix femmes.

Karl **Landsteiner** ▫ Médecin américain d'origine autrichienne (1868-1943). Il découvrit les groupes sanguins et le facteur Rhésus. Prix Nobel 1930.

Fritz **Lang** ▫ Cinéaste américain d'origine autrichienne (1890-1976). Son œuvre européenne est de style expressionniste *(Metropolis ; M le Maudit).* Ses films réalisés aux États-Unis conservent une perfection formelle et un dépouillement dramatique remarquables.

Paul **Langevin** ▫ Physicien français (1872-1946). Il mit au point le sonar.

Henri **Langlois** ▫ Conservateur français (1914-1977). Il fut l'un des fondateurs de la Cinémathèque* française.

Irving **Langmuir** ▫ Physicien et chimiste américain (1881-1957). Prix Nobel 1932.

le **Languedoc** ▫ Anc. province du sud de la France. Capitale : Toulouse. ► le **Languedoc-Roussillon.** Anc. région administrative du sud de la France.

**Lanzhou** ou **Lanchow** ▫ Ville de Chine (Gansu). 2,4 millions d'habitants.

Claude **Lanzmann** ▫ Réalisateur français (1925-2018). Il a réuni des témoignages sur les camps de concentration nazis *(Shoah).*

**Laon** [lɑ̃] ▫ Chef-lieu de l'Aisne. 24 710 habitants.

le **Laos** ▫ État d'Asie du Sud-Est. 236 800 km². 7 millions d'habitants. Capitale : Vientiane.

**Lao-tseu** ou **Laozi** ▫ Philosophe chinois (v. 570-490 avant J.-C.). Fondateur du taoïsme.

Roger de **La Pasture** → Rogier **Van der Weyden**

Jean-François de Galaup, comte de **Lapérouse** ▫ Navigateur français (1741-1788). Il entreprit une expédition autour du monde sur ordre de Louis XVI mais les frégates disparurent dans la mer de Corail.

Pierre Simon de **Laplace** ▫ Mathématicien, physicien et astronome français (1749-1827). Calcul des probabilités.

la **Laponie** ▫ Région d'Europe septentrionale.

Jean de **La Quintinie** ▫ Agronome français, créateur de jardins (1626-1688).

Valery **Larbaud** ▫ Écrivain français (1881-1957). Dans une prose délicate, il évoque avec humour son personnage de poète cosmopolite et fortuné. *A. O. Barnabooth ; Fermina Márquez ; Enfantines.*

François duc de **La Rochefoucauld** ▫ Écrivain français (1613-1680). Moraliste lucide et désabusé, auteur de *Maximes* concises et de grand style.

Henri de **La Rochejaquelein** ▫ Un des chefs de la guerre de Vendée (1772-1794).

Pierre **Larousse** ▫ (1817-1875) Encyclopédiste, pédagogue et éditeur français. *Grand Dictionnaire universel du XIX^e^ siècle.*

Carl **Larsson** ▫ Peintre, illustrateur et graveur suédois (1853-1919). Illustrateur d'œuvres de Strindberg.

Jacques Henri **Lartigue** ▫ Photographe français (1894-1986).

le causse du **Larzac** ▫ Causse du sud du Massif central (1 000 km$^2$).

Bartolomé de **Las Casas** ▫ Dominicain et missionnaire espagnol (1470-1566). Il prit la défense des Amérindiens.

la grotte de **Lascaux** ▫ Site préhistorique de Dordogne orné de peintures rupestres (15 000-14 500 avant J.-C.).

Lily **Laskine** ▫ Harpiste française (1893-1988). Spécialiste de la musique française (Debussy, Ravel...).

Roland de **Lassus** ▫ Compositeur franco-flamand (v. 1532-1594). Il introduisit dans la polyphonie l'enrichissement harmonique.

**Las Vegas** ▫ Ville des États-Unis (Nevada). 584 000 habitants. Industrie du spectacle et des jeux d'argent.

Pierre **Latécoère** ▫ Industriel français, constructeur d'avions (1883-1943).

les **Latins** ▫ Habitants du Latium puis de l'Italie antique.

le **Latium** ▫ Région administrative de l'Italie centrale. 17 203 km$^2$. 5,1 millions d'habitants. Chef-lieu : Rome.

Georges de **La Tour** ▫ Peintre français (1593-1652). Œuvres souvent construites par les effets de lumière *(La Madeleine à la veilleuse)* et d'une composition savante, d'une expressivité psychologique aiguë *(Le Tricheur à l'as de carreau).*

Maurice Quentin de **La Tour** ▫ Peintre français (1704-1788). Portraits au pastel.

Théophile Corret de **La Tour d'Auvergne** ▫ Officier français (1743-1800), héros des guerres de la Révolution, «premier grenadier de la République».

le **Latran** ▫ Résidence des papes à Rome de 313 à 1304. ► les accords du **Latran,** signés en 1929, marquent la naissance de l'État du Vatican.

Georges de **La Trémoille** [-muj] ▫ Homme politique français (après 1382-1446). Grand chambellan de Charles VI, il tenta d'écarter Jeanne d'Arc.

Jean-Marie de **Lattre de Tassigny** ▫ Maréchal de France (1889-1952). Il représenta la France à la signature de la capitulation allemande (Berlin, 8 mai 1945).

Charles **Laughton** ▫ Comédien britannique, puis américain (1899-1962). Connu pour sa rondeur physique et son humour. Il réalisa un unique film, *La Nuit du chasseur.*

la **Laurasie** ▫ Continent qui aurait réuni à l'ère primaire l'Amérique du Nord, l'Europe et une partie de l'Asie.

Stan **Laurel** ▫ Acteur américain d'origine britannique (1890-1965). Il forma avec Oliver Hardy (1892-1957) un célèbre duo comique.

Marie **Laurencin** ▫ Peintre française (1885-1956). Œuvre aux couleurs douces et aux lignes fluides. *Apollinaire et ses amis.*

saint **Laurent** ▫ Diacre romain du III^e^ s., supplicié sur un gril lors des persécutions ordonnées par Valérien.

les **Laurentides** ▫ Région de collines du Canada (Québec). Parc national.

sir Wilfrid **Laurier** ▫ Homme politique (libéral) canadien (1841-1919).

**Lausanne** ▫ Ville de Suisse sur le lac Léman, chef-lieu du canton de Vaud. 138 905 habitants (zone urbaine 403 200).

le col du **Lautaret** ▫ Col des Hautes-Alpes, 2 057 m.

Isidore Ducasse, dit le comte de **Lautréamont** ▫ Écrivain français (1846-1870). Précurseur du surréalisme : *les Chants de Maldoror.*

saint François-Xavier de Montmorency **Laval** ▫ Prélat français (1623-1708). Premier évêque de la Nouvelle-France (Canada) et fondateur du séminaire de Québec.

Pierre **Laval** ▫ Homme politique français (1883-1945). Au sein du gouvernement de Vichy, il mena la politique de collaboration avec l'Allemagne. Il fut fusillé à la Libération.

**Laval** ▫ Chef-lieu de la Mayenne. 49 573 habitants. Le Vieux Château (XIII^e^-XV^e^ s.).

**La Valette** ▫ Capitale de Malte. 6 300 habitants.

Charles, cardinal **Lavigerie** ▫ Cardinal français (1825-1892). Archevêque d'Alger.

Ernest **Lavisse** ▫ Historien français (1842-1922). *Histoire de la France.*

Antoine Laurent de **Lavoisier** ▫ Chimiste français (1743-1794). Il distingua, peu après Priestley, les composants de l'air. Introduisant la mesure précise dans toute expérimentation, il découvrit les divers rôles de l'oxygène, la composition de l'eau et élabora une théorie des acides. Révolutionnant la chimie, il en établit la terminologie (avec Guyton* de Morveau notamment).

John **Law** ▫ Financier écossais, ministre du Régent (1671-1729). Sa banque connut une faillite retentissante.

David Herbert **Lawrence** ▫ Écrivain anglais (1885-1930). Il fit de l'érotisme le fondement de sa philosophie de la vie *(L'Amant de Lady Chatterley).*

Ernest Orlando **Lawrence** ▫ Physicien américain (1901-1958). Inventeur du cyclotron. Prix Nobel 1939.

Thomas Edward, dit **Lawrence d'Arabie** ▫ Officier et écrivain britannique (1888-1935). Organisateur de la révolte arabe contre les Turcs. *Les Sept Piliers de la sagesse.*

Halldór Kiljan **Laxness** ▫ Écrivain islandais (1902-1998). Études de mœurs, souvent marquées par l'ironie. *La Cloche d'Islande.* Prix Nobel 1955.

saint **Lazare** ▫ Ami de Jésus, qui le ressuscita, selon l'Évangile.

Pierre **Lazareff** ▫ Journaliste français (1907-1972). Il fut directeur de *France-Soir,* à partir de 1944.

David **Lean** ▫ Cinéaste britannique (1908-1991). *Brève rencontre ; Le Pont de la rivière Kwaï ; Le Docteur Jivago.*

Paul **Léautaud** ▫ Écrivain français (1872-1956). Misanthrope caustique et non conformiste, auteur d'un important *Journal littéraire.*

Maurice **Leblanc** ▫ Romancier français (1864-1941). Créateur du personnage d'Arsène Lupin.

Charles **Le Brun** ▫ Peintre français (1619-1690). Ses compositions équilibrées sont vivifiées par la couleur.

Albert **Lebrun** ▫ (1871-1950) Président de la République française, de 1932 à 1940.

David John Moore Cornwell, dit John **le Carré** ▫ Romancier britannique (1931-2020). Récits d'espionnage. *L'Espion qui venait du froid* lui valut une notoriété mondiale.

Philippe de Hauteclocque, dit **Leclerc** ▫ Maréchal de France (1902-1947). Il libéra Paris et Strasbourg en 1944.

Félix **Leclerc** ▫ Chanteur, auteur et compositeur canadien d'expression française (1914-1988). *Moi, mes souliers.*

Jean-Marie Gustave **Le Clézio** ▫ Écrivain franco-mauricien (né en 1940). Œuvre romanesque ouverte aux cultures de l'océan Indien, de l'Afrique et critique de la civilisation techno-industrielle. *Le Procès-Verbal ; Les Géants ; Désert ; Le Chercheur d'or.* Prix Nobel 2008.

Charles Marie Leconte, dit **Leconte de Lisle** ▫ Poète français (1818-1894). Chef de file de la poésie parnassienne. *Poèmes antiques ; Poèmes barbares.*

Charles-Édouard Jeanneret, dit **Le Corbusier** ▫ Architecte et théoricien français d'origine suisse (1887-1965). Il contribua à la mutation de l'architecture et de l'urbanisme.

**Léda** ▫ mythol. grecque Mère de Castor et Pollux. Zeus prend la forme d'un cygne pour la séduire.

Claude Nicolas **Ledoux** ▫ Architecte français (1736-1806). Les salines d'Arc-et-Senans illustrent ses projets d'utopies architecturales.

Alexandre Auguste **Ledru-Rollin** ▫ Homme politique français (1807-1874). Républicain.

Ozias **Leduc** ▫ Peintre canadien (1864-1955). Portraits, paysages, natures mortes.

Fernand **Leduc** ▫ Peintre canadien (1916-2014). Travaux sur la lumière et la couleur.

Robert Edward **Lee** ▫ Général américain (1807-1870), chef des armées sudistes.

Stanley Martin Lieber, dit Stan **Lee** ▫ Scénariste de bandes dessinées et de films d'action américain (1922-2018). Créateur de *Spiderman, X-Men* et *Hulk.*

**Leeds** ▫ Ville du nord de l'Angleterre (Yorkshire). 474 600 habitants.

Antonie Van **Leeuwenhoek** ▫ Savant hollandais (1632-1723). Il construisit des microscopes et étudia grâce à eux des bactéries, des animaux microscopiques, et les spermatozoïdes.

François Joseph **Lefebvre** ▫ Officier français (1755-1820), maréchal d'Empire.

Henri **Lefebvre** ▫ Philosophe et sociologue français (1901-1991). Marxiste.

Jacques **Lefèvre d'Étaples** ▫ Humaniste français (v. 1450-1537). Traducteur de la Bible en français.

**Lefkosia** → **Nicosie**

Adrien Marie **Legendre** ▫ Mathématicien français (1752-1833). Géométrie, théorie des nombres.

Fernand **Léger** ▫ Peintre français (1881-1955). Il créa une imagerie vigoureuse, servie par un traitement original des zones colorées, et célébrant le travail ouvrier *(Les Constructeurs).*

la **Légion d'honneur** ▫ Ordre français créé par Bonaparte en 1802.

Jacques **Le Goff** ▫ Historien français (1924-2014). Spécialiste du Moyen Âge, dans la tradition de l'École des Annales.

Franz **Lehár** ▫ Compositeur autrichien d'opérettes (1870-1948). *La Veuve joyeuse.*

Jean-Marie **Lehn** ▫ Chimiste français (né en 1939). Chimie supramoléculaire. Prix Nobel 1987.

Gottfried Wilhelm **Leibniz** ▫ Philosophe, logicien et savant allemand (1646-1716). Ses œuvres concernent les mathématiques, la logique *(De arte combinatoria),* la théologie (il était luthérien), l'histoire, le droit et la philosophie. Il expose une théorie rationaliste, spiritualiste et optimiste *(La Monadologie).*

**Leicester** ▫ Ville d'Angleterre (Leicestershire). 443 000 habitants.

**Leipzig** ▫ Ville d'Allemagne (Saxe). 497 500 habitants.

Michel **Leiris** ▫ Écrivain et ethnologue français (1901-1990). *L'Âge d'homme ; La Règle du jeu.*

Frédérick **Lemaître** ▫ Acteur français (1800-1876). *L'Auberge des Adrets.*

abbé Georges **Lemaître** ▫ Mathématicien et astronome belge (1894-1966). Théorie de l'univers en expansion, appelée (d'abord par dérision) théorie du *big bang.*

le lac **Léman** ou lac de **Genève** ▫ Lac de Suisse et de France. 582 km$^2$.

Roger **Lemelin** ▫ Écrivain canadien d'expression française (1919-1992). *Les Plouffe.*

Jacques **Lemercier** ▫ Architecte classique français (v. 1585-1654).

Jean-Paul **Lemieux** ▫ Peintre canadien (1904-1990). Paysages épurés.

la **Lena** ▫ Fleuve de Russie en Sibérie centrale. 4 400 km.

les frères **Le Nain** ▫ Antoine, Louis et Mathieu, peintres français (actifs au XVIIe siècle), influencés par la peinture flamande. Représentations réalistes de la vie paysanne.

Anne, dite Ninon de **Lenclos** ▫ Femme de lettres française (1616-1706). Inspiratrice intellectuelle des « libertins ».

Vladimir Ilitch Oulianov, dit **Lénine** ▫ Homme politique et théoricien marxiste russe (1870-1924). Il organisa la révolution d'Octobre en 1917, et fonda l'État soviétique.

**Leningrad** → **Saint-Pétersbourg**

André **Le Nôtre** ▫ Architecte français de jardins (1613-1700), créateur du jardin « à la française ».

**Lens** ▫ Chef-lieu d'arrondissement du Pas-de-Calais. 31 606 habitants.

**Léon** ▫ Nom de treize papes. ► saint **Léon Ier le Grand.** Pape de 440 à sa mort (en 461). Il arrêta l'invasion des Huns en Italie en 452. ► **Léon X** (1475-1521). Pape de 1513 à sa mort. ► **Léon XIII** (1810-1903). Pape de 1878 à sa mort. Il promut un catholicisme social.

le **León** ▫ Région historique et province du nord-ouest de l'Espagne (Castille-et-León).

le **Léon** ▫ Région du nord du Finistère.

al-Hasan ibn Muhammad al-Fâsi, dit **Léon l'Africain** ▫ Érudit arabe, né dans le califat de Grenade (v. 1483-v. 1554). Devenu chrétien, il est l'auteur d'une *Description de l'Afrique* (en italien).

**Léonard de Vinci** ▫ Peintre, architecte, sculpteur et savant italien (1452-1519). Artiste génial, esprit universel, il eut une influence capitale dans l'histoire de la Renaissance. *La Cène ; La Joconde.*

Sergio **Leone** ▫ Cinéaste italien (1929-1989). Westerns (appelés « westerns spaghettis »).

**Léonidas Ier** ▫ Roi de Sparte (mort v. 480 avant J.-C.). Mort aux Thermopyles.

Wassily **Leontief** ▫ Économiste américain d'origine russe (1906-1999). Étude de la croissance industrielle. Prix Nobel 1973.

Giacomo comte **Leopardi** ▫ Poète romantique italien (1798-1837). Représentant du romantisme en Italie, d'un pessimisme inspiré. *Canti.*

**Léopold** ▫ Nom de plusieurs souverains européens.

**1** EMPEREURS D'ALLEMAGNE ► **Léopold Ier** (1640-1705). Empereur de 1658 à sa mort. ► **Léopold II** (1747-1792). Empereur de 1790 à sa mort.

**2** ROIS DE BELGIQUE ► **Léopold Ier,** prince de **Saxe-Cobourg** (1790-1865). Roi de 1831 à sa mort. ► **Léopold II** (1835-1909). Roi de 1865 à sa mort. Sous son règne, la Belgique annexa le Congo (actuelle RDC). ► **Léopold III** (1901-1983). Roi de 1934 à 1951. Il abdiqua.

**Léopoldville** → **Kinshasa**

**Lépante** ▫ Port de Grèce (Péloponnèse). Victoire des chrétiens sur les Ottomans (1571).

Louis **Lépine** ▫ Préfet de police (1846-1933). Il créa le *concours Lépine* des inventeurs.

Pierre **Lépine** ▫ Médecin français (1901-1989). Il fut l'un des deux premiers à réaliser un vaccin contre la poliomyélite.

Jeanne-Marie **Leprince de Beaumont** ▫ Femme de lettres française (1711-1780). Contes : *La Belle et la Bête.*

**Leptis Magna** ▫ Ville antique de Tripolitaine (Libye). Fondation phénicienne ; ruines romaines.

les îles de **Lérins** ▫ Îles des Alpes-Maritimes au large de Cannes.

Mikhaïl **Lermontov** ▫ Écrivain russe (1814-1841). Poète romantique *(La Mort du poète),* il est aussi l'auteur du premier roman psychologique russe, *Un héros de notre temps.*

André **Leroi-Gourhan** ▫ Préhistorien français (1911-1986).

Gaston **Leroux** ▫ Écrivain français (1868-1927). Auteur de romans policiers, créateur du personnage du journaliste-détective Rouletabille. *Le Mystère de la chambre jaune ; Le Parfum de la dame en noir.*

Eugène **Le Roy** ▫ Écrivain français (1836-1907). *Jacquou le Croquant,* récit d'une révolte paysanne en Périgord.

Emmanuel **Le Roy Ladurie** ▫ Historien français (né en 1929). Étude des phénomènes anthropologiques à évolution lente. *Montaillou, village occitan ; Histoire du climat.*

Alain René **Lesage** ▫ Écrivain français (1668-1747). *Le Diable boiteux ; Gil Blas.*

**Lesbos** ou **Mytilène** ▫ Île grecque de la mer Égée. 1 630 km$^2$. 90 000 habitants.

Pierre **Lescot** ▫ Architecte français de la Renaissance (1515-1578).

le **Lesotho** ▫ État d'Afrique australe. 30 355 km². 2,1 millions d'habitants. Capitale : Maseru.

Ferdinand de **Lesseps** ▫ Diplomate français (1805-1894). Il fit creuser le canal de Suez.

Gotthold Ephraim **Lessing** ▫ Auteur dramatique allemand (1729-1781). Esprit à la fois logique et passionné, il exerça une grande influence sur la littérature allemande. *Laokoon ; Nathan le Sage,* apologie de la tolérance.

Doris **Lessing** ▫ Romancière britannique (1919-2013). *Le Carnet d'or.* Prix Nobel 2007.

Michel **Le Tellier** ▫ Ministre d'Anne d'Autriche puis de Louis XIV (1603-1685). Père de Louvois.

le **Léthé** ▫ mythol. grecque Fleuve que franchissent les âmes des morts et dont les eaux donnent l'oubli.

la **Lettonie** ▫ L'un des trois pays baltes. 64 500 km². 2,37 millions d'habitants. Capitale : Riga.

le **Levant** ▫ Anc. nom du littoral oriental de la Méditerranée.

l'île du **Levant** ▫ Une des îles d'Hyères.

Louis **Le Vau** ▫ Architecte français (1612-1670). Il réalisa le château de Vaux-le-Vicomte, remania le Louvre et Versailles.

Claude **Léveillée** ▫ Auteur, compositeur et chanteur canadien d'expression française (1932-2011).

Urbain **Le Verrier** ▫ Astronome français (1811-1877). Découverte de Neptune.

René **Lévesque** ▫ Homme politique québécois (1922-1987). Fondateur du Parti québécois (PQ), Premier ministre du Québec de 1976 à 1985.

Primo **Levi** ▫ Écrivain italien (1919-1987). *Si c'est un homme* témoigne de sa déportation à Auschwitz.

**Lévi** ▫ Bible Fils de Jacob.

le **Léviathan** ▫ Bible Monstre marin.

Emmanuel **Levinas** ▫ Philosophe français (1905-1995). Interprète de la pensée phénoménologique à la lumière de la théologie juive. *Totalité et Infini.*

Claude **Lévi-Strauss** ▫ Anthropologue français (1908-2009). *Tristes tropiques ; Anthropologie structurale.*

le **Lévitique** ▫ Livre de la Bible, faisant partie du Pentateuque.

Lucien **Lévy-Bruhl** ▫ Sociologue français (1857-1939). *La Mentalité primitive.*

Sinclair **Lewis** ▫ Écrivain américain (1885-1951). Œuvre réaliste, critique de la société des États-Unis. *Babbitt ; Elmer Gantry.* Prix Nobel 1930.

Joseph Levitch, dit Jerry **Lewis** ▫ Acteur comique américain (1926-2017).

Carlton, dit Carl **Lewis** ▫ Athlète américain (né en 1961), champion olympique (9 médailles d'or de 1984 à 1996) et 8 médailles d'or aux championnants du monde (1983-1991).

**Leyde** ▫ Ville des Pays-Bas (Hollande-Méridionale). 117 500 habitants (zone urbaine 389 700). Université.

**Lhassa** ou **Lhasa** ▫ Capitale du Tibet (Chine). 600 000 habitants. Palais des dalaï-lamas, le Potala.

Marcel **L'Herbier** ▫ Réalisateur français (1888-1979). Il voulait associer l'expression humaniste et la recherche formelle. *L'Inhumaine ; Forfaiture.* Il fonda l'Institut des hautes études cinématographiques (IDHEC) en 1943.

Michel de **L'Hospital** ▫ Ministre de Catherine de Médicis (v. 1504-1573). Il mena une politique de tolérance envers les protestants.

le **Liaoning** ▫ Province du nord-est de la Chine. 145 700 km². 43,7 millions d'habitants. Capitale : Shenyang.

le **Liban** ▫ État du Proche-Orient. 10 452 km². 5,4 millions d'habitants. Capitale : Beyrouth.

**Libération** ▫ Mouvement de la Résistance, fondé par E. d'Astier de La Vigerie en 1941. Journal de ce mouvement (1941-1964).

**Libération** ▫ Quotidien français fondé en 1973 sous la protection de J.-P. Sartre. D'abord militant et d'extrême gauche, «*Libé*» évolue vers une ligne de centre-gauche.

le **Liberia** ou **Libéria** ▫ État d'Afrique occidentale. 111 370 km². 4,7 millions d'habitants. Capitale : Monrovia.

**Libreville** ▫ Capitale et port du Gabon. 704 000 habitants.

la **Libye** ▫ État d'Afrique du Nord. 1 759 540 km². 6,3 millions d'habitants. Capitale : Tripoli.

Roy **Lichtenstein** ▫ Peintre américain (1923-1997). L'un des représentants les plus originaux du pop art.

la **Licra** ▫ «Ligue internationale contre le racisme et l'antisémitisme», association fondée en 1927.

Justus baron von **Liebig** ▫ Chimiste allemand (1803-1873). Fondateur de la chimie agricole (engrais azoté).

Karl **Liebknecht** ▫ Socialiste allemand (1871-1919). Fondateur, avec Rosa Luxemburg, du parti communiste allemand. Il fut assassiné. → **Spartakus.**

la principauté de **Liechtenstein** ▫ État d'Europe. 160 km². 37 623 habitants. Capitale : Vaduz.

**Liège** ▫ Ville de Belgique. 197 217 habitants. ► la province de **Liège.** Province de Belgique. 3 862 km². 1,1 million d'habitants. Chef-lieu : Liège.

Serge **Lifar** ▫ Danseur et chorégraphe français d'origine russe (1905-1986).

György **Ligeti** ▫ Compositeur hongrois naturalisé autrichien (1923-2006). D'abord influencé par Bartok, il s'est tourné vers la musique de Debussy et certaines musiques d'Asie. *Le Grand Macabre* (opéra) ; pièces pour orchestre ; musique de chambre.

la **Ligue** ou **Sainte Ligue** ou **Sainte Union** ▫ Confédération de catholiques français fondée par Henri de Guise contre les protestants (1576-1594).

la Ligue des États arabes, dite la **Ligue arabe** ▫ Organisation fondée au Caire en 1945.

la **Ligue des droits de l'homme** ▫ Association fondée en 1898, lors de l'affaire Dreyfus.

les **Ligures** ▫ Ancien peuple du nord de l'Italie. ► la **Ligurie.** Région administrative d'Italie. 5 416 km². 1,57 million d'habitants. Chef-lieu : Gênes.

Suzanne **Lilar** ▫ Écrivaine belge d'expression française (1901-1992). Pièces de théâtre, romans, essais *(Le Malentendu du deuxième sexe)*.

**Lille** ▫ Chef-lieu du Nord et capitale de la Région Hauts-de-France. 233 098 habitants.

**Lilongwe** ▫ Capitale du Malawi. 1 million d'habitants.

**Lima** ▫ Capitale du Pérou. 270 000 habitants (aggl. 9,6 millions). Monuments coloniaux.

les **Limagnes** n. f. pl. ▫ Plaines du Massif central drainées par l'Allier.

les frères de **Limbourg** ▫ Pol, Jean et Hermann, miniaturistes flamands (début du XVᵉ s.). *Les Très Riches Heures du duc de Berry,* leur chef-d'œuvre, achevé par Jean Colombe.

le **Limbourg** ▫ Province de Belgique. 2 422 km². 877 370 habitants. Chef-lieu : Hasselt. ► le **Limbourg.** Province des Pays-Bas. 2 170 km². 1,1 million d'habitants. Chef-lieu : Maastricht.

**Limoges** ▫ Chef-lieu de la Haute-Vienne. 131 479 habitants. Porcelaine.

le **Limousin** ▫ Anc. région administrative du centre de la France.

le **Limpopo** ▫ Fleuve d'Afrique australe qui se jette dans l'océan Indien. 1 600 km.

Abraham **Lincoln** ▫ (1809-1865) 16ᵉ président (républicain) des États-Unis, de 1861 à son assassinat. Son élection provoqua la guerre de Sécession. Il abolit l'esclavage (1863).

Charles **Lindbergh** ▫ Aviateur américain (1902-1974). Première traversée de l'Atlantique Nord dans le sens Amérique-France en avion (1927).

Max **Linder** ▫ Acteur et cinéaste comique français (1883-1925). *L'Étroit Mousquetaire.*

Carl von **Linné** ▫ Naturaliste suédois (1707-1778). Nomenclature binaire des êtres vivants.

le golfe du **Lion** ▫ Golfe de la Méditerranée, baignant les côtes françaises.

Jean-Étienne **Liotard** ▫ Peintre et pastelliste suisse (1702-1789).

les îles **Lipari** → îles **Éoliennes**

Dinu **Lipatti** ▫ Pianiste roumain (1917-1950). Il interpréta surtout Mozart, Chopin, Bartók.

Jacques **Lipchitz** ▫ Sculpteur lituanien naturalisé français, puis américain (1891-1973).

Fra Filippo **Lippi** ▫ Peintre italien (v. 1406-1469). Scènes de la vie de la Vierge.

**Lisbonne** ▫ Capitale du Portugal, sur l'estuaire du Tage. 509 800 habitants.

**Lisieux** ▫ Chef-lieu d'arrondissement du Calvados. 20 171 habitants. Pèlerinage à sainte Thérèse de l'Enfant-Jésus.

Lazar Markovitch, dit El **Lissitski** ▫ Peintre et architecte russe (1890-1941). Adepte d'un géométrisme abstrait et de la fusion des arts, proche des « constructivistes », il travailla surtout en Allemagne.

Joseph **Lister** ▫ Chirurgien anglais (1827-1912). Créateur de l'antisepsie.

Franz **Liszt** ▫ Compositeur et pianiste hongrois (1811-1886). *Préludes.*

Émile **Littré** ▫ Lexicographe français (1801-1881). *Dictionnaire de la langue française.*

la **Lituanie** ▫ L'un des trois pays baltes. 65 200 km². 3 millions d'habitants. Capitale : Vilnius.

**Liu** Xiaobo ▫ Intellectuel et professeur de littérature chinois (1955-2017). Incarcéré pour ses publications réclamant une Chine démocratique. Prix Nobel de la paix 2010.

**Liverpool** ▫ Port d'Angleterre (Merseyside). 552 000 habitants.

David **Livingstone** ▫ Missionnaire et explorateur britannique de l'Afrique centrale (1813-1873).

**Livourne** ▫ Port d'Italie (Toscane). 156 300 habitants.

**Ljubljana** ▫ Capitale de la Slovénie. 266 000 habitants.

Harold **Lloyd** ▫ Acteur comique américain (1893-1971). Personnage du jeune homme timide qui se tire de manière flegmatique, parfois acrobatique, des pires situations.

David **Lloyd George** ▫ Homme politique (libéral) britannique (1863-1945).

Ramón **Llull** → Raymond **Lulle**

Kenneth, dit Ken **Loach** ▫ Réalisateur britannique (né en 1936). Œuvre militante sur la société moderne. *Kes ; Family Life ; Le vent se lève.*

Nikolaï **Lobatchevski** ▫ Mathématicien russe, créateur d'une géométrie non euclidienne (1792-1856).

John **Locke** ▫ Philosophe anglais (1632-1704). Il associe l'empirisme et la pensée logique, créant une «sémiotique» (théorie du signe et du langage). *Essai sur l'entendement humain.*

**Łódź** ▫ Ville de Pologne. 760 300 habitants. Centre culturel et scientifique.

Sébastien **Loeb** ▫ Pilote de rallye automobile français (né en 1974). Neuf fois champion du monde des rallyes (2004-2012).

Raymond **Loewy** ▫ Dessinateur industriel américain d'origine française (1893-1986). Auteur de *La laideur se vend mal.*

les îles **Lofoten** ▫ Archipel de Norvège. 1 350 km². 24 000 habitants.

**Lohengrin** ▫ Héros d'une légende germanique du XIIIe s., fils de Parsifal. Titre d'un opéra de Wagner.

le **Loir** ▫ Rivière, affluent de la Sarthe. 311 km.

la **Loire** ▫ Fleuve français. 1 012 km. ► la **Loire** [42]. Département français de la Région Auvergne-Rhône-Alpes. 4 773 km². 763 441 habitants. Chef-lieu : Saint-Étienne. Chefs-lieux d'arrondissement : Montbrison, Roanne. ► la **Haute-Loire** [43]. Département français de la Région Auvergne-Rhône-Alpes. 5 001 km². 227 552 habitants. Chef-lieu : Le Puy. Chefs-lieux d'arrondissement : Brioude, Yssingeaux. ► la **Loire-Atlantique** [44]. Département français de la Région Pays de la Loire. 6 979 km². 1,41 million d'habitants. Chef-lieu : Nantes. Chefs-lieux d'arrondissement : Ancenis, Châteaubriant, Saint-Nazaire. ► les Pays de la **Loire.** Région administrative de l'ouest de la France. Cinq départements : Loire-Atlantique, Maine-et-Loire, Mayenne, Sarthe et Vendée. 31 126 km². 3,78 millions d'habitants. Capitale : Nantes.

le **Loiret** [45] ▫ Département français de la Région Centre-Val de Loire. 6 775 km². 678 845 habitants. Chef-lieu : Orléans. Chefs-lieux d'arrondissement : Montargis, Pithiviers.

le **Loir-et-Cher** [41] ▫ Département français de la Région Centre-Val de Loire. 6 421 km². 330 248 habitants. Chef-lieu : Blois. Chefs-lieux d'arrondissement : Romorantin-Lanthenay, Vendôme.

la **Lombardie** ▫ Région administrative du nord de l'Italie. 23 856 km². 9 millions d'habitants. Chef-lieu : Milan. ► les **Lombards,** peuple germanique qui conquit une partie de l'Italie et fut vaincu par Charlemagne en 774.

**Lombok** ▫ Île d'Indonésie. 11 808 km². 2,4 millions d'habitants.

**Lomé** ▫ Capitale du Togo. 921 000 habitants.

Étienne de **Loménie de Brienne** ▫ Prélat français, ministre de Louis XVI (1727-1794).

Mikhaïl **Lomonossov** ▫ Écrivain et savant russe (1711-1765). Esprit universel, père de la littérature russe moderne.

John Griffith, dit Jack **London** ▫ Écrivain américain (1876-1916). Récits d'aventures *(Martin Eden ; L'Appel de la forêt ; Croc-Blanc)* et soutien de la cause socialiste.

**Londonderry** ▫ Port d'Irlande du Nord. 105 100 habitants.

Albert **Londres** ▫ Journaliste français (1884-1932). Grand reporter, il donne son nom à un prix de journalisme.

**Londres,** en anglais *London* ▫ Capitale et port de la Grande-Bretagne sur la Tamise. 8,2 millions d'habitants. (9,7 millions pour le *Grand Londres*). Nombreux monuments (abbaye de Westminster, Tour de Londres, Buckingham Palace...) et musées.

Henry Wadsworth **Longfellow** ▫ Poète américain (1807-1882). Il évoqua les États-Unis — la déportation des Acadiens dans *Évangeline,* les Amérindiens dans *Hiawatha* —, élaborant une sorte d'épopée nationale qui en fit un poète officiel.

Pietro **Longhi** ▫ Peintre italien (1702-1785).

Jeannie **Longo** ▫ Cycliste française (née en 1958), détentrice de nombreux titres et records.

la **Longue Marche** ▫ Marche de 10 000 li (12 000 km) des troupes communistes chinoises, de 1934 à 1936, sous la direction de Mao Zedong.

**Lons-le-Saunier** ▫ Chef-lieu du Jura. 17 320 habitants.

Felix **Lope de Vega** ▫ Auteur dramatique espagnol (1562-1635). Il produisit près de 1 800 comédies et 400 drames d'un réalisme vigoureux. *L'Étoile de Séville ; Le Chien du jardinier ; Le Châtiment sans vengeance.*

**Lorca** → **Garcia Lorca**

Hendrik Antoon **Lorentz** ▫ Physicien néerlandais (1853-1928). Théorie des électrons. Prix Nobel 1902.

Konrad **Lorenz** ▫ Zoologiste autrichien (1903-1989). Travaux fondateurs en éthologie. Prix Nobel 1973, avec K. von Frisch et N. Tinbergen.

les **Lorenzetti** ▫ Peintres toscans du XIVe s. Pietro (v. 1280-1348) et son frère Ambrogio (v. 1290-1348).

**Lorient** ▫ Chef-lieu d'arrondissement et port du Morbihan. 57 084 habitants. 2e port de pêche français. Cité de la voile Éric-Tabarly.

le **Loristan, Lorestan, Louristan** ou **Luristan** ▫ Région de l'ouest de l'Iran. Bronzes (XIXe au XIIe s. avant J.-C.).

Claude Gellée, dit le **Lorrain** ▫ Peintre français (1600-1682). Paysages et ports avec architectures antiques, dans une lumière de couchant.

la **Lorraine** ▫ Anc. province et anc. région administrative de l'est de la France.

**Los Angeles** ▫ Ville des États-Unis (Californie). 3,8 millions d'habitants (agglomération 16,4 millions). Hollywood est un de ses quartiers.

le **Lot** ▫ Rivière, affluent de la Garonne. 481 km. ► le **Lot** [46]. Département français de la Région Occitanie. 5 215 km². 173 929 habitants. Chef-lieu : Cahors. Chefs-lieux d'arrondissement : Figeac, Gourdon. ► le **Lot-et-Garonne** [47]. Département français de la Région Nouvelle-Aquitaine. 5 360 km². 331 970 habitants. Chef-lieu : Agen. Chefs-lieux d'arrondissement : Marmande, Nérac, Villeneuve-sur-Lot.

**Loth** ▫ Personnage biblique dont la femme est changée en statue de sel pour avoir regardé la destruction de Sodome.

**Lothaire Ier** ▫ (795-855) Empereur d'Occident, de 840 à sa mort. Le traité de Verdun lui attribua la partie médiane de l'Empire, de la Frise au centre de l'Italie.

**Lothaire** ▫ (941-986) Roi de France de 954 à sa mort.

la **Lotharingie** ▫ Ancien royaume cédé au fils de Lothaire Ier en 855, et dont le cœur est la Lorraine actuelle.

Julien Viaud, dit Pierre **Loti** ▫ Romancier et officier de marine français (1850-1923). Œuvre inspirée par ses voyages. *Pêcheur d'Islande.*

Lorenzo **Lotto** ▫ Peintre italien (1480-1556). *Le Mariage de sainte Catherine.*

Émile **Loubet** ▫ (1838-1929) Président de la République française de 1899 à 1906.

**Louis** ▫ Nom de nombreux souverains européens.
**1** EMPEREURS D'ALLEMAGNE ► **Louis Ier le Pieux** → 3. rois de France. ► **Louis II le Germanique** (v. 805-876). Roi de Germanie de 843 à sa mort. ► **Louis IV de Bavière** (v. 1286-1347). Empereur de 1328 à sa mort.
**2** ROI DE BAVIÈRE ► **Louis II de Bavière** ou **de Wittelsbach** (1845-1886). Roi de 1864 à sa mort.
**3** ROIS DE FRANCE ► **Louis Ier le Pieux** (778-840). Fils de Charlemagne, empereur d'Occident de 814 à sa mort. ► **Louis II le Bègue** ou **le Fainéant** (846-879). Roi de 877 à sa mort. ► **Louis III** (v. 863-882). Roi de 879 à sa mort. ► **Louis IV d'Outre-Mer** (921-954). Roi de 936 à sa mort. ► **Louis V le Fainéant** (v. 967-987). Roi en 986-987, dernier des Carolingiens. ► **Louis VI le Gros** (v. 1081-1137). Roi de 1108 à sa mort. Il augmenta le pouvoir de la monarchie. ► **Louis VII le Jeune** (v. 1120-1180). Roi de 1137 à sa mort. Sa rupture avec Aliénor d'Aquitaine amorça la guerre de Cent Ans. ► **Louis VIII le Lion** (1187-1226). Roi de 1223 à sa mort. ► **Louis IX** ou **Saint Louis** (1214-1270). Roi de 1226 à sa mort (canonisé en 1297). Il mourut en croisade. ► **Louis X le Hutin** (1289-1316). Roi de 1314 à sa mort. ► **Louis XI** (1423-1483). Roi de 1461 à sa mort. Il consolida son pouvoir et l'unité du royaume. ► **Louis XII** (1462-1515). Roi de 1498 à sa mort. ► **Louis XIII** (1601-1643). Roi de 1610 à sa mort. Avec Richelieu, il prépara l'absolutisme et l'hégémonie de la France en Europe. ► **Louis XIV,** dit **le Roi-Soleil** (1638-1715). Roi de 1643 à sa mort. Il porta l'absolutisme monarchique à son paroxysme et favorisa l'épanouissement des arts et des lettres. ► **Louis XV le Bien-Aimé** (1710-1774). Roi de 1715 à sa mort. Son règne fut marqué par des difficultés financières. ► **Louis XVI** (1754-1793). Roi de 1774 à 1792. Jugé par la Convention, il fut guillotiné. ► **Louis XVII,** mort dans la prison du Temple (1785-1795). ► **Louis XVIII** (1755-1824). Roi de 1814 à sa mort, frère de Louis XVI. → **Restauration**

sainte **Louise de Marillac** ▫ Religieuse française (1591-1660). Collaboratrice de saint Vincent de Paul.

**Louise de Savoie** ▫ Mère de François Ier, régente du royaume lors des guerres d'Italie (1476-1531).

la **Louisiane** ▫ État du sud des États-Unis. 125 625 km². 4,47 millions d'habitants. Capitale : Baton Rouge. Ville principale : La Nouvelle-Orléans.

**Louis-Philippe Ier** ▫ (1773-1850) Roi des Français de 1830 à 1848. → monarchie de **Juillet**

**Louksor** ou **Louxor** ▫ Ville d'Égypte, sur le site de Thèbes. 243 900 habitants. Temple d'Amon.

**Lourdes** ▫ Ville des Hautes-Pyrénées. 13 210 habitants. Pèlerinage.

le **Louristan** → **Loristan**

**Louvain** ▫ Ville de Belgique (Brabant flamand). 102 275 habitants. Université.

François Michel Le Tellier, marquis de **Louvois** ▫ Ministre de Louis XIV (1639-1691). Il réorganisa l'armée.

le **Louvre** ▫ Ancienne résidence royale, située à Paris, devenue musée national. La *pyramide du Louvre* est un monument en verre construit par Pei (1989).

**Louxor** → **Louksor**

Howard Phillips **Lovecraft** ▫ Écrivain américain (1890-1937). Récits fantastiques suscitant une mythologie de l'horreur *(La Couleur tombée du ciel ; L'Abomination de Dunwich).*

Malcolm **Lowry** ▫ Romancier anglais (1909-1957). *Au-dessous du volcan* (1947), récit symbolique d'une errance désespérée, hantée par l'alcool et la mystique.

les îles **Loyauté** ▫ Archipel français du Pacifique, dépendant de la Nouvelle-Calédonie.

le mont **Lozère** ▫ Massif des Cévennes. 1 699 m. ► la **Lozère** [48]. Département français de la Région Occitanie. 5 178 km². 76 520 habitants. Chef-lieu : Mende. Chef-lieu d'arrondissement : Florac Trois Rivières.

**Luanda** ▫ Capitale de l'Angola. 6,7 millions d'habitants.

**Lübeck** ▫ Port d'Allemagne (Schleswig-Holstein). 213 600 habitants.

le **Luberon** ou **Lubéron** ▫ Massif calcaire du sud des Alpes.

Ernst **Lubitsch** ▫ Réalisateur américain d'origine allemande (1892-1947). Films spirituels et gais jusque dans la tragédie *(Ninotchka ; The Shop Around the Corner ; To Be or Not to Be)*.

**Lublin** ▫ Ville de Pologne. 353 500 habitants.

**Lubumbashi** ▫ Ville de la République démocratique du Congo. 1,3 million d'habitants.

saint **Luc** ▫ Évangéliste.

**Lucain** ▫ Poète latin (39-65). La *Pharsale,* récit dramatique de la guerre civile entre César et Pompée.

George **Lucas** ▫ Réalisateur et producteur américain (né en 1945). *La Guerre des étoiles (Star Wars).*

**Lucerne** ▫ Ville de Suisse. 81 000 habitants (zone urbaine 229 407). ► le canton de **Lucerne.** 1 493 km². 403 397 habitants. Chef-lieu : Lucerne.

**Lucien de Samosate** ▫ Écrivain satirique grec (v. 125-v. 192). *Histoire véritable.*

**Lucifer** ▫ Autre nom de Satan.

**Lucknow** ▫ Ville d'Inde (Uttar Pradesh). 2,9 millions d'habitants.

**Luçon** ▫ Île principale des Philippines. 104 684 km². 41,6 millions d'habitants. Ville principale : Manille.

**Lucques** ▫ Ville d'Italie (Toscane). 81 900 habitants. Cathédrale et églises romanes.

**Lucrèce** ▫ Dame romaine (morte en 509 avant J.-C.). Son viol par un fils de Tarquin et son suicide provoquèrent la chute de la royauté.

**Lucrèce** ▫ Poète latin (v. 98-55 avant J.-C.). Poète philosophe matérialiste, disciple d'Épicure, auteur du *De natura rerum.*

**Lucullus** ▫ Général romain (v. 106-56 avant J.-C.), célèbre pour son raffinement gastronomique.

**Lucy** ▫ Spécimen féminin d'australopithèque dont le squelette, datant de 3 millions d'années, fut découvert en 1974 en Éthiopie par Yves Coppens, D. C. Johanson et M. Taieb.

Erich **Ludendorff** ▫ Général allemand (1865-1937). Collaborateur de Hindenburg.

la **Luftwaffe** ▫ Armée de l'air du IIIe Reich.

Aurélien Lugné, dit **Lugné-Poe** ▫ Acteur et metteur en scène français de théâtre (1869-1940). Il fonda le *Théâtre de l'Œuvre,* et fit connaître Ibsen *(Peer Gynt),* Jarry *(Ubu roi)*...

Bernardino **Luini** ▫ Peintre Italien (v. 1480-1532). Maître de la Renaissance lombarde. Fresques.

Luiz Inácio Lula Da Silva, dit **Lula** ▫ Homme d'État brésilien (né en 1945). Président de la République de 2002 à 2010.

Raymond **Lulle,** en catalan *Ramón Llull* ▫ Philosophe, théologien et poète catalan (v. 1232-1316). Il a donné à la langue catalane sa forme littéraire.

Jean-Baptiste **Lully** ou **Lulli** ▫ Compositeur français d'origine italienne (1632-1687). Il écrivit des ballets, et collabora avec Molière. Habile courtisan, il s'assura la protection de Louis XIV.

les frères **Lumière** ▫ Industriels français, Auguste (1862-1954) et Louis (1864-1948), inventeurs du cinématographe en 1895.

les **Lumières** ▫ Mouvement d'idées de l'Europe du XVIIIe s. fondé sur la confiance dans le progrès et la raison, la lutte contre le fanatisme au nom de la liberté de pensée.

Patrice **Lumumba** ▫ Homme politique congolais (1925-1961). Premier ministre du Congo (belge) devenu indépendant (1960), il fut assassiné.

la **Lune** ▫ Satellite situé à 384 000 km de la Terre. Diamètre : 3 476 km.

Arsène **Lupin** ▫ Personnage de «gentleman cambrioleur», créé par Maurice Leblanc.

Jean **Lurçat** ▫ Peintre français (1892-1966). Il rénova l'art de la tapisserie.

le **Luristan** → **Loristan**

**Lusaka** ▫ Capitale de la Zambie. 2 millions d'habitants.

la **Lusitanie** ▫ Province romaine d'Espagne (actuel Portugal).

**Lutèce** ▫ Ville de Gaule, site primitif de Paris.

Martin **Luther** ▫ Réformateur religieux allemand (1483-1546). Un des fondateurs de la Réforme protestante.

François de Montmorency-Bouteville, duc de **Luxembourg** ▫ Maréchal de France (1628-1695). Vainqueur à Fleurus, Steinkerque, Neerwinden.

le **Luxembourg** ▫ Province de Belgique. 4 439 km². 286 752 habitants. Chef-lieu : Arlon.

**Luxembourg** ▫ Capitale du grand-duché de Luxembourg. 122 300 habitants. ► le grand-duché de **Luxembourg.** État d'Europe occidentale. 2 586 km². 626 108 habitants. Capitale : Luxembourg.

le palais du **Luxembourg** ▫ Palais de Paris (XVII^e^ s.), qui abrite le Sénat depuis 1958. Célèbre jardin public.

Rosa **Luxemburg** ▫ Socialiste révolutionnaire polonaise naturalisée allemande (1870-1919). Elle fut assassinée lors de la répression de l'insurrection spartakiste. → **Spartakus**

**Lviv** ou **Lvov** ▫ Ville d'Ukraine. 798 000 habitants.

André **Lwoff** ▫ Biologiste français (1902-1994). Génétique moléculaire. Prix Nobel 1965, avec F. Jacob et J. Monod.

**Lyallpur** → **Faisalabad**

Louis Hubert **Lyautey** ▫ Maréchal de France (1854-1934). Administrateur colonial au Maroc.

**Lycurgue** ▫ Législateur mythique de Sparte ayant vécu au IX^e^ s. avant J.-C.

la **Lydie** ▫ Anc. contrée d'Asie Mineure.

sir Charles **Lyell** ▫ Géologue britannique (1797-1875). L'un des fondateurs de l'étude scientifique de la Terre.

David **Lynch** ▫ Réalisateur américain (né en 1946). *Elephant Man ; Sailor et Lula ; Mulholland Drive.*

**Lyon** ▫ Chef-lieu du Rhône et capitale de la Région Auvergne-Rhône-Alpes, au confluent du Rhône et de la Saône. 518 635 habitants (agglomération 1,67 million). Nombreux édifices civils et religieux anciens. ► les monts du **Lyonnais.** Montagnes de l'est du Massif central.

Jean-François **Lyotard** ▫ Philosophe français (1924-1998). Phénoménologue, il combina de manière critique les influences de Freud et de Marx. *La Condition postmoderne.*

**Lysimaque** ▫ Général macédonien (v. 360-v. 280 avant J.-C.), lieutenant d'Alexandre le Grand. Roi de Thrace, il conquit un empire.

**Lysippe** ▫ Sculpteur grec (v. 390-après 310 avant J.-C.). Le style réaliste et harmonieux de ses bronzes présage l'évolution de l'art grec.

**Lysistrata** ▫ Personnage féminin créé par Aristophane, dans la comédie qui porte ce titre. Lysistrata convainc les femmes à une « grève du sexe », pour faire cesser la guerre (entre Athènes et Sparte).

# M

**Maastricht** ▫ Ville des Pays-Bas (Limbourg). 119 000 habitants. ► le traité de **Maastricht,** signé en 1992, a donné naissance à l'Union européenne.

Wangari **Maathai** ▫ Femme politique et militante écologiste kényane (1940-2011). Prix Nobel de la paix 2004.

Lorin **Maazel** ▫ Chef d'orchestre américain (1930-2014).

Alain **Mabanckou** ▫ Écrivain congolais d'expression française (né en 1966). *Black bazar ; Petit Piment.*

John Loudon **McAdam** ▫ Ingénieur britannique (écossais) [1756-1836]. Il est l'inventeur du macadam.

**Macao** ▫ Territoire de la Chine du Sud, faisant face à Hong-Kong. 16 km². 573 000 habitants.

Douglas **MacArthur** ▫ Général américain (1880-1964). Il reçut la reddition du Japon en 1945.

**Macbeth** ▫ Roi d'Écosse de 1040 à sa mort (1057). Il a inspiré une tragédie à Shakespeare.

les **Maccabées** ▫ Famille de patriotes juifs (IIe s. avant J.-C.).

Leo **McCarey** ▫ Réalisateur américain (1898-1969). Films burlesques (avec les Marx Brothers, W. C. Fields), puis comédies et mélodrames. *Elle et lui.*

Joseph **McCarthy** ▫ Sénateur républicain américain (1908-1957). Il mena une lutte anticommuniste virulente («chasse aux sorcières» ou *maccarthysme*).

Carson **McCullers** ▫ Romancière américaine (1917-1967). *Le cœur est un chasseur solitaire.*

la **Macédoine** ▫ Région historique de la péninsule des Balkans, aujourd'hui partagée entre la Grèce (34 178 km² ; 2,7 millions d'habitants ; ville principale : Thessalonique), la Macédoine et la Bulgarie. ► la **Macédoine du Nord.** État d'Europe méridionale. 25 713 km². 2 millions d'habitants. Capitale : Skopje.

Ernst **Mach** ▫ Physicien et philosophe autrichien (1838-1916). Le *nombre de Mach* mesure les vitesses supersoniques.

Antonio **Machado** ▫ Poète espagnol (1875-1939). Sa poésie est intime et profonde *(Solitudes)*, évocatrice de l'Espagne *(Champs de Castille)*.

Guillaume de **Machaut** → **Guillaume de Machaut**

**Machhad** → **Mechhed**

Nicolas **Machiavel** ▫ Homme politique et philosophe florentin (1469-1527). Auteur d'un traité de philosophie politique, *Le Prince.* Sa théorie politique, souvent mal interprétée sous le nom de *machiavélisme,* est réaliste : le détenteur du pouvoir ne cherche qu'à le conserver, sans se préoccuper du bien public.

**Machu Picchu** ▫ Site inca du Pérou, situé à 2 045 m d'altitude.

le **Mackenzie** ▫ Fleuve du Canada. 4 600 km.

William Lyon **Mackenzie** ▫ Homme politique canadien d'origine écossaise (1795-1861). Il déclencha en Ontario une rébellion anti-anglaise, qui échoua. ► Son petit-fils, William Lyon **Mackenzie King** (1874-1950), fut Premier ministre (libéral) du Canada (1921-1930, puis 1935-1948).

le mont **McKinley** → **Denali**

Marshall **McLuhan** ▫ Penseur et essayiste canadien (1911-1980). Fonde l'étude de la communication et des médias de masse. *La Galaxie Gutenberg ; Comprendre les médias.*

Patrice, comte de **Mac-Mahon,** duc de Magenta ▫ (1808-1898) Maréchal de France, président de la République de 1873 à 1879.

**Mâcon** ▫ Chef-lieu de la Saône-et-Loire. 33 810 habitants.

Pierre Dumarchey, dit Pierre **Mac Orlan** ▫ Écrivain français (1882-1970). Récits réalistes où l'aventure peut surgir du quotidien. *Le Quai des brumes.*

James **Macpherson** ▫ Poète écossais (1736-1796). Auteur des poèmes d'Ossian*.

Emmanuel **Macron** ▫ Homme d'État français (né en 1977). Ministre de l'Économie, de l'Industrie et du Numérique (2014-2016). Fondateur du parti En marche !, il a été élu président de la République en 2017.

**Madagascar** ▫ Île et État de l'océan Indien, au sud-est de l'Afrique. 587 014 km². 25,6 millions d'habitants. Capitale : Antananarivo.

l'abri de la **Madeleine** ▫ Site préhistorique de la Dordogne (Paléolithique supérieur ou *Magdalénien*).

**Madère** ▫ Archipel portugais de l'Atlantique. 794 km². 245 500 habitants. Capitale : Funchal.

Bruno **Maderna** ▫ Compositeur italien (1920-1973). Style dodécaphoniste ; musique électroacoustique ; théâtre lyrique *(Hyperion ; Satyricon)*.

le **Madhya Pradesh** ▫ État du centre de l'Inde. 442 841 km². 85,3 millions d'habitants. Capitale : Bhopal.

**Madras** → **Chennaï**

**Madrid** ▫ Capitale de l'Espagne. 3,19 millions d'habitants.

**Madurai** ▫ Ville d'Inde du Sud (Tamil Nadu). 1,2 million d'habitants.

le **Maelström** ▫ Tourbillon produit par les courants de marée, dans un chenal des îles Lofoten.

Maurice **Maeterlinck** ▫ Écrivain belge d'expression française (1862-1949). Poète symboliste, il écrivit pour le théâtre, notamment *Pelléas et Mélisande*, que Debussy mit en musique. Prix Nobel 1911.

Fernand de **Magellan** ▫ Navigateur portugais (v. 1480-1521). Il entreprit en 1519 le premier voyage autour du monde. ► le détroit de **Magellan** sépare l'Amérique du Sud et la Terre de Feu.

**Magenta** ▫ Ville d'Italie (Lombardie). 22 800 habitants. Victoire française sur les Autrichiens en 1859.

les Rois **mages** ▫ Dans l'Évangile, les trois rois, Balthazar, Gaspard et Melchior, venus rendre hommage à Jésus qui vient de naître.

le **Maghreb** ▫ Ensemble des pays du nord-ouest de l'Afrique (Maroc, Algérie, Tunisie).

la ligne **Maginot** ▫ Ligne de fortifications érigée à la frontière nord-est de la France, contournée par les Allemands en 1940.

Anna **Magnani** ▫ Comédienne italienne (1908-1973). Elle tourna avec les plus grands réalisateurs italiens (De Sica, Rossellini, Visconti, Pasolini). *Rome, ville ouverte.*

Alessandro **Magnasco** ▫ Peintre italien (1667-1749). Style tourmenté, sombre et visionnaire.

**Magog** → **Gog et Magog**

René **Magritte** ▫ Peintre surréaliste belge (1898-1967). Adepte d'une «peinture d'idée» qui constitue une réflexion sur la perception du réel, souvent par l'humour. *Ceci n'est pas une pipe.*

les **Magyars** ▫ Les Hongrois.

le **Mahābhārata** ▫ Récit épique indien d'époque védique (v. 1000 avant J.-C.) comprenant la *Bhagavad-gītā*.

le **Maharashtra** ▫ État d'Inde. 307 760 km². 123 millions d'habitants. Capitale : Bombay.

Naguib **Mahfouz** ▫ Romancier égyptien (1912-2006). *Impasse des deux palais.* Prix Nobel 1988.

Gustav **Mahler** ▫ Compositeur et chef d'orchestre autrichien (1860-1911). Il est l'auteur de dix symphonies et d'une cinquantaine de *lieder*, la plupart pour voix et orchestre *(Chants de Jeunesse)*.

**Mahomet** ▫ Prophète et fondateur de l'islam (v. 570-632). À la fois grand politique, administrateur et homme de foi, il reçut la révélation du Coran et répandit la croyance.

**Mai 68** ▫ Mouvement de contestation sociale, politique et culturelle que connut la Vᵉ République en mai-juin 1968.

Vladimir Vladimirovitch **Maïakovski** ▫ Poète soviétique, né en Géorgie (1893-1930). Il adhéra au futurisme *(Nuage en pantalon)* et rallia la révolution en 1917 (*La Punaise ; Les Bains*, qui s'attaque à la bureaucratie). Il a renouvelé la langue poétique russe. Il se suicida.

le commissaire **Maigret** ▫ Personnage créé par Georges Simenon, héros de nombreux romans policiers.

Norman **Mailer** ▫ Romancier et journaliste américain (1923-2007). Polémiste de gauche. *Les Nus et les Mort ; Le Chant du bourreau.*

Antonine **Maillet** ▫ Écrivaine canadienne d'expression française (née en 1929). *La Sagouine ; Pélagie-la-charrette.*

Aristide **Maillol** ▫ Sculpteur et peintre français (1861-1944). Nus féminins, sensuels et harmonieux.

Mosheh ben Maïmon, dit Moïse **Maïmonide** ▫ Philosophe, théologien et médecin juif, de Cordoue, en Andalousie (1135-1204). Il fuit au Maroc, puis en Égypte, où il fut médecin à la cour de Saladin. Il est l'auteur du *Guide des égarés*, qui vise à surmonter la contradiction apparente de la philosophie et de la révélation.

le **Main** ▫ Fleuve d'Allemagne, affluent du Rhin. 524 km.

le **Maine** ▫ État du nord-est des États-Unis. 86 027 km². 1,34 million d'habitants. Capitale : Augusta.

le **Maine** ▫ Anc. région de l'ouest de la France. Ville principale : Le Mans.

le **Maine-et-Loire** [49] ▫ Département français de la Région Pays de la Loire. 7 151 km². 815 883 habitants. Chef-lieu : Angers. Chefs-lieux d'arrondissement : Cholet, Saumur, Segré-en-Anjou Bleu.

Françoise d'Aubigné, marquise de **Maintenon** ▫ Dame française (1635-1719). Veuve de Scarron, elle devint la maîtresse de Louis XIV qui l'épousa en secret.

la **Maison Blanche** ▫ Résidence du Président des États-Unis, à Washington.

Paul de Chomedey de **Maisonneuve** ▫ Militaire et administrateur français (1612-1676). Fondateur de Montréal, en Nouvelle-France (Canada), en 1642.

le comte Joseph de **Maistre** ▫ Écrivain français (1753-1821). Critique de la Révolution. *Soirées de Saint-Pétersbourg*.

le lac **Majeur** ▫ Lac d'Italie et de la Suisse. 212 km$^2$.

Louis **Majorelle** ▫ Ébéniste français de l'école de Nancy (1859-1926). Meubles de style «art nouveau».

**Majorque** ▫ Île espagnole des Baléares. 3 064 km$^2$. 873 414 habitants. Capitale : Palma.

**Makarios III** ▫ (1913-1977) Prélat et président de la république de Chypre de 1960 à sa mort.

Miriam **Makeba** ▫ Chanteuse sud-africaine (1932-2008). Symbole de la lutte contre l'apartheid, elle chante la tolérance.

la côte de **Malabar** ▫ Région littorale du sud-ouest de l'Inde.

**Malabo** ▫ Capitale de la Guinée équatoriale. 257 000 habitants.

la presqu'île de **Malacca** ▫ Péninsule de l'Asie du Sud-Est partagée entre la Malaisie et la Thaïlande.

la **Maladetta** ou **Maladeta** ▫ Massif des Pyrénées. 3 404 m au pic d'Aneto.

**Málaga** ▫ Port d'Espagne, en Andalousie. 561 435 habitants. Vin réputé.

la fédération de **Malaisie** ▫ État fédéral d'Asie du Sud-Est. 329 758 km$^2$. 32,4 millions d'habitants. Capitale : Kuala Lumpur.

Malala Yousafzaï dite **Malala** ▫ Militante pakistanaise pour les droits des femmes à l'éducation (née en 1997). Elle survécut à une tentative d'assassinat par les talibans. Prix Nobel de la paix 2014.

Curzio **Malaparte** ▫ Écrivain italien (1898-1957). Journaliste, cinéaste, écrivain baroque, successivement fasciste et exclu du parti, il s'illustra en commentant la guerre et l'occupation de Naples par l'armée américaine *(Kaputt ; La Peau)*.

Jean **Malaurie** ▫ Ethnologue français (né en 1922). Spécialiste de l'Arctique et des Inuits *(Les Derniers Rois de Thulé)*.

le **Malawi** ▫ État d'Afrique de l'Est. 119 310 km$^2$. 18,4 millions d'habitants. Capitale : Lilongwe.

Malcolm Little, dit **Malcolm X** ▫ Militant politique américain (1925-1965). Membre de Nation of Islam, il milita pour un État noir indépendant. Il fut assassiné.

les îles **Maldives** n. f. pl. ▫ État constitué par un archipel de l'océan Indien. 298 km$^2$. 417 500 habitants. Capitale : Malé.

Nicolas **Malebranche** ▫ Philosophe français, prêtre oratorien (1638-1715). Il développa les idées de Descartes sur l'entendement dans une perspective chrétienne.

Chrétien Guillaume de Lamoignon de **Malesherbes** ▫ Magistrat français (1721-1794). Il défendit Louis XVI pendant son procès.

Kazimir **Malevitch** ▫ Peintre abstrait russe (1878-1935). *Carré blanc sur fond blanc*.

François de **Malherbe** ▫ Poète français (1555-1628). Un des fondateurs du classicisme français.

le **Mali** ▫ État d'Afrique de l'Ouest. 1 240 142 km$^2$. 19 millions d'habitants. Capitale : Bamako.

**Malines,** en néerlandais *Mechelen* ▫ Ville de Belgique (Anvers). 86 921 habitants.

Bronislaw Kaspar **Malinowski** ▫ Anthropologue britannique d'origine polonaise (1884-1942). Il étudia la vie sociale et les mœurs sexuelles des peuples du Pacifique. *Une théorie scientifique de la culture*.

Stéphane **Mallarmé** ▫ Poète français (1842-1898). D'une rigueur absolue, il a transcendé le symbolisme de sa génération par la recherche de la pureté verbale au service du «livre», conçu comme «œuvre d'art totale» *(Un coup de dés jamais n'abolira le hasard)*.

Louis **Malle** ▫ Réalisateur français (1932-1995). *Ascenseur pour l'échafaud ; Lacombe Lucien ; Au revoir les enfants*.

Robert **Mallet-Stevens** ▫ Architecte et décorateur français (1886-1945). Style dépouillé typique des années 1930 (style «international»). Villas Cavrois, Noailles.

**Malmö** ▫ Port de Suède. 276 200 habitants.

Hector **Malot** ▫ Écrivain français (1830-1907). *Sans famille*.

les îles **Malouines,** en espagnol *Malvinas*, en anglais *Falkland* ▫ Colonie britannique au large des côtes de l'Argentine. 12 000 km$^2$. 2 400 habitants. Capitale : Port Stanley.

André **Malraux** ▫ Écrivain et homme politique français (1901-1976). Romancier de l'action et de l'énergie révolutionnaire *(La Condition humaine ; L'Espoir)*, il se consacra ensuite à l'acte créateur de l'art, conçu comme un «antidestin» *(Les Voix du silence ; La Métamorphose des dieux)*. Gaulliste passionné, ministre des Affaires culturelles de 1959 à 1969, il écrivit des *Antimémoires.*

**Malte** ▫ Île et État de Méditerranée. 316 km². 514 560 habitants. Capitale : La Valette.

Thomas Robert **Malthus** ▫ Pasteur et économiste anglais (1766-1834). Partisan de la limitation des naissances *(malthusianisme).*

les **mamelouks** n. m. pl. ▫ Milice d'élite qui détint le pouvoir en Égypte de 1250 à 1517.

**Mamoudzou** ▫ Chef-lieu du département de Mayotte. 71 437 habitants.

l'île de **Man** ▫ Île britannique en mer d'Irlande. 572 km². 76 300 habitants. Chef-lieu : Douglas.

**Managua** ▫ Capitale du Nicaragua. 937 500 habitants.

**Manama** ▫ Capitale du Bahreïn. 203 000 habitants.

Laure **Manaudou** ▫ Nageuse française (née en 1986). Spécialiste du demi-fond, du dos et des épreuves quatre nages (médaille d'or aux JO de 2004).

Florent **Manaudou** ▫ Nageur français (né en 1990). Plusieurs fois champion du monde (nage libre et papillon) et médaille d'or aux JO de 2012.

Jeanne **Mance** ▫ Dame française (1606-1673). Fondatrice de l'Hôtel-Dieu de Montréal.

la **Manche,** en espagnol *la Mancha* ▫ Plateau aride de Castille.

la **Manche,** en anglais *the Channel* ▫ Mer de l'Europe de l'Ouest entre la Grande-Bretagne et la France. ► le tunnel sous la **Manche.** Tunnel ferroviaire ouvert en 1994. ► la **Manche** [50]. Département français de la Région Normandie. 5 947 km². 495 983 habitants. Chef-lieu : Saint-Lô. Chefs-lieux d'arrondissement : Avranches, Cherbourg-en-Cotentin, Coutances.

**Manchester** ▫ Ville d'Angleterre. 510 700 habitants.

la **Mandchourie** ▫ Anc. nom de la Chine du Nord-Est. ► les **Mandchous** conquirent la Chine au XVIIe s. (dynastie des Qing).

Nelson **Mandela** ▫ Homme d'État sud-africain (1918-2013). Emprisonné de 1962 à 1990. Premier président noir de l'Afrique du Sud, de 1994 à 1999. Prix Nobel de la paix 1993, avec F. De Klerk.

Benoît **Mandelbrot** ▫ Mathématicien français d'origine polonaise (1924-2010). Il découvrit et étudia les fractales.

les **Mandingues** ▫ Groupe ethnique d'Afrique occidentale.

Louis **Mandrin** ▫ Brigand français (v. 1725-1755).

Édouard **Manet** ▫ Peintre français (1832-1883). Précurseur de l'impressionnisme, il renouvela le traitement de l'espace et des volumes, mettant en valeur les contours. *Le Déjeuner sur l'herbe ; Olympia.*

**Manhattan** ▫ Île formant le district central de New York.

**Mani** ou **Manès** ▫ Prophète perse, fondateur de la religion manichéenne (216-277).

la **Manicouagan** ▫ Rivière du Canada (Québec), affluent du Saint-Laurent.

**Manille** ▫ Capitale et port des Philippines, dans l'île de Luçon. 1,78 million d'habitants.

le **Manitoba** ▫ Province du centre du Canada. 647 797 km². 1,27 million d'habitants. Capitale : Winnipeg. ► le lac **Manitoba.** 4 706 km².

Joseph Leo **Mankiewicz** ▫ Réalisateur américain (1909-1993). Disciple de Lubitsch, il réalisa des films complexes habités par la recherche de la vérité *(Ève ; La Comtesse aux pieds nus).*

Thomas **Mann** ▫ Écrivain allemand (1875-1955). Son œuvre romanesque évoque des aspects extrêmes de la sensibilité allemande *(Les Buddenbrook ; La Montagne magique ; La Mort à Venise).* Devenu démocrate et antinazi, il rechercha la fusion du mythe et de l'humanisme *(Docteur Faustus).* Prix Nobel 1929.

Carl Gustav, baron **Mannerheim** ▫ Maréchal et homme d'État finlandais (1867-1951). Aide de camp du tsar Nicolas II, il mena la guerre contre les bolcheviks en 1917. Président de la Finlande (1944-1946).

**Mannheim** ▫ Ville et port d'Allemagne, sur le Rhin (Bade-Wurtemberg). 306 700 habitants.

Manuel Rodríguez Sanchez, dit **Manolete** ▫ Torero espagnol (1917-1947).

Emmanuel Radnistky, dit **Man Ray** ▫ Photographe et peintre américain (1890-1976). Collages, «aérographes», photographies surréalistes.

Le **Mans** ▫ Chef-lieu de la Sarthe. 143 252 habitants. Cathédrale romane et gothique.

François **Mansart** ▫ Architecte français (1598-1666). Château de Maisons-Laffitte. ► Jules **Hardouin-Mansart** → **Hardouin.**

Katherine **Mansfield** ▫ Écrivaine néo-zélandaise (1888-1923). *La Garden Party.*

Andrea **Mantegna** ▫ Peintre et graveur italien de la Renaissance (1431-1506). Son traitement homogène de l'espace crée, par le dramatisme des figures, une tension tragique *(Christ mort).*

**Mantoue** ▫ Ville d'Italie, en Lombardie. 47 800 habitants.

Alessandro **Manzoni** ▫ Écrivain italien (1785-1873). *Les Fiancés.*

les **Maoris** ▫ Population polynésienne de Nouvelle-Zélande.

**Mao Zedong** ou **Mao Tsé-toung** ▫ Homme d'État chinois (1893-1976). Il contribua à fonder le Parti communiste chinois, puis organisa une «Longue Marche» pour rallier la paysannerie à l'action de l'armée populaire. En 1949, il proclama la République populaire de Chine, qu'il présida jusqu'en 1959. Contre le pragmatisme des cadres du Parti, il organisa le mouvement des «Gardes rouges» pour une «Révolution culturelle», diffusant sa pensée par le Petit Livre rouge.

**Maputo** ▫ Capitale du Mozambique. 1 million d'habitants.

**Maracaibo** ▫ Ville du Venezuela. 1,61 million d'habitants.

lac **Maracaibo** ▫ Lac du Venezuela, le plus grand d'Amérique du Sud. Pétrole.

Diego Armando **Maradona** ▫ Footballeur argentin (1960-2020).

Marin **Marais** ▫ Compositeur baroque français (1656-1728). Six cents pièces pour viole.

Jean Villain-Marais, dit Jean **Marais** ▫ Acteur français (1913-1998). Il interpréta notamment Cocteau.

le **Marais** → la **Plaine**

le **Marañón** ▫ Une des branches mères de l'Amazone. 1 800 km.

Jean-Paul **Marat** ▫ Révolutionnaire français (1743-1793). Il fut assassiné par Charlotte Corday.

**Marathon** ▫ Anc. ville de Grèce (Attique). Miltiade y vainquit les Perses en 490 avant J.-C.

saint **Marc** ▫ Un des quatre évangélistes.

**Marc Aurèle** ▫ Empereur, de 161 à sa mort, et philosophe romain (121-180). *Pensées* d'inspiration stoïcienne.

François Séverin **Marceau** ▫ Général révolutionnaire français (1769-1796).

Marcel **Marceau** ▫ Mime français (1923-2007).

Étienne **Marcel** ▫ Prévôt des marchands de Paris (v. 1315-1358).

les **Marches** n. f. pl. ▫ Région administrative de l'Italie centrale. 9 694 km². 1,47 million d'habitants. Chef-lieu : Ancône.

Guglielmo **Marconi** ▫ Physicien italien (1874-1937). Premier poste de télégraphie sans fil. Prix Nobel 1909.

Herbert **Marcuse** ▫ Philosophe américain d'origine allemande (1898-1979). Critique de la société capitaliste, d'un point de vue marxiste et psychanalytique. Il fut la référence de Mai 68.

**Marduk** ou **Mardouk** ▫ Dieu de Babylone.

**Marengo** ▫ Ville du Piémont. Victoire de Bonaparte sur les Autrichiens (1800).

Étienne Jules **Marey** ▫ Physiologiste français (1830-1904). Médecin, il étudia l'activité cardiaque. Son invention, la chronophotographie (1892), permet la décomposition du mouvement et en fait un précurseur du cinéma.

**Marguerite II,** en danois *Margrethe II* ▫ Reine du Danemark depuis 1972 (née en 1940).

**Marguerite d'Autriche** ▫ Duchesse de Savoie, gouvernante des Pays-Bas (1480-1530).

**Marguerite de Navarre** ou **d'Angoulême** ▫ Reine de Navarre, sœur de François Ier et écrivain (1492-1549). *L'Heptaméron.*

**Marguerite de Valois,** dite **la reine Margot** ▫ Reine de Navarre, première femme d'Henri IV (1553-1615).

**Marguerite Valdemarsdotter** ▫ Reine du Danemark, de Norvège et de Suède (1353-1412).

**Mari** ▫ Anc. cité de Mésopotamie, sur l'Euphrate (v. 3000 avant J.-C.).

les îles **Mariannes** ▫ Archipel de la Micronésie. ► le Commonwealth des **Mariannes du Nord** est un État associé aux États-Unis. 477 km². 69 200 habitants. Capitale : Garapan. ► la fosse des **Mariannes,** fosse océanique dont la profondeur a été explorée jusqu'à presque 11 000 m.

sainte **Marie** ou la **Vierge Marie** ▫ Mère de Jésus, mariée à Joseph.

**Marie-Antoinette** ▫ Reine de France (1755-1793). Femme de Louis XVI. Elle fut guillotinée.

**Marie-Christine de Habsbourg-Lorraine** ▫ Régente d'Espagne de 1885 à 1902 (1858-1929).

Marie, dite **Marie de France** ▫ Poétesse française (1154-1189). Ses *lais,* poésies en octosyllabes, évoquent les légendes celtiques.

**Marie de Médicis** ▫ Reine de France (1573-1642). Seconde femme d'Henri IV. Régente durant la minorité de son fils Louis XIII (1610-1614).

**Marie-Galante** ▫ Île des Antilles françaises, dépendant de la Guadeloupe.

**Marie Leszczyńska** ▫ Reine de France (1703-1768). Femme de Louis XV.

**Marie-Louise de Habsbourg-Lorraine** ▫ Seconde femme de Napoléon Ier (1791-1847).

sainte **Marie Madeleine** ▫ Nom de plusieurs saintes chrétiennes. Dans les Évangiles, Marie Madeleine ou Marie de Magdala est une disciple de Jésus.

**Marie Ire Stuart** ▫ Reine d'Écosse (1542-1587). Mariée à François II, reine de France en 1559-1560. Décapitée par ordre d'Élisabeth Ire d'Angleterre.

**Marie-Thérèse** ▫ Impératrice d'Autriche de 1745 à sa mort (1717-1780). Elle mena une politique centralisatrice.

**Marie-Thérèse d'Autriche** ▫ (1638-1683) Reine de France par son mariage avec Louis XIV en 1660.

Auguste **Mariette** ▫ Égyptologue français (1821-1881). Fouilles à Saqqara.

**Marie Ire Tudor,** dite **Marie la Catholique** ou **Marie la Sanglante** ▫ (1516-1558) Reine d'Angleterre de 1553 à sa mort. Elle persécuta les protestants.

**Marignan** ▫ Ville de Lombardie. Victoire de François Ier sur les Suisses en 1515.

Giambattista Marino, dit le Cavalier **Marin** ▫ Poète italien (1569-1625). Il mit à la mode le style précieux.

Filippo **Marinetti** ▫ Écrivain italien (1876-1944). Fondateur du futurisme.

l'abbé Edme **Mariotte** ▫ Physicien français (v. 1620-1684). *Loi de Boyle-Mariotte :* loi de compressibilité des gaz.

la république des **Maris** ▫ République autonome de Russie, sur la Volga. 23 200 km². 679 400 habitants. Capitale : Iochkar-Ola.

Jacques **Maritain** ▫ Philosophe français (1882-1973). Humaniste chrétien, spécialiste de saint Thomas d'Aquin.

Caius **Marius** ▫ Général romain (157-86 avant J.-C.). Adversaire de Sylla.

Pierre Carlet de **Marivaux** ▫ Romancier et auteur dramatique français (1688-1763). Comédies sur les jeux de l'amour *(marivaudage)* et la hiérarchie sociale *(La Double Inconstance ; Le Jeu de l'amour et du hasard ; Les Fausses Confidences).*

le duc de **Marlborough** ▫ Général et homme politique anglais (1650-1722).

Robert Nesta, dit Bob **Marley** ▫ Chanteur jamaïcain de reggae (1945-1981).

Christopher **Marlowe** ▫ Auteur dramatique anglais (1564-1593). *La Tragique Histoire du docteur Faust.*

la mer de **Marmara** ▫ Mer entre la mer Égée et la mer Noire.

la **Marne** ▫ Rivière, affluent de la Seine. 525 km. Victoires françaises en 1914 et en 1918. ► la **Marne** [51]. Département français de la Région Grand Est. 8 205 km². 567 462 habitants. Chef-lieu : Châlons-en-Champagne. Chefs-lieux d'arrondissement : Épernay, Reims, Vitry-le-François. ► la **Haute-Marne** [52]. Département français de la Région Grand Est. 6 210 km². 174 069 habitants. Chef-lieu : Chaumont. Chefs-lieux d'arrondissement : Langres, Saint-Dizier.

**Marne-la-Vallée** ▫ Ville nouvelle à l'est de Paris (Seine-et-Marne). Parc d'attractions Disneyland Paris.

le royaume du **Maroc** ▫ État d'Afrique du Nord, le plus occidental du Maghreb. 706 550 km² (y compris le Sahara-Occidental). 33,84 millions d'habitants. Capitale : Rabat. Ville princ. : Casablanca.

Clément **Marot** ▫ Poète français (1496-1544). Ses œuvres témoignent d'une inventivité et d'une fantaisie verbales exceptionnelles *(Adolescence clémentine).*

Albert **Marquet** ▫ Peintre français (1875-1947). Paysages aux couleurs soulignées d'un trait sombre.

les îles **Marquises** ▫ Archipel de la Polynésie française. 1 274 km². 9 346 habitants.

**Marrakech** ▫ Ville du Maroc, au pied du Haut-Atlas. 971 000 habitants.

**Mars** ▫ mythol. romaine Dieu de la Guerre. *Arès* chez les Grecs. ► **Mars.** Planète du système solaire. Diamètre : 6 794 km.

Wynton **Marsalis** ▫ Trompettiste et compositeur de jazz américain (né en 1961).

la **Marseillaise** ▫ Hymne national français composé en 1792 par Rouget de Lisle.

**Marseille** ▫ Port et chef-lieu des Bouches-du-Rhône et capitale de la Région Provence-Alpes-Côte d'Azur. 868 277 habitants (agglomération 1,61 million).

George Catlett **Marshall** ▫ Général et homme politique américain (1880-1959). Auteur d'un plan d'assistance à l'Europe *(plan Marshall).* Prix Nobel de la paix 1953.

les îles **Marshall** ▫ État insulaire de Micronésie. 181 km². 50 800 habitants. Capitale : Delap-Uliga-Darrit.

Charles **Martel** → **Charles Martel**

Édouard **Martel** ▫ Spéléologue français (1859-1938). Fondateur de la spéléologie.

Maurice **Martenot** ▫ Ingénieur français (1898-1980). Inventeur des *ondes Martenot,* instrument de musique électronique.

José **Martí** ▫ Révolutionnaire et écrivain cubain (1853-1895).

**Martial** ▫ Poète latin (v. 40-v. 104).

saint **Martin** ▫ Évêque de Tours (316-397). Selon la tradition, il partagea son manteau avec un pauvre.

**Martin V** ▫ (1368-1431) Pape de 1417 à sa mort. Son élection mit fin au grand schisme d'Occident.

Roger **Martin du Gard** ▫ Romancier français (1881-1958). *Les Thibault,* grande fresque familiale, morale et sociale, d'un style réaliste et sensible. Prix Nobel 1937.

Simone **Martini** ▫ Peintre italien de l'école siennoise (v. 1282-1344). *Annonciation.*

la **Martinique** [972] ▫ Île des Antilles formant une région et un département français d'outre-mer. 1 106 km². 368 783 habitants. Chef-lieu : Fort-de-France. Chefs-lieux d'arrondissement : Le Marin, Saint-Pierre, La Trinité.

Karl **Marx** ▫ Philosophe, économiste et penseur politique allemand (1818-1883). Son œuvre philosophique fut en partie écrite avec F. Engels. Ses analyses économiques *(Contribution à la critique de l'économie politique ; Le Capital)*, historiques et politiques *(Les Luttes de classes en France)*, ainsi que le *Manifeste du parti communiste* de 1848, font de lui le penseur le plus influent du XIX$^{e}$ s. Fondateur de la I$^{re}$ Internationale.

les **Marx Brothers** ▫ Acteurs comiques américains : Chico (1891-1961), Harpo (1893-1964) et Groucho (1895-1977), leur frère Zeppo (1901-1979) étant associé à leur carrière jusqu'en 1935. *Une nuit à l'Opéra.*

le **Maryland** ▫ État de l'est des États-Unis. 31 296 km$^2$. 5,3 millions d'habitants. Capitale : Annapolis. Ville princ. : Baltimore.

Tommaso di ser Giovanni Cassai, dit **Masaccio** ▫ Peintre italien (1401-1428). L'un des initiateurs de la peinture de la Renaissance à Florence. Ses œuvres majeures accomplissent une révolution picturale : perspective, traitement des volumes, dynamisme, force expressive.

Tomáš **Masaryk** ▫ (1850-1937) Fondateur et premier président de la République tchécoslovaque de 1918 à 1935.

les îles **Mascareignes** n. f. pl. ▫ Archipel de l'océan Indien (Maurice, la Réunion).

**Mascate** ▫ Capitale du sultanat d'Oman. 26 700 habitants.

Le **Mas-d'Azil** ▫ Site préhistorique de l'Ariège.

**Maseru** ▫ Capitale du Lesotho. 120 000 habitants.

Giulietta **Masina** ▫ Actrice italienne (1921-1994), femme et inspiratrice de Fellini. *La Strada ; Les Nuits de Cabiria ; Juliette des esprits.*

**Masinissa** ou **Massinissa** ▫ Roi de Numidie, allié des Romains (v. 240-148 avant J.-C.).

Gaston **Maspero** ▫ Égyptologue français (1846-1916). ► Son fils, Henri **Maspero,** sinologue français (1883-1945). ► François **Maspero** (1932-2015), fils d'Henri, éditeur et écrivain français.

le **Massachusetts** ▫ État du nord-est des États-Unis. 21 408 km$^2$. 6,8 millions d'habitants. Capitale : Boston.

le **Massachusetts Institute of Technology** ou **MIT** [ɛmajti] ▫ École supérieure scientifique des États-Unis, près de Cambridge, fondée en 1881. Physique, électronique, sciences humaines et sociales.

**Massada** ▫ Forteresse d'Israël où les Juifs (les zélotes) résistèrent aux Romains (73).

les **Massaïs** ou **Masaïs** ▫ Peuple du Kenya et de la Tanzanie.

André **Masséna,** duc de Rivoli, prince d'Essling ▫ Maréchal de Napoléon I$^{er}$ (1756-1817).

Jules **Massenet** ▫ Compositeur français (1842-1912). *Manon.*

le **Massif central** ▫ Région montagneuse du centre de la France.

Jean-Baptiste **Massillon** ▫ Prédicateur français (1663-1742). *Oraisons* et *Sermons*, d'une langue élégante et harmonieuse.

André **Masson** ▫ Peintre français (1896-1987). Proche des surréalistes.

Marcello **Mastroianni** ▫ Acteur italien (1924-1996). Interprète masculin favori de Fellini : *La Dolce Vita ; Huit et demi.*

Margaretha Geertruida Zelle, dite **Mata Hari** ▫ Aventurière et danseuse néerlandaise (1878-1917). Accusée d'espionnage pour l'Allemagne, elle fut fusillée.

**Matamore** («tueur de Maures») ▫ Personnage de fanfaron de la comédie italienne.

**Mathias I$^{er}$ Corvin** ▫ Roi de Hongrie de 1458 à sa mort (1440-1490).

Georges **Mathieu** ▫ Peintre français (1921-2012). Œuvres abstraites, fondées sur une «esthétique de la vitesse» et du geste.

**Mathilde de Flandre,** dite **la reine Mathilde** ▫ Femme de Guillaume le Conquérant (morte en 1083).

**Mathusalem** ▫ Patriarche biblique qui aurait vécu 969 ans.

l'hôtel **Matignon** ▫ Hôtel parisien, résidence du Premier ministre de la France.

Henri **Matisse** ▫ Peintre, dessinateur et sculpteur français (1869-1954). Compositions de couleur pure, aux figures sans modelé *(La Danse)*.

le **Mato Grosso** ▫ Plateau de l'ouest du Brésil.

Roberto **Matta** ▫ Peintre surréaliste chilien (1911-2002).

saint **Matthieu** ▫ Apôtre et évangéliste.

**Maubeuge** ▫ Commune du Nord. 29 632 habitants.

Somerset **Maugham** ▫ Écrivain anglais (1874-1965). *Servitude humaine.*

**Mauna Kea** ▫ Volcan éteint, point culminant de Hawaii. 4 205 m.

Guy de **Maupassant** ▫ Écrivain français (1850-1893). Maître de la nouvelle et du court roman réalistes. *Bel-Ami ; Une vie ; Le Horla.*

le chancelier de **Maupeou** ▫ Ministre de Louis XV (1714-1792).

les **Maures** n. m. pl. ▫ Massif côtier du Var.

François **Mauriac** ▫ Romancier français (1885-1970). Son œuvre évoque l'inquiétude du chrétien hanté par le péché et le salut.

Sa critique de la bourgeoisie est impitoyable. *Thérèse Desqueyroux ; Le Nœud de vipères.* Prix Nobel 1952.

l'île **Maurice** ▫ État insulaire de l'océan Indien. 2 040 km². 1,3 million d'habitants. Capitale : Port-Louis.

la **Maurienne** ▫ Vallée de la Savoie.

la **Mauritanie** ▫ État de l'Afrique de l'Ouest. 1 031 000 km². 4,3 millions d'habitants. Capitale : Nouakchott.

Émile Herzog, dit André **Maurois** ▫ Écrivain français (1885-1967). Récits humoristiques, romans, nouvelles, synthèses historiques, biographies.

Charles **Maurras** ▫ Écrivain et homme politique français (1868-1952). Nationaliste et monarchiste. *Anthinéa.*

Marcel **Mauss** ▫ Sociologue français (1873-1950). *Essai sur le don.*

**Mauthausen** ▫ Localité d'Autriche. Camp de concentration nazi.

**Maximilien** ▫ (1832-1867) Archiduc d'Autriche, empereur du Mexique de 1864 à sa mort. Il fut fusillé.

**Maximilien Ier** ▫ (1459-1519) Empereur germanique de 1493 à sa mort. Il eut pour successeur son petit-fils, Charles Quint.

James Clerk **Maxwell** ▫ Physicien écossais (1831-1879). Les *équations de Maxwell :* lois du champ électromagnétique.

les **Mayas** ▫ Peuple d'Amérique centrale qui fonda une brillante civilisation (IIIe-XVIe s.).

**Mayence** ▫ Ville d'Allemagne (Rhénanie-Palatinat), sur le Rhin. 196 900 habitants. Cathédrale romane.

la **Mayenne** ▫ Rivière, affluent de la Sarthe. 200 km. ► la **Mayenne** [53]. Département français de la Région Pays de la Loire. 5 213 km². 307 084 habitants. Chef-lieu : Laval. Chefs-lieux d'arrondissement : Château-Gontier-sur-Mayenne, Mayenne.

le **Mayflower** ▫ Navire qui, en 1620, transporta les premiers colons anglais en Amérique du Nord où ils fondèrent Plymouth.

Michel **Mayor** ▫ Astrophysicien suisse (né en 1942). Il découvrit la première exoplanète. Prix Nobel 2019.

**Mayotte** ▫ Région et département français d'outre-mer, à l'est des Comores. 373 km². 256 518 habitants. Chef-lieu : Mamoudzou.

Jules **Mazarin** ▫ Cardinal et homme d'État français d'origine italienne (1602-1661). Il réprima la Fronde, mit fin à la guerre de Trente Ans.

Ivan **Mazeppa** ▫ Chef des Cosaques, gouverneur de l'Ukraine (v. 1644-1709).

Giuseppe **Mazzini** ▫ Patriote et révolutionnaire italien (v. 1805-1872).

**Mbabane** ▫ Capitale du Swaziland. 52 000 habitants.

**Mc...** → **Mac...**

Margaret **Mead** ▫ Anthropologue américaine (1901-1978). Elle étudia les sociétés d'Océanie, appliquant des méthodes freudiennes et structuralistes.

le **Méandre** ▫ Fleuve de Turquie (584 km) au cours sinueux.

**Mécène** ▫ Chevalier romain (v. 69-8 avant J.-C.). Ministre d'Auguste, il protégea les arts.

**Mechhed** ou **Machhad** ▫ Ville d'Iran. 2,4 millions d'habitants. Pèlerinage chiite.

le **Mecklembourg-Poméranie-Occidentale** ▫ Land d'Allemagne. 23 559 km². 1,7 million d'habitants. Capitale : Schwerin.

La **Mecque** ▫ Ville d'Arabie saoudite, capitale religieuse de l'islam. 2 millions d'habitants. Patrie du prophète Mahomet. Pèlerinage.

**Medan** ▫ Port d'Indonésie (Sumatra). 2 millions d'habitants.

**Médée** ▫ mythol. grecque Magicienne. Abandonnée par Jason, elle se venge en tuant ses propres enfants.

**Medellín** ▫ Ville de Colombie. 2,4 millions d'habitants.

les **Mèdes** ▫ Anc. peuple d'Iran vaincu par les Perses (550 avant J.-C.).

les **Médicis** ▫ Famille de marchands et de banquiers qui domina l'histoire de Florence (XVe-XVIIIe s.). ► Cosme ou Cosimo de **Médicis** (1389-1464), le «Père de la Patrie». ► Laurent de **Médicis,** dit **Laurent le Magnifique** (1449-1492) protégea les artistes et les savants. ► Alexandre de **Médicis** (v. 1510-1537) exerça une dictature sur Florence. Assassiné par son cousin Lorenzaccio.

la **Médie** ▫ Pays des Mèdes.

**Médine** ▫ Ville d'Arabie saoudite. 918 900 habitants. Ville sainte de l'islam. Pèlerinage.

les guerres **médiques** ▫ Conflits qui opposèrent les cités grecques à l'Empire perse au Ve avant J.-C.

la mer **Méditerranée** ▫ Mer intérieure entre l'Afrique, l'Asie et l'Europe. 2,9 millions de km².

le **Médoc** ▫ Région viticole du Bordelais.

**Méduse** ▫ L'une des trois Gorgones.

Dmitri Anatolievitch **Medvedev** ▫ Homme d'État russe (né en 1965). Président de Russie (2008-2012) puis Premier ministre (2012-2020).

**Méhémet Ali** ou **Muḥammad ʿAlī** ▫ Vice-roi d'Égypte de 1805 à sa mort (1769-1849). Fondateur de l'Égypte moderne.

**Mehmet** ▫ Nom de six sultans ottomans. ► **Mehmet II.** Sultan de 1451 à sa mort (1432-1481). Il prit Constantinople (1453).

Mutsuhito, dit **Meiji Tennō** ▫ (1852-1912) Empereur japonais de 1867 à sa mort. Le créateur du Japon moderne *(ère Meiji).*

Henri **Meilhac** [mɛjak] ▫ Auteur dramatique français (1831-1897). En collaboration avec Ludovic Halévy*, il est l'auteur des livrets de nombreux opéras bouffes d'Offenbach, ainsi que de celui du *Carmen* de Bizet.

Golda **Meir** ▫ Femme d'État (travailliste) israélienne (1898-1978).

Jean Louis Ernest **Meissonier** ▫ Peintre français (1815-1891). Scènes militaires d'un réalisme minutieux.

Lise **Meitner** ▫ Physicienne autrichienne (1878-1968). Physique nucléaire ; radioéléments.

**Meknès** ▫ Ville du Maroc. 632 000 habitants.

le **Mékong** ▫ Fleuve de Chine et d'Indochine. 4 200 km.

**Melanchthon** ▫ Réformateur religieux allemand (1497-1560). Disciple de Luther.

la **Mélanésie** ▫ Ensemble d'îles du Pacifique (Océanie), comprenant principalement la Nouvelle-Guinée, la Nouvelle-Calédonie et les îles Fidji.

Helen Mitchell, dite Nellie **Melba** ▫ Cantatrice australienne (1861-1931). La *pêche Melba* fut créée en son honneur.

**Melbourne** ▫ Ville et port d'Australie. 3,7 millions d'habitants.

**Melchior** ▫ Un des Rois mages.

Georges **Méliès** ▫ Cinéaste français (1861-1938). Pionnier du septième art, inventif et poétique. *Le Voyage dans la Lune.*

**Melilla** ▫ Ville autonome espagnole sur la côte nord du Maroc. 14 km². 81 323 habitants. Port franc.

**Melpomène** ▫ mythol. grecque Muse du chant et de l'harmonie.

**Melun** ▫ Chef-lieu de la Seine-et-Marne. 39 947 habitants.

**Mélusine** ▫ Fée dans les légendes médiévales.

Herman **Melville** ▫ Écrivain américain (1819-1891). Auteur de romans allégoriques et épiques. *Moby Dick.*

Jean-Pierre Grumbach, dit Jean-Pierre **Melville** ▫ Réalisateur français (1917-1973). Adaptations de Vercors, Cocteau *(Les Enfants terribles)* ; films rigoureux influencés par le cinéma américain *(Le Doulos ; Le Samouraï).*

Hans **Memling** ▫ Peintre flamand d'origine rhénane (v. 1433-1494). Son œuvre, peinte à Bruges, témoigne d'une extraordinaire virtuosité technique, d'un sens de l'équilibre dans la composition et d'une émotion contenue, aussi sensible à la figure humaine qu'à la nature.

**Memphis** ▫ Ville anc. d'Égypte.

**Memphis** ▫ Ville des États-Unis (Tennessee). 647 000 habitants.

**Mende** ▫ Chef-lieu de la Lozère. 12 227 habitants.

Gregor Johann **Mendel** ▫ Botaniste et religieux morave (1822-1884). Lois fondamentales de la génétique *(lois de Mendel).*

Dmitri **Mendeleïev** ▫ Chimiste russe (1834-1907). Classification périodique des éléments chimiques.

Moses ou Moïse **Mendelssohn** ▫ Philosophe allemand (1729-1789). Réformiste du judaïsme.

Felix **Mendelssohn-Bartholdy** ▫ Compositeur allemand (1809-1847). Entre romantisme et classicisme, il a composé une œuvre sensible.

Pierre **Mendès France** ▫ Homme d'État français (1907-1982). Président du Conseil en 1954-1955.

**Ménélas** ▫ Roi mythique de Sparte. L'enlèvement de sa femme Hélène déclencha la guerre de Troie.

**Ménélik II** ▫ Négus d'Éthiopie de 1889 à sa mort (1844-1913). Il modernisa l'empire.

**Menton** ▫ Ville des Alpes-Maritimes. 30 231 habitants. Station touristique.

**Mentor** ▫ Dans l'*Odyssée*, ami d'Ulysse et précepteur de son fils Télémaque.

sir Yehudi **Menuhin** ▫ Violoniste américain d'origine russe (1916-1999).

**Méphistophélès** ▫ Autre nom du diable.

Gerhard Kremer, dit Gerardus **Mercator** ▫ Géographe flamand (1512-1594). Inventeur d'un système de projection graphique.

Louis Sébastien **Mercier** ▫ Écrivain français (1740-1814). *Tableau de Paris.*

Eddy **Merckx** ▫ Coureur cycliste belge (né en 1945). Cinq fois vainqueur du Tour d'Italie et du Tour de France.

le **Mercosur** (en espagnol), **Mercosul** (en portugais) [« marché du Sud »] ▫ Union douanière entre pays d'Amérique latine, depuis 1995.

**Mercure** ▫ mythol. romaine Dieu protecteur des commerçants et des voyageurs. *Hermès* chez les Grecs. ► **Mercure,** planète du système solaire. Diamètre : 4 878 km.

Prosper **Mérimée** ▫ Écrivain français (1803-1870). Auteur de récits historiques, de nouvelles concises et fortes *(Mateo Falcone, Tamango, Le Vase étrusque)* et de deux brefs romans (*Colomba* et *Carmen*).

Angela **Merkel** ▫ Femme d'État allemande (née en 1954). Originaire de la RDA, docteur en physique, elle est chancelière (chrétienne démocrate) depuis 2005.

Maurice **Merleau-Ponty** ▫ Philosophe français (1908-1961). Influencé par la phénoménologie de Husserl et par Marx ; il rompit avec le communisme en 1945.

**Merlin l'Enchanteur** ▫ Enchanteur, personnage mythique des légendes celtiques.

Jean **Mermoz** ▫ Aviateur français (1901-1936).

**Mérovée** ▫ Ancêtre des Mérovingiens, roi supposé des Francs Saliens (milieu du Ve s.).

les **Mérovingiens** ▫ Première dynastie de rois Francs qui régna de 481 à 751.

**Mers el-Kébir** ▫ Commune d'Algérie. 18 000 habitants. En 1940, les Britanniques y bombardèrent une escadre française.

Pierre **Mertens** ▫ Écrivain belge d'expression française (né en 1939). *Les Éblouissements.*

la **Mésopotamie** ▫ Région de l'Asie ancienne, entre le Tigre et l'Euphrate (Irak actuel).

André **Messager** ▫ Compositeur et chef d'orchestre français (1853-1929).

Ahmed **Messali Hadj** ▫ Homme politique algérien (1898-1974). Dès 1924, il fonda en France un mouvement nationaliste algérien.

**Messaline** ▫ Impératrice romaine (morte en 48). Femme de Claude.

Willy **Messerschmitt** ▫ Ingénieur allemand (1898-1978), constructeur d'avions.

Olivier **Messiaen** [mesjɑ̃] ▫ Compositeur français (1908-1992). Innovation du langage musical et volonté de traduire une spiritualité religieuse caractérisent une œuvre abondante. Écrits de théorie musicale.

**Messine** ▫ Port d'Italie (Sicile). 252 000 habitants.

Ilia Ilitch **Metchnikov** ou Élie **Metchnikoff** ▫ Biologiste russe (1845-1916). Il travailla en France avec Pasteur et découvrit la phagocytose. Prix Nobel 1908.

saint **Méthode** → saint **Cyrille**

Alfred **Métraux** ▫ Anthropologue français né en Suisse (1902-1963). Travaux sur l'île de Pâques, les Amérindiens, le vaudou.

le **Metropolitan Museum of Art,** fam. le Met' ▫ Le principal musée d'art de New York, fondé en 1870.

Gabriel **Metsu** ▫ Peintre hollandais (1629-1667). Portraits, œuvres religieuses.

Quentin **Metsys** ou **Matsys** ▫ Peintre flamand actif à Anvers (1465 ou 1466-1530). *Le Changeur et sa femme.*

le prince de **Metternich** ▫ Homme politique autrichien (1773-1859). Conservateur, artisan du congrès de Vienne.

**Metz** ▫ Chef-lieu de la Moselle. 116 581 habitants.

la **Meurthe** ▫ Rivière, affluent de la Moselle. 170 km. ► la **Meurthe-et-Moselle** [54]. Département français de la Région Grand Est. 5 279 km². 733 469 habitants. Chef-lieu : Nancy. Chefs-lieux d'arrondissement : Lunéville, Toul, Val de Briey.

la **Meuse** ▫ Fleuve de France, de Belgique et des Pays-Bas. 950 km. ► la **Meuse** [55], département français de la Région Grand Est. 6 220 km². 185 355 habitants. Chef-lieu : Bar-le-Duc. Chefs-lieux d'arrondissement : Commercy, Verdun.

**Mexico** ▫ Capitale du Mexique. 8,8 millions d'habitants (agglomération 20,1 millions). Vestiges aztèques. Monuments baroques.

le **Mexique** ▫ État fédéral d'Amérique du Nord. 1 972 546 km². 126,6 millions d'habitants. Capitale : Mexico.

Yves **Meyer** ▫ Mathématicien français (né en 1939). Théorie des ondelettes. Prix Abel 2017.

Jakob Liebmann Beer, dit Giacomo ou Jacques **Meyerbeer** ▫ Compositeur allemand (1791-1864). Opéras *(Robert le Diable ; Le Prophète).*

le **Mezzogiorno** ▫ Ensemble des régions du sud de l'Italie, de la Sicile et de la Sardaigne.

**Miami** ▫ Ville côtière des États-Unis (Floride). 399 500 habitants (conurbation avec Fort Lauderdale 3,9 millions).

Henri **Michaux** ▫ Écrivain, poète et peintre français d'origine belge (1899-1984). Doutant de la cohérence du monde et du langage qui l'exprime, il élabora une œuvre à la fois intime, douloureuse et ouverte sur le monde *(Ecuador, Un barbare en Asie).*

saint **Michel** ou **Michaël** ▫ Bible Archange de la tradition juive et chrétienne.

**Michel** ▫ Nom de neuf empereurs byzantins.

Louise **Michel** ▫ Révolutionnaire française (1830-1905). Elle prit part à la Commune.

Michelangelo Buonarroti, dit **Michel-Ange** ▫ Sculpteur, peintre, architecte et poète de la Renaissance italienne (1475-1564). Son œuvre célèbre le divin à travers le culte de la beauté humaine. Plafond de la chapelle Sixtine ; *Pietà ; Moïse* (sculptures).

Jules **Michelet** ▫ Historien et écrivain français (1798-1874). Désireux de faire de l'histoire une «résurrection de la vie intégrale», il mit ses vertus lyriques et épiques d'écrivain au service d'une vision nationale et romantique *(Histoire de la Révolution française ; Histoire de France).*

**Michelin** ▫ Société multinationale de pneumatiques, fondée par une famille d'industriels français. Édouard (1859-1940) réalisa les premiers pneus démontables ; André (1852-1931) travailla avec son frère et créa en 1900 le *Guide Michelin.*

Albert **Michelson** ▫ Physicien américain (1852-1931). Il mesura avec précision la vitesse de la lumière. Prix Nobel 1907.

le **Michigan** ▫ État du centre-nord des États-Unis. 250 504 km². 9,94 millions d'habitants. Capitale : Lansing. Ville principale : Detroit. ► le lac **Michigan.** Grand lac des États-Unis. 57 994 km².

Mikhaïl **Michoustine** ▫ Homme d'État russe (né en 1966). Premier ministre depuis 2020.

**Mickey Mouse** ▫ Personnage de dessin animé, souris *(mouse)*, créé en 1928 par Walt Disney, emblème de la compagnie.

Adam **Mickiewicz** ▫ Poète polonais (1798-1855). *Monsieur Thadée.*

la **Micronésie** ▫ Ensemble d'îlots du Pacifique, à l'est des Philippines (Mariannes, Carolines, Marshall). ► la fédération des États de **Micronésie.** État insulaire. 701 km². 104 500 habitants. Capitale : Palikir.

**Microsoft** ▫ Entreprise multinationale américaine d'informatique, fondée par Bill Gates (1975).

**Midas** ▫ Roi légendaire de Phrygie qui changeait en or tout ce qu'il touchait.

le **Middle West** ▫ Région des États-Unis, au sud des Grands Lacs.

le canal du **Midi** ▫ Canal qui relie la Garonne à la Méditerranée. 241 km.

**Midi-Pyrénées** ▫ Anc. région administrative du sud-ouest de la France.

les **Midlands** n. f. pl. ▫ Région industrielle du centre de l'Angleterre. Ville principale : Birmingham.

les îles **Midway** ▫ Îles américaines du Pacifique. Victoire navale des États-Unis sur le Japon en 1942.

Ludwig **Mies van der Rohe** ▫ Architecte allemand naturalisé américain (1886-1969). Gratte-ciel à ossature d'acier et paroi vitrée.

Pierre **Mignard** ▫ Peintre français (1612-1695). Portraitiste.

**Milan** ▫ Ville d'Italie (Lombardie). 1,26 million d'habitants. Cathédrale gothique. Théâtre de la Scala (XVIIIe s.).

**Milet** ▫ Ville d'Asie Mineure, dans l'Antiquité.

Darius **Milhaud** ▫ Compositeur français (1892-1974), membre du groupe des Six.

la **Milice** ▫ Organisation paramilitaire française fondée en 1943 par le gouvernement de Vichy.

John Stuart **Mill** ▫ Philosophe, logicien et économiste anglais (1806-1873). *L'Utilitarisme.*

Henry **Miller** ▫ Écrivain américain (1891-1980). Œuvre autobiographique d'une ampleur épique, marquée par l'érotisme. *Tropique du Cancer.*

Glenn **Miller** ▫ Chef d'orchestre américain de jazz (1904-1944). Style «swing».

Arthur **Miller** ▫ Auteur dramatique américain (1915-2005). Critique du rêve américain (la liberté, la richesse offertes à tous) et de l'hypocrisie sociale. *Les Sorcières de Salem ; Mort d'un commis voyageur ; Les Désaxés* (film de John Huston).

Alexandre **Millerand** ▫ Président de la République française de 1920 à 1924 (1859-1943).

Jean-François **Millet** ▫ Peintre français (1814-1875). Œuvres réalistes et lyriques, célébrant la vie paysanne *(Les Glaneuses)*, la nature, la foi *(L'Angélus)*, le travail ouvrier.

Robert Andrews **Millikan** ▫ Physicien américain (1868-1953). Atomiste, il détermina la charge de l'électron et la valeur de la constante de Planck. Prix Nobel 1923.

Henri **Milne-Edwards** ▫ Physiologiste français (1800-1885). ► Alphonse **Milne-Edwards,** son fils (1835-1900), naturaliste.

**Milo,** en grec *Mílos* ▫ Île grecque des Cyclades où fut découverte en 1820 la statue dite *Vénus de Milo.*

**Milon de Crotone** ▫ Athlète grec de l'Antiquité (VIe-Ve s. avant J.-C.). Lutteur aux nombreuses victoires olympiques.

Czesław **Miłosz** ▫ Écrivain polonais (1911-2004). Prix Nobel 1980.

**Miltiade** ▫ Stratège athénien (540-489 avant J.-C.). Vainqueur à Marathon.

John **Milton** ▫ Écrivain anglais (1608-1674). Son chef-d'œuvre, *Le Paradis perdu,* tragédie visionnaire dont le personnage central est Satan, le révolté, a été traduit en français par Chateaubriand.

**Mindanao** ▫ Île des Philippines. 94 627 km². 25 millions d'habitants.

**Minerve** ▫ mythol. romaine Déesse de la Sagesse. *Athéna* chez les Grecs.

les **Ming** ▫ Dynastie chinoise (1368-1644).

Charles, dit Charlie **Mingus** ▫ Contrebassiste et compositeur américain de jazz (1922-1979).

Hermann **Minkowski** ▫ Mathématicien allemand (1864-1909). Sa théorie de l'espace-temps est adaptée à celle de la relativité restreinte de son ancien élève Albert Einstein.

**Minneapolis** ▫ Ville des États-Unis (Minnesota), sur le Mississippi. 382 600 habitants (conurbation avec Saint Paul 2,97 millions).

Vincente **Minnelli** ▫ Réalisateur américain (1910-1986). Comédies musicales. *Un Américain à Paris.*

le **Minnesota** ▫ État du centre des États-Unis. 217 736 km². 4,9 millions d'habitants. Capitale : Saint Paul.

**Minorque** ▫ Île de l'archipel espagnol des Baléares. 668 km². 88 434 habitants.

**Minos** ▫ Roi légendaire de Crète, devenu un des juges des Enfers.

le **Minotaure** ▫ mythol. grecque Monstre mi-homme, mi-taureau, enfermé par Minos dans le Labyrinthe et tué par Thésée.

**Minsk** ▫ Capitale de la Biélorussie. 2 millions d'habitants.

**Miquelon** ▫ Une des îles de l'archipel français de Saint-Pierre et Miquelon.

Honoré Gabriel Riqueti, comte de **Mirabeau** ▫ Homme politique français (1749-1791). Cet orateur brillant, ouvert aux idées nouvelles, partisan d'une monarchie constitutionnelle, joua un rôle décisif dans les débuts de la Révolution.

Octave **Mirbeau** ▫ Écrivain français (1848-1917). De tendance anarchiste, antibourgeois, il écrivit des romans *(Le Journal d'une femme de chambre)* et des pièces de théâtre *(Les affaires sont les affaires)* violemment satiriques.

Joan **Miró** ▫ Peintre, sculpteur, céramiste espagnol (catalan) (1893-1983). Il adhéra au mouvement surréaliste, puis élabora un univers très personnel de formes simples, de signes et de taches de couleurs franches.

Gaston **Miron** ▫ Poète canadien (québécois) d'expression française (1928-1996). *L'Homme rapaillé.*

Yukio **Mishima** ▫ Écrivain japonais (1925-1970). Passionné de la tradition, hostile à l'occidentalisation, il se suicida au sabre. *Le Pavillon d'or.*

le **Mississippi** ▫ Fleuve des États-Unis. 3 780 km. ► le **Mississippi.** État du sud des États-Unis. 123 584 km². 2,84 millions d'habitants. Capitale : Jackson.

le **Missouri** ▫ Rivière des États-Unis, affluent du Mississippi. 4 370 km. ► le **Missouri.** État du centre des États-Unis. 180 456 km². 5,9 millions d'habitants. Capitale : Jefferson City. Ville principale : Kansas City.

Jeanne Bourgeois, dite **Mistinguett** ▫ Vedette française de music-hall (1875-1956).

Frédéric **Mistral** ▫ Écrivain français d'expression occitane (provençale) et française (1830-1914). L'un des fondateurs du félibrige, il célébra la Provence dans des poèmes épiques et lyriques *(Mirèio [Mireille], Calendau [Calendal]).* Il publia un dictionnaire du provençal, *le Trésor du félibrige.* Prix Nobel 1904.

Lucila Godoy Alcayaga, dite Gabriela **Mistral** ▫ Poète chilienne (1889-1957). Chantre chrétienne de la douleur et de l'amour. Prix Nobel 1945.

le **MIT** [ɛmajti] → le **Massachusetts Institute of Technology**

Margaret **Mitchell** ▫ Romancière américaine (1900-1949). *Autant en emporte le vent.*

Robert **Mitchum** ▫ Acteur américain (1917-1997). Films policiers, westerns *(Rivière sans retour,* de Preminger). *La Nuit du chasseur,* de Charles Laughton.

**Mithra** ▫ Dieu solaire de l'Iran ancien. Son culte se répandit dans le monde grec et romain.

**Mithridate VI Eupator** ▫ Roi du Pont (v. 132-63 avant J.-C.). Vaincu par Pompée. Il s'était immunisé contre les poisons.

la **Mitidja** ▫ Plaine d'Algérie, arrière-pays d'Alger.

Eilhard **Mitscherlich** ▫ Chimiste allemand (1794-1863). Il découvrit l'isomorphisme des cristaux.

François **Mitterrand** ▫ Homme d'État français (1916-1996). Député dès 1946, plusieurs fois ministre, il réunit le Parti socialiste aux radicaux de gauche et aux communistes par un «programme commun» (1973). Président de la République (1981-1995), il agit en faveur de la construction de l'Europe. Auteur de plusieurs ouvrages politiques.

les **Mixtèques** ▫ Population amérindienne du Mexique précolombien.

Hayao **Miyazaki** ▫ Réalisateur japonais de films d'animation (né en 1941). Auteur d'une œuvre de portée universelle abordant l'enfance, les dangers du pouvoir et de la guerre, les rapports entre l'être humain et la nature. *Nausicaä de la vallée du vent ; Princesse Mononoké ; Le Voyage de Chihiro ; Le Château ambulant.*

Kenji **Mizoguchi** ▫ Réalisateur japonais (1898-1956). Ses films, d'un style raffiné, aux images superbes, dénoncent l'injustice de la société japonaise, associant le réalisme au sens de la légende et de l'épopée, l'amour de la tradition à l'humanisme. *Les Contes de la lune vague après la pluie ; Les Amants crucifiés ; La Rue de la honte.*

le **MLF** ▫ «Mouvement de libération des femmes», créé en 1970.

**Mnémosyne** ▫ mythol. grecque Mère des neuf Muses, personnifiant la Mémoire.

Ariane **Mnouchkine** ▫ Metteuse en scène et animatrice française de théâtre (née en 1939). Fondatrice du Théâtre du Soleil. Au cinéma : *1789 ; Molière.*

August Ferdinand **Möbius** ▫ Astronome et mathématicien allemand (1790-1868). En topologie, il conçut la *bande* (ou *ruban*) *de Möbius,* à un seul côté.

Sese Seko **Mobutu** ▫ (1930-1997) Officier et homme d'État du Zaïre, au pouvoir de 1965 à 1997.

**Moctezuma** ou **Montezuma II** ▫ Empereur aztèque (1466-1520). Il fut soumis par Cortés.

**Modène** ▫ Ville d'Italie (Émilie-Romagne). 175 500 habitants.

Patrick **Modiano** ▫ Écrivain français (né en 1945). Œuvre en partie autobiographique, méditation sensible à propos du passé, de la mémoire et du mal. Prix Nobel 2014.

Amedeo **Modigliani** ▫ Peintre italien (1884-1920). Ses portraits et nus féminins, ses sculptures, sont une recherche d'équilibre et de grâce par l'élongation des formes. Il vécut à Paris.

**Mœbius** → Jean **Giraud**

**Mogadiscio** ▫ Capitale de la Somalie, sur l'océan Indien. 2,3 millions d'habitants.

les **Moghols** ou **Mogols** ▫ Dynastie qui régna sur le nord de l'Inde de 1526 à 1858.

**Mohammed V** ▫ Sultan puis roi du Maroc (1909-1961). Il obtint de la France l'indépendance.

**Mohammed VI** ▫ Roi du Maroc (né en 1963). Il succède à son père Hassan II en 1999.

le désert **Mohave** → **Mojave**

les **Mohicans** ▫ Peuple amérindien d'Amérique du Nord.

László **Moholy-Nagy** ▫ Artiste hongrois (1895-1946). Peintre et sculpteur abstrait, il privilégia les formes géométriques et fut membre du Bauhaus.

les **Moires** ▫ Divinités grecques du destin, correspondant aux Parques romaines.

**Moïse** ▫ Prophète, fondateur de la religion et de la nation d'Israël qu'il guida jusqu'à la Terre promise (XIIIe s. avant J.-C.).

le désert **Mojave** ou **Mohave** ▫ Région du sud-est de la Californie (États-Unis).

la **Moldau** → **Vltava**

la **Moldavie** ▫ Région de Roumanie. ► la république de **Moldavie.** État d'Europe orientale. 33 700 km². 4 millions d'habitants. Capitale : Chisinau.

Jean-Baptiste Poquelin, dit **Molière** ▫ Comédien et auteur dramatique français (1622-1673). Ses comédies en prose et en vers *(L'École des femmes ; Tartuffe ; Dom Juan ; Le Misanthrope ; L'Avare ; Le Bourgeois gentilhomme ; Les Fourberies de Scapin ; Les Femmes savantes ; le Malade imaginaire)*, par le sens du comique et de la critique sociale, ont une portée universelle.

Mario **Molina** ▫ Chimiste mexicain (1943-2020). Travaux sur l'ozone atmosphérique. Prix Nobel 1995.

Guy **Mollet** ▫ Homme politique (socialiste) français (1905-1975).

le **Moloch** ▫ Bible Divinité cananéenne à qui l'on sacrifiait des enfants.

Viatcheslav Skriabine, dit **Molotov** ▫ Diplomate et homme politique soviétique (1890-1986). Il signa le pacte germano-soviétique (1939).

le comte Helmuth von **Moltke** ▫ Maréchal prussien (1800-1891).

les **Moluques** n. f. pl. ▫ Archipel d'Indonésie. 74 505 km². 2,8 millions d'habitants. Capitale : Ambon.

**MoMA** → **Museum of Modern Art**

Theodor **Mommsen** ▫ Historien allemand (1817-1903), spécialiste de la Rome antique. *Histoire romaine.* Prix Nobel 1902.

la principauté de **Monaco** ▫ État enclavé dans le département des Alpes-Maritimes. 1,5 km². 37 308 habitants. Capitale : Monaco.

Le **Monde** ▫ Quotidien français fondé en 1944 par Hubert Beuve-Méry.

Piet **Mondrian** ▫ Peintre néerlandais (1872-1944). Abstraction géométrique.

Claude **Monet** ▫ Peintre français (1840-1926). Il imposa une vision subjective, « impressionniste » de la nature *(Impression, soleil levant ; Les Meules ; La Cathédrale de Rouen)*, évoluant vers l'abstraction *(Nymphéas)*.

Gaspard **Monge,** comte de Péluse ▫ Mathématicien français (1746-1818). Créateur de la géométrie descriptive.

les **Mongols** ▫ Nomades d'Asie centrale, qui conquirent un vaste empire aux XIIIe-XIVe s. → **Gengis Khān.** ► la **Mongolie.** État du centre-est de l'Asie. 1 565 000 km². 3,1 millions d'habitants. Capitale : Oulan Bator. ► la **Mongolie-Intérieure.** Région autonome du nord de la Chine. 1 183 000 km². 24,7 millions d'habitants. Capitale : Hohhot.

Thelonious **Monk** ▫ Pianiste et compositeur américain de jazz (1917-1982).

Jean **Monnet** ▫ Économiste français (1888-1979). L'un des pères de l'Europe.

Théodore **Monod** ▫ Naturaliste et explorateur français (1902-2000). Érudit et humaniste, spécialiste du Sahara.

Jacques **Monod** ▫ Biochimiste français (1910-1976). *Le Hasard et la Nécessité.* Prix Nobel 1965, avec F. Jacob et A. Lwoff.

Jacques **Monory** ▫ Peintre français (1924-2018), influencé par le pop art.

James **Monroe** ▫ (1758-1831) 5e président des États-Unis, de 1817 à 1825.

Norma Jean Baker, dite Marilyn **Monroe** ▫ Actrice américaine (1926-1962). *Sept ans de réflexion ; Certains l'aiment chaud ; Les Désaxés.*

**Monrovia** ▫ Capitale du Liberia. 844 000 habitants.

**Mons** ▫ Ville de Belgique (Hainaut). 95 887 habitants.

les **Montagnards** ▫ Groupe de révolutionnaires français qui proscrivirent les Girondins et dominèrent la Convention jusqu'à la chute de Robespierre (1794).

Luc **Montagnier** ▫ Médecin français (né en 1932). Prix Nobel 2008, avec F. Barré-Sinoussi, pour la découverte du virus du sida (1983).

Michel Eyquem de **Montaigne** ▫ Écrivain français (1533-1592). Une conception humaniste de la tolérance, exaltant les valeurs antiques, une morale stoïque caractérisent ses *Essais*.

Charles Forbes, comte de **Montalembert** ▫ Homme politique français (1810-1870). Un des chefs du catholicisme libéral.

le **Montana** ▫ État du nord-ouest des États-Unis. 381 087 km². 902 200 habitants. Capitale : Helena.

Ivo Livi, dit Yves **Montand** ▫ Comédien et chanteur français (1921-1991). Films de Costa-Gavras *(Z ; L'Aveu)*.

**Montauban** ▫ Chef-lieu du Tarn-et-Garonne. 60 952 habitants. Cathédrale (XVIIe s.).

le massif du **Mont-Blanc** ▫ Massif des Alpes s'étendant sur la France, la Suisse et l'Italie. On y trouve le mont Blanc*, la mer de Glace, les Grandes Jorasses.

le marquis de **Montcalm** de Saint-Véran ▫ Général français (1712-1759). Il fut tué par les Anglais devant Québec.

**Mont-de-Marsan** ▫ Chef-lieu des Landes. 29 683 habitants.

le massif du **Mont-Dore** ▫ Massif volcanique d'Auvergne culminant au puy de Sancy (1 885 m).

**Monte-Carlo** ▫ Quartier de Monaco.

**Monte Cassino** → mont **Cassin**

le **Monténégro** ▫ État de l'Europe du Sud-Est. 13 812 km². 620 100 habitants. Capitale : Podgorica.

**Monterrey** ▫ Ville du Mexique. 1,14 million d'habitants.

la marquise de **Montespan** ▫ Dame française (1641-1707), maîtresse de Louis XIV de 1667 à 1679.

Charles de Secondat, baron de La Brède et de **Montesquieu** ▫ Écrivain et penseur français (1689-1755). Après la satire sociale spirituelle des *Lettres persanes*, il élabora une théorie du droit dans la société, selon l'esprit libéral du parlementarisme (*L'Esprit des lois*, 1748) ; il y expose ses idées sur les garanties institutionnelles à apporter aux libertés, notamment la séparation des pouvoirs (législatif, exécutif et judiciaire). Son influence fut considérable sur la philosophie des Lumières et sur le droit public.

Maria **Montessori** ▫ Pédagogue italienne (1870-1952).

Pierre **Monteux** ▫ Chef d'orchestre français (1875-1964). Il créa des œuvres de Ravel, Debussy, Stravinsky, et dirigea plusieurs orchestres symphoniques, en France et aux États-Unis.

Claudio **Monteverdi** ▫ Compositeur italien (1567-1643). Sa musique vocale marque un tournant décisif en Europe. Nombreux madrigaux. Opéras. *Orfeo* («Orphée» ; 1607), premier drame lyrique de l'histoire ; *Le Couronnement de Poppée*.

**Montevideo** ▫ Capitale de l'Uruguay. 1,27 million d'habitants.

**Montezuma** → **Moctezuma**

Simon IV, comte de **Montfort** ▫ Chef de la croisade contre les albigeois (v. 1150-1218).

les frères de **Montgolfier** ▫ Papetiers français, Joseph (1740-1810) et Étienne (1745-1799), inventeurs des premiers aérostats ou *montgolfières*.

lord **Montgomery** of Alamein ▫ Maréchal britannique (1887-1976). Vainqueur de Rommel, à El-Alamein, en 1942.

Henry Millon de **Montherlant** ▫ Écrivain français (1895-1972). Romans célébrant l'héroïsme et le sport, sévères pour les valeurs bourgeoises et féminines *(Les Célibataires ; Pitié pour les femmes)*. Pièces d'un style noble et hautain *(La Reine morte)*.

**Montluçon** ▫ Chef-lieu d'arrondissement de l'Allier. 41 400 h

**Montmartre** ▫ Quartier de Paris situé sur une butte (130 m). Basilique du Sacré-Cœur.

les **Montmorency** ▫ Famille noble française (XIIe-XVIIe s.). ► Anne, duc de **Montmorency,** compagnon d'armes de François Ier (1493-1567). ► Henri II de **Montmorency** (1595-1632), condamné à mort pour complot contre Richelieu et exécuté.

**Montoire** ▫ Commune du Loir-et-Cher. 4 300 habitants. ► les entrevues de **Montoire,** en octobre 1940, entre Hitler et Pierre Laval, puis Hitler et Pétain.

**Montparnasse** ▫ Quartier de Paris.

**Montpellier** ▫ Chef-lieu de l'Hérault. 290 053 habitants. Hôtels des XVIIe-XVIIIe s.

la duchesse de **Montpensier,** dite **la Grande Mademoiselle** ▫ Nièce de Louis XIII (1627-1693). Elle prit part à la Fronde.

**Montréal** ▫ Ville du Canada (Québec), port sur le Saint-Laurent. 1,8 million d'habitants.

**Montreux** ▫ Ville de Suisse (Vaud). 26 574 habitants. Festival de jazz.

Le **Mont-Saint-Michel** ▫ Commune de la Manche, sur un îlot rocheux. 30 habitants. Abbaye bénédictine (XIIe-XIIIe s.).

Thomas **Moore** ▫ Poète irlandais (1779-1852). *Lalla Rookh*.

Henry **Moore** ▫ Sculpteur et dessinateur britannique (1898-1986). Créateur de formes puissantes et inventives.

Michael **Moore** ▫ Réalisateur américain (né en 1954). Critique des politiques capitalistes et de la société américaine. *Bowling for Columbine ; Fahrenheit 9/11.*

**Moorea** ▫ Île volcanique de Polynésie française, dans les îles du Vent, à l'ouest de Tahiti.

Guy **Môquet** ▫ Militant communiste français (1924-1941). Fusillé par les Allemands, il devint l'un des symboles de la Résistance française.

Evo **Morales** ▫ Homme d'État bolivien (né en 1959). Premier président amérindien (2006-2019) du pays.

Paul **Morand** ▫ Écrivain français (1888-1976). *L'Homme pressé.*

Elsa **Morante** ▫ Écrivaine italienne (1912-1985). *La Storia.*

Alberto **Moravia** ▫ Écrivain italien (1907-1990). Romans d'un pessimisme critique et d'un style dépouillé *(L'Ennui ; Le Mépris).*

la **Moravie** ▫ Région de la République tchèque. 26 094 km². 2,3 millions d'habitants. Villes principales : Brno, Ostrava.

le **Morbihan** [56] ▫ Département français de la Région Bretagne. 6 763 km². 754 867 habitants. Chef-lieu : Vannes. Chefs-lieux d'arrondissement : Lorient, Pontivy.

la **Mordovie** ▫ République autonome de Russie. 26 200 km². 790 000 habitants. Capitale : Saransk.

saint Thomas **More** ▫ Humaniste et chancelier anglais (1478-1535). *L'Utopie.*

Jean Victor **Moreau** ▫ Général français (1763-1813). Rival de Napoléon.

Gustave **Moreau** ▫ Peintre symboliste français (1826-1898). *Œdipe et le Sphinx.*

Jeanne **Moreau** ▫ Actrice française (1928-2017). Nombreux films avec de grands metteurs en scène (Louis Malle, Truffaut, Welles, Losey...).

Lucie Marguerite Monceau, dite Marguerite **Moreno** ▫ Actrice française de théâtre (*La Folle de Chaillot*, de Giraudoux) et de cinéma (1871-1948). Elle fut l'amie de Colette.

Jacob Levy **Moreno** ▫ Psychosociologue américain d'origine roumaine (1892-1974).

Roland **Moreno** ▫ Ingénieur français (1945-2012). Il inventa la carte à puce en 1975.

Giovanni, dit Nanni **Moretti** ▫ Réalisateur, scénariste et comédien italien (né en 1953). *Journal intime ; La Chambre du fils.*

John Pierpont **Morgan** ▫ Financier et industriel américain (1837-1913). Il fonda le trust de l'acier. ► Son fils John Pierpont **Morgan** (1867-1943) soutint l'effort de guerre des Alliés en 1914-1918.

Thomas Hunt **Morgan** ▫ Généticien américain (1866-1945). Fondateur de la génétique moderne. Prix Nobel 1933.

Simone Roussel, dite Michèle **Morgan** ▫ Actrice française (1920-2016). *Le Quai des Brumes* (Carné et Prévert) ; *Remorques* (Grémillon).

la fée **Morgane** ▫ Personnage des légendes celtiques, fée bienveillante.

Oskar **Morgenstern** ▫ Économiste américain d'origine allemande (1902-1977). *Théorie des jeux et comportements économiques* (avec J. von Neumann).

Edgar **Morin** ▫ Sociologue et essayiste français (né en 1921).

Berthe **Morisot** ▫ Peintre impressionniste française (1841-1895).

Charles duc de **Morny** ▫ Demi-frère de Napoléon III (1811-1865).

**Moroni** ▫ Capitale des Comores. 25 000 habitants.

**Morphée** ▫ mythol. grecque Dieu des Songes.

Ennio **Morricone** ▫ Compositeur italien (1928-2020). Musiques de films : *Il était une fois dans l'Ouest ; Il était une fois en Amérique.*

William **Morris** ▫ Écrivain, peintre, décorateur, théoricien politique anglais (1834-1896). Il tenta de créer un nouvel artisanat créatif.

Maurice de Bévère, dit **Morris** ▫ Dessinateur belge de bandes dessinées (1923-2001). Créateur du personnage de Lucky Luke.

Toni **Morrison** ▫ Romancière américaine (1931-2019). Son œuvre constitue une quête de l'identité noire américaine, entre l'histoire (l'exil et l'esclavage) et la réalité sociale contemporaine. *Beloved ; Sula.* Prix Nobel 1993.

James Douglas, dit Jim **Morrison** ▫ Auteur et interprète américain de rock (1943-1971). Cofondateur du groupe *The Doors* en 1965.

Samuel **Morse** ▫ Physicien américain (1791-1872). Il réalisa un télégraphe électrique et conçut l'alphabet de signaux qui porte son nom.

la mer **Morte** ▫ Mer intérieure à l'eau très salée, située entre Israël et la Jordanie. ► les manuscrits de la mer **Morte** → **Qumrān.**

Ferdinand Lamothe, dit Jelly Roll **Morton** ▫ Pianiste et compositeur américain de ragtime et de jazz (1885-1941).

le **Morvan** ▫ Région montagneuse proche de la Bourgogne.

**Moscou** ▫ Capitale de la Russie, sur la Moskova. 11,5 millions d'habitants. Kremlin, place Rouge.

la **Moselle** ▫ Rivière, affluent du Rhin. 550 km. ► la **Moselle** [57]. Département français de la Région Grand Est. 6 216 km$^2$. 1,04 million d'habitants. Chef-lieu : Metz. Chefs-lieux d'arrondissement : Forbach, Sarrebourg, Sarreguemines, Thionville.

la **Moskova** ▫ Rivière de Russie, qui traverse Moscou. 473 km.

le **Mossad** ▫ Organisation israélienne de renseignement et d'opérations spéciales, fondée en 1951 par Ben Gourion.

les **Mossis** ▫ Peuple du Burkina Faso.

**Mossoul** ▫ Ville d'Irak. 1,1 million d'habitants.

Robert **Motherwell** ▫ Peintre américain (1915-1991). Art abstrait.

Hosnī **Moubarak** ▫ Homme d'État égyptien (1928-2020). Président de la République égyptienne de 1981 à 2011, il a été renversé par une révolution populaire.

Jean **Moulin** ▫ Héros de la Résistance française (1899-1943). Président du Conseil national de la Résistance, il fut livré aux nazis et torturé à mort.

**Moulins** ▫ Chef-lieu de l'Allier. 19 563 habitants. Cathédrale (triptyque du Maître de Moulins).

Jean Sully Mounet, dit **Mounet-Sully** ▫ Acteur français (1841-1916).

Emmanuel **Mounier** ▫ Philosophe français (1905-1950). Doctrine de socialisme chrétien, appelée «personnalisme». Fondateur de la revue *Esprit.*

**Mourmansk** ▫ Port de la Russie, au-delà du cercle polaire. 307 200 habitants.

Gérard **Mourou** ▫ Physicien français (né en 1944). Travaux sur les lasers. Prix Nobel 2018.

**Mouscron** ▫ Ville de Belgique (Hainaut). 58 767 habitants.

Modest Petrovitch **Moussorgski** ▫ Compositeur russe (1839-1881). Œuvre puissante, expressive : mélodies, chœurs, pièces pour piano (dont *Tableaux d'une exposition,* orchestrés plus tard par Ravel), œuvres symphoniques. Son opéra *Boris Godounov* (1874) est exceptionnel par son lyrisme et sa puissance dramatique.

la **Movida** ▫ Mouvement culturel espagnol du début des années 1980.

Guan Moye, dit **Mo Yan** ▫ Écrivain chinois (né en 1955). Il dépeint la vie paysanne sous le régime communiste. *Le Clan du sorgho.* Prix Nobel 2012.

le **Moyen-Orient** → **Proche-Orient**

le **Mozambique** ▫ État de l'Afrique de l'Est. 799 380 km$^2$. 29,6 millions d'habitants. Capitale : Maputo.

Wolfgang Amadeus **Mozart** ▫ Compositeur allemand (1756-1791). Auteur d'opéras *(Les Noces de Figaro ; Don Giovanni ; La Flûte enchantée),* symphonies, concertos, sonates, quatuors, musique sacrée *(Requiem).*

**Mozi** ou **Mo-tseu** ▫ Philosophe chinois (v. 468-v. 381 avant J.-C.). Doctrine sociale opposée à celle de Confucius.

Alfons **Mucha** ▫ Peintre et affichiste tchèque (1850-1939). Représentant du style Art nouveau.

**Muḥammad Rizā Shāh** ▫ Shah d'Iran à partir de 1941 (1919-1980). Il fut renversé par la révolution islamique en 1978.

**Mulhouse** ▫ Chef-lieu d'arrondissement du Haut-Rhin, sur l'Ill. 108 942 habitants.

Hermann Joseph **Muller** ▫ Généticien américain (1890-1967). Il étudia les effets des rayons ionisants. Prix Nobel 1946.

Karl Alexander **Müller** ▫ Physicien suisse (né en 1927). Travaux sur les supraconducteurs à haute température. Prix Nobel 1987.

Herta **Müller** ▫ Écrivaine allemande d'origine roumaine (née en 1953). Ses œuvres dénoncent l'injustice et l'oppression. Prix Nobel 2009.

Gerald Joseph, dit Gerry **Mulligan** ▫ Saxophoniste et chef d'orchestre américain de jazz (1927-1996). Il joua avec Miles Davis, forma un quartette avec Chet Baker.

Robert **Mulliken** ▫ Chimiste américain (1896-1986). Étude de la structure électronique des molécules. Prix Nobel 1966.

Brian **Mulroney** ▫ Homme politique canadien (né en 1939). Premier ministre (conservateur) de 1984 à 1993.

**Mumbai** → **Bombay**

Edvard **Munch** [mɔ̃k] ▫ Peintre norvégien (1863-1944). Son tableau le plus célèbre, *Le Cri* (1893), résume la puissance symbolique et tragique de son art.

Charles **Munch** ▫ Chef d'orchestre français (1891-1968).

Robert **Mundell** ▫ Économiste canadien (né en 1932). Théorie des zones monétaires optimales. Prix Nobel 1999.

**Munich** ▫ Ville d'Allemagne (Bavière). 1,45 million d'habitants. Monuments baroques. ► les accords de **Munich,** signés entre la France, le Royaume-Uni, l'Italie et l'Allemagne, permirent à Hitler d'annexer les Sudètes (1938).

Alice **Munro** ▫ Écrivaine canadienne d'expression anglaise (née en 1931). Les femmes sont au centre de son œuvre. *L'Amour d'une honnête femme.* Prix Nobel 2013.

**Münster** ▫ Ville d'Allemagne (Rhénanie-du-Nord-Westphalie). 280 000 habitants.

Thomas **Münzer** ▫ Réformateur religieux allemand (1489-1525). Chef anabaptiste de la révolte des paysans.

la Grande **Muraille de Chine** ▫ Muraille élevée aux IVe et IIIe s. avant J.-C. entre la Chine et la Mongolie. Env. 6 700 km.

Haruki **Murakami** ▫ Écrivain japonais (né en 1949). Auteur de récits où des éléments fantastiques s'intègrent à la normalité. *Kafka sur le rivage ; 1Q84.*

**Murano** ▫ Île de la lagune de Venise. Verrerie depuis le XIIIe s.

Shikibu **Murasaki** ▫ Romancière japonaise (v. 978-v. 1015). Auteur du *Genji monogatari.*

Joachim **Murat** ▫ Maréchal d'Empire, roi de Naples (1767-1815), marié à Caroline Bonaparte.

**Murcie** ▫ Ville du sud-est de l'Espagne. 437 667 habitants. Capitale de la communauté autonome de Murcie (11 317 km². 1 462 125 habitants).

Iris **Murdoch** ▫ Romancière britannique (1919-1999). Récits philosophiques et policiers.

Henri **Murger** ▫ Écrivain français (1822-1861). *Les Scènes de la vie de bohème.*

Bartolomé Esteban **Murillo** ▫ Peintre baroque espagnol (1618-1682). Son style tendre et fluide est au service de la foi et de l'enfance. *Le Jeune Mendiant.*

Friedrich Wilhelm Plumpe, dit F. W. **Murnau** ▫ Réalisateur allemand (1889-1931). Œuvre expressionniste et baroque *(Nosferatu le vampire, le Dernier des hommes, Faust),* couronnée par un drame lyrique, *L'Aurore,* tourné aux États-Unis (1927). Il réalisa *Tabou,* avec R. Flaherty.

**Mururoa** ▫ Atoll de l'archipel de Tuamotu. Base française d'essais nucléaires.

les **Muses** ▫ mythol. grecque Les neuf filles de Zeus et de Mnémosyne, divinités des chants et des sciences : Calliope, Clio, Érato, Euterpe, Melpomène, Polymnie, Terpsichore, Thalie, Uranie.

le **Muséum national d'histoire naturelle** ▫ Établissement scientifique français, fondé à Paris en 1793.

le **Museum of Modern Art** ou **MoMA** ▫ Musée d'art moderne de la ville de New York, créé en 1929.

Robert **Musil** ▫ Romancier autrichien (1880-1942). Son œuvre témoigne à la fois d'un profond pouvoir critique de la société et d'une authenticité psychologique intense, de l'émotion à l'ironie. *Les Désarrois de l'élève Törless ; L'Homme sans qualités.*

Alfred de **Musset** ▫ Écrivain romantique français (1810-1857). Auteur de pièces de théâtre *(Lorenzaccio ; On ne badine pas avec l'amour),* de poèmes *(Les Nuits),* d'un roman *(La Confession d'un enfant du siècle).*

Benito **Mussolini** ▫ Homme d'État italien (1883-1945). Au pouvoir après 1922, le *Duce* fonda le fascisme et s'engagea aux côtés d'Hitler durant la Seconde Guerre mondiale.

**Mustafa Kemal,** dit **Atatürk** ▫ Homme d'État turc (1881-1938), premier président de la République de 1923 à sa mort. Fondateur de la Turquie moderne.

le **Myanmar** → **Birmanie**

**Mycènes** ▫ Ancienne ville de Grèce (Péloponnèse). Foyer de la première civilisation hellénique, dite *mycénienne.*

**Mykérinos** ▫ Pharaon de la IVe dynastie égyptienne (v. 2609 avant J.-C.). Fils de Khéphren*, il fit construire à Gizeh la moins élevée des trois pyramides.

les **Myrmidons** ▫ Ancien peuple de Thessalie.

**Myron** ▫ Sculpteur grec de l'Antiquité (Ve s. avant J.-C.). Auteur du célèbre *Discobole.*

**Mysore** → **Karnataka**

**Mytilène** → **Lesbos**

le **Mzab** ▫ Région du nord du Sahara algérien. Patrimoine architectural remarquable.

# N

les **Nabis** n. m. pl. (hébreu «prophètes») ▫ Groupe de peintres formé en 1888 autour de Maurice Denis.

Vladimir **Nabokov** ▫ Écrivain américain d'origine russe (1899-1977). Romancier, d'une virtuosité tournée vers l'illusion, la parodie, la dérision et l'ironie scandaleuse. *Lolita.*

**Nabuchodonosor II** ▫ Roi de Babylone de 605 à 562 avant J.-C. Il prit Jérusalem et déporta le peuple juif à Babylone.

Rafael **Nadal** ▫ Joueur de tennis espagnol (né en 1986). Spécialiste de la terre battue, il a remporté 20 tournois du Grand Chelem.

Félix Tournachon, dit **Nadar** ▫ Photographe français (1820-1910). Il publia dans son *Panthéon Nadar* les photos de ses contemporains célèbres. Dans son ballon *Le Géant,* il prit les premiers clichés aériens.

**Nagano** ▫ Ville du Japon (Honshū). 378 500 habitants.

**Nagasaki** ▫ Ville du Japon (Kyūshū). 442 700 habitants. Les Américains y lancèrent, en août 1945, la seconde bombe atomique.

**Nagoya** ▫ Port du Japon (Honshū). 2,2 millions d'habitants.

**Nagpur** ▫ Ville d'Inde (Maharashtra). 2,4 millions d'habitants.

sir Vidiadhar Surajprasad **Naipaul** ▫ Écrivain anglais d'origine indienne (1932-2018). Auteur de récits de voyage, où il critique les traditions de l'Inde, de reportages, d'essais et surtout de romans *(Mr. Stone ; À la courbe du fleuve)* d'un grand pessimisme politique. Prix Nobel 2001.

**Nairobi** ▫ Capitale du Kenya. 4,4 millions d'habitants.

le **Nakhitchevan** ▫ République d'Azerbaïdjan, enclavée en Arménie. 5 500 km². 300 000 habitants. Capitale : Nakhitchevan.

le désert du **Namib** ▫ Région côtière aride de la Namibie.

la **Namibie** ▫ État d'Afrique australe. 824 268 km². 2,4 millions d'habitants. Capitale : Windhoek.

**Namur** ▫ Ville de Belgique. 111 432 habitants. ► la province de **Namur.** Province de Belgique. 3 666 km². 495 832 habitants. Chef-lieu : Namur.

**Nancy** ▫ Chef-lieu de la Meurthe-et-Moselle. 104 885 habitants. Nombreuses œuvres architecturales du XVIII^e^ s. (places Stanislas et de la Carrière). ► l'école de **Nancy,** fondée par Gallé à la fin du XIX^e^ s. pour renouveler les arts décoratifs.

**Nankin** ou **Nanjing** ▫ Ville de Chine. 5,8 millions d'habitants. Port sur le Chang jiang.

Fridtjof **Nansen** ▫ Explorateur et homme politique norvégien (1861-1930).

**Nanterre** ▫ Chef-lieu des Hauts-de-Seine. 96 807 habitants.

**Nantes** ▫ Chef-lieu de la Loire-Atlantique et capitale de la Région Pays de la Loire. 314 138 habitants. ► l'édit de **Nantes,** accordant la liberté de culte aux protestants, fut signé par Henri IV en 1598 et révoqué par Louis XIV en 1685.

John **Napier** ou **Neper** ▫ Mathématicien écossais (1550-1617). Il découvrit les logarithmes.

**Naples** ▫ Ville d'Italie (Campanie), au pied du Vésuve. 1 million d'habitants.

**Napoléon Ier** ▫ (1769-1821) Napoléon Bonaparte, empereur des Français de 1804 à 1815. Brillant conquérant de l'Italie, il s'empara du pouvoir lors du coup d'État du 18 brumaire (1799). Vaincu par l'Europe coalisée (1814), forcé d'abdiquer, il réussit à reprendre le pouvoir en 1815 (→ **Cent-Jours**), mais fut définitivement vaincu à Waterloo et déporté à Sainte-Hélène. ► **Napoléon II,** son fils, roi de Rome, duc de Reichstadt, ne régna pas (1811-1832).

**Napoléon III** ▫ (1808-1873) Louis Napoléon Bonaparte, empereur des Français de 1852 à 1870. Neveu de Napoléon Ier. Président de la IIe République (1848) puis empereur après le coup d'État du 2 décembre 1851 (→ second **Empire**). Déchu après la défaite de Sedan face à la Prusse.

**Nara** ▫ Ville du Japon (Honshū). 370 100 habitants. Capitale du Japon au VIIIe s.

la **Narbonnaise** ▫ Province de la Gaule romaine, formée en 27 avant J.-C. par Auguste et englobant la Provincia (Provence).

**Narbonne** ▫ Chef-lieu d'arrondissement de l'Aude. 55 375 habitants.

**Narcisse** ▫ mythol. grecque Jeune homme amoureux de son image, reflétée dans l'eau.

**Naruhito** ▫ Empereur du Japon depuis 2019 (né en 1960).

**Narvik** ▫ Ville et port du nord-ouest de la Norvège. 14 000 habitants. Exportation du minerai de fer suédois. Envahie par les Allemands en avril 1940 *(bataille de Narvik)*.

la **NASA** *(National Aeronautics and Space Administration)* ▫ Organisme américain pour la recherche spatiale et aéronautique, fondé en 1958.

le **Nasdaq** ▫ Indice boursier du marché électronique des valeurs aux États-Unis, créé en 1971.

John **Nash** ▫ Mathématicien américain (1928-2015). Sa théorie des «jeux non coopératifs» trouva des applications dans le domaine de l'analyse microéconomique. Prix Nobel 1994.

**Nassau** ▫ Capitale des Bahamas. 246 329 habitants.

Gamal Abdel **Nasser** ▫ Homme d'État égyptien (1918-1970). Président de la République égyptienne de 1954 à sa mort. Champion de l'unité arabe.

Yves **Nat** ▫ Pianiste français (1890-1956).

le **Natal** ▫ Région d'Afrique du Sud comprise dans la province du Kwazulu-Natal.

la **National Gallery** ▫ Musée de peinture de Londres, fondé en 1824.

Jean-Marc **Nattier** ▫ Peintre français (1685-1766). Portraits.

**Nauru** ▫ Île et État de Micronésie. 22 km². 13 000 habitants. Capitale : Yaren.

les **Navajos** ▫ Peuple amérindien des États-Unis.

**Navarin,** auj. *Pylos* ▫ Port de Grèce. Une bataille navale opposa en 1827 la Triple Alliance (Grande-Bretagne, France, Russie) aux Turco-Égyptiens, qui furent battus.

la **Navarre** ▫ Communauté autonome d'Espagne. 10 421 km². 640 125 habitants. Capitale : Pampelune.

Las **Navas de Tolosa** ▫ Hameau d'Espagne où les rois chrétiens (Aragon, Castille, León et Navarre) battirent les musulmans, en 1212.

**Naxos** ▫ Île grecque, la plus grande des Cyclades. 428 km². 20 000 habitants.

**Nay Pyi Taw** ou **Naypyidaw** ▫ Capitale de la Birmanie depuis 2006. 1 million d'habitants.

**Nazareth** ▫ Ville d'Israël, en Galilée. 64 800 habitants. D'après les Évangiles, Jésus y passa son enfance.

**NBC** *(National Broadcasting Company)* ▫ Réseau de télévision américain, fondé en 1926.

Marie **NDiaye** ▫ Écrivaine française (née en 1967). Œuvre à la construction très maîtrisée, aux frontières du réel et du fantastique. *Rosie Carpe ; Trois Femmes puissantes.*

**N'Djamena** ou **N'Djaména** ▫ Capitale du Tchad, sur le Chari. 820 000 habitants.

l'homme de **Neandertal** ▫ Squelette découvert en 1856 en Allemagne, datant du paléolithique et représentant un type d'hominidé.

le **Nebraska** ▫ État du centre des États-Unis. 200 018 km². 1,7 million d'habitants. Capitale : Lincoln.

Jacques **Necker** ▫ Banquier genevois, ministre de Louis XVI à la veille de la Révolution (1732-1804).

Louis **Néel** ▫ Physicien français (1904-2000). Étude du ferromagnétisme. Prix Nobel 1970.

**Néfertari** ▫ Reine d'Égypte (XIIIe s. avant J.-C.). Femme de Ramsès II.

**Néfertiti** ▫ Reine d'Égypte (XIVe s. avant J.-C.). Femme d'Aménophis IV.

le río **Negro** ▫ Fleuve d'Amérique du Sud, affluent de l'Amazone. 2 200 km.

le **Néguev** ▫ Région désertique du sud d'Israël.

Jawaharlal **Nehru** ▫ Homme d'État indien (1889-1964). Il œuvra pour l'indépendance et fut le premier Premier ministre de l'Inde de 1947 à sa mort.

la **Neisse** de Lusace ▫ Rivière d'Europe centrale, affluent de l'Oder avec lequel elle forme la frontière entre la Pologne et l'Allemagne. 256 km.

Émile **Nelligan** ▫ Poète symboliste canadien d'expression française (1879-1941). *Le Vaisseau d'or.*

Horatio **Nelson** ▫ Amiral anglais qui vainquit les Français à Aboukir et à Trafalgar, où il fut tué (1758-1805).

**Némésis** ▫ mythol. grecque Déesse de la Vengeance.

**Nemrod** ▫ Bible Roi de Babel et fondateur de Ninive. Grand chasseur.

Pietro **Nenni** ▫ Homme politique (socialiste) italien (1891-1980).

la **NEP** (russe «nouvelle politique économique») ▫ Période de semi-socialisme, laissant place à l'économie privée, instaurée par Lénine (1921).

le **Népal** ▫ État fédéral d'Asie, entre la Chine et l'Inde. 147 200 km². 29,3 millions d'habitants. Capitale : Katmandou.

John **Neper** → **Napier**

**Neptune** ▫ mythol. romaine Dieu de la Mer. *Poséidon* chez les Grecs. ► **Neptune.** Planète du système solaire. Diamètre : 50 000 km.

les **Néréides** ▫ mythol. grecque Divinités marines, filles du dieu Nérée (Amphitrite, Thétis, Galatée, etc.).

Walther **Nernst** ▫ Physicien et chimiste allemand (1864-1941). Inventeur d'une lampe à incandescence. Thermodynamique. Prix Nobel 1920.

**Néron** ▫ Empereur romain, symbole du tyran fou et sanguinaire (37-68).

Ricardo Neftalí Reyes, dit Pablo **Neruda** ▫ Poète chilien (1904-1973). Son œuvre lyrique et puissante célèbre la terre vierge, l'amour et la révolution. *Le Chant général* évoque l'Amérique d'avant la conquête espagnole. Prix Nobel 1971.

Gérard Labrunie, dit Gérard de **Nerval** ▫ Écrivain français (1808-1855). Mêlant le rêve et la vie, son œuvre en prose et en vers révèle un univers hanté par le passé et marqué par la folie. *Aurélia ; Les Filles du feu ; Voyage en Orient.*

le loch **Ness** ▫ Lac d'Écosse, près d'Inverness. Légende du monstre du loch Ness, *Nessie.*

**Nessos** ou **Nessus** ▫ mythol. grecque Centaure tué par Héraclès.

**Nestlé** [nɛsle] ▫ Groupe suisse d'industrie alimentaire, créé en 1867.

**Nestorius** ▫ Hérésiarque chrétien (v. 380-451), condamné au concile d'Éphèse.

Benyamin **Nétanyahou** ▫ Homme d'État israélien (né en 1949). Premier ministre de 1996 à 1999 et depuis 2009.

**Neuchâtel** ▫ Ville de Suisse sur le *lac de Neuchâtel.* 33 772 habitants (zone urbaine 77 800). ► le canton de **Neuchâtel.** 803 km$^2$. 178 567 habitants. Chef-lieu : Neuchâtel.

Balthasar **Neumann** ▫ Architecte allemand du baroque (1687-1753).

John, né Johannes von **Neumann** ▫ Mathématicien américain d'origine hongroise (1903-1957). Il établit les «Fondements mathématiques de la mécanique quantique» (1932), participa à la création de la cybernétique et de la théorie des jeux (1944, avec O. Morgenstern).

la **Neustrie** ▫ Royaume mérovingien de l'est de la Gaule.

la **Néva** ▫ Fleuve de Russie qui traverse Saint-Pétersbourg. 74 km.

la sierra **Nevada** ▫ Chaîne montagneuse du sud de l'Espagne culminant au Mulhacén (3 482 m).

le **Nevada** ▫ État de l'ouest des États-Unis. 286 299 km$^2$. 2,7 millions d'habitants. Capitale : Carson City.

**Nevers** ▫ Chef-lieu de la Nièvre. 33 279 habitants. Palais ducal Renaissance.

Alexandre **Nevski** → **Alexandre Nevski**

le **New Deal** ▫ Politique socioéconomique de F. D. Roosevelt contre la crise de 1929 (intervention de l'État dans l'économie).

**New Delhi** ▫ Partie moderne de l'agglomération de Delhi et capitale de l'Inde. 295 000 habitants.

le **New Hampshire** ▫ État du nord-est des États-Unis. 24 192 km$^2$. 1,23 million d'habitants. Capitale : Concord.

le **New Jersey** ▫ État de l'est des États-Unis. 21 300 km$^2$. 8,8 millions d'habitants. Capitale : Trenton.

John Henry **Newman** ▫ Théologien et cardinal anglais (1801-1890). Anglican converti au catholicisme.

Paul **Newman** ▫ Acteur américain (1925-2008). *La Chatte sur un toit brûlant ; Butch Cassidy et le Kid.*

**New Orleans** → La **Nouvelle-Orléans**

sir Isaac **Newton** ▫ Mathématicien, physicien et astronome anglais (1642-1727). Établissant fondements et méthodes de la physique moderne (avant les bouleversements du XX$^e$ s.), il découvrit la loi de l'attraction universelle (qu'il nomma *gravitation*).

**New York** ▫ Ville et port des États-Unis sur l'Atlantique. 8 millions d'habitants (agglomération 21,2 millions). ► l'État de **New York.** État du nord-est des États-Unis. 127 433 km$^2$. 19 millions d'habitants. Capitale : Albany. Ville principale : New York.

le **New York Times** ▫ Quotidien américain, fondé en 1851.

Michel **Ney** ▫ Maréchal de France (1769-1815). Il fut fusillé à la Restauration.

le **Niagara** ▫ Cours d'eau entre le Canada et les États-Unis, coupé par les *chutes du Niagara* (hautes de 50 m).

**Niamey** ▫ Capitale du Niger. 1,3 million d'habitants.

les **Nibelungen** n. m. pl. ▫ Nains des légendes germaniques, habitant le monde souterrain.

le **Nicaragua** ▫ État d'Amérique centrale. 139 700 km$^2$. 5,6 millions d'habitants. Capitale : Managua.

**Nice** ▫ Chef-lieu des Alpes-Maritimes. 341 032 habitants.

**Nicée,** aujourd'hui **İznik** ▫ Ancienne ville d'Asie Mineure (Turquie). ► le premier concile de **Nicée** (325) condamna l'arianisme. ► le second concile de **Nicée** (787) condamna les iconoclastes.

Jack **Nicholson** ▫ Acteur et cinéaste américain (né en 1937). *Easy Rider ; Vol au-dessus d'un nid de coucou ; Shining.*

**Nicola Pisano** → Nicola **Pisano**

saint **Nicolas** ▫ Évêque de Myre, en Lycie (Asie Mineure) au début du IV$^e$ s. Il apporte des cadeaux aux enfants dans l'Est et les pays de tradition germanique.

**Nicolas I$^{er}$** ▫ (1796-1855) Tsar de Russie de 1825 à sa mort. Il engagea la guerre de Crimée.

**Nicolas II** ▫ (1868-1918) Dernier tsar de Russie, de 1894 à 1917. Renversé et exécuté par les révolutionnaires.

Pierre **Nicole** ▫ Moraliste et logicien français (1625-1695). Janséniste de Port-Royal, coauteur (avec A. Arnauld) de la *Logique de Port-Royal.*

**Nicosie** ou **Lefkosía** ▫ Capitale de Chypre. 330 000 habitants.

Jean **Nicot** ▫ Diplomate français (v. 1530-1600). Il introduisit en France le tabac. Auteur du *Trésor de la langue française*, dictionnaire publié peu après sa mort (1606).

**Nidwald** → **Unterwald**

le **Niémen** ▫ Fleuve de Biélorussie et de Lituanie. 937 km.

Oscar **Niemeyer** ▫ Architecte brésilien (1907-2012). Édifices à Brasília.

Joseph, dit Nicéphore **Niépce** ▫ Physicien français (1765-1833). Inventeur de la photographie.

Friedrich **Nietzsche** ▫ Philosophe allemand (1844-1900). Aux valeurs décadentes de la morale établie, il oppose la volonté de puissance et le dépassement de l'homme *(Ainsi parlait Zarathoustra ; Par-delà le bien et le mal)*.

la **Nièvre** ▫ Rivière, affluent de la Loire. 53 km. ► la **Nièvre** [58]. Département français de la Région Bourgogne-Franche-Comté. 6 888 km². 205 828 habitants. Chef-lieu : Nevers. Chefs-lieux d'arrondissement : Château-Chinon, Clamecy, Cosne-Cours-sur-Loire.

le **Niger** ▫ Fleuve d'Afrique de l'Ouest. 4 200 km. ► le **Niger.** État d'Afrique de l'Ouest. 1 267 000 km². 23,2 millions d'habitants. Capitale : Niamey.

le **Nigeria** ou **Nigéria** ▫ État fédéral d'Afrique de l'Ouest. 923 773 km². 201 millions d'habitants. Capitale : Abuja. Villes principales : Lagos, Ibadan.

Florence **Nightingale** ▫ Infirmière britannique (1820-1910). Elle créa des hôpitaux militaires de campagne.

Vaslav **Nijinski** ▫ Danseur et chorégraphe russe (1889-1950).

**Nijni-Novgorod,** anciennement *Gorki* ▫ Ville de Russie, sur la Volga. 1,3 million d'habitants.

l'indice **Nikkei** ▫ Indice de la Bourse de Tokyo, créé en 1949.

Alwin **Nikolais** ▫ Chorégraphe américain (1912-1993).

le **Nil** ▫ Fleuve d'Afrique, le plus long du continent. 6 671 km. Il se jette dans la Méditerranée.

**Nimègue** ▫ Ville des Pays-Bas (Gueldre). 160 900 habitants (zone urbaine 278 600). ► les traités de **Nimègue** (1678-1679) mirent fin à la guerre de Hollande.

**Nîmes** ▫ Chef-lieu du Gard. 149 633 habitants. Monuments romains : arènes, Maison carrée.

Roger **Nimier** ▫ Romancier et journaliste français (1925-1962). *Le Hussard bleu.*

Anaïs **Nin** ▫ Écrivaine américaine (1903-1977). Amie d'Henry Miller *(Contes érotiques)*. *Journal* (1966-1980), essai d'écriture « au féminin ».

La **Niña** ▫ Courant anormalement froid à la surface des eaux de l'est du Pacifique.

**Ninive** ▫ Capitale de l'Assyrie, détruite en 612 avant J.-C.

El **Niño** ▫ Courant chaud saisonnier, à l'est du Pacifique Sud, créateur de phénomènes climatiques.

**Niort** ▫ Chef-lieu des Deux-Sèvres. 59 059 habitants.

le **Nivernais** ▫ Anc. province de France. Capitale : Nevers.

Richard **Nixon** ▫ (1913-1994) 37e président (républicain) des États-Unis, de 1969 à 1974.

Kwame **Nkrumah** ▫ Homme d'État ghanéen (1909-1972). Premier président de la République du Ghana (1960-1966).

Anna de **Noailles** ▫ Poétesse et romancière française (1876-1933). *Le Cœur innombrable.*

Alfred **Nobel** ▫ Chimiste et industriel suédois (1833-1896). Il mit au point la dynamite et créa les *prix Nobel.*

Charles **Nodier** ▫ Écrivain romantique français (1780-1844). *Contes*, mêlant rêve, fantastique et réalité.

**Noé** ▫ Patriarche biblique. Il est le seul à échapper au Déluge, grâce à l'*arche de Noé* dans laquelle il plaça un couple d'animaux de chaque espèce.

la mer **Noire** ▫ Mer intérieure entre l'Europe et l'Asie. 461 000 km².

**Noirmoutier** ▫ Île de Vendée. 49 km². 9 200 habitants. Marais salants.

Livre des **Nombres** ▫ Quatrième livre du Pentateuque (Bible).

Luigi **Nono** ▫ Compositeur italien (1924-1990). Musique sérielle.

le cap **Nord** ▫ Point le plus septentrional d'Europe (Norvège).

la mer du **Nord** ▫ Partie de l'océan Atlantique située au nord-ouest de l'Europe. 570 000 km².

le **Nord** [59] ▫ Département français de la Région Hauts-de-France. 5 738 km². 2,61 millions d'habitants. Chef-lieu : Lille. Chefs-lieux d'arrondissement : Avesnes-sur-Helpe, Cambrai, Douai, Dunkerque, Valenciennes.

le **Nordeste** ▫ Région située au nord-est du Brésil, aride et surpeuplée.

les Territoires du **Nord-Ouest** ▫ Régions septentrionales du Canada. 1 346 106 km². 41 500 habitants. Capitale : Yellowknife.

le **Nord-Pas-de-Calais** ▫ Anc. région administrative française.

Géo **Norge** ▫ Poète belge d'expression française (1898-1990). *La Langue verte.*

Jessye **Norman** ▫ Cantatrice (soprano) américaine (1945-2019).

la **Normandie** ▫ Ancienne province française. Aujourd'hui Région administrative. Cinq départements : Calvados, Eure, Manche, Orne, Seine-Maritime. 29 906 km$^2$. 3,33 millions d'habitants. Capitale : Rouen. ► la **Basse-Normandie.** Anc. région administrative. ► la **Haute-Normandie.** Anc. région administrative.

les **Normands** → **Vikings**

**Norodom Sihanouk** ▫ Roi du Cambodge de 1941 à 1955 et de 1993 à 2004 (1922-2012). Il obtint l'indépendance.

le royaume de **Norvège** ▫ État d'Europe du Nord (Scandinavie). 323 879 km$^2$. 5,2 millions d'habitants. Capitale : Oslo.

**Nosferatu** ▫ Personnage de vampire, avatar du Dracula de Bram Stoker, titre du film de Murnau (1922).

Michel de Nostre-Dame, dit **Nostradamus** ▫ Médecin et astrologue français (1503-1566), célèbre pour ses prédictions.

Amélie **Nothomb** ▫ Écrivaine belge (née en 1967). Romans où le burlesque côtoie le tragique. *Hygiène de l'assassin ; Soif.*

**Nouakchott** ▫ Capitale de la Mauritanie. 958 000 habitants.

Claude **Nougaro** ▫ Auteur, compositeur et interprète français (1929-2004). *Toulouse ; Le Jazz et la Java.*

**Nouméa** ▫ Chef-lieu de la Nouvelle-Calédonie. 94 285 habitants.

Rudolf **Noureïev** ▫ Danseur et chorégraphe soviétique, naturalisé autrichien (1938-1993).

**Noursoultan,** anciennement *Astana* ▫ Capitale du Kazakhstan. 311 100 habitants.

le **Nouveau-Brunswick** ▫ Province de l'est du Canada. 72 909 km$^2$. 747 101 habitants. Capitale : Fredericton.

le **Nouveau-Mexique** ▫ État du sud-ouest des États-Unis. 315 115 km$^2$. 2 millions d'habitants. Capitale : Santa Fe.

Jean **Nouvel** ▫ Architecte français (né en 1945). Institut du monde arabe, musée du Quai Branly, Philharmonie, à Paris ; Le Louvre Abu Dhabi.

la **Nouvelle-Angleterre** ▫ Région du nord-est des États-Unis correspondant aux colonies anglaises fondées sur la côte atlantique.

la **Nouvelle-Aquitaine** ▫ Région administrative du sud-ouest de la France. Douze départements : Charente, Charente-Maritime, Corrèze, Creuse, Deux-Sèvres, Dordogne, Gironde, Haute-Vienne, Landes, Lot-et-Garonne, Pyrénées-Atlantiques, Vienne. 84 059 km$^2$. 5,98 millions d'habitants. Capitale : Bordeaux.

la **Nouvelle-Calédonie** ▫ Île française du Pacifique formant une collectivité d'outre-mer. 19 200 km$^2$. 164 200 habitants. Chef-lieu : Nouméa.

la **Nouvelle-Écosse** ▫ Province de l'est du Canada. 55 284 km$^2$. 923 592 habitants. Capitale : Halifax.

la **Nouvelle-France** ▫ Possessions françaises en Amérique du Nord (Canada, Acadie, Louisiane) aux XVII$^e$ et XVIII$^e$ siècles.

la **Nouvelle-Galles du Sud** ▫ État du sud-est de l'Australie. 801 428 km$^2$. 7,4 millions d'habitants. Capitale : Sydney.

la **Nouvelle-Guinée** ▫ Île de l'océan Pacifique (775 210 km$^2$), partagée entre l'Indonésie (→ **Papouasie occidentale**) et la Papouasie-Nouvelle-Guinée.

La **Nouvelle-Orléans,** en anglais *New Orleans* ▫ Ville des États-Unis (Louisiane), sur le Mississippi. 344 000 habitants.

les **Nouvelles-Hébrides** → **Vanuatu**

la **Nouvelle-Zélande** ▫ État d'Océanie. 267 844 km$^2$. 4,9 millions d'habitants. Capitale : Wellington.

la **Nouvelle-Zemble** ▫ Archipel arctique de Russie.

Friedrich **Novalis** ▫ Poète romantique allemand (1772-1801). Un « idéalisme magique » résulte de l'interprétation allégorique de la nature *(Hymnes à la nuit).*

**Novgorod** → **Veliki Novgorod**

Konstantin **Novoselov** ▫ Physicien russo-britannique (né en 1974). Travaux, avec A. Geim*, relatifs à la miniaturisation électronique. Prix Nobel 2010.

**Novossibirsk** ▫ Ville de Russie, en Sibérie occidentale. 1,6 million d'habitants.

la **NSA** *(National Security Agency)* ▫ Agence de renseignement des États-Unis.

la **Nubie** ▫ Région désertique du Soudan et de l'Égypte.

**Numance** ▫ Ancienne ville d'Espagne, qui résista à la conquête romaine et fut rasée (133 avant J.-C.).

**Numa Pompilius** ▫ Second roi légendaire de Rome, qui régna de 715 à 672 avant J.-C.

la **Numidie** ▫ Anc. royaume d'Afrique du Nord vaincu par Rome au I$^{er}$ s. avant J.-C.

le **Nunavut** ▫ Territoire autonome du Canada (1999), de plus de 2 millions de km$^2$, peuplé surtout d'Inuits (35 944 habitants). Capitale : Iqaluit.

**Nuremberg** ▫ Ville d'Allemagne (Bavière). 499 200 habitants. ► le procès de **Nuremberg** eut lieu pour juger les criminels de guerre nazis (1945-1946).

Julius **Nyerere** ▫ Homme d'État tanzanien (1922-1999). Il fut le premier président de la République, de 1962 à 1985. Promoteur d'un socialisme à l'africaine, fondé sur la solidarité et la responsabilité.

# O

l'**OAS** ▫ «Organisation armée secrète», constituée en 1961 pour défendre la présence française en Algérie, y compris par le terrorisme.

Joyce Carol **Oates** ▫ Écrivaine américaine (née en 1938). *Blonde ; Les Chutes.*

l'**Ob** n. m. ▫ Fleuve de Russie (Sibérie). 3 650 km.

René de **Obaldia** ▫ Poète, auteur dramatique et romancier français (né en 1918). Son œuvre témoigne d'une grande inventivité verbale et d'une ironie décapante. *Le Satyre de la Villette ; Du vent dans les branches de sassafras* (pièces).

Barack Hussein **Obama** ▫ Homme d'État américain (né en 1961). 44e président (démocrate) des États-Unis (2009-2017). Prix Nobel de la paix 2009.

Christophe Philippe **Oberkampf** ▫ Industriel français d'origine allemande (1738-1815). Il créa la première fabrique de toiles peintes (toiles de Jouy) en France.

**Obrénovitch** ▫ Dynastie serbe, rivale des Karageorgévitch, qui régna de 1817 à 1903 (sauf de 1842 à 1858).

**Obwald** → **Unterwald**

Sean **O'Casey** ▫ Auteur dramatique irlandais (1880-1964). *La Charrue et les Étoiles.*

Guillaume d'**Occam** → **Guillaume d'Occam**

l'Empire romain d'**Occident** ▫ État issu du partage de l'Empire romain (395-476).

l'**Occitanie** n. f. ▫ Région historique du sud de la France, de langue d'oc. Aujourd'hui Région administrative de la France. Treize départements : Ariège, Aude, Aveyron, Gard, Gers, Haute-Garonne, Hautes-Pyrénées, Hérault, Lot, Lozère, Pyrénées-Orientales, Tarn, Tarn-et-Garonne. 72 724 km². 5,89 millions d'habitants. Capitale : Toulouse.

l'**OCDE** ▫ «Organisation de coopération et de développement économiques», créée en 1961.

l'**Océanie** n. f. ▫ Une des six parties du monde (8 970 000 km² ; 42,7 millions d'habitants), comprenant l'Australie et les îles du Pacifique.

Johannes **Ockeghem** ▫ Compositeur franco-flamand (v. 1420-v. 1495).

**Octave** → **Auguste**

**Octavie** ▫ Femme de Néron qui la contraignit au suicide (v. 42-62).

**Octavien** → **Auguste**

la révolution d'**Octobre** → **révolution russe de 1917**

l'**Oder** n. m. ▫ Fleuve qui forme avec son affluent la Neisse la frontière entre la Pologne et l'Allemagne. 854 km.

**Odessa** ▫ Port d'Ukraine. 1,1 million d'habitants.

sainte **Odile** ▫ Religieuse alsacienne (v. 660-v. 720).

**Odin** ▫ mythol. nordique Dieu de la Guerre, de l'Écriture et de la Poésie, le *Wotan* germanique.

**Odoacre** ▫ Roi barbare (v. 433-493). Il se révolta contre l'empereur romain Romulus Augustule, mettant fin à l'Empire romain d'Occident. Théodoric l'assiégea dans Ravenne et le tua.

l'**Odyssée** ▫ Épopée grecque attribuée à Homère, qui raconte le retour d'Ulysse après la guerre de Troie.

Kenzaburô **Ôe** ▫ Romancier japonais (né en 1935). Critique sociale, peintre de marginaux. *Une affaire personnelle.* Prix Nobel 1994.

l'**OEA** ▫ «Organisation des États américains», fondée en 1948.

**Œdipe** ▫ mythol. grecque Personnage qui, ignorant leur identité, tua son père et épousa sa mère. Il se creva les yeux lorsqu'il découvrit la vérité.

**Œrsted** → **Ørsted**

Jacques **Offenbach** ▫ Compositeur français d'origine allemande (1819-1880). Opérettes, aux livrets généralement dus à Meilhac et Halévy, dont la gaieté parodique assure le durable succès. *La Vie parisienne ; La Belle Hélène.*

le musée des **Offices** ▫ Musée d'art de Florence, collections de peinture des Médicis.

l'**Ogaden** n. m. ▫ Région steppique de l'est de l'Éthiopie.

Kyûsaku **Ogino** ▫ Médecin japonais (1882-1975). Recherches sur le cycle d'ovulation, permettant de prévoir la période théorique de fécondité.

l'**Ogooué** n. m. ▫ Fleuve du Gabon. 1 200 km.

**l'Ohio** n. m. ▫ Rivière des États-Unis, affluent du Mississippi. 1 580 km. ► **l'Ohio.** État de l'est des États-Unis. 106 289 km$^2$. 11,5 millions d'habitants. Capitale : Columbus. Ville principale : Cleveland.

Georg **Ohm** ▫ Physicien allemand (1789-1854). *Loi d'Ohm* à la base de la notion de «résistance».

**l'Oise** n. f. ▫ Rivière, affluent de la Seine. 302 km. ► **l'Oise** [60]. Département français de la Région Hauts-de-France. 5 574 km$^2$. 827 153 habitants. Chef-lieu : Beauvais. Chefs-lieux d'arrondissement : Clermont, Compiègne, Senlis.

David Fedorovitch **Oïstrakh** ▫ Violoniste soviétique (1908-1974). Concertiste et chef d'orchestre.

**l'OIT** ▫ «Organisation internationale du travail», créée en 1919. Prix Nobel de la paix 1969.

**Okinawa** ▫ Île du Japon, la principale de l'archipel des Ryūkyū. 1,43 million d'habitants.

**l'Oklahoma** n. m. ▫ État du centre des États-Unis. 181 090 km$^2$. 3,8 millions d'habitants. ► **Oklahoma City,** sa capitale. 580 000 habitants.

Claes **Oldenburg** ▫ Artiste américain d'origine suédoise (né en 1929). Pop art.

l'île d'**Oléron** ▫ Île de la Charente-Maritime. 175 km$^2$. 21 889 habitants.

Jean-Jacques **Olier** ▫ Prêtre catholique français (1608-1657), fondateur des Sulpiciens.

Gaspar de Guzmán, duc d'**Olivares** ▫ Homme politique espagnol (1587-1645). Il exerça le pouvoir sous le règne de Philippe IV.

Manoel Pinto de **Oliveira** ▫ Réalisateur portugais (1908-2015). Films exigeants, souvent ironiques. *Le Soulier de satin.*

Joe, dit King **Oliver** ▫ Musicien américain de jazz, cornettiste et chef d'orchestre (1885-1938). Pionnier, à Chicago, du style «Nouvelle-Orléans».

sir Laurence **Olivier** ▫ Acteur et metteur en scène anglais (1907-1989). *Hamlet.*

le mont des **Oliviers** ▫ Colline à l'est de Jérusalem, où le Christ fut arrêté, selon les Évangiles.

les **Olmèques** ▫ Civilisation précolombienne du Mexique.

Ermanno **Olmi** ▫ Réalisateur italien (1931-2018). *L'Arbre aux sabots.*

**l'OLP,** *Organisation de libération de la Palestine* ▫ Mouvement de résistance créé en 1964, dirigé jusqu'en 2004 par Yasser Arafat, puis par Mahmoud Abbas.

**l'Olympe** n. m. ▫ Montagne du nord de la Grèce. 2 911 m. Séjour des dieux de la mythologie.

**Olympie** ▫ Ville de la Grèce antique, dans le Péloponnèse, où étaient célébrés les jeux Olympiques.

**l'Om** n. m. ▫ Rivière de Russie (Sibérie occidentale). 1 091 km.

le sultanat d'**Oman** ▫ État de la péninsule Arabique, sur la *mer d'Oman.* 212 460 km$^2$. 4,8 millions d'habitants. Capitale : Mascate.

**l'Ombrie** n. f. ▫ Région administrative du centre de l'Italie. 8 456 km$^2$. 825 800 habitants. Chef-lieu : Pérouse.

**l'OMC** ▫ «Organisation mondiale du commerce», fondée en 1994.

les **Omeyades** ou **Umayyades** ▫ Dynastie de califes arabes qui régna à Damas de 650 à 750, puis à Cordoue de 756 à 1030.

**l'OMS** ▫ «Organisation mondiale de la santé», créée en 1948.

**Omsk** ▫ Ville de Russie (Sibérie occidentale). 1,1 million d'habitants.

le lac **Onega** ▫ Lac de Russie. 9 700 km$^2$.

Eugene **O'Neill** ▫ Auteur dramatique américain (1888-1953). Théâtre d'un symbolisme pessimiste. *Le deuil sied à Électre.* Prix Nobel 1936.

**l'Ontario** n. m. ▫ Province du Canada. 1 076 395 km$^2$. 13,44 millions d'habitants. Capitale : Toronto. ► le lac **Ontario.** Grand Lac d'Amérique du Nord. 18 000 km$^2$. Il sépare le Canada des États-Unis.

**l'ONU,** *Organisation des Nations unies* ▫ Organisation internationale créée en 1945 pour maintenir la paix et la sécurité dans le monde.

Aleksandr Ivanovitch **Oparine** ▫ Biochimiste soviétique (1894-1920).

**l'OPEP** ▫ «Organisation des pays exportateurs de pétrole», créée en 1960 pour fixer les prix du pétrole.

**l'Opéra** ▫ Théâtre parisien, construit par Charles Garnier (1862 à 1875). Spectacles de danse. On l'appelle aussi *le Palais Garnier.* ► **l'Opéra Bastille,** théâtre lyrique parisien construit par Carlos Ott (1989).

**l'Opéra-Comique** ▫ Théâtre lyrique parisien, construit en 1898, appelé aussi *salle Favart.*

Max **Ophuls** ▫ Réalisateur français d'origine allemande (1902-1957). Films dont l'élégance et la vivacité ne cachent pas la mélancolie. *La Ronde ; Madame de ; Lola Montès.* ► Marcel **Ophuls,** son fils (né en 1927). Documentariste. *Le Chagrin et la Pitié.*

Robert **Oppenheimer** ▫ Physicien américain (1904-1967). Un des pères de la bombe atomique.

**l'Opus Dei** n. m. ▫ Organisation catholique fondée en 1928, placée sous l'autorité du pape.

**Oradour-sur-Glane** ▫ Commune de la Haute-Vienne où les Allemands massacrèrent la population en juin 1944. 2 466 habitants.

**Oran,** en arabe *Wahrān* ▫ Ville et port d'Algérie. 760 000 habitants.

l'**Orange** n. m. ▫ Fleuve d'Afrique australe. 1 860 km.

l'État libre d'**Orange** ▫ Province d'Afrique du Sud.

**Orange** ▫ Commune du Vaucluse. 28 922 habitants. Théâtre romain antique.

l'**Oregon** n. m. ▫ État du nord-ouest des États-Unis. 249 281 km². 3,8 millions d'habitants. Capitale : Salem.

l'**Orénoque** n. m. ▫ Fleuve du Venezuela. 3 000 km.

**Oreste** ▫ mythol. grecque Membre des Atrides. Poussé par sa sœur Électre, il tua sa mère pour venger le meurtre de son père, Agamemnon.

Carl **Orff** ▫ Compositeur allemand (1895-1982). *Carmina burana.*

**Oribase** ▫ Médecin grec du IVe s. (325-403). Auteur d'une encyclopédie médicale.

l'Empire romain d'**Orient** → **Byzance**

l'**Orléanais** n. m. ▫ Ancienne province de France. Capitale : Orléans.

la maison d'**Orléans** ▫ Nom de quatre familles princières françaises. ► Charles d'**Orléans** (1394-1465), fils de Louis d'Orléans (le frère de Charles VI), grand seigneur et poète lyrique, père de Louis XII. ► Gaston d'**Orléans** (1608-1660), frère de Louis XIII. ► Philippe d'**Orléans,** dit **Monsieur** (1640-1701), frère de Louis XIV. ► **Philippe,** dit **le Régent,** son fils (1674-1723), exerça le pouvoir pendant la minorité de Louis XV. ► **Louis Philippe Joseph,** dit **Philippe Égalité** (1747-1793), guillotiné ; père de Louis-Philippe.

**Orléans** ▫ Chef-lieu du Loiret et capitale de la Région Centre-Val de Loire, sur la Loire. 116 238 habitants.

**Orly** ▫ Commune du Val-de-Marne, au sud de Paris. 23 853 habitants. Aéroport.

Jean Lefèvre, comte d'**Ormesson** ▫ Écrivain français (1925-2017). Directeur du *Figaro* de 1974 à 1977 et auteur d'essais et de romans.

le détroit d'**Ormuz** ▫ Passage entre le golfe Persique et la mer d'Oman.

l'**Orne** n. f. ▫ Fleuve de Normandie. 152 km. ► l'**Orne** [61]. Département français de la Région Normandie. 6 144 km². 281 593 habitants. Chef-lieu : Alençon. Chefs-lieux d'arrondissement : Argentan, Mortagne-au-Perche.

**Orphée** ▫ mythol. grecque Poète musicien descendu aux Enfers pour y chercher sa femme Eurydice.

le musée d'**Orsay** ▫ Musée national installé en 1986 dans l'ancienne *gare d'Orsay.* Art européen de la seconde moitié du XIXe s.

Erik **Orsenna** ▫ Écrivain français (né en 1947). *L'Exposition coloniale ; L'Entreprise des Indes.*

Hans Christian **Ørsted** ou **Œrsted** ▫ Physicien danois (1777-1851). Il découvrit l'électromagnétisme.

Daniel **Ortega** ▫ Homme d'État nicaraguayen (né en 1945). Président (socialiste) du Nicaragua de 1985 à 1990 et depuis 2007.

Eric Arthur Blair, dit George **Orwell** ▫ Écrivain anglais (1903-1950). Son roman d'anticipation *1984* est une puissante satire des régimes totalitaires, thème repris dans une fable, *La Ferme des animaux,* critique du communisme. Ses inventions («Big Brother», la «novlangue») sont souvent reprises.

**Ōsaka** ▫ Ville du Japon (Honshū). 2,69 millions d'habitants. Deuxième ville du Japon, et port important.

John **Osborne** ▫ Auteur dramatique anglais (1929-1994). Représentant des «jeunes gens en colère», il dénonce l'inutilité de l'anticonformisme et de la révolte.

l'**OSCE** ▫ «Organisation pour la sécurité et la coopération en Europe», créée en 1973 pour garantir la sécurité et la paix des États membres.

Nagisa **Oshima** ▫ Réalisateur japonais (1932-2013). Violence subversive et érotisme. *L'Empire des sens ; Furyo.*

**Osiris** ▫ mythol. égyptienne Dieu de la Végétation et du Bien.

**Oslo** ▫ Capitale de la Norvège. 647 000 habitants.

**Osman Ier Gazi** ▫ Sultan turc (1259-1326). Fondateur de la dynastie ottomane.

l'**Ossétie du Nord-Alanie** n. f. ▫ République de Russie, dans le Caucase. 8 000 km². 696 000 habitants. Capitale : Vladikavkaz. ► l'**Ossétie du Sud-Alanie,** région de Géorgie (reconnue comme république indépendante par la Russie en 2008). 3 900 km². 54 000 habitants. Capitale : Tskhinvali.

**Ossian** ▫ Barde écossais légendaire du IIIe s. dont l'œuvre, en réalité écrite par le poète écossais James Macpherson*, eut une immense influence sur le romantisme européen.

**Ostende** ▫ Ville de Belgique (Flandre-Occidentale), port sur la mer du Nord. 71 647 habitants.

**Ostie** ▫ Port de Rome dans l'Antiquité. Vestiges antiques.

**Ostrava** ▫ Ville de la République tchèque (Moravie). 309 000 habitants.

les **Ostrogoths** ▫ Ancien peuple germanique qui fonda un royaume en Italie (Ve-VIe s.).

Wilhelm **Ostwald** ▫ Chimiste allemand (1853-1932). Travaux sur la catalyse. Prix Nobel 1909.

l'**OTAN,** *Organisation du traité de l'Atlantique Nord* ▫ Structure militaire commune aux États-Unis et à leurs alliés occidentaux, créée en 1949.

**Othello** ▫ Personnage de Shakespeare, général maure au service de Venise. Il tue sa femme, Desdémone, sur de faux soupçons. La pièce a inspiré des opéras à Rossini et à Verdi, et a été adaptée au cinéma par Orson Welles.

**Othon** ou **Otton Ier le Grand** ▫ Fondateur et premier empereur du Saint Empire romain germanique (912-973).

**Ottawa** ▫ Capitale fédérale du Canada. 934 243 habitants (zone urbaine Ottawa-Gatineau 1 323 783). ► la convention d'**Ottawa,** traité adopté en 1997, interdisant la production et l'utilisation des mines antipersonnel.

l'Empire **ottoman** ▫ Une des plus grandes puissances d'Europe et du Proche-Orient (XIIIe-1923). → **Turquie.**

l'**OUA,** *Organisation de l'unité africaine* ▫ Organisme fondé en 1963, regroupant les États africains, auquel succéda l'Union africaine en 2002.

**Ouagadougou** ▫ Capitale du Burkina Faso. 1,5 million d'habitants.

Alassane Dramane **Ouattara** ▫ Homme d'État ivoirien (né en 1942). Président de la République depuis 2011.

l'**Oubangui** n. m. ▫ Rivière d'Afrique équatoriale. 1 160 km.

l'**Oudmourtie** n. f. ▫ République autonome de Russie. 42 100 km². 1,6 million d'habitants. Capitale : Ijevsk.

Jean-Baptiste **Oudry** ▫ Peintre animalier français (1686-1755).

l'**Ouellé** n. m. ▫ Rivière d'Afrique centrale, affluent de l'Oubangui. 1 300 km.

l'île d'**Ouessant** ▫ Île de Bretagne (Finistère). 15 km². 834 habitants.

**Oufa** ▫ Ville de Russie, capitale de la Bachkirie. 1,04 million d'habitants.

l'**Ouganda** n. m. ▫ État d'Afrique de l'Est. 241 038 km². 40 millions d'habitants. Capitale : Kampala.

les **Ouïgours** ou **Ouïghours** ▫ Peuple turcophone musulman établi dans le Xinjiang.

**Oulan-Bator** ▫ Capitale de la Mongolie. 1,4 million d'habitants.

l'**Oulipo,** *Ouvroir de littérature potentielle* ▫ Groupe d'expérimentation littéraire créé en 1960 par François Le Lionnais et Raymond Queneau.

Fatima Ibrahim, dite **Oum Kalsoum** ou **Umm Kulthum** ▫ Chanteuse égyptienne (1898-1975).

les **Ouolofs** → les **Wolofs**

**Our** → **Ur**

l'**Oural** n. m. ▫ Chaîne de montagnes de Russie qui sépare l'Europe de l'Asie. ► l'**Oural** n. m. Fleuve qui se jette dans la mer Caspienne. 2 428 km.

**Ouranos** ▫ mythol. grecque Personnification du Ciel, l'*Uranus* des Romains.

**Ourouk** → **Uruk**

**Ouroumtsi** → **Urumqi**

Gérard **Oury** ▫ Réalisateur français (1919-2006). Comédies : *La Grande Vadrouille ; Les Aventures de Rabbi Jacob.*

Kitagawa **Outamaro** → **Utamaro**

l'**Ouzbékistan** n. m. ▫ État d'Asie centrale. 447 400 km². 33 millions d'habitants. Capitale : Tachkent.

l'**Overijssel** n. m. ▫ Province des Pays-Bas, arrosée par la rivière Ijssel. 1,12 million d'habitants.

**Ovide** ▫ Poète latin (43 avant J.-C. - mort en 17 ou 18). Poète élégiaque et érotique *(L'Art d'aimer)*, auteur des *Métamorphoses*, où la mythologie alimente une imagination fantastique.

Robert **Owen** ▫ Théoricien socialiste britannique (1771-1858).

James Cleveland, dit Jesse **Owens** ▫ Athlète américain (1914-1980). Champion du monde, il remporta quatre médailles d'or aux Jeux olympiques de Berlin, en 1936 (vitesse et saut).

**Oxford** ▫ Ville du sud de l'Angleterre (Oxfordshire). 160 000 habitants. Université.

Amos Klausner, dit Amos **Oz** ▫ Écrivain israélien (1939-2018). Militant de gauche, partisan d'un accord de paix avec les Palestiniens, il se fit connaître dans le monde entier par ses romans. *La Boîte noire ; La Troisième Sphère ; Judas.*

Seiji **Ozawa** ▫ Chef d'orchestre japonais (né en 1935).

Mona **Ozouf** ▫ Historienne française (née en 1931). Spécialiste des questions d'éducation et de la Révolution française.

Yasujiro **Ozu** ▫ Réalisateur japonais (1903-1963). Style sobre et lent qui produit une forte tension au sein de situations banales. *Voyage à Tokyo ; Le Goût du saké.*

# P

Georg Wilhelm **Pabst** ▫ Réalisateur expressionniste allemand (1885-1967). *Loulou.*

la **PAC,** *Politique agricole commune* ▫ Ensemble des dispositions de l'Union européenne en matière agricole mises en place en 1962.

**PACA** → **Provence-Alpes-Côte d'Azur**

Johann **Pachelbel** ▫ Compositeur allemand (v. 1653-1706).

les **Pachtouns** ou **Pashtouns** ▫ Populations de langue iranienne vivant dans l'ouest du Pakistan et en Afghanistan.

l'océan **Pacifique** ▫ Le plus grand océan de la Terre (180 millions de $km^2$). Il s'étend entre l'Amérique, l'Antarctique, l'Asie et l'Australie. ► la guerre du **Pacifique.** Conflit qui opposa le Japon et les États-Unis de 1941 à 1945.

Alfredo, dit Al **Pacino** ▫ Comédien américain (né en 1940). Révélé par *Le Parrain* de Coppola, il s'illustra dans tous les genres du cinéma américain.

Ignacy **Paderewski** ▫ Homme politique et pianiste polonais (1860-1941).

**Padoue** ▫ Ville d'Italie, en Vénétie. 204 900 habitants.

**Paestum** ▫ Ville de l'Italie ancienne, au sud de Naples. Temples grecs.

Niccolò **Paganini** ▫ Violoniste et compositeur italien (1782-1840).

Marcel **Pagnol** ▫ Écrivain et réalisateur français (1895-1974). Il réalisa plusieurs films d'après ses pièces et sur des œuvres de Giono *(Regain, La Femme du boulanger).* Souvenirs d'enfance et de jeunesse (trois ouvrages, dont *La Gloire de mon père*).

les **Pahlavī** ▫ Dynastie fondée par Rizāh Shāh, qui régna sur l'Iran de 1925 à 1979.

Paul **Painlevé** ▫ Mathématicien et homme politique français (1863-1933).

**Pa Kin** → **Ba Jin**

le **Pakistan** ▫ Pays d'Asie du Sud. 796 095 $km^2$. 207 millions d'habitants. Capitale : Islamabad.

le **Palais-Royal** ▫ Ensemble de bâtiments (XVIIe-XIXe s.) à Paris, bâti pour Richelieu.

la république des **Palaos,** ou de **Belau** ▫ État insulaire du Pacifique occidental. 488 $km^2$. 17 600 habitants. Capitale : Melekeok.

le mont **Palatin** ▫ Une des sept collines de Rome.

le **Palatinat** ▫ Région historique d'Allemagne, sur la rive gauche du Rhin.

**Palenque** ▫ Ancienne cité maya du Mexique. Site archéologique.

les **Paléologues** ▫ Famille byzantine qui régna sur Constantinople de 1261 à 1453. → **Byzance.**

**Palerme** ▫ Ville d'Italie (Sicile). 686 700 habitants.

la **Palestine** ▫ Région historique du Proche-Orient. Terre promise des Hébreux, elle englobe aujourd'hui les territoires de l'État d'Israël, de Cisjordanie et la bande de Gaza. En novembre 1988, Yasser Arafat proclama la création d'un État palestinien, qui est devenu un État observateur non-membre à l'ONU en 2012.

Giovanni Pierluigi da **Palestrina** ▫ Compositeur italien de musique sacrée (v. 1525-1594).

Bernard **Palissy** ▫ Céramiste et savant français (v. 1510-v. 1589). Travail des émaux.

Andrea **Palladio** ▫ Architecte italien (1508-1580). Il travailla en Vénétie, à Vicence (villa Rotonda ; théâtre olympique) et à Venise. Style néoclassique.

**Pallas** ▫ mythol. grecque Surnom de la déesse Athéna.

**Palma de Majorque** ▫ Ville d'Espagne, capitale des Baléares. 402 044 habitants. Monuments gothiques.

Henry John Temple, lord **Palmerston** ▫ Homme d'État britannique (1784-1865).

**Palmyre** ▫ Ville antique de Syrie. Site archéologique, en partie détruit par Daech.

**Palo Alto** ▫ Ville des États-Unis (Californie). 58 600 habitants. Université de Stanford, à l'origine de la Silicon Valley.

le mont **Palomar** ▫ Montagne de Californie. 1 871 m. Observatoire astronomique dont le plus grand télescope possède un objectif de 5 m de diamètre.

le **Pamir** ▫ Région montagneuse d'Asie centrale. 7 719 m au Kongur Tagh.

la **Pampa** ▫ Vaste plaine au centre de l'Argentine.

**Pampelune** ▫ Ville d'Espagne (Navarre). 195 943 habitants.

Ohran **Pamuk** ▫ Écrivain turc (né en 1952). Il évoque les déchirements de la société turque *(Le Livre noir)* et ses rapports à l'Occident, notamment à travers un retour sur le passé ottoman *(Le Château blanc ; Mon nom est Rouge)*. Prix Nobel 2006.

**Pan** ▫ mythol. grecque Dieu des Bergers et des Troupeaux.

le **Panamá** ▫ État d'Amérique centrale. 75 517 km². 3,4 millions d'habitants. Capitale : Panamá (430 000 habitants). ► le canal de **Panamá** perce l'*isthme de Panamá*, entre l'Atlantique et le Pacifique.

**Pandore** ▫ mythol. grecque Première femme de l'humanité, qui ouvre la boîte contenant les misères humaines qui se répandent sur la Terre.

la **Pangée** ▫ Continent unique formé de la quasi-totalité des terres il y a 200 à 300 millions d'années, qui a donné naissance au Gondwana et à la Laurasie.

**Panjab** ou **Pendjab** ▫ Région partagée entre le Pakistan (110 millions d'habitants ; capitale : Lahore) et l'Inde (50 300 km² ; 30 millions d'habitants ; capitale : Chandigarh).

Emmeline Goulden, Mrs **Pankhurst** ▫ Féministe britannique (1858-1928). Elle milita pour le droit de vote des femmes dans son pays (obtenu en 1918).

**Pantagruel** ▫ Héros de Rabelais, fils du géant Gargantua.

**Pantalon** ▫ Personnage de la commedia dell'arte, type de vieillard salace.

le **Panthéon** ▫ Temple de Rome construit en 27 avant J.-C. ► le **Panthéon.** Église de Paris construite par Soufflot, devenue lieu de sépulture de grandes personnalités.

**Panurge** ▫ Personnage de Rabelais.

Pascal **Paoli** ▫ Patriote et général politique corse (1725-1807). Quand la France acquit la Corse (1768), il combattit les Français, dut s'exiler, revint en Corse en 1790, puis s'opposa à la Convention (1793).

**Papeete** ▫ Chef-lieu de la Polynésie française, dans l'île de Tahiti. 26 926 habitants.

Denis **Papin** ▫ Physicien français (1647-1714). Il inventa la machine à vapeur.

les **Papous** ▫ Population de Nouvelle-Guinée et des îles voisines. ► la **Papouasie-Nouvelle-Guinée.** État d'Océanie (est de la Nouvelle-Guinée). 462 840 km². 7,2 millions d'habitants. Capitale : Port Moresby. ► la **Papouasie occidentale.** Partie occidentale de l'île de Nouvelle-Guinée, qui forme une province de l'Indonésie. 442 000 km². 3,1 millions d'habitants. Capitale : Jayapura.

l'île de **Pâques** ▫ Île du Pacifique, à l'ouest du Chili, dont elle dépend. 118 km². 6 300 habitants. Statues géantes d'une civilisation ancienne.

**Paracelse** ▫ Médecin et philosophe suisse (v. 1493-1541). Il appliqua à la médecine la théorie alchimique des correspondances entre microcosme (l'homme) et macrocosme (l'univers), critiquant Galien et Avicenne, et contribua à la naissance de la chimie.

le **Paraguay** ▫ Rivière d'Amérique du Sud, affluent du Paraná. 2 200 km. ► le **Paraguay.** État d'Amérique du Sud. 406 752 km². 7 millions d'habitants. Capitale : Asunción.

**Paramaribo** ▫ Capitale du Suriname. 242 900 habitants.

le **Paraná** ▫ Fleuve d'Amérique du Sud qui rejoint le río de la Plata. 3 300 km. ► Le **Paraná.** État du Brésil, dans le sud du pays. Près de 200 000 km². 10,4 millions d'habitants. Capitale : Curitiba.

Ambroise **Paré** ▫ Chirurgien français (v. 1509-1590). Père de la chirurgie moderne.

Vilfredo **Pareto** ▫ Économiste et sociologue italien (1848-1923). Il chercha à montrer que l'économie, en tant que science, relevait de la sociologie.

**Paris** ▫ Capitale de la France, sur la Seine, capitale de la Région Île-de-France et département [75]. 105 km². 2,18 millions d'habitants (agglomération 10,82 millions). ► le **Grand Paris.** Métropole constituée en 2016 qui réunit 131 communes. ► le **Bassin parisien.** Vaste région sédimentaire.

**Pâris** ▫ mythol. grecque Prince troyen, fils de Priam. En enlevant Hélène, femme de Ménélas, roi de Sparte, il provoqua la guerre de Troie.

Charlie **Parker** ▫ Saxophoniste alto et compositeur de jazz américain surnommé Bird (1920-1955).

Tony **Parker** ▫ Basketteur franco-américain (né en 1982).

Rosa Louise **Parks** ▫ Couturière et militante américaine (1913-2005). En 1955, elle refusa de céder sa place à un Blanc dans un bus. Figure emblématique de la lutte contre la ségrégation raciale aux États-Unis.

le **Parlement européen** ▫ Institution communautaire, créée en 1967, qui partage le pouvoir législatif de l'Union européenne avec le Conseil de l'Union.

**Parme** ▫ Ville d'Italie (Émilie-Romagne). 163 500 habitants. Cathédrale et baptistère romano-gothiques.

**Parménide** ▫ Penseur grec (v. 544-v. 450 avant J.-C.). Le père de l'ontologie.

Antoine Augustin **Parmentier** ▫ Savant français qui répandit la culture de la pomme de terre (1737-1813).

le **Parnasse** ▫ Montagne de Grèce. 2 457 m. mythol. grecque Séjour favori des Muses. ► le **Parnasse.** Groupe littéraire français de la fin du XIX$^{e}$ s., en réaction au romantisme. → **Leconte de Lisle, Heredia.**

**Paros** ▫ Île grecque (Cyclades). Marbre.

les trois **Parques** ▫ mythol. romaine Divinités du Destin. Elles filent et coupent le fil de la vie des humains.

Martin **Parr** ▫ Photographe britannique (né en 1952). Il s'est attaché à rendre le banal digne d'intérêt.

**Parsifal** → **Perceval**

le **Parthénon** ▫ Temple d'Athéna bâti au V$^{e}$ s. avant J.-C. sur l'Acropole à Athènes.

les **Parthes** ▫ Ancien peuple d'Iran qui constitua un empire (v. 250 avant J.-C.-224 apr. J.-C.).

Blaise **Pascal** ▫ Physicien, mathématicien, philosophe et écrivain français (1623-1662). Travaux concernant notamment l'hydrostatique, la géométrie et le calcul infinitésimal. Les *Pensées,* chef-d'œuvre de réflexion psychologique et religieuse, dans un style libéré des contraintes du classicisme.

le **Pas-de-Calais** [62] ▫ Département français de la Région Hauts-de-France. 6 672 km$^2$. 1,47 million d'habitants. Chef-lieu : Arras. Chefs-lieux d'arrondissement : Béthune, Boulogne-sur-Mer, Calais, Lens, Montreuil, Saint-Omer.

les **Pashtouns** → **Pachtouns**

**Pasiphaé** ▫ mythol. grecque Femme de Minos.

Pier Paolo **Pasolini** ▫ Réalisateur et écrivain italien (1922-1975). *Œdipe roi, Théorème, Saló ou les Cent Vingt Journées de Sodome* sont des films à la fois lyriques et provocateurs.

Boris Leonidovitch **Pasternak** ▫ Écrivain soviétique (1890-1960). Poète en vers et en prose, ami de Maïakovski, il célébra la révolution *(L'Année 1905).* Il fut mis à l'écart par le régime, et son grand roman, *Le Docteur Jivago* (1957), fut interdit en URSS. Prix Nobel 1958.

Louis **Pasteur** ▫ Savant français, un des créateurs de la microbiologie (1822-1895). Il mit au point le vaccin contre la rage. ► l'institut **Pasteur,** fondation scientifique créée en 1887. Il existe 32 instituts Pasteur dans le monde.

la **Patagonie** ▫ Région du sud de l'Argentine.

Joachim **Patenier** ou **Patinir** ▫ Peintre flamand (v. 1480-1524). Élève de Quentin Metsys, il intégra ses compositions religieuses dans de vastes paysages.

les frères **Pathé** ▫ Ingénieurs français, Émile (1860-1937) et Charles (1863-1957), qui fondèrent en France l'industrie du disque et du matériel cinématographique.

maître Pierre **Pathelin** ▫ Personnage principal d'une comédie du Moyen Âge, composée entre 1456 et 1469.

**Patmos** ▫ Île grecque (Dodécanèse). Selon la tradition, saint Jean y aurait écrit l'Apocalypse.

**Patna** ▫ Ville d'Inde (Bihar). 2 millions d'habitants.

**Patras** ▫ Port de Grèce (Péloponnèse). 195 000 habitants.

saint **Patrick** ou **Patrice** ▫ Évangélisateur et patron de l'Irlande (v. 389-461).

**Patrocle** ▫ Héros de l'*Iliade.* Compagnon d'Achille, tué par Hector.

George **Patton** ▫ Général américain, spécialiste des chars (1885-1945). Il commanda la III$^{e}$ armée américaine après le débarquement en Normandie (1944).

**Pau** ▫ Chef-lieu des Pyrénées-Atlantiques. 76 275 habitants. Anc. capitale du Béarn. Château. ► le gave de **Pau,** rivière des Pyrénées occidentales. 120 km.

saint **Paul** ▫ Apôtre du christianisme (v. 10-v. 62). Auteur d'*Épîtres.*

**Paul** ▫ Nom de six papes. ► saint **Paul VI.** Pape de 1963 à sa mort (1897-1978). ► Alexandre Farnèse, dit **Paul III.** Pape de 1534 à sa mort (1468-1549). Il fut à l'origine de la Contre-Réforme.

**Paul I$^{er}$** ▫ (1754-1801) Empereur de Russie de 1796 à son assassinat.

Jean **Paulhan** ▫ Écrivain français (1884-1968). Théoricien de la littérature et éditeur. *Les Fleurs de Tarbes.*

Wolfgang **Pauli** ▫ Physicien suisse d'origine autrichienne (1900-1958). Il fut l'un des fondateurs de la physique quantique. Prix Nobel 1945.

Linus **Pauling** ▫ Chimiste américain (1901-1994). Travaux sur la liaison chimique. Prix Nobel 1954. Prix Nobel de la paix 1962.

Luciano **Pavarotti** ▫ Ténor italien (1935-2007). Il interpréta l'opéra italien du XIX$^{e}$ s.

Cesare **Pavese** ▫ Écrivain italien (1908-1950). Romans d'un style sobre et grave. *Le Bel Été.*

**Pavie** ▫ Ville d'Italie (Lombardie). 71 200 habitants. François I$^{er}$ y fut vaincu par Charles Quint en 1525.

Ivan **Pavlov** ▫ Physiologiste russe (1849-1936). Découverte du réflexe conditionné. Prix Nobel 1904.

les **Pays-Bas,** en néerlandais *Nederland* ▫ État d'Europe, sur la mer du Nord. 41 500 km$^2$ (dont 7 929 m$^2$ d'eau). 16,9 millions d'habitants. Capitale : Amsterdam ; gouvernement et Parlement à La Haye.

les **Pays de la Loire** → **Loire**

Octavio **Paz** ▫ Poète mexicain (1914-1998). D'ascendance amérindienne, il recherche dans les deux cultures, aztèque et espagnole, «l'essentiel mexicain». Inspiration lyrique, privilégiant l'amour et la liberté, dans «le cauchemar de l'histoire». *Pierre de soleil ; L'Arc et la Lyre ; Le Labyrinthe de la solitude.* Prix Nobel 1990.

La **Paz** ▫ Capitale de la Bolivie. 760 000 habitants.

le **PCF** ▫ «Parti communiste français».

Giuseppe **Peano** ▫ Logicien et mathématicien italien (1858-1932). Formalisation des mathématiques.

**Pearl Harbor** ▫ Base navale américaine des îles Hawaii. L'attaque surprise des Japonais (7 déc. 1941) provoqua l'entrée en guerre des États-Unis.

Robert **Peary** ▫ Explorateur américain (1856-1920). Il atteignit, le premier, le pôle Nord (1909).

**Pech Merle** ▫ Colline de la commune de Cabrerets (Lot) où fut découverte, en 1922, une grotte préhistorique ornée.

Sam **Peckinpah** ▫ Réalisateur américain (1926-1984). Westerns d'un réalisme violent, démythifiant la figure du héros. *La Horde sauvage.*

sir Robert **Peel** ▫ Homme politique (conservateur) britannique (1788-1850).

**Pégase** ▫ mythol. grecque Cheval ailé, symbole de l'inspiration poétique.

Charles **Péguy** ▫ Écrivain français (1873-1914). Socialiste, patriote et mystique. Œuvre politique et sociale dans une prose scandée et répétitive. En vers, sa poésie conserve ce caractère de litanie, dans les versets puissants du *Mystère de la charité de Jeanne d'Arc,* de la *Tapisserie de Notre-Dame,* d'*Ève* et d'autres grands poèmes.

Ieoh Ming **Pei** ▫ Architecte américain d'origine chinoise (1917-2019). Pyramide du Louvre, à Paris ; musée d'Art islamique de Doha.

**Pékin** ou **Beijing** ▫ Capitale de la République populaire de Chine. 16,446 millions d'habitants (municipalité autonome : 16 800 km$^2$ ; 19,6 millions d'habitants). La Cité interdite.

Edison di Nascimento, dit **Pelé** ▫ Footballeur brésilien (né en 1940). Surnommé le «roi Pelé», considéré comme le meilleur joueur de tous les temps.

la montagne **Pelée** ▫ Volcan de la Martinique. 1 397 m. Violente éruption en 1902.

Silvio **Pellico** ▫ Écrivain italien (1789-1854). *Mes prisons,* récit de son emprisonnement par les Autrichiens, fit de lui le symbole du patriote martyrisé.

le **Péloponnèse** ▫ Presqu'île du sud de la Grèce. ► la guerre du **Péloponnèse,** de 431 à 404 avant J.-C., opposa Sparte à Athènes, qui fut vaincue.

Krzysztof **Penderecki** ▫ Compositeur polonais (1933-2020). *Requiem polonais.*

le **Pendjab** → **Panjab**

**Pénélope** ▫ Femme d'Ulysse, dans l'*Odyssée.* Symbole de fidélité conjugale.

Daniel Pennacchioni dit Daniel **Pennac** ▫ Écrivain français (né en 1944). *Au bonheur des ogres ; Chagrin d'école.*

la **Pennsylvanie** ▫ État du nord-est des États-Unis. 117 413 km$^2$. 12,3 millions d'habitants. Capitale : Harrisburg. Villes principales : Philadelphie, Pittsburgh.

Roger **Penrose** ▫ Astrophysicien britannique (né en 1931). Travaux sur les trous noirs. Prix Nobel 2020.

le **Pentagone** ▫ Édifice abritant le secrétariat d'État à la Défense et l'état-major des forces armées des États-Unis, à Washington.

le **Pentateuque** ▫ Les cinq premiers Livres de la Bible, pour les chrétiens.

**Penthésilée** ▫ mythol. grecque Reine des Amazones, tuée par Achille à la guerre de Troie.

**Pépin le Bref** ▫ (714-768) Roi des Francs de 751 à sa mort. Fils de Charles Martel et père de Charlemagne, il fonda la dynastie des Carolingiens.

**Perceval** ▫ Un des chevaliers de la Table ronde, participant à la quête du Graal. Sa légende est évoquée par Chrétien de Troyes et inspira un opéra à Wagner *(Parsifal).*

le **Perche** ▫ Région de l'ouest du Bassin parisien.

Charles **Percier** ▫ Architecte français (1764-1838). Auteur avec Fontaine des principales œuvres du premier Empire.

Georges **Perec** ▫ Romancier et poète français (1936-1982), membre de l'Oulipo. Inventaire de la vie contemporaine *(Les Choses)* et recherches formelles (*La Disparition,* écrit sans la lettre *e*). *La Vie mode d'emploi ; Je me souviens.*

Marie-José **Pérec** ▫ Athlète française (née en 1968), triple championne olympique.

les frères **Pereire** ▫ Jacob Émile (1800-1875) et Isaac (1806-1880), hommes d'affaires français sous le Second Empire.

Shimon **Peres** ▫ Homme d'État (travailliste) israélien (1923-2016). Président de l'État d'Israël de 2007 à 2014. Prix Nobel de la paix 1994, avec Y. Arafat et Y. Rabin.

Javier **Pérez de Cuellar** ▫ Homme politique et diplomate péruvien (1920-2020). Il fut secrétaire général de l'ONU de 1982 à 1992.

**Pergame** ▫ Ancienne ville d'Asie Mineure, capitale d'un royaume hellénistique (III$^e$-II$^e$ s. avant J.-C.). Aujourd'hui *Bergama,* en Turquie. 59 400 habitants.

Louis **Pergaud** ▫ Écrivain français (1882-1915). *De Goupil à Margot ; La Guerre des boutons.*

Jean-Baptiste **Pergolèse** ▫ Compositeur baroque italien (1710-1736). Opéras *(La Servante maîtresse),* musique religieuse (dont un *Stabat Mater*), sonates et concertos. Son style est inventif et très expressif.

Gabriel **Péri** ▫ Homme politique (communiste) français (1902-1941). Résistant, il fut fusillé par les Allemands.

**Périclès** ▫ Homme politique athénien, auteur de grandes réformes démocratiques (v. 495-429 avant J.-C.). *Le siècle de Périclès* désigne l'apogée du monde grec.

Casimir **Perier** ▫ Banquier français, ministre de Louis-Philippe (1777-1832).

dom Pierre **Pérignon** ▫ Bénédictin français (1638-1715). Il perfectionna la fabrication du champagne.

le **Périgord** ▫ Région historique du sud-ouest de la France (Dordogne).

**Périgueux** ▫ Chef-lieu de la Dordogne. 30 060 habitants.

**Perm** ▫ Ville de Russie. 1 million d'habitants.

Constant **Permeke** ▫ Peintre et sculpteur belge (1886-1952). Tableaux impressionnistes puis expressionnistes, peints dans des ocres et des bruns sombres.

**Pernambouc** ▫ État du Brésil, dans le Nordeste. 8,8 millions d'habitants.

Juan Domingo **Perón** ▫ (1895-1974) Général et président de l'Argentine de 1946 à 1955 et de 1973 à sa mort. Il allia mesures sociales et dirigisme.

le **Pérou** ▫ État d'Amérique du Sud. 1 285 215 km². 32,6 millions d'habitants. Capitale : Lima.

**Perpignan** ▫ Chef-lieu des Pyrénées-Orientales. 119 188 habitants. Palais des rois de Majorque (XIII^e^-XIV^e^ s.).

Charles **Perrault** ▫ Écrivain français (1628-1703). Auteur des *Contes de ma mère l'Oye.* ► Claude **Perrault,** son frère (1613-1688), architecte. On lui attribue la colonnade du Louvre.

Dominique **Perrault** ▫ Architecte français (né en 1953). Bibliothèque nationale de France, site François-Mitterrand, à Paris.

Auguste **Perret** ▫ Architecte français (1874-1954), spécialiste du béton armé. Théâtre des Champs-Élysées. Reconstruction du Havre.

Charlotte **Perriand** ▫ Architecte d'intérieur et designer française (1903-1999).

Jean **Perrin** ▫ Physicien français (1870-1942). Théorie atomique. Prix Nobel 1926.

la **Perse** ▫ Ancien nom de l'Iran. Deux grands empires sont issus de la Perse → **Achéménides, Sassanides.**

**Persée** ▫ mythol. grecque Héros vainqueur de Méduse.

**Perséphone** ▫ mythol. grecque Divinité enlevée par Hadès qui en fit la reine des Enfers, la *Proserpine* des Romains.

**Persépolis** ▫ Anc. capitale de l'Empire perse. Ruines du palais de Darios le Grand.

John **Pershing** ▫ Général américain (1860-1948). Il commanda les troupes américaines en France (1917-1918).

le golfe **Persique** ou **Arabo-Persique** ▫ Bras de mer entre l'Iran et l'Arabie. Pétrole.

**Perth** ▫ Ville d'Australie (Australie-Occidentale). 2 millions d'habitants.

le col du **Perthus** ▫ Passage des Pyrénées-Orientales. 290 m.

le **Pérugin** ▫ Peintre italien (v. 1445-1523). Maître de Raphaël.

**Peshawar** ▫ Ville du nord-ouest du Pakistan. 1,9 million d'habitants.

Thomas **Pesquet** ▫ Spationaute français (né en 1978).

Fernando **Pessoa** ▫ Poète et écrivain portugais (1888-1935). Son œuvre poétique est répartie entre les personnalités fictives, mais affirmées, de plusieurs signataires, ses «hétéronymes». *Livre de l'intranquillité.*

Philippe **Pétain** ▫ Maréchal de France et homme d'État français (1856-1951). Vainqueur de Verdun en 1916, chef de l'État français de 1940 à 1944 (→ gouvernement de **Vichy**). Condamné à mort en 1945 (peine commuée en détention à perpétuité).

la **Petchora** ▫ Fleuve de Russie. 1 809 km.

**Peter Pan** ▫ Personnage créé par James Barrie, qui incarne le refus de devenir adulte.

Marius **Petipa** ▫ Danseur et chorégraphe français (1818-1910).

Roland **Petit** ▫ Danseur et chorégraphe français (1924-2011). Directeur de plusieurs compagnies de ballets.

Sándor **Petőfi** ▫ Poète et héros national hongrois (1823-1849). Poèmes romantiques, amoureux et patriotiques dans une langue simple et belle. Il joua un rôle actif dans la révolution de 1848 et fut tué au combat.

**Pétra** ▫ Anc. capitale des Nabatéens, en Jordanie. Tombeaux.

**Pétrarque** ▫ Poète et humaniste italien (1304-1374). Les poèmes amoureux du *Canzoniere* (suscités par sa passion pour Laure de Noves) lui valurent, outre la postérité, une influence durable sur la poésie lyrique européenne.

**Petrograd** → **Saint-Pétersbourg**

**Pétrone** ▫ Romancier latin (mort en 65). Auteur présumé du *Satiricon.*

Armand **Peugeot** ▫ Industriel français de l'automobile (1849-1915).

les **Peuls** ou **Foulbés** ▫ Peuple de pasteurs nomades d'Afrique de l'Ouest.

la Grande **Peur** ▫ Révolte des paysans français en juillet-août 1789.

Antoine **Pevsner** ▫ Sculpteur français d'origine russe, frère de Naum Gabo (1886-1962). *Manifeste réaliste.*

Pierre Culliford, dit **Peyo** ▫ Auteur belge de bandes dessinées (1928-1992). Il créa les personnages des Schtroumpfs (1958).

**Phaéton** ▫ mythol. grecque Fils d'Hélios, foudroyé par Zeus en conduisant le char de son père.

**Phaïstos** ▫ Ancienne ville de Crète, site minoen détruit vers 1 400 avant J.-C. En 1908, on y a découvert un disque d'argile recouvert d'une écriture inconnue.

**Pharos** ▫ Île de l'Égypte ancienne, près d'Alexandrie, où était érigé un phare (l'une des Sept Merveilles du monde).

**Pharsale** ▫ Ville de Grèce (Thessalie). Pompée y fut vaincu par César en 48 avant J.-C.

**Phébus** → **Apollon**

**Phèdre** ▫ mythol. grecque Femme de Thésée.

**Phèdre** ▫ Fabuliste latin (15 avant J.-C.-50).

Michael **Phelps** ▫ Nageur américain (né en 1985). 28 médailles olympiques dont 23 en or, 27 médailles d'or en championnat du monde.

la **Phénicie** ▫ Contrée de l'Antiquité, sur le littoral syro-palestinien.

le **Phénix** ▫ mythol. égyptienne Oiseau qui renaît de ses cendres après s'être consumé.

**Phidias** ▫ Le plus célèbre sculpteur de l'art classique grec (v. 490-430 avant J.-C.).

**Philadelphie** ▫ Port de la côte est des États-Unis (Pennsylvanie). 1,5 million d'habitants.

**Philémon et Baucis** ▫ mythol. grecque Couple légendaire. À leur mort, ils furent transformés par Zeus en arbres.

Gérard **Philipe** ▫ Comédien français (1922-1959). Il triompha au théâtre *(Le Cid ; Le Prince de Hombourg)* et au cinéma *(Le Diable au corps ; Fanfan la Tulipe).*

saint **Philippe** ▫ Apôtre de Jésus qui aurait été crucifié vers 80.

**Philippe** ▫ Nom de plusieurs souverains européens.
**1** ROI DES BELGES ► **Philippe Ier** (né en 1960). A succédé à son père Albert II, en 2013.
**2** DUCS DE BOURGOGNE ► **Philippe II le Hardi** (1342-1404). Duc de 1363 à sa mort. ► **Philippe III le Bon** (1396-1467). Duc de 1419 à sa mort. Il constitua un État puissant.
**3** SOUVERAINS D'ESPAGNE ► **Philippe Ier le Beau** (1478-1506). Souverain des Pays-Bas de 1482 à sa mort, roi de Castille à partir de 1504. ► **Philippe II** (1527-1598). Fils de Charles Quint, roi d'Espagne de 1556 à sa mort et roi du Portugal à partir de 1580. Il s'efforça de faire triompher le catholicisme. ► **Philippe V** (1683-1746). Roi d'Espagne de 1700 à sa mort, petit-fils de Louis XIV. ► **Philippe VI** → **Felipe VI.**
**4** ROIS DE FRANCE ► **Philippe Ier** (1052-1108). Roi de 1060 à sa mort. ► **Philippe II Auguste** (1165-1223). Roi de 1180 à sa mort. Il agrandit le domaine royal. ► **Philippe III le Hardi** (1245-1285). Roi de 1270 à sa mort. ► **Philippe IV le Bel** (1268-1314). Roi de 1285 à sa mort. Il renforça l'appareil d'État et lutta contre le pape Boniface VIII. ► **Philippe V le Long** (v. 1294-1322). Roi de 1316 à sa mort. ► **Philippe VI de Valois** (1294-1350). Roi de 1328 à sa mort. Son règne fut marqué par le début de la guerre de Cent Ans.
**5** SOUVERAIN DES PAYS-BAS ► **Philippe Ier le Beau** → 3. souverains d'Espagne, **Philippe Ier**.

**Philippe II** ▫ (v. 382-336 avant J.-C.) Roi de Macédoine de 359 à sa mort. Père d'Alexandre le Grand.

Édouard **Philippe** ▫ Homme d'État français (né en 1970). Premier ministre d'Emmanuel Macron de 2017 à 2020.

**Philippe Égalité** → maison d'**Orléans**

les **Philippines** ▫ Archipel et État d'Asie du Sud-Est. 300 000 km². 108,7 millions d'habitants. Capitale : Manille.

les **Philistins** ▫ Anc. peuple de Palestine.

**Philon d'Alexandrie** ▫ Philosophe juif de langue grecque (v. 20 avant J.-C.-50).

**Phnom Penh** ▫ Capitale du Cambodge sur le Mékong. 2 millions d'habitants.

**Phocée** ▫ Ancienne ville d'Asie Mineure (Ionie). Les *Phocéens* fondèrent Marseille.

**Phoenix** ▫ Ville des États-Unis (Arizona). 1,4 million d'habitants.

la **Phrygie** ▫ Ancienne région d'Asie Mineure.

Édith Giovanna Gassion, dite Édith **Piaf** ▫ Chanteuse et parolière française (1915-1963). Cette chanteuse de rue devint célèbre grâce à sa personnalité et à son style saisissant. *La Vie en rose ; L'Hymne à l'amour.*

Jean **Piaget** ▫ Philosophe des sciences et psychologue suisse (1896-1980). Étudiant le développement de l'intelligence chez l'enfant, il créa une théorie génétique de la connaissance (l'épistémologie).

Maurice **Pialat** ▫ Réalisateur français (1925-2003). Films consacrés notamment à l'enfance et aux difficultés des relations humaines. *Sous le soleil de Satan ; Van Gogh.*

Renzo **Piano** ▫ Architecte italien (né en 1937). Centre Pompidou avec R. Rogers à Paris ; tour Shard à Londres.

Francis **Picabia** ▫ Peintre français (1879-1953). Collages dadaïstes.

la **Picardie** ▫ Province historique et ancienne région administrative française.

Pablo **Picasso** ▫ Peintre, graveur et sculpteur espagnol (1881-1973). Par la succession déconcertante de styles très différents et également inventifs, son influence sur l'art moderne est capitale. Il fut l'un des créateurs du cubisme. *Les Demoiselles d'Avignon ; Guernica.*

Auguste **Piccard** ▫ Physicien suisse (1884-1962). Inventeur du bathyscaphe.

Giovanni **Pic de La Mirandole** ▫ Humaniste italien (1463-1494).

Charles **Pichegru** ▫ Général français (1761-1804).

les **Pictes** ▫ Peuple de l'Écosse ancienne.

**Pie** ▫ Nom de douze papes. ► saint **Pie V** (1504-1572), pape de 1566 à sa mort. Il continua la Contre-Réforme. ► **Pie VII** (1742-1823), pape de 1800 à sa mort, en lutte avec Napoléon. ► bienheureux **Pie IX** (1792-1878), pape de 1846 à sa mort. Il promulgua les dogmes de l'Immaculée Conception et de l'infaillibilité pontificale. ► saint **Pie X** (1835-1914), pape de 1903 à sa mort. Il condamna le modernisme. ► **Pie XI** (1857-1939), pape de 1922 à sa mort. Il signa les accords du Latran. ► **Pie XII** (1876-1958), pape de 1939 à sa mort.

le **Piémont** ▫ Région administrative de l'Italie du Nord. 25 400 km². 4,21 millions d'habitants. Chef-lieu : Turin.

Piero de' Franceschi, dit **Piero della Francesca** ▫ Peintre italien (v. 1416-1492). Son œuvre fait la synthèse des recherches sur la perspective de l'école florentine et de la construction spatiale par la couleur et les valeurs plastiques. *L'Histoire de la vraie croix*, fresques d'Arezzo.

saint **Pierre** ▫ Le premier des douze apôtres. Premier évêque de Rome, il fut martyrisé en 64.

**Pierre** ▫ Nom de plusieurs souverains.
**1** EMPEREURS DU BRÉSIL ► **Pierre Ier** (1798-1834). Il proclama l'indépendance du pays et en devint l'empereur de 1822 à 1831. Roi de Portugal (sous le nom de Pierre IV) de 1826 à 1834. ► **Pierre II** (1825-1891). Empereur de 1831 à 1889. Il abolit l'esclavage en 1888.
**2** ROI DE CASTILLE ► **Pierre le Cruel** (1334-1369), roi de 1350 à sa mort.
**3** ROIS DE PORTUGAL ► **Pierre Ier le Justicier** (1320-1367). Roi de 1357 à sa mort. Mari d'Inès de Castro. ► **Pierre II** (1648-1706). Roi de 1683 à sa mort. Il fit reconnaître l'indépendance du Portugal par l'Espagne.
**4** TSARS DE RUSSIE ► **Pierre Ier**, dit **Pierre le Grand** (1672-1725). Empereur de 1682 à sa mort. Il modernisa son pays et fonda Saint-Pétersbourg. ► **Pierre III** (1728-1762). Il fut empereur en 1762, assassiné à l'instigation de sa femme Catherine II.
**5** ROI DE SERBIE ► **Pierre Ier Karageorgévitch** (1844-1921). Roi de Serbie de 1903 à 1918, puis de Yougoslavie de 1918 à sa mort.

Henri Grouès, dit l'abbé **Pierre** ▫ Prêtre français (1912-2007). Il fonda la communauté des chiffonniers d'Emmaüs en 1949 et consacra sa vie à la lutte contre la pauvreté et l'injustice sociale.

**Pierre l'Ermite** ▫ Religieux français, un des chefs de la première croisade (v. 1050-1115).

Jean-Baptiste **Pigalle** ▫ Sculpteur français (1714-1785). Proche du baroque. Mausolée du maréchal de Saxe à Strasbourg.

Ponce **Pilate** ▫ Préfet romain de la Judée (Ier s.). Il abandonna Jésus aux juifs, qui voulaient sa mort.

François **Pilâtre de Rozier** ▫ Aéronaute français (1754-1785). Il réalisa le premier vol en montgolfière (1783).

Germain **Pilon** ▫ Sculpteur français de la Renaissance (v. 1537-1590).

**Pilsen** → **Plzeň**

Józef **Piłsudski** ▫ Homme d'État et maréchal polonais (1867-1935), au pouvoir de 1918 à sa mort.

le **Pinatubo** ▫ Volcan actif des Philippines (1 486 m), sur l'île de Luçon.

**Pincevent** ▫ Site préhistorique sur la Seine (époque magdalénienne), près de Montereau (Seine-et-Marne).

**Pindare** ▫ Poète grec (518-v. 438 avant J.-C.). *Les Épinicies* sont des odes triomphantes.

le **Pinde** ▫ Massif montagneux de Grèce. 2 637 m au Smolikas.

Philippe **Pinel** ▫ Médecin français (1745-1826). Fondateur de la psychiatrie.

Robert **Pinget** ▫ Écrivain et dramaturge français d'origine suisse (1919-1997). Il évoque par le langage un univers instable et dérisoire, rappelant parfois Beckett.

**Pink Floyd** ▫ Groupe de rock britannique (1965-1995). *The Wall.*

**Pinocchio** ▫ Personnage de marionnette, animé de bonnes intentions, mais fantasque, créé en 1878 par Carlo Collodi (1826-1890).

Augusto **Pinochet** ▫ Général et homme d'État chilien (1915-2006). À la tête de la junte militaire qui renversa S. Allende en 1973, il instaura un régime dictatorial jusqu'en 1990.

Harold **Pinter** ▫ Auteur dramatique anglais (1930-2008). Son réalisme laconique, d'une apparente banalité, révèle l'ambiguïté cruelle des rapports humains. *Le Gardien ; L'Anniversaire ; L'Amant ; Le Retour.* Scénario du film *The Servant*, de Joseph Losey. Prix Nobel 2005.

Bernardino di Betto, dit il **Pinturicchio** ▫ Peintre italien (v. 1454-1513). Œuvre abondante, ornée et fastueuse ; appartements Borgia au Vatican.

Luigi **Pirandello** ▫ Écrivain et auteur dramatique italien (1867-1936). Système du «théâtre dans le théâtre». *Six personnages en quête d'auteur.* Un de ses thèmes favoris est la relativité du rapport au réel *(Chacun sa vérité).* Prix Nobel 1934.

**Piranèse** ▫ Graveur italien (1720-1778). Vision personnelle et grandiose de l'architecture antique. Ses *Prisons* imaginaires annoncent le romantisme.

Le **Pirée** ▫ Port d'Athènes. 200 000 habitants.

Antonio Pisano, dit **Pisanello** ▫ Peintre et graveur de médailles italien (v. 1395-1455). Portraits d'une extrême élégance graphique.

Nicola **Pisano** ▫ Sculpteur et architecte italien (v. 1220-v. 1283). ► Giovanni **Pisano,** son fils, fut également sculpteur et architecte (v. 1248-après 1314).

Giunta Capitini, dit Giunta **Pisano** ▫ Peintre italien (première moitié du XIIIe s.).

Andrea da Pontedera, dit Andrea **Pisano** ▫ Sculpteur, orfèvre et architecte italien (v. 1290-v. 1349).

**Pise** ▫ Ville d'Italie (Toscane). 89 700 habitants. Monuments de style *pisan* : « tour penchée », cathédrale, baptistère.

**Pisistrate** ▫ Tyran d'Athènes (v. 600-v. 528 avant J.-C.). Son gouvernement marqua une période de prospérité.

Camille **Pissarro** ▫ Peintre impressionniste français (1830-1903).

Georges **Pitoëff** ▫ Acteur et animateur de théâtre, français d'origine russe (1884-1939).

William Pitt, dit le Premier **Pitt** ▫ Homme politique britannique (1708-1778). ► William Pitt, dit le Second **Pitt,** son fils (1759-1806), lutta contre la France révolutionnaire.

**Pittsburgh** ▫ Ville des États-Unis (Pennsylvanie). 306 000 habitants.

Francisco **Pizarro** ▫ Conquistador espagnol (v. 1475-1541). Il conquit le Pérou en 1533 et soumit l'Empire inca.

la **Plaine** ou le **Marais** ▫ Nom donné à la faction modérée de la Convention.

Roger **Planchon** ▫ Homme de théâtre français (1931-2009). Il dirigea le Théâtre national populaire de Villeurbanne, mit en scène des pièces classiques et ses propres œuvres et adaptations.

Max **Planck** ▫ Physicien allemand (1858-1947). Découverte des quanta d'énergie. Prix Nobel 1918.

les **Plantagenêts** ▫ Dynastie angevine qui régna sur l'Angleterre de 1154 à 1485.

le río de La **Plata** ▫ Estuaire commun de l'Uruguay et du Paraná, entre l'Argentine et l'Uruguay.

**Platée** ou **Platées** ▫ Anc. ville de Grèce (Béotie). Victoire des Grecs sur les Perses en 479 avant J.-C.

Michel **Platini** ▫ Footballeur français (né en 1955). Trois fois ballon d'or.

**Platon** ▫ Philosophe grec (428-348 avant J.-C.). Disciple de Socrate qu'il met en scène dans ses dialogues *(Banquet ; République ; Phèdre)*. Son influence reste immense sur toute la philosophie occidentale.

**Plaute** ▫ Auteur de comédies latin (v. 254-184 avant J.-C.). *Amphitryon ; Les Ménechmes.*

la **Pléiade** ▫ Groupe de poètes français du XVIe s., autour de Ronsard et du Bellay.

**Pline l'Ancien** ▫ Écrivain et naturaliste latin (23-79). Il mourut lors de l'éruption du Vésuve. *Histoire naturelle.* ► **Pline le Jeune,** son neveu (61-v. 114). *Lettres.*

**Plotin** ▫ Philosophe grec (v. 205-270). Néoplatonicien. Il s'installa à Rome où il ouvrit une école philosophique. *Ennéades.*

**Plutarque** ▫ Historien et moraliste grec (v. 49-v. 125). *Vies parallèles,* admirées par Machiavel, Érasme.

**Pluton** ▫ mythol. romaine Dieu du monde des morts. *Hadès* chez les Grecs. ► **Pluton.** Planète naine du système solaire. Diamètre : 2 200 km.

**Plymouth** ▫ Ville d'Angleterre (Devon). 234 900 habitants. Port militaire.

**Plzeň,** en allemand *Pilsen* ▫ Ville de la République tchèque, en Bohême. 173 000 habitants. Brasseries.

le **Pô** ▫ Fleuve d'Italie du Nord. 652 km.

**Podgorica** ▫ Capitale du Monténégro. 150 000 habitants.

Edgar Allan **Poe** ▫ Écrivain américain (1809-1849). Maître du conte fantastique et du récit à énigme. *Les Aventures d'Arthur Gordon Pym ; Histoires extraordinaires.* Il fut traduit en français par Baudelaire et par Mallarmé (pour ses poèmes).

Henri **Poincaré** ▫ Mathématicien français (1854-1912). Physique mathématique et topologie algébrique.

Raymond **Poincaré** ▫ Homme d'État français (1860-1934), président de la République française de 1913 à 1920.

**Pointe-à-Pitre** ▫ Chef-lieu d'arrondissement et port de la Guadeloupe. 15 410 habitants.

**Pointe-Noire** ▫ Port du Congo. 715 300 habitants.

Paul **Poiret** ▫ Couturier français (1879-1944).

Sidney **Poitier** ▫ Acteur et réalisateur américain (né en 1927). Militant pour les droits civiques, premier acteur noir à recevoir un oscar (1964).

**Poitiers** ▫ Chef-lieu de la Vienne. 88 665 habitants. Baptistère Saint-Jean (IVe s.). Églises romanes. Cathédrale gothique. Charles Martel y arrêta l'invasion arabe en 732.

le **Poitou** ▫ Ancienne province de France. ► **Poitou-Charentes.** Anc. région administrative française.

Roman **Polanski** ▫ Réalisateur français d'origine polonaise (né en 1933). *Le Bal des vampires ; Le Pianiste.*

Serge **Poliakoff** ▫ Peintre abstrait français d'origine russe (1906-1969). Ses tableaux sont faits de formes planes, simples, asymétriques et d'un riche chromatisme.

**Polichinelle** ▫ Personnage de la commedia dell'arte *(Pulcinella)*, représenté comme un bossu au nez crochu, en habit rouge.

Sydney **Pollack** ▫ Réalisateur et acteur américain (1934-2008). Ton romantique teinté de pessimisme. *On achève bien les chevaux ; Les Trois Jours du Condor ; Out of Africa.*

Maurizio **Pollini** ▫ Pianiste italien (né en 1942). Il s'illustre dans le répertoire romantique et contemporain.

Jackson **Pollock** ▫ Peintre abstrait américain (1912-1956). Chef de file de l'«action painting» (abstraction gestuelle). Technique du dripping : superposition de peintures en gouttes.

**Pollux** ▫ Frère jumeau de Castor*.

Marco **Polo** ▫ Négociant italien qui voyagea de Venise jusqu'en Chine (v. 1254-1324).

la **Pologne** ▫ État d'Europe centrale. 312 683 km$^2$. 38,1 millions d'habitants. Capitale : Varsovie.

Saloth Sar, dit **Pol Pot** ▫ Homme politique cambodgien (1928-1998). Secrétaire général du Parti communiste khmer (1962), il fut le principal responsable du génocide commis par les Khmers rouges.

**Poltava** ▫ Ville d'Ukraine. 317 000 habitants. Défaite de Charles XII de Suède face à Pierre le Grand en 1709.

**Polybe** ▫ Historien grec (v. 202-v. 120 avant J.-C.). *Histoires.*

**Polyclète** ▫ Sculpteur grec (V$^e$ s. avant J.-C.).

**Polymnie** ou **Polhymnie** ▫ mythol. grecque Une des neuf Muses, protectrice de la pantomime, et à laquelle on attribuait l'invention de la lyre.

la **Polynésie** ▫ Ensemble d'îles du Pacifique à l'est de l'Australie. ► la **Polynésie française.** Pays d'outre-mer français. 3 265 km$^2$. 268 207 habitants. Capitale : Papeete.

**Polyphème** ▫ mythol. grecque L'un des Cyclopes, fils de Poséidon.

l'École **polytechnique** ou **Polytechnique** n. f. ▫ Établissement public français d'enseignement supérieur et de recherche, créé à Paris en 1794.

le marquis de **Pombal** ▫ (1699-1782) Homme d'État portugais, au pouvoir de 1755 à 1777. Il appliqua un régime de despotisme éclairé.

la **Poméranie** ▫ Région d'Allemagne et de Pologne, sur la Baltique.

**Pomone** ▫ mythol. romaine Nymphe protectrice des fruits.

Antoinette Poisson, marquise de **Pompadour** ▫ Favorite de Louis XV (1721-1764). Elle soutint Choiseul et protégea les artistes.

**Pompée** ▫ Général et homme d'État romain (106-48 avant J.-C.). Il forma avec César et Crassus le premier triumvirat et fut vaincu par César à Pharsale en 48 avant J.-C.

**Pompéi** ▫ Ville de Campanie détruite par une éruption du Vésuve en 79.

Georges **Pompidou** ▫ Homme d'État français (1911-1974). Premier ministre du général de Gaulle (1962-1968) puis président de la République de 1969 à sa mort.

**Pondichéry** ▫ Ville d'Inde. 1,4 million d'habitants. Anc. comptoir français.

Francis **Ponge** ▫ Écrivain français (1899-1988). Ses textes poétiques en prose, descriptions minutieuses et objectives, tentent d'élaborer un langage «enragé d'expression», dans lequel les mots sont la chose, tout en révélant l'élaboration du texte. *Le Parti pris des choses ; Proêmes ; La Fabrique du pré.*

le prince Józef **Poniatowski** ▫ Général polonais et maréchal de France (1763-1813).

Pierre Alexis **Ponson du Terrail** ▫ Écrivain français (1829-1871). Auteur de romans-feuilletons aux péripéties «rocambolesques». *Les Exploits de Rocambole.*

le **Pont** ▫ Anc. royaume d'Asie Mineure, sur le Pont-Euxin.

**Pont-Aven** ▫ Ville du Finistère. 2 811 habitants. ► l'école de **Pont-Aven** réunit des peintres autour de Gauguin, Sérusier, à la fin du XIX$^e$ s.

le **Pont-Euxin** ▫ Nom de la mer Noire, dans l'Antiquité grecque.

**Pontoise** ▫ Chef-lieu du Val-d'Oise dans l'agglomération de Cergy-Pontoise. 31 422 habitants.

**Poona** → **Pune**

Alexander **Pope** ▫ Écrivain anglais (1688-1744). Théoricien du classicisme. *Essai sur la critique.*

**Popeye** ▫ Personnage comique de marin qui tire sa force des épinards, créé en 1929 par Elzie Segar (1894-1938) dans une bande dessinée américaine.

le **Popocatépetl** ▫ Volcan actif du Mexique. 5 452 m.

Aleksandr **Popov** ▫ Ingénieur russe (1859-1906). Pionnier de la radiodiffusion.

sir Karl **Popper** ▫ Philosophe autrichien naturalisé britannique (1902-1994). Sa *Logique de la découverte scientifique* conduit à abandonner les preuves de vérité au profit de la possibilité de réfutation (ce qui n'est pas réfutable n'est pas scientifique).

**Porquerolles** ▫ Une des îles d'Hyères, en Méditerranée.

Michel **Portal** ▫ Clarinettiste et compositeur français (né en 1935). Interprète de musique classique et de jazz (free-jazz).

**Port-au-Prince** ▫ Capitale et port d'Haïti. 2,47 millions d'habitants.

**Port-Cros** ▫ Une des îles d'Hyères, en Méditerranée.

Cole **Porter** ▫ Auteur-compositeur américain de comédies musicales (1891-1964). *Night and Day, Begin the Beguine.*

les **Portes de fer** ▫ Défilé du Danube, entre la Serbie et la Roumanie.

**Port Louis** ▫ Capitale de l'île Maurice. 148 600 habitants.

**Port Moresby** ▫ Capitale de la Papouasie-Nouvelle-Guinée. 364 100 habitants.

**Porto** ▫ Port du Portugal, sur l'estuaire du Douro. 127 500 habitants. Vins réputés.

**Porto Alegre** ▫ Ville et port du sud du Brésil (Rio Grande do Sul). 1,4 million d'habitants.

**Port of Spain** ou **Port d'Espagne** ▫ Capitale de Trinité-et-Tobago. 58 000 habitants.

**Porto-Novo** ▫ Capitale du Bénin. 264 000 habitants.

**Porto Rico,** en espagnol *Puerto Rico* ▫ Île des Antilles et État associé aux États-Unis. 8 897 km². 3,7 millions d'habitants. Capitale : San Juan.

**Port-Royal-des-Champs** ▫ Abbaye de femmes près de Chevreuse, qui fut le siège du jansénisme. Détruite sur ordre de Louis XIV (1710).

**Port-Saïd** ▫ Port d'Égypte, sur la Méditerranée à l'entrée du canal de Suez. 751 000 habitants.

**Portsmouth** ▫ Port du sud de l'Angleterre (Hampshire). 238 000 habitants.

le **Portugal** ▫ État d'Europe dans le sud-ouest de la péninsule Ibérique. 92 072 km². 10,6 millions d'habitants. Capitale : Lisbonne.

Christian de **Portzamparc** ▫ Architecte français (né en 1944). Cité de la Musique à Paris, Salle U Arena de Nanterre.

**Poséidon** ▫ mythol. grecque Dieu de la Mer. *Neptune* chez les Romains.

le **Potala** ▫ Ancienne résidence d'hiver du dalaï-lama, à Lhassa.

le cuirassé **Potemkine** ▫ Cuirassé russe où une mutinerie éclata en 1905 (sujet d'un film d'Eisenstein).

Jan **Potocki** ▫ Historien et écrivain polonais de langue française (1761-1815). *Manuscrit trouvé à Saragosse,* récit fantastique.

**Potsdam** ▫ Ville d'Allemagne (Brandebourg). 147 700 habitants. Palais de Sans-Souci élevé pour Frédéric II.

Beatrix **Potter** ▫ Écrivaine et dessinatrice britannique (1866-1943). Créatrice de l'espiègle Peter Rabbit (Pierre Lapin).

Alexandre **Pouchkine** ▫ Écrivain russe (1799-1837). Considéré comme le plus grand poète classique russe. *Eugène Onéguine.*

Iemelian **Pougatchev** ▫ Chef cosaque (v. 1742-1775). Il leva une armée de paysans contre Catherine II (1773-1774).

les **Pouilles** n. f. pl. ▫ Région administrative du sud de l'Italie. 19 347 km². 4 millions d'habitants. Chef-lieu : Bari.

Francis **Poulenc** ▫ Compositeur français (1899-1963), membre du groupe des Six. Œuvre variée : piano, mélodies, concertos, motets, cantates, un *Stabat Mater,* l'opéra *Dialogue des carmélites,* d'après Bernanos.

Raymond **Poulidor** ▫ Coureur cycliste français (1936-2019). Plusieurs fois deuxième du Tour de France, il gagna la sympathie du public.

Ezra **Pound** ▫ Poète et critique américain (1885-1972). Outre des poèmes et une œuvre politique fascisante, il a laissé un ensemble de pièces expérimentales, les *Cantos.*

Henri **Pourrat** ▫ Écrivain français (1887-1959). Il évoqua l'Auvergne dans ses romans *(Gaspard des montagnes)* et en fut le folkloriste *(Le Trésor des contes).*

le col du **Pourtalet** ▫ Col des Pyrénées-Atlantiques. 1 794 m.

Nicolas **Poussin** ▫ Peintre français (1594-1665). Le sens du mythe, l'harmonie des compositions, la beauté des couleurs, en font l'un des plus grands peintres classiques.

Vladimir **Poutine** ▫ Homme d'État russe (né en 1952). Directeur du FSB puis président (2000-2008), Premier ministre et à nouveau président de Russie depuis 2012.

**P'ou-yi** → Puyi

Earl Rudolph, dit Bud **Powell** ▫ Pianiste et compositeur de jazz américain (1924-1966).

**Poznań** ▫ Ville de Pologne. 565 000 habitants.

le **Prado** ▫ Musée d'art situé à Madrid.

**Prague** ▫ Capitale de la République tchèque. 1,2 million d'habitants.

**Praia** ▫ Capitale du Cap-Vert. 64 000 habitants.

Hugo **Pratt** ▫ Auteur de bandes dessinées italien (1927-1995). *Corto Maltese.*

**Praxitèle** ▫ Sculpteur athénien (IVe s. avant J.-C.), considéré comme le modèle de la perfection classique. *Aphrodite.*

les **Préalpes** n. f. pl. ▫ Montagnes calcaires qui bordent les Alpes.

Angelin **Preljocaj** ▫ Danseur et chorégraphe français d'origine albanaise (né en 1957).

Otto **Preminger** ▫ Réalisateur américain d'origine autrichienne (1906-1986). *Laura ; Rivière sans retour.*

Elvis **Presley** ▫ Chanteur de rock américain (1935-1977). Il fut considéré comme le «roi» *(the King)* du genre musical et suscita un véritable culte.

**Pretoria** ▫ Capitale de l'Afrique du Sud. 3 millions d'habitants (conurbation de Tshwane).

Jacques **Prévert** ▫ Poète français (1900-1977). *Paroles ; Spectacle.* Grâce et ironie, jeux de langage et émotion animent une poésie faite pour tous. Certains de ses dialogues de films réalisés par Marcel Carné sont devenus cultes *(Drôle de drame ; Le Quai des brumes).*

l'abbé **Prévost** ▫ Écrivain français (1697-1763). Son roman, *Mémoires et Aventures d'un homme de qualité,* contient l'épisode de *L'Histoire du chevalier Des Grieux et de Manon Lescaut.*

**Priam** ▫ mythol. grecque Dernier roi de Troie.

**Priape** ▫ mythol. grecque Dieu de la Fécondité, adopté par les Romains.

Joseph **Priestley** ▫ Chimiste anglais (1733-1804). Découverte du rôle de l'oxygène.

Ilya **Prigogine** ▫ Chimiste belge d'origine russe (1917-2003). Thermodynamique. Prix Nobel 1977.

le **Primatice** ▫ Peintre et décorateur italien (1504-1570).

Miguel **Primo de Rivera** ▫ (1870-1930) Général et homme d'État espagnol. Il prit le pouvoir et instaura une dictature (1923-1930).

l'île du **Prince-Édouard** ▫ Île et province du Canada. 5 660 km². 142 907 habitants. Capitale : Charlottetown.

le **Prince Noir** → **Édouard d'Angleterre**

**Princeton** ▫ Ville des États-Unis, dans le New Jersey. 12 300 habitants. Célèbre université.

**Priština** ou **Pristina** ▫ Capitale du Kosovo. 177 500 habitants.

**Privas** ▫ Chef-lieu de l'Ardèche. 8 363 habitants.

le **Proche-Orient** ou **Moyen-Orient** ▫ Région de la Méditerranée orientale, appelée aussi Levant.

Sergueï **Prokofiev** ▫ Compositeur russe (1891-1953). Il est l'auteur de ballets *(Roméo et Juliette),* d'opéras *(L'Amour des trois oranges),* de symphonies *(Symphonie classique),* de concertos pour piano et d'un conte musical *(Pierre et le loup).*

**Prométhée** ▫ mythol. grecque Titan qui déroba le feu du ciel afin de le donner aux hommes. Il fut puni par Zeus.

**Properce** ▫ Poète latin (v. 47-15 avant J.-C.).

**Proserpine** ▫ mythol. romaine Divinité des Enfers. *Perséphone* chez les Grecs.

**Protagoras** ▫ Sophiste grec (Ve s. avant J.-C.). On lui doit la maxime : «L'homme est la mesure de toute chose.» Platon l'oppose à Socrate dans le dialogue qui porte son nom.

**Protée** ▫ mythol. grecque Dieu marin, fils de Poséidon. Il avait le don de changer de forme.

Pierre Joseph **Proudhon** ▫ Théoricien socialiste français, précurseur de l'anarchisme (1809-1865).

Marcel **Proust** ▫ Écrivain français (1871-1922). Il entreprit un grand roman dont les diverses parties forment *À la recherche du temps perdu.* Dans cette œuvre, la réflexion sur la littérature et la création artistique fait partie de la fiction et de l'acte narratif même, nourri d'une pénétration psychologique admirable.

la **Provence** ▫ Province historique du sud-est de la France. ► la Région **Provence-Alpes-Côte d'Azur (PACA).** Région administrative du sud-est de la France. Six départements : Alpes-de-Haute-Provence, Alpes-Maritimes, Bouches-du-Rhône, Hautes-Alpes, Var, Vaucluse. 31 400 km². 5,05 millions d'habitants. Capitale : Marseille.

le Livre des **Proverbes** ▫ Livre de la Bible, recueil de maximes attribuées au roi Salomon.

la république des **Provinces-Unies** ▫ Anc. État du nord des Pays-Bas espagnols, à l'origine des Pays-Bas actuels.

Pierre-Paul **Prud'hon** ▫ Peintre français (1758-1823). *Vénus et Adonis.*

la **Prusse** ▫ Anc. État d'Allemagne du Nord.

le Livre des **Psaumes** ▫ Livre de la Bible, recueil de poèmes attribués au roi David.

**Psyché** ▫ mythol. grecque Jeune fille aimée par Éros. Symbole de l'âme en quête d'idéal.

**Ptah** ▫ Dieu égyptien de la ville de Memphis, représenté sous forme humaine.

Claude **Ptolémée** ▫ Astronome, mathématicien et géographe grec d'Alexandrie (v. 90-v. 168).

la dynastie des **Ptolémées** ou des **Lagides** ▫ Dynastie macédonienne qui régna en Égypte de 323 à 30 avant J.-C.

Giacomo **Puccini** ▫ Compositeur italien d'opéras (1858-1924). *La Bohème ; Tosca.*

**Puebla** ▫ Ville du Mexique, au sud de Mexico. 1,4 million d'habitants.

les **Pueblos** ▫ Population amérindienne du sud-ouest des États-Unis (Hopis, Zuñis).

**Puerto Rico** → **Porto Rico**

Pierre **Puget** ▫ Sculpteur français, architecte et peintre (1620-1694). *Milon de Crotone.*

Joseph **Pulitzer** ▫ Journaliste américain d'origine hongroise (1847-1911). Le *prix Pulitzer*, attribué annuellement depuis 1917, récompense des œuvres journalistiques, littéraires ou artistiques.

George Mortimer **Pullmann** ▫ Industriel américain (1831-1897). Il fut le premier à fabriquer des « wagons-lits » et des « wagons » (voitures) de luxe, dans les années 1860.

**Pune** ou **Poona** ▫ Ville d'Inde (Maharashtra). 5 millions d'habitants.

les guerres **puniques** ▫ Guerres qui opposèrent Rome et Carthage (264-146 avant J.-C.).

Henry **Purcell** ▫ Compositeur anglais (1659-1695). Une œuvre abondante, dans tous les genres, n'empêche pas l'affirmation constante d'un style personnel et inventif. Opéras d'une profondeur dramatique exceptionnelle *(Didon et Énée)*.

**Pusan** ▫ Port de la Corée du Sud. 3,4 millions d'habitants.

Pierre **Puvis de Chavannes** ▫ Peintre symboliste français (1824-1898).

le **Puy-de-Dôme** [63] ▫ Département français de la Région Auvergne-Rhône-Alpes. 7 954 km². 659 048 habitants. Chef-lieu : Clermont-Ferrand. Chefs-lieux d'arrondissement : Ambert, Issoire, Riom, Thiers.

Le **Puy-en-Velay** ▫ Chef-lieu de la Haute-Loire. 19 061 habitants. Cathédrale romane.

**Puyi** ou **P'ou-yi** ▫ Dernier empereur de Chine (1906-1967). Il abdiqua en 1912.

le col de **Puymorens** ▫ Passage dans les Pyrénées-Orientales. 1 920 m.

**Pygmalion** ▫ mythol. grecque Roi légendaire de Chypre. Il épousa une statue (Galatée) qu'il avait sculptée et à laquelle Aphrodite avait donné la vie.

les **Pygmées** ▫ Peuple de petite taille, vivant dans la forêt équatoriale africaine.

**Pylos** → **Navarin**

**Pyongyang** ▫ Capitale de la Corée du Nord. 2,6 millions d'habitants.

les **Pyrénées** n. f. pl. ▫ Chaîne de montagnes qui sépare la France et l'Espagne. Point culminant : le pic d'Aneto, 3 404 m. ► le traité des **Pyrénées** entre la France et l'Espagne, en 1659, attribua le Roussillon à la France. ► les **Pyrénées-Atlantiques** [64]. Département français de la Région Nouvelle-Aquitaine. 7 644 km². 679 810 habitants. Chef-lieu : Pau. Chefs-lieux d'arrondissement : Bayonne, Oloron-Sainte-Marie. ► les **Hautes-Pyrénées** [65]. Département français de la Région Occitanie. 4 504 km². 229 191 habitants. Chef-lieu : Tarbes. Chefs-lieux d'arrondissement : Argelès-Gazost, Bagnères-de-Bigorre. ► les **Pyrénées-Orientales** [66]. Département français de la Région Occitanie. 4 145 km². 476 357 habitants. Chef-lieu : Perpignan. Chefs-lieux d'arrondissement : Céret, Prades.

**Pyrrhon** ▫ Philosophe grec (v. 365-275 avant J.-C.). Fondateur du scepticisme.

**Pyrrhus** ou **Pyrrhos** ▫ Roi d'Épire (v. 319-272 avant J.-C.). Vaincu par les Romains.

**Pythagore** ▫ Penseur et mathématicien grec (VI^e s. avant J.-C.). Son école fonda la réflexion, à la fois formelle et mystique, sur les nombres et l'espace, qui devint les mathématiques.

la **Pythie** ▫ mythol. grecque Prêtresse qui était l'oracle du temple d'Apollon à Delphes.

**Python** ▫ mythol. grecque Grand serpent, fils de Gaïa, tué par Apollon quand il se rendit à Delphes pour fonder un oracle.

# Q

**al-Qaida** (arabe «la base») ▫ Organisation terroriste islamiste créée en 1988 par Oussama Ben Laden. En 2007, création de l'AQMI (al-Qaida au Maghreb islamique) et, en 2009, de l'AQPA (al-Qaida en péninsule Arabique).

**Qandahār** → **Kandahar**

l'État du **Qatar** ▫ État d'Arabie, sur le golfe Persique. 11 437 km². 2,7 millions d'habitants. Capitale : Doha.

les **Qing** ou **Ts'ing** ▫ Dynastie mandchoue d'empereurs de Chine qui régna de 1644 à 1911.

**Qingdao** ▫ Port de Chine (Shangdong). 3,5 millions d'habitants.

**Qin Shi** Huangdi → **Shi** Huangdi

**Qiqihar** ▫ Ville de Chine (Heilongjiang). 1,3 million d'habitants.

**Qom** ou **Qum** ▫ Ville d'Iran. 1,2 million d'habitants. Ville sainte du chiisme.

Enguerrand **Quarton** ou **Charreton** ▫ Peintre français d'origine picarde, actif en Provence de 1444 à 1466.

Salvatore **Quasimodo** ▫ Poète italien (1901-1968). *La Terre incomparable.* Prix Nobel 1959.

le lac des **Quatre-Cantons** ▫ Lac de Suisse. 114 km².

le **Quattrocento** (italien : «quatre cents») ▫ Le XVᵉ siècle italien, en art.

le **Québec** ▫ Province du Canada. 1 542 056 km². 8,1 millions d'habitants. Capitale : Québec. Ville principale : Montréal. ► **Québec.** Capitale de la province du Québec, fondée en 1608 par Champlain. 531 902 habitants.

les **Quechuas** ▫ Population amérindienne d'Amérique du Sud.

le **Queensland** ▫ État du nord-est de l'Australie. 1 727 200 km². 5 millions d'habitants. Capitale : Brisbane.

Henri **Queffélec** ▫ Romancier français (1910-1992). *Un recteur de l'île de Sein* ► Son fils Yann **Queffélec** (né en 1949), romancier. *Les Noces barbares.*

Raymond **Queneau** ▫ Écrivain français (1903-1976), cofondateur de l'Oulipo. Son œuvre mêle la poésie, l'humour et les jeux de langage *(Zazie dans le métro ; Exercices de style).*

le **Quercy** ▫ Région du sud-ouest de la France (Lot, Tarn-et-Garonne).

**Quetzalcóatl** ▫ Divinité précolombienne du Mexique représentée comme un serpent à plumes.

**Quezon City** ▫ Ville des Philippines. 2,9 millions d'habitants. Capitale de 1948 à 1976.

Pascal **Quignard** ▫ Écrivain français (né en 1948). Essais érudits, *«Petits traités»,* récits *(Tous les matins du monde).*

**Quimper** ▫ Chef-lieu du Finistère. 63 166 habitants.

Philippe **Quinault** ▫ Auteur dramatique français (1635-1688). Il a écrit les livrets d'opéra de Lully.

Edgar **Quinet** ▫ Historien français (1803-1875). Il illustra, comme Michelet, une philosophie de l'histoire démocratique et laïque.

**Quinte-Curce** ▫ Historien latin (Iᵉʳ s.), auteur d'une *Histoire d'Alexandre.*

**Quintilien** ▫ Rhéteur latin (v. 30-v. 100). *Institution oratoire.*

le **Quirinal** ▫ Une des sept collines de Rome.

**Quito** ▫ Capitale de l'Équateur. 1,6 million d'habitants. Édifices de l'époque coloniale.

**Qum** → **Qom**

**Qumrān** ▫ Site archéologique de Palestine où l'on découvrit, entre 1947 et 1956, les *Manuscrits de la mer Morte.*

# R

**Râ** → **Rê**

**Rabat** ▫ Capitale du Maroc. 577 827 habitants.

Jean Rabe, dit Jean-Joseph **Rabearivelo** ▫ Poète malgache (1901-1937). Poèmes en malgache, en français et en espagnol, d'inspiration surréaliste. *Traduit de la nuit.*

François **Rabelais** ▫ Écrivain et humaniste français (v. 1483-1553). Humaniste, médecin, pacifiste, admirateur de l'Antiquité et d'une morale naturelle, il a illustré ses idées par des fictions comiques dans une langue incomparable de richesse et d'une créativité qui fit évoluer la langue française. *Pantagruel ; Gargantua ; Tiers Livre ; Quart Livre.*

Benjamin **Rabier** ▫ Dessinateur français (1864-1939). Histoires d'animaux en images.

Yitzhak **Rabin** ▫ Homme d'État israélien (1922-1995). Premier ministre (travailliste) de 1974 à 1977 et de 1992 à sa mort, assassiné par un extrémiste juif. Prix Nobel de la paix 1994, avec Y. Arafat et S. Peres.

**Rachel** ▫ Bible Femme de Jacob.

Sergueï **Rachmaninov** ▫ Compositeur et pianiste romantique russe (1873-1943).

Jean **Racine** ▫ Poète dramatique français (1639-1699). Le maître de la tragédie classique française, d'une grande qualité poétique : *Andromaque ; Britannicus ; Bérénice ; Bajazet ; Iphigénie en Aulide ; Phèdre ; Esther ; Athalie.*

Ann **Radcliffe** ▫ Romancière anglaise (1764-1823). L'un des modèles du «roman noir». *Les Mystères d'Udolphe.*

Alfred Reginald **Radcliffe-Brown** ▫ Anthropologue britannique (1881-1955). Études sur les populations des îles Andaman, de Polynésie et d'Australie. Fonctionnaliste, précurseur du structuralisme.

Raymond **Radiguet** ▫ Écrivain français (1903-1923). Très précoce, il écrivit deux romans d'une élégance adolescente et d'une profondeur adulte exceptionnelles, *Le Diable au corps* et *Le Bal du comte d'Orgel.*

**Radio France** ▫ Société française d'État créée en 1974, qui gère les stations de radio publiques.

la **RAF** *(Royal Air Force)* ▫ Force aérienne de l'armée britannique, créée en 1918.

**Raguse** → **Dubrovnik**

**Raimond** → **Raymond**

Ruggero **Raimondi** ▫ Chanteur (baryton-basse) italien (né en 1941).

Jules Muraire, dit **Raimu** ▫ Acteur français (1883-1946). Interprète de Pagnol. Il a marqué ses rôles de son naturel et de sa faconde.

le mont **Rainier** ▫ Volcan des États-Unis, au nord-ouest (État de Washington). 4 391 m.

**Rainier III** ▫ (1923-2005) Prince de Monaco de 1949 à sa mort.

Gilles de **Rais** ou **Retz** ▫ Maréchal de France (1404-1440), lieutenant de Jeanne d'Arc. Accusé de crimes sur des enfants, il fut exécuté.

le **Rajasthan** ▫ État du nord-ouest de l'Inde. 342 214 km$^2$. 81 millions d'habitants. Capitale : Jaipur.

**Rama** ou **Rāma** ▫ Personnage de la mythologie hindoue, avatar de Vishnou, héros du *Rāmāyana.*

**Ramallah** ▫ Ville de Cisjordanie. 27 500 habitants. Elle abrita le quartier général de Yasser Arafat. Siège de nombreuses instances palestiniennes.

sir Chandrasekhara Venkata **Raman** ▫ Physicien indien (1888-1970). Travaux sur la diffusion de la lumière. Prix Nobel 1930.

le **Rāmāyana** ▫ Poème épique sanskrit, racontant les aventures héroïques de Rama à la recherche de sa femme Sitā, enlevée par le démon Rāvana.

**Rambouillet** ▫ Chef-lieu d'arrondissement des Yvelines. 26 933 habitants. Forêt. Château.

Jean-Philippe **Rameau** ▫ Compositeur français (1683-1764). Théoricien de l'harmonie, il est l'auteur de *Pièces de clavecin en concert,* de tragédies lyriques *(Castor et Pollux)* et d'opéras-ballets *(Les Indes galantes),* au style novateur.

Santiago **Ramón y Cajal** ▫ Biologiste espagnol (1852-1934). Il établit la structure du système nerveux. Prix Nobel 1906.

sir William **Ramsay** ▫ Chimiste anglais (1852-1916). Il découvrit les gaz rares, dont l'hélium. Prix Nobel 1904.

**Ramsès** ▫ Nom de 11 pharaons d'Égypte. ► **Ramsès II,** pharaon de 1304 à sa mort en 1235 avant J.-C. Il combattit les Hittites. ► **Ramsès III** régna de 1198 à 1168 avant J.-C. Il défendit l'Empire contre plusieurs invasions.

Charles Ferdinand **Ramuz** ▫ Écrivain suisse d'expression française (1878-1947). Ses essais et romans illustrent une morale spiritualiste et un accord visionnaire avec la nature, dans un style simple et puissant. *La Grande Peur dans la montagne ; Derborence ; La Beauté sur la terre.*

**Ranavalona III** ▫ Dernière reine de Madagascar (1862-1917). Régnant depuis 1883, elle fut déposée par Gallieni (1897) et déportée à la Réunion, puis en Algérie.

la **Rance** ▫ Fleuve de Bretagne. 100 km.

Armand Jean Le Bouthellier de **Rancé** ▫ Religieux français (1626-1700). Réformateur de l'abbaye de la Trappe. Sa vie, écrite par Chateaubriand, contient une réflexion personnelle de l'écrivain.

**Rangoun** ou **Rangoon,** nom officiel **Yangon** ▫ Capitale commerciale et port de la Birmanie. 4,7 millions d'habitants. Pagode dorée de Schwedagon.

Otto **Rank** ▫ Psychiatre autrichien (1884-1939). L'un des premiers grands psychanalystes.

**Raoul** ou **Rodolphe de Bourgogne** ▫ Roi de France de 923 à sa mort en 936.

**Raphaël** ▫ Bible Archange.

Raffaello Sanzio, dit **Raphaël** ▫ Peintre italien de la Renaissance (1483-1520). Maîtrise du dessin et de la couleur, tout en grâce et harmonie. Décoration du palais de Jules II au Vatican *(Chambres de Raphaël).*

Megan **Rapinoe** ▫ Footballeuse américaine (née en 1985). Championne olympique (2012), championne du monde (2015 et 2019), ballon d'or 2019.

François-Vincent **Raspail** ▫ Chimiste et homme politique français (1794-1878).

Grigori **Raspoutine** ▫ Aventurier russe (v. 1872-1916). Il fut assassiné.

**Rastatt** anciennement *Rastadt* ▫ Ville d'Allemagne (Bade-Wurtemberg). 47 700 habitants. ► le **traité de Rastadt** mit fin à la guerre de Succession d'Espagne (1714).

**Ratisbonne,** en allemand *Regensburg* ▫ Ville d'Allemagne (Bavière). 125 700 habitants.

Robert **Rauschenberg** ▫ Peintre américain (1925-2008). Précurseur du pop art.

François **Ravaillac** ▫ Assassin d'Henri IV (1578-1610).

Maurice **Ravel** ▫ Compositeur français (1875-1937). Outre son célèbre *Boléro,* il a écrit des pièces pour piano *(Miroirs ; Concerto pour la main gauche),* pour orchestre *(La Valse),* des opéras *(L'Enfant et les Sortilèges)* et un ballet *(Daphnis et Chloé).*

**Ravenne** ▫ Ville d'Italie (Émilie-Romagne). 134 600 habitants. Mosaïques byzantines ; tombeau de Galla Placidia.

**Ravensbrück** ▫ Village d'Allemagne, au nord de Berlin. Camp de concentration nazi (dès 1934), essentiellement réservé aux femmes.

**Rawalpindi** ▫ Ville du Pakistan. 1,4 million d'habitants.

Man **Ray** → **Man Ray**

Nicholas **Ray** ▫ Réalisateur américain (1911-1979). *Johnny Guitare ; La Fureur de vivre.*

Satyajit **Ray** ▫ Réalisateur indien (1921-1992). *Pather Panchali ; Le Salon de musique.*

John William Strutt, lord **Rayleigh** ▫ Physicien anglais (1842-1919). Découverte de l'argon. Travaux sur la diffusion de la lumière. Sa loi de répartition spectrale est à l'origine de l'hypothèse des quanta par Max Planck. Prix Nobel 1904.

**Raymond** ou **Raimond** ▫ Nom de sept comtes de Toulouse, du XIe au XIIIe s. ► **Raymond VI** (1156-1222) fut excommunié par le pape Innocent III, qui déclencha contre lui la croisade des albigeois en 1208.

abbé Guillaume **Raynal** ▫ Historien et philosophe français (1713-1796). Son «*Histoire philosophique et politique*» des conquêtes des Européens est un réquisitoire anticolonialiste.

la pointe du **Raz** ▫ Cap breton à l'extrémité ouest du Finistère.

la **RDA** → la République fédérale d'**Allemagne**

la **RDC** → la République démocratique du **Congo**

l'île de **Ré** ▫ Île de Charente-Maritime.

**Rê** ou **Râ** ▫ mythol. égyptienne Dieu du Soleil.

Ronald **Reagan** ▫ Acteur et homme d'État américain (1911-2004). 40e président (républicain) des États-Unis, de 1981 à 1989.

René Antoine Ferchault de **Réaumur** ▫ Savant français, physicien et naturaliste (1683-1757). Il s'intéressa aux métaux et réalisa un thermomètre à alcool gradué de 0 à 80°.

**Rébecca** ▫ Bible Femme d'Isaac.

Madame **Récamier** ▫ Femme de lettres qui tint un salon littéraire sous la Restauration (1777-1849).

**Recife** ▫ Port du Brésil (Pernambouc). 1,5 million d'habitants.

Élisée **Reclus** ▫ Géographe français et théoricien de l'anarchisme (1830-1905).

la **Reconquista** ▫ «Reconquête» par les royaumes chrétiens des territoires occupés par les musulmans en Espagne (VIIIe s.-1492).

Charles Robert Redford Jr., dit Robert **Redford** ▫ Acteur et réalisateur américain (né en 1937). *Jeremiah Johnson ; L'Arnaque.* Créateur du festival du film indépendant de Sundance.

Odilon **Redon** ▫ Peintre français (1840-1916). Imagination fantastique et visionnaire.

sir Carol **Reed** ▫ Réalisateur britannique (1906-1976). *Le Troisième Homme.*

Hubert **Reeves** ▫ Astrophysicien canadien, québécois (né en 1932). *Poussières d'étoiles.*

la **Réforme** ▫ Mouvement de réforme de l'Église catholique, qui aboutit v. 1530 au protestantisme (→ **Luther, Calvin**) et provoqua la réaction de la Contre-Réforme.

la **Régence** ▫ Période correspondant au gouvernement de Philippe d'Orléans pendant la minorité de Louis XV (1715-1723).

Serge **Reggiani** ▫ Comédien et chanteur français d'origine italienne (1922-2004).

**Reggio di Calabria** ▫ Ville d'Italie, en Calabre, sur le détroit de Messine. 180 400 habitants.

**Regina** ▫ Ville du Canada, capitale de la Saskatchewan. 215 106 habitants.

Jean-François **Regnard** ▫ Écrivain et auteur dramatique français (1655-1709). *Le Légataire universel.*

Mathurin **Régnier** ▫ Poète français (1573-1613). *Satires.*

Henri de **Régnier** ▫ Poète et romancier français (1864-1936).

**Reich** n. m. (allemand «empire») ▫ Régimes politiques de l'Allemagne. ► le **Ier Reich** → **Saint Empire romain germanique** (962-1806). ► le **IIe Reich,** l'empire fondé par Bismarck (1871-1918). ► le **IIIe Reich,** l'Allemagne nazie de Hitler (1933-1945).

Wilhelm **Reich** ▫ Psychiatre et psychanalyste américain d'origine autrichienne (1897-1957). Théorie de la sexualité. *La Psychologie de masse du fascisme.*

Steve **Reich** ▫ Compositeur américain (né en 1936). L'un des inventeurs de la «musique répétitive».

**Reims** ▫ Chef-lieu d'arrondissement de la Marne. 182 211 habitants. Cathédrale gothique. Vins de Champagne.

Maximilien Goldmann, dit Max **Reinhardt** ▫ Metteur en scène autrichien de théâtre (1873-1943). Il renouvela la scénographie en Allemagne, puis émigra aux États-Unis (1933).

Jean-Baptiste, dit Django **Reinhardt** ▫ Guitariste de jazz français d'origine manouche (1910-1953).

Jean-Marc **Reiser** ▫ Dessinateur de presse français, auteur de bandes dessinées humoristiques (1941-1983).

les guerres de **Religion** ▫ Guerre civile qui opposa en France catholiques et protestants (1562-1598).

Erich Maria **Remarque** ▫ Romancier allemand naturalisé américain (1898-1970). *À l'Ouest, rien de nouveau.*

Rembrandt Harmenszoon van Rijn, dit **Rembrandt** ▫ Peintre et graveur hollandais (1606-1669). Il interprète le clair-obscur de manière très nouvelle, en fondant l'ombre et la lumière, se servant de celle-ci à des fins expressives et spirituelles. Tableaux religieux, portraits individuels et collectifs *(La Ronde de nuit)*, scènes réalistes *(Le Bœuf écorché, La Leçon d'anatomie)*, toujours avec une part de mystère. L'œuvre gravée est immense et magistrale.

saint **Remi** ▫ Évêque de Reims qui convertit Clovis (v. 437-v. 530).

**Remus** ▫ Dans la légende romaine, frère de Romulus qui le tua.

la **Renaissance** ▫ Vaste mouvement scientifique et culturel en Italie puis en Europe aux XVe et XVIe s., marqué, notamment, par un retour aux valeurs de l'Antiquité.

Ernest **Renan** ▫ Écrivain et philologue français (1823-1892). Spécialiste des langues sémitiques, il étudia les origines du christianisme, refléchit au statut de la science *(L'Avenir de la science)* et publia des souvenirs. La *Vie de Jésus.*

Jules **Renard** ▫ Écrivain français (1864-1910). Auteur de récits, de scènes pour le théâtre et d'un journal rempli de notations brèves et caustiques. *Poil de carotte.*

Madeleine **Renaud** ▫ Actrice française (1900-1994).

Théophraste **Renaudot** ▫ Médecin français (1586-1653). Il créa le premier journal français, *La Gazette de France* (1631).

Louis **Renault** ▫ Industriel français de l'automobile (1877-1944).

**René Ier le Bon,** dit **le bon roi René** ▫ Duc d'Anjou, comte de Provence, roi de Naples (1409-1480).

Guido **Reni,** dit le Guide ▫ Peintre italien de l'école bolonaise (1575-1642).

**Rennes** ▫ Chef-lieu de l'Ille-et-Vilaine et capitale de la Région Bretagne. 217 728 habitants. Édifices des XVIIe-XVIIIe s.

Auguste **Renoir** ▫ Peintre français (1841-1919). L'un des grands maîtres de l'impressionnisme. Il peignit de nombreux nus féminins, d'une facture sensuelle. ► Jean

**Renoir** (1894-1979), son fils. Cinéaste français. Style mêlant le réalisme et la poésie, l'humanisme et la critique sociale. *Partie de campagne ; La Règle du jeu ; La Grande Illusion.*

Ilia Iefimovitch **Repine** ▫ Peintre russe (1844-1930). Art réaliste, parfois social. Portraits.

**Reporters sans frontières** ▫ ONG internationale fondée en 1985 à Montpellier qui vise à soutenir et protéger les journalistes en zones difficiles et à lutter contre la censure.

La **République En marche !** ▫ Parti politique français fondé par E. Macron en 2016.

la **République française** ▫ Régime politique de la France. ► la **Première République** (1792-1804). → **Révolution française** et **Consulat.** ► la **Deuxième République** (1848-1852). ► la **Troisième République** (1870-1940). ► la **Quatrième République** (1944-1958). ► la **Cinquième République** (depuis 1958).

Alain **Resnais** ▫ Réalisateur français (1922-2014). Œuvre d'une grande hardiesse de forme qui a évolué vers la comédie de mœurs. *Hiroshima mon amour ; L'Année dernière à Marienbad ; Providence ; On connaît la chanson.*

Ottorino **Respighi** ▫ Compositeur italien (1879-1936). Œuvre orchestrale impressionniste.

la **Restauration** ▫ Période de l'histoire de France qui correspond aux règnes de Louis XVIII (1814-1824) et de Charles X (1824-1830).

**Restif de la Bretonne** ▫ Écrivain français (1734-1806). Sa liberté de pensée et de langage en fait un observateur exceptionnel des mœurs et des vices, à la fin du XVIII^e^ s. *Le Paysan perverti ou les Dangers de la ville.*

**Rethondes** ▫ Commune de l'Oise où furent signés les armistices de 1918 et de 1940. 644 habitants.

Gilles de **Retz** → **Rais**

Paul de Gondi, cardinal de **Retz** ▫ Prélat, homme politique et écrivain français (1613-1679). Un des principaux personnages de la Fronde. Ses *Mémoires* sont un modèle de style évocateur, vif et pénétrant.

La **Réunion,** anciennement *île Bourbon* [974] ▫ Île des Mascareignes formant une Région et un département français d'outre-mer. 2 512 km². 855 961 habitants. Chef-lieu : Saint-Denis. Chefs-lieux d'arrondissement : Saint-Benoît, Saint-Paul, Saint-Pierre.

**Reuters** ▫ Agence de presse mondiale créée à Londres en 1851 par Julius Reuter.

Pierre **Reverdy** ▫ Poète français (1889-1960). Méditation sur l'absolu et la vanité des apparences. Nombreux recueils (*Étoiles peintes, Plupart du temps, Chant des morts...*).

la **Révolution française** ▫ Période de l'histoire de France allant de la réunion des états généraux par Louis XVI au Consulat (1789-1799). Elle mit fin à la monarchie et à l'Ancien Régime.

la **révolution française de 1830** ▫ Insurrection des 27, 28 et 29 juillet 1830 à Paris (« les Trois Glorieuses »). Elle provoqua l'abdication de Charles X et permit l'avènement de Louis-Philippe.

la **révolution française de 1848** ▫ Insurrection des 22, 23 et 24 février 1848. Elle mit fin à la monarchie de Juillet et marqua le début de la II^e^ République. ► les **Révolutions de 1848,** mouvements libéraux et nationalistes qui éclatèrent en Europe en 1848.

la **révolution russe de 1905** ▫ Première révolution « démocratique bourgeoise » en Russie, qui échoua.

la **révolution russe de 1917** ▫ Mouvement révolutionnaire qui conduisit à l'abdication du tsar Nicolas II (révolution de Février) et à la prise du pouvoir par les bolcheviks (révolution d'Octobre).

Les **révolutions d'Angleterre** ▫ Guerres civiles au XVII^e^ s. La première (1642-1649) aboutit à la victoire de Cromwell et à l'exécution du roi Charles I^er^. La seconde (1688-1689) entraîna la chute de Jacques II et l'avènement d'une monarchie constitutionnelle (Guillaume III).

**Reykjavík** ▫ Capitale de l'Islande. 117 900 habitants.

Paul **Reynaud** ▫ Homme d'État français (1878-1966). Président du Conseil, il démissionna en juin 1940, laissant la place à Pétain ; il fut déporté en Allemagne (1941-1945).

sir Joshua **Reynolds** ▫ Peintre anglais (1723-1792). Portraitiste.

Yasmina **Reza** ▫ Écrivaine française (née en 1959). Ses pièces, souvent ironiques, parfois violentes, dénoncent l'hypocrisie des relations humaines. *Art ; Babylone.*

la **RFA** → la République fédérale d'**Allemagne**

**Rhadamante** ▫ Héros crétois de la mythologie, devenu l'un des trois juges des Enfers.

la **Rhénanie** ▫ Région d'Allemagne située le long du Rhin. ► la **Rhénanie-du-Nord-Westphalie.** Land d'Allemagne. 34 072 km². 17,9 millions d'habitants. Capitale : Düsseldorf. ► la **Rhénanie-Palatinat.** Land d'Allemagne. 19 848 km². 6,1 millions d'habitants. Capitale : Mayence.

le **Rhin** ▫ Fleuve d'Europe. Né dans les Alpes suisses, il se jette dans la mer du Nord. 1 320 km. ► le **Bas-Rhin** [67]. Département français de la Région Grand Est. 4 786 km². 1,13 million d'habitants. Chef-lieu : Strasbourg. Chef-lieu d'arrondissement : Haguenau, Molsheim, Saverne, Sélestat. ► le **Haut-Rhin** [68]. Département français de la Région Grand Est. 3 522 km². 764 981 habitants. Chef-lieu : Colmar. Chefs-lieux d'arrondissement : Altkirch, Mulhouse, Thann.

le **Rhode Island** ▫ État du nord-est des États-Unis. 3 233 km². 1 million d'habitants. Capitale : Providence.

Cecil **Rhodes** ▫ Administrateur colonial et homme d'affaires britannique (1853-1902). Il laissa son nom à la *Rhodésie*.

**Rhodes** ▫ Île grecque de la mer Égée (Dodécanèse). 1 398 km². 100 000 habitants. Le *colosse de Rhodes*, statue d'Hélios, était une des Sept Merveilles du monde.

la **Rhodésie** ▫ Région de l'Afrique orientale, dans le bassin du Zambèze. Après la période coloniale, elle fut divisée en États indépendants. → **Malawi, Zambie, Zimbabwe.**

le **Rhône** ▫ Fleuve de France et de Suisse. 812 km. Il prend sa source dans le Valais et se jette dans la Méditerranée. Vignobles sur les coteaux de la vallée : les *côtes du Rhône*. ► le **Rhône** [69]. Département français de la Région Auvergne-Rhône-Alpes. 3 303 km². 1,86 million d'habitants. Chef-lieu : Lyon. Chef-lieu d'arrondissement : Villefranche-sur-Saône. ► **Rhône-Alpes.** Anc. région administrative du sud-est de la France.

Ella Gwendoleen Rees Williams, dite Jean **Rhys** ▫ Romancière britannique (1894-1979). Nouvelles féministes et cosmopolites. *La Prisonnière des Sargasses.*

Joachim von **Ribbentrop** ▫ Homme politique allemand (1893-1946). Ministre des Affaires étrangères de Hitler, il fit signer le pacte germano-soviétique d'août 1939. Condamné à mort par le tribunal de Nuremberg.

José de **Ribera** ▫ Peintre baroque espagnol (1591-1652). Tableaux d'un puissant style réaliste. *Le Pied bot.* Grandes compositions religieuses.

David **Ricardo** ▫ Financier et économiste britannique (1772-1823).

Rudy **Ricciotti** ▫ Architecte français (né en 1952). Il a construit plusieurs musées dont le Musée des Civilisations d'Europe et de Méditerranée à Marseille (MuCEM).

**Richard** ▫ Nom de trois rois d'Angleterre. ► **Richard Ier Cœur de Lion.** Roi de 1189 à sa mort (1157-1199). Il se distingua à la troisième croisade et combattit contre Philippe Auguste. ► **Richard II.** Roi de 1377 à 1399 (1367-1400). ► **Richard III.** Roi de 1483 à sa mort (1452-1485). Vaincu et tué par Henri VII Tudor. Sa vie criminelle inspira Shakespeare.

Samuel **Richardson** ▫ Écrivain anglais (1689-1761). Romans sentimentaux et pathétiques. *Clarisse Harlowe.*

Tony **Richardson** ▫ Réalisateur britannique (1928-1991). *La Solitude du coureur de fond ; Tom Jones.*

Armand Jean du Plessis, cardinal de **Richelieu** ▫ Prélat et homme d'État français (1585-1642). Ministre de Louis XIII de 1624 à sa mort. Il réduisit les oppositions au pouvoir royal (protestants, grande noblesse) et mena une politique extérieure offensive (guerre de Trente Ans). Il créa l'Académie française en 1635.

Jean **Richepin** ▫ Poète et romancier français (1849-1926). *La Chanson des gueux.*

Ligier **Richier** ▫ Sculpteur français (v. 1500-1567). Son inspiration réaliste et mystique le conduit parfois à des sujets macabres, d'une grande perfection formelle.

Germaine **Richier** ▫ Sculptrice française (1904-1959). Ses œuvres métamorphosent animaux et humains par des altérations effrayantes : *L'Orage, L'Ouragan, L'Ogre, Le Griffu...*

Johann Paul Friedrich **Richter,** dit Jean Paul ▫ Romancier allemand (1763-1825). Instaurateur du romantisme dans le roman.

Hans **Richter** ▫ Peintre et cinéaste américain d'origine allemande (1888-1976). Peintre dada, cinéaste abstrait et surréaliste. Il collabora avec Marcel Duchamp, Max Ernst.

Charles Francis **Richter** ▫ Sismologue américain (1900-1985). *L'échelle de Richter* mesure la magnitude des séismes.

Sviatoslav Teofilovitch **Richter** ▫ Pianiste russe (1915-1997). Interprète exceptionnel de Schumann, Bach, Haydn, Beethoven.

Paul **Ricœur** ▫ Philosophe français (1913-2005). Penseur chrétien, il propose une philosophie de l'interprétation, attentive aux problèmes moraux, sociaux et politiques.

Louis **Riel** ▫ Homme politique canadien (1844-1885). Organisateur des révoltes des Métis dans l'Ouest.

Bernhard **Riemann** ▫ Mathématicien allemand (1826-1866). Il a fondé une géométrie non euclidienne.

le **Rif** ▫ Région septentrionale du Maroc.

le **rift** (anglais «faille») ▫ Longue dépression constituée de fossés d'effondrement traversant l'Afrique orientale.

**Riga** ▫ Capitale et port de la Lettonie, sur la Baltique. 764 300 habitants.

Hyacinthe **Rigaud** ▫ Peintre français (1659-1743). Portraits de cour.

**Rijeka,** en italien *Fiume* ▫ Port de Croatie. 128 624 habitants.

Rainer Maria **Rilke** ▫ Écrivain autrichien (1875-1926). Poète de l'angoisse et de l'effort sur soi-même, il a publié *Les Cahiers de Malte Laurids Brigge,* les *Élégies de Duino* et des *Sonnets à Orphée*. Il traduisit Valéry en allemand, et écrivit des poèmes en français.

Arthur **Rimbaud** ▫ Poète français (1854-1891). Génie précoce, adolescent révolté et visionnaire, il écrivit des poèmes en vers (tel *Le Bateau ivre*) et en prose *(Une saison en enfer ; Les Illuminations)*. Après 19 ans, il cessa d'écrire, pour mener une vie d'aventurier.

Nikolaï **Rimski-Korsakov** ▫ Compositeur russe (1844-1908). Grand maître de l'orchestration, il a composé des œuvres symphoniques *(Schéhérazade ; La Grande Pâque russe)*, et des opéras *(La Fiancée du tsar)*.

Teddy **Riner** ▫ Judoka français (né en 1989). Dix titres mondiaux de 2007 à 2017 dans la catégorie poids lourds, médaille d'or aux jeux Olympiques de 2012 et de 2016.

**Rio de Janeiro** ▫ Port du Brésil. 6,3 millions d'habitants (agglomération 11,9 millions). Site exceptionnel (Corcovado, Pain de Sucre). Célèbre carnaval. ► État du Brésil. 43 600 km$^2$. 16 millions d'habitants.

le **Rio Grande** ou **Río Bravo** ▫ Fleuve d'Amérique du Nord qui forme la frontière entre les États-Unis et le Mexique. 2 896 km.

La **Rioja** ▫ Région et communauté autonome d'Espagne. 321 171 habitants. Viticulture.

Jean Paul **Riopelle** ▫ Peintre et sculpteur québécois (1923-2002). Abstraction lyrique.

le **Risorgimento** ▫ Mouvement patriotique d'indépendance et d'unification de l'Italie au XIX$^e$ s.

Yannis **Ritsos** ▫ Poète grec (1909-1990).

le comte de **Rivarol** ▫ Écrivain français, polémiste royaliste (1753-1801).

Diego **Rivera** ▫ Peintre mexicain (1886-1957). Grandes décorations murales.

Jacques **Rivette** ▫ Réalisateur français (1928-2016). *Céline et Julie vont en bateau ; La Belle Noiseuse.*

la **Riviera** ▫ Littoral méditerranéen, du Var à La Spezia, après Gênes (Ligurie).

**Rivoli** ▫ Localité d'Italie. Bonaparte y battit les Autrichiens en 1797.

**Riyad** ▫ Capitale de l'Arabie saoudite, dans une oasis. 5,1 millions d'habitants.

**Rizā Shāh** ▫ Souverain (shah) d'Iran (1878-1944). Militaire (cosaque), il prit le pouvoir à la suite d'un coup d'État (1921), se faisant couronner en 1925. Son fils, Muḥammad* Rizā Shāh, lui succéda.

Alain **Robbe-Grillet** ▫ Écrivain et réalisateur français, chef de file du nouveau roman (1922-2008). *Le Voyeur ; La Jalousie ; La Reprise.* Scénariste de *L'Année dernière à Marienbad*, de Resnais.

**Robert** ▫ Nom de plusieurs rois d'Écosse, aux XIV$^e$ et XV$^e$ s. ► **Robert I$^{er}$ Bruce,** roi d'Écosse de 1306 à 1329.

**Robert** ▫ Nom de plusieurs rois de France. ► **Robert I$^{er}$** (mort en 923). ► **Robert II le Pieux** (v. 972-1031) Fils d'Hugues Capet, roi de France de 996 à sa mort.

Hubert **Robert** ▫ Peintre français (1733-1808). Peinture de ruines.

Jean Eugène **Robert-Houdin** ▫ Prestidigitateur français (1805-1871). Il créa des automates.

Gilles Personne de **Roberval** ▫ Mathématicien et physicien français (1602-1675). Il mit au point une balance.

Maximilien de **Robespierre** ▫ Révolutionnaire français (1758-1794). Chef des Montagnards, membre du Comité de salut public, il imposa la Terreur. Renversé le 9 Thermidor, il fut guillotiné.

**Robin des Bois** ▫ Héros légendaire saxon inspiré d'un personnage historique (v. 1160-v. 1247).

Emmanuel Goldenberg, dit Edward G. **Robinson** ▫ Acteur américain de cinéma (1893-1973). Il incarna avec puissance des gangsters.

Walter Smith, dit Ray Sugar **Robinson** ▫ Champion de boxe américain (1920-1989).

Michel **Rocard** ▫ Homme d'État (socialiste) français (1930-2016). Premier ministre de 1988 à 1991.

le comte de **Rochambeau** ▫ Maréchal de France (1725-1807). Commandant des troupes françaises durant la guerre d'Indépendance américaine.

La **Rochelle** ▫ Chef-lieu et port de la Charente-Maritime. 76 114 habitants.

La **Roche-sur-Yon** ▫ Chef-lieu de la Vendée. 54 766 habitants.

les montagnes **Rocheuses** ▫ Chaîne montagneuse de l'ouest de l'Amérique du Nord.

John Davison **Rockefeller** ▫ Industriel et philanthrope américain (1839-1937).

**Rocroi** ▫ Commune des Ardennes. 2 307 habitants. Condé y écrasa les Espagnols en 1643.

Aleksandr Mikhaïlovitch **Rodchenko** ▫ Peintre et sculpteur russe (1891-1957), représentant du constructivisme. Il dut se plier aux normes de l'art soviétique et se consacrer aux arts appliqués.

Georges **Rodenbach** ▫ Poète belge d'expression française (1855-1898). Il publia des recueils de vers rêveurs *(Le Règne du silence, Les Vies encloses)* et deux romans, évocateurs délicats de la Flandre belge : *Bruges-la-Morte* et *Le Carillonneur.*

**Rodez** ▫ Chef-lieu de l'Aveyron. 24 319 habitants.

**Auguste Rodin** ▫ Sculpteur français (1840-1917). Il donna aux figures humaines une expressivité d'une grande vigueur. *Les Bourgeois de Calais ; Balzac ; Le Penseur.*

le lac **Rodolphe** → **Turkana**

**Rodolphe Ier de Habsbourg** ▫ Empereur germanique de 1273 à sa mort (1218-1291). Fondateur de la puissance des Habsbourg.

Virginia McMath, dite Ginger **Rogers** ▫ Actrice américaine (1911-1995). Danseuse, partenaire de Fred Astaire.

sir Richard **Rogers** ▫ Architecte britannique (né en 1933). Centre Pompidou (avec R. Piano) à Paris, Millennium Dome à Londres.

Édouard, prince de **Rohan** ▫ Cardinal français (1734-1803), compromis dans l'affaire du Collier de la reine (1785-1786).

les **Rohingyas** ▫ Peuple musulman vivant à l'ouest de la Birmanie.

Maurice Schérer, dit Éric **Rohmer** ▫ Cinéaste et critique français (1920-2010). Films intellectuels et élégants, souvent en séries : « contes moraux », « comédies et proverbes », etc.

**Roissy-en-France** ▫ Commune du Val-d'Oise. 2 858 habitants. Aéroport Paris-Charles-de-Gaulle.

**Roland** ▫ Compagnon légendaire de Charlemagne, et son neveu. Héros de *La Chanson de Roland* (XIe s.).

**Roland-Garros** ▫ Stade parisien où se déroule chaque année un tournoi de tennis sur terre battue.

Romain **Rolland** ▫ Écrivain français (1866-1944). Pacifiste *(Au-dessus de la mêlée)*, il exprima son humanisme et son amour de la musique dans deux cycles de romans, *Jean-Christophe* et *L'Âme enchantée.* Prix Nobel 1915.

les **Rolling Stones** ▫ Groupe britannique de musique pop, formé en 1962, avec le chanteur Mick Jagger.

**Rollon** ▫ Chef viking (vers 860-vers 993), premier duc de Normandie. Le roi Charles III le Simple lui céda un territoire autour de Rouen en 911.

la **Romagne** → **Émilie**

Jules **Romain** → **Jules Romain**

Louis Farigoule, dit Jules **Romains** ▫ Écrivain français (1885-1972). Poète unanimiste, conteur romancier, auteur dramatique *(Knock). Les Hommes de bonne volonté,* cycle romanesque.

les **Romanches** ▫ Population de Suisse (Grisons) parlant le *romanche.*

les **Romanov** ▫ Famille qui régna sur la Russie de 1613 à 1917.

**Rome** ▫ Capitale de l'Italie sur le Tibre, capitale spirituelle de l'Église catholique avec la résidence du pape au Vatican. 2,55 millions d'habitants. Fondée selon la légende par Romulus en 753 avant J.-C., Rome fut la capitale de l'Empire romain. Nombreux monuments antiques (Colisée, Forum, colonne Trajane), de la Renaissance et baroques. ► le traité de **Rome,** signé le 25 mars 1957, est l'acte de naissance de la CEE.

**Roméo et Juliette** ▫ Couple d'amoureux légendaire qui a inspiré Shakespeare et Gounod.

Erwin **Rommel** ▫ Maréchal allemand (1891-1944). Commandant de l'Afrikakorps.

**Romulus** ▫ Fondateur légendaire et premier roi de Rome (VIIIe s. avant J.-C.). Il tua son frère Rémus.

le col de **Roncevaux** ▫ Col des Pyrénées espagnoles où Roland fut tué par des montagnards basques en 778.

**Ronchamp** ▫ Commune de Haute-Saône. 2 743 habitants. Chapelle construite par Le Corbusier.

Willy **Ronis** ▫ Photographe français (1910-2009). Photographie humaniste du Paris pittoresque, dans des images très construites.

Pierre de **Ronsard** ▫ Poète français (1524-1585). Chef de file de la Pléiade, considéré en son temps comme le « prince des poètes ». *Odes ;* les *Amours ; Hymnes ; Discours ; La Franciade.*

Wilhelm Conrad **Röntgen** ▫ Physicien allemand (1845-1923). Il découvrit les rayons X en 1895. Prix Nobel 1901.

Theodore **Roosevelt** ▫ (1858-1919) 26e président (républicain) des États-Unis de 1901 à 1909. Prix Nobel de la paix 1906.

Franklin Delano **Roosevelt** ▫ (1882-1945) 32e président (démocrate) des États-Unis de 1933 à sa mort. Il mit en œuvre le New Deal.

Félicien **Rops** ▫ Peintre et graveur belge (1833-1898).

Hermann **Rorschach** ▫ Neurologue et psychiatre suisse (1884-1922). Il imagina un test projectif fondé sur l'interprétation de taches symétriques.

**Rosario** ▫ Port d'Argentine sur le Paraná. 1,1 million d'habitants.

le Mont-**Rose** ▫ Massif des Alpes. 4 634 m.

Alfred **Rosenberg** ▫ Théoricien allemand du nazisme et du racisme (1893-1946). Condamné à mort par le tribunal de Nuremberg et pendu.

la pierre de **Rosette** ▫ Pierre gravée en égyptien et en grec qui permit à Champollion de déchiffrer les hiéroglyphes.

Francesco **Rosi** ▫ Réalisateur italien (1922-2015). Films de critique sociale en forme d'enquêtes. *Oublier Palerme.*

**Rosny** [ʀɔni] ▫ Nom de deux écrivains français, frères, Joseph Henri dit **Rosny aîné** (1856-1940) et Séraphin Justin dit **Rosny jeune** (1859-1948), auteurs de romans sociaux et de *La Guerre du feu*, évocation préhistorique.

Roberto **Rossellini** ▫ Réalisateur italien (1906-1977). Maître du néoréalisme, auquel il joint une spiritualité et un humanisme sensibles. *Rome, ville ouverte ; Païsa ; Onze Fioretti de François d'Assise.*

Dante Gabriel **Rossetti** ▫ Peintre et poète préraphaélite anglais (1828-1882).

Gioacchino **Rossini** ▫ Compositeur italien (1792-1868). Opéras alertes et spirituels *(Le Barbier de Séville ; Guillaume Tell).*

le **Rosso** ou **Rosso Fiorentino** ▫ Peintre italien de la Renaissance (1494-1540).

Edmond **Rostand** ▫ Auteur dramatique français (1868-1918). Virtuose de l'alexandrin, notamment dans sa «comédie héroïque», *Cyrano de Bergerac.*

Jean **Rostand** ▫ Biologiste et essayiste français, fils d'Edmond (1894-1977). Chercheur (parthénogenèse), vulgarisateur. Philosophie matérialiste.

**Rostov-sur-le-Don** ▫ Ville de Russie sur le Don. 1 million d'habitants.

Mstislav **Rostropovitch** ▫ Violoncelliste russe naturalisé suisse (1927-2007).

Joseph **Roth** ▫ Écrivain autrichien (1894-1939). *La Marche de Radetzky.*

Philip **Roth** ▫ Romancier américain (1933-2018). Romans satiriques des préjugés américains et de la famille juive américaine. *Portnoy et son complexe ; La Tache ; Un homme.*

Mark **Rothko** ▫ Peintre abstrait américain d'origine russe (1903-1970). Œuvres aux contours indécis, invitant à la méditation.

les **Rothschild** ▫ Famille de banquiers européens (France, Allemagne, Angleterre), originaire de Francfort.

**Rotterdam** ▫ Ville des Pays-Bas (Hollande-Méridionale). Un des plus grands ports du monde. 584 000 habitants.

Georges **Rouault** ▫ Peintre français (1871-1958). Œuvres puissantes, influencées par Rembrandt et l'expressionnisme, transmettant par des figures douloureuses un message humain religieux. *Miserere ; La Sainte Face.*

**Roubaix** ▫ Ville du Nord. 98 089 habitants.

Jacques **Roubaud** ▫ Écrivain français (né en 1932). Mathématicien de formation, membre de l'Oulipo, il est l'auteur de jeux poétiques formels. *Quelque chose noir.*

Andreï **Roublev** ▫ Peintre et moine orthodoxe russe (v.1360-v.1430). Auteur d'icônes. La *Trinité.*

Jean **Rouch** ▫ Ethnologue et réalisateur français (1917-2004). Films sur l'Afrique.

**Rouen** ▫ Chef-lieu de la Seine-Maritime et capitale de la Région Normandie. 111 360 habitants. Nombreux monuments gothiques.

le **Rouergue** ▫ Région du sud de la France (Aveyron).

la mer **Rouge** ▫ Mer du Proche-Orient entre l'Arabie et l'Afrique.

Claude **Rouget de Lisle** ▫ Officier français (1760-1836). Auteur de *La Marseillaise.*

Jacques **Roumain** ▫ Écrivain de langue française et homme politique haïtien (1907-1944). Militant nationaliste et marxiste. *Gouverneurs de la rosée.*

la **Roumanie** ▫ État du sud-est de l'Europe. 237 500 km$^2$. 20 millions d'habitants. Capitale : Bucarest.

Jean-Jacques **Rousseau** ▫ Écrivain et philosophe, citoyen de Genève (1712-1778). Comme penseur de la société, sa doctrine du «contrat social» eut une grande influence ; en pédagogie l'*Émile* est un texte essentiel. Mais c'est l'écrivain sensible et sincère des *Confessions*, des *Rêveries d'un promeneur solitaire* qui domine dans sa réputation.

Henri Rousseau, dit **le Douanier Rousseau** ▫ Peintre français (1844-1910). Classé parmi les «naïfs», ce fut un inventeur d'images poétiques et exotiques, servies par une composition solide et de grands dons de coloriste. *Le Rêve ; La Guerre,* allégorie.

Ker Xavier **Roussel** ▫ Peintre français (1867-1944). Il fut proche de Vuillard.

Albert **Roussel** ▫ Compositeur français (1869-1937). Alliant la modernité rythmique et harmonique aux influences du contrepoint, il atteint dans ses symphonies, ses ballets *(Le Festin de l'araignée, Bacchus et Ariane)*, sa musique de chambre, une force expressive et un dynamisme puissant.

Raymond **Roussel** ▫ Écrivain français (1877-1933). Ses récits exploitent systématiquement les identités et les ressemblances formelles entre mots. *Impressions d'Afrique.*

le **Roussillon** ▫ Province historique du sud de la France (correspond en partie au département des Pyrénées-Orientales).

Émile **Roux** ▫ Bactériologiste français (1853-1933), proche collaborateur de Pasteur. Vaccin antidiphtérique.

Henry Augustus **Rowland** ▫ Physicien américain (1848-1901). Travaux sur l'électromagnétisme et la diffraction.

Joanne Kathleen **Rowling** ▫ Romancière britannique (née en 1965). Elle obtint un succès mondial avec les aventures du jeune Harry Potter (8 volumes).

Gabrielle **Roy** ▫ Romancière canadienne d'expression française (1909-1983). Récits soucieux de réalisme social. *Bonheur d'occasion ; La Rivière sans repos.*

Claude **Roy** ▫ Écrivain français (1915-1997). Poèmes, chroniques, essais, ouvrages autobiographiques.

le **Royaume-Uni,** en anglais *United Kingdom* → **Grande-Bretagne**

**Royaumont** ▫ Ancienne abbaye cistercienne, dans le Val-d'Oise.

le **Ruanda** → **Rwanda**

Carlo **Rubbia** ▫ Physicien italien (né en 1934). Physique des particules. Prix Nobel 1984 (avec Simon Van der Meer).

Pierre Paul **Rubens** ▫ Peintre flamand (1577-1640). Derrière l'opulence des formes, des chairs féminines, son art s'exprime par le dynamisme et la force des compositions.

le **Rubicon** ▫ Rivière séparant l'Italie de la Gaule cisalpine, que César franchit (50 avant J.-C.) malgré l'interdiction du Sénat.

Artur **Rubinstein** ▫ Pianiste polonais, puis américain (1887-1982). Grand virtuose, il interpréta notamment Chopin.

François **Rude** ▫ Sculpteur français (1784-1855). Compositions mouvementées et expressives, notamment le bas-relief de l'Arc de Triomphe appelé *La Marseillaise*.

la **Ruhr** ▫ Région d'Allemagne (Rhénanie-du Nord-Westphalie), qui doit son nom à la rivière qui la traverse. Grand bassin houiller et industriel.

Jacob Van **Ruisdael** ou **Ruysdael** ▫ Peintre paysagiste hollandais (v. 1628-1682).

Benjamin Thompson, comte **Rumford** ▫ Physicien américain (1753-1814). Il établit la correspondance entre chaleur et travail mécanique.

**Rungis** ▫ Ville du Val-de-Marne. Marché d'intérêt national depuis 1969. 5 705 habitants.

Salman **Rushdie** ▫ Écrivain britannique d'origine indienne (né en 1947). Musulman non conformiste, il fut condamné par une fatwa de l'ayatollah Khomeini pour les *Versets sataniques*.

le mont **Rushmore** ▫ Site des États-Unis (Dakota du Sud). Les visages des présidents Washington, Jefferson, Lincoln et Theodore Roosevelt y sont sculptés (par G. Borglum) sur 18 m de hauteur.

Ernest **Ruska** ▫ Physicien allemand (1906-1988). Inventeur du microscope électronique. Prix Nobel 1986.

John **Ruskin** ▫ Critique d'art et sociologue britannique (1819-1900). *Les Sept Lampes de l'architecture ; L'Économie politique de l'art.*

Bertrand **Russell** ▫ Mathématicien, logicien et philosophe britannique (1872-1970). *Principia Mathematica,* rédigés avec Whitehead. Auteur de travaux sur la logique, le langage et la sémantique, la psychologie. Antireligieux, antimilitariste, démocrate, il s'engagea contre la guerre du Viêtnam. Prix Nobel 1950.

Henry Norris **Russell** ▫ Astronome américain (1877-1957). Travaux sur les étoiles, notamment avec Hertzsprung *(diagramme d'Hertzsprung-Russell).*

la **Russie** ▫ État fédéral d'Europe et d'Asie. 17 075 400 km². 146,8 millions d'habitants. Capitale : Moscou.

**Rutebeuf** ▫ Trouvère français (XIIIe s.). Un des premiers poètes, en France, à pratiquer une poésie personnelle sincère, dans un langage riche et sensible. *La Pauvreté Rutebeuf.*

**Ruth** ▫ Bible Femme de Booz.

Ernest **Rutherford** ▫ Physicien anglais (1871-1937). Pionnier de la physique nucléaire. Prix Nobel 1908.

**Ruysdael** → **Ruisdael**

le **Rwanda** ou **Ruanda** ▫ État d'Afrique centrale. 26 338 km². 12,2 millions d'habitants. Capitale : Kigali.

les îles **Ryūkyū** ▫ Archipel japonais, à l'extrême sud du pays, comprenant Okinawa. 2 246 km². Environ 1,5 million d'habitants.

# S

**SA** (allemand *Sturmabteilung* «section d'assaut») ▫ Formation paramilitaire du parti nazi fondée en 1921. Ses chefs furent éliminés en 1934 par Hitler («Nuit des longs couteaux»).

Eero **Saarinen** ▫ Architecte américain, d'origine finlandaise (1910-1961). Gateway Arch à Saint Louis (Missouri).

**Saba** ▫ Royaume de l'Antiquité, situé en Arabie. ► la reine de **Saba,** personnage de la Bible qui aurait rendu visite à Salomon.

le **Sabah** ▫ État de la Malaisie orientale. 73 620 km². 2,45 millions d'habitants. Capitale : Kota Kinabalu.

Paul **Sabatier** ▫ Chimiste français (1834-1941). Travaux sur la catalyse. Prix Nobel 1912.

Ernesto **Sábato** ▫ Romancier et essayiste argentin (1911-2011). *L'Ange des ténèbres.*

les **Sabins** ▫ Ancien peuple de l'Italie centrale.

Nicolas **Sacco** et Bartolomeo **Vanzetti** ▫ Militants anarchistes italo-américains condamnés et exécutés en 1927 pour un crime dont ils étaient innocents.

Leopold von **Sacher-Masoch** ▫ Écrivain autrichien (1836-1895). Son œuvre décrit une forme cruelle et perverse de l'amour, dominée par la volupté et la souffrance *(La Vénus à la fourrure).*

Anouar al-**Sadate** ▫ Homme d'État égyptien (1918-1981). Président de la République de 1970 à son assassinat. Prix Nobel de la paix 1978, avec M. Begin.

Donatien Alphonse François, comte de Sade, dit le marquis de **Sade** ▫ Écrivain français (1740-1814). Menant une vie scandaleuse qui le conduisit à la prison, il est l'auteur d'œuvres à la fois philosophiques, exprimant un matérialisme absolu, et d'un érotisme cruel (d'où le mot de *sadisme*). *Justine et les Malheurs de la vertu ; Juliette ou les Prospérités du vice ; La Philosophie dans le boudoir ; Les Cent vingt journées de Sodome.*

**Sa'di** ou **Saadi** ▫ Poète persan (v. 1200-v. 1291).

**Sadowa** ou **Sadová** ▫ Localité de Bohême. Victoire remportée par les Prussiens sur les Autrichiens (1866).

les **Safavides** ou **Séfévides** ▫ Dynastie arabe qui régna sur la Perse de 1501 à 1736.

Françoise Quoirez, dite Françoise **Sagan** ▫ Romancière française (1935-2004). *Bonjour tristesse ; La Chamade.*

le Livre de la **Sagesse** ▫ Livre de la Bible, écrit en grec au Ier s. avant J.-C.

**Saguenay** ▫ Ville du Canada (Québec), sur la rivière du même nom, près du lac Saint-Jean. 145 949 habitants.

le **Sahara** ▫ Le plus vaste désert du monde, situé dans le nord de l'Afrique. 8 millions de km². ► le **Sahara occidental,** anc. province espagnole annexée par le Maroc.

le **Sahel** ▫ Territoire de transition entre le Sahara et la savane.

**Saïda** → **Sidon**

**Saigon** → **Hồ Chí Minh-Ville**

Marc-Antoine Girard de **Saint-Amant** ▫ Poète baroque français (1594-1661).

la **Saint-Barthélemy** ▫ Massacre de protestants sur l'ordre de Charles IX, déclenché à Paris le 24 août 1572.

**Saint-Barthélemy** ▫ Île des Antilles françaises constituant une collectivité d'outre-mer. 10 124 habitants.

le Grand-**Saint-Bernard** ▫ Col des Alpes, entre la Suisse et l'Italie. 2 473 m. Il fut franchi par Bonaparte en 1800. ► le Petit-**Saint-Bernard,** col des Alpes, entre la France et l'Italie. 2 188 m.

**Saint-Brieuc** ▫ Chef-lieu des Côtes-d'Armor. 44 170 habitants.

**Saint-Christophe-et-Niévès** → **Saint-Kitts-et-Nevis**

**Saint-Cyr Coëtquidan** ▫ Ensemble d'écoles militaires installées depuis 1945 au camp de Coëtquidan (Morbihan).

**Saint-Denis** ▫ Chef-lieu de La Réunion. 150 535 habitants.

**Saint-Denis** ▫ Chef-lieu d'arrondissement de la Seine-Saint-Denis. 112 091 habitants. Basilique du XIIe s. (nécropole royale).

Ruth Dennis, dite Ruth **Saint Denis** ▫ Danseuse et chorégraphe américaine (v. 1877-1968). Pionnière de la «modern dance» aux États-Unis.

**Saint-Domingue** ▫ Capitale de la République dominicaine. 2 170 000 habitants.

Charles Augustin **Sainte-Beuve** ▫ Écrivain et critique français (1804-1869). Auteur de poésies intimistes et d'un roman, *Volupté*, il se consacra ensuite à la critique et à l'histoire littéraire (*Port-Royal ; Chateaubriand et son groupe littéraire ;* articles réunis dans les *Causeries du lundi* et les *Nouveaux lundis*).

**Sainte-Hélène** ▫ Île britannique de l'Atlantique. Napoléon Ier y fut déporté par les Anglais de 1815 à sa mort.

**Sainte-Lucie** ▫ Île et État des Antilles. 616 km$^2$. 165 500 habitants. Capitale : Castries.

le **Saint Empire romain germanique** ▫ Empire fondé par Othon Ier en 962. Il fut dissous en 1806 par Napoléon Ier.

les **Saintes** ▫ Îles des Antilles, entre la Guadeloupe et la Dominique. 3 000 habitants.

Les **Saintes-Maries-de-la-Mer** ▫ Commune des Bouches-du-Rhône, en Camargue. 2 157 habitants. Pèlerinage des gens du voyage.

**Sainte-Sophie** ▫ Ancienne basilique de Constantinople érigée au VIe s., transformée en musée, puis en mosquée.

**Saint-Étienne** ▫ Chef-lieu de la Loire. 173 089 habitants.

la montagne **Sainte-Victoire** ▫ Massif à l'est d'Aix-en-Provence, que Cézanne aimait peindre. 1 010 m.

Charles de **Saint-Évremond** ▫ Moraliste et critique français (v. 1615-1703).

Antoine de **Saint-Exupéry** ▫ Écrivain français (1900-1944). Il évoque avec force et justesse son expérience d'aviateur *(Courrier Sud ; Vol de nuit ; Terre des hommes)*. Il est l'auteur d'un texte poétique en forme de conte pour enfants, qu'il illustra, *Le Petit Prince* (1943).

**Saint-Gall** ▫ Ville de Suisse. 75 522 habitants. Abbaye baroque. ► le canton de **Saint-Gall.** 2 026 km$^2$. 502 552 habitants. Chef-lieu : Saint-Gall.

**Saint-Germain-des-Prés** ▫ Quartier de Paris, sur la rive gauche de la Seine.

**Saint-Germain-en-Laye** ▫ Chef-lieu d'arrondissement des Yvelines. 40 806 habitants. Château.

le **Saint-Gothard** ou **Gothard** ▫ Massif des Alpes suisses, percé par un tunnel.

**Saint-Jacques-de-Compostelle,** en espagnol *Santiago de Compostela* ▫ Ville d'Espagne (Galice). 95 397 habitants. Pèlerinage à saint Jacques.

Alexis Leger, dit **Saint-John Perse** ▫ Poète français, diplomate (1887-1975). Poésie ample et solennelle, s'élevant autour de l'épopée. *Anabase ; Vents ; Amers ; Chronique.* Prix Nobel 1960.

Louis de **Saint-Just** ▫ Révolutionnaire français (1767-1794). Membre du Comité de salut public, proche de Robespierre avec lequel il fut guillotiné.

**Saint-Kitts-et-Nevis** ou **Saint-Christophe-et-Niévès** ▫ Archipel et État des Antilles. 269 km$^2$. 49 300 habitants. Capitale : Basseterre.

Yves **Saint-Laurent** ▫ Couturier français (1936-2008). Il renouvela la garde-robe féminine, avec des créations emblématiques comme le smoking.

le **Saint-Laurent** ▫ Fleuve d'Amérique du Nord qui relie les Grands Lacs à l'Atlantique. 1 167 km. Il traverse la province du Québec.

**Saint-Lô** ▫ Chef-lieu de la Manche. 19 024 habitants.

**Saint Louis** → **Louis IX,** roi de France

**Saint Louis** ▫ Ville des États-Unis (Missouri). 320 000 habitants.

**Saint-Louis** ▫ Port du Sénégal. 200 000 habitants.

**Saint-Malo** ▫ Chef-lieu d'arrondissement d'Ille-et-Vilaine. Vieille ville entourée de remparts. 46 478 habitants.

**Saint-Marin** ▫ État de l'Europe, enclavé en Italie. 61 km$^2$. 30 000 habitants. Capitale : Saint-Marin.

**Saint-Martin** ▫ Île des Petites Antilles, partagée entre la France (collectivité d'outre-mer) et les Pays-Bas. 34 065 habitants.

**Saint-Nazaire** ▫ Chef-lieu d'arrondissement de la Loire-Atlantique, avant-port de Nantes. 70 619 habitants.

la **Saintonge** ▫ Province historique de France. Capitale : Saintes.

**Saint Paul** → **Minneapolis**

**Saint-Pétersbourg,** de 1914 à 1924 *Petrograd,* de 1924 à 1991 *Leningrad* ▫ Ville de Russie, sur la Neva. 4,7 millions d'habitants. Fondée en 1703, par Pierre le Grand, capitale de la Russie de 1715 à 1917. Musée de l'Ermitage.

Marie-Agnès Fal de Saint Phalle, dite Niki de **Saint Phalle** ▫ Sculptrice française (1930-2002). *Nanas* de couleur vive. Fontaines décoratives, avec son mari Jean Tinguely.

Henri Bernardin de **Saint-Pierre** → **Bernardin de Saint-Pierre**

**Saint-Pierre de Rome** ▫ Basilique pontificale, construite au Vatican sur le tombeau présumé de saint Pierre (XVIe-XVIIe s.).

**Saint-Pierre et Miquelon** ▫ Archipel français au sud de Terre-Neuve. Collectivité territoriale d'outre-mer. 242 km$^2$. 5 985 habitants. Chef-lieu : Saint-Pierre.

**Saint-Quentin** ▫ Chef-lieu d'arrondissement de l'Aisne. 53 856 habitants.

**Saint-Quentin-en-Yvelines** ▫ Ville nouvelle des Yvelines. 146 411 habitants.

Camille **Saint-Saëns** ▫ Compositeur français (1835-1921). D'une grande rigueur formelle, virtuose et chef d'orchestre, il est l'auteur d'opéras (dont *Samson et Dalila*), d'œuvres religieuses, de compositions chorales et symphoniques, de musique de chambre et pour piano, et de fantaisies *(Le Carnaval des animaux)*.

**Saint-Sébastien** ▫ Port d'Espagne (Guipúzcoa). 185 512 habitants.

le **Saint-Sépulcre** ▫ Sanctuaire chrétien de Jérusalem, sur le tombeau du Christ.

le **Saint-Siège** ▫ Gouvernement de l'Église catholique.

Louis, duc de **Saint-Simon** ▫ Mémorialiste français (1675-1755). Ses *Mémoires* peignent avec esprit critique la vie de cour entre 1691 et 1755.

Claude Henri, comte de **Saint-Simon** ▫ Philosophe et économiste français (1760-1825). Sa doctrine annonce le socialisme.

**Saint-Tropez** ▫ Ville du Var. 4 103 habitants. Station balnéaire.

**Saint-Vincent-et-les-Grenadines** ▫ État des Antilles. 388 km². 118 400 habitants. Capitale : Kingstown.

la république de **Sakha,** anciennement *Iakoutie* ▫ République autonome de Russie. 3 103 200 km². 948 100 d'habitants. Capitale : Iakoutsk.

**Sakhaline** ▫ Île russe au nord du Japon. 76 400 km². 488 200 habitants.

Andreï **Sakharov** ▫ Physicien soviétique (1921-1989). Il lutta pour les droits de l'homme et pour le désarmement. Prix Nobel de la paix 1975.

**Sakkara** → **Saqqara**

**Sākyamuni** → **Bouddha**

**Saladin** ▫ (1138-1193) Sultan d'Égypte et de Syrie, de 1171 à sa mort. Il reprit Jérusalem aux croisés (1187).

**Salamanque** ▫ Ville d'Espagne (Castille-et-Léon). 151 658 habitants. Université (XIIIe s.). Monuments (XIIe-XVIIIe s.).

**Salamine** ▫ Île de Grèce. Victoire navale des Grecs sur les Perses en 480 avant J.-C.

António de Oliveira **Salazar** ▫ Homme d'État portugais (1889-1970), au pouvoir de 1932 à 1968.

Antonio **Salieri** ▫ Compositeur italien (1750-1825). Rival malheureux de Mozart.

Jerome David **Salinger** ▫ Romancier américain (1919-2010). *L'Attrape-cœurs,* peinture sensible de l'adolescence.

les **Saljuqides** → les **Seldjoukides**

Macky **Sall** ▫ Homme d'État sénégalais (né en 1961). Président de la République depuis 2012.

**Salluste** ▫ Historien latin (v. 86-35 avant J.-C.). *La Conjuration de Catilina.*

André **Salmon** ▫ Écrivain français (1881-1968). Poèmes, romans, critiques d'art, mémoires. Il fut proche d'Apollinaire et de Max Jacob.

**Salomé** ▫ Princesse juive, fille d'Hérodiade (morte v. 72). D'après l'Évangile, elle obtint la tête de saint Jean-Baptiste.

**Salomon** ▫ Bible Roi d'Israël (v. 972-v. 932 avant J.-C.). Fils et successeur de David.

les îles **Salomon** ▫ Archipel et État de la Mélanésie. 27 556 km². 721 455 habitants. Capitale : Honiara.

**Salonique** → **Thessalonique**

les accords **SALT** (*Strategic Arms Limitation Talks* «pourparlers de limitation des armes stratégiques») ▫ Négociations entre l'URSS et les États-Unis sur la limitation des armements stratégiques (1969-1979). → aussi **START.**

**Salt Lake City** ▫ Ville des États-Unis, capitale de l'Utah. 186 500 habitants. Capitale des mormons, fondée par Brigham Young en 1847.

l'Armée du **Salut** ▫ Organisation humanitaire internationale (protestante) fondée en 1865 par William Booth.

**Salvador,** anciennement *Bahia* ▫ Port du Brésil (Bahia). 2,68 millions d'habitants. Églises baroques.

le **Salvador** ▫ État d'Amérique centrale. 21 041 km². 6,7 millions d'habitants. Capitale : San Salvador.

**Salzbourg** ▫ Ville d'Autriche. 148 521 habitants. Ville natale de Mozart. Festival de musique.

**Samara,** anciennement *Kouïbychev* ▫ Ville de Russie, sur la Volga. 1,1 million d'habitants.

la **Samarie** ▫ Province centrale de la Palestine. Les *Samaritains* ont un rôle important dans les Évangiles.

**Samarkand** ▫ Ville d'Ouzbékistan. 362 300 habitants. Capitale de l'empire de Tamerlan.

la **Sambre** ▫ Rivière, affluent de la Meuse. 190 km.

les **Samnites** ▫ Ancien peuple de l'Italie centrale.

les îles **Samoa** ▫ Archipel de la Polynésie. ► les **Samoa américaines.** 197 km². 55 500 habitants. ► l'État indépendant des **Samoa.** 2 830 km². 187 500 habitants. Capitale : Apia.

**Samos** ▫ Île grecque de la mer Égée. 476 km². 33 000 habitants.

**Samothrace** ▫ Île grecque de la mer Égée où fut découverte la statue dite *Victoire de Samothrace* en 1863.

les **Samoyèdes** ▫ Peuples de Sibérie d'origine mongole.

Petros, dit Pete **Sampras** ▫ Joueur de tennis américain (né en 1971). Il a remporté 64 titres, dont 14 en Grand Chelem.

**Samson** ▫ Bible Juge d'Israël. Sa chevelure est le siège de sa force. Dalila le rase et le livre aux Philistins.

**Samuel** ▫ Bible Prophète et juge d'Israël (XI^e^ s. avant J.-C.).

Paul Anthony **Samuelson** ▫ Économiste américain (1915-2009). Économétrie mathématique. Prix Nobel 1970.

**Sanaa** ▫ Capitale du Yémen. 1,71 million d'habitants.

la faille de **San Andreas** ▫ Fracture géologique allant du nord de San Francisco au golfe de Californie ; zone sismique.

**San Antonio** ▫ Ville des États-Unis (Texas). 1,33 million d'habitants.

Pedro **Sánchez** ▫ Homme politique espagnol (né en 1972). Chef du gouvernement (socialiste) depuis 2018.

**Sancho Pança** ▫ Personnage de Cervantes, écuyer et compagnon de Don Quichotte. Il est son antithèse physique (la «panse») et morale.

le puy de **Sancy** ▫ Point culminant du Massif central. 1 885 m.

Aurore Dupin, dite George **Sand** ▫ Romancière française (1804-1876). Après avoir milité pour une régénération sociale, elle adopta, la révolution de 1848 ayant échoué, «un idéal de calme, d'innocence et de rêverie». Romans *(Indiana ; Lélia ; Les Maîtres sonneurs)*, récits champêtres *(François le Champi ; La Petite Fadette)*, autobiographie *(Histoire de ma vie)*. Par ses amours (Musset, Chopin) et ses amitiés (Flaubert), elle fut au centre de la vie artistique.

**San Diego** ▫ Port des États-Unis (Californie). 1,22 million d'habitants.

**Sandwich** ▫ Nom de deux amiraux anglais. ► John Montaigu, 4^e^ comte de **Sandwich** (1718-1792), donna son nom aux îles Sandwich.

les îles **Sandwich** → îles **Hawaii**

**San Francisco** ▫ Port des États-Unis (Californie), sur la côte pacifique. 805 200 habitants (agglomération 7 millions). ► la conférence de **San Francisco,** en 1945, élabora la charte des Nations unies.

les **Sangallo** ▫ Famille d'architectes florentins de la Renaissance (XV^e^-XVI^e^ s.). Giuliano (1445-1516) et Antonio dit le Jeune (1483-1546), son neveu.

**San Gimignano** ▫ Ville d'Italie (Toscane). 7 100 habitants. Cité médiévale.

les îles **Sanguinaires** ▫ Îles de Corse à l'entrée du golfe d'Ajaccio.

**San Jose** ▫ Ville des États-Unis (Californie). 946 000 habitants (agglomération 7 millions).

**San José** ▫ Capitale du Costa Rica. 347 000 habitants.

**San Juan** ▫ Capitale de Porto Rico. 425 000 habitants.

José de **San Martín** ▫ Général et homme politique argentin (1778-1850). Héros de l'indépendance de l'Amérique latine.

**San Salvador** ▫ Capitale du Salvador. 209 600 habitants (zone urbaine 1 817 600).

Andrea Contucci, dit il **Sansovino** ▫ Sculpteur et architecte italien (v. 1467-1529). ► Jacopo Tatti, dit **Sansovino** son élève, sculpteur et architecte (1486-1570). Nombreuses constructions à Venise.

**Santa Cruz de Tenerife** ▫ Une des deux capitales des îles Canaries (Espagne). 204 476 habitants.

**Santiago** ▫ Capitale du Chili. 5,2 millions d'habitants.

**Santiago de Cuba** ▫ Port de Cuba. 494 400 habitants.

**Santorin** ou **Théra** ▫ Île grecque de la mer Égée (Cyclades).

Alberto **Santos-Dumont** ▫ Pionnier brésilien de l'aviation, établi en France (1873-1932).

la **Saône** ▫ Rivière, affluent du Rhône. 480 km. ► la **Haute-Saône** [70]. Département français de la Région Bourgogne-Franche-Comté. 5 360 km². 236 018 habitants. Chef-lieu : Vesoul. Chef-lieu d'arrondissement : Lure. ► la **Saône-et-Loire** [71]. Département français de la Région Bourgogne-Franche-Comté. 8 627 km². 552 185 habitants. Chef-lieu : Mâcon. Chefs-lieux d'arrondissement : Autun, Chalon-sur-Saône, Charolles, Louhans.

**São Paulo** ▫ Ville du Brésil. 11 millions d'habitants (agglomération 19 millions). Capitale de l'*État de São Paulo* (247 898 km² ; 41 millions d'habitants).

**São Tomé e Príncipe** ou **Sao Tomé-et-Principe** ▫ Archipel et État du golfe de Guinée. 1 001 km². 179 000 habitants. Capitale : São Tomé.

**Sappho** ou **Sapho** ▫ Poétesse grecque, créatrice du lyrisme érotique (v. 600 avant J.-C.).

**Sapporo** ▫ Ville du Japon (Hokkaidō). 1,88 million d'habitants.

**Ṣaqqara** ou **Sakkara** ▫ Site archéologique d'Égypte. Nécropole de l'anc. ville de Memphis, où se trouve la pyramide à degrés.

**Saragosse** ▫ Ville d'Espagne, sur l'Èbre (Aragon). 678 115 habitants. Ville d'art.

**Sarah** ou **Sara** ▫ Bible Femme d'Abraham.

**Sarajevo** ▫ Capitale de la Bosnie-Herzégovine. 370 000 habitants. L'assassinat de l'archiduc François-Ferdinand à Sarajevo, en juin 1914, déclencha la Première Guerre mondiale.

José **Saramago** ▫ Romancier portugais (1922-2010). *L'Évangile selon Jésus-Christ ; Le Voyage de l'éléphant.* Prix Nobel 1998.

**Saratoga** ▫ Ville des États-Unis (New York). Victoire décisive des Américains sur les Anglais au cours de la guerre d'Indépendance (1777).

**Saratov** ▫ Ville de Russie. 840 000 habitants.

le **Sarawak** ▫ État de la Malaisie orientale. 123 983 km². 2 millions d'habitants. Capitale : Kuching.

la **Sardaigne** ▫ Île et région italienne, au sud de la Corse. 24 090 km². 1,63 million d'habitants. Chef-lieu : Cagliari.

**Sardanapale** ▫ Roi légendaire d'Assyrie.

la mer des **Sargasses** ▫ Zone de l'Atlantique Nord, près des Bermudes.

**Sargon II** ▫ Roi d'Assyrie (de 721 à 705 avant J.-C.). Durant son règne, l'Assyrie fut à son apogée.

Nicolas **Sarkozy,** né Sarközy de Nagy-Bocsa ▫ Homme d'État français (né en 1955). Plusieurs fois ministre, issu de la droite, il a été président de la République de 2007 à 2012.

Nathalie **Sarraute** ▫ Écrivaine française d'origine russe (1900-1999). Ses romans *(Tropismes ; Le Planétarium),* son théâtre illustrent une psychologie de l'instant et de l'impalpable, puis un recul des réalités vers les mots.

la **Sarre** ▫ Rivière de France et d'Allemagne, affluent de la Moselle. 240 km. ► la **Sarre.** Land d'Allemagne. 2 570 km². 1,02 million d'habitants. Capitale : Sarrebruck. Bassin houiller.

**Sarrebruck** ▫ Ville d'Allemagne, capitale de la Sarre. 191 000 habitants.

la **Sarthe** ▫ Rivière, affluent de la Maine. 285 km. ► la **Sarthe** [72]. Département français de la Région Pays de la Loire. 6 206 km². 565 963 habitants. Chef-lieu : Le Mans. Chefs lieux d'arrondissement : La Flèche, Mamers.

Jean-Paul **Sartre** ▫ Écrivain et philosophe français (1905-1980). Son œuvre philosophique relève de l'existentialisme athée et de la phénoménologie : *L'Être et le Néant* (1943) ; *La Critique de la raison dialectique* (1960). Écrivain, il s'illustra dans la nouvelle *(Le Mur),* le roman *(La Nausée, Les Chemins de la liberté),* le théâtre *(Les Mouches, Huis clos...),* l'essai *(Situations),* la critique, la biographie (*L'Idiot de la famille,* sur Flaubert), les mémoires *(Les Mots).* Par cette œuvre immense et variée, par ses positions politiques d'extrême-gauche et ses polémiques (avec R. Aron, Camus...), par son action révolutionnaire militante, il influença la vie intellectuelle et politique. Prix Nobel 1964 (qu'il refusa).

la **Saskatchewan** ▫ Province du Canada, dans la Prairie. 651 036 km². 1 million d'habitants. Capitale : Regina.

**Saskatoon** ▫ Ville du Canada (Saskatchewan). 246 376 habitants.

les **Sassanides** ▫ Dynastie perse qui renversa les Parthes et régna de 226 à 651.

**Sassari** ▫ Ville d'Italie (Sardaigne). 119 700 habitants.

**Satan** ▫ Bible Le diable, chef des démons.

Erik **Satie** ▫ Compositeur français (1866-1925). Mal comprises de son vivant, ses pièces pour piano *(Gymnopédies ; Trois Gnossiennes),* par leur émouvante simplicité, sont un défi à la musique de son temps. *Parade,* ballet (livret de Cocteau, décors et costumes de Picasso).

Marjane **Satrapi** ▫ Dessinatrice, scénariste et réalisatrice franco-iranienne (née en 1969). Ses bandes dessinées font écho à son enfance en Iran, au moment de la révolution islamique (*Persepolis,* qu'elle adapta au cinéma).

**Saturne** ▫ mythol. romaine Dieu des Semailles, *Cronos* chez les Grecs, dieu du Temps. ► **Saturne.** Planète du système solaire, entourée d'anneaux et de nombreux satellites. Diamètre : 120 660 km.

**Saül** ▫ Bible Premier roi des Hébreux (de 1020 à 1000 avant J.-C.).

**Saumur** ▫ Chef-lieu d'arrondissement de Maine-et-Loire. 26 599 habitants. Château (XVe-XVIe s.). École militaire de cavalerie.

Carlos **Saura** ▫ Réalisateur espagnol (né en 1932). Peintre critique de la société espagnole. *Cría cuervos.*

Horace Benedict de **Saussure** ▫ Voyageur, géologue et météorologue suisse (1740-1799). ► Nicolas Théodore de **Saussure,** son fils (1785-1845), chimiste et naturaliste. ► Henri de **Saussure,** fils du précédent (1829-1905), entomologiste.

Ferdinand de **Saussure** ▫ Linguiste suisse (1857-1913), fils d'Henri. Son *Cours de linguistique générale* pose les bases d'une théorie structurale du sens, et amorce le projet d'une science générale du signe (sémiologie).

Claude **Sautet** ▫ Réalisateur français (1924-2000). *Les Choses de la vie ; César et Rosalie.*

Jean-Pierre **Sauvage** ▫ Chimiste français (né en 1944). Spécialiste des machines moléculaires. Prix Nobel 2016.

Alfred **Sauvy** ▫ Démographe et économiste français (1898-1990). *Théorie générale de la population. Croissance zéro ?*

la **Savoie** ▫ Ancienne province du Piémont rattachée à la France (1860). Elle correspond aujourd'hui à deux départements. ► la **Savoie** [73]. Département français de la Région Auvergne-Rhône-Alpes. 6 273 km².

433 724 habitants. Chef-lieu : Chambéry. Chefs-lieux d'arrondissement : Albertville, Saint-Jean-de-Maurienne. ► la **Haute-Savoie** [74]. Département français de la Région Auvergne-Rhône-Alpes. 4 391 km². 816 699 habitants. Chef-lieu : Annecy. Chefs-lieux d'arrondissement : Bonneville, Saint-Julien-en-Genevois, Thonon-les-Bains.

Jérôme **Savonarole** ▫ Dominicain florentin (1452-1498). Accusé d'hérésie et de sédition, il fut excommunié et condamné au bûcher.

Pierre **Savorgnan de Brazza** ▫ Explorateur italien naturalisé français (1852-1905). Colonisateur du Congo.

Maurice, comte de Saxe, dit le Maréchal de **Saxe** ▫ Maréchal de France (1696-1750). Vainqueur à Fontenoy.

la **Saxe** ▫ Région et Land d'Allemagne. 18 408 km². 4,2 millions d'habitants. Capitale : Dresde. Industries. ► la **Basse-Saxe.** Land d'Allemagne. 47 348 km². 8 millions d'habitants. Capitale : Hanovre. ► la **Saxe-Anhalt.** Land d'Allemagne. 20 443 km². 2,3 millions d'habitants. Capitale : Magdebourg. ► les **Saxons.** Peuple germanique qui s'établit en Angleterre v. 450 (avant les Angles).

Jean-Baptiste **Say** ▫ Économiste libéral et industriel français (1767-1832).

la **Scala** ▫ Opéra de Milan, construit en 1778.

la **Scandinavie** ▫ Région de l'Europe du Nord comprenant le Danemark, la Suède et la Norvège.

Alessandro **Scarlatti** ▫ Compositeur italien (1660-1725). Il écrivit un très grand nombre d'opéras et des œuvres de musique religieuse. ► Domenico **Scarlatti** (1685-1757), son fils, composa de nombreuses sonates pour clavecin.

Paul **Scarron** ▫ Écrivain français (1610-1660). Auteur de poésies burlesques *(Le Virgile travesti)*, de comédies bouffonnes et du truculent *Roman comique*. Ses œuvres font preuve d'un génie verbal dans le comique.

Maurice **Scève** ▫ Poète français de la Renaissance (1501-v. 1564). Confidences amoureuses lyriques et symboles mystiques sont exprimés en décasyllabes dans *Délie, objet de la plus haute vertu*.

Pierre **Schaeffer** ▫ Ingénieur et compositeur français (1910-1995). Inventeur, avec Pierre Henry, de la «musique concrète». Expériences électroacoustiques.

**Schaffhouse** ▫ Ville de Suisse. 33 500 habitants (zone urbaine 61 600). ► le canton de **Schaffhouse.** 298 km². 73 900 habitants. Chef-lieu : Schaffhouse.

Carl Wilhelm **Scheele** ▫ Chimiste suédois (1743-1786). Il isola un gaz, identifié plus tard comme l'oxygène, découvrit plusieurs corps, notamment des acides.

Georges **Schehadé** ▫ Poète et auteur dramatique libanais d'expression française (1910-1989). *Histoire de Vasco.*

**Schéhérazade** ▫ Conteuse, dans les *Mille et Une Nuits*, qui échappe à la mort en captivant le roi perse Chāhriyār par ses récits, chaque nuit.

Friedrich Wilhelm Joseph von **Schelling** ▫ Philosophe idéaliste allemand (1775-1854).

**Schengen** ▫ Localité du Luxembourg où furent signés les accords (1985, 1990) sur la libre circulation des citoyens européens sur le territoire de 22 États européens *(espace Schengen)*.

Egon **Schiele** ▫ Peintre autrichien (1890-1918). Dessins et peintures au graphisme torturé, d'un érotisme provocant.

Friedrich von **Schiller** ▫ Écrivain allemand et grand réformateur du théâtre allemand (1759-1805). *Don Carlos ; Marie Stuart ; Guillaume Tell.*

le grand **schisme d'Occident** ▫ Période pendant laquelle il y eut plusieurs papes à la fois (de 1378 à 1417).

le **schisme d'Orient** ▫ Rupture en 1054 entre l'Église de Rome et l'Église de Byzance (qui devint l'Église orthodoxe).

August Wilhelm von **Schlegel** ▫ Critique littéraire allemand (1767-1854). Conférences sur *La Littérature et l'art*, théoricien du romantisme européen.

le **Schleswig-Holstein** ▫ Land d'Allemagne, limitrophe du Danemark. 15 732 km². 2,8 millions d'habitants. Capitale : Kiel.

Heinrich **Schliemann** ▫ Archéologue allemand (1822-1890). Il découvrit les sites présumés de Troie et de Mycènes.

Artur **Schnabel** ▫ Pianiste autrichien (1882-1951). Interprète de Beethoven et des romantiques allemands. Œuvres dodécaphoniques.

**Schneider** [ʃnɛdʀ] ou [ʃnɛdɛʀ] ▫ Famille d'industriels français. Eugène (1805-1875) et Adolphe (1802-1845) fondèrent au Creusot une société basée sur des activités minières et sidérurgiques.

Rosemarie Magdalena Albach, dite Romy **Schneider** ▫ Actrice franco-allemande (1938-1982). Après la série des *Sissi*, elle connut le succès en France, dirigée par les meilleurs réalisateurs (Sautet, Losey, Visconti...).

Arthur **Schnitzler** ▫ Écrivain autrichien (1882-1931). Son style, simple et clair, exprime une vision désenchantée, parfois désespérée, d'une société en déclin. *Mademoiselle Else* (roman) ; pièces de théâtre (*Liebelei* et *La Ronde*, adaptées au cinéma par Max Ophuls).

Victor **Schœlcher** ▫ Homme politique français (1804-1893). Il fit voter le décret sur l'abolition de l'esclavage (1848).

Arnold **Schoenberg** ▫ Compositeur autrichien, naturalisé américain (1874-1951). Il élabora un nouveau système musical, dégagé de la tonalité, mais soumis à la «série» de douze sons, le dodécaphonisme. *Pierrot lunaire*.

**Schönbrunn** ▫ Château impérial du XVIII^e s. dans la banlieue de Vienne.

Martin **Schongauer** ▫ Artiste alsacien (v. 1445-1491). Gravures.

Arthur **Schopenhauer** ▫ Philosophe allemand (1788-1860). Sa philosophie pessimiste influença Nietzsche.

Gerhard **Schröder** ▫ Homme d'État (social-démocrate) allemand (né en 1944). Chancelier de 1998 à 2005.

Erwin **Schrödinger** ▫ Physicien autrichien (1887-1961). Il a donné notamment l'équation fondamentale de la mécanique ondulatoire. Travaux épistémologiques et philosophiques. Prix Nobel 1933.

Franz **Schubert** ▫ Compositeur romantique autrichien (1797-1828). Plus encore que dans les œuvres symphoniques, c'est dans la musique de chambre, les compositions pour piano et les lieder (plus de 600) que s'expriment son génie mélodique, son sens de la nuance harmonique et rythmique et son expressivité.

Charles Monroe **Schulz** ▫ Dessinateur américain (1922-2000). Auteur de la bande dessinée *Peanuts* (Charlie Brown, le chien Snoopy...).

Michael **Schumacher** ▫ Coureur automobile allemand (né en 1969). Sept fois champion du monde.

Robert **Schuman** ▫ Homme politique français (1886-1963). Démocrate-chrétien, il fut l'un des pères de la CEE.

Robert **Schumann** ▫ Compositeur romantique allemand (1810-1856). Il a composé des œuvres pour piano *(Carnaval, Kreisleriana)*, des lieder et de la musique symphonique, emblématiques du romantisme allemand.

Joseph Alois **Schumpeter** ▫ Économiste autrichien naturalisé américain (1883-1950).

Heinrich **Schütz** ▫ Compositeur baroque allemand (1585-1672). Son œuvre religieuse laisse présager celle de J.-S. Bach. *Psaumes de David ; Histoire de la Résurrection ; Petits concerts spirituels*.

Laurent **Schwartz** ▫ Mathématicien français (1915-2002). Théorie des «distributions», élargissant le concept de fonction. Médaille Fields 1950.

Elisabeth **Schwarzkopf** ▫ Cantatrice britannique d'origine allemande (1915-2006). Soprano lyrique, interprète privilégiée de Mozart, de Richard Strauss.

Albert **Schweitzer** ▫ Théologien protestant et médecin français (1875-1965). Prix Nobel de la paix 1952.

Kurt **Schwitters** ▫ Peintre et sculpteur allemand (1887-1948). Collages dada.

le canton de **Schwyz** ▫ Canton de Suisse. 908 km$^2$. 157 301 habitants. Chef-lieu : Schwyz.

Leonardo **Sciascia** ▫ Écrivain italien (1921-1989). *Le Conseil d'Égypte ; L'Affaire Moro*.

**Scipion l'Africain** ▫ Général romain (v. 235-183 avant J.-C.). Il vainquit Hannibal à Zama (202 avant J.-C.).

**Scipion Émilien** ▫ Général romain (v. 185-129 avant J.-C.). Il détruisit Carthage.

Ettore **Scola** ▫ Réalisateur italien (1931-2016). Comédies et critique sociale. *Une journée particulière*.

Martin **Scorsese** ▫ Réalisateur américain (né en 1942). Il évoque le conflit entre une réalité sordide et une quête de spiritualité. *Taxi Driver ; Les Infiltrés ; Shutter Island*.

Jean Duns **Scot** → **Duns Scot**

Jean **Scot Érigène** ▫ Théologien et philosophe écossais ou irlandais (IX^e s.).

**Scotland Yard** ▫ Siège de la police de Londres.

les **Scots** ▫ Peuple irlandais de l'Antiquité qui envahit l'Écosse (V^e s.).

sir Walter **Scott** ▫ Écrivain écossais (1771-1832). Il acquit une notoriété mondiale par ses romans historiques sur l'Écosse *(Waverley ; Quentin Durward)* et surtout par *Ivanhoé*, qui met en scène Richard Cœur de Lion et Robin des Bois.

Robert **Scott** ▫ Explorateur anglais de l'Antarctique (1868-1912).

Ridley **Scott** ▫ Réalisateur britannique (né en 1937). *Alien ; Blade Runner ; Thelma et Louise*.

Aleksandr **Scriabine** → **Skriabine**

Madeleine de **Scudéry** ▫ Romancière française (1607-1701). Auteur de romans galants et précieux. *Clélie, histoire romaine*.

**Scylla** → **Charybde et Scylla**

les **Scythes** ▫ Peuples d'origine iranienne vivant au nord de la mer Noire qui disparurent au II^e s.

la **SDN,** *Société des Nations* ▫ Organisation internationale créée en 1920, remplacée en 1946 par l'ONU.

**Seattle** ▫ Port des États-Unis (Washington). 608 700 habitants.

Sebastiano Luciani, dit **Sebastiano del Piombo** ▫ Peintre italien (v. 1485-1547). Issu de la peinture vénitienne (Giorgione), il subit à Rome l'influence de Raphaël et de Michel-Ange.

**Sébastopol** ▫ Port d'Ukraine. 361 000 habitants. Enjeu de la guerre de Crimée (1855).

la guerre de **Sécession** ▫ Guerre civile aux États-Unis qui opposa de 1861 à 1865 les États du Sud et ceux du Nord à propos de l'esclavage.

**Sedan** ▫ Chef-lieu d'arrondissement des Ardennes. 16 193 habitants. Capitulation de Napoléon III face aux Prussiens le 2 septembre 1870.

**Sefer ha-Zohar** → **Zohar**

les **Séfévides** → les **Safavides**

Victor **Segalen** ▫ Écrivain français (1878-1919). Se dressant contre tout exotisme superficiel, il évoque l'Océanie, sur les traces de Gauguin, et l'Asie, notamment la Chine, par des récits *(René Leys)* et des poèmes *(Stèles)*.

**Ségeste** ▫ Site de Sicile, entre Palerme et Trapani. Grand temple dorique.

**Ségou** ▫ Ville du Mali, sur le fleuve Niger. 133 500 habitants. Centre d'un ancien royaume bambara.

la comtesse de **Ségur,** née Sophie Rostopchine ▫ Romancière française d'origine russe (1799-1874). Elle écrivit pour la jeunesse. *Les Petites Filles modèles ; Les Malheurs de Sophie.*

Jaroslav **Seifert** ▫ Poète tchécoslovaque (1901-1986). Prix Nobel 1984.

l'île de **Sein** ▫ Île de l'Atlantique (Finistère).

la **Seine** ▫ Fleuve français qui traverse Paris et se jette dans la Manche. 776 km. ► la **Seine-et-Marne** [77]. Département français de la Région Île-de-France. 5 916 km². 1,41 million d'habitants. Chef-lieu : Melun. Chefs-lieux d'arrondissement : Fontainebleau, Meaux, Provins, Torcy. ► la **Seine-Maritime** [76]. Département français de la Région Normandie. 6 342 km². 1,26 million d'habitants. Chef-lieu : Rouen. Chefs-lieux d'arrondissement : Dieppe, Le Havre. ► la **Seine-Saint-Denis** [93]. Département français de la Région Île-de-France. 235 km². 1,63 million d'habitants. Chef-lieu : Bobigny. Chefs-lieux d'arrondissement : Le Raincy, Saint-Denis. ► les **Hauts-de-Seine** → **Hauts-de-Seine.**

**Selam** (amharique « paix ») ▫ Nom donné à un australopithèque de sexe féminin, âgé de 3,3 millions d'années, découvert en Éthiopie en 2000.

les **Seldjoukides** ou **Saljuqides** ▫ Dynastie turque sunnite qui fonda un empire en Asie Mineure (Xe-XIIIe s.).

les **Séleucides** ▫ Dynastie hellénistique qui régna sur un empire allant de l'Indus à la Méditerranée (305-64 avant J.-C.).

**Sélim Ier** ▫ (1467-1520) Sultan ottoman de 1512 à sa mort.

**Sélinonte** ▫ Ancienne cité grecque de Sicile. Site archéologique, nombreux temples.

Peter **Sellars** ▫ Metteur en scène américain d'opéra (né en 1957).

Hans **Selye** ▫ Physiologiste canadien d'origine autrichienne (1907-1982). Il découvrit la notion de stress et le syndrome d'adaptation dit *de Selye.*

**Sem** ▫ Bible Fils de Noé. Ancêtre des peuples *sémitiques.*

**Sémiramis** ▫ Reine et fondatrice légendaire de Babylone.

Ignac Fulop **Semmelweis** ▫ Médecin hongrois (1818-1865). Il fut l'un des premiers à militer pour l'asepsie.

Jean-Jacques **Sempé** ▫ Dessinateur français (né en 1932). *Le Petit Nicolas,* avec Goscinny.

Jorge **Semprún** ▫ Écrivain espagnol (1923-2011). Œuvre en français en partie autobiographique, sur l'exil, l'engagement politique. Il fut ministre de la Culture en Espagne (1988-1991).

Amartya **Sen** ▫ Économiste indien (né en 1933). Il contribua à la mise au point de l'indice de développement humain (IDH) utilisé par l'ONU. Prix Nobel 1998.

le **Sénat** ▫ En France, assemblée législative qui constitue, avec l'Assemblée nationale, le Parlement.

le **Sénégal** ▫ Fleuve d'Afrique. 1 700 km. ► le **Sénégal.** État d'Afrique occidentale, situé au sud du fleuve Sénégal. 196 200 km². 15,8 millions d'habitants. Capitale : Dakar.

**Sénèque** ▫ Philosophe stoïcien, écrivain et homme politique romain (4 avant J.-C.-65), précepteur de Néron. *Médée.*

Léopold Sédar **Senghor** ▫ Homme d'État sénégalais et poète de langue française (1906-2001). Il fut le premier président de la république du Sénégal de 1960 à 1980. Ses œuvres imposent au français les rythmes et les thèmes de l'Afrique. *Éthiopiques ; Lettres d'hivernage.*

Ayrton **Senna** ▫ Coureur automobile brésilien (1960-1994). Trois fois champion du monde.

Mack **Sennett** ▫ Cinéaste burlesque américain de films muets (1884-1960).

**Sens** ▫ Chef-lieu d'arrondissement de l'Yonne. 26 586 habitants.

**Séoul** ▫ Capitale de la Corée du Sud. 10 millions d'habitants.

la guerre de **Sept Ans** ▫ Guerre qui opposa la Grande-Bretagne et la Prusse à la France et à l'Autriche de 1756 à 1763.

les massacres de **Septembre** ▫ Exécutions sommaires qui se sont déroulées en 1792, dans les prisons parisiennes, de personnes supposées être des ennemis de la Révolution.

**Septime Sévère** ▫ (146-211) Empereur romain de 193 à sa mort.

les **Séquanes** ▫ Peuple gaulois établi entre les sources de la Seine et le Jura.

**Sérapis** ▫ Divinité gréco-égyptienne dont le culte était célébré à Memphis.

la **Serbie** ▫ Pays de l'Europe du Sud-Est. 77 474 km². 7 millions d'habitants. Capitale : Belgrade. ► l'Union de **Serbie-et-Monténégro,** ancienne république fédérale de Yougoslavie, formée en 2003 et dissoute en 2006.

Olivier de **Serres** ▫ Agronome français, pionnier de l'industrie de la soie (v. 1539-1619).

Michel **Serres** ▫ Philosophe et essayiste français (1930-2019). Ouvrages d'histoire des sciences et des idées, textes sur l'art, essais philosophiques.

le **Sertaõ** ▫ Région sèche du Nordeste brésilien.

Paul **Sérusier** ▫ Peintre et théoricien français (1864-1927). Groupe des nabis.

Michel **Servet** ▫ Théologien espagnol (v. 1509-1553). Il fut brûlé vif à l'instigation de Calvin.

**Sésostris** ▫ Nom de plusieurs pharaons du Moyen Empire égyptien (XIIe dynastie, de 1970 à 1983 avant J.-C.).

**Sète** ▫ Port de l'Hérault. 43 686 habitants.

**Seth** ▫ Dieu du Mal dans l'ancienne Égypte. Il a un corps de lévrier.

**Sétif** ▫ Ville d'Algérie. 252 000 habitants.

**Setúbal** ▫ Port du Portugal, en Estrémadure. 122 000 habitants.

Georges **Seurat** ▫ Peintre et dessinateur français (1859-1891). Théoricien du divisionnisme ou pointillisme, il appliqua ses principes avec un génie de la composition et un art raffiné de la couleur. *La Grande Jatte ; Le Cirque.*

la marquise de **Sévigné** ▫ Femme de lettres française (1626-1696). Auteur d'une vaste correspondance, adressée surtout à sa fille, d'un style spontané et naturel. *Lettres.*

**Séville** ▫ Ville d'Espagne (Andalousie). 698 042 habitants. Cathédrale, tour-minaret de la Giralda, Alcázar.

**Sèvres** ▫ Ville des Hauts-de-Seine. 23 251 habitants. Manufacture nationale de porcelaine.

les Deux-**Sèvres** → les **Deux-Sèvres**

les **Seychelles** n. f. pl. ▫ État formé par un archipel de l'océan Indien au nord-est de Madagascar. 453 km². 97 620 habitants. Capitale : Victoria.

Joann **Sfar** ▫ Auteur de bandes dessinées et réalisateur français (né en 1971). *Donjon ; Le Chat du Rabbin.*

**Sfax** ▫ Port de Tunisie. 265 100 habitants.

la **SFIO,** *Section française de l'Internationale ouvrière* ▫ Parti politique créé en 1905 et remplacé en 1969 par le Parti socialiste.

les **Sforza** ▫ Famille italienne, ducs de Milan de 1450 à 1535. ► Ludovic **Sforza** (1451-1508), dit Ludovic le More.

**Shaanxi** ▫ Province du nord-ouest de la Chine. 205 600 km². 37,3 millions d'habitants. Capitale : Xian.

le **Shaba** → **Katanga**

William **Shakespeare** ▫ Poète dramatique anglais (1564-1616). Auteur de tragédies *(Roméo et Juliette ; Hamlet ; Macbeth ; Le Roi Lear ; Othello)*, de drames historiques *(Richard III ; Henri V)* et de comédies *(La Mégère apprivoisée)*. Son style varié, éblouissant, son aisance à passer du grotesque au tragique, sa profondeur de pensée, son sens de l'intrigue et des personnages, la pertinence de ses réflexions sociales et politiques n'ont jamais été égalés. Il fut aussi un poète majeur *(Sonnets)*.

Yitzhak **Shamir** ▫ Homme d'État israélien (1915-2012). Premier ministre (1983-1984 et 1986-1992).

**Shandong** ▫ Province de l'est de la Chine. 153 300 km². 95 millions d'habitants. Capitale : Jinan.

**Shanghai** ou **Chang-hai** ▫ Port de Chine sur l'estuaire du Chang jiang. 24 millions d'habitants.

Claude Elwood **Shannon** ▫ Mathématicien américain (1916-2001). Fondateur, avec Weaver, de la théorie de l'information.

le **Shanxi** ▫ Province du nord-ouest de la Chine. 156 300 km². 35,7 millions d'habitants. Capitale : Taiyuan.

Ariel Sheinermann, dit Ariel **Sharon** ▫ Général et homme d'État israélien (1928-2014). Premier ministre de 2001 à 2006.

George Bernard **Shaw** ▫ Écrivain et dramaturge irlandais (1856-1950). Son humour caustique, satirique en fit un polémiste redoutable, de conviction socialiste. Il a renouvelé le théâtre anglais. *César et Cléopâtre ; Androclès et le Lion ; Pygmalion ; Sainte Jeanne.* Prix Nobel 1925.

**Sheffield** ▫ Ville d'Angleterre (Yorkshire du Sud). 518 000 habitants.

Percy Bysshe **Shelley** ▫ Poète romantique anglais (1792-1822). *Prométhée délivré* (drame en vers) ; *Ode au vent d'ouest* (poèmes). ► Mary **Shelley,** sa femme (1797-1851). Romancière anglaise. Dans *Frankenstein ou le Prométhée moderne,* elle crée le mythe du démiurge qui fabrique une créature qu'il ne maîtrise plus.

**Shenyang** ▫ Ville de Chine (Liaoning). 5,7 millions d'habitants.

**Shenzhen** ▫ Ville de Chine (Guangdong), près de Hong Kong. 10,3 millions d'habitants.

**Sherbrooke** ▫ Ville du Canada (Québec). 161 323 habitants.

Richard **Sheridan** ▫ Auteur dramatique anglais (1751-1816).

**Sherlock Holmes** ▫ Personnage de détective amateur des romans policiers de Conan Doyle. Esprit logique et scientifique, il enquête avec le docteur Watson.

les îles **Shetland** ▫ Archipel britannique du nord de l'Écosse. 1 427 km². 22 000 habitants. Chef-lieu : Lerwick.

**Shi** Huangdi, ou **Qin Shi** Huangdi ▫ Premier empereur de Chine (v. 259-210 avant J.-C.). Il fonda la dynastie des Qin et fit construire la Grande Muraille.

**Shijiazhuang** ▫ Ville de Chine (Hebei). 2,77 millions d'habitants.

**Shikoku** ▫ Une des îles du Japon. 19 000 km². 4,1 millions d'habitants.

**Shiva** ou **Śiva** ou **Çiva** ▫ Une des trois principales divinités hindoues.

la **Shoah** ▫ Génocide juif perpétré par les nazis.

**Shrinagar** ou **Srinagar** ▫ Ville du nord de l'Inde (Jammu-et-Cachemire), à 1 500 m d'altitude. 1,2 million d'habitants. Monuments anciens.

le **Siam** → **Thaïlande**

Jean **Sibelius** ▫ Compositeur finlandais (1865-1957). *Finlandia ; Tapiola.*

la **Sibérie** ▫ Région de Russie qui s'étend de l'Oural à l'océan Pacifique. 12 765 900 km². 38 millions d'habitants.

**Sichuan** ▫ Province du centre de la Chine. 570 000 km². 80 millions d'habitants. Capitale : Chengdu.

la **Sicile** ▫ Île italienne de la Méditerranée formant une région administrative. 25 708 km². 4,97 millions d'habitants. Chef-lieu : Palerme.

**Sidon** ▫ Ancienne cité phénicienne. Aujourd'hui Saïda, au Liban.

**Siegfried** ▫ Héros de la mythologie germanique. *Sigurd* chez les Scandinaves. Personnage principal de l'opéra de Wagner qui porte ce nom.

Werner von **Siemens** ▫ Ingénieur et industriel allemand (1816-1892). Inventions sur le télégraphe, la dynamo. Il mit au point la première locomotive électrique (1879).

Henryk **Sienkiewicz** ▫ Romancier polonais (1846-1916). *Quo Vadis ?* Prix Nobel 1905.

**Sienne** ▫ Ville d'Italie (Toscane). 52 600 habitants. Nombreux monuments médiévaux.

la **Sierra Leone** ▫ État d'Afrique de l'Ouest. 73 326 km². 7,5 millions d'habitants. Capitale : Freetown.

Emmanuel Joseph Sieyès, dit l'abbé **Sieyès** ▫ Homme politique français (1748-1826). Acquis aux idées de 1789, il publia alors *Qu'est-ce que le tiers état ?*, et fut député. Après la Terreur, il prépara avec Bonaparte le coup d'État du 18 brumaire an VIII.

**Sigebert** ▫ Nom de trois rois d'Austrasie, aux VI^e et VII^e s.

**Sigismond** ▫ Nom de trois rois de Pologne.

**Sigismond de Luxembourg** ▫ (1368-1437) Empereur germanique de 1433 à sa mort.

Paul **Signac** ▫ Peintre français et théoricien néo-impressionniste (1863-1935). Il théorisa le pointillisme de Seurat sous le nom de *divisionnisme.*

Norodom **Sihanouk** → **Norodom Sihanouk**

le **Sikkim** ▫ État d'Inde, dans l'Himalaya. 7 096 km². 690 300 habitants. Capitale : Gangtok.

la **Silésie** ▫ Région d'Europe centrale partagée entre la République tchèque et la Pologne.

la **Silicon Valley** («vallée du silicium») ▫ Technopole de haute technologie, autour de l'université de Stanford, en Californie, à l'est de San Francisco.

Antoine Isaac **Silvestre de Sacy** ▫ Arabisant français (1758-1839).

Georges **Simenon** ▫ Écrivain belge d'expression française (1903-1989). Il publia des romans populaires et aborda le genre policier en 1930, créant le personnage du commissaire Maigret. Ses romans, à la psychologie sûre, construisent une atmosphère réaliste et illustrent des thèmes forts.

**Siméon I^er** le Grand ▫ Tsar des Bulgares (mort en 927). ► **Siméon II,** né en 1937, fut tsar de Bulgarie de 1943 à 1946 avant l'occupation soviétique. Premier ministre de la Bulgarie de 2001 à 2005.

Michel **Simon** ▫ Comédien français d'origine suisse (1895-1975). *L'Atalante ; Boudu sauvé des eaux.*

Claude **Simon** ▫ Écrivain français (1913-2005). Ses textes jouent avec le temps et la mémoire, utilisant une phrase sinueuse et faite de reprises. *Le Vent, La Route des Flandres, La Bataille de Pharsale* et ses autres romans, mettent en scène la discontinuité des phénomènes, par une réflexion sur les mots et leur arrangement. Prix Nobel 1985.

Eunice Waymon, dite Nina **Simone** ▫ Pianiste et chanteuse américaine (1933-2003). Jazz, blues, soul, gospel...

Albert **Simonin** ▫ Écrivain français (1905-1980). Romans policiers argotiques. *Touchez pas au grisbi.*

saint **Simon le Zélote** ▫ Apôtre de Jésus.

le **Simplon** ▫ Passage des Alpes faisant communiquer la Suisse (Valais) et l'Italie (Piémont).

le **Sinaï** ▫ Péninsule d'Égypte, à l'est du canal de Suez, où se trouve le *mont Sinaï* où Moïse reçut les dix commandements de Yahvé, selon la Bible.

Frank **Sinatra** ▫ Chanteur («crooner») et acteur américain (1915-1998).

**Sindbad** ou **Sinbad** ▫ Personnage de marin, dans les *Mille et Une Nuits.*

Maurice Sinet, dit **Siné** ▫ Dessinateur français (1928-2016). Anti-libéral et anti-clérical, il a publié ses caricatures dans de nombreux journaux *(Charlie Hebdo, Hara-Kiri).*

**Si-ngan** → **Xian**

**Singapour** ▫ État insulaire d'Asie du Sud-Est. 647 km². 5,1 millions d'habitants. Capitale : Singapour.

Isaac Bashevis **Singer** ▫ Écrivain américain d'expression yiddish (1904-1991). Prix Nobel 1978.

**Sin-kiang** → **Xinjiang**

**Sinn Féin** (gaélique «nous seuls») ▫ Mouvement nationaliste irlandais, fondé en 1902. Il devint après la Seconde Guerre mondiale la branche politique de l'IRA.

**Sion** ▫ Colline de Jérusalem.

**Sion** ▫ Ville de Suisse (Valais). 34 353 habitants.

les **Sioux** ou **Dakotas** ▫ Population amérindienne d'Amérique du Nord.

Alfred **Sisley** ▫ Peintre anglais de l'école impressionniste française (1839-1899).

**Sissi** → **Elisabeth de Wittelsbach**

**Sisyphe** ▫ mythol. grecque Roi légendaire de Corinthe. Aux Enfers, il est condamné à rouler éternellement, sur le versant d'une montagne, un rocher qui retombe sans cesse.

**Śiva** → **Shiva**

le groupe des **Six** ▫ Compositeurs français du XXᵉ s. : Auric, Honegger, Milhaud, Poulenc, Germaine Tailleferre et Louis Durey.

la guerre des **Six Jours** → guerres **israélo-arabes**

**Sixte** ▫ Nom de cinq papes. ► **Sixte IV** (1414-1484), pape de 1471 à sa mort, adversaire des Médicis. ► **Sixte V,** dit **Sixte Quint** (1520-1590), pape de 1585 à sa mort, poursuivit l'œuvre de la Contre-Réforme.

la chapelle **Sixtine** ▫ Grande chapelle du Vatican bâtie par Sixte IV, décorée par Michel-Ange.

**Sjælland** ▫ Principale île du Danemark. 9 834 km². 2,4 millions d'habitants.

Victor **Sjöström** ▫ Cinéaste et acteur suédois (1879-1960). Pionnier du cinéma muet. *Ingeborg Holm ; La Charrette fantôme. La Lettre écarlate* et *Le Vent* furent tournés aux États-Unis.

**Skopje** ou **Skoplje** ▫ Capitale de la Macédoine du Nord. 506 900 habitants.

Aleksandr **Skriabine** ou **Scriabine** ▫ Compositeur russe (1872-1915). Œuvres symphoniques, parfois avec chœurs *(Prométhée)* et pour piano, d'esprit post-romantique.

les **Slaves** ▫ Peuples d'Europe centrale et orientale, de souche indo-européenne, parlant russe, ukrainien, polonais, bulgare, serbe...

la **Slavonie** ▫ Région géographique de Croatie, dans l'est du pays.

la **Slovaquie** ▫ État d'Europe centrale. 49 036 km². 5,38 millions d'habitants. Capitale : Bratislava.

la **Slovénie** ▫ État d'Europe méridionale. 20 251 km². 2 millions d'habitants. Capitale : Ljubljana.

Claus **Sluter** ▫ Sculpteur hollandais au service des ducs de Bourgogne (v. 1350-1406). Le *Puits de Moïse* (chartreuse de Champmol).

Bedřich **Smetana** ▫ Compositeur tchèque (1824-1884). Affecté par l'écrasement de la révolte tchèque contre l'Empire autrichien, en 1848, il composa des opéras aux thèmes nationaux, dont *La Fiancée vendue,* des poèmes symphoniques *(Ma Patrie),* de la musique de chambre.

Adam **Smith** ▫ Économiste écossais (1723-1790). Défenseur du libre-échange et de la concurrence.

Joseph **Smith** ▫ Fondateur de la secte des mormons (1805-1845).

Vernon **Smith** ▫ Économiste américain (né en 1927). Il a posé les bases de l'économie expérimentale. Prix Nobel 2002.

**Smolensk** ▫ Ville de Russie, sur le haut Dniepr. 325 000 habitants.

**Smyrne** → **İzmir**

**Snorri Sturluson** ▫ Écrivain islandais du Moyen Âge (v. 1178-1241). Grand seigneur, homme politique, considéré comme l'auteur de l'*Edda* en prose et de la *Saga d'Egill.*

Edward **Snowden** ▫ Informaticien américain (né en 1983). Auteur de révélations sur les programmes de surveillance, il fut inculpé pour espionnage en 2013 et se réfugia en Russie.

Frans **Snyders** ou **Snijders** ▫ Peintre baroque flamand (1579-1657).

les îles de la **Société** ▫ Archipel de la Polynésie française, divisé en deux groupes, les îles du Vent et les îles Sous-le-Vent. 1 747 km². 242 726 habitants. Île principale : Tahiti.

la **Société des Nations** → **SDN**

**Socrate** ▫ Philosophe grec (470-399 avant J.-C.). Connu par son disciple Platon, il est le père de la dialectique et par là de toute la philosophie. Il fut condamné à boire la ciguë.

Steven **Soderbergh** ▫ Réalisateur américain (né en 1963). *Ocean's Eleven.*

Giovanni Antonio Bazzi, dit Le **Sodoma** ▫ Peintre italien de l'école lombarde (1477-1549). Il peignit des œuvres d'une esthétique raffinée, parfois morbide, d'esprit maniériste.

**Sodome** ▫ Bible Cité détruite, avec Gomorrhe, par Dieu, à cause de la dépravation de ses habitants.

**Soekarno** → **Sukarno**

**Sofia** ▫ Capitale de la Bulgarie. 1,2 million d'habitants.

la **Sofres** ▫ Société française de sondages et d'études de marché (1968).

la **Sogdiane** ▫ Région historique d'Asie centrale (Ouzbékistan actuel). Elle appartint aux Perses, à Alexandre le Grand, aux Séleucides, etc.

**Soissons** ▫ Chef-lieu d'arrondissement de l'Aisne. 28 522 habitants.

le **Soleil** ▫ Astre autour duquel gravitent les planètes du système solaire. Diamètre : 1,39 million de km.

le canton de **Soleure** ▫ Canton de Suisse. 791 km$^2$. 269 441 habitants. Chef-lieu : Soleure.

**Solférino** ▫ Village de Lombardie. Victoire des Français sur les Autrichiens, en 1859.

**Solidarność** ▫ Syndicat polonais créé en 1980, opposé au régime communiste. Présidé par Lech Wałęsa jusqu'en 1990.

**Soliman le Magnifique** ▫ Sultan ottoman de 1520 à sa mort (v. 1494-1566). Grand conquérant, bâtisseur et législateur.

Alexandre **Soljenitsyne** ▫ Écrivain russe (1918-2008). Son œuvre dénonce le système soviétique *(Une journée d'Ivan Denissovitch ; L'Archipel du Goulag).* Prix Nobel 1970.

la **Sologne** ▫ Région du sud du Bassin parisien.

**Solon** ▫ Législateur athénien, père de la démocratie (v. 640-v. 558 avant J.-C.).

Robert Merton **Solow** ▫ Économiste américain (né en 1924). Étude de la croissance. Prix Nobel 1987.

sir Georg **Solti** ▫ Chef d'orchestre britannique d'origine hongroise (1912-1997).

**Solutré-Pouilly** ▫ Commune de Saône-et-Loire. 358 habitants. Au pied de la *roche de Solutré,* site préhistorique *(Solutréen).*

Ernest **Solvay** ▫ Industriel belge (1838-1922). Innovations en chimie industrielle (soude Solvay). Il finança les *congrès Solvay,* réunions scientifiques sur la physique.

la **Somalie** ▫ État du nord-est de l'Afrique. 637 657 km$^2$. 14,7 millions d'habitants. Capitale : Mogadiscio.

le **Somaliland** ▫ Région du nord de la Somalie qui fit sécession en 1991.

le **Somerset** ▫ Comté du sud-ouest de l'Angleterre. 3 458 km$^2$. 538 000 habitants. Chef-lieu : Taunton.

la **Somme** ▫ Fleuve côtier de Picardie. 245 km. ► la **Somme** [80]. Département français de la Région Hauts-de-France. 6 163 km$^2$. 570 662 habitants. Chef-lieu : Amiens. Chefs-lieux d'arrondissement : Abbeville, Montdidier, Péronne. ► les batailles de la **Somme** (1916, 1940).

le col du **Somport** ▫ Col des Pyrénées-Atlantiques. 1 632 m. Tunnel routier.

les îles de la **Sonde** ▫ Archipel de l'Insulinde.

les **Song** ▫ Dynastie chinoise qui régna de 960 à 1279.

les **Songhaïs** ou **Sonrhaïs** ▫ Peuple d'Afrique occidentale (vallée du Niger).

Susan **Sontag** ▫ Écrivaine féministe américaine (1933-2004).

**Sony** *(Sony Corporation)* ▫ Entreprise japonaise d'électronique, fondée en 1946.

**Sophocle** ▫ Poète tragique grec (496-406 avant J.-C.). *Antigone ; Œdipe Roi ; Électre.*

la **Sorbonne** ▫ Établissement public d'enseignement supérieur, à Paris. Fondé en 1253 par Robert de Sorbon, confesseur de Louis IX.

Georges **Sorel** ▫ Penseur politique français (1887-1922). Théoricien du socialisme et du syndicalisme. *Réflexions sur la violence.*

**Sosie** ▫ Personnage de Plaute, esclave d'Amphitryon, dont Jupiter prend l'apparence pour séduire son épouse (de son nom vient le mot *sosie*). Repris par Molière, dans *Amphitryon.*

**Sotchi** ▫ Ville de Russie, sur la mer Noire. 443 000 habitants.

**Sotheby's** ▫ Entreprise de vente aux enchères créée en 1733 à Londres.

Ettore **Sottsass** ▫ Architecte et designer italien (1917-2007). Il mit une poésie nouvelle dans les rapports avec les objets du quotidien.

la **Souabe** ▫ Région historique d'Allemagne.

Charles de Rohan, prince de **Soubise** ▫ Maréchal de France (1715-1787).

Alain Kienast, dit Alain **Souchon** ▫ Chanteur et auteur-compositeur français (né en 1944).

le **Soudan** ▫ État du nord-est de l'Afrique. 1 886 068 km$^2$. 40,5 millions d'habitants. Capitale : Khartoum. ► le **Soudan du Sud.** État d'Afrique orientale, issu de la sécession avec le Soudan en 2011. 619 745 km$^2$. 12,2 millions d'habitants. Capitale : Juba.

Germain **Soufflot** ▫ Architecte français (1713-1780). Le Panthéon.

la **Soufrière** ▫ Volcan actif de la Guadeloupe. 1 484 m.

**Soukhoumi** ▫ Ville de Géorgie, capitale de la république autonome d'Abkhazie. 63 000 habitants.

Pierre **Soulages** ▫ Peintre français (né en 1919). Compositions abstraites ; constructions horizontales et verticales de formes noires.

Nicolas Jean de Dieu **Soult,** duc de Dalmatie ▫ Maréchal de France (1769-1851). Il s'illustra à Austerlitz. Président du Conseil sous la monarchie de Juillet.

Philippe **Soupault** ▫ Écrivain français (1897-1990). Ancien compagnon des mouvements dada et surréaliste, il écrivit des romans, des poèmes, des essais sur tous les arts, des textes pour la radio. *Les Champs magnétiques,* avec A. Breton.

les îles **Sous-le-Vent** ▫ Groupe d'îles faisant partie des îles de la Société.

**Sousse** ▫ Port de Tunisie. 173 000 habitants.

**Southampton** ▫ Port d'Angleterre (Hampshire), sur la Manche. 253 600 habitants.

Chaïm **Soutine** ▫ Peintre expressionniste français d'origine lituanienne (1894-1943).

Aleksandr **Souvorov** ▫ Maréchal russe (1729-1800). Vainqueur des Français en Italie (1799).

**Soweto** ▫ Township de Johannesburg. 2 millions d'habitants.

Wole **Soyinka** ▫ Écrivain nigérian d'expression anglaise (né en 1934). Prix Nobel 1986.

**Soyouz** ▫ Programme spatial soviétique, puis russe, de vols habités, mis en œuvre à la fin des années 1960.

Paul Henri **Spaak** ▫ Homme d'État (socialiste) belge (1899-1972).

**Spartacus** ▫ Chef de la grande révolte d'esclaves contre Rome (mort en 71 avant J.-C.).

**Spartakus** ▫ Groupe marxiste révolutionnaire allemand (K. Liebknecht, R. Luxemburg...) qui tenta, en 1919, une insurrection à Berlin, durement réprimée.

**Sparte** ou **Lacédémone** ▫ Ville de la Grèce antique (Péloponnèse), rivale d'Athènes.

Herbert **Spencer** ▫ Philosophe évolutionniste anglais (1820-1903).

le **Sphinx** ▫ Monstre fabuleux à corps de lion et tête humaine. La plus ancienne de ses statues est celle de Gizeh, en Égypte.

Art **Spiegelman** ▫ Dessinateur, auteur américain de bandes dessinées (né en 1948). *Maus* évoque la Shoah.

Steven **Spielberg** ▫ Réalisateur et producteur américain (né en 1946). Il réalisa, avec de gros budgets, des films d'aventures, de science-fiction et aborda des faits historiques. *Indiana Jones ; E. T. l'extraterrestre ; La Liste de Schindler ; Il faut sauver le soldat Ryan.*

Baruch **Spinoza** ▫ Philosophe rationaliste hollandais (1632-1677). Admirateur de Descartes, il confère à la philosophie un caractère à la fois rationnel et panthéiste. Penseur politique *(Tractatus theologico-politicus),* il tenta aussi de rationaliser le monde des sentiments, dans *L'Éthique.*

le **Spitzberg** ▫ Archipel norvégien.

Daniel Isaac Feinstein, dit Daniel **Spoerri** ▫ Artiste suisse d'origine roumaine (né en 1930). Compositions et « installations » formées d'objets de rebut, d'animaux, etc.

Jean de **Sponde** ▫ Humaniste et poète français (1557-1595). Poèmes religieux et amoureux de style baroque.

les **Sporades** n. f. pl. ▫ Archipel grec de la mer Égée.

**Spot,** *Satellite pour l'observation de la Terre* ▫ Système français de satellites d'observation, créé en 1986.

Bruce **Springsteen** ▫ Chanteur et musicien de rock américain (né en 1949). Chanteur engagé, il s'inspire notamment du folk américain. *Born in the USA ; Devils and Dust.*

**Sri Lanka,** anciennement *Ceylan* ▫ État insulaire d'Asie du Sud. 66 000 km$^2$. 21,4 millions d'habitants. Capitale : Colombo (capitale administrative : Sri Jayewardenepura).

**Srinagar** → **Shrinagar**

la **SS** *(SchutzStaffel)* ▫ Police militarisée du parti nazi, créée en 1926.

Germaine Necker, baronne de Staël-Holstein, dite Madame de **Staël** ▫ Femme de lettres française, fille de Necker (1766-1817). Esprit européen, elle introduisit en France les messages culturels allemand *(De l'Allemagne)* et italien *(Corinne ou l'Italie),* élaborant en français les concepts modernes d'« art » et de « littérature ».

Nicolas de **Staël** ▫ Peintre abstrait français d'origine russe (1914-1955). Compositions équilibrées, aux larges plages de couleurs, dans une pâte riche et travaillée.

Iossif Vissarionovitch Djougachvili, dit Joseph **Staline** ▫ Homme d'État soviétique (1879-1953). Successeur de Lénine (1924). Responsable d'innombrables crimes (exécution de ses adversaires, massacres, déportations), il fit de l'État soviétique une dictature absolue. Objet d'un culte dans la terreur qui fut dénoncé peu après sa mort par Khrouchtchev (début de la « déstalinisation »).

**Stalingrad** → **Volgograd** ▫ ► la bataille de **Stalingrad** (1942-1943) marqua le début des victoires soviétiques sur l'Allemagne.

Jan Vaclav **Stamitz** ou **Stamić** ▫ Compositeur tchèque (1717-1757). ► Carl Philip **Stamitz,** son fils (1745-1801). Ils contribuèrent à fixer la forme de la symphonie.

La **Stampa** («la presse») ▫ Quotidien italien fondé en 1866.

**Standard & Poor's** ▫ Agence de notation financière américaine fondée en 1941.

**Stanislas Ier Leszczyński** ▫ (1677-1766) Roi de Pologne de 1704 à 1709 et de 1733 à 1736. Il abdiqua et reçut les duchés de Bar et de Lorraine en 1738.

Konstantin **Stanislavski** ▫ Homme de théâtre russe (1863-1938). *La Formation de l'acteur.*

sir Henry Morton **Stanley** ▫ Explorateur britannique du Congo (1841-1904).

**Stanleyville** → **Kisangani**

Philippe **Starck** ▫ Designer français (né en 1949).

Jean **Starobinski** ▫ Critique littéraire suisse (1920-2019). Travaux sur Rousseau, Montesquieu, Montaigne, sur l'interprétation des textes.

**START** (*Strategic Arms Reduction Talks*) ▫ Négociations entre les États-Unis et l'URSS, puis la Russie, à partir de 1982, sur la réduction des armements stratégiques. → aussi **SALT.**

Serge Alexandre **Stavisky** ▫ Homme d'affaires français d'origine russe (1888-1934). Responsable frauduleux d'un scandale financier à prolongements politiques, *l'affaire Stavisky* (1933).

Gertrude **Stein** ▫ Femme de lettres américaine (1874-1946).

Peter **Stein** ▫ Metteur en scène allemand de théâtre et d'opéra (né en 1937).

John **Steinbeck** ▫ Romancier américain (1902-1968). Le thème de l'injustice, des exploités et des exclus est le moteur de ses premières œuvres, truculentes *(Tortilla Flat)* ou plus idéologiques, mais toujours puissantes *(Les Raisins de la colère ; Des souris et des hommes).* Prix Nobel 1962.

Saul **Steinberg** ▫ Dessinateur américain d'origine roumaine (1914-1990). Dessins humoristiques et critiques au graphisme baroque.

Frank **Stella** ▫ Peintre américain (né en 1936). Peinture abstraite, «minimaliste» ; collages.

Henri Beyle, dit **Stendhal** ▫ Écrivain français (1783-1842). *Le Rouge et le Noir ; La Chartreuse de Parme ; Lucien Leuwen.* Ces grands romans, d'énergie personnelle et de critique sociale (et politique), sont écrits dans un style concis et dynamique. Il écrivit aussi des nouvelles, des essais (sur l'Italie, sur la musique), un abondant journal, des correspondances et des souvenirs *(Vie de Henry Brulard ; Souvenirs d'égotisme).*

George **Stephenson** ▫ Ingénieur anglais (1781-1848). Pionnier des chemins de fer.

Daniel **Stern** → Marie d'**Agoult**

Isaac **Stern** ▫ Violoniste américain d'origine russe (1920-2001).

Josef von **Sternberg** ▫ Réalisateur américain, d'origine autrichienne (1894-1969). *L'Ange bleu ; Shanghaï Express.*

Laurence **Sterne** ▫ Romancier anglais (1713-1768). *Vie et Opinions de Tristram Shandy,* «roman» sans intrigue rempli d'innovations qui annonce la littérature du XXe s.

**Stettin** → **Szczecin**

Robert Louis **Stevenson** ▫ Écrivain britannique (1850-1894). Auteur d'un chef-d'œuvre du récit fantastique d'épouvante, *Dr Jekyll et Mr Hyde,* ainsi que du roman d'aventures poétique, *L'Île au Trésor.*

James **Stewart** ▫ Acteur américain de cinéma (1908-1997). A travaillé avec Capra, Lubitsch, Cukor, Hitchcock, Wilder, Ford...

Alfred **Stieglitz** ▫ Photographe américain (1864-1946).

Joseph **Stiglitz** ▫ Économiste américain (né en 1943). Critique du système financier international et de la théorie capitaliste libérale classique. Prix Nobel 2001.

Mauritz **Stiller** ▫ Cinéaste suédois (1883-1928). Films muets à la fois réalistes et fantastiques. *Le Trésor d'Arne. La Légende de Gösta Berling* révéla Greta Garbo.

Karlheinz **Stockhausen** ▫ Compositeur allemand (1928-2007). Influencé par Webern, Messiaen, Boulez, Schaeffer, il travailla les timbres et les intensités sonores, composant des œuvres de plus en plus ambitieuses qui culminent avec *Licht* («lumière»).

**Stockholm** ▫ Capitale de la Suède. 782 900 habitants. Port sur la Baltique.

Bram **Stoker** ▫ Écrivain irlandais (1847-1912). *Dracula.*

sir George **Stokes** ▫ Mathématicien et physicien irlandais (1819-1903). Nombreux travaux en hydrodynamique, en géodésie.

**Stonehenge** ▫ Site mégalithique du sud de l'Angleterre.

**Strabon** ▫ Géographe grec (v. 58 avant J.-C.-v. 25).

Antonio Stradivari, dit **Stradivarius** ▫ Luthier italien (v. 1644-1737). Les violons de sa fabrication conservent une réputation inégalée.

**Strasbourg** ▫ Chef-lieu du Bas-Rhin et capitale de la Région Grand Est. 284 677 habitants. Ville d'art (cathédrale des XIe-XIVe s., château des Rohan, quartier pittoresque de la Petite France). Siège du Conseil de l'Europe et du Parlement européen.

Johann **Strauss** ▫ Compositeur autrichien (1825-1899), célèbre pour ses valses. *Le Beau Danube bleu.*

Richard **Strauss** ▫ Compositeur allemand (1864-1949). La richesse mélodique, la maîtrise orchestrale, la puissance d'inspiration en font le dernier des grands romantiques. *Le Chevalier à la rose ; Salomé* (opéras).

Igor **Stravinski** ▫ Compositeur russe, naturalisé américain (1882-1971). Sa trajectoire musicale va de l'originalité et de la puissance orchestrales de grands ballets *(L'Oiseau de feu ; Petrouchka ; Le Sacre du printemps)* à des œuvres marquées par le folklore russe, puis à des références multiples aux grands musiciens du passé, à un néoclassicisme exigeant et à des expérimentations dans tous les genres.

Mary Louise, dite Meryl **Streep** ▫ Actrice américaine (née en 1949).

Giorgio **Strehler** ▫ Metteur en scène italien de théâtre (1921-1997). Cofondateur du *Piccolo Teatro* de Milan (1947).

Gustav **Stresemann** ▫ Homme politique allemand (1878-1929). Prix Nobel de la paix 1926.

August **Strindberg** ▫ Auteur dramatique suédois (1849-1912). Les thèmes de son théâtre concernent la tragédie de l'individu dans une société cruelle. *Mademoiselle Julie.*

Erich von **Stroheim** ▫ Réalisateur et acteur américain d'origine autrichienne (1885-1957). *Les Rapaces.*

**Stromboli** ▫ Une des îles Éoliennes. Volcan en activité.

les **Strozzi** ▫ Famille de Florence qui s'opposa aux Médicis, au XV^e^ s., avant de se rallier.

le **Struthof** ▫ Camp de concentration nazi dans le Bas-Rhin (1941-1944).

les **Stuart** ▫ Famille qui régna sur l'Écosse de 1371 à 1714 et sur l'Angleterre de 1603 à 1714.

Snorri **Sturluson** → **Snorri Sturluson**

le **Sturm und Drang** ▫ Mouvement littéraire allemand (1770-1790), précurseur du romantisme.

**Stuttgart** ▫ Ville d'Allemagne (Bade-Wurtemberg), sur le Neckar. 591 000 habitants.

Peter **Stuyvesant** ▫ Colonisateur hollandais (1592-1672). Gouverneur de la Nouvelle-Amsterdam (future New York), qu'il céda aux Anglais.

la **Styrie** ▫ État d'Autriche. 16 392 km². 1,21 million d'habitants. Capitale : Graz.

le **Styx** ▫ mythol. grecque Un des fleuves des Enfers.

la guerre de **Succession d'Autriche** ▫ Conflit qui opposa une coalition de pays européens, dont la France, à l'Autriche et à l'Angleterre (1740-1748).

la guerre de **Succession d'Espagne** ▫ Conflit qui opposa la France et l'Espagne à une coalition européenne (1701-1714). Il fut provoqué par l'avènement au trône d'Espagne de Philippe V, petit-fils de Louis XIV.

Antonio José de **Sucre** ▫ Patriote vénézuélien, lieutenant de Bolívar (1795-1830).

**Sucre** ▫ Capitale constitutionnelle de la Bolivie. 261 600 habitants.

les Allemands des **Sudètes** ▫ Nom donné entre les deux guerres mondiales à la population germanophone de Tchécoslovaquie.

Eugène **Sue** ▫ Romancier français (1804-1857). Auteur de romans-feuilletons imaginatifs et réalistes. *Les Mystères de Paris.*

la **Suède** ▫ État d'Europe du Nord (Scandinavie). 449 964 km². 9,11 millions d'habitants. Capitale : Stockholm.

**Suétone** ▫ Historien latin (v. 70-apr. 128). *Vies des douze Césars.*

**Suez** ▫ Port d'Égypte, sur la mer Rouge. 600 000 habitants. ► le canal de **Suez** (162 km) relie la Méditerranée à la mer Rouge. ► l'isthme de **Suez** sépare l'Afrique de l'Asie.

le **Suffolk** ▫ Comté du sud-est de l'Angleterre. 3 800 km². 761 300 habitants. Chef-lieu : Ipswich.

Pierre André de **Suffren** ▫ Marin français (1729-1788). Il combattit au Maroc et aux Indes.

**Suger** ▫ Abbé de Saint-Denis, conseiller de Louis VI et de Louis VII (v. 1081-1151).

le général **Suharto** ▫ (1921-2008). Président de la République indonésienne de 1968 à 1998.

la **Suisse** ou **Confédération suisse** ▫ État d'Europe centrale. 41 285 km². 8,4 millions d'habitants. Capitale : Berne. Villes principales : Zurich, Genève.

**Sukarno** ou **Soekarno** ▫ (1901-1970) Héros de l'indépendance de l'Indonésie et premier président, de 1945 à 1968.

**Sulawesi,** en français *les Célèbes* ▫ Île de l'Indonésie. 189 216 km². 14,4 millions d'habitants.

**Sulla** → **Sylla**

Louis Henry **Sullivan** ▫ Architecte américain (1856-1924). Il éleva des immeubles-tours innovants à armature métallique (à Chicago, Saint Louis).

Maximilien de Béthune, baron de Rosny, duc de **Sully** ▫ (1560-1641) Ministre d'Henri IV, il rétablit les finances de l'État.

**Sully Prudhomme** ▫ Poète français (1839-1907). *Les Solitudes.*

**Sumatra** ▫ Île d'Indonésie. 473 481 km². 47,72 millions d'habitants.

les **Sumériens** ▫ Peuple asiatique établi en Basse-Mésopotamie au IVe millénaire avant J.-C. Ils fondèrent les premières cités (Ur, Eridu, Uruk...).

**Sun** Yat-sen ou **Sun** Wen ▫ (1866-1925) Président de la République chinoise en 1911-1912, puis de 1921 à sa mort.

le lac **Supérieur** ▫ Grand Lac des États-Unis. 82 380 km².

**Superman** ▫ Superhéros de bandes dessinées créé en 1938 par Siegel et Shuster.

Jules **Supervielle** ▫ Écrivain français (1884-1960). Le caractère poétique et sincère de ses œuvres tend à rendre naturelles les manifestations du surnaturel même. *Le Voleur d'enfants ; L'Enfant de la haute mer.*

**Surabaya** ▫ Port d'Indonésie (Java). 2,7 millions d'habitants.

**Surat** ▫ Port d'Inde (Gujarat). 4,5 millions d'habitants.

Robert **Surcouf** ▫ Corsaire français (1773-1827).

le **Suriname** ou **Surinam,** anciennement *Guyane hollandaise* ▫ État d'Amérique du Sud. 163 000 km². 534 000 habitants. Capitale : Paramaribo.

le **Surrey** ▫ Comté du sud de l'Angleterre. 1,1 million d'habitants.

**Suse** ▫ Ancienne capitale de l'Élam. Darios en fit la capitale de l'Empire perse.

**Susiane** → **Élam**

le **Sussex** ▫ Région du sud de l'Angleterre.

dame Joan **Sutherland** ▫ Cantatrice australienne (1926-2010). Soprano dramatique colorature.

**Suva** ▫ Capitale des îles Fidji. 86 200 habitants.

Ettore Schmitz, dit Italo **Svevo** ▫ Romancier italien (1861-1928). *La Conscience de Zeno* est un monologue intérieur d'un style novateur et d'un ton ironique et pénétrant.

le **Swaziland** → **Eswatini**

Emanuel **Swedenborg** ▫ Savant et théosophe suédois (1688-1772).

Jonathan **Swift** ▫ Écrivain irlandais (1667-1745). Son œuvre est marquée par sa lucidité critique et sa verve mordante de pamphlétaire politique. Cette ironie peut déboucher dans la férocité ou dans l'humour ravageur d'aventures imaginaires *(Les Voyages de Lemuel Gulliver).*

Algernon Charles **Swinburne** ▫ Poète, auteur dramatique et critique anglais (1837-1909).

**Sybaris** ▫ Colonie grecque fondée au VIIIe s. avant J.-C. dans le sud de l'Italie. Ses habitants, les *Sybarites,* menaient une luxueuse vie de plaisir.

**Sydney** ▫ Port d'Australie (Nouvelle-Galles du Sud), sur l'océan Pacifique. 4,28 millions d'habitants.

**Sylla** ou **Sulla** ▫ Général et homme d'État romain (138-78 avant J.-C.). Rival de Marius, maître de Rome en 82 avant J.-C., il se retira en 79 avant J.-C.

**Syra** ou **Syros** ▫ Île grecque de la mer Égée (Cyclades).

**Syracuse** ▫ Port d'Italie, en Sicile. 123 700 habitants. Nombreux vestiges antiques.

le **Syr-Daria** ▫ Fleuve d'Asie centrale qui se jette dans la mer d'Aral. 2 212 km.

la **Syrie** ▫ État du Proche-Orient. 185 180 km². 19,9 millions d'habitants. Capitale : Damas.

la Grande **Syrte** ▫ Golfe de Libye (Tripolitaine et Cyrénaïque).

**Szczecin,** en allemand *Stettin* ▫ Port de Pologne. 409 000 habitants.

# T

Éric **Tabarly** ▫ Navigateur français (1931-1998). Vainqueur de plusieurs courses transatlantiques sur ses voiliers *Pen Duick*. Il mourut en mer.

la **Table ronde** ▫ Table légendaire autour de laquelle se réunissaient le roi Arthur et ses chevaliers. Elle symbolise l'égalité et la paix. Les *Romans de la Table ronde* forment le cycle arthurien.

**Tabrīz** ▫ Ville d'Iran. 1,4 million d'habitants.

**Tachkent** ▫ Capitale de l'Ouzbékistan. 2,7 millions d'habitants.

**Tacite** ▫ Historien latin (v. 55-v. 120). Orateur, il déplorait la décadence de la rhétorique *(Dialogue des orateurs)*. Il est l'auteur des *Annales*, récit de l'histoire de Rome de la mort d'Auguste à celle de Néron, et des *Histoires*, qui vont jusqu'à Domitien. Une partie des connaissances sur la Gaule repose sur ses textes.

le **Tadjikistan** ▫ État d'Asie centrale. 143 100 km². 9,1 millions d'habitants. Capitale : Douchanbé.

le **Tage** ▫ Fleuve de la péninsule Ibérique. 1 006 km.

Rabindranāth **Tagore** ▫ Écrivain indien (1861-1941). *L'Offrande lyrique*. Prix Nobel 1913.

**Tahiti** ▫ Île de la Polynésie française (archipel de la Société). 1 042 km². 183 480 habitants. Chef-lieu : Papeete.

Germaine **Tailleferre** ▫ Compositrice française (1892-1983), membre du groupe des Six.

Hippolyte **Taine** ▫ Philosophe, historien et critique français (1828-1893). *Essais de critique et d'histoire.*

**Taipei** ou **Taibei** ▫ Capitale de Taiwan. 2,7 millions d'habitants.

**Taiwan,** anciennement *Formose* ▫ Île d'Asie. 35 966 km². 23 millions d'habitants. Capitale : Taipei. Province de la république populaire de Chine, Taiwan est administrée depuis 1949 par son propre gouvernement, la république de Chine.

**Taiyuan** ▫ Ville de Chine (Shanxi). 3,1 millions d'habitants.

le **Tāj Mahal** ▫ Mausolée de marbre blanc construit à Agra (Inde) au XVIIe s.

Gédéon **Tallemant des Réaux** ▫ Mémorialiste français (1619-1692). Ses *Historiettes* (publiées au XIXe s.) constituent un recueil de vivantes anecdotes sur son époque.

Charles Maurice de **Talleyrand-Périgord** ▫ Homme politique et diplomate français (1754-1838). Il dirigea les Relations extérieures de 1797 (Directoire) à 1807, puis représenta Louis XVIII au congrès de Vienne.

**Tallinn** ▫ Capitale de l'Estonie. 400 400 habitants.

François Joseph **Talma** ▫ Tragédien français (1763-1826).

le **Talmud** ▫ Livre du judaïsme qui fixe les règles de la vie civile et religieuse.

Jean **Talon** ▫ Administrateur français (1625-1694). Intendant de la Nouvelle-France (Canada) de 1665 à 1668, puis de 1670 à 1672.

**Tamanrasset** ▫ Oasis du Sahara algérien.

**Tamatave** → **Toamasina**

**Tamerlan** ▫ Conquérant turco-mongol d'Asie centrale (1336-1405).

le **Tamil Nadu** ▫ État du sud-est de l'Inde. 130 069 km². 77,8 millions d'habitants. Capitale : Chennaï.

la **Tamise,** en anglais *Thames* ▫ Fleuve anglais qui traverse Londres. 338 km.

les **Tamouls** ▫ Groupe ethnique du sud de l'Inde et du Sri Lanka.

**Tananarive** → **Antananarivo**

les **Tang** ou **T'ang** ▫ Dynastie chinoise qui régna de 618 à 907.

le lac **Tanganyika** ▫ Grand lac de l'Afrique orientale. 31 900 km².

**Tanger** ▫ Port du Maroc, sur le détroit de Gibraltar. 947 900 habitants.

**Tangshan** ▫ Ville de Chine (Hebei). 2,1 millions d'habitants.

Yves **Tanguy** ▫ Peintre surréaliste français naturalisé américain (1900-1955).

Junichirō **Tanizaki** ▫ Écrivain japonais (1886-1965). Ses œuvres se réfèrent à la tradition japonaise *(Récit d'un aveugle, Éloge de l'ombre)*. L'âge venu, il écrivit des récits nostalgiques et troublants, parfois érotiques, d'une grande maîtrise *(La Confession impudique, Journal d'un vieux fou)*.

**Tannhäuser** ▫ Poète et chevalier germanique (v. 1205-v. 1270). Héros d'un opéra de Wagner partagé entre l'amour sacré et l'amour sensuel.

**Tantale** ▫ mythol. grecque Roi condamné par les dieux à subir une faim et une soif perpétuelles (le *supplice de Tantale*).

la **Tanzanie** ▫ État d'Afrique de l'Est. 945 037 km$^2$. 57,3 millions d'habitants. Capitale : Dodoma. Ville principale : Dar es Salam.

**Taormine** ▫ Ville de Sicile. 10 800 habitants. Ruines antiques.

**Taranis** ▫ Dieu gaulois de la Foudre et du Tonnerre, rapproché de Jupiter à l'époque gallo-romaine.

Quentin **Tarantino** ▫ Réalisateur et scénariste américain (né en 1963). Il réinterpréta le genre du polar, du film noir et du film de guerre avec humour et inventivité. *Reservoir Dogs ; Pulp Fiction ; Kill Bill ; Inglorious Basterds.*

**Tarass Boulba** ▫ Personnage de chef cosaque, truculent et cruel, créé par Gogol.

**Tarbes** ▫ Chef-lieu des Hautes-Pyrénées. 42 426 habitants.

Gabriel de **Tarde** ▫ Sociologue français (1843-1904). Travaux sur la criminalité ; psychologie sociale. *Les Lois de l'imitation.*

Jean **Tardieu** ▫ Poète et auteur dramatique français (1903-1995). Son inquiétude face à l'existence se dissimule sous l'humour de jeux verbaux hilarants *(Un mot pour un autre)*. Œuvre dramatique et poèmes *(Formeries)*.

**Tarente** ▫ Port du sud de l'Italie (Pouilles). 202 000 habitants.

Andreï **Tarkovski** ▫ Réalisateur soviétique (1932-1986). Créateur d'une exigence esthétique et morale intransigeante, il dut s'exiler d'URSS. *Andreï Roublev ; Solaris ; Le Sacrifice.*

le **Tarn** ▫ Rivière, affluent de la Garonne. 375 km. ► le **Tarn** [81]. Département français de la Région Occitanie. 5 780 km$^2$. 388 596 habitants. Chef-lieu : Albi. Chef-lieu d'arrondissement : Castres. ► le **Tarn-et-Garonne** [82]. Département français de la Région Occitanie. 3 718 km$^2$. 259 124 habitants. Chef-lieu : Montauban. Chef-lieu d'arrondissement : Castelsarrasin.

la roche **Tarpéienne** ▫ Crête depuis laquelle on précipitait les criminels, à Rome.

**Tarquin l'Ancien** ▫ Cinquième roi de Rome, de 616 à 578 avant J.-C. ► **Tarquin le Superbe,** septième et dernier roi de Rome, de 534 à 509 avant J.-C.

le **Tartare** ▫ mythol. grecque Région des Enfers où sont châtiés les grands criminels.

les **Tartares** ▫ Nom donné en Occident aux envahisseurs mongols. Déformation du nom des Tatars.

**Tartarin de Tarascon** ▫ Personnage créé par Alphonse Daudet, type de Méridional hâbleur.

**Tartuffe** ▫ Type de l'hypocrite, utilisant sa fausse dévotion pour exploiter les naïfs, créé par Molière dans la pièce de ce titre.

**Tarzan** ▫ Personnage créé par Edgar Rice Burroughs (1912), repris et popularisé par la bande dessinée (1928) et le cinéma. Jeune aristocrate anglais perdu dans la jungle, il est élevé par une guenon et devient l'ami des bêtes sauvages.

la **Tasmanie** ▫ Île au sud de l'Australie dont elle constitue le plus petit État fédéré. 68 332 km$^2$. 489 900 habitants. Capitale : Hobart.

l'agence **Tass** ▫ Principale agence de presse russe, créée en 1904.

Torquato Tasso, dit Le **Tasse** ▫ Poète italien (1544-1595). Auteur de poèmes amoureux et chevaleresques, il écrivit *La Jérusalem délivrée* qui cherche, au-delà de l'histoire objective, à trouver une vérité humaniste légendaire.

la république des **Tatars** ou **Tatarstan** ▫ République autonome de Russie. 68 000 km$^2$. 3,78 millions d'habitants. Capitale : Kazan. ► les **Tatars.** Peuple nomade d'origine turco-mongole.

la **Tate Gallery** ▫ Musée de peinture de Londres fondé en 1897. Collections réparties entre la *Tate Britain* (art britannique) et la *Tate Modern* (art moderne international).

Jacques Tatischeff, dit Jacques **Tati** ▫ Cinéaste français (1907-1982). Il élabora une œuvre originale, d'une poésie insolite et d'un comique critique de la société française, rurale *(Jour de fête)*, petite-bourgeoise *(Les Vacances de M. Hulot)*, avant de dénoncer la tyrannie du modernisme et des machines *(Mon oncle, Playtime, Trafic)*.

Art **Tatum** ▫ Pianiste de jazz américain (1910-1956). Sa très grande virtuosité est au service d'un style volubile.

la **Tauride** ▫ Anc. nom de la Crimée.

le **Taurus** ▫ Montagnes de Turquie.

**Tautavel** ▫ Commune des Pyrénées-Orientales. 860 habitants. En 1971, on y découvrit dans une grotte le crâne d'un homme fossile, vieux de plus de 450 000 ans, *l'homme de Tautavel*, ancêtre de l'homme de Neandertal.

Bertrand **Tavernier** ▫ Réalisateur français (né en 1941). Œuvre éclectique, film de guerre *(Capitaine Conan)*, évocations historiques *(Que la fête commence)*. Passionné de jazz *(Autour de minuit)* et de cinéma américain.

les frères **Taviani** ▫ Vittorio (1929-2018) et Paolo (né en 1931), réalisateurs italiens qui firent œuvre commune. *Padre padrone.*

Frederick Winslow **Taylor** ▫ Ingénieur américain (1856-1915). Organisation scientifique du travail ou *taylorisme*.

Elizabeth Rosemonde Taylor, dite Liz **Taylor** ▫ Actrice américaine (1932-2011). *La Chatte sur un toit brûlant ; Qui a peur de Virginia Woolf ?* Elle incarna *Cléopâtre* pour Mankiewicz.

Haroun **Tazieff** ▫ Géologue français d'origine russe (1914-1998). Il se spécialisa en volcanologie.

**Tbilissi,** anciennement *Tiflis* ▫ Capitale de la Géorgie. 1,10 million d'habitants.

le **Tchad** ▫ État d'Afrique centrale. 1 284 000 km². 15,7 millions d'habitants. Capitale : N'Djamena. ► le lac **Tchad,** lac d'Afrique centrale, en voie d'assèchement.

Piotr Ilitch **Tchaïkovski** ▫ Compositeur russe (1840-1893). Son style marie l'influence du symphonisme allemand et de l'inspiration russe. Opéras (*Eugène Onéguine, La Dame de pique,* d'après Pouchkine), ballets *(Le Lac des cygnes, Casse-noisette),* six symphonies, concertos, musique de chambre, mélodies.

**Tchang Kaï-chek** → **Jiang Jieshi**

la **Tchécoslovaquie** ▫ Anc. État fédéral de l'Europe centrale (1918-1992), divisé auj. en deux États indépendants : la Slovaquie et la République tchèque.

Anton **Tchekhov** ▫ Écrivain et auteur dramatique russe (1860-1904). *La Mouette ; Oncle Vania ; La Cerisaie.* Ses récits, et surtout son œuvre dramatique, en donnant à l'image d'une société décadente, à la veille de bouleversements, une valeur humaine profonde et une émotion lucide, en font un écrivain universel.

**Tcheliabinsk** ▫ Ville de Russie dans l'Oural. 1,13 million d'habitants.

la République **tchèque** ou **Tchéquie** ▫ État de l'Europe centrale. 78 864 km². 10,23 millions d'habitants. Capitale : Prague.

**Tchernobyl** ▫ Ville d'Ukraine. Grave accident nucléaire en 1986.

la **Tchétchénie** ▫ République autonome de Russie, dans le Caucase. 19 300 km². 1,2 million d'habitants. Capitale : Groznyï.

la **Tchouvachie** ▫ République autonome de Russie, sur la Volga. 18 300 km². 1,2 million d'habitants. Capitale : Tcheboksary.

Abdelmadjib **Tebboune** ▫ Homme d'État algérien (né en 1945), président de la République depuis 2019.

André **Téchiné** ▫ Réalisateur français (né en 1943). Films d'un esthétisme raffiné. *Les Sœurs Brontë ; Les Roseaux sauvages ; Les Témoins.*

**Tegucigalpa** ▫ Capitale du Honduras. 850 200 habitants.

**Téhéran** ▫ Capitale de l'Iran. 8,7 millions d'habitants.

Pierre **Teilhard de Chardin** ▫ Religieux, philosophe et paléontologue français (1881-1955). Jésuite, il exerça une activité scientifique en Asie, prenant l'évolution qui conduit du primate à l'homme comme point de départ d'une réflexion philosophique sur la spiritualisation de la matière. *Le Phénomène humain ; L'Avenir de l'homme.*

dame Kiri **Te Kanawa** ▫ Cantatrice (soprano) néo-zélandaise (née en 1944).

**Telangana** ▫ État du S.-E. de l'Inde. 114 840 km². 39,3 millions d'habitants. Capitale : Hyderabad.

**Tel-Aviv-Jaffa** ▫ Ville d'Israël. 384 000 habitants (zone urbaine 3,1 millions).

Georg Philipp **Telemann** ▫ Compositeur baroque allemand (1681-1767). Il composa dans tous les genres, conciliant les styles français, italien et allemand. Quarante opéras allemands *(Singspiel),* six cents ouvertures «à la française», immense œuvre religieuse.

**Télémaque** ▫ mythol. grecque Fils d'Ulysse.

Guillaume **Tell** → **Guillaume Tell**

**Tell el-Amarna** ▫ Site archéologique d'Égypte. Akhenaton y fonda sa nouvelle capitale (v. 1362 avant J.-C.).

les **Templiers** n. m. pl. ▫ Ordre de moines-soldats (1119-1312).

**Temüjin** → **Gengis Khān**

**Tenerife** ▫ La plus grande île de l'archipel des Canaries. 2 053 km². 908 555 habitants.

David **Teniers le Jeune** ▫ Peintre flamand (1610-1690). Scènes populaires.

le **Tennessee** ▫ État du sud-est des États-Unis. 109 412 km². 6,3 millions d'habitants. Capitale : Nashville.

Alfred, lord **Tennyson** ▫ Poète et dramaturge anglais (1809-1892). Poète national, il écrivit des pièces évoquant l'histoire britannique. *Enoch Arden.*

**Tenochtitlán** ▫ Ancienne capitale des Aztèques, à l'emplacement de Mexico.

**Tenzing Norgay** → **Hillary**

**Tenzin Gyatso** ▫ Religieux tibétain, quatorzième dalaï-lama (né en 1935). En exil (en Inde) depuis 1958, il incarne la volonté d'autonomie du Tibet annexé par la Chine. Prix Nobel de la paix 1989.

**Teotihuacán** ▫ Site archéologique du Mexique. Immenses pyramides.

Valentina **Terechkova** ▫ Cosmonaute russe (née en 1937), première femme dans l'espace (1963).

**Térence** ▫ Auteur latin de comédies (v. 190-159 avant J.-C.). *L'Hécyre.*

sainte mère **Teresa** ▫ Religieuse indienne d'origine albanaise (1910-1997). Prix Nobel de la paix 1979.

**Terpsichore** ▫ mythol. grecque Muse protectrice de la danse.

la **Terre** ▫ Une des planètes du système solaire. Diamètre : 12 756 km.

la **Terre de Feu** ▫ Archipel situé au sud de l'Amérique latine.

**Terre-Neuve** ▫ Île du Canada. Avec une partie du Labrador, elle forme la province de *Terre-Neuve-et-Labrador*. 405 212 km². 505 400 habitants. Capitale : Saint John's.

la **Terreur** ▫ Période de la Révolution française qui débuta en 1793 et prit fin avec la chute de Robespierre (juillet 1794).

le **Territoire de Belfort** → **Belfort**

les **Territoires du Nord-Ouest** → **Nord-Ouest**

**Tertullien** ▫ Écrivain et théologien latin chrétien (v. 155- v. 225). Il tenta une synthèse entre la tradition du stoïcisme et la nouvelle morale chrétienne.

le canton du **Tessin** ▫ Canton de Suisse. 2 812 km². 354 375 habitants. Chef-lieu : Bellinzona.

l'Ancien et le Nouveau **Testament** → **Bible**

Jacques **Testart** ▫ Biologiste français (né en 1939). Travaux sur la procréation naturelle et artificielle.

**Téthys** ▫ mythol. grecque Déesse de la Mer.

la **Tétralogie** → **Wagner**

**Teutatès** ou **Toutatis** ▫ Dieu protecteur celte, que les Romains semblent avoir identifié à Mars ou à Mercure.

les chevaliers **Teutoniques** ▫ Ordre militaire chrétien germanique fondé en 1128.

les **Teutons** ▫ Peuple de Germanie vaincu par Marius à Aix-en-Provence en 102 avant J.-C.

le **Texas** ▫ État du sud des États-Unis. 692 408 km². 20,8 millions d'habitants. Capitale : Austin. Villes principales : Houston, Dallas.

William Makepeace **Thackeray** ▫ Journaliste et romancier anglais (1811-1863). Son «roman sans héros», *La Foire aux vanités,* marqua son époque, puis le recueil de satires parues dans la revue *Punch, Le Livre des snobs,* créa la notion de «snobisme».

**Thaddée** → saint **Jude**

la **Thaïlande,** anciennement *le Siam* ▫ État d'Asie du Sud-Est. 513 115 km². 69 millions d'habitants. Capitale : Bangkok.

les **Thaïs** ▫ Peuples de l'Asie du Sud-Est.

**Thalès de Milet** ▫ Penseur, astronome et mathématicien grec (v. 625-v. 546 avant J.-C.).

**Thanatos** ▫ mythol. grecque Dieu de la Mort.

Margaret **Thatcher** ▫ Femme politique britannique (1925-2013). Première ministre (conservateur) de 1979 à 1990.

l'étang de **Thau** ▫ Étang du Languedoc.

la **Thébaïde** ▫ Ancien nom de la partie méridionale de la Haute-Égypte, dont la capitale était Thèbes (près de l'actuelle Louxor). Au IIIᵉ s., des ascètes chrétiens s'y réfugièrent.

**Thèbes** ▫ Ville de l'Égypte ancienne. Temples de Louksor et de Karnak.

**Thèbes** ▫ Ville de la Grèce antique (Béotie). Détruite par Alexandre le Grand (336 avant J.-C.).

**Thémistocle** ▫ Homme d'État athénien (v. 525-v. 460 avant J.-C.). Vainqueur à Salamine.

**Théocrite** ▫ Poète bucolique grec (v. 315-v. 250 avant J.-C.). *Idylles.*

**Théodora** ▫ Impératrice byzantine (morte en 548). Femme de Justinien Iᵉʳ.

**Théodoric le Grand** ▫ Roi des Ostrogoths (v. 455-526). En 488, il fonda un royaume en Italie.

**Théodose Iᵉʳ le Grand** ▫ (v. 346-395) Empereur romain de 379 à sa mort. Il fit du christianisme une religion d'État.

**Théophile** → Théophile de **Viau**

**Théophraste** ▫ Philosophe grec (v. 370-v. 287 avant J.-C.). Il succéda à Aristote à la tête du Lycée et laissa de nombreux ouvrages. Il est l'auteur de *Caractères,* que traduisit La Bruyère.

**Théra** → **Santorin**

sainte **Thérèse d'Ávila** ▫ Religieuse espagnole (1515-1582). Écrits mystiques. Elle réforma l'ordre du Carmel.

sainte **Thérèse de l'Enfant-Jésus** ▫ Religieuse française (1873-1897). Pèlerinage à Lisieux.

Yves **Thériault** ▫ Écrivain canadien d'expression française (1915-1983). Romans, souvent consacrés aux autochtones du Canada, Inuits *(Agaguk),* Amérindiens *(Ashini).*

la journée du 9 **Thermidor an II** ▫ Journée révolutionnaire (27 juillet 1794) qui entraîna la chute de Robespierre et mit fin à la Terreur.

les **Thermopyles** ▫ Défilé de la Grèce où Léonidas Iᵉʳ et ses Spartiates résistèrent aux Perses (480 avant J.-C.).

**Thésée** ▫ mythol. grecque Roi d'Athènes, il tua le Minotaure.

la **Thessalie** ▫ Région du nord de la Grèce.

**Thessalonique** ou **Salonique** ▫ Port de Grèce (Macédoine). 322 000 habitants.

**Thétis** ▫ mythol. grecque Déesse marine, fille de Nérée (Néréide), femme du roi des Myrmidons, Pélée, et mère d'Achille.

**Thibaud** ou **Thibaut de Champagne** ▫ Trouvère français, comte de Champagne sous le nom de Thibaut IV.

Adolphe **Thiers** ▫ Homme d'État et historien français (1797-1877). Président de la IIIᵉ République de 1871 à 1873.

René **Thom** ▫ Mathématicien français (1923-2002). Théorie des catastrophes. Médaille Fields 1958.

saint **Thomas** ▫ Apôtre de Jésus.

Dylan **Thomas** ▫ Écrivain britannique, gallois (1914-1953). Sa poésie, tragique, obsessionnelle, traduit une profonde angoisse. *Portrait de l'artiste en jeune chien.*

saint **Thomas Becket** ▫ Archevêque anglais de Canterbury (v. 1118-1170). Il s'opposa au roi Henri II qui le fit tuer.

saint **Thomas d'Aquin** ▫ Théologien italien (1228-1274). *Somme théologique,* s'efforçant de concilier raison et foi.

saint **Thomas More** → saint Thomas **More**

Benjamin **Thompson** → **Rumford**

sir William **Thomson,** lord Kelvin ▫ Physicien anglais (1824-1907). Travaux en thermodynamique.

sir Joseph John **Thomson** ▫ Physicien britannique (1856-1940). Il prouva l'existence de l'électron et en étudia les propriétés. Prix Nobel 1906. ► sir George Paget **Thomson,** son fils (1892-1975), confirma la théorie ondulatoire de l'électron due à Louis de Broglie. Prix Nobel 1937.

**Thor** ou **Tor** ▫ mythol. nordique Dieu guerrier, maître du tonnerre.

Henry **Thoreau** ▫ Écrivain américain (1817-1862). *Walden ou la Vie dans les bois.*

Maurice **Thorez** ▫ Homme politique français (1900-1964). Militant communiste, il contribua au Front populaire. Mobilisé en 1939, il déserta pour l'URSS et de Gaulle le gracia.

**Thot** ▫ mythol. égyptienne Dieu du Savoir.

**Thoutmôsis** ▫ Nom de quatre pharaons du Nouvel Empire (XVIIIe dynastie). ► **Thoutmôsis III** (1504-1450 avant J.-C.) dut épouser sa tante, Hatchepsout, pour accéder au trône après la mort de cette reine. Grand conquérant, il porta l'Empire à son apogée.

la **Thrace** ▫ Région partagée entre la Grèce, la Bulgarie et la Turquie.

**Thucydide** ▫ Historien grec (v. 470-v. 395 avant J.-C.). *Histoire de la guerre du Péloponnèse.*

**Thulé** ▫ Terre fabuleuse, la limite nord du monde connu dans l'Antiquité.

**Thulé** ▫ Ancien comptoir polaire du nord-ouest du Groenland, base d'expéditions (Rasmussen ; Jean Malaurie). Base aérienne américaine, depuis 1945.

Greta **Thunberg** ▫ Militante écologiste suédoise (née en 2003).

le canton de **Thurgovie** ▫ Canton suisse. 991 km². 270 709 habitants. Chef-lieu : Frauenfeld.

la **Thuringe** ▫ Land d'Allemagne. 16 176 km². 2,2 millions d'habitants. Capitale : Erfurt.

**Tiananmen** («place de la Paix céleste») ▫ Vaste place de Pékin devant une porte de la Cité impériale. Elle abrite le mausolée de Mao Zedong, et fut en 1989 le théâtre de manifestations étudiantes violemment réprimées.

**Tianjin** ou **T'ien-tsin** ▫ Port de Chine. 7,2 millions d'habitants.

**Tibère** ▫ (42 avant J.-C.-37) Empereur romain de 14 à sa mort.

le lac de **Tibériade** ▫ Lac d'Israël. 200 km².

le **Tibesti** ▫ Massif montagneux du Sahara, dans le nord du Tchad (3 415 m).

le **Tibet** ▫ Région autonome de Chine, dans l'Himalaya. 1 228 400 km². 2,6 millions d'habitants. Capitale : Lhassa.

le **Tibre** ▫ Fleuve d'Italie qui traverse Rome. 396 km.

**T'ien-tsin** → **Tianjin**

Giambattista **Tiepolo** ▫ Peintre italien (1696-1770). Fantaisie, légèreté, virtuosité des formes et des couleurs caractérisent ses grandes compositions.

**Tiflis** → **Tbilissi**

le **Tigre** ▫ Fleuve d'Asie occidentale qui forme, avec l'Euphrate, le Chatt al-Arab. 1 718 km.

le **Tigré** ▫ Province du nord de l'Éthiopie. 65 900 km². 6,5 millions d'habitants.

**Tijuana** ▫ Ville du Mexique. 1,3 million d'habitants.

**Tikal** ▫ Site archéologique maya, au Guatemala.

Germaine **Tillion** ▫ Ethnologue et militante française (1907-2008). Spécialiste de l'Afrique du Nord et du Moyen-Orient.

le traité de **Tilsit** ▫ Traité entre Napoléon Ier et le tsar Alexandre Ier (1807).

The **Times** ▫ Quotidien britannique (conservateur) fondé en 1784.

**Timgad** ▫ Ville d'Algérie. Vestiges de la ville romaine de Thamugadi, fondée par Trajan.

**Timor** ▫ Île de l'est de l'archipel indonésien. 33 615 km². 1,2 million d'habitants. ► le **Timor oriental,** État d'Insulinde depuis 2002. 14 874 km². 1,2 million d'habitants. Capitale : Dili.

Nikolaas **Tinbergen** ▫ Biologiste néerlandais (1907-1988). L'un des fondateurs de l'éthologie. Prix Nobel 1973, avec K. Lorenz et K. von Frisch.

Jean **Tinguely** ▫ Sculpteur suisse (1925-1991). Il construisit des machines dont le seul effet est le mouvement et le rythme de formes métalliques. *Fontaine Stravinski* à Paris, avec sa femme Niki de Saint Phalle.

**Tintin** ▫ Personnage de bandes dessinées créé en 1929 par Hergé. Jeune reporter accompagné de son chien Milou et du capitaine Haddock.

Jacopo Robusti, dit le **Tintoret** ▫ Peintre vénitien (1518-1594). Ses tableaux et compositions murales sont caractérisés par le dynamisme et les contrastes des formes.

**Tipasa** ▫ Ville d'Algérie, sur la côte à l'ouest d'Alger. 15 200 habitants. Vestiges de la ville antique, dont un vaste mausolée circulaire.

**Tirana** ▫ Capitale de l'Albanie. 421 286 habitants.

Jean **Tirole** ▫ Économiste français (né en 1953). Ses recherches portent sur la finance, l'économie industrielle et la régulation des marchés. Prix Nobel 2014.

**Tirso de Molina** ▫ Religieux et auteur dramatique espagnol (v. 1583-1648). Nombreuses comédies d'intrigue et comédies dramatiques, dont *Le Trompeur de Séville*, première apparition de Don Juan au théâtre.

**Tirynthe** ▫ Ancienne ville de Grèce, en Argolide.

le **Titanic** ▫ Paquebot britannique qui coula au large de Terre-Neuve, en 1912.

les **Titans** n. m. pl. ▫ mythol. grecque Géants, fils de Gaïa et d'Ouranos, vaincus par Zeus.

**Tite-Live** ▫ Historien latin (v. 59 avant J.-C.-v. 10). *Histoire de Rome.*

le lac **Titicaca** ▫ Lac des Andes à 3 800 m d'altitude. 8 340 km$^2$.

Tiziano Vecellio, dit **Titien** ▫ Peintre vénitien (v. 1490-1576). *L'Amour sacré et l'Amour profane.* L'art de la figure (portraits, scènes symboliques), de la composition et de la couleur en fait le centre de rayonnement de la peinture vénitienne.

Josip Broz, dit **Tito** ▫ Maréchal et homme d'État (communiste) yougoslave (1892-1980). Au pouvoir de 1945 à sa mort, il incarna l'unité yougoslave et le non-alignement avec l'URSS.

**Titus** ▫ (v. 40-81) Empereur romain de 79 à sa mort.

**Tivoli** ▫ Ville d'Italie près de Rome, la *Tibur* romaine. 49 300 habitants. Jardins de la villa d'Este.

**Toamasina** ou **Tamatave** ▫ Port de Madagascar. 200 000 habitants.

**Tobago** → **Trinité-et-Tobago**

Mark **Tobey** ▫ Peintre abstrait américain (1890-1976). Œuvres denses et calligraphiques.

**Tobie** ▫ Personnage de la Bible, héros du livre qui porte son nom.

James **Tobin** ▫ Économiste américain (1918-2002). Spécialiste des problèmes monétaires et financiers, il a proposé de taxer les transactions à court terme sur les devises *(taxe Tobin)*. Prix Nobel 1981.

Charles Alexis Clérel de **Tocqueville** ▫ Historien et penseur politique français (1805-1859). Son étude pénétrante *De la démocratie en Amérique* le rendit célèbre. *L'Ancien Régime et la Révolution* montre, à travers les ruptures, la continuité de la politique de la France.

le **Togo** ▫ État d'Afrique de l'Ouest. 56 785 km$^2$. 7,6 millions d'habitants. Capitale : Lomé.

la **Toison d'or** ▫ mythol. grecque Toison d'un bélier ailé, volée par Jason et les Argonautes.

**Tokyo** ou **Tōkyō** ▫ Capitale du Japon (Honshū). 12,58 millions d'habitants (zone urbaine 35,3).

**Tolbiac** ▫ Ville de Germanie (aujourd'hui Zülpich, en Allemagne). Clovis y vainquit les Alamans en 496 ou 506.

**Tolède** ▫ Ville d'Espagne, capitale de Castille-La Manche. 83 872 habitants. Monuments mauresques. Alcázar.

John Ronald **Tolkien** ▫ Romancier britannique (1892-1973). Historien de la littérature médiévale anglaise, il créa dans *Le Seigneur des anneaux* (1954-1955) un univers imaginaire, nourri d'emprunts aux mythologies germanique et nordique.

Léon **Tolstoï** ▫ Écrivain russe (1828-1910). De son œuvre romanesque se détachent au moins deux chefs-d'œuvre, l'un épique et complexe, *La Guerre et la Paix*, l'autre psychologique et moralisant, *Anna Karénine*. Il est aussi l'auteur de récits plus brefs, comme *La Mort d'Ivan Ilitch* ou *Le Père Serge*.

les **Toltèques** ▫ Peuple amérindien du Mexique précolombien.

Giuseppe **Tomasi di Lampedusa** → **Lampedusa**

**Tombouctou** ▫ Ville du Mali. 60 000 habitants. Aux confins du Sahara, ce fut le point de départ des caravanes, à partir du XI$^e$ siècle.

les îles **Tonga** ▫ Archipel et État de Polynésie. 675 km$^2$. 102 000 habitants. Capitale : Nuku'alofa.

le **Tonkin** ▫ Région du nord du Viêtnam.

le palais de **Topkapı** ▫ Ancienne résidence des sultans de l'Empire ottoman, à Istanbul. Musée d'art islamique et ottoman.

**Tor** → **Thor**

la **Torah** ▫ Les cinq premiers livres de la Bible, pour les juifs.

le traité de **Tordesillas** ▫ Traité qui, en 1494, fixa la ligne de partage des colonies du Nouveau Monde entre l'Espagne et le Portugal.

**Toronto** ▫ Ville du Canada, capitale de l'Ontario. 2,7 millions d'habitants.

Tomás de **Torquemada** ▫ Dominicain espagnol et grand inquisiteur (1420-1498).

Evangelista **Torricelli** ▫ Physicien italien (1608-1647). Il mit en évidence l'existence de la pression atmosphérique et inventa le baromètre.

la **Toscane** ▫ Région administrative du nord-ouest de l'Italie. 22 992 km². 3,5 millions d'habitants. Chef-lieu : Florence.

Arturo **Toscanini** ▫ Chef d'orchestre italien (1867-1957).

les **Touareg** ▫ Population nomade du Sahara, d'origine berbère.

les **Toucouleurs** ▫ Peuple du Sénégal constitué en un royaume au Xe s.

**Toul** ▫ Chef-lieu d'arrondissement de Meurthe-et-Moselle, un des Trois-Évêchés. 15 470 habitants.

**Toulon** ▫ Chef-lieu du Var. Port militaire. 176 198 habitants.

**Toulouse** ▫ Chef-lieu de la Haute-Garonne et capitale de la Région Occitanie. 486 828 habitants.

Henri de **Toulouse-Lautrec** ▫ Peintre, affichiste et lithographe français (1864-1901). La force de son graphisme produit un effet puissant d'évocation, dans ses toiles comme dans ses affiches. *Le Bal du Moulin-Rouge.*

**Toumaï** ▫ Nom donné à un hominidé âgé de 7 millions d'années, découvert au Tchad en 2001.

la **Touraine** ▫ Région du sud-ouest du Bassin parisien. Ville principale : Tours.

**Tourcoing** ▫ Ville du Nord. 97 442 habitants.

le **Tour de France** ▫ Compétition annuelle de cyclisme, créée en 1903 et considérée comme la plus importante course cycliste mondiale.

Sékou **Touré** ▫ (1922-1984) Premier président de la république de Guinée, de 1958 à sa mort.

Ivan **Tourgueniev** ▫ Écrivain russe (1818-1883). Récits, pièces de théâtre, romans qui célèbrent l'âme russe et critiquent la société et le servage. *Récits d'un chasseur.*

le col du **Tourmalet** ▫ Col des Hautes-Pyrénées. 2 115 m.

**Tournai** ▫ Ville de Belgique (Hainaut), sur l'Escaut. 69 083 habitants. Cathédrale et églises médiévales.

Cyril **Tourneur** ▫ Dramaturge anglais (v. 1575-1626). *La Tragédie du vengeur.*

Michel **Tournier** ▫ Écrivain français (1924-2016). Son œuvre mêle réalisme et sacré, réinterprétant les mythes. *Vendredi ou les Limbes du Pacifique ; Le Roi des aulnes ; Les Météores ; La Goutte d'or.*

**Tours** ▫ Chef-lieu de l'Indre-et-Loire, sur la Loire. 136 463 habitants.

Anne de Cotentin, comte de **Tourville** ▫ Amiral français (1642-1701). Il combattit la flotte anglaise, au service de Louis XIV.

François Dominique **Toussaint,** dit **Toussaint-Louverture** ▫ Homme politique de Saint-Domingue (1746-1803). Héros de l'indépendance d'Haïti.

**Toutankhamon** ▫ Pharaon égyptien de v. 1354 à 1343 avant J.-C.

**Toutatis** → **Teutatès**

le **Touva** ▫ République autonome de Russie (Sibérie). 170 500 km². 305 500 habitants. Capitale : Kyzyl.

**Toyota** ▫ Ville du Japon, près de Nagoya. 341 000 habitants. Construction automobile.

**Trabzon** → **Trébizonde**

Spencer **Tracy** ▫ Acteur américain (1900-1967). Comédies de Cukor (avec K. Hepburn).

le cap **Trafalgar** ▫ Cap d'Espagne où l'amiral Nelson vainquit la flotte franco-espagnole en 1805. ► **Trafalgar Square** Place du centre de Londres, nommée d'après la victoire de Nelson.

**Trajan** ▫ (53-117) Empereur romain de 98 à sa mort. Grand conquérant.

la **Transoxiane** ▫ Région antique située au-delà du fleuve Oxus (l'Amou-Daria), et correspondant en partie à l'Ouzbékistan actuel.

le **Transsibérien** ▫ Voie ferrée qui relie Tcheliabinsk à Vladivostok. 7 500 km.

Tomas **Tranströmer** ▫ Poète suédois (1931-2015). Une écriture imagée et métaphorique, pour décrire les rêves, les mystères de l'existence et la beauté de la nature. *Baltiques.* Prix Nobel 2011.

le **Transvaal** ▫ Région du nord-est de l'Afrique du Sud. Ville principale : Pretoria.

la **Transylvanie** ▫ Région de Roumanie.

la **Trappe** ▫ Abbaye cistercienne fondée dans l'Orne en 1140.

**Trasimène** ▫ Lac d'Italie (Ombrie). Victoire d'Hannibal sur les Romains en 217 avant J.-C.

**Trébizonde,** aujourd'hui *Trabzon* ▫ Port de Turquie, sur la mer Noire. 234 000 habitants. Capitale d'un empire grec (XIIIe-XVe s.).

**Treblinka** ▫ Camp d'extermination nazi (1942-1945), près de Varsovie.

Michel **Tremblay** ▫ Écrivain canadien d'expression française (né en 1942). Ses pièces de théâtre, qui recourent au langage populaire montréalais (le joual), ont renouvelé le genre. *Les Belles-sœurs.*

Charles **Trenet** ▫ Chanteur, auteur et compositeur français (1913-2001). La fraîcheur d'inspiration, l'optimisme apparent de ses chansons cachent une sensibilité inquiète, mélancolique, parfois cruelle dans la dérision. Son jeu avec les mots rappelle l'influence littéraire du surréalisme.

**Trente** ▫ Ville d'Italie (Trentin-Haut-Adige). 104 900 habitants. ► **le concile de Trente** s'y tint de 1545 à 1563 et fonda la Contre-Réforme.

la guerre de **Trente Ans** ▫ Conflit entre protestants et catholiques qui déchira l'Allemagne (1618-1648).

le **Trentin-Haut-Adige** ▫ Région administrative du nord de l'Italie. 13 613 km². 940 000 habitants. Chef-lieu : Trente.

**Trèves,** en allemand *Trier* ▫ Ville d'Allemagne (Rhénanie-Palatinat). 99 800 habitants. Nombreux vestiges romains.

**Trianon** ▫ Nom de deux châteaux dans le parc de Versailles. Le *Grand Trianon,* dû à Hardouin-Mansart. Le *Petit Trianon,* construit par Gabriel en 1768 pour Louis XV.

Lars von **Trier** ▫ Réalisateur danois (né en 1956). *Breaking the Waves ; Dancer in the Dark ; Dogville ; Melancholia.*

**Trieste** ▫ Port d'Italie (Frioul-Vénétie-Julienne), sur l'Adriatique. 211 200 habitants.

**Trinité-et-Tobago** ▫ État des Antilles, formé de deux îles. 5 128 km². 1,31 million d'habitants. Capitale : Port of Spain.

Jean-Louis **Trintignant** ▫ Comédien français (né en 1930). Il a joué dans de nombreux films (Rohmer, Costa-Gavras, Bertolucci, Truffaut, Lelouch, Haneke).

Elsa **Triolet** ▫ Romancière française d'origine russe, femme d'Aragon. (1896-1970). *Le Cheval blanc.*

**Tripoli** ▫ Port du Liban. 350 000 habitants.

**Tripoli** ▫ Capitale de la Libye. 1,8 million d'habitants. ► la **Tripolitaine,** province du nord-ouest de la Libye.

Flora **Tristan** ▫ Femme politique française (1803-1844). Socialiste et féministe, elle lutta pour le divorce et l'amour libre.

**Tristan et Iseult** ▫ Légende du Moyen Âge sur le thème de l'amour malheureux, qui a inspiré un opéra à Wagner.

François, dit **Tristan l'Hermite** ▫ Écrivain français (v. 1601-1665). Poèmes lyriques d'inspiration variée *(Les Amours de Tristan)* ; roman *(Le Page disgracié).* Sa tragédie, *Marianne,* eut autant de succès que *Le Cid.*

Jiří **Trnka** ▫ Réalisateur tchèque (1912-1969). Il renouvela le cinéma d'animation européen. *Le Rossignol de l'empereur de Chine ; Le Brave Soldat Švejk.*

**Troie** ou **Ilion** ▫ Anc. ville d'Asie Mineure dont le siège, par les Grecs, dura dix ans *(Iliade).*

les **Trois-Évêchés** ▫ Verdun, Metz et Toul, villes qui eurent un statut particulier de 1552 à 1648.

**Trois-Rivières** ▫ Ville du Canada (Québec), sur le Saint-Laurent, entre Montréal et Québec. 134 413 habitants.

Léon **Trotski** ▫ Révolutionnaire russe (1879-1940). Organisateur de l'Armée rouge (1918-1920), il était plus radical que Lénine, préconisant la «révolution permanente». Opposé à Staline, il fut contraint de s'exiler au Mexique, où il fut assassiné.

**Troyes** ▫ Chef-lieu de l'Aube. 61 996 habitants.

Pierre Elliott **Trudeau** ▫ Homme d'État (libéral) canadien (1919-2000). Premier ministre (1968-1979 et 1980-1984).

Justin **Trudeau** ▫ Homme d'État canadien (né en 1971). Fils de P. E. Trudeau, chef du Parti libéral depuis 2013 et Premier ministre depuis 2015.

François **Truffaut** ▫ Réalisateur français (1932-1984). Critique de cinéma, il réalisa, à partir des *Quatre Cents Coups,* des films poétiques, ironiques et nostalgiques, notamment sur l'adolescence et l'enfance. Il est l'un des représentants de la Nouvelle Vague.

Harry S. **Truman** ▫ (1884-1972) 33e président (démocrate) des États-Unis, de 1945 à 1953.

Donald **Trump** ▫ Homme d'affaires américain (né en 1946). 45e président (républicain) des États-Unis (2017-2021).

**Ts'eu-hi** → **Cixi**

**Tshwane** ▫ Agglomération d'Afrique du Sud au sein de laquelle se trouve la capitale Pretoria.

les **Tsiganes** ou **Tziganes** ▫ Nomades originaires d'Inde (XIe s.), auj. dispersés à travers l'Europe.

les **Ts'ing** → **Qing**

Philibert **Tsiranana** ▫ Homme d'État malgache (1912-1978). Premier président de la République de 1959 à 1972.

Marina Ivanovna **Tsvetaïeva** ▫ Poétesse russe (1892-1941). Poèmes d'un souffle puissant et d'une forme hardie.

les îles **Tuamotu** ▫ Archipel de la Polynésie française, dont font partie Mururoa et Fangataufa, sites d'expérimentation nucléaire.

les **Tudors** ▫ Famille qui régna sur l'Angleterre de 1485 à 1603.

le palais des **Tuileries** ▫ Anc. résidence des rois de France, à Paris, incendiée en 1871.

**Tulle** ▫ Chef-lieu de la Corrèze. 14 705 habitants.

**Tunis** ▫ Capitale de la Tunisie. 728 500 habitants. Mosquée al-Zaytuna. Musée du Bardo.

la **Tunisie** ▫ État d'Afrique du Nord. 163 610 km². 17,7 millions d'habitants. Capitale : Tunis.

Andreï Nikolaïevitch **Tupolev** ▫ Ingénieur aéronautique soviétique (1888-1972).

Henri de La Tour d'Auvergne, vicomte de **Turenne** ▫ Maréchal de France (1611-1675).

Anne Robert Jacques **Turgot** ▫ Homme politique et économiste français (1727-1781), ministre de Louis XVI. Il est l'auteur de *Réflexions sur la formation et la distribution des richesses.* Son réformisme dans la France pré-révolutionnaire le fit disgracier.

**Turin** ▫ Ville d'Italie (Piémont), sur le Pô. 865 300 habitants.

Alan Mathison **Turing** ▫ Mathématicien et logicien britannique (1912-1954). Il imagina en 1934 un automate fictif universel, la *machine de Turing*, ancêtre de l'ordinateur.

le lac **Turkana,** anciennement *lac Rodolphe* ▫ Lac du Kenya. 8 600 $km^2$.

le **Turkestan** ▫ Région de l'Asie centrale.

le **Turkménistan** ▫ État d'Asie centrale. 488 100 $km^2$. 5,7 millions d'habitants. Capitale : Achgabat.

William **Turner** ▫ Peintre anglais (1775-1851). Il fut influencé par le Lorrain, et, après un voyage à Venise, adopta un style où les formes sont dissoutes dans les jeux colorés de lumière, créant des visions oniriques admirables où ciel, eau, brume et soleil composent un monde inconnu. *Pluie, vapeur et vitesse ; Lever de soleil avec monstres marins.*

la **Turquie** ▫ État du Proche-Orient. 779 452 $km^2$. 80,7 millions d'habitants. Capitale : Ankara. Ville principale : Istanbul.

les **Tutsis** ▫ Populations vivant au Rwanda, au Burundi et en partie au Congo. Des conflits les ont opposés aux Hutus et la minorité tutsie a été victime d'un génocide au Rwanda, en 1994.

Desmond **Tutu** ▫ Prélat anglican sud-africain (né en 1931). Il soutint la lutte non violente contre l'apartheid. Prix Nobel de la paix 1984.

les **Tuvalu** ▫ Archipel de la Micronésie. 26 $km^2$. 9 600 habitants. Capitale : Vaiaku (atoll de Funafuti).

Mark **Twain** ▫ Écrivain américain (1835-1910). Humoriste, doué d'une verve critique, il célèbre néanmoins les vertus des États-Unis dans ses récits, appréciés par la jeunesse. *Les Aventures de Tom Sawyer ; Les Aventures de Huckleberry Finn.*

**Twitter** (n. déposé) ▫ Réseau social créé en 2006, qui permet à ses abonnés de publier de courts messages et de suivre l'actualité en temps réel.

**Typhon** ▫ mythol. grecque Monstre, né de Gaïa, la Terre, et de Tartare. Il attaque l'Olympe, combat Zeus qui finit par le vaincre.

**Tyr** ▫ Ancienne cité phénicienne. Un des principaux ports de la Méditerranée, dans l'Antiquité, détruit par Alexandre le Grand en 332 avant J.-C.

le **Tyrol** ▫ État d'Autriche. 12 648 $km^2$. 712 077 habitants. Capitale : Innsbruck.

la mer **Tyrrhénienne** ▫ Partie de la Méditerranée comprise entre l'Italie, la Sicile, la Sardaigne et la Corse.

Tristan **Tzara** ▫ Écrivain français d'origine roumaine (1896-1963). Fondateur du dadaïsme.

# U

**UA** → **Union africaine**

Raoul **Ubac** ▫ Peintre et sculpteur belge (1910-1985). Lié au groupe surréaliste, il travailla d'abord la photographie, avant de s'orienter vers l'abstraction après 1945.

le père **Ubu** ▫ Personnage créé par Alfred Jarry *(Ubu roi ; Ubu enchaîné...)*, incarnant le pouvoir absolu avide, imbécile et lâche.

Paolo di Dono, dit Paolo **Uccello** («l'oiseau») ▫ Peintre italien (1397-1475). Artiste complet, mosaïste, graveur, décorateur, peintre, il travailla surtout à Florence. Il sut concilier science et poésie, créant l'illusion optique et suggérant le merveilleux, par le dessin et la géométrie spatiale.

Albert **Uderzo** ▫ Dessinateur français (1927-2020). Il créa avec René Goscinny la série des *Astérix* (1959).

**UE** → **Union européenne**

**Ueda** Akinari ▫ Romancier japonais (1734-1809). *Contes de jadis et de naguère.*

le pic **Uhuru** → **Kilimandjaro**

l'**Ukraine** n. f. ▫ État d'Europe orientale. 603 700 km². 44,5 millions d'habitants. Capitale : Kiev.

Walter **Ulbricht** ▫ Homme d'État allemand (1893-1973). Il fut l'un des fondateurs du Parti communiste allemand, en 1918, et le premier président du Conseil d'État de la RDA.

Liv **Ullmann** ▫ Actrice norvégienne (née en 1938). Interprète de théâtre, elle vint au cinéma après sa rencontre avec Ingmar Bergman *(Cris et Chuchotements ; Sonate d'automne)*.

**Ulm** ▫ Ville d'Allemagne (Bade-Wurtemberg). 117 200 habitants. Cathédrale gothique.

l'**Ulster** n. m. ▫ Province d'Irlande partagée entre la république d'Irlande et l'Irlande du Nord (Royaume-Uni). Ville principale : Belfast.

**Ulysse,** en grec *Odusseus* ▫ Roi légendaire d'Ithaque, marié à Pénélope et père de Télémaque. Homère raconte ses aventures dans l'*Iliade* et l'*Odyssée.*

les **Umayyades** → les **Omeyades**

**Umm Kulthum** → **Oum Kalsoum**

Miguel de **Unamuno** ▫ Philosophe et écrivain espagnol (1864-1936). Républicain, individualiste, il écrivit des essais pessimistes *(Le Sentiment tragique de la vie ; L'Agonie du christianisme)*, des romans, des contes, des poèmes.

l'**Unasur** ▫ Union des nations sud-américaines, qui intègre depuis 2008 les deux unions douanières de l'Amérique du Sud, le Mercosur et la Communauté andine (CAN).

Sigrid **Undset** ▫ Romancière norvégienne (1882-1949). *Kristin Lavransdotter.* Prix Nobel 1928.

l'**Unesco** *(United Nations Educational, Scientific and Cultural Organization)* ▫ «Organisation des Nations unies pour l'éducation, la science et la culture», créée en 1946 et dont le siège est à Paris.

l'**Unicef** *(United Nations International Children's Emergency Fund)* ▫ Organisation internationale, créée en 1946 dans le cadre des Nations unies, pour améliorer la condition de l'enfance dans les pays en voie de développement. Prix Nobel de la paix 1965.

l'**Union africaine** ou **UA** ▫ Union de l'ensemble des pays d'Afrique, entrée en vigueur en 2002, qui a remplacé l'OUA (Organisation de l'unité africaine).

l'**Union européenne** ou **UE** ▫ Union politique, économique et monétaire entrée en vigueur en 1993, succédant à la CEE et à laquelle ont adhéré la Suède, la Finlande et l'Autriche (1995), la Pologne, la Hongrie, la République tchèque, la Slovaquie, la Slovénie, la Lituanie, la Lettonie, l'Estonie, Chypre et Malte (2004), la Bulgarie et la Roumanie (2007), puis la Croatie (2013), portant le nombre de membres à 28. En 2016, les Britanniques se sont prononcés par référendum pour une sortie de l'UE, effective en 2020. Prix Nobel de la paix 2012.

l'**Union Jack** n. m. ▫ Drapeau du Royaume-Uni.

le canton d'**Unterwald** ▫ Ancien canton de Suisse, divisé en deux cantons : **Nidwald** (276 km² ; 42 969 habitants ; chef-lieu : Stans) et **Obwald** (491 km² ; 37 575 habitants ; chef-lieu : Sarnen).

les **Upanishad** n. m. pl. ▫ Textes spéculatifs sanskrits qui fixent la théologie de l'hindouisme.

John Hoyer **Updike** ▫ Écrivain américain (1932-2009). Ses romans, d'un style précieux et spirituel, évoquent l'ambiguïté de la psychologie morale et sexuelle dans un univers incohérent.

**Uppsala** ▫ Ville de Suède. 214 600 habitants. Université.

**Ur** ou **Our** ▫ Ancienne cité de Mésopotamie, fondée au IIIe millénaire avant J.-C.

**Uranus** ▫ mythol. romaine Dieu du Ciel. *Ouranos* chez les Grecs. ► **Uranus.** Planète du système solaire. Diamètre : 51 120 km.

**Urbain** ▫ Nom de huit papes. ► **Urbain II** (v. 1042-1099), pape de 1088 à sa mort. Il annonça la première croisade. ► **Urbain VIII** (1568-1644), pape de 1623 à sa mort. Il condamna Galilée et le jansénisme.

Honoré d'**Urfé** ▫ Écrivain français (1567-1625). *L'Astrée* renouvela la prose française, malgré l'artifice du sujet.

le canton d'**Uri** ▫ Canton de Suisse. 1 077 km². 36 299 habitants. Chef-lieu : Altdorf.

l'**URSS,** *Union des républiques socialistes soviétiques* ▫ Ancien État fédéral situé en Asie et en Europe (1922-1991). Il était formé de 15 républiques. 22 402 200 km². 282,8 millions d'habitants. Capitale : Moscou.

l'**Uruguay** n. m. ▫ État d'Amérique du Sud. 176 220 km². 3,2 millions d'habitants. Capitale : Montevideo.

**Uruk** ou **Ourouk** ▫ Localité de Mésopotamie, sur la rive gauche de l'Euphrate. Ce site a révélé la *civilisation d'Uruk* (IVe millénaire avant J.-C.).

**Urumqi** ou **Ouroumtsi** ▫ Ville de Chine (Xinjiang). 1,73 million d'habitants.

**Urundi** → **Burundi**

**USA** *(United States of America)* → **États-Unis d'Amérique**

**Ushuaia** ▫ Ville d'Argentine. 45 000 habitants. La ville la plus australe du monde.

l'**Utah** n. m. ▫ État de l'ouest des États-Unis. 219 932 km². 2,2 millions d'habitants. Capitale : Salt Lake City.

Kitagawa **Utamaro** ou **Outamaro** ▫ Peintre japonais d'estampes (1753-1806). Son style gracieux, aux lignes souples, excelle dans le portrait féminin, le paysage, les représentations animales ou végétales.

**Utique** ▫ Ancienne cité punique, colonie romaine (Tunisie).

**Utrecht** ▫ Ville des Pays-Bas. 288 400 habitants (zone urbaine 585 200). ► **les traités d'Utrecht** (1713-1715) mirent fin à la guerre de Succession d'Espagne.

Maurice **Utrillo** ▫ Peintre français (1883-1955). Autodidacte, il fut poussé à peindre par sa mère Suzanne Valadon. Ses premiers tableaux, réalistes et sombres, cédèrent la place à une peinture lumineuse (influence de Pissarro, Sisley), évoquant poétiquement la ville, et notamment Montmartre.

l'**Uttar Pradesh** n. m. ▫ État du nord de l'Inde. 294 411 km². 237,8 millions d'habitants. Capitale : Lucknow.

# V

l'étang de **Vaccarès** ▫ Étang de la Camargue. 65 km².

**Vaduz** ▫ Capitale du Liechtenstein, sur la rive droite du Rhin. 5 400 habitants.

**Vaison-la-Romaine** ▫ Ville du Vaucluse. 5 953 habitants. Ruines romaines.

la **Valachie** ▫ Région de Roumanie.

Marie, dite Suzanne **Valadon** ▫ Peintre française (1865-1938). C'est en posant comme modèle qu'elle apprit la peinture, encouragée par Degas. Ses compositions fermes, aux lignes fortes, évoquant parfois Matisse, sont à la fois réalistes et proches des disciples de Gauguin. Mère de Maurice Utrillo.

le **Valais** ▫ Canton de Suisse. 5 224 km². 341 463 habitants. Chef-lieu : Sion.

le **Val d'Aoste** → la Vallée d'**Aoste**

le **Val-de-Marne** [94] ▫ Département français de la Région Île-de-France. 244 km². 1,40 million d'habitants. Chef-lieu : Créteil. Chefs-lieux d'arrondissement : L'Haÿ-les-Roses, Nogent-sur-Marne.

**Val-d'Isère** ▫ Commune de la Savoie. 1 577 habitants. Station de sports d'hiver.

le **Val-d'Oise** [95] ▫ Département français de la Région Île-de-France. 1 252 km². 1,24 million d'habitants. Chef-lieu : Cergy. Chefs-lieux d'arrondissement : Argenteuil, Pontoise, Sarcelles.

**Valence** ▫ Port d'Espagne sur la Méditerranée. 792 054 habitants. Capitale de la communauté autonome de Valence (23 305 km² ; 4,9 millions d'habitants).

**Valence** ▫ Chef-lieu de la Drôme. 64 726 habitants.

**Valenciennes** ▫ Chef-lieu d'arrondissement du Nord. 43 405 habitants.

saint **Valentin** ▫ Prêtre romain martyr à Rome au IIIe s. Il devint au Moyen Âge le patron des amoureux.

**Valentinien** ▫ Nom de trois empereurs romains des IVe et Ve s.

**Valérien** ▫ Empereur romain de 253 à sa mort (260) en captivité en Perse.

le mont **Valérien** ▫ Colline de la banlieue ouest de Paris. Forteresse et mémorial de la France combattante.

Paul **Valéry** ▫ Écrivain et poète français (1871-1945). Ses textes et ses aphorismes expriment une sagesse lucide et amère. Les *Cahiers*, tenus au jour le jour, font de Valéry un véritable philosophe. *La Jeune Parque ; Charmes*.

La **Valette** → **La Valette**

le **Valhalla** → **Walhalla**

les **Valkyries** → **Walkyries**

Lorenzo **Valla** ou **della Valle** ▫ Humaniste italien (1407-1457). Philologue, auteur d'ouvrages moraux en latin.

**Valladolid** ▫ Ville d'Espagne (Castille-et-León). 316 600 habitants.

la **Vallée des Rois** ▫ Site archéologique d'Égypte, près de Thèbes, où furent découvertes de nombreuses nécropoles de pharaons (Toutankhamon, etc.).

Jules **Vallès** ▫ Écrivain et journaliste français (1832-1885). Il fut membre de la Commune de Paris, qu'il soutint par son journal, *Le Cri du peuple*. Condamné à mort, il s'exila à Londres. Trois romans d'un style vif et passionné évoquent sa vie, sous le nom de Jacques Vingtras : *L'Enfant, Le Bachelier* et *L'Insurgé*.

Félix **Vallotton** ▫ Peintre et graveur français d'origine suisse (1865-1925).

**Valmy** ▫ Commune de la Marne. 301 habitants. Victoire des Français sur les Prussiens (1792).

la maison de **Valois** ▫ Branche cadette des Capétiens, qui régna sur la France de l'avènement de Philippe VI (1328) à celui du Bourbon Henri IV (1589).

**Valparaíso** ▫ Port du Chili. 901 500 habitants.

James Alfred **Van Allen** ▫ Astrophysicien américain (1914-2006). Il découvrit en 1958 des zones de rayonnement de particules autour de la Terre, appelées *ceintures de Van Allen*.

**Vancouver** ▫ Port du Canada (Colombie-Britannique) sur le Pacifique. 631 486 habitants (zone urbaine 2 264 823).

les **Vandales** ▫ Anc. peuple germanique qui envahit la Gaule, l'Espagne et l'Afrique du Nord (Ve-VIe s.).

Joseph Van Damme, dit José **Van Dam** ▫ Chanteur (baryton) belge (né en 1940). Créateur du *Saint François d'Assise* de Messiaen en 1983.

Robert Jemison **Van de Graaff** ▫ Physicien américain (1901-1967). Il inventa en 1931 le premier accélérateur de particules, appelé *générateur de Van de Graaff.*

Rogier **Van der Weyden** ou Roger de **La Pasture** ▫ Peintre flamand (v. 1399-1464). Sans doute le plus grand après Van Eyck, il exprime un sens religieux intense et pathétique.

Henry **Van de Velde** ▫ Architecte, peintre et théoricien belge (1863-1957). Maître de l'Art nouveau et du fonctionnalisme.

Karel **Van de Woestijne** ▫ Écrivain belge d'expression flamande (1878-1929).

Cornelis Theodorus, dit Kees **Van Dongen** ▫ Peintre français d'origine néerlandaise (1877-1968). Son œuvre originale, élégante et expressive par la couleur, en fit après 1913 le portraitiste mondain de la femme parisienne.

Antoon Van Dijk, sir Antony **Van Dyck** ▫ Peintre flamand (1599-1641). Disciple et admirateur de Rubens, il est l'auteur d'une œuvre peinte et gravée très importante, réalisée en Angleterre, puis en Italie, où il fut influencé notamment par Titien, à Anvers et de nouveau en Angleterre. Portraits d'une grande maîtrise.

Jan **Van Eyck** ▫ Peintre flamand (v. 1390-1441). Le fondateur de l'école flamande, d'une perfection formelle totale. *L'Agneau mystique.*

Vincent Willem **Van Gogh** ▫ Peintre néerlandais (1853-1890). Il s'initia au dessin sous l'influence de Millet, puis à la peinture. Après de sombres scènes réalistes, rejoignant à Paris son frère Théo (1857-1891), il éclaircit sa palette et adopta une touche fragmentée *(Tournesols)*. En 1888, installé à Arles, il développa un style axé sur la recherche de l'expressivité par la couleur.

Jan Baptist **Van Helmont** ▫ Médecin et chimiste flamand (1577-1644). Il découvrit la nature des gaz (qu'il fut le premier à nommer ainsi) et mit en évidence le rôle du suc gastrique dans la digestion.

Antonie **Van Leeuwenhoek** → Van **Leeuwenhoek**

Charles André, dit Carle **Van Loo** ▫ Peintre français (1705-1765). Premier peintre du roi Louis XV.

**Vannes** ▫ Chef-lieu du Morbihan. 53 438 habitants.

le massif de la **Vanoise** ▫ Massif des Alpes de Savoie. 3 855 m à la Grande Casse.

Jacobus Henricus **Van't Hoff** ▫ Chimiste néerlandais (1852-1911). Fondements de la stéréochimie, qui étudie l'organisation moléculaire dans l'espace. Prix Nobel 1901.

le **Vanuatu,** anciennement *les Nouvelles-Hébrides* ▫ Archipel et État de Mélanésie. 14 763 km². 186 700 habitants. Capitale : Port-Vila.

Alfred Elton **Van Vogt** ▫ Écrivain américain de science-fiction (1912-2000). *Le Monde des Ã* fut traduit en français par Boris Vian.

**Vanzetti** → **Sacco** et Vanzetti

le **Var** ▫ Fleuve du sud de la France. 120 km. ► le **Var** [83]. Département français de la Région Provence-Alpes-Côte d'Azur. 5 995 km². 1,07 million d'habitants. Chef-lieu : Toulon. Chefs-lieux d'arrondissement : Brignoles, Draguignan.

**Varanasi** → **Bénarès**

Agnès **Varda** ▫ Réalisatrice française (1928-2019). Courts métrages et films sensibles. *Cléo de cinq à sept ; Sans toit ni loi ; Les Plages d'Agnès.*

**Varennes-en-Argonne** ▫ Commune de la Meuse. 647 habitants. Louis XVI y fut arrêté lors de sa fuite vers l'étranger (1791).

Edgar ou Edgard **Varèse** ▫ Compositeur américain d'origine française (1883-1965). Son œuvre révolutionnaire recourt aux percussions, seules *(Ionisations)* ou avec instruments *(Hyperprism)*, et à la musique électronique *(Déserts)*.

Frédérique Audoin-Rouzeau, dite Fred **Vargas** ▫ Écrivaine et paléontologue française (née en 1957). Romans policiers. *Pars vite et reviens tard.*

Mario **Vargas Llosa** ▫ Écrivain espagnol d'origine péruvienne (né en 1936). Il a composé une vaste fresque de la société péruvienne. Prix Nobel 2010.

**Varsovie** ▫ Capitale de la Pologne, sur la Vistule. 1,70 million d'habitants. ► le pacte de **Varsovie.** Pacte de défense réciproque signé entre l'URSS et plusieurs pays d'Europe de l'Est (1955-1991).

**Vasa** → **Gustave Ier Vasa**

Victor **Vasarely** ▫ Peintre français d'origine hongroise (1906-1997). Père de l'art optique.

le **Vatican** ▫ Siège de la papauté, à Rome. Place et basilique Saint-Pierre, chapelle Sixtine. ► l'État du **Vatican,** État d'Europe, le plus petit du monde, monarchie dirigée par le souverain pontife. 453 habitants. ► le concile **Vatican I** (1869-1870) affirma le dogme de l'infaillibilité pontificale. ► le concile **Vatican II** fut réuni de 1962 à 1965 pour moderniser l'Église.

Sébastien Le Prestre de **Vauban** ▫ Ingénieur militaire, maréchal de France (1633-1707). Responsable des fortifications sous Louis XIV.

Jacques de **Vaucanson** ▫ Ingénieur français (1709-1782). Automates.

le **Vaucluse** [84] ▫ Département français de la Région Provence-Alpes-Côte d'Azur. 3 742 km². 559 793 habitants. Chef-lieu : Avignon. Chefs-lieux d'arrondissement : Apt, Carpentras.

le canton de **Vaud** ▫ Canton de Suisse. 3 211 km². 793 129 habitants. Chef-lieu : Lausanne.

Claude Favre, seigneur de **Vaugelas** ▫ Grammairien français (1585-1650). Il prôna le «bon usage», basé sur celui de la Cour.

Sarah **Vaughan** ▫ Chanteuse de jazz américaine (1924-1990).

Luc de Clapiers, marquis de **Vauvenargues** ▫ Moraliste français (1715-1747). *Maximes et Réflexions.*

**Vaux-le-Vicomte** ▫ Château près de Melun, construit par Le Vau pour Fouquet de 1657 à 1661.

le **Veau d'or** ▫ Dans la Bible, idole adorée, en l'absence de Moïse, par les Hébreux sortis d'Égypte ; image de l'idolâtrie et des fausses valeurs.

les **Veda** ▫ Textes sacrés de l'hindouisme.

Simone **Veil** ▫ Femme politique française (1927-2017). Ministre de la Santé, elle fit voter en 1975 la loi autorisant l'interruption volontaire de grossesse. Elle présida le Parlement européen de 1979 à 1982.

Diego **Vélasquez** ▫ Peintre baroque espagnol (1599-1660). Maîtrise de la composition et des couleurs, alliée à la puissance suggestive. *La Reddition de Breda ; Les Ménines.*

le **Velay** ▫ Région volcanique du Massif central.

le **Vél d'Hiv,** *Vélodrome d'hiver* ▫ Vélodrome parisien, détruit en 1959. Les 16 et 17 juillet 1942, la police française y enferma plusieurs milliers de juifs *(rafle du Vél d'Hiv),* ensuite déportés à Auschwitz.

**Veliki Novgorod** ▫ Ville de Russie. 223 000 habitants. Anc. principauté.

le Comtat **venaissin** → le **Comtat venaissin**

la **Vendée** [85] ▫ Département français de la Région Pays de la Loire. 6 719 km². 679 991 habitants. Chef-lieu : La Roche-sur-Yon. Chefs-lieux d'arrondissement : Fontenay-le-Comte, Les Sables-d'Olonne. ► la guerre de **Vendée,** insurrection contre-révolutionnaire de Vendée et d'Anjou (1793-1796).

les **Vénètes** ▫ Peuple indo-européen qui s'établit en Armorique et sur l'Adriatique, au Ier millénaire avant J.-C.

la **Vénétie** ▫ Région administrative de l'Italie. 18 364 km². 4,53 millions d'habitants. Chef-lieu : Venise.

le **Venezuela** ou **Vénézuéla** ▫ État d'Amérique du Sud. 912 050 km². 27,5 millions d'habitants. Capitale : Caracas.

**Venise,** en italien *Venezia* ▫ Ville d'Italie, capitale de la Vénétie, bâtie sur des îlots, séparés par des canaux, dans une lagune de l'Adriatique. 271 000 habitants. Palais des Doges, basilique Saint-Marc ; nombreux édifices religieux et civils de styles gothique, Renaissance et baroque.

Éleftherios **Venizélos** ▫ Homme politique grec (1864-1936). Il modernisa le pays.

les îles du **Vent** ▫ Partie orientale des Petites Antilles (Guadeloupe, Martinique, Grenade, Barbade, Trinité-et-Tobago).

les îles Sous-le-**Vent** → îles **Sous-le-Vent**

le mont **Ventoux** ▫ Montagne des Préalpes du Sud. 1 910 m.

**Vénus** ▫ mythol. romaine Déesse de la Beauté et de l'Amour, l'*Aphrodite* grecque. ► **Vénus.** Planète du système solaire. Diamètre : 12 104 km.

**Veracruz** ▫ Port du Mexique. 444 400 habitants.

**Vercingétorix** ▫ Chef des Arvernes (v. 72-46 avant J.-C.). Il mena la révolte des peuples gaulois contre César, en 52 avant J.-C.

Jean Bruller, dit **Vercors** ▫ Écrivain français (1902-1991). Cofondateur des Éditions de Minuit. *Le Silence de la mer.*

le **Vercors** ▫ Massif des Préalpes françaises. Maquis de la Résistance en 1944.

Giuseppe **Verdi** ▫ Compositeur italien (1813-1901). Sa popularité fut immense, comme musicien et en tant que champion de l'unité italienne. Célèbres opéras *(Rigoletto ; La Traviata ; Don Carlos ; Aïda ; Nabucco),* musique religieuse *(Requiem).* Il renouvela l'opéra italien et représenta l'idéal européen du romantisme, humaniste et généreux.

le **Verdon** ▫ Rivière, affluent de la Durance. 200 km, traversant des gorges spectaculaires.

**Verdun** ▫ Chef-lieu d'arrondissement de la Meuse, sur la Meuse. 17 161 habitants. ► le traité de **Verdun** (843) partagea l'Empire carolingien. ► la bataille de **Verdun,** la plus longue et la plus meurtrière de la Première Guerre mondiale (1916).

Charles Gravier, comte de **Vergennes** ▫ Diplomate français (1719-1787).

Émile **Verhaeren** [vɛraʀɛn] ▫ Poète belge d'expression française (1855-1916). Après des poèmes célébrant la Flandre, il pratiqua un lyrisme de la modernité et de ses symboles : *Les Campagnes hallucinées, Les*

*Villes tentaculaires.* Poète de l'énergie vitale, au langage à la fois fruste et visionnaire.

Paul **Verlaine** ▫ Poète français (1844-1896). Sa poésie joue sur les rapports entre sensations et symboles, avec un sens musical rare, par transpositions et instabilités, utilisant les ressources des divers registres du langage. *Poèmes saturniens ; Les Fêtes galantes.*

Jan Vermeer, dit **Vermeer de Delft** ▫ Peintre hollandais (1632-1675). Admiré pour sa rigueur formelle, la richesse et la subtilité de ses couleurs, son sens de la lumière et l'émotion discrète et intense que ses sujets transmettent. Il peignit des scènes d'intérieur, des femmes lisant ou jouant de la musique, créant autour de ses sujets une atmosphère intemporelle et secrète. *La Laitière ; La Dentellière ; L'Astronome.*

le **Vermont** ▫ État du nord-est des États-Unis. 24 887 km². 608 800 habitants. Capitale : Montpelier.

Jean-Pierre **Vernant** ▫ Helléniste et historien français (1914-2007). *Mythe et religion en Grèce ancienne.*

Jules **Verne** ▫ Écrivain français (1828-1905). Ses récits dispensent des connaissances systématiques en science et en technique, les animant par le sens des personnages, des situations et des lieux étranges, avec une intuition de l'anticipation. *De la Terre à la Lune ; Voyage au centre de la Terre ; Vingt mille lieues sous les mers,* avec le Nautilus du capitaine Nemo.

**Vérone** ▫ Ville d'Italie, en Vénétie. 253 200 habitants. Arènes romaines.

Paolo Caliari, dit **Véronèse** ▫ Peintre vénitien (1528-1588). Sous l'influence de Titien et de Raphaël, il devint à Venise le grand peintre de scènes décoratives où l'équilibre des compositions et la richesse des couleurs (le «vert Véronèse») n'excluent pas l'énergie expressive. *Les Noces de Cana ; Le Triomphe de Venise.*

Andrea di Cione, dit il **Verrocchio** ▫ Sculpteur, peintre et orfèvre italien (1435-1488). Statue du *Colleone* à Venise.

**Versailles** ▫ Chef-lieu des Yvelines. 85 205 habitants. ► le château de **Versailles** construit à partir de 1661, sur ordre de Louis XIV, est, par son architecture, ses jardins, le Grand Trianon, le prototype de l'art classique français. ► le traité de **Versailles** (1919) mit fin à la Première Guerre mondiale.

André **Vésale** ▫ Anatomiste flamand (1514-1564).

**Vesoul** ▫ Chef-lieu de la Haute-Saône. 14 973 habitants.

**Vespasien** ▫ (9-79) Empereur romain de 69 à sa mort.

Amerigo **Vespucci** ▫ Navigateur italien (1454-1512). Il fit quatre voyages dans le Nouveau Monde, qui fut baptisé *Amérique* en son honneur (1507).

**Vesta** ▫ mythol. romaine Déesse du Foyer.

le **Vésuve** ▫ Volcan actif de l'Italie, à l'est de Naples (Campanie). En 79 une éruption ensevelit Pompéi et Herculanum.

**Vézelay** ▫ Commune de l'Yonne. 423 habitants. Basilique romane du XII$^e$ s.

Boris **Vian** ▫ Écrivain français (1920-1959). L'un des témoins les plus aigus de la sensibilité contemporaine, ironiste, critique, touchant ou féroce. Poèmes, proses, chansons. *L'Écume des jours ; L'Arrache-Cœur.*

Théophile de **Viau,** dit aussi Théophile ▫ Poète français (1590-1626). Pièces de théâtre *(Pyrame et Thisbé),* poèmes satiriques et libertins, élégies, odes lyriques *(La Solitude).*

**Vichy** ▫ Chef-lieu d'arrondissement de l'Allier, sur l'Allier. 24 854 habitants. Station thermale. ► le gouvernement de **Vichy.** Gouvernement de l'État français dirigé par le maréchal Pétain, de 1940 à 1944, et établi à Vichy.

Paul-Émile **Victor** ▫ Explorateur français des régions polaires (1907-1995).

**Victor-Emmanuel II** ▫ (1820-1878) Roi d'Italie de 1861 à sa mort. Un des artisans de l'unité italienne avec Cavour.

**Victor-Emmanuel III** ▫ (1869-1947) Dernier roi d'Italie de 1900 à 1946.

**Victoria** ▫ (1819-1901) Reine du Royaume-Uni de Grande-Bretagne et d'Irlande de 1837 à sa mort. Elle fut couronnée impératrice des Indes en 1876.

**Victoria** ▫ Port du Canada (Colombie-Britannique), dans l'île de Vancouver. 85 790 habitants (zone urbaine 330 000).

le **Victoria** ▫ État du sud-est de l'Australie. 227 618 km². 5,1 millions d'habitants. Capitale : Melbourne.

le lac **Victoria** ▫ Lac d'Afrique, en amont duquel le Nil prend sa source. 68 100 km².

**Victoria and Albert Museum** ▫ Musée de Londres consacré aux arts décoratifs.

Paul **Vidal de La Blache** ▫ Géographe français (1845-1918).

François **Vidocq** ▫ Aventurier français (1775-1857). Il inspira Balzac.

King **Vidor** ▫ Cinéaste américain (1894-1982). Films lyriques, souvent violents.

**Vienne** ▫ Capitale de l'Autriche, sur le Danube. 1,7 million d'habitants. ► le congrès de **Vienne** (1814-1815) redéfinit les frontières européennes après la défaite de Napoléon I$^{er}$.

le cercle de **Vienne** ▫ École philosophique qui regroupa de 1922 à 1936 philosophes, logiciens et scientifiques allemands et autrichiens néopositivistes.

**Vienne** ▫ Chef-lieu d'arrondissement de l'Isère. 29 583 habitants.

la **Vienne** ▫ Rivière, affluent de la Loire. 372 km. ► la **Vienne** [86]. Département français de la Région Nouvelle-Aquitaine. 7 044 km². 437 586 habitants. Chef-lieu : Poitiers. Chefs-lieux d'arrondissement : Châtellerault, Montmorillon. ► la **Haute-Vienne** [87]. Département français de la Région Nouvelle-Aquitaine. 5 520 km². 373 199 habitants. Chef-lieu : Limoges. Chefs-lieux d'arrondissement : Bellac, Rochechouart.

**Vientiane** ▫ Capitale du Laos, sur le Mékong. 570 000 habitants.

la **Vierge Marie** → sainte **Marie**

les îles **Vierges** ▫ Archipel des Petites Antilles.

le **Viêt-công** ▫ Nom donné en 1959 au Front national (communiste) de libération du Viêtnam du Sud, puis à l'ensemble de l'opposition armée, alliée au Viêtnam du Nord, pendant la guerre du Viêtnam.

François **Viète** ▫ Mathématicien français (1540-1603). Véritable fondateur de l'algèbre.

le **Viêt-minh** («Front d'indépendance du Viêtnam») ▫ Organisation politico-militaire constituée en 1941 par Hô Chi Minh. Sa branche armée combattit les forces françaises sous la direction du général Giáp et l'emporta à Diên Biên Phu (1954).

le **Viêtnam** ou **Vietnam** ▫ État d'Asie du Sud-Est. 329 566 km². 91 millions d'habitants. Capitale : Hanoi.

la guerre du **Viêtnam** ▫ Conflit qui opposa le Viêtnam du Nord (communiste) et le Viêtnam du Sud, soutenu par les États-Unis (1954-1975).

Élisabeth **Vigée-Lebrun** ▫ Peintre et pastelliste française (1755-1842). Portraits.

Gilles **Vigneault** ▫ Chanteur-compositeur canadien d'expression française (né en 1928). À la fois lyriques et pleines d'humour, ses chansons célèbrent le Québec et ses traditions.

Alfred de **Vigny** ▫ Écrivain, poète français (1797-1863). Pessimiste, exprimant une grande exigence morale, il publia des *Poèmes antiques et modernes* et un roman historique, *Cinq Mars*, avant *Servitude et grandeur militaires* et un drame romantique, *Chatterton*, qui évoque la solitude du génie.

Jean **Vigo** ▫ Réalisateur français (1905-1934). Critique sociale *(À propos de Nice)* et poésie *(Zéro de conduite ; L'Atalante)* se conjuguent dans cette œuvre trop brève.

les **Vikings** ou **Normands** («hommes du Nord») ▫ Peuples scandinaves qui connurent, du VIIIe au XIe s., une grande expansion maritime. Vers l'est, ils envahirent le monde slave. Vers le sud, ils s'implantèrent en Angleterre et dans la future Normandie, puis descendirent jusqu'en Méditerranée.

la **Vilaine** ▫ Fleuve de Bretagne qui passe à Rennes. 225 km.

Jean **Vilar** ▫ Homme de théâtre français (1912-1971). Créateur du Festival d'Avignon.

Pancho **Villa** ▫ Révolutionnaire mexicain (1878-1923).

Heitor **Villa-Lobos** ▫ Compositeur brésilien (1887-1959).

Cédric **Villani** ▫ Mathématicien français (né en 1973). Auteur de recherches sur l'analyse, les probabilités, la physique statistique et la géométrie différentielle. Médaille Fields 2010.

Claude Louis Hector, duc de **Villars** ▫ Maréchal de France (1653-1734).

Geoffroi de **Villehardouin** ▫ Chroniqueur français (v. 1150-v. 1213).

Jean-Baptiste de **Villèle** ▫ Homme politique français (1773-1854). Chef des ultras.

**Villers-Cotterêts** ▫ Commune de l'Aisne. 10 676 habitants. ► l'ordonnance de **Villers-Cotterêts** imposa l'usage du français au lieu du latin pour les textes officiels et juridiques (1539).

Auguste, comte de **Villiers de L'Isle-Adam** ▫ Écrivain français (1838-1889). Son recueil des *Contes cruels* exalte avec un humour noir une quête spirituelle, dans la présence du Mal.

François **Villon** ▫ Poète français (v. 1431-apr. 1463). Sensualité et pessimisme, foi profonde et plaisir de la transgression, dans un langage qui mêle le lyrique au trivial, en font un précurseur de la sensibilité moderne. *Le Testament* (avec la «*Ballade des pendus*»).

Gaston Duchamp, dit Jacques **Villon** ▫ Peintre français (1875-1963). Frère de Marcel et Raymond Duchamp*, il fut d'abord graveur et affichiste, avec des œuvres d'un graphisme délicat. Influencé par le fauvisme, puis le cubisme, il élabora une œuvre abstraite ou d'un réalisme allusif, élégante, souplement géométrique, dans des coloris clairs et subtils.

**Vilnius** ▫ Capitale de la Lituanie. 542 800 habitants.

**Vincennes** ▫ Ville du Val-de-Marne. 49 635 habitants. Château.

saint **Vincent de Paul** ▫ Prêtre français (1581-1660). Aumônier des galères, il fonda plusieurs congrégations, dont les Filles de la Charité.

Léonard de **Vinci** → **Léonard de Vinci**

le mont **Vinson** ▫ Point culminant de l'Antarctique. 4 897 m.

Eugène **Viollet-le-Duc** ▫ Architecte français (1814-1879). Il restaura plusieurs monuments du Moyen Âge.

Rudolf **Virchow** ▫ Médecin prussien (1821-1902). Il fut le fondateur de l'anatomie pathologique.

**Virgile** ▫ Poète latin (70-19 avant J.-C.). Célébrant avec lyrisme la nature et la vie rustique, de manière épicurienne, il trouva pour évoquer les origines de Rome un ton épique et une religiosité héritée de Platon. *L'Énéide* ; les *Bucoliques* ; les *Géorgiques*.

la **Virginie** ▫ État de l'est des États-Unis. 107 711 km². 7,08 millions d'habitants. Capitale : Richmond. ► la **Virginie-Occidentale.** État voisin du précédent. 62 600 km². 1,8 million d'habitants. Capitale : Charleston.

les **Visconti** ▫ Famille italienne qui régna à Milan de 1277 à 1447.

Luchino **Visconti** ▫ Réalisateur italien (1906-1976). Créateur puissant et raffiné. *Senso ; Le Guépard ; Mort à Venise.*

**Vishnou** ou **Viṣṇu** ▫ Divinité de l'hindouisme.

les **Visigoths** → **Wisigoths**

la **Vistule** ▫ Fleuve de Pologne. 1 092 km.

Antoine **Vitez** ▫ Acteur et metteur en scène de théâtre français (1930-1990). Il conçoit la mise en scène comme une écriture spécifique, en relation avec le texte.

**Vitruve** ▫ Architecte romain (Ier s. avant J.-C.). *De architectura.*

Antonio **Vivaldi** ▫ Compositeur italien (1678-1741). Violoniste virtuose et chef d'orchestre, auteur de musique sacrée et d'opéras, il apparaît comme le véritable créateur du concerto. *Les Quatre Saisons.*

**Vladivostok** ▫ Port de Russie, sur la mer du Japon. 591 800 habitants.

Maurice de **Vlaminck** ▫ Peintre fauve français (1876-1958). *Les Arbres rouges.*

la **Vltava,** en allemand *Moldau* ▫ Rivière de la République tchèque, affluent de l'Elbe qui arrose Prague. 430 km.

Vincent **Voiture** ▫ Poète et épistolier français (1597-1648). Il donna à la prose française sa norme de «bel usage», au XVIIe s.

la **Voïvodine** ou la **Vojvodine** ▫ Province de Serbie. 21 506 km². 2 millions d'habitants. Capitale : Novi Sad.

la **Volga** ▫ Fleuve de Russie, le plus long d'Europe. 3 530 km. Il se jette dans la mer Caspienne.

**Volgograd,** anciennement *Tsaritsyne*, de 1925 à 1961 *Stalingrad* ▫ Ville de Russie, sur la Volga. 1 million d'habitants.

**Volkswagen** ▫ Entreprise de construction automobile allemande, établie en 1937.

Ambroise **Vollard** ▫ Marchand d'art et écrivain français (1868-1939). Il fit connaître Manet, Cézanne, Van Gogh, Picasso, Matisse...

Alessandro **Volta** ▫ Physicien italien (1745-1827). Inventeur de la pile électrique.

la **Volta** ▫ Fleuve d'Afrique de l'Ouest. 1 346 km.

François Marie Arouet, dit **Voltaire** ▫ Écrivain français des Lumières (1694-1778). Son œuvre est multiple : théâtre, pamphlets, essais philosophiques, contes *(Zadig ; Candide)*. Ce témoin critique irremplaçable de son temps est un prosateur d'une intelligence aiguë, un conteur d'une ironie stimulante. Ses pamphlets, son immense correspondance ont des vertus qui semblent inépuisables.

**Volubilis** ▫ Site archéologique du Maroc, cité antique.

**Võ Nguyên Giáp** ▫ Général vietnamien (1912-2013). Il battit les Français à Điện Biên Phủ en 1954.

Anne Sofie **Von Otter** ▫ Cantatrice suédoise (née en 1955), mezzo-soprano.

**Voronej** ▫ Ville de Russie. 848 700 habitants.

les **Vosges** n. f. pl. ▫ Massif montagneux du nord-est de la France. 1 424 m au ballon de Guebwiller. ► les **Vosges** [88]. Département français de la Région Grand Est. 5 903 km². 366 112 habitants. Chef-lieu : Épinal. Chefs-lieux d'arrondissement : Neufchâteau, Saint-Dié-des-Vosges.

Édouard Jean **Vuillard** ▫ Peintre français (1868-1940). Membre des nabis, il peignit surtout des scènes intimistes et bourgeoises.

**Vulcain** ▫ mythol. romaine Dieu du Feu et des Forgerons, l'*Héphaïstos* des Grecs.

la **Vulgate** ▫ Traduction latine de la Bible, faite par saint Jérôme.

Alfred **Vulpian** ▫ Physiologiste français (1826-1887). Il décrivit la sclérose en plaques, avec Charcot.

# W

Robert **Wace** ▫ Clerc anglais de langue française (v. 1110-après 1170), auteur d'une histoire des Bretons, le *Roman de Brut*, ainsi que d'une histoire des Normands, le *Roman de Rou*.

Richard **Wagner** ▫ Compositeur allemand (1813-1883). Puisant ses sujets dans la légende celte *(Tristan et Isolde)* et germanique, écrivant lui-même ses livrets, il élabora, soutenu par le jeune souverain de Bavière, Louis II, une œuvre immense, puissante, novatrice par la mélodie, les harmonies, l'orchestration. *L'Anneau du Nibelung* (tétralogie) : *L'Or du Rhin, La Walkyrie, Siegfried, Le Crépuscule des dieux*. Festival à Bayreuth.

Otto **Wagner** ▫ Architecte et théoricien autrichien (1841-1918). Art nouveau viennois.

**Wagram** ▫ Village d'Autriche où Napoléon vainquit les Autrichiens, en 1809.

Andrzej **Wajda** ▫ Cinéaste polonais (1926-2016). *L'Homme de fer ; L'Homme de marbre ; Katyn.*

George **Wald** ▫ Biologiste américain (1906-1997). Il étudia le mécanisme photochimique de la vision. Prix Nobel 1967.

Pierre **Waldeck-Rousseau** ▫ Homme politique français (1846-1904). Président du Conseil en 1899, il fit adopter une loi qui aboutit à la séparation de l'Église et de l'État.

Lech **Wałęsa** ▫ Homme d'État polonais (né en 1943). Président du syndicat Solidarność de 1981 à 1990, il a été président de la République de 1990 à 1995. Prix Nobel de la paix 1983.

le **Walhalla** ou **Valhalla** ▫ Dans la mythologie nordique, séjour des guerriers morts au combat. Reçus par les Walkyries, ils y attendent, autour d'Odin (Wotan), le combat final contre les démons (le Ragnarök).

les **Walkyries** ou **Valkyries** ▫ Dans la mythologie nordique, divinités féminines qui assistent Odin.

Albrecht von **Wallenstein** ▫ Général d'origine tchèque au service de Ferdinand II durant la guerre de Trente Ans (1583-1634).

Thomas, dit Fats **Waller** ▫ Pianiste, compositeur et chanteur de jazz américain (1904-1943).

**Wallis et Futuna** ▫ Collectivité française d'outre-mer formée de deux archipels de la Polynésie. 274 km². 11 558 habitants. Capitale : Mata Utu.

Henri **Wallon** ▫ Psychologue et pédagogue français (1879-1962).

la **Wallonie** ▫ Région francophone de la Belgique.

la Région **wallonne** ▫ Région administrative francophone de Belgique, située dans le sud du pays. 16 844 km². 3,64 millions d'habitants. Capitale : Namur. Elle englobe à l'est la Communauté germanophone (853 km² ; 67 600 habitants).

**Wall Street** ▫ Rue de New York, au sud de Manhattan, où se trouve la Bourse et qui symbolise le monde de la finance.

Robert **Walpole** ▫ Homme politique anglais (1676-1745). Chef des whigs. ► Horace **Walpole,** son fils (1717-1797). Écrivain anglais. *Le Château d'Otrante.*

la nuit de **Walpurgis** ▫ Nuit du 30 avril au 1er mai, qui, selon la légende, est une nuit de sabbat, peuplée de sorcières, en Europe de l'Est et du Nord.

Raoul **Walsh** ▫ Acteur et réalisateur américain (1892-1980). Films d'action et d'aventures. *La Vallée de la peur.*

Bruno **Walter** ▫ Chef d'orchestre allemand, naturalisé américain (1876-1962). Remarquable interprète de Mozart et de Mahler.

Andy **Warhol** ▫ Peintre et cinéaste américain (1930-1987). Artiste du pop art.

George **Washington** ▫ Homme d'État américain (1732-1799). Héros de la guerre d'Indépendance, il fut le premier président des États-Unis, de 1789 à 1797.

**Washington** ▫ Capitale fédérale des États-Unis, située sur la côte est. 601 800 habitants.

le **Washington** ▫ État des États-Unis, sur la côte Pacifique. 176 617 km². 6 millions d'habitants. Capitale : Olympia. Ville principale : Seattle.

**Wassy** ▫ Chef-lieu de canton de la Haute-Marne. 2 858 habitants. Un massacre des protestants, en 1562, y déclencha les guerres de Religion en France.

l'affaire du **Watergate** ▫ Scandale politique d'espionnage du parti démocrate qui contraignit le président Nixon à la démission (1974).

**Waterloo** ▫ Ville de Belgique (Brabant-Wallon). 30 376 habitants. Défaite de Napoléon Ier devant les Anglais et les Prussiens (1815) qui mit fin aux Cent-Jours.

John Broadus **Watson** ▫ Psychologue américain (1878-1958). Fondateur du behaviorisme.

James Dewey **Watson** ▫ Biochimiste américain (né en 1928). Découverte de la structure de l'ADN. Prix Nobel 1962, avec Crick et Wilkins.

Sir Robert Alexander **Watson-Watt** ▫ Physicien écossais (1892-1973). Ses travaux permirent l'invention du radar.

James **Watt** ▫ Ingénieur et mécanicien écossais (1736-1819). Il perfectionna la machine à vapeur.

Antoine **Watteau** ▫ Peintre français (1684-1721). Son dessin vif et subtil, ses couleurs délicates créent des compositions suscitant le rêve et la suggestion. *Le Pèlerinage à l'île de Cythère.*

**Wattignies-la-Victoire** ▫ Commune du Nord, près d'Avesnes-sur-Helpe, où Jourdan et Carnot repoussèrent en 1793 les Autrichiens.

Marion Morrison, dit John **Wayne** ▫ Acteur américain, type de héros viril et généreux (1907-1979). Westerns. *La Chevauchée fantastique ; Rio Bravo.*

Warren **Weaver** ▫ Mathématicien américain (1894-1978). → **Shannon**

Carl Maria von **Weber** ▫ Compositeur allemand (1786-1826). Également pianiste, chef d'orchestre et écrivain, il est aux origines de l'opéra romantique allemand. *Der Freischütz ; Oberon ; Euryanthe.*

Max **Weber** ▫ Sociologue allemand (1864-1920). *Économie et Société.*

Anton von **Webern** ▫ Compositeur autrichien (1883-1945). Un des pionniers de la musique sérielle, disciple de Schoenberg. Œuvres d'une concision extrême et d'une absolue rigueur formelle.

Frank **Wedekind** ▫ Auteur dramatique allemand (1864-1918). *La Danse de mort.*

Alfred Lothar **Wegener** ▫ Géophysicien allemand (1880-1930). Théorie de la dérive des continents.

la **Wehrmacht** ▫ Armée du IIIe Reich, de 1935 à 1945.

Karl **Weierstrass** ▫ Mathématicien allemand (1815-1897). Fondateur de l'analyse moderne. Travaux sur les fonctions elliptiques.

Simone **Weil** ▫ Philosophe française (1909-1943). Elle exprime dans ses œuvres une générosité passionnée et une spiritualité exigeante. *La Pesanteur et la Grâce.*

Kurt **Weill** ▫ Compositeur allemand, naturalisé américain (1900-1950). Il collabora avec Brecht. *L'Opéra de quat'sous.*

**Weimar** ▫ Ville d'Allemagne (Thuringe). 64 000 habitants. ► la république de **Weimar.** Régime politique de l'Allemagne de 1918 à 1933, qui fut renversé par Hitler.

August **Weismann** ▫ Biologiste allemand (1834-1914). Études sur l'hérédité.

Pierre **Weiss** ▫ Physicien français (1865-1940). Il formula la théorie du ferromagnétisme.

Rainer **Weiss** ▫ Physicien américain d'origine allemande (né en 1932). Travaux sur les ondes gravitationnelles. Prix Nobel 2017.

Peter John, dit Johnny **Weissmuller** ▫ Nageur et acteur américain d'origine roumaine (1904-1984). Champion olympique au physique athlétique, il incarna Tarzan au cinéma.

Chaïm **Weizmann** ▫ Homme d'État israélien (1874-1952). Sioniste, il contribua à la déclaration Balfour et fut le premier président du nouvel État d'Israël (1949-1952).

Orson **Welles** ▫ Réalisateur et acteur américain (1915-1985). Il révolutionna la technique du film. *Citizen Kane ; La Soif du mal.* Il transposa avec puissance Shakespeare au cinéma *(Macbeth, Othello, Falstaff).*

le duc de **Wellington** ▫ Général britannique et homme politique (1769-1852). Vainqueur de Napoléon Ier à Waterloo.

**Wellington** ▫ Capitale de la Nouvelle-Zélande. 212 100 habitants.

Herbert George **Wells** ▫ Écrivain anglais (1866-1946). Autodidacte, journaliste, il s'illustra dans le roman d'anticipation *(L'Homme invisible, La Guerre des mondes),* créant un genre appelé à un succès mondial.

Wilhelm, dit Wim **Wenders** ▫ Cinéaste allemand (né en 1945). Œuvre de méditation sur l'identité, fascinée par le thème de l'errance. *L'Ami américain ; Paris Texas ; Les Ailes du désir.*

Abraham Gottlob **Werner** ▫ Minéralogiste et géologue allemand (1750-1817). Un des créateurs de la géologie moderne.

Alfred **Werner** ▫ Chimiste suisse (1866-1919). Chimie inorganique. Prix Nobel 1913.

Max **Wertheimer** ▫ Psychologue américain d'origine allemande (1880-1943). L'un des fondateurs de la «psychologie de la forme».

la **Weser** ▫ Fleuve d'Allemagne centrale. 440 km.

John **Wesley** ▫ Réformateur religieux anglais (1703-1791). Fondateur du méthodisme.

le **Wessex** ▫ Royaume saxon (Vᵉ-IXᵉ s.).

**Westminster Abbey** ▫ Abbaye de Westminster, à Londres, où sont couronnés les rois d'Angleterre.

la **Westphalie** ▫ Anc. région d'Allemagne. ► Les traités de **Westphalie** mirent fin à la guerre de Trente Ans (1648).

Maxime **Weygand** ▫ Général français (1867-1965).

Edith **Wharton** ▫ Écrivaine américaine (1862-1937). Elle dépeint la haute société des États-Unis, menacée par le monde des affaires.

James Abbott McNeill **Whistler** ▫ Peintre américain (1834-1903). Influencé par les peintres hollandais et par Courbet, il est l'auteur d'une œuvre peinte et gravée, faite surtout de portraits et de paysages aux tons raffinés.

Alfred North **Whitehead** ▫ Mathématicien, logicien et philosophe britannique (1861-1947). Il publia avec Bertrand Russell les *Principia mathematica*. Autres œuvres, parmi lesquelles *Le Concept de nature ; Le Devenir de la religion*.

Walt **Whitman** ▫ Poète américain (1819-1892). Grand auteur lyrique, au souffle puissant, à l'optimisme humaniste et sensible. *Feuilles d'herbe*.

le mont **Whitney** ▫ Montagne des États-Unis (Californie). 4 418 m.

Christoph Martin **Wieland** ▫ Écrivain allemand (1733-1813). *Oberon*, poème.

Norbert **Wiener** ▫ Mathématicien américain (1894-1964). Fondateur de la cybernétique.

Elie **Wiesel** ▫ Écrivain américain d'origine roumaine, d'expression française et anglaise (1928-2016). Survivant de la Shoah, il témoigne de cette expérience dans *La Nuit*. Prix Nobel de la paix 1986.

Simon **Wiesenthal** ▫ Activiste et militant autrichien (1908-2005). Déporté, il consacra sa vie à la recherche des criminels nazis.

l'île de **Wight** ▫ Île britannique de la Manche. 381 km². 132 700 habitants. Chef-lieu : Newport.

**Wikipédia** ▫ Encyclopédie participative multilingue en ligne, créée en 2001.

Oscar **Wilde** ▫ Écrivain irlandais (1854-1900). Prosateur et dramaturge raffiné, esthète et humoriste, il critiqua avec esprit la haute société britannique. *Le Portrait de Dorian Gray*, récit fantastique.

Billy **Wilder** ▫ Réalisateur américain d'origine autrichienne (1906-2002). *Certains l'aiment chaud. Boulevard du crépuscule.*

**Wilhelmine** ▫ (1880-1962) Reine des Pays-Bas de 1890 à 1948.

**Willem-Alexander** ▫ Roi des Pays-Bas (né en 1967). Il a succédé à sa mère, Béatrix Iʳᵉ, en 2013.

Thomas Lanier **Williams,** dit Tennessee **Williams** ▫ Auteur dramatique américain (1911-1983). Il évoque avec force les conflits psychologiques et sociaux dans son théâtre, qui met en scène marginaux, solitaires et inadaptés. Nombreux scénarios de films. *La Ménagerie de verre ; Un tramway nommé Désir ; La Chatte sur un toit brûlant.*

Serena **Williams** ▫ Joueuse de tennis américaine (née en 1981). 39 titres du Grand Chelem, 4 médailles d'or olympiques.

Thomas Woodrow **Wilson** ▫ (1856-1924) 28ᵉ président (démocrate) des États-Unis, de 1913 à 1921. Prix Nobel de la paix 1919, pour son rôle dans la création de la SDN.

Robert, dit Bob **Wilson** ▫ Metteur en scène de théâtre américain (né en 1944).

**Wimbledon** ▫ Banlieue sud-ouest de Londres où se déroule chaque année un tournoi de tennis sur gazon.

**Windhoek** ▫ Capitale de la Namibie. 320 000 habitants.

**Windsor** ▫ Ville d'Angleterre (Berkshire). Château (XIIᵉ-XIXᵉ s.), résidence royale.

Donald Woods **Winnicott** ▫ Pédiatre et psychanalyste britannique (1896-1971). Il étudia le développement du jeune enfant et promut les idées d'« espace » et d'« objets transitionnels ». *Jeu et réalité : l'espace potentiel.*

**Winnipeg** ▫ Ville du Canada, capitale du Manitoba, sur le *lac Winnipeg* (24 650 km²). 705 244 habitants.

Franz Xaver **Winterhalter** ▫ Peintre allemand (1805-1873). Tableaux de groupes et portraits d'une grande élégance, pour l'aristocratie et les cours d'Europe.

le **Wisconsin** ▫ État du nord des États-Unis. 145 439 km². 5,36 millions d'habitants. Capitale : Madison.

les **Wisigoths** ou **Visigoths** ▫ Peuple germanique qui envahit l'Italie puis la Gaule et fonda un royaume en Espagne (Vᵉ s.).

Johan de **Witt** ▫ Homme d'État hollandais (1625-1672).

Ludwig **Wittgenstein** ▫ Philosophe et logicien autrichien naturalisé britannique (1889-1951). *Tractatus logico-philosophicus.*

Friedrich **Wöhler** ▫ Chimiste allemand (1800-1882). Pionnier de la chimie organique, il synthétisa l'urée.

les **Wolofs** ou **Ouolofs** ▫ Peuple du Sénégal.

Steveland Morris, dit Stevie **Wonder** ▫ Musicien et chanteur américain (né en 1950). Musique «soul», avec accompagnements électroniques.

**Wong** Kar-Wai ▫ Réalisateur chinois de Hong Kong (né en 1958). Films d'un esthétisme raffiné, marqué par la nostalgie du Hong Kong des années 1960. *Chungking Express ; In the Mood for Love.*

Eldrick, dit Tiger **Woods** ▫ Golfeur américain (né en 1975). Exceptionnellement précoce, il devint professionnel à vingt ans et remporta 15 tournois majeurs.

**Woodstock** ▫ Localité située entre New York et Albany, où eut lieu en août 1969 le premier grand rassemblement de la pop music (40 groupes ; 400 000 participants).

Robert Burns **Woodward** ▫ Chimiste américain (1917-1979). Synthèses organiques (quinine, cholestérol, cortisone...). Prix Nobel 1965.

Virginia **Woolf** ▫ Romancière anglaise (1882-1941). Ses récits explorent avec sensibilité les «courants de conscience» et leurs évolutions les plus fines. *Mrs Dalloway ; Les Vagues.*

William **Wordsworth** ▫ Poète romantique anglais (1770-1850). *Ballades lyriques* (avec Coleridge).

**Wotan** → **Odin**

sir Christopher **Wren** ▫ Architecte britannique (1632-1723). Cathédrale Saint-Paul à Londres.

Frank Lloyd **Wright** ▫ Architecte et théoricien américain (1867-1959). Musée Guggenheim à New York.

les frères **Wright** ▫ Pionniers américains de l'aviation. Wilbur (1867-1912) et Orville (1871-1948) mirent au point le premier aéroplane.

Richard **Wright** ▫ Romancier américain (1908-1960). Il dénonça la condition des Noirs. *Black Boy.*

**Wrocław,** en allemand *Breslau* ▫ Ville de Pologne, en basse Silésie. 634 600 habitants.

**Wuhan** ▫ Ville de Chine (Hubei). 6,79 millions d'habitants.

**Wurtemberg** ▫ Anc. État de l'Allemagne du Sud-Ouest. → **Bade-Wurtemberg.**

le **WWF** *(World Wide Fund for Nature)* ▫ ONG internationale consacrée à la protection de la nature, fondée en 1961.

John **Wyclif** ou **Wycliffe** ▫ Théologien anglais, précurseur de la Réforme (1320-1384).

William **Wyler** ▫ Cinéaste américain d'origine suisse (1902-1981). *Vacances romaines ; Ben-Hur.*

le **Wyoming** ▫ État de l'ouest des États-Unis. 253 597 km$^2$. 493 800 habitants. Capitale : Cheyenne.

# X Y

Yannis **Xenakis** ▫ Compositeur et architecte grec naturalisé français (1922-2001). Il utilisa des modèles mathématiques pour renouveler l'organisation du temps par les sons, dans des œuvres puissantes et structurées.

**Xénophon** ▫ Écrivain et chef militaire grec (v. 430-v. 352 avant J.-C.). *Mémorables ; L'Anabase.*

**Xérès** → **Jerez de la Frontera**

**Xerxès I^er^** ▫ (v. 519-465 avant J.-C.) Roi de Perse de 486 à sa mort. Il battit les Spartiates de Léonidas aux Thermopyles en 480 avant J.-C. mais fut vaincu à Salamine.

**Xian** ou **Si-ngan** ▫ Ville de Chine (Shaanxi). 3,87 millions d'habitants. Anc. capitale des Han et des Tang.

**Xi Jinping** ▫ Homme d'État chinois (né en 1953). Président de la République depuis 2013.

le **Xinjiang** ou **Sin-kiang** ▫ Région autonome de l'ouest de la Chine. 1 653 000 km². 22 millions d'habitants. Capitale : Urumqi.

## Y

Kateb **Yacine** → **Kateb** Yacine

**Yahvé** ou **Iahvé** ▫ Bible Nom du Dieu d'Israël.

**Yale** ▫ Université américaine (Connecticut), fondée en 1701.

**Yalta** ▫ Ville d'Ukraine, en Crimée. 89 000 habitants. ► la conférence de **Yalta** réunit Roosevelt, Churchill et Staline pour établir les nouvelles frontières politiques de l'Europe (1945).

**Yamoussoukro** ▫ Capitale de la Côte d'Ivoire depuis 1983. 300 000 habitants.

**Yangon** → **Rangoun**

le **Yangzi jiang** ou **Yang-tseu-kiang** → **Chang jiang**

**Yaoundé** ▫ Capitale du Cameroun. 4 millions d'habitants.

William Butler **Yeats** ▫ Auteur dramatique et conteur irlandais (1865-1939). Marqué par des expériences médiumniques *(Vision)*, il exploita dans sa poésie un monde d'images. Prix Nobel 1923.

**Yellowknife** ▫ Ville du Canada, capitale des Territoires du Nord-Ouest. 19 569 habitants.

**Yellowstone** ▫ Parc national américain (Wyoming), traversé par la rivière *Yellowstone*, affluent du Missouri (1 600 km).

le **Yémen** ▫ État de la péninsule Arabique. 536 869 km². 28 millions d'habitants. Capitale : Sanaa.

Narciso **Yepes** ▫ Guitariste espagnol (1927-1997). Il composa et joua la musique du film *Jeux interdits* (René Clément).

Alexandre **Yersin** ▫ Biologiste franco-suisse (1863-1943). Ce disciple de Pasteur découvrit en 1894 le bacille de la peste.

l'île d'**Yeu** ▫ Île de la Vendée.

**Yogyakarta** → **Jogjakarta**

**Yokohama** ▫ Port du Japon (Honshū). 3,6 millions d'habitants.

l'**Yonne** n. f. ▫ Rivière, affluent de la Seine. 293 km. ► l'**Yonne** [89]. Département français de la Région Bourgogne-Franche-Comté. 7 424 km². 337 504 habitants. Chef-lieu : Auxerre. Chefs-lieux d'arrondissement : Avallon, Sens.

la maison d'**York** ▫ Famille noble anglaise qui s'opposa à la maison de Lancastre lors de la guerre des Deux-Roses.

**York** ▫ Ville d'Angleterre (Yorkshire du Nord). 152 800 habitants. Cathédrale (XIII^e^-XV^e^ s.). ► le **Yorkshire.** Région du nord-est de l'Angleterre.

les **Yorubas** ou **Yoroubas** ▫ Peuple d'Afrique de l'Ouest (Nigeria, Bénin, Togo).

**Yosemite National Park** ▫ Parc national des États-Unis (Californie), dans la Sierra Nevada.

la **Yougoslavie** ▫ Anc. État des Balkans, formé de 1946 à 1991 par six républiques fédérées : la Bosnie-Herzégovine, la Croatie, la Macédoine, le Monténégro, la Serbie, la Slovénie. ► la république fédérale de **Yougoslavie,** fondée en 1992, devint l'Union de Serbie-et-Monténégro en 2003 et fut dissoute en 2006.

Edward **Young** ▫ Poète anglais (1683-1765). *Les Nuits.*

Brigham **Young** ▫ Chef religieux américain (1801-1877). Il conduisit la secte des mormons à Salt Lake City (Utah), en 1847.

Lester **Young** ▫ Saxophoniste de jazz américain (1909-1959). Il fit évoluer le style de son instrument, le saxophone ténor, préfigurant le jazz «cool».

Marguerite de Crayencour, dite Marguerite **Yourcenar** ▫ Écrivaine française naturalisée américaine (1903-1987). Elle est l'auteur de romans philosophiques à arrière-plan historique *(Mémoires d'Hadrien ; L'Œuvre au noir)* et de Mémoires *(Souvenirs pieux ; Archives du Nord).* Première femme élue à l'Académie française.

**YouTube** ▫ Site d'hébergement de vidéos créé en 2005.

**Ypres,** en néerlandais *Ieper* ▫ Ville de Belgique (Flandre-Occidentale). 34 900 habitants. Violentes batailles avec utilisation de gaz de combat *(ypérite)* lors de la Première Guerre mondiale.

**Ys** ▫ Cité légendaire bretonne qui aurait été submergée par les flots (au IV$^{e}$ ou V$^{e}$ s.).

Eugène **Ysaye** [izai] ▫ Violoniste, chef d'orchestre et compositeur belge (1858-1931).

l'**Yser** n. f., en néerlandais *Ijser* ▫ Fleuve côtier franco-belge. 78 km du département du Nord à la mer du Nord. Théâtre d'une importante bataille en 1914.

les **Yuan** ▫ Dynastie mongole qui régna sur la Chine de 1279 à 1368.

le **Yucatán** ▫ Vaste péninsule du Mexique, dans le sud-est du pays. Vestiges de la civilisation maya.

Hideki **Yukawa** ▫ Physicien japonais (1907-1981). Il postula en 1935 l'existence du méson. Prix Nobel 1949.

le **Yukon** ▫ Fleuve du Canada et de l'Alaska. 3 185 km. ► le **Yukon.** Territoire du nord-ouest du Canada. 482 443 km$^2$. 35 874 habitants. Capitale : Whitehorse.

le **Yunnan** ▫ Province du sud-ouest de la Chine. 394 000 km$^2$. 45,9 millions d'habitants. Capitale : Kunming.

Muhammad **Yunus** ▫ Économiste bangladais (né en 1940). Il a développé le système du microcrédit en créant une banque spécialisée. Prix Nobel de la paix 2006.

les **Yvelines** [78] ▫ Département français de la Région Île-de-France. 2 284 km$^2$. 1,44 million d'habitants. Chef-lieu : Versailles. Chefs-lieux d'arrondissement : Mantes-la-Jolie, Rambouillet, Saint-Germain-en-Laye.

# Z

Ossip **Zadkine** ▫ Sculpteur russe naturalisé français (1890-1967). Œuvre d'une expressivité puissante, où la construction des volumes produit une impression sur la sensibilité.

**Zagreb** ▫ Capitale de la Croatie. 688 160 habitants.

le **Zaïre,** anciennement *Congo belge* → République démocratique du **Congo** ▫ ► le **Zaïre,** fleuve. → **Congo.**

**Zama** ▫ Localité, dans le nord de la Tunisie actuelle, où Scipion, par sa victoire sur Hannibal, mit fin à la deuxième guerre punique, en 202 avant J.-C.

le **Zambèze** ▫ Fleuve du sud de l'Afrique. 2 740 km. Chutes Victoria.

la **Zambie** ▫ État du sud de l'Afrique. 752 614 km$^2$. 17 millions d'habitants. Capitale : Lusaka.

Lejzer Ludwik **Zamenhof** ▫ Médecin et linguiste polonais (1859-1917). Il créa l'espéranto en 1887.

**Zanzibar** ▫ Île de Tanzanie, dans l'océan Indien. 1 660 km$^2$. 1,3 million d'habitants.

**Zao** Wou-ki ▫ Peintre français d'origine chinoise (1921-2013). Œuvres abstraites d'un raffinement extrême, évoquant un espace indécis traversé de graphismes vifs.

Emiliano **Zapata** ▫ Révolutionnaire mexicain (1879-1919). Il fut assassiné.

les **Zapotèques** ▫ Peuple amérindien du Mexique précolombien.

**Zarathoustra** ou **Zoroastre** ▫ Prophète et réformateur religieux de Perse (VI$^e$ s. avant J.-C.).

Emil **Zátopek** ▫ Athlète tchécoslovaque (1922-2000). Il obtint, en 1952, trois médailles d'or aux Jeux olympiques d'Helsinki (marathon, 5 000 et 10 000 m).

Achille **Zavatta** ▫ Artiste de cirque français (1915-1993). Acrobate, clown, acteur de théâtre et de cinéma, directeur de cirque.

Jean **Zay** ▫ Homme politique français (1904-1944). Ministre de l'Éducation nationale (1936-1939). Il fut arrêté en 1940 et assassiné par des miliciens.

Pieter **Zeeman** ▫ Physicien néerlandais (1865-1943). Spectrographie des atomes. Prix Nobel 1902.

la **Zélande** ▫ Province des Pays-Bas. 1 791 km$^2$. 380 500 habitants. Chef-lieu : Middelburg.

Florian **Zeller** ▫ Dramaturge et écrivain français (né en 1979). *Le Père ; La Vérité.*

**Zénobie** ▫ Reine de Palmyre de 266 à 272. À la mort de son mari, elle s'affranchit du protectorat romain, conquit l'Égypte et l'Asie Mineure. Elle fut battue par Aurélien.

**Zénon d'Élée** ▫ Philosophe grec (V$^e$ s.), disciple de Parménide.

Philippe Chappuis, dit **Zep** ▫ Auteur de bande dessinée suisse (né en 1967). Il a créé le personnage de Titeuf.

Ferdinand von **Zeppelin** ▫ Industriel allemand (1838-1917). Il construisit des ballons dirigeables.

Ernst **Zermelo** ▫ Mathématicien et logicien allemand (1871-1953). Axiomatisation de la théorie des ensembles.

**Zeus** ▫ mythol. grecque Dieu suprême. *Jupiter* chez les Romains.

**Zhang Yimou** ▫ Cinéaste chinois (né en 1951). *Le Sorgho rouge ; Épouses et Concubines.*

le **Zhejiang** ▫ Province côtière de l'est de la Chine. 101 800 km$^2$. 45,9 millions d'habitants. Capitale : Hangzhou.

**Zhengzhou** ▫ Ville de Chine (Henan). 2,5 million d'habitants.

**Zhou Enlai** ou **Chou En-lai** ▫ Premier ministre de la Chine de 1949 à sa mort (1898-1976).

**Zibo** ▫ Ville de Chine (Shandong). 2,2 millions d'habitants.

Zinedine **Zidane** ▫ Footballeur français (né en 1972). Il est considéré comme l'un des meilleurs meneurs de jeu du monde.

le **Zimbabwe** ▫ État d'Afrique subtropicale. 390 308 km$^2$. 14,6 millions d'habitants. Capitale : Harare.

**Zinder** ▫ Ville du Niger. 325 000 habitants.

Fred **Zinnemann** ▫ Cinéaste américain d'origine autrichienne (1907-1997). *Le train sifflera trois fois ; Tant qu'il y aura des hommes.*

Grigori Ievseïevitch Radomyslski, dit **Zinoviev** ▫ Révolutionnaire russe (1883-1936). Membre de la « troïka » avec Kamenev et Staline, il contribua à l'éviction de Trotski. Exclu du parti (1934), il fut exécuté.

Aleksandr Aleksandrovitch **Zinoviev** ▫ Écrivain et philosophe russe (1922-2006). Il dénonce le totalitarisme dans des œuvres satiriques. *Les Hauteurs béantes ; L'Avenir radieux.*

Jan **Žižka** ▫ Gentilhomme et chef de guerre tchèque (1375-1424). Il prit la tête de la révolte hussite après l'exécution de Jan Hus (1415).

le **Zohar** ou **Sefer ha-Zohar** (« livre de la splendeur ») ▫ Commentaire ésotérique de la Torah, attribué à Siméon bar Yohai (IIe s.) mais sans doute dû à Moïse de León (XIIIe s.). Texte majeur de la kabbale juive.

Émile **Zola** ▫ Écrivain français (1840-1902). Chef de file du naturalisme, auteur des *Rougon-Macquart* (20 vol.). Voulant faire du roman le compte rendu exact d'une observation scientifique, il transcenda ce programme par son souffle épique, son imagination puissante et son humanisme social. *L'Assommoir ; Nana ; Germinal*... Il dénonça le scandale de l'affaire Dreyfus (*J'accuse*).

**Zoroastre** → **Zarathoustra**

**Zorro** (espagnol « le Renard ») ▫ Personnage créé en 1919 par Johnston McCulley. Ce justicier masqué a inspiré des romans, des films, des séries...

le canton de **Zoug** ▫ Canton de Suisse. 239 km². 123 948 habitants. Chef-lieu : Zoug.

les **Zoulous** ▫ Peuple de l'Afrique australe, parlant une langue bantoue.

Richard **Zsigmondy** ▫ Chimiste autrichien (1865-1929). Auteur de travaux sur la chimie des colloïdes. Prix Nobel 1925.

Mark **Zuckerberg** ▫ Informaticien américain (né en 1984). Étudiant à Harvard, il y créa un réseau social interne sur Internet, *Facebook*.

le **Zuiderzee** ▫ Anc. mer intérieure des Pays-Bas, endiguée en 1932.

les **Zuñis** → **Pueblos**

Francisco de **Zurbarán** ▫ Peintre espagnol (1598-1664). Son œuvre révèle la force de la construction plastique, le traitement de la lumière, l'expressivité de la couleur.

**Zurich** ▫ Ville de Suisse. 409 240 habitants. ► le canton de **Zurich.** 1 729 km². 1,5 million d'habitants. Chef-lieu : Zurich.

Stefan **Zweig** ▫ Écrivain autrichien (1881-1942). Ses nouvelles explorent la psychologie d'une société en déclin jusque dans ses dérèglements intimes. *La Confusion des sentiments ; La Pitié dangereuse.*

Ulrich **Zwingli** ▫ Réformateur religieux suisse (1484-1531).

# Table des matières